AF644656

निवेदन

जालसाज़ी का विरोध करें और सफलता के लिए एक मज़बूत आधार तैयार करें।

पुस्तकें हमारी सबसे अच्छी दोस्त होती हैं, यही वह कहावत है, जिसे सुनकर हम सब बड़े हुए हैं, हालाँकि पायरेसी के चोर लगातार 'हमारे सबसे अच्छे दोस्त' के साथ जालसाज़ी कर रहे हैं। हमारी सभी पुस्तकों और उनसे संबंधित ऑनलाइन पूरक संसाधनों का कॉपीराइट हमारे पास सुरक्षित हैं और हम किसी को भी इन्हें कॉपी करने का कोई अधिकार नहीं देते हैं, पायरेसी पुस्तकों की चोरी करने जैसा है। ज्ञान वास्तविकता से आता है, आइए इस जालसाज़ी को हतोत्साहित करें। इसलिए, हम अपने सभी पाठकों से पायरेटेड पुस्तकों को रोकने और प्रामाणिक पुस्तकों को **चुनने का निवेदन करते हैं।**

पायरेटेड पुस्तकों की पहचान कैसे करें?

1 कवर और स्पाइन

- देखें और महसूस करें (नयी या इस्तेमाल की गयी पुस्तक)
- कवर पर धुँधली तस्वीरें
- सामने चिपकाया गया होलोग्राम
- ख़राब स्पाइन (सिकुड़न) या इसके निचले भाग पर एयर पॉकेट
- अस्पष्ट ISBN/बार कोड
- McGraw Hill Edge के एक्सक्लूसिव कवरेज के लिए मिटा हुआ/ग़ैर-कार्यात्मक यूनिक कूपन कोड

2 टेक्स्ट/प्रिंटिंग/बाइंडिंग

- पृष्ठों की असमान स्याही
- ख़राब गुणवत्ता या धुँधली तस्वीरें/छवियाँ/चार्ट
- निम्न स्तरीय गुणवत्ता और अपारदर्शिता
- ग़लत संरेखण वाले पृष्ठ
- पृष्ठों का ग़ायब होना
- निम्न स्तरीय जिल्द गुणवत्ता

आप इस वीडियो पर जाकर देख सकते हैं कि पायरेटेड पुस्तक की पहचान कैसे करें।

पायरेसी की पहचान करने के बारे में अधिक जानकारी के लिए, https://www.mheducation.co.in/piracy पर जायें।
पायरेटेड पुस्तक की रिपोर्ट करने के लिए, बैक कवर पर दिये गये व्हाट्सएप कोड पर 'Hi' भेजें या हमें support.india@mheducation.com पर लिखें।
रिपोर्ट की गयी पायरेटेड पुस्तकों की जाँच उनकी चोरी से निपटने के लिए की जाती है।
आइए, पायरेसी के चोरों से लड़ें और असली पुस्तक का इस्तेमाल करने का संकल्प करें!

लेखक परिचय

नितिन सिंघानिया, 2013 बैच के IAS अधिकारी हैं तथा वर्तमान में मालदा ज़िले के जिला मजिस्ट्रेट और कलेक्टर के पद पर सेवारत हैं। वह प्रेसीडेंसी कॉलेज, कोलकाता से अर्थशास्त्र में स्नातक और अप्लाइड अर्थशास्त्र में स्नातकोत्तर हैं, और एक चार्टर्ड एकाउंटेंट के साथ कंपनी सचिव भी हैं। वह सिविल सेवा और अन्य प्रतियोगी परीक्षाओं के लिए बेस्ट सेलिंग पुस्तक 'भारतीय कला एवं संस्कृति' के लेखक भी हैं

2025-26

6e

भारतीय अर्थव्यवस्था

सिविल सेवा एवं अन्य प्रतियोगी परीक्षाओं हेतु

नितिन सिंघानिया, IAS
M.Sc (Applied Economics), CA, CS

सुदीप्ता सिंघानिया
M.Com, CS

McGraw Hill Education (India) Private Limited

Published by McGraw Hill Education (India) Private Limited
Registered Office: Anjana Complex No: 5/90 A, Butt Road, St. Thomas Mount, Chennai – 600016

Bhartiya Arthvyavastha, 6e

First reprint 2025

Print Edition:
ISBN-(13 digits): 978-93-6444-537-5
ISBN-(10 digits): 93-6444-537-6

E-Book Edition:
ISBN-(13 digits): 978-93-6444-371-5
ISBN-(10 digits): 93-6444-371-3

02 03 04 05 06 RAJ 29 28 27 26 25

Disclaimer: The views expressed in this book are of the author and in no way reflects the views of the Government of West Bengal or Government of India, in which author is working or has worked.

Typeset at APS Compugraphics, 4G, PKT 2, Mayur Vihar Phase-III, Delhi 96, and printed and bound in India at Rajkamal Electric Press, Kundli, Haryana.

Cover Designer: Yaman
Cover Image Source: Shutterstock

Visit us at: www.mheducation.co.in

Write to us at: support.india@mheducation.com

CIN: U80302TN2010PTC111532
Toll Free Number: 1800 103 5875

दादीजी और दादाजी
एवं
माँ और पिताजी
को समर्पित

छठवें संस्करण में नये विषय

- **अध्याय 1 – प्रमुख बुनियादी अवधारणाएँ :** आर्थिक गतिविधि, आर्थिक गतिविधियों के व्यष्टि और समष्टि स्तर, उपभोक्ता व्यवहार, बजट रेखा
- **अध्याय 2 – राष्ट्रीय आय :** 2024–25 के लिए राष्ट्रीय आय का प्रथम अग्रिम अनुमान, MoSPI की रिपोर्ट के आधार पर महत्त्वपूर्ण तथ्य
- **अध्याय 3 – आर्थिक संवृद्धि *बनाम* आर्थिक विकास :** अमर्त्य सेन की विकास की अवधारणा, ग्लोबल जेंडर गैप रिपोर्ट 2024, विश्व खुशहाली रिपोर्ट, 2025
- **अध्याय 4 – निर्धनता और असमानता :** बहुआयामी निर्धनता सूचकांक 2024 के प्रमुख निष्कर्ष
- **अध्याय 5 – बेरोज़गारी और श्रम सुधार (नया अध्याय) :** श्रम सुधार, श्रम एवं रोज़गार मंत्रालय के अंतर्गत महत्त्वपूर्ण संगठन, कर्मचारियों के लिए सामाजिक सुरक्षा योजनाएँ, श्रम-बल में कृत्रिम बुद्धिमत्ता (AI) के निहितार्थ, औद्योगिक श्रम क़ानूनों में किये गये हालिया सुधार
- **अध्याय 6 – मुद्रास्फीति :** मुद्रास्फीति प्रीमियम, सरकार द्वारा मुद्रास्फीति को नियंत्रित करने के लिए हाल में उठाये गये क़दम
- **अध्याय 7 – भारतीय कर संरचना :** पूँजीगत लाभ कर, पूँजीगत संपत्ति, आयकर विधेयक, 2025, EBITDA
- **अध्याय 8 – लोक वित्त :** राजकोषीय नीति के प्रकार, राजकोषीय नीति की चक्रीयता, घाटे के मौजूदा रुझान में अपडेट्स, राजकोषीय तटस्थता, राज्य के वित्त पर RBI की रिपोर्ट
- **अध्याय 9 – भारत में आर्थिक योजना :** नीति आयोग के प्रभावी शासन के सात स्तंभ, नीति आयोग का प्रदर्शन मूल्यांकन, राजकोषीय स्वास्थ्य सूचकांक 2025, राष्ट्रीय बहुआयामी निर्धनता सूचकांक: एक प्रगति समीक्षा 2023
- **अध्याय 10 – मुद्रा एवं मुद्रा आपूर्ति (नया अध्याय) :** मुद्रा की विशेषताएँ, भारतीय समाज पर क्रिप्टोकरेंसी का प्रभाव, बैंक नोटों के बारे में जानने योग्य बात, ब्लॉकचेन तकनीक
- **अध्याय 11 – भारत में बैंकिंग क्षेत्र :** भारतीय रिज़र्व बैंक द्वारा प्रशासित प्रमुख अधिनियम, प्रवाह पोर्टल, नयी छत्र इकाई योजना
- **अध्याय 12 – वित्तीय बाज़ार :** प्रतिभूति अनुबंध (विनियमन) अधिनियम, 1956, लाभांश और उसका वर्गीकरण, परिपक्वता प्रतिफल, सरकारी बंधपत्र, विनिमय के प्रमुख प्रकार
- **अध्याय 13 – प्रौद्योगिकी और वित्त :** वित्तीय स्थिरता बोर्ड (FSB), भारत में UPI के उपयोग में बढ़ोतरी, ग्लोबल फ़िनटेक फ़ेस्ट
- **अध्याय 14 – भारत में सहकारिता क्षेत्र :** भारत में सहकारी क्षेत्र का विकास, PACS स्तर पर पीएम-कुसुम का अभिसरण
- **अध्याय 15 – भारत में कृषि एवं संबद्ध क्षेत्र :** पीएम-प्रणाम, 20वीं पशुधन गणना
- **अध्याय 16 – खाद्य सुरक्षा और खाद्य प्रबंधन :** कृषि मूल्यों को स्थिर रखने के लिए बफ़र स्टॉक का महत्त्व, भारतीय खाद्य निगम (एफ़सीआई), खाद्यान्न भंडारण अवसंरचना को सहायता प्रदान करने के उपाय, FCI पुनर्गठन संबंधी उच्च स्तरीय समिति, खाद्य सुरक्षा से संबंधित रिपोर्ट, अंतरराष्ट्रीय अनाज परिषद्, सार्क खाद्य बैंक
- **अध्याय 17 – भारत में भूमि सुधार :** लैंड पूलिंग पॉलिसी: भारत में शहरीकरण हेतु एक परिवर्तनकारी पहल, डीआईएलआरएमपी की उपलब्धियाँ

- **अध्याय 18 – भारत में सिंचाई :** सिंचाई क्षमता अंतराल, वर्षा और सिंचाई प्रणाली, आर्थिक सर्वेक्षण 2024-25 के अनुसार अपडट्स
- **अध्याय 19 – भारतीय उद्योग :** नवरत्न और महारत्न सीपीएसई की अद्यतन सूची, सीएसआर में नवीनतम परिवर्तन
- **अध्याय 20 – एमएसएमई क्षेत्र :** उद्यम पंजीकरण पर नवीनतम अपडट्स
- **अध्याय 21 – भारत में खाद्य प्रसंस्करण उद्योग :** ऑपरेशन ग्रीन्स – नवीनतम घटक, प्रधानमंत्री किसान सम्पदा योजना, खाद्य प्रसंस्करण उद्योग के लिए नवीनतम उत्पादन से जुड़ी प्रोत्साहन योजनाएँ
- **अध्याय 22 – सेवा क्षेत्र :** नीति आयोग के अनुसार भारत के सेवा क्षेत्र की नई रणनीतियाँ, भारत में सेवाओं की माँग लोच, पर्यटन क्षेत्र में नवीनतम परिवर्तन
- **अध्याय 23 – भारत में बीमा क्षेत्र (नया अध्याय) :** अर्थव्यवस्था में बीमा क्षेत्र का महत्व, बीमा क्षेत्र में हालिया सुधार, बीमा क्षेत्र में परिवर्तन लाने में IRDAI का महत्व, सरकार द्वारा समर्थित बीमा योजनाएँ, बीमा क्षेत्र में चुनौतियाँ और संभावनाएँ
- **अध्याय 24 – अवसंरचना :** मल्टीमॉडल और एकीकृत लॉजिस्टिक्स इकोसिस्टम का सुदृढ़ीकरण (SMILE), लीड्स रिपोर्ट, 2024
- **अध्याय 25 – भारत का विद्युत और ऊर्जा क्षेत्र :** विद्युत क्षेत्र की वृद्धि एवं स्थापित क्षमता की स्थिति,
- **अध्याय 26 – स्वास्थ्य और शिक्षा :** प्रधानमंत्री सुरक्षित मातृत्व अभियान, भारत में स्वास्थ्य कवरेज की प्रमुख चुनौतियों पर अपडेट्स, सहयोग हित एवं मैत्री के लिए भारत स्वास्थ्य पहल (BHISHM), राष्ट्रीय टीबी उन्मूलन कार्यक्रम (NTEP) 100 दिवसीय अभियान – दिसंबर, 2024 से मार्च
- **अध्याय 27 – भुगतान शेष :** एफ़डीआई प्रवाह को प्रभावित करने वाले कारक, विकासशील देशों में FDI के लाभ
- **अध्याय 28 – भारत की विदेशी मुद्रा और विदेशी व्यापार :** भारत के विदेशी मुद्रा भंडार पर नवीनतम अपडेट
- **अध्याय 29 – अंतरराष्ट्रीय आर्थिक संस्थाएँ :** विश्व विकास रिपोर्ट 2024 के मुख्य बिंदु, विश्व व्यापार रिपोर्ट 2024, जी20 शिखर सम्मेलन 2024
- **अध्याय 30 – जनसंख्या और जनसांख्यिकीय लाभांश :** जनसांख्यिकीय लाभांश का 'व्यर्थ' होना, संयुक्त राष्ट्र जनसंख्या कोष
- **अध्याय 31 – कौशल विकास :** शिक्षा, कौशल और रोज़गार के बीच संबंध, प्रधानमंत्री कौशल विकास योजना 4.0 (पीएमकेवीवाई 4.0), राष्ट्रीय कौशल योग्यता ढाँचा (NSQF), पीएम विश्वकर्मा
- **अध्याय 32 – भारत की गिग अर्थव्यवस्था (नया अध्याय) :** भारत में गिग अर्थव्यस्था का उदय, गिग अर्थव्यवस्था बनाम प्लेटफ़ॉर्म इकोनॉमी, भारत में एक नये आर्थिक प्रतिमान के रूप में गिग अर्थव्यवस्था के सामाजिक निहितार्थ, विभिन्न दृष्टिकोणों से गिग अर्थव्यवस्था, गिग अर्थव्यवस्था में कौन काम करता है? भारत की गिग अर्थव्यवस्था की क्षमता, भारत में गिग अर्थव्यवस्था का आकार, विभिन्न कॉलर जॉब, गिग क्षेत्र से जुड़ी चुनौतियाँ, महिलाओं के सशक्तीकरण के रूप में गिग अर्थव्यवस्था, गिग अर्थव्यवस्था के लिए श्रम संहिता, गिग श्रमिकों की स्थिति में कैसे सुधार किया जा सकता है?
- **अध्याय 33 – भारत में देखभाल अर्थव्यवस्था और लैंगिक परिवर्तनकारी दृष्टिकोण :** भारत में महिला श्रम शक्ति भागीदारी दर (FLFPR) में वृद्धि
- **अध्याय 34 – निवेश के मॉडल :** राव-मनमोहन मॉडल, रेलवे से संबंधित PPP मॉडल
- **अध्याय 35 – संधारणीय विकास एवं जलवायु परिवर्तन :** स्पिलओवर रैंकिंग, SDG भारत सूचकांक, 2023-24, संधारणीय जलवायु वित्तीयन, संधारणीय जलवायु वित्तीयन, जलवायु वित्तीयन पर नया सामूहिक परिमाणित लक्ष्य, संधारणीय विमानन ईंधन, वाटरक्रेडिट

प्रस्तावना

पाठकों के सामने **भारतीय अर्थव्यवस्था** का पूर्णतः संशोधित और अद्यतन छठा संस्करण पेश करते हुए मुझे खुशी हो रही है। पुस्तक का यह नया संस्करण भारतीय अर्थव्यवस्था के विषय में पाठकों की विस्तारित आवश्यकताओं को पूरा करने के लिए है। यह संशोधित संस्करण यूपीएससी सिविल सेवा और अन्य प्रतियोगी परीक्षाओं में इस खंड से किये जाने वाले जटिल और एकीकृत प्रश्नों को सफलतापूर्वक हल करने के लिए उम्मीदवारों को तैयार करता है।

इस संस्करण में किये गये सुधार

1. **चार नये अध्यायों का सम्मिलन**
    a. **मुद्रा और मुद्रा आपूर्ति**
    b. **बेरोजगारी और श्रम सुधार**
    c. **भारत में बीमा क्षेत्र**
    d. **भारत की गिग अर्थव्यवस्था**
2. पुस्तक के **सभी अध्यायों में महत्त्वपूर्ण अपडेट्स**।
3. परीक्षा पैटर्न और समसामयिक घटनाओं के गहन विश्लेषण के आधार पर **100 से अधिक नये विषयों का समावेश**।
4. प्रासंगिक अध्यायों में आर्थिक सर्वेक्षण 2024-25 से नवीनतम अपडेट्स का समावेश।
5. पुस्तक के अंत में बहुरंगी प्लक-आउट रेखा-चित्र, जिसमें केंद्रीय बजट 2025-26 के प्रमुख बिंदु शामिल हैं।
6. अभ्यास और परीक्षा की प्रवृत्ति को समझने के लिए यूपीएससी सिविल सेवा प्रारंभिक और मुख्य परीक्षाओं के विगत वर्षों के अध्याय-वार प्रश्न।

अंत में, मैं पूर्व संस्करणों की सफलता के लिए सभी पाठकों को धन्यवाद देता हूँ और उनकी रचनात्मक प्रतिक्रिया के लिए उनके प्रति आभार व्यक्त करता हूँ। प्रत्येक नये संस्करण के साथ, मैं इस तरह से पुस्तक को बेहतर बनाने के लिए प्रेरित हूँ, कि यह परीक्षा की प्रवृत्ति को बरकरार रखते हुए अधिक प्रासंगिक और छात्र-अनुकूल हो। इस परंपरा को जारी रखने के लिए मैं पाठकों को विनम्रतापूर्वक इस संस्करण के संबंध में भी *nitinsinghania.ca@gmail.com* पर प्रतिक्रिया और सुझाव देने का अनुरोध करता हूँ।

हार्दिक शुभकामनाएँ

नितिन सिंघानिया

जुलाई, 2025

आभार

भारतीय प्रशासनिक सेवा में अपने प्रारंभिक वर्षों के दौरान आईएएस डॉ. सौमित्र मोहन से प्रेरणा प्राप्त करने के बाद ही मेरी पुस्तक लेखन की सुखद यात्रा शुरू हुई।

सबसे पहले, मैं उन सभी उम्मीदवारों और शुभचिंतकों को धन्यवाद देता हूँ, जिन्होंने मुझे भारतीय अर्थव्यवस्था पर यह पुस्तक लिखने के लिए प्रोत्साहित किया। यह उनके वास्तविक सुझावों के बिना संभव नहीं हो पाता।

प्रतिष्ठित विद्वानों की एक लंबी सूची होने के कारण सभी का हृदय से आभार व्यक्त करता हूँ जिनके बहुमूल्य कार्यों के साथ-साथ विभिन्न सरकारी वेबसाइटों और ऑनलाइन स्रोतों ने मेरे ज्ञान को समृद्ध करने में सहायता प्रदान की। मैं उनमें से प्रत्येक के प्रति निष्ठापूर्वक आभार व्यक्त करता हूँ। इसके अतिरिक्त, पश्चिम बंगाल सरकार और भारत सरकार की सेवा करते हुए मुझे जो प्रशासनिक अनुभव प्राप्त हुआ, उससे पुस्तक को संकलित करने में बहुत मदद मिली।

परिवार की बात करें तो, मैं अपने माता-पिता का अपने जीवन के सभी क्षेत्रों में निरंतर प्रेरणा स्रोत होने के लिए आभारी हूँ। उनके प्रति अपनी विनम्र श्रद्धा और अत्यधिक सम्मान व्यक्त करने के लिए मेरे पास शब्द कम पड़ रहे हैं। वे, मेरी पत्नी सुदीप्ता, बहन-भाई (नैन्सी, नोयल) और मेरे बेटे नमित व नमय मुझे शोध और लेखन हेतु आवश्यक समय देने के लिए बहुत उदार रहे। मैं उनके स्नेह और प्रेरणा के लिए उनके प्रति कृतज्ञ हूँ।

साथ ही, मैं डॉ. कपिल शर्मा (एनआईटी, दिल्ली) और डॉ. गौरव कुमार सिंह, आईएएस के प्रति उनके निरंतर सहयोग और प्रेरणा के लिए अपना हार्दिक आभार व्यक्त करता हूँ।

साथ ही, मैं सीए राहुल कुमार (डायडेमी आईएएस संस्थान) का विशेष रूप से ऋणी हूँ, जिन्होंने पुस्तक को समय पर पूरा करने में मेरी मदद की।

इस पुस्तक को तैयार करने में खास भूमिका के लिए श्री चंदन झा एवं श्री संजय मिश्र जी (साहित्यकार सृंजय) का विशेष रूप से आभार।

मैं डॉ. महेश लालवानी (एक्ज़िम आईएएस संस्थान), वाजीराम और रवि संस्थान, एएलएस, विजन आईएएस और अतुल फोटोस्टेट द्वारा मेरी परीक्षा की तैयारी के दिनों में प्रदान किये गये सीखने के अवसरों की निष्ठापूर्वक सराहना करता हूँ। यह अभी भी मेरे लिए प्रोत्साहन के रूप में काम करता है।

अंत में, मैं श्री ललित सिंह, श्री तन्मय रॉयचौधरी, जनाब तनवीर अहमद, श्री निखिल वढेरा, श्री अतुल गुप्ता, सुश्री अंजलि नायर, श्री राहुल बनर्जी और मैकग्रॉ-हिल (इंडिया) की पूरी सपोर्ट टीम को उनके पूरे दिल से सहयोग के लिए हार्दिक आभार व्यक्त करता हूँ। मैं सभी पाठकों की भलाई के लिए ईश्वर से प्रार्थना करता हूँ।

सादर प्रणाम

नितिन सिंघानिया

प्रवृत्ति विश्लेषण

सिविल सेवा की प्रारंभिक परीक्षा में वर्षवार अंक
(Year-wise Marks in Civil Services Preliminary Examination)

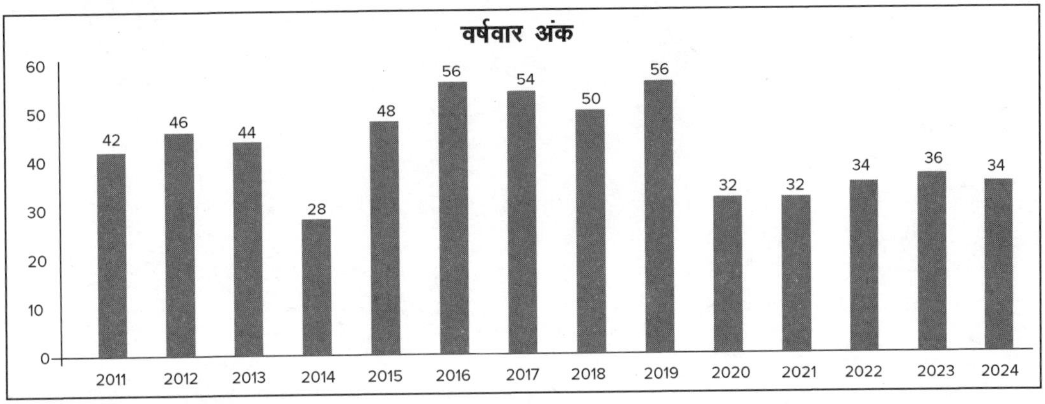

***ध्यान दें- 2011** में, यूपीएससी ने प्रारंभिक परीक्षा के प्रारूप और पाठ्यक्रम में परिवर्तन किया। नयी योजना में भारतीय अर्थव्यवस्था को सामान्य अध्ययन के प्रश्नपत्र-I में सम्मिलित किया गया है, जहाँ प्रत्येक प्रश्न के लिए 2 अंक निर्धारित हैं।*

सिविल सेवा की मुख्य परीक्षा में वर्षवार अंक
(Year-wise Marks in Civil Services Main Examination)

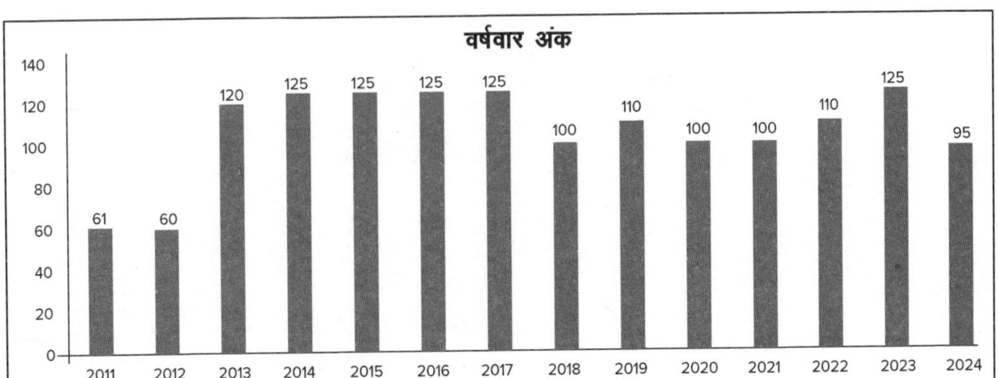

***ध्यान दें- 2013** में, यूपीएससी ने मुख्य परीक्षा के प्रारूप और पाठ्यक्रम में परिवर्तन किया। नयी योजना में, भारतीय अर्थव्यवस्था को सामान्य अध्ययन के 250 अंकों वाले प्रश्नपत्र-III में सम्मिलित किया गया है।*

विषय-सूची

लेखक परिचय ii
छठवें संस्करण में नये विषय vii
प्रस्तावना ix
आभार xi
प्रवृत्ति विश्लेषण xiii

1. प्रमुख बुनियादी अवधारणाएँ 1

अर्थशास्त्र और अर्थव्यवस्था 1
- आर्थिक गतिविधि *2*
- आर्थिक गतिविधियों के व्यष्टि और समष्टि स्तर *3*
- अर्थशास्त्र के प्रकार *3*
- अर्थव्यवस्था के प्रकार *4*
- आर्थिक वस्तुएँ *5*
- आर्थिक एजेंट *5*
- आर्थिक मॉडल *5*

अर्थव्यवस्था की मुख्य समस्याएँ 6
- सकारात्मक अर्थशास्त्र और मानक अर्थशास्त्र *7*
- स्टॉक वेरिएबल और फ्लो वेरिएबल *8*

अर्थव्यवस्था के क्षेत्र 8

अर्थव्यवस्था में माँग और आपूर्ति की अवधारणा 9
- माँग *9*

माँग की लोच 11
- आपूर्ति *12*
- संतुलन *14*

उपभोक्ता व्यवहार 14
- उपभोक्ता कौन है? *14*
- उपभोक्ता संतुलन क्या है? *14*
- उपयोगिता *15*

अनधिमानवक्र 16
- अनधिमानवक्र के गुण *17*

बजट रेखा 18

एंजेल वक्र 18

उत्पादन 18

उत्पादन फलन 19

उत्पादन संभावना सीमा 21
- PPF की मान्यताएँ *21*
- PPF के लक्षण *21*
- PPF सीधी रैखा का आकार कब लेती है? *22*
- उत्पादन संभावना सीमांत का स्थानांतरण/चक्रण *22*

अवसर लागत 23

सम-लागत रेखा 24

सम-उत्पाद रेखा 24

पैमाने के प्रतिफल के नियम 24
- पैमाने के बढ़ते हुए प्रतिफल *24*
- पैमाने के स्थिर प्रतिफल *24*
- पैमाने के घटते प्रतिफल *24*

बाज़ार संरचनाएँ 25
- विभिन्न प्रकार की बाज़ार संरचनाएँ *26*

व्यवसाय चक्र सिद्धांत 28
- व्यवसाय चक्र का महत्त्व *29*
- व्यवसाय चक्र के चरण *29*
- गतिशील मूल्य-निर्धारण *30*
- प्रीडेटरी प्राइसिंग *30*

अदृश्य हाथ 30

कुज़नेट वक्र 31

मितव्ययिता का विरोधाभास 31

पेरेटो दक्षता 31

2. राष्ट्रीय आय 34

राष्ट्रीय आय 34

भारत में राष्ट्रीय आय का इतिहास 35

राष्ट्रीय आय के अंतर्गत महत्त्वपूर्ण अवधारणाएँ 36
- नाममात्र *बनाम* वास्तविक *40*
- राष्ट्रीय आय के अन्य प्रकार *42*
- राष्ट्रीय आय (या GDP) की गणना करने की विधियाँ *44*

राष्ट्रीय आय मापन की भूमिका 48

राष्ट्रीय आय मापन की परिसीमाएँ 48

2024-25 के लिए राष्ट्रीय आय का प्रथम अग्रिम अनुमान 49

MoSPI की रिपोर्ट के आधार पर महत्त्वपूर्ण तथ्य 49

आर्थिक सुधार के आकार 50

3. आर्थिक संवृद्धि *बनाम* आर्थिक विकास 54

आर्थिक संवृद्धि और आर्थिक विकास 54
- आर्थिक संवृद्धि और विकास के लिए चुनौतियाँ/बाधाएँ *55*
- चुनौतियों को दूर करने के तरीक़े *55*

अमर्त्य सेन की विकास की अवधारणा 56

अल्पविकास 56

मानव विकास सूचकांक 58

वैश्विक लैंगिक अंतर रिपोर्ट और सूचकांक 60

विश्व ख़ुशहाली रिपोर्ट 60
- विश्व ख़ुशहाली रिपोर्ट 2025 *61*
- सकल राष्ट्रीय ख़ुशहाली सूचकांक *61*

आर्थिक गतिविधियों के आधार पर देशों का वर्गीकरण 62

4. निर्धनता और असमानता 64

निर्धनता 64
- निर्धनता की संकल्पना *65*

निरपेक्ष निर्धनता 65
- निरपेक्ष निर्धनता के आकलन में प्रयुक्त होनेवाले साधन *66*
- निरपेक्ष निर्धनता मापने की पद्धतियाँ *69*

स्थितिजन्य निर्धनता 70

पीढ़ीगत निर्धनता 70

भारत में निर्धनता के विभिन्न अनुमान 70
- स्वतंत्रता-पूर्व अनुमान *70*
- स्वतंत्रता-पश्चात् अनुमान *71*
- बीपीएल जनगणना *74*
- निर्धनता पर अमर्त्य सेन का क्षमता-दृष्टिकोण *75*
- अनियमित रूप से नियंत्रित परीक्षण *75*

आय-असमानता 77
- आय-असमानता के कारण *77*
- आय-असमानता मापने की पद्धतियाँ *77*
- भारत में आय-असमानता की वर्तमान स्थिति – एक वैश्विक तुलना *79*
- आय-असमानता के प्रभाव *80*
- आय-असमानता दूर करने के लिए सरकार द्वारा उठाये गये क़दम *81*

5. बेरोज़गारी और श्रम सुधार 83

भारत में बेरोज़गारी 83
- भारत में बेरोज़गारी के कारण *84*
- बेरोज़गारी की विभिन्न अवधारणाएँ *84*

भारत में बेरोज़गारी मापने की पद्धतियाँ 84
- सामान्य प्रमुख अवस्था *85*
- वर्तमान साप्ताहिक अवस्था *85*
- वर्तमान दैनिक अवस्था *85*

नौकरियों में अंतर: बेरोज़गारी से परे श्रम अल्पउपयोग को मापना 86

बेरोज़गारी के प्रकार 87
- स्वैच्छिक बेरोज़गारी *87*
- अनैच्छिक बेरोज़गारी *87*

भारत में कार्यबल का आकार और बेरोज़गारी की वर्तमान दर 89
- श्रम एवं रोजगार मंत्रालय के अंतर्गत महत्त्वपूर्ण संगठन *89*

श्रम सांख्यिकी और बेरोज़गारी से संबंधित विभिन्न रिपोर्ट/सर्वेक्षण 90

आवधिक श्रम-बल सर्वेक्षण 91
- आवधिक श्रम बल के सर्वेक्षण (PLFS) की वार्षिक रिपोर्ट 2023-24 *92*
- त्रैमासिक रोज़गार सर्वेक्षण *93*

भारत में व्यवसायगत संरचना 94

बीवरेज वक्र या यूवी वक्र 96

कार्य-बल का आकस्मिकीकरण और अनौपचारिकीकरण 96
- भारत में बढ़ता अनौपचारिकीकरण *97*

बेरोज़गारी कम करने के लिए सरकार द्वारा उठाये गये हाल के क़दम 99

श्रम सुधार 99

औद्योगिक श्रम क़ानूनों में किये गये हालिया सुधार 99

औद्योगिक रोज़गार (स्थायी आदेश) केंद्रीय (संशोधन) नियम, 2018 100

वर्ष 2019 में शुरू की गयीं दो नयी पेंशन योजनाएँ (श्रम एवं रोज़गार मंत्रालय द्वारा) 100
- प्रधानमंत्री श्रम योगी मान-धन *100*
- व्यापारियों, दुकानदारों और स्व-रोज़गार करनेवाले व्यक्तियों के लिए राष्ट्रीय पेंशन योजना *101*

कर्मचारियों के लिए सामाजिक सुरक्षा योजनाएँ 101
- कर्मचारी भविष्य निधि (EPF) *101*
- कर्मचारी राज्य बीमा (ESI) *101*
- अटल पेंशन योजना *101*

6. मुद्रास्फीति 104

मुद्रास्फीति के प्रकार (दर-वार) 105

मुद्रास्फीति के प्रकार (कारण-वार) 106

मुद्रास्फीति मापने की विधियाँ 107

मुद्रास्फीति के कारण 112

मुद्रास्फीति के परिणाम/प्रभाव 113
- मुद्रास्फीति कर *113*
- मुद्रास्फीति प्रीमियम *114*

मुद्रास्फीति को नियंत्रित करने के उपाय 114
- राजकोषीय उपाय *114*
- मौद्रिक उपाय *115*
- प्रशासनिक उपाय *115*

मुद्रास्फीति-संबंधी कुछ अवधारणाएँ 116
- अपस्फीति *116*
- अवस्फीति *117*
- मुद्रास्फीतिजनित मंदी *117*
- प्रत्यवस्फीति *117*
- विषमस्फीति [स्क्यूफ्लेशन] *117*

सरकार द्वारा मुद्रास्फीति को नियंत्रित करने के लिए हाल में उठाये गये क़दम 118

मुद्रास्फीति पर प्रवृत्ति और रिपोर्ट 119
- RBI द्वारा शुरू किये गये सर्वेक्षण *119*

7. भारतीय कर संरचना 124

भारतीय कर संरचना 124
- भारत में त्रिस्तरीय कर संरचना *124*
- करों के विभिन्न प्रकार *125*

प्रत्यक्ष कर 126
- प्रत्यक्ष करों के विभिन्न प्रकार *126*
- पूँजीगत लाभ कर *129*
- केंद्रीय बजट 2025-26 में प्रत्यक्ष कर प्रस्ताव *130*
- आयकर विधेयक, 2025 *131*
- बेनामी लेनदेन का प्रतिषेध (संशोधन) अधिनियम, 2016 *131*

अप्रत्यक्ष कर 132

वस्तु एवं सेवा कर 132
- GST के संबंध में विवरण *133*
- आदान कर समंजन *135*
- GST परिषद् *136*
- राज्यों का क्षतिपूर्ति तंत्र *136*
- GST नेटवर्क *136*
- GST द्वारा प्रतिस्थापित नहीं किये गये अन्य अप्रत्यक्ष कर *137*
- GST के लाभ *138*
- GST का आलोचनात्मक मूल्यांकन *138*
- GST में सुधार *138*
- ई-वे बिल *139*
- GST अपीलीय न्यायाधिकरण *139*
- उलटा शुल्क ढाँचा *139*

राष्ट्रीय मुनाफ़ाख़ोरी-रोधी प्राधिकरण 140
- अग्रिम विनिर्णय *140*
- GST में रिवर्स चार्ज मेकेनिज़्म *141*
- राजस्व तटस्थ दर *141*
- सिन वस्तुएँ *142*
- सिन कर *143*
- मोटर वाहन कर - राज्य स्तरीय कर *143*
- कर लोच और कर उत्प्लावकता *143*

कराधान से संबंधित अन्य शब्दावली 143
- अच्छी कर प्रणाली *145*
- करदाता घोषणापत्र *146*
- वित्तीय गोपनीयता सूचकांक *146*
- कर व्यय *146*
- कर-जीडीपी अनुपात *147*

भारत में कर प्रशासन 148
- केंद्रीय प्रत्यक्ष कर बोर्ड *148*
- केंद्रीय अप्रत्यक्ष कर और सीमा शुल्क बोर्ड *148*
- कर प्रशासन सुधार आयोग *148*
- प्रोजेक्ट इनसाइट *148*
- कार्बन सीमा कर *149*
- पनामा और पैराडाइज पेपर *149*
- आधार क्षरण और लाभ स्थानांतरण *149*

OECD की दो स्तंभ योजना 149
- ओईसीडी की दो-पिलरवाली योजना *150*
- दोहरा कराधान परिहार समझौता *150*
- प्रभावी प्रबंधन का स्थान *150*
- सूचना का स्वत: आदान-प्रदान *150*

8. लोक वित्त 153

राजकोषीय नीति 153
- राजकोषीय नीति के उद्देश्य *153*
- राजकोषीय नीति के प्रकार *154*
- राजकोषीय नीति की चक्रीयता *156*
- राजकोषीय नीति के घटक *156*

राजस्व प्राप्तियाँ 158

कर राजस्व 158

ग़ैर-कर राजस्व 158
- पूँजीगत प्राप्तियाँ *159*

सार्वजनिक व्यय 160

विभिन्न प्रकार के घाटे 162

बजट घाटा या सरकारी घाटा *162*

राजस्व घाटा *163*

प्रभावी राजस्व घाटा *163*

राजकोषीय घाटा *163*

प्राथमिक घाटा *164*

मुद्रीकृत घाटा *164*

घाटे के वर्तमान रुझान 165

घाटे की वित्तव्यवस्था 165

घाटे की वित्तव्यवस्था के उद्देश्य *165*

घाटे की वित्तव्यवस्था के प्रतिकूल प्रभाव *166*

भारत में घाटे की वित्तव्यवस्था की स्थिति *166*

राजकोषीय समेकन 166

राजकोषीय उत्तरदायित्व और बजट प्रबंधन अधिनियम, 2003 167

राजकोषीय समेकन का लक्ष्य प्राप्त करने की दिशा में आगे की चुनौतियाँ *168*

राज्य के वित्त पर RBI की रिपोर्ट 170

राज्यों के वित्त के संबंध में RBI की सिफ़ारिशें *171*

बजट 172

सरकार बजट कैसे तैयार करती है? *172*

भारतीय अर्थव्यवस्था की चक्रव्यूह चुनौती *175*

वित्त आयोग 175

पृष्ठभूमि *175*

वित्त आयोग के उद्देश्य *175*

सदस्यों की योग्यता *175*

वित्त आयोग की शक्तियाँ *175*

यह सूत्र कैसे काम करता है? *176*

15वें वित्त आयोग द्वारा तैयार किया गया सूत्र *176*

वित्तीय स्थिरता और विकास परिषद् *177*

9. भारत में आर्थिक योजना 181

भारत में नियोजन या योजना की रणनीति 185

भारत में नियोजन : 1991 के पूर्व बनाम 1991 के पश्चात् *185*

भारत में पंचवर्षीय योजनाएँ 187

पंचवर्षीय योजनाओं की उपलब्धियाँ और आलोचनाएँ *194*

नीति आयोग 195

नीति आयोग की संरचना *195*

नीति आयोग के प्रभावी शासन के सात स्तंभ *196*

नीति आयोग के उद्देश्य *197*

नीति आयोग के कार्य *197*

नीति आयोग का प्रदर्शन मूल्यांकन *198*

आगे की राह *201*

नीति आयोग द्वारा हाल ही में जारी प्रमुख प्रदर्शन सूचकांक *201*

10. मुद्रा एवं मुद्रा आपूर्ति 209

मुद्रा 209

मुद्रा के प्रकार *209 209*

मुद्रा के कार्य *209*

मुद्रा की विशेषताएँ *210*

मुद्रा आपूर्ति 212

मुद्रा आपूर्ति के निर्धारक *212*

मुद्रा आपूर्ति के स्रोत *212*

मुद्रा आपूर्ति को मापने के लिए उपकरण 213

मौद्रिक समुच्चय *213*

मुद्रा आपूर्ति का विस्तार *215*

बैंक नोटों के बारे में जानने योग्य बातें *215*

स्वतंत्रता के बाद से जारी किये गये विभिन्न प्रकार के बैंक नोट *216*

क्रिप्टो-मुद्राएँ 217

भारतीय समाज पर क्रिप्टोकरेंसी का प्रभाव *217*

11. भारत में बैंकिंग क्षेत्र 220

भारत में बैंकिंग 220
- बैंक क्या है? *220*

भारतीय रिज़र्व बैंक 221
- भारतीय रिज़र्व बैंक की सहायक कंपनियाँ *223*
- भारतीय रिज़र्व बैंक के कार्य *224*
- RBI का अधिशेष हस्तांतरण *225*
- RBI की आय और व्यय *226*
- रिज़र्व बैंक - एकीकृत लोकपाल योजना, 2021 *227*

बैंक की देनदारियाँ 227

भारत में मौद्रिक नीति 228
- मौद्रिक नीति समिति *229*

ऋण नियंत्रण के उपकरण 229
- ऋण नियंत्रण के मात्रात्मक उपकरण *230*
- ऋण नियंत्रण के गुणात्मक उपकरण *234*
- भारतीय रिज़र्व बैंक द्वारा प्रशासित प्रमुख अधिनियम *236*

भारत में बैंकिंग प्रणाली की संरचना 237
- भारतीय स्टेट बैंक *238*
- राष्ट्रीयकृत बैंक *239*
- निजी क्षेत्र के भारतीय बैंक *240*
- निजी क्षेत्र के विदेशी बैंक *240*
- क्षेत्रीय ग्रामीण बैंक *242*

सहकारी बैंक 242
- शहरी सहकारी बैंकों (यूसीबी) के लिए संशोधित विनियामक ढाँचा *243*
- बैंकिंग विनियमन (संशोधन) अधिनियम, 2020 *244*

विकास बैंक 244

ग़ैर-बैंकिंग वित्तीय कंपनियाँ 248
- भारतीय रिज़र्व बैंक द्वारा विनियमित बैंकिंग वित्तीय कंपनियाँ *249*
- ग़ैर-बैंकिंग वित्तीय कंपनी और तरलता संकट *251*
- ग़ैर-बैंकिंग वित्तीय कंपनी क्षेत्र में सरकार द्वारा हाल ही में किये गये प्रमुख नीतिगत परिवर्तन *252*

प्राथमिक डीलर 254

विभेदित बैंकिंग 254
- लघु वित्त बैंक *254*
- भुगतान बैंक *255*
- डिजिटल भुगतान सुरक्षा नियंत्रण *256*

बैंकिंग क्षेत्र से संबंधित अन्य संगठन 256
- बैंक बोर्ड ब्यूरो *256*
- वित्तीय सेवा संस्थान ब्यूरो (एफ़एसआईबी) *257*
- भारतीय राष्ट्रीय भुगतान निगम *257*
- भारतीय बैंकिंग कोड और मानक बोर्ड *259*
- बैंकिंग धोखाधड़ी के लिए सलाहकार बोर्ड *259*

चेक और इसके प्रकार 259

परक्राम्य लिखत 261

प्रीपेड भुगतान के साधन 261

बैंकिंग क्षेत्र से संबंधित अन्य प्रमुख शब्द 261
- डेबिट कार्ड *261*
- क्रेडिट कार्ड *262*
- प्रीपेड कार्ड *262*
- स्मार्ट कार्ड *262*
- ऑटोमेटेड टेलर मशीन *262*
- प्वाइंट-ऑफ़-सेल मशीन *263*
- व्यापारी छूट दर *263*
- भारतीय वित्तीय प्रणाली कोड *263*
- चुंबकीय स्याही चिह्न पहचान कोड *263*
- स्विफ़्ट कोड *263*
- कोर बैंकिंग सॅल्यूशन *264*
- KYC मानदंड *264*
- शून्य रुपये का नोट *264*
- क़ानूनी इकाई पहचानकर्ता *264*
- डिजिटल उधार *265*

ग़ैर-निष्पादित परिसम्पत्तियाँ 265
- NPA के लिए प्रावधानीकरण *267*
- सकल NPA *267*
- नेट NPA *267*
- परिसम्पत्ति पुनर्निर्माण कम्पनी *268*
- अशोध्य परिसंपत्ति बैंक *268*

शीघ्र सुधारात्मक कार्रवाई 269
बैंकिंग स्थिरता सूचकांक/संकेतक 270
बेसल मानदंड 270
बेसल-I मानदंड 270
बेसल-II मानदंड 271
बेसल-III मानदंड 272
प्रणालीगत महत्त्वपूर्ण वित्तीय संस्थान 273
भारत में बैंकों की क्रेडिट रेटिंग 273
वित्तीय स्थिरता और विकास परिषद 275
वित्तीय समावेशन 275
वित्तीय समावेशन के लाभ 275
वित्तीय समावेशन के लिए भारत के प्रयास 275
वित्तीय समावेशन में सुधार के लिए हाल की प्रमुख पहलें 276
प्राथमिकता क्षेत्र ऋणयन 277
वित्तीय समावेशन प्राप्त करने की राह में वर्तमान चुनौतियाँ 278
वित्तीय समावेशन के लिए राष्ट्रीय रणनीति (2019–24) 278
वित्तीय शिक्षा के लिए राष्ट्रीय रणनीति (2020–25) 279

12. वित्तीय बाज़ार 289

वित्तीय बाज़ार 289
वित्तीय बाज़ार के कार्य 290
मुद्रा बाज़ार 290
मुद्रा बाज़ार से संबंधित पद या शब्द 291
सामान्य मुद्रा बाज़ार उपकरण 291
पूँजी बाज़ार 295
प्राथमिक बाज़ार *बनाम* द्वितीयक बाज़ार 296
पूँजी बाज़ार के प्रमुख वित्तीय उपकरण 296
शेयर 296
ऋणपत्र 297
बंधपत्र 298
भारत में कुछ प्रमुख बंधपत्र 299
सॉवरेन गोल्ड बंधपत्र स्कीम 301
सरकारी प्रतिभूतियों की अवधारणा 303
म्यूचुअल फ़ंड 304
व्युत्पन्न 305
विनिमय के प्रमुख प्रकार 306
रियल एस्टेट इनवेस्टमेंट ट्रस्ट 307
एक्सचेंज ट्रेडेड फ़ंड 307
प्रतिभूति अनुबंध (विनियमन) अधिनियम, 1956 310
SCRA के उद्देश्य 310
सेबी 311
सेबी के कार्य 311
सेबी और पूँजी बाज़ार सुधार 312
प्रतिभूति अपीलीय न्यायाधिकरण 312
उद्यम इक्विटी नियम : SEBI (शेयर आधारित कर्मचारी लाभ और उद्यम इक्विटी) विनियम, 2021 312
स्टॉक एक्सचेंज 313
सोशल स्टॉक एक्सचेंज (एसएसई) 321
अंतरराष्ट्रीय वित्तीय सेवा केंद्र प्राधिकरण 321
स्पॉट एक्सचेंज 322
डिजिटल प्रौद्योगिकियों के उपयोग पर भारतीय अनुभव 322
विदेशी खाता कर अनुपालन अधिनियम 323
क्रेडिट रेटिंग एजेंसी 323

13. प्रौद्योगिकी और वित्त 328

फ़िनटेक क्या है 328
क्रिप्टोकरेंसी 329
बाली फ़िनटेक एजेंडा 330
भारत में फ़िनटेक का विकास 330
भारत में विभिन्न भुगतान प्रणालियों का कालक्रम 331
भारत में डिजिटल भुगतान - यूपीआई की कहानी 331

फ़िनटेक - वर्तमान में भारतीय परिदृश्य 333
वित्त से संबंधित विभिन्न प्रकार की प्रौद्योगिकी 333
PayTech - डिजिटल भुगतान 333
LendTech - वैकल्पिक उधार 335
बैंकिंग – BankTech 335
व्यक्तिगत वित्त - WealthTech 336
बीमा - InsurTech 336
विनियामक - RegTech 336
डिजिटल वॉलेट और मोबाइल वॉलेट में अंतर 336
भारत में फ़िनटेक के विकास के कारक 337
भारत में फ़िनटेक विकास के लिए सरकार की पहलें 338
भारत में फ़िनटेक क्षेत्र की चुनौतियाँ और जोखिम 342

14. भारत में सहकारिता क्षेत्र 346

सहकारी समितियाँ क्या हैं 346
भारत में सहकारिता क्षेत्र का विकास 347
स्वतंत्रता के बाद 347
भारत में सहकारी समितियों से संबंधित संवैधानिक प्रावधान और क़ानून 348
संबंधित क़ानून 348
सहकारिता मंत्रालय 349
मंत्रालय की ज़िम्मेदारियों में शामिल हैं 350
अमृत काल के पंच प्रण (5 व्रत) 350
सहकारिता के सिद्धांत 350
सहकारी समितियों की कार्यप्रणाली 350
भारतीय अर्थव्यवस्था में सहकारिता का महत्त्व 351
सहकारी समितियों के विभिन्न प्रकार 351
वित्तीय सहकारी समितियाँ 351
ग़ैर-वित्तीय सहकारी समितियाँ 353
राष्ट्रीय सहकारी समितियाँ 354
सहकारी समितियों में महिलाओं की भागीदारी 357
सहकारी क्षेत्र में चुनौतियाँ 357
सरकार की हालिया पहल 358
भारत में सहकारी क्षेत्र से संबंधित संस्थान 360
राष्ट्रीय सहकारी विकास निगम 360
सहकारी समितियों के केंद्रीय रजिस्ट्रार 360

15. भारत में कृषि एवं संबद्ध क्षेत्र 363

भारतीय अर्थव्यवस्था में कृषि की भूमिका 364
भारतीय कृषि और संबद्ध क्षेत्रों का वर्तमान परिदृश्य 364
भारत में खाद्यान्न उत्पादन 366
भारत में चावल उत्पादन 367
भारत में गेहूँ उत्पादन 367
भारत में दालों का उत्पादन 368
भारत में मिलेट उत्पादन 369
हरित क्रांति 371
हरित क्रांति के उद्देश्य 371
हरित क्रांति की विशेषताएँ 371
हरित क्रांति के परिणाम 372
बाग़बानी क्षेत्र 373
बाग़बानी के एकीकृत विकास के लिए अभियान 374
बीज 375
बीज क्षेत्र में किये गये प्रमुख सुधार 376
बीज क्षेत्र की प्रमुख चुनौतियाँ 377
आनुवांशिक रूप से संशोधित फ़सलें 378
उर्वरक 380
पीएम-प्रणाम 383
मृदा पुनरुद्धार 383
फ़सल-प्रारूप 383
भारत में फ़सल-प्रारूप के बारे में महत्त्वपूर्ण तथ्य 384
भारत में फ़सल-प्रारूप के प्रकार 384

झूम/स्थानांतरण खेती 385
फ़सल-प्रारूप को प्रभावित करनेवाले कारक 387
फ़सल-प्रारूप में सब्सिडी की भूमिका 387
फ़सल विविधीकरण 388
संरक्षित विशेष कृषि क्षेत्र 388

अनुबंध खेती 388
अनुबंध खेती की विशेषताएँ 389
चुनौतियाँ 389
वर्तमान नियामक ढाँचा 389
आदर्श अनुबंध कृषि अधिनियम, 2018 का ड्राफ़्ट 390
सहकार मित्र 392

कृषि वित्त 393
कृषि वित्त के स्रोत 393

नाबार्ड की भूमिका 394
कृषि ऋण को बढ़ावा देने के लिए अब तक की सरकारी पहलें 395
डिजिटल कृषि की दिशा में सरकार की पहल 396
कृषि ऋण क्षेत्र में चुनौतियाँ 396

कृषि में विदेशी प्रत्यक्ष निवेश 397

कृषि विपणन 398
मॉडल एपीएमसी अधिनियम, 2003 398
कृषि विपणन के लिए एकीकृत योजना 399

कृषि सब्सिडी 400
सब्सिडी के प्रकार 400
विभिन्न क्षेत्रों में सरकार द्वारा मिलनेवाली सब्सिडी 401
कृषि सब्सिडी प्रदान करने के विरुद्ध तर्क 401

कृषि बीमा 403
पुनर्गठित मौसम आधारित फ़सल बीमा योजना 405
कृषि मेघ 405
बॉयोटेक-किसान कार्यक्रम 405

पशु-पालन 405
पशुधन का महत्त्व 406
इथेनॉल मिश्रित पेट्रोल (EBP) कार्यक्रम 413

कृषि क्षेत्र में व्याप्त चुनौतियाँ 413
किसानों की आय दोगुना करना रिपोर्ट 414

द्वितीय हरित क्रांति के अंतर्गत आवश्यक प्रमुख सुधार 415
जलवायु स्मार्ट कृषि 415

कृषि उपज के उत्पादन और विपणन में ई-प्रौद्योगिकी 416
कृषि में प्रमुख प्रौद्योगिकी मिशन पहल 417

16. खाद्य सुरक्षा और खाद्य प्रबंधन 424

खाद्य सुरक्षा 424
एसडीजी 2 : भुखमरी जड़ से ख़त्म हो (ज़ीरो हंगर) 425

खाद्य प्रबंधन 426
सार्वजनिक वितरण प्रणाली 427
संशोधित सार्वजनिक वितरण प्रणाली (आरपीडीएस) 427
लक्षित सार्वजनिक वितरण प्रणाली (टीपीडीएस) 427

भोजन का अधिकार 428
राष्ट्रीय खाद्य सुरक्षा अधिनियम, 2013 428
कृषि मूल्यों को स्थिर रखने के लिए बफ़र स्टॉक का महत्त्व 430
बफ़र स्टॉक के भंडारण से जुड़ी चुनौतियाँ 430
खाद्यान्न भंडारण अवसंरचना को सहायता प्रदान करने के उपाय 431
एनएफ़एसए, 2013, के तहत वर्तमान टीपीडीएस प्राणाली की सीमाएँ 432
सार्वजनिक वितरण प्रणाली में उन्नति के लिए हालिया सुधार 432
राष्ट्रीय खाद्य सुरक्षा मिशन 433

खाद्य सुरक्षा से संबंधित रिपोर्ट 434
विश्व में खाद्य सुरक्षा और पोषण की स्थिति रिपोर्ट 434

विश्व खाद्य कार्यक्रम 436
कोडेक्स एलिमेंटेरियस 436

अंतरराष्ट्रीय अनाज परिषद् *436*

उपभोक्ताओं के अधिकार सुनिश्चित करना 437

उपभोक्ता संरक्षण अधिनियम, 2019 *437*

कृषि अपशिष्ट 438

कृषि अपशिष्ट एक ख़तरा कैसे बन जाता है? *438*

एहतियाती उपायों के रूप में अपनाये जानेवाले क़दम *439*

खाद्य सुरक्षा की चुनौतियाँ 439

17. भारत में भूमि सुधार 442

भूमि सुधार के ऐतिहासिक दृष्टिकोण 443

ब्रिटिश भारत में भू-राजस्व व्यवस्था 443

ज़मींदारी व्यवस्था (स्थायी समझौता) *443*

रैयतवाड़ी व्यवस्था *443*

महालवाड़ी व्यवस्था *444*

भूमि सुधार की आवश्यकता तथा उद्देश्य 444

स्वतंत्रता के बाद भूमि सुधार उपाय 445

बिचौलियों का उन्मूलन *446*

काश्तकारी सुधार *447*

कृषि का पुनर्गठन *448*

विभिन्न भूमि सुधारों का आलोचनात्मक मूल्यांकन 452

भूमि सुधार की सफलता के लिए ज़िम्मेदार कारक *452*

हालिया सरकारी नीतियाँ/भूमि सुधार से संबंधित अधिनियम 453

भूमि अर्जन, पुनर्वासन और पुन:स्थापन में उचित प्रतिपूर्ति और पारदर्शिता अधिकार अधिनियम, 2013 *453*

भूमि अर्जन, पुनर्वासन और पुनर्व्यस्थापन में उचित प्रतिपूर्ति तथा पारदर्शिता अधिकार (संशोधन) विधेयक, 2015 (भूमि विधेयक) *454*

2015 भूमि विधेयक की वर्तमान स्थिति *454*

2015 भूमि विधेयक की आलोचना *455*

मॉडल कृषि भूमि पट्टा अधिनियम, 2016 455

अधिनियम की आवश्यकता *455*

अधिनियम के उद्देश्य *455*

अधिनियम की मुख्य विशेषताएँ *456*

समस्याएँ *456*

लैंड पूलिंग पॉलिसी: भारत में शहरीकरण हेतु एक परिवर्तनकारी पहल *456*

राष्ट्रीय भूमि अभिलेख आधुनिकीकरण कार्यक्रम 457

भूमि अभिलेखों का अंकरूपण *457*

अंकरूपण (डिजिटलीकरण) की आवश्यकता *457*

अंकरूपण की चुनौतियाँ *457*

डिजिटल इंडिया भूमि अभिलेख आधुनिकीकरण कार्यक्रम 458

18. भारत में सिंचाई 462

भारत में सिंचाई की अनिवार्यता 464

भारत में प्रचलित सिंचाई प्रणाली 465

कुआँ सिंचाई *465*

नहर सिंचाई *465*

टंकी सिंचाई *466*

लघु सिंचाई (एमआई) योजनाओं की 6वीं जनगणना 468

वर्षा और सिंचाई प्रणाली 469

सिंचाई की विधियाँ 470

सतही सिंचाई *470*

सूक्ष्म सिंचाई *471*

भारत में लघु, मध्यम तथा बृहत् सिंचाई परियोजना 474

भारत में सिंचाई संबंधित समस्याएँ 475

परियोजना के समापन में देरी *475*

सिंचाई का अर्द्ध-उपयोग *475*

अंतर-राज्यीय जल विवाद *475*

जल तालिका में गिरावट *475*

सिंचाई के क्षेत्र में सरकार की हालिया पहल 476

प्रधानमंत्री कृषि सिंचाई योजना *476*

नीरांचल राष्ट्रीय जलग्रहण परियोजना *477*

अटल भूजल योजना *477*

राष्ट्रीय जल विज्ञान परियोजना *477*

मरुस्थलीकरण एवं भूमि-क्षरण मानचित्र *479*

19. भारतीय उद्योग 482

औद्योगिक क्षेत्र में वर्तमान रुझान 482

1991 से पूर्व औद्योगिक नीतियों का विकास 483

सार्वजनिक क्षेत्र के उपक्रम 486

मिनीरत्न की नीति *486*

नवरत्नों की नीति *487*

महारत्न की नीति *488*

महारत्न CPSE के लिए वित्तीय स्वायत्तता *488*

CPSE का कार्यनिष्पादन *489*

उद्योगों के कार्यनिष्पादन मापने के साधन 489

औद्योगिक उत्पादन सूचकांक *489*

आठ प्रमुख उद्योगों का सूचकांक *490*

उद्योगों का वार्षिक सर्वेक्षण *491*

औद्योगिक रुग्णता 492

अतीत में किये गये उपचारात्मक उपाय *492*

कंपनी (संशोधन) अधिनियम, 2019 494

समाविष्ट संशोधनों का लाभ *495*

निगमित सामाजिक उत्तरदायित्व 495

CSR के लिए चुनौतियाँ *496*

विनिर्माण इंडस्ट्री के विभिन्न क्षेत्र 496

इस्पात *496*

इलेक्ट्रॉनिक्स विनिर्माण *497*

वस्त्र क्षेत्र *497*

औषधीय क्षेत्र *498*

भारत में विशेष आर्थिक क्षेत्र *499*

व्यापार सुगमता रिपोर्ट 499

मेक इन इंडिया 501

अभी तक उठाये गये महत्त्वपूर्ण क़दम *501*

चुनौतियाँ *501*

स्टार्ट-अप इंडिया 502

अभी तक उठाये गये महत्त्वपूर्ण क़दम *502*

चुनौतियाँ *502*

स्टैंड-अप इंडिया 503

राष्ट्रीय उत्पादकता परिषद् *503*

उद्योग 4.0 और भारत *503*

20. एमएसएमई क्षेत्र 507

एमएसएमई का परिचय : भारतीय अर्थव्यवस्था का जीवंत क्षेत्र 507

एमएसएमई क्षेत्र : भारत में संरचना 508

भारतीय अर्थव्यवस्था में एमएसएमई की भूमिका/महत्त्व 508

एमएसएमई क्षेत्र की चुनौतियाँ 509

एमएसएमई क्षेत्र को बढ़ावा देने के लिए सरकार की हालिया पहलें 509

एमएसएमई : नये भारत के विकास के इंजन 511

अंतरराष्ट्रीय सर्वोत्तम प्रथाएँ *512*

21. भारत में खाद्य प्रसंस्करण उद्योग 514

खाद्य प्रसंस्करण की प्रक्रिया तथा चरण 516

भारत में खाद्य प्रसंस्करण की वर्तमान स्थिति 517

खाद्य प्रसंस्करण उद्योगों द्वारा प्रदान किये गये लाभ *518*

खाद्य प्रसंस्करण उद्योगों के समक्ष मौजूद बड़ी चुनौतियाँ *518*

FPI को बढ़ावा देने के लिए प्रमुख सरकारी पहलें 519

प्रधानमंत्री फ़ॉर्मलाइज़ेशन ऑफ़ माइक्रो फ़ूड प्रोसेसिंग एंटरप्राइज़ेज़ (पीएमएफ़एमई) योजना (2020-21 से 2024-25) *519*

खाद्य प्रसंस्करण उद्योगों के लिए उत्पादन से जुड़ी प्रोत्साहन योजना *519*

प्रधानमंत्री किसान संपदा योजना *520*

ऑपरेशन ग्रीन योजना *520*

मेगा फूड पार्क योजना *521*

बूचड़ख़ानों का आधुनिकीकरण *523*

राष्ट्रीय खाद्य प्रसंस्करण मिशन *523*

कोल्ड चेन की योजना, मूल्यसंवर्धन और परिरक्षण बुनियादी ढाँचा *523*

कृषि-निर्यात क्षेत्र *524*

हाल के दिनों में अन्य सरकारी हस्तक्षेप *524*

खाद्य प्रसंस्करण क्षेत्र के अंतर्गत आपूर्ति शृंखला प्रबंधन 525

कोल्ड चेन *525*

सुपरमार्केट *526*

FPI को बढ़ावा देने में ई-कॉमर्स की भूमिका 527

22. सेवा क्षेत्र 530

सेवा क्षेत्र का महत्त्व *530*

भारत में सेवाओं की माँग लोच *531*

पर्यटन क्षेत्र 532

चिकित्सा पर्यटन *534*

इको-पर्यटन *534*

इको-पर्यटन *बनाम* संधारणीय पर्यटन *535*

संधारणीय पर्यटन के लिए राष्ट्रीय रणनीति *535*

पर्यटन के क्षेत्र में मुद्दे और चुनौतियाँ *535*

सूचना प्रौद्योगिकी तथा व्यापार प्रक्रिया प्रबंधन सेवाएँ 536

IT-BPM क्षेत्र के लिए भारत सरकार द्वारा किये गये उपाय *536*

ई-कॉमर्स क्षेत्र *537*

एक सेवा के रूप में सॉफ़्टवेयर (SaaS) *539*

संचार क्षेत्र *540*

बंदरगाह तथा शिपिंग सेवाएँ 541

अंतरिक्ष क्षेत्र 542

अंतरिक्ष क्षेत्र में हाल ही में की गयीं पहलें *542*

रियल एस्टेट क्षेत्र 543

रियल एस्टेट विनियमन अधिनियम, 2016 *544*

23. भारत में बीमा क्षेत्र 547

बीमा क्या है? 547

बीमा मध्यस्थ *548*

भारत में बीमा क्षेत्र 548

बीमा क्षेत्र का इतिहास तथा पृष्ठभूमि *548*

अर्थव्यवस्था में बीमा क्षेत्र का महत्त्व *550*

बीमा सुधार 551

बीमा क्षेत्र की वर्तमान स्थिति 551

बीमा क्षेत्र में बदलाव लाने में IRDAI का महत्त्व *552*

बीमा पैठ और घनत्व *553*

घरेलू प्रणालीगत रूप से महत्त्वपूर्ण बीमाकर्ता *553*

बीमा क्षेत्र में हालिया सुधार *554*

ऐग्रीकल्चर इंश्योरेंस कंपनी ऑफ़ इंडिया लिमिटेड *555*

डिपॉज़िट इंश्योरेंस ऐंड क्रेडिट गारंटी कॉर्पोरेशन *555*

बीमा क्षेत्र की निष्पादन समीक्षा और विनियमन: वित्त पर स्थायी समिति की रिपोर्ट 555

सरकार समर्थित बीमा योजनाएँ 556

आयुष्मान भारत - प्रधानमंत्री जन आरोग्य योजना 556

आम आदमी बीमा योजना 556

प्रधानमंत्री जीवन ज्योति बीमा योजना 557

प्रधानमंत्री सुरक्षा बीमा योजना 557

सूक्ष्म बीमा 557

24. अवसंरचना 560

आर्थिक विकास में अवसंरचना का योगदान 561

आर्थिक विकास की अनिवार्य शर्त के रूप में अवसंरचनात्मक विकास 562

अवसंरचना का वित्त पोषण और विभिन्न मॉडल 562

अवसंरचना क्षेत्र की वर्तमान चुनौतियाँ 563

सरकार द्वारा हाल में किये गये प्रयास 564

प्रधानमंत्री गति-शक्ति पहल 564

राष्ट्रीय अवसंरचना पाइपलाइन 565

राष्ट्रीय मुद्रीकरण पाइपलाइन 566

राष्ट्रीय निवेश और अवसंरचना फ़ंड (एनआईआईएफ़) 567

राष्ट्रीय रसद नीति 568

मल्टीमॉडल और एकीकृत लॉजिस्टिक्स इकोसिस्टम का सुदृढ़ीकरण (SMILE) 569

वैश्विक अवसंरचना सुविधा 570

वैश्विक अवसंरचना दृष्टिकोण 570

क्षेत्र-वार निष्पादन और सरकारी पहलें 571

ऊर्जा क्षेत्र 571

ऊर्जा क्षेत्र के अंतर्गत प्रमुख उप-क्षेत्रों का निष्पादन 572

कोयला 572

कच्चा तेल 574

प्राकृतिक गैस 575

परिवहन क्षेत्र 576

सड़क परिवहन 576

रेल परिवहन 578

नागरिक उड्डयन 580

जल परिवहन 582

पाइपलाइन 588

दूरसंचार क्षेत्र 589

दूरसंचार अवसंरचना में सुधार के लिए हाल में उठाये गये सरकारी क़दम 590

स्मार्ट सिटी मिशन 592

25. भारत का विद्युत और ऊर्जा क्षेत्र 595

अर्थव्यवस्था में विद्युत और ऊर्जा क्षेत्र का महत्त्व 595

भारत में ऊर्जा के मुख्य स्रोत 596

ऊर्जा के पारंपरिक स्रोत 597

ऊर्जा के ग़ैर-पारंपरिक स्रोत 598

ग़ैर-पारंपरिक ऊर्जा के स्रोतों की सीमाएँ 604

आर्थिक विकास में विद्युत क्षेत्र का योगदान 604

विद्युत मंत्रालय 605

कोयला मंत्रालय 605

नवीन और नवीकरणीय ऊर्जा मंत्रालय 605

पावर सेक्टर डिस्कॉम और आरडीएसएस (पुनर्निर्मित वितरण क्षेत्र योजना) 605

भारत में विद्युत वितरण की चुनौतियाँ 606

ग्रामीण विद्युतीकरण 607

विद्युत एवं ऊर्जा क्षेत्र में नवीनतम उपलब्धियाँ 608

विद्युत क्षेत्र में सरकार की पहल 609

विद्युत (संशोधन) विधेयक, 2022 609

विधेयक के उपबंध 610

एनर्जी ट्रांजिशन इंडेक्स 610

एनर्जी ट्रांजिशन इंडेक्स, 2024 610

ऊर्जा क्षेत्र में चुनौतियाँ 611

चुनौतियों से निपटने के लिए समाधान 612

26. स्वास्थ्य और शिक्षा 614

स्वास्थ्य - परिचय 614
- स्वास्थ्य-सेवा में प्रमुख उपलब्धियाँ *614*
- स्वास्थ्य *614*
- शिक्षा *614*
- भारत में स्वास्थ्य नीतियाँ *615*

पोषाहार 616
- राष्ट्रीय पोषण नीति, 1993 *616*
- राष्ट्रीय पोषण रणनीति (NNS), 2017 *617*

सार्वभौमिक स्वास्थ्य कवरेज़ 618
- भारत में स्वास्थ्य कवरेज़ की प्रमुख चुनौतियाँ *618*
- भारत में ग्रामीण स्वास्थ्य देखभाल प्रणाली *619*
- भारत में स्वास्थ्य बीमा *619*
- स्वास्थ्य सेवा में सरकारी योजनाएँ *620*

भारतीय चिकित्सा पद्धति को बढ़ावा देने के लिए उठाये गये क़दम 623

राष्ट्रीय टीबी उन्मूलन कार्यक्रम (NTEP) 100 दिवसीय अभियान - दिसंबर, 2024 से मार्च, 2025 तक 624

शिक्षा 625
- महत्त्वपूर्ण ऐतिहासिक घटनाक्रम *625*
- शिक्षा से संबंधित महत्त्वपूर्ण नीतियाँ/अधिनियम/योजनाएँ *626*
- हाल ही में शिक्षा में सरकारी हस्तक्षेप *628*

वार्षिक शिक्षा स्थिति रिपोर्ट (ASER), 2024 630
- ASER 2024 के मुख्य निष्कर्ष *631*

27. भुगतान शेष 634

भुगतान शेष 634

चालू खाता शेष 636
- दृश्य शेष अथवा व्यापार शेष *636*
- अदृश्य शेष *637*

पूँजी खाता शेष 639
- विदेशी निवेश *639*
- ऋण *644*
- बैंकिंग पूँजी लेन-देन *645*

शुद्ध भूल-चूक 647

विदेशी मुद्रा भंडार 648

भारत में सुधार से पूर्व एवं बाद की अवधि में भुगतान शेष का रुझान 648
- प्रथम अवधि (Period I) (वर्ष 1956-57 से वर्ष 1975-76 तक) *648*
- द्वितीय अवधि (Period II) (वर्ष 1976-77 से वर्ष 1979-80 तक) *649*
- तृतीय अवधि (Period III) (वर्ष 1980-81 से वर्ष 1990-91 तक) *649*
- सुधार के बाद की अवधि में भुगतान शेष की स्थिति (1991-92 के बाद) *649*

भारत का बाह्य ऋण 650

जुड़वाँ घाटा परिकल्पना 651

J-वक्र 651

28. भारत की विदेशी मुद्रा और विदेशी व्यापार 655

विदेशी विनिमय-दर प्रणाली 655
- विनिमय-दर *655*

भारत में विनिमय-दर प्रणाली का इतिहास 660

भंडार की पर्याप्तता : आयात नियम के कुछ महीने *बनाम* गाइडोटी-ग्रीनस्पैन नियम 661

भारतीय रुपये की परिवर्तनीयता 662

रुपये का अंतरराष्ट्रीयकरण 664

मुद्रा विनिमय 666

दुर्लभ मुद्रा *बनाम* सुलभ मुद्रा 666

फ़ेरा (FERA) 1973 और फ़ेमा (FEMA) 1999 667

फ़ेरा *667*

फ़ेमा *667*

भारत का विदेशी व्यापार 667

भारत में विदेशी व्यापार के उद्देश्य *667*

विदेशी व्यापार में विभिन्न आर्थिक एकीकरण 669

विदेशी व्यापार संबंधी संस्थान *671*

विदेशी व्यापार को बढ़ावा देने के लिए प्रमुख नवीनतम योजनाएँ *671*

29. अंतरराष्ट्रीय आर्थिक संस्थाएँ 677

ब्रेटन वुड्स संस्थाएँ 678

अंतरराष्ट्रीय मुद्रा कोष 678

महत्त्वपूर्ण तथ्य *678*

IMF के उद्देश्य *679*

IMF की शासन संरचना *679*

अंतरराष्ट्रीय मुद्रा कोष के कार्य *680*

सदस्य देशों के लिए IMF कोटा *681*

IMF द्वारा वित्तपोषण (ऋण) के प्रकार *682*

अंतरराष्ट्रीय मुद्रा कोष के वित्तीय संसाधन *684*

भारत एवं IMF *686*

IMF द्वारा हाल में किये गये सुधार *687*

IMF के कुछ सदस्यों द्वारा निम्नलिखित सुधारों की माँग की गयी *687*

IMF की अन्य आलोचनाएँ *688*

विश्व बैंक समूह 688

प्रमुख तथ्य *688*

नव विकास बैंक या ब्रिक्स विकास बैंक 694

एशियाई विकास बैंक 695

एशियाई अवसंरचना निवेश बैंक 697

विश्व व्यापार संगठन 700

WTO की उत्पत्ति *700*

WTO से संबंधित महत्त्वपूर्ण तथ्य *700*

WTO की संगठनात्मक संरचना *701*

WTO के तीन प्रमुख सिद्धांत *704*

WTO के प्रमुख समझौते *706*

WTO की उपलब्धियाँ *710*

WTO की आलोचना *711*

अन्य अंतरराष्ट्रीय आर्थिक संगठन 712

G3 *712*

G7 *712*

G20 *712*

G33 *713*

पेट्रोलियम निर्यातक देशों का संगठन *714*

अरब पेट्रोलियम निर्यातक देशों का संगठन (ओएपीईसी) *714*

विश्व आर्थिक मंच *715*

विश्व खाद्य कार्यक्रम *715*

आसियान *716*

पूर्वी एशिया शिखर सम्मेलन *716*

एशिया-प्रशांत आर्थिक सहयोग *717*

एशिया-प्रशांत व्यापार समझौता *717*

दक्षिण एशिया उपक्षेत्रीय आर्थिक सहयोग *717*

यूरेशियाई आर्थिक संघ *717*

बहु-क्षेत्रीय तकनीकी और आर्थिक सहयोग के लिए बंगाल की खाड़ी पहल (बिम्सटेक) *717*

बेटर दैन कैश अलायंस *718*

विश्व सीमा शुल्क संगठन *718*

अंतरराष्ट्रीय ऊर्जा एजेंसी *718*

विश्व ऊर्जा आउटलुक *719*

30. जनसंख्या और जनसांख्यिकीय लाभांश 723

जनसंख्या के सिद्धांत 723
- माल्थुसियन सिद्धांत *723*
- शून्य जनसंख्या वृद्धि सिद्धांत *724*
- जनसंख्या का इष्टतम सिद्धांत *724*
- जनसांख्यिकी संक्रमण का सिद्धांत *725*

जनसांख्यिकीय संक्रमण के चरण 725
- अवस्था I *726*
- अवस्था II *726*
- अवस्था III *726*

भारत की जनसंख्या : आकार, विकास पैटर्न, जन्म तथा मृत्यु-दर के आधार पर रुझान 727
- भारत में तीव्र जनसंख्या वृद्धि के कारण *728*

भारत की जनसंख्या *बनाम* आर्थिक विकास 730

जनसंख्या में अचानक वृद्धि पर नियंत्रण के उपाय 730
- आर्थिक उपाय *730*
- सामाजिक उपाय *731*
- परिवार नियोजन कार्यक्रम *731*
- सरकार द्वारा शुरू की गयीं जनसंख्या नीतियाँ *731*
- सरकारी नीतियों का मूल्यांकन *733*

लिंग संघटन में महिलाओं का अभाव 735
- निम्न महिला–पुरुष अनुपात के कारण *736*
- बाल लिंग अनुपात *736*
- निपटने के उपाय *736*

जनसांख्यिकीय लाभांश 736
- जनसांख्यिकीय लाभांश के लाभ *737*
- जनसांख्यिकीय लाभांश का 'व्यर्थ' होना *737*
- जनसांख्यिकीय लाभांश की चुनौतियाँ *737*
- उक्त चुनौतियों से निपटने के उपाय *738*

मानव पूँजी के माध्यम से कौशल की कमी से निपटना 738

31. कौशल विकास 741

कौशल विकास - भारतीय परिप्रेक्ष्य 741

कौशल विकास और समावेशी वृद्धि 742

शिक्षा, कौशल और रोज़गार के बीच संबंध 742

कौशल विकास और उद्यमिता मंत्रालय (एमएसडीई) 742

राष्ट्रीय कौशल विकास निगम (एनएसडीसी) 743

राष्ट्रीय कौशल विकास एजेंसी (एनएसडीए) 743

राष्ट्रीय कौशल विकास निधि 744

भारत में कौशल-विकास का क्रम-विकास 744

नीतिगत पहलें 744
- राष्ट्रीय कौशल विकास और उद्यमिता नीति, 2015 *744*
- राष्ट्रीय कौशल विकास मिशन *745*

कौशल विकास योजनाओं की सूची 746
- एमएसडीई द्वारा कार्यान्वित योजनाएँ *746*
- कुछ अन्य पहलें *750*

डिजिटल कौशलीकरण - भविष्य के कौशल के लिए प्रशिक्षण 751

स्कूली शिक्षा के साथ कौशल विकास 752

भारत में कौशल विकास की चुनौतियाँ 752

32. भारत की गिग अर्थव्यवस्था 755

भारत में गिग अर्थव्यवस्था का उदय 755

गिग अर्थव्यवस्था की मुख्य विशेषताएँ 756

गिग अर्थव्यवस्था *बनाम* प्लेटफ़ॉर्म इकोनॉमी 757

भारत में एक नये आर्थिक प्रतिमान के रूप में गिग अर्थव्यवस्था के सामाजिक निहितार्थ 757

विभिन्न दृष्टिकोणों से गिग अर्थव्यवस्था 758
- व्यावसायिक दृष्टिकोण से *758*

एक श्रमिक के दृष्टिकोण से *758*

गिग अर्थव्यवस्था में कौन काम करता है? 758

भारत की गिग अर्थव्यवस्था की क्षमता *759*

भारत में गिग अर्थव्यवस्था का आकार 759

गिग क्षेत्र से जुड़ी चुनौतियाँ 760

गिग अर्थव्यवस्था के लिए श्रम संहिता 761

सुरक्षा संहिता संबंधी मुद्दे *762*

गिग श्रमिकों की स्थिति में कैसे सुधार किया जा सकता है? 762

गिग श्रमिकों के लिए भारत की पहल 763

राज्य स्तरीय पहलें *763*

33. भारत में देखभाल अर्थव्यवस्था और लैंगिक परिवर्तनकारी दृष्टिकोण 765

देखभाल अर्थव्यवस्था 765

देखभाल डायमंड 765

देखभाल अर्थव्यवस्था और मुद्रीकृत अर्थव्यवस्था के बीच अंतर 766

बैंगनी अर्थव्यवस्था 766

लिंग और कार्य 767

लाभ-उन्मुख देखभाल सेवाओं से संबंधित मुद्दे 767

लैंगिक समानता की दिशा में अंतरराष्ट्रीय उपकरण 767

बिना भुगतान के देखभाल कार्य और लैंगिक असमानताएँ 769

देखभालवालीं नौकरियाँ और काम का भविष्य 770

देखभालवालीं नौकरियों में निवेश *770*

देखभाल संबंधी नौकरियों में सुझाये गये नीतिगत हस्तक्षेप *770*

देखभाल अर्थव्यवस्था को मुद्रीकृत अर्थव्यवस्था में बदलने के उपाय *771*

बिना भुगतानवाले देखभाल कार्य की व्यवस्था में लिंग अंतर की प्रवृत्ति 771

भारत में महिला-आधारित विकास को बढ़ावा देना 772

भारत में महिला श्रम शक्ति भागीदारी दर (FLFPR) में वृद्धि *772*

भारत में वरिष्ठ नागरिकों के कल्याण के लिए सरकारी योजनाएँ 773

34. निवेश के मॉडल 775

निवेश एवं GDP के मध्य संबंध 775

बचत एवं निवेश के मध्य संबंध 776

निवेश को प्रभावित करनेवाले कारक 776

निवेश के मॉडलों का वर्गीकरण 776

PPP मॉडल 778

PPP की प्रमुख विशेषताएँ *778*

PPP मॉडल के लाभ *782*

PPP मॉडल के दोष *782*

अवसंरचना परियोजनाओं में PPP से संबंधित वर्तमान चुनौतियाँ *782*

PPP व्यवस्था के अंतर्गत सुझाये गये सुधार *783*

हवाई अड्डे एवं PPP *784*

रेलवे में PPP के अवसर *784*

PPP की स्विस चैलेंज विधि *785*

आर्थिक नियोजन एवं उसमें निवेश मॉडल का प्रयोग 786

हैरोड-डोमर मॉडल *786*

लुईस का आर्थिक विकास मॉडल *787*

सोलो-स्वान मॉडल *787*

फ़ेल्डमैन-महालनोबिस मॉडल *787*

राव-मनमोहन मॉडल *787*

35. संधारणीय विकास एवं जलवायु परिवर्तन 790

रोम क्लब तथा विकास की सीमाएँ 791

ब्रंटलैंड आयोग और हमारा सार्वजनिक भविष्य 791

पृथ्वी-सम्मेलन 791

सहस्राब्दी शिखर सम्मेलन तथा संयुक्त राष्ट्र संघ सहस्राब्दी घोषणा 792

सहस्राब्दी विकास संबंधी लक्ष्य *792*

रियो + 20 792

संधारणीय विकास समाधान नेटवर्क 793

संधारणीय विकास संबंधी लक्ष्य *793*

SDG भारतीय सूचकांक *794*

संधारणीय जलवायु वित्तीयन 795

वैश्विक जलवायु संबंधी जोखिम सूचकांक एवं भारत *798*

जलवायु परिवर्तन प्रदर्शन सूचकांक (CCPI) *798*

संधारणीय विकास की अंतरपीढ़ीगत एवं अन्तःपीढ़ीगत इक्विटी की अवधारणा 800

समाचार में प्रमुख अवधारणाएँ 804

फ्लेक्स फ़्यूल व्हीकल्स *804*

जलवायु कार्रवाई और वित्त जुटाना संवाद *804*

कार्बन वॉच *804*

नवीकरणीय ऊर्जा प्रमाणपत्र *804*

कॉमन कार्बन मीट्रिक *804*

क्लाइमेट इक्विटी मॉनिटर *805*

आक्रामक प्रजाति विशेषज्ञ समूह (आईएसएसजी) *805*

ओज़ोन सेल *805*

पर्यावरण के लिए जीवन शैली (लाइफ़) *805*

वैश्विक मीथेन प्रतिज्ञा (जीएमपी) *805*

संधारणीय विमानन ईंधन *805*

वाटरक्रेडिट *806*

अध्याय 1

प्रमुख बुनियादी अवधारणाएँ (Basic Key Concepts)

अध्याय की रूपरेखा

- अर्थशास्त्र और अर्थव्यवस्था
- आर्थिक गतिविधि
- अर्थव्यवस्था के प्रकार
- व्यष्टि अर्थशास्त्र बनाम समष्टि अर्थशास्त्र
- अर्थशास्त्र के प्रकार
- अर्थव्यवस्था की मुख्य समस्याएँ
- सकारात्मक अर्थशास्त्र और मानक अर्थशास्त्र
- स्टॉक वेरिएबल और फ़्लो वेरिएबल
- अर्थव्यवस्था के क्षेत्र
- अर्थव्यवस्था में माँग और आपूर्ति की अवधारणा
- लोच
- उपभोक्ता व्यवहार
- अनधिमानवक्र
- बजट रेखा
- एंजेल वक्र
- उत्पादन
- उत्पादन फलन
- उत्पादन संभावना सीमा
- अवसर लागत
- सम-लागत रेखा
- सम-उत्पाद रेखा
- पैमाने के प्रतिफल के नियम
- बाज़ार संरचनाएँ
- व्यवसाय चक्र सिद्धांत
- गतिशील मूल्य-निर्धारण
- प्रीडेटरी प्राइसिंग
- अदृश्य हाथ
- कुज़्नेट वक्र
- मितव्ययिता का विरोधाभास
- पेरेटो दक्षता

अर्थशास्त्र और अर्थव्यवस्था (ECONOMICS AND ECONOMY)

अर्थशास्त्र एक सामाजिक विज्ञान है, जो वस्तुओं और सेवाओं के उत्पादन, वितरण और खपत से संबंधित है। यह अध्ययन करता है कि कैसे व्यक्ति, व्यवसाय, सरकारें और राष्ट्र अपनी माँग और ज़रूरतों को पूरा करने के लिए, संसाधनों को आवंटित करने के लिए विकल्प बनाते हैं और यह निर्धारित करने के लिए विकल्प बनाते हैं कि इन समूहों को **अधिकतम उत्पादन प्राप्त** करने के प्रयासों को कैसे व्यवस्थित और समन्वय करना चाहिए।

1935 में ब्रिटिश **अर्थशास्त्री लियोनेल रॉबिंस** ने इस अनुशासन को **'अभाव का विज्ञान (the science of scarcity)'** बताया था। **एडम स्मिथ** आधुनिक अर्थशास्त्र के जनक हैं।

अर्थव्यवस्था परस्पर संबंधित उत्पादन और उपभोग गतिविधियों का एक बड़ा समूह है, जो यह निर्धारित करने में सुविधा प्रदान करता है कि दुर्लभ संसाधनों को कैसे आवंटित किया जाता है। वस्तुओं और सेवाओं के उत्पादन और खपत का उपयोग अर्थव्यवस्था

के भीतर रहने और संचालन करनेवालों की ज़रूरतों को पूरा करने के लिए किया जाता है, जिसे **आर्थिक व्यवस्था** के रूप में भी जाना जाता है।

अर्थव्यवस्था; एक निश्चित क्षेत्र में भूमिका निभानेवाला अर्थशास्त्र है, जैसे कि आधुनिक भाषा में एक देश। उदाहरण के लिए - भारतीय अर्थव्यवस्था।

आर्थिक गतिविधि (Economic Activity)

आर्थिक गतिविधि से तात्पर्य **असीमित मानवीय आवश्यकताओं को पूरा करने के लिए सीमित संसाधनों के उपयोग से है।** सभी आर्थिक गतिविधियाँ अनिवार्य रूप से आय उत्पन्न नहीं करती हैं, अर्थात् वे सभी गतिविधियाँ जो आय उत्पन्न करती हैं, आर्थिक गतिविधियाँ होती हैं, लेकिन सभी आर्थिक गतिविधियाँ, अनिवार्य रूप से आय उत्पन्न नहीं करती हैं।

आर्थिक गतिविधियों के प्रकार (Kinds of Economic Activities)

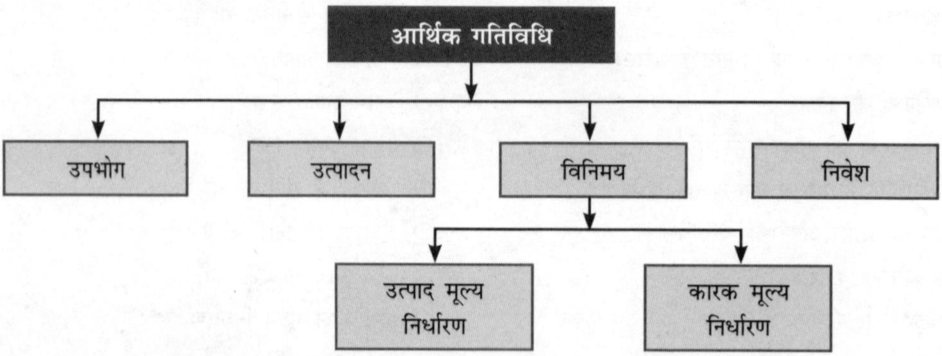

- **उपभोग (Consumption) :** उपभोग वह आर्थिक गतिविधि है, जिसमें विभिन्न व्यक्तिगत और सामूहिक आवश्यकताओं को पूरा करने के लिए वस्तुओं और सेवाओं की उपयोगिता का उपभोग किया जाता है। भोजन करना और पानी पीना उपभोग के उदाहरण हैं।
- **उत्पादन (Production) :** उत्पादन, वह आर्थिक गतिविधि है, जो वस्तुओं और सेवाओं में उपयोगिता या मूल्य जोड़ने से जुड़ी है। दर्जी द्वारा कपड़े को काटने के बाद उसे सिलना उत्पादन गतिविधि का एक उदाहरण है।
- **विनिमय (Exchange) :** विनिमय वह गतिविधि है, जिसमें उत्पादन के किसी कारक या वस्तु को बेचा या खरीदा जाता है तथा यह लेन-देन आमतौर पर मुद्रा (money) में किया जाता है। विनिमय की इस गतिविधि को मूल्य निर्धारण भी कहा जाता है। मूल्य निर्धारण को दो भागों में विभाजित किया जा सकता है:
  - (i) **उत्पाद मूल्य निर्धारण (Product Pricing) :** यह पूर्ण प्रतिस्पर्धा, एकाधिकार और अपूर्ण प्रतिस्पर्धा जैसी विभिन्न बाज़ार स्थितियों में वस्तुओं के मूल्य निर्धारण से संबंधित है।
  - (ii) **कारक मूल्य निर्धारण (Factor Pricing) :** यह उत्पादन के कारकों के मूल्य निर्धारण से संबंधित है।

  दूसरे शब्दों में, यह भूमि (यानी किराया), श्रम (यानी मज़दूरी), पूँजी (यानी ब्याज) और उद्यमिता (यानी लाभ) के मूल्य निर्धारण से संबंधित है। कारक मूल्य निर्धारण को वितरण (Distribution) के रूप में भी जाना जाता है।
- **निवेश (Investment) :** निवेश एक आर्थिक गतिविधि है, जिसमें भविष्य में वस्तुओं और सेवाओं का उत्पादन करने के लिए उपयोग किये जानेवाले पूँजीगत सामानों (वस्तुएँ) का उत्पादन सम्मिलित है। निवेश अप्रत्यक्ष रूप से मानवीय इच्छाओं को संतुष्ट या मानवीय आवश्यकताओं की पूर्ति करता है। उदाहरण के लिए, एक दर्जी के लिए मशीन का उत्पादन एक निवेश है, क्योंकि इससे लोगों के पहनने के लिए वस्त्र बनाये जा सकते हैं तथा इस प्रकार यह अप्रत्यक्ष रूप से मानवीय इच्छा को संतुष्ट करने में मदद करता है।

आर्थिक गतिविधियों के व्यष्टि और समष्टि स्तर (Micro and Macro Levels of Economic Activity)

आर्थिक गतिविधियों का विश्लेषण व्यक्तिगत स्तर पर और संपूर्ण अर्थव्यवस्था के स्तर पर किया जा सकता है। नॉर्वे के प्रख्यात अर्थशास्त्री राग्नार फ़्रिश ने 'अर्थशास्त्र (Economics)' को दो शाखाओं में वर्गीकृत किया है:

(i) व्यष्टि स्तर (Micro Level), (ii) समष्टि स्तर (Macro Level)।

वर्तमान में, आर्थिक गतिविधियों के विश्लेषण में दो विधियों – 'व्यष्टिगत आर्थिक विश्लेषण' और 'समष्टिगत आर्थिक विश्लेषण' का उपयोग किया जाता है। यहाँ प्रयुक्त 'Micro' और 'Macro' शब्दों को क्रमश: ग्रीक शब्दों 'Micros' और 'Macros' से लिया गया है। इसमें Micro का अर्थ है 'लघु (छोटा)' और Macro का अर्थ है 'बृहत् (विशाल)'।

अर्थशास्त्र के प्रकार (Types of Economics)

(i) **व्यष्टि अर्थशास्त्र (Microeconomics) :** व्यष्टि अर्थशास्त्र छोटी आर्थिक इकाइयों के कार्यों और व्यवहार की जाँच करता है, जैसे कि व्यक्तिगत परिवार द्वारा विशेष वस्तु की माँग और उन सिद्धांतों का अध्ययन करता है, जो उत्पादन, माँग, मूल्य निर्धारण और वितरण आदि के माध्यम से निकले हैं।

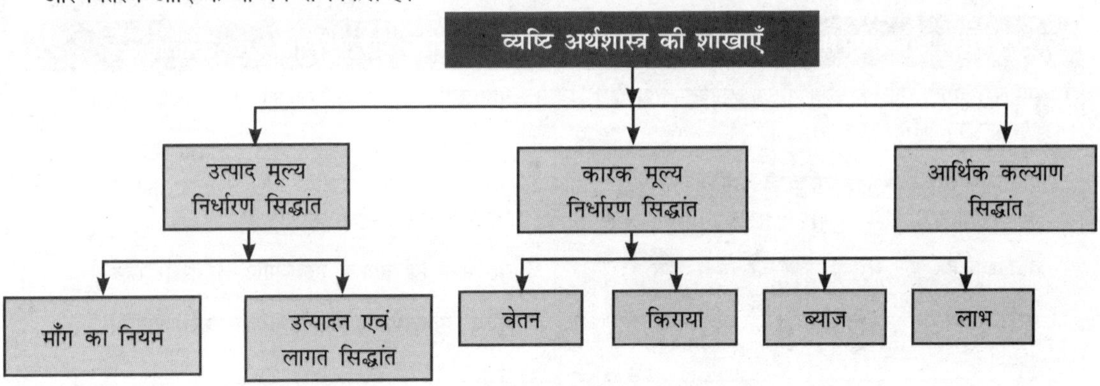

(ii) **समष्टि अर्थशास्त्र (Macroeconomics) :** 1929 के **बृहत् आर्थिक अवसाद** (great economic depression) के दौरान, उत्पादन और रोज़गार का स्तर भारी मात्रा में गिर गया और समष्टि अर्थशास्त्र, अर्थशास्त्र की एक अलग शाखा के रूप में उभरा, जब **जॉन मेनार्ड कीन्स** ने 1936 में अपनी पुस्तक **'द जनरल थ्योरी ऑफ़ एम्प्लॉयमेंट, इंटरेस्ट ऐंड मनी'** प्रकाशित की। नयी चुनौतियों से निपटने और विभिन्न क्षेत्रों के बीच परस्पर निर्भरता की जाँच करने के लिए नयी धारणा सामने आयी।

समष्टि अर्थशास्त्र के अध्ययन में, हम आमतौर पर इस बात पर ध्यान केंद्रित करके और यह देखकर कि उसके साथ क्या होता है, विश्लेषण को सरल बनाते हैं कि किसी देश का कुल उत्पादन और रोज़गार का स्तर विभिन्न विशेषताओं (जिन्हें 'चर' भी कहा जाता है) जैसे क़ीमतें, ब्याज़ दर, मज़दूरी की दर, मुनाफ़ा आदि से कैसे संबंधित हैं।

समष्टि अर्थशास्त्र के अध्ययन में, अर्थव्यवस्था को चार क्षेत्रों के संयोजन के रूप में देखा जाता है – फ़र्म, सरकार, परिवार और बाहरी क्षेत्र।

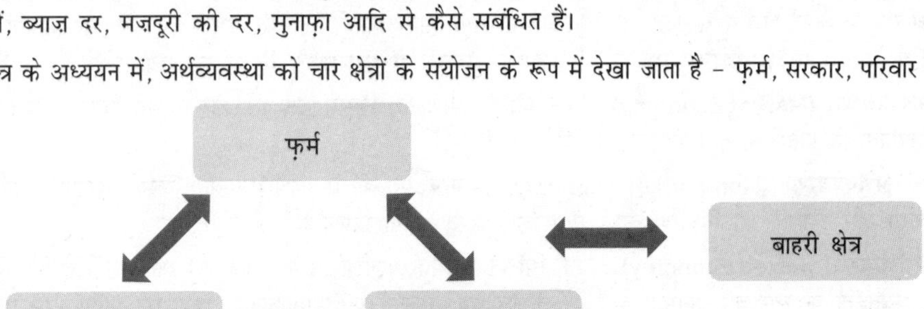

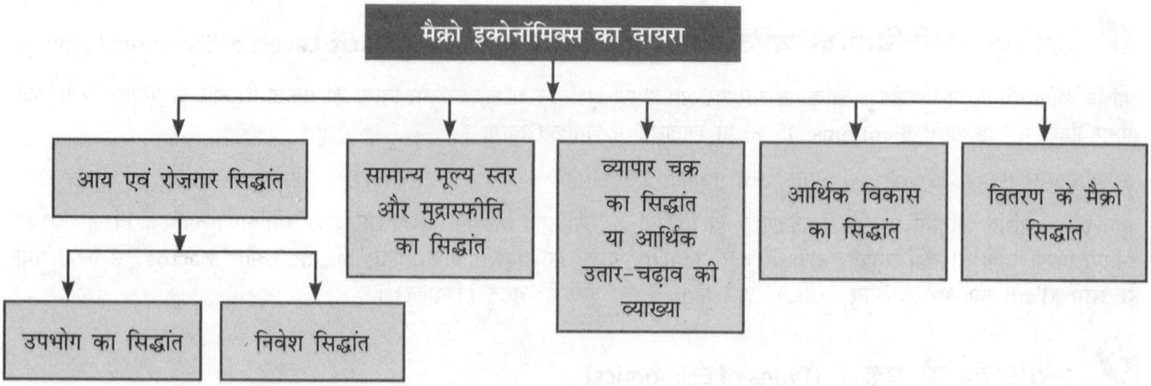

व्यष्टि अर्थशास्त्र बनाम समष्टि अर्थशास्त्र (MICROECONOMICS VS MACROECONOMICS)

व्यष्टि अर्थशास्त्र (Microeconomics)	समष्टि अर्थशास्त्र (Macroeconomics)
1. यह व्यक्तिगत आर्थिक इकाइयों या व्यक्तिगत बाज़ारों के व्यवहार की जाँच करता है।	1. यह समग्र रूप से अर्थव्यवस्था का अध्ययन करता है।
2. यह उपभोक्ता व्यवहार, व्यक्तिगत श्रम बाज़ार और फ़र्मों के सिद्धांत जैसे मुद्दों का अध्ययन करता है।	2. यह सकल माँग, राष्ट्रीय उत्पादन और मुद्रास्फीति जैसी **'सकल'** चर वस्तुओं का अध्ययन है।
3. यह मानी हुई बात है कि सूक्ष्म-चर स्थिर रहते हैं।	3. यह मानी हुई बात है कि व्यष्टि-चर स्थिर रहते हैं।
4. **मुख्य उपकरण** - किसी विशेष वस्तु की माँग और आपूर्ति।	4. **मुख्य उपकरण** - कुल माँग और कुल आपूर्ति।
5. इसे **"मूल्य सिद्धांत"** के रूप में भी जाना जाता है।	5. इसे **"आय और रोज़गार सिद्धांत (Income and Employment Theory)"** के रूप में भी जाना जाता है।

अर्थव्यवस्था के प्रकार (Types of Economy)

अर्थव्यवस्था मुख्य रूप से अपने क्षेत्र में वस्तुओं और सेवाओं की माँग और आपूर्ति पर निर्भर करती है। माँग और आपूर्ति तथा अंतर्निहित मूल्यों की प्रकृति के आधार पर, अर्थव्यवस्थाओं को **तीन प्रमुख प्रकारों में विभाजित किया जा सकता है :**

क. बाज़ार अर्थव्यवस्था (Market Economy) : एक आर्थिक प्रणाली, जिसमें उत्पादन और क़ीमतें निजी स्वामित्ववाले व्यवसायों के बीच अप्रतिबंधित प्रतिस्पर्धा द्वारा निर्धारित किया जाता है।

ख. ग़ैर-बाज़ार अर्थव्यवस्था (Non-Market Economy) : एक ग़ैर-बाज़ार अर्थव्यवस्था, जिसमें वस्तुओं और संसाधनों को आवंटित करने और क़ीमतों का निर्धारण करने में सरकारी हस्तक्षेप महत्त्वपूर्ण है।

ग. मिश्रित अर्थव्यवस्था (Mixed Economy) : एक मिश्रित आर्थिक प्रणाली निजी संपत्ति की रक्षा करती है और पूँजी के उपयोग में आर्थिक स्वतंत्रता के स्तर की अनुमति देती है, लेकिन यह सरकारों को सामाजिक उद्देश्यों को प्राप्त करने के लिए आर्थिक गतिविधियों में हस्तक्षेप करने की भी अनुमति देती है।

आर्थिक वस्तुएँ (Economic Goods)

आर्थिक वस्तुएँ, वे उत्पाद या सेवाएँ हैं, जो उपभोक्ताओं की ज़रूरतों और इच्छाओं को पूरा करती हैं। मुख्य रूप से चार चर (प्रतिद्वंद्वी, ग़ैर-प्रतिद्वंद्वी, बहिष्कृत और ग़ैर-बहिष्कृत) के आधार पर चार प्रकार की आर्थिक वस्तुएँ होती हैं।

	बहिष्कृत (Excludable)	ग़ैर-बहिष्कृत (Non-Excludable)
प्रतिद्वंद्वी (Rivalrous)	निजी वस्तुएँ (कार, टीवी और अन्य सभी उपभोक्ता सामान)	सामान्य वस्तुएँ (कोयला, पेट्रोलियम)
ग़ैर-प्रतिद्वंद्वी (Non-Rivalrous)	क्लब वस्तुएँ (वाई-फ़ाई, टोल रोड)	सार्वजनिक वस्तुएँ (राष्ट्रीय रक्षा)

आर्थिक वस्तुओं को तीन कारकों द्वारा अलग-अलग किया जाता है: (i) उनकी भौतिक विशेषताएँ, जो मनुष्य की इच्छाओं को पूरा करती हैं; (ii) वे तारीख़ें, जिन पर वे उपलब्ध होती हैं (इस वर्ष उपलब्ध कार पिछले वर्ष उपलब्ध कार के समान वस्तु नहीं है, भले ही वे एक ही बनावट की हों); और (iii) वह स्थान, जहाँ वे उपलब्ध हैं।

आर्थिक एजेंट (Economic Agents)

आर्थिक यूनिट या आर्थिक एजेंट का मतलब उन व्यक्तियों या संस्थाओं से है, जो आर्थिक निर्णय लेते हैं। वे उपभोक्ता हो सकते हैं, जो यह तय करते हैं कि क्या और कितना उपभोग करना है या वे वस्तुओं और सेवाओं के निर्माता हो सकते हैं, जो यह तय करते हैं कि क्या और कितना उत्पादन करना है। वे सरकार, निगम, बैंक जैसी संस्थाएँ भी हो सकती हैं, जो अलग-अलग आर्थिक निर्णय भी लेती हैं जैसे कि कितना ख़र्च करना है, क्रेडिट पर क्या ब्याज दर वसूलना है, कर की दर कितनी होनी चाहिए, आदि।

आर्थिक मॉडल (Economic Models)

आर्थिक मॉडल, चर (variable) के एक सेट और आपसी संबंध के ज़रिये आर्थिक प्रक्रिया का सैद्धांतिक निरूपण है। ऐसे कुछ आर्थिक मॉडल आपूर्ति-माँग मॉडल और परिपत्र प्रवाह मॉडल हैं।

एक अर्थव्यवस्था में आय का वृत्ताकार प्रवाह (CIRCULAR FLOW OF INCOME IN AN ECONOMY)

यह अर्थव्यवस्था का वह मॉडल है, जो सरल शब्दों में आर्थिक आदान-प्रदान की अवधारणा का प्रतिनिधित्व करता है। धन और वस्तुओं का प्रवाह विपरीत दिशा में होता है, लेकिन बंद परिपथ में चलता है।

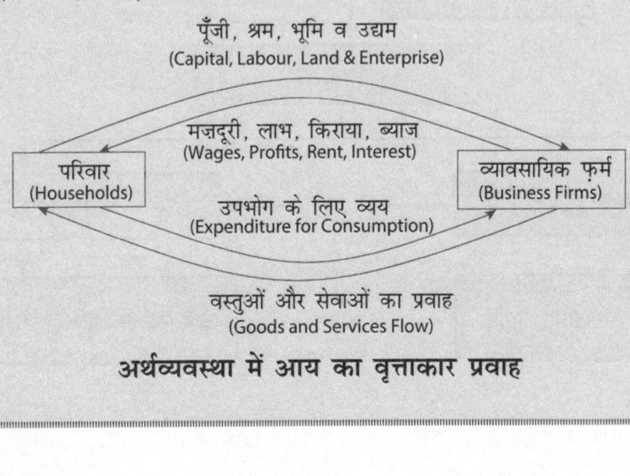

अर्थव्यवस्था में आय का वृत्ताकार प्रवाह

अर्थव्यवस्था की मुख्य समस्याएँ (CENTRAL PROBLEMS OF AN ECONOMY)

संसाधनों की कमी अर्थव्यवस्था में विकल्प की समस्या को जन्म देती है, इसलिए **और संसाधनों का उचित आवंटन किया** जाना चाहिए। आवंटन का अध्ययन तीन भागों में किया जा सकता है :

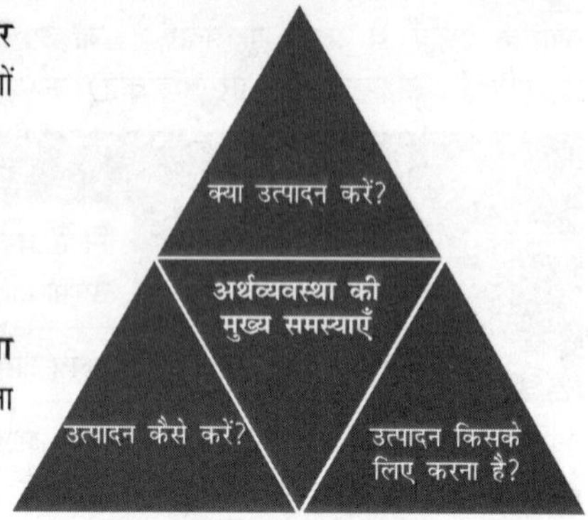

1. क्या उत्पादन करना है और किस मात्रा में करना है?

(What to Produce and in What Quantities?)

अर्थव्यवस्था को उत्पादन के लिए **वस्तुओं का चयन** और उत्पादित होनेवाली **मात्रा** तय करनी चाहिए। उदाहरण के लिए – क्या कृषि वस्तुओं का उत्पादन अधिक करना है या औद्योगिक उत्पाद अधिक रखना है।

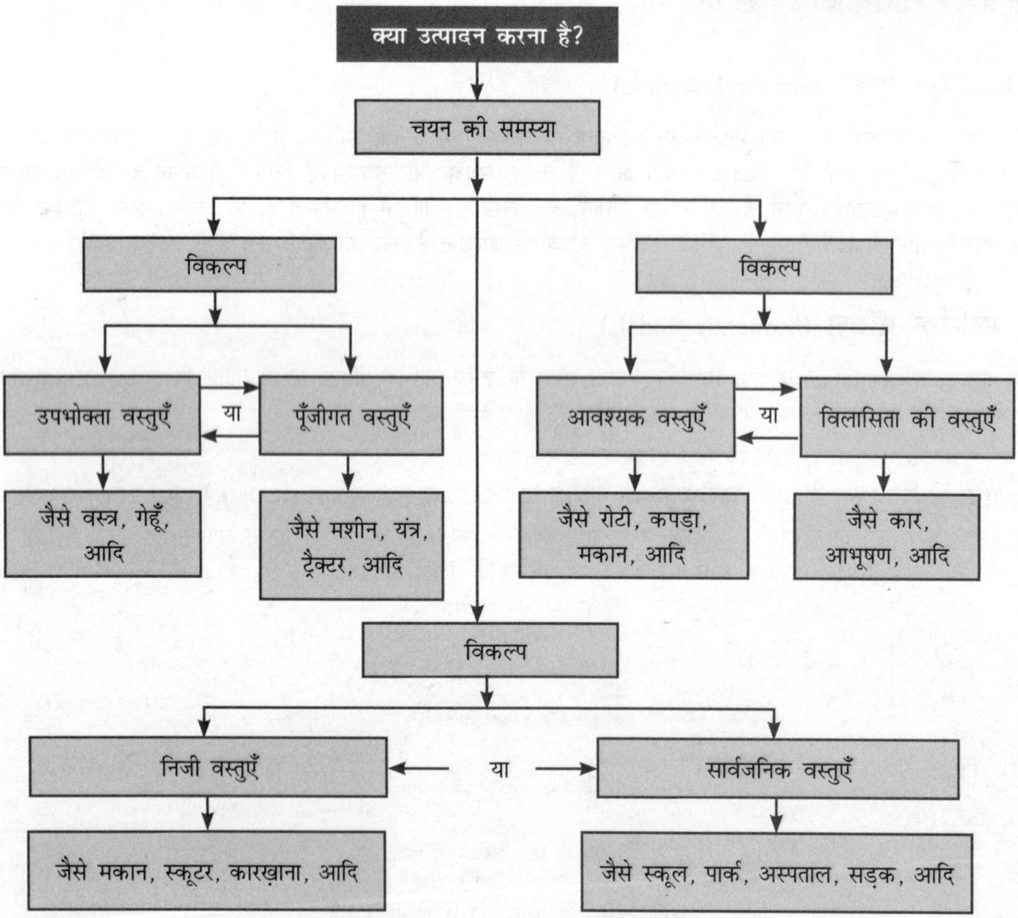

2. उत्पादन कैसे करना है? (How to Produce?)

इस समस्या में वस्तुओं और सेवाओं **के उत्पादन के लिए अपनायी जानेवाली तकनीक का चयन** शामिल है।

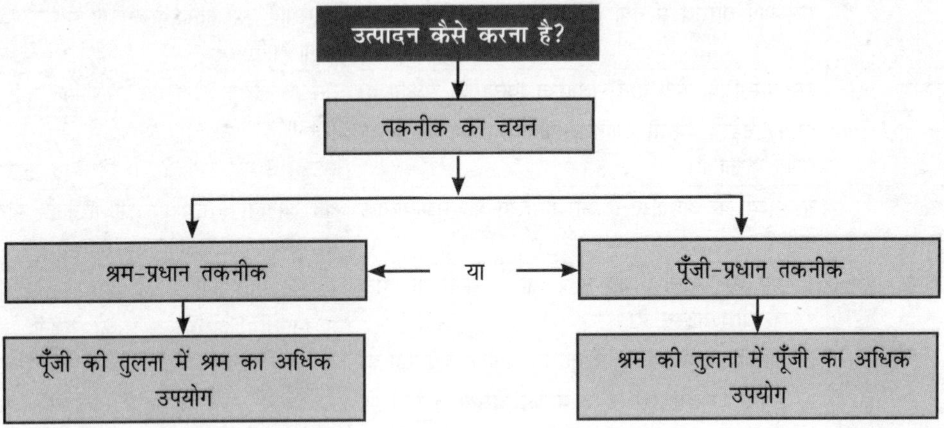

3. उत्पादन किसके लिए करना है? (For Whom to Produce?)

इसका तात्पर्य **उत्पादित वस्तुओं और सेवाओं के वितरण** और उपभोक्ताओं के चयन से है।

संसाधनों का आवंटन और अंतिम वस्तुओं और सेवाओं का वितरण किसी भी अर्थव्यवस्था की मूलभूत समस्याएँ हैं।

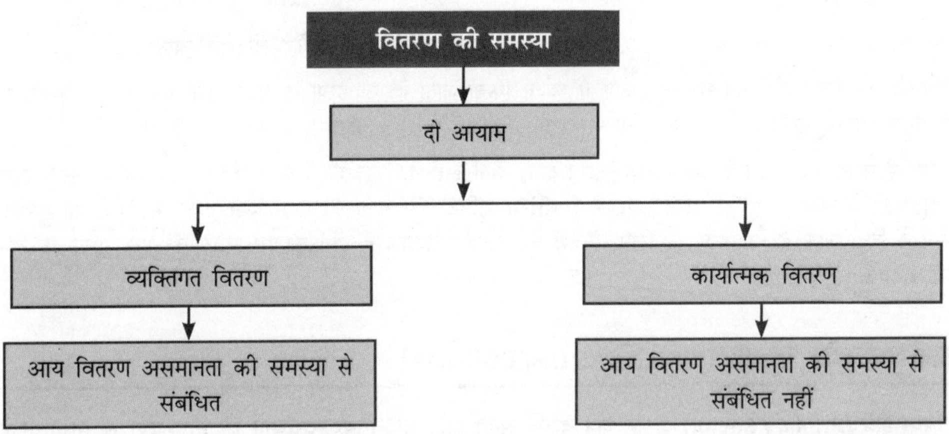

सकारात्मक अर्थशास्त्र और मानक अर्थशास्त्र (Positive Economics and Normative Economics)

सकारात्मक अर्थशास्त्र **इस बात से संबंधित है कि वास्तविक दुनिया में समस्याओं को वास्तव में कैसे हल किया जाता है** और वास्तविक आँकड़ों के आधार पर विवरण कैसे तैयार किया जाता है। **प्रोफेसर जे.बी. से, सीनियर** और **रॉबिन्स** ने अर्थशास्त्र को सकारात्मक विज्ञान की श्रेणी में माना है।

मानक अर्थशास्त्र **अर्थशास्त्रियों की राय और सुझावों** से संबंधित है और विवरण अर्थशास्त्र की समस्याओं के विभिन्न समाधानों के बारे में **वैचारिक दृष्टिकोण** से प्राप्त होते हैं। इसे वास्तविक आँकड़ों से सत्यापित नहीं किया जा सकता है।

अर्थशास्त्री मार्शल, पिगौ, हॉट्रे और कीन्स ने अर्थशास्त्र को मानक विज्ञान की श्रेणी में वर्गीकृत किया है।

आधार	सकारात्मक अर्थशास्त्र	मानक अर्थशास्त्र
अर्थ	सकारात्मक अर्थशास्त्र इस बात से संबंधित है कि आर्थिक समस्याएँ वास्तव में क्या हैं या कैसे हल की जाती हैं।	मानक अर्थशास्त्र इस बात से संबंधित है कि आर्थिक समस्याएँ क्या होनी चाहिए या इन्हें कैसे हल किया जाना चाहिए
सत्यापन उद्देश्य	इसे वास्तविक डेटा द्वारा सत्यापित किया जा सकता है। इसका उद्देश्य किसी आर्थिक गतिविधि का वास्तविक वर्णन करना है।	इसे वास्तविक डेटा द्वारा सत्यापित नहीं किया जा सकता है। इसका उद्देश्य आदर्शों को निर्धारित करना है।
सुझावात्मक	यह तथ्यों पर आधारित है और इसलिए यह सुझावात्मक नहीं है।	यह व्यक्तिगत राय पर आधारित है और इसलिए, यह प्रकृति में सुझावात्मक है।
मूल्य निर्णय के उदाहरण	1. यह कोई मूल्य निर्णय नहीं देता है, यानी यह दोनों के बीच तटस्थ है। 2. भारतीय अर्थव्यवस्था में क़ीमतें लगातार बढ़ रही हैं। 3. हमारी अर्थव्यवस्था में आय की असमानताएँ मौजूद हैं। 4. भारत में, बेरोज़गारी बढ़ रही है।	1. यह मूल्य निर्णय देता है। 2. भारतीय अर्थव्यवस्था को बढ़ती क़ीमतों को नियंत्रित करने के लिए क़दम उठाये जाने चाहिए। 3. हमारी अर्थव्यवस्था में आय की असमानताओं को कम किया जाना चाहिए। 4. भारत में बेरोज़गारी पर अंकुश लगाया जाना चाहिए।

स्टॉक वेरिएबल और फ़्लो वेरिएबल (Stock Variable and Flow Variable)

अर्थशास्त्र में, हम दो प्रकार के वेरिएबल के साथ काम करते हैं: **स्टॉक वेरिएबल** और **फ़्लो वेरिएबल**।

स्टॉक को आमतौर पर किसी निश्चित समय के रूप में व्यक्त किया जाता है। उदाहरण के लिए, पूँजी एक स्टॉक वेरिएबल है, क्योंकि इसका कोई समय आयाम नहीं है और केवल एक समय का संदर्भ है, जैसे 1 जनवरी, 2000 को पूँजी का स्टॉक।

एक प्रवाह चर में **समय का आयाम** और **समय का संदर्भ,** दोनों होते हैं। भले ही दोनों वेरिएबल समय में निर्धारित स्थानों पर दर्ज किये जाते हो, फ़्लो वैरिएबल को **'अस्थायी रूप से निर्धारित यूनिटों'** में मापा जाता है। दूसरे शब्दों में, फ़्लो को हमेशा समय की यूनिट के रूप में दिया जाता है। उदाहरण के लिए, निवेश एक फ़्लो वेरिएबल है, क्योंकि इसे समय की एक यूनिट के रूप में बताया गया है, जैसे प्रतिवर्ष 10 प्रतिशत।

अर्थव्यवस्था के क्षेत्र (SECTORS OF ECONOMY)

1. **प्राथमिक क्षेत्र (Primary Sector) :** यह क्षेत्र **कच्चे माल और प्राकृतिक संसाधनों के निष्कर्षण** से सम्बंधित है। इस क्षेत्र में शामिल गतिविधियाँ कृषि, वानिकी, मत्स्य-पालन, पशुपालन आदि हैं।
2. **माध्यमिक क्षेत्र (Secondary Sector) :** इस क्षेत्र में सभी **विनिर्माण** और निर्माण गतिविधियाँ, बिजली, गैस, जल आपूर्ति और अन्य उपयोगी सेवाएँ आदि शामिल हैं।
3. **तृतीयक क्षेत्र (Tertiary Sector) :** इसे **सेवा क्षेत्र** के नाम से भी जाना जाता है। इस क्षेत्र की गतिविधियों में सूचना प्रौद्योगिकी सेवाएँ, परिवहन, पर्यटन, भंडारण, संचार, बैंकिंग आदि शामिल हैं।

4. **चतुर्थक क्षेत्र (Quaternary Sector)** : इस क्षेत्र में **बौद्धिक या ज्ञान-आधारित** गतिविधियाँ जैसे- परामर्श, अनुसंधान एवं विकास आदि शामिल हैं।
5. **पंचभागी क्षेत्र (Quinary Sector)** : इस क्षेत्र की गतिविधियों में सरकार, **उद्योग** आदि में **उच्च स्तरीय निर्णय लेना** शामिल है।

अर्थव्यवस्था में माँग और आपूर्ति की अवधारणा (CONCEPT OF DEMAND AND SUPPLY IN ECONOMY)

माँग (Demand)

माँग उन वस्तुओं या सेवाओं की मात्रा है, जो उपभोक्ता ख़रीदने के लिए तैयार और सक्षम है।

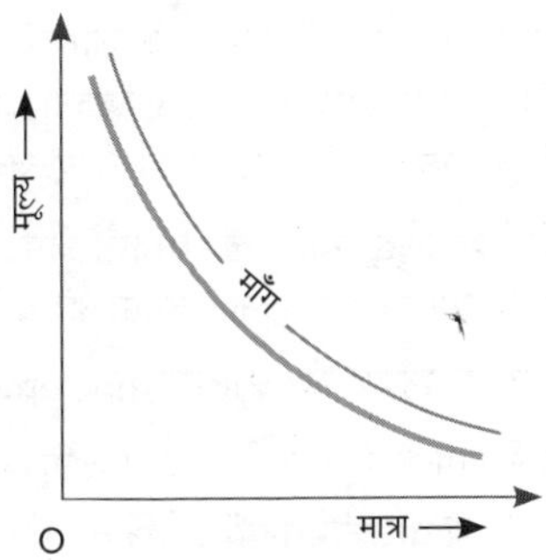

माँग वक्र

माँग फलन (Demand Function)

वस्तुओं का माँग फलन (Demand Function) किसी वस्तु की माँग की मात्रा और उसकी अपनी क़ीमत के बीच संबंध को व्यक्त करता है, अन्य सभी चीज़ें स्थिर रहती हैं। इसे एक अनुकूलन तकनीक का उपयोग करके उपयोगिता फलन से उत्पन्न किया जाता है। यह उपभोक्ता के अधिकतम व्यवहार को दर्शाता है। सामान्यतः, वस्तुओं की क़ीमत और माँग की मात्रा के बीच **विपरीत संबंध** होता है।

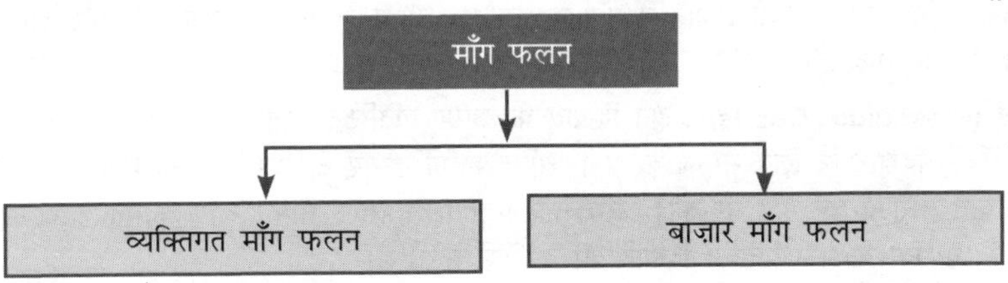

व्यक्तिगत माँग फलन (Individual Demand Function)

व्यक्तिगत माँग फलन, उपभोक्ता के लिए वस्तुओं की माँग और उसे निर्धारित करनेवाले कारकों के बीच संबंध को व्यक्त करता है। इसे निम्न समीकरण के माध्यम से व्यक्त किया जा सकता है

$$D_r = f(P_x, P_r, Y, T)$$

जहाँ P_x = वस्तुओं की क़ीमत
P_r = संबंधित वस्तुओं की क़ीमत
Y = उपभोक्ता की मौद्रिक आय
T = उपभोक्ता की पसंद और प्राथमिकता
D = वस्तुओं की माँग

बाज़ार माँग फलन (Market Demand Function)

बाज़ार माँग फलन, किसी भी वस्तु की बाज़ार माँग और उसे निर्धारित करनेवाले विभिन्न तत्वों के बीच संबंध को व्यक्त करता है। बाज़ार माँग फलन में दो और कारक सम्मिलित किये गये हैं:

$$D_x = f(P_x, P_r, Y, T, E, P, Y_d);$$

जहाँ D_x = वस्तुओं की माँग

P = जनसंख्या का आकार

Y_d = आय का वितरण

P_x = वस्तुओं की क़ीमत

P_r = संबंधित वस्तुओं की क़ीमत

Y = बाज़ार में वस्तुओं के लिए सभी उपभोक्ताओं की आय

T = उपभोक्ताओं की पसंद

E = उपभोक्ताओं की अपेक्षाएँ

माँग का नियम *(Law of Demand)*

यह बताता है कि अन्य सभी कारकों को अपरिवर्तित मानते हुए, वस्तुओं की क़ीमत और माँग की गयी मात्रा के बीच एक विपरीत संबंध मौजूद होता है। क़ीमतें जितनी अधिक होंगी, माँग उतनी ही कम होगी और इसके विपरीत क़ीमतें जितनी कम होंगी, माँग उतनी ही अधिक होगी। उदाहरण के लिए जब प्याज़ की क़ीमत बढ़ती है, तो उसकी माँग गिर जाती है।

हालाँकि, कुछ प्रकार की वस्तुएँ, जैसे कि, **निम्नस्तरीय वस्तुएँ (Giffen goods)** और **वेबलेन वस्तुएँ** (आगे समझाया गया है) माँग के नियम का पालन नहीं करती हैं।

माँग के नियम के अपवाद (Exceptions to the Law of Demand)

कुछ मामलों में माँग का नियम लागू नहीं होता। इन स्थितियों को 'अपवाद (Exceptions)' कहा जाता है और ये इस प्रकार हैं :

(i) **भावी क़ीमत में अपेक्षित वृद्धि (Expected rise in Future Price) :** प्राकृतिक आपदा, युद्ध आदि जैसी कुछ अप्रत्याशित परिस्थितियों में उपभोक्ता, क़ीमत बढ़ने के बाद भी वस्तुओं की माँग करते रहते हैं क्योंकि उन्हें भविष्य में क़ीमत में और अधिक वृद्धि की संभावना प्रतीत होती है। ऐसी स्थिति में माँग का नियम अमान्य हो जाता है तथा माँग और वस्तुओं की क़ीमत के बीच सीधा संबंध अस्तित्व में आता है।

(ii) **प्रतिष्ठित वस्तुएँ (Prestigious Goods) :** झूठे दिखावे के कारण प्रतिष्ठित वस्तुओं पर माँग का नियम लागू नहीं होता। प्रतिष्ठा और सामाजिक स्थिति दिखाने के लिए समाज के धनी व्यक्ति महँगी वस्तुएँ ख़रीदते हैं, यानी क़ीमत में बदलाव से हीरे, आभूषण आदि जैसी प्रतिष्ठित वस्तुओं की माँग पर कोई असर नहीं पड़ता। दरअसल, अमीर लोग क़ीमत बढ़ने पर प्रतिष्ठित वस्तुओं की खपत बढ़ा देते हैं, क्योंकि वे झूठी प्रतिष्ठा दिखाने की कोशिश करते हैं।

(iii) **उपभोक्ता की अज्ञानता (Ignorance of Consumer) :** जब कोई उपभोक्ता अज्ञानता के कारण यह मान लेता है कि उसने ऊँची क़ीमत देकर बेहतर और टिकाऊ वस्तुएँ ख़रीदी हैं, तो ऊँची क़ीमत माँग को प्रभावित नहीं करती। दूसरी ओर, जब किसी वस्तु का मूल्य कम हो जाता है, तो अज्ञानता के कारण उपभोक्ता उस वस्तु को निम्नस्तरीय (घटिया) मान लेता है। इस स्थिति में, जब मूल्य कम हो जाता है, तो उपभोग भी कम हो जाता है और माँग का नियम लागू नहीं होता है।

(iv) **गिफ़ेन का विरोधाभास (Giffen*s Paradox) :** गिफ़ेन का विरोधाभास तब उत्पन्न होता है, जब उपभोग की दो वस्तुओं में से एक श्रेष्ठ होती है और दूसरी निम्नस्तरीय। निम्नस्तरीय वस्तुएँ वे वस्तुएँ होती हैं, जिनका उपभोग, उपभोक्ता अपनी निम्न आय स्तर के कारण करते हैं। ऐसी स्थिति में, जब निम्नस्तरीय वस्तुओं का मूल्य कम हो जाता है, तो उपभोक्ता अपनी बढ़ी हुई क्रय शक्ति के कारण निम्नस्तरीय वस्तुओं का उपभोग कम कर देता है। इस तरह, निम्नस्तरीय वस्तुओं का मूल्य कम होने से उनका उपभोग कम हो जाता है। इस विरोधाभास को सबसे पहले एक अँगरेज़ी अर्थशास्त्री रॉबर्ट गिफ़ेन ने पाया था और इसी कारण इसका नाम उनके नाम पर रखा गया।

माँग के निर्धारक *(Determinants of Demand)*

(i) वस्तु की क़ीमत (ii) अन्य संबंधित वस्तुओं की क़ीमत

क्या आप जानते हैं?

माँग वक्र नीचे की ओर क्यों झुकता है? (Why does Demand Curve slope downwards\ )

माँग वक्र के नीचे की ओर झुकने के कई कारण हैं, जैसे

(a) घटती सीमांत उपयोगिता का नियम, (b) अन्य प्रभाव, (c) स्थानापन्न प्रभाव और (d) उपभोक्ताओं की संख्या में परिवर्तन।

माँग के अन्य प्रकार (Other Types of Demand)

1. **संयुक्त माँग (Joint Demand)** : संयुक्त माँग, **पूरक वस्तुओं** के मामले में दिखायी देती है। जब दो वस्तुएँ एक दूसरे की पूरक होती हैं और उनका अलग-अलग उपयोग नहीं किया जा सकता है, तो उनकी संयुक्त माँग होती है। ब्रेड और मक्खन, चीनी और चाय, कलम और स्याही संयुक्त माँग के कुछ उदाहरण हैं। संयुक्त माँग में, एक वस्तु की माँग में बदलाव पूरक वस्तुओं की माँग में आनुपातिक परिवर्तन लाता है।
2. **व्युत्पन्न माँग (Derived Demand)** : उत्पादन के एक कारक की माँग, प्रत्यक्ष माँग नहीं होती है, यह एक अप्रत्यक्ष या व्युत्पन्न माँग होती है। व्युत्पन्न माँग, एक ऐसी माँग होती है, जो किसी अन्य वस्तु या कारक की माँग से उत्पन्न या व्युत्पन्न होती है। श्रम या कच्चे माल की माँग उस अंतिम उत्पाद की माँग पर निर्भर करती है (या उससे व्युत्पन्न होती है) जिसमें इस कारक का उपयोग किया जाता है।
3. **समग्र माँग (Composite Demand)** : जब वस्तुओं को विभिन्न प्रकार के उपयोगों में लगाया जा सकता है, तो ऐसी वस्तुओं की कुल बाज़ार माँग 'समग्र माँग' बनाती है। बिजली की समग्र माँग होती है, क्योंकि बिजली को घरेलू प्रकाश व्यवस्था, तापन, औद्योगिक ऊर्जा स्रोत आदि जैसे कई उपयोगों में लगाया जा सकता है। जब माँग की इन क़िस्मों को एक साथ जोड़ा जाता है, तो हमें बिजली की समग्र माँग प्राप्त होती है।

माँग की लोच (ELASTICITY OF DEMAND)

लोच (Elasticity), लोचशीलता में वृद्धि या कमी की प्रवृत्ति को दर्शाती है। लोचशीलता दो कारकों पर निर्भर करती है- 'वस्तु की प्रकृति (Nature of Goods)' और 'उस पर दबाव (Pressure on it)'। जब वस्तु कम दबाव (या बल) की प्रतिक्रिया में अधिक परिवर्तन करती है, तो उसे अत्यधिक लोचदार माना जाता है तथा जब वह उच्च दबाव की प्रतिक्रिया में कम परिवर्तन करती है, तो उसे कम लोचदार माना जाता है। जो वस्तुएँ कम या कोई परिवर्तन नहीं करती हैं, उन्हें अलोचदार (inelastic) माना जाता है। इस अवधारणा के आधार पर, **क़ीमत में परिवर्तन के कारण माँग में परिवर्तन** को देखने के लिए माँग की लोच की व्याख्या की गयी है।

माँग का लोचदार मूल्य (Price Elasticity of Demand) : लोच क़ीमतों में परिवर्तन के कारण माँग की जानेवालीं वस्तुओं की मात्रा में परिवर्तन की दर की माप है।

$$\text{माँग का लोचदार मूल्य} = \frac{\text{माँग की गयी मात्रा में प्रतिशत परिवर्तन (Percentage change in quantity demanded)}}{\text{मूल्य में प्रतिशत परिवर्तन (Percentage change in price)}}$$

लोचदार और बेलोचदार माँग (Elastic and Inelastic Demand) : यदि क़ीमतों में परिवर्तन के साथ माँग की मात्रा में परिवर्तन होता है, तो इसे लोचदार माँग कहा जाता है। यदि किसी वस्तु की क़ीमत में परिवर्तन के साथ उसकी माँग की मात्रा में अधिक परिवर्तन नहीं होता है, तो वस्तु को बेलोचदार माना जाता है।

माँग का शून्य लोचदार मूल्य (Zero Price Elasticity of Demand) : क़ीमत में जो भी परिवर्तन हो, माँग में कोई परिवर्तन नहीं होता है।

लोच का स्तर (Degrees of Elasticity)

- **लोचदार माँग (Elastic Demand) ($E > 1$)** : मूल्य परिवर्तन की प्रतिक्रिया में माँग की गयी मात्रा में बड़ा परिवर्तन।
- **अलोचदार माँग (Inelastic Demand) ($0 < E < 1$)** : मूल्य परिवर्तन की प्रतिक्रिया में माँग की गयी मात्रा में छोटा परिवर्तन।
- **एकात्मक लोचदार माँग (Unitary Elastic Demand) ($E = 1$)** : माँग की गयी मात्रा में प्रतिशत परिवर्तन, मूल्य में प्रतिशत परिवर्तन के बराबर होता है।
- **पूर्णतः लोचदार माँग (Perfectly Elastic Demand) ($E = \infty$)** : किसी भी मूल्य वृद्धि से माँग शून्य हो जाती है।
- **पूर्णतः अलोचदार माँग (Perfectly Inelastic Demand) ($E = 0$)** : मूल्य परिवर्तन के बावजूद माँग स्थिर रहती है।

माँग की लोच को प्रभावित करनेवाले कारक (Factors affecting Elasticity of Demand)

1. माल/वस्तु की प्रकृति
2. स्थानापन्नकारी वस्तु की उपलब्धता
3. वैकल्पिक उपयोग
4. उपभोग का स्थगन
5. व्यय राशि
6. आय स्तर
7. मूल्य स्तर
8. समय अवधि
9. वस्तु की संयुक्त माँग या पूरकता
10. प्रकृति और आदतें

अतिरिक्त जानकारी

मूल्य लोच के बारे में अनोखे तथ्य (UNIQUE FACTS ABOUT PRICE ELASTICITY)

1. मूल्य और माँगी गयी मात्रा के बीच व्युत्क्रम संबंध के कारण माँग की मूल्य लोच का गुणांक हमेशा एक ऋणात्मक संख्या होती है। इसलिए, लोच का मान लिखते समय ऋण चिह्न को अनदेखा किया जाता है।
2. माँग की मूल्य लोच का गुणांक एक शुद्ध संख्या होती है तथा यह मूल्य एवं मात्रा इकाइयों से स्वतंत्र होता है। इसमें 'रुपया' या 'किलोग्राम' आदि सम्मिलित नहीं है।)

वस्तुओं के प्रकार (Types of Goods)

- **स्थानापन्न वस्तुएँ (Substitute Goods) :** यदि स्थानापन्न वस्तुओं की क़ीमत में वृद्धि होती है, तो दी गयी वस्तु की माँग भी बढ़ जाती है। उदाहरण - चाय और कॉफ़ी।
- **पूरक वस्तुएँ (Complementary Goods) :** यदि पूरक वस्तु की क़ीमत में वृद्धि होती है, तो दी गयी वस्तु की माँग घट जाती है। उदाहरण- चाय और चीनी।
- **सामान्य वस्तुएँ (Normal Goods) :** आय में वृद्धि के साथ इसकी माँग में वृद्धि होती है। उदाहरण- साधारण टीवी।
- **निम्नस्तरीय वस्तुएँ (Inferior Goods) :** आय में वृद्धि के साथ इसकी माँग में गिरावट आती है। उदाहरण- जब घरेलू उत्पाद महँगे हो जाते हैं, तो वे कम मिट्टी के तेल (माँग की नकारात्मक आय लोच) का उपभोग करते हैं।
- **गिफ़ेन वस्तुएँ (Giffen Goods) :** क़ीमत बढ़ने पर लोग अधिक उपभोग करते हैं। उदाहरण- यदि आलू की क़ीमत बढ़ती है, तो लोग अन्य विकल्प नहीं ख़रीद पायेंगे, इसलिए वे अधिक आलू ख़रीदने के लिए मजबूर हैं।
- **वेबलेन वस्तुएँ (Veblen Goods) :** इसकी क़ीमत में वृद्धि लोगों को अधिक ख़रीदने के लिए प्रोत्साहित करती है, क्योंकि उन्हें लगता है कि उत्पाद जितना महँगा होगा, उतना ही बेहतर होगा। उदाहरण - कला और कलाकृतियाँ, ब्रांडेड कपड़े आदि।

आपूर्ति (Supply)

आपूर्ति एक वस्तु की मात्रा है, जो कि एक फ़र्म इच्छुक है और दी गयी क़ीमत पर बेचने में सक्षम है।

आपूर्ति फलन (Supply Function)

वस्तुओं का आपूर्ति फलन (Supply Function) किसी वस्तु की आपूर्ति की मात्रा और उसकी अपनी क़ीमत के बीच संबंध को व्यक्त करता है, अन्य सभी चीज़ें स्थिर रहती हैं।

आपूर्ति सारणी/अनुसूची (Supply Schedule)

जब किसी वस्तु की विभिन्न क़ीमतों पर बेची गयीं मात्राओं को एक तालिका में प्रस्तुत किया जाता है, तो उसे आपूर्ति सारणी कहते हैं। दूसरे शब्दों में, आपूर्ति सारणी उन मात्राओं का तालिकाबद्ध प्रतिनिधित्व होता है, जो विक्रेता विभिन्न संभावित क़ीमतों पर देने को तैयार है।

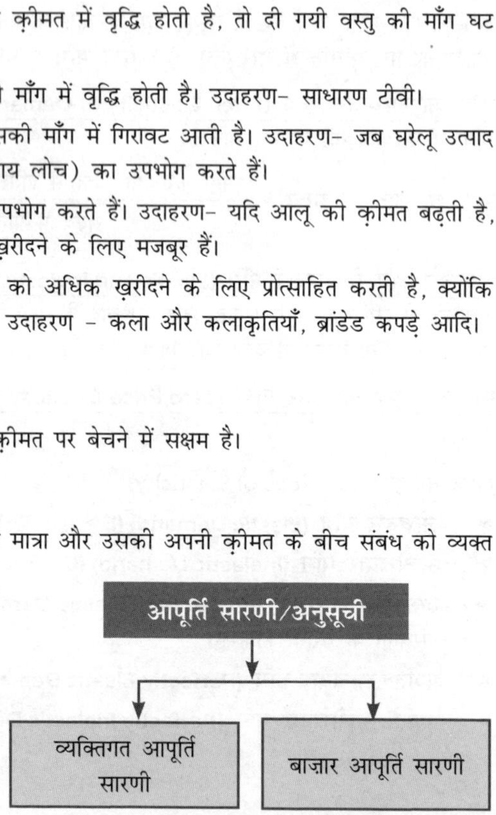

व्यक्तिगत आपूर्ति सारणी (Individual Supply Schedule)

व्यक्तिगत आपूर्ति सारणी, बाज़ार में एक व्यक्तिगत फ़र्म की आपूर्ति सारणी को संदर्भित करती है। यह बाज़ार में किसी विशेष फ़र्म की आपूर्ति प्रतिक्रिया को दर्शाती है।

व्यक्तिगत आपूर्ति सारणी, एक फ़र्म द्वारा विभिन्न क़ीमतों पर आपूर्ति की गयीं विभिन्न मात्राओं को व्यक्त करती है।

बाज़ार आपूर्ति सारणी (Market Supply Schedule)

जब कुल मात्रा, जिसे सभी फ़र्म (या विक्रेता), बाज़ार में विभिन्न क़ीमतों पर बेचने के लिए तैयार होते हैं, तो वह बाज़ार आपूर्ति सारणी बन जाती है। इस प्रकार, बाज़ार आपूर्ति सारणी बाज़ार में किसी विशेष वस्तु का उत्पादन करनेवालीं सभी फ़र्मों की आपूर्ति सारणी को संदर्भित करती है।

आपूर्ति का नियम (Law of Supply)

आपूर्ति के नियम के अनुसार, अन्य कारकों को स्थिर रखते हुए, यदि मूल्य बढ़ता है, तो माल की आपूर्ति भी बढ़ जाती है।

(यदि मूल्य बढ़ता है, तो निर्माता अधिकतम लाभ प्राप्त करना चाहते हैं)

आपूर्ति नियम के अपवाद (Exceptions to Law of Supply)

आपूर्ति नियम वस्तु की क़ीमत और उसकी आपूर्ति के बीच सीधा संबंध दर्शाता है लेकिन कुछ परिस्थितियों में यह नियम लागू नहीं होता है, यानी किसी वस्तु की क़ीमत और उसकी आपूर्ति के बीच सीधा संबंध स्थापित नहीं होता है। ऐसे मामलों को आपूर्ति नियम के अपवाद कहा जाता है।

आपूर्ति नियम के कुछ अपवाद इस प्रकार हैं :

1. आपूर्ति नियम उन कृषि उत्पादों पर सख़्ती से लागू नहीं होता है, जिनकी आपूर्ति प्राकृतिक कारकों द्वारा नियंत्रित होती है। अगर प्राकृतिक आपदाओं के कारण गेहूँ का उत्पादन कम होता है, तो इसकी आपूर्ति नहीं बढ़ेगी, चाहे क़ीमत कितनी भी बढ़ जाये।
2. क्षयकारी वस्तुओं (जल्दी ख़राब होनेवालीं वस्तुएँ, जैसे सब्ज़ी, फल, दुग्ध) के मामले में आपूर्ति नियम लागू नहीं होता है। विक्रेता क्षयकारी वस्तुओं की अधिक इकाइयाँ बेचने के लिए तैयार हो सकते हैं, भले ही उनकी क़ीमत गिर रही हो।
3. यह नियम सामाजिक भेदभाववालीं वस्तुओं के मामले में भी विफल हो जाता है। सामाजिक भेदभाववालीं वस्तुओं की आपूर्ति सीमित रहेगी, भले ही उनकी क़ीमत कितनी भी बढ़ जाये।

आपूर्ति के निर्धारक (Determinants of supply)

1. वस्तु की क़ीमत,
2. स्थानापन्न की क़ीमत,
3. उत्पादन के कारकों की क़ीमत,
4. तकनीकी स्तर,
5. बाज़ार में फ़र्मों की संख्या,
6. फ़र्म का लक्ष्य,
7. अपेक्षित भावी क़ीमतें,
8. सरकारी नीति।

आपूर्ति की लोच (Elasticity of Supply)

माँग के नियम की तरह, आपूर्ति का नियम भी एक 'गुणात्मक कथन' है। आपूर्ति का नियम केवल क़ीमत में परिवर्तन की प्रतिक्रिया में आपूर्ति की गयी मात्रा में परिवर्तन की दिशा को इंगित करता है, लेकिन यह इस परिवर्तन को परिमाणित नहीं करता है। इस मात्रात्मक परिवर्तन को 'आपूर्ति की लोच' द्वारा मापा जाता है।

आपूर्ति की लोच, क़ीमत में परिवर्तन के कारण आपूर्ति में मात्रात्मक परिवर्तन की माप होती है। दूसरे शब्दों में, आपूर्ति की क़ीमत, लोच क़ीमत में आनुपातिक परिवर्तन के परिणामस्वरूप आपूर्ति में आनुपातिक परिवर्तन है।

आपूर्ति की क़ीमत लोच *(Price Elasticity of Supply)*

आपूर्ति की क़ीमत लोच, किसी वस्तु की क़ीमत में कुछ प्रतिशत परिवर्तन की प्रतिक्रिया में, आपूर्ति की गयी मात्रा में प्रतिशत परिवर्तन की माप होती है।

$$\text{आपूर्ति की क़ीमत लोच} = \frac{\text{आपूर्ति की गयी मात्रा में प्रतिशत परिवर्तन (Percentage change in quantity supplied)}}{\text{क़ीमत में प्रतिशत परिवर्तन (Percentage change in price)}}$$

लोच का स्तर (Degrees of Elasticity)

- **लोचदार आपूर्ति (Elastic Supply) ($E > 1$)** : क़ीमत में परिवर्तन की प्रतिक्रिया में आपूर्ति की गयी मात्रा में बड़ा परिवर्तन।
- **अलोचदार आपूर्ति (Inelastic Supply) ($0 < E < 1$)** : क़ीमत में परिवर्तन की प्रतिक्रिया में आपूर्ति की गयी मात्रा में छोटा परिवर्तन।
- **एकात्मक लोचदार आपूर्ति (Unitary Elastic Supply) ($E = 1$)** : आपूर्ति की गयी मात्रा में प्रतिशत परिवर्तन, क़ीमत में प्रतिशत परिवर्तन के बराबर होता है।
- **पूर्णतः लोचदार आपूर्ति (Perfectly Elastic Supply) ($E = \infty$)** : किसी भी क़ीमत में वृद्धि से आपूर्ति शून्य हो जाती है।
- **पूर्णतः अलोचदार आपूर्ति (Perfectly Inelastic Supply) ($E = 0$)** : क़ीमत में परिवर्तन के बावजूद आपूर्ति स्थिर रहती है।

संतुलन (Equilibrium)

अर्थशास्त्र में, संतुलन एक ऐसी स्थिति है, जिसमें आपूर्ति और माँग जैसे अर्थशास्त्र संबंधी कारक संतुलित होते हैं और इकोनॉमिक वेरिएबल्स के (संतुलन) मूल्य बाहरी प्रभावों की अनुपस्थिति में नहीं बदलते हैं। उदाहरणार्थ, एक पूर्ण प्रतिस्पर्धा में, संतुलन तब होता है, जब माँगी गयी मात्रा और प्रदान की गयी मात्रा बराबर होती है।

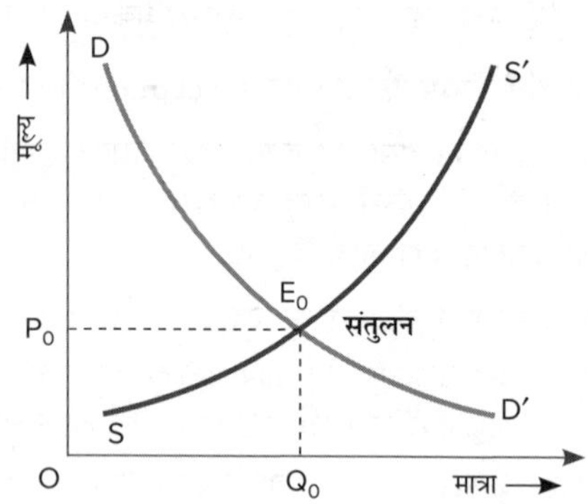

माँग और आपूर्ति

उपभोक्ता व्यवहार (CONSUMER BEHAVIOUR)

उपभोक्ता कौन है? (Who is a Consumer?)

उपभोक्ता (Consumer), एक आर्थिक एजेंट होता है, जो अपनी इच्छाओं की संतुष्टि एवं/या आवश्यकताओं की पूर्ति के लिए वस्तुओं और सेवाओं का उपयोग करता है। 'उपभोक्ता' शब्द में व्यापक रूप से व्यक्ति, परिवार और संस्थाएँ सम्मिलित हैं। उपभोक्ता व्यवहार एक ऐसी प्रक्रिया को संदर्भित करता है, जिसके द्वारा एक उपभोक्ता यह तय करता है कि उसे विभिन्न वस्तुओं और सेवाओं पर अपने व्यय की योजना किस तरह से बनानी चाहिए, ताकि सीमित आय से उपयोगिता को अधिकतम किया जा सके।

उपभोक्ता संतुलन क्या है? (What is Consumer's Equilibrium?)

उपभोक्ता संतुलन, उस प्रक्रिया को संदर्भित करता है, जिसमें एक उपभोक्ता उन वस्तुओं और सेवाओं को चुनता या छाँटता है, जिनसे वह अपनी सीमित आय के माध्यम से अधिकतम संतुष्टि या उपयोगिता प्राप्त कर सकता है।

उपभोक्ता संतुलन के बिंदु पर, उपभोक्ता अपने सीमित संसाधनों के साथ अधिकतम संभव संतुष्टि प्राप्त करता है, जो उपभोक्ता का अंतिम लक्ष्य होता है। सैमुएलसन के अनुसार, *"उपभोक्ता तब संतुलन में होता है, जब वह अपनी आय और बाज़ार की क़ीमतों द्वारा प्रदत्त अपनी संतुष्टि को अधिकतम करता है।"*

असीमित इच्छाओं और सीमित कारकों या संसाधनों के साथ, एक उपभोक्ता का उद्देश्य अपने व्यय से अधिकतम संतुष्टि प्राप्त करना होता है। जब वह इस उद्देश्य को प्राप्त करता है, तो उसे संतुलन/साम्यावस्था (equilibrium) में कहा जाता है। इस प्रकार, उपभोक्ता तब संतुलन में होता है, जब वह वर्तमान परिस्थितियों में अपने चयन को सर्वश्रेष्ठ विकल्प मानता है और वर्तमान या प्रचलित परिस्थितियों में परिवर्तन होने तक अपने चयन को नहीं बदलता है। दूसरे शब्दों में, "उपभोक्ता को तब तक संतुलन में माना जाता है, जब तक कि वह प्रचलित परिस्थितियों या वर्तमान परिस्थितियों में अपने व्यय के तरीक़े को नहीं बदलता है।"

उपयोगिता (Utility)

उपयोगिता का अर्थ है 'वस्तु की इच्छा/आवश्यकता पूर्ति क्षमता (Want Satisfying Power of a Commodity)' या उपभोक्ता की किसी विशेष इच्छा/आवश्यकता को संतुष्ट करने की वस्तु की क्षमता। प्रत्येक वस्तु में कुछ अंतर्निहित आवश्यकता पूर्ति क्षमता होती है।

उपयोगिता की विशेषताएँ (Characteristics of Utility)

1. उपयोगिता एक मनोवैज्ञानिक घटना है। यह उपभोक्ता की मानसिक स्थिति पर निर्भर करती है।
2. उपयोगिता व्यक्तिपरक है, जो व्यक्ति-दर-व्यक्ति और स्थान-दर-स्थान भिन्न होती है। किसी विशेष वस्तु की उपयोगिता सभी उपभोक्ताओं के लिए समान नहीं होती है।
3. उपयोगिता एक सापेक्ष अवधारणा है क्योंकि यह समय और स्थान के अनुसार बदलती रहती है। ऊनी कपड़ों की शीतकाल के मौसम और ऊँचाईवाले क्षेत्रों में अधिक उपयोगिता होती है, लेकिन ग्रीष्मकाल में इसकी कोई उपयोगिता नहीं होती है।
4. उपयोगिता नैतिक कर्तव्यों या सिद्धांतों से प्रभावित नहीं होती है। यदि कोई व्यक्ति अनैतिक कार्यों से उपयोगिता प्राप्त करता है, तो ऐसे कार्यों में उपयोग की जानेवालीं वस्तुएँ उस व्यक्ति के लिए उपयोगी ही होंगी।

उपयोगिता 'अपेक्षित संतुष्टि (Expected Satisfaction)' से संबंधित है न कि 'वास्तविक प्राप्त संतुष्टि (Actual Realised Satisfaction)' से, क्योंकि अपेक्षित संतुष्टि उपभोग की तीव्रता पर निर्भर करती है।

उपयोगिता की अवधारणाएँ (Concepts of Utility)

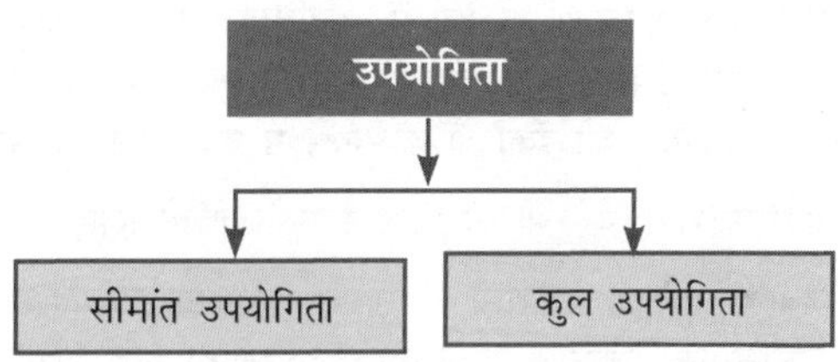

कुल उपयोगिता (Total Utility) : कुल उपयोगिता उपभोग की विभिन्न इकाइयों से प्राप्त सीमांत उपयोगिताओं का योग होता है।

$$TU = S(MU)$$

सीमांत उपयोगिता (Marginal Utility) : 'सीमांत' शब्द का अर्थ है 'एक अतिरिक्त'। किसी वस्तु की एक अतिरिक्त इकाई के उपभोग से प्राप्त अतिरिक्त उपयोगिता को 'सीमांत उपयोगिता' कहा जाता है। दूसरे शब्दों में, "किसी वस्तु की एक अतिरिक्त इकाई के उपभोग से कुल उपयोगिता में वृद्धि को सीमांत उपयोगिता कहा जाता है।"

(i) बोल्डिंग के अनुसार, "*किसी वस्तु की किसी भी मात्रा की सीमांत उपयोगिता, कुल उपयोगिता में वृद्धि होती है, जो उपभोग में एक इकाई वृद्धि के परिणामस्वरूप होती है।*"

(ii) सैमुएलसन के अनुसार, "*सीमांत उपयोगिता शब्द का अर्थ वस्तु की एक अतिरिक्त अंतिम इकाई द्वारा जोड़ी गयी अतिरिक्त उपयोगिता है।*"

यदि 10 इकाइयों के उपभोग से प्राप्त उपयोगिता 150 यूटिल है और 11 इकाइयों से, यह 160 यूटिल है, तो 11वीं इकाई के उपभोग से प्राप्त अतिरिक्त उपयोगिता 160 – 150 = 10 यूटिल होगी। इसे 11वीं इकाई की सीमांत उपयोगिता कहा जाता है।

कुल उपयोगिता और सीमांत उपयोगिता के बीच संबंध (Relationship between Total Utility and Marginal Utility)

(i) जब वस्तुओं के उपभोग से प्राप्त सीमांत उपयोगिता सकारात्मक होती है, तो कुल उपयोगिता बढ़ जाती है।

(ii) जब सीमांत उपयोगिता शून्य होती है, तो कुल उपयोगिता अधिकतम होती है।

(iii) जब सीमांत उपयोगिता ऋणात्मक होती है, तो कुल उपयोगिता घट जाती है।

सम-सीमांत उपयोगिता का नियम (Law of Equi-marginal Utility)

'सम-सीमांत उपयोगिता का नियम' उपयोगिता विश्लेषण में उपभोक्ता के संतुलन (equilibrium) को स्पष्ट करता है। इस नियम को **गोसेन का दूसरा नियम** भी कहा जाता है। इसमें उपभोक्ता तर्कसंगत होता है और उसका उद्देश्य उपभोग के विभिन्न क्षेत्रों में अपनी आय को वितरित करके अधिकतम संतुष्टि प्राप्त करना होता है। इस नियम का आधार 'स्थानापन्न का नियम (Law of Substitution)' है, जिसके अनुसार उपभोक्ता कम उपयोगी वस्तुओं को अधिक उपयोगी वस्तुओं से प्रतिस्थापित कर देता है। यह स्थानापन्न प्रक्रिया तब तक जारी रहती है, जब तक कि सभी उपभोग्य वस्तुओं की सीमांत उपयोगिता समान न हो जाये। उपभोक्ता तब संतुलन प्राप्त करता है, जब वह अपने उपभोग में कोई परिवर्तन नहीं करता।

इस नियम का विवरण (Statement of the Law)

'सम-सीमांत उपयोगिता का नियम' वर्णित करता है कि उपभोक्ता अपनी धन आय को विभिन्न वस्तुओं के बीच इस तरह से वितरित करेगा कि प्रत्येक वस्तु पर ख़र्च किये गये अंतिम रुपये से प्राप्त उपयोगिता समान हो। दूसरे शब्दों में, उपभोक्ता संतुलन की स्थिति में होता है, जब प्रत्येक वस्तु पर धन व्यय की सीमांत उपयोगिता समान होती है।

लिप्सी के अनुसार, *"अपनी उपयोगिता को अधिकतम करनेवाला परिवार अपने व्यय को वस्तुओं के बीच इस तरह से आवंटित करेगा कि प्रत्येक पर ख़र्च की गयी अंतिम इकाई बराबर होगी।"*

अनधिमानवक्र (INDIFFERENCE CURVE)

अनधिमानवक्र दो सामानों के **विभिन्न संयोजनों का चित्रमय प्रतिनिधित्व है;** जो उपभोक्ता को **समान संतुष्टि और उपयोगिता** प्रदान करता है, जिससे उपभोक्ता अनधिमान हो जाता है। **हिक्स और एलन** ने मार्शल के 'उपयोगिता विश्लेषण (Utility Analysis)' के वैकल्पिक दृष्टिकोण के रूप में 'अनधिमानवक्र विश्लेषण' प्रस्तुत किया। अनधिमानवक्र विश्लेषण एक 'क्रमिक दृष्टिकोण' प्रस्तुत करता है, जिसमें उपभोक्ता के व्यवहार का अध्ययन 'क्रमिक वरीयताओं' के आधार पर किया जाता है। क्रमिक दृष्टिकोण से पता चलता है कि उपयोगिता को इकाइयों के संदर्भ में नहीं मापा जा सकता है।

वक्र के साथ, वस्तुओं के विभिन्न संयोजनों के लिए उपभोक्ता की समान प्राथमिकता होती है।

जब दो वस्तुओं के सभी बंडल पर उपभोक्ता वरीयताओं का प्रतिनिधित्व करनेवाले अनधिमानवक्रों का वर्ग खींचा जाता है, तो इसे **अनधिमान मानचित्र (Indifference Map)** कहा जाता है।

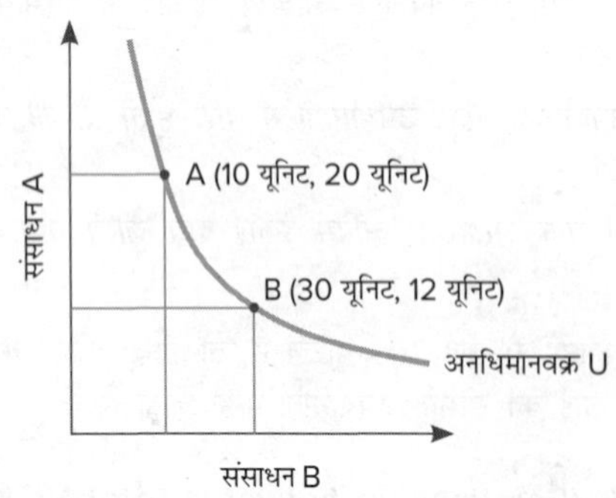

अनधिमानवक्र (Indifference Curve)

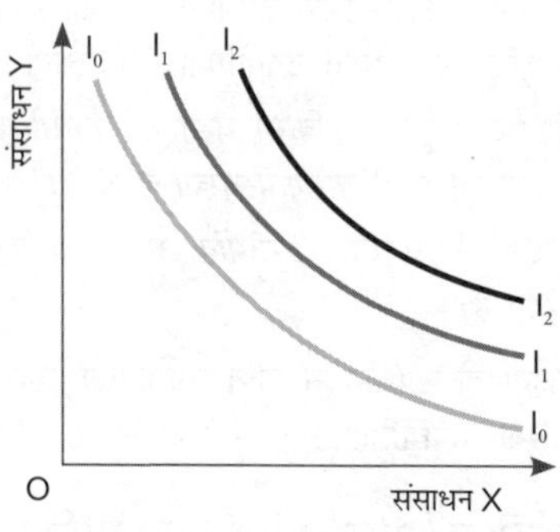

अनधिमान मानचित्र (Indifference Map)

अनधिमानवक्र दृष्टिकोण निम्नलिखित मान्यताओं पर आधारित है :

1. **तर्कसंगतता (Rationality)** : उपभोक्ता को तर्कसंगत माना जाता है। वह अपनी आय और वस्तुओं की क़ीमतों को देखते हुए उपभोग से अपने लाभ को अधिकतम करने का लक्ष्य रखता है।
2. **क्रमिकता (Ordinality)** : उपयोगिता वह अपेक्षित संतुष्टि है, जो उपभोक्ता के लिए उपलब्ध बाज़ार के समूह (बास्केट) से मिलती है। अनधिमानवक्र विश्लेषण में, उपयोगिता एक क्रमिक अवधारणा है। उपभोक्ता, वस्तुओं से प्राप्त व्यक्तिपरक उपयोगिताओं को क्रमबद्ध या रैंक कर सकते हैं।
3. **स्थानापन्न की घटती सीमांत दर (Diminishing Marginal Rate of Substitution)** : वरीयताओं के पैमाने को अनधिमानवक्रों के संदर्भ में रैंक किया जाता है। अनधिमानवक्र मूल वक्रों के लिए **नीचे की ओर झुके हुए उत्तल** होते हैं। **अनधिमानवक्र की ढलान** को Y के लिए X की सीमांत स्थानापन्न दर (MRS) कहा जाता है। MRS को वस्तु Y की उस मात्रा के रूप में परिभाषित किया जाता है जिसे उपभोक्ता वस्तु X की एक अतिरिक्त इकाई का उपभोग करने के लिए छोड़ने को तैयार है, जबकि कुल उपयोगिता अपरिवर्तित रहती है।

   एक महत्त्वपूर्ण धारणा यह है कि Y के लिए X का MRS, वस्तु X की अधिक मात्रा के साथ घटता है, यानी उपभोक्ता की वस्तु Y को छोड़ने की इच्छा, वस्तु X की प्रत्येक नयी इकाई के साथ घटती है। इस संबंध को स्थानापन्न की **घटती सीमांत दर के नियम** के रूप में जाना जाता है।
4. **कमज़ोर क्रम (Weak Ordering)** : उपभोक्ता अपनी पसंद में कमज़ोर क्रम दिखाता है। इसका मतलब है कि उपभोक्ता वस्तु के दो संयोजनों के बीच चयन में अनधिमान हो सकता है, लेकिन वह एक संयोजन की दूसरे पर श्रेष्ठता व्यक्त नहीं कर सकता है।

अनधिमानवक्र के गुण (Properties of Indifference Curve)

(i) अनधिमान वक्र मूल बिन्दु के **उत्तल** होते हैं।
(ii) वक्र की ढलान को प्रतिस्थापन की सीमांत-दर (**MRS**– Marginal Rate of Substitution) कहा जाता है।
(iii) अनधिमान वक्र की ढलान **नीचे की ओर** होती है।
(iv) उच्च अनधिमान वक्र संतुष्टि के उच्च स्तर को दर्शाता है।
(v) एक अनधिमान वक्र कभी भी X या Y अक्ष को नहीं छूता है।
(vi) दो अनधिमान वक्र कभी भी एक-दूसरे को प्रतिच्छेद नहीं करते हैं।
(vii) अनधिमानवक्र की वक्रता, दो वस्तुओं के बीच स्थानापन्न और पूरक प्रकृति के स्तर (डिग्री) को दर्शाती है।

परीक्षोपयोगी

अनधिमानवक्र में MRS घटती हुई क्यों होनी चाहिए?
(WHY SHOULD MRS BE DIMINISHING IN INDIFFERENCE CURVE?)

सीमांत स्थानापन्न दर (MRS), अनधिमानवक्र में घटती हुई होती है, क्योंकि जैसे-जैसे उपभोक्ता वस्तु X की मात्रा बढ़ाता जाता है, X की एक अतिरिक्त इकाई प्राप्त करने की इच्छा की तीव्रता घटती जाती है और अन्य वस्तु Y प्राप्त करने की तीव्रता बढ़ती जाती है। यही कारण है कि उपभोक्ता X की किसी भी अतिरिक्त इकाई के लिए, वस्तु Y की अल्प मात्रा का त्याग करने के लिए तैयार हो जाता है। परिणामस्वरूप, MRS घटती हुई हो जाती है। इस प्रकार,

$$Aa > Bb > Cc > Dd > Ee > Ff$$

MRS की इस घटती हुई प्रकृति के कारण, अनधिमानवक्र, मूल की ओर उत्तल हो जाता है।

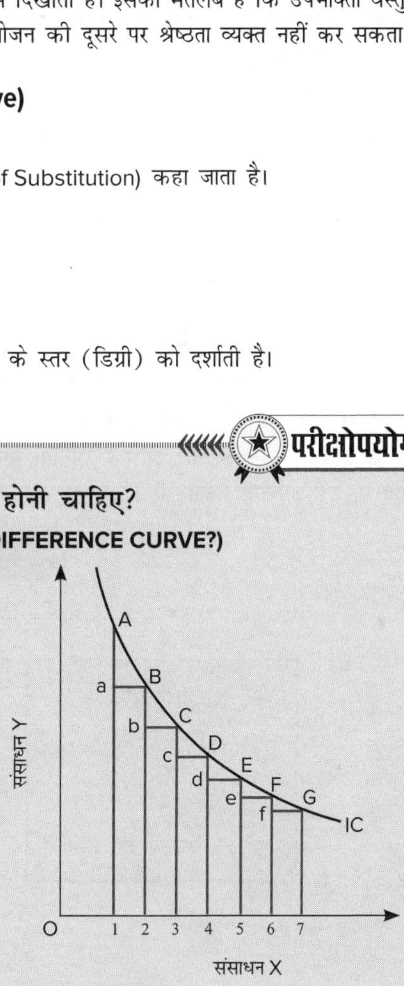

बजट रेखा (BUDGET LINE)

बजट रेखा दो वस्तुओं के सभी संभावित संयोजनों का चित्रमय प्रतिनिधित्व है, जिसे उपभोक्ता अपनी सभी उपलब्ध आय या बजट के साथ ख़रीद सकता है।

बजट रेखा **नीचे की ओर ढलान** करती है और यह एक सीधी रेखा है, **बजट रेखा की ढलान को मूल्य अनुपात (Price Ratio) कहा जाता है,** जो स्थिर रहता है।

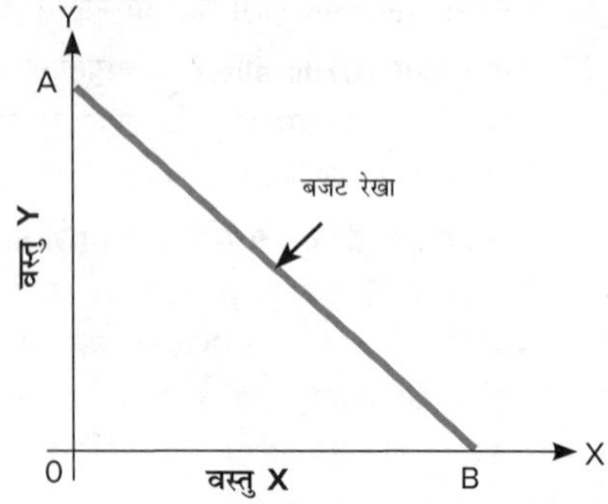

बजट रेखा

एंजेल वक्र (ENGEL CURVE)

जर्मन विद्वान् **अर्नेस्ट एंजेल** ने एंजेल वक्र की अवधारणा दी। इसे समान वस्तुओं की संतुलन मात्रा और आय के **स्तर से संबंधित सभी बिंदुओं के बिंदुपथ** के रूप में परिभाषित किया गया है, अर्थात्, आय के विभिन्न स्तरों पर उपभोक्ता कितनी मात्रा में वस्तु का उपभोग कर रहा है।

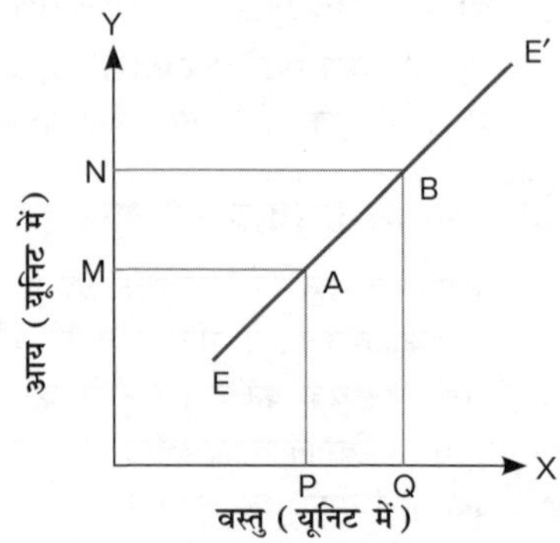

एंजेल वक्र का चित्र

उत्पादन (PRODUCTION)

उत्पादन, भौतिक वस्तुओं के निर्माण को संदर्भित करता है। हालाँकि, वैज्ञानिक दृष्टिकोण से, मनुष्य पदार्थ का निर्माण या विनाश नहीं कर सकते हैं - वे इसे केवल अधिक उपयोगी बनाने के लिए रूपांतरित कर सकते हैं। इसलिए, उत्पादन को वस्तुओं की उपयोगिता बढ़ाने या इन्हें उपयोगी बनाने की प्रक्रिया के रूप में परिभाषित किया जाता है।

उत्पादन की तीन अवधारणाएँ

कुल उत्पाद

$TP = \Sigma MP$

या

$TP = AP \times L$

जहाँ, L = कारक की इकाइयाँ

सीमांत उत्पाद

$MP_n = TP_n - TP_{(n-1)}$

या

$MP = \frac{\Delta TP}{\Delta L}$

औसत उत्पाद

$MP = \frac{TP}{L}$

जहाँ,

L = कारक की इकाइयाँ

कुल उत्पाद [Total Product (TP)]

कुल उत्पाद, उत्पादन के विभिन्न कारकों का उपयोग करके किसी निश्चित अवधि में उत्पादित वस्तुओं और सेवाओं की कुल मात्रा है।

सीमांत उत्पाद [Marginal Product (MP)]

सीमांत उत्पाद, परिवर्तनीय कारक की एक अधिक या कम इकाई को लागू करने के कारण कुल उत्पाद में परिवर्तन है।

औसत उत्पाद [Average Product (AP)]

औसत उत्पाद, परिवर्तनीय कारक का प्रतिइकाई उत्पादन है। इसे TP (यानी कुल उत्पाद) को L (यानी परिवर्तनीय कारक) से विभाजित करके प्राप्त किया जाता है। AP को प्रतिइकाई उत्पादकता भी कहा जाता है।

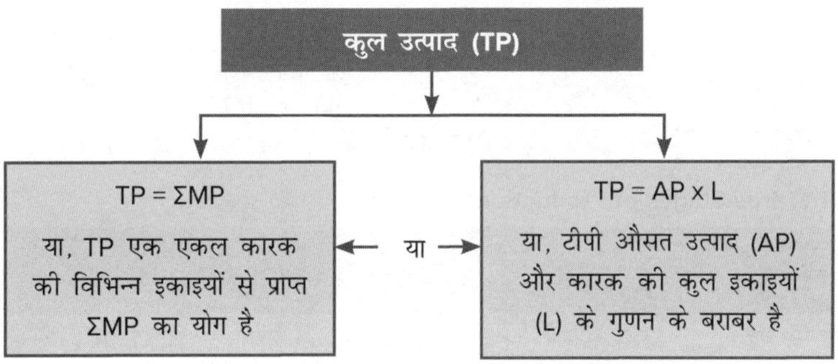

उत्पादन फलन (PRODUCTION FUNCTION)

किसी फ़र्म का उत्पादन फलन (Production Function) उपयोग किये गये इनपुट और फ़र्म द्वारा उत्पादित आउटपुट के बीच का संबंध है। उपयोग किये गये इनपुट की विभिन्न मात्राओं के लिए, यह उत्पादन की अधिकतम मात्रा देता है, जिसे उत्पादित किया जा सकता है।

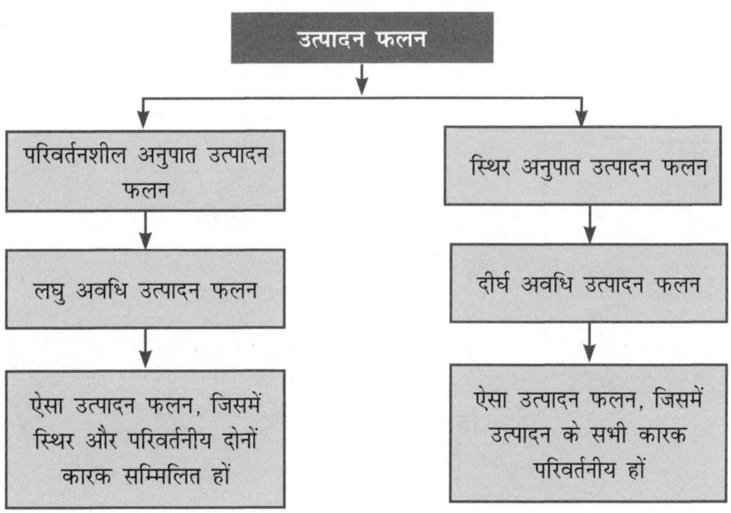

एक फ़र्म इनपुट के लिए भुगतान करती है। इसे **उत्पादन की लागत** कहा जाता है। एक बार उत्पादन तैयार हो जाने के बाद, फ़र्म इसे बाज़ार में बेचती है और **राजस्व** अर्जित करती है। राजस्व और लागत के बीच के अंतर को फ़र्म का **लाभ** कहा जाता है।

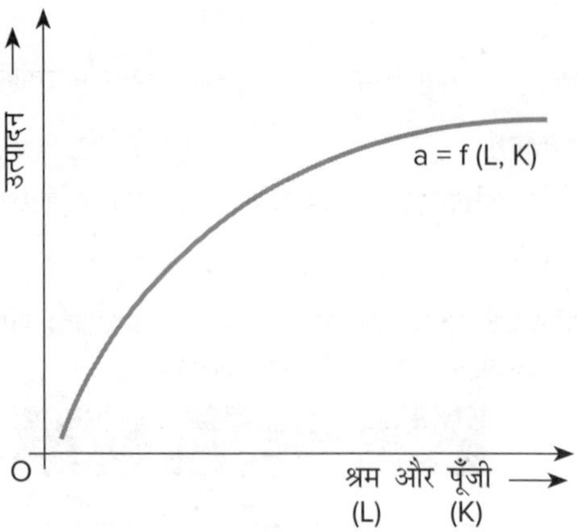

उत्पादन फलन

उत्पादन के तीन चरण (Three Stages of Production)

चरण		TP	MP	चरण संदर्भ बिंदु (चित्र)
चरण I	कारक पर बढ़ता हुआ लाभ	मूल से शुरू होकर बढ़ती दर से बढ़ोतरी होती है। TP उत्तल है।	बढ़ता है, अधिकतम तक पहुँचता है।	मूल से बिंदु K तक
चरण II	कारक पर घटता हुआ लाभ	अधिकतम बिंदु तक पहुँचने तक घटती दर से बढ़ोतरी होती है। TP अवतल है।	शून्य के बराबर होने तक लगातार गिरावट	बिंदु K से बिंदु T तक
चरण III	कारक पर ऋणात्मक लाभ	लगातार गिरता है, लेकिन सकारात्मक है। TP नीचे की ओर ढलानवाला है।	नकारात्मक/ऋणात्मक	बिंदु T से आगे

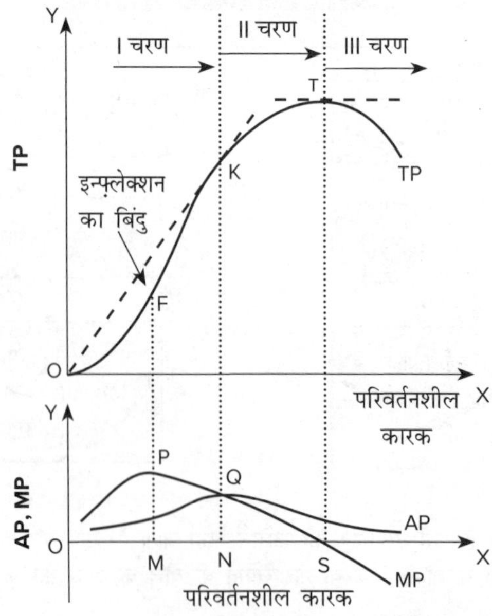

उत्पादन संभावना सीमा (PRODUCTION POSSIBILITY FRONTIER)

प्रोडक्शन पॉसिबिलिटी फ्रंटियर (PPF) यानी उत्पादन संभावना सीमा एक वक्र है; जो उन संभावित मात्राओं को दर्शाता है, जो दो उत्पादों का उत्पादन कर सकते हैं, यदि दोनों अपने विनिर्माण के लिए एक ही परिमित संसाधन और प्रौद्योगिकी पर निर्भर करते हैं।

- ➤ संसाधनों की कमी के कारण हम अपनी सभी माँगों को पूरा नहीं कर सकते।
- ➤ अनंत संभावनाओं और विकल्पों की श्रेणी से विकल्प बनाये जाते हैं।
- ➤ जब स्थिति (*केवल दो समान, दिये गये संसाधनों और प्रौद्योगिकी के साथ उत्पादित किये जा सकते हैं*) को ग्राफ़िक रूप से दर्शाया जाता है, तो ग्राफ़ को **"प्रोडक्शन पॉसिबिलिटी फ्रंटियर (PPF) यानी उत्पादन संभावना सीमा" या "प्रोडक्शन पॉसिबिलिटी कर्व (PPC) यानी उत्पादन संभावना वक्र"** कहा जाता है।
- ➤ PPF इस धारणा पर आधारित है कि संसाधनों का कुशलता से उपयोग किया जाता है और प्रौद्योगिकी का स्तर स्थिर होता है।

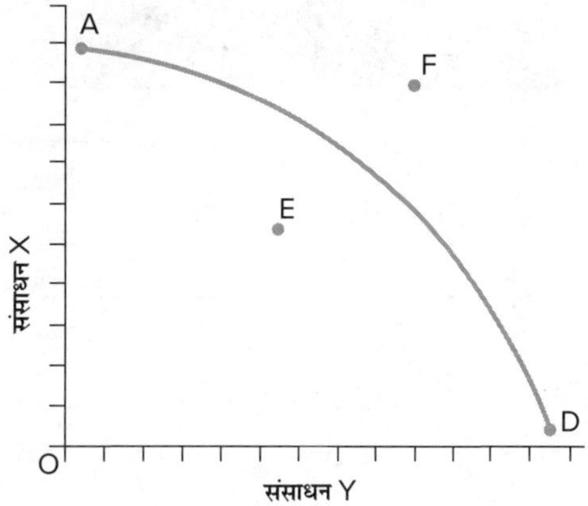

- ➤ बिंदु E - संसाधनों का अक्षमता से उपयोग किया जाता है
- ➤ बिंदु F - असंभव
- ➤ सीमा पर कोई भी बिंदु - उपलब्ध इनपुट का कुशल उपयोग।

प्रोडक्शन पॉसिबिलिटी फ्रंटियर (PPF)

<u>सीमांत दर परिवर्तन [Marginal Rate of Transformation (MRT)]</u> : इसे एक वस्तु की उन यूनिट्स की संख्या के रूप में परिभाषित किया जाता है, जिसे एक यूनिट को दूसरी वस्तु का उत्पादन करने के लिए छोड़ दिया जाना चाहिए।

PPF की मान्यताएँ (Assumptions of PPF)

उत्पादन संभावना सीमा (PPF) निम्नलिखित मान्यताओं पर आधारित होती है :

(i) **उत्पादन के कारकों की निश्चित और सीमित मात्रा (Fixed and Limited Quantity of Factors of Production)** : उत्पादन के कारक सीमित हैं, लेकिन उन्हें एक उपयोग से दूसरे उपयोग में स्थानांतरित किया जा सकता है।

(ii) **उपलब्ध संसाधनों का पूर्ण और कुशल उपयोग (Fuller and Efficient Utilisation of the Available Resources)** : अर्थव्यवस्था में सभी कारकों का पूर्ण और कुशलतापूर्वक उपयोग किया जाता है।

(iii) **स्थिर और दी गयी तकनीक (Constant and Given Technology)** : उत्पादन की तकनीक स्थिर रहती है, यानी इस्तेमाल की जानेवाली तकनीक में कोई बदलाव नहीं होता है।

(iv) **दो वस्तुएँ (Two Goods)** : सुविधा के लिए, यह मान लिया जाता है कि अर्थव्यवस्था में केवल दो वस्तुएँ या वस्तुओं के दो समूहों का उत्पादन किया जा रहा है (जैसे, गेहूँ और वस्त्र या पूँजी और उपभोक्ता वस्तुएँ)।

PPF के लक्षण (Characteristics of PPF)

(i) **PPF ढलान नीचे की ओर** : यदि संसाधनों को हटा दिया जाये, तो अन्य वस्तुओं के उत्पादन को कम करके एक वस्तु का अधिक उत्पादन किया जा सकता है।

(ii) परिवर्तन की सीमांत-दर बढ़ने के कारण PPF **अवतल आकार (concave shaped)** का होता है।

(iii) PPF के अंदर सभी बिंदु अक्षम होते हैं।

PPF अनुसूची (PPF Schedule)

संभावनाएँ	कपास (यूनिट में)	मकई/भुट्टा (यूनिट में)
A	20	0
B	18	1
C	15	2
D	12	3
E	8	4
F	4	5
G	0	6

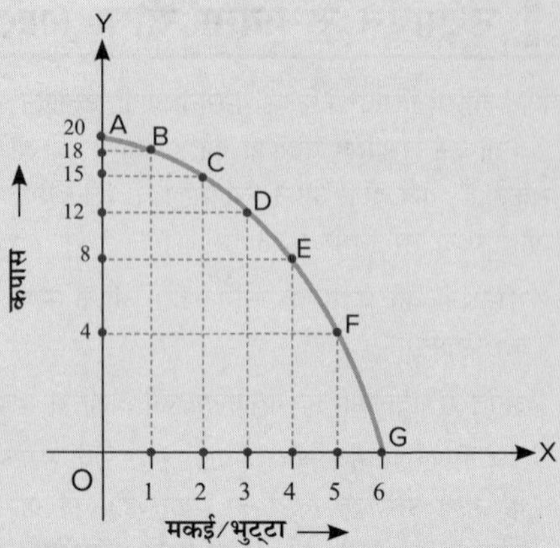

PPF दर्शाता है कि प्रत्येक अर्थव्यवस्था को यह तय करना होगा कि **अधिकतम संसाधन दक्षता** प्राप्त करने के लिए वस्तुओं और सेवाओं के किस संयोजन का उत्पादन करना चाहिए।

PPF सीधी रेखा का आकार कब लेती है? (When does PPF take shape of a straight line?)

PPF, सीधी रेखा का आकार तब लेती है, जब सीमांत अवसर लागत या परिवर्तन की सीमांत दर स्थिर हो जाती है। परिवर्तन की सीमांत दर तब स्थिर हो जाती है, जब वस्तु Y में उत्पादन की हानि और वस्तु X में उत्पादन के लाभ के बीच का अनुपात स्थिर रहता है, जबकि कुछ संसाधन वस्तु Y के उत्पादन से वस्तु X के उत्पादन में स्थानांतरित हो जाते हैं।

उत्पादन संभावना सीमांत का स्थानांतरण/चक्रण (Shifting/Rotation of Production Possibility Frontier)

उत्पादन संभावना सीमांत, कभी स्थिर नहीं रहता। इसकी स्थिति इसकी मान्यताओं की बदलती प्रकृति के कारण बदलती रहती है।

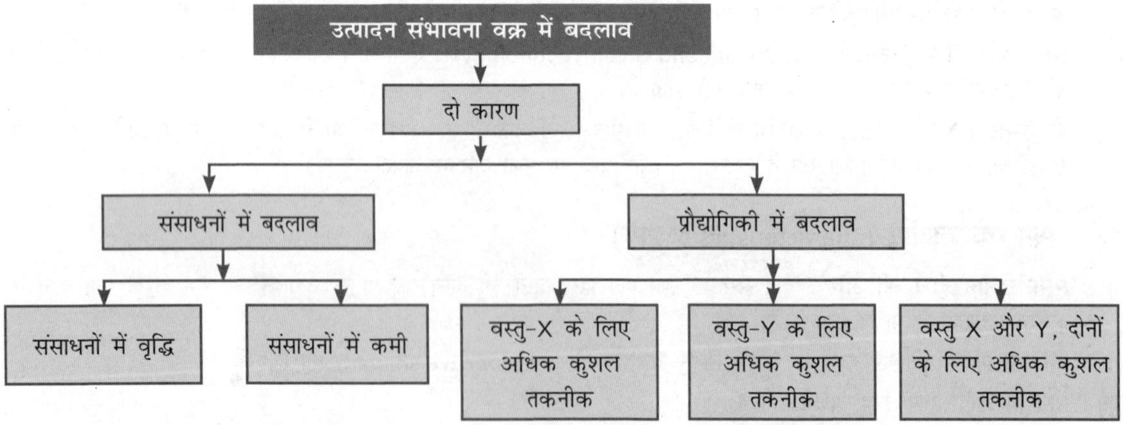

अवसर लागत (OPPORTUNITY COST)

यदि किसी विशेष वस्तु का उत्पादन करने के लिए अधिक दुर्लभ संसाधनों का उपयोग किया जाता है, अन्य वस्तुओं के उत्पादन के लिए कम संसाधन उपलब्ध होते हैं, तो अन्य वस्तुओं के संदर्भ में हमेशा एक वस्तु की लागत थोड़ी अधिक होती है। अगले सबसे अच्छे विकल्प की लागत को **"अवसर लागत"** के रूप में जाना जाता है।

अवसर लागत का सूत्र

अवसर लागत = FO – CO

जहाँ FO = सबसे अच्छे विकल्प पर लौटना

CO = चुने हुए विकल्प पर लौटना

अवसर लागत

चित्रण 1

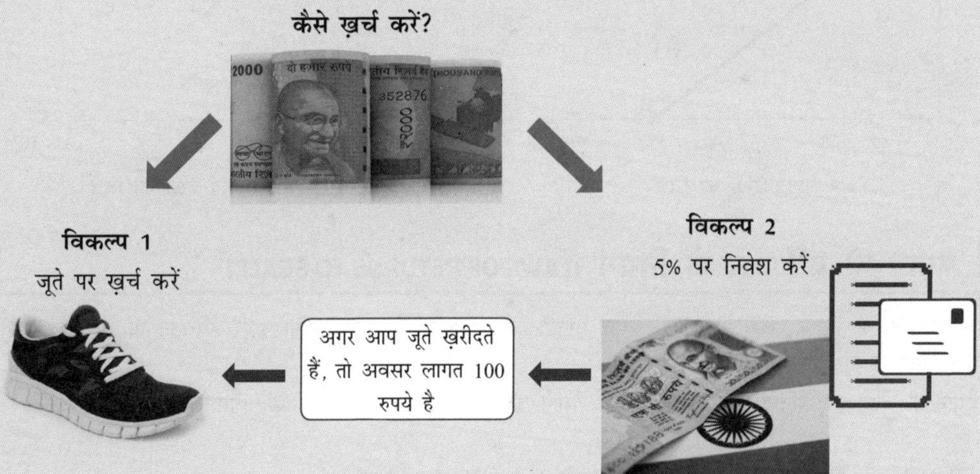

चित्रण 2

विकल्प नहीं चुना गया	विकल्प चुना गया	अवसर लागत
◆ अक्षय वीकेंड में असाइनमेंट पर काम कर सकता है ◆ अक्षय असाइनमेंट के बदले ₹5000 कमाता है	◆ वीकेंड के दौरान अक्षय सोलोट्रिप पर जा सकता है ◆ यात्रा का ख़र्च ₹3000 है	◆ अवसर लागत ₹5000+₹3000 = ₹8000 है

सीमांत अवसर लागत (Marginal Opportunity Cost) : वस्तु X के अतिरिक्त उत्पादन के लिए, वस्तु Y के त्याग की दर को सीमांत अवसर लागत कहते हैं।

PPF का ढलान सीमांत, अवसर लागत को दर्शाता है। उत्पादन संभावना वक्र का ढलान बढ़ता है (क्योंकि उत्पादन संभावना वक्र, मूल बिन्दु के अवतल होता है)। इसके कारण, जब संसाधनों को एक उपयोग से दूसरे उपयोग में स्थानांतरित किया जाता है, तो सीमांत अवसर लागत में वृद्धि की प्रवृत्ति पायी जाती है।

सम-लागत रेखा (ISOCOST LINE)

सम-लागत रेखा, साधनों के संयोजन का प्रतिनिधित्व करती है (जैसे श्रम और पूँजी), जिसे फ़र्म दिये गये बजट से ख़रीद सकती है।

सम-उत्पाद रेखा (ISOQUANT LINE)

सम-उत्पाद रेखा उन बिंदुओं का स्थान है, जहाँ दो या दो से अधिक साधनों की मात्रा को बदलते समय समान मात्रा में उत्पादन होता है।

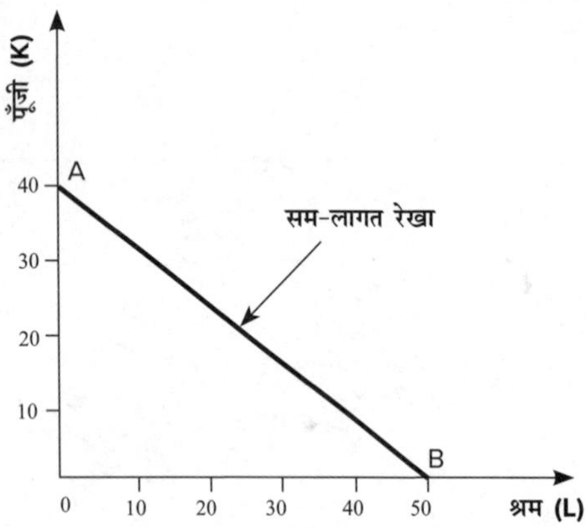

सम-लागत रेखा का चित्र

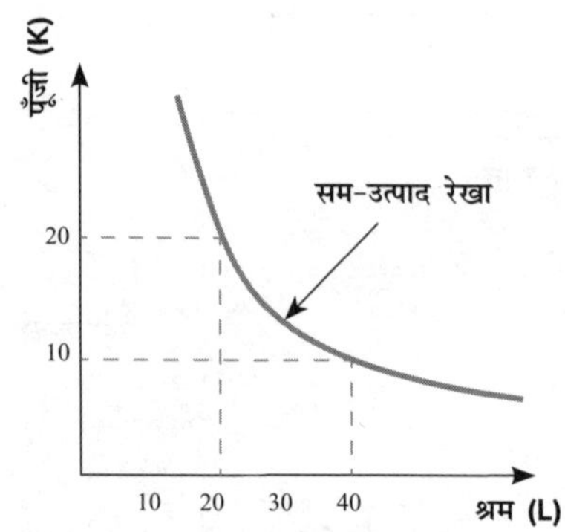

सम-उत्पाद रेखा का चित्र

पैमाने के प्रतिफल के नियम (LAWS OF RETURNS TO SCALE)

पैमाने के प्रतिफल के नियम सभी कारकों में समान अनुपात में परिवर्तन के कारण उत्पादन में परिवर्तन को संदर्भित करते हैं। पैमाने के प्रतिफल निम्न प्रकार के होते हैं :

- पैमाने के बढ़ते हुए प्रतिफल
- पैमाने के स्थिर प्रतिफल
- पैमाने के घटते प्रतिफल

पैमाने के बढ़ते हुए प्रतिफल (Increasing Returns to Scale)

जब उत्पादन के सभी कारकों में वृद्धि की दर की तुलना में उत्पादन में उच्च दर से वृद्धि होती है, तो इसे पैमाने के बढ़ते हुए प्रतिफल के रूप में जाना जाता है। उदाहरण के लिए, यदि साधनों में 20 प्रतिशत की वृद्धि की जाती है, तो उत्पादन में 25 प्रतिशत की वृद्धि होती है। यह बढ़ता प्रतिफल पैमाने की अर्थव्यवस्था या श्रम के बेहतर विभाजन के माध्यम से विशेषज्ञता के कारण हो सकता है।

पैमाने के स्थिर प्रतिफल (Constant Returns to Scale)

जब उत्पादन के सभी कारकों में वृद्धि की दर के समान दर से उत्पादन बढ़ता है, तो इसे पैमाने के स्थिर प्रतिफल के रूप में जाना जाता है।

पैमाने के घटते प्रतिफल (Diminishing Returns to Scale)

जब उत्पादन के सभी कारकों में वृद्धि की दर की तुलना में उत्पादन कम दर से बढ़ता है, तो इसे पैमाने के स्थिर प्रतिफल के रूप में जाना जाता है। उदाहरण के लिए, यदि साधनों में 15 प्रतिशत की वृद्धि की जाती है, तो उत्पादन में 10 प्रतिशत की वृद्धि होती है।

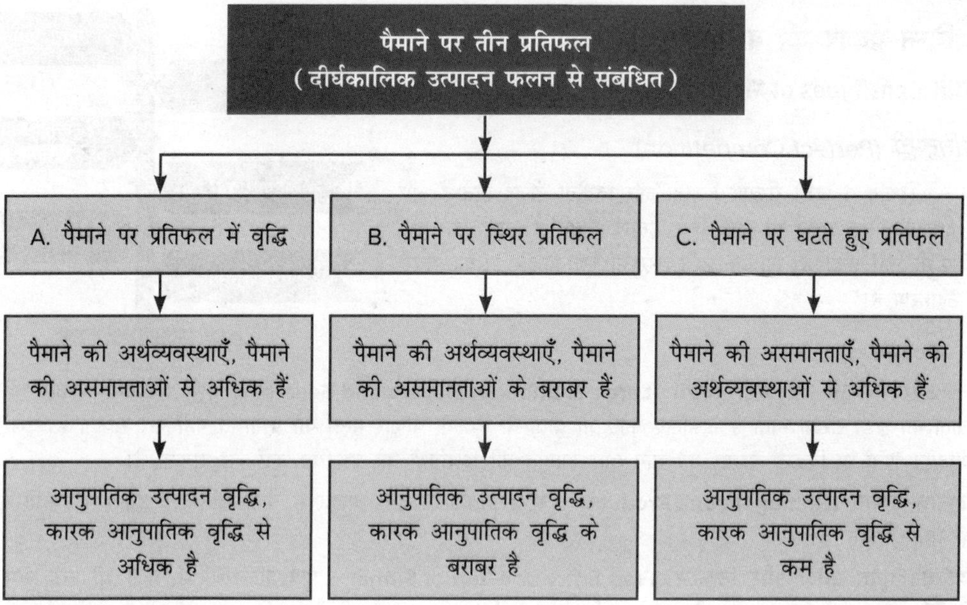

बाज़ार संरचनाएँ (MARKET STRUCTURES)

➤ बाज़ार एक ऐसी जगह है, जहाँ क्रेता और विक्रेता एक-दूसरे के साथ निकट संपर्क में आते हैं और वस्तुओं की ख़रीद और बिक्री होती है।

➤ बाज़ार संरचना से तात्पर्य है कि वस्तुओं और सेवाओं के प्रकार और उनके संचालन के लिए प्रतिस्पर्धा की प्रकृति के आधार पर विभिन्न उद्योगों को कैसे वर्गीकृत और विभेदित किया जाता है।

बाज़ार संरचना के मुख्य निर्धारक निम्नलिखित हैं :

(i) वस्तुओं के क्रेताओं और विक्रेताओं की संख्या
(ii) फ़र्मों के प्रवेश और निकास की स्वतंत्रता
(iii) वस्तुओं की प्रकृति
(iv) ज्ञान
(v) वस्तुओं की गतिशीलता आदि

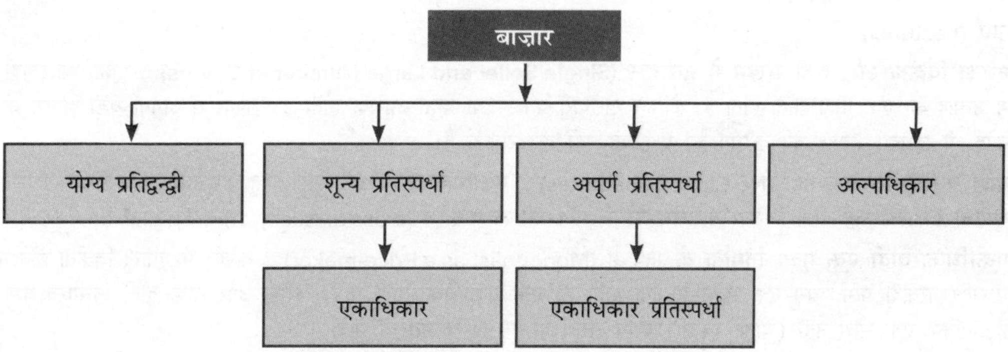

विभिन्न प्रकार की बाज़ार संरचनाएँ
(Different Types of Market Structures)

योग्य प्रतिद्वन्द्वी (Perfect Competition)

इस बाज़ार की स्थिति में, बड़ी संख्या में क्रेता और विक्रेता मौजूद होते हैं और वे बाज़ार द्वारा निर्धारित मूल्य पर एक जैसे उत्पाद बेचते हैं। पूर्ण प्रतिस्पर्धा वास्तव में कभी नहीं होती है, लेकिन कृषि वस्तुओं का बाज़ार इसका सबसे निकटतम उदाहरण है।

विशेषताएँ (Features)

- **क्रेता और विक्रेता की बड़ी संख्या (Large Number of Buyers and Sellers) :** पूर्ण प्रतिस्पर्धी बाज़ार में क्रेता और विक्रेता की बड़ी संख्या होती है, इसलिए कोई भी क्रेता या विक्रेता बाज़ार मूल्य को प्रभावित नहीं कर सकता है। दूसरे शब्दों में, व्यक्तिगत क्रेता या विक्रेता बाज़ार की माँग और आपूर्ति की स्थितियों को प्रभावित नहीं कर सकता है।
- **सजातीय उत्पाद (Homogeneous Product) :** सभी विक्रेताओं द्वारा बाज़ार में बेची जानेवालीं इकाइयाँ प्रकृति में सजातीय (या समान) होती हैं।
- **फ़र्मों का मुक्त प्रवेश और निकास (Free Entry and Eñit of Firms) :** पूर्ण प्रतिस्पर्धा में, कोई भी नयी फ़र्म उद्योग में सम्मिलित हो सकती है या कोई भी पुरानी फ़र्म उद्योग से निकासी कर सकती है। इसलिए, उद्योग में/से फ़र्मों के मुक्त प्रवेश या निकास पर कोई प्रतिबंध नहीं होता है।
- **बाज़ार का पूर्ण ज्ञान (Perfect Knowledge of the Market) :** पूर्ण प्रतिस्पर्धा में, प्रत्येक क्रेता को बाज़ार की स्थितियों का पूर्ण ज्ञान होता है। कोई भी क्रेता बाज़ार में प्रचलित मूल्य से अधिक क़ीमत पर वस्तु नहीं ख़रीदेगा। इसलिए, बाज़ार में केवल एक ही मूल्य प्रचलित होता है।
- **कारकों की पूर्ण गतिशीलता (Perfect Mobility of Factors) :** पूर्ण प्रतिस्पर्धा में, उत्पादन के कारक पूर्णतः गतिशील होते हैं। कारक बिना किसी कठिनाई के एक उद्योग से दूसरे उद्योग (या एक फ़र्म से दूसरी फ़र्म) में आसानी से गतिशील हो सकते हैं।
- **कोई परिवहन लागत नहीं (No Transportation Cost) :** पूर्ण प्रतिस्पर्धा में परिवहन लागत शून्य रहती है, जिसके कारण बाज़ार में एक ही क़ीमत प्रचलित रहती है।

एकाधिकार (Monopoly)

एकाधिकार एक बाज़ार की स्थिति है, जहाँ उत्पाद बेचनेवाला एकल विक्रेता मौजूद होता है और उत्पाद का कोई क़रीबी विकल्प नहीं होता है। भारतीय रेलवे इस बाज़ार की स्थिति का एक उदाहरण है।

विशेषताएँ (Features)

- **एकल विक्रेता और बड़ी संख्या में ख़रीदार (Single Seller and Large Number of Buyers) :** एकाधिकारवादी बाज़ार में उत्पाद का एक ही विक्रेता होता है, लेकिन ख़रीदारों की संख्या बहुत अधिक होती है। बाज़ार में अपनी बड़ी संख्या के कारण कोई भी ख़रीदार उत्पाद की क़ीमत को प्रभावित नहीं कर सकता है।
- **कोई क़रीबी विकल्प नहीं (No Close Substitutes) :** एकाधिकारवादी फ़र्म ऐसी वस्तु का उत्पादन करती है, जिसका कोई क़रीबी विकल्प नहीं होता है और परिणामस्वरूप, माँग की क्रॉस लोच (cross elasticity) शून्य हो जाती है।
- **एकाधिकारवादी एक मूल्य-निर्माता के रूप में (Monopolist as a Price-maker) :** बाज़ार में एकल विक्रेता होने के नाते, एकाधिकारवादी फ़र्म स्वयं एक मूल्य-निर्माता होती है। एक एकाधिकारवादी फ़र्म, क़ीमत और मात्रा दोनों निर्धारित कर सकती है, लेकिन एक साथ नहीं (यानी, किसी विशेष समय पर या तो क़ीमत या मात्रा)।
- **नयी फ़र्म का प्रवेश नहीं (No Entry of New Firm) :** उद्योग में नयी फ़र्मों का प्रवेश सख़्त वर्जित होता है। बाज़ार में एकाधिकारवादी फ़र्म का कोई प्रतिस्पर्धी नहीं होता है।

- **नकारात्मक रूप से झुका हुआ माँग वक्र (Demand Curve Negatively Sloped) :** एकाधिकारवादी माँग वक्र नकारात्मक रूप से झुका हुआ होता है और सीमांत राजस्व (MR) औसत राजस्व (AR) से कम होता है। माँग वक्र का झुकाव माँग की लोच पर निर्भर करता है।
- **मूल्य भेदभाव की संभावना (Possibility of Price Discrimination) :** मूल्य भेदभाव से तात्पर्य उस स्थिति से है, जिसमें विक्रेता एक ही वस्तु के लिए अलग-अलग स्थानों के अलग-अलग उपभोक्ताओं से अलग-अलग क़ीमत वसूलता है। एकाधिकारवादी बाज़ार में मूल्य भेदभाव की संभावना हो सकती है।

एकाधिकार प्रतिस्पर्धा (Monopolistic Competition)

एकाधिकारवादी प्रतिस्पर्धा एक ऐसी स्थिति को संदर्भित करती है, जिसमें कई कंपनियाँ ऐसे उत्पाद बेचती हैं; जो एक जैसे हैं, लेकिन सही विकल्प नहीं हैं। उदाहरण के लिए - टूथपेस्ट, साबुन आदि के बाज़ार।

विशेषताएँ (Features)

- **विक्रेताओं की बड़ी संख्या (Large Number of Sellers) :** इस बाज़ार में बड़ी संख्या में विक्रेता होते हैं, जो एक दूसरे के साथ निकट स्थानापन्नों के साथ प्रतिस्पर्धा करते हैं। एकाधिकारवादी प्रतियोगिता में, एक व्यक्तिगत फ़र्म का बाज़ार में सीमित हिस्सा होता है।
- **विभेदित उत्पाद (Differentiated Product) :** समूह की फ़र्मों द्वारा उत्पादित उत्पाद समान नहीं होते, बल्कि एक दूसरे के निकट स्थानापन्नवाले होते हैं। उनके उत्पाद आकार, प्रकार, पैकिंग आदि में एक दूसरे से भिन्न होते हैं।
- **अप्रतिबंधित प्रवेश और निकास (Unrestricted Entry and Exit) :** कोई भी फ़र्म समूह में सम्मिलित हो सकती है और अन्य निकट स्थानापन्नों का उत्पादन कर सकती है। फ़र्मों के अप्रतिबंधित प्रवेश से निकट स्थानापन्नों का उत्पादन बढ़ जाता है।
- **विक्रय लागत (Selling Costs) :** विक्रय लागत एकाधिकारवादी प्रतियोगिता की अनूठी विशेषता है। इस बाज़ार की स्थिति में विज्ञापन और प्रचार महत्त्वपूर्ण हैं। विज्ञापन और प्रचार पर होनेवाले ख़र्चों को 'विक्रय लागत' कहा जाता है।
- **बाज़ार का अपूर्ण ज्ञान (Imperfect Knowledge of the Market) :** एकाधिकारवादी प्रतिस्पर्धा के तहत ख़रीदारों को बाज़ार का अपूर्ण ज्ञान होता है, जिसके कारण वे निकट स्थानापन्न की तुलना में विशेष वस्तुओं को प्राथमिकता देते हैं।
- **ग़ैर-मूल्य प्रतिस्पर्धा (Non-price Competition) :** यह एकाधिकारवादी प्रतिस्पर्धी बाज़ार की एक प्रमुख विशेषता है। इसमें फ़र्म ख़रीदारों को आकर्षित करने के लिए कई सुविधाएँ प्रदान करती हैं। ऐसी सुविधाओं में बिक्री के बाद की सेवाएँ, स्थानापन्न (replacements), छूट बिक्री, उपहार योजना आदि सम्मिलित होती हैं।
- **फ़र्म की मूल्य नीति (Price Policy of Firm) :** पूर्ण प्रतिस्पर्धा की तरह, एक एकाधिकारवादी प्रतिस्पर्धी फ़र्म, मूल्य निर्माता (price-taker) नहीं होती है, लेकिन समूह में प्रत्येक फ़र्म की अपनी मूल्य नीति होती है। एक एकाधिकारवादी प्रतिस्पर्धी फ़र्म अपने उत्पाद की क़ीमत और मात्रा तय करती है।

अल्पाधिकार (Oligopoly)

अल्पाधिकार का अर्थ है **'कुछ लोगों के बीच प्रतिस्पर्धा'**। यह एक बाज़ार की स्थिति है, जहाँ कुछ फ़र्म समान या विभेदित उत्पाद बेच रही हैं। उदाहरण - भारत में सीमेंट, ऑटोमोबाइल बाज़ार।

विशेषताएँ (Features)

- **कुछ ही विक्रेता (Few Sellers) :** अल्पाधिकारवादी बाज़ार में, कुछ ही विक्रेता होते हैं, जबकि कई ग्राहक होते हैं। कुछ फ़र्म बाज़ार पर हावी होती हैं और उत्पाद की क़ीमत पर काफ़ी हद तक नियंत्रण रखती हैं।
- **अन्योन्याश्रितता (Interdependence) :** विक्रेता को प्रतिस्पर्धी फ़र्मों द्वारा की गयी किसी भी कार्रवाई के बारे में सतर्क रहना पड़ता है। चूँकि बाज़ार में कुछ ही विक्रेता होते हैं, इसलिए यदि कोई फ़र्म क़ीमत में बदलाव करती है, तो उद्योग की अन्य सभी फ़र्मों को प्रतिस्पर्धा में बने रहने के लिए इसका अनुपालन करना पड़ता है। इस प्रकार, प्रत्येक फ़र्म ऐसी कार्रवाइयों के बारे में सतर्क रहती है। इसलिए, उनकी मूल्य उत्पादन नीतियों के संबंध में विक्रेताओं के बीच पूर्ण निर्भरता होती है।

- **विज्ञापन (Advertising)** : अल्पाधिकारवादी बाज़ार में, प्रत्येक फ़र्म अधिकाधिक ग्राहकों तक पहुँच बनाने और अपने ग्राहक आधार को बढ़ाने के लिए अपने उत्पादों का विज्ञापन करती है। यह विज्ञापन प्रतिस्पर्धा को और अधिक तीव्र बनाता है। प्रत्येक फ़र्म बाज़ार में बने रहने के लिए विज्ञापन पर बहुत धन ख़र्च करती है।
- **प्रतिस्पर्धा (Competition)** : चूँकि बहुत अधिक प्रतिस्पर्धा है, इसलिए एक फ़र्म के किसी भी क़दम का उसके प्रतिद्वंद्वियों पर काफ़ी प्रभाव पड़ेगा। इस प्रकार, प्रत्येक विक्रेता अपने प्रतिद्वंद्वियों पर नज़र रखता है और जवाबी कार्रवाई के लिए तैयार रहता है।
- **प्रवेश और निकास संबंधी बाधाएँ (Entry and Exit Barriers)** : फ़र्म जब चाहें, उद्योग से आसानी से बाहर निकल सकती हैं, लेकिन उन्हें प्रवेश करने के लिए कुछ बाधाओं का सामना करना पड़ता है, जैसे कि सरकारी लाइसेंस, पेटेंट, बड़ी फ़र्म की पैमाने की अर्थव्यवस्थाएँ, उच्च पूँजी की आवश्यकता, जटिल तकनीक आदि। इसके अलावा, कभी-कभी, सरकारी नियम मौजूदा बड़ी फर्मों के पक्ष में होते हैं, जिससे नये प्रवेशकों के लिए बाधा बन जाते हैं।

परीक्षोपयोगी

अल्पाधिकार का कार्टेल सिद्धांत (CARTEL THEORY OF OLIGOPOLY)

कार्टेल, उन फ़र्मों का समूह होता है, जो क़ीमतें और उत्पादन तय करने के लिए एक साथ मिलकर काम करते हैं। कार्टेल उन्हीं परिस्थितियों में बन सकता है, जो अल्पाधिकारवादी बाज़ार (oligopolistic market) का निर्माण करती हैं। कार्टेल के बनने की संभावना उन बाज़ारों में अधिक होती है, जहाँ फ़र्मों की संख्या कम होती है और प्रत्येक फ़र्म के पास बाज़ार का बड़ा हिस्सा होता है। अधिक बाज़ार शक्ति प्राप्त करने के लिए, अल्पाधिकारवादी फ़र्म, कार्टेल में सम्मिलित हो जाती हैं, और इसके सदस्य उत्पादन की मात्रा और/या प्रत्येक सदस्य द्वारा वसूल की जानेवाली क़ीमत तय करने के लिए सहयोग करते हैं। कार्टेल के सदस्य एक साथ मिलकर एकाधिकारवादियों (monopolists) की तरह काम कर सकते हैं।

द्वयाधिकार (Duopoly)

द्वयाधिकार एक विशेष प्रकार का अल्पाधिकार मार्केट है, जहाँ **दो कंपनियाँ बाज़ार पर हावी होती हैं** और बड़ी संख्या में उपभोक्ताओं को उत्पाद बेचती हैं। उपभोक्ताओं की ओर से यह एक प्रतिस्पर्धी बाज़ार है, जहाँ एक व्यक्तिगत उपभोक्ता की पसंद फ़र्म को प्रभावित नहीं कर सकती है। उदाहरण के लिए, पेप्सी और कोका-कोला भारत में लगभग पूरे कोला पेय बाज़ार को नियंत्रित करते हैं।

एकक्रेताधिकार (Monopsony)

एकक्रेताधिकार एक ऐसे बाज़ार को संदर्भित करता है, जिसमें एक ही ख़रीदार का प्रभुत्व होता है और उत्पाद का कोई क़रीबी विकल्प नहीं होता है। यह आमतौर पर थोक विक्रेताओं से कम क़ीमतों का अनुभव करता है। उदाहरण - केंद्र सरकार घरेलू रक्षा विनिर्माण क्षेत्र में एकमात्र क्रेता है।

व्यवसाय चक्र सिद्धांत (BUSINESS CYCLE THEORY)

किसी भी अर्थव्यवस्था में आय वृद्धि उत्पादन की मात्रा या वास्तविक सकल राष्ट्रीय उत्पाद (GNP) बढ़ाकर प्राप्त की जाती है। यह दर्शाता है कि प्रगति के लिए अधिक वृद्धि या उच्च स्तर की आर्थिक गतिविधि की आवश्यकता है। किसी अर्थव्यवस्था की सरकार उपयुक्त आर्थिक नीतियों को लागू करके आर्थिक गतिविधियों को उच्च बनाये रखना चाहती है।

हालाँकि, अर्थव्यवस्था नियमित रूप से इस लक्ष्य को पूरा करने में विफल रहती है। परिणामस्वरूप, अर्थव्यवस्थाएँ आर्थिक गतिविधि के उच्चतम और सबसे निम्न स्तरों के बीच बदलती रहती हैं, जिन्हें क्रमशः **तेज़ी** और **मंदी** के रूप में जाना जाता है। उन्हें किसी अर्थव्यवस्था की आर्थिक गतिविधि के कई चरणों में वर्गीकृत किया जा सकता है। आर्थिक गतिविधियों में **स्थिरता**, **सुस्ती**, **मंदी** और **पुनःप्राप्ति** सहित कई प्रकार की विभिन्न आर्थिक गतिविधियाँ हो सकती हैं।

अर्थशास्त्री मंदी और तेज़ी के बीच के इन उतार-चढ़ावों को **व्यवसाय चक्र** या **व्यापार चक्र** के रूप में संदर्भित करते हैं, जहाँ मंदी और पुनःप्राप्ति प्राथमिक मध्यवर्ती चरणों के रूप में कार्य करती हैं। इसे 'आर्थिक चक्र' भी कहा जाता है।

व्यवसाय चक्र का महत्त्व (Significance of Business Cycle)

प्रमुख मैक्रोइकॉनॉमिक्स संकेतक जैसे औद्योगिक उत्पादन सूचकांक (IIP), आय और रोज़गार सभी व्यापार चक्र के लिए अतिसंवेदनशील होते हैं।

व्यवसाय चक्र अर्थव्यवस्था का विश्लेषण करने का एक प्रभावी साधन है।

यह निवेशकों, कंपनियों और सरकार द्वारा प्रमुख वित्तीय विकल्पों के लिए आधार के रूप में कार्य करता है।

व्यवसाय चक्र के चरण (Phases of Business Cycle)

विस्तार (Expansion)

- व्यवसाय चक्र के इस चरण को **'आर्थिक तेज़ी'** भी कहा जाता है, जो वास्तविक सकल घरेलू उत्पाद में वृद्धि के द्वारा विशिष्ट बनता है।
- इस चरण के दौरान, अर्थव्यवस्था सभी आयामों में विस्तारित होती है, जिसके परिणामस्वरूप तीव्र और निरंतर माँग के साथ-साथ निवेश, उत्पादन और रोज़गार में वृद्धि होती है।
- अर्थव्यवस्था को संरचनात्मक मुद्दों से भी जूझना पड़ सकता है, जैसे निवेश योग्य पूँजी की कमी, बचत में कमी, जीवन स्तर में गिरावट आदि।

संकुचन (Contraction)

- इस चरण को अक्सर **'मंदी'** के रूप में जाना जाता है।
- इस अवधि के दौरान, कुल मिलाकर आर्थिक गतिविधि में गिरावट आती है, जिसके परिणामस्वरूप निम्न आर्थिक उत्पादन, या वास्तविक सकल घरेलू उत्पाद प्राप्त होता है।
- इस चरण के दौरान उपभोग, कॉर्पोरेट लाभप्रदता, निवेश, रोज़गार, खुदरा बिक्री और अन्य व्यापक आर्थिक कारकों में गिरावट आ रही है।

मंदी (Depression)

- मंदी को अक्सर ऐसी अर्थव्यवस्था के रूप में परिभाषित किया जाता है, जो लगातार दो या अधिक तिमाहियों तक मंदी का अनुभव कर रही है।
- इस चरण के दौरान, अर्थव्यवस्था की उत्पादकता में भारी गिरावट आती है।
- जीडीपी और जीएनपी दोनों ही नकारात्मक वृद्धि के साथ-साथ बेरोज़गारी का भी संकेत देते हैं।

पुनःप्राप्ति (Recovery)

- यह वह चरण है, जिसके दौरान अर्थव्यवस्था कम उत्पादन की अवधि के बाद उबरने का प्रयास करती है। कम उत्पादनवाले युग में रिसेशन या मंदी आ सकती है।
- अर्थव्यवस्था के पुनर्निर्माण के लिए, सरकार और केंद्रीय बैंक दोनों माँग, निवेश और उत्पादन में सुधार के लिए विभिन्न राजकोषीय और मौद्रिक नीतियों को लागू करते हैं।
- अर्थव्यवस्था की पुनःप्राप्ति के लिए मूल्य तंत्र महत्त्वपूर्ण है।
- पुनःप्राप्ति चरण के दौरान, निर्माता कुछ मूल्यह्रास पूँजीगत वस्तुओं को बदल देते हैं, जबकि अन्य को बनाये रखते हैं।

➤ परिणामस्वरूप, संगठनों के निवेश और रोज़गार के स्तर में सुधार होता है। जैसे-जैसे यह प्रक्रिया गति पकड़ती है, अर्थव्यवस्था विस्तार की स्थिति में लौट आती है। इस प्रकार, व्यापार चक्र चलता रहता है।

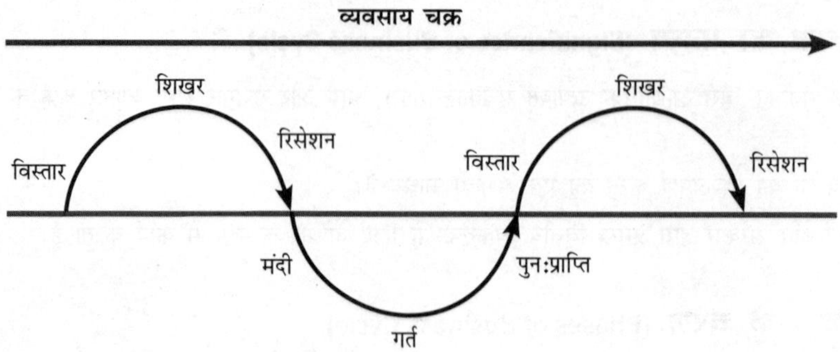

गतिशील मूल्य-निर्धारण (Dynamic Pricing)

गतिशील मूल्य-निर्धारण, जिसे **क़ीमतों में तेज़ी (सर्ज प्राइसिंग), माँग मूल्य निर्धारण (डिमांड प्राइसिंग)** या **समय-आधारित मूल्य-निर्धारण (टाइम बेस्ड प्राइसिंग)** के रूप में भी जाना जाता है, एक व्यावसायिक तकनीक है, जिसमें बदलती माँग को दर्शाने के लिए क़ीमतों को समायोजित किया जाता है। उदाहरण के लिए, एक एयरलाइन सीट के प्रकार, बची हुई सीटों की संख्या और प्रस्थान तक के समय के आधार पर सीट की दरों को समायोजित करेगी।

प्रीडेटरी प्राइसिंग (Predatory Pricing)

प्रीडेटरी प्राइसिंग एक **व्यावसायिक मूल्य रणनीति** है, जो प्रतिस्पर्धियों को हटाने के लिए बड़े पैमाने पर कटौती का उपयोग करती है। यह वह जगह है, जहाँ एक उद्योग प्रमुख निगम, जिसका बाज़ार पर काफ़ी प्रभुत्व है, सभी उपयोगकर्ताओं को आकर्षित करने और एकाधिकार बनाने के लिए जानबूझकर किसी उत्पाद या सेवा के मूल्य को घाटे के स्तर तक कम कर देगा।

अदृश्य हाथ (INVISIBLE HAND)

एडम स्मिथ ने अपनी पुस्तक "द *थ्योरी ऑफ़ मोरल सेंटिमेंट्स*" (1759) में और बाद में "ऐन इन्क्वायरी इनटु द नेचर ऐंड कॉज़ेज़ ऑफ़ द वेल्थ ऑफ़ नेशंस" में '**अदृश्य हाथ (invisible hand)**' की अवधारणा प्रस्तुत की थी।"

यह अनदेखी बाज़ार शक्ति है, जो पारस्परिक अन्योन्याश्रय की मदद से स्व-इच्छुक व्यक्तियों द्वारा मुक्त बाज़ार में माल की माँग और आपूर्ति में संतुलन बनाये रखती है।

एडम स्मिथ प्रतिस्पर्धा, आपूर्ति और माँग और स्वार्थ का उपयोग करके खुद को विनियमित करने के लिए अहस्तक्षेप आर्थिक नीतियों और मुक्त बाज़ारों की प्रवृत्ति के प्रस्तावक थे।

अहस्तक्षेप (Laissez-faire) (फ़्रेंच में "अकेले छोड़ दो") 18वीं शताब्दी का एक आर्थिक सिद्धांत है, जो मुक्त बाज़ार पूँजीवाद का एक महत्त्वपूर्ण हिस्सा है।

एडम स्मिथ के **कराधान के चार सिद्धांत :** अपनी पुस्तक 'द वेल्थ ऑफ़ नेशंस' में, एडम स्मिथ ने कराधान के चार सिद्धांत प्रस्तुत किये, ये हैं :

(i) समानता का सिद्धांत
(ii) निश्चितता का सिद्धांत
(iii) सुविधा का सिद्धांत
(iv) अर्थव्यवस्था का सिद्धांत

कुज़नेट वक्र (KUZNETS CURVE)

कुज़नेट वक्र **असमानता** और **आर्थिक विकास** के बीच के संबंध को दर्शाता है। वक्र का **आकार उल्टा U** है। प्रारंभिक चरण में, आर्थिक विकास अधिक असमानता की ओर जाता है। विभिन्न आर्थिक नीतियों की सहायता से बाद के चरण में असमानता कम हो जाती है।

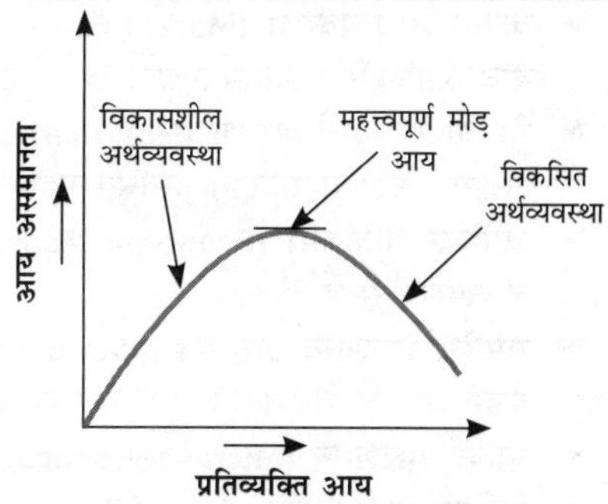

कुज़नेट वक्र का चित्र

मितव्ययिता का विरोधाभास (PARADOX OF THRIFT)

यह अवधारणा अर्थशास्त्री **जॉन मेनार्ड कीन्स** द्वारा दी गयी थी। इसमें कहा गया है कि व्यक्तिगत बचत आर्थिक विकास के लिए हानिकारक हो सकती है। आर्थिक मंदी के दौरान, व्यक्ति अधिक बचत करने की कोशिश करते हैं, जो अनिवार्य रूप से कुल माँग में गिरावट की ओर ले जाता है, इसलिए आर्थिक विकास में भी गिरावट की ओर जाता है।

अतिरिक्त जानकारी

एडम स्मिथ (1723-1790)

जिन्हें **अर्थशास्त्र के जनक** और पूँजीवाद के जनक के रूप में भी जाना जाता है।

उनके अन्य कार्यों में शामिल हैं - नैतिक भावनाओं का सिद्धांत (1759); न्यायशास्त्र पर व्याख्यान (1763); राष्ट्रों के धन की प्रकृति और कारणों की एक जाँच-पड़ताल (1776)।

जॉन मेनार्ड कीन्स (1883-1946)

समष्टि अर्थशास्त्र के जनक के रूप में भी जाना जाता है।

उनके कार्यों में शामिल हैं - द इकनोमिक कान्सिक्वेन्स ऑफ़ पीस यानी शांति का आर्थिक परिणाम (1919); द एंड ऑफ़ लेसे-फ़ेयर (Laissez-faire) यानी अहस्तक्षेप का अंत (1926); द जनरल थ्योरी ऑफ़ एम्प्लॉयमेंट, इंटरेस्ट ऐंड मनी यानी रोज़गार, रुचि और धन का सामान्य सिद्धांत (1936)।

पेरेटो दक्षता (PARETO EFFICIENCY)

पेरेटो दक्षता एक ऐसी आर्थिक स्थिति है, जहाँ दूसरों को बदतर बनाये बिना किसी को बेहतर बनाना असंभव है। पेरेटो अनुकूलतम स्थिति में संसाधनों का आवंटन इस प्रकार किया जाता है कि कोई भी आर्थिक परिवर्तन दूसरों को बदतर बनाये बिना एक व्यक्ति को बेहतर स्थिति में नहीं ला सकता है।

संक्षिप्त विवरण

- **बाज़ार अर्थव्यवस्था (Market Economy)** – उत्पादन और क़ीमतों का निर्धारण निजी स्वामित्ववाले व्यवसायों के बीच अप्रतिबंधित प्रतिस्पर्धा द्वारा किया जाता है।
- **ग़ैर-बाज़ार अर्थव्यवस्था (Non-market Economy)** – वस्तुओं और संसाधनों को आवंटित करने और क़ीमतों का निर्धारण करने में सरकारी हस्तक्षेप महत्त्वपूर्ण है।
- **आर्थिक गतिविधि (Economic Activity)** – असीमित मानवीय आवश्यकताओं की पूर्ति के लिए सीमित संसाधनों के उपयोग से संबंधित।
- **समष्टि अर्थशास्त्र अध्ययन (Macroeconomic Study)** – अर्थव्यवस्था को चार क्षेत्रों – फ़र्मों, सरकार, परिवार और बाहरी क्षेत्र के संयोजन के रूप में देखा जाता है।
- **व्यष्टि अर्थशास्त्र (Microeconomics)** – लघु आर्थिक इकाइयों के कार्यों और व्यवहार की जाँच करता है।
- **मिश्रित अर्थव्यवस्था (Mixed Economy)** – निजी संपत्ति की रक्षा करती है और पूँजी के उपयोग में एक स्तर की आर्थिक स्वतंत्रता देती है, सरकारों को सामाजिक लक्ष्यों को प्राप्त करने के लिए आर्थिक गतिविधियों में हस्तक्षेप करने की अनुमति देती है।
- **आर्थिक एजेंट (Economic Agents)** – आर्थिक निर्णय लेने के लिए ज़िम्मेदार, जैसे- सरकार, बैंक, उपभोक्ता आदि।
- **प्राथमिक क्षेत्र (Primary Sector)** – कृषि, मत्स्य-पालन, खनन आदि।
- **माध्यमिक क्षेत्र (Secondary Sector)** – सभी विनिर्माण और निर्माण गतिविधियाँ।
- **तृतीयक क्षेत्र (Tertiary Sector)** – जिसे सेवा क्षेत्र, आईटी सेवा परिवहन, पर्यटन, बैंकिंग आदि के रूप में भी जाना जाता है।
- **चतुर्थक क्षेत्र (Quaternary Sector)** – बौद्धिक या ज्ञान-आधारित गतिविधियाँ जैसे- परामर्श, अनुसंधान एवं विकास आदि।
- **पंचभागी क्षेत्र (Quinary Sector)** – सरकार, विश्वविद्यालय आदि में उच्च स्तरीय निर्णय लेना।
- **माँग का नियम (Law of Demand)** – माल के लिए माँग की गयी क़ीमत और मात्रा के बीच विपरीत संबंध। क़ीमतें जितनी अधिक होंगी, माँग उतनी ही कम होगी।
- **आपूर्ति का नियम (Law of Supply)** – अगर क़ीमत बढ़ती है, तो माल की आपूर्ति भी बढ़ जाती है।
- **अवसर लागत (Opportunity Cost)** – अगले सबसे अच्छे विकल्प की लागत को त्यागना।
- **अनधिमानवक्र (Indifference Curve)** – दो वस्तुओं के विभिन्न संयोजनों का चित्रमय प्रतिनिधित्व, जो उपभोक्ता को समान संतुष्टि देते हैं।
- **अनधिमान मानचित्र (Indifference Map)** – वरीयताओं को दर्शानेवाले अनधिमानवक्रों का समूह।
- **बजट रेखा (Budget Line)** – दो वस्तुओं के सभी किफ़ायती संयोजनों को दर्शाती है। सीधी, नीचे की ओर झुकी हुई रेखा।
- **एंजेल वक्र (Engel Curve)** – दिखाता है कि आय के साथ वस्तुओं की माँग कैसे बदलती है। अर्नेस्ट एंजेल द्वारा विकसित।
- **संपूर्ण प्रतिस्पर्धा (Perfect Competition)** – बड़ी संख्या में क्रेता और विक्रेता बाज़ार द्वारा निर्धारित मूल्य पर एक जैसे उत्पाद बेचते हैं।
- **एकाधिकार (Monopoly)** – उत्पाद बेचनेवाला एकल विक्रेता और उत्पाद का कोई क़रीबी विकल्प नहीं है, उदाहरण- भारत में रेलवे।
- **व्यापार चक्र सिद्धांत (Business Cycle Theory)** – एक अर्थव्यवस्था कई चरणों से गुज़रती है, जैसे कि स्थिरता, सुस्ती, मंदी और पुन:प्राप्ति। अर्थशास्त्री मंदी और तेज़ी के बीच के इस उतार-चढ़ाव को व्यवसाय चक्र या व्यापार चक्र के रूप में संदर्भित करते हैं, जिसमें मंदी और पुन:प्राप्ति प्राथमिक मध्यवर्ती चरण के रूप में कार्य करते हैं।

- **अदृश्य हाथ (Invisible Hand)** – अनदेखी बाज़ार शक्ति, जो मुक्त बाज़ार में माल की माँग और आपूर्ति में संतुलन बनाये रखती है।
- **कुज़नेट वक्र (Kuznets Curve)** – असमानता और आर्थिक विकास के बीच संबंध को दर्शाता है। वक्र का आकार उल्टा U है।
- जॉन मेनार्ड कीन्स द्वारा **मितव्ययिता का विरोधाभास (Paradox of Thrift)** – व्यक्तिगत बचत आर्थिक विकास के लिए हानिकारक हो सकती है।

यूपीएससी सिविल सेवा के पिछले वर्षों की प्रारंभिक परीक्षा के प्रश्न

1. निम्नलिखित कथनों पर विचार करें : **[2021]**

अन्य चीज़ें अपरिवर्तित रहती हैं, एक वस्तु की बाज़ार में माँग बढ़ सकती है, यदि

1. इसके विकल्प का मूल्य बढ़ जाता है।
2. इसके पूरक का मूल्य बढ़ जाता है।
3. वस्तु एक निचले स्तर की वस्तु है तथा उपभोक्ताओं की आय में वृद्धि होती है।
4. इसके मूल्य में गिरावट होती है।

उपर्युक्त कथनों में से कौन-सा/से सही हैं?

(a) केवल 1 और 4 **(b)** केवल 2, 3 और 4
(c) केवल 1, 3 और 4 **(d)** केवल 1, 2 और 3

2. यदि कोई वस्तु सरकार द्वारा जनता को मुफ़्त में प्रदान की जाती है, तो **[2018]**

(a) अवसर लागत शून्य होती है।
(b) अवसर लागत को नज़रअंदाज़ कर दिया जाता है।
(c) अवसर लागत उत्पाद के उपभोक्ताओं से कर-भुगतान करनेवाली जनता को हस्तांतरित की जाती है।
(d) अवसर लागत उत्पाद के उपभोक्ताओं से सरकार को हस्तांतरित की जाती है।

☞ **कोई प्रश्न नहीं**
2024, 2023, 2022, 2020, 2019, 2017, 2016, 2015, 2014, 2013, 2012

उत्तर-कुंजी

1. (a) 2. (c)

यूपीएससी सिविल सेवा के पिछले वर्षों की मुख्य परीक्षा के प्रश्न

☞ **कोई प्रश्न नहीं**
2024, 2023, 2022, 2021, 2020, 2019, 2018, 2017, 2016, 2015, 2014, 2013, 2012

अध्याय

2

राष्ट्रीय आय (National Income)

अध्याय की रूपरेखा

- राष्ट्रीय आय
- भारत में राष्ट्रीय आय का इतिहास
- राष्ट्रीय आय के अंतर्गत महत्त्वपूर्ण अवधारणाएँ
- राष्ट्रीय आय के मापन - GDP, GNP आदि
- नाममात्र (नगण्य) *बनाम* वास्तविक GDP
- अंतरण भुगतान
- राष्ट्रीय आय के अन्य प्रकार
- राष्ट्रीय आय की गणना करने की विधियाँ
- राष्ट्रीय आय मापन की भूमिका
- राष्ट्रीय आय मापन की परिसीमाएँ
- 2024-25 के लिए राष्ट्रीय आय का प्रथम अग्रिम अनुमान
- MoSPI की रिपोर्ट के आधार पर महत्त्वपूर्ण तथ्य
- आर्थिक सुधार के आकार

राष्ट्रीय आय (NATIONAL INCOME)

- राष्ट्रीय आय [National Income (NI)] एक लेखा वर्ष में देश के सामान्य निवासियों द्वारा **अर्जित कारक साधन आय का कुलयोग** (aggregate of the factor incomes) है। यह उत्पादन के कारकों अर्थात् किसी राष्ट्र की श्रम, पूँजी, भूमि और उद्यमिता द्वारा प्राप्त मज़दूरी, वेतन, किराया, ब्याज, लाभ आदि जैसी कारक आय का कुलयोग है।
- दूसरे शब्दों में, राष्ट्रीय आय एक लेखा अवधि **(accounting year)** (अर्थात्, 1 अप्रैल से 31 मार्च तक) में किसी देश के निवासियों द्वारा अपनी घरेलू सीमाओं के भीतर या बाहर उत्पादित सभी अंतिम वस्तुओं और सेवाओं का कुल योग है।
- इसे **सकल घरेलू उत्पाद [Gross Domestic Product (GDP)]** के संदर्भ में मापा जाता है और इसके वेरिएंट्स शुद्ध घरेलू उत्पाद [Net Domestic Product (NDP)], सकल राष्ट्रीय उत्पाद [Gross National Product (GNP)], शुद्ध राष्ट्रीय उत्पाद [Net National Product (NNP)] आदि हैं।

> **क्या आप जानते हैं?** एक वर्ष में अर्थव्यवस्था द्वारा उत्पादित वस्तुओं और सेवाओं की कुल मात्रा का मूल्य सकल घरेलू उत्पाद (GDP) कहलाता है।
> इस प्रकार GDP = अर्थव्यवस्था में सभी संस्थाओं के सकल मूल्यवर्धन [Gross Value Added (GVA)] का कुल योग है। *- NCERT*

- राष्ट्रीय आय कुल योग का अनुमान या तो **कारक लागत [Factor Cost (FC)]** या **बाज़ार मूल्य [Market Price (MP)]** के आधार पर लगाया जाता है।

परीक्षोपयोगी

आर्थिक प्रदर्शन संकेतक (ECONOMIC PERFORMANCE INDICATORS)

- **GDP वृद्धि दर (GDP growth rate)** - यह देश का प्रदर्शन इंगित करती है।
- **प्रतिव्यक्ति GDP (GDP per capita)** - यह अन्य देशों की तुलना में आर्थिक विकास का स्तर इंगित करता है।

भारत में राष्ट्रीय आय का इतिहास (HISTORY OF NATIONAL INCOME IN INDIA)

ब्रिटिश काल के दौरान **दादाभाई नौरोजी, विलियम डिग्बी, वी. के. आर. वी. राव** और **आर. सी. देसाई** जैसे उल्लेखनीय अर्थशास्त्रियों द्वारा राष्ट्रीय आय के कई अनुमान लगाये गये थे।

(a) **पहला प्रयास 1868 में दादाभाई नौरोजी** ने किया था। उनके द्वारा गणना की गयी प्रतिव्यक्ति वार्षिक आय [Annual Per Capita Income (PCI)] **₹20** थी।

(b) डॉ. वी. के. आर. वी. राव ने 1931-32 में राष्ट्रीय आय की गणना करने के लिए पहली वैज्ञानिक विधि का उपयोग किया था। ऐसा करते समय उन्होंने भारतीय अर्थव्यवस्था को दो भागों में विभाजित किया :

- **(i)** **प्राथमिक क्षेत्र (Primary sector)**- जिसमें कृषि, वन, मत्स्य पालन और शिकार आदि शामिल थे, और
- **(ii)** **द्वितीयक क्षेत्र (Secondary sector)**- जिसमें उद्योग, निर्माण, परिवहन, सार्वजनिक सेवाएँ और व्यवसाय आदि शामिल थे।

उन्होंने भारत की प्रतिव्यक्ति आय (PCI) के रूप में = ₹62 की गणना की।

(c) **राष्ट्रीय आय की गणना करने का पहला आधिकारिक** प्रयास भारत सरकार द्वारा नियुक्त **राष्ट्रीय आय समिति** (National Income Committee) के प्रमुख के रूप में **पी. सी. महालनोबिस** ने किया था, जिसमें **डी. आर. गाडगिल** और **वी. के. आर. वी. राव** भी सदस्य थे।

इस समिति की पहली रिपोर्ट 1951 में प्रस्तुत की गयी थी, जिसके अनुसार 1948-49 के लिए भारत की **राष्ट्रीय आय** ₹8,710 करोड़ और **PCI ₹225** थी।

(d) बाद में GDP के आकलन का काम **केंद्रीय सांख्यिकी कार्यालय [Central Statistics Office (CSO)]** को सौंप दिया गया और राष्ट्रीय स्तर पर CSO के अधीन पूरी तरह से विकसित राष्ट्रीय आय प्रभाग का निर्माण किया गया। 1955 से, **राष्ट्रीय प्रतिदर्श सर्वेक्षण कार्यालय [National Sample Survey Office (NSSO)]** द्वारा किये गये राष्ट्रीय स्तर के सर्वेक्षण के आधार पर CSO द्वारा राष्ट्रीय आय अनुमानों का संकलन किया जाता रहा।

हालाँकि, **2019 में,** केंद्र सरकार ने CSO और NSSO का विलय करके सांख्यिकी और कार्यक्रम कार्यान्वयन मंत्रालय [Ministry of Statistics and Programme Implementation (MoSPI)] के अधीन **राष्ट्रीय सांख्यिकी कार्यालय [National Statistical Office (NSO)]** की स्थापना की।

अतिरिक्त जानकारी

राष्ट्रीय सांख्यिकी कार्यालय [National Statistical Office (NSO)] - सांख्यिकी और कार्यक्रम कार्यान्वयन मंत्रालय (MoSPI) के अधीन 2019 में NSSO और CSO का विलय करके बनाया गया।

राष्ट्रीय सांख्यिकी आयोग [National Statistical Commission (NSC)] - यह *रंगराजन आयोग* की अनुशंसा के अंतर्गत 2005 में गठित स्वायत्त निकाय है। भारत के मुख्य सांख्यिकीविद् और सांख्यिकी एवं कार्यक्रम कार्यान्वयन मंत्रालय के सचिव राष्ट्रीय सांख्यिकी आयोग के भी सचिव हैं। इसके गठन का उद्देश्य आँकड़ों के संग्रहण के संबंध में देश में सांख्यिकी एजेंसियों के सामने आनेवालीं समस्याओं को कम करना है।

राष्ट्रीय आय की गणना करने के लिए NSO ने भारतीय अर्थव्यवस्था को तीन क्षेत्रों में बाँटा है :

(i) प्राथमिक क्षेत्र (Primary sector) (ii) द्वितीयक क्षेत्र (Secondary sector)

(iii) तृतीयक क्षेत्र (Tertiary sector)

परीक्षोपयोगी

प्राथमिक, द्वितीयक और तृतीयक क्षेत्र के अंतर्गत व्यापक उप-शीर्षक
(BROAD SUB-HEADS UNDER PRIMARY, SECONDARY AND TERTIARY SECTOR)

(जैसा कि आर्थिक सर्वेक्षण 2021-22 में प्रस्तुत किया गया है)

प्राथमिक (या कृषि और संबद्ध) क्षेत्रक में शामिल हैं :

1. कृषि
2. वानिकी
3. मत्स्यपालन
4. पशुपालन

द्वितीयक (या उद्योग) क्षेत्रक में शामिल हैं :

1. खनन और उत्खनन
2. विनिर्माण
3. विद्युत, गैस, जलापूर्ति और अन्य जनोपयोगी सेवाएँ
4. निर्माण

तृतीयक (या सेवा) क्षेत्रक में शामिल हैं :

1. व्यापार, होटल, परिवहन, भंडारण, संचार और प्रसारण से संबंधित सेवाएँ
2. वित्तीय, अचल संपत्ति और व्यावसायिक सेवाएँ
3. लोक प्रशासन, रक्षा और अन्य सेवाएँ

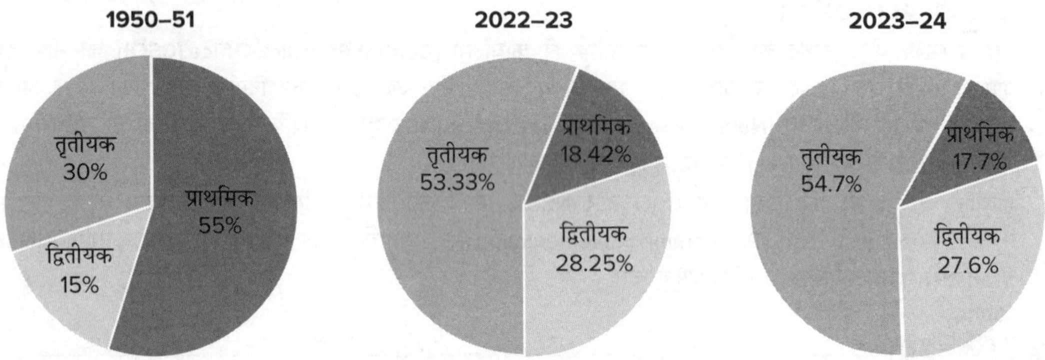

भारतीय GDP में क्षेत्र-वार योगदान : एक तुलना

राष्ट्रीय आय के अंतर्गत महत्त्वपूर्ण अवधारणाएँ
(IMPORTANT CONCEPTS UNDER NATIONAL INCOME)

घरेलू/आर्थिक क्षेत्र (Domestic/Economic Territory)- यह भारत सरकार द्वारा प्रशासित भौगोलिक क्षेत्र को संदर्भित करता है, जिसके भीतर व्यक्ति, वस्तुएँ और पूँजी स्वतंत्र रूप से परिसंचरण कर सकते हैं। भारत में स्थित विदेशी दूतावास घरेलू/आर्थिक क्षेत्र का भाग **नहीं** हैं, जबकि विदेशों में स्थित भारतीय दूतावास घरेलू/आर्थिक क्षेत्र का भाग हैं।

इस प्रकार, घरेलू/आर्थिक क्षेत्र में निम्नलिखित भी शामिल हैं :

➤ विदेशों में स्थित सैन्य प्रतिष्ठान, वाणिज्य दूतावास, दूतावास आदि।

➤ किसी देश के निवासियों द्वारा संचालित मत्स्ययन पोत, जहाज़, विमान आदि घरेलू क्षेत्र के अंतर्गत आते हैं, भले ही ये बार-बार विदेशी भौगोलिक या राजनीतिक सीमाओं में जाते हैं। उदाहरण के लिए, एयर इंडिया के राजस्व और लाभ की भारत के GDP के भीतर गणना की जाती है।

बाज़ार मूल्य [Market Price (MP)] – बाज़ार मूल्य वह क़ीमत है, जिसे कोई उपभोक्ता विक्रेता से ख़रीदते समय उत्पाद के लिए भुगतान करता है। यह वह क़ीमत है, जिस पर अप्रत्यक्ष करों और सब्सिडी को लागू करते हुए अर्थव्यवस्था में इकाइयों को बेचा जाता है।

कारक लागत [Factor Cost (FC)] – यह वस्तुओं और सेवाओं का उत्पादन करते समय किसी फ़र्म द्वारा वहन किये गये उत्पादन के कारकों की लागत को संदर्भित करता है।

इस प्रकार की उत्पादन लागतों के उदाहरणों में वेतन और मज़दूरी का भुगतान, मशीनरी किराये पर लेने की लागत और पूँजी प्राप्त करना, भूमि का ब्याज और उद्यमी के लिए लाभ मार्जिन शामिल है। कारक लागत में GST जैसे **अप्रत्यक्ष कर शामिल नहीं हैं**, जिनका सरकार को भुगतान किया जाता है, क्योंकि करों का भुगतान सीधे उत्पादन प्रक्रिया से संबंधित नहीं है, लेकिन **प्राप्त सब्सिडी FC में शामिल हैं**, क्योंकि ये उत्पादन में प्रत्यक्ष आदान हैं।

***कारक लागत = बाज़ार क़ीमत-शुद्ध अप्रत्यक्ष कर* (Factor Cost = Market Price – Net Indirect Taxes)**

जहाँ, शुद्ध अप्रत्यक्ष कर = अप्रत्यक्ष कर – सब्सिडी

स्थायी पूँजी का मूल्यह्रास या उपभोग (Depreciation or Consumption of Fixed Capital)– यह उपयोगाधीन स्थायी परिसंपत्तियों की मूल्य में कमी को संदर्भित करता है, जो घिसावट, दुर्घटनावश क्षति और अप्रचलन के कारण होती है। सरल शब्दों में इसे पूँजीगत वस्तुओं में टूट-फूट के लिए वार्षिक भत्ता भी कहा जा सकता है।

> *NDP* = GDP – मूल्यह्रास (Depreciation)

विदेशों से शुद्ध कारक आय [Net Factor Income from Abroad (NFIA)] – अस्थायी रूप से विदेश में निवासी भारत के **सामान्य निवासियों** द्वारा अर्जित कारक आय (किराया, मज़दूरी, ब्याज और लाभ आदि) और अस्थायी रूप से भारत में रहनेवाले अनिवासियों द्वारा अर्जित कारक आय के बीच अंतर है।

इस प्रकार, NFIA = शेष विश्व से कारक आय – शेष विश्व को कारक आय

राष्ट्रीय आय में भारत के केवल सामान्य निवासियों की आय शामिल है। राष्ट्रीय आय की गणना करते समय, **जो चीज़ महत्त्व रखती है; वह निवास की स्थिति,** न कि नागरिकता की स्थिति है।

> *NNP = NDP + NFIA*

अंतरण भुगतान (Transfer Payments) – अंतरण भुगतान वे सभी **एकतरफ़ा भुगतान** हैं, जिनके लिए अर्थव्यवस्था में वस्तुओं और सेवाओं का आदान-प्रदान नहीं होता है।

उदाहरणों में **उपहार, दान, वृद्धावस्था या विकलांगता पेंशन, छात्रवृत्ति, बेरोज़गारी मुआवज़ा आदि** सम्मिलित हैं।

अंतरण भुगतान राष्ट्रीय आय में **सम्मिलित नहीं** किये जाते हैं।

हालाँकि, अंतरण भुगतान **व्यक्तिगत आय** में सम्मिलित किये जाते हैं और कर योग्य हैं।

क्या आप जानते हैं?

भारत के सामान्य निवासी किसे कहा जाता है?
(WHO ARE TERMED AS NORMAL RESIDENTS OF INDIA?)

ऐसे व्यक्ति को सामान्य निवासी कहा जाता है :

(i) जो साधारणतया भारत में रहता है, और

(ii) जिसके आर्थिक हित का केंद्र भारत में स्थित है।

ध्यान दें :

- भारत में **एक वर्ष** या **उससे अधिक समय** तक रहनेवाले व्यक्ति को सामान्यतः भारत में रहनेवाला माना जाता है। सामान्य निवासी **भारत का नागरिक हो भी सकता है या नहीं भी हो सकता है।**
- यदि कोई व्यक्ति अपनी संपत्ति और आय की तुलना में महत्त्वपूर्ण पैमाने पर भारत में उत्पादन, उपभोग या निवेश जैसी अपनी आर्थिक गतिविधियाँ करता है, तो उस व्यक्ति का भारत में आर्थिक हित है।

सामान्य निवासियों (Normal Residents) में शामिल हैं :

1. विदेश में भारतीय दूतावासों में काम कर रहे भारतीय (उदाहरण के लिए : राजदूत, आदि)
2. एक वर्ष से अधिक समय से भारत में रहनेवाले विदेशी नागरिक। (हालाँकि, **चिकित्सीय उपचार या अध्ययन के उद्देश्य से भारत आनेवाले विदेशियों को सामान्य निवासी नहीं माना जाता है**, भले ही वे एक वर्ष से अधिक समय तक रहते हैं।)

सामान्य निवासियों (Normal Residents) में शामिल नहीं हैं :

1. विदेशों में भारतीय दूतावासों में काम कर रहे विदेशी।
2. भारत में स्थित WHO, IMF आदि के कार्यालय में काम करनेवाले विदेशी।
3. भारत में तैनात अन्य देशों के राजदूत।
4. एक वर्ष से कम अवधि के लिए भारत में काम कर रहे विदेशी तकनीकी विशेषज्ञ।

उपर्युक्त मात्र कुछ महत्त्वपूर्ण उदाहरण हैं।

पूँजी उत्पादन अनुपात (Capital Output Ratio)

- पूँजी उत्पादन अनुपात, आउटपुट की **एक इकाई** का उत्पादन करने के लिए आवश्यक पूँजी की मात्रा है।

  पूँजी उत्पादन अनुपात = पूँजी/उत्पादन

  दूसरे शब्दों में, यह एक अर्थव्यवस्था में निवेश के स्तर और निवेश के इस स्तर के अनुरूप आर्थिक विकास (GDP में वृद्धि) के बीच संबंध को दर्शाता है।
- उदाहरण के लिए, यदि 100 इकाइयों का उत्पादन करने के लिए 1,00,000 रुपये की आवश्यकता होती है, तो पूँजी उत्पादन अनुपात 1000 होगा। इसी तरह, अगर 100 इकाइयों का उत्पादन करने के लिए 50,000 रुपये की आवश्यकता होती है, तो पूँजी उत्पादन अनुपात केवल 500 होगा।
- इस प्रकार, उच्च अनुपात के लिए - अधिक पूँजी की आवश्यकता होती है - अर्थव्यवस्था में कम दक्षता या उत्पादकता होती है और इसका विपरीत भी सत्य है।
- इस प्रकार, **कम पूँजी-उत्पादन अनुपात हमेशा वांछित होता है।**

वृद्धिशील पूँजी उत्पादन अनुपात [Incremental Capital Output Ratio (ICOR)] : ICOR उत्पादन की एक अतिरिक्त इकाई का उत्पादन करने के लिए आवश्यक पूँजी या निवेश की अतिरिक्त इकाई को दर्शाता है।

माल के प्रकार (Types of Goods)

- **कच्चा माल (Raw Material) :** वह माल; जो मुख्य रूप से अन्य वस्तुओं के उत्पादन या निर्माण में इनपुट के रूप में उपयोग किये जाते हैं।
- **मध्यवर्ती माल (Intermediary Goods) :** वह माल; जो प्रसंस्करण से गुज़र चुके हैं, लेकिन उन्हें फिर से अंतिम वस्तुओं के उत्पादन में इनपुट के रूप में उपयोग किया जाता है।
- **समाप्त/अंतिम माल (Finished/Final Goods) :** वह माल; जिन्हें आगे की प्रक्रिया की आवश्यकता नहीं है और उपभोक्ता द्वारा अंतिम खपत के लिए उपयुक्त हैं।
- **पूँजीगत माल (Capital Goods):** इनका उपयोग अंतिम उत्पादों के उत्पादन की प्रक्रिया में किया जाता है। ये टिकाऊ होते हैं और वे धीरे-धीरे ख़राब होते हैं। इनमें उपकरण, भवन, वाहन, मशीनरी और उपकरण शामिल हैं।
- **उपभोग का माल (Consumption Goods) :** भोजन और कपड़े जैसे- सामान, और मनोरंजन जैसी सेवाएँ, जो उनके अंतिम उपभोक्ताओं द्वारा ख़रीदे जाने पर उपभोग की जाती हैं, उन्हें उपभोग माल या उपभोक्ता माल कहा जाता है।

अतिरिक्त जानकारी

पूँजीगत माल मध्यवर्ती माल नहीं हैं, क्यों?

पूँजीगत माल अन्य सामानों के उत्पादन का समर्थन करते हैं, **वे स्वयं रूपांतरित नहीं होते हैं**। वे उत्पादों/सेवाओं के उत्पादन के लिए अपने उत्पादकों/विनिर्माताओं के पास रहते हैं।

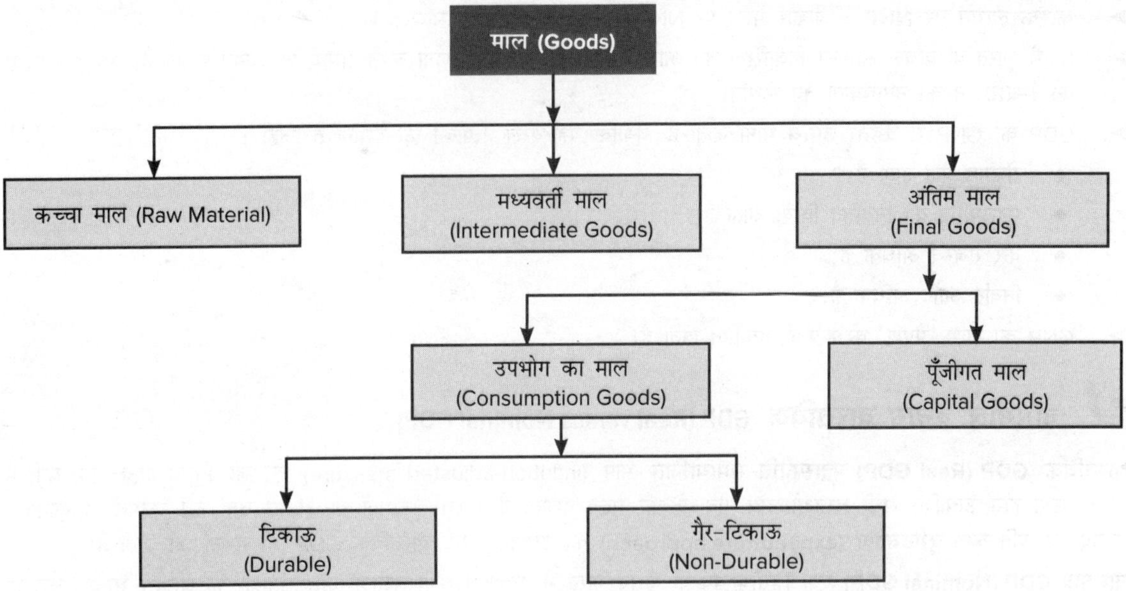

प्रवाह बनाम स्टॉक (Flows versus Stock)

- **प्रवाह** को समय की अवधि में परिभाषित किया जाता है। उदाहरण के लिए, मासिक या वार्षिक आय, उत्पादन आदि। आमतौर पर, वित्तीय वर्ष (1 अप्रैल से 31 मार्च तक) गणना के आधार के रूप में लिया जाता है।
- **स्टॉक्स** को एक विशेष समय पर परिभाषित किया जाता है। उदाहरण के लिए, किसी विशेष दिन (जैसे 1 जनवरी) पर संपत्ति मूल्य, इन्वेंट्री आदि को स्टॉक कहा जाता है।

राष्ट्रीय आय के मापन (Measures of National Income)

- **सकल घरेलू उत्पाद [Gross Domestic Product (GDP)] – GDP** एक वर्ष के दौरान घरेलू अर्थव्यवस्था के भीतर होनेवाले "अंतिम वस्तुओं एवं सेवाओं" के कुल उत्पादन को मापता है।
- **सकल राष्ट्रीय उत्पाद [Gross National Product (GNP)] – GNP देश के निवासियों के स्वामित्व**वाले उत्पादन के साधनों द्वारा दी गयी अवधि में किये गये सभी अंतिम उत्पादों और सेवाओं के कुल मूल्य का अनुमान है।

  GNP = **GDP** + विदेश से शुद्ध कारक आय।
- इस प्रकार, **GDP** का संबंध सीमाओं से है, जबकि GNP का संबंध नागरिकों से है।

  शुद्ध घरेलू उत्पाद = GDP – मूल्यह्रास

  शुद्ध राष्ट्रीय उत्पाद = GNP – मूल्यह्रास
- **बाज़ार मूल्य पर सकल घरेलू उत्पाद (GDP at Market Price)** = किसी देश के घरेलू क्षेत्र के भीतर उत्पादित सभी अंतिम वस्तुओं एवं सेवाओं का बाज़ार मूल्य एक वर्ष में मापा जाता है।
- **कारक लागत पर सकल घरेलू उत्पाद (GDP at Factor Cost) :** यह उत्पादन की कारक लागत (अर्थात् भूमि, श्रम, पूँजी और उद्यमिता) से अर्जित आय का कुल मूल्य है।

  कारक लागत पर सकल घरेलू उत्पाद = बाज़ार मूल्य पर सकल घरेलू उत्पाद - (अप्रत्यक्ष कर - सब्सिडी)
- **राष्ट्रीय आय (National Income) :** राष्ट्रीय आय कारक लागत पर NNP के बराबर होती है।

  राष्ट्रीय आय (NI) = कारक लागत पर NNP

- **कारक लागत पर NNP** = बाज़ार मूल्य पर NNP – (अप्रत्यक्ष कर – सब्सिडी)।
- NI में भारत के केवल सामान्य निवासियों की आय शामिल है। NI की गणना करते समय, जो मायने रखता है; वह है **निवास की स्थिति,** न की नागरिकता की स्थिति।
- GDP को GNP से **बेहतर उपाय** माना जाता है, क्योंकि यह घरेलू उत्पादन को दर्शाता है, जहाँ :
    - रोज़गार पैदा होता है,
    - मुद्रास्फीति को नियंत्रित किया जाता है,
    - कर राजस्व अधिक है,
    - निर्यात आदि अधिक हैं।
- GNP का लाभ 'प्रेषण' के रूप में प्रवाहित होता है।

नाममात्र *बनाम* वास्तविक GDP (Real *versus* Nominal GDP)

वास्तविक GDP (Real GDP) मुद्रास्फीति-समायोजित माप (inflation-adjusted measure) है, जो किसी दिये गये वर्ष में अर्थव्यवस्था द्वारा उत्पादित सभी वस्तुओं और सेवाओं का मूल्य दर्शाती है (स्थिर क़ीमतों या आधार वर्ष* की क़ीमतों में व्यक्त)। उत्पादन के प्रति **व्यय दृष्टिकोण (expenditure approach)** का उपयोग करके वास्तविक GDP की गणना की जाती है।

नाममात्र GDP (Nominal GDP) एक वित्तीय वर्ष के दौरान भारत में उत्पादित सभी वस्तुओं और सेवाओं का **बाज़ार मूल्य (बाज़ार मूल्य × उत्पादित मात्रा) [(current MP × quantity produced)]** है। दो कारणों से प्रतिवर्ष इस अंतिम मूल्य में बदलाव होता है :

(i) वस्तुओं और सेवाओं के वास्तविक या भौतिक उत्पादन में परिवर्तन।

(ii) क़ीमतों में परिवर्तन।

चूँकि दूसरा पहलू केवल मुद्रास्फीति का प्रभाव है, इसलिए निवेश और रोज़गार परिदृश्य को प्रभावित करनेवाला वास्तविक परिवर्तन पहले है। इसलिए, वास्तविक अर्थों में GDP की गणना करने के लिए मुद्रास्फीति का यह प्रभाव कम कर दिया जाता है। इस कम किये गये कारक को **GDP अपस्फीतिकारक (GDP deflator)** भी कहा जाता है।

$$\text{GDP अपस्फीतिकारक (GDP Deflator)} = \frac{\text{नाममात्र GDP (Nominal GDP)}}{\text{वास्तविक GDP (Real GDP)}} \times 100$$

यह GDP अपस्फीतिकारक अर्थव्यवस्था में **मुद्रास्फीति का सर्वश्रेष्ठ संकेतक (best indicator of inflation)** है।

ध्यान दें : *नाममात्र GDP कुछ और नहीं, बल्कि* ***चालू क़ीमतों पर GDP*** *(GDP at Current Prices) है और वास्तविक GDP स्थिर क़ीमतों पर GDP है।*

वास्तविक GDP उत्पादन में परिवर्तन इंगित करता है, जबकि नाममात्र GDP कर भी सकती है या नहीं भी कर सकती है। इस प्रकार नाममात्र GDP की तुलना में वास्तविक GDP को *आर्थिक संवृद्धि का बेहतर संकेतक माना जाता है।*

अतिरिक्त जानकारी

***आधार वर्ष (Base year)** – GDP में 'वास्तविक वृद्धि' या वास्तविक GDP का मापन करने के लिए चालू क़ीमतों पर GDP को आधार वर्ष की क़ीमतों में परिवर्तित किया जाता है। सामान्यत: आधार वर्ष क़ीमतों के उतार-चढ़ाव से रहित एक सामान्य वर्ष होता है। भारत सरकार द्वारा वर्तमान में प्रयुक्त आधार वर्ष **2011-12** है।

आधार वर्ष को समय-समय पर संशोधित किया जाता है। हाल ही में सरकार ने आधार वर्ष को बदलकर 2017-18 (लेकिन अभी तक नहीं किया है) करने का प्रस्ताव किया है।

परीक्षोपयोगी

वास्तविक GDP की गणना में WPI, CPI जैसे अन्य मुद्रास्फीति सूचकांकों की तुलना में GDP अपस्फीतिकारक को क्यों वरीयता दी जाती है?

चूँकि GDP अपस्फीति कारक में अर्थव्यवस्था में उत्पादित वस्तुओं और सेवाओं की पूरी शृंखला – थोक या उपभोक्ता क़ीमत सूचकांकों की सीमित **पण्यवस्तु टोकरी** के मुक़ाबले– शामिल होती है, इसलिए इसे अधिक व्यापक माप के रूप में देखा जाता है।

CPI को वरीयता नहीं दी जाती है, क्योंकि :

- उत्पादित सभी वस्तुओं और सेवाओं का खुदरा उपभोक्ताओं द्वारा उपभोग नहीं किया जाता है।
- यह उपभोग के स्तर के आधार पर गतिशील भारांश के बजाय सूचकांक में वस्तुओं के लिए निश्चित अनुपात निर्दिष्ट करता है।
- CPI में आयातित उपभोग की वस्तुओं की भी गणना की जाती है।

WPI को प्राथमिकता नहीं दी जाती है, क्योंकि :

- सेवा मुद्रास्फीति (जो सकल घरेलू उत्पाद में 50 प्रतिशत से अधिक योगदान देती है) पर विचार नहीं किया जाता है।
- WPI में मध्यवर्ती थोक क़ीमतों; न कि अंतिम बाज़ार क़ीमतों, का ध्यान रखा जाता है।

परीक्षोपयोगी

संभाव्य GDP (POTENTIAL GDP)

संभाव्य GDP (Potential GDP) स्थिर मुद्रास्फीति की दर पर एक समयावधि के दौरान अर्थव्यवस्था द्वारा क़ायम रखी जा सकनेवाली उत्पादन के उच्चतम स्तर की माप/अनुमान है।

GDP अंतराल (GDP Gap) संभाव्य GDP और वास्तविक GDP के बीच अंतर दर्शाता है।

संभाव्य GDP को प्रभावित/निर्धारित करनेवाले कारक हो सकते हैं :

- स्थिरता
- पूर्ण रोज़गार (लैंगिक असमानता, बेरोज़गारी, अल्परोज़गार आदि)
- तकनीकी उपयोग
- नियामकीय ढाँचा (Regulatory framework)
- स्थिर मुद्रा (Steady currency)

संभाव्य GDP साकार करने में भारत के समक्ष प्रमुख चुनौतियाँ :

- लैंगिक असमानता (संदर्भ के लिए लैंगिक समानता संभाव्य GDP 26% तक बढ़ा देती है)।
- बेरोज़गारी और अल्परोज़गार का मुद्दा।
- वस्तुओं का उत्पादन करने के लिए पुरानी उत्पादन विधियों का उपयोग।
- कॉर्पोरेट्स के लिए आसान प्रवेश और निकास नीति की दृष्टि से प्रयोक्ता अनुकूल नियामकीय ढाँचे की आवश्यकता।

हाल की रिपोर्टों के अनुसार, यह पूर्वानुमान व्यक्त किया गया है कि GST के प्रचलन से भारत की संभाव्य GDP में 6.7% की वृद्धि हुई है। इसके अतिरिक्त, नेशनल एसोसिएशन ऑफ़ सॉफ़्टवेयर ऐंड सर्विस कंपनीज़ (NASSCOM) के पूर्वानुमान के अनुसार, आर्टिफ़िशियल इंटेलिजेंस (AI) के उपयोग से सकल घरेलू उत्पाद में वृद्धि हो सकती है।

परीक्षोपयोगी

राष्ट्रीय आय के (आठ) पैमाने या कुल योग :

1. GDP_{MP} = बाज़ार मूल्य पर सकल घरेलू उत्पाद।
2. GDP_{FC} = कारक लागत पर सकल घरेलू उत्पाद = GDP_{MP} – अप्रत्यक्ष कर + सब्सिडी
3. NDP_{MP} = बाज़ार मूल्य पर शुद्ध घरेलू उत्पाद = GDP_{MP} – मूल्यह्रास
4. NDP_{FC} = कारक लागत पर शुद्ध घरेलू उत्पाद = NDP_{MP} – अप्रत्यक्ष कर + सब्सिडी
5. GNP_{MP} = बाज़ार मूल्य पर सकल घरेलू उत्पाद = GDP_{MP} + NFIA
6. GNP_{FC} = कारक लागत पर सकल घरेलू उत्पाद = GDP_{MP} – अप्रत्यक्ष कर + सब्सिडी + NFIA
7. NNP_{MP} = बाज़ार मूल्य पर शुद्ध राष्ट्रीय उत्पाद = GDP_{MP} – मूल्यह्रास + NFIA
8. **NNP_{FC} (या राष्ट्रीय आय)** = कारक लागत पर शुद्ध राष्ट्रीय उत्पाद = GDP_{MP} – मूल्यह्रास + NFIA – अप्रत्यक्ष कर + सब्सिडी

आसानी से समझने के लिए, नीचे दिये गये फ़्लो चार्ट को याद रखें :

सकल	घरेलू	बाज़ार क़ीमत (MP)
↓	↓	↓
(–) मूल्यह्रास	(+) NFIA	(–) अप्रत्यक्ष कर + सब्सिडी
↓	↓	↓
शुद्ध	राष्ट्रीय	कारक लागत (FC)

राष्ट्रीय आय के अन्य प्रकार (Other Variants of National Income)

➤ **व्यक्तिगत आय [Personal Income (PI)] :** यह चालू हस्तांतरण सहित परिवारों द्वारा प्राप्त सभी प्रकार की कारक आय का कुल योग है। PI अर्जित और अनर्जित आय का कुलयोग है।

व्यक्तिगत आय (PI) *= राष्ट्रीय आय – अविभाजित लाभ – परिवारों द्वारा किया गया शुद्ध ब्याज भुगतान – कॉर्पोरेट कर + सरकार और फ़र्मों से परिवारों को* ***भुगतान हस्तांतरण****।*

या

व्यक्तिगत आय (PI) *= राष्ट्रीय आय – निगमों का अविभाजित लाभ – सामाजिक सुरक्षा प्रावधानों के लिए शुद्ध ब्याज भुगतान – मज़दूरी कम संवितरण + स्थानांतरण भुगतान + व्यक्तिगत ब्याज और लाभांश आय।*

व्यक्तिगत आय और राष्ट्रीय आय के बीच अंतर (DIFFERENCE BETWEEN PI AND NI)

व्यक्तिगत आय (Personal Income)	राष्ट्रीय आय (National Income)
व्यक्तिगत आय उत्पादन के कारकों द्वारा प्राप्त आय है। इसलिए यह **आय की प्राप्ति** से संबंधित अवधारणा है।	राष्ट्रीय आय उत्पादन के कारकों द्वारा उत्पन्न आय है। इसलिए यह **आय अर्जन** से संबंधित अवधारणा है।
व्यक्तिगत आय में कारक आय और अंतरण प्राप्तियाँ दोनों **शामिल हैं**।	राष्ट्रीय आय के अंतर्गत कारक आय और अंतरण प्राप्तियाँ **शामिल नहीं हैं**।
राष्ट्रीय ऋण पर ब्याज व्यक्तिगत आय में **शामिल** है।	राष्ट्रीय ऋण पर ब्याज **राष्ट्रीय आय का भाग** नहीं है।
कंपनियों का अवितरित लाभ और निगम कर व्यक्तिगत आय का हिस्सा नहीं है।	कंपनियों का अवितरित लाभ और निगम कर राष्ट्रीय आय में **शामिल** किया जाता है।

➤ **व्यक्तिगत प्रयोज्य आय [Personal Disposable Income (PDI)] :** यह वह आय है, जो व्यक्तियों या परिवारों के पास सरकार द्वारा उनकी आय और संपत्ति के विरुद्ध लगाये गये **सभी प्रत्यक्ष करों की कटौती के बाद** बनी रहती है।

PDI = व्यक्तिगत आय – प्रत्यक्ष कर –परिवारों द्वारा भुगतान किये गये विविध शुल्क और अर्थदंड।

PDI परिवारों की **क्रय शक्ति (purchasing power)** दर्शाती है।

➤ **राष्ट्रीय प्रयोज्य आय [National Disposable Income (NDI)] :** NDI एक वित्तीय वर्ष के दौरान भारत के निवासियों के लिए **उनके उपभोग व्यय के लिए या बचत के लिए** उपलब्ध सभी स्रोतों (अर्जित आय के साथ-साथ विदेशों से अंतरण भुगतान) से आय है।

NDI = NNP_{FC} या राष्ट्रीय आय + शुद्ध अप्रत्यक्ष कर + ROW से शुद्ध वर्तमान अंतरण।

सकल राष्ट्रीय प्रयोज्य आय [Gross National Disposable Income (GNDI)] अंतिम उपभोग और सकल बचत के लिए कुल अर्थव्यवस्था के लिए उपलब्ध आय का मापन करती है।

GNDI = GNP + शेष विश्व से निवासी इकाइयों द्वारा प्राप्य चालू अंतरण – शेष विश्व की अनिवासी इकाइयों को देय चालू अंतरण।

शुद्ध राष्ट्रीय प्रयोज्य आय [Net National Disposable Income (NNDI)] सकल राष्ट्रीय प्रयोज्य आय से मूल्यह्रास घटाकर प्राप्त की जाती है।

NNDI = GNDI – मूल्यह्रास

राष्ट्रीय प्रयोज्य आय और व्यक्तिगत प्रयोज्य आय के बीच अंतर
(DIFFERENCE BETWEEN NATIONAL DISPOSABLE INCOME AND PERSONAL DISPOSABLE INCOME)

राष्ट्रीय प्रयोज्य आय [National Disposable Income (NDI)]	व्यक्तिगत प्रयोज्य आय [Personal Disposable Income (PDI)]
यह समग्र रूप से देश की प्रयोज्य आय को संदर्भित करती है।	यह देश में व्यक्तियों या परिवारों की प्रयोज्य आय को संदर्भित करती है।
यह NNP_{FC}, शुद्ध अप्रत्यक्ष करों और शेष विश्व से शुद्ध चालू अंतरण का कुल योग है ।	यह प्रत्यक्ष व्यक्तिगत करों (आय कर और संपत्ति कर) का भुगतान करने के बाद व्यक्तियों के पास बची आय है।

सकल आय की उपश्रेणियाँ (Sub-categories of Aggregate Income)

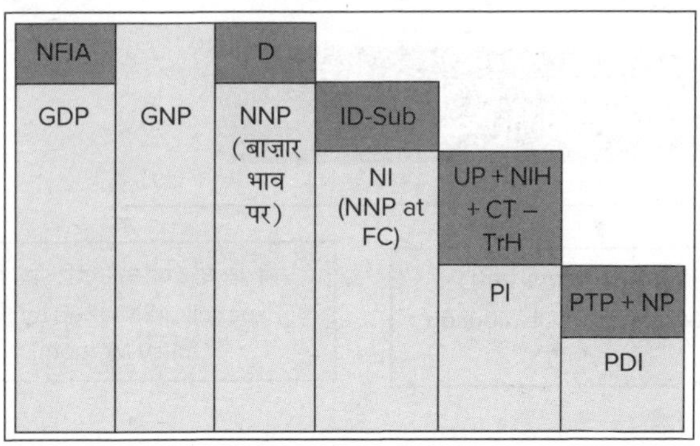

स्रोत - NCERT कक्षा XII समष्टि अर्थशास्त्र

NFIA : विदेश से शुद्ध कारक आय
D : मूल्यह्रास
ID : अप्रत्यक्ष कर
Sub : सब्सिडी
UP : अवितरित लाभ
NIH : परिवारों द्वारा निवल ब्याज भुगतान
CT : कॉर्पोरेट कर
TrH : परिवारों द्वारा प्राप्त स्थानान्तरण
PTP : वैयक्तिक कर भुगतान
NP : ग़ैर-कर भुगतान
PDI : व्यक्तिगत डिस्पोजेबल आय

अतिरिक्त जानकारी

राष्ट्रीय आय के विभिन्न अनुमान (Various Estimates of National Income)

- **अग्रिम अनुमान [Advance Estimate (AE)]** - यह वित्त वर्ष पूरा होने से लगभग **2 महीने पहले** NSO द्वारा जारी किया गया GDP/राष्ट्रीय आय का पहला अनुमान है। जारी करने की तिथि - **7 जनवरी।**
- **अनंतिम अनुमान [Provisional Estimate (PE)]** - NSO द्वारा GDP/राष्ट्रीय आय का यह अनुमान वित्त वर्ष पूरा होने के **2 महीने बाद** जारी किया जाता है। जारी करने की तिथि - **31 मई।** अनंतिम अनुमान (PE) को पहले **संशोधित अनुमान (RE)** कहा जाता था।
- **पहला संशोधित अनुमान (First Revised Estimate)** - NSO द्वारा GDP/राष्ट्रीय आय का यह अनुमान वित्त वर्ष पूरा होने के **10 महीने बाद** जारी किया जाता है। जारी करने की तिथि - **31 जनवरी।** पहले संशोधित अनुमान को त्वरित अनुमान (QE) कहा जाता था।
- **दूसरा संशोधित अनुमान (Second Revised Estimate)**- NSO द्वारा GDP/राष्ट्रीय आय का यह अनुमान वित्त वर्ष पूरा होने के **1 वर्ष 10 महीने बाद** जारी किया जाता है। जारी करने की तिथि – **अनुवर्ती वर्ष की 31 जनवरी।**
- **तीसरा संशोधित अनुमान (Third Revised Estimate)**- NSO द्वारा GDP/राष्ट्रीय आय का यह अनुमान वित्त वर्ष पूरा होने के **2 वर्ष और 10 महीने बाद** जारी किया जाता है। जारी करने की तिथि- अनुवर्ती 2 वर्ष के बाद **31 जनवरी।**

किसी विशेष वित्तीय वर्ष का तीसरा संशोधित अनुमान जारी होने के बाद आँकड़े कमोबेश स्थिर हो जाते हैं, लेकिन राज्यों से तुलनात्मक अनुमानों के संबंध में उनके साथ चर्चा के बाद हमेशा कुछ अतिरिक्त सूचनाएँ प्रवाहित होती हैं, जिन्हें बाद में संशोधन के समय वार्षिक अनुमानों में शामिल किया जाता है।

उदाहरण- NSO के वर्तमान कार्यक्रम के अनुसार, वर्ष 2024-25 का **पहला AE** 7 जनवरी, 2025 की शाम को जारी किया गया था। वर्ष 2024-25 का **PE** 31 मई, 2025 को जारी किया जायेगा। 2024-25 का **पहला RE** 31 जनवरी, 2026 को जारी किया जायेगा। वर्ष 2024-25 का **दूसरा RE** 31 जनवरी, 2027 को जारी किया जायेगा। वर्ष 2024-25 का **तीसरा RE** 31 जनवरी, 2028 को जारी किया जायेगा।

राष्ट्रीय आय (या GDP) की गणना करने की विधियाँ
[Methods of Computing National Income (or GDP)]

राष्ट्रीय आय का अनुमान लगाने के लिए तीन अलग-अलग विधियाँ हैं :

राष्ट्रीय आय (या GDP) की गणना की विधियाँ [Methods of Computing National Income (or GDP)]

- उत्पाद विधि (या मूल्य वर्धन विधि) [Product Method (or Value Added Method)]
- आय विधि (या वितरण विधि) [Income Method (or Distribution Method)]
- व्यय विधि (या कुल परिव्यय विधि) [Expenditure Method (or Total Outlay Method)]

व्यय विधि (Expenditure Method) इस विधि के अंतर्गत आवश्यक आँकड़ों की आसान उपलब्धता के कारण **सर्वाधिक उपयोग की जानेवाली विधि है।**

1. उत्पाद विधि (Product Method)

- इसे **'उत्पादन विधि (Output Method)'** या **'मूल्य वर्धन विधि (Value Added Method)'** भी कहा जाता है।
- आय निर्माण चरण में आँकड़े एकत्र करते समय इस पद्धति का उपयोग राष्ट्रीय आय का अनुमान लगाने के लिए किया जाता है।
- इस विधि के अंतर्गत सकल मूल्य वर्धन (GVA) या GDP_{MP} की गणना की जाती है, जो और कुछ नहीं, बल्कि तीनों क्षेत्रों अर्थात् प्राथमिक क्षेत्र, द्वितीयक क्षेत्र और तृतीयक क्षेत्र के उत्पादन **मूल्य और मध्यवर्ती उपभोग के बीच अंतर है।**

GVA या GDP_{MP} = तीनों क्षेत्रकों के उत्पादन का मूल्य – तीनों क्षेत्रकों का मध्यवर्ती उपभोग

क्या आप जानते हैं? मध्यवर्ती उपभोग वस्तु के उत्पादन में प्रयुक्त मध्यवर्ती वस्तुओं (कच्चे माल के रूप में) को संदर्भित करता है। GVA की गणना करते समय, **दोहरी गणना से बचने के लिए** मध्यवर्ती उपभोग को घटाया जाता है। यदि घटाया नहीं जाता है, तो उक्त मध्यवर्ती उत्पाद का मूल्य राष्ट्रीय आय में दो बार गिना जायेगा (एक बार अंतिम वस्तु और एक बार मध्यवर्ती वस्तु के रूप में)

उत्पाद विधि के अंतर्गत राष्ट्रीय आय में निम्नलिखित वस्तुओं और सेवाओं को शामिल किया जाता है :

(a) लाभ कमाने के लिए बाज़ार में बेची जानेवालीं वस्तुएँ और सेवाएँ।

(b) बेची नहीं, बल्कि निःशुल्क आपूर्ति की जानेवालीं वस्तुएँ और सेवाएँ। उदाहरण के लिए, स्कूली बच्चों को निःशुल्क दोपहर का भोजन।

(c) स्थायी पूँजी का अपने लिए उत्पादन।

(d) आरोपित किराया या आरोपित ब्याज।

आरोपित किराया (Imputed Rent)– जब कोई संपत्ति एक ही व्यक्ति के स्वामित्वाधीन होती है और उसके द्वारा उसका उपयोग किया जाता है, तो वास्तव में उसके द्वारा अपने आपको किराया भुगतान नहीं किया जाता है। उस काल्पनिक किराये को आरोपित किराया कहा जाता है और राष्ट्रीय आय का एक भाग होता है। इसी प्रकार आरोपित ब्याज है।

उत्पाद विधि के अंतर्गत राष्ट्रीय आय में निम्नलिखित गतिविधियों को **शामिल नहीं किया जाता है :**

(a) तस्करी और जुए जैसी अवैध गतिविधियाँ।

(b) ग़ैर-आर्थिक वस्तुएँ (जल, वायु)।

(c) पुरानी वस्तुओं का क्रय/विक्रय।

(d) मध्यवर्ती वस्तुएँ।

(e) अंतरण भुगतान, जैसे – उपहार, दान, आदि।

(f) पूँजीगत लाभ।

परीक्षोपयोगी

आधारभूत क़ीमतों पर GDP या GVA (GDP OR GVA AT BASIC PRICES)

- 2015 में CSO (अब NSO) द्वारा यह निर्णय किया गया कि सकल मूल्य वर्धन (GVA) या सकल घरेलू उत्पाद का क्षेत्र-वार अनुमान अब 'कारक लागत' के बजाय 'आधारभूत क़ीमतों' पर दिया जायेगा।
- आधारभूत क़ीमत उत्पादक द्वारा रखी गयी मात्रा का मापन करती है, इसलिए, उत्पादक के निर्णय लेने के लिए क़ीमत सर्वाधिक प्रासंगिक होती है।
- आधारभूत क़ीमतों पर GVA की अवधारणा कारक लागत या बाज़ार क़ीमत पर GVA से अलग है।

आधारभूत क़ीमतों पर GVA या GDP = कारक लागत पर GVA + शुद्ध उत्पादन कर

जहाँ शुद्ध उत्पादन कर = उत्पादन कर (उत्पाद कर नहीं) – उत्पादन सब्सिडी (उत्पाद सब्सिडी नहीं)

- उत्पादन कर और उत्पादन सब्सिडी उत्पादन की मात्रा से स्वतंत्र हैं, जबकि उत्पाद कर और उत्पाद सब्सिडी का उत्पाद की प्रति इकाई के आधार पर भुगतान किया जाता है या प्राप्त किया जाता है।

- उत्पादन कर के उदाहरणों में भू-राजस्व, स्टांप और पंजीकरण शुल्क आदि शामिल हैं और उत्पादन सब्सिडी में रेलवे को दी गयी सब्सिडी, किसानों को दी गयी आदान सब्सिडी, ग्रामीण और लघु उद्योगों को दी गयी सब्सिडी आदि
- शामिल होती है। जबकि उत्पाद करों के लिए, उदाहरणों में GST, सीमा शुल्क आदि शामिल हैं और उत्पाद सब्सिडी के उदाहरणों में खाद्य सब्सिडी, पेट्रोलियम और उर्वरक सब्सिडी आदि शामिल हैं।

और, **बाज़ार क़ीमतों पर GVA या GDP_{MP} = आधारभूत क़ीमतों पर GDP + उत्पाद कर – उत्पाद सब्सिडी**

परीक्षोपयोगी

GVA बनाम GDP

(i) GVA मध्यवर्ती वस्तुओं और सेवाओं के मूल्य में कटौती के बाद देश के भीतर उत्पादित सभी वस्तुओं और सेवाओं का मूल्य है। जबकि GDP किसी देश की सीमा के भीतर उत्पादित सभी अंतिम वस्तुओं और सेवाओं का बाज़ार मूल्य है।

(ii) GVA, साधन या आपूर्तिकर्ता पक्ष के माध्यम से अर्थव्यवस्था की जानकारी देता है। जबकि GDP उत्पादन या उपभोक्ता पक्ष के माध्यम से जानकारी देता है।

(iii) GVA की गणना आमतौर पर क्षेत्रवार दृष्टिकोण से की जाती है, जैसे प्राथमिक क्षेत्र (कृषि क्षेत्र), द्वितीयक क्षेत्र (विनिर्माण क्षेत्र) और तृतीयक क्षेत्र (सेवा क्षेत्र)। अलग-अलग क्षेत्र के इन GVA को जोड़कर देश की GDP निकाली जाती है।

(iv) GVA की गणना सामान्यतः मूल क़ीमतों पर की जाती है, जबकि GDP की गणना बाज़ार क़ीमतों पर की जाती है।

2. आय विधि (Income Method)

- इसे वितरण विधि (Distribution Method) भी कहा जाता है।
- इस विधि के अंतर्गत, NDP_{FC} (कारक लागत पर शुद्ध घरेलू उत्पाद) गणना करने के लिए निम्नलिखित तीन प्रमुख शीर्षकों के अंतर्गत कारक आय को जोड़ा जाता है :

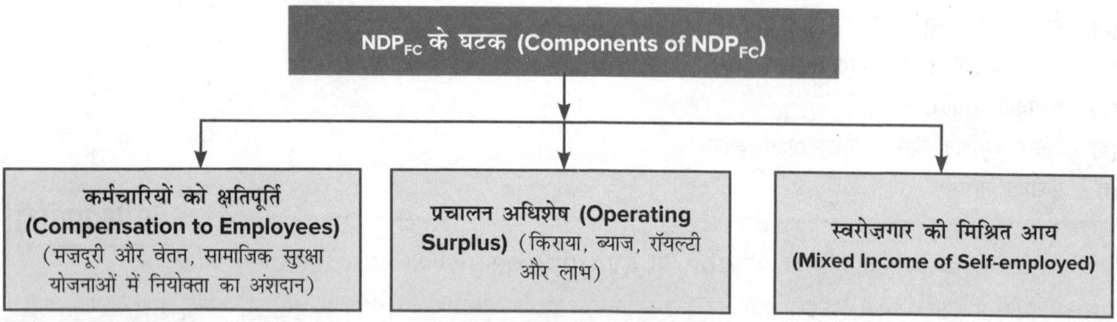

(i) कर्मचारियों को क्षतिपूर्ति (Compensation to Employees) : इसमें मज़दूरी और वेतन, सामाजिक सुरक्षा योजनाओं में नियोक्ता (कर्मचारी का नहीं) का अंशदान, महँगाई भत्ते आदि शामिल हैं।

(ii) प्रचालन अधिशेष (Operating Surplus) : इसमें किराया, लाभ, रॉयल्टी और ब्याज शामिल हैं। लाभ में निगम कर, लाभांश और अवितरित लाभ शामिल हैं।

(iii) स्व-नियोजित की मिश्रित आय (Mixed Income of Self-employed) : यह कृषि उद्यमों, एकमात्र स्वामित्व और अन्य व्यवसायों, जैसे- चिकित्सा और क़ानूनी व्यवसाय से होनेवाली आय को संदर्भित करता है। इन व्यवसायों में, स्वामी स्वयं उद्यमी, वित्तपोषक, श्रमिकों और भूस्वामियों की भूमिका ग्रहण करते हैं।

NDP_{FC} = **कर्मचारियों को क्षतिपूर्ति + प्रचालन अधिशेष + स्व-रोज़गार की मिश्रित आय।**

आय विधि के अंतर्गत राष्ट्रीय आय में शामिल की जानेवालीं मदें :

(a) यहाँ तक कि पुरानी वस्तुओं की बिक्री आय पर भी दलाल या एजेंट द्वारा प्रभारित कमीशन।

(b) स्वयं के उपभोग के लिए उत्पादन का मूल्य भी राष्ट्रीय आय में शामिल किया जाता है।

आय विधि के अंतर्गत राष्ट्रीय आय में शामिल नहीं की जानेवालीं मदें :

(a) अप्रत्याशित लाभ (जैसे- लॉटरी की आय)

(b) मृत्यु शुल्क

(c) अंतरण प्राप्तियाँ

(d) प्रयुक्त वस्तुओं की बिक्री से आय

(e) शेयर, बॉण्ड और ऋणपत्रों की बिक्री से आय।

3. व्यय विधि (Expenditure Method)

➤ इसे कुल परिव्यय विधि (total outlay method) भी कहा जाता है।

➤ किसी देश में, अर्जित आय या तो वस्तुओं और सेवाओं का उपभोग करने के लिए व्यय की जाती है या बचायी और निवेश की जाती है। इस विधि में राष्ट्रीय आय की गणना करने के लिए किसी विशेष वर्ष में किये गये कुल राष्ट्रीय व्यय को ध्यान में रखा जाता है।

➤ इस विधि के माध्यम से पहले GDP_{MP} निकाला जाता है।

GDP_{MP} = **व्यक्तिगत उपभोग व्यय (C) + निवेश (I) + सरकारी व्यय (G) + निर्यात (X) – आयात (M)**

व्यय विधि के अंतर्गत राष्ट्रीय आय में शामिल की जानेवालीं मदें :

(a) परिवारों का व्यक्तिगत उपभोग व्यय

(b) सकल निजी घरेलू निवेश, अर्थात् पूँजीगत वस्तुओं पर व्यापार व्यय

(c) शुद्ध विदेशी निवेश, अर्थात् देश की वस्तुओं और सेवाओं के लिए विदेशी नागरिकों, फ़र्मों और सरकारों द्वारा शुद्ध व्यय

(d) वस्तुओं और सेवाओं की सरकारी ख़रीद

व्यय विधि के अंतर्गत राष्ट्रीय आय में शामिल नहीं की जानेवालीं मदें :

(a) वृद्धावस्था पेंशन, छात्रवृत्ति, बेरोज़गारी भत्ते आदि पर सरकारी व्यय शामिल नहीं किया जाता है (वास्तव में इनकी निजी अंतिम उपभोग व्यय में गणना की जाती है)।

(b) अर्द्ध-निर्मित वस्तुओं पर होनेवाला व्यय भी इसमें शामिल नहीं किया जाता है।

(c) प्रयुक्त वस्तुओं की ख़रीद पर व्यय।

(d) शेयरों, बॉण्ड और ऋणपत्र की ख़रीद पर व्यय।

(e) अध्यारोपित व्यय।

इस प्रकार, NNP_{FC} = GDP_{MP} – **मूल्यह्रास – अप्रत्यक्ष कर + सब्सिडी + NFIA**

क्या आप जानते हैं?

ग्रीन GDP – 1993 में यह पहली बार **संयुक्त राष्ट्र** द्वारा प्रस्तावित किया गया था। इसकी गणना राष्ट्रीय आय खातों में प्राकृतिक संसाधनों की कमी, पर्यावरणीय गिरावट और पर्यावरण के संसाधनों की बचत को ध्यान में रखकर की जाती है।

परीक्षोपयोगी

प्रतिव्यक्ति आय (PER CAPITA INCOME)

यह किसी विशेष समयावधि में किसी दिये गये क्षेत्र में अर्जित प्रतिव्यक्ति औसत आय को इंगित करता है।

राष्ट्र के लिए, नाममात्र PCI = चालू क़ीमतों/कुल आबादी पर NNP_{FC}।

नाममात्र PCI के साथ मुद्रास्फीति को समायोजित करके वास्तविक PCI की गणना की जाती है।

वर्ष	1950–51	2024–25 (AE)
भारतीय नाममात्र प्रतिव्यक्ति आय (चालू क़ीमतों पर)	₹7,513	₹2,00,162

अंतरराष्ट्रीय स्तर पर क्रय शक्ति समता [Purchasing Power Parity (PPP)] विधि के आधार पर PCI की तुलना की जा सकती है। **क्रय शक्ति समता विधि (Purchasing Power Parity method)** देशों के बीच आर्थिक उत्पादकता और जीवन स्तर की तुलना करती है। यह **'वस्तुओं की टोकरी (basket of goods)'** दृष्टिकोण के माध्यम से विभिन्न देशों की मुद्राओं की तुलना करती है, जिसमें वस्तुओं की क़ीमतों की तुलना की जाती है। हालाँकि, तुलनात्मक विश्लेषण का यह कार्य आसान नहीं है, क्योंकि राष्ट्रीय आय की गणना की विधियाँ एक राष्ट्र से दूसरे राष्ट्र में भिन्न-भिन्न होती हैं।

राष्ट्रीय आय मापन की भूमिका (ROLE OF MEASURING NATIONAL INCOME)

- राष्ट्रीय आय का निर्माण **आर्थिक संवृद्धि का परिमाण निर्धारित करता है**, इसलिए हम आसानी से समझ सकते हैं कि यह अर्थव्यवस्था के निर्दिष्ट उद्देश्यों के लिए पर्याप्त है या नहीं।
- यह हमें अर्थव्यवस्था की **क्षमता समझने** की अनुमति देता है और तदनुसार उद्देश्य निर्धारित करने में सहायता करता है।
- राष्ट्रीय आय आँकड़े आय वितरण में **असमानता कम** करने के लिए क़दम उठाने में सहायता करते हैं।
- यह कर **राजस्व का पूर्वानुमान** लगाने में भी सहायता करता है।
- यह **नैगमिक क्षेत्र** की अपनी व्यावसायिक गतिविधियों और निवेश की योजना बनाने में सहायता करता है।
- राष्ट्रीय आय के आँकड़े हमें **मुद्रास्फीतिकारी या अपस्फीतिकारी अंतराल** (inflationary or deflationary gap) की झलक देते हैं।
- राष्ट्रीय आय के आँकड़े हमें **विभिन्न देशों में लोगों और विभिन्न समय पर एक ही देश में रहनेवाले लोगों के जीवन स्तर** की तुलना करने में सहायता करते हैं।

राष्ट्रीय आय मापन की परिसीमाएँ (LIMITATIONS IN THE MEASUREMENT OF NATIONAL INCOME)

- यह केवल घरेलू आर्थिक निष्पादन का मापन करता है; यह **समाज कल्याण का मापन नहीं** करता है। आदर्श रूप से दोनों सकारात्मक रूप से सहसंबद्ध होने चाहिए, लेकिन अत्यधिक विषम **आय असमानता** संसाधन वितरण की सही तस्वीर छुपा देती है। इसलिए, सामाजिक क्षेत्र का व्यय वितरण भी विषम हो सकता है।
- यह **ग़ैर-बाज़ार लेन-देन (non-market transactions) नहीं दर्शाता है,** जैसे- गृहणियों की सेवा, अभी भी कुछ ग्रामीण हाटों में की जानेवालीं वस्तु विनिमय आधारित गतिविधियाँ आदि।
- यह आर्थिक संवृद्धि की **नकारात्मक बाह्यताओं (negative externalities)** को ध्यान में नहीं रखता है, जहाँ आर्थिक संवृद्धि और पर्यावरणीय निम्नीकरण के बीच सामान्य दुविधा होती है। अधिक विनिर्माण गतिविधियों से अधिक औद्योगिक अपशिष्ट विसर्जन, उच्च कार्बन डाइऑक्साइड उत्सर्जन आदि हो सकता हैं।

➤ राष्ट्रीय आय लेखांकन में कुछ मदों का सम्मिलन या बहिष्करण ग़लत परिणाम दे सकता है। ऐसे में **आँकड़ा संग्रह (data collection) में कठिनाइयों** से अधिक त्रुटियाँ उत्पन्न हो जाती हैं।

2024-25 के लिए राष्ट्रीय आय का प्रथम अग्रिम अनुमान (FIRST ADVANCE ESTIMATES OF NATIONAL INCOME FOR 2024–25)

➤ वित्त वर्ष 2024-25 में भारतीय अर्थव्यवस्था में 6.4 प्रतिशत की दर से वृद्धि के अनुमान हैं, जो कि पिछले वित्त वर्ष की 8.2 प्रतिशत की वृद्धि दर से कम है।

➤ निर्माण क्षेत्र में 8.6 प्रतिशत की वृद्धि दर अनुमानित है। इसके अतिरिक्त, यह अनुमान लगाया गया है कि वित्त वर्ष 2024-25 में, वित्तीय, रियल इस्टेट और व्यावसायिक सेवा क्षेत्र का वास्तविक GVA, 9.3 प्रतिशत की दर से बढ़ेगा।

➤ वित्त वर्ष 2024-25 में, कृषि और संबद्ध क्षेत्रों के वास्तविक GVA में 3.8 प्रतिशत की वृद्धि दर अनुमानित है।

➤ 7 जनवरी, 2025 को जारी आँकड़ों के अनुसार, वर्ष 2024-25 में वास्तविक GDP या स्थिर मूल्यों (2011-12) पर GDP, ₹184.88 लाख करोड़ के स्तर पर होने का अनुमान है, जबकि वर्ष 2023-24 के लिए GDP के अनंतिम अनुमान में यह ₹173.82 लाख करोड़ अनुमानित था।

MoSPI की रिपोर्ट के आधार पर महत्त्वपूर्ण तथ्य (IMPORTANT FACTS BASED ON THE REPORT OF MoSPI)

2024-25 के वार्षिक GDP का पहला अग्रिम अनुमान और इनके व्यय घटक
(वर्तमान क़ीमतों पर) (करोड़ रुपये में)

क्र.सं.	मद	2022-23 (FRE)	2023-24 (PE)	2024-25 (FAE)	पिछले वर्ष की तुलना में प्रतिशत परिवर्तन	
					2023-24	2024-25
	घरेलू उत्पाद					
1	बुनियादी क़ीमतों पर GVA	2,46,59,041	2,67,62,147	2,92,63,609	8.5	9.3
2	उत्पादों पर शुद्ध कर	22,90,605	27,73,520	31,47,797	21.1	13.5
3	सकल घरेलू उत्पाद (GDP)[@]	2,69,49,646	2,95,35,667	3,24,11,406	9.6	9.7
4	शुद्ध घरेलू उत्पाद (NDP)	2,38,09,748	2,61,27,976	2,86,85,197	9.7	9.8
	व्यय घटक[#]					
5	निजी अंतिम उपभोग व्यय (PFCE)	1,64,22,535	1,78,22,526	2,00,29,580	8.5	12.4
6	सरकार का अंतिम उपभोग व्यय (GFCE)	28,83,649	30,68,970	33,30,598	6.4	8.5
7	सकल स्थायी पूँजी निर्माण (GFCF)	82,86,979	91,07,021	97,63,363	9.9	7.2
8	स्टॉक में परिवर्तन (CIS)	2,77,120	2,95,198	3,19,249	6.5	8.1
9	मूल्यवान वस्तुएँ	3,35,730	4,39,024	5,13,009	30.8	16.9
10	निर्यात	62,52,449	64,53,015	69,66,331	3.2	8.0
11	आयात	72,13,027	71,10,310	78,15,050	-1.4	9.9
12	विसंगतियाँ	-2,95,789	-5,39,778	-6,95,674	-1.8	-2.1

क्र.सं.	मद	2022–23 (FRE)	2023–24 (PE)	2024–25 (FAE)	पिछले वर्ष की तुलना में प्रतिशत परिवर्तन	
					2023–24	2024–25
13	GDP	2,69,49,646	2,95,35,667	3,24,11,406	9.6	9.7
	सकल घरेलू उत्पाद (GDP) में हिस्सेदारी (%)					
14	निजी अंतिम उपभोग व्यय (PFCE)	60.9	60.3	61.8	-	-
15	सरकार का अंतिम उपभोग व्यय (GFCE)	10.7	10.4	10.3	-	-
16	सकल स्थायी पूँजी निर्माण (GFCF)	30.7	30.8	30.1	-	-
17	स्टॉक में परिवर्तन (CIS)	1.0	1.0	1.0	-	-
18	मूल्यवान वस्तुएँ	1.2	1.5	1.6	-	-
19	निर्यात	23.2	21.8	21.5	-	-
20	आयात	26.8	24.1	24.1	-	-
21	विसंगतियाँ	-1.1	-1.8	-2.1	-	-
22	GDP	100.0	100.0	100.0	-	-
	राष्ट्रीय उत्पाद					
23	सकल राष्ट्रीय आय (GNI)	2,65,79,339	2,91,04,354	3,19,09,037	9.5	9.6
24	शुद्ध राष्ट्रीय आय (NNI)	2,34,39,442	2,56,96,663	2,81,82,828	9.6	9.7
25	सकल राष्ट्रीय प्रयोज्य आय (GNDI)	2,73,98,551	2,99,85,708	3,28,65,546	9.4	9.6
26	शुद्ध राष्ट्रीय प्रयोज्य आय (NNDI)	2,42,58,653	2,65,78,017	2,91,39,338	9.6	9.6
	प्रतिव्यक्ति आय, उत्पाद और अंतिम उपभोग					
27	प्रतिव्यक्ति GDP (₹)	1,94,879	2,11,725	2,30,195	8.6	8.7
28	प्रतिव्यक्ति GNI (₹)	1,92,201	2,08,633	2,26,627	8.5	8.6
29	प्रतिव्यक्ति NNI (₹)	1,69,496	1,84,205	2,00,162	8.7	8.7
30	प्रतिव्यक्ति GNDI (₹)	1,98,125	2,14,951	2,33,420	8.5	8.6
31	प्रतिव्यक्ति PFCE (₹)	1,18,755	1,27,760	1,42,256	7.6	11.3

FAE: प्रथम संशोधित अनुमान, RE: संशोधित अनुमान, PE: अनंतिम अनुमान, FAE: प्रथम अग्रिम अनुमान

@GDP (उत्पादन/आय दृष्टिकोण) = मूल मूल्य पर GVA + उत्पादों पर शुद्ध कर

#व्यय दृष्टिकोण के बाद, GDP = PFCE + GFCE + GFCF + CIS + मूल्यवान वस्तुएँ + निर्यात - आयात। विसंगति का तात्पर्य GDP (उत्पादन/आय दृष्टिकोण) और GDP (व्यय दृष्टिकोण) के बीच के अंतर से है। विसंगति के मामले में, पिछले वर्ष में प्रतिशत परिवर्तन के बजाय GDP में प्रतिशत हिस्सेदारी को आँका जाता है।

आर्थिक सुधार के आकार (SHAPES OF ECONOMIC RECOVERY)

जब अर्थव्यवस्था कोविड-19 महामारी जैसी स्थितियों के कारण मंदी/अवसाद में जाती है, तो स्थिति सामान्य होने पर यह फिर से ठीक हो जाती है। हालाँकि, यह सुधार कई रूप ले सकता है :

- **Z - आकार का सुधार :** यह सबसे आशावादी परिदृश्य है, जिसमें दुर्घटना के बाद अर्थव्यवस्था फ़ीनिक्स की तरह तेज़ी से बढ़ती है।

■ ■ ■ ■ ■ कोरोना पूर्व आधारभूत/आधाररेखा

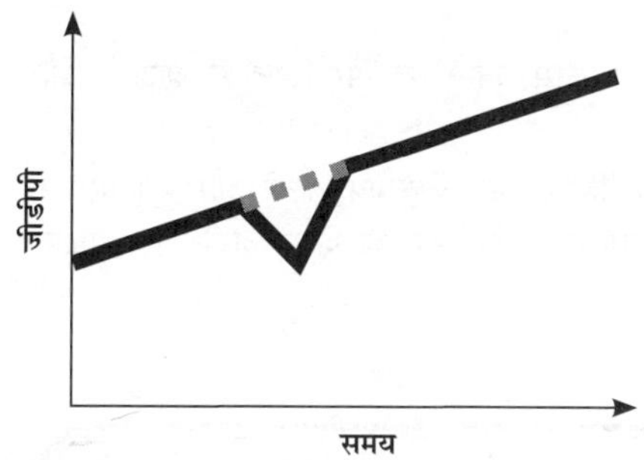

V-आकार का सुधार*

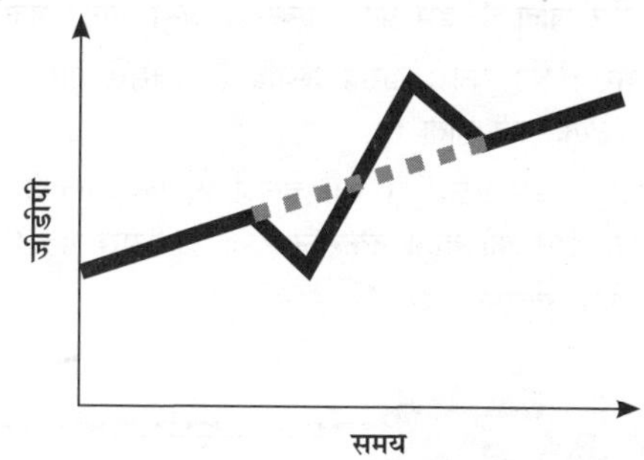

Z-आकार का सुधार*

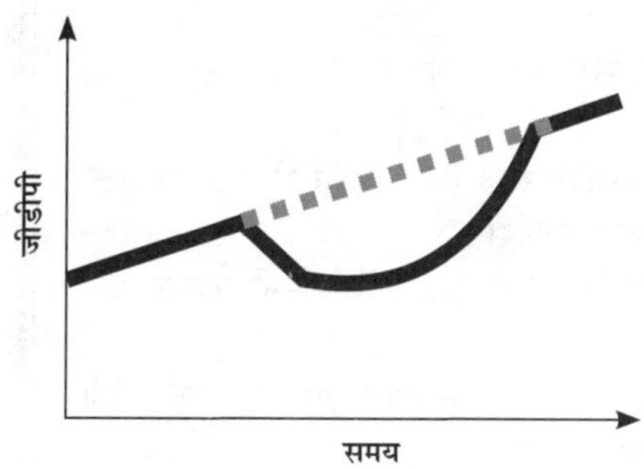

U-आकार का सुधार*

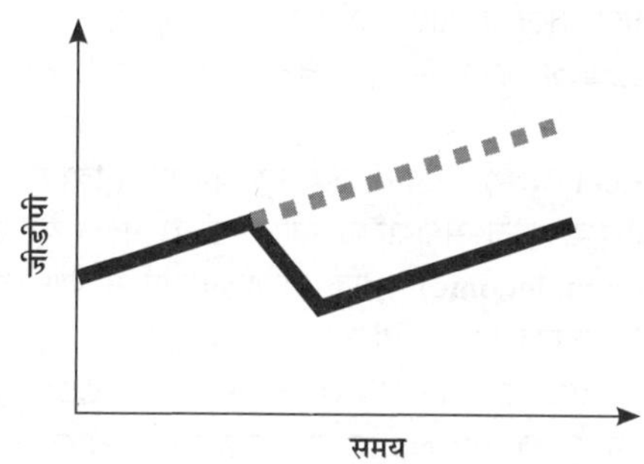

L-आकार का सुधार*

W-आकार का सुधार*

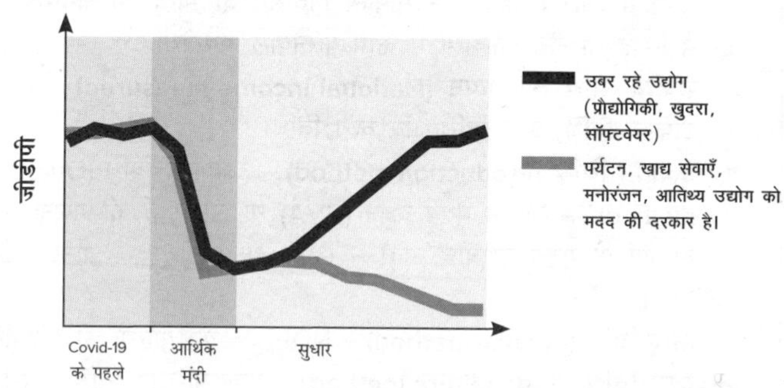

K-आकार का सुधार**

स्रोत : *हचिन्स सेंटर ऑन फ़िस्कल ऐंड मॉनेटरी पॉलिसी, ब्रूकिंग्स
**US *चैंबर ऑफ़ कॉमर्स*

➤ **V - आकार का सुधार :** इसमें, अर्थव्यवस्था जल्दी से खोये हुए आधार को फिर से भर देती है और सामान्य विकास की प्रवृत्ति रेखा पर वापस आ जाती है।

➤ **U - आकार का सुधार :** इसमें, अर्थव्यवस्था, गिरने के बाद, धीरे-धीरे सामान्य स्तर तक बढ़ने से पहले, कुछ समय के लिए कम विकास की दर के आसपास संघर्ष और उलझन में पड़ जाती है।

- **W - आकार का सुधार :** यह एक ख़तरनाक परिदृश्य है। इसके तहत, विकास गिरता है और बढ़ता है, लेकिन फिर से ठीक होने से पहले फिर से गिर जाता है, इस प्रकार एक W जैसा चार्ट बनता है।
- **L - आकार का सुधार :** यह सबसे ख़राब स्थिति है, जिसमें गिरने के बाद विकास, निम्न स्तर पर स्थिर हो जाता है और अधिक लंबे समय तक ठीक नहीं होता है।
- **K - आकार का सुधार :** इस प्रकार से पता चलता है, कि आबादी का एक हिस्सा और व्यवसाय जल्दी और पूरी तरह से ठीक हो जाते हैं, जबकि दूसरे को बहुत नुक़सान होता है। इससे यह भी पता चलता है कि मंदी के दौरान अमीरों का मुनाफ़ा हुआ है, जबकि ग़रीबों को नुक़सान हुआ है।

संक्षिप्त विवरण

- **सकल घरेलू उत्पाद [Gross Domestic Product (GDP)]** - घरेलू क्षेत्र के भीतर एक वित्तीय वर्ष में अर्थव्यवस्था में उत्पादित सभी अंतिम वस्तुओं और सेवाओं का कुल मूल्य।
- **नाममात्र GDP (Nominal GDP)** - एक वित्तीय वर्ष में सभी वस्तुओं और सेवाओं का बाज़ार मूल्य - चालू क़ीमतों पर GDP।
- **वास्तविक GDP (Real GDP)** - किसी दिये गये वर्ष में अर्थव्यवस्था द्वारा उत्पादित सभी वस्तुओं और सेवाओं का मूल्य प्रतिबिंबित करनेवाली मुद्रास्फीति-समायोजित माप - स्थिर मूल्यों पर सकल घरेलू उत्पाद।
- **राष्ट्रीय आय (National Income)** - एक लेखांकन वर्ष में देश के सामान्य निवासियों द्वारा अर्जित सभी कारक आय का कुलयोग - कारक लागत पर राष्ट्रीय उत्पाद (NNP_{FC})।
- 1955 से, **NSSO** - द्वारा किये गये सर्वेक्षण के आधार पर **CSO** द्वारा राष्ट्रीय आय के अनुमानों की गणना की जाती थी। हालाँकि 2019 में CSO और NSSO का विलय कर **NSO** की स्थापना की गयी।
- **सामान्य निवासी (Normal Resident)** - भारत में एक वर्ष या उससे अधिक समय तक रहनेवाला व्यक्ति - व्यक्ति का भारत में आर्थिक हित है - सामान्य निवासी, जो भारत का नागरिक हो भी सकते हैं या नहीं भी हो सकते हैं - विदेशों में स्थित भारतीय दूतावासों में काम करनेवाले भारतीय।
- **राष्ट्रीय आय का मापन (National income measured)** निम्न तीन विधियों का उपयोग करके किया जाता है - उत्पादन विधि, आय विधि और व्यय विधि।
- **उत्पादन विधि (Production method)** - 'उत्पादन विधि (Output method)' या 'मूल्य वर्धन विधि (Value added method)' - सकल मूल्य वर्धन (GVA) या GDP_{MP} की गणना की जाती है - तीनों क्षेत्रों के उत्पादन और मध्यवर्ती उपभोग के मूल्य के बीच अंतर - GVA या GDP_{MP} = तीनों क्षेत्रों के उत्पादन का मूल्य - तीनों क्षेत्रों का मध्यवर्ती उपभोग।
- **आय विधि (Income method)** - NDP_{FC} = कर्मचारियों को क्षतिपूर्ति + प्रचालन अधिशेष + स्वरोज़गार की मिश्रित आय।
- **व्यय विधि (Expenditure method)** - कुल परिव्यय विधि - $GDP_{MP} = C + I + G + X - M$.
- **पूँजी-उत्पादन अनुपात (Capital-Output ratio)** - उत्पादन की 1 इकाई का उत्पादन करने के लिए आवश्यक पूँजी की मात्रा - हमेशा निम्न पूँजी-उत्पादन अनुपात वांछित होता है।
- **क्रय शक्ति समता (Purchasing Power Parity)** - देशों के बीच आर्थिक उत्पादकता और जीवन स्तर की तुलना करती है - 'वस्तुओं की टोकरी' दृष्टिकोण के माध्यम से विभिन्न देशों की मुद्राओं की तुलना करती है।

यूपीएससी सिविल सेवा के पिछले वर्षों की प्रारंभिक परीक्षा के प्रश्न

1. भारतीय अर्थव्यवस्था के सेक्टरों के संदर्भ में, निम्नलिखित युग्मों पर विचार कीजिए : **[2024]**

	आर्थिक गतिविधि	सेक्टर
1.	कृषि उत्पाद का भंडारण	द्वितीयक
2.	डेरी फार्म	प्राथमिक
3.	खनिज की खोज	तृतीयक
4.	कपड़ा बुनाई	द्वितीयक

उपर्युक्त युग्मों में से कितने सही सुमेलित हैं ?

(a) केवल एक **(b)** केवल दो
(c) केवल तीन **(d)** सभी चार

2. निरपेक्ष और प्रतिव्यक्ति GNP में वृद्धि आर्थिक विकास का उच्च स्तर नहीं दर्शाती है, यदि **[2018]**

(a) औद्योगिक उत्पादन कृषि उत्पादन के साथ गति बनाये रखने में विफल रहता है।
(b) कृषि उत्पादन औद्योगिक उत्पादन के साथ गति बनाये रखने में विफल रहता है।
(c) ग़रीबी और बेरोज़गारी में वृद्धि होती है।
(d) आयात, निर्यात की तुलना में तेज़ी से बढ़ते हैं।

3. उच्च बचतकर्ता अर्थव्यवस्था होने के बावजूद, पूँजी निर्माण से उत्पादन में महत्त्वपूर्ण वृद्धि नहीं होगी **[2018]**

(a) कमज़ोर प्रशासनिक तंत्र के कारण
(b) निरक्षरता के कारण
(c) उच्च जनसंख्या घनत्व के कारण
(d) उच्च पूँजी-उत्पादन अनुपात के कारण।

4. भारतीय अर्थव्यवस्था के संदर्भ में निम्नलिखित कथनों पर विचार कीजिए : **[2015]**

1. पिछले दशक में वास्तविक GDP की वृद्धि दर में तेज़ी से वृद्धि हुई है।
2. पिछले दशक में बाज़ार क़ीमतों (रुपये में) पर GDP में तेज़ी से वृद्धि हुई है।

उपर्युक्त में से कौन-सा/से कथन सही है/हैं?

(a) केवल 1 **(b)** केवल 2
(c) 1 और 2 दोनों **(d)** 1 और 2 में से कोई नहीं

5. दी गयी अवधि के लिए किसी देश की राष्ट्रीय आय के बराबर होती है **[2013]**

(a) नागरिकों द्वारा उत्पादित वस्तुओं और सेवाओं का कुल मूल्य
(b) कुल उपभोग और निवेश व्यय का योग
(c) सभी व्यक्तियों की व्यक्तिगत आय का योग
(d) उत्पादित अंतिम वस्तुओं और सेवाओं का मौद्रिक मूल्य

6. 'बंद अर्थव्यवस्था' वह अर्थव्यवस्था है, जिसमें :- **[2011]**

(a) धन की आपूर्ति पूर्णतया नियंत्रित होती है
(b) घाटे का वित्तपोषण होता है
(c) केवल निर्यात होता है
(d) न तो निर्यात होता है और न ही आयात होता है

7. भारतीय अर्थव्यवस्था के संदर्भ में, निम्नलिखित कथनों पर विचार कीजिए :- **[2011]**

1. पिछले पाँच वर्षों में GDP की वृद्धि दर में तेज़ी से वृद्धि हुई है।
2. पिछले पाँच वर्षों में PCI की वृद्धि दर में तेज़ी से वृद्धि हुई है।

उपर्युक्त में से कौन-सा/से सही है/हैं?

(a) केवल 1 **(b)** केवल 2
(c) 1 और 2 दोनों **(d)** 1 और 2 में से कोई नहीं

☞ कोई प्रश्न नहीं
2023, 2022, 2021, 2020, 2019, 2017, 2014, 2012

उत्तर कुंजी

1. (b) 2. (c) 3. (d) 4. (b) 5. (d)
6. (d) 7. (b)

यूपीएससी सिविल सेवा के पिछले वर्षों की मुख्य परीक्षा के प्रश्न

1. वर्ष 2015 से पहले और वर्ष 2015 के बाद भारत के सकल घरेलू उत्पाद (GDP) की गणना पद्धति के बीच अंतर स्पष्ट करें। **[2021]**

2. क्या आप इस बात से सहमत हैं कि भारतीय अर्थव्यवस्था ने हाल ही में V - आकार के सुधार का अनुभव किया है? अपने उत्तर के समर्थन में कारण बतायें। **[2021]**

3. संभाव्य GDP को परिभाषित कीजिए और इसके निर्धारक कारकों को स्पष्ट कीजिए। वे कौन से कारक हैं, जो भारत को अपना संभाव्य GDP साकार करने से रोक रहे हैं? **[2020]**

4. समावेशी संवृद्धि की मुख्य विशेषताएँ क्या हैं? क्या भारत ऐसी संवृद्धि प्रक्रिया का अनुभव कर रहा है? विश्लेषण कीजिए और समावेशी संवृद्धि के उपायों के बारे में सुझाव दीजिए। **[2017]**

☞ कोई प्रश्न नहीं
2024, 2023, 2022, 2019, 2018, 2016, 2015, 2014, 2013, 2012

अध्याय
3

आर्थिक संवृद्धि *बनाम* आर्थिक विकास (Economic Growth *versus* Economic Development)

अध्याय की रूपरेखा

- आर्थिक संवृद्धि और आर्थिक विकास
- अमर्त्य सेन की विकास की अवधारणा
- अल्पविकास
- समावेशी संवृद्धि *बनाम* आर्थिक संवृद्धि
- मानव विकास सूचकांक (HDI)
- लैंगिक असमानता सूचकांक
- लैंगिक विकास सूचकांक
- विश्व खुशहाली रिपोर्ट
- OECD उत्तम जीवन सूचकांक
- जीवन का भौतिक-गुणवत्ता-सूचकांक
- संधारणीय विकास रिपोर्ट
- आर्थिक गतिविधियों के आधार पर देशों का वर्गीकरण

आर्थिक संवृद्धि और आर्थिक विकास (ECONOMIC GROWTH AND ECONOMIC DEVELOPMENT)

आर्थिक संवृद्धि में एक विशिष्ट समयावधि में **उत्पादन या GDP में परिवर्तन** को मापा जाता है। इससे किसी अर्थव्यवस्था में वस्तुओं और सेवाओं के उत्पादन में वृद्धि का बोध होता है। इसमें पूँजीगत वस्तु, श्रम, प्रौद्योगिकी एवं मानव पूँजी में वृद्धि सम्मिलित होती है।

$$\textbf{आर्थिक संवृद्धि दर} = \frac{\text{GDP में परिवर्तन}}{\text{विगत वर्ष की GDP}} \times 100$$

दूसरी ओर, आर्थिक विकास एक **व्यापक अवधारणा** है। इसमें आर्थिक संवृद्धि के कुछ पक्षों के साथ अन्य सामाजिक-आर्थिक संकेतक जैसे कि निर्धनता, बेरोज़गारी, लैंगिक समानता, आय समानता, स्वास्थ्य, शिक्षा आदि सम्मिलित होते हैं।

इस प्रकार से, आर्थिक संवृद्धि से केवल मात्रात्मक परिवर्तन का बोध होता है, जबकि आर्थिक विकास अर्थव्यवस्था में कल्याण की मात्रा और गुणवत्ता, दोनों में सुधार को दर्शाता है। आर्थिक संवृद्धि को लघु काल में और एक निश्चित अवधि के लिए मापा जा सकता है, जबकि आर्थिक विकास एक **सतत प्रक्रिया** है और **दीर्घ काल** में उसे मापा जाता है।
आर्थिक विकास को मात्रा में व्यक्त करना संभव नहीं है।

आधार	आर्थिक संवृद्धि (Economic Growth)	आर्थिक विकास (Economic Development)
अर्थ	यह **केवल मात्रात्मक** पहलुओं के बारे में है।	यह **मात्रात्मक और गुणात्मक दोनों पहलुओं** के बारे में है।
दायरा	आर्थिक संवृद्धि का दायरा **संकीर्ण** है।	आर्थिक विकास का दायरा **व्यापक** है।

आधार	आर्थिक संवृद्धि (Economic Growth)	आर्थिक विकास (Economic Development)
मापन संकेतक	**जीडीपी, जीएनपी, प्रतिव्यक्ति आय आदि** जैसे संकेतकों को आर्थिक संवृद्धि को मापने के लिए माना जाता है।	**एचडीआई, जीआईआई, जीडीआई, जीएनएचआई आदि** जैसे संकेतकों पर विचार किया जाता है।
अवधि	यह एक **अल्पकालिक** प्रक्रिया है, जिसे विशेष समय अवधि में मापा जाता है।	इसमें एक **दीर्घकालिक** प्रक्रिया अधिक शामिल है।
लक्ष्य	लक्ष्य वस्तुओं और सेवाओं जैसे संसाधनों के **उत्पादन** पर है।	लक्ष्य संसाधनों के **अधिकतम वितरण और उपयोग** पर है।
कहाँ पर लागू	यह **विकसित देशों** में प्रगति को मापने के लिए एक अधिक प्रासंगिक संकेतक है।	यह **विकासशील देशों** में विकास को मापने के लिए अधिक प्रासंगिक संकेतक है।

आर्थिक विकास को प्रभावित करनेवाले कारक (Factors that Influence Economic Development)

आर्थिक कारक (Economic Factors)

- प्राकृतिक संसाधन (Natural Resources)
- पूँजी निर्माण (Capital Formation)
- कृषि में अतिरिक्त उत्पादन (Excess Output in Agriculture)
- संरचनात्मक परिवर्तन (Structural Change)
- कुशल वित्तीय प्रणाली आदि। (Efficient Financial System, etc.)

ग़ैर-आर्थिक कारक (Non-Economic Factors)

- मानव पूँजी (Human Capital)
- शिक्षा, प्रौद्योगिकी और कौशल विकास (Education, Technology and Skill Development)
- प्रभावी क़ानून और व्यवस्था प्रणाली (Effective Law and Order System)
- नैतिक और सामाजिक मूल्य आदि। (Ethical and Social Values, etc.)

आर्थिक संवृद्धि और विकास के लिए चुनौतियाँ/बाधाएँ (Challenges/Obstacles to Economic Growth and Development)

- उपलब्ध संसाधनों की तुलना में व्यापक जनसंख्या बोझ।
- कृषि पर अत्यधिक निर्भरता।
- प्रतिव्यक्ति आय में कमी और आय का असमान वितरण।
- तीव्र वृद्धि और विकास के लिए पर्याप्त बुनियादी सुविधाओं की अनुपलब्धता।
- विकासात्मक और संवृद्धि प्रक्रिया में भ्रष्टाचार का संभावित ख़तरा।
- कई उदाहरणों में प्राकृतिक संसाधनों का अरक्षणीय उपयोग।
- बेरोज़गारी, कौशल असंतुलन और अकुशल श्रमशक्ति की समस्या।
- आर्थिक संवृद्धि और विकास के संबंध में विचलित प्राथमिकताएँ।

चुनौतियों को दूर करने के तरीक़े (Ways to Overcome Challenges)

- अधिक पूँजी निवेश करके बुनियादी ढाँचे में सुधार।
- नयी शिक्षा नीति (NEP) और कौशल आधारित शिक्षा के उचित कार्यान्वयन के माध्यम से शिक्षा की प्रणालियों में सुधार।

- बैंकिंग नेटवर्क में सुधार करके और एनपीए के मुद्दे का समाधान करके वित्तीय प्रणाली को मज़बूत करना।
- अधिक पूँजी ख़र्च करके और कल्याणकारी योजनाओं के बेहतर कार्यान्वयन से स्वास्थ्य क्षेत्र में सुधार।
- आधुनिक प्रौद्योगिकियों का उपयोग करके और प्रच्छन्न बेरोज़गारी को कम करके कृषि क्षेत्र की उत्पादकता में सुधार करना।
- प्रासंगिक उपायों जैसे इसमें शामिल प्रक्रियाओं को डिजिटल बनाना आदि तरीक़ों से भ्रष्टाचार को कम करना।

अमर्त्य सेन की विकास की अवधारणा (AMARTYA SEN'S CONCEPT OF DEVELOPMENT)

'डेवलपमेंट ऐज़ फ़्रीडम (Development as Freedom)' अर्थशास्त्री अमर्त्य सेन द्वारा वर्ष 1999 में अंतरराष्ट्रीय विकास के बारे में लिखी गयी एक पुस्तक है। इस पुस्तक की प्रशंसा एक अधिक मानवीय समाज के लिए विचाराभिव्यक्ति और दृष्टिकोण के रूप में की गयी है।

- सेन के अनुसार, "हम अभूतपूर्व समृद्धि की दुनिया में रहते हैं। यह एक ऐसी दुनिया है, जिसकी एक या दो सदी पहले कल्पना करना भी मुश्किल था। और फिर भी हम एक ऐसी दुनिया में रहते हैं, जिसमें उल्लेखनीय वंचना, अभाव और उत्पीड़न है।" विकास को आगे बढ़ाने हेतु इन समस्याओं पर क़ाबू पाना महत्त्वपूर्ण है। विकास की अवधारणा विभिन्न प्रकार की अस्वच्छताओं को समाप्त करने से जुड़ी है, जो बहुत कम विकल्प और अवसर प्रदान करती हैं।
- विकास के लिए अस्वच्छताओं, ग़रीबी, अत्याचार, आर्थिक कुअवसरों, व्यवस्थित सामाजिक वंचना आदि के प्रमुख स्रोतों को दूर करने की आवश्यकता है।
- उन्होंने तर्क दिया है कि, विकास की प्रक्रिया के लिए स्वतंत्रता निम्न दो कारणों से आवश्यक है।
  - (i) "प्रगति का मूल्यांकन मुख्य रूप से इस संदर्भ में किया जाना चाहिए कि लोगों को जो स्वतंत्रताएँ मिली हैं, क्या उनमें बढ़ोतरी हुई है";
  - (ii) "विकास की उपलब्धि पूर्णत: लोगों की स्वतंत्रता पर निर्भर है"।
- अनुभवजन्य अध्ययनों में स्वतंत्रता के पाँच अलग-अलग प्रकार निम्नलिखित हैं :
  - (i) राजनीतिक स्वतंत्रताएँ,
  - (ii) आर्थिक सुविधाएँ,
  - (iii) सामाजिक अवसर,
  - (iv) पारदर्शिता की गारंटी, और
  - (v) संरक्षी सुरक्षा।
- आर्थिक विकास के अन्य आयाम भी हैं। यह आर्थिक सुरक्षा से जुड़ा हुआ है। आर्थिक असुरक्षा, लोकतांत्रिक अधिकारों और स्वतंत्रता की कमी से जुड़ी है। लोकतंत्र और राजनीतिक अधिकारों का प्रचालन आर्थिक आपदाओं को दूर करने में सहायता कर सकता है।

अल्पविकास (UNDERDEVELOPMENT)

अल्पविकास और **निम्न स्तरीय विकास** से किसी देश की प्रतिव्यक्ति आय के स्तर के निम्न होने का बोध होता है। अल्पविकसित देशों में, प्राथमिक क्षेत्र व्यापक पैमाने पर रोज़गार प्रदान करता है।

अल्पविकसित देशों की कई सामान्य विशेषताएँ होती हैं, जैसे कि प्रतिव्यक्ति निम्न GNP, अपेक्षाकृत निम्न पूँजी निर्माण, उच्च स्तरीय बेरोज़गारी और अल्प-रोज़गार, श्रमिकों की निम्न स्तरीय उत्पादकता, उच्च स्तरीय निर्धनता और आय असमानता, निम्न मानव पूँजी आदि।

मिश्रित विकास सूचकांक (Composite Development Index) : रघुराम राजन समिति ने वर्ष 2013 में एक नये अल्पविकसित सूचकांक पर अपनी रिपोर्ट प्रस्तुत की। इस सूचकांक को मिश्रित विकास सूचकांक कहा जाता है।

समिति ने राज्यों के (अल्प) विकास निर्धारित करने के लिए इस सूचकांक का सुझाव दिया है। इस सूचकांक में **10 उप-घटक** हैं और सभी का समान भार होता है। वे उप-घटक हैं: (i) मासिक प्रतिव्यक्ति उपभोग व्यय (ii) शिक्षा (iii) स्वास्थ्य (iv) घरेलू सुविधाएँ (v) निर्धनता-दर (vi) महिला साक्षरता (vii) अनुसूचित जाति-अनुसूचित जनजाति का प्रतिशत (viii) शहरीकरण की दर (ix) वित्तीय समावेश (x) संयोजकता (connectivity)।

परीक्षोपयोगी

समावेशी संवृद्धि *बनाम* आर्थिक संवृद्धि
(INCLUSIVE GROWTH *VERSUS* ECONOMIC GROWTH)

समावेशी संवृद्धि ऐसी आर्थिक संवृद्धि को दर्शाती है, जिसका लाभ समाज के समस्त वर्ग को मिल रहा हो। इससे **प्रत्येक व्यक्ति** को लाभ मिलना चाहिए। उसके आर्थिक वर्ग, लिंग, जाति, नस्ल, क्षेत्र या धर्म के आधार पर भेदभाव नहीं होना चाहिए। अत: आर्थिक संवृद्धि की तुलना में समावेशी संवृद्धि **श्रेष्ठ उपाय** है और यह नीति निर्माताओं का लक्ष्य होना चाहिए।

समावेशी संवृद्धि की मुख्य विशेषताएँ :

- अर्थव्यवस्था में ऊर्ध्व (vertical) के साथ-साथ क्षैतिज (horizontal) आय असमानताओं में गिरावट आना।
- क्षेत्रीय असमानताओं में गिरावट।
- अर्थव्यवस्था के समस्त तीनों क्षेत्रों में संतुलित संवृद्धि।
- निर्धनता के स्तर में इस प्रकार गिरावट आना, जिससे कि 'संपन्नों' और 'असंपन्नों' के बीच का अंतर कम हो।

आर्थिक संवृद्धि का दृष्टिकोण **समानता के सिद्धांत (principle of equity)** पर केंद्रित होना चाहिए।

समावेशी संवृद्धि से तेज़ी से निर्धनता में कमी लाने की आशा की जाती है, क्योंकि इसमें निर्धनता में कमी लाने के प्रति उच्च लोचशीलता होती है।

समावेशी संवृद्धि में यह सुनिश्चित होना चाहिए कि लोगों को बुनियादी अवसंरचना और बुनियादी सेवाओं/क्षमताओं, जैसे बुनियादी स्वास्थ्य और शिक्षा उपलब्ध और सुलभ हो। उनके लिए न केवल ये बुनियादी सेवाएँ मात्रात्मक रूप में सुलभ हों, बल्कि गुणवत्तापरक भी हों।

इन मुख्य सुविधाओं को ध्यान में रखते हुए, समावेशी संवृद्धि की योजना या तो **टपकन सिद्धांत (trickle–down approach)** के आधार पर बनानी चाहिए या इसके लिए कल्याणकारी योजनाओं का उपयोग करके निर्धनता पर प्रत्यक्ष रूप से चोट करनी चाहिए।

भारत में समावेशी संवृद्धि प्राप्त करने की चुनौतियाँ :

- वैश्विक बहुआयामी निर्धनता सूचकांक (Multidimensional Poverty Index - MPI) 2024 के अनुसार, भारत में अभी भी 234 मिलियन से अधिक लोग निर्धन हैं। भारत ने पिछले 15 वर्षों में अपने MPI मूल्य को सफलतापूर्वक आधा कर दिया है। नीति आयोग के परिचर्चा पत्र 'भारत में 2005-06 से बहुआयामी निर्धनता' के अनुसार, भारत ने बहुआयामी निर्धनता में उल्लेखनीय कमी दर्ज की है, जो 2013-14 में 29.17% से घटकर 2022-23 में 11.28% हो गयी है, यानी इसमें 17.89 प्रतिशत अंकों की कमी हुई है। हालाँकि, भारत अभी भी भ्रष्टाचार, शिक्षा की कमी, कौशल और नौकरी की आवश्यकता के बीच बेमेल आदि जैसे कारणों से निर्धनता से ग्रस्त है।
- अन्य कारकों में नौकरी में कम वृद्धि, कृषि में आधुनिकीकरण का अभाव, निम्न गुणवत्ता वितरण प्रणाली, सामाजिक पिछड़ापन, क्षेत्रीय असमानता आदि सम्मिलित हैं।

समावेशी विकास सूचकांक [Inclusive Development Index (IDI)] : इस सूचकांक में 103 देशों की प्रगति को तीन स्तंभों पर मापा जाता है। वे तीन स्तंभ हैं- संवृद्धि और विकास, समावेश, अंतर पीढ़ीगत समानता। भारत समावेशी विकास सूचकांक (IDI-2018) में उभरती अर्थव्यवस्थाओं के बीच 62वें स्थान पर है। इस सूचकांक को **विश्व आर्थिक मंच [World Economic Forum (WEF)]** द्वारा प्रकाशित किया जाता है।

मानव विकास सूचकांक [HUMAN DEVELOPMENT INDEX (HDI)]

"मानव विकास" से उस प्रक्रिया का बोध होता है, जिसके माध्यम से लोगों की पसंद को सम्मिलित किया जाता है, मानव क्षमताओं, स्वतंत्रता और मानवाधिकारों को विस्तार दिया जाता है। प्रमुख अर्थशास्त्री महबूब-उल-हक् के अनुसार, मानव विकास के चार आवश्यक स्तंभ हैं - **समानता**, **संधारणीयता**, **उत्पादकता** और **सशक्तीकरण**।

- **मानव विकास सूचकांक** (**HDI**), मानव विकास के प्रमुख आयामों की औसत उपलब्धि का सारांश है। **वे प्रमुख पक्ष हैं : दीर्घायु और स्वस्थ जीवन, ज्ञान तक पहुँच होना और श्रेष्ठ जीवन स्तर होना।**
- **HDI**, मानव विकास रिपोर्ट का हिस्सा होता है, जिसे वर्ष 1990 से संयुक्त राष्ट्र विकास कार्यक्रम [United Nations Development Programme (UNDP)] द्वारा **प्रत्येक वर्ष** प्रकाशित किया जाता है।
- मानव विकास रिपोर्ट के हिस्से के रूप में सम्मिलित **चार अन्य सूचकांक हैं : असमानता-समायोजित मानव विकास सूचकांक** [Inequality-adjusted Human Development Index (IHDI)] , **लैंगिक विकास सूचकांक** [Gender Development Index (GDI)], **लैंगिक असमानता सूचकांक** [Gender Inequality Index (GII)] और **बहुआयामी निर्धनता सूचकांक** [Multidimensional Poverty Index (MPI)]।
- HDI का उपयोग 3 आयामों की मापों को मिलाकर मानव विकास के संदर्भ में देशों की रैंकिंग के लिए किया जाता है। वे 3 आयाम हैं : दीर्घायु और स्वस्थ जीवन, ज्ञान तक पहुँच और श्रेष्ठ जीवन स्तर। HDI तीनों आयामों के लिए सामान्यीकृत सूचकांक का ज्यामितीय औसत होता है।
- HDI का प्रयोग देश की राष्ट्रीय नीति की पसंदों को लेकर सवाल करने के लिए किया जा सकता है और यह पूछा जा सकता है कि कैसे समान स्तर के GNI प्रतिव्यक्तिवाले दो देशों के मानव विकास निष्कर्ष भिन्न हो सकते हैं।
- HDI का सूचकांक मूल्य **0 और 1** के बीच भिन्न-भिन्न होता है।
- मूल्य और रैंकिंग के आधार पर देशों को चार वर्गों के समूह में बाँटा जाता है :-
  - **अति उच्च HDI** 0.800 और उससे ऊपर
  - **उच्च 0.700** से 0.799 तक
  - **मध्य 0.550** से 0.699 तक
  - **निम्न 0.550** से नीचे।
- HDI की गणना के लिए प्रयुक्त होनेवाले आयामों और मापदंडों का विवरण नीचे दिया गया है :

आयाम	आयाम के अंदर संकेतक
लंबा और स्वस्थ जीवन (Long and Healthy Life)	जन्म के समय जीवन प्रत्याशा (Life Expectancy at Birth)
ज्ञान (Knowledge)	विद्यालय में प्रवेश लेनेवाले बच्चे के लिए स्कूली शिक्षा के अपेक्षित वर्ष (Expected Years of Schooling for School Entering Child)
	25 वर्ष की आयु के वयस्कों के लिए स्कूली शिक्षा के औसत वर्ष (Mean Years of Schooling for Adult Aged 25 Years)
श्रेष्ठ जीवन स्तर (Decent Standard of Living)	प्रतिव्यक्ति सकल राष्ट्रीय आय (Gross National Income per capita) (PPP $ में)

- **असमानता-समायोजित मानव विकास सूचकांक (Inequality-Adjusted Human Development Index) :** वर्ष 2010 से **IHDI** में **असमानता** को चौथे आयाम के रूप में सम्मिलित किया जाता है। **IHDI** इस बात का संकेत देता है कि असमानता के कारण **HDI** में कितना प्रतिशत ह्रास हुआ है। **IHDI** में न केवल स्वास्थ्य, शिक्षा और आय पर किसी देश की औसत उपलब्धि पर विचार किया जाता है, बल्कि इस बात पर भी विचार किया जाता है कि उन उपलब्धियों को इसके नागरिकों के बीच कैसे **बाँटा जाता** है। यह पता करने के लिए, प्रत्येक आयाम के औसत मान को वहाँ के असमानता के स्तर से घटा दिया जाता है।

➤ मानव विकास रिपोर्ट 2023-2024 (2022 डेटा के आधार पर) के अनुसार, 2022 में भारत की IHDI वैल्यू 0.444 है, HDI से कुल ऋणात्मकता 31.1 प्रतिशत है (जीवन प्रत्याशा में असमानता 17.3 प्रतिशत है, शिक्षा में असमानता 36.9% और आय में असमानता 37.4 प्रतिशत है)

➤ **मानव विकास रिपोर्ट 2023-2024/HDR 2023-2024 (2022 डेटा के आधार पर) के अनुसार :**

- **HDI में भारत की रैंक/पोज़ीशन 193 देशों में से 134वीं है (HDR 2021-22 में 191 देशों में से भारत की रैंक 132वीं थी) लेकिन भारत की HDI वैल्यू बढ़कर 0.644 हो गई है** (HDR 2021-22 में यह 0.633 थी)। भारत को मध्यम मानव विकास श्रेणी में रखा गया है।
- 2022 में सभी HDI संकेतकों में भारत के प्रदर्शन में सुधार हुआ - भारत के लिए जीवन प्रत्याशा 67.2 से बढ़कर 67.7 वर्ष हो गयी, प्रतिव्यक्ति GNI $6542 से बढ़कर $6951 हो गयी, स्कूली शिक्षा के औसत वर्ष बढ़कर 6.57 हो गये और स्कूली शिक्षा के अपेक्षित वर्ष बढ़कर 12.6 हो गये।
- स्विट्ज़रलैंड शीर्ष स्थान पर बना हुआ है (HDI वैल्यू 0.967) उसके बाद नॉर्वे (HDI वैल्यू 0.966) और आइसलैंड (HDI वैल्यू 0.959) हैं। सोमालिया अंतिम स्थान पर है (HDI वैल्यू 0.380)।
- मानव विकास रिपोर्ट 2023-24 का विषय - **'ब्रेकिंग द ग्रिडलॉक: रीइमेज़िंग कोऑपरेशन इन ए पोलराइज़्ड वर्ल्ड' (Breaking the Gridlock: Reimaging Cooperation in a Polarised World)** है।
- अगर हम अपने पड़ोसियों को देखते हैं तो नेपाल 146वें, भूटान 125वें (मध्यम मानव विकास श्रेणी), पाकिस्तान 164वें, अफ़ग़ानिस्तान 182वें (निम्न मानव विकास श्रेणी), चीन 75वें और श्रीलंका 78वें स्थान पर है (उच्च मानव विकास श्रेणी)।
- **ग्रहीय दबाव द्वारा समायोजित HDI (PHDI) [Planetary Pressures-adjusted HDI (PHDI)] :** UNDP ने प्रत्येक देश के प्रतिव्यक्ति कार्बन उत्सर्जन और उसके भौतिक फुटप्रिंट के कारण होनेवाले प्रभाव के आधार पर HDI वैल्यू को समायोजित करने के लिए 2020 में एक नयी मीट्रिक पेश की। यह ग्रह पर अत्यधिक मानवीय दबाव के लिए वस्तुओं और सेवाओं को बनाने के लिए उपयोग किये जानेवाले जीवाश्म ईंधन, धातुओं और अन्य संसाधनों की मात्रा को मापता है।

लैंगिक असमानता सूचकांक [Gender Inequality Index (GII)]

लैंगिक असमानता सूचकांक, लैंगिक असमानता निर्धारित करने के लिए एक नया सूचकांक है, जिसे **UNDP** द्वारा 2010 **HDI** रिपोर्ट में जारी किया गया। यह सूचकांक एक मिश्रित मूल्यांकन है, जिसमें लैंगिक असमानता के कारण किसी राष्ट्र में उपलब्धि के ह्रास का मूल्यांकन किया जाता है और ऐसा करने के लिए 3 आयामों का उपयोग किया जाता है-

1. जनन स्वास्थ्य
2. सशक्तीकरण
3. श्रम बाज़ार में भागीदारी

मानव विकास रिपोर्ट 2023-2024 के अनुसार :

➤ भारत के लिए GII वैल्यू प्रगति को दर्शाता है, **भारत की वैल्यू 0.437 है,** जो वैश्विक औसत 0.462 और दक्षिण एशियाई औसत 0.478 से बेहतर है।

➤ **इस रिपोर्ट में 166 देशों में से भारत की रैंक 108 है।**

➤ 2022 में भारत की किशोरावस्था में बच्चे को जन्म देने की दर 16.3 है (15-19 वर्ष की आयु की प्रति 1000 महिलाओं पर जन्म), वर्ष 2021 में 17.1 की तुलना में इसमें सुधार हुआ है।

➤ इस बात पर भी ध्यान दिया गया है कि भारत में श्रम बल भागीदारी दर (15 वर्ष और उससे अधिक आयु के प्रतिशत) में बड़ा लिंग अंतर है : 47.8% का अंतर - पुरुष : 76.1 प्रतिशत और महिला : 28.3 प्रतिशत।

लैंगिक विकास सूचकांक [Gender Development Index (GDI)]

UNDP अपनी मानव विकास रिपोर्ट के एक भाग के रूप में GDI की गणना करता है। GDI महिला बनाम पुरुष के HDI वैल्यू का अनुपात है।

- GDI तीन आयामों पर लैंगिक अंतर को मापता है : 1. जन्म के समय जीवन प्रत्याशा, 2. वयस्कों के लिए स्कूली शिक्षा के वर्ष और 3. जीवन स्तर (GNI प्रतिव्यक्ति)
- HDR 2023-2024 के अनुसार, लैंगिक अंतर को ख़त्म करने में भारत का प्रदर्शन अच्छा नहीं है।
- **2022 में भारत की GDI वैल्यू 0.852 रही है, पुरुषों के लिए GDI वैल्यू 0.684 और महिलाओं के लिए यह 0.582 रही है।**
- इस रिपोर्ट के अनुसार पुरुषों और महिलाओं के लिए जन्म की जीवन प्रत्याशा क्रमशः 66.3 और 69.4 वर्ष रही है।
- स्कूली शिक्षा के औसत वर्ष पुरुषों के लिए 7.6 और महिलाओं के लिए 5.5 रहे है। महिलाओं और पुरुषों, दोनों के लिए स्कूली शिक्षा के अपेक्षित वर्ष 12.6 रहे हैं।
- महिलाओं के लिए प्रतिव्यक्ति GNI $2958 और पुरुषों के लिए $10696 था।

वैश्विक लैंगिक अंतर रिपोर्ट और सूचकांक (GLOBAL GENDER GAP REPORT AND INDEX)

- यह रिपोर्ट विश्व आर्थिक मंच (WEF) द्वारा जारी की गयी है। यह रिपोर्ट लैंगिक समानता की स्थिति का मूल्यांकन करती है।
- इसे पहली बार 2006 में शुरू किया गया था।
- इस रिपोर्ट की गणना चार महत्त्वपूर्ण आयामों के आधार पर की गयी है - 1. आर्थिक भागीदारी और अवसर, 2. शैक्षिक प्राप्ति, 3. स्वास्थ्य और उत्तरजीविता, 4. राजनीतिक सशक्तीकरण।
- उपर्युक्त चार उप-सूचकांकों के आधार पर, वैश्विक लैंगिक अंतर सूचकांक तैयार किया जाता है (स्कोर 0 और 1 के बीच होता है, जहाँ 1 पूर्ण लैंगिक समानता को दर्शाता है और 0 पूर्ण असमानता को दर्शाता है)।

क्या आप जानते हैं?

ग्लोबल जेंडर गैप रिपोर्ट 2024 के अनुसार:

- आइसलैंड (स्कोर - 0.935) दुनिया का सर्वाधिक लैंगिक समानतावाला देश बना हुआ है, जिसके बाद फ़िनलैंड, नॉर्वे और न्यूज़ीलैंड का स्थान है।
- भारत, 146 देशों में 129वें स्थान पर (स्कोर - 0.641) है।
- 2024 में वैश्विक लैंगिक अंतराल स्कोर 68.5% था, जो 2023 की तुलना में 0.1% अंक का सुधार दिखाता है।

विश्व खुशहाली रिपोर्ट (WORLD HAPPINESS REPORT)

- विश्व खुशहाली रिपोर्ट को **प्रत्येक वर्ष संयुक्त राष्ट्र सतत विकास समाधान नेटवर्क (United Nations Sustainable Development Solutions Network)** द्वारा प्रकाशित किया जाता है।
- यह रिपोर्ट पहली बार वर्ष 2012 में प्रकाशित हुई थी।
- कथित **रैंकिंग पोलिंग (गैलप वर्ल्ड पोल डेटा पर आधारित) के आधार पर होती है।** इसमें **छह प्रमुख घटकों** पर विचार किया जाता है :-
  1. *प्रतिव्यक्ति GDP, (क्रय शक्ति समता के आधार पर)*
  2. *सामाजिक सहायता*
  3. *जन्म के समय स्वस्थ जीवन प्रत्याशा*
  4. *जीवन संबंधी प्रसंगों के चयन की स्वतंत्रता*
  5. *उदारता*
  6. *भ्रष्टाचार का बोध*

विश्व खुशहाली रिपोर्ट (World Happiness Report) 2025

- भारत, 147 देशों में अपनी रैंकिंग में सुधार करते हुए 118वें स्थान पर पहुँच गया है। हमारे देश का स्कोर 10 में से 4.054 से सुधरकर 4.389 हो गया है।
- फ़िनलैंड इस सूची में लगातार आठवें साल शीर्ष पर रहा, उसके बाद डेनमार्क और आइसलैंड का स्थान रहा। अफ़ग़ानिस्तान इस सूची में अंतिम स्थान पर है। इस रैंकिंग में सबसे नीचे सिएरा लियोन और लेबनान हैं।
- भारत की ताक़त मज़बूत पारिवारिक संरचनाओं और सामुदायिक बंधनों के कारण उच्च सामाजिक संबल में निहित है। इसकी कमज़ोरियों में निम्न दृष्ट स्वतंत्रता सम्मिलित है।

क्या आप जानते हैं?

अंतरराष्ट्रीय ख़ुशहाली दिवस (International Happiness Day) प्रति वर्ष **20 मार्च** को संयुक्त राष्ट्र की पहल के तहत मनाया जाता है, जो ख़ुशहाली/प्रसन्नता की प्राप्ति को एक मौलिक मानवीय लक्ष्य के रूप में चिह्नित करता है।

- वर्ष 2024 के इस दिवस की थीम थी : खुशहाली के लिए पुनः जुड़ना : प्रतिरोधी समुदायों का निर्माण करना (Reconnecting for Happiness: Building Resilient Communities)।
- वर्ष 2025 के इस दिवस की थीम है : देखभाल और सहभाजन (Caring and Sharing)।

सकल राष्ट्रीय खुशहाली सूचकांक (Gross National Happiness Index)

सकल राष्ट्रीय खुशहाली शब्द को 1970 के दशक में भूटान के चौथे राजा महामहिम जिग्मे सिंग्ये वांगचुक ने प्रस्तुत किया था। इस अवधारणा का अर्थ है कि संधारणीय विकास के लिए प्रगति की धारणाओं के प्रति समग्र दृष्टिकोण अपनाना चाहिए और कल्याण के ग़ैर-आर्थिक पक्षों को भी समान महत्त्व दिया जाना चाहिए। **सकल राष्ट्रीय ख़ुशहाली सूचकांक** एक ही संख्यावाला सूचकांक है, जिसे नौ क्षेत्रों में वर्गीकृत 33 सूचकों के आधार पर तैयार किया जाता है।

GNH की अवधारणा की व्याख्या इसके चार स्तंभों के आधार पर की जाती है, जो निम्न प्रकार से हैं- सुशासन, संधारणीय सामाजिक-आर्थिक विकास, सांस्कृतिक संरक्षण और पर्यावरणीय संरक्षण।

अतिरिक्त जानकारी

दिल्ली का ख़ुशहाली पाठ्यक्रम (Delhi's Happiness Curriculum) : इस पाठ्यक्रम को वर्ष 2018 से आरंभ किया गया है। यह शिक्षा क्षेत्र में दिल्ली सरकार की प्रमुख योजनाओं में से एक है। शिक्षण के परिणाम (learning outcomes) को चार श्रेणियों में वर्गीकृत किया गया है- पढ़ाई में ध्यान लगाना और एकाग्रता को बढ़ाना, तर्क के साथ सोचने की शक्ति और उसके अनुसरण की आदत विकसित करना, सामाजिक-भावनात्मक कौशल विकसित करना और आत्मविश्वास एवं प्रसन्नता से भरपूर व्यक्तित्व का विकास।

मध्य प्रदेश भारत का पहला राज्य है, जिसने आनंद विभाग (Happiness Department) बनाया है (वर्ष 2016 में)। यह विभाग भूटान की तर्ज़ पर **आनंद** से संबंधित मामलों में ज्ञान संसाधन केंद्र के रूप में कार्य करता है। आंध्र प्रदेश दूसरा राज्य है, जिसने आनंद विभाग बनाया है।

- **OECD उत्तम जीवन सूचकांक (OECD Better Life Index) :** इस सूचकांक में 11 विषयों के आधार पर देशों की समृद्धि की तुलना की जाती है। इन 11 विषयों को **OECD** ने भौतिक जीवन स्थिति और जीवन की गुणवत्ता के क्षेत्रों में आवश्यक के रूप में चिह्नित किया है। इन 11 विषयों में सम्मिलित हैं- आवास, आय, रोज़गार, समुदाय, शिक्षा, पर्यावरण, नागरिकों की संलिप्तता, स्वास्थ्य, जीवन संतोष, सुरक्षा और कार्य-जीवन संतुलन।
- **जीवन की भौतिक गुणवत्ता का सूचकांक [Physical Quality of Life Index (PQLI)] :** इसमें किसी देश में जीवन की गुणवत्ता या वहाँ की समृद्धि को मापा जाता है। इसका मान तीन चरों का औसत होता है- मूलभूत साक्षरता दर, शिशु मृत्यु दर

और एक साल की आयु में जीवन प्रत्याशा। इसे मोरिस डेविड मोरिस द्वारा 1970 के दशक के मध्य में 'ओवरसीज़ डेवलपमेंट काउंसिल' के लिए तैयार किया गया था।

आर्थिक गतिविधियों के आधार पर देशों का वर्गीकरण (CLASSIFICATION OF COUNTRIES BASED ON ECONOMIC ACTIVITIES)

प्रतिव्यक्ति आय के आधार पर, विश्व बैंक ने चार श्रेणियों में देशों को वर्गीकृत किया है -

श्रेणी (Category)	प्रतिव्यक्ति आय (US $ में) (Per Capita Income)
निम्न आय	<1,005
निम्न मध्यम आय	1,006-3,995
उच्च मध्यम आय	3,996-12,235
उच्च आय	>12,235

- **विकसित देश (Developed Country) :** एक औद्योगीकृत देश (औद्योगिकीकरण के बाद के देश), अति विकसित देश, या आर्थिक रूप से अति विकसित देश [More Economically Developed Country (MEDC)] वह संप्रभु राष्ट्र हैं, जिनके पास अन्य कम औद्योगीकृत राष्ट्रों की तुलना में विकसित अर्थव्यवस्था और उन्नत तकनीकी अवसंरचना है। उदाहरण- अमेरिका।
- **विकासशील देश (Developing Country) :** अपेक्षाकृत कम औद्योगीकृत राष्ट्र, जो प्राथमिक गतिविधियों पर आधारित हैं, परंतु नये औद्योगिक विकास जैसे कि भारत सेवा या चीन व्यापक पैमाने पर उत्पादन के क्षेत्र में आगे बढ़ रहा है।
- **अल्प विकसित देश [Least Developed Countries (LDCs)] :** अल्प विकसित देश कम आयवाले देश हैं, जो संधारणीय विकास की कई संरचनात्मक बाधाओं से जूझ रहे हैं। वे आर्थिक और पर्यावरणीय झटकों के प्रति अधिक कमज़ोर हैं और वहाँ मानव पूँजी का बहुत निम्न स्तर है। उदाहरण- सोमालिया, सूडान आदि।

संक्षिप्त विवरण

- **आर्थिक संवृद्धि (Economic Growth)** - एक निश्चित समयावधि में उत्पादन या GDP में परिवर्तन को मापा जाता है।
- **आर्थिक विकास (Economic Development)** - आर्थिक संवृद्धि के पक्षों के साथ सामाजिक-आर्थिक संकेतकों जैसे कि निर्धनता, बेरोज़गारी, लैंगिक समानता, आय समानता, स्वास्थ्य, शिक्षा आदि से संबंधित।
- **समावेशी संवृद्धि (Inclusive Growth)** - ऐसी आर्थिक संवृद्धि को दिखाता है, जिसका लाभ समाज के प्रत्येक वर्ग को मिल रहा हो- आर्थिक संवृद्धि की तुलना में श्रेष्ठ दृष्टिकोण तथा यह नीति निर्माताओं का लक्ष्य भी होना चाहिए।
- **मिश्रित विकास सूचकांक (Composite Development Index)** - राज्यों का विकास निर्धारित करता है- 2013 में रघुराम राजन समिति द्वारा सुझाव दिया गया- 10 उप-घटक हैं, जिनमें से प्रत्येक का समान भार है।
- **समावेशी विकास सूचकांक [Inclusive Development Index (IDI)]** - संवृद्धि और विकास; समावेश; पीढ़ीगत समानता - विश्व आर्थिक मंच [World Economic Forum (WEF)] द्वारा प्रकाशित।
- **मानव विकास सूचकांक [Human Development Index (HDI)]** - मानव विकास के प्रमुख आयामों में औसत उपलब्धि की मापों का सारांश - लंबा और स्वस्थ जीवन, सुविज्ञ होना और बढ़िया जीवन स्तर होना।
- **ग्रहीय दबाव-समायोजित HDI [Planetary Pressures-Adjusted HDI (PHDI)]** - प्रत्येक देश के प्रतिव्यक्ति कार्बन उत्सर्जन और वहाँ पदार्थों के निष्कर्षण के कारण पड़नेवाले प्रभाव से HDI को समायोजित करने के लिए एक नया मीट्रिक।
- **वैश्विक लैंगिक असमानता सूचकांक [Global Gender Gap Index (GGGI)]** - विश्व आर्थिक मंच द्वारा प्रकाशित।
- **विश्व खुशहाली रिपोर्ट (World Happiness Report)** - संयुक्त राष्ट्र सतत विकास समाधान नेटवर्क द्वारा प्रतिवर्ष प्रकाशित किया जाता है।
- **OECD उत्तम जीवन सूचकांक (OECD Better Life Index)** - देशों की समृद्धि की तुलना - भौतिक रूप से रहने की स्थिति और जीवन की गुणवत्ता के क्षेत्रों से संबंधित 11 विषयों पर आधारित।
- **जीवन की भौतिक गुणवत्ता का सूचकांक [Physical Quality of Life Index (PQLI)]** - किसी देश में जीवन की गुणवत्ता या वहाँ की समृद्धि को मापा जाता है - मान तीन घटकों का औसत होता है। वे तीन घटक होते हैं- मूलभूत साक्षरता दर, शिशु मृत्यु दर, और एक वर्ष की आयु में जीवन प्रत्याशा।

यूपीएससी सिविल सेवा के पिछले वर्षों की प्रारंभिक परीक्षा के प्रश्न

1. निम्नलिखित कथनों पर विचार कीजिए : **[2018]**

1. मानव पूँजी निर्माण की अवधारणा को एक ऐसी प्रक्रिया के रूप में परिभाषित करना सही होगा, जो किसी देश के नागरिक को अधिक पूँजी जमा करने योग्य बना दे।

2. देश के लोगों के ज्ञान, कौशल स्तर और क्षमताओं को बढ़ाये।

3. दृश्य संपत्ति के संचय में सहायता करे।

4. अदृश्य संपत्ति के संचय में सहायता करे।

ऊपर दिये गये कौन-से कथन सही है/हैं?

(a) 1 और 2 **(b)** केवल 2

(c) केवल 2 और 4 **(d)** केवल 1, 3 और 4

2. किसी देश X में आर्थिक संवृद्धि आवश्यक रूप से होगी, यदि **[2013]**

(a) विश्व अर्थव्यवस्था में तकनीकी प्रगति होगी

(b) X में जनसंख्या वृद्धि होगी

(c) X में पूँजी निर्माण होगा

(d) विश्व अर्थव्यवस्था में व्यापार की मात्रा बढ़ेगी

3. निम्नलिखित में से किसे संमावेशी शासन का आवश्यक हिस्सा कहा जा सकता है? **[2012]**

1. ग़ैर-बैंकिंग वित्तीय कंपनियों को बैंकिंग क्षेत्र का कार्य करने की अनुमति देना

2. समस्त ज़िलों में प्रभावी ज़िला नियोजन समितियाँ स्थापित करना

3. जन स्वास्थ्य पर सरकारी ख़र्च बढ़ाना

4. मध्याह्न भोजन योजना का सुदृढ़ीकरण

नीचे दिये गये कोड का उपयोग करके सही उत्तर को चुनें :

(a) केवल 1 और 2

(b) केवल 3 और 4

(c) केवल 2, 3 और 4

(d) 1, 2, 3 और 4

☞ कोई प्रश्न नहीं

2024, 2023, 2022, 2021, 2020, 2019, 2017, 2016, 2015, 2014

उत्तर कुंजी

1. (c) 2. (c) 3. (c)

यूपीएससी सिविल सेवा के पिछले वर्षों की मुख्य परीक्षा के प्रश्न

1. क्या बाज़ार अर्थव्यवस्था के अन्तर्गत समावेशी विकास संभव है? भारत में आर्थिक विकास की प्राप्ति के लिए वित्तीय समावेश के महत्त्व का उल्लेख कीजिए। **[2022]**

2. यह तर्क दिया जाता है कि समावेशी संवृद्धि की रणनीति का लक्ष्य समग्रता और संधारणीयता, दोनों के उद्देश्यों को एक साथ पूरा करना है। इस कथन पर टिप्पणी कीजिए। **[2019]**

3. 'समावेशी संवृद्धि' के प्रमुख अभिलक्षण क्या हैं? क्या भारत में इस प्रकार की संवृद्धि प्रक्रिया हो रही है? समावेशी संवृद्धि का विश्लेषण कीजिए और इसके लिए मापदंडों का सुझाव दीजिए। **[2017]**

4. भारत के संदर्भ में आर्थिक संवृद्धि की चुनौतियों पर टिप्पणी कीजिए, जिनमें लापरवाह और अनुपयोगी श्रमशक्ति सम्मिलित है। इन चुनौतियों का सामना करने के लिए अपनाये जानेवाले मापदंडों का सुझाव दीजिए। **[2016]**

☞ कोई प्रश्न नहीं

2024, 2023, 2021, 2020, 2018, 2015, 2014, 2013

अध्याय 4

निर्धनता और असमानता (Poverty and Inequality)

अध्याय की रूपरेखा

- निर्धनता
- निर्धनता के कारण
- निरपेक्ष निर्धनता
- बहुआयामी निर्धनता सूचकांक
- निरपेक्ष निर्धनता मापने की पद्धतियाँ
- भारत में निर्धनता के विभिन्न अनुमान
- स्वतंत्रता-पूर्व अनुमान
- स्वतंत्रता-पश्चात् अनुमान
- बीपीएल जनगणना
- निर्धनता पर अमर्त्य सेन का क्षमता-दृष्टिकोण
- अनियमित रूप से नियंत्रित परीक्षण
- सार्वभौमिक बुनियादी आय
- आय-असमानता
- आय-असमानता के कारण
- आय-असमानता मापने की पद्धतियाँ
- भारत में आय-असमानता की वर्तमान स्थिति - एक वैश्विक तुलना
- आय-असमानता के प्रभाव
- आय-असमानता दूर करने के लिए सरकार द्वारा उठाये गये क़दम

निर्धनता (POVERTY)

- यह एक ऐसी अवस्था है, जिसमें किसी व्यक्ति या समुदाय के पास वित्तीय संसाधनों का अभाव होता है और वह जीवन की **अपनी आधारभूत या बुनियादी आवश्यकताओं को पूरा करने में असमर्थ** होता है।
- भारत में सामान्यत: निर्धनता की स्वीकृत परिभाषा जीवन के यथोचित स्तर के स्थान पर **'जीवन के न्यूनतम स्तर'** पर बल देती है।
- पहले, योजना आयोग (Planning Commission) निर्धनता के आकलनों को प्रकाशित करने के लिए प्राधिकृत था, ये आकलन **राष्ट्रीय प्रतिदर्श सर्वेक्षण कार्यालय [National Sample Survey Office (NSSO)]** द्वारा मासिक रूप से प्रतिव्यक्ति उपभोग व्यय पर आधारित विभिन्न दौर के आयोजनों पर आधारित होते थे।

> **क्या आप जानते हैं?** संयुक्त राष्ट्र द्वारा 17 अक्टूबर की तिथि को **अंतरराष्ट्रीय निर्धनता उन्मूलन दिवस (International Day for Eradication of Poverty)** के रूप में घोषित किया गया है **(1987 से)**।

- वर्तमान में, ग़रीबी के आँकड़ों का संकलन *सांख्यिकी एवं कार्यक्रम कार्यान्वयन मंत्रालय* के अंतर्गत **राष्ट्रीय सांख्यिकी कार्यालय [National Statistical Office (NSO)]** द्वारा किया जाता है।

अतिरिक्त जानकारी

भारत, ब्राज़ील और दक्षिण अफ्रीका न्यास निधि समझौता, 2017 (IBSA TRUST FUND AGREEMENT, 2017)

भारत, ब्राज़ील और दक्षिण अफ्रीका [India, Brazil and South Africa (IBSA)] ने **IBSA** न्यास निधि समझौते पर हस्ताक्षर किये, जो अन्य विकासशील देशों में ग़रीबी से लड़ने का प्रयास करता है। प्रत्येक देश इस निधि में वार्षिक 1 (एक) मिलियन अमरिकी डॉलर का योगदान देता है, जिसे दक्षिण-दक्षिण सहयोग के लिए संयुक्त राष्ट्र विकास कार्यक्रम की विशेष इकाई (UNDP Special Unit) द्वारा प्रबंधित किया जाता है। स्थापना के बाद से, भारत ने आईबीएसए फ़ंड में लगभग 15.1 मिलियन अमेरिकी डॉलर का योगदान दिया है।

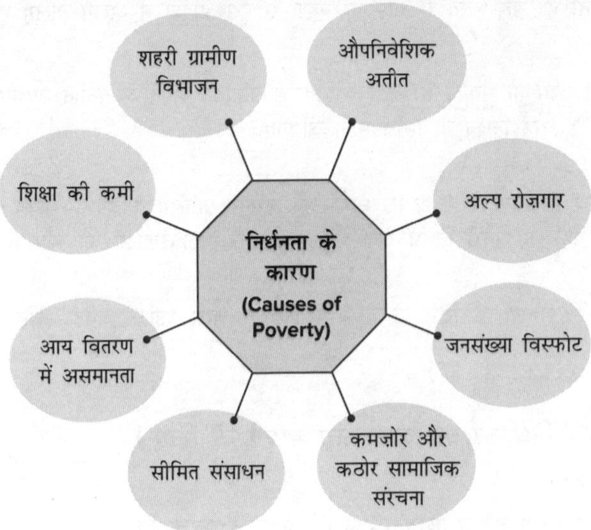

निर्धनता जाल (Poverty Trap)

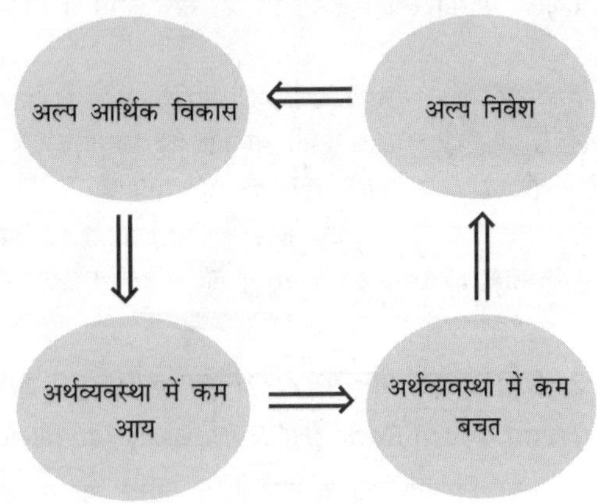

निर्धनता की संकल्पना (Concept of Poverty)

निर्धनता की संकल्पना को निम्नलिखित श्रेणियों में वर्गीकृत किया जा सकता है :

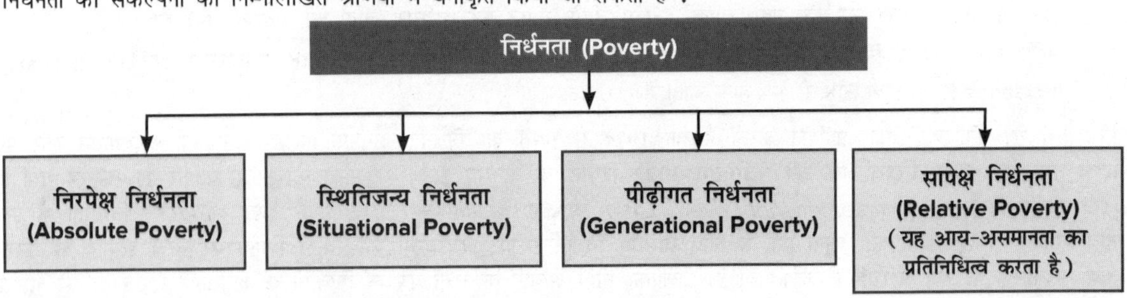

निरपेक्ष निर्धनता (ABSOLUTE POVERTY)

➤ यह एक ऐसी स्थिति है, जो **बुनियादी मानवीय आवश्यकताओं** जैसे- भोजन, वस्त्र, स्वास्थ्य, शिक्षा, **स्वच्छता** सुविधाएँ, आश्रय इत्यादि के अभाव के कारण उत्पन्न होती है।

- इसे **ग़रीबी रेखा** की अवधारणा के माध्यम से मापा जाता है और यह ग़रीबी रेखा के नीचे [Below Poverty Line (BPL)] रहनेवाले लोगों की वास्तविक संख्या को प्रस्तुत करती है।

निरपेक्ष निर्धनता के आकलन में प्रयुक्त होनेवाले साधन (Measures used to estimate Absolute Poverty)

1. निर्धनता रेखा (Poverty Line)

- यह जीवन की **बुनियादी आवश्यकताओं को पूरा करने के लिए 'ज़रूरी आय का स्तर'** है।
- यह न्यूनतम जीवन स्तर प्राप्त करने के लिए ज़रूरी *प्रतिव्यक्ति कैलोरी ग्रहण या प्रतिव्यक्ति उपभोग व्यय* के रूप में प्रदर्शित की जा सकती है।
- यह **एक देश से दूसरे देश में अलग-अलग हो सकती है।** यह भारत में भी एक प्रदेश से दूसरे प्रदेश में अलग-अलग हो सकती है, क्योंकि वहाँ भिन्न-भिन्न क़ीमत-स्तर होते हैं।

उदाहरण : एक निर्धनता रेखा प्रतिदिन ₹47 प्रतिव्यक्ति उपभोग-व्यय हो सकती है। कोई व्यक्ति जो प्रतिदिन अपने व्यक्तिगत उपभोग के लिए औसत रूप से इस राशि को ख़र्च करने में सक्षम नहीं है, वह निर्धन या ग़रीब माना जायेगा।

क्या आप जानते हैं?

विश्व बैंक के अनुसार, वर्तमान **अंतरराष्ट्रीय निर्धनता रेखा 2.15 अमेरिकी डॉलर** प्रतिव्यक्ति उपभोग व्यय (2017 की क़ीमतों पर आधारित) है और यह 15 सबसे निर्धन देशों की राष्ट्रीय निर्धनता रेखाओं का औसत निकाल कर प्राप्त की गयी है।

विश्व बैंक के अनुसार, कोई व्यक्ति, जो **2.15 अमेरिकी डॉलर प्रतिदिन** से कम पर जीवन चला रहा है, वह **अति निर्धनता (extreme poverty)** का सामना कर रहा है।

2. प्रतिव्यक्ति अनुपात/निर्धनता व्यापकता अनुपात (निर्धनता की व्यापकता मापने के लिए) [Head Count Ratio (HCR)/Poverty Incidence Ratio]

- यह निर्धनता रेखा के नीचे (BPL) **जीवन यापन करनेवाले लोगों की प्रतिशतता** (%) **को प्रदर्शित करता है।**
- $$\textbf{HCR} = \frac{\text{BPL लोगों की कुल संख्या}}{\text{कुल जनसंख्या}} \times \textbf{100}$$
  - उदाहरणार्थ – 13.31 करोड़/121 करोड़ × 100 = 11 प्रतिशत
  - यह 11 प्रतिशत और कुछ नहीं, बल्कि देश में जीवन यापन कर रहे BPL लोगों का प्रतिशत (%) है।
- HCR किसी देश में निर्धनता की व्यापकता को प्रदर्शित करता है। इसीलिए इसे **'निर्धनता व्यापकता अनुपात' (Poverty Incidence Ratio)** के नाम से भी जाना जाता है।

पिछली विश्व बैंक की रिपोर्ट प्रदर्शित करती है कि 1977 में भारत का निर्धनता-अनुपात HCR 61.6% के अधिकतम स्तर पर पहुँच गया था। यद्यपि, **विश्व बैंक की नवीनतम 2022 रिपोर्ट** के अनुसार 2021 में भारत का HCR घटकर 11.9% रह गया है [*अंतरराष्ट्रीय निर्धनता रेखा (International Poverty Line) पर $2.15 प्रतिदिन (2017 PPP) पर आधारित*]। निर्धनता में इस तीव्र गिरावट (पिछले वर्षों की तुलना में) के लिए **ग्रामीण विद्युतीकरण, लड़कियों की स्कूल शिक्षा पर ख़र्च** इत्यादि को प्रेरक तत्व या कारक के रूप में चिह्नित किया गया है। हालाँकि, नीति आयोग के चर्चा पत्र के निष्कर्षों के अनुसार **'2005-06 से भारत में बहुआयामी निर्धनता'**, निर्धनता हेडकाउंट अनुपात में 2013-14 में 29.17 प्रतिशत से **2022-23** में **11.28 प्रतिशत** तक की भारी गिरावट आयी है।

3. *निर्धनता अंतराल अनुपात (Poverty Gap Ratio) (निर्धनता की तीव्रता मापने के लिए)*

- निर्धनता अंतराल (Poverty gap) निर्धनता रेखा और एक BPL परिवार के औसत वास्तविक मासिक उपभोग व्यय के बीच का अंतर होता है। यह **निर्धनता रेखा से औसत गिरावट को प्रदर्शित करता है।**
- *गणितीय पद में,*

  निर्धनता अंतराल अनुपात (Poverty Gap Ratio) = *(मौद्रिक रूप में निर्धनता रेखा – एक BPL परिवार का प्रतिव्यक्ति औसत वास्तविक मासिक उपभोग व्यय)/निर्धनता रेखा*

  उदाहरणार्थ : (400 – 330)/400 = 0.175, जो प्रदर्शित करता है कि अंतराल (gap) 17.5 प्रतिशत है।
- इस उपाय के माध्यम से सरकार निर्धनता उन्मूलन के लिए आवश्यक **प्रतिव्यक्ति हस्तांतरण राशि** (per capita amount of transfers) को प्राप्त कर सकती है। इसे **पूर्ण लक्षित नक़द हस्तांतरण (perfectly targeted cash transfers) के माध्यम से** किया जा सकता है।
- जितना अधिक निर्धनता अंतराल होगा, सरकार द्वारा BPL परिवारों को निर्धनता रेखा से ऊपर लाने के लिए उतने अधिक हस्तांतरण की आवश्यकता होगी।

4. *स्क्वॉयर्ड पॉवर्टी गैप इंडेक्स (Squared Poverty Gap Index)*

- **स्क्वॉयर्ड पॉवर्टी गैप इंडेक्स एक दिये गये क्षेत्र के लिए निर्धनता की मात्रा या कोटि को निर्धारित करता है।**
- यह पद्धति प्रत्येक व्यक्ति/परिवार के लिए **निर्धनता अंतराल (poverty gap) को भर देती है या कम करती है।**
- निर्धनता रेखा से मात्र कुछ ही नीचे रहनेवाले लोगों की तुलना में अत्यधिक निर्धन को अधिक महत्त्व देकर BPL लोगों के अभावों को पूरा किया जा सकता है
- स्क्वॉयर्ड पॉवर्टी गैप इंडेक्स अधिक ग़रीब लोगों, जो निर्धनता रेखा में काफ़ी नीचे होते हैं, के लिए अधिक लाभदायक होता है, क्योंकि वे सरकार से अधिक सहायता राशि प्राप्त कर सकते हैं।

परीक्षोपयोगी

बहु-आयामी निर्धनता सूचकांक (MULTI-DIMENSIONAL POVERTY INDEX)

- यह एक **व्यापक अवधारणा** है, जिसके अनुसार निर्धनता केवल आय पर निर्भर नहीं होती, बल्कि इसमें *ख़राब स्वास्थ्य, शिक्षा का अभाव और अपर्याप्त जीवन स्तर* जैसे अभाव भी सम्मिलित होते हैं।
- ये अभाव **परिवार के साथ-साथ व्यक्तिगत स्तर पर भी** मापे जाते हैं।
- विश्व बैंक की '**अति निर्धनता (extreme poverty)**' के पैमाने, जो उन लोगों को समाहित करती है, जो 1.90 अमेरिकी डॉलर से कम पर जीनव यापन करते हैं, के स्थान पर MPI **'तीव्र' निर्धनता ('acute' poverty)** को मापती है, जो अतिव्यापी अभावों पर आधारित होती है।
- इस MPI अवधारणा को **UNDP** और **ऑक्सफोर्ड ग़रीबी और मानव विकास पहल [Oxford Poverty and Human Development Initiative (OPHI)]** द्वारा विकसित किया गया था और 2010 में इसे पहली बार प्रस्तुत किया गया था।
- MPI ने मानव निर्धनता सूचकांक (Human Poverty Index) का स्थान ले लिया है।
- आय के स्थान पर, MPI **तीन आयामों का प्रयोग करता है** (जिसमें निरपेक्ष निर्धनता को मापने के **10 संकेतक होते हैं**)।

➤ MPI के अंतर्गत ये 3 आयाम और 10 संकेतक हैं :

निर्धनता के आयाम (Dimensions of Poverty)	संकेतक (Indicator)	मानी जानेवालीं दशाएँ (अभाव) [Condition for Treating It (Deprivation)]	भार (Weight)	संबंधित SDG क्षेत्र (Related SDG Area)
शिक्षा	स्कूल शिक्षा के वर्ष	अभावग्रस्त, यदि (≥ *10 वर्ष आयु का*) परिवार के किसी भी सदस्य ने 6 वर्ष की स्कूल शिक्षा पूरी नहीं की हो	1/6th	SDG 4 (गुणवत्तापूर्ण शिक्षा)
	स्कूल में उपस्थिति	अभावग्रस्त, यदि स्कूल जाने योग्य बच्चा कक्षा 8 तक स्कूल नहीं जा रहा हो	1/6th	SDG 4 (गुणवत्तापूर्ण शिक्षा)
स्वास्थ्य	बाल-मृत्यु दर	अभावग्रस्त, यदि परिवार के किसी बच्चे की पिछले 5 वर्ष में मृत्यु हो गयी हो	1/6th	SDG 3 (स्वास्थ्य एवं सुख)
	पोषण	अभावग्रस्त, यदि कोई (70 वर्ष से कम आयु का) वयस्क या बच्चा कमज़ोर या कुपोषित है	1/6th	SDG 2 (शून्य क्षुधा/भूख)
जीवन-यापन का स्तर	बिजली	अभावग्रस्त, यदि बिजली नहीं है	1/18th	SDG 7 (सस्ती और स्वच्छ ऊर्जा)
	स्वच्छता	अभावग्रस्त, यदि स्वच्छता सुविधा संधारणीय विकास के लक्ष्य (SDG) के दिशानिर्देशों के अनुरूप उन्नत नहीं हैं या यह उन्नत हैं, लेकिन अन्य परिवारों द्वारा भी इसके उपयोग में भागीदारी की जाती है	1/18th	SDG 6 (स्वच्छ जल और स्वच्छता)
	पेय जल	अभावग्रस्त, यदि SDG दिशानिर्देशों के अनुरूप सुरक्षित पेय जल की सुविधा नहीं है या यह घर से 30-मिनट की (*आने-जाने*) की दूरी पर है	1/18th	SDG 6 (स्वच्छ जल और स्वच्छता)
	आवास	अभावग्रस्त, यदि आवास सामग्री एक छत, दीवारें और फ़र्श के लिए अपर्याप्त हो या ये प्राकृतिक सामग्रियों से बनी हों	1/18th	SDG 11 (संधारणीय शहर एवं समुदाय)
	भोजन पकाने का ईंधन	अभावग्रस्त, यदि गोबर, लकड़ी, लकड़ी के कोयले या कोयले पर भोजन पकाया जाता हो	1/18th	SDG 7 (सस्ती और स्वच्छ ऊर्जा)
	संपत्ति	अभावग्रस्त, यदि परिवार के पास इनमें से कोई भी एक वस्तु नहीं है - रेडियो, टीवी, टेलीफोन, कंप्यूटर, पशु गाड़ी, साइकिल, मोटरसाइकिल या रेफ़्रिजरेटर तथा घर के लोग एक कार या ट्रक के मालिक नहीं हैं।	1/18th	SDG 1 (निर्धनता उन्मूलन)

गणितीय रूप से,

MPI = जो लोग MPI निर्धन (*निर्धनता की व्यापकता*) हैं, उनका % (प्रतिशत) × निर्धनों के बीच MPI निर्धनता की औसत तीव्रता (%)

कोई व्यक्ति बहु-आयामी निर्धन (**या** 'MPI' निर्धन) माना जायेगा; यदि वह ऊपर दिये गये **भारित (weighted) संकेतकों के कम-से-कम एक-तिहाई में अभावग्रस्त है**; दूसरे शब्दों में निर्धनता के लिए सीमा **(cut-off)** 33.33 प्रतिशत है।

2024 की MPI रिपोर्ट के मुख्य निष्कर्ष

- 112 देशों और 6.3 बिलियन लोगों में से, 1.1 बिलियन लोग (18.3%) 2023 में विकट बहुआयामी निर्धनता से ग्रसित हैं।
- 83.7% निर्धन लोग ग्रामीण क्षेत्रों में रहते हैं।
- लगभग दो-तिहाई निर्धन लोग मध्यम आयवाले देशों में रहते हैं।
- बड़ी संख्या में निर्धन लोगों में पर्याप्त स्वच्छता, आवास और खाना पकाने के ईंधन की कमी है।
- अधिकांश देशों ने कम-से-कम एक समय अवधि में MPI मूल्य के अनुसार निर्धनता को काफ़ी कम कर दिया है।
- युद्धरत देशों में प्रत्येक बहुआयामी निर्धनता सूचकांक संकेतक में अधिक अभाव है।
- 2024 की रिपोर्ट के अनुसार भारत का MPI स्कोर 0.105 है, जिसमें 234 मिलियन लोग बहुआयामी निर्धनता से ग्रसित हैं।

राष्ट्रीय बहुआयामी निर्धनता सूचकांक (NMPI)

- **नीति आयोग ने राष्ट्रीय परिवार स्वास्थ्य सर्वेक्षण (NFHS-4) 2015-2016 के आधार पर एक NMPI जारी किया है।**
- 2022-23 में भारत का हेडकाउंट अनुपात **11.28 प्रतिशत** था।
- **उत्तर प्रदेश** ने पिछले नौ वर्षों के दौरान 5.94 करोड़ लोगों को बहुआयामी निर्धनता से बाहर निकालकर निर्धनों की संख्या में सबसे बड़ी गिरावट दर्ज की है, इसके बाद बिहार में 3.77 करोड़, **मध्य प्रदेश** में 2.30 करोड़ और राजस्थान में 1.87 करोड़ लोग निर्धनता से बाहर आये हैं।

निरपेक्ष निर्धनता मापने की पद्धतियाँ (Methods to Estimate Absolute Poverty)

परीक्षोपयोगी

निम्नलिखित **तीन पद्धतियों का प्रयोग** किया जाता है :

(a) समान सन्दर्भ/स्मरण अवधि [Uniform Reference/Recall Period (URP)]

(b) मिश्रित सन्दर्भ/स्मरण अवधि [Mixed Reference/Recall Period (MRP)]

(c) संशोधित मिश्रित सन्दर्भ/स्मरण अवधि [Modified Mixed Reference/Recall Period (MMRP)]

(a) **सामान सन्दर्भ/स्मरण अवधि [Uniform Reference/Recall Period (URP)] –** 1993-94 तक, NSSO द्वारा मापी जानेवाली निर्धनता रेखा URP पर आधारित थी। URP के अंतर्गत, सभी वस्तुओं के लिए उपभोग के आँकड़ों का संग्रह 30-दिन की स्मरण अवधि (recall period) के लिए किया जाता था। जब URP का प्रयोग होता है, तब सर्वेक्षण शुरू होने की तिथि से 30 दिन पहले परिवारों के उपभोग के बारे में सर्वेक्षण किया जाता है।

(b) **मिश्रित सन्दर्भ/स्मरण अवधि [Mixed Reference/Recall Period (MRP)]–** 1999-2000 से अब तक, **NSSO,** URP के स्थान पर MRP का उपयोग कर रहा है। MRP **365 दिन** की स्मरण अवधि (recall period) के लिए **पाँच ग़ैर-खाद्य वस्तुओं** (*वस्त्र, जूते-चप्पल, टिकाऊ वस्तुएँ, शिक्षा और संस्थागत चिकित्सा ख़र्च*) के उपभोग व्यय के आँकड़ों और शेष वस्तुओं के लिए 30-दिन के रिकॉल पीरियड के उपभोग आँकड़ों को गणना के लिए प्रयुक्त करता है।

वर्तमान में, सभी निर्धनता रेखा के आकलन में **MRP पद्धति का प्रयोग करते हैं।**

(c) **संशोधित मिश्रित सन्दर्भ/स्मरण अवधि [Modified Mixed Reference/Recall Period (MMRP)]**

- MMRP तीनों अवधारणाओं में सबसे नवीनतम अवधारणा है।
- MMRP के अंतर्गत **(a)** 365-दिन की स्मरण अवधि (recall period) को वस्त्र, जूता-चप्पल, शिक्षा, संस्थागत चिकित्सा सुविधा और टिकाऊ वस्तुओं के लिए प्रयोग किया जाता है, **(b)** 7-दिन की स्मरण अवधि (recall period) को खाद्य *तेल, अंडा, मछली और मीट, सब्ज़ी, फल, मसाले, पेय पदार्थ, जलपान, प्रसंस्कृत खाद्य पदार्थ, पान, तम्बाकू, मादक द्रव्यों* के लिए और **(c)** 30-दिन की स्मरण अवधि (recall period) को *खाद्य पदार्थों, ईंधन और प्रकाश, विविध वस्तुओं और सेवाओं, जिसमें ग़ैर-संस्थागत चिकित्सा, किराया और कर सम्मिलित हैं*, के लिए प्रयुक्त किया जाता है।

- NSSO द्वारा वर्ष 2009-10 और 2010-11 के लिए MMRP पद्धति का प्रयोग निर्धनता मापने के लिए किया गया था।
- रंगराजन समिति ने अपनी 2014 की रिपोर्ट में निर्धनता मापने के लिए URP और MRP पद्धति की तुलना में MMRP की संस्तुति अधिक उपयुक्त पद्धति के रूप में की थी।
- 2015 में विश्व बैंक ने भी MRP से MMRP की तरफ़ जाने के विचार का समर्थन किया था।

URP – MRP – MMRP के अंतर्गत निर्धनता अनुमान – एक तुलनात्मक विश्लेषण
(Poverty Estimates under URP vis-à-vis MRP vis-à-vis MMRP – A Comparative Analysis)

यदि URP पद्धति का प्रयोग हो	यदि MRP पद्धति का प्रयोग हो	यदि MMRP पद्धति का प्रयोग हो
निर्धनता अनुमान MRP या MMRP की तुलना में उच्चतम होंगे।	निर्धनता अनुमान URP की तुलना में कम होंगे, लेकिन MMRP की तुलना में अधिक होंगे।	निर्धनता अनुमान URP या MRP की तुलना में कम होंगे।

अतिरिक्त जानकारी

आय आधारित निर्धनता रेखा बनाम उपभोग व्यय आधारित निर्धनता रेखा
(INCOME BASED POVERTY LINE VERSUS CONSUMPTION EXPENDITURE BASED POVERTY LINE)

NSSO (National Sample Survey Office) उपभोग व्यय पर आधारित निर्धनता रेखा का आकलन करता है, क्योंकि उसने निम्नलिखित कारणों से इसे आय-आधारित निर्धनता रेखा से बेहतर मापक बताया है :

- अनौपचारिक क्षेत्र में अधिकतर परिवारों की आय अनिश्चित होती है, लेकिन उपभोग प्रारूप या पैटर्न तुलनात्मक रूप से स्थिर होता है।
- **URP**, **MRP** और **MMRP** का प्रयोग आय-आधारित निर्धनता रेखा को मापने के लिए व्यवहारिक नहीं है।

स्थितिजन्य निर्धनता [Situational Poverty (SP)]

इसे तब परिभाषित किया जाता है, जब कोई व्यक्ति मृत्यु, बेरोज़गारी, प्राकृतिक आपदा, तलाक़ आदि जैसे आकस्मिक कारणों से ग़रीबी रेखा से नीचे आ जाता है। यह निर्धनता तब तक बनी रहती है, जब तक उन्हें आय या संपत्ति के नये स्रोत नहीं प्राप्त होते।

पीढ़ीगत निर्धनता [Generational Poverty (GP)]

इसे लगातार दो या दो से अधिक पीढ़ियों तक निर्धनता में रहने से परिभाषित किया गया है। संपत्ति की तरह, यह निर्धनता अगली पीढ़ी को सौंपी जाती है। इस घटना को अंतर-पीढ़ीगत निर्धनता (Intergenerational Poverty) भी कहा जाता है।

भारत में निर्धनता के विभिन्न अनुमान (VARIOUS ESTIMATES OF POVERTY IN INDIA)

स्वतंत्रता-पूर्व अनुमान (Pre-Independence Estimates)

- ग़रीबी का पहला अनुमान **श्री दादाभाई नौरोजी** ने अपनी पुस्तक **'पॉवर्टी ऐंड अनब्रिटिश रूल इन इंडिया'** में किया था। उन्होंने **1867-68** की क़ीमतों पर निर्वाह अनुमान निर्धनता रेखा के आधार पर किया, **जो ₹16 से ₹35 प्रतिव्यक्ति** के बीच था।

- उन्होंने कभी भी निर्धनता रेखा शब्द का प्रयोग नहीं किया, **बल्कि इसके स्थान पर 'निर्वाह-आधारित निर्धनता रेखा का प्रयोग (subsistence-based poverty line)' किया।**
- बाद में 1938 में, **राष्ट्रीय योजना समिति (National Planning Committee) (श्री जे.एल. नेहरू की अध्यक्षता में)** ने युद्ध-पूर्व क़ीमतों पर ₹15 और ₹25 प्रतिव्यक्ति प्रतिमाह के बीच एक अपरिवर्तनीय न्यूनतम आय को स्वीकार किया, यद्यपि, **इसे देश की निर्धनता रेखा के रूप में चिह्नित नहीं किया गया था।**
- 1944 में, **बॉम्बे योजना** ने प्रतिव्यक्ति प्रतिवर्ष 75 रुपये की ग़रीबी रेखा का सुझाव दिया।

स्वतंत्रता-पश्चात् अनुमान (Post-Independence Estimates)

समिति/समूह का नाम	आँकड़ों का आधार (वर्ष)	प्रयुक्त पद्धति का विवरण	निर्धनता का अनुमान (HCR)
बी.एस. मिन्हास का अध्ययन (1950 के दशक में)	1956–57	• इन सभी चार समितियों ने अपने अध्ययन के लिए डेटा या आँकड़ों के एक ही स्रोत का प्रयोग किया, लेकिन उनके द्वारा अपनायी गयी अलग-अलग पद्धतियों के कारण निर्धनता के अनुमान अलग-अलग थे।	65%
एम. एस. अहलूवालिया का अध्ययन (1960 के दशक में)	1960–61		39%
पी.डी. ओझा का अनुमान (1960 के दशक में)	1960–61		44%
पी.के बर्धन का अध्ययन (1960 के दशक में)	1968–69		54%
वी. एम. दांडेकर और नील कांत रथ समिति *(1971 में रिपोर्ट प्रस्तुत की)*	1960–61	• इसने प्रतिव्यक्ति प्रतिदिन के लिए ज़रूरी न्यूनतम पोषण स्तर (न्यूनतम उपभोग रेखा) के रूप में 2,250 कैलोरी का उपभोग या सेवन निश्चित किया और इसके आधार पर निर्धनता का अनुमान लगाने के लिए इसे आवश्यक मौद्रिक उपभोग व्यय में परिवर्तित कर दिया।	ग्रामीण क्षेत्रों के लिए HCR – 40% शहरी क्षेत्रों के लिए HCR – 50%
वाई.के. अलघ टास्क फ़ोर्स *(1977 में गठन और 1979 में रिपोर्ट प्रस्तुत की गयी)*	1973–74	• निर्धनता के अनुमान के लिए ग्रामीण क्षेत्रों के लिए 2,400 कैलोरी प्रतिव्यक्ति प्रतिदिन और शहरी क्षेत्रों के लिए 2,100 कैलोरी प्रतिव्यक्ति प्रतिदिन का उपभोग निश्चित किया गया था। यह तर्क दिया गया था कि ग्रामीण लोग अपने शहरी समकक्ष लोगों की तुलना में अधिक शारीरिक श्रम करते हैं। • निर्धनता के आकलन में स्वास्थ्य और शिक्षा की इस मान्यता के आधार पर गणना नहीं की गयी कि सरकार इसका ध्यान रखेगी।	–

डी.टी. लकड़वाला समिति (*1989* में गठन, *1993* में रिपोर्ट प्रस्तुत की गयी)	1973–74	• प्रतिव्यक्ति उपभोग व्यय पर आधारित कैलोरी सेवन का प्रयोग किया गया था। अर्थात्, ग्रामीण क्षेत्रों के लिए 2,400 कैलोरी और शहरी क्षेत्रों के लिए 2,100 कैलोरी। • आँकड़ों के संग्रह के लिए URP का प्रयोग। • इस समिति ने **'राज्य विशिष्ट निर्धनता रेखा'** की संस्तुति की। • रिपोर्ट के अनुसार, निर्धनता रेखा को अपडेट या अद्यतन करने के लिए ग्रामीण क्षेत्रों में CPI (कृषि श्रम) और शहरी क्षेत्रों में CPI (औद्योगिक श्रम) का प्रयोग होना चाहिए।	54.9% (अखिल भारतीय)
सुरेश तेंदुलकर समिति (*2005* में गठन, *2009* में रिपोर्ट प्रस्तुत की गयी)	2004–05	• इस समिति ने निर्धनता रेखा की रचना नहीं की। इसने लकड़वाला पद्धति पर आधारित 2004-05 की आधिकारिक रूप से मापी गयी शहरी निर्धनता रेखा को अपनाया और इस निर्धनता रेखा को URP उपभोग से **MRP** उपभोग में परिवर्तित कर दिया। • स्वास्थ्य और शिक्षा पर निजी ख़र्च को भी गणना में शामिल कर लिया गया। • ग्रामीण और शहरी दोनों क्षेत्रों के लिए एकसमान शहरी निर्धनता रेखा टोकरी (basket) का प्रयोग किया गया था।	37.2% (अखिल भारतीय) (*यह* **NSSO** *के 61वें दौर के द्वारा की गयी 21.8% निर्धनता के आँकड़े की गणना से बहुत अधिक थी)*

NSSO के 61वें दौर के अनुमान *vs.* (*बनाम*) तेंदुलकर समिति का अनुमान
(ESTIMATES AS PER THE 61st ROUND OF NSSO *vs.* TENDULKAR COMMITTEE ESTIMATES)

NSSO का 61वाँ राउंड या दौर (2004–05) – इस दौर के अनुसार, निर्धनता (HCR) URP के अनुसार 28.31 प्रतिशत और MRP के अनुसार 21.8 प्रतिशत आँकी गयी। यद्यपि, तेंदुलकर समिति की रिपोर्ट के अनुसार, MRP पर आधारित HCR काफ़ी अधिक 37.2 प्रतिशत था।

निम्नलिखित निष्कर्ष निकाले जा सकते हैं :

➤ 1993-94 और 2004-05 दोनों वर्षों की क़ीमत पर तेंदुलकर समिति द्वारा अनुमानित **निर्धनता की व्यापकता (Incidence of Poverty)** अन्य आधिकारिक अनुमानों से **काफ़ी अधिक थी।**

➤ यद्यपि, तेंदुलकर समिति द्वारा निकाली गयी **निर्धनता गिरावट की मात्रा (Extent of Poverty Reduction)** NSSO द्वारा निकाले गये अन्य आधिकारिक अनुमानों के लगभग बराबर थी।

समिति/समूह का नाम	आँकड़ों का आधार (वर्ष)	प्रयुक्त पद्धति का विवरण	निर्धनता का अनुमान (HCR)
रंगराजन समिति (*2012* में गठन, *2014* में रिपोर्ट प्रस्तुत की गयी)	2011–12	• ग्रामीण और शहरी निर्धनता की **पृथक्** गणना की पद्धति का प्रयोग किया गया (लकड़ावाला समिति *के समान*) • ख़र्च की जानेवाली **खाद्य और ग़ैर-खाद्य** दोनों वस्तुओं को गणना में सम्मिलित किया गया था। • MRP के स्थान पर MMRP पद्धति का प्रयोग हुआ। निर्धनता पाँच लोगों के परिवार के मासिक ख़र्च पर आधारित थी (व्यक्तिगत नहीं, जैसा तेंदुलकर समिति के मामले में था)। • सभी तीन, अर्थात् कैलोरी + प्रोटीन + वसा उपभोग मूल्य को निर्धनता के अनुमान के लिए प्रयुक्त किया गया था।	29.5%

परीक्षोपयोगी

तेंदुलकर समिति (*बनाम*) रंगराजन समिति
(TENDULKAR COMMITTEE *vs.* RANGARAJAN COMMITTEE)

तेंदुलकर समिति	रंगराजन समिति
2009 में रिपोर्ट प्रस्तुत की गयी	2014 में रिपोर्ट प्रस्तुत की गयी
प्रतिव्यक्ति मासिक ख़र्च का प्रयोग किया गया	**पाँच लोगों के परिवार** के मासिक ख़र्च का प्रयोग किया गया
MRP पद्धति का प्रयोग	**MMRP पद्धति** का प्रयोग
ख़र्च को मापने में **केवल कैलोरी मूल्य** का उपयोग	ख़र्च की गणना में कैलोरी + प्रोटीन + वसा मूल्य का उपयोग
2004-05 के आँकड़ों के आधार पर निर्धनता का अनुमान **37.2%** था।	2011-12 के आँकड़ों के आधार पर निर्धनता का अनुमान **29.5%** था।
ग्रामीण और शहरी दोनों निर्धनता की गणना के लिए अखिल भारतीय शहरी निर्धनता रेखा टोकरी (basket) का प्रयोग।	**पृथक्** रूप से ग्रामीण और शहरी निर्धनता रेखा टोकरी (basket) का प्रयोग।

बाद में, योजना आयोग ने तेंदुलकर पद्धति और रंगराजन पद्धति का अलग-अलग प्रयोग कर वर्ष 2009-10 और 2011-12 के लिए निर्धनता अनुपात (poverty ratios) का अनुमान लगाया था :

प्रयुक्त कार्य-पद्धति	2009-10 में निर्धनता	2011-12 में निर्धनता	निर्धनता में गिरावट की मात्रा
तेंदुलकर कार्य-पद्धति को प्रयुक्त करती है	29.8%	21.9%	7.9%
रंगराजन कार्य-पद्धति को प्रयुक्त करती है	38.2%	29.5%	8.7%

अतः, यह अर्थ निकाला जा सकता है कि दोनों वर्षों के लिए रंगराजन पद्धति से निकाला गया अखिल भारतीय निर्धनता अनुपात तेंदुलकर पद्धति से निकाले गये अखिल भारतीय निर्धनता अनुपात से अधिक है।

बीपीएल जनगणना (BPL Census)

I. ग्रामीण क्षेत्रों में बीपीएल जनगणना (BPL Census in Rural Areas)

ग्रामीण क्षेत्रों के लिए बीपीएल जनगणना **ग्रामीण विकास मंत्रालय** द्वारा की जाती है। 8वीं पंचवर्षीय योजना के अंतर्गत प्रथम बीपीएल जनगणना 1992 में हुई थी। ग्रामीण क्षेत्रों के लिए दूसरी और तीसरी बीपीएल जनगणना क्रमश: 1997 और 2002 में आयोजित की गयी थी।

बाद में 2008 में, ग्रामीण क्षेत्रों में बीपीएल जनगणना के लिए उपयुक्त कार्य-पद्धति के सुझाव के लिए मंत्रालय ने **एन.सी. सक्सेना समिति** का गठन किया।

समिति ने अपनी 2009 की रिपोर्ट में संस्तुति की कि :

1. जनगणना के लिए **स्वत: समावेश और स्वत: बहिष्करण (automatic inclusion and automatic exclusion)** की कार्य-पद्धति को अपनाया जा सकता है।
2. भारत में बीपीएल दर्जे के अधिकृत लोगों के प्रतिशत के **कम-से-कम 50% को पुन: संशोधित** किया जाये।
3. **राज्य स्तर के अनुमानों में भी समानुपातिक वृद्धि (proportionate increase in state-level estimates)** होनी चाहिए।

इस तरह, एन. सी. सक्सेना समिति के अनुमान **योजना आयोग के अनुमानों से काफ़ी भिन्न हैं।** अनुमान में यह भिन्नता योजना आयोग और ग्रामीण विकास मंत्रालय (MoRD) के बीच विवाद की जड़ है।

2011 में आयोजित की गयी अंतिम (अर्थात् चौथी) बीपीएल जनगणना या **पहली सामाजिक-आर्थिक एवं जातिगत जनगणना (Economic and Caste Census)** के अनुसार भारत में 24.3 करोड़ परिवार हैं, जिनमें 17.91 करोड़ ग्रामीण क्षेत्रों में रहते हैं और इन 17.91 करोड़ ग्रामीण परिवारों के **60 प्रतिशत** को अभावग्रस्त या निर्धन माना गया।

II. शहरी क्षेत्र में बीपीएल जनगणना (BPL Census in Urban Areas)

2012 में **शहरी** क्षेत्र में बीपीएल परिवारों की पहचान के लिए एक कार्य-पद्धति की संस्तुति के लिए आवास और शहरी ग़रीबी उन्मूलन मंत्रालय ने **एस.आर. हाशिम** समिति का गठन किया।

समिति ने एक तीन-चरणवाली पहचान प्रक्रिया की संस्तुति की – (a) **स्वत: बहिष्करण (Automatic Exclusion)** (b) **स्वत: समावेशन (Automatic Inclusion)** (c) इस क्रम में बचे हुए शहरी परिवारों का **स्कोरिंग इंडेक्स (Scoring Index)**।

(a) **चरण 1 - स्वत: बहिष्करण (Automatic Exclusion)**

- परिवार जिनके पास ≥ 4 कमरे का घर है, वे बीपीएल सूची से बाहर कर दिये जायेंगे।
- परिवार जिनके पास चार-पहिया वाहन/मोटर साइकिल/एसी/कंप्यूटर या इंटरनेट के साथ लैपटॉप है, वे बीपीएल सूची से बाहर कर दिये जायेंगे।
- परिवार जिनके पास निम्नलिखित तीनों में कोई भी एक संपत्ति है, वे बाहर कर दिये जायेंगे – रेफ़्रिजरेटर, टेलीफोन, वाशिंग मशीन या दो-पहिया मोटर साइकिल।

(b) **चरण 2 - स्वत: समावेशन (Automatic Inclusion)**

- कुछ विशेष आवासीय या सामाजिक या व्यावसायिक जोखिम का सामना करनेवाले परिवार स्वत: ही बीपीएल सूची में सम्मिलित कर लिये जायेंगे।

(c) **चरण 3 – शेष परिवारों के लिए स्कोरिंग इंडेक्स (Scoring Index for Remaining Households)**

- सूची में सम्मिलित होने के लिए, इन्हें विभिन्न संकेतकों पर आधारित 0 से 12 तक के स्कोर दिये जायेंगे।

एस.आर. हाशिम समिति की संस्तुतियों को अब-तक लागू नहीं किया गया है।

निर्धनता पर अमर्त्य सेन का क्षमता-दृष्टिकोण (Amartya Sen's Capability Approach on Poverty)

क्षमता-दृष्टिकोण एक **जन-केंद्रित दृष्टिकोण (people-focused approach) है।** इसका फ़ोकस **लोगों की भलाई को उनकी क्षमता में विस्तार के द्वारा बढ़ाना है,** ताकि वे उस जीवन को आगे बढ़ा सकें, जिसे वे महत्त्व देते हैं।
यह कल्याणकारी कार्यक्रमों को बढ़ावा नहीं देता, बल्कि सशक्तीकरण पहलों का समर्थन करता है।

क्षमता-दृष्टिकोण में निम्नलिखित दो तत्व समाहित हैं :

1. सुख-सुविधा प्राप्त करने की स्वतंत्रता प्रमुख नैतिक आवश्यकता है।
2. और उस सुख-सुविधा को लोगों की क्षमता और कार्यप्रणाली के रूप में समझा जाना चाहिए।

जिसके फलस्वरूप, विकास को अब एक सक्षम वातावरण बनाने की प्रक्रिया के रूप में देखा जाता है, ताकि लोग मूल्यवान् कार्यों या क्रियाओं (functionings) को प्राप्त कर सकें और जिसे वे मूल्यवान् समझते हैं, उसको आगे बढ़ाने की उन्हें स्वतंत्रता हो।

यद्यपि, कई लोगों ने क्षमता दृष्टिकोण की इसके **व्यक्तिवादी (individualistic), अनुमान आधारित (undertheorised) होने और सूचना अंतराल (information gaps) रखने** के कारण आलोचना की है।

निर्धनता का सेन सूचकांक (Sen Index of Poverty)

1976 में नोबेल विजेता **प्रो. अमर्त्य सेन** द्वारा विकसित यह सूचकांक देश में निर्धनता की मात्रा और तीव्रता के साथ-साथ असमानता के स्तर को भी बताता है। यह तीन तत्वों पर आधारित है। अर्थात्, HCR, **निर्धनता अंतराल सूचकांक (Poverty Gap Index)** और गिनी गुणांक (Gini Co-efficient) पर।
गणितीय रूप से,

$$S = H\,[I + (1 - I)\,G]$$

जहाँ, S = निर्धनता का सेन सूचकांक (Sen Index of Poverty); H = प्रतिव्यक्ति अनुपात (Head Count Ratio);
I = निर्धनता अंतराल सूचकांक (Poverty Gap Index); G = गिनी गुणांक (Gini Co-efficient)

अनियमित रूप से नियंत्रित परीक्षण (Randomised Controlled Trial)

अर्थव्यवस्था के लिए **2019** के नोबेल पुरस्कार विजेता – *अभिजीत बनर्जी, एस्टर डफ्लो और माइखल क्रेमर* – को निर्धनता कम करने की विभिन्न नीतियों की प्रभावशीलता की जाँच के लिए यादृच्छिक नियंत्रित परीक्षण [Randomised Controlled Trial (RCT)] करने के लिए महत्त्वपूर्ण माना जाता है।

RCT एक ऐसा प्रयोग है, जो किसी परिणाम या घटना पर पड़नेवाले कुछ हस्तक्षेपों या चर राशियों के प्रभाव को पृथक् करने के लिए बनाया गया है।

उदाहरण के लिए, एक शोधकर्ता; जो उस प्रभाव को जानना चाहता है; जो स्कूलों में अधिक शिक्षकों को नियोजित कराते हैं, तो वह बच्चों के सीखने के परिणामों पर **यादृच्छिक या अनियमित रूप से नियंत्रित परीक्षण कर सकता है।**

अतिरिक्त जानकारी

नितांत आवश्यकता सूचकांक (BARE NECESSITIES INDEX)

आर्थिक सर्वेक्षण 2020-21 ने शुद्ध आवश्यकता सूचकांक या बेयर नेसेसटीज़ इंडेक्स की अवधारणा को प्रस्तुत किया है और आवास, जल, स्वच्छता, बिजली और स्वच्छ ईंधन जैसी शुद्ध आवश्कताओं तक पहुँच के महत्त्व को उजागर किया है, जिनका उपभोग परिवार के सभी सदस्यों द्वारा किया जाता है।

यह **26 संकेतकों** का प्रयोग कर निकाला जाता है, ये संकेतक **5 आयामों** – जल, स्वच्छता, सूक्ष्म-पर्यावरण तथा अन्य सुविधाओं – पर आधारित हैं।

परीक्षोपयोगी

सार्वभौमिक बुनियादी आय – क्या अकेली UBI योजना सभी वर्तमान कल्याणकारी योजनाओं का विकल्प है? [UNIVERSAL BASIC INCOME (UBI) – IS THIS SINGLE - UBI SCHEME AN ALTERNATIVE TO ALL EXISTING WELFARE SCHEMES?]

2016-17 के आर्थिक सर्वेक्षण के एक अध्याय में UBI को स्पष्ट किया गया था।

UBI एक ऐसी अवधारणा है, जिसके अंतर्गत एक **आवधिक नक़द भुगतान (periodic cash payment)** होता है, जो व्यक्तिगत आधार पर और बिना किसी परीक्षण या कार्य आवश्यकता के बिना शर्त वितरित किया जाता है।

कई देश अपने नागरिकों को उनके आर्थिक या रोज़गार स्तर पर ध्यान दिये बिना आय की एक गारंटीकृत राशि प्रदान कर UBI के विकल्प की तरफ़ जाने के बारे में विचार कर रहे हैं।

अत:, UBI इस सिद्धांत पर आधारित है कि प्रत्येक नागरिक के पास अपनी ज़रूरतों को पूरा करने के लिए, आधारभूत आय का अधिकार होना चाहिए :

1. **सार्वभौमिकता (Universality)** (संपूर्ण जनसंख्या को लक्ष्य करना)
2. **बिना शर्त (Unconditionality)**
3. **अभिकरण (Agency)**

UBI के लिए तर्कसंगत आधार (Rationale for UBI)

- यह व्यक्ति को अपनी पसंद के अनुसार ख़र्च करने की स्वतंत्रता प्रदान करता है।
- UBI विकसित देशों में तकनीकी-प्रेरित बेरोज़गारी का एक समाधान हो सकता है।
- यह असमानता को कम कर सकता है और कुल उपभोक्ता माँग को बढ़ा सकता है।
- यह निर्धनों के सशक्तीकरण के द्वारा सामाजिक न्याय को प्रोत्साहित कर सकता है, जिससे वे स्वयं के आर्थिक निर्णयों और विकल्पों को निर्मित कर सकें।
- UBI सभी कल्याणकारी योजनाओं (वर्तमान में लगभग 950 योजनाएँ चल रही हैं) का स्थान ले सकता है, जिनपर GDP की लगभग 5.2 प्रतिशत राशि ख़र्च होती है (2016-17 के GDP आँकड़ों पर आधारित)।
- यह कल्याणकारी योजनाओं के कार्यान्वयन के दौरान उत्पन्न होनेवाले रिसाव (leakage) और अपव्यय को दूर कर सकता है।
- इसके अतिरिक्त, बड़ी संख्या में कल्याणकारी योजनाओं के स्थान पर एक UBI की निगरानी करना आसान होगा।
- रिसाव या बर्बादी और भ्रष्टाचार का समाधान हो सकता है।
- तीव्र तकनीकी प्रगति के परिणामस्वरूप कार्यबल के प्रयोग नहीं होने के कारण अपेक्षित बेरोज़गारी से निपटने में सहायता मिल सकती है।
- वित्तीय समावेशन (financial inclusion) के स्तर में सुधार हो सकता है।

UBI को लागू करने की लागत (Cost of implementing UBI)

2016-17 के आर्थिक सर्वेक्षण के अनुमानों के अनुसार UBI लागू करने में GDP का लगभग 4.9 प्रतिशत ख़र्च आयेगा, जो एकसाथ सभी कल्याणकारी योजनाओं पर ख़र्च किये गये GDP के 5.2 प्रतिशत के वर्तमान ख़र्च से कम है।

आर्थिक सर्वेक्षण ने आगे सुझाव दिया कि प्रतिव्यक्ति UBI राशि को क़ीमतों के अनुसार अनुक्रमित या सूचीबद्ध किया जायेगा और समय-समय पर इसमें संशोधन/वृद्धि की जायेगी।

UBI के कार्यान्वयन में चुनौतियाँ (Challenges in implementing UBI)

- UBI को लागू करने के लिए एक प्रभावी रूप से कार्यात्मक JAM (जन-धन, आधार, और मोबाइल) अवसंरचना पूर्व-आवश्यकता है।
- **केंद्र और राज्यों के ख़र्च के हिस्से** का निर्णय करना।
- छूटे हुए ग्रामीण क्षेत्रों में बैंकिंग प्रणाली को लागू करने का दबाव।

➤ वर्तमान परिदृश्य में यदि एक योजना प्रदर्शन करने में विफल रहती है, तो दूसरी योजना उस नुक़सान की भरपाई कर सकती है। लेकिन, UBI के मामले में, **UBI के ख़राब संचालन के लिए कोई विकल्प नहीं होगा।**

➤ एक निर्धन व्यक्ति शराब, जुआ आदि जैसी **अवांछित गतिविधियों** में UBI की राशि को ख़र्च कर सकता है। हालाँकि, मध्य प्रदेश में 2011 के एक पायलट प्रोजेक्ट ने UBI के पक्ष में परिणाम दिये हैं।

➤ कुछ आलोचकों द्वारा चिंता जतायी गयी है कि क्या UBI वास्तव में सभी कल्याणकारी योजनाओं का प्रतिस्थापन कर पायेगा या **उनका पूरक होगा।** यदि कल्याणकारी योजनाएँ और UBI दोनों को समानान्तर रूप से लागू किये जाते हैं तो सरकारी ख़ज़ाने पर भारी बोझ आयेगा।

➤ कुछ देश; जैसे कनाडा, ब्राज़ील, ईरान आदि हैं, जिन्होंने पायलट आधार पर UBI का प्रयोग किया है। लेकिन अब तक विश्व की **किसी भी प्रमुख अर्थव्यवस्था ने** इसे पूर्ण रूप से **लागू नहीं किया है।**

अत: UBI पर गंभीर विश्लेषण और चर्चा की तत्काल आवश्यकता है, ताकि एक समयावधि में इसकी व्यवहारिकता और कार्यान्वयन के संबंध में एक मार्ग पर विचार किया जा सके और उसे प्राप्त किया जा सके।

आय-असमानता (INCOME INEQUALITY)

समाज में कई प्रकार की असमानताएँ हैं, जैसे- सामाजिक असमानता, आय-असमानता आदि। यहाँ हम आय-असमानता पर ग़ौर करेंगे। अमीर और निर्धन के बीच आय **अंतराल** (**gap**) को **आय-असमानता** कहा जाता है। दूसरे शब्दों में, यह आर्थिक संपत्ति और आय के वितरण में असमानता को इंगित करती है।

आय-असमानता के कारण (Causes of Income Inequality)

➤ संपत्ति का निजी कॉर्पोरेट क्षेत्र में संकेंद्रण
➤ निजी निवेश में शहर की तरफ़ झुकाव
➤ वस्तुओं और सेवाओं में उच्च मुद्रास्फीति (महँगाई)
➤ उत्पादन के पूँजी आधारित साधनों पर अधिक ध्यान या फ़ोकस
➤ बड़े पैमाने पर जनसंख्या के कौशल सुधार का अभाव
➤ देश के अधिकांश ग्रामीण क्षेत्रों में कुशल स्वास्थ्य और शिक्षा सेवाओं की कमी
➤ देश के ग्रामीण और अर्ध-शहरी भागों के काफ़ी हिस्सों में वित्तीय समावेशन की कमी, इत्यादि

आय-असमानता मापने की पद्धतियाँ (Methods to Measure Income Inequality)

सापेक्ष ग़रीबी की अवधारणा (concept of relative poverty) का प्रयोग किसी देश की आय-असमानता के स्तर को चिह्नित करने के लिए किया जाता है। यह गणितीय रूप से **गिनी गुणांक (Gini Coefficient)** और रेखा-चित्र (graph) के रूप में **लॉरेंज़ वक्र (Lorenz curve)** के माध्यम से मापी जाती है।

1. गिनी गुणांक या गिनी सूचकांक (Gini Coefficient or Gini Index)

➤ इसे इटली के सांख्यिकीविद् और समाजशास्त्री **कोराडो गिनी ने 1912 में** विकसित किया था।

➤ यह किसी देश में **आय-असमानता की मात्रा (degree of income inequality)** को मापता है, यह वह अनुपात (ratio) है, जिसे विकर्ण या diagonal (पूर्ण समानता की रेखा) और लॉरेंज़ वक्र के बीच के क्षेत्रफल को अर्द्ध वर्ग, जिसमें वक्र स्थित होता है, के कुल क्षेत्रफल से विभाजित कर प्राप्त किया जाता है।

- गिनी गुणांक का मूल्य **0 और 1 के बीच होता है।**
- 0 (शून्य) पूर्ण समानता को दर्शाता है, अर्थात् ऐसी परिस्थिति को प्रदर्शित करता है, जिसमें प्रत्येक निवासी की समान आय है।
- 1 (एक) पूर्ण असमानता को दर्शाता है, अर्थात्, एक निवासी संपूर्ण आय को प्राप्त करता है और अन्य के पास कोई आय नहीं है।
- सरलता से समझने के लिए– मान लीजिए; यदि **गिनी गुणांक में वृद्धि** 0.29 से 0.36 होती है, तो यह आय-असमानता के और अधिक होने को दर्शाता है, जो एक अर्थव्यवस्था के लिए निश्चित रूप से **अच्छा नहीं** है।
- गिनी गुणांक जिनता अधिक होगा, उस देश में अमीर और निर्धन के बीच की खाई उतनी अधिक चौड़ी होगी, अर्थात् आय-असमानता का उच्च स्तर होगा।

2. लॉरेंज़/लॉरेञ्ज़ वक्र (Lorenz Curve)

- यह एक वक्र है, जो **अर्जित आय के प्रतिशत और इस आय प्रतिशत को अर्जित करनेवाले लोगों के प्रतिशत के बीच संबंध** को मापता है।
- यह **गिनी गुणांक का रेखाचित्रीय (graphical) प्रतिरूप है।** दूसरे शब्दों में, गिनी गुणांक को रेखाचित्रीय रूप में लॉरेंज़ वक्र के माध्यम से प्रदर्शित किया जा सकता है।

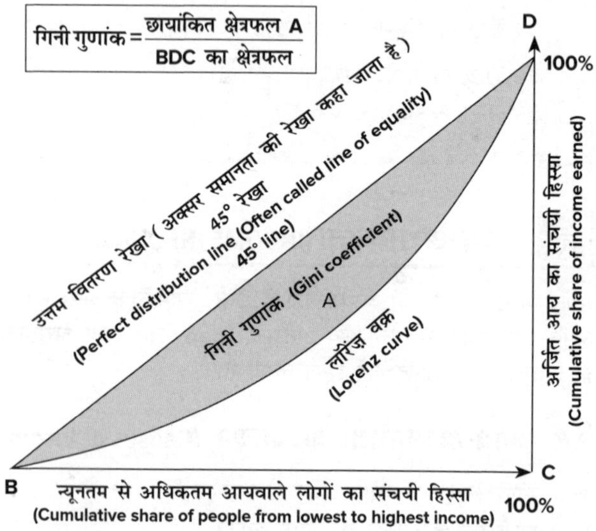

लॉरेंज़ वक्र प्रदर्शित करता है-

- पूर्ण समानता को 45 डिग्री के एक सीधे वक्र द्वारा प्रदर्शित किया जाता है।
- पूर्ण समानता रेखा के नीचे स्थित वक्र लॉरेंज़ वक्र को प्रदर्शित करता है।
- लॉरेंज़ वक्र पूर्ण समानता रेखा (Line of perfect equality) के जितना नज़दीक होगा, आय-असमानता का स्तर (level of income inequality) उतना कम होगा और जितना दूर होगा, असमानता का स्तर उतना अधिक होगा।
- 'A' छायांकित क्षेत्रफल को दर्शाता है।
- ग्राफ़ के अनुसार,

$$\text{गिनी गुणांक (Gini coefficient)} = \frac{\text{छायांकित क्षेत्रफल A (Shaded area A)}}{\text{BDC का क्षेत्रफल (Total area BCD)}}$$

- यदि A = 0, तो इसका अर्थ है लॉरेंज़ व्रक वास्तव में समानता की रेखा है और तब यह गिनी गुणांक = 0 के साथ पूर्ण समानता को दर्शाता है।

हूवर सूचकांक (Hoover Index)

इसे रॉबिन हुड सूचकांक (Robin Hood index) या शुट्ज़ सूचकांक (Schutz index) के नाम से भी जाना जाता है। हूवर सूचकांक आय-असमानता का एक उपाय है। यह कुल जनसंख्या की आय के प्रतिशत के बराबर है, जिसे सभी आय को समान बनाने के लिए पुनर्वितरित करना होगा।

उच्च सूचकांक मान = अधिक असमानता
कम सूचकांक मान = कम असमानता

45 डिग्री की रेखा पूर्ण समानता दर्शाती है।

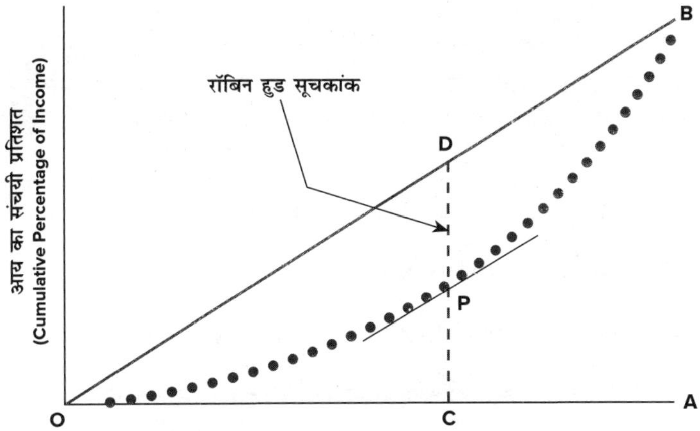

भारत में आय-असमानता की वर्तमान स्थिति – एक वैश्विक तुलना (Present Status of Income Inequality in India – A Global Comparison)

- मानव विकास संबंधी UNDP (United Nations Development Programme) की **2023/24 की रिपोर्ट** के अनुसार, 2010-2022 की अवधि के दौरान भारत का आय **गिनी गुणांक (Income Gini Coefficient)** घटकर **0.342** हो गया है। 2011 की रिपोर्ट के अनुसार, यह 0.368 था।
- 2023/24 की रिपोर्ट के अनुसार, कई विकसित देश हैं, जिनकी **आय-असमानता भारत से काफ़ी अधिक** है। इनमें चीन (0.382), संयुक्त राज्य अमेरिका (0.398), इज़रायल (0.386), रूस (0.360) इत्यादि जैसे कुछ देश सम्मिलित हैं।

भारत में आय और संपत्ति में असमानता, 1922-2023 : अरबपति राज का उदय (INCOME AND WEALTH INEQUALITY IN INDIA, 1922–2023: The Rise of the Billionaire Raj)

वर्ल्ड इनइक्वलिटी लैब (World Inequality Lab)

वर्ल्ड इनइक्वलिटी लैब की इस रिपोर्ट में अनुमान लगाया गया है कि "स्वतंत्रता के बाद 1980 के दशक की शुरुआत तक असमानता में गिरावट आयी, जिसके बाद यह बढ़ना शुरू हुई और 2000 के दशक की शुरुआत से आसमान छू रही है"। नीचे रिपोर्ट की कुछ मुख्य बातें दी गयी हैं :

- 1960 और 2022 के बीच वास्तविक रूप से **भारत की औसत आय 2.6% प्रतिवर्ष की दर से बढ़ी**। रिपोर्ट के अनुसार, 62 वर्षों की इस अवधि को मोटे तौर पर दो हिस्सों में विभाजित किया जा सकता है –
  i. 1960 और 1990 के बीच आय की औसत वास्तविक वृद्धि दर 1.6% प्रतिवर्ष थी।
  ii. 1990 और 2022 के बीच आय की औसत वास्तविक वृद्धि दर 3.6% प्रतिवर्ष थी।
- रिपोर्ट में यह भी बताया गया है कि 2005-2010 और 2010-2015 की अवधि में क्रमशः 4.35 और 4.9% की सबसे तेज़ वृद्धि दर देखी गयी।
- रिपोर्ट में बताया गया है कि **आयकरदाताओं का प्रतिशत काफ़ी बढ़ गया है**। 1990 के दशक तक, 1% से कम वयस्कों ने आयकर रिटर्न दाख़िल किया। 1991 के आर्थिक सुधारों के बाद, यह हिस्सेदारी बढ़कर 5% हो गयी और पिछले दशक (विशेषकर 2017 और 2022 के बीच) में यह हिस्सेदारी 9% हो गयी है।
- ज़ाहिर है, इस रिपोर्ट में कहा गया है कि जिन व्यक्तियों की कुल संपत्ति बाज़ार विनिमय दर पर 1 बिलियन अमरीकी डॉलर से अधिक है, उनकी संख्या 1991 में एक से बढ़कर 2011 में 52 और 2022 में 162 हो गयी है।

- यह ध्यान देने योग्य बात है कि भारत में **शीर्ष 1% लोगों का धन संचय** 1961 में 13% से बढ़कर 2023 में 39% हो गया है। विश्व स्तर पर, **भारत उच्चतम स्तर पर है**, जहाँ इस छोटी आबादी के पास अर्थव्यवस्था का बड़ा हिस्सा है।
- निम्नलिखित ग्राफ़ भारत सहित कुछ प्रमुख देशों की शीर्ष 10% और 1% आबादी के पास धन की सघनता को दर्शाता है :

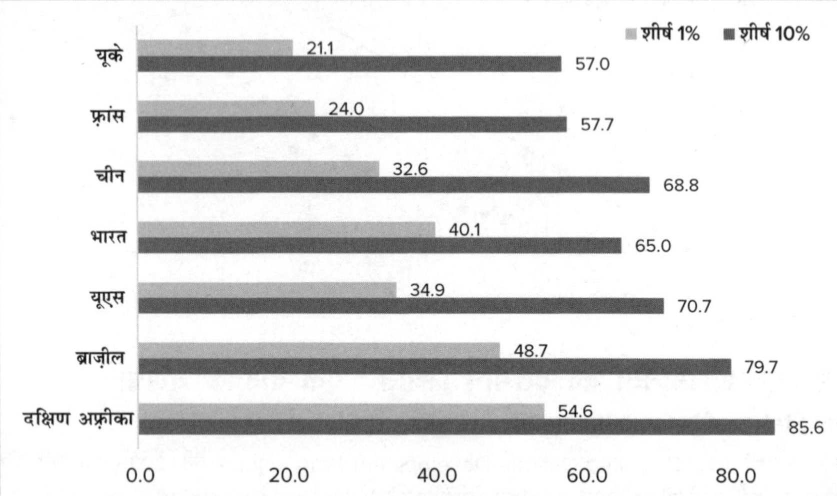

रिपोर्ट में सुझाये गये नीति समाधान में कहा गया है कि **भारतीय बिलेनियर्स और मल्टीमिलेनियर्स पर सुपर टैक्स लागू किया जाए**, आय और संपत्ति दोनों को शामिल करने के लिए कर अनुसूची का पुनर्गठन किया जाए, ताकि शिक्षा, स्वास्थ्य और अन्य सार्वजनिक बुनियादी ढाँचे में बड़े निवेश को वित्तपोषित किया जा सके, जो बढ़ती असमानताओं की समस्या का समाधान करने के लिए प्रभावी उपाय हो सकते हैं।

विश्व असमानता रिपोर्ट, 2022 (WORLD INEQUALITY REPORT, 2022)

यह रिपोर्ट पेरिस स्थित विश्व असमानता प्रयोगशाला (World Inequality Lab) द्वारा प्रकाशित की गयी है। इस रिपोर्ट के अनुसार :

- **मध्यपूर्व** और **उत्तरी अफ़्रीका** दुनिया के **सबसे असमान** क्षेत्रों के रूप में खड़े हैं (शीर्ष 10 प्रतिशत की आय हिस्सेदारी 58 प्रतिशत थी)।
- **यूरोप** सभी क्षेत्रों में **सबसे अधिक समान** है (शीर्ष 10 प्रतिशत की आय हिस्सेदारी 36 प्रतिशत थी)।
- यूरोप, लैटिन अमेरिका और दक्षिणपूर्व एशिया ने 2020 में राष्ट्रीय आय में सबसे बड़ी गिरावट का अनुभव किया (−6 और −7.6 प्रतिशत के बीच), जबकि पूर्वी एशिया (महामारी का केंद्र) अपनी 2020 की आय को 2019 के स्तर पर बनाये रखने में सक्षम था।
- **भारत दुनिया के सबसे असमान देशों में से एक है**, शीर्ष 10 प्रतिशत भारतीयों ने राष्ट्रीय आय के 57 प्रतिशत पर क़ब्ज़ा किया हुआ है, जबकि निचले 50 प्रतिशत को केवल 13 प्रतिशत ही मिलता है।
- आज भारत में आय-असमानता, ब्रिटिश शासन की तुलना में बदतर है (*ब्रिटिश शासन के दौरान, शीर्ष 10 प्रतिशत को राष्ट्रीय आय का लगभग 50 प्रतिशत प्राप्त हुआ, जो आज की तुलना में कम है*)।

आय-असमानता के प्रभाव (Impact of Income Inequality)

- अमीर और अधिक अमीर हो जाते हैं, जबकि निर्धन और अधिक निर्धन हो जाते हैं।
- 'जिनके पास है (have)' और 'जिनके पास नहीं है (have not)' के बीच निरंतर वर्ग-संघर्ष बना रहता है।
- देश में राजनीतिक अस्थिरता रहती है।

आय-असमानता दूर करने के लिए सरकार द्वारा उठाये गये क़दम
(Measures taken by the Government to Combat Income Inequality)

1. भूमि सुधार।
2. MRTP अधिनियम (MRTP Act) (अब समाप्त) और प्रतिस्पर्धा अधिनियम (Competition Act), 2002 के माध्यम से एकाधिकार और प्रतिबंधात्मक व्यापार गतिविधियों पर नियंत्रण।
3. रोज़गार सृजन करनेवालीं योजनाएँ जैसे- **मनरेगा (MGNREGA)**।
4. प्रत्यक्ष कर के अंतर्गत प्रगतिशील कराधान प्रणाली।
5. शिक्षा और अच्छे-भुगतानवालीं नौकरियों तक एक-समान पहुँच।

यद्यपि, आलोचकों का तर्क है कि जो विभिन्न क़दम उठाये गये हैं, वास्तव में उनका हमारे देश में आय-असमानता कम करने में **बहुत कम प्रभाव हुआ है।**

अतः, असमानता को कम करने के कुछ और सुझाये गये उपाय हो सकते हैं :

1. उत्तराधिकार कर (**विरासत कर/inheritance tax**) और **संपत्ति कर (wealth tax)** इत्यादि को फिर शुरू करके अति-धनी (super-rich) लोगों पर कर लगाना।
2. **श्रम-प्रधान क्षेत्रों (labour-intensive sectors)** को प्रोत्साहित कर समावेशी संवृद्धि को बढ़ावा देना तथा कृषि और **सामाजिक सुरक्षा योजनाओं (agriculture and social protection schemes)** पर अधिक ध्यान केंद्रित करना।
3. आँकड़ों की पारदर्शिता और बेहतर वित्तीय समावेशन (financial inclusion)।

संक्षिप्त विवरण

- **निर्धनता (Poverty)**- वित्तीय संसाधनों की कमी की स्थिति - इसमें व्यक्ति या समुदाय अपनी बुनियादी आवश्यकताओं को पूरा करने में असमर्थ होता है - भारतीय संदर्भ में, इस पर विचार करने के लिए जीवन के उचित स्तर के स्थान पर जीवन के न्यूनतम स्तर पर ध्यान दिया जाता है।
- **सापेक्ष निर्धनता (Relative Poverty)**- आय-असमानता का प्रतिनिधित्व करती है।
- **निरपेक्ष निर्धनता (Absolute Poverty)**- भोजन, कपड़े, स्वास्थ्य, शिक्षा, स्वच्छता सुविधाओं, आश्रय आदि जैसी आधारभूत मानवीय आवश्यकताओं से वंचित होना - निर्धनता रेखा के माध्यम से इसे मापा जाता है।
- **निर्धनता रेखा (Poverty Line)**- बुनियादी आवश्यकताओं को पूरा करने के लिए आय का आवश्यक स्तर - एक देश से दूसरे देश में भिन्न हो सकती है - विश्व बैंक के अनुसार, अंतरराष्ट्रीय निर्धनता रेखा 1.90 डालर प्रतिव्यक्ति प्रतिदिन है।
- **प्रतिव्यक्ति अनुपात/ निर्धनता व्यापकता अनुपात [Head Count Ratio (HCR)/Poverty Incidence Ratio]** - 'निर्धनता रेखा से नीचे जीवन यापन करनेवाले' (BPL) लोगों की कुल संख्या और कुल जनसंख्या के बीच अनुपात- किसी राष्ट्र में निर्धनता घटित होने की आवृत्तियों को इंगित करता है।
- **निर्धनता अंतराल अनुपात (Poverty Gap Ratio)**- निर्धनता रेखा और 'निर्धनता रेखा से नीचे जीवन यापन करनेवाले' (BPL) परिवारों के औसत वास्तविक मासिक उपभोग और व्यय के बीच का अंतर - यह किसी राष्ट्र में निर्धनता की तीव्रता को इंगित करता है।
- **ग्रामीण क्षेत्रों में 'निर्धनता रेखा से नीचे जीवन यापन करनेवालों' (BPL) की जनगणना (BPL Census in rural areas)**- ग्रामीण विकास मंत्रालय द्वारा आयोजित की जाती है - इस तरह की पहली जनगणना 1992 में आयोजित की गयी - 'निर्धनता रेखा से नीचे जीवन यापन करनेवालों' (BPL) की नवीनतम या चौथी जनगणना (पहली सामाजिक-आर्थिक और जाति जनगणना) 2011 में आयोजित की गयी - इस जनगणना के अनुसार, 17.91 करोड़ ग्रामीण परिवारों में से 60% को निर्धन/वंचित माना गया है।

➤ **शहरी क्षेत्रों में 'निर्धनता रेखा से नीचे जीवन यापन करनेवालों'** (BPL) **की जनगणना (BPL Census in urban areas)**- आवास और शहरी निर्धनता उपशमन मंत्रालय के अंतर्गत - तीन चरणीय पहचान प्रक्रिया - एस.आर. हाशिम समिति द्वारा अनुशंसित।

➤ **नितांत आवश्यकता सूचकांक (Bare Necessities Index)**- आर्थिक सर्वेक्षण 2020-21 में इसका उल्लेख किया गया है - यह पाँच आयामों पर आधारित है- जल, स्वच्छता, आवास, सूक्ष्म पर्यावरण और अन्य सुविधाएँ (जैसे- बिजली और खाना पकाने का स्वच्छ ईंधन)।

➤ **आय-असमानता (Income Inequality)**- अमीर और निर्धन के बीच आय में अंतर - इसे गिनी-गुणांक और लॉरेंज़ वक्र के माध्यम से मापा जाता है।

यूपीएससी सिविल सेवा के पिछले वर्षों की प्रारंभिक परीक्षा के प्रश्न

1. भारत में एक दिये गये वर्ष में, आधिकारिक निर्धनता रेखा अन्य राज्यों की तुलना में कुछ राज्यों में अधिक हैं, क्योंकि **[2019]**

(a) निर्धनता दर अलग-अलग राज्यों में अलग-अलग है
(b) क़ीमत स्तर अलग-अलग राज्यों में अलग-अलग है
(c) सकल राज्य उत्पाद अलग-अलग राज्यों में अलग-अलग है
(d) लोक वितरण की गुणवत्ता अलग-अलग राज्यों में अलग-अलग है

2. UNDP के सहयोग से ऑक्सफोर्ड पॉवर्टी ऐंड ह्यूमन डेवेलपमेंट इनिसिएटिव द्वारा विकसित MPI निम्न में किसे समाहित करता है? **[2012]**

1. पारिवारिक इकाई के स्तर पर शिक्षा, स्वास्थ्य, परिसंपत्ति और सेवाओं का अभाव।
2. राष्ट्रीय स्तर पर क्रय शक्ति समता।
3. राष्ट्रीय स्तर पर बजट घाटा और GDP वृद्धि दर की मात्रा

नीचे दिये गये कोड का उपयोग कर सही उत्तर चुनें :

(a) केवल 1 **(b)** केवल 2 और 3
(c) केवल 1 और 3 **(d)** 1, 2 और 3

☞ **कोई प्रश्न नहीं**
2024, 2023, 2022, 2021, 2020, 2018, 2017, 2016, 2015, 2014, 2013

उत्तर कुंजी

1. (b) 2. (a)

यूपीएससी सिविल सेवा के पिछले वर्षों की मुख्य परीक्षा के प्रश्न

☞ **कोई प्रश्न नहीं**
2024, 2023, 2022, 2021, 2020, 2019, 2018, 2017, 2016, 2015, 2014, 2013

अध्याय 5

बेरोज़गारी और श्रम सुधार (Unemployment and Labour Reforms)

अध्याय की रूपरेखा

- भारत में बेरोज़गारी
- भारत में बेरोज़गारी मापने की पद्धतियाँ
- नौकरियों में अंतर : बेरोज़गारी से परे श्रम अल्पउपयोग को मापना
- बेरोज़गारी के प्रकार
- भारत में कार्य-बल का आकार और बेरोज़गारी की वर्तमान दर
- श्रम एवं रोज़गार मंत्रालय के अंतर्गत महत्त्वपूर्ण संगठन
- श्रम सांख्यिकी और बेरोज़गारी से संबंधित विभिन्न रिपोर्ट/सर्वेक्षण
- आवधिक श्रम बल सर्वेक्षण (PLFS) की वार्षिक रिपोर्ट 2023-24
- भारत में व्यवसायगत संरचना
- बीवरेज वक्र या यूवी वक्र
- कार्य-बल का आकस्मिकीकरण और अनौपचारिकीकरण
- बेरोज़गारी कम करने के लिए सरकार द्वारा उठाये गये हाल के क़दम
- श्रम सुधार
- औद्योगिक श्रम क़ानूनों में किये गये हालिया सुधार
- औद्योगिक रोज़गार (स्थायी आदेश) केंद्रीय (संशोधन) नियम, 2018
- वर्ष 2019 में शुरू की गयीं दो नयी पेंशन योजनाएँ (श्रम एवं रोज़गार मंत्रालय द्वारा)
- कर्मचारियों के लिए सामाजिक सुरक्षा योजनाएँ

भारत में बेरोज़गारी (UNEMPLOYMENT IN INDIA)

बेरोज़गारी की परिभाषा निम्नलिखित विशेषताएँ प्रकट करती है :

- इसकी प्रकृति स्थायी नहीं होती।
- यह केवल कामकाजी उम्र के सक्षम-शरीरवाले व्यक्तियों के लिए लागू होती है, अर्थात् ऐसे व्यक्ति, जिनकी आयु 15 से 60 वर्ष के बीच हो और जो कार्य करने के लिए मानसिक और शारीरिक रूप से सक्षम या फ़िट हों।
- काम करने की योग्यता या क्षमता का अर्थ काम करने की इच्छा से भी है।

अत:, एक बेरोज़गार व्यक्ति वह है; जो कार्य करने की योग्यता या क्षमता रखता हो, कार्य करने की इच्छा रखता हो और कार्यशील आयु-वर्ग (15-60) का हो, लेकिन उसे वर्तमान पारिश्रमिक दर पर काम नहीं मिलता हो।

भारत में बेरोज़गारी के कारण (Reasons for Unemployment in India)

- मंद या धीमा आर्थिक विकास
- जनसंख्या में अचानक वृद्धि
- अनुपयुक्त शिक्षा प्रणाली
- ज़रूरी कौशल और उपलब्ध कौशल के बीच ताल-मेल न होना
- सरकारी योजना का सीमित प्रभाव

अल्परोज़गार (Underemployment) – जब कोई व्यक्ति अपनी शिक्षा या कौशल के स्तर से नीचे का कार्य करता है, तो इसे अल्परोज़गारी कहा जाता है। यह दो प्रकार की हो सकती है – दृश्य और अदृश्य अल्परोज़गारी।

बेरोज़गारी की विभिन्न अवधारणाएँ (Various Concepts under Unemployment)

1. *श्रम-आपूर्ति (Labour Supply)*

- यह श्रम की आपूर्ति (**मानव-दिनों में**) को प्रस्तुत करता है, जो कामगार विभिन्न पारिश्रमिक दरों पर श्रम देने के लिए इच्छुक होते हैं।
- श्रम आपूर्ति हमेशा **पारिश्रमिक दर** से संबंधित होती है।
- कामगारों या श्रमिकों की संख्या स्थिर रहने **पर भी** श्रम की आपूर्ति बढ़ या घट सकती है।

सामान्यत:, एक मानव दिन में 8 घंटे काम को दर्शाता है।

2. *श्रम-बल (Labour Force)*

- यह **वास्तव में कार्यशील या कार्य करने के इच्छुक व्यक्तियों की संख्या को प्रस्तुत करता है।**
- यह **पारिश्रमिक दर से संबंधित नहीं है।**
- यह **व्यक्तियों की संख्या** के रूप में मापा जाता है (व्यक्ति-दिनों के रूप में नहीं)।

3. *कार्य-बल (Work Force)*

- यह **केवल उन व्यक्तियों को** प्रस्तुत करता है, जो वास्तव में कार्यशील हैं।
- यह उन लोगों की गणना नहीं करता, जो कार्य करने के इच्छुक हैं, लेकिन कार्यशील नहीं हैं।

भिखारी, चोर या जुआरी को श्रमिक नहीं माना जाता है।

परीक्षोपयोगी

बेरोज़गार लोगों की संख्या (Number of persons unemployed) = श्रमबल – कार्यबल

बेरोज़गारी दर (Rate of Unemployment) = बेरोज़गार व्यक्तियों की संख्या / कुल श्रम-बल × 100

बेरोज़गारों का अनुपात (Proportion of Unemployed)
= बेरोज़गार व्यक्तियों की संख्या / 15 वर्ष से अधिक आयु की कुल जनसंख्या × 100

श्रम-बल भागीदारी दर [Labour Force Participation Rate (LFPR)]
= श्रम-बल / 15 वर्ष से अधिक आयु की कुल जनसंख्या × 100

कार्य-बल भागीदारी दर [Work Force Participation Rate (WFPR)]
= कार्य बल / 15 वर्ष से अधिक आयु की कुल जनसंख्या × 100

बेरोज़गारी की तीव्रता (Employment Intensity) = वास्तविक GDP के प्रतिलाख पर रोज़गार **प्राप्त** व्यक्तियों की संख्या।

भारत में बेरोज़गारी मापने की पद्धतियाँ (Methods to Measure Unemployment in India)

1960 में योजना आयोग द्वारा गठित **प्रो. एम.एल. दंतवाला समिति** की संस्तुतियों के अनुसार, बेरोज़गारी को मापने के लिए NSSO द्वारा (*1972-73 से*) **तीन पद्धतियों** का प्रयोग किया जाता है, जो राष्ट्रीय प्रतिदर्श सर्वेक्षण आँकड़ों (National Sample Survey data) का उपयोग करती हैं।

बेरोज़गारी का जाल – *यह तब होता है, जब काम पर जाने की अवसर-लागत* (opportunity cost) *प्राप्त होनेवाली आय से अधिक होती है। उदाहरण के लिए, फ्रेशर्स, ग्रेजुएट।*

- सामान्य प्रमुख अवस्था (Usual Principal Status)
- वर्तमान साप्ताहिक अवस्था (Current Weekly Status)
- वर्तमान दैनिक अवस्था (Current Daily Status)

1. सामान्य प्रमुख अवस्था [Usual Principal Status (UPS)]

- यह पद्धति उन व्यक्तियों की संख्या का आकलन करती है, जो सर्वेक्षण की तारीख़ से पहले की संदर्भ-अवधि (अर्थात्, 1 वर्ष) के एक बड़े भाग में **स्थायी या चिरकालिक रूप से बेरोज़गार (chronically unemployed)** होते हैं।
- यह पद्धति सामान्यत: **बेरोज़गारी का न्यूनतम अनुमान देती (lowest estimate of unemployment) है।** ऐसा इसलिए है कि बहुत कम लोग दीर्घ-काल के लिए बिना काम के रह सकने में समर्थ होते हैं।

सामान्य प्रमुख सहायक अवस्था [USUAL PRINCIPAL SUBSIDIARY STATUS (UPS)] या सामान्य अवस्था (PS + SS) [USUAL STATUS (PS + SS)]

- हाल ही में आया यह दृष्टिकोण ऐसे कामगारों की पहचान करता है, जो UPS दृष्टिकोण के अधिकतम समय की कसौटी के आधार पर "बेरोज़गार (unemployed)" या "श्रम-बल के बाहर (outside labour force)" के रूप में वर्गीकृत किये गये थे।
- UPS की तुलना में UPSS अधिक समावेशी पद्धति है।
- **इस दृष्टिकोण के अंतर्गत यदि कोई व्यक्ति बीते 365 दिनों में 30 दिन या उससे अधिक की अवधि के लिए किसी आर्थिक गतिविधि से जुड़ा है,** तो वह रोज़गार-युक्त माना जायेगा।

2. वर्तमान साप्ताहिक अवस्था [Current Weekly Status (CWS)]

- यहाँ सर्वेक्षण की तिथि से पहले के सप्ताह (7 दिन) को संदर्भ-अवधि के रूप में लिया जाता है।
- इस आकलन के अनुसार, एक व्यक्ति रोज़गार युक्त माना जायेगा/जायेगी, यदि वह उस सप्ताह के दौरान एक दिन के लिए कम-से-कम 1 घंटे के लिए भी रोज़गार युक्त है।
- इस पद्धति के अंतर्गत बेरोज़गारी का प्रतिशत UPS की तुलना में अधिक होता है।

3. वर्तमान दैनिक अवस्था [Current Daily Status (CDS)]

- यहाँ संदर्भ अवधि सर्वेक्षण की तिथि से पहलेवाला दिन होता है।
- वह **रोज़गार युक्त** माना जायेगा/जायेगी, यदि उसने उस दिन **कम-से-कम 4 घंटे कार्य किया हो।**
- यदि 1 घंटे से अधिक, लेकिन 4 घंटे से कम कार्य किया हो – **आधे दिन रोज़गार युक्त।**
- कोई व्यक्ति; जिसके पास उस दिन के दौरान **1 घंटे का भी लाभकारी काम नहीं** है, वह बेरोज़गार माना जायेगा।
- अन्य दो पद्धतियों की तुलना में **CDS के अंतर्गत बेरोज़गारी** का आकलन **सर्वाधिक है।**

क्या आप जानते हैं?

वर्तमान दैनिक स्थिति या CDS सबसे व्यापक उपाय और अधिक समावेशी है, यह काफ़ी हद तक खुली बेरोज़गारी को दर्शाता है, मौसमीता को ध्यान में रखता है और CDS बेरोज़गारी और अल्परोज़गार दोनों की परिमाण को इंगित करता है।

नौकरियों में अंतर: बेरोज़गारी से परे श्रम अल्पउपयोग को मापना (THE JOBS GAP: MEASURING LABOUR UNDERUTILISATION BEYOND UNEMPLOYMENT]

हाल ही में, बेरोज़गारी के एक महत्त्वपूर्ण पूरक के रूप में **श्रम अल्पउपयोग की अधिकता** को मापने के लिए **अंतरराष्ट्रीय श्रम संगठन (आईएलओ)** ने एक नया संकेतक प्रस्तुत किया है, जिसे नौकरियों में अंतर कहा जाता है।

श्रम के अल्पउपयोग को **दो व्यापक श्रेणियों** में विभाजित किया जा सकता है **: अल्परोज़गार और अल्पउपयोग**। पूर्व में ऐसे नियोजित व्यक्ति शामिल हैं, जो अपर्याप्त कार्य समय से प्रभावित होते हैं और बाद में ऐसे व्यक्ति शामिल हैं, जो रोज़गार में नहीं हैं। **नौकरियों में अंतर दूसरी श्रेणी में आता है।**

नौकरियों के अंतर में वे लोग भी शामिल हैं, जो रोज़गार चाहते हैं, भले ही वे वर्तमान में उपलब्ध हों या नौकरी की तलाश कर रहे हों। इसे व्यापक मार्जिन पर अल्पउपयोग की सबसे आरामदेह परिभाषावाले माप के रूप में माना जा सकता है। महिलाओं को नौकरी की तलाश करने में जिन कठिनाइयों का सामना करना पड़ता है, उनका आकलन करने के लिए नौकरियों का अंतर विशेष रूप से प्रासंगिक है। यह विकासशील दुनिया में रोज़गार सृजन की चुनौतियों को भी दर्शाता है।

श्रम सांख्यिकीविदों के 19वें अंतरराष्ट्रीय सम्मेलन (आईसीएलएस) ने **श्रम के अल्पउपयोग को मापने के लिए श्रम बाज़ार के लगाव की तीन अलग-अलग डिग्री** को मान्यता दी है।

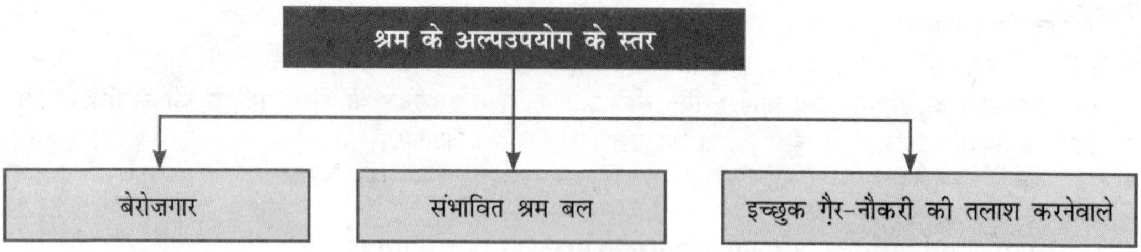

(a) बेरोज़गार (Unemployed) : बेरोज़गार मानने के लिए, किसी व्यक्ति को निम्नलिखित दो शर्तों को पूरा करना होगा -

i. उसे बहुत ही शॉर्ट नोटिस पर (आमतौर पर एक सप्ताह) रोज़गार प्राप्त करने के लिए उपलब्ध होना होगा।

ii. वह वर्तमान समय में नौकरी की तलाश कर रहा/रही हो।

(b) संभावित श्रम बल (Potential Labour Force) : किसी व्यक्ति को संभावित श्रम बल के तहत शामिल करने के लिए शर्तों को इस प्रकार परिभाषित किया जा सकता है -

i. जो व्यक्ति वर्तमान में नौकरी की तलाश कर रहा है, लेकिन छोटी बतायी गयी अवधि के भीतर नौकरी करने के लिए उपलब्ध नहीं हैं।

ii. जिन्होंने वर्तमान में नौकरी की तलाश नहीं की है, लेकिन छोटी बतायी गयी अवधि के भीतर काम करने के लिए उपलब्ध हैं।

(यानी वे बेरोज़गार माने जानेवाले मानदंडों में से केवल एक को पूरा करने में विफल रहते हैं)।

(c) इच्छुक गैर-नौकरी की तलाश करनेवाले (Willing Non-Job Seekers) : यह उन लोगों से बना है, जो रोज़गार चाहते हैं, लेकिन जिन्होंने वर्तमान में नौकरी की तलाश नहीं की है और शॉर्ट नोटिस पर उपलब्ध नहीं हैं।

उपर्युक्त तीन श्रेणियों में, **बेरोज़गारों में नौकरी ढूँढ़ने की संभावना बहुत अधिक है**। इच्छुक गैर-नौकरी की तलाश करनेवाले लोग, नौकरी पाने की सबसे कम संभावना के साथ स्पेक्ट्रम के दूसरे छोर पर होंगे। इसलिए, इन श्रेणियों के बीच का अंतर आर्थिक विश्लेषण और नीति निर्माण के लिए अत्यधिक प्रासंगिक है।

हालाँकि नौकरियों के अंतर में बेरोज़गारी भी शामिल है लेकिन ध्यान देनेवाली बात यह है कि **बेरोज़गारी, संभावित श्रम बल व्यापार चक्र के प्रति काफ़ी कम प्रतिक्रियाशील होने और इच्छुक ग़ैर-नौकरी की तलाश करनेवाले अनिवार्य रूप से अचक्रीय होने के साथ नौकरियों के अंतर का सबसे प्रतिचक्रीय घटक है।**

अंतरराष्ट्रीय श्रम संगठन डेटाबेस (ILOSTAT) के अनुसार, चक्रीय आवृत्तियों पर नौकरियों के अंतर की प्रवृत्ति न केवल बेरोज़गारी के समान है, बल्कि वास्तव में यह इससे प्रेरित है। इसके अलावा, यह भी देखा गया है कि बेरोज़गारी और मुद्रास्फीति (जिसे फिलिप्स कर्व द्वारा दर्शाया गया है) के बीच **नकारात्मक सहसंबंध मुद्रास्फीति और नौकरियों के अंतर हेतु सही पाया जाता है।**

जहाँ तक प्रतिव्यक्ति जीडीपी का सवाल है, यह बेरोज़गारी और नौकरियों में अंतर के लिए स्पष्ट रूप से भिन्न परिणाम दर्शाता है। ILOSTAT के आँकड़ों से पता चलता है कि विभिन्न आर्थिक संरचनाएँ - आर्थिक विकास से संबंधित - नौकरी चाहनेवालों के व्यवहार को प्रभावित करती हैं और समग्र श्रम के अल्पउपयोग में बेरोज़गारी के सापेक्ष महत्त्व को बदलती हैं। कम आयवाले देशों के मामले में यह अंतर बहुत बड़ा है। इसलिए, श्रम के अल्पउपयोग के स्तर का विश्लेषण करना, विकासशील दुनिया में नौकरियों में अंतर के संकेतक के साथ बेरोज़गारी दर को पूरक करना अत्यंत आवश्यक है।

इसके अलावा, नौकरी-ढूँढ़ने की क्षमता और शॉर्ट नोटिस पर रोज़गार लेने की उपलब्धता को जनसांख्यिकीय समूहों, या राष्ट्रीय आय के विभिन्न स्तरों पर समान रूप से वितरित नहीं किया जाता है। उदाहरण के लिए, आमतौर पर महिलाओं के लिए, घरेलू कार्यों में अतिरिक्त भागीदारी के कारण नौकरी की तलाश करने के लिए एक सप्ताह का समय बहुत कम होता है। इसके अलावा विकासशील देशों में, अनौपचारिक कार्य व्यवस्था के कारण शॉर्ट नोटिस के मानदंड पर नौकरी ढूँढ़ना और उसकी उपलब्धता, दोनों ही अत्यधिक नियामक हो सकती है।

बेरोज़गारी के प्रकार (TYPES OF UNEMPLOYMENT)

बेरोज़गारी को दो श्रेणियों में वर्गीकृत किया जा सकता है– स्वैच्छिक बेरोज़गारी और अनैच्छिक बेरोज़गारी।

I. स्वैच्छिक बेरोज़गारी (Voluntary Unemployment)

यह ऐसी स्थिति है, जब व्यक्ति **कार्य करने में सक्षम है, लेकिन कार्य करने के लिए इच्छुक नहीं है** या जहाँ कार्य या नौकरी उपलब्ध है, लेकिन लोग उसको करने के इच्छुक नहीं हैं। दूसरे शब्दों में, वे स्वैच्छिक बेरोज़गार हैं, अर्थात् उन्होंने स्वयं बेरोज़गार होना चुना है। ऐसे व्यक्ति देश की श्रमशक्ति में शामिल नहीं हैं।

II. अनैच्छिक बेरोज़गारी (Involuntary Unemployment)

यह एक ऐसी स्थिति है, जिसमें सक्षम-शरीरवाले लोग नौकरी या कार्य करने के इच्छुक हैं, लेकिन अर्थव्यवस्था में **नौकरी या कार्य की अनुपलब्धता के कारण बेरोज़गार** हैं। अतः, वे अपनी इच्छा के विरुद्ध बेरोज़गार होते हैं। ऐसे लोग बेरोज़गारी की विभिन्न श्रेणियों के अंतर्गत सम्मिलित किये जाते हैं।

अनैच्छिक बेरोज़गारी की उप-श्रेणियाँ निम्नलिखित हैं :

1. संरचनात्मक बेरोज़गारी (Structural Unemployment)

- बेरोज़गारी का यह प्रकार देश की आर्थिक संरचना से संबंधित है। **आर्थिक संरचना (economic structure) :** (i) तेज़ी से बढ़ती जनसंख्या (ii) पूँजी निर्माण की धीमी दर इत्यादि।
- जब तेज़ी से बढ़ती जनसंख्या और उसकी गतिहीनता या स्थिरता के कारण श्रम की माँग श्रम की आपूर्ति से कम हो जाती है, तब अर्थव्यवस्था में बेरोज़गारी की समस्या उत्पन्न होती है। **कौशल के बेमेल (skill mismatches)** होने के कारण भी इस प्रकार की बेरोजागरी होती है।
- इस प्रकार की बेरोज़गारी **दीर्घ-कालिक (long term) प्रकृति की होती है।**

2. प्रछन्न बेरोज़गारी (Disguised Unemployment)

- यदि कोई व्यक्ति उत्पादन प्रक्रिया में **योगदान नहीं देता** या, दूसरे शब्दों में, यदि उत्पादन पर विपरीत प्रभाव डाले बिना; उसे कार्य से हटाया जा सकता है, तो वह प्रछन्न बेरोज़गार माना जायेगा।
- यहाँ श्रम की सीमांत उत्पादकता [**Marginal Productivity of Labour (MP_L)**] **शून्य के बराबर है।**
- यह एक विकासशील या अल्प-विकसित अर्थव्यवस्था के **कृषि क्षेत्र में** एक सामान्य घटना है।

क्या आप जानते हैं? कृषि क्षेत्र में प्रछन्न बेरोज़गारी होने का कारण है – कृषि क्षेत्र के बाहर व्यवसायिक अवसरों की कमी, संयुक्त परिवार प्रणाली, जनसंख्या का अत्यधिक दबाव इत्यादि। यद्यपि, यह केवल कृषि तक सीमित नहीं है। आलोचकों का तर्क है कि यह **सार्वजनिक क्षेत्र के उद्यमों (Public Sector Enterprises)** में भी पायी जा सकती है, जहाँ बहुत-से कर्मचारी हर समय लगभग निष्क्रिय पाये जाते हैं। ऐसा इसलिए है, क्योंकि वास्तव में वहाँ ज़रूरत से कई गुना अधिक लोग कार्य कर रहे होते हैं।

3. घर्षणात्मक या प्रतिरोधात्मक बेरोज़गारी (Frictional Unemployment)

- **बाज़ार की स्थितियों में परिवर्तन के कारण** यहाँ बेरोज़गारी पैदा होती है। यहाँ कुछ कामगार या श्रमिक हड़ताल, कंपनी द्वारा छँटनी (निलंबन), नौकरियों के बदलने/ स्विच करने के बीच का समय अंतराल, ताला-बंदी, श्रम की अपर्याप्त गतिशीलता इत्यादिक जैसे कारणों की वजह से अस्थायी रूप से काम या नौकरी से बाहर कर दिये जाते हैं।
- यह **औद्योगिक क्षेत्र** में एक सामान्य घटना होती है।

4. चक्रीय बेरोज़गारी (Cyclical Unemployment)

- यह व्यापार चक्रों, विशेष रूप से **मंदी-संबंधी चक्रों (recessionary cycles)** और गिरावट **(depression)** के चक्र के कारण उत्पन्न होती है। कारोबारी गतिविधियों में गिरावट के परिणामस्वरूप बेरोज़गारी होती है।
- यह **विकसित देशों**, जो पूँजीगत ख़रीदार होते हैं, में एक सामान्य घटना है।
- यह अस्थायी और अल्प-कालिक घटना है।

5. दीर्घकालीन या जीर्ण बेरोज़गारी (Chronic Unemployment)

- जब बेरोज़गारी किसी देश की **दीर्घ-कालिक विशेषता** बनने लगती है, तब इसे दीर्घकालीन या जीर्ण बेरोज़गारी कहते हैं।
- यह ग़रीबी के दुष्चक्र, संसाधनों के अल्प-उपयोग, पारंपरिक तकनीकी या प्रौद्योगिकी का प्रयोग आदि के कारण होती है।

6. प्रौद्योगिकीय बेरोज़गारी (Technological Unemployment)

- नयी प्रौद्योगिकी के **आरम्भ,** उत्पादन की पद्धति में उन्नत मशीन, श्रम-बचत उपकरण इत्यादिक के कारण कुछ कामगारों या श्रमिकों का स्थान मशीनों द्वारा ले लिया जाता है।

7. आकस्मिक बेरोज़गारी (Casual Unemployment)

- निर्माण (construction), खान-पान (catering) या कृषि जैसे क्षेत्रों में जहाँ श्रमिकों को दैनिक आधार पर रोज़गार मिलता है, वहाँ कच्चे माल की कमी, माँग में गिरावट, स्वामित्व में परिवर्तन या अल्प-कालिक अनुबंध; जो किसी भी समय समाप्त होनेवाले होते हैं, के कारण आकस्मिक बेरोज़गारी उत्पन्न होने की संभावना रहती है।

8. मौसमी बेरोज़गारी (Seasonal Unemployment)

- कुछ क्षेत्रों में केवल विशेष मौसमों के दौरान व्यक्तियों को काम दिया जाता है।
- उदाहरणस्वरूप, कृषि जैसे क्षेत्र, जहाँ श्रमिक एक मौसम के लिए काम करते हैं और शेष वर्ष के लिए बेरोज़गार रहते हैं।

भारत में कार्यबल का आकार और बेरोज़गारी की वर्तमान दर (SIZE OF WORKFORCE AND CURRENT RATE OF UNEMPLOYMENT IN INDIA)

श्रम और रोज़गार मंत्रालय द्वारा आयोजित **अंतिम उपलब्ध *6वीं वार्षिक रोज़गार-बेरोज़गारी सर्वेक्षण रिपोर्ट*** (2016-17) के अनुसार, बेरोज़गारी की दर इस प्रकार है :

बेरोज़गारी की दर	ग्रामीण	शहरी	कुल
UPS पद्धति के अनुसार	5.2%	6.1%	5.4%
बेरोज़गारी की दर	**पुरुष**	**महिला**	**कुल**
UPS पद्धति के अनुसार	4.2%	9.2%	5.4%

उक्त रिपोर्ट के विश्लेषण से यह भी पाया गया है कि -

- भारत में LFPR लगभग 51.2 प्रतिशत और WFPR 47.8% है।
- कार्यबल का लगभग 75 प्रतिशत पुरुष कामगारों या श्रमिकों का भाग है।
- 70 प्रतिशत कार्यबल ग्रामीण क्षेत्रों में पाया जाता है।
- ग्रामीण क्षेत्रों में महिला कार्यबल लगभग 30 प्रतिशत है, जबकि शहरी क्षेत्रों यह 20 प्रतिशत है।
- ग्रामीण क्षेत्रों में बेरोज़गारी अधिक है।
- पुरुषों की तुलना में महिलाओं के मामले में बेरोज़गारी अधिक है (शहरी महिलाओं में अधिक)।

श्रम एवं रोजगार मंत्रालय के अंतर्गत महत्त्वपूर्ण संगठन (Important Organisations under the Ministry of Labour & Unemployment)

संगठन का नाम	मुख्यालय	विवरण
दत्तोपंत ठेंगड़ी नेशनल बोर्ड ऑफ़ वर्कर्स एजुकेशन एंड डेवलपमेंट (DTNBWED)	नई दिल्ली	वर्ष 1958 में शुरू किया गया एक स्वायत्त निकाय, संगठित, असंगठित और ग्रामीण क्षेत्रों में एक प्रबुद्ध और अनुशासित कार्य-बल सृजन और कार्यबल में व्यवहारिक परिवर्तन लाने हेतु कार्यरत है।
कारख़ाना सलाह सेवा और श्रम संस्थान महानिदेशालय (DGFASLI)	मुंबई	इसकी स्थापना वर्ष 1945 में, कारख़ाना अधिनियम के प्रशासन पर केंद्र और राज्य सरकारों को सलाह देने और राज्यों में कारख़ाना निरीक्षण सेवाओं का समन्वय करने के उद्देश्य से की गयी थी।
खान सुरक्षा महानिदेशालय (DGMS)	धनबाद	खानों (कोयला, धातु और तेल-खानों) में कार्यरत व्यक्तियों की व्यावसायिक सुरक्षा, स्वास्थ्य और कल्याण से संबंधित मामलों में नियामक एजेंसी।
भारतीय श्रम अभिलेखागार (ILA)	नोएडा	श्रमिक वर्ग से संबंधित तेज़ी से कम हो रहे दस्तावेज़ों को संरक्षित करने और सुलभ बनाने के लिए वर्ष 1998 में स्थापित किया गया।
श्रम ब्यूरो	चंडीगढ़	श्रम ब्यूरो मज़दूरी, आय, उत्पादकता, अनुपस्थिति, श्रम कारोबार, औद्योगिक संबंध, काम करने और रहने की स्थिति और विभिन्न श्रम अधिनियमों के कामकाज के मूल्यांकन आदि पर सांख्यिकी के संकलन, संग्रह और प्रकाशन हेतु ज़िम्मेदार है। यह औद्योगिक, कृषि और ग्रामीण मज़दूरों के लिए उपभोक्ता मूल्य सूचकांक संख्या; मज़दूरी दर सूचकांक आदि जैसे महत्त्वपूर्ण आर्थिक

संगठन का नाम	मुख्यालय	विवरण
		संकेतकों का रिज़र्व है। श्रम ब्यूरो के कार्यों को निम्नलिखित तीन प्रमुख शीर्षकों के अंतर्गत वर्गीकृत किया जा सकता है : a. श्रम ज्ञान (Labour Intelligence) b. श्रम अनुसंधान (Labour Research) c. न्यूनतम मज़दूरी अधिनियम, 1948 के तहत निगरानी और मूल्यांकन अध्ययन।
वी.वी. गिरि राष्ट्रीय श्रम संस्थान (VVGNLI)	**नोएडा**	1974 में स्थापित, यह एक स्वायत्त निकाय है, जो श्रम संबंधी मुद्दों पर अनुसंधान, प्रशिक्षण, शिक्षा, प्रकाशन और परामर्श से जुड़ा है।

श्रम सांख्यिकी और बेरोज़गारी से संबंधित विभिन्न रिपोर्ट/सर्वेक्षण (VARIOUS REPORTS/SURVEYS RELATED TO LABOUR STATISTICS AND UNEMPLOYMENT)

परीक्षोपयोगी

रिपोर्ट/सर्वेक्षण का प्रकार	द्वारा प्रकाशित	विवरण
आवधिक श्रम बल सर्वेक्षण **(PLFS)**	सांख्यिकी और कार्यक्रम कार्यान्वयन मंत्रालय के अंतर्गत **NSO** द्वारा	2017 में शुरू किया गया। रोज़गार और बेरोज़गारी के प्रमुख संकेतकों का अनुमान लगाने के लिए सालाना आयोजित किया जाता है।
रोज़गार-बेरोज़गारी सर्वेक्षण **(ESU)**	श्रम और रोज़गार मंत्रालय के अंतर्गत **श्रम ब्यूरो** द्वारा	वर्ष 2017 तक जारी रहा और उसके बाद PLFS द्वारा प्रतिस्थापित किया गया। यह एक व्यापक घरेलू सर्वेक्षण था, जो रोज़गार और बेरोज़गारी दरों सहित श्रम-बल संबंधी आँकड़े (डेटा) प्रदान करता था।
त्रैमासिक रोज़गार सर्वेक्षण **(QES)**	श्रम और रोज़गार मंत्रालय के अंतर्गत **श्रम ब्यूरो** द्वारा	श्रम ब्यूरो, नौ चुनिंदा गैर-कृषि क्षेत्रों में QES आयोजित करता है, जो रोज़गार पर तिमाही डेटा प्रदान करता है।
असंगठित क्षेत्र उद्यमों का वार्षिक सर्वेक्षण **(ASUSE)**	सांख्यिकी और कार्यक्रम कार्यान्वयन मंत्रालय द्वारा	यह विनिर्माण, व्यापार और अन्य सेवा क्षेत्र (निर्माण को छोड़कर) में असंगठित गैर-कृषि प्रतिष्ठानों की विभिन्न आर्थिक और परिचालनगत विशेषताओं को मापता है।
पेरोल रिपोर्टिंग	सांख्यिकी और कार्यक्रम कार्यान्वयन मंत्रालय के अंतर्गत **NSO** द्वारा	यह सामाजिक सुरक्षा योजनाओं में सम्मिलित होनेवाले ग्राहकों की संख्या की जानकारी का उपयोग करके औपचारिक क्षेत्र में रोज़गार से संबंधित आँकड़ों को मापता है : • कर्मचारी भविष्य निधि (EPF) योजना • कर्मचारी राज्य बीमा (ESI) योजना • राष्ट्रीय पेंशन योजना (NPS) EPFO में वार्षिक शुद्ध पेरोल वृद्धि, **वित्त वर्ष 2019 में 61.1 लाख** से बढ़कर **वित्त वर्ष 2024 में 131.5 लाख** हो गयी है, जो नये रोज़गार सृजन और रोज़गार के अधिक औपचारिकीकरण से प्रेरित है।

रिपोर्ट/सर्वेक्षण का प्रकार	द्वारा प्रकाशित	विवरण
व्यावसायिक वेतन सर्वेक्षण **(OWS)**	श्रम और रोज़गार मंत्रालय के अंतर्गत **श्रम ब्यूरो** द्वारा	चयनित सेवा क्षेत्र, बाग़ान, खान और विनिर्माण उद्योगों में श्रमिकों के संबंध में समय-समय पर व्यावसायिक वेतन डेटा एकत्र किया जाता है, ताकि वेतन दर सूचकांक संख्या के आधार को अद्यतन करने के लिए आधार वर्ष भारांक बनाने हेतु रोज़गार, मज़दूरी दरों और महँगाई भत्ते पर व्यवसायवार डेटा प्राप्त किया जा सके।
मज़दूरी दर सूचकांक	श्रम और रोज़गार मंत्रालय के अंतर्गत **श्रम ब्यूरो** द्वारा	मज़दूरी दर सूचकांक संख्याएँ (Wage Rate Index Numbers), समयावधि में मज़दूरी दरों में अनुभव किये गये सापेक्ष परिवर्तन की गति को दर्शाती हैं (आधार 2016 =100 पर 37 चुनिंदा उद्योगों के लिए संकलित)
अन्य सामाजिक-आर्थिक सर्वेक्षण	श्रम और रोज़गार मंत्रालय के अंतर्गत **श्रम ब्यूरो** द्वारा	• शहरी क्षेत्रों में अनुसूचित जाति और अनुसूचित जनजाति समुदायों से संबंधित श्रमिकों की कार्य और जीवन दशाओं का सर्वेक्षण। • औद्योगिक रोज़गार के असंगठित क्षेत्र में संलग्न श्रमिकों की कार्य और जीवन दशाओं का सर्वेक्षण। • न्यूनतम मज़दूरी अधिनियम, 1948 के मूल्यांकन पर अखिल भारतीय सर्वेक्षण।
विभिन्न औद्योगिक पहलुओं पर आधारित वार्षिक रिपोर्ट	श्रम और रोज़गार मंत्रालय के अंतर्गत **श्रम ब्यूरो** द्वारा	• औद्योगिक विवादों के परिणामस्वरूप काम रुक जाता है • ग़ैर-हाज़िरी/अनुपस्थिति (Absenteeism) • बंद होना (Closures) • ख़र्चों में कटौती (Retrenchments) • छँटनी (Lay-offs)

आवधिक श्रम-बल सर्वेक्षण [PERIODIC LABOUR FORCE SURVEY (PLFS)]

➤ रोज़गार-बेरोज़गारी सर्वेक्षण (EUS) को बंद कर दिया गया और आवधिक श्रम-बल सर्वेक्षण (PLFS) को 2017 में शुरू किया गया है।

➤ श्रम सांख्यिकी के संकेतकों के अनुमान को सर्जित करने के लिए PLFS को **वार्षिक रूप से आयोजित** किया जाता है।

➤ PLFS *सांख्यिकी एवं कार्यक्रम कार्यान्वयन मंत्रालय* के अंतर्गत NSO द्वारा आयोजित किया जाता है। EUS *श्रम एवं रोज़गार मंत्रालय* द्वारा आयोजित किया जाता था।

➤ 2017-18 (जुलाई, 2017 से जून, 2018) अवधि के लिए पहला PLFS **मासिक प्रतिव्यक्ति व्यय** के स्थान पर **शिक्षा स्तर** को कसौटी मानकर आयोजित किया गया था। पहले के रोज़गार-बेरोज़गार सर्वेक्षण (EUS) के अंतर्गत मासिक प्रतिव्यक्ति व्यय की कसौटी का प्रयोग किया गया था।

➤ PLFS के लिए **तकनीकी का प्रयोग** वर्ल्ड बैंक कंप्यूटर असिस्टेड पर्सनल इंटरव्यूइंग **(CAPI)** के समाधान प्लेटफ़ॉर्म के उपयोग द्वारा किया गया, यह PLFS में राष्ट्रीय प्रतिदर्श सर्वेक्षण (National Sample Survey) द्वारा पहली बार प्रारंभ प्रमुख हस्तक्षेप है। ऐसा EUS में कभी नहीं किया गया था।

आवधिक श्रम बल के सर्वेक्षण (PLFS) की वार्षिक रिपोर्ट 2023-24
[Periodic Labour Force Survey (PLFS) Annual Report 2023–2024]

PLFS का उद्देश्य मुख्य रूप से द्विमुखी है :

1. केवल 'वर्तमान साप्ताहिक स्थिति' (CWS) में शहरी क्षेत्रों के लिए तीन महीने के अल्प समय अंतराल में प्रमुख रोज़गार और बेरोज़गारी संकेतकों (जैसे श्रमिक आबादी का अनुपात, श्रम बल भागीदारी की दर, बेरोज़गारी दर) की गणना करना।
2. वार्षिक रूप से ग्रामीण और शहरी दोनों क्षेत्रों में 'सामान्य स्थिति' (ps+ss) और CWS दोनों में रोज़गार और बेरोज़गारी संकेतकों की गणना करना।

जुलाई, 2023-जून, 2024 के दौरान किये गये आवधिक श्रम बल सर्वेक्षण के आधार पर सातवीं वार्षिक रिपोर्ट के प्रमुख निष्कर्ष निम्नलिखित हैं :

सामान्य स्थिति में (ps+ss)

➤ ग्रामीण क्षेत्रों में, श्रम बल भागीदारी की दर [Labour Force Participation Rate (LFPR)] (15 वर्ष और उससे अधिक आयुवर्ग के लिए) **2017-18 में 50.7 प्रतिशत से बढ़कर 2023-24 में 63.7 प्रतिशत** हो गया, जबकि शहरी क्षेत्रों के लिए यह **47.6 प्रतिशत से बढ़कर 52 प्रतिशत** हो गया। भारत में पुरुषों के लिए LFPR **2017-18 में 75.8 प्रतिशत से बढ़कर 2023-24 में 78.8 प्रतिशत** हो गया और महिलाओं के लिए LFPR **23.3 प्रतिशत से बढ़कर 41.7 प्रतिशत** हो गया।

➤ ग्रामीण क्षेत्रों में, श्रमिक आबादी का अनुपात [Worker Population Ratio (WPR)] (15 वर्ष और उससे अधिक आयुवर्ग के लिए) **2017-18 में 48.1 प्रतिशत से बढ़कर 2023-24 में 62.1 प्रतिशत** हो गया, जबकि शहरी क्षेत्रों में यह **43.9 प्रतिशत से बढ़कर 49.4 प्रतिशत** हो गया। भारत में पुरुषों के लिए WPR **2017-18 में 71.2 प्रतिशत से बढ़कर 2023-24 में 76.3 प्रतिशत** हो गया और महिलाओं के लिए WPR **22.0 प्रतिशत से बढ़कर 40.3 प्रतिशत** हो गया।

➤ ग्रामीण क्षेत्रों में, बेरोज़गारी दर [Unemployment Rate (UR)] (15 वर्ष और उससे अधिक आयुवर्ग के लिए) **2017-18 में 5.3 प्रतिशत से घटकर 2023-24 में 2.5 प्रतिशत** हो गया, जबकि शहरी क्षेत्रों के लिए यह **7.7 प्रतिशत से घटकर 5.1 प्रतिशत** हो गया। भारत में पुरुषों के लिए UR **2017-18 में 6.1 प्रतिशत से घटकर 2023-24 में 3.2 प्रतिशत** हो गया और महिलाओं के लिए UR में तदनुरूप से **5.6 प्रतिशत से 3.2 प्रतिशत** की कमी आयी।

पिछले कुछ वर्षों में, भारत में श्रम बाज़ार संकेतकों में काफ़ी सुधार हुआ है। आवधिक श्रम-बल सर्वेक्षण (PLFS) के अनुसार, भारत में बेरोज़गारी दर में काफ़ी गिरावट आयी है तथा श्रम-बल भागीदारी एवं श्रमिक जनसंख्या अनुपात में काफ़ी सुधार हुआ है।

15 वर्ष और उससे अधिक आयुवर्ग के लिए सामान्य स्थिति (ps+ss) में श्रम बल भागीदारी की दर (LFPR), श्रमिक आबादी का अनुपात (WPR) और बेरोज़गारी दर (UR) [Labour Force Participation Rate (LFPR), Worker Population Ratio (WPR) and Unemployment Rate (UR) in Usual Status (ps+ss) for age group 15 years and above]

वर्ष	LFPR (व्यक्ति)			WPR (व्यक्ति)			UR (व्यक्ति)		
	ग्रामीण	शहरी	ग्रामीण + शहरी	ग्रामीण	शहरी	ग्रामीण + शहरी	ग्रामीण	शहरी	ग्रामीण + शहरी
2023-24	63.7%	52.0%	60.1%	62.1%	49.4%	58.2%	2.5%	5.1%	3.2%
2022-23	60.8%	50.4%	57.9%	59.4%	47.7%	56.0%	2.4%	5.4%	3.2%
2021-22	57.5%	49.7%	55.2%	55.6%	46.6%	52.9%	3.2%	6.3%	4.1%

मौजूदा साप्ताहिक स्थिति में [In Current Weekly Status (CWS)]

➤ ग्रामीण क्षेत्रों में, LFPR (15 वर्ष और उससे अधिक आयुवर्ग के लिए) 2017-18 में 48.9 प्रतिशत से बढ़कर 2023-24 में 58.9 प्रतिशत हो गया, जबकि शहरी क्षेत्रों में यह 47.1 प्रतिशत से बढ़कर 50.8 प्रतिशत हो गया। भारत में पुरुषों के लिए LFPR

2017-18 में 75.1 प्रतिशत से बढ़कर 2023-24 में 77.5 प्रतिशत हो गया और महिलाओं के लिए LFPR 21.1 प्रतिशत से बढ़कर 35.6 प्रतिशत हो गया।

➤ ग्रामीण क्षेत्रों में, WPR (15 वर्ष और उससे अधिक आयुवर्ग के लिए) 2017-18 में 44.8 प्रतिशत से बढ़कर 2023-24 में 56.5 प्रतिशत हो गया, जबकि शहरी क्षेत्रों के लिए यह 42.6 प्रतिशत से बढ़कर 47.4 प्रतिशत हो गया। भारत में पुरुषों के लिए WPR 2017-18 में 68.6 प्रतिशत से बढ़कर 2023-24 में 73.8 प्रतिशत हो गया और महिलाओं के लिए WPR तदनुरूप से 19.2 प्रतिशत से 33.8 प्रतिशत हो गया।

➤ ग्रामीण क्षेत्रों में, UR (15 वर्ष और उससे अधिक आयुवर्ग के लिए) 2017-18 में 8.4 प्रतिशत से घटकर 2023-24 में 4.2 प्रतिशत हो गया, जबकि शहरी क्षेत्रों के लिए यह 9.5 प्रतिशत से घटकर 6.7 प्रतिशत हो गया। भारत में पुरुषों के लिए UR 2017-18 में 8.7 प्रतिशत से घटकर 2023-24 में 4.8 प्रतिशत हो गया और महिलाओं के लिए UR तदनुरूप से 9.0 प्रतिशत से 5.0 प्रतिशत हो गया।

15 वर्ष और उससे अधिक आयुवर्ग के लिए मौजूदा साप्ताहिक स्थिति (CWS) में श्रम बल भागीदारी की दर (LFPR), श्रमिक आबादी का अनुपात (WPR) और बेरोज़गारी दर (UR) [Labour Force Participation Rate (LFPR), Worker Population Ratio (WPR) and Unemployment Rate (UR) in current weekly status (CWS) for age group 15 years and above]

वर्ष	LFPR (व्यक्ति)			WPR (व्यक्ति)			UR (व्यक्ति)		
	ग्रामीण	शहरी	ग्रामीण + शहरी	ग्रामीण	शहरी	ग्रामीण + शहरी	ग्रामीण	शहरी	ग्रामीण + शहरी
2023-24	58.9%	50.8%	56.4%	56.5%	47.4%	53.7%	4.2%	6.7%	4.9%
2022-23	56.7%	49.4%	54.6%	54.2%	46.0%	51.8%	4.4%	7.0%	5.1%
2021-22	53.0%	48.6%	51.7%	49.9%	44.6%	48.3%	6.0%	8.3%	6.6%

त्रैमासिक रोज़गार सर्वेक्षण [Quarterly Employment Survey (QES)]

यह श्रम ब्यूरो (Labour Bureau) द्वारा 9 प्रमुख क्षेत्रों में 10 या अधिक श्रमिकों को रोज़गार देनेवाले प्रतिष्ठानों का सर्वेक्षण प्रदान करता है, जिसमें कुल रोज़गार का 83 प्रतिशत शामिल है।

1. 2021-22 की अंतिम तिमाही QES के अनुसार, IT/BPO, स्वास्थ्य, शिक्षा क्षेत्रों के पुनरुद्धार के कारण चयनित क्षेत्रों में कुल रोज़गार बढ़कर 3.2 करोड़ हो गया।
2. विनिर्माण क्षेत्र (Manufacturing sector) में श्रमिकों की कुल संख्या का सबसे बड़ा प्रतिशत है।
3. नियमित कर्मचारी कुल कार्यबल का 86.4 प्रतिशत हैं। केवल 1.9 प्रतिशत स्व-नियोजित हैं।
4. कुल कार्यबल में 31.8 प्रतिशत महिलाएँ और 68.2 प्रतिशत पुरुष हैं।

लास्ट मिनट स्निपपेट्स

मुंबई में मुख्यालयवाली एक निजी स्वामित्ववाली और पेशेवर रूप से प्रबंधित कंपनी सेंटर फ़ॉर मॉनिटरिंग इंडियन इकोनॉमी (CMIE) के अनुसार, जून, 2024 में भारत में बेरोज़गारी दर लगभग 9.2 प्रतिशत होने का अनुमान है। शहरी भारत में, यह 8.9 प्रतिशत और ग्रामीण भारत में 9.3 प्रतिशत है।

अंतरराष्ट्रीय श्रम संगठन **(ILO) की विश्व रोज़गार और सामाजिक परिदृश्य (WESO)** रिपोर्ट, **2025** के अनुसार,

➤ वैश्विक अर्थव्यवस्था मध्यम दर से विस्तार कर रही है। लेकिन यह विस्तार मंद हो सकता है, जो बदले में, एक मज़बूत और टिकाऊ श्रम बाज़ार की वापसी को प्रभावित करेगा।

➤ **वैश्विक बेरोज़गारी दर वर्ष 2024 में 5% रही**, जो **वर्ष 2023** में बेरोज़गारी दर के 5.1% के संगत मूल्य **से कम** है। ज़ाहिर है, वैश्विक रोज़गार अंतराल और श्रम बाज़ार भागीदारी दरों में भी वर्ष 2024 में सुधार हुआ है।

देशों के प्रकार (2024 में)	नौकरियों में अंतर की दर	बेरोज़गारी दर
उच्च आयवाले देश	7.1% (पुरुषों के लिए)	4.5%
निम्न आयवाले देश	15.2% (पुरुषों के लिए)	5.7%

भारत में व्यवसायगत संरचना (OCCUPATIONAL STRUCTURE IN INDIA)

समग्र व्यवसायगत संरचना (Occupational Structure) (2020–21)

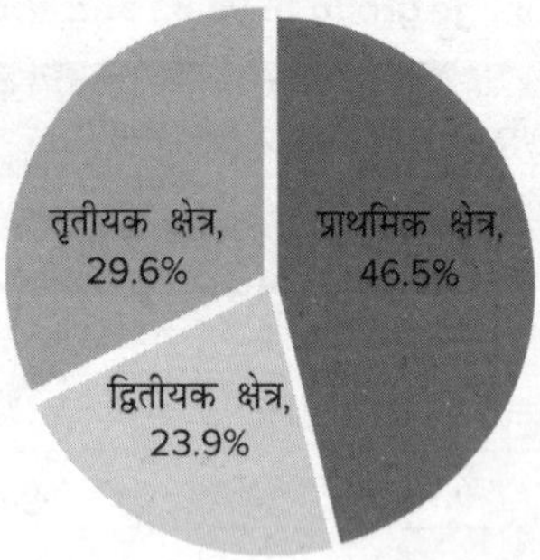

ग्रामीण कार्यबल के बीच व्यवसायगत संरचना (Occupational Structure among Rural Workforce) (2020–21)

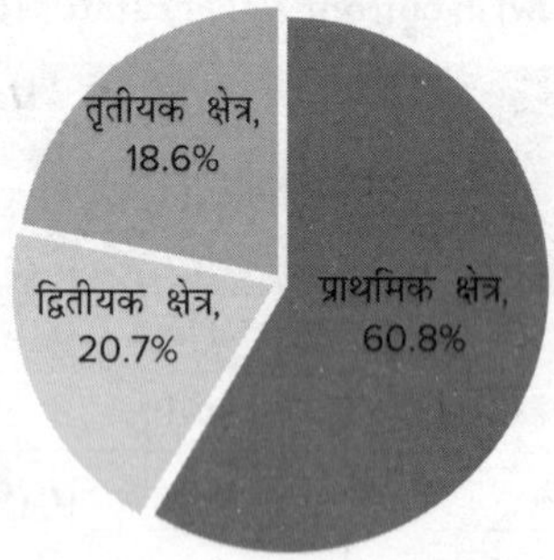

शहरी कार्यबल के बीच व्यवसायगत संरचना (Occupational Structure among Urban Workforce) (2020–21)

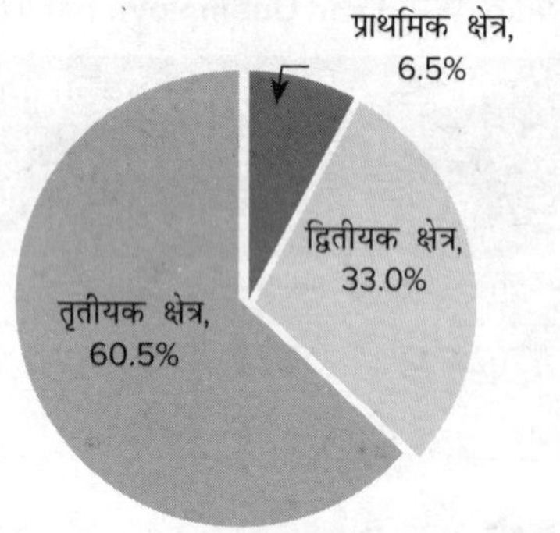

ऊपर दिये गये रेखाचित्र या ग्राफ़ और अन्य विश्लेषणों से यह पाया गया कि –

- **ग्रामीण क्षेत्रों में**, कार्यबल मुख्य रूप से **प्राथमिक क्षेत्र** में लगा हुआ है।
- जबकि **शहरी क्षेत्रों में, तृतीयक क्षेत्र** कार्यबल का सबसे बड़ा घटक था।
- **समग्र रूप से, प्राथमिक क्षेत्र** में कार्यबल के सबसे बड़े भाग को रोज़गार मिला।

स्वतंत्रता के बाद व्यवसायगत संरचना में आया परिवर्तन
(Change in Occupational Structure since Independence)

व्यवसायगत संरचना (क्षेत्र)	कार्यबल का प्रतिशत	
	1950–51 में	2024–25 में
प्राथमिक क्षेत्र (Primary sector)	72.7%	45%
द्वितीयक क्षेत्र (Secondary sector)	10%	25%
तृतीयक क्षेत्र (Tertiary sector)	17.3%	30%

लास्ट मिनट
रिनपपेट्स

समय उपयोग सर्वेक्षण (TIME USE SURVEY), 2024

- 'समय उपयोग सर्वेक्षण' (TUS) जनसंख्या द्वारा की जानेवालीं गतिविधियों और ऐसी गतिविधियों को करने की अवधि को मापने के लिए एक रूपरेखा प्रदान करता है। इसका प्राथमिक उद्देश्य भुगतान और अवैतनिक गतिविधियों में पुरुषों और महिलाओं की भागीदारी को मापना है।
- **राष्ट्रीय सांख्यिकी कार्यालय (NSO)**, MoSPI यह अखिल भारतीय समय उपयोग सर्वेक्षण आयोजित करता है। यह दूसरा ऐसा अखिल भारतीय सर्वेक्षण है। (वर्ष 2019 में, पहली बार किया गया था)
- इस सर्वेक्षण के **प्रमुख निष्कर्ष** इस प्रकार हैं -
  a. वर्ष 2019 की तुलना में, वर्ष 2024 में रोज़गार और संबंधित गतिविधियों पर प्रति प्रतिभागी ख़र्च किये गये औसत समय में वृद्धि हुई है। (पुरुषों और महिलाओं दोनों द्वारा)
  b. महिलाएँ अपने दिन का 20% अवैतनिक घरेलू और देखभाल के काम पर ख़र्च करती हैं, जबकि पुरुष केवल 3% ख़र्च करते हैं, जो घरेलू जिम्मेदारियों को साझा करने के तरीक़े में एक बड़े अंतराल को दर्शाता है।
  c. शहरी और ग्रामीण दोनों क्षेत्रों में लोग अवकाश और मीडिया पर अधिक तथा सामाजीकरण और स्वयं की देखभाल पर कम समय बिताते हैं।

परीक्षोपयोगी

रोज़गार-विहीन संवृद्धि (JOBLESS GROWTH)

यह ऐसी अवस्था है, जिसमें अर्थव्यवस्था में रोज़गार के स्तर में वृद्धि दिखे बिना GDP के स्तर में वृद्धि हो जाती है, अर्थात्, **GDP में वृद्धि रोज़गार में वृद्धि की तुलना में तीव्र गति से होती है।**

रोज़गार-विहीन संवृद्धि **जीर्ण या दीर्घकालीन बेरोज़गारी (chronic unemployment)** को दर्शाती है, जबकि GDP वृद्धि दर में बढ़ोतरी होती रहती है।

ऐसा निम्नलिखित संभावित कारणों से होता है:

- जीडीपी वृद्धि के वांछित स्तर को प्राप्त करने में **जनशक्ति के अधिक उपयोग के बजाए कुशल प्रौद्योगिकी का अधिक उपयोग।**
- 1991 के आर्थिक सुधार के बाद, सेवा क्षेत्र भारत की आर्थिक वृद्धि के पीछे प्रमुख शक्ति रहा है। यह विनिर्माण क्षेत्र की तुलना में कम श्रम गहन क्षेत्र है। यह अनुभवजन्य रूप से पुष्टि की जा सकती है, क्योंकि भारत का सेवा क्षेत्र सकल घरेलू उत्पाद का लगभग 54 प्रतिशत हिस्सा है, लेकिन केवल 30 प्रतिशत कार्यबल को रोज़गार देता है।
- **श्रम सुधारों** का उचित कार्यान्वयन नहीं होना।
- विनिर्माण क्षेत्र की हिस्सेदारी में **स्थिरता।**
- आईटी और बीपीएम, दूरसंचार आदि जैसे सेवा क्षेत्र में उच्च कौशल समूह की कमी।
- कृषि क्षेत्र में **प्रच्छन्न बेरोजगारी** और कमज़ोर कौशल समूह रोज़गार सृजन में बाधा डालते हैं।
- अवसंरचना क्षेत्र और एमएसएमई में **बड़े पैमाने पर एनपीए** है, जहाँ बड़ी संख्या में कार्यबल कार्यरत है।

भारत में 1951 और 2000 के बीच वार्षिक GDP वृद्धि दर 3.6 प्रतिशत से बढ़कर 8 प्रतिशत तक पहुँच गयी, जबकि रोज़गार वृद्धि दर 1.5 प्रतिशत से खिसककर केवल लगभग 1 प्रतिशत रह गयी, जिसके परिणामस्वरूप रोज़गार-विहीन संवृद्धि की स्थिति बनी।

रोज़गार प्रत्यास्थता (Employment Elasticity) (*रोज़गार वृद्धि और मूल्य वर्धित संवृद्धि का अनुपात*) में समय और क्षेत्रों के साथ **उत्तरोत्तर गिरावट** आयी है।

1972-73 से 1983 के दौरान रोज़गार की लोच 0.52 प्रतिशत थी और अगले 10 वर्ष की अवधि में यह घटकर 0.41 प्रतिशत हो गयी और आगे 1993-94 से 2004-05 के दौरान 0.29 प्रतिशत रह गयी।

2004-05 से 2011-12 के दौरान रोज़गार की लोच फिर नीचे गिरकर **मात्र 0.04 प्रतिशत** (लगभग शून्य) रह गयी। **कृषि क्षेत्र** में रोज़गार की लोच में काफ़ी तेज़ गिरावट हुई, यहाँ तक कि 2004-05 से 2011-12 के बीच यह **नकारात्मक** (-0.42 प्रतिशत) **हो गयी**। 1972-73 और 1983 के बीच यह 0.46 प्रतिशत थी।

ऐसा इसलिए हुआ, क्योंकि हमनें श्रम-बचत करनेवाली पश्चिमी प्रौद्योगिकी पर अधिक से अधिक भरोसा किया।

- हमारी अर्थव्यवस्था श्रम-बचत करनेवाली प्रौद्योगिकी को अपनाने के लिए बाध्य है, क्योंकि अर्थव्यवस्था में पर्याप्त पूँजी निवेश का अभाव है और हमें FDI पर निर्भर रहना पड़ता है।
- **भारत में आनेवाला** FDI सामान्य रूप से कुशल विदेशी प्रौद्योगिकी से संबंधित होता है और इसके कारण उत्पादन की प्रक्रिया में कम श्रमिकों का उपयोग होता है। परिणामस्वरूप, हम बेहतर GDP वृद्धि दर तो पाते हैं, लेकिन रोज़गार में पर्याप्त वृद्धि के बिना।
- चूँकि वर्तमान परिदृश्य में FDI पर निर्भरता को कम नहीं किया जा सकता है, इसलिए रोज़गार-विहीन संवृद्धि को सुधारना भारतीय अर्थव्यवस्था के लिए **एक बड़ी चुनौती है।**

बीवरेज वक्र या यूवी वक्र (BEVERIDGE CURVE OR UV CURVE)

- यह *बेरोज़गारी* दर (X-अक्ष) [unemployment rate (X-axis)] और *नौकरी की रिक्तियों की* दर (Y-अक्ष) [job vacancy rate (Y-axis)] के बीच संबंध का रेखाचित्रीय या ग्राफ़िकल प्रतिरूप है।
- वक्र **अतिपरवलयिक आकार (hyperbolic shaped)** का और नीचे की ओर झुका हुआ होता है।
- इसका कारण यह है कि नौकरी की रिक्तियों की निम्न दर होने पर सामान्य रूप से बेरोज़गारी की दर ऊँची होती है और रिक्तियों की उच्च दर होने पर बेरोज़गारी की दर निम्न होती है।
- वक्र पर **मंदी की अवधि (recessionary period)** उस बिंदु द्वारा दर्शायी जाती है, जहाँ बेरोज़गारी की दर ऊँची और नौकरी की रिक्तियों की दर निम्न होती है।

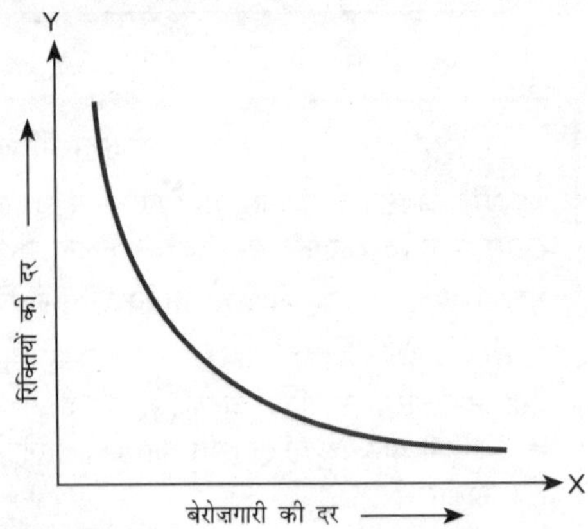

कार्य-बल का आकस्मिकीकरण और अनौपचारिकीकरण (CASUALISATION AND INFORMALISATION OF WORKFORCE)

NSO, डेटा रोज़गार की स्थिति के आधार पर श्रमिकों को तीन श्रेणियों में वर्गीकृत करता है: **स्व-नियोजित कामगार; नियमित वेतन/वेतनभोगी कर्मचारी** और **आकस्मिक कामगार**।

इसे समझने के लिए पहले निम्नलिखित बिंदुओं को परिभाषित करते हैं :

- **स्व-रोज़गार (Self-Employed)** - इस श्रेणी में नियोक्ता, स्वयं के खातेवाले कर्मचारी और अवैतनिक पारिवारिक कामगार सम्मिलित हैं। इस श्रेणी में मुख्य रूप से वे लोग सम्मिलित हैं जो अपने लिए काम करते हैं और वेतन/मज़दूरी के बदले में अपनी श्रम शक्ति किसी और को नहीं बेचते हैं। स्वयं के खातेवाले कर्मचारी एक या अधिक भागीदारों के साथ काम करते हैं, लेकिन ये निरंतर आधार पर कर्मचारियों को काम पर नहीं रखते हैं।

➤ **आकस्मिक कामगार बनाम नियमित कामगार (Casual worker *versus* regular worker)** – कामगार या तो स्व-रोज़गार युक्त होते हैं या पारिश्रमिक पर रखे जाते हैं। पारिश्रमिक पर रखे गये कामगार को आगे आकस्मिक कामगार या नियमित कामगार में वर्गीकृत किया जाता है।

आकस्मिक कामगार दैनिक मज़दूरी पर काम करते हैं और उन्हें ग्रेच्युटी या पेंशन जैसे सामाजिक सुरक्षा के लाभ नहीं दिये जाते हैं। हालाँकि, वे कर्मचारी भविष्य निधि, नियमित काम के घंटे और यहाँ तक कि ओवरटाइम भुगतान के भी हक़दार हैं। **नियमित कामगार** स्थायी वेतनमान पर होते हैं और सभी सामाजिक सुरक्षा लाभों के हक़दार या योग्य होते हैं।

➤ **औपचारिक कामगार बनाम अनौपचारिक कामगार (Formal worker versus informal worker)– असंगठित क्षेत्र में राष्ट्रीय उद्यम आयोग [National Commission for Enterprises in the Unorganised Sector (NCEUS)]** के अनुसार, कोई कामगार, जो संगठित क्षेत्र (जिसमें सरकारी विभाग, सार्वजनिक उपक्रम और 10 या उससे अधिक कामगारों को रखनेवालीं निजी अवस्थापनाएँ या उद्यम सम्मिलित हैं) में काम करता है, उसे औपचारिक कामगार (formal workers) कहा जाता है। जबकि, जो कामगार असंगठित क्षेत्र (जैसे- 10 से कम कामगारों को रखनेवाला उद्यम) में काम करते हैं, उन्हें **अनौपचारिक कामगार (informal workers)** कहा जाता है।

आकस्मिकीकरण में वृद्धि के कारण इस प्रकार हो सकते हैं:

➤ **ग़ैर-कृषिगत रोज़गार की तलाश में, ग्रामीण क्षेत्रों में प्रच्छन्न रोज़गारवाले श्रमिकों का शहरी क्षेत्रों में पलायन**। शहरी क्षेत्रों में उन्हें उचित कौशल और प्रशिक्षण के अभाव में ज्यादातर अनौपचारिक कामगार के रूप में रोज़गार मिलता है।

➤ शहरी क्षेत्रों में रियल एस्टेट क्षेत्र और **ग्रामीण क्षेत्रों में मनरेगा** में तेज़ी से वृद्धि के कारण, **निर्माण क्षेत्र में रोज़गार में वृद्धि हुई है**, जिसके परिणामस्वरूप अनौपचारिक या दैनिक-मज़दूरीवाले श्रमिकों की संख्या में वृद्धि हुई है।

➤ अनौपचारिकीकरण ने कार्य-बल के आकस्मिकीकरण को भी जन्म दिया है।

इसका समाधान सरकार द्वारा **शिक्षा में सुधार (educational reforms)** तथा **कौशल विकास की और अधिक पहलों (more skill development initiatives)** में निहित है। इस आकस्मिकीकरण को कम करने के लिए, सरकार द्वारा ऋण और सहायक बुनियादी ढाँचे तक पहुँच के सुगम अवसरों को सुविधाजनक बनाने के माध्यम से **स्वरोज़गार** को भी बढ़ावा दिया जाना चाहिए।

भारत में बढ़ता अनौपचारिकीकरण (Increasing Informalisation in India)

वर्तमान परिदृश्य में, 90 प्रतिशत कामगार अनौपचारिक कामगार हैं और केवल 10 प्रतिशत औपचारिक क्षेत्र में काम करते हैं।

तीव्र अनौपचारिकीकरण के निम्नलिखित कारण हो सकते हैं :

➤ 1991-92 के बाद हुए LPG सुधारों के परिणामस्वरूप **नियंत्रित अर्थव्यवस्था से बाज़ार अर्थव्यवस्था की ओर संक्रमण (Transition from 'controlled economy' to 'market economy')** हुआ तथा बाज़ार अर्थव्यवस्था और कार्यबल के अनौपचारिकीकरण में मज़बूत अंतर-संबंध होता है।

➤ प्रवेश के स्तर पर श्रमबल के बीच **उचित व्यवसायिक कौशल का अभाव।**

➤ बड़ी संख्या में **जटिल श्रम क़ानून** और नियम औपचारिक क्षेत्र में निजी उद्यमों के विकास में एक बाधा बनते हैं, जिसके कारण वे एक आसान विकल्प के रूप में आकस्मिक/संविदा आधारित कामगारों का सहारा लेते हैं।

➤ अब तक **MSME क्षेत्र पर आवश्यकता से कम ध्यान दिया गया है**, जो वास्तव में एक औपचारिक क्षेत्र के रूप में बड़ी क्षमता प्रदान कर सकता है।

इसलिए, बढ़ता अनौपचारिकीकण बाज़ार अर्थव्यवस्था की अनिश्चितताओं के प्रति कार्यबल को अधिक असुरक्षित बनाता है और इसे कम करने की दिशा में एक उचित रणनीति बनाने और उसे लागू करने का यह एक उचित समय है।

अतिरिक्त जानकारी

क्या MGNREGA बेरोज़गारी कम करने में महत्त्वपूर्ण भूमिका निभाता आया है और इसे जारी रखना चाहिए या नहीं। स्पष्ट कीजिए। (Did MGNREGA play a crucial role in reducing unemployment and whether it is to be continued or not? Elucidate)

महात्मा गांधी राष्ट्रीय ग्रामीण रोज़गार गारंटी अधिनियम [Mahatma Gandhi National Rural Employment Guarantee Act (MGNREGA)] प्रत्येक ग्रामीण परिवार को भारत सरकार की अधिसूचित मज़दूरी दर पर 100 दिन के लिए मज़दूरी आधारित गारंटीकृत रोज़गार को उपलब्ध कराने का प्रयास है, इस मज़दूरी दर को 2006 में योजना के लागू होने के बाद से समय-समय पर संशोधित किया गया है।

MGNREGA के अंतर्गत भारत सरकार की अधिसूचित मज़दूरी दर अलग-अलग राज्यों में अलग-अलग है और मार्च, 2019 की भारत सरकार की अद्यतन अधिसूचना के अनुसार यह दर ₹171 से लेकर ₹284 तक है। कोविड-19 महामारी के विरुद्ध लड़ाई को देखते हुए MGNREGA की मज़दूरी दर को मार्च 2020 में **₹20 तक** बढ़ा दिया गया था। इसके अतिरिक्त, कोविड-19 महामारी के कारण उभरे अचानक आजीविका संकट से निपटने के उपाय के रूप में 2020 में भारत सरकार द्वारा प्रोत्साहन पैकेज के भाग के रूप में MGNREGA के लिए अतिरिक्त ₹40,000 करोड़ की घोषणा की गयी थी।

मनरेगा की उपलब्धियाँ (Achievements of MGNREGA) :

- **ग्रामीण रोज़गार में वृद्धि (Increased Rural Employment)** : इस योजना से ग्रामीण क्षेत्रों में रोज़गार अवसरों में उल्लेखनीय वृद्धि हुई।
- **सामाजिक समावेश (Social Inclusion)** : इसमें कमज़ोर वर्गों जैसे- SC/ST और महिलाओं सहित हाशिये पर पड़े समुदायों की अधिक भागीदारी, जिसने इस योजना को समाजिक रूप से अधिक समावेशी बना दिया है।
- **वित्तीय समावेशन (Financial Inclusion)** : बैंक और पोस्ट ऑफ़िस में श्रमिकों के खातों के माध्यम से मनरेगा की मज़दूरी के भुगतान से वित्तीय समावेशन के स्तर में सुधार हुआ है।
- **संपत्ति निर्माण (Asset Creation)** : MGNREGA कार्य के माध्यम से टिकाऊ ग्रामीण परिसंपत्तियों जैसे- तालाब, चेक-डैम, पक्की सड़कें, पौधरोपण इत्यादिक का सृजन हुआ है।

आलोचनाएँ और चुनौतियाँ (Criticisms and Challenges) :

- **विलंबित वेतन भुगतान (Delayed Wage Payments)** : कई मामलों में मज़दूरों को वेतन मिलने में देरी का सामना करना पड़ा है।
- **घटता वेतन घटक (Declining Wage Component)** : कुछ पंचायतों में वार्षिक कार्य योजनाओं में मज़दूरी के भाग की घटती हिस्सेदारी घटती देखी गई है।
- **बेरोज़गारी भत्ता संबंधी मुद्दे (Unemployment Allowance Issues)** : ऐसे परिवारों को बेरोज़गारी भत्ता देने से विमुख होना, जो रोज़गार की माँग करते हैं, लेकिन उन्हें रोज़गार उपलब्ध नहीं कराया जाता।

उपर्युक्त कमियों के बाद भी, जो मुख्य रूप से इसके कार्यान्वयन से जुड़ी हैं, मनरेगा ने पंचायती राज संस्थाओं को पुनरुज्जीवित किया है और वंचितों के बीच अधिकार की भावना को पैदा किया है। संयुक्त राष्ट्र विकास कार्यक्रम [UNDP (United Nations Development Programme)] ने 2015 की अपनी मानव विकास रिपोर्ट में मनरेगा का उल्लेख **मील का पत्थर** के रूप में किया है और इसे ग्रामीण निर्धनों को प्रत्यक्ष रोज़गार प्रदान करनेवाली अब-तक की 'ज्ञात सर्वोत्तम' गारंटीकृत रोज़गार योजना करार दिया है।

अतः, मनरेगा को जारी रखना अभीष्ट है। यद्यपि, इसके कार्यान्वयन के दौरान आनेवालीं कमियों को दूर करने की आवश्यकता है।

बेरोज़गारी कम करने के लिए सरकार द्वारा उठाये गये हाल के क़दम (RECENT GOVERNMENT INITIATIVES TO REDUCE UNEMPLOYMENT)

- **आत्मनिर्भर भारत रोज़गार योजना (ABRY)** (*आत्मनिर्भर भारत 3.0 पैकेज के एक भाग के रूप में*) की घोषणा भारत सरकार द्वारा रोज़गार सृजन को बढ़ावा देने और कोविड-19 महामारी के सामाजिक-आर्थिक प्रभाव को कम करने के लिए की गयी थी। यह कोविड-19 महामारी के दौरान अनौपचारिक रोज़गार को औपचारिक बनाने और रोज़गार के नये अवसर पैदा करने में मदद करने के लिए है।
- **कर्मचारी जमा लिंक्ड बीमा (EDLI)** योजना पात्र परिवार के सदस्यों को नौकरी के दौरान कर्मचारी की असामयिक मृत्यु की स्थिति में वित्तीय सहायता प्रदान करने के लिए आश्वासन लाभ प्रदान करती है।
- *सामाजिक न्याय और अधिकारिता मंत्रालय ने भिखारियों* के व्यापक पुनर्वास के लिए '**SMILE –** आजीविका और उद्यम के लिए हाशिये पर रहनेवाले व्यक्तियों के लिए सहायता' योजना विकसित की है।
- कौशल विकास योजनाओं को कुछ लक्षित समूहों के लिए सुलभ बनाने के लिए '**PM-DAKSH**' (प्रधानमंत्री दक्ष और कुशल संपन्न हितग्राही) पोर्टल और 'PM-DAKSH' मोबाइल ऐप बनाया गया ।
- **प्रधानमंत्री कौशल विकास योजना (PMKVY) 4.0**, जिसका उद्देश्य भारत के युवाओं को रोज़गारयोग्य कौशल से लैस करने के लिए 300 से अधिक कौशल पाठ्यक्रम प्रदान करना है।

श्रम सुधार (LABOUR REFORMS)

भारत का संविधान केंद्रीय और राज्य सरकारों, दोनों को श्रम से संबंधित क़ानून बनाने की अनुमति देता है, जिसका उल्लेख **सातवीं अनुसूची की समवर्ती सूची** में किया गया है। किसी भी उद्योग के लिए, पूँजी के अतिरिक्त श्रम सबसे आवश्यक घटकों में से एक है। अगर उद्योगों को भारत में अपनी वास्तविक क्षमता तक विकसित होना है, तो श्रम सुधार की आवश्यकता है।

श्रम सुधारों में अनिवार्य रूप से अर्थव्यवस्था में उत्पादन, उत्पादकता और रोज़गार के अवसरों को बढ़ाने के लिए क़दम उठाने की परिकल्पना की गयी है, ताकि कामगारों के हितों से समझौता न हो। ऐसे सुधारों में कौशल विकास, पुनर्प्रशिक्षण, पुनर्नियुक्ति, श्रमिकों और शिक्षकों के ज्ञान आधार को अद्यतन करना, नेतृत्व गुणों को बढ़ावा देना आदि सम्मिलित हैं। श्रम सुधारों में श्रम क़ानून सुधार भी सम्मिलित हैं, जो कामगारों के ट्रेड यूनियन अधिकारों, औद्योगिक संबंधों और रोज़गार सुरक्षा और मज़दूरी, बोनस और अन्य प्रोत्साहन योजनाओं संबंधी नीतियों से संबंधित हैं।

औद्योगिक श्रम क़ानूनों में किये गये हालिया सुधार (RECENT REFORMS IN INDUSTRIAL LABOUR LAWS)

द्वितीय राष्ट्रीय श्रम आयोग की सिफ़ारिशों के अनुसार, भारत सरकार द्वारा महत्त्वपूर्ण विधायी सुधार किये गये। **हाल ही में लागू की गयीं चार श्रम संहिताएँ इस प्रकार हैं:**

हाल ही में लागू श्रम संहिताएँ	विवरण
वेतन संहिता, 2019 (4 श्रम क़ानूनों को समाहित करके) **[Code on Wages, 2019 (by subsuming 4 labour laws)]**	• मज़दूरी/वेतन और बोनस के विनियमन के लिए प्रविधान। • केंद्रीय सरकार विभिन्न भौगोलिक स्थानों के जीवन स्तर को ध्यान में रखते हुए न्यूनतम मज़दूरी तय करेगी। • केंद्रीय सरकार द्वारा निर्धारित न्यूनतम मज़दूरी से ऊपर, न्यूनतम मज़दूरी कार्य की प्रकृति और कौशल के आधार पर निर्धारित की जाती है।

हाल ही में लागू श्रम संहिताएँ	विवरण
औद्योगिक संबंध संहिता, 2020 (3 श्रम क़ानूनों को समाहित करके) [Code on Industrial Relations, 2020 (by subsuming 3 labour laws)]	श्रमिक की परिभाषा, बंद करने (closure), छँटनी (lay-off) और ख़र्चों में कटौती (retrenchment) के लिए सरकार की अनुमति लेने का प्रावधान, हड़ताल और तालाबंदी की पूर्व सूचना, ट्रेड यूनियनों के साथ वार्ता, रोज़गार की शर्तें और पुन: कौशल निधि प्रावधान।
सामाजिक सुरक्षा संहिता, 2020 (8 श्रम क़ानूनों को समाहित करके) [Code on Social Security, 2020 (by subsuming 8 labour laws)]	• केंद्रीय सरकार द्वारा असंगठित, गिग और प्लेटफ़ॉर्म श्रमिकों जैसे विभिन्न प्रकार के कामगारों के लिए एक निधि प्रदान करता है। • केंद्रीय सरकार, राज्य सरकार और ऐग्रीगेटर इस निधि में योगदान देंगे।
व्यावसायिक सुरक्षा, स्वास्थ्य और कार्यदशा संहिता, 2019 (13 श्रम क़ानूनों को समाहित करके) [Code on Occupational Safety, Health and Working Conditions, 2019 (by subsuming 13 labour laws)]	'कारख़ाने (factory)' शब्द को परिभाषित करता है, अधिनियम के दायरे को अनुबंध श्रमिकों तक बढ़ाता है, काम के घंटे को 8 घंटे तक सीमित करता है, महिलाओं के लिए समान प्रावधान करता है। यह अंतर-राज्यीय प्रवासी श्रमिकों के अधिकारों की भी गारंटी देता है।

औद्योगिक रोज़गार (स्थायी आदेश) केंद्रीय (संशोधन) नियम, 2018 [INDUSTRIAL EMPLOYMENT (STANDING ORDERS) CENTRAL (AMENDMENT) RULES, 2018]

- **श्रम एवं रोज़गार मंत्रालय** ने औद्योगिक रोज़गार (स्थायी आदेश) केंद्रीय नियम, 1946 में संशोधन करके **सभी क्षेत्रों के लिए निश्चित अवधि के रोज़गार** को अधिसूचित किया है। इससे पूर्व, निश्चित अवधि का रोज़गार केवल विशिष्ट औद्योगिक क्षेत्रों के लिए था।
- निश्चित अवधि के रोज़गार हेतु कामगार को एक निश्चित अवधि के लिए रोज़गार के लिखित अनुबंध के आधार पर नियुक्त किया जाना चाहिए। हालाँकि, **मौजूदा स्थायी कामगारों को निश्चित अवधि के रोज़गार में परिवर्तित नहीं किया जा सकता है।**
- संशोधित नियम में स्थायी कर्मचारी के समान कार्य घंटे, वेतन, भत्ते और अन्य लाभ प्रदान किये गये हैं।
- हालाँकि, **अस्थायी कर्मचारी** के मामले में **रोज़गार समाप्ति की कोई सूचना आवश्यक नहीं होगी।**
- ये संशोधन उद्योगों के बीच **'व्यापार करने में सुगमता' को बढ़ावा देने** के लिए किये गये हैं।
- हालाँकि, सभी क्षेत्रों के लिए निश्चित अवधि के रोज़गार की दिशा में यह **क़दम कंपनियों के लिए कर्मचारियों को नौकरी से निकालना आसान बना देगा।**

वर्ष 2019 में शुरू की गयीं दो नयी पेंशन योजनाएँ (श्रम एवं रोज़गार मंत्रालय द्वारा) [TWO NEW PENSION SCHEMES LAUNCHED IN 2019 (BY THE MINISTRY OF LABOUR & EMPLOYMENT)]

प्रधानमंत्री श्रम योगी मान-धन [(Pradhan Mantri Shram Yogi Maan-dhan (PM-SYM)]

यह **असंगठित क्षेत्र के श्रमिकों** (18-40 वर्ष), जिनकी मासिक आय ₹15,000 या उससे कम है, को लाभ पहुँचाने के लिए एक **स्वैच्छिक और अंशदायी (voluntary and contributory)** पेंशन योजना है। इसमें लाभार्थी को निर्धारित मासिक अंशदान और केंद्र सरकार को भी उतना ही अंशदान देना होता है। बदले में, 60 वर्ष की आयु के बाद न्यूनतम ₹3,000 मासिक पेंशन दी जाती है।

व्यापारियों, दुकानदारों और स्व-रोज़गार करनेवाले व्यक्तियों के लिए राष्ट्रीय पेंशन योजना (National Pension Scheme for Traders, Shopkeepers and Self-Employed Persons)

यह भी व्यापारियों, दुकानदारों और स्व-रोज़गार करनेवाले व्यक्तियों (18-40 वर्ष), जिनका **वार्षिक कारोबार 1.5 करोड़ रुपये से अधिक नहीं है** और जो EPFO/ESIC/NPS/PM-SYM के सदस्य या आयकरदाता नहीं हैं, हेतु एक स्वैच्छिक और अंशदायी पेंशन योजना है।

लाभार्थी द्वारा 50 प्रतिशत मासिक अंशदान देय है तथा केंद्र सरकार द्वारा भी बराबर का अंशदान दिया जाता है। 60 वर्ष की आयु प्राप्त करने के बाद न्यूनतम **₹3,000** मासिक पेंशन दी जाती है।

कर्मचारियों के लिए सामाजिक सुरक्षा योजनाएँ (SOCIAL SECURITY SCHEMES FOR EMPLOYEES)

कर्मचारी भविष्य निधि [Employees' Provident Fund (EPF)]

कर्मचारी भविष्य निधि एक सामाजिक सुरक्षा योजना है, जिसे EPFO चलाता है, जो श्रम मंत्रालय के अधीन आता है। जिसका उद्देश्य वेतनभोगी व्यक्तियों को लाभ पहुँचाना है।

कवरेज : 20 या उससे अधिक लोगों को रोज़गार देनेवाले संगठनों को अपने कर्मचारियों को EPF लाभ प्रदान करने की आवश्यकता होती है।

केवल उन लोगों के लिए अनिवार्य है, जो ₹15,000 प्रतिमाह तक कमाते हैं, उन्हें अपने मूल वेतन और महँगाई भत्ते का 12 प्रतिशत EPF में जमा करना होगा। नियोक्ता कोष में समान प्रतिशत (12%) की राशि का योगदान देता है, जिसमें से 3.67 प्रतिशत EPF में जाता है और शेष 8.33 प्रतिशत कर्मचारी पेंशन योजना (EPS) में जाता है। ₹15,000 से अधिक कमानेवालों के लिए EPF में योगदान वैकल्पिक है।

कर्मचारी राज्य बीमा [Employees' State Insurance (ESI)]

कर्मचारी राज्य बीमा एक एकीकृत सामाजिक सुरक्षा योजना है, जो संगठित क्षेत्र के श्रमिकों और उनके आश्रितों को बीमारी, मातृत्व और मृत्यु या रोज़गार, चोटिल होने या व्यावसायिक जोखिम के कारण विकलांगता जैसी आकस्मिकताओं में सामाजिक-आर्थिक सुरक्षा प्रदान करने हेतु तैयार की गयी है। इसकी वेतन सीमा ₹21000/- प्रति माह है।

अटल पेंशन योजना (Atal Pension Yojana)

अटल पेंशन योजना, एक स्वैच्छिक और अंशदायी पेंशन योजना है, जिसका उद्देश्य 60 वर्ष की आयु में ₹1000 से ₹5000 (अंशदान के आधार पर) की गारंटीकृत पेंशन प्रदान करना है। यह योजना मुख्य रूप से असंगठित श्रमिकों पर केंद्रित है, लेकिन 18 से 40 वर्ष की आयु का कोई भी भारतीय नागरिक अपने बचत बैंक खाते या डाकघर बचत बैंक खाते के माध्यम से इसमें सम्मिलित हो सकता है।

अतिरिक्त जानकारी

श्रम-बल में कृत्रिम बुद्धिमत्ता (AI) के निहितार्थ
(IMPLICATIONS OF ARTIFICIAL INTELLIGENCE (AI) IN LABOUR FORCE)

➤ आज विकसित किये जा रहे AI मॉडल की बढ़ती जटिलता श्रम बाज़ारों और तकनीकी विकास के समीकरण में एक आदर्श बदलाव का प्रतिनिधित्व करती है, जो दुनिया को दिखाती है कि कुछ वर्षों में, 'बुद्धिमत्तायुक्त मशीनें' उन कार्यों को करने में सक्षम होंगी, जिन्हें आज मुख्य रूप से मनुष्य करते हैं।

- AI के अनुसंधान और विकास में प्रगति की दर, इसकी जोखिमों को प्रबंधित करने के लिए आवश्यक नियामक और नैतिक ढाँचों से आगे निकल रही है। ज़ाहिर है, अनुमान से एक ऐसे रुझान का संकेत मिलता है, जहाँ AI स्वास्थ्य सेवा, आपराधिक न्याय, शिक्षा, व्यवसाय और वित्तीय सेवाओं जैसे क्षेत्रों में महत्त्वपूर्ण निर्णय निर्माण प्रक्रियाओं में मनुष्यों से बेहतर प्रदर्शन करना शुरू कर देता है।
- अंतरराष्ट्रीय मुद्रा कोष (IMF) के अनुसार, AI नौकरी के विस्थापन की जोखिम पैदा करता है, विशेष रूप से उभरते बाज़ारों और विकासशील अर्थव्यवस्थाओं के लिए, जो उन्नत अर्थव्यवस्थाओं के सापेक्ष प्रौद्योगिकी का लाभ उठाने के लिए, अच्छी तरह से तैयार नहीं हैं। संयोग से, अंतरराष्ट्रीय श्रम संगठन (ILO) का अनुमान है कि AI के कारण वैश्विक स्तर पर लगभग 75 मिलियन नौकरियाँ स्वचालन के पूर्ण जोखिम में हैं। लंबे समय तक श्रम विस्थापन एक ऐसी चीज़ है, जिसे भारत जैसे श्रम-अधिशेषवाले देश बर्दाश्त नहीं कर सकते। इसके अतिरिक्त, आर्थिक सर्वेक्षण 2023-24 में इस बात पर प्रकाश डाला गया कि भारत को बढ़ते कार्यबल की ज़रूरतों को पूरा करने के लिए वर्ष 2030 तक ग़ैर-कृषि क्षेत्र में सालाना औसतन 78.5 लाख नौकरियाँ पैदा करनी होंगी।
- इसके अतिरिक्त, भारत मुख्य रूप से एक सेवा-संचालित अर्थव्यवस्था है, जिसमें कम मूल्य-वर्धित सेवाओं में कार्यरत I.T. कार्यबल का एक महत्त्वपूर्ण हिस्सा है। ऐसी नौकरियाँ स्वचालन के लिए सर्वाधिक संवेदनशील हैं, क्योंकि लागत कम करने के लिए कंपनियाँ तकनीक के स्थान पर श्रम का इस्तेमाल कर सकती हैं।
- भारत एक उपभोग-आधारित अर्थव्यवस्था भी है। इस प्रकार, इसके कार्यबल के विस्थापन के कारण खपत में गिरावट का व्यापक आर्थिक प्रभाव पड़ना तय है।

इन अनिश्चितताओं के प्रति प्रतिक्रिया हेतु, संरचनात्मक मुद्दों को संबोधित करने के उद्देश्य से ऐसे समन्वित प्रयासों की आवश्यकता है, जो भारत के श्रम बाज़ार पर AI के प्रभाव को बढ़ा सकते हैं। नये संस्थानों की स्थापना और मौजूदा संस्थानों को उन्नत करना इस पहलू में महत्त्वपूर्ण भूमिका निभायेगा। सामाजिक बुनियादी ढाँचा यह सुनिश्चित करने हेतु आवश्यक आधार प्रदान करेगा कि प्रौद्योगिकी से लाभ समावेशी विकास में तब्दील हो सके।

संक्षिप्त विवरण

- **बेरोज़गारी (Unemployment)**- ऐसी स्थिति, जिसमें जिस व्यक्ति में काम करने की क्षमता है, काम करने की इच्छा है और जो काम करने की आयु (15-60 वर्ष) का है, लेकिन उसे वर्तमान मज़दूरी दर पर काम नहीं मिल पाता है - राष्ट्रीय प्रतिदर्श सर्वेक्षण कार्यालय (NSSO) द्वारा इसे तीन विधियों का उपयोग करके मापा जाता है- सामान्य मुख्य प्रस्थिति, वर्तमान साप्ताहिक प्रस्थिति और वर्तमान दैनिक प्रस्थिति।
- **प्रच्छन्न बेरोज़गारी (Disguised Unemployment)**- जब कोई व्यक्ति उत्पादन प्रक्रिया में योगदान नहीं करता है - इस मामले में श्रम की सीमांत उत्पादकता (MP_L) शून्य होती है।
- **त्रैमासिक रोज़गार सर्वेक्षण [Quarterly Employment Survey (QES)]** - यह श्रम ब्यूरो द्वारा 9 प्रमुख क्षेत्रों में 10 या अधिक श्रमिकों के साथ आयोजित किया जाता है, जिसमें कुल रोज़गार का 83 प्रतिशत हिस्सा शामिल है।
- **बीवरेज वक्र (Beveridge Curve)** - यह बेरोज़गारी दर (X-अक्ष) और नौकरी रिक्ति दर (Y-अक्ष) के बीच संबंधों का एक चित्रमय प्रतिनिधित्व है। वक्र हाइपरबोलिक आकार का है और नीचे की ओर ढलानवाला है।
- **औद्योगिक श्रम क़ानूनों में सुधार (Reforms in Industrial Labour Laws)** - श्रम संबंधी दूसरे राष्ट्रीय आयोग की सिफ़ारिशों के अनुसार भारत सरकार द्वारा पर्याप्त विधायी सुधार किये गये। हाल ही में अधिनियमित चार श्रम संहिताएँ हैं - मज़दूरी संहिता, 2019, औद्योगिक संबंध संहिता, 2020, सामाजिक सुरक्षा संहिता, 2020, व्यावसायिक सुरक्षा, स्वास्थ्य और कार्य स्थितियां संबंधी संहिता, 2019।

यूपीएससी सिविल सेवा के पिछले वर्षों की प्रारंभिक परीक्षा के प्रश्न

1. भारत में, निम्नलिखित में कौन एक, उन फ़ैक्टरियों में जिनमें कामदार नियुक्त हैं, औद्योगिक विवादों, समापनों छँटनी और कामबंदी के विषय में सूचनाओं को संकलित करता हैं? **[2022]**

- **(a)** केन्द्रीय सांख्यिकी कार्यालय
- **(b)** उद्योग संवर्धन और आंतरिक व्यापार विभाग
- **(c)** श्रम ब्यूरो
- **(d)** राष्ट्रीय तकनीकी जनशक्ति सूचना प्रणाली

2. भारत में नियोजित अस्थायी कर्मचारियों के संदर्भ में, निम्नलिखित कथनों पर विचार कीजिए : **[2021]**

1. सभी अस्थायी कामगार कर्मचारी भविष्य निधि कवरेज़ के हक़दार हैं।
2. सभी अस्थायी कामगार नियमित रूप से काम के घंटे और ओवरटाइम भुगतान के हक़दार हैं।
3. सरकार एक अधिसूचना द्वारा निर्दिष्ट कर सकती है कि कोई प्रतिष्ठान या उद्योग केवल अपने बैंक खाते के माध्यम से मज़दूरी का भुगतान करेगा।

उपर्युक्त कथनों में से कौन-सा सही है?

(a) केवल 1 और 2 **(b)** केवल 2 और 3
(c) केवल 1 और 3 **(d)** 1, 2 और 3

3. प्रच्छन्न बेरोज़गारी का सामान्यत: अर्थ है **[2013]**

- **(a)** बड़ी संख्या में लोग बेरोज़गार हैं
- **(b)** वैकल्पिक रोज़गार उपलब्ध नहीं है
- **(c)** श्रम की सीमांत उत्पादकता शून्य है
- **(d)** कामगार या श्रमिक की उत्पादकता कम है

☞ **कोई प्रश्न नहीं**
2024, 2023, 2020, 2019, 2018, 2017, 2016, 2015, 2014, 2012

उत्तर कुंजी

1. (c) 2. (b) 3. (c)

यूपीएससी सिविल सेवा के पिछले वर्षों की मुख्य परीक्षा के प्रश्न

1. भारत में अधिकांश बेरोजगारी संरचनात्मक प्रकृति की है। देश में बेरोज़गारी की गणना के लिए अपनायी गयी पद्धति का परीक्षण करें और सुधार का सुझाव दें। **[2023]**

2. भारत में हाल के समय में आर्थिक विकास की प्रकृति को प्राय: रोज़गार-विहीन विकास के रूप में वर्णित किया जाता है। क्या आप इस दृष्टिकोण से सहमत हैं? अपने उत्तर के पक्ष में तर्क दीजिए। **[2015]**

☞ **कोई प्रश्न नहीं**
2024, 2022, 2021, 2020, 2019, 2018, 2017, 2016, 2014, 2013, 2012

अध्याय 6

मुद्रास्फीति (Inflation)

अध्याय की रूपरेखा

- आर्थिक संवृद्धि और मुद्रास्फीति
- मुद्रास्फीति के प्रकार (दर-वार)
- मुद्रास्फीति के प्रकार (कारण-वार)
- मुद्रास्फीति मापने की विधियाँ
- थोक मूल्य सूचकांक
- उपभोक्ता मूल्य सूचकांक
- GDP अपस्फीतिकारक
- हेडलाइन मुद्रास्फीति
- मूलभूत मुद्रास्फीति
- मुद्रास्फीति के कारण
- मुद्रास्फीति के परिणाम/प्रभाव
- मुद्रास्फीति को नियंत्रित करने के उपाय
- मुद्रास्फीति-संबंधी कुछ अवधारणाएँ
- अपस्फीति
- अवस्फीति
- मुद्रास्फीतिजनित मंदी
- प्रत्यवस्फीति
- स्क्यूफ़्लेशन (विषमस्फीति)
- सरकार द्वारा मुद्रास्फीति को नियंत्रित करने के लिए हाल में उठाये गये क़दम
- मुद्रास्फीति पर प्रवृत्ति और रिपोर्ट

मुद्रास्फीति (Inflation) एक समयावधि में अर्थव्यवस्था में **सामान्य मूल्य स्तर में वृद्धि** को प्रस्तुत करती है। दूसरे शब्दों में, यह और कुछ नहीं, बल्कि अर्थव्यवस्था में **सभी वस्तुओं और सेवाओं** के औसत मूल्य स्तर में हुई वृद्धि है।

अतिरिक्त जानकारी

आर्थिक संवृद्धि और मुद्रास्फीति में संबंध (Relation between Economic Growth and Inflation) : अल्प अवधि में दोनों साथ-साथ **(सीधे अनुपात में होती हैं)** चलती हैं, अर्थात् मुद्रास्फीति-दर में गिरावट की किसी भी नीति के साथ आर्थिक संवृद्धि की दर भी गिरती है। दूसरी तरफ़, अल्प अवधि के लिए उच्च संवृद्धि दर केवल उच्च मुद्रास्फीति की क़ीमत पर ही प्राप्त की जा सकती है।

यद्यपि, दीर्घ काल में, मूल्य स्थिरता अधिक महत्त्वपूर्ण है, जो मुद्रास्फीति को इच्छित दर पर बनाये रख कर प्राप्त की जाती है।

मुद्रास्फीति दर (rate of inflation) को एक समय अवधि में उत्पादों की औसत क़ीमत में परिवर्तन की दर के रूप में मापा जाता है और इसे प्रतिशत में व्यक्त किया जाता है। इसका सूत्र है :

इस अवधि में मुद्रास्फीति की दर = (इस अवधि में मूल्य – पिछली अवधि में मूल्य) * 100/पिछली अवधि में मूल्य

आमतौर पर, पिछले वर्ष की इसी अवधि को मुद्रास्फीति के मापन के लिए संदर्भ के रूप में उपयोग किया जाता है। उदाहरण के लिए, अप्रैल, 2024 को अप्रैल, 2025 की अवधि के लिए आधार के रूप में इस्तेमाल किया जा सकता है।

इसके अतिरिक्त मुद्रास्फीति को **एक मूल्य सूचकांक (price index) के माध्यम से मापा जाता है** (जहाँ मूल्य सूचकांक वह प्रतिशत संख्या है, जो एक समयावधि में और मानक के रूप में लिये गये एक आधार वर्ष की तुलना में क़ीमतों में बदलाव की सीमा को प्रदर्शित करता है)।

थोक मूल्य सूचकांक [Wholesale Price Index (WPI)] को भारत में प्राथमिक मुद्रास्फीति माप माना जाता था, लेकिन 2014 से, भारत में RBI ने मुद्रास्फीति के प्रमुख माप के रूप में उपभोक्ता मूल्य सूचकांक संयुक्त को अपनाया।

एक निश्चित अवधि में (आधार वर्ष के संबंध में) CPI में प्रतिशत का परिवर्तन हमें उस अवधि में मुद्रास्फीति की दर देता है।

मुद्रास्फीति के प्रकार (दर-वार) [TYPES OF INFLATION (RATE-WISE)]

क़ीमतों में वृद्धि दर के आधार पर मुद्रास्फीति के निम्नलिखित विभिन्न प्रकार हैं :

(a) *रेंगती मुद्रास्फीति (Creeping Inflation)*

यह मुद्रास्फीति का सबसे हलका रूप है, जिसे मृदु मुद्रास्फीति या निम्न मुद्रास्फीति के नाम से भी जाना जाता है। इसमें सामान्य क़ीमत वृद्धि की दर निम्न होती है, जो कि **2 से 3 प्रतिशत के बीच होती है**। यदि यह दर या क़ीमत में वृद्धि जारी रहती है, तो इसे अर्थव्यवस्था के लिए अच्छा माना जाता है, क्योंकि उत्पादकों और व्यापारियों को उचित लाभ प्राप्त होता है, जो उन्हें अधिक निवेश के लिए प्रोत्साहित करता है। यह मुद्रास्फीति **नियंत्रण करने योग्य (manageable)** होती है।

(b) *चलती या धीरे-धीरे दौड़ती हुई मुद्रास्फीति (Walking/Trotting Inflation)*

इसे दुलकी (trotting) मुद्रास्फीति भी कहा जाता है। जब क़ीमतों में वृद्धि की दर रेंगती मुद्रास्फीति से अधिक (अर्थात् **3-10 प्रतिशत**) हो, तब इसे चलती मुद्रास्फीति कहते हैं। इस मुद्रास्फीति को गंभीरतापूर्वक लेना चाहिए, क्योंकि यह **दौड़ती मुद्रास्फीति के होने की एक चेतावनी होती है**। यदि इसे नियंत्रित नहीं किया जाये, तो इसका परिणाम दौड़ती मुद्रास्फीति हो सकता है।

(c) *द्रुत मुद्रास्फीति (Galloping Inflation)*

जब मुद्रास्फीति **10 प्रतिशत से अधिक और 50 प्रतिशत तक होती है,** तो इसे द्रुत मुद्रास्फीति कहा जाता है। इसके कारण व्यवसायों और कर्मचारियों की आय, लागत और क़ीमत के अनुरूप नहीं हो पाती है। यहाँ तक कि विदेशी निवेशक भी ऐसी अस्थिर अर्थव्यवस्था में निवेश करने से बचते हैं। इस स्थिति को हाँफती या कूदती मुद्रास्फीति का भी नाम दिया जाता है।

(d) *अति-मुद्रास्फीति (Hyperinflation)*

यह मुद्रास्फीति का एक चरम रूप है, जहाँ **क़ीमतों में वृद्धि दर अत्यधिक उच्च होती है** (अर्थात् प्रतिमाह 50 प्रतिशत से भी अधिक)। अति-मुद्रास्फीति में न केवल क़ीमत बल्कि मूल्य वृद्धि की गति भी गंभीर रूप से तीव्र होती है। अति-मुद्रास्फीति तब होती है, **जब मुद्रा आपूर्ति में अत्यधिक वृद्धि हो जाती है।** चरम स्थितियों में **राष्ट्रीय मुद्रा का मूल्य घटकर लगभग शून्य हो जाता है** और काग़ज़ की मुद्रा रद्दी काग़ज़ बनकर रह जाती है। ऐसी स्थिति में, पाव-रोटी और कुछ सब्ज़ियों को ख़रीदने के लिए व्यक्ति को बड़ी बोरियों में पैसे भर कर ले जाने की ज़रूरत पड़ेगी। इस प्रकार मुद्रा **मूल्य के भंडार** और **विनिमय के माध्यम** के रूप में कार्य करना बंद कर देती है।

क्या आप जानते हैं? जर्मनी ने 1920 के दशक में, हंगरी ने 1946 में और जिम्बाब्वे ने 2004-09 के दौरान अति-मुद्रास्फीति का सामना किया। वेनेजुएला की अर्थव्यवस्था, अति-मुद्रास्फीति की ख़तरनाक दर का सामना कर रही है। वर्ष 2019 में यह लगभग 282,972.80 प्रतिशत रही (ट्रेडिंग इकोनॉमिक्स के आँकड़ों के अनुसार)।

अतिरिक्त जानकारी

बेलगाम मुद्रास्फीति से निपटने के लिए नयी मुद्रा (NEW CURRENCY TO TACKLE HYPERINFLATION)

2020 में **ईरान सरकार** ने राष्ट्रीय मुद्रा को रियाल से बदलकर टोमान (Toman) कर दिया है। एक टोमान 10,000 रियाल के बराबर है। घेरन (Gheran) ईरानी सरकार द्वारा शुरू किया गया एक और नया नाम है। 100 घेरन से 1 टोमान बनता है।

2023 में, जिम्बाब्वे ने अपनी मुद्रा को मज़बूत और स्थिर करने के लिए **गोल्ड समर्थित डिजिटल मुद्रा शुरू** की। देश बेलगाम मुद्रास्फीति और कमज़ोर जिम्बाब्वे डॉलर जैसी महत्त्वपूर्ण आर्थिक चुनौतियों का सामना कर रहा है। गोल्ड समर्थित डिजिटल मुद्रा की शुरुआत करके, देश अर्थव्यवस्था में अतिरिक्त तरलता की समस्या का पता लगाने और अपनी मुद्रा पर वापस भरोसा लाने का प्रयास करता है।

- गोल्ड समर्थित डिजिटल मुद्रा, उस मुद्रा का एक रूप है, जो इसकी मूल्य की स्थिरता को बनाये रखने की दृष्टि से इसके मूल्य को सोने के साथ जोड़ता है। (इस मुद्रा को देश की मुद्रा या अन्य विदेशी मुद्राओं का इस्तेमाल करके ख़रीदा या बेचा जा सकता है।)

मुद्रास्फीति के प्रकार (कारण-वार) [TYPES OF INFLATION (CAUSE-WISE)]

(a) *माँगजनित मुद्रास्फीति (Demand–Pull Inflation)*

- यह कुल माँग और उपभोग में वृद्धि के कारण होती है, जो (i) निजी और सरकारी व्यय में वृद्धि (ii) परिवारों द्वारा बचत की निम्न दर (iii) स्थानीय विनिमय दर में ह्रास (iv) करों में गिरावट (v) मुद्रा आपूर्ति और बैंक ऋण में वृद्धि और (vi) निर्यात में वृद्धि के कारण होती है।
- यह **परिवारों के हाथ में उपभोगयोग्य आय में वृद्धि करती है,** जिसके परिणामस्वरूप कुल आपूर्ति में परिवर्तन के बिना **कुल माँग में वृद्धि हो जाती है।**
- इस मुद्रास्फीति को नियंत्रित करने के लिए माँग में हुई वृद्धि के बराबर आपूर्ति में वृद्धि की आवश्यकता होती है, जिससे अर्थव्यवस्था को उच्च स्तर की मुद्रास्फीति से राहत मिलती है।

(b) *लागतजनित मुद्रास्फीति (Cost–Push Inflation)*

- इसे **'आपूर्ति आघात मुद्रास्फीति'** (supply shock inflation) भी कहा जाता है। यह तब होती है, जब भूमि, श्रम और कच्चे पदार्थों जैसी **वस्तुओं और सेवाओं के 'उत्पादन कारकों' की लागत बढ़ने के कारण** सामान्य क़ीमत बढ़ जाती है।
- उदाहरणस्वरूप यदि श्रम के पारिश्रमिक में वृद्धि होती है, तो उत्पादन की इकाई लागत में भी वृद्धि हो जाती है, जिसके परिणामस्वरूप उत्पादित वस्तुओं और सेवाओं की क़ीमतें बढ़ जाती हैं या जब उत्पादन आगतों की आपूर्ति में गिरावट होती है, तो इसके कारण क़ीमत बढ़ जाती है या तब भी जब कृषि उत्पादों का उत्पादन विभिन्न कारकों जैसे- सूखा, बाढ़ आदि के कारण बुरी तरह प्रभावित होता है।
- 1973 में **तेल के झटके** (ओपेक देशों द्वारा तेल क़ीमतों में की गयी अप्रत्याशित वृद्धि) के परिणामस्वरूप पूरे विश्व में सामान्य मूल्य स्तर में भारी वृद्धि हुई थी।
- लागतजनित मुद्रास्फीति (i) अप्रत्यक्ष करों में वृद्धि (ii) आयात क़ीमतों में वृद्धि (iii) उच्च पूँजी लागत और ब्याज दरों और (iv) उत्पादक फ़र्मों की उच्च लाभ राशि के कारण भी होती है।

(c) *संरचनात्मक मुद्रास्फीति (Structural Inflation)*

इस मामले में अर्थव्यवस्था में व्याप्त अक्षमताओं के कारण मुद्रास्फीति **लंबे काल के लिए बनी रहती है**, जैसे-

- पिछड़ा कृषि क्षेत्र (ख़राब उत्पादकता)
- अप्रभावी वितरण और भंडारण सुविधाएँ इत्यादि।

ये अक्षमताएँ अर्थव्यवस्था में कमी उत्पन्न करती हैं, जो मुद्रास्फीति का कारण बनती हैं।

इसे **गतिरोधी मुद्रास्फीति (Bottleneck Inflation)** भी कहा जाता है और सरकार को इस विशेष प्रकार की मुद्रास्फीति से निपटने में काफ़ी कठिनाई का सामना करना पड़ता है। इसे बड़े संरचनात्मक सुधारों के माध्यम से ही नियंत्रित किया जा सकता है।

अतिरिक्त जानकारी

अंतर्निहित मुद्रास्फीति (BUILT-IN INFLATION)

अंतर्निहित मुद्रास्फीति (कभी-कभी वेतन-मूल्य स्पाइरल के रूप में संदर्भित) एक ऐसी परिघटना है, जिसमें श्रमिक जीवन की बढ़ती लागत को बनाये रखने के लिए उच्च वेतन की माँग करना शुरू कर देते हैं। इससे व्यवसायों को अपनी बढ़ती मज़दूरी लागतों की भरपाई करने व वेतन और मूल्य वृद्धि का एक स्व-मज़बूत लूप बनाने के लिए अपनी क़ीमतें बढ़ानी पड़ती हैं।

मुद्रास्फीति मापने की विधियाँ (METHODS TO MEASURE INFLATION)

मुद्रास्फीति को 3 भिन्न तरीक़ों से मापा जा सकता है :

मुद्रास्फीति मापने की विधियाँ (Methods to measure Inflation)

- थोक मूल्य सूचकांक [Wholesale Price Index (WPI)]
- उपभोक्ता मूल्य सूचकांक [Consumer Price Index (CPI)]
- अपस्फीतिकारक (GDP Deflator)

(a) *थोक मूल्य सूचकांक (Wholesale Price Index)*

थोक मूल्य सूचकांक (WPI) मासिक आधार पर थोक क़ीमतों में परिवर्तन को मापता है (पहले यह साप्ताहिक आधार पर था)।

WPI मुद्रास्फीति को मापने के लिए विभिन्न प्रकार की **697 वस्तुओं** को सम्मिलित करता है, लेकिन **यह सेवाओं को सम्मिलित नहीं करता है।**

WPI मुद्रास्फीति को मापने के लिए इन वस्तुओं के **कारख़ाना स्थल पर आनेवाले मूल्य (Ex-factory price)** का प्रयोग करता है। दूसरे शब्दों में, यह वस्तुओं की क़ीमतों की गणना उपभोक्ताओं तक पहुँचने से पहले करता है। अत: WPI की गणना के लिए प्रयुक्त क़ीमतों में **अप्रत्यक्ष कर को सम्मिलित नहीं किया जाता** है और जिसके कारण WPI-आधारित मुद्रास्फीति सरकार द्वारा **वित्तीय नीति में किये जानेवाले किसी बदलाव से प्रभावित नहीं होती।**

क्या आप जानते हैं?

WPI को भारत में सबसे पहले वर्ष 1942 में जारी किया गया था। वर्तमान में **वाणिज्य और उद्योग मंत्रालय के अंतर्गत औद्योगिक नीति एवं संवर्धन विभाग [Department of Industrial Policy and Promotion (DIPP)] WPI** को संकलित और जारी करता है।

अतिरिक्त जानकारी

आधार वर्ष तथा आधार प्रभाव (BASE YEAR OR BASE EFFECT)

आधार वर्ष (Base Year) वह वर्ष होता है जिसके आधार पर हम मुद्रास्फीति दर की गणना के लिए मूल्य सूचकांक की गणना करते हैं।

'आधार प्रभाव' (Base Effect) विभिन्न संदर्भित डेटा के प्रभाव को दर्शाता है, जो तुलनात्मक परिणामों की व्याख्या में परिलक्षित होता है।

एक विशेष वित्तीय वर्ष को आधार वर्ष के रूप में निर्धारित करने की कसौटी :

- निम्न मॉनसून की कमीवाला वर्ष
- ऐसा वर्ष, जिसमें कोई बड़ी प्राकृतिक आपदा, सूखा या अकाल नहीं हो।
- उस वर्ष में मुद्रास्फीति अत्यधिक उच्च दर पर नहीं होनी चाहिए।
- आर्थिक गतिविधियों की दृष्टि से अस्थिर वर्ष आधार वर्ष के रूप में नहीं लिये जाते हैं।
- चुने गये आधार वर्ष और चालू वर्ष में बहुत ज़्यादा अंतराल नहीं होना चाहिए।

वर्तमान में **प्रयोग हो रहा आधार वर्ष 2011-12** = 100 आधार के रूप में। (पहले यह 2004-05 था)

697 वस्तुओं (पहले 676) की वस्तु टोकरी को मुख्य रूप से **तीन** घटकों की **श्रेणियों में** वर्गीकृत किया जाता है :

उत्पाद	पुराने आधार वर्ष 2004-05 के अंतर्गत भार	नये आधार वर्ष 2011-12 के अंतर्गत भार	टिप्पणी
प्राथमिक वस्तुएँ (अनाज, फल, सब्ज़ियाँ और खनिज)	20.12%	22.62%	**वृद्धि**
ईंधन और विद्युत-शक्ति (कोयला, बिजली और खनिज तेल)	14.91%	13.15%	**ह्रास**
विनिर्मित उत्पाद	64.97%	64.23%	**ह्रास**
कुल	**100%**	**100%**	

निष्कर्ष (Conclusion) : 2011-12 के नये आधार वर्ष के अंतर्गत **प्राथमिक वस्तुओं के भार में वृद्धि हुई है,** जबकि **ईंधन और विद्युत-शक्ति तथा विनिर्मित उत्पादों के भार में कमी आयी है।**

अतिरिक्त जानकारी

WPI खाद्य सूचकांक (WPI Food Index) : खाद्य मुद्रास्फीति पर अधिक प्रभावी तरीक़े से निगरानी के लिए उद्योग संवर्धन और आंतरिक व्यापार विभाग [Department for Promotion of Industry and Internal Trade **(DIPP)**], 2017 से **WPI खाद्य सूचकांक जारी** कर रहा है। यह उत्पादकों के स्तर पर मुद्रास्फीति की दर को मापता है। WPI के अंतर्गत 697 वस्तुओं की सूची में सभी खाद्य वस्तुओं के सकल योग को WPI खाद्य सूचकांक की गणना के लिए लिया जाता है।

आर्थिक सर्वेक्षण 2024-25 के अनुसार, उपभोक्ता खाद्य मूल्य सूचकांक (CFPI) द्वारा मापी गयी खाद्य मुद्रास्फीति, वित्त वर्ष 24 में 7.5 प्रतिशत से बढ़कर वित्त वर्ष 25 (अप्रैल-दिसंबर) में 8.4 प्रतिशत हो गयी है, जो मुख्य रूप से सब्ज़ियों और दालों जैसे कुछ खाद्य पदार्थों से प्रेरित है।

(b) *उपभोक्ता मूल्य सूचकांक (Consumer Price Index)*

- **उपभोक्ता मूल्य सूचकांक (CPI) मासिक आधार** पर **ख़ुदरा क़ीमतों** में परिवर्तन को **मापता है**। इसमें **वस्तुएँ और सेवाएँ, दोनों सम्मिलित हैं**।
- यह **एक ही प्रकार के या सजातीय उपभोक्ताओं के समूह** पर फ़ोकस करता है, अर्थात् ऐसे उपभोक्ता जो वस्तु टोकरी के संदर्भ में एक तरह से जुड़े होते हैं। वर्तमान में यह दो सजातीय समूहों का संज्ञान लेता है- ग्रामीण पारिवारिक इकाइयाँ और शहरी पारिवारिक इकाइयाँ।
- यह उपभोक्ताओं के दो संबंधित वर्गों के **जीवन ख़र्च** को दर्शाता है।

परीक्षोपयोगी

CPI के विभिन्न प्रकार (VARIOUS TYPES OF CPI)

क्रमांक	विषय सूची	प्रयुक्त आधार-वर्ष	संकलन-कर्ता
1	CPI – औद्योगिक कार्यकर्ता, मुख्य रूप से पूरे समय औद्योगिक श्रमिकों द्वारा उपयोग किये जानेवाले उत्पादों और सेवाओं की दी गयी टोकरी के मूल्य निर्धारण में परिवर्तन को मापने का प्रयास करता है।	2016	श्रम एवं रोज़गार मंत्रालय, भारत सरकार के अंतर्गत **श्रम ब्यूरो**
2	CPI – कृषि मज़दूर, मुख्य रूप से विभिन्न राज्यों में कृषि श्रमिकों के लिए न्यूनतम मज़दूरी को संशोधित करने के लिए।	1986–87	
3	CPI – ग्रामीण श्रमिक	1986–87	
4	CPI ग्रामीण, CPI शहरी, CPI (ग्रामीण + शहरी) या CPI (संयुक्त)	2012	केंद्रीय सांख्यिकी कार्यालय (CSO), जो अब **राष्ट्रीय सांख्यिकी कार्यालय (NSO)** है। भारत सरकार ने 2019 में राष्ट्रीय सांख्यिकी कार्यालय (NSO) बनाने के लिए NSSO (राष्ट्रीय प्रतिदर्श सर्वेक्षण कार्यालय) और CSO का विलय करने का आदेश जारी किया।

CPI ग्रामीण, CPI शहरी और CPI (संयुक्त) [CPI Rural, CPI Urban and CPI (Combined)]

- इसके दायरे में **ग्रामीण टोकरी की 448 वस्तुएँ** तथा **शहरी टोकरी की 460 वस्तुएँ आती हैं**।
- CPI की गणना के लिए आधार वर्ष को 2010 = 100 से संशोधित कर 2012 = 100 कर दिया गया है।
- **महँगाई भत्ते** की गणना के लिए CPI का प्रयोग किया जाता है (WPI का नहीं)।
- **मुद्रास्फीति पर लक्ष्य करते हुए**, भारतीय रिज़र्व बैंक (RBI) और केंद्र सरकार नीति-निर्माण के लिए 2015 से **CPI (संयुक्त)** (WPI के स्थान पर) का प्रयोग करते हैं, जो उर्जित पटेल समिति की रिपोर्ट पर आधारित है।
- **मुद्रास्फीति शीर्षक (Headline Inflation) CPI (संयुक्त)** पर आधारित है।

परीक्षोपयोगी

CPI (संयुक्त) के अंतर्गत सापेक्षिक भार [RELATIVE WEIGHTS UNDER CPI (COMBINED)]

शीर्षक	पुराने 2004-05 आधार वर्ष के अंतर्गत भार	नये 2011-12 आधार वर्ष के अंतर्गत भार	टिप्पणी
खाद्य एवं पेय	47.6%	45.86%	**ह्रास**
पान, तम्बाकू और मादक पदार्थ	2.1%	2.38%	वृद्धि
कपड़े और जूते-चप्पल	4.7%	6.53%	वृद्धि
आवास	9.8%	10.07%	वृद्धि
ईंधन और प्रकाश	9.5%	6.84%	**ह्रास**
मिश्रित	26.3%	28.32%	वृद्धि
कुल	**100%**	**100%**	

विश्लेषण (Analysis) :

- CPI ग्रामीण के अंतर्गत आवास का घटक **सम्मिलित नहीं** है।
- खाद्य एवं पेय पदार्थों का भार CPI शहरी (36.3 प्रतिशत) की तुलना में CPI ग्रामीण (54.2 प्रतिशत) **के मामले में अधिक है।**
- 2012 के आधार वर्ष के साथ नयी श्रेणी के CPI के अंतर्गत **ईंधन एवं प्रकाश के भार में कमी आयी है।**

अतिरिक्त जानकारी

CPI खाद्य सूचकांक (CPI FOOD INDEX)

यह 2014 से CSO द्वारा जारी किया जा रहा है। इसकी गणना बिंदुवार तरीक़े से मासिक आधार पर उसी आधार वर्ष (2012) के साथ की जाती है, जो CPI के मामले में प्रयोग किया गया हो।

"अनाज एवं उत्पाद (Cereals & Products)" CPI खाद्य सूचकांक की गणना में **सर्वाधिक भार** (34.2 प्रतिशत) रखते हैं।

वैश्विक स्तर पर **FAO या खाद्य मूल्य सूचकांक [FAO Food Price Index (FFPI)]** संयुक्त राष्ट्र के खाद्य एवं कृषि संगठन [Food & Agriculture Organization (FAO)] द्वारा जारी किया जाता है, जो खाद्य वस्तुओं की टोकरी में अंतरराष्ट्रीय क़ीमत परिवर्तन को दर्शाता है। यह 5 वस्तुओं अर्थात् अनाज, वनस्पति तेल, मांस, डेयरी उत्पाद और शक्कर या चीनी के वर्ग सूचकांक के औसत को समाहित करता है। जनवरी, 2024 में एफ़एओ (FAO) खाद्य मूल्य सूचकांक (FPPI) औसतन 118.0 अंक पर था (दिसंबर, 2023 के स्तर से 1.2 प्रतिशत कम)।

परीक्षोपयोगी

WPI *बनाम* CPI (WPI *vs* CPI)

आधार	WPI	CPI (संयुक्त)
आधार वर्ष	2011–12	2012
वस्तुओं की संख्या	697 उत्पाद	200 भारित वस्तुएँ
सेवाएँ सम्मिलित हैं या नहीं?	WPI **केवल** वस्तुओं को गणना के लिए लेता है।	CPI वस्तुओं और सेवाओं **दोनों** को गणना में लेता है।
खाद्य वस्तुओं का भार	WPI में खाद्य वस्तुओं का भार कम (लगभग 22%) होता है।	CPI में खाद्य वस्तुओं का भार अधिक (लगभग 46%) होता है।
उत्पादन का चरण	WPI उत्पादन के प्रत्येक चरण पर मुद्रास्फीति को मापता है।	CPI केवल उत्पादन के अंतिम चरण पर मुद्रास्फीति को मापता है।
आँकड़ों का एकत्रीकरण	केंद्रीकृत एकत्रीकरण।	1,181 गाँव और 310 क़स्बों में एकत्रीकरण।
समय अंतराल	निम्न समय अंतराल, आँकड़े अपेक्षाकृत जल्दी उपलब्ध होते हैं।	उच्च समय अंतराल
मुद्रास्फीति की दर	CPI-आधारित मुद्रास्फीति की तुलना में WPI-आधारित मुद्रास्फीति सामान्यत: कम होती है।	WPI-आधारित मुद्रास्फीति की तुलना में CPI-आधारित मुद्रास्फीति सामान्यत: उच्च होती है।

उपर्युक्त बिंदुओं के आधार पर यह कहा जा सकता है कि WPI की तुलना में **CPI मुद्रास्फीति का एक बेहतर मापक है** और मौद्रिक नीति के निर्णयों के लिए अधिक विश्वसनीय है।

फिर भी, यह ध्यान देने योग्य है कि WPI में थोक स्तर पर या अर्थव्यवस्था के प्रवेश स्तर पर मुद्रास्फीति का आकलन किया जाता है। अगर सरकार समय रहते हस्तक्षेप करे, तो उपभोक्ताओं तक इसका असर पहुँचने से पहले मुद्रास्फीति को रोका जा सकता है।

(c) *GDP अपस्फीतिकारक (GDP Deflator)*

यह **चालू क़ीमत पर GDP और स्थिर क़ीमत पर GDP के अनुपात** को दर्शाता है।

$$\text{जीडीपी अपस्फीतिकारक (GDP deflator)} = \frac{\text{चालू क़ीमत पर GDP}}{\text{स्थिर क़ीमत पर GDP}}$$

यदि जीडीपी अपस्फीतिकारक 1 है, तो यह दर्शाता है कि सामान्य क़ीमत स्तरों में कोई परिवर्तन नहीं है।

यदि जीडीपी अपस्फीतिकारक >1 है, तो यह सामान्य क़ीमत स्तरों में वृद्धि को दर्शाता है।

WPI और CPI की तुलना में GDP अपस्फीतिकारक (GDP deflator) **मुद्रास्फीति का एक बेहतर मापक है,** क्योंकि यह अर्थव्यवस्था की सभी वस्तुओं और सेवाओं को गणना के लिए लेता है। इसके बावजूद इसका उपयोग अल्प-कालिक मुद्रास्फीति लक्ष्योंवाली नीति को बनाने में नहीं किया जाता, क्योंकि जीडीपी से जुड़े आँकड़े मासिक आधार पर उपलब्ध नहीं होते।

अतिरिक्त जानकारी

उत्पादक मूल्य सूचकांक (PRODUCER PRICE INDEX)

- PPI **उत्पादकों के दृष्टिकोण से** क़ीमत परिवर्तनों को मापता है (जबकि CPI उपभोक्ताओं/ख़रीदारों के दृष्टिकोण से क़ीमत परिवर्तनों को मापता है)।

- PPI **उत्पादकों को प्राप्त होनेवालीं क़ीमतों में औसत परिवर्तन** को मापता है, जो क़ीमतें उसे वस्तुओं/सेवाओं को घरेलू बाज़ार में बेचने/निर्यात से प्राप्त होती हैं और इस प्रकार PPI **मुद्रास्फीति पर अप्रत्यक्ष करों के प्रभाव सम्मिलित नहीं करता।**
- PPI वस्तुओं और सेवाओं, दोनों को गणना के लिए संकलन करता है। (WPI के विपरीत)
- **WPI के अंतर्गत दोहरी/बहुगणना की आशंका निहित** होती है, जिसे PPI के प्रयोग से टाला जा सकता है।
- भारत सरकार ने 2014 में **बी. एन. गोलदार समिति** का गठन इस बात का पता लगाने के लिए किया कि क्या WPI का स्थान PPI को लेना चाहिए या नहीं और उसकी कार्यविधि पर सुझाव देने के लिए कहा गया।
- इस समिति ने मुख्य रूप से निम्नलिखित सिफ़ारिशें कीं :
    1. मुद्रास्फीति मापने के लिए प्रयोगात्मक आधार पर **WPI से PPI की तरफ़ जाना।**
    2. प्रयोगात्मक PPI की गणना के लिए **"आपूर्ति प्रयोग सारिणी (Supply Use Tables)"** से लिये गये आँकड़ों का प्रयोग।
    3. प्रयोगात्मक PPI के लिए आधार वर्ष 2011-12 होना चाहिए।
    4. PPI टोकरी में **सेवाओं की क़ीमत सम्मिलित** करना।
    5. प्रयोगात्मक PPI की गणना करते समय **प्रमुख निर्यात और आयात वस्तुओं को सम्मिलित** करना।
- संयुक्त राज्य अमेरिका जैसी कई उन्नत अर्थव्यवस्थाएँ और यहाँ तक कि कुछ उभरती हुई अर्थव्यवस्थाएँ पहले ही WPI के स्थान पर PPI के प्रयोग की तरफ़ जा चुकी हैं।
- IMF ने भी मुद्रास्फीति मापने के लिए WPI के स्थान पर PPI के प्रयोग की संस्तुति की है।

हेडलाइन मुद्रास्फीति (Headline Inflation)

यह वह है, जिसे उपभोक्ता महसूस करते हैं। यह CPI (संयुक्त) के माध्यम से दर्ज अपरिष्कृत मुद्रास्फीति आँकड़ा है। इसमें वस्तुओं की परिवर्तनशील और ग़ैर-परिवर्तनशील, दोनों श्रेणियाँ सम्मिलित हैं। मूलभूत मुद्रास्फीति या कोर इन्फ़्लेशन के विपरीत होने पर इसे अच्छी तरह समझा जाता है।

मूलभूत मुद्रास्फीति (Core Inflation)

इस मापक की **गणना नीति निर्माताओं द्वारा** मुद्रास्फीति के आँकड़ों के विश्लेषण के लिए **की जाती है, जो खाद्य वस्तुओं और ऊर्जा (ईंधन और विद्युत-शक्ति) उत्पाद जैसी अधिक अस्थिर श्रेणियों को सम्मिलित नहीं करता।** मूलभूत मुद्रास्फीति (Core Inflation) की गणना **CPI** के प्रयोग द्वारा ऊपर बतायी गयीं श्रेणियों की वस्तुओं को छोड़कर की जाती है, ताकि **अस्थायी तथा अल्प-कालिक संकटों के प्रभाव को हटाया जा सके।**

परिष्कृत कोर मुद्रास्फीति (Refined Core Inflation)

सर्वेक्षण के अनुसार इसका निर्माण मुख्य ईंधन मदों, अर्थात् वाहन के लिए पेट्रोल, वाहन के लिए डीजल और वाहन में स्नेहक और अन्य ईंधन के अलावा भोजन और पेय पदार्थ और ईंधन और प्रकाश को हेडलाइन कोर मुद्रास्फीति से बाहर करके किया गया है।

मुद्रास्फीति के कारण (CAUSES OF INFLATION)

मुद्रास्फीति या तो **सकल माँग में वृद्धि या सकल आपूर्ति में गिरावट** के कारण होती है। इस प्रकार मुद्रास्फीति के कारकों/कारणों को दो व्यापक श्रेणियों में बाँटा जा सकता है :

(a) मुद्रास्फीति के माँग पक्ष कारक/कारण (Demand Side Factors/Causes for Inflation)

- **ग़ैर-विकासात्मक सरकारी व्यय में वृद्धि के कारण।**
- **घाटा वित्तपोषण में वृद्धि के कारण**, अर्थात् बैंकिंग प्रणाली से धन उधार लेकर घाटे का वित्तपोषण।

(b) मुद्रास्फीति के आपूर्ति पक्ष कारक/कारण (Supply Side Factors/Causes for Inflation)

- **अनियमित कृषि** उत्पादन के कारण (मॉनसून और अल निनो जैसी चरम मौसमी घटनाओं के कारण)।
- किसी भी युद्ध के कारण आपूर्ति श्रृंखला को आघात (उदाहरण के लिए, यूक्रेन-रूस संघर्ष)।
- बड़े किसानों और थोक-विक्रेताओं द्वारा आवश्यक वस्तुओं की **जमाख़ोरी**।
- सरकार द्वारा वर्ष-दर-वर्ष घोषित किया जानेवाला उच्चतर **न्यूनतम समर्थन मूल्य** (MSP)।

मुद्रास्फीति के परिणाम/प्रभाव (EFFECTS/IMPACT OF INFLATION)

परीक्षोपयोगी

ऋणदाता और उधार लेनेवाले पर	**मुद्रास्फीति से उधारकर्ता (देनदार) को लाभ होता है क्योंकि पहले से उधार ली गयी धनराशि का मूल्य कम हो जाता है**, जबकि इससे **ऋणदाता (लेनदार) को नुक़सान होता है।**
बॉण्ड धारकों पर	चूँकि बॉण्ड परिपक्वता के बाद एक निश्चित रिटर्न या लाभ देता है, इसलिए मुद्रास्फीति की दर बढ़ने पर बॉण्ड धारक को **हानि होगी**।
निश्चित आय समूहों पर	मुद्रास्फीति **वेतनभोगी और पेंशनभोगी वर्गों** को **बहुत बुरी तरह प्रभावित** करती है, क्योंकि मुद्रास्फीति के साथ क्रय शक्ति बहुत तेज़ी से गिरती है, जबकि आय में कोई वृद्धि नहीं होती।
बड़े किसानों और बड़े कारोबारियों पर	बड़े किसानों और बड़े कारोबारियों को सामान्यतः लाभ होता है, क्योंकि वे मुद्रास्फीति के कारण बेहतर क़ीमत प्राप्त करते हैं, जिससे उन्हें अधिक मुनाफ़ा होता है।
विनिमय-दर और निर्यात पर	मुद्रास्फीति के कारण विनिमय-दर गिर सकती है और इसके कारण निर्यातक को लाभ होता है। यद्यपि निर्यात हतोत्साहित भी होता है, क्योंकि ऊंची क़ीमतों के कारण घरेलू बिक्री आकर्षक होती है।
रोज़गार पर	अल्प-काल के लिए मुद्रास्फीति बढ़ने के साथ रोज़गार बढ़ सकता है(फिलिप्स वक्र को देखें)। यद्यपि यह दीर्घ-काल के लिए सही नहीं होगा।
बचत पर	बचत की सीमांत प्रवृत्ति या Marginal Propensity to Save (MPS) कम हो जाती है, क्योंकि भारत में अधिकांश बचत पारिवारिक इकाइयों द्वारा की जाती है। इसके विपरीत यह सोने जैसी अनुत्पादक परिसम्पत्तियों के पक्ष में बचत पैटर्न को झुका देती है।
असमानता या आय के वितरण पर	मुद्रास्फीति से अर्थव्यवस्था में असमानता बढ़ सकती है, क्योंकि इससे समाज का निम्न वर्ग अधिक गंभीर रूप से प्रभावित होता है।
राजकोषीय घाटे पर	मुद्रास्फीति बढ़ने के साथ यह बढ़ सकता है, क्योंकि सरकार को निम्न-आय वर्गों के लिए सस्ती वस्तुएँ उपलब्ध कराने के लिए अधिक सब्सिडी देने की आवश्यकता होती है।
उपेक्षित वर्ग पर	ADB के अनुसार, 1% खाद्य मुद्रास्फीति (food inflation) से दोनों शिशु और बाल मृत्यु दर में 0.3% की वृद्धि और अल्पपोषण में 0.5% की वृद्धि होती है।

मुद्रास्फीति कर (Inflation Tax)

इसे मुद्रास्फीति के परिदृश्य में नक़दी रखने के प्रभाव के रूप में मापा जाता है। यदि मुद्रा को मुद्रास्फीति के परिदृश्य में रखा जाता है, तो उत्पादों की बढ़ती क़ीमतों से मुद्रा की क्रय शक्ति कम हो जायेगी। परिणामस्वरूप, यह अनुमान लगाया जा सकता है कि मुद्रा अपना मूल्य खो रही है और उस समय में कोई ब्याज नहीं कमा रही है। इस मूल्यह्रास को मुद्रास्फीति कर कहा जाता है।

मुद्रास्फीति प्रीमियम (Inflation Premium)

यह उधारकर्ताओं के लिए मुद्रास्फीति कर की विपरीत घटना है। इसे परिपक्वता के समय निवेश पर वास्तविक रिटर्न की दर में कमी के रूप में परिभाषित किया जाता है। उधारकर्ताओं को मुद्रा का कम मूल्य वापस करना पड़ता है क्योंकि मुद्रास्फीति ने उसी के मूल्य को कम कर दिया है।

परीक्षोपयोगी

फिलिप्स वक्र (PHILLIPS CURVE)

यह मुद्रास्फीति-दर और बेरोज़गारी-दर के बीच संबंध को दर्शाता है।

यह अर्थव्यवस्था में **मुद्रास्फीति-दर और बेरोज़गारी-दर के बीच उलटे या विपरीत संबंध** को दर्शाता है।

न्यूज़ीलैंड में जन्मे अर्थशास्त्री A.W. फिलिप्स ने **1958 में** सबसे पहले इस मत को सामने रखा था।

उन्होंने देखा कि क़ीमत स्थिरता बेरोज़गारी के विरुद्ध होती है। दूसरे शब्दों में यदि बेरोज़गारी कम होती है; तो मुद्रास्फीति बढ़ेगी और बेरोज़गारी बढ़ेगी; तो मुद्रास्फीति कम होगी।

लेकिन अगर किसी अर्थव्यवस्था में मुद्रास्फीति लंबे समय तक मौजूद रहती है, तो इससे स्थिर अर्थव्यवस्था की स्थिति पैदा होती है। स्थिर अर्थव्यवस्था में बेरोज़गारी बढ़ती है। इस प्रकार, हम निश्चित रूप से कह सकते हैं कि फिलिप्स वक्र की घटना, मुद्रास्फीतिजनित मंदी (स्टैगफ़्लेशन) के दौरान लागू नहीं होगी।

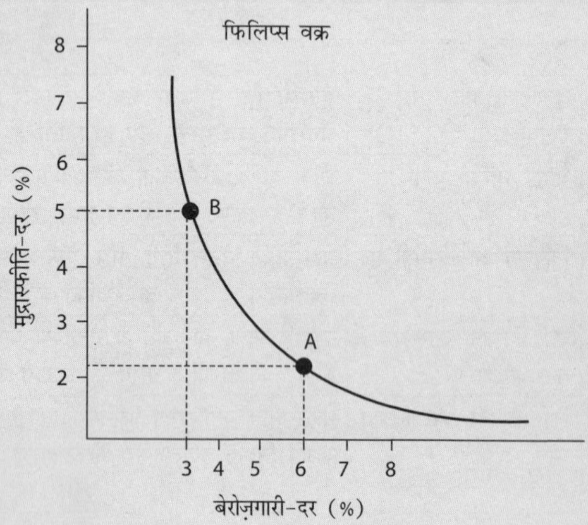

मुद्रास्फीति को नियंत्रित करने के उपाय (MEASURES TO CHECK INFLATION)

मुद्रास्फीति को विभिन्न उपायों द्वारा नियंत्रित किया जा सकता है। मुद्रास्फीति को **आदर्श दरों** तक नियंत्रित किया जाता है (शून्य मुद्रास्फीति-दर को कभी पसंद नहीं किया जाता है); **भारत जैसे विकासशील देश के लिए मुद्रास्फीति की वांछित दर 3-4 प्रतिशत है।**

किसी एक विशिष्ट उपाय या उपकरण से मुद्रास्फीति को नियंत्रित करना आसान नहीं है। मुद्रास्फीति को नियंत्रित करने के किसी भी उपाय का मुख्य उद्देश्य अर्थव्यवस्था में मुद्रा आपूर्ति के प्रवाह को कम करना या बाज़ार में तरलता को कम करना है। उपायों की निम्न तीन श्रेणियाँ हैं :

A. राजकोषीय उपाय　　B. मौद्रिक उपाय　　C. प्रशासनिक उपाय

A. राजकोषीय उपाय (Fiscal Measures)

सरकार मुद्रास्फीति को नियंत्रित करने के लिए राजकोषीय उपायों का प्रयोग करती है। राजकोषीय नीति के दो मुख्य घटक हैं– **सरकारी राजस्व** और **सरकारी व्यय**। राजकोषीय नीति के अंतर्गत सरकार (**RBI नहीं**) निम्न तरीक़ों से मुद्रास्फीति को नियंत्रित करती है :

1. **निजी व्यय को कम करके** (by reducing private spending) (निजी कारोबारों पर कर वृद्धि द्वारा), अर्थात् जब सरकार करों में वृद्धि के द्वारा निजी व्यय को कम करती है, तब व्यक्ति अपने कुल व्यय को कम करते हैं; और अर्थव्यवस्था में मुद्रा आपूर्ति में कमी हो जाती है।

2. **ग़ैर-विकासात्मक सरकारी व्यय में कमी के द्वारा (by decreasing non-developmental government expenditure)।**
3. जहाँ तक संभव हो **घाटे के वित्तपोषण से बचाव द्वारा (by avoiding deficit financing)।**

ऊपर दिया गया विकल्प 2 हर समय अपनाने योग्य नहीं है, क्योंकि चल रही परियोजनाओं और सामरिक क्षेत्रों जैसे- स्वास्थ्य, शिक्षा, रक्षा आदि के प्रबंधन के लिए सरकारी व्यय की आवश्यकता पड़ सकती है।

B. मौद्रिक उपाय (Monetary Measures)

मुद्रास्फीति को नियंत्रित करने के लिए ये उपाय **RBI (सरकार नहीं) द्वारा** उठाये जाते हैं, इसमें **मुद्रा आपूर्ति को नियंत्रित करने** के लिए निम्नलिखित उपाय सम्मिलित हैं :

(a) मात्रात्मक उपाय (Quantitative Measures)

- खुला बाज़ार परिचालन [Open Market Operation (OMO)] के माध्यम से **सरकारी प्रतिभूतियों के विक्रय** द्वारा
- **नक़द आरक्षित अनुपात [Cash Reserve Ratio (CRR)] की वृद्धि** द्वारा
- **वैधानिक तरलता अनुपात [Statutory Liquidity Ratio (SLR)] की वृद्धि** द्वारा
- **बैंक-दर (Bank Rate) में वृद्धि** द्वारा (जिससे उधार लेना महँगा हो जाता है)
- **रेपो-दर और रिवर्स रेपो-दर में वृद्धि** द्वारा
- **स्थायी जमा सुविधा [Standing Deposit Facility (SDF)] में वृद्धि** द्वारा

(b) गुणात्मक उपाय (Qualitative Measures)

- सीमांत आवश्यकताएँ (margin requirements)
- क्रेडिट राशनिंग (Credit Rationing)
- प्रतिचक्रीय राजकोषीय नीति का प्रभावी कार्यान्वयन और अर्थव्यवस्था का सामान्यीकरण
- नैतिक प्रोत्साहन (moral persuasion) आदि

C. प्रशासनिक उपाय (Administrative Measures)

इसमें सम्मिलित हैं –

- काला-बाज़ारी और जमाख़ोरी को रोकना।
- निरुद्ध पदार्थों के निर्यात पर रोक।
- माँग-जनित मुद्रास्फीति की स्थिति में वस्तुओं और सेवाओं की आपूर्ति सुलभ कराना।
- भविष्य में होनेवाले इनके व्यापार (future trading) को निलंबित करना आदि।

परीक्षोपयोगी

मुद्रास्फीति का लक्ष्य निर्धारण : एक विकल्प या एक आवश्यकता
(INFLATION TARGETING: A CHOICE OR A NEED)

वर्ष 2013 में RBI द्वारा उर्जित पटेल समिति नियुक्त की गयी थी :

1. मौद्रिक नीति कार्यढाँचे या फ्रेमवर्क को संशोधित और सशक्त करने के लिए, तथा
2. मौद्रिक नीति के संचालन के लिए एक उपयुक्त नाममात्र सहायक (Nominal Anchor) की संस्तुति करने के लिए।

इस समिति ने (अपनी 2014 की रिपोर्ट में) केवल एक उद्देश्य पर ध्यान केंद्रित करने की संस्तुति की, अर्थात् मुद्रास्फीति का लक्ष्य निर्धारण (Inflation Targeting)

महँगाई लक्ष्यीकरण (Inflation Targeting) : यह एक केंद्रीय बैंकिंग नीति है, जो मुद्रास्फीति की एक निर्दिष्ट वार्षिक दर को प्राप्त करने के लिए मौद्रिक नीति को समायोजित करने पर केंद्रित है।

निश्चित मुद्रास्फीति लक्ष्यीकरण (Strict Inflation Targeting) : इसका उपयोग तब किया जाता है, जब केंद्रीय बैंक केवल मुद्रास्फीति को किसी दिये गये लक्ष्य के क़रीब रखने से संबंधित होता है।

लचीली मुद्रास्फीति लक्ष्यीकरण (Flexible Inflation Targeting) : इसका उपयोग तब किया जाता है; जब केंद्रीय बैंक ब्याज-दर, विनिमय-दर, उत्पादन और रोजगार स्थिरता जैसी अन्य चीज़ों के बारे में भी चिंतित होता है।

भारत में मुद्रास्फीति के लक्ष्य का निर्धारण क्यों आवश्यक है- रिपोर्ट के अनुसार यह इसलिए आवश्यक हैं, क्योंकि :-

- वैश्विक संकट के बाद की अधिकांश अवधि के दौरान **वास्तविक ब्याज-दरें ऋणात्मक ही बनी रहीं**।
- मुद्रास्फीति के लगातार उच्च स्तर के कारण **बाह्य प्रतिस्पर्धा समाप्त हो रही है।**
- मुद्रास्फीति के चलते सोने की बढ़ती माँग के कारण इसका बड़ी मात्रा में आयात हुआ है, जिसके परिणामस्वरूप **चालू खाते का घाटा और बढ़ा है।**
- उच्च मुद्रास्फीति के बने रहने के कारण **विनिमय-दर लगातार कमज़ोर हो रही है**।
- मुद्रास्फीति-दर में वृद्धि के कारण भारतीय अर्थव्यवस्था में **असमानता बढ़ी है।**

मुद्रास्फीति लक्ष्य निर्धारण के लिए नाममात्र सहायक (Nominal Anchor) के रूप में CPI या WPI

समिति ने मौद्रिक नीति को ठीक करने के लिए नॉमिनल एंकर WPI (खाद्य एवं ईंधन को बाहर कर) आधारित मुद्रास्फीति लक्ष्य निर्धारण के स्थान पर **CPI (संयुक्त) को अपनाने** की संस्तुति की। इसके कारण थे :

- WPI सेवा क्षेत्र के प्रभाव की अनदेखी करता है, जिसका कुल GDP में लगभग 60 प्रतिशत योगदान है और
- CPI खुदरा क़ीमतों पर आधारित है, जो मुद्रास्फीति के प्रभाव की व्यापक तस्वीर को प्रस्तुत करता है।

CPI आधारित मुद्रास्फीति का संख्यात्मक लक्ष्य (Numerical Target of CPI-Based Inflation)

समिति ने **4 प्रतिशत (± 2 प्रतिशत)** के मुद्रास्फीति लक्ष्य की संस्तुति की है।

संस्तुति के आधार पर **RBI ने 2015 में सरकार के साथ एक समझौते पर हस्ताक्षर किये**, जो निम्न बिंदुओं पर सहमति प्रकट करता है :

- RBI के आधिकारिक लक्ष्य के रूप में लचीला मुद्रास्फीति लक्ष्यीकरण (FIT)। 2016-17 से 2020-21 की अवधि के लिए FIT 4 प्रतिशत (±2 प्रतिशत) था।
- RBI के साथ परामर्श करके भारत सरकार को प्रत्येक 5 वर्ष पर एक बार लचीला मुद्रास्फीति-लक्ष्य तय करना होगा।
- नीतिगत निर्णयों के लिए CPI (संयुक्त) को नाममात्र सहायक (nominal anchor) के उपाय के रूप में प्रयोग किया जायेगा।

2020-21 के लिए अपनी मुद्रा और वित्त (RCF) रिपोर्ट में, RBI ने सिफ़ारिश की कि अगले पाँच वर्षों के लिए मुद्रास्फीति लक्ष्य 4 प्रतिशत (±2 प्रतिशत) पर बनाये रखा जाये।

भारतीय रिज़र्व बैंक अधिनियम, 1934 (Reserve Bank of India Act, 1934) के तहत, 1 अप्रैल, 2021 से 31 मार्च, 2026 की अवधि के मुद्रास्फीति-लक्ष्य को पिछले 5 वर्षों के समान स्तर पर रखा गया है।

मुद्रास्फीति-संबंधी कुछ अवधारणाएँ (SOME INFLATION-RELATED CONCEPTS)

अपस्फीति (Deflation)

यह संपूर्ण अर्थव्यवस्था में वस्तुओं और सेवाओं के सामान्य क़ीमत-स्तरों में हुई कमी है। यदि वस्तुओं और सेवाओं की आपूर्ति अधिक है, लेकिन उस स्थिति के समक्ष पर्याप्त मुद्रा आपूर्ति नहीं है, तो अपस्फीति (Deflation) घटित हो सकती है। अपस्फीति मुख्य रूप से आपूर्ति और माँग में परिवर्तन के कारण होती है। अपस्फीति सामान्यत: अत्यधिक **बेरोज़गारी** से संबंधित होती है। यद्यपि अपस्फीति मुद्रा के मूल्य में वृद्धि करती है।

जब मुद्रास्फीति ऋणात्मक होती है, तब यह अपस्फीति लाती है। यह निरपवाद रूप से **मंदी से जुड़ी है**, अर्थात् अर्थव्यवस्था में ऋणात्मक संवृद्धि।

अपस्फीति को नियंत्रित करने के लिए मुद्रा आपूर्ति हेतु निम्न उपाय किये जा सकते हैं :

- सरकारी व्यय में वृद्धि
- अधिक मुद्रा का मुद्रण
- निम्न बैंक-दर और रेपो-दर
- माँग बढ़ाने के लिए करों में कमी

अवस्फीति (Disinflation)

दूसरी तरफ़ **अवस्फीति समय के साथ मुद्रास्फीति में परिवर्तन की दर को दर्शाती है**। इस स्थिति में **समय के साथ मुद्रास्फीति की दर घटती तो है, लेकिन यह धनात्मक ही बनी रहती है**। उदाहरणस्वरूप यदि भारत में जनवरी में मुद्रास्फीति की दर 5 प्रतिशत थी, लेकिन मार्च में घटकर 4 प्रतिशत हो गयी, तो यह कहा जायेगा कि वर्ष की पहली तिमाही में अवस्फीति अनुभव की जा रही थी। अवस्फीति के अंतर्गत मुद्रास्फीति की दर गिरती है और **शून्य की तरफ़ जा सकती है, लेकिन ऋणात्मक कभी नहीं होती**।

मुद्रास्फीतिजनित मंदी (Stagflation)

मुद्रास्फीतिजनित मंदी या स्टैगफ़्लेशन तब उत्पन्न होता है, जब **मंदी या स्टैगनेशन (अर्थात् शून्य आर्थिक संवृद्धि) और मुद्रास्फीति, दोनों एक साथ घटित** होती हैं। यह अर्थव्यवस्था का ऐसा दौर होता है, जिसमें कोई संवृद्धि नहीं होती, बेरोज़गारी अपेक्षाकृत उच्च होती है, वस्तुओं की क़ीमत में वृद्धि होती है तथा GDP में गिरावट दर्ज की जाती है। सामान्यत: जब बेरोज़गारी आती है, तो व्यय और वस्तुओं की क़ीमतों में गिरावट होती है। स्टैगफ़्लेशन की स्थिति में वस्तुओं की क़ीमत बढ़ जाती है, बेरोज़गारी बढ़ जाती है तथा ख़र्चे कम हो जाते हैं। स्टैगफ़्लेशन एक **दुर्लभ घटना** है और अर्थव्यवस्था के लिए अच्छी नहीं है।

उदाहरणस्वरूप, 1970 के दशक में वैश्विक तेल क़ीमतों में असाधारण उछाल के कारण अमेरिकी अर्थव्यवस्था स्टैगफ़्लेशन की स्थिति में चली गयी थी।

प्रत्यवस्फीति (Reflation)

प्रत्यवस्फीति वह घटना है; जब अपस्फीति (deflation) के एक दौर के बाद मुद्रास्फीति पुनः लौट आती है, जो संकेत करती है कि अर्थव्यवस्था में आर्थिक संवृद्धि लौट आयी है।

विषमस्फीति [स्क्यूफ्लेशन (Skewflation)]

यह तब घटित होती है, **जब कुछ वस्तुओं में मुद्रास्फीति और अन्य में अपस्फीति होती है**, जैसे जीवन जीने के ख़र्च में वृद्धि (मुद्रास्फीति) के साथ परिसंपत्तियों जैसे आवास की क़ीमतें गिरती (अपस्फीति) हैं।

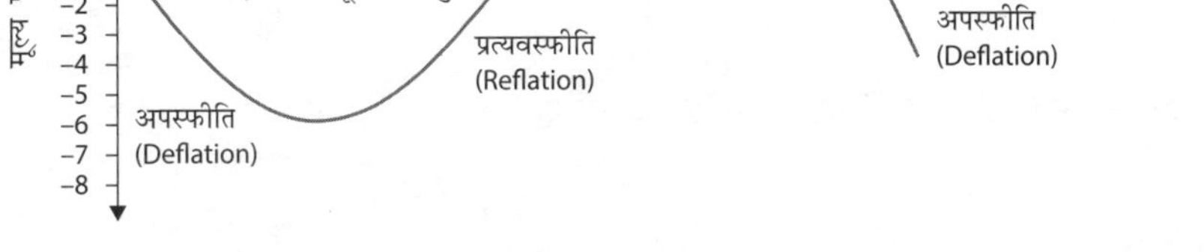

परीक्षोपयोगी

आवास मूल्य सूचकांक (HOUSING PRICE INDEX)

यह भारत के 10 प्रमुख शहरों में संपत्तियों की लेनदेन क़ीमत पर आधारित है। RBI द्वारा इसके संग्रह के लिए प्रयोग किया जानेवाला आधार वर्ष 2010-11 है। आवास मूल्य सूचकांक RBI द्वारा जारी किया जाता है।

सरकार द्वारा मुद्रास्फीति को नियंत्रित करने के लिए हाल में उठाये गये क़दम (RECENT EFFORTS BY THE GOVERNMENT TO CONTROL INFLATION)

भारत सरकार ने महँगाई को नियंत्रित करने के लिए कई क़दम उठाये हैं (विशेषकर खाद्य पदार्थों पर):

1. राज्य सरकारों को **जमाख़ोरी और कालाबाज़ारी के विरुद्ध सख़्त कार्रवाई** करने और आवश्यक वस्तु अधिनियम, 1955, और कम आपूर्ति में वस्तुओं के लिए *आवश्यक वस्तु अधिनियम (Essential Commodities Act)*, 1955 और *चोरबाज़ारी निवारण और आवश्यक वस्तु प्रदाय अधिनियम (Prevention of Blackmarketing and Maintenance of Supplies of Essential Commodities Act)* 1980 को प्रभावी ढंग से लागू करना।
2. **व्यापार करने में आसानी (Ease of Doing Business)** को सुगम बनाना, जो उत्पादकों के लिए विभिन्न लेनदेन और रसद लागत को कम करता है।
3. **वस्तु एवं सेवा कर (Goods and Services Tax)** 2017 में पेश किया गया था, जिसने कई वस्तुओं पर करों के व्यापक प्रभाव को कम किया।
4. घरेलू बाज़ार में आपूर्ति को बढ़ावा देने के लिए कुछ वस्तुओं के निर्यात पर प्रतिबंध लगाना।
5. सरकार ने **आवश्यक वस्तुओं की आपूर्ति बढ़ाने के लिए** कई उपाय किये हैं :
   - बफ़र स्टॉक के उपयोग के माध्यम से मूल्य वृद्धि के दौरान प्रभावी हस्तक्षेप सुनिश्चित करने के लिए, सरकार ने 2020-21 और 2021-22 में किसान/किसान उत्पादक संगठनों (FPOs) से दलहन की ख़रीद की।
   - सरकार द्वारा 2021-22 में 23 लाख टन के दलहन और 2.08 लाख टन के प्याज़ का लक्ष्य बनाया गया है।
   - दलहन की घरेलू उपलब्धता में वृद्धि करने के लिए विभिन्न क़दम उठाये, जैसे कि मुफ़्त आयात शुल्क, कृषि अवसंरचना में कमी और विकास उपकर आदि।
   - सरकार ने खाद्य तेलों और तिलहन जैसी विभिन्न वस्तुओं के स्टॉक रखने की सीमा लागू की है।
6. शीघ्र ख़राब होनेवालीं आवश्यक वस्तुओं के लिए, सरकार ने **ऑपरेशन ग्रीन** (जिसे TOP, टमाटर, प्याज़, आलू से कुल 41 शीघ्र ख़राब होनेवालीं वस्तुओं तक विस्तारित किया गया है), **किसान रेल** को उत्पादन या अधिशेष क्षेत्रों से उपभोग या कमीवाले क्षेत्रों में शीघ्र ख़राब होनेवालीं वस्तुओं की आवाजाही को सक्षम बनाता है।

लास्ट मिनट स्निपपेट्स

वित्त वर्ष 2025 (अप्रैल-दिसंबर) में सब्ज़ियों (मुख्य रूप से टमाटर और प्याज) और दालों की क़ीमतों में वृद्धि के परिणामस्वरूप खाद्य मुद्रास्फीति में वृद्धि हुई है। CPI बास्केट में सब्ज़ियों और दालों का भारांक 8.42% है, लेकिन वित्त वर्ष 2025 (अप्रैल-दिसंबर) में समग्र मुद्रास्फीति में इनका योगदान 32.3% है।

सरकार ने खाद्य मुद्रास्फीति से निपटने के लिए निम्नलिखित कदम उठाए हैं :

अनाज (Cereals)

➤ 24 जून, 2024 से 31 मार्च, 2025 तक गेहूँ पर स्टॉक की सीमा।

➤ **खुला बाज़ार बिक्री योजना [Open Market Sale Scheme (OMSS*)]:** केंद्रीय पूल से गेहूँ और चावल को बाज़ार में उतारा गया।

➤ भारत ब्रांड के तहत गेहूँ के आटे और चावल की बिक्री।

दालें (Pulses)

➤ भारत ब्रांड के तहत चना दाल, मूँग दाल और मसूर दाल की बिक्री।

➤ 21 जून से 30 सितंबर, 2024 तक अरहर और देसी चना पर स्टॉक की सीमा।

➤ 31 मार्च, 2025 तक सरकार ने देसी चना, अरहर, उड़द और मसूर के शुल्क मुक्त आयात की सुविधा दी है।

➤ 20 फरवरी, 2025 तक सरकार ने पीली मटर के शुल्क मुक्त आयात की सुविधा दी है।

सब्ज़ियाँ (Vegetables)

➤ प्याज़ का बफ़र स्टॉक : मूल्य स्थिरीकरण कोष के तहत कुल 4.7 लांख मीट्रिक टन रबी प्याज़ की ख़रीद की गयी है।

➤ 13 सितंबर, 2024 से प्याज़ पर निर्यात शुल्क बढ़ाकर 20 प्रतिशत कर दिया गया है।

➤ सितंबर-दिसंबर, 2024 तक 35 रुपये प्रति किलोग्राम की रिआयती दर पर प्याज़ की बिक्री और अक्टूबर, 2024 में 65 रुपये प्रति किलोग्राम की रिआयती दर पर प्याज़ की बिक्री।

मुद्रास्फीति पर प्रवृत्ति और रिपोर्ट (TRENDS AND REPORTS ON INFLATION)

RBI द्वारा शुरू किये गये सर्वेक्षण (RBI Launches Surveys)

नवंबर, 2023 में, RBI ने मौद्रिक नीति अंतर्दृष्टि के लिए दो महत्त्वपूर्ण सर्वेक्षण शुरू किये। ये दो सर्वेक्षण RBI की द्विमासिक मौद्रिक नीति को मूल्यवान जानकारियाँ प्रदान करेंगे।

1. **घरों का मुद्रास्फीति प्रत्याशा सर्वेक्षण (Inflation Expectations Survey of Households) :** इसमें दिल्ली, चेन्नई, चंडीगढ़, भोपाल आदि जैसे 19 प्रमुख शहरों में घरों के व्यक्तिगत उपभोग के तरीक़ों के आधार पर मूल्य परिवर्तन का व्यक्तिपरक मूल्यांकन संगृहीत किया जायेगा। यह सर्वेक्षण घरों से **गुणात्मक और मात्रात्मक**, दोनों प्रतिक्रियाओं पर जानकारी प्रदान करेगा।
   - **गुणात्मक प्रतिक्रियाएँ (Qualitative Responses) :** यह लगभग तीन माह आगे और एक वर्ष आगे की अवधि में मूल्य परिवर्तन के संबंध में घरों की अपेक्षाओं के बारे में सवाल-जवाब करेगा।
   - **मात्रात्मक प्रतिक्रियाएँ (Quantitative Responses) :** यह क्रमशः तीन महीने और एक वर्ष आगे की अवधि में मौजूदा मुद्रास्फीति की दरों, अपेक्षित मुद्रास्फीति की दरों पर आँकड़े संगृहीत करेगा।
2. **उपभोक्ता विश्वास सर्वेक्षण (Consumer Confidence Survey) :** यह सामान्य आर्थिक स्थिति, रोज़गार के परिदृश्य, मूल्य स्तर, घरेलू आय, घरेलू ख़र्च आदि जैसे विभिन्न आर्थिक पहलुओं पर परिवारों की भावनाओं को मापने का प्रयास करेगा। यह दिल्ली, चेन्नई, चंडीगढ़, भोपाल आदि जैसे 19 शहरों में भी किया जायेगा।

इन सर्वेक्षणों के परिणाम RBI की मुद्रास्फीति और व्यापक आर्थिक स्थितियों पर घरों की धारणा और अपेक्षा का विश्लेषण करके अपनी मौद्रिक नीति के निर्णयों को तेज़ करने में मदद करेंगे।

लास्ट मिनट स्निपपेट्स

सूचकांक	जनवरी 2024	जनवरी 2025
WPI	0.27 (P)*	2.31 (P)*
CPI (संयुक्त) या CPI-C	5.10 (P)*	4.31 (P)*

**(P) – अनंतिम (Provisional)*

स्रोत: WPI के लिए = आर्थिक सलाहकार कार्यालय, DPIIT, वाणिज्य और उद्योग मंत्रालय, CPI-C के लिए = NSO, MoSP

अतिरिक्त जानकारी

वर्तमान मुद्रास्फीति 1970 के दशक से किस प्रकार भिन्न है?
(HOW IS THE CURRENT INFLATION DIFFERENT FROM THE 1970s?)

चालू वर्ष में अभूतपूर्व वैश्विक मुद्रास्फीति विशेष रूप से 1973 और 1979 में तेल संकट से हुए नुक़सान के कारण 1970 के दशक की तरह हो सकती है। दोनों संकटों के परिणामस्वरूप दुनिया भर में जिंस की क़ीमतें बढ़ीं और अन्य वस्तुओं और सेवाओं की क़ीमतों पर उनका प्रभाव पड़ा।

हालाँकि, संकट का वातावरण और तीव्रता कई पहलुओं में भिन्न है :

1. हाल ही में तेल की क़ीमतों में वृद्धि 1970 के दशक के संकट की तुलना में आनुपातिक रूप से कम है, जिसका मुख्य घटक तेल था।
2. 1970 के दशक की तुलना में हाल की क़ीमतों में वृद्धि में वस्तुओं के आपूर्ति व्यवधानों ने एक छोटी भूमिका निभायी है। पिछले एक साल में तेल की क़ीमतों में वृद्धि के बाद कई वस्तुओं (हालाँकि तेल नहीं) के उत्पादन में मामूली वृद्धि हुई है। 1970 के दशक की तुलना में इसकी वैश्विक आपूर्ति श्रृंखला अब अधिक कुशल हो गयी है और इसलिए, मुद्रास्फीति के दबाव को अधिक आसानी से अवशोषित किया जा सकता है। हालाँकि, आनेवाले वर्षों में आपूर्ति व्यवधान तेज़ हो सकता है।
3. वैश्विक मुद्रास्फीति, जो कई वर्षों की निम्न मुद्रास्फीति के बाद 2021 की शुरुआत के बाद से काफ़ी बढ़ गयी है। इसके विपरीत, 1973 का संकट लगातार बढ़ती वैश्विक मुद्रास्फीति के कई वर्षों की पृष्ठभूमि के विरुद्ध हुआ।
4. 1973 का संकट ब्रेटन वुड्स (Bretton Woods) द्वारा प्रबंधित विनिमय-दर (exchange rate) शासन के पतन के ठीक बाद आया; क्योंकि कई देशों में लक्ष्यों और यहाँ तक कि मौद्रिक नीति के उपकरणों को ख़राब तरीक़े से परिभाषित किया गया था। यक़ीनन, केंद्रीय बैंकों के पास आज अधिक स्पष्ट और मज़बूत संस्थागत ढाँचे हैं, जो मूल्य स्थिरता पर ध्यान केंद्रित करते हैं। इसने 2022 में मुद्रास्फीति में तेज़ वृद्धि के बावजूद जनता की मुद्रास्फीति की उम्मीदों को अनियंत्रित होने से रोका है।

बाज़ार व्यवहार के अलावा, ऊर्जा की उच्च क़ीमतें अतीत क़ी तुलना में आज कम मायने रख सकती हैं। इसके अलावा, ऊर्जा के स्रोत अब 1970 के दशक की तुलना में अधिक विविध हैं और परमाणु और सौर ऊर्जा की अधिक उपलब्धता भी है, जो इसे कम प्रभावशाली बनाती है। वैश्विक केंद्रीय बैंकों के बीच बेहतर समन्वय और अपरंपरागत मौद्रिक नीति उपकरणों के अनुप्रयोग के साथ, मुद्रास्फीति को कुशलतापूर्वक प्रबंधित किया जाता है, ताकि इसका नकारात्मक प्रभाव सीमित और अस्थायी हो। 1970 के दशक के बाद से GDP की ऊर्जा तीव्रता (वस्तुओं और सेवाओं की एक निश्चित मात्रा का उत्पादन करने के लिए आवश्यक ऊर्जा) में लगभग 40 प्रतिशत की गिरावट आयी है। सोर्सिंग के लिए इनपुट बास्केट और गंतव्यों के विविधीकरण के साथ, कमोडिटी शॉक के प्रभाव को कुछ हद तक नियंत्रित किया गया है। इसलिए, हम उम्मीद कर सकते हैं कि 1970 के दशक की तुलना में हाल की वस्तु मूल्य वृद्धि कम विघटनकारी होगी।

संक्षिप्त विवरण

- **मुद्रास्फीति (Inflation)** - किसी अर्थव्यवस्था में सामान्य मूल्य स्तर में वृद्धि- पिछले वर्ष की तुलना के आधार पर मापी जाती है।
- आर्थिक संवृद्धि मुद्रास्फीति का प्रत्यक्ष रूप से समानुपाती होती है।
- मूल्यों में वृद्धि के आधार पर, मुद्रास्फीति का वर्गीकरण किया जा सकता है- रेंगती मुद्रास्फीति (2-3 प्रतिशत) - चलती मुद्रास्फीति (3-10 प्रतिशत) - दौड़ती मुद्रास्फीति (10-50 प्रतिशत) - सरपट दौड़ती मुद्रास्फीति या अति मुद्रास्फीति (चौंकानेवाली उच्च दर से वृद्धि)।
- कारणों के आधार पर, मुद्रास्फीति का वर्गीकरण किया जा सकता है - माँग प्रेरित, लागत धक्का और संरचनात्मक।

- **माँग प्रेरित मुद्रास्फीति (Demand–Pull inflation)** – इसके कारण हैं, निजी और सरकारी ख़र्च का बढ़ना, परिवारों द्वारा बचत की निम्न दर, स्थानीय विनिमय-दर में मूल्य ह्रास, करों में कटौती और धन आपूर्ति एवं बैंक उधार में वृद्धि - ख़र्च योग्य आय में वृद्धि – कुल माँग में वृद्धि।
- **लागत धक्का मुद्रास्फीति (Cost-Push inflation)** – आपूर्ति संकट मुद्रास्फीति – कारण हैं, वस्तुओं और सेवाओं के उत्पादन के कारकों की लागत में वृद्धि, अप्रत्यक्ष करों में वृद्धि, आयात मूल्य में वृद्धि, पूँजी की उच्च लागत, उच्च ब्याज दर आदि।
- **संरचनात्मक मुद्रास्फीति (Structural inflation)** – अवरोधात्मक मुद्रास्फीति - लंबी अवधि तक रहती है।
- मुद्रास्फीति को इनके माध्यम से मापा जा सकता है – थोक मूल्य सूचकांक (WPI), उपभोक्ता मूल्य सूचकांक और GDP अपस्फीतिकारक।
- **WPI** – थोक मूल्य में मासिक आधार पर परिवर्तन – वाणिज्य और उद्योग मंत्रालय के अधीन DIPP द्वारा मापा जाता है– तीन श्रेणियों की वस्तुओं को सम्मिलित किया जाता है : प्राथमिक वस्तुएँ, ईंधन एवं ऊर्जा और विनिर्मित उत्पाद।
- **CPI** – खुदरा मूल्य में मासिक आधार पर परिवर्तन – औद्योगिक श्रमिकों, कृषि श्रमिकों और ग्रामीण श्रमिकों के लिए श्रम ब्यूरो द्वारा CPI को मापा जाता है – CPI ग्रामीण, शहरी और संयुक्त को CSO द्वारा मापा जाता है – वस्तुओं और सेवाओं, दोनों पर विचार किया जाता है – हेडलाइन मुद्रास्फीति CPI (संयुक्त) पर आधारित होती है – कोर मुद्रास्फीति को CPI का उपयोग करके मापा जाता है, परंतु इसमें खाद्य सामग्री और ईंधन एवं ऊर्जा उत्पादों को सम्मिलित नहीं किया जाता है।
- **GDP अपस्फीतिकारक (GDP Deflator)** – वर्तमान मूल्य पर GDP का स्थिर मूल्य पर GDP से अनुपात – GDP अपस्फीतिकारक > 1 का अर्थ सामान्य मूल्य स्तर में वृद्धि है।
- **फिलिप वक्र (Phillips Curve)** – मुद्रास्फीति की दर बेरोज़गारी की दर कर आनुपातिक विलोम या व्युत्क्रमानुपाती होती है।
- **उत्पादक मूल्य सूचकांक (Producer Price Index)** – उत्पादकों के परिदृश्य से मूल्य परिवर्तन – मुद्रास्फीति पर अप्रत्यक्ष करों के प्रभाव को सम्मिलित नहीं किया जाता है।
- **अपस्फीति (Deflation)** – संपूर्ण अर्थव्यवस्था में वस्तुओं और सेवाओं के सामान्य मूल्य स्तर में गिरावट – इस स्थिति में मुद्रास्फीति नकारात्मक होती है।
- **विस्फीति (Disinflation)** – मुद्रास्फीति-दर में समय के साथ गिरावट, परंतु धनात्मक रहती है।

यूपीएससी सिविल सेवा के पिछले वर्षों की प्रारंभिक परीक्षा के प्रश्न

1. निम्नलिखित कथनों पर विचार कीजिये : **[2023]**

कथन-I : कोविड विश्वमहामारी के बाद के हाल के विगत काल में, पूरे विश्व में अनेक केंद्रीय बैंकों ने ब्याज दरें बढ़ा दी थीं।

कथन-II : आमतौर पर केंद्रीय बैंक मानते हैं कि उनके पास बढ़ती हुई उपभोक्ता क़ीमतों का, मौद्रिक नीति के उपायों से, प्रतिकार करने की सामर्थ्य है।

उपर्युक्त कथनों के बारे में, निम्नलिखित में से कौन-सा एक सही है?

(a) कथन-I और कथन-II दोनों सही हैं तथा कथन-II, कथन-I की सही व्याख्या है।
(b) कथन-I और कथन-II दोनों सही हैं तथा कथन-II, कथन-I की सही व्याख्या नहीं है।
(c) कथन-I सही है किन्तु कथन-II गलत है।
(d) कथन-I गलत है किन्तु कथन-II सही है।

2. भारतीय रिज़र्व बैंक की निम्नलिखित में से किस एक गतिविधि को 'बंध्यकरण (स्टेरिलाइजेशन)' के एक के रूप में माना जाता है? **[2023]**

(a) 'खुला बाज़ार कार्रवाई' का संचालन
(b) निपटारा और भुगतान प्रणालियों की निगरानी
(c) केंद्र सरकार और राज्य सरकारों के लिए ऋण एवं रोकड़ प्रबंधन

(d) गैर-बैंक वित्तीय संस्थानों के कार्यों का विनियमन

3. भारत में, निम्नलिखित में कौन मुद्रास्फीति को नियंत्रित कर क़ीमत स्थिरता बनाये रखने के लिए उत्तरदायी है? **[2022]**

(a) उपभोक्ता मामले विभाग
(b) व्यय प्रबंधन आयोग
(c) वित्तीय स्थिरता और विकास परिषद्
(d) भारतीय रिज़र्व बैंक

4. भारतीय अर्थव्यवस्था के संदर्भ में, निम्नलिखित कथनों पर विचार कीजिए : **[2022]**

1. यदि मुद्रास्फीति अत्यधिक है, तो भारतीय रिज़र्व बैंक (RBI) सम्भावित रूप से सरकारी प्रतिभूतियाँ ख़रीद सकता है।
2. यदि रुपये का तेज़ी से मूल्यह्रास हो रहा है, तो RBI बाज़ार में डॉलरों का सम्भावित रूप से विक्रय कर सकता है।
3. यदि USA या यूरोपीय संघ में ब्याज दरें गिरती होतीं, तो इससे सम्भावित रूप से RBI की डॉलरों की ख़रीद प्रेरित हो सकती है।

उपर्युक्त कथनों में कौन-से सही हैं?

(a) केवल 1 और 2 (b) केवल 2 और 3
(c) केवल 1 और 3 (d) 1, 2 और 3

5. भारतीय अर्थव्यवस्था के संदर्भ में माँग और मुद्रास्फीति निम्नलिखित में से किसके कारण हो सकती है/बढ़ायी जा सकती है? **[2021]**

1. विस्तारवादी नीतियाँ
2. राजकोषीय प्रोत्साहन
3. मुद्रास्फीति-अनुक्रमण मज़दूरी
4. उच्च क्रयशक्ति
5. बढ़ती ब्याज-दरें

नीचे दिये गये कोड का उपयोग करके सही उत्तर चुनें :

(a) केवल 1, 2 और 4
(b) केवल 3, 4 और 5
(c) केवल 1, 2, 3 और 5
(d) 1, 2, 3, 4 और 5

6. निम्न कथनों पर विचार कीजिए :- **[2020]**

1. उपभोक्ता क़ीमत सूचकांक (CPI) में खाद्य पदार्थों का भार थोक क़ीमत सूचकांक (WPI) की तुलना में अधिक होता है।
2. WPI सेवाओं की क़ीमतों में परिवर्तन को ग्रहण नहीं करता, जो CPI करता है।
3. भारतीय रिज़र्व बैंक ने मुद्रास्फीति के मुख्य मापक के रूप में तथा प्रमुख नीतिगत दरों में परिवर्तन पर निर्णय करने के लिए अब WPI को अपनाया है।

ऊपर दिये गये कथनों में कौन-सा/से सही है/हैं?

(a) केवल 1 और 2 (b) केवल 2
(c) केवल 3 और 4 (d) 1, 2 और 3

7. निम्नलिखित में से कौन औद्योगिक श्रमिकों के लिए CPI संख्या को जारी करता है? **[2015]**

(a) आरबीआई (b) आर्थिक मामलों का विभाग
(c) श्रम ब्यूरो (d) कार्मिक एवं प्रशिक्षण विभाग

8. भारत में मुद्रास्फीति के संदर्भ में निम्नलिखित में कौन-सा कथन सही है? **[2015]**

(a) भारत में मुद्रास्फीति को नियंत्रित करना केवल भारत सरकार का उत्तरदायित्व है।
(b) मुद्रास्फीति के नियंत्रण में आरबीआई की कोई भूमिका नहीं है।
(c) मुद्रा प्रचलन कम होने से मुद्रास्फीति को नियंत्रित करने में मदद मिलती है।
(d) मुद्रा प्रचलन अधिक होने से मुद्रास्फीति को नियंत्रित करने में मदद मिलती है।

9. निम्न कथनों पर विचार कीजिए : **[2013]**

1. मुद्रास्फीति से देनदारों को लाभ होता है।
2. मुद्रास्फीति से बॉण्ड धारकों को लाभ होता है।

उपर्युक्त कथनों में कौन-सा/से सही है/हैं?

(a) केवल 1
(b) केवल 2
(c) 1 और 2 दोनों
(d) 1 और 2 में से कोई नहीं

10. क़ीमतों के सामान्य स्तर में वृद्धि के कारण हो सकते हैं **[2013]**

1. मुद्रा आपूर्ति में वृद्धि
2. उत्पादन के समग्र स्तर में कमी
3. प्रभावी माँग में वृद्धि

नीचे दिये कूट का प्रयोग कर सही उत्तर चुनें :

(a) केवल 1 (b) केवल 1 और 2
(c) केवल 2 और 3 (d) 1, 2 और 3

11. निम्नलिखित में से किसके सर्वाधिक स्फीतिकारी प्रभाव होने की संभावना है? **[2013]**

(a) सार्वजनिक ऋण की वापसी या अदायगी।
(b) बजट घाटे के वित्तपोषण के लिए जनता से उधार लेना।
(c) बजट घाटे के वित्तपोषण के लिए बैंकों से उधार लेना।
(d) बजट घाटे के वित्तपोषण के लिए नयी मुद्रा का सृजन।

12. आर्थिक संवृद्धि सामान्यत: किससे जुड़ी होती है? **[2011]**

(a) अपस्फीति (Deflation)
(b) मुद्रास्फीति (Inflation)
(c) मुद्रास्फीतिजनित मंदी (Stagflation)
(d) अति-मुद्रास्फीति (Hyperinflation)

13. 'आधार प्रभाव' (base effect) के लिए कभी-कभी मुद्रास्फीति में तीव्र वृद्धि को उत्तरदायी ठहराया जाता है। **[2011]**

'आधार प्रभाव' (base effect) क्या है?

(a) यह फ़सलों की विफलता के कारण आपूर्ति में अत्यधिक कमी का प्रभाव है।
(b) यह तीव्र आर्थिक विकास के कारण माँग में हुई वृद्धि का प्रभाव है।
(c) यह मुद्रास्फीति-दर की गणना पर पिछले वर्ष के क़ीमत-स्तरों का प्रभाव है।
(d) उपर्युक्त में से कोई भी कथन इस संदर्भ में सही नहीं है।

14. भारत ने विगत समय में निरंतर और उच्च खाद्य मुद्रास्फीति का अनुभव किया है। इसके क्या कारण हो सकते हैं? **[2011]**
1. व्यावसायिक फ़सलों की खेती की तरफ़ धीरे-धीरे बढ़ने के कारण पिछले पाँच वर्षों में खाद्यान्न की खेती के अंतर्गत क्षेत्र में लगभग 30 प्रतिशत तक की कमी आयी है।
2. बढ़ती आय के परिणामस्वरूप लोगों के उपभोग पैटर्न में एक महत्त्वपूर्ण परिवर्तन आया है।
3. खाद्य आपूर्ति श्रृंखला (food supply chain) में संरचनात्मक बाधाएँ हैं।

उपर्युक्त कथनों में से कौन-सा/से सही है/हैं?
(a) केवल 1 और 2
(b) केवल 2 और 3
(c) केवल 1 और 3
(d) 1, 2 और 3

15. भारत के संदर्भ में निम्नलिखित कथनों पर विचार कीजिए : **[2010]**
1. भारत में WPI केवल मासिक आधार पर उपलब्ध है।
2. औद्योगिक श्रमिकों के लिए CPI [CPI (IW)] की तुलना में WPI खाद्य वस्तुओं को कम भार देता है।

उपर्युक्त कथनों में से कौन-सा/से सही है/हैं?
(a) केवल 1 (b) केवल 2
(c) 1 और 2 दोनों (d) 1 और 2 में से कोई नहीं

16. निम्नलिखित में कौन-सा कथन अपस्फीति (deflation) की एक उपयुक्त व्याख्या है? **[2010]**
(a) यह किसी मुद्रा के मूल्य में अन्य मुद्राओं की तुलना में अचानक हुई गिरावट है।
(b) यह अर्थव्यवस्था के वित्तीय और वास्तविक क्षेत्र, दोनों में निरंतर रहनेवाली मंदी है।
(c) यह वस्तुओं और सेवाओं के सामान्य क़ीमत स्तर में निरंतर होनेवाली गिरावट है।
(d) यह एक समय अवधि के दौरान मुद्रास्फीति की दर में होनेवाली गिरावट है।

☞ **कोई प्रश्न नहीं**
2024, 2019, 2018, 2017, 2016, 2014, 2012

उत्तर कुंजी

1. (a)	2. (a)	3. (d)	4. (b)	5. (a)
6. (a)	7. (c)	8. (c)	9. (a)	10. (d)
11. (d)	12. (b)	13. (c)	14. (b)	15. (b)
16. (c)				

यूपीएससी सिविल सेवा के पिछले वर्षों की मुख्य परीक्षा के प्रश्न

1. भारत में निरंतर उच्च खाद्य मुद्रास्फीति के कारण क्या हैं? इस प्रकार की मुद्रास्फीति को नियंत्रित करने में आर० बी० आइ० की मौद्रिक नीति की प्रभावशीलता पर टिप्पणी कीजिए। **[2024]**

2. क्या आप इस विचार से सहमत हैं कि GDP में निरंतर वृद्धि और निम्न मुद्रास्फीति ने भारतीय अर्थव्यवस्था को अच्छी दशा में रखा है? अपनी व्याख्या के समर्थन में तर्क दीजिए। **[2019]**

☞ **कोई प्रश्न नहीं**
2023, 2022, 2021, 2020, 2018, 2017, 2016, 2015, 2014, 2013, 2012

अध्याय
7

भारतीय कर संरचना
(Indian Tax Structure)

अध्याय की रूपरेखा

- भारत में त्रिस्तरीय कर संरचना
- करों के विभिन्न प्रकार
- प्रत्यक्ष कर
- अप्रत्यक्ष कर
- वस्तु एवं सेवा कर
- GST के संबंध में विवरण
- GST परिषद्
- GST नेटवर्क
- GST के लाभ
- GST में हाल के सुधार
- राष्ट्रीय मुनाफ़ाख़ोरी-रोधी प्राधिकरण
- अग्रिम विनिर्णय
- GST में रिवर्स चार्ज मेकेनिज़्म
- राजस्व तटस्थ दर
- कराधान से संबंधित अन्य शब्दावली
- करदाता घोषणापत्र
- कर व्यय
- कर प्रशासन सुधार आयोग
- केंद्रीय प्रत्यक्ष कर बोर्ड
- केंद्रीय अप्रत्यक्ष कर एवं सीमा शुल्क बोर्ड
- कार्बन सीमा कर
- OECD की दो स्तंभ योजना
- दोहरा कराधान परिहार समझौता

भारतीय कर संरचना (INDIAN TAX STRUCTURE)

कर क़ानूनी रूप से सरकार द्वारा लगाया जाता है और यह सार्वजनिक व्यय को पूरा करने के लिए व्यक्तियों, परिवारों, फ़र्मों या अन्य संस्थागत इकाइयों द्वारा सरकार को किया जानेवाला एक **अनिवार्य भुगतान** (compulsory payment) है।

भारत में त्रिस्तरीय कर संरचना (Three-Tier Tax structure in India)

भारत में कर संरचना एक त्रि-स्तरीय संरचना है, जिसमें तीन स्तरों पर सरकार शामिल होती है : संघ या केंद्र सरकार, प्रांतीय स्तर पर राज्य सरकार और स्थानीय सरकारी स्तर पर ग्रामीण या शहरी स्थानीय निकाय।

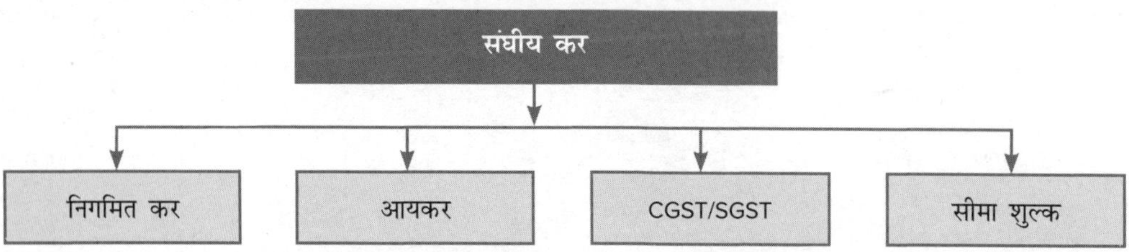

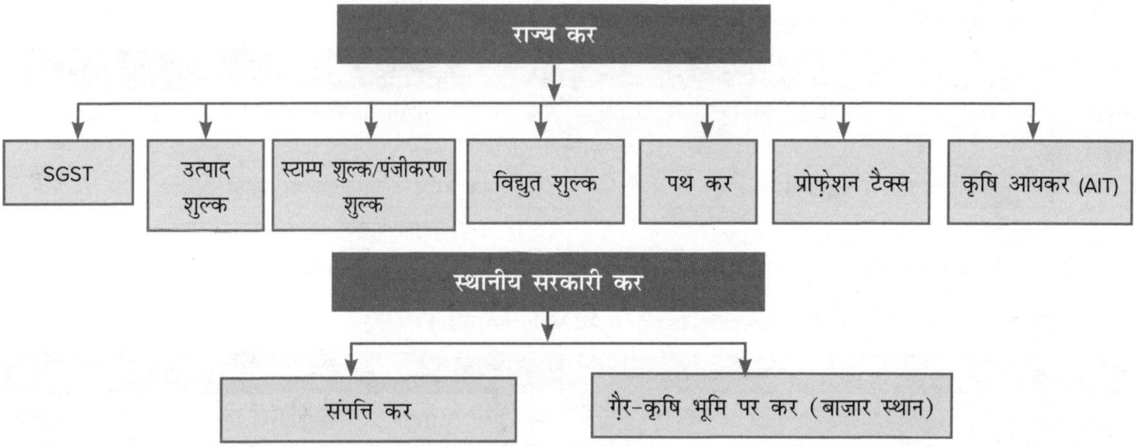

करों के विभिन्न प्रकार (Different Types of Taxes)

करों को उनकी संरचना, प्रकृति और लगाये जाने के तरीक़े के आधार पर निम्नलिखित श्रेणी/प्रकार में वर्गीकृत किया जा सकता है –

1. आनुपातिक, प्रगतिशील, प्रतिगामी और अधोगामी कर (Proportional, Progressive, Regressive and Degressive Taxes)

करों के प्रकार	विशेषताएँ
आनुपातिक कर (Proportional Tax)	एक कर को आनुपातिक कहा जाता है, जब वह प्रत्येक आयसमूह से समान अनुपात में कटौती (deduction) करता है। आनुपातिक कर को फ़्लैट टैक्स के रूप में भी जाना जाता है, क्योंकि यह सभी करदाताओं के लिए एक ही दर पर लगाया जाता है, चाहे उनकी आय का स्तर कुछ भी हो। उदाहरण : बिक्री कर।
प्रगतिशील कर (Progressive Tax)	एक ऐसा कर, जिसमें उच्च आयवाले समूह अपनी आय का एक उच्च प्रतिशत कम आयवाले समूहों द्वारा भुगतान किये गये प्रतिशत से अधिक देते हैं। उदाहरण : आयकर।
प्रतिगामी कर (Regressive Tax)	एक ऐसा कर, जो उच्च आयवाले समूहों की तुलना में कम आयवाले समूहों से आय का एक बड़ा प्रतिशत लेता है। उदाहरण : उत्पाद शुल्क।
अधोगामी कर (Degressive Tax)	यह आनुपातिक और प्रगतिशील करों का एक संयोजन है। अधोगामी कर के साथ, कर की दर शुरू में आय के अनुसार बढ़ती है और फिर नियत या स्थिर रहती है, जबकि आय बढ़ती रहती है। उदाहरण : कुछ देशों में आयकर।

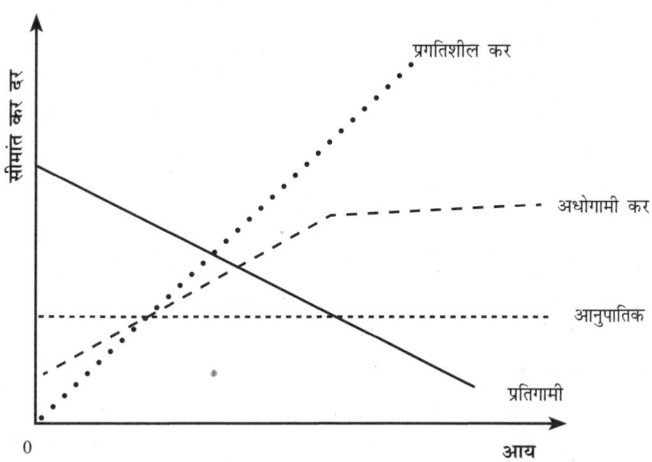

2. प्रत्यक्ष कर और अप्रत्यक्ष कर (Direct Tax and Indirect Tax)

प्रत्यक्ष कर	अप्रत्यक्ष कर
यह कर जिस व्यक्ति पर लगाया जाता है और उसी से वसूला जाता है	यह कर एक व्यक्ति पर लगाया जाता है और दूसरे व्यक्ति से वसूला जाता है
इसका भार एक ही व्यक्ति पर पड़ता है	इसका भार विभिन्न व्यक्तियों पर पड़ता है
आयकर, कॉर्पोरेट कर, संपत्ति कर, आदि	GST, राज्य उत्पाद शुल्क, सीमा शुल्क, आदि
मुद्रास्फीति को कम करने में मदद कर सकता है	मुद्रास्फीति को बढ़ावा दे सकता है

3. विशिष्ट कर और मूल्यवर्धित कर (Specific Tax and Ad Valorem Tax)

विशिष्ट कर	मूल्य वर्धित कर
मूल्यवर्धित कर के विपरीत, जब किसी पण्य वस्तु पर उसकी इकाई, आकार या वज़न (और न कि उसके मूल्य पर) के आधार पर कर लगाया जाता है, तो उसे विशिष्ट कर कहा जाता है। उदाहरण : मद्य उत्पादों पर लगाया जानेवाला उत्पाद शुल्क। विशिष्ट कर प्रकृति में प्रतिगामी होता है।	यह किसी वस्तु के मूल्य के प्रतिशत के रूप में लगाया जानेवाला कर है, न कि वस्तु की मात्रा, आकार, वज़न या ऐसे अन्य कारकों पर। उदाहरण : GST, सीमा शुल्क, आदि।

प्रत्यक्ष कर (DIRECT TAX)

यह वह कर है; जो उसी व्यक्ति द्वारा वहन किया जाता है, जिस पर लगाया जाता है, अर्थात् **कराघात (बोझ) [impact (burden)] और करापात (incidence)** एक ही व्यक्ति पर होता है। प्रत्यक्ष कर का बोझ दूसरे व्यक्ति पर अंतरित नहीं किया जा सकता। प्रत्यक्ष करों में आयकर (income tax), निगम कर (corporate taxes), न्यूनतम वैकल्पिक कर (minimum alternate tax), लाभांश वितरण कर (dividend distribution tax) (2020 में वापस ले लिया गया), प्रतिभूति लेनदेन कर (securities transaction tax), अनुषंगी लाभ कर (fringe benefit tax) (2009 में वापस ले लिया गया), संपत्ति कर (wealth tax) (2016 में समाप्त कर दिया गया), व्यावसायिक कर (professional tax), पूँजीगत लाभ कर (capital gains tax), स्टांप शुल्क (stamp duty), उपहार कर (gift tax) (1998 में समाप्त कर दिया गया), संपदा शुल्क (1985 में समाप्त कर दिया गया), बैंकिंग नक़द लेनदेन कर (banking cash transaction tax) (2009 में वापस ले लिया गया) आदि शामिल हैं।

प्रत्यक्ष करों के विभिन्न प्रकार (Different Types of Direct Taxes)

व्यक्तिगत आयकर (Personal Income Tax)

- यह आयकर अधिनियम [Income Tax (IT) Act], 1961 द्वारा नियंत्रित होता है।
- यह व्यक्तियों, हिंदू अविभाजित परिवार [Hindu Undivided Family (HUF)], साझेदारी फ़र्मों आदि पर लगाया जाता है।
- यह कर योग्य आय, अर्थात् सकल आय ऋण IT अधिनियम के अनुसार अनुमत मानक कटौती और छूट पर लगाया जाता है। आय में अर्जित और अनर्जित, दोनों आय शामिल होती हैं।
- आयकर के अंतर्गत आनेवालीं विभिन्न प्रकार की आय हैं- वेतन, व्यवसाय/वृत्ति से लाभ, किराया आय, परिसंपत्ति की बिक्री से दीर्घकालिक और अल्पकालिक पूँजीगत लाभ और अन्य स्रोतों से आय जैसे- ब्याज, रॉयल्टी आदि।
- अलग-अलग आय स्लैब के अनुसार व्यक्तियों पर आयकर लगाया जाता है।

कॉर्पोरेट आयकर (Corporate Income Tax)

- यह कंपनियों द्वारा अर्जित मुनाफ़े पर लगाया जाता है।

- करााधान के उद्देश्य से कंपनी को एक अलग इकाई माना जाता है और इस प्रकार उसे अपने स्वामियों के व्यक्तिगत आयकर से भिन्न कर का भुगतान करना होता है।
- कंपनी (संशोधन) अधिनियम [Companies (Amendment) Act], 2019 के अंतर्गत भारत में पंजीकृत कंपनियाँ (सार्वजनिक और निजी दोनों) कॉर्पोरेट कर का भुगतान करने के लिए उत्तरदायी हैं।
- वर्तमान में जिन कंपनियों का सकल कारोबार 250 करोड़ तक है, उनके लिए कॉर्पोरेट कर की दर **25 प्रतिशत** है। ₹250 करोड़ से अधिक कारोबारवाली कंपनियों के लिए कर की दर 30 प्रतिशत है।
- 2019 में केंद्र सरकार ने नयी विनिर्माण कंपनियों के लिए कर की दर को 25 प्रतिशत से घटाकर 15 प्रतिशत कर दिया।
- कुछ शर्तों के साथ कंपनियों द्वारा वित्तीय वर्ष 2019-20 से 22 प्रतिशत की लाभकारी दर (10 प्रतिशत का अधिभार और 4 प्रतिशत का लागू स्वास्थ्य और शिक्षा उपकर) का लाभ उठाया जा सकता है।
- भारत में कॉर्पोरेट कर की दरें अब विश्व में सबसे कम हैं।

न्यूनतम वैकल्पिक कर [Minimum Alternate Tax (MAT)]

- इसे 1997-98 से प्रारंभ किया गया था। (IT अधिनियम की धारा 115JB)।
- यह शून्य कर कंपनियों के बही लाभ पर 18.5 प्रतिशत की दर से लगाया जाता है।
- स्पष्टीकरण - सामान्यत: आयकर की गणना IT अधिनियम के प्रावधानों के अनुसार की जाती है। हालाँकि कंपनियाँ, कंपनी (संशोधन) अधिनियम [Companies (Amendment) Act], 2019 के प्रावधानों के अनुसार अपने बही लाभ की गणना करती हैं, और चूँकि IT अधिनियम सकल आय या बही लाभ में कई प्रकार की छूट, मूल्यह्रास और कटौतियों की अनुमति देता है, इसलिए कई उदाहरणों में कंपनियाँ अपनी कर योग्य आय बहुत कम दिखाने में सक्षम होती हैं, जिस पर कर की राशि बहुत कम होती है।
- इसलिए इन शून्य कर या बहुत कम करवाली कंपनियों के लिए MAT को प्रचलित किया गया था। अब कंपनी को कम-से-कम निगम कर या MAT, जो भी अधिक हो, का भुगतान करना पड़ता है।

लाभांश वितरण कर [Dividend Distribution Tax (DDT)]

- लाभांश घोषित/वितरित करनेवाली किसी भी घरेलू कंपनी को लाभांश की सकल राशि पर 15 प्रतिशत की दर से DDT का भुगतान करना होता था। यह IT अधिनियम, 1961 की धारा 115O के अंतर्गत लगाया जाता था।
- IT अधिनियम के अंतर्गत यथा परिभाषित केवल घरेलू कंपनियों को DDT का भुगतान करना होता था।
- हालाँकि DDT **को 1 अप्रैल, 2020 से समाप्त कर दिया गया।**

प्रतिभूति लेनदेन कर [Securities Transaction Tax (STT)]

- यह 2004 में प्रारंभ किया गया था।
- यह स्टॉक एक्सचेंज में **सूचीबद्ध प्रतिभूतियों** (शेयर, ऋणपत्र, बंधपत्र, इक्विटी आधारित म्यूचुअल फ़ंड, आदि) की **ख़रीद या बिक्री** पर लगाया जाता है।
- STT लगाने के पीछे उद्देश्य प्रतिभूतियों के लेनदेन द्वारा अर्जित लाभ पर पूँजीगत लाभ कर की चोरी को रोकना है।
- STT की दर प्रतिभूतियों के प्रकार के अनुसार भिन्न-भिन्न होती है। इक्विटी शेयरों के लिए लेनदेन मूल्य का 0.1 प्रतिशत STT क्रेता और विक्रेता, दोनों पर लगाया जाता है। इक्विटी आधारित म्यूचुअल फ़ंडों के लिए क्रेता पर कोई STT नहीं लगाया जाता है, लेकिन विक्रेता पर 0.001 प्रतिशत प्रभारित किया जाता है।

बैंकिंग नक़द लेनदेन कर [Banking Cash Transaction Tax (BCTT)]

- यह 2005 में आरंभ किया गया था और बैंक खाते (बचत बैंक खाते से भिन्न) से किसी व्यक्ति या HUF द्वारा एक दिन में ₹25,000 से अधिक की नक़द निकासी पर 0.1 प्रतिशत की दर से लगाया जाता था। किसी अन्य व्यक्ति की स्थिति में BCTT ₹1 लाख से अधिक की नक़द निकासी पर लगाया जाता था।

- यह 02 प्रकार के लेनदेनों पर लागू होता था : नक़द निकासी और सावधि जमा को भुनाने पर नक़दी की प्राप्ति।
- हालाँकि 2009 में BCTT को वापस ले लिया गया।
- 2017 में डिजिटल भुगतानों पर मुख्यमंत्रियों की समिति ने डिजिटल भुगतान को बढ़ावा देने के लिए BCTT को पुनः आरंभ करने की अनुशंसा की।

अनुषंगी लाभ कर [Fringe Benefit Tax (FBT)]

- अनुषंगी लाभ कर (FBT) (2005 में आरंभ) मूलभूत रूप से वह कर था, जो नियोक्ता को अपने कर्मचारियों को दिये गये लाभों जैसे टेलीफ़ोन प्रतिपूर्ति, निःशुल्क या रिआयती टिकट आदि के बदले में भुगतान करना पड़ता था।
- यह नियोक्ताओं पर कर्मचारी को प्रदान किये गये लाभ की लागत के 30 प्रतिशत की दर से लगाया जाता था।
- हालाँकि 2009 में FBT को वापस ले लिया गया।

संपत्ति कर (Wealth Tax)

- यह संपत्ति कर अधिनियम 1957 द्वारा नियंत्रित होता था।
- यह मूल्यांकन की तिथि (31 मार्च) पर व्यक्ति, हिंदू अविभाजित परिवार (HUF) या कंपनी के स्वामित्ववाली शुद्ध संपत्ति पर लगाया जाता था।
- यह ₹30 लाख से अधिक शुद्ध संपत्ति की राशि पर 1 प्रतिशत की दर से लगाया जाता था।
- संपत्ति की परिभाषा में शामिल है - भूमि/भवन, मोटर कार, सोने/चाँदी के आभूषण, 50,000 से अधिक नक़दी आदि।
- हालाँकि न्यासों, साझेदारी फ़र्मों, सहकारी समितियों, राजनीतिक दलों आदि पर संपत्ति कर लागू नहीं होता था।
- यह 1 अप्रैल, 2016 से समाप्त हो गया।

वृत्ति कर (Professional Tax)

- यह राज्य सरकारों द्वारा लगाया और एकत्र (अन्य प्रत्यक्ष करों के विपरीत) किया जाता है।
- यह वेतन अर्जित करनेवाले व्यवसायियों या कर्मचारियों पर लगाया जाता है।
- व्यावसायिक कर आदाता के उदाहरणों में अभ्यासरत सनदी लेखाकार, चिकित्सक, अधिवक्ता आदि शामिल हैं।

GAFA कर या समकारी कर (GAFA Tax or Equalisation Levy)

- यह **अखिल रंजन समिति** की अनुशंसाओं के आधार पर केंद्र सरकार द्वारा 2016 में आरंभ किया गया था।
- इसे वित्त अधिनियम, 2016 के भाग के रूप में प्रस्तुत किया गया था और बाद में इसे आयकर अधिनियम में शामिल किया गया था। विश्व स्तर पर इसे GAFA (गूगल, एपल, फ़ेसबुक, एमेज़ॉन) टैक्स के नाम से भी जाना जाता है।
- इस लेवी का प्रचलन OECD के आधार क्षरण और लाभ स्थानांतरण [Base Erosion and Profit Shifting (BEPS)] एजेंडे के प्रति भारत की अनुक्रिया का भाग भी है।
- यह **प्रत्यक्ष कर (direct tax)** एक वित्तीय वर्ष के दौरान **₹**1 लाख से अधिक के भुगतान पर लागू होता है।
- यह प्रदान की गयी डिजिटल सेवा के लिए सेवा प्रदाताओं (अनिवासी कंपनियों) को प्राप्तकर्ता भारतीय कंपनियों द्वारा भुगतान के समय **काटा** जाता है।
- अनिवासी सेवा प्रदाता **दोहरे कराधान परिहार समझौतों (Double Taxation Avoidance Agreements)** के अंतर्गत अपने गृह देश में इसके विरुद्ध कर समंजन का **दावा नहीं कर सकते हैं**।
- 2020 में, विदेश स्थित ई-कॉमर्स कंपनियों को इसके दायरे में लाया गया। प्रतिफल की राशि पर अब 2% की दर से कर लगाया जाता है।

पूँजीगत लाभ कर [Capital Gains Tax (CGT)]

- पूँजीगत लाभ कर **(CGT)**, एक ऐसा कर है, जो किसी व्यक्ति द्वारा पूँजीगत संपत्ति की बिक्री से अर्जित लाभ पर लगाया जाता है।

पूँजीगत संपत्ति (Capital Asset)

- एक 'पूँजीगत संपत्ति' किसी भी प्रकार की संपत्ति होती है, जो करदाता के पास रखी जाती है, जिसमें भंडार माल (stock-in-trade) के रूप में रखे गये सामान, कृषि भूमि और व्यक्तिगत प्रभाव सम्मिलित नहीं होते हैं।
- पूँजीगत संपत्ति के उदाहरण हैं – भूमि, भवन, गृह संपत्ति, ट्रेडमार्क, लीजहोल्ड अधिकार, मशीनरी, वाहन, पेटेंट और आभूषण।
- निम्नलिखित को **पूँजीगत संपत्ति नहीं माना जाता है :**
    - भंडार माल/बिक्री माल
    - पेशेवर या कॉर्पोरेट उपयोग के लिए रखी गयीं उपभोग्य वस्तुएँ या कच्चा माल।
    - आभूषण, पुरातत्व से प्राप्त कलाकृतियाँ, मूर्तियाँ, पेंटिंग, रेखाचित्र और निजी उपयोग के लिए रखी गयी कलाकृति को छोड़कर कोई भी चल वस्तु।
    - कृषि भूमि (Agricultural Land) : 10,000 लोगों की न्यूनतम आबादीवाली कोई नगर पालिका, नगर निगम, अधिसूचित क्षेत्र समिति, नगर समिति या छावनी बोर्ड इस भूमि के 8 किलोमीटर के भीतर स्थित नहीं हो सकता।
    - स्वर्ण जमा योजना के तहत जारी किये गये बॉण्ड।

पूँजीगत संपत्ति दो प्रकार की होती है :

- **दीर्घकालिक पूँजीगत संपत्ति (Long-term capital asset)** – इसका मतलब है कि ऐसी पूँजीगत संपत्ति, जो अल्पकालिक पूँजीगत संपत्ति नहीं है।
- **अल्पकालिक पूँजीगत संपत्ति (Short-term capital asset)** – इसका मतलब है कि किसी व्यक्ति द्वारा निम्न अवधि के लिए रखी गयी कोई भी पूँजीगत संपत्ति :
    a. 36 माह (यदि पूँजीगत संपत्ति 23 जुलाई, 2024 से पहले हस्तांतरित की जाती है) या
    b. 24 माह (यदि पूँजीगत संपत्ति 23 जुलाई, 2024 को या उसके बाद हस्तांतरित की जाती है), उसके हस्तांतरण की तिथि से ठीक पहले अल्पकालिक पूँजीगत संपत्ति होगी।

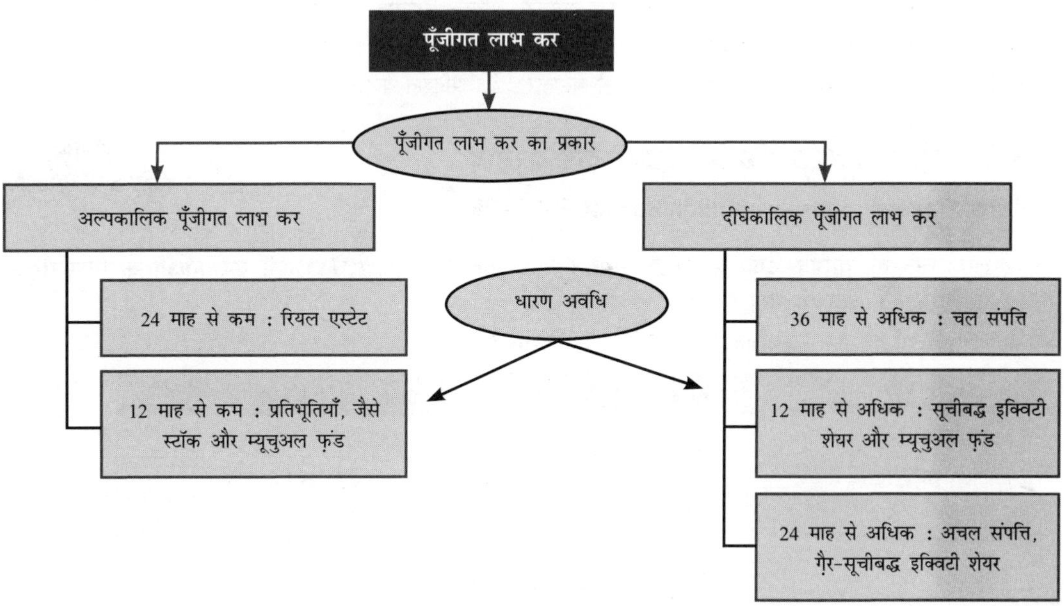

दीर्घकालिक पूँजीगत लाभ [Long-Term Capital Gains (LTCG)] और इंडेक्सेशन लाभ (Indexation Benefit)

- स्टॉक, बॉण्ड और रियल एस्टेट सहित पूँजीगत परिसंपत्तियों की बिक्री से होनेवाले लाभ, पूँजीगत लाभ कर के अधीन हैं।
- पूँजीगत लाभ कराधान के दो प्रकार हैं : दीर्घकालिक पूँजीगत लाभ (LTCG) कर और अल्पकालिक पूँजीगत लाभ (STCG) कर।
- दीर्घ अवधि के लिए रखी गयीं परिसंपत्तियों की बिक्री से होनेवाले लाभ LTCG कर के अधीन हैं।
- धारण अवधि (holding period), परिसंपत्ति के प्रकार के आधार पर भिन्न होती है (सूचीबद्ध इक्विटी शेयरों, इक्विटी उन्मुख म्यूचुअल फ़ंड के लिए 12 माह से अधिक; ग़ैर-सूचीबद्ध इक्विटी शेयरों, घर/भूमि आदि जैसी अचल संपत्तियों के लिए 24 माह; और स्वर्ण जैसी चल संपत्तियों के लिए 36 माह)।

लोकसभा ने अचल संपत्तियों पर दीर्घकालिक पूँजीगत लाभ (LTCG) कर प्रावधान में संशोधन करते हुए वित्त विधेयक, 2024 को मंजूरी दे दी।

संशोधन अधिनियम के प्रावधान (Provisions of the Amendment Act)

- इंडेक्सेशन लाभों का उन्मूलन (Abolishment of Indeñation Benefits) : इंडेक्सेशन लाभ (पूँजीगत लाभ की गणना करते समय मुद्रास्फीति के लिए किसी संपत्ति के ख़रीद मूल्य को समायोजित करना) को इस संशोधन द्वारा समाप्त कर दिया गया है।
- यह 23 जुलाई 2024 से पहले अर्जित संपत्तियों के लिए ग्रैंडफ़ादरिंग की अनुमति देता है।
- ग्रैंडफ़ादर धारा, कटऑफ़ तिथि से पहले ख़रीदी गयी संपत्तियों को भविष्य के अधिग्रहण के लिए नये नियमों के बावजूद इंडेक्सेशन से लाभान्वित करने की अनुमति देता है।
- **करदाताओं के लिए विकल्प (Choices for Taxpayers)** : यह संशोधन करदाताओं को कम कर राशि का भुगतान करने का विकल्प प्रदान करता है:
  - पूर्व योजना (Old Scheme) : 23 जुलाई, 2024 से पहले अर्जित संपत्तियों पर इंडेक्सेशन के साथ 20 प्रतिशत LTCG कर का भुगतान करना होगा।
  - नयी योजना (New Scheme) : इंडेक्सेशन के बिना 12.5 प्रतिशत LTCG कर (पहले के 20 प्रतिशत से कम) का भुगतान करना होगा।
- 23 जुलाई, 2024 के बाद ख़रीदी गयी संपत्तियों के लिए, केवल नयी योजना लागू होगी।
- इंडेक्सेशन लाभ, केवल मुनाफे (gains) पर लागू होते हैं और वे किसी भी नुक़सान पर लागू नहीं होंगे।
- बढ़ी हुई छूट (Enhanced Exemption) : सूचीबद्ध इक्विटी, इक्विटी-उन्मुख म्यूचुअल फ़ंड और बिजनेस ट्रस्ट इकाइयों पर LTCG के लिए छूट की सीमा ₹1 लाख से बढ़ाकर ₹1.25 लाख कर दी गयी है।
- इन परिसंपत्तियों के लिए LTCG कर, 10 प्रतिशत से बढ़ाकर 12.5 प्रतिशत कर दिया गया है।

केंद्रीय बजट 2025-26 में प्रत्यक्ष कर प्रस्ताव [Direct Taxes Proposals in Union Budget 2025–26]

अतिरिक्त जानकारी

- **₹12 लाख तक की वार्षिक आय पर कोई आयकर नहीं; कटौती के साथ वेतनभोगी करदाताओं के लिए यह सीमा ₹12.75 लाख तक बढ़ा दी गयी है।**
- नयी कर व्यवस्था के तहत **संशोधित कर दर स्लैब** इस प्रकार हैं

आय (रुपये में)	कर दर
₹0-₹4 लाख	Nil
₹4 लाख-₹8 लाख	5%
₹8 लाख-₹12 लाख	10%

आय (रुपये में)	कर दर
₹12 लाख-₹16 लाख	15%
₹16 लाख-₹20 लाख	20%
₹20 लाख-₹24 लाख	25%
₹24 लाख से अधिक	30%

- **स्वैच्छिक कर अनुपालन को प्रोत्साहित करने के लिए संशोधित कर रिटर्न की समय सीमा दो से बढ़ाकर चार वर्ष कर दी गयी।**

अतिरिक्त जानकारी

आयकर विधेयक, 2025 (Income-Tax Bill, 2025)

- पुराने आयकर अधिनियम 1961 को अधिक सरल और प्रभावी कर-ढाँचे से प्रतिस्थापित करने के लिए सरकार ने एक नया विधेयक प्रस्तावित किया है।
- आयकर विधेयक 2025 का उद्देश्य, आयकर अधिनियम 1961 को सरल बनाना है। नये विधेयक में अधिक स्पष्टता के लिए तुलनात्मक रूप से कम अध्याय और शब्द हैं।
- इसका उद्देश्य मुक़दमेबाज़ी को कम करना और अनुपालन बढ़ाना है। एक बार पारित होने के बाद, इसका नया नाम 'आयकर अधिनियम, 2025' होगा और इसके अप्रैल, 2026 में प्रभावी होने की उम्मीद है।

विशेषताएँ (Features)

- सरलीकृत भाषा, जो क़ानून को समझने में आसान बनाती है।
- संशोधन समेकन द्वारा विखंडन को कम करना।
- अधिक स्पष्टता के लिए, अनावश्यक और पुराने प्रावधानों को हटा दिया गया है।
- बेहतर पठन हेतु संरचना को युक्तिसंगत बनाने के लिए तालिकाओं और सूत्रों का उपयोग।
- वर्तमान कराधान सिद्धांतों को बनाये रखते हुए, यह निरंतरता सुनिश्चित करता है और उपयोगिता में सुधार करता है।
- क्रिप्टोकरेंसी और अन्य आभासी डिजिटल संपत्तियों को अब संपत्ति की परिभाषा के तहत पूँजीगत संपत्ति माना जाता है।
- यह खंड DRP निर्देश जारी करने के तरीक़ों को स्पष्ट करता है। यह निर्धारण, निष्कर्ष और इसके पीछे तर्क के बिंदु प्रदान करता है।
- अधिनियम की धारा 54E, जो अप्रैल, 1992 से पहले पूँजीगत संपत्तियों के हस्तांतरण पर पूँजीगत लाभ के लिए छूट का विवरण देती है, को हटा दिया गया है।
- यह विधेयक 'कर वर्ष (tax year)' की अवधारणा पेश करता है, जिसे 1 अप्रैल से शुरू होनेवाली 12 महीने की अवधि के रूप में परिभाषित किया गया है।

बेनामी लेनदेन का प्रतिषेध (संशोधन) अधिनियम, 2016
[Benami Transactions (Prohibition) Amendment Act, 2016]

- इस संशोधन अधिनियम ने देश में काले धन और धन शोधन (मनी लॉन्ड्रिंग) के प्रयासों पर अंकुश लगाने के लिए बेनामी संपत्ति लेनदेन निषेध अधिनियम, 1988 के प्रावधानों में संशोधन किया। सक्षम न्यायालय द्वारा बेनामी लेनदेन के अपराध का दोषी पाये जानेवाले व्यक्ति को कम-से-कम एक वर्ष के कठोर कारावास, जिसे सात वर्ष तक बढ़ाया जा सकता है, से दंडित किया जायेगा और वह संपत्ति के उचित बाज़ार मूल्य का 25 प्रतिशत तक जुर्माना भी भरेगा।
- संशोधित अधिनियम के अनुसार, बेनामी लेनदेन का अर्थ है–

  1. वह लेनदेन या व्यवस्था –

(a) जिसमें संपत्ति को किसी व्यक्ति को हस्तांतरित किया जाता है, या उसके द्वारा रखा जाता है, और ऐसी संपत्ति के लिए **किसी अन्य व्यक्ति** द्वारा प्रतिफल प्रदान किया जाता है, या उसका भुगतान किया जाता है, और

(b) संपत्ति को प्रतिफल प्रदान करनेवाले व्यक्ति के तात्कालिक या भविष्य के **लाभ**, प्रत्यक्ष या अप्रत्यक्ष, के लिए रखा जाता है;

2. संपत्ति के संबंध में कोई लेनदेन या व्यवस्था **फ़र्ज़ी नाम** से की जाती है; या
3. संपत्ति के संबंध में वह लेनदेन या व्यवस्था, जिसमें संपत्ति के स्वामी को इस तरह के स्वामित्व **के बारे में पता नहीं होता है, या जानकारी से इनकार** करता है;
4. संपत्ति के संबंध में वह लेनदेन या व्यवस्था, जिसमें **प्रतिफल प्रदान करनेवाला व्यक्ति पता लगाने योग्य नहीं होता है या फ़र्ज़ी होता है;**

अप्रत्यक्ष कर (INDIRECT TAX)

यह वह कर है, जिसका कराघात और करापात भिन्न-भिन्न व्यक्तियों पर होता है। अप्रत्यक्ष कर वस्तुओं और सामानों पर लगाया जाता है। उदाहरणों में सीमा शुल्क, GST आदि शामिल हैं।

वस्तु एवं सेवा कर [GOODS AND SERVICES TAX (GST)]

- 2003 में, अप्रत्यक्ष कर संबंधी **केलकर टास्क फ़ोर्स** ने व्यापक वस्तु एवं सेवा कर (GST) का उल्लेख किया था, जो वैट (मूल्यवर्धित कर) के सिद्धांत पर आधारित है। 1 अप्रैल, 2010 तक राष्ट्रीय स्तर पर वस्तु एवं सेवा कर (GST) पेश करने का प्रस्ताव पहली बार वित्तीय वर्ष 2006-07 के बजट भाषण में किया गया था।
- 'एक राष्ट्र, एक कर' प्रणाली लागू करने के उद्देश्य से **1 जुलाई, 2017** को **अप्रत्यक्ष कर के** रूप में वस्तु एवं सेवा कर (GST) आरंभ किया गया था और यह पूरे भारत में लागू होता है। GST ने केंद्र और राज्य सरकारों द्वारा लगाये जानेवाले कई सोपानी करों का स्थान लिया है।
- यह **122वें संविधान संशोधन विधेयक (122nd Constitutional Amendment Bill)** के पारित होने के बाद संविधान **(101वाँ संशोधन)** अधिनियम [Constitution (One Hundred and First Amendment) Act], 2017, के रूप में लाया गया था।
- संविधान संशोधन ने केंद्र और राज्यों, दोनों को GST लगाने के लिए समवर्ती शक्तियाँ प्रदान कीं (वस्तुओं की बिक्री पर कर लगाने के लिए केंद्र को और सेवाओं की व्यवस्था पर कर लगाने के लिए राज्यों को)।
- इस संशोधन के माध्यम से संविधान में तीन नये अनुच्छेद समाविष्ट किये गये :
  1. **अनुच्छेद 246 A** - संसद और राज्य विधानसभाओं, दोनों को GST से संबंधित **क़ानून बनाने की समवर्ती शक्ति होगी।** हालाँकि संसद वस्तुओं और सेवाओं के अंतरराज्यीय व्यापार की स्थिति में क़ानून बनाने की विशेष शक्ति बनाये रखेगी।
  2. **अनुच्छेद 269 A** - अंतरराज्यीय व्यापार की स्थिति में जहाँ GST केंद्र सरकार द्वारा लगाया और एकत्र किया जाता है, केंद्र द्वारा केंद्र और राज्यों के बीच **कर राजस्व आय को इस प्रकार से विभाजित किया जायेगा,** जैसा कि संसद द्वारा GST परिषद् की अनुशंसाओं के आधार पर क़ानून द्वारा प्रावधान किया गया है।
  3. **अनुच्छेद 279A** - यह भारत के राष्ट्रपति को GST परिषद् का गठन करने का अधिकार देता है। इस नये अनुच्छेद में GST परिषद् का गठन और कार्य भी वर्णित किया गया है।
- **चार अलग अधिनियमों** को अधिनियमित किया गया।
  1. केंद्रीय GST अधिनियम (Central GST Act), 2017
  2. एकीकृत GST अधिनियम (Integrated GST Act), 2017
  3. GST (राज्यों को क्षतिपूर्ति) अधिनियम [GST (Compensation to States) Act], 2017

4. संघ राज्यक्षेत्र GST अधिनियम (Union Territory GST Act), 2017

साथ ही राज्य GST (SGST) अधिनियम बनाने के उद्देश्य से प्रत्येक राज्य द्वारा राज्य GST (SGST) विधेयक पारित किया गया।

GST के क्रमिक विकास (Evolution of GST) को नीचे दिये गये आरेख से समझा जा सकता है :

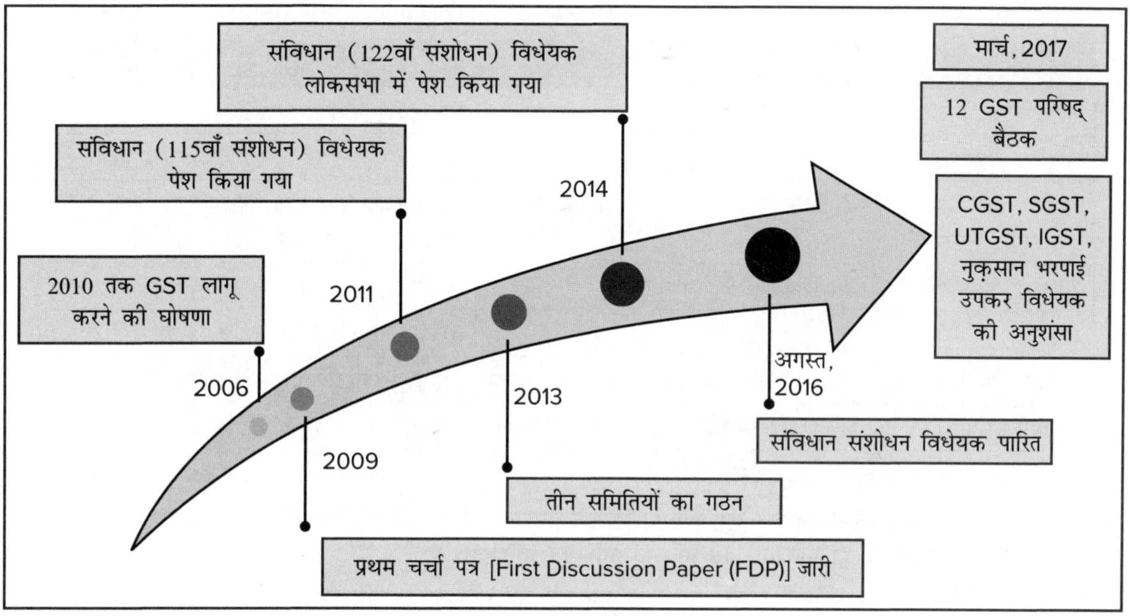

GST के संबंध में विवरण (Details about GST)

- GST के अंतर्गत कर योग्य घटना वस्तुओं या सेवाओं की **'आपूर्ति'** है, और निर्माण, बिक्री आदि जैसी घटनाएँ अभी कोई महत्त्व नहीं रखती हैं।
- GST **उपभोग आधारित कर** है; इसलिए जहाँ वस्तुओं या सेवाओं का उपभोग किया जाता है, उस राज्य को करों का भुगतान किया जाता है, न कि उस राज्य में, जिसमें उनका उत्पादन किया गया था।
- GST का नियमन GST परिषद् द्वारा किया जाता है, **जिसका अध्यक्ष भारत का वित्त मंत्री होता** है।
- GST में चार प्रकार के कर शामिल हैं :

1. **एकीकृत GST [Integrated GST (IGST)]** - यह वस्तुओं और सेवाओं के **अंतरराज्यीय व्यापार** (inter-state trade) के दौरान लगाया जाता है। यह केंद्र सरकार द्वारा लगाया और एकत्र किया जाता है, लेकिन राजस्व केंद्र और राज्यों के बीच एक निश्चित दर पर बाँटा जाता है। **वस्तुओं या सेवाओं का आयात** भी IGST को आकर्षित करता है। हालाँकि आयात की स्थिति में GST के साथ-साथ आधारभूत सीमा शुल्क भी लगाया जाता है। निर्यात पर शून्य GST है।
2. **राज्य GST [State GST (SGST)]** - यह वस्तुओं और सेवाओं के केवल **अंत:राज्यीय (राज्य के भीतर)** व्यापार [intra-state (within the state) trade] पर लागू होता है। हालाँकि उस पर CGST भी लिया जायेगा। उदाहरण के लिए - पश्चिम बंगाल के भीतर वस्तुओं की किसी भी आपूर्ति के लिए 12 प्रतिशत GST लगेगा, SGST और CGST 6-6 प्रतिशत होगा।
3. **केंद्रीय GST [Central GST (CGST)]** - SGST की भाँति यह भी वस्तुओं और सेवाओं के केवल अंत:राज्यीय व्यापार पर ही लागू होता है।

4. **केंद्र शासित प्रदेश वस्तु एवं सेवा कर** [**Union Territory Goods and Services Tax (UTGST)**] - UTGST, SGST के समान है, लेकिन यह केंद्र शासित प्रदेशों में लागू होता है। SGST और CGST के विपरीत, UTGST की केंद्र शासित प्रदेश के भीतर एक समान दर होती है।

GST में समाहित किये गये अप्रत्यक्ष कर (INDIRECT TAXES THAT HAVE BEEN SUBSUMED UNDER GST)

केंद्रीय कर	राज्य कर
केंद्रीय उत्पाद शुल्क	राज्य VAT/बिक्री कर
अतिरिक्त उत्पाद शुल्क	क्रय कर
औषधीय और प्रसाधन सामग्री निर्मितियाँ अधिनियम के अंतर्गत लगाया गया उत्पाद शुल्क	मनोरंजन कर (स्थानीय निकायों द्वारा लगाये जानेवाले करों से भिन्न)
अतिरिक्त सीमा शुल्क और विशेष अतिरिक्त सीमा शुल्क	विलासिता कर
सेवा कर	चुंगी शुल्क और प्रवेश कर के अन्य सभी रूप
वस्तुओं और सेवाओं की आपूर्ति से संबंधित केंद्रीय अधिभार और उपकर	लॉटरी, सट्टेबाज़ी और जुए पर कर
केंद्रीय बिक्री कर (केंद्र द्वारा लगाया और राज्यों द्वारा एकत्र किया जानेवाला)	मंडी कर

- GST के अंतर्गत **कोई एकसमान कर दर नहीं है**। विभिन्न वस्तुओं और सेवाओं पर निम्नलिखित दरों पर कर लगाया जाता है- **0 प्रतिशत, 5 प्रतिशत, 12 प्रतिशत, 18 प्रतिशत और 28 प्रतिशत**।
- **कच्चे क़ीमती और अर्द्ध-क़ीमती पत्थरों पर 0.25 प्रतिशत** और **सोने पर 3 प्रतिशत** की विशेष दर है।

GST की दर	संबंधित वस्तुओं की उदाहरणात्मक सूची
0% GST	जूट, ताज़ा मांस, मछली, चिकन, अंडे, लस्सी, दही, प्राकृतिक शहद, ताज़े फल और सब्ज़ियाँ, आटा, बेसन, **ब्रेड**, प्रसाद, **नमक**, बिंदी, सिंदूर, **स्टांप, न्यायिक काग़ज़ात, मुद्रित पुस्तकें, समाचार पत्र**, चूड़ियाँ, **हथकरघा**। सैनिटरी नैपकिन, ताज़ा दूध और पाश्चुरीकृत दूध, चावल (लेबलयुक्त या पहले से पैक किया हुआ नहीं), ताज़ा मांस (पहले से पैक नहीं) और अंडे, ताज़ा दही और पनीर (पहले से पैक नहीं), ताज़े फल और सब्ज़ियाँ, प्राकृतिक शहद (ब्रांडेड/पहले से पैक नहीं)
5% GST	काजू/छिलकेवाले काजू, इंसुलिन, सिक्का, अगरबत्ती और पतंग, फ़्लाई-ऐश ब्लॉक, चीनी और चाय, बच्चों के लिए दूध से बने खाद्य पदार्थ, भारतीय मिठाइयाँ, श्रवण यंत्र, रेडियो/ऐप-आधारित टैक्सियाँ, इकॉनोमी क्लास की उड़ान और रेलवे टिकट
12% GST	व्यायाम पुस्तकें और नोटबुक, पेंसिल, शार्पनर, सुधारात्मक चश्मा, सभी डायग्नोस्टिक किट और अभिकर्मक, **कंप्यूटर और, मोबाइल फ़ोन, पैकेज्ड घी, बिज़नेस क्लास फ्लाइट टिकट, फलों के रस या फलों के गूदे पर आधारित पेय, संरक्षित फल और सब्ज़ियाँ, गाढ़ा दूध**
18% GST	काजल पेंसिल स्टिक, TV, CCTV के लिए सेट-टॉप बॉक्स, एलुमिनियम फ़ॉयल, 17 इंच तक के कंप्यूटर मॉनिटर, बाँस का फ़र्नीचर, **मिनरल वाटर (प्राकृतिक या कृत्रिम), पास्ता, जीवन बीमा और स्वास्थ्य बीमा, कॉर्नफ़्लेक्स, टूथपेस्ट**, आदि

GST की दर	संबंधित वस्तुओं की उदाहरणात्मक सूची
28% GST	पान मसाला, कैफ़ीनयुक्त पेय, राज्य सरकारों द्वारा प्राधिकृत लॉटरी, व्यक्तिगत विमान, **सिगार और सिगरेट (तंबाकू आधारित), यात्री कारें, पोर्टलैंड/स्लैग/ऐल्यूमिनस सीमेंट, एयर कंडीशनर, डिश वॉशिंग मशीन।**
3% GST	नक़ली आभूषण, सिक्के, बहुमूल्य धातु या बहुमूल्य धातु से बनी वस्तुएँ, प्राकृतिक मोती या संवर्धित मोती (बिना काम किये या वर्गीकृत), हीरे (ग़ैर-औद्योगिक को छोड़कर), बहुमूल्य पत्थर (हीरे के अलावा), अर्द्ध-क़ीमती पत्थर, चाँदी, सोना, बहुमूल्य धातु का अपशिष्ट और स्क्रैप
0.25% GST	ग़ैर-औद्योगिक हीरे, बिना काम किये हुए क़ीमती/अर्ध-क़ीमती पत्थर, सिंथेटिक या पुनर्निर्मित क़ीमती या अर्ध-क़ीमती पत्थर

- इसके अतिरिक्त वातित पेय, लक्ज़री कार, तंबाकू उत्पादों आदि जैसी कुछ वस्तुओं पर 28 प्रतिशत GST पर 15 प्रतिशत या अन्य दरों का उपकर लागू होता है।
- वस्तुओं का व्यापार करनेवाले कारोबारों की स्थिति में **₹40 लाख तक के वार्षिक कारोबारवाले कारोबार** GST **से मुक्त हैं**। (यह सीमा पूर्वोत्तर और पहाड़ी राज्यों के लिए ₹20 लाख है)।
- सेवाओं या दोनों वस्तुओं और सेवाओं के मामले में, निर्धारित सीमा ₹20 लाख है (पूर्वोत्तर और पहाड़ी राज्यों के लिए ₹10 लाख)।

GST की ये दरें **पूरे भारत में एकसमान बनी हुई हैं**। हालाँकि GST परिषद् की अनुशंसाओं के आधार पर इनकी समीक्षा की जा सकती है।

क्या आप जानते हैं? 2017 में GST लागू होने के बाद से पिछले पाँच वर्षों में विभिन्न वस्तुओं और सेवाओं को एक स्लैब से दूसरे स्लैब में स्थानांतरित किया गया है। इस संबंध में निर्णय **GST** परिषद् द्वारा लिया जाता है।

(31 जनवरी, 2025 तक जीएसटी परिषद् की 55 बैठकें हो चुकी हैं। 55वीं जीएसटी परिषद् की बैठक 21 दिसंबर, 2024 को जैसलमेर में हुई)।

आदान कर समंजन (Input Tax Credit)

- आजकल लोगों द्वारा प्रायः इस शब्द का उपयोग किया जाता है। यह व्यक्ति द्वारा पहले से ही भुगतान किया जा चुका कर है और जो उसके द्वारा देय कर से कटौती के रूप में उपलब्ध है।

  उदाहरण के लिए, किसी विनिर्माता/उत्पादक द्वारा उत्पादन प्रक्रिया में उपयोग किये जानेवाले आदानों के रूप में कच्चे माल या सेवाओं को ख़रीदते समय GST का भुगतान किया जाता है। विनिर्माता द्वारा भुगतान किया गया यह कर अंतिम उत्पाद की बिक्री के समय उसके द्वारा GST के अंतिम भुगतान के विरूद्ध समायोजित किया जा सकता है। यह वह तरीक़ा है, जो केवल उक्त विनिर्माता द्वारा मूल्यवर्धन पर GST प्रभारित करने में सहायता करता है।

  मान लीजिए कि कोई जूता निर्माता 100 + 5 प्रतिशत GST से कच्चे माल के रूप में चमड़ा ख़रीदता है। यह ₹5 आदान कर समंजन है। बाद में जब तैयार चमड़े का उत्पाद ₹300+12 प्रतिशत GST पर बेचा जाता है, तो यह ₹5 आदान कर विनिर्माता द्वारा भुगतान किये जानेवाले उत्पादन पर अंतिम GST (अर्थात् 300 का 12 प्रतिशत = 36) के विरुद्ध समायोजित किया जायेगा। इस प्रकार अंतिम उत्पाद की बिक्री के समय सरकार को निर्माता द्वारा भुगतान किया जानेवाला कर है = ₹36 – ₹5 का आदान कर समंजन = ₹31

- यह आदान कर समंजन; कर के **सोपानी प्रभाव (cascading effect) को दूर कर देता है** और एक प्रकार से अंतिम उत्पादों की क़ीमत कम करने में सहायता करता है ।
- आदान कर समंजन सभी स्तरों पर प्राप्त किया जा सकता है, चाहे **वह कच्चे माल का आपूर्तिकर्ता हो, विनिर्माता हो, वितरक हो या ख़ुदरा विक्रेता हो।**

- वस्तुओं और सेवाओं के बीच CGST के आदान कर समंजन के **संकर उपयोग (cross-utilisation)** की अनुमति है। इसी तरह SGST की स्थिति में भी अनुमति है, तथापि, वस्तुओं और सेवाओं की अंतरराज्यीय आपूर्ति को छोड़कर CGST और SGST के संकर उपयोग की अनुमति नहीं है।
- IGST के कारण आदान कर समंजन का पहले IGST के भुगतान के लिए – फिर CGST और फिर SGST या UTGST के भुगतान के लिए उपयोग किया जायेगा।
- CGST के कारण आदान कर समंजन का पहले CGST के भुगतान के लिए और फिर IGST के भुगतान के लिए उपयोग किया जायेगा, लेकिन इसका SGST या UTGST के भुगतान के विरुद्ध समायोजन करने के लिए उपयोग नहीं किया जा सकता है।
- इसी प्रकार से SGST/UTGST के कारण आदान कर समंजन का पहले SGST/UTGST और फिर IGST के भुगतान के लिए उपयोग किया जायेगा, लेकिन **CGST के भुगतान के लिए** नहीं।
- **व्यक्तिगत उपयोग के लिए वस्तुओं और सेवाओं पर आदान कर समंजन की अनुमति नहीं है।**
- यदि उत्पादन पर GST की तुलना में आदान पर GST अधिक है, तो व्यक्ति को शेष आदान कर समंजन **अग्रेषित करने** या धनवापसी का दावा करने की अनुमति है। हालाँकि सरकार द्वारा आदान क्रेडिट के शेष पर **कोई ब्याज नहीं दिया जाता है।**

GST परिषद् (GST Council)

101वें संविधान संशोधन अधिनियम के माध्यम से संविधान में **अनुच्छेद 279A** सम्मिलित किया गया था। इसने भारत के राष्ट्रपति को GST परिषद् का गठन करने का अधिकार दिया।

GST परिषद् का गठन (Constitution of GST Council)

- **अध्यक्ष** – केंद्रीय वित्त मंत्री
- इसमें **केंद्रीय राज्यमंत्री (वित्त) और सभी राज्यों के वित्त मंत्री भी** शामिल हैं।
- उपाध्यक्ष – राज्य सरकार के मंत्रियों में से चुना जाता है।
- गणपूर्ति कुल सदस्यों का 50 प्रतिशत है।
- संकल्प के लिए उपस्थित और मतदान करनेवाले 75 प्रतिशत सदस्यों की आवश्यकता होती है।
- केंद्र सरकार के वोट का भार कुल मतों का एक तिहाई और एक साथ सभी राज्यों के दो तिहाई मतों के बराबर होता है।
- GST परिषद् क़ानून, नियम और दर आदि सहित GST से संबंधित सभी चीज़ों पर अनुशंसाएँ करती है।

राज्यों का क्षतिपूर्ति तंत्र (Compensation Mechanism of States)

- राज्यों को **पाँच वर्ष** की अवधि तक राजस्व की हानि के लिए क्षतिपूर्ति प्रदान की जायेगी।
- यह **2015-16** को आधार वर्ष मानते हुए GST में समाहित किये गये सभी करों के राजस्व पर आधारित होगा।
- 14 प्रतिशत वार्षिक वृद्धि दर का अनुमान।
- कुछ निर्दिष्ट विलासिता और अहितकर वस्तुओं पर GST के साथ लगाये गये उपकर के माध्यम से क्षतिपूर्ति प्रदान की जायेगी।

लास्ट मिनट स्निपपेट्स

क्षतिपूर्ति उपकर 31 मार्च, 2026 तक बढ़ा दिया गया है, जो 1 जुलाई, 2017 को एकल कर लागू होने के पाँच वर्ष बाद 30 जून, 2022 को समाप्त होना था। यह राज्यों को GST राजस्व हानि की भरपाई के लिए वित्त वर्ष 2020-21 और वित्त वर्ष 2021-22 में ली गयी उधारी को चुकाने के उद्देश्य से किया गया है।

GST नेटवर्क [GST Network (GSTN)]

यह एक **विशेष उद्देश्य वाहन** है, जिसे 2013 में सरकार के हाथों में रणनीतिक नियंत्रण के साथ **ग़ैर-लाभकारी प्राइवेट लिमिटेड कंपनी** की धारा 25 के रूप में शामिल किया गया था। बाद में स्वामित्व की स्थिति बदल गयी थी, क्योंकि GST परिषद् ने सितंबर,

2018 में GSTN को **पूरी तरह से सरकारी स्वामित्ववाली इकाई** में राज्य और केंद्र सरकार के बराबर शेयरों में परिवर्तित करने के निर्णय को मंज़ूरी दे दी। यह भारत में **GST के लिए तकनीकी रीढ़** के रूप में कार्य करता है। इसे पंजीकृत करदाताओं के लिए GST पोर्टल को एकल यूज़र इंटरफ़ेस के रूप में बनाये रखने का काम सौंपा गया है, जो करदाता पंजीकरण, रिटर्न, रिफ़ंड आदि के साथ-साथ GST के लिए आवश्यक IT बुनियादी ढाँचे से संबंधित है। GSTN द्वारा शुरू की गयीं प्रमुख परियोजनाएँ E-Way Bill, E-invoice, TINXSYS आदि हैं।

'आपूर्ति' के रूप में सम्मिलित नहीं की गयीं निम्नलिखित गतिविधियाँ - इस प्रकार वे GST आकर्षित नहीं करती हैं (Events not included as 'SUPPLY' – *thus, do not attract GST*)

1. रोज़गार के संबंध में कर्मचारी द्वारा नियोक्ता को सेवा।
2. मृतक के परिवहन सहित अंतिम संस्कार, शवाधान, श्मशान सेवाएँ।
3. भूमि और भवन की बिक्री, जहाँ पूर्णता प्रमाणपत्र जारी किये जाने के बाद या उसके पहले क़ब्ज़े के बाद पूरा प्रतिफल प्राप्त किया गया है।

GST द्वारा प्रतिस्थापित नहीं किये गये अन्य अप्रत्यक्ष कर (Other Indirect Taxes NOT replaced by GST)

- **मूल सीमा शुल्क (Basic Customs Duty)**- यह भारत में आयातित वस्तुओं पर लगाया जाता है। यह सीमा शुल्क अधिनियम, 1962 के अंतर्गत लगाया जाता है। मूल सीमा शुल्क की दरें 5 प्रतिशत से लेकर 40 प्रतिशत तक उत्पाद के अनुसार भिन्न हैं।
- **सीमा शुल्क पर अधिभार (Surcharge on Customs Duty)**- यह मूल रूप से कर पर कर है। वस्तुओं के आयात पर सकल सीमा शुल्क पर 10 प्रतिशत का सामाजिक कल्याण अधिभार लगाया जाता है।
- **सीमा शुल्क उपकर (Customs Cess)**- यह पुन: कर पर कर है और विशिष्ट उद्देश्य के लिए लगाया जाता है। सीमा शुल्क उपकर सकल सीमा शुल्क पर 3 प्रतिशत है।
- **मोटर वाहन कर (Motor Vehicle Tax)**- यह राज्य सरकार द्वारा दो पहिया वाहनों, कारों, यात्री और वाणिज्यिक वाहनों पर लगाया जाता है।
- **स्टाम्प शुल्क (Stamp Duty)**- स्टांप शुल्क दस्तावेज़ों के माध्यम से राज्य के भीतर किये गये लेनदेनों के लिए भुगतान किया जानेवाला एक प्रकार का कर या शुल्क है, जहाँ ऐसे दस्तावेज़ों पर राज्य स्टाम्प अधिनियम (State Stamp Act) और भारतीय स्टांप अधिनियम (Indian Stamp Act), 1899 के प्रावधानों के अनुसार स्टाम्प शुल्क लगता है। इस तरह के दस्तावेज़ों में सभी समझौते, बंधपत्र, अटॉर्नी अधिकार और अन्य दस्तावेज़ शामिल हैं। यह एक राज्य से दूसरे राज्य में भिन्न-भिन्न है। उदाहरण - *जब कोई व्यक्ति संपत्ति ख़रीदता है, तो उसे पंजीकरण शुल्क के साथ स्टांप शुल्क का भुगतान करना पड़ता है।*
- **राज्य उत्पाद शुल्क (State Excise Duty)**- उत्पाद शुल्क उत्पाद कर योग्य वस्तुओं पर लगाया जानेवाला अप्रत्यक्ष कर है, जो भारत में निर्मित और घरेलू उपभोग के निमित्त होता है। यह विनिर्माण पर कर है, जिसका भुगतान विनिर्माता द्वारा किया जाता है, जो ग्राहकों पर इसका करापात अंतरित कर देता है। अधिकांश उत्पाद शुल्क केंद्र सरकार द्वारा लगाये जाते थे और उन्हें GST में समाहित कर दिया गया है। तथापि, राज्य सरकारों द्वारा **शराब पर लगाया जानेवाला उत्पाद शुल्क (excise duty on liquor)** GST में समाहित नहीं किया गया है।

  साथ ही, केंद्र सरकार द्वारा **पेट्रोलियम उत्पादों पर लगाया जानेवाला उत्पाद शुल्क (excise duty on petroleum products)** भी GST में समाहित नहीं किया गया है।
- **पेट्रोलियम उत्पादों पर VAT (VAT on petroleum products)**- GST ने CENVAT, राज्य VAT और यहाँ तक कि सेवा कर का भी स्थान ले लिया है। हालाँकि पेट्रोलियम उत्पादों पर लगनेवाले VAT को GST में समाहित नहीं किया गया है।
- **पाटन-रोधी और रक्षोपाय शुल्क (Anti-Dumping and Safeguard Duties)**- जब किसी निर्यातक/उत्पादक द्वारा किसी उत्पाद को अपने गृह देश में **उसके सामान्य मूल्य से भी कम** मूल्य पर भारत के राज्यक्षेत्र में निर्यात किया जाता है, तो केंद्र सरकार पाटन-रोधी शुल्क (Anti-Dumping Duty) लगाती है।

जबकि यदि अप्रत्याशित रूप से आयात में वृद्धि उक्त विशेष उत्पाद के घरेलू उद्योगों के लिए ख़तरा पैदा करती है, तो रक्षोपाय शुल्क (Safeguard Duty) लगाया जाता है। यह तभी लगाया जा सकता है, जब आयात में अचानक वृद्धि घरेलू उद्योग को गंभीर चोट पहुँचाती है या पहुँचाने का ख़तरा पैदा करती है। उपर्युक्त दोनों शुल्क **सीमा शुल्क अधिनियम (Customs Tariff Act), 1975**, के अंतर्गत लगाये जाते हैं।

उपर्युक्त करों के साथ-साथ स्थानीय निकायों द्वारा लगाये जानेवाले **मनोरंजन कर, चुंगी** आदि को GST में समाहित नहीं किया गया है। साथ ही **कच्चे पेट्रोलियम, हाई स्पीड पैट्रोल, प्राकृतिक गैस, विमानन टर्बाइन ईंधन [Aviation Turbine Fuel (ATF)] तंबाकू और तंबाकू उत्पादों पर केंद्रीय उत्पाद शुल्क अलग से लगाया जाता है और** GST **में समाहित नहीं किया गया है**।

GST के लाभ (Benefits of GST)

1. **व्यवसायों के लिए (For Businesses)**- ऑनलाइन पोर्टल के माध्यम से **आसान अनुपालन (easy compliance)**, पहले के अप्रत्यक्ष करों के **सोपानी प्रभाव की समाप्ति (removal of cascading effect)**, एक ही बार में विभिन्न अप्रत्यक्ष करों के प्रबंधन में जटिलताओं की समाप्ति, **ई-वे बिल** के प्रचलन के माध्यम से **ट्रकों की निर्बाध आवाजाही**।
2. **केंद्र और राज्य सरकारों के लिए (For Central and State Governments)**- **कर आधार विस्तार** होना, सरकारों द्वारा विभिन्न प्रकार के अप्रत्यक्ष करों की अपेक्षा एकल कर व्यवस्था का **आसानी से प्रबंधन, कर रिसाव पर बेहतर नियंत्रण**, उच्च राजस्व दक्षता।
3. **उपभोक्ताओं के लिए (For Consumers)**- कई करों का भुगतान करने के बजाय एकल कर भुगतान ने उपभोक्ताओं द्वारा भुगतान किये जानेवाले करों में **अधिक पारदर्शिता** सुनिश्चित की है। साथ ही, सरकार की ओर से कार्यकुशलता लाभ और रिसाव की बेहतर रोकथाम के कारण **समग्र कर भार में कमी आने की आशा है**।

GST का आलोचनात्मक मूल्यांकन (Critical Evaluation of GST)

भले ही GST के साथ उपर्युक्त लाभ हैं, लेकिन विभिन्न हितधारकों द्वारा कई आलोचनाएँ की गयी हैं। ये हैं:-

- उचित कार्यान्वयन तंत्र के बिना जल्दबाज़ी में GST को लाना।
- करदाताओं की ओर से प्रशासनिक और अनुपालन बोझ में वृद्धि।
- धीमी कर वापसी प्रक्रिया के कारण कार्यशील पूँजी का अवरुद्ध होना।
- स्थानीय करों को बंद करने के संबंध में राज्य सरकारों के लिए स्पष्टता का अभाव।
- जैसा कि GST पूर्व व्यवस्था में था, राजस्व संग्रह का समान स्तर परिरक्षित करने और बनाये रखने के लिए तंत्र के संबंध में राज्य सरकारों के लिए स्पष्टता की कमी।

हालाँकि GST काउंसिल निरंतर उपाय कर रही है और उपर्युक्त कमियों को दूर करने के लिए सुधार कर रही है।

GST में सुधार (Reforms in GST)

1. GST परिषद् द्वारा दरों में कटौती, उच्च GST दर से कम GST दर की ओर अंतरण आदि के संदर्भ में कई वस्तुओं के लिए **GST दर की संरचना का युक्तीकरण (rationalisation of GST rate structure)**।
2. इसी प्रकार से कई सेवाओं के लिए उन्हें उच्च GST दर से कम GST दर में अंतरित कर, कुछ सेवाओं की स्थिति में GST लगाने से छूट आदि द्वारा **GST दर की संरचना का युक्तीकरण (rationalisation of GST rate structure)**।
3. वस्तुओं के मामले में GST पंजीकरण के लिए वार्षिक कारोबार छूट सीमा ₹20 लाख से बढ़ाकर ₹40 लाख (पहाड़ी और पूर्वोत्तर राज्यों के लिए, छूट सीमा को ₹10 लाख से बढ़ाकर ₹20 लाख किया गया है) **(raising exemption limits)** कर छोटे व्यापारियों के लिए **कारोबार करने की सुगमता**।

4. **सरंचना योजना** के लिए वार्षिक टर्नओवर की सीमा वस्तुओं और सेवाओं के निर्माताओं के आपूर्तिकर्ताओं के लिए क्रमशः 1.5 करोड़ रुपये और 50 लाख रुपये तक बढ़ा दी गयी है।
5. उन सभी पंजीकृत व्यक्तियों के लिए **ई-चालान** अनिवार्य हो गया है, जिनका कुल कारोबार पिछले वर्ष ₹20 करोड़ से अधिक है।

ई-वे बिल (E-Way Bill)

- GST व्यवस्था के अंतर्गत आरंभ किया गया, इलेक्ट्रॉनिक वे बिल या ई-वे बिल वह दस्तावेज़ है, जिसे 10 कि.मी. से अधिक दूर बिक्री के लिए ₹50,000 से अधिक मूल्य की वस्तुओं की खेप ले जानेवाले वाहन के प्रभारी व्यक्ति द्वारा रखा जाना आवश्यक है।
- वस्तुओं की आवाजाही के लिए पूरे देश में एक ही ई-वे बिल मान्य है।
- प्रत्येक पंजीकृत आपूर्तिकर्ता को वस्तुओं की आवाजाही आरंभ करने से पहले ई-वे बिल पोर्टल पर ऑनलाइन पंजीकरण कराना होता है।
- प्रिंट आउट, SMS या चालान पर लिखित रूप में ई-वे बिल वैध माना जाता है।
- राज्य के भीतर या राज्य के बाहर वस्तुओं की आवाजाही के लिए ई-वे बिल अनिवार्य है।
- हर 200 कि.मी. के लिए ई-वे बिल की वैधता एक दिन है।

GST अपीलीय न्यायाधिकरण (GST Appellate Tribunal)

वस्तु एवं सेवा कर अधिनियम, 2017 (सीजीएसटी अधिनियम) की धारा (109) जीएसटी अपीलीय न्यायाधिकरण (जीएसटीएटी) और उसके पीठों के गठन को अनिवार्य बनाती है।

- अपीलीय स्तर पर जीएसटी क़ानूनों से संबंधित सभी विवादों को जीएसटी अपीलीय न्यायाधिकरण (जीएसटीएटी) द्वारा हल किया जाता है।
- जीएसटीएटी का प्रधान पीठ नयी दिल्ली में स्थापित होगा, लेकिन प्रत्येक राज्य, जीएसटी परिषद् की मंज़ूरी के अधीन, अपनी आवश्यक बेंचों या बोर्डों की संख्या पर फ़ैसला कर सकता है।
- पीठ में दो न्यायिक सदस्य और दो तकनीकी सदस्य और राज्य उच्च न्यायालय के एक वरिष्ठ न्यायिक सदस्य सहित चयन पैनल शामिल होगा।

उलटा शुल्क ढाँचा [Inverted Duty Structure (IDS)]

- यह उस स्थिति को संदर्भित करता है, जहाँ आगत/आदान (इनपुट) वस्तुओं पर आयात शुल्क, तैयार वस्तुओं की तुलना में अधिक होता है, यानी ख़रीद पर चुकायी जानेवाली GST दर, बिक्री पर देय GST दर से अधिक होती है।

प्रभाव (Impact)

- महँगी आगतें, उत्पादों को महँगा बनाती हैं।
- घरेलू उद्योग प्रभावित होता है और निर्यात बाज़ार में प्रतिस्पर्धा करना मुश्किल होता है।
- जो करदाता उलटे शुल्क ढाँचे का सामना करते हैं, उनके GST इलेक्ट्रॉनिक क्रेडिट लेजर (GST electronic credit ledger) में हमेशा आदान कर क्रेडिट (ITC) होगा।
- करदाताओं के लिए कार्यशील पूँजी की समस्याएँ पैदा होती हैं, क्योंकि उच्च आदान कर के कारण उनके संसाधन आदान कर क्रेडिट (ITC) के रूप में अवरुद्ध हो जाते हैं। IDS, GST व्यवस्था के तहत रिफ़ंड से संबंधित समस्याओं को भी जन्म देता है।

राष्ट्रीय मुनाफ़ाख़ोरी-रोधी प्राधिकरण (NATIONAL ANTI-PROFITEERING AUTHORITY)

- यह GST से संबंधित है।
- राष्ट्रीय मुनाफ़ाख़ोरी-रोधी प्राधिकरण [National Anti-Profiteering Authority (NAA)] एक अध्यक्ष और चार सदस्यों से मिलकर बनता है।
- 2017 में GST लागू होने के बाद से सरकार ने बड़ी संख्या में वस्तुओं और सेवाओं की GST दर में उन्हें उच्च कर दर श्रेणी से निचली कर दर श्रेणी में अंतरित करके धीरे-धीरे कमी की है।
- यह सुनिश्चित करने के लिए कि GST में इन कमियों का लाभ या आदान कर क्रेडिट के रूप में लाभ वस्तुओं और सेवाओं के आपूर्तिकर्ताओं द्वारा क़ीमतों में कमी के माध्यम से अंतिम उपभोक्ताओं को दिया जाये, केंद्र सरकार ने **राष्ट्रीय मुनाफ़ाख़ोरी-रोधी प्राधिकरण (NAA)** की स्थापना की है।
- प्राप्तकर्ता को **ऐसे लाभ न देने का कार्य** 'मुनाफ़ाख़ोरी' के तुल्य है।
- कोई भी उपभोक्ता/संगठन जाँच के लिए NAA में शिकायत दर्ज करा सकता है। इसके अतिरिक्त आदान कर क्रेडिट का लाभ न पानेवाला कोई भी आपूर्तिकर्ता/व्यापारी/थोक विक्रेता/खुदरा विक्रेता भी NAA के पास शिकायत दर्ज करा सकता है।
- यदि सिद्ध हो जाता है, तो NAA चूककर्ता को क़ीमतों में अनुरूप कमी के माध्यम से नहीं दी गयी राशि वापस लौटाने का आदेश दे सकता है। बाद में आवेदक की पहचान नहीं होने की स्थिति में वसूली गयी राशि नवसर्जित *उपभोक्ता कल्याण कोष* में जमा करायी जाती है।
- NAA के आदेशों के विरुद्ध उच्च न्यायालय में अपील की जा सकती है।

अतिरिक्त जानकारी

HSN कोड और SAC कोड (HSN CODE AND SAC CODE)

- HSN – सुसंगत प्रणाली नामकरण (Harmonised System Nomenclature)
- SAC – सेवा लेखांकन कोड (Service Accounting Code)
- यह विश्व सीमा शुल्क संगठन [World Customs Organization (WCO)] द्वारा 1988 में विकसित वस्तु विवरण और उत्पाद नामकरण के लिए अंतरराष्ट्रीय स्तर पर अपनायी गयी प्रणाली है।
- GST व्यवस्था में, वस्तुओं को **HSN** के अंतर्गत और सेवाओं को **SAC** के अंतर्गत वर्गीकृत किया जाता है।
- लगभग 200 देशों में सीमा शुल्क प्रशुल्कों के लिए आधार के रूप में HSN कोड और SAC कोड का उपयोग किया जाता है। अंतरराष्ट्रीय व्यापार में सभी पण्य वस्तुओं का लगभग 98% HSN कोड के अंतर्गत वर्गीकृत किया जाता है।
- **HSN 2022 :** WCO नये उत्पादों को जोड़ने और नयी उत्पाद श्रेणियों को मानकीकृत करने के लिए नियमित रूप से HSN कोड (हर 5 वर्ष) के अपने डेटाबेस को अपडेट करता है। नवीनतम (7वें संस्करण) कोड का सेट **1 जनवरी, 2022** से लागू किया जायेगा। भारत HSN सम्मेलन का एक पक्ष होने के नाते, भारत में वस्तुओं की कोडिंग को **HSN 2022** के साथ संरेखित करने के लिए वित्त अधिनियम, 2021, के माध्यम से आवश्यक परिवर्तन लाया है।

अग्रिम विनिर्णय (Advance Ruling)

कोई भी अग्रिम कर विनिर्णय कर क़ानूनों की लिखित व्याख्या है। यह कर अधिकारियों द्वारा कुछ कर मामलों के स्पष्टीकरण का अनुरोध करने पर निगमों और व्यक्तियों को जारी किया जाता है। करदाता के भ्रमित होने और कुछ प्रावधानों को लेकर अनिश्चित होने पर प्राय: अग्रिम विनिर्णय का अनुरोध किया जाता है। प्रस्तावित गतिविधि शुरू करने से पहले अग्रिम कर विनिर्णय लागू किया जाता है।

GST के अंतर्गत सम्मिलित किसी भी अग्रिम विनिर्णय का उद्देश्य होता है-

- प्रत्यक्ष विदेशी निवेश [Foreign Direct Investment (FDI)] को आकर्षित करना - कराधान से संबंधित नियमों को स्पष्ट करके और FDI की भावी कर देयता की स्पष्ट तस्वीर दिखाकर। कराधान प्रणाली में स्पष्टता से अप्रिय कर विवादों में न उलझने की इच्छा रखनेवाले अनिवासियों को आकर्षित करने में सहायता मिलेगी।
- मुक़दमेबाज़ी और महँगे क़ानूनी विवादों को कम करता है।

GST में रिवर्स चार्ज मेकेनिज़्म (Reverse Charge Mechanism in GST)

आम तौर पर, वस्तुओं या सेवाओं का आपूर्तिकर्ता GST का भुगतान करने के लिए उत्तरदायी होता है। हालाँकि, आयात और अन्य अधिसूचित आपूर्तियों जैसे निर्दिष्ट मामलों में, दायित्व रिवर्स चार्ज मेकेनिज़्म के अंतर्गत प्राप्तकर्ता पर डाला जा सकता है। रिवर्स चार्ज का अर्थ आपूर्ति की अधिसूचित श्रेणियों के संबंध में वस्तुओं या सेवाओं के आपूर्तिकर्ता की अपेक्षा ऐसी वस्तुओं या सेवाओं की आपूर्ति प्राप्तकर्ता पर कर का भुगतान करने का दायित्व है।

प्रयोज्यता (Applicability)

A. अपंजीकृत डीलर से पंजीकृत डीलर को आपूर्ति।

B. ई-कॉमर्स ऑपरेटर के माध्यम से सेवाएँ।

C. CBEC द्वारा निर्दिष्ट कतिपय वस्तुओं और सेवाओं की आपूर्ति।

अतिरिक्त जानकारी

स्व-चालान (SELF-INVOICING)

किसी अपंजीकृत आपूर्तिकर्ता से ख़रीदने पर स्व-चालान किया जाता है और वस्तुओं या सेवाओं की ऐसी ख़रीद रिवर्स चार्ज के अंतर्गत आती है। इसका कारण यह है कि आपूर्तिकर्ता प्राप्तकर्ता को GST-अनुपालन चालान जारी नहीं कर सकता है और इस प्रकार प्राप्तकर्ता उनकी ओर से करों का भुगतान करने के लिए उत्तरदायी हो जाता है। इसलिए, इस मामले में स्व-चालान आवश्यक हो जाता है।

राजस्व तटस्थ दर (Revenue Neutral Rate)

- GST के अंतर्गत ध्यान ऐसी दरों पर पहुँचने पर केंद्रित होता है, जिससे केंद्र और राज्य सरकारों के वर्तमान राजस्व जनन में कमी नहीं आयेगी।
- राजस्व तटस्थ दर (RNR) GST के अंतर्गत राजस्व के साथ वर्तमान राजस्व जनन को मिलाने के लिए स्थापित की गयी विभिन्न दरों की संरचना है।
- RNR गणना में कोई उत्पाद शुल्क या बिक्री कर निहितार्थ नहीं रखनेवालीं कुछ वस्तुओं पर सोपानी प्रभाव शामिल होना चाहिए।
- *उदाहरण के लिए* – वर्तमान कर दर की तुलना में डीज़ल के लिए ऊँचा RNR नियत होने के कारण गेहूँ महँगा हो जायेगा, भले ही गेहूँ का कोई उत्पाद शुल्क या बिक्री कर निहितार्थ नहीं है।

परीक्षोपयोगी

लाफ़र वक्र (LAFFER CURVE)

- आर्थर लाफ़र द्वारा आरंभ किया गया लाफ़र वक्र **कर दरों और सरकार द्वारा एकत्र किये गये कर राजस्व की राशि के बीच संबंधों** का निरूपण करता है।
- लाफ़र वक्र **उलटे U आकार** का होता है।
- यह वक्र बताता है कि जैसे-जैसे कर की दर बढ़ती है, कर राजस्व में वृद्धि होती है। हालाँकि एक अधिकतम बिंदु पर पहुँचने के बाद कर दर में आगे और बढ़ोतरी के साथ कर राजस्व कम होने लगता है, क्योंकि कई लोग कर भुगतान से बचने लगते हैं। इस प्रकार लाफ़र वक्र की सहायता से इष्टतम कर दर (optimum tax rate) पता लगायी जा सकती है, ताकि सरकार द्वारा एकत्रित कर अधिकतम किया जा सके।

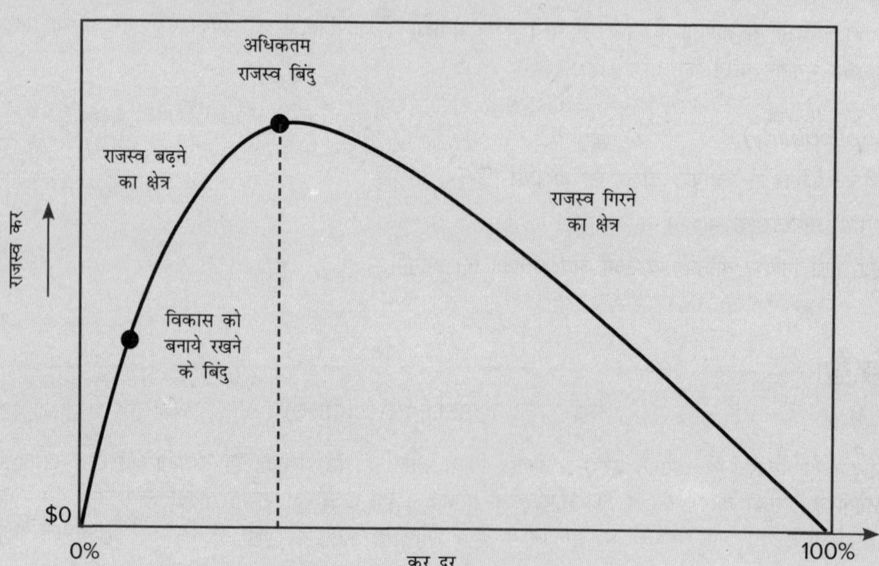

लाफ़र वक्र

क्या आप जानते हैं? सर्कुलर ट्रेडिंग, माल की वास्तविक आपूर्ति के बिना कई कंपनियों के बीच लेनदेन में चालान जारी करना है। यह जीएसटी व्यवस्था में इनपुट टैक्स क्रेडिट का उपयोग करके किया जाता है। सर्कुलर ट्रेडिंग एक प्रकार का चक्रीय क्रम है, जो तब होता है, जब कोई कंपनी नक़ली चालान बनाकर अन्य पार्टियों के साथ नक़ली बिक्री लेनदेन का प्रवाह बनाने की कोशिश करती है।

सिन वस्तुएँ (Sin Goods)

सिन वस्तुएँ वे वस्तुएँ हैं, जिन्हें समाज के लिए हानिकारक माना जाता है। उदाहरणत: शराब और तंबाकू, जुआ, ड्रग्स, फ़ास्ट फूड, आदि।

सिन कर (Sin Tax)

यह उन वस्तुओं पर लगाया जाता है, जो स्वास्थ्य पर बुरा प्रभाव डालती हैं। ऐसे सामान समाज के लिए हानिकारक माने जाते हैं, जिनमें शराब, तंबाकू, फ़ास्ट फ़ूड्स आदि शामिल हैं।

मोटर वाहन कर - राज्य स्तरीय कर (Motor Vehicle Tax – State Level Tax)

भारत में, मोटर वाहन कर, जिसे रोड टैक्स के रूप में भी जाना जाता है, संबंधित राज्य सरकारों द्वारा वाहन मालिकों पर लगाया जाता है। मोटर वाहन कर की गणना आमतौर पर विभिन्न कारकों, जैसे वाहन की इंजन क्षमता, बैठने की क्षमता, बिना लदे वज़न, लदे वज़न और वाहन की लागत मूल्य आदि को ध्यान में रखकर की जाती है।

यह कर किसी राज्य विशेष में वाहन की ख़रीद और रजिस्ट्रेशन के दौरान चुकाना पड़ता है। यह वाहन की ख़रीद के दौरान वस्तु एवं सेवा कर (GST) के साथ लगाया जाता है।

कर लोच और कर उत्प्लावकता (Tax Elasticity and Tax Buoyancy)

- **कर लोच (Tax Elasticity) :** यह **कर की दर में परिवर्तन के कारण कर संग्रह में परिवर्तन** की अनुक्रियाशीलता की मात्रा की माप है। *लाफ़र वक्र कर लोच का चित्रमय निरूपण है।*
- **कर उत्प्लावकता (Tax Buoyancy) :** यह GDP में परिवर्तन के प्रति कर राजस्व वृद्धि की अनुक्रियाशीलता को संदर्भित करता है।
- **कर उत्प्लावकता (Tax Buoyancy)** = कर राजस्व में प्रतिशत (%) का परिवर्तन / GDP में प्रतिशत (%) का परिवर्तन। यह सकल घरेलू उत्पाद या राष्ट्रीय आय में वृद्धि के प्रत्युत्तर में राजस्व जुटाने की दक्षता और अनुक्रियाशीलता का मापन करने का सूचक है। यदि राष्ट्रीय आय या उत्पादन में वृद्धि के प्रत्युत्तर में कर राजस्व आनुपातिक रूप से अधिक बढ़ता है, तो **कर को उत्प्लावक कहा जाता है।**

सामान्यत: कर लोच कर अनुक्रियाशीलता (tax responsiveness) *का मापन करने का* ***बेहतर संकेतक*** *माना जाता है।*

कराधान से संबंधित अन्य शब्दावली (OTHER TERMS RELATED TO TAXATION)

- **पिगूवियन कर (Pigouvian Tax) :** यह प्रदूषण या समाज के लिए **नकारात्मक बाह्यताओं** (negative externalities) के रूप में विदित परिणाम पैदा करनेवाली कार्रवाई या गतिविधियों के लिए प्रायः कंपनियों पर लगाया जानेवाला विशेष कर है। उदाहरणत: तंबाकू उत्पादों और शराब पर एक विशेष कर।
- **टोबिन कर (Tobin Tax) :** टोबिन कर **अल्पकालिक मुद्रा सट्टेबाज़ी को दंडित करने** और **मुद्रा के सभी स्पॉट परिवर्तनों पर कर लगाने** के उद्देश्य से विकसित किया गया था। इस कर से मिलनेवाला राजस्व पर्यावरण और मूलभूत मानव आवश्यकताओं के लिए उपयोग किये जाने हेतु अभिप्रेत होता है। इस कर का नामकरण इसके प्रस्तावक, नोबेल पुरस्कार विजेता अर्थशास्त्री जेम्स टोबिन के नाम पर किया गया है।
- **कर मुक्त क्षेत्र (Tax Haven) :** यह वह भौगोलिक क्षेत्र है, जहाँ कुछ **करों को कम दर पर या बिलकुल नहीं लगाया जाता है**। कर मुक्त क्षेत्र से सरकारों को राजस्व की हानि होती है, धनशोधन आदि का मार्ग प्रशस्त होता है। हालाँकि लगभग सभी देश (किसी-न-किसी प्रकार से) ग़ैर-नागरिकों के लिए कर मुक्त क्षेत्र हैं, क्योंकि वे प्रोत्साहन देकर विदेशी पूँजी आकर्षित करना चाहते हैं। टैक्स हेवन देशों के कुछ उदाहरणों में *अंडोरा, बहामास, बेलीज, बरमूडा, ब्रिटिश वर्जिन आइलैंड्स, केमैन आइलैंड्स, चैनल आइलैंड्स, कुक आइलैंड्स, द आइलैंड्स ऑफ़ जर्सी, हॉङकॉङ, आइल ऑफ़ मैन, मॉरीशस, लिचेंस्टीन, मोनाको, पनामा, सेंट किट्स और नेविस* शामिल हैं।

- **हस्तांतरण मूल्य निर्धारण (Transfer Pricing) :** हस्तांतरण मूल्य, वह मूल्य है, जिस पर किसी कंपनी के प्रभाग एक दूसरे के साथ लेनदेन करते हैं। लेनदेन में विभागों के बीच आपूर्ति या श्रम का व्यापार शामिल हो सकता है। हस्तांतरण मूल्य का उपयोग तब किया जाता है, जब एक बड़ी बहु-इकाई फ़र्म की अलग-अलग इकाइयों को अलग-अलग संचालित इकाइयाँ माना और मापा जाता है।
- **कर चोरी (Tax Evasion) :** कर चोरी वह अवैध परिपाटी है, जहाँ कोई व्यक्ति, संगठन या निगम जानबूझकर अपनी वास्तविक कर देयता का भुगतान करने से बचता है। कर चोरी करते हुए पकड़े जानेवाले लोग सामान्यत: आपराधिक आरोपों और पर्याप्त दंड का सामना करते हैं।
- **कर परिहार (Tax Avoidance) :** कर नियमों में कमियों का अनुचित लाभ उठाकर क़ानून का प्रयोजन परास्त करने के लिए की गयी व्यवस्था को कर परिहार के रूप में जाना जाता है। यह क़ानून की सीमा के भीतर करों के भुगतान से बचने के लिए नये तरीक़े या साधन पता लगाना संदर्भित करता है। यह इस प्रकार से खातों को समायोजित करके किया जा सकता है कि इससे किसी कर नियम का उल्लंघन न हो और साथ ही कर का बोझ भी न्यूनतम हो जाये।
- **स्रोत पर कर कटौती [Tax Deducted at Source (TDS)] :** जो व्यक्ति किसी अन्य व्यक्ति को निर्दिष्ट प्रकृति का भुगतान करने के लिए उत्तरदायी होता है, वह स्रोत पर कर की कटौती कर, उसे केंद्र सरकार के खाते में प्रेषित कर देता है। जिसका आयकर स्रोत पर काटा गया है, वह इस प्रकार कटौती की गयी राशि का क्रेडिट प्राप्त करने का हक़दार होता है। अधिनियम के प्रासंगिक प्रावधानों में निर्दिष्ट दरों पर करों में कटौती की जाती है। अनिवासी व्यक्तियों को भुगतान करने के मामले में दोहरे कराधान परिहार समझौतों (Double Taxation Avoidance Agreements) के अंतर्गत निर्दिष्ट **कर काटने (withholding tax)** की दरों पर भी विचार किया जाता है।
- **कर काटना (Withholding Tax) :** कर काटना करदाता पर कर व्यवस्था के अंतर्गत निर्दिष्ट दरों पर किराया, कमीशन, वेतन, व्यावसायिक सेवाओं और अनुबंध जैसे निर्दिष्ट शीर्ष के अंतर्गत भुगतान करते समय कर काटने का दायित्व है।
- **उत्तराधिकार कर (Inheritance Tax) :** उत्तराधिकार कर, किसी व्यक्ति की मृत्यु के बाद विरासत में मिली जायदाद/संपत्ति पर लगाया जाता है। यह एस्टेट टैक्स से अलग है, जो किसी मृत व्यक्ति की संपत्ति के कुल मूल्य पर लगाया जाता है। यह जापान, दक्षिण कोरिया और अमेरिका आदि में लगाया जाता है।
- **प्रकल्पित कराधान (Presumptive Taxation) :** प्राय: जटिल कर विवरणी दाख़िल करना और करों का भुगतान करना छोटे व्यवसायों के लिए महँगा और झंझट भरा होता है। उन्हें कर का भुगतान करने के लिए प्रोत्साहित करने के लिए, कर क़ानून उन्हें अपने कारोबार की घोषणा करने और उस निश्चित कारोबार के अनुसार करों का भुगतान करने की अनुमति देता है। GST व्यवस्था में कंपोजीशन स्कीम प्रकल्पित कराधान का एक उदाहरण है, जिसमें छोटे करदाता **कारोबार की निश्चित दर** पर GST का भुगतान कर सकते हैं। कंपोजीशन स्कीम का विकल्प ऐसे किसी भी GST करदाता द्वारा चुना जा सकता है, जिसका कारोबार डेढ़ करोड़ रुपये से कम है।
- **निष्पक्ष क़ीमत (Arm's Length Price) :** यह वह क़ीमत है, जिस पर इच्छुक ख़रीदार और इच्छुक संबंधित विक्रेता मुक्त रूप से लेनदेन या व्यापार करने के लिए सहमत होते हैं, ताकि लेनदेन में हितों का कोई टकराव न हो। सरकार द्वारा संबंधित इकाइयों (हस्तांतरण क़ीमत निर्धारण) के बीच लेनदेन होने पर आयकर की गणना करने और लगाने के लिए इस क़ीमत का उपयोग किया जाता है। उन संबंधित इकाइयों को उन्हीं नियमों और शर्तों पर सहमत होना चाहिए, जो तुलनात्मक अनियंत्रित लेनदेन के लिए संबंधित इकाइयों के बीच सहमत हो, ताकि सरकार को उचित मात्रा में कर राजस्व मिले।
- **कर आश्रय (Tax Shelter) :** कर आश्रय क़ानूनी तौर पर परिसंपत्तियों को भंडारित करने का स्थान है, ताकि वर्तमान या भविष्य की कर देयताओं को कम-से-कम किया जा सके। यह कर न्यूनीकरण रणनीति (tax minimisation strategy) है और भ्रमवश कर चोरी की अवैध पद्धति नहीं समझी जानी चाहिए। योग्यता प्राप्त सेवानिवृत्ति खाते, कुछ बीमा उत्पाद, साझेदारियाँ, नगरपालिका बंधपत्र और अचल संपत्ति में निवेश सभी संभावित कर आश्रय के उदाहरण हैं।
- **वस्तु लेनेदेन कर [Commodities Transaction Tax (CTT)] :** CTT भारत में एक्सचेंज-ट्रेडेड कमोडिटी डेरिवेटिव्स पर प्रतिभूति लेनदेन कर या STT की तर्ज़ पर लगाया जानेवाला कर है। CTT को 2008-09 के बजट में प्रचलित किया गया था।
- **एंजेल कर (Angel Tax):** यह शेयरों के निर्गमन के माध्यम से असूचीबद्ध कंपनियों द्वारा जुटायी गयी पूँजी पर देय आयकर है, जहाँ शेयरों की क़ीमत बेचे गये शेयरों के उचित बाज़ार मूल्य से अधिक देखी जाती है। अतिरिक्त प्राप्ति को आय माना जाता है और तदनुसार कर लगाया जाता है।

एंजेल कर धन शोधन रोकने के लिए 2012 के केंद्रीय बजट में सम्मिलित किया गया था। इसे इसलिए एंजेल कर कहा जाने लगा है, क्योंकि यह काफ़ी हद तक स्टार्ट-अप्स में एंजेल निवेश को प्रभावित करता है।

- **ग्रैंड फ़ादरिंग क्लॉज (Grandfathering Clause) :** जब किसी क़ानून में कोई नयी धारा या नीति जोड़ी जाती है, तो कुछ व्यक्तियों को नयी धारा का पालन करने से राहत दी जा सकती है। इसे ही 'ग्रैंड फादरिंग' कहा जाता है। 'ग्रैंड फ़ादरिंग' व्यक्ति को रिआयत का लाभ उठाने का अधिकार होता है, क्योंकि उन्होंने पुराने क़ानून के अंतर्गत अपना निर्णय लिया है।
- **EBIT:** ब्याज और करों से पहले की आय (Earnings Before Interest and Taxes(EBIT), आयकर आकलन और ब्याज लागतों को हटाने से पहले किसी संगठन का कुल राजस्व होता है। EBIT का उपयोग किसी संगठन के मुख्य कार्यों के प्रदर्शन मूल्यांकन को विभाजित करने के लिए किया जाता है, जिसमें लाभ या मुनाफ़े को प्रभावित करनेवालीं प्रभार लागतें (charge costs) और पूँजीगत संरचना व्यय सम्मिलित नहीं होते हैं।

$$EBIT = NI + IE + TE$$

जहाँ, NI = शुद्ध आय (Net Income); IE = ब्याज व्यय (Interest Expense); TE = कर व्यय (Tax Expense) या,

EBIT = बिक्री राजस्व (Sales Revenue) – COGS – परिचालन व्यय (Operating Expenses)

- **EBITDA:** EBITDA, या ब्याज, कर, मूल्यह्रास और परिशोधन से पहले की आय, किसी कंपनी के कुल वित्तीय प्रदर्शन की एक माप है, जिसका उपयोग कुछ स्थितियों में शुद्ध आय के बजाए किया जा सकता है।
    - EBITDA बस शुद्ध आय (या लाभ) प्लस ब्याज, कर, मूल्यह्रास और परिशोधन है।
    - EBITDA का उपयोग संगठनों और क्षेत्रों में लाभप्रदता का विश्लेषण और तुलना करने के लिए किया जा सकता है, क्योंकि इसमें वित्तपोषण और पूँजीगत व्यय के प्रभावों को सम्मिलित नहीं किया जाता है।
    - EBITDA एक आमतौर पर इस्तेमाल किया जानेवाला मूल्यांकन उपाय है, जिसकी तुलना उद्यम मूल्य और राजस्व से की जा सकती है।
    - EBITDA की गणना शुद्ध आय, ब्याज, कर और मूल्यह्रास को जोड़कर की जाती है।

$$EBITDA = NI + I + T + D + A$$

जहाँ, NI = शुद्ध आय (Net Income); I = ब्याज (Interest); T = कर (Taxes); D = मूल्यह्रास (Depreciation); A = परिशोधन (Amortisation)

अच्छी कर प्रणाली (Good Tax System)

किसी अच्छी कर प्रणाली को पाँच आधारभूत शर्तों को पूरा करना चाहिए : **निष्पक्षता, पर्याप्तता, सरलता, पारदर्शिता और प्रशासनिक सहजता**। हालाँकि क्या चीज़ अच्छा कर प्रणाली बनाती है, इस संबंध में राय भिन्न-भिन्न होंगी, लेकिन इस बात पर आम सहमति है कि इन पाँच आधारभूत शर्तों को सर्वाधिक संभव सीमा तक अधिकतम किया जाना चाहिए।

1. **निष्पक्षता या न्यायसंगतता (Fairness or Equity)**– इसका अर्थ यह है कि हर किसी को करों का उचित हिस्सा अदा करना चाहिए।
2. **पर्याप्तता (Adequacy)**– इसका अर्थ यह है कि समाज की मूलभूत आवश्यकताओं को पूरा करने के लिए करों को पर्याप्त राजस्व प्रदान करना चाहिए।
3. **सरलता (Simplicity)**– सरल कर प्रणाली करदाताओं की प्रणाली बेहतर ढंग से समझने में सहायता करती है और अनुपालन की लागत कम करती है।
4. **पारदर्शिता (Transparency)**– इसका अर्थ यह है कि करदाताओं और नेताओं को आसानी से कर प्रणाली के संबंध में और कैसे कर के पैसे का उपयोग किया जाता है, इस संबंध में जानकारी मिल सकती है।
5. **प्रशासनिक सहजता (Administrative Ease)** – इसका अर्थ यह है कि कर प्रणाली न तो करदाताओं और न ही कर संग्राहकों के लिए बहुत जटिल या महँगी है।

करदाता घोषणापत्र (Taxpayers' Charter)

2020-21 के केंद्रीय बजट में करदाता घोषणापत्र की घोषणा की गयी थी। यह घोषणापत्र प्रचलित करने का उद्देश्य करदाता और कर प्रशासन के बीच विश्वास का निर्माण करना और परेशानी कम करना है। इस घोषणापत्र के अंतर्गत करदाताओं के विभिन्न अधिकार और दायित्व हैं। यह करदाताओं को सेवाएँ प्रदान करने के लिए कर विभाग की प्रतिबद्धता को भी स्पष्ट करता है।

घोषणापत्र के तहत करदाताओं के अधिकार (Taxpayers' Rights under the Charter)

- करदाताओं की विनम्र, निष्पक्ष और उचित रीति से सहायता करना।
- करदाताओं को ईमानदार मानना, जब तक कि विभाग के पास अन्यथा विश्वास करने का कारण न हो।
- उचित और निष्पक्ष अपील प्रक्रिया और समीक्षा तंत्र उपलब्ध कराना।
- कर अनुपालन के उद्देश्य से सटीक और पूरी जानकारी प्रदान करना।
- समयबद्ध ढंग से आयकर कार्यवाहियाँ पूरी और तय करना।
- कर देयता की सही राशि की वसूली सुनिश्चित करना।
- करदाता की निजता का सम्मान करना।
- करदाताओं द्वारा प्रदान की गयी जानकारी की गोपनीयता बनाये रखना।
- शिकायत करने की प्रक्रिया और शिकायत निवारण तंत्र लागू करना।
- कर विवादों के समाधान के लिए उचित और निष्पक्ष दृष्टिकोण अपनाना।

घोषणापत्र के अंतर्गत करदाताओं के दायित्व (Taxpayers' Obligations under the Charter)

- विभाग से तथ्यों और जानकारी का पूर्ण और ईमानदारी भरा खुलासा करना।
- आयकर क़ानून के अंतर्गत यथा निर्धारित लेखांकन रिकॉर्ड और दस्तावेज़ों को बनाये रखना।
- समयबद्ध ढंग से आयकर नोटिसों और सूचना अनुरोधों का जवाब देना।
- नियत तिथियों के भीतर अपनी आयकर देयताओं का भुगतान करना और उनकी दाख़िला आवश्यकताओं का अनुपालन करना।

वित्तीय गोपनीयता सूचकांक (Financial Secrecy Index)

वित्तीय गोपनीयता सूचकांक क्षेत्राधिकारों की उनकी गोपनीयता के अनुसार और उनकी अपतटीय वित्तीय गतिविधियों के पैमाने की रैंकिंग करता है। राजनीतिक रूप से तटस्थ यह रैंकिंग, वैश्विक वित्तीय गोपनीयता, कर स्वर्ग या गोपनीयता क्षेत्राधिकारों और अवैध वित्तीय प्रवाह या पूँजी की उड़ान को समझने का साधन है।

इस सूचकांक का अनावरण **कर न्याय नेटवर्क** [Tax Justice Network (TJN)] द्वारा किया गया था। कर न्याय नेटवर्क (TJN) 2003 में आरंभ किया गया स्वतंत्र अंतरराष्ट्रीय नेटवर्क है। **वित्तीय गोपनीयता सूचकांक** TJN का एक द्विवार्षिक प्रकाशन है, जिसे 2009 में शुरू किया गया था।

2022 के सूचकांक में 141 देश शामिल थे, जिनमें संयुक्त राज्य अमेरिका शीर्ष पर था और इसके बाद स्विट्ज़रलैंड का स्थान था। 2022 की रिपोर्ट के अनुसार भारत की रैंक सुधर कर 36वीं हो गयी, जो कि 2020 की रिपोर्ट के अनुसार 47वीं थी।

कर व्यय (Tax Expenditure)

- हालाँकि किसी भी कराधान प्रणाली का मुख्य उद्देश्य राजस्व जुटाना है, सरकार करदाताओं को कई रिआयतें और कर छूट की अनुमति देती है, जो सरकार के नीतिगत विकल्पों को दर्शाती हैं। विशेष कराधान उपायों की सीमा : विशेष कराधान उपायों की

श्रेणी जैसी विशेष कर दरें, छूट, कटौती, आस्थगन और क्रेडिट राजस्व संग्रह की राशि को प्रभावित करती हैं। इन उपायों को 'कर वरीयताएँ' भी कहा जाता है।

- ➤ उनका सरकारी राजस्व पर प्रभाव पड़ता है (अर्थात् उनके पास अवसर लागत मौजूद होती है) और यह सरकार के नीतिगत विकल्पों को दर्शाता है। सरकार द्वारा **संभावित राजस्व** के संदर्भ में इस तरह के प्रभाव की राशि को **'कर व्यय'** के रूप में जाना जाता है।
- ➤ कर वरीयताओं को पसंदीदा करदाताओं को सब्सिडी भुगतान के रूप में देखा जा सकता है और इस प्रकार यह विशिष्ट क्षेत्रों को बढ़ावा देने के लिए निहित भुगतान के रूप में दिखाई देता है।
- ➤ इसलिए, उन्हें बजट में व्यय मदों में शामिल किया जाना चाहिए। लोकतांत्रिक व्यवस्था में कर नीति दक्षता के साथ-साथ पारदर्शिता की माँग करती है, जो सरकार द्वारा इस तरह के कर व्यय का स्पष्ट उल्लेख करने का आह्वान करती है।
- ➤ रसीद बजट के हिस्से के रूप में **बजट 2006-07** के दौरान पहली बार संसद के समक्ष **एक कर व्यय या राजस्व पूर्वगामी विवरण** रखा गया था। इसे सभी वर्गों ने ख़ूब सराहा और इसने राजकोषीय नीति से संबंधित सभी मुद्दों पर एक रचनात्मक बहस को जन्म दिया। इसने कर नीति और कर व्यय के मामले में पारदर्शिता लाने के सरकार के इरादे पर भी विश्वास दिलाया।
- ➤ बजट 2007-08 के दौरान, इसे **"स्टेटमेंट ऑफ़ रेवेन्यू फ़ॉरगोन, अर्थात् छोड़े गये राजस्व का विवरण"** शीर्षक से एक अलग बजट दस्तावेज़ के रूप में प्रस्तुत किया गया था।
- ➤ वर्तमान में इसका **"केंद्रीय कर प्रणाली के तहत कर प्रोत्साहनों के राजस्व प्रभाव का विवरण"** के रूप में स्थान है, क्योंकि इसमें वास्तव में राजस्व प्रभाव का विश्लेषण शामिल है।

कर व्यय के तत्वों में शामिल हैं :

1. **कॉर्पोरेट क्षेत्र** के लिए रिआयती कर दरें, अर्थात् मौजूदा घरेलू कंपनियों के लिए 22 प्रतिशत की रिआयती कर दर, और नयी निगमित घरेलू कंपनियों के लिए 15 प्रतिशत (जो 31 मार्च, 2023 तक नया निवेश करती हैं) कराधान क़ानून (संशोधन) अधिनियम, 2019 (TLAA) की धारा 115BAA और 115BAB के माध्यम से सम्मिलित की गयी।
2. विभिन्न बचत उपकरणों में निवेश हेतु **व्यक्तिगत करदाताओं** के लिए कर प्रोत्साहन, आवास ऋण का पुनःभुगतान और बच्चों के लिए शिक्षण शुल्क का भुगतान।
3. सरकारी वित्त पोषित संस्थाओं सहित विभिन्न **धर्मार्थ संस्थाओं** को कर छूट और सामाजिक उद्देश्यों को पूरा करने के लिए कुछ गतिविधियों में संलग्न संस्थाओं को विशिष्ट छूट।

कर-जीडीपी अनुपात (Tax to GDP Ratio)

कर-जीडीपी अनुपात किसी देश की अर्थव्यवस्था के आकार के सापेक्ष में उसके कर राजस्व की मात्रा है, जिसे GDP द्वारा मापा जाता है। यह अनुपात अर्थव्यवस्था के सापेक्ष किसी देश की **कर राजस्व की क्षमता (tax revenue potential)** का अनुमान प्रदान करता है। कर-जीडीपी अनुपात सरकार की अपने आवश्यक व्यय को वित्तपोषित करने की वित्तीय क्षमता का एक संकेतक है। जबकि यह अधिक अनुपात व्यय को वित्तपोषित करने की उच्च क्षमता और उधार पर कम निर्भरता को दर्शाता है, कम अनुपात सरकार द्वारा महत्त्वपूर्ण संरचना में निवेश की बाधाओं को दर्शाता है।

परंपरागत रूप से, विकसित देशों की तुलना में विकासशील देशों में कर-जीडीपी अनुपात का मान कम होता है। हालाँकि भारत में कर-जीडीपी अनुपात OECD देशों में 34 प्रतिशत की तुलना में बहुत कम है, भारत ने हाल के वर्षों में अपने कर-जीडीपी अनुपात में सुधार दिखाया है। प्रत्यक्ष कर के लिए भारत का कर-जीडीपी अनुपात 2022-23 में 15 वर्ष के उच्च स्तर 6.11 प्रतिशत तक पहुँच गया।

वित्त वर्ष 2024-25 में भारत का कर-जीडीपी अनुपात 11.7 प्रतिशत तक पहुँचने की उम्मीद है।

भारत में कर प्रशासन (TAX ADMINISTRATION IN INDIA)

केंद्रीय प्रत्यक्ष कर बोर्ड [Central Board of Direct Taxes (CBDT)]

CBDT भारत में प्रत्यक्ष कर, अर्थात् आयकर से संबंधित कर प्रशासन के लिए एक सर्वोच्च प्राधिकरण है। यह केंद्रीय राजस्व बोर्ड अधिनियम, 1963 के अनुसार स्थापित एक वैधानिक निकाय है। यह वित्त मंत्रालय के तहत राजस्व विभाग द्वारा प्रशासित किया जाता है। प्रारंभ में केंद्रीय राजस्व बोर्ड की स्थापना केंद्रीय राजस्व बोर्ड अधिनियम, 1924 के तहत की गयी थी और यह प्रत्यक्ष और अप्रत्यक्ष, दोनों करों का प्रभारी था। यह केंद्रीय राजस्व बोर्ड वर्ष 1964 में दो बोर्डों में विभाजित हो गया।

1. केंद्रीय प्रत्यक्ष कर बोर्ड (CBDT)
2. केंद्रीय उत्पाद एवं सीमा शुल्क बोर्ड (CBEC)

CBDT को प्रत्यक्ष कर लगाने और एकत्र करने, पूरे आयकर विभाग की देखरेख, कराधान क़ानूनों में बदलाव और सरकार को संरचना आदि का सुझाव देने से संबंधित नीति तैयार करने का काम सौंपा गया है।

केंद्रीय अप्रत्यक्ष कर और सीमा शुल्क बोर्ड [Central Board of Indirect Taxes & Customs (CBIC)]

केंद्रीय अप्रत्यक्ष कर और सीमा शुल्क बोर्ड (CBIC) भारत में GST, केंद्रीय उत्पाद शुल्क, सीमा शुल्क जैसे अप्रत्यक्ष करों के प्रशासन के लिए ज़िम्मेदार प्राधिकरण है। यह **राजस्व विभाग**, वित्त मंत्रालय, भारत सरकार के अंतर्गत कार्य करता है।

CBIC, जिसे **पहले केंद्रीय उत्पाद और सीमा शुल्क बोर्ड (CBEC)** के रूप में जाना जाता था, भारत में GST के कार्यान्वयन के बाद अस्तित्व में आया। यह केंद्रीय उत्पाद शुल्क, सीमा शुल्क, केंद्रीय वस्तु एवं सेवा कर और IGST, इन करों के प्रशासन, तस्करी की रोकथाम और निर्धारित सीमा तक नशीले पदार्थों के लेवी और संग्रह से संबंधित मामलों के नीति निर्माण में संलग्न है। CBIC अपने अधीनस्थ संगठनों के लिए प्रशासनिक प्राधिकरण है, जिसमें केंद्रीय उत्पाद शुल्क और केंद्रीय GST आयुक्तालय, सीमा शुल्क कार्यालय और केंद्रीय राजस्व नियंत्रण प्रयोगशाला शामिल हैं। यह केंद्रीय राजस्व बोर्ड अधिनियम, 1963 के तहत स्थापित एक वैधानिक निकाय है।

कर प्रशासन सुधार आयोग [Tax Administration Reform Commission (TARC)]

वैश्विक सर्वोत्तम प्रथाओं के संबंध में भारत में कर क़ानूनों और कर नीतियों के आवेदन की समीक्षा करने के लिए 2013 में भारत सरकार द्वारा कर प्रशासन सुधार आयोग या **TARC** की स्थापना की गयी थी। आयोग का जनादेश इसकी प्रभावशीलता और दक्षता बढ़ाने के लिए कर प्रशासन में आवश्यक सुधारों के उपायों का सुझाव देना था। इसकी अध्यक्षता **डॉ पार्थसारथी शोम** ने की और वर्ष 2014 में उन्होंने अपनी रिपोर्ट सौंपी। सिफ़ारिशों में संरचना में परिवर्तन, करदाताओं की सेवा में सुधार, सूचना और संचार प्रौद्योगिकी उपयोग में वृद्धि, अन्य एजेंसियों के साथ सूचनाओं का आदान-प्रदान, सीमा शुल्क क्षमता निर्माण, प्रभाव मूल्यांकन, आधार का विस्तार, अनुपालन प्रबंधन, राजस्व पूर्वानुमान, भावी विश्लेषण और कर शासन के लिए अनुसंधान आदि शामिल थे।

प्रोजेक्ट इनसाइट (Project Insight)

- यह केंद्रीय वित्त मंत्रालय द्वारा काले धन के प्रचलन पर अंकुश लगाने के उद्देश्य से प्रौद्योगिकी का उपयोग करने, उच्च मूल्यवाले लेनदेनों की निगरानी और कर अपवंचकों का पता लगाने के लिए 2016 में शुरू की गयी परियोजना है।
- इसमें ख़र्च के पैटर्न और आय की घोषणा के बीच अंतर का अनुमान लगाने के लिए सोशल मीडिया प्लेटफ़ार्मों से कर अपवंचकों को खोज निकालने के लिए डेटा खनन, बिग डेटा एनालिटिक्स का उपयोग किया जाता है।
- स्थायी खाता संख्या [Permanent Account Number (PAN)] को आधार से जोड़ना IT विभाग द्वारा करदाताओं से संबंधित विभिन्न लेनदेनों की कड़ियाँ जोड़ने और विश्लेषण करने के लिए उपयोग किया जानेवाला प्रमुख पहचानकर्ता है।

कार्बन सीमा कर (Carbon Border Tax)

- **यूरोपीय संघ (EU)** ने उन देशों से आयात पर कार्बन शुल्क लगाने का प्रस्ताव किया है, जो अपने ग्रीनहाउस गैस उत्सर्जन को कम करने के लिए समान आक्रामक क़दम नहीं उठा रहे हैं। कर के पीछे का विचार यूरोपीय संघ के बाहर की कंपनियों को हतोत्साहित करना है, जो यूरोपीय संघ की चार कार्बन व्यापक सामग्री स्टील, सीमेंट, उर्वरक और ऐलुमिनियम का निर्यात कर रहे हैं।
- यूरोपीय संघ की मौजूदा **उत्सर्जन व्यापार प्रणाली (Emissions Trading System)** कुछ व्यवसायों के लिए इस क्षेत्र के भीतर परिचालन को महँगा बना देती है। परिणामस्वरूप यूरोपीय संघ के अधिकारियों को डर है कि ये व्यवसाय उन देशों में स्वयं को स्थानांतरित करना चुन सकते हैं, जिनके पास अधिक आराम या कोई उत्सर्जन सीमा नहीं है, इसके परिणामस्वरूप **'कार्बन रिसाव'** होता है और जिससे दुनिया में कुल उत्सर्जन बढ़ जाता है।
- संयुक्त राज्य अमेरिका में, $3.5 ट्रिलियन बजट योजना के हिस्से के रूप में पर्याप्त जलवायु नीतियों की कमीवाले देशों से आयात पर एक समान कर की परिकल्पना की गयी है। यह इंगित करता है कि व्यापार नीति में जलवायु नीति तेज़ी से अंतर्सबंधित होती जा रही है।
- यूरोपीय संघ भारत का तीसरा सबसे बड़ा व्यापारिक भागीदार है, यह कर भविष्य में भारत से निर्यात किये गये सामानों की क़ीमतों में वृद्धि करके यूरोपीय संघ में **भारतीय वस्तुओं की माँग को प्रभावित कर सकता है**।

पनामा और पैराडाइज पेपर (Panama and Paradise Papers)

पनामा पेपर्स 11.5 मिलियन प्रकाश में आये वे एन्क्रिप्टेड गोपनीय दस्तावेज़ हैं, जो पनामा स्थित क़ानूनी फ़र्म मोसैक फ़ोंसेका की संपत्ति थे। संभवत: इनमें अवैध उद्देश्यों के लिए उपयोग की जानेवालीं शेल कंपनियों से जुड़ी वित्तीय जानकारी शामिल है। पैराडाइज पेपर्स और मॉरीशस लीक कर स्वर्ग की गतिविधियों को उजागर करनेवाले गोपनीय दस्तावेज़ों का समान समूह हैं।

आधार क्षरण और लाभ स्थानांतरण [Base Erosion and Profit Shifting (BEPS)]

चूँकि कर स्वर्ग काम कर रहे हैं, इसलिए कंपनियाँ और साथ ही व्यक्ति कर स्वर्ग में अपने मुनाफ़ा स्थानांतरित करने और वहाँ कम करों का लाभ उठाने के लिए कर स्वर्ग का उपयोग कर रहे हैं। इसकी दो विधियाँ हैं।

1. **प्रबंधन का स्थान (Place of management) :** अमेज़न, फ़ेसबुक, एपल जैसी अधिकतर बहुराष्ट्रीय कंपनियाँ व्यवसायों के वास्तविक स्थान पर अपेक्षाकृत उच्च कर दरों से बचने के लिए इन कर स्वर्गों में अपना आधिकारिक क्षेत्र स्थानांतरित करके तदनुसार अपनी कर लेखांकन योजना बनाती हैं।
2. **शेल कंपनियाँ (Shell companies) :** शेल कंपनियाँ करों से बचने के लिए लाभ कर स्वर्ग में स्थानांतरित करने के लिए इन कर स्वर्गों में केवल काग़ज़ पर बनायी गयीं फ़र्ज़ी कंपनियाँ हैं। यहाँ तक कि ये निवेश की राउंड ट्रिपिंग और धनशोधन गतिविधियों में भी भाग लेती हैं।

इन कर चोरियों से न केवल देशों का कर संग्रह कम होता है, बल्कि संधारणीय आर्थिक विकास के लिए आवश्यक वित्तीय आधार भी कमज़ोर होता है। इस परिघटना पर अंकुश लगाने के लिए OECD में BEPS ढाँचा है। भारत इस प्रयास में भाग लेता है। भारत को भी दोहरा कराधान परिहार समझौतों के दुरुपयोग के कारण BEPS से नुक़सान उठाना पड़ता है।

OECD की दो स्तंभ योजना (OECD'S TWO PILLAR PLAN)

आर्थिक सहयोग और विकास संगठन (OECD) ने बड़ी कंपनियों को **वैश्विक न्यूनतम कॉर्पोरेट कर दर** के रूप में प्रचलित 15 प्रतिशत की न्यूनतम कर दर का भुगतान करने और उन्हें कर से बचने से रोकने के लिए एक वैश्विक सौदे की सुविधा प्रदान की है। वैश्विक अर्थव्यवस्था के 90 प्रतिशत से अधिक के लिए **137 देशों** द्वारा इस सौदे पर सहमति व्यक्त की गयी है।

यह G20 देशों और OECD (आर्थिक सहयोग और विकास संगठन) द्वारा सहमत 'बेस इरोज़न ऐंड प्रॉफ़िट शिफ़्टिंग' (BEPS) पर समावेशी ढाँचे का हिस्सा है।

ओईसीडी की दो-पिलरवाली योजना (OCED's Two-Pillar Plan)

a. **पिलर एक** - कर अधिकारों का पुन:आवंटन : यह एमएनसी के लाभ के एक हिस्से को उन स्थानों पर पुन:आवंटित करता है जहाँ उत्पाद और सेवाएँ बेची जाती हैं।

b. **पिलर दो** - वैश्विक ऐंटी-बेस इरोज़न मैकेनिज़्म, 2023 से बड़ी एमएनसी के लिए 15 प्रतिशत की 'वैश्विक न्यूनतम कॉर्पोरेट कर दर (जीएमसीटीआर)' निर्धारित करना।

- 2016 में, भारत ने **6 प्रतिशत की इक्वलाइजेशन (समानीकरण) लेवी लागू की थी, जो ऑनलाइन विज्ञापन सेवाओं के लिए अनिवासी डिजिटल कंपनियों** (गूगल, फ़ेसबुक) **पर डिजिटल टैक्स था।**
- 2020 में, वित्त अधिनियम, 2020 के हिस्से के रूप में **इक्वलाइजेशन (समानीकरण) लेवी का विस्तार किया गया।** इसे आमतौर पर **'इक्वलाइजेशन लेवी 2.0 या ईएल 2.0'** के नाम से जाना जाता है। नयी लेवी को अमेज़न और वॉलमार्ट के स्वामित्ववाली फ़्लिपकार्ट जैसी **विदेशी ईकॉमर्स कंपनियों** और 2 करोड़ रुपये या उससे अधिक के वार्षिक टर्नओवरवालीं अन्य कंपनियों के **व्यापार और सेवाओं पर 2 प्रतिशत डिजिटल सेवा कर** के रूप में लगाया गया है।

अतिरिक्त जानकारी

डिजिटल टैक्स (Digital Tax)

डिजिटल टैक्स, डिजिटल सेवाओं या ऑनलाइन व्यावसायिक गतिविधियों पर प्रत्यक्ष कर के रूप में लगाया जाता है।

यह OECD की दो-पिलरवाली योजना का हिस्सा है, जिस पर 2021 में अंतरराष्ट्रीय कराधान नियमों में सुधार के लिए 137 देशों (भारत सहित) ने सहमति व्यक्त की थी। यह अर्थव्यवस्था के डिजिटलीकरण और वैश्वीकरण से उत्पन्न कर संबंधी चुनौतियों से निपटने के लिए OECD परियोजना का एक प्रमुख हिस्सा है।

दोहरा कराधान परिहार समझौता [Double Taxation Avoidance Agreement (DTAA)]

इस भूमंडलीकृत दुनिया में, कई बहुराष्ट्रीय कंपनियाँ अंतर-देशीय परिदृश्य में काम कर रही हैं। इस स्थिति में, किसी देश में कर लगाने के बाद अर्जित लाभ अन्य देशों में कराधान से प्रतिरक्षित होना चाहिए। इस निमित्त दोहरे कराधान से बचने के लिए देशों के बीच DTAA पर हस्ताक्षर किया जा रहा हैं। यह व्यवस्था अधिक विदेशी निवेश की सुविधा भी प्रदान करती है। भारत और मॉरीशस के बीच DTAA के परिणामस्वरूप 2000 से 2016 के बीच 93.65 अरब डॉलर के FDI की आवक देखी गयी।

कई बार DTAA के परिणामस्वरूप कुछ समस्याएँ भी होती हैं, जैसे कई अवसरों पर मॉरीशस के माध्यम से भारतीय धन की राउंड ट्रिपिंग की गयी है और भारत में करों से बचा गया है। इसका प्राय: धन शोधन गतिविधियों के लिए उपयोग किया जाता है। कई अवसरों पर BEPS के लिए भी DTAA का उपयोग किया गया है।

प्रभावी प्रबंधन का स्थान [Place of Effective Management (PoEM)]

करों की उड़ान पर अंकुश लगाने और विदेशी कंपनियों की आवासीय स्थिति तय करने के लिए वित्तीय अधिनियम (Financial Act), 2015 में प्रभावी प्रबंधन का स्थान (PoEM) की अवधारणा पेश की गयी। यदि किसी कंपनी के प्रभावी प्रबंधन का स्थान भारत है, तो उसे भारतीय निवासी माना जायेगा और उसकी वैश्विक आय भारत में कर योग्य होगी। PoEM का उद्देश्य शेल कंपनियों पर अंकुश लगाना है।

सूचना का स्वत: आदान-प्रदान [Automatic Exchange of Information (AEOI)]

सूचना का स्वत: आदान-प्रदान (AEOI) स्रोत देश द्वारा निवासवाले देश को 'थोक (bulk)' करदाता जानकारी का व्यवस्थित और आवधिक संचरण है। यह अधिकांश दोहरा कराधान परिहार समझौतों (DTAA) और कर मामलों में पारस्परिक प्रशासनिक सहायता पर बहुपक्षीय सम्मेलन [Convention on Mutual Administrative Assistance in Tax Matters (MAC)] के अंतर्गत संभव है।

संक्षिप्त विवरण

- भारत में **कर संरचना (tax structure)** एक त्रि-स्तरीय संरचना है, जिसमें तीनों स्तरों पर सरकार शामिल है : संघ या केंद्र सरकार, प्रांतीय स्तर पर राज्य सरकार और स्थानीय सरकारी स्तर पर ग्रामीण या शहरी स्थानीय निकाय।
- **विभिन्न प्रकार के कर (Different types of taxes)** इस प्रकार हैं – प्रगतिशील एवं प्रतिगामी, यथामूल्य एवं विशिष्ट, प्रत्यक्ष और अप्रत्यक्ष कर।
- **भारत में प्रत्यक्ष करों के उदाहरण (Examples of Direct Taxes in India)** हैं – व्यक्तिगत आयकर, कॉर्पोरेट कर आदि।
- भारत में **वस्तु एवं सेवा कर (जीएसटी) [Goods and Services Tax (GST)]** सबसे बड़ा अप्रत्यक्ष कर है, जिसे **1 जुलाई, 2017** को 'एक राष्ट्र एक कर (One Nation One Tax)' प्रणाली के उद्देश्य से शुरू किया गया था।
- **वस्तु एवं सेवा कर (जीएसटी) [Goods and Services Tax (GST)]** ने केंद्र और राज्य सरकारों द्वारा लगाये जानेवाले कई प्रकार के व्यापक करों की जगह ले ली।
- **122वें संवैधानिक संशोधन विधेयक (122nd Constitutional Amendment Bill)** के पारित होने के बाद, जीएसटी को संविधान **[एक सौ एकवाँ संशोधन (One Hundred and First Amendment)]** अधिनियम, 2017 के रूप में पेश किया गया था।
- **चार अलग-अलग अधिनियम (Four separate Acts)** बनाये गये, यानी – 1. केंद्रीय जीएसटी अधिनियम, 2017, 2. एकीकृत जीएसटी अधिनियम, 2017, 3. जीएसटी (राज्यों को छूट) अधिनियम, 2017, और 4. केंद्र शासित प्रदेश जीएसटी अधिनियम, 2017 – राज्य जीएसटी (एसजीएसटी) अधिनियम को लागू करने के लिए प्रत्येक राज्य द्वारा राज्य जीएसटी (एसजीएसटी) विधेयक पारित किया गया।
- जीएसटी के तहत, विभिन्न वस्तुओं एवं सेवाओं पर निम्नलिखित दरों पर कर लगाया जाता है – **0 प्रतिशत, 5 प्रतिशत, 12 प्रतिशत, 18 प्रतिशत** और **28 प्रतिशत**।
- अनुच्छेद 279A **जीएसटी काउंसिल** के लिए प्रावधान करता है, जिसमें केंद्रीय वित्त मंत्री इसके अध्यक्ष और केंद्रीय एमओएस (वित्त) और सदस्य के रूप में सभी राज्यों के वित्त मंत्री होते हैं।
- *आर्थर लाफ़र* द्वारा पेश की गयी लाफ़र कर्व, **कर की दरों** और सरकार द्वारा **एकत्रित कर राजस्व की राशि के बीच संबंध** को दर्शाता है – लाफ़र **कर्व उल्टा यू** होता है।
- **कर-से-जीडीपी अनुपात (Tax-to-GDP ratio)** किसी देश की अर्थव्यवस्था के आकार के सापेक्ष उसके कर राजस्व की मात्रा है, जिसे जीडीपी द्वारा मापा जाता है – यह अर्थव्यवस्था के सापेक्ष किसी देश की **कर राजस्व की क्षमता** का अनुमान प्रदान करता है।
- भारत में **प्रत्यक्ष कर (Direct Taxes)** और **अप्रत्यक्ष कर (Indirect Taxes)** क्रमशः केंद्रीय प्रत्यक्ष कर बोर्ड (सीबीडीटी) और केंद्रीय अप्रत्यक्ष कर और सीमा शुल्क बोर्ड (सीबीआईसी) द्वारा प्रबंधित किया जाता है।

यूपीएससी सिविल सेवा के पिछले वर्षों की प्रारंभिक परीक्षा के प्रश्न

1. भारत द्वारा अनिवासी संस्थाओं द्वारा प्रदान की जानेवालीं ऑनलाइन विज्ञापन सेवाओं पर 6 प्रतिशत का समीकरण कर लगाने के निर्णय के संदर्भ में निम्नलिखित में से कौन-सा/से कथन सही है/सही हैं? **[2018]**

1. यह आयकर अधिनियम के एक भाग के रूप में आरंभ किया गया है।
2. भारत में विज्ञापन सेवाएँ प्रदान करनेवालीं अनिवासी संस्थाएँ 'दोहरा कराधान परिहार समझौतों' के अंतर्गत अपने गृह देश में कर समंजन का दावा कर सकती हैं।

नीचे दिये गये कूट का उपयोग कर सही उत्तर का चयन कीजिए :

(a) केवल 1 **(b)** केवल 2
(c) 1 और 2 दोनों **(d)** 1 और 2 में से कोई नहीं

2. वस्तु एवं सेवा कर (GST) का कार्यान्वयन करने के सर्वाधिक संभावित लाभ क्या हैं? **[2017]**

1. यह कई प्राधिकरणों द्वारा एकत्र किये जानेवाले कई करों का स्थान लेगा और इस प्रकार भारत में एकल बाज़ार का निर्माण करेगा।

2. इससे भारत के 'चालू खाते के घाटे' में भारी कमी आयेगी और उसके लिए अपना विदेशी मुद्रा भंडार बढ़ाना संभव होगा।
3. इससे भारत की अर्थव्यवस्था की संवृद्धि और आकार में बहुत अधिक वृद्धि होगी और यह भारत को निकट भविष्य में चीन से आगे निकलने में सक्षम बनायेगा।

नीचे दिये गये कूट का उपयोग करके सही उत्तर का चयन कीजिए :-

(a) केवल 1 **(b)** केवल 2 और 3
(c) केवल 1 और 3 **(d)** 1, 2 और 3

3. किसी देश की GDP से कर अनुपात में कमी निम्नलिखित में से किसे इंगित करती है? **[2015]**

1. आर्थिक संवृद्धि की दर का धीमा पड़ना।
2. राष्ट्रीय आय का कम समान वितरण।

नीचे दिये गये कूट का उपयोग कर सही उत्तर का चयन कीजिए :

(a) केवल 1 **(b)** केवल 2
(c) 1 और 2 दोनों **(d)** 1 और 2 में से कोई नहीं

4. दंतमंजन ख़रीदते समय आप जिस बिक्री कर का भुगतान करते हैं, वह **[2014]**

(a) केंद्र सरकार द्वारा आरोपित कर है।
(b) केंद्र सरकार द्वारा आरोपित, लेकिन राज्य सरकार द्वारा एकत्रित किया जानेवाला कर है।
(c) राज्य सरकार द्वारा आरोपित, लेकिन केंद्र सरकार द्वारा एकत्रित किया जानेवाला कर है।
(d) राज्य सरकार द्वारा आरोपित और एकत्रित किया जानेवाला कर है।

5. 'मूल्य वर्धित कर' की निम्नलिखित में से कौन-सी विशेषता नहीं है? **[2011]**

(a) यह कराधान की बहु-बिंदु गंतव्य आधारित प्रणाली है।
(b) यह उत्पादन वितरण शृंखला में लेन-देन के प्रत्येक चरण में मूल्य वर्धन पर लगाया जाता है।
(c) यह वस्तुओं या सेवाओं के अंतिम उपभोग पर कर है और अंततः उपभोक्ता द्वारा वहन किया जाना चाहिए।
(d) यह मूल रूप से केंद्र सरकार का विषय है और राज्य सरकारें इसके सफल कार्यान्वयन के लिए केवल सुविधाप्रदाता हैं।

6. भारत में सकल कर राजस्व के प्रतिशत के रूप में निम्नलिखित में से किसकी कर प्राप्तियों में विगत पाँच वर्षों में काफी गिरावट आयी है? **[2010]**

(a) सेवा कर **(b)** व्यक्तिगत आयकर
(c) उत्पाद शुल्क **(d)** निगम कर

कोई प्रश्न नहीं
2024, 2023, 2022, 2021, 2020, 2019, 2016, 2013, 2012

उत्तर कुंजी

1. (a) 2. (a) 3. (a) 4. (d) 5. (d) 6. (c)

यूपीएससी सिविल सेवा के पिछले वर्षों की मुख्य परीक्षा के प्रश्न

1. 2017 के वस्तु एवं सेवा कर (राज्यों को क्षतिपूर्ति) अधिनियम का औचित्य स्पष्ट करें। कोविड-19 ने किस प्रकार GST क्षतिपूर्ति फ़ंड को प्रभावित किया है और नया संघीय तनाव पैदा किया है? **[2020]**

2. भारत में वस्तु एवं सेवा कर (GST) में समाहित किये गये अप्रत्यक्ष करों का उल्लेख कीजिए। साथ ही जुलाई, 2017 से भारत में आरंभ GST के राजस्व निहितार्थों पर टिप्पणी कीजिए। **[2019]**

3. भारत में वस्तु एवं सेवा कर (GST) आरंभ करने के औचित्य की विवेचना कीजिए। इसकी व्यवस्था आरंभ करने में विलंब के लिए उत्तरदायी कारणों को आलोचानात्मक रूप से स्पष्ट कीजिए। **[2013]**

कोई प्रश्न नहीं
2024, 2023, 2022, 2021, 2018, 2017, 2016, 2015, 2014

अध्याय
8

लोक वित्त
(Public Finance)

अध्याय की रूपरेखा

- राजकोषीय नीति
- राजकोषीय नीति के उद्देश्य
- राजकोषीय नीति के घटक
- राजस्व प्राप्तियाँ
- कर राजस्व
- ग़ैर-कर राजस्व
- पूँजीगत प्राप्तियाँ
- सार्वजनिक व्यय
- विभिन्न प्रकार के घाटे
- बजट घाटा या सरकारी घाटा
- राजस्व घाटा
- प्रभावी राजस्व घाटा
- राजकोषीय घाटा
- प्राथमिक घाटा
- मुद्रीकृत घाटा
- घाटे के वर्तमान रुझान
- घाटे की वित्तव्यवस्था
- घाटे की वित्तव्यवस्था के प्रतिकूल प्रभाव
- भारत में घाटे की वित्तव्यवस्था की स्थिति
- राजकोषीय समेकन
- राजकोषीय उत्तरदायित्व और बजट प्रबंधन अधिनियम, 2003
- राजकोषीय समेकन का लक्ष्य प्राप्त करने की दिशा में आगे की चुनौतियाँ
- राज्य के वित्त पर RBI की रिपोर्ट
- बजट
- भारतीय अर्थव्यवस्था की चक्रव्यूह चुनौती
- वित्त आयोग

लोक वित्त (Public finance) वह अवधारणा है, जिसमें सार्वजनिक धन की प्राप्तियों और भुगतान/व्यय से जुड़े सभी मामले शामिल होते हैं। यह मूल रूप से सरकार के वित्तपोषण या सरल शब्दों में बजट से संबंधित होता है। आइए, अब हम लोक वित्त के अंतर्गत बजटीय नीति या राजकोषीय नीति की अवधारणा पर चर्चा करते हैं।

राजकोषीय नीति (FISCAL POLICY)

'फ़िस्कल' एक लैटिन शब्द है, जिसका अर्थ 'सरकार का ख़ज़ाना' होता है। राजकोषीय नीति राष्ट्रीय आर्थिक नीति के उस खंड को संदर्भित करती है, जो मुख्य रूप से केंद्र सरकार की आय और व्यय में परिवर्तनों के माध्यम से **अर्थव्यवस्था के महत्त्वपूर्ण मापदंडों के परिचालन** से संबंधित है।

राजकोषीय नीति के उद्देश्य (Objectives of Fiscal Policy)

1. **आर्थिक संवृद्धि (Economic growth) की उच्च दर प्राप्त करना**, जिसे निम्नलिखित उपायों के माध्यम से प्राप्त किया जा सकता है :

a. उपभोग (c) को नियंत्रित करके आय (y) से बचत (s) के अनुपात में वृद्धि करना।
b. निवेश की दर में वृद्धि करना।
c. उत्पादक क्षेत्रों में ख़र्च का प्रवाह प्रोत्साहित करना।

2. **मूल्य स्थिरता (Price stability)**- सरकार क़ीमतों को स्थिर करने और मुद्रास्फीति को नियंत्रित करने के लिए कराधान और सार्वजनिक व्यय जैसे राजकोषीय उपायों का उपयोग करती है। सरकार अवसंरचना विकास की गति में तेज़ी लाकर रोज़गार भी पैदा करती है।

3. **असमानता कम करना (Reduce inequality)**- असमानता अल्पविकसित अर्थव्यवस्थाओं की मुख्य विशेषता है। यदि असमानता कम नहीं होती है; तो लोगों में असंतोष पैदा होता है, जिससे अर्थव्यवस्था में अस्थिरता पैदा होती है।

निम्नलिखित राजकोषीय उपायों से समाज में आय और धन-संपत्ति की असमानता कम करने में सहायता मिल सकती है :

i. धनवान लोगों पर **प्रगामी कर (Progressive taxes)** लगाया जा सकता है, ताकि उनके द्वारा किया जानेवाला अनावश्यक उपभोग व्यय कम किया जा सके।
ii. समाज के निर्धन वर्ग को करों से छूट दी जानी चाहिए या उन पर बहुत कम दर पर कर लगाये जाने चाहिए।
iii. सामान्यत: उच्च वर्ग द्वारा उपयोग की जानेवालीं **विलासिता की वस्तुओं (luxury goods)** पर **भारी कर लगाया जा सकता है** और इस प्रकार एकत्रित आय को अर्थव्यवस्था के अधिक उत्पादक क्षेत्रों की ओर मोड़ा जा सकता है।
iv. सार्वजनिक व्यय को उपयुक्त बनाया जाना चाहिए, ताकि समाज के निर्धन वर्गों को लाभ हो सके।

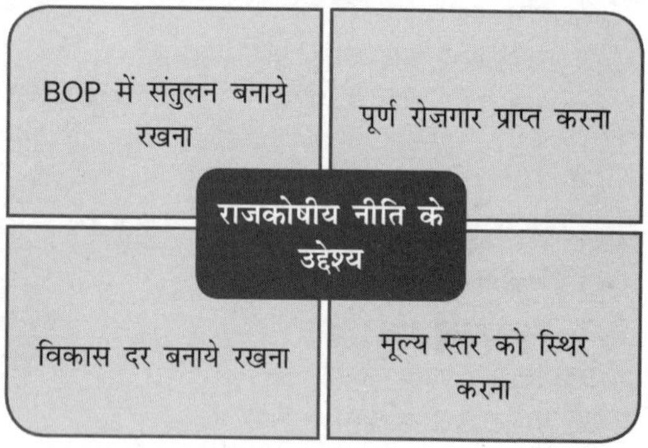

राजकोषीय नीति के प्रकार (Types of Fiscal Policy)

राजकोषीय नीति को अर्थव्यवस्था की स्थिति और सरकारों द्वारा प्राप्त किये जानेवाले लक्ष्यों के आधार पर तीन प्रमुख क्षेत्रों में वर्गीकृत किया जा सकता है।

विस्तारवादी/प्रसरणशील राजकोषीय नीति (Expansionary Fiscal Policy) : विस्तारवादी राजकोषीय नीति सरकारी व्यय को बढ़ाकर, सीधे तौर पर कुल माँग को बढ़ाती है। इससे बेरोज़गारी कम होती है और GDP भी बेहतर होती है। इसे मंदी के दौरान आर्थिक गतिविधि के स्तर को बढ़ाने के लिए अपनाया जाता है।

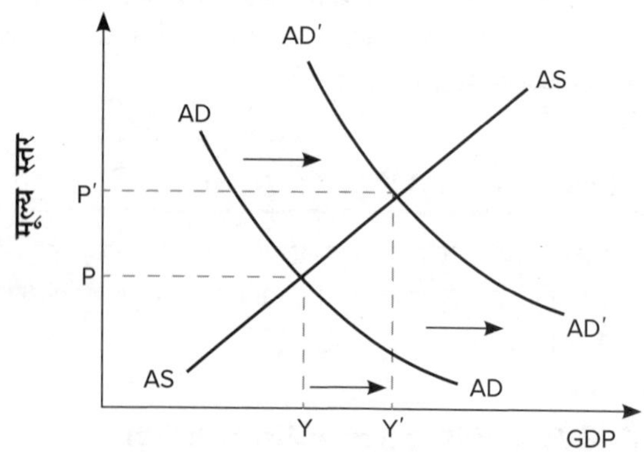

विस्तारवादी राजकोषीय नीति

विस्तारवादी राजकोषीय नीति कैसे काम करती है?

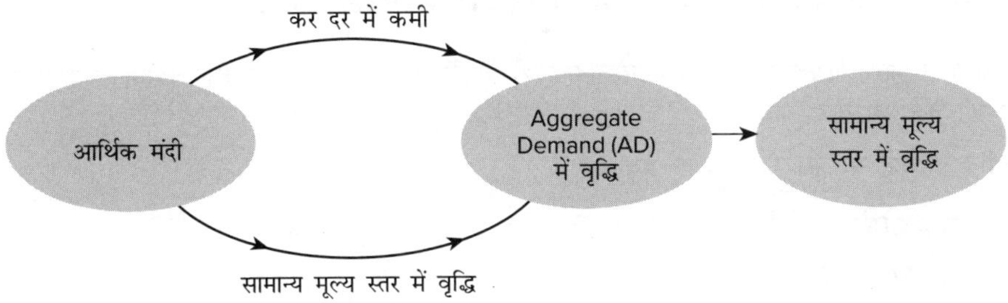

संकुचनकारी या सख़्त राजकोषीय नीति (Contractionary or Tight Fiscal Policy) : यह ख़र्च को कम करके माँग को कम करती है। संकुचनकारी राजकोषीय नीति का लक्ष्य मुद्रास्फीति को कम करना और अतिरिक्त धन आपूर्ति को नियंत्रित करना है। मुद्रास्फीति कम होने पर यह बेरोज़गारी को बढ़ावा दे सकती है।

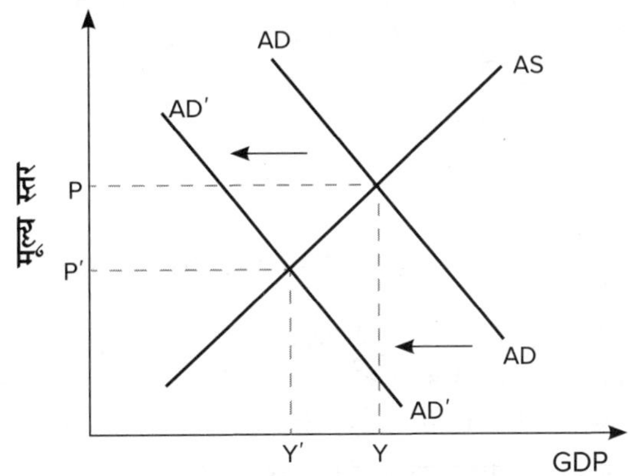

संकुचनकारी राजकोषीय नीति

संकुचनकारी राजकोषीय नीति कैसे काम करती है?

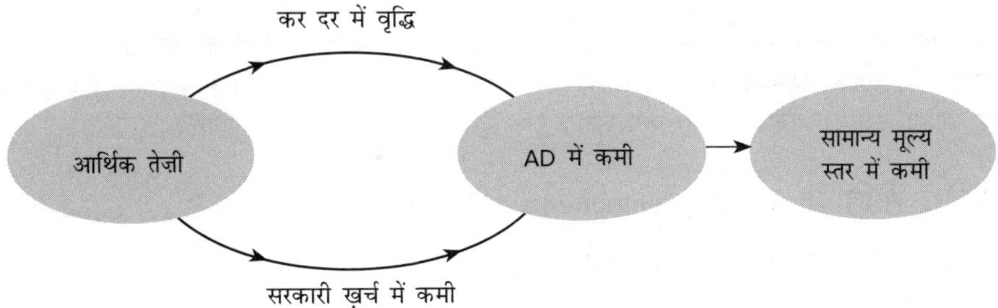

तटस्थ राजकोषीय नीति (Neutral Fiscal Policy) : इस नीति में, सरकार का बजट इस तरह से बनाया जाता है कि यह न तो आर्थिक विकास को बढ़ावा देता है और न ही उसे बाधित करता है। यह अर्थव्यवस्था में यथास्थिति बनाये रखता है। इसका इस्तेमाल आमतौर पर तब किया जाता है, जब अर्थव्यवस्था संतुलन में होती है।

राजकोषीय नीति की चक्रीयता (Cyclicality of the Fiscal Policy)

अर्थव्यवस्था में परिवर्तन और आर्थिक विकास में उतार-चढ़ाव की प्रतिक्रिया में सरकारी ख़र्च और कराधान की दिशा में बदलाव को राजकोषीय नीति की चक्रीयता कहा जाता है।

चक्रीय राजकोषीय नीतियों के मुख्य रूप से **दो प्रकार हैं :**

प्रति-चक्रीय राजकोषीय नीति (Counter-Cyclical Fiscal Policy)

यह सरकार द्वारा उठाये गये उन उपायों का वर्णन करती है, जो व्यापार चक्र की दिशा के विरुद्ध हैं।

मंदी के दौरान, सरकार आमतौर पर विस्तारवादी राजकोषीय नीति की मदद लेती है। इससे सरकारी व्यय (G) बढ़ता है और कर (T) कम होते हैं, जिससे माँग पैदा होती है, जिससे आर्थिक तेज़ी (boom) आती है। इससे अर्थव्यवस्था की क्रय शक्ति बढ़ती है और मंदी को कम करने में मदद मिलती है।

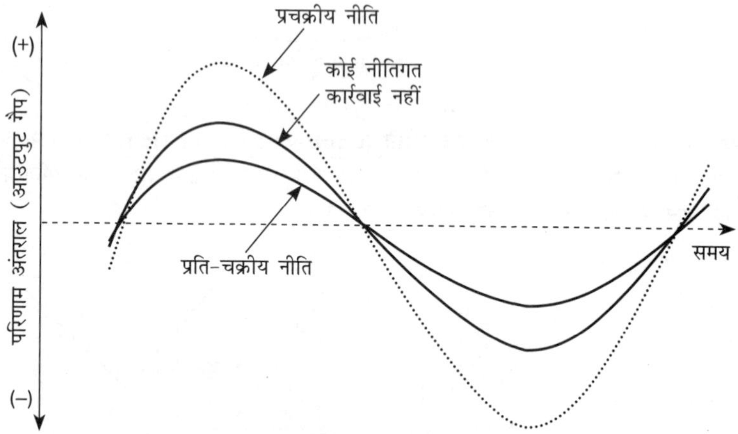

विभिन्न राजकोषीय नीतिगत दृष्टिकोणों के तहत व्यापार चक्र

भारत जैसे देशों में, आर्थिक मंदी के दौरान अधिक सार्वजनिक व्यय और रोज़गार सृजन सर्वोपरि है। दूसरी ओर, आर्थिक तेज़ी (आर्थिक उछाल भी कहा जाता है) के दौरान, सरकार को ह्रासकारी प्रभाव (crowding-out effect) को रोकने के लिए अत्यधिक सार्वजनिक व्यय से बचना चाहिए। उल्लेखनीय है कि ह्रासकारी प्रभाव निजी निवेश के लिए हानिकारक है।

प्राचीन और मध्यकालीन समय में, राजा रोज़गार पैदा करने के लिए अकाल और सूखे के दौरान स्मारक बनवाते थे।

प्रचक्रीय राजकोषीय नीति (Pro-Cyclical Fiscal Policy)

यह उन उपायों पर प्रकाश डालती है, जो सरकार द्वारा मंदी के दौरान संकुचनकारी नीतियों और तेज़ी के दौरान विस्तारवादी नीतियों को लागू करके व्यापार चक्र को गतिमान करने के लिए किये जाते हैं।

एक प्रचक्रीय राजकोषीय नीति हानिकारक हो सकती है, क्योंकि इससे व्यापक आर्थिक अस्थिरता और निवेश में कमी हो सकती है, जिससे विकास बाधित हो सकता है। मंदी के दौरान संकुचनकारी राजकोषीय नीति को अपनाने से सरकारी व्यय (G) कम हो जायेगा और कर (T) बढ़ जाएगा। इससे अर्थव्यवस्था की क्रय शक्ति पुन: कम हो जायेगी और मंदी आयेगी।

राजकोषीय नीति के घटक (Components of Fiscal Policy)

राजकोषीय नीति में निम्नलिखित तीन पहलू शामिल होते हैं :

1. सरकार की प्राप्तियाँ, अर्थात् सरकार द्वारा प्राप्त धन।
2. सरकार का ख़र्च, अर्थात् सरकार द्वारा ख़र्च किया गया धन।
3. लोक ऋण (Public debt)।

राजकोषीय नीति का उपयोग करने की प्रक्रिया में कोई देश अधिशेष, घाटेवाले या संतुलित बजट में चल सकता है।

सरकार की सभी प्राप्तियों और व्यय को **भारत की संचित निधि (Consolidated Fund of India), भारत की आकस्मिकता निधि (Contingency Fund of India) और भारत की लोक निधि (Public Account of India)** में जमा किया जाता (में जाता है) है या उससे निकाला जाता (से लिया जाता है) है।

अतिरिक्त जानकारी

भारत की संचित निधि [Consolidated Fund of India (CFI)] – CFI **भारत सरकार का सामान्य बैंक खाते के समान खाता है**। सरकार के सभी राजस्वों, उधारियों, ऋणों और अग्रिमों आदि के विरुद्ध प्राप्तियों को **CFI में जमा किया जाता है**। इस खाते से सभी सरकारी व्यय का **भुगतान (निकाला) [paid (debited)]** किया जाता है, सिवाय कुछ असाधारण मदों के; जिन्हें भारत की आकस्मिकता निधि या भारत की लोक निधि द्वारा किया जाता है। **संसद की स्वीकृति के बाद** ही CFI से धन निकाला जा सकता है। भारतीय संविधान के **अनुच्छेद 266(1)** के अंतर्गत CFI का सृजन किया गया है।

भारत की आकस्मिकता निधि (Contingency Fund of India) – संविधान के अनुच्छेद 267 के अंतर्गत सर्जित, आकस्मिकता निधि का उद्देश्य सरकार के **किसी भी अत्यावश्यक या अप्रत्याशित आपातकालीन व्यय को पूरा करना है**। भारत की आकस्मिकता निधि भारत के **राष्ट्रपति के अधीन** है, जो इस संबंध में प्रधानमंत्री और उसके मंत्रिमंडल की सलाह पर कार्य करता है। इस निधि से किसी भी राशि की निकासी के लिए संसद के **कार्योत्तर अनुमोदन** (भारत की संचित निधि के विपरीत) की आवश्यकता होती है। आकस्मिकता निधि से निकाली गयी किसी भी राशि को भारत की संचित निधि से वापस लौटाया जाता है। यह निधि भारत के राष्ट्रपति की ओर से वित्त सचिव (Finance Secretary) (आर्थिक मामलों के विभाग) द्वारा रखी जाती है।

भारत की लोक लेखा निधि [Public Account of India (PAI)] – कर्मचारियों की **भविष्य निधि (Provident Funds)** और **लघु बचतें** भारत की लोक निधि में जाती है। यह निधि सरकार के अधीन नहीं है, क्योंकि भविष्य में इसे सही स्वामियों को लौटाना होता है। इस खाते से किसी भी निकासी के लिए **संसद की मंज़ूरी की आवश्यकता नहीं होती है**। PAI का सृजन भारत के संविधान के अनुच्छेद **266(2)** के अंतर्गत किया गया है।

सरकार की प्राप्तियों को निम्नलिखित घटकों में वर्गीकृत किया जा सकता है :

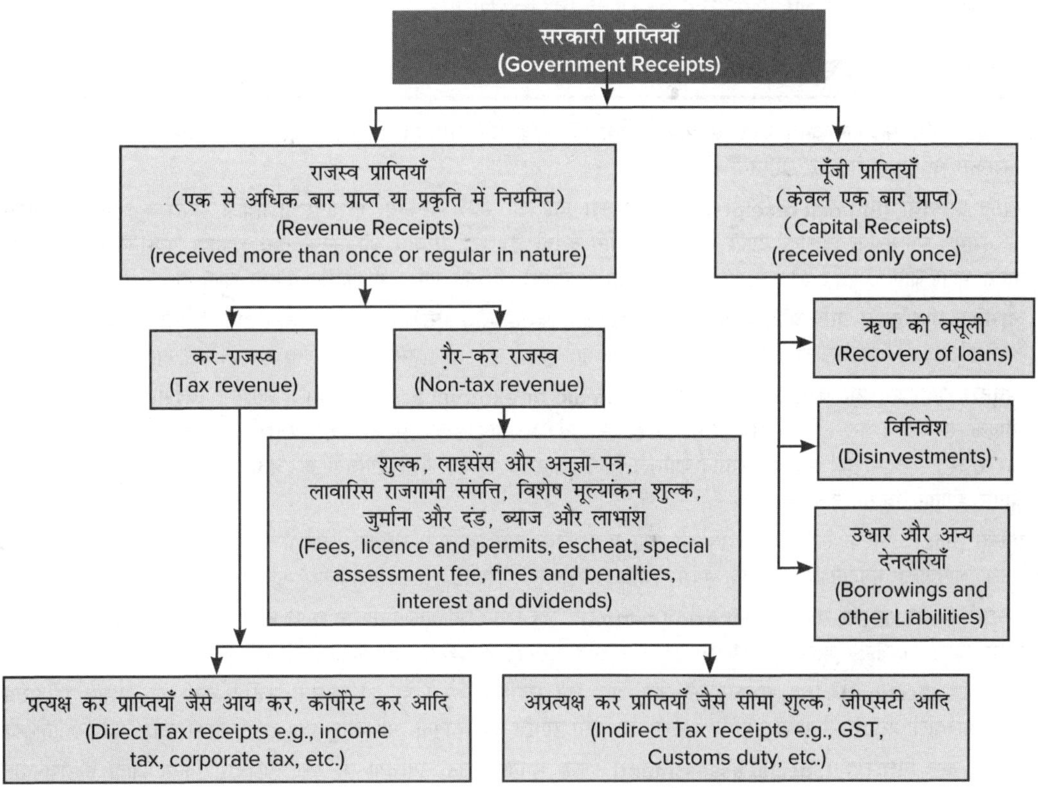

राजस्व प्राप्तियाँ (REVENUE RECEIPTS)

यह वह प्राप्तियाँ हैं; जिनसे न तो किसी दायित्व का सृजन होता है और न ही सरकार की परिसंपत्तियों में कोई कमी आती है। ये प्रकृति में **नियमित और आवर्ती (regular and recurring)** होती हैं और सरकार गतिविधियों के सामान्य क्रम में इन्हें प्राप्त करती है।

राजस्व प्राप्तियाँ **दो प्रकार** की हो सकती हैं :

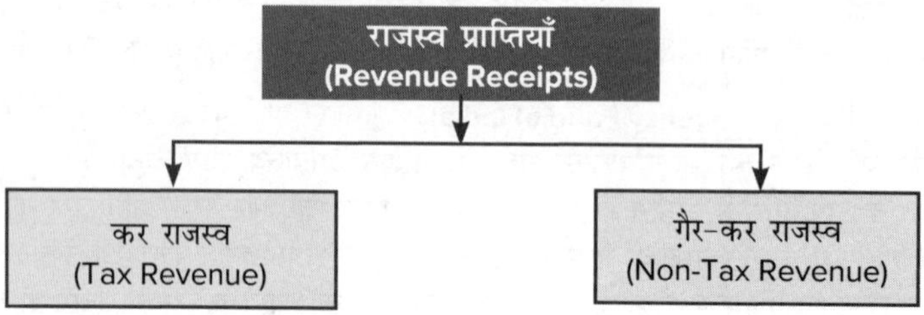

कर राजस्व (TAX REVENUE)

व्यक्तियों, परिवारों, फ़र्मों या अन्य संस्थागत इकाइयों द्वारा सार्वजनिक व्यय को पूरा करने के लिए सरकार को किया जानेवाला **अनिवार्य भुगतान (compulsory payment)** कर है। यह सरकार द्वारा क़ानूनी रूप से लगाया जाता है और करदाता इसका भुगतान करने से मना नहीं कर सकते हैं। भारत में मुख्य रूप से दो प्रकार के कर होते हैं - प्रत्यक्ष कर (Direct Taxes) और अप्रत्यक्ष कर (Indirect Taxes)।

आयकर और कंपनी कर (Income Tax and Corporate Tax) प्रत्यक्ष करों के प्रमुख स्रोत हैं; जबकि भारत में अप्रत्यक्ष करों का सबसे बड़ा स्रोत वस्तु एवं सेवा कर [Goods & Services Tax (GST)] है।

ग़ैर-कर राजस्व (NON-TAX REVENUE)

ग़ैर-कर राजस्व करों से भिन्न अन्य स्रोतों से प्राप्त होनेवाले राजस्व और संसाधन हैं, जैसे- जुर्माना और अर्थदंड, शुल्क, अनुदान और उपहार। सरकार की कुछ ग़ैर-कर प्राप्तियाँ इस प्रकार हैं :

- **ब्याज प्राप्तियाँ (Interest receipts) :** केंद्र सरकार कई बार राज्य सरकारों, विधानसभाओंवाले संघराज्य क्षेत्रों, सार्वजनिक क्षेत्र के उद्यमों, सांविधिक निकायों आदि को ऋण प्रदान करती है। केंद्र सरकार को उनके द्वारा चुकाया गया ब्याज ग़ैर-कर राजस्व प्राप्ति माना जाता है और लौटायी गयी मूलधन की राशि को पूँजीगत प्राप्ति में शामिल किया जाता है।
- **लाभांश और लाभ प्राप्तियाँ (Dividend and profit receipts) :** सार्वजनिक क्षेत्र के उद्यमों में, सरकार के पास बहुसंख्यक अंशधारिता (51 प्रतिशत या उससे अधिक) है। लाभांश और लाभ केंद्र सरकार के लिए राजस्व बन जाता है।
- **अनुदान-सहायता या बाह्य सहायता (Grants-in-aid or external assistance) :** विभिन्न विदेशी राष्ट्र और अंतरराष्ट्रीय मौद्रिक संस्थाएँ (जैसे- विश्व बैंक समूह, UNDP, ADB आदि) केंद्र सरकार को अनुदान-सहायता प्रदान करती हैं। इसे ग़ैर कर राजस्व प्राप्तियों की मद के अंतर्गत शामिल किया जाता है, न कि पूँजी प्राप्तियों के अंतर्गत, क्योंकि ऋण के विपरीत इसका वापस भुगतान किया जाना होता है।
- **शुल्क (Fee) :** शुल्क लोगों को प्रदान की गयीं प्रशासनिक और न्यायिक सेवाओं (वाणिज्यिक सेवाएँ नहीं) के लिए सरकार को किया जानेवाला भुगतान है, जैसे कि भूमि पंजीकरण शुल्क, पासपोर्ट शुल्क, न्यायालय शुल्क आदि।
- **अनुज्ञप्ति और अनुज्ञा-पत्र (Licence and permit) :** यह लोगों को एक निश्चित कार्य करने की अनुमति देने के लिए प्रभारित किया जाता है। जैसे- ड्राइविंग लाइसेंस। इसके अंतर्गत सरकार द्वारा कोई सेवा प्रदान नहीं की जाती है।
- **राजगमन (Escheat) :** यह सरकार की उस आय को संदर्भित करता है, जो क़ानूनी उत्तराधिकारी के अभाव में सरकार के पास आनेवाली संपत्ति से प्राप्त होती है। राज्य का ऐसी संपत्ति पर क़ानूनी अधिकार होता है, जिसका कोई दावेदार नहीं होता है।
- **विशेष कर निर्धारण (Special assessment) :** यह भुगतान, उन संपत्तियों के स्वामियों द्वारा किया जाता है, जिनका मूल्य

सरकार द्वारा आरंभ की गयी विकास गतिविधियों के कारण बढ़ गया है। उदाहरण के लिए राजमार्ग के निर्माण से पड़ोस की संपत्तियों का मूल्य बढ़ जाता है।

- **जुर्माना और अर्थदंड (Fines and penalties) :** यह क़ानून तोड़नेवाले लोगों द्वारा आर्थिक दंड के रूप में सरकार को किये गये भुगतान के रूप में प्राप्त होता है।
- **मुद्रा नोटों की छपाई और सिक्कों की ढलाई से लाभ (Profit from printing currency notes and minting coins) :** उदाहरण के लिए, यदि '₹10 के नोट' के निर्माण की लागत ₹2 है, तो ₹8 का लाभ RBI और केंद्र सरकार के बीच साझा किया जाता है।
- सरकारी टेलीविज़न चैनलों, FM रेडियो आदि पर निजी कंपनियों द्वारा विज्ञापन से प्राप्तियाँ भी ग़ैर-कर राजस्व का भाग हैं।
- **संघराज्य क्षेत्रों** (विधानसभा रहित) **का ग़ैर-कर राजस्व (Non-tax revenue of UTs)** भी केंद्र सरकार के ग़ैर-कर राजस्व के रूप में शामिल किया जाता है।

पूँजीगत प्राप्तियाँ (Capital Receipts)

1. ऋण सर्जक पूँजीगत प्राप्तियाँ (Debt Creating Capital Receipts)

- विदेशी सरकारों (विदेशी ऋण), सार्वजनिक वित्तीय संस्थानों आदि से **केंद्र सरकार द्वारा लिये गये** ऋणों को भी पूँजीगत प्राप्तियों में शामिल किया जाता है।
- RBI के माध्यम से **सरकारी प्रतिभूतियों (G-Secs) की बिक्री से बाज़ार से उधार लेने से** भी पूँजीगत प्राप्तियाँ होती हैं।
- भारत सरकार **राष्ट्रीय लघु बचत निधि [National Small Savings Fund (NSSF)]** के अंतर्गत डाक जमा, राष्ट्रीय लघु बचत प्रमाण पत्र, किसान विकास पत्र आदि जैसी लघु बचत योजनाओं के माध्यम से जनता से धन जुटाती है। NSSF भारत के लोक लेखा का भाग है। फिर NSSF का G-Secs में निवेश किया जाता है। केंद्र सरकार द्वारा G-Secs में निवेश के माध्यम से जुटायी गयी यह राशि पूँजीगत प्राप्तियों के अतिरिक्त और कुछ नहीं है।

2. ग़ैर-ऋण सर्जक पूँजीगत प्राप्तियाँ (Non-Debt Creating Capital Receipts)

- **ऋणों और अग्रिमों की वसूली (Recovery of loans and advances)** - केंद्र सरकार को राज्य सरकारों, सार्वजनिक क्षेत्र के उद्यमों, अन्य विदेशी सरकारों आदि द्वारा भुगतान की जानेवाली ऋणों की मूल राशि को पूँजीगत प्राप्तियाँ माना जाता है और यह केंद्र सरकार पर ऋण का बोझ नहीं डालती हैं।
- एयर इंडिया, NTPC, ONGC आदि जैसे विभिन्न केंद्रीय सार्वजनिक क्षेत्र के उद्यमों में भारत सरकार की हिस्सेदारी का **विनिवेश (Disinvestment)** भी केंद्र सरकार के लिए ग़ैर-ऋण सर्जक पूँजीगत प्राप्तियाँ हैं।

परीक्षोपयोगी

विनिवेश (DISINVESTMENT)

- विनिवेश का अर्थ सरकार द्वारा सामान्यत: केंद्रीय सार्वजनिक क्षेत्र के उद्यमों [Central public sector enterprises (CPSEs)], राज्य सार्वजनिक क्षेत्र के उद्यमों [state public sector enterprises (SPSEs)], परियोजनाओं या अन्य स्थायी परिसंपत्तियों में **परिसंपत्तियों की बिक्री या परिसमापन** है। कुछ स्थितियों में परिसंपत्तियों का निजीकरण करके भी विनिवेश किया जा सकता है। हालाँकि, सभी विनिवेश निजीकरण नहीं हैं।
- भारत में **विनिवेश के प्रमुख उद्देश्यों** में सरकारी ख़ज़ाने पर राजकोषीय बोझ कम करना, निजी स्वामित्व को प्रोत्साहित करना, ग़ैर-सामरिक क्षेत्रकों से निवेश को सामरिक क्षेत्रकों में अंतरित करना आदि शामिल हैं।
- **वित्त मंत्रालय के अधीन निवेश और सार्वजनिक परिसंपत्ति प्रबंधन विभाग [Department of Investment and Public Asset Management (DIPAM)] :** भारत सरकार के विनिवेश से संबंधित नोडल एजेंसी है। इसे पहले विनिवेश विभाग कहा जाता था और 2016 में इसका नाम बदलकर DIPAM कर दिया गया।

- DIPAM के अस्तित्व में आने के साथ ही दृष्टिकोण **में विनिवेश से निवेश प्रबंधन** की ओर आमूल-चूल परिवर्तन हुआ है।
- **विनिवेश डेटा**

वित्तीय वर्ष के लिए	विनिवेश का लक्ष्य	विनिवेश के माध्यम से एकत्र की गयी वास्तविक राशि
2022–23	₹65,000 करोड़	₹35,293.52 करोड़
2023–24	₹51,000 करोड़	₹30,000 करोड़
2024–25	₹50,000 करोड़	₹8,625,05 करोड़
2025–26	₹47,000 करोड़	-

स्रोत : केंद्रीय बजट, 2025-26, DIPAM

- उपर्युक्त विनिवेश लक्ष्यों को प्राप्त करने के लिए DIPAM **द्वारा उपयोग किये गये वित्तीय साधन** या सरल शब्दों में विनिवेश की विभिन्न विधियाँ इस प्रकार हैं :
  1. **प्रारंभिक सार्वजनिक निर्गम [Initial Public Offers (IPOs)]** - अर्थात् किसी ग़ैर-सूचीबद्ध CPSE या सरकार द्वारा अपनी अंशधारिता में से शेयरों के प्रस्ताव या पहली बार अभिदान के लिए जनता के लिए दोनों के संयोजन से होनेवाली आय।
  2. **अनुवर्ती सार्वजनिक निर्गम [Follow-on Public Offers (FPOs)]** - अर्थात् किसी सूचीबद्ध CPSE या सरकार द्वारा अपनी अंशधारिता में से शेयरों के प्रस्ताव या पहली बार अभिदान के लिए जनता के लिए दोनों के संयोजन से होनेवाली आय।
  3. शेयर बाज़ार तंत्र के माध्यम से प्रवर्तकों द्वारा शेयरों की **बिक्री के लिए प्रस्ताव [Offer for Sale (OFS)]** - यह वह विधि है, जो शेयर बाज़ार द्वारा प्रदान किये गये मंच पर शेयरों की नीलामी की अनुमति देती है।
  4. **बिक्री के लिए कर्मचारियों को प्रस्ताव (Employees Offer for Sale)**।
  5. **शेयरों की वापसी ख़रीद (Buyback of Shares)**।
  6. **सामरिक विनिवेश (Strategic Disinvestment)**- अर्थात्, **प्रबंधन पर नियंत्रण के हस्तांतरण के साथ** 50 प्रतिशत तक या ऐसे अधिक प्रतिशत तक केंद्रीय सार्वजनिक क्षेत्र के उद्यम (CPSE) में सरकार की अंशधारिता के एक बड़े भाग की बिक्री जैसा कि सक्षम प्राधिकारी द्वारा निर्धारित किया जाये। यह केंद्रीय मंत्रालयों और NITI आयोग से परामर्श के बाद किया जाता है।
  7. **संस्थागत नियुक्ति कार्यक्रम [Institutional Placement Programme (IPP)]** – इस प्रस्ताव में केवल संस्थान ही भाग ले सकते हैं।
  8. **एक्सचेंज ट्रेडेड फ़ंड्स (ETF)** – ETF मार्ग के माध्यम से विनिवेश एकल प्रस्ताव के माध्यम से विविध क्षेत्रकों में विभिन्न उपक्रमों में भारत सरकार की हिस्सेदारी की एक साथ बिक्री की अनुमति देता है। यह भारत सरकार को उन CPSE में अपनी अंशधारिता का मुद्रीकरण करने की क्रियाविधि प्रदान करता है, जो ETF टोकरी का भाग होती हैं।

सार्वजनिक व्यय (PUBLIC EXPENDITURE)

सार्वजनिक व्यय का तात्पर्य **सरकारी ख़र्च (Government expenditure)** से है। यह केंद्र और राज्य सरकारों द्वारा किया जाता है। सार्वजनिक व्यय जनता के कल्याण के लिए और साथ ही आर्थिक विकास के लिए भी विभिन्न गतिविधियों पर किया जाता है। दूसरे शब्दों में लोगों की सामूहिक सामाजिक आवश्यकताओं को पूरा करने के लिए केंद्रीय, राज्य और स्थानीय सरकारों जैसे लोक प्राधिकरणों द्वारा किये गये व्यय को सार्वजनिक व्यय के रूप में जाना जाता है।

विकासशील देशों में सार्वजनिक व्यय नीति न केवल आर्थिक विकास को गति देती है, बल्कि रोज़गार अवसरों को भी बढ़ावा देती है, साथ ही यह ग़रीबी और आय वितरण में असमानताओं को कम करने में भी उपयोगी भूमिका निभाती है।

सार्वजनिक व्यय को दो प्रकारों में वर्गीकृत किया जा सकता है :

प्रकृति के आधार पर सरकारी व्यय का वर्गीकरण

राजस्व व्यय (Revenue Expenditure) [नियमित व्यय (Regular Expenses)]

- ब्याज भुगतान (Interest Payments)
- प्रमुख सब्सिडी (Major Subsidies)
- रक्षा व्यय (Defence Expenses)
- केंद्र द्वारा राज्यों को अनुदान (Grants by Centre to States)
- केंद्र सरकार के कर्मचारियों को वेतन और पेंशन (Salaries and Pensions to Central Government employees)
- विधायिका के बिना केंद्र शासित प्रदेशों का राजस्व व्यय (Revenue Expenditure of UTs without legislature)
- भारत सरकार के डाक विभाग का डाक घाटा (Postal deficit of the Department of Posts of GoI)
- विभिन्न कल्याणकारी योजनाओं से संबंधित राजस्व व्यय आदि। (Revenue expenditure related to various welfare schemes, etc.)

पूँजीगत व्यय (Capital Expenditure) [एकमुश्त व्यय (One-time Expenses)]

- ऋणों को चुकाना (Repayment of Loans)
- केंद्र सरकार द्वारा राज्यों को नये ऋणों का विस्तार (Extension of Fresh Loans to the States by the Central Govt.)
- सार्वजनिक उद्यमों को ऋण (Loans to Public Enterprises)
- सिंचाई परियोजनाओं पर व्यय आदि। (Expense on Irrigation Projects, etc.)

1. राजस्व व्यय (Revenue Expenditure)

राजस्व व्यय नागरिक प्रशासन, रक्षा बलों, सार्वजनिक स्वास्थ्य और शिक्षा, सरकारी तंत्र के रख-रखाव आदि पर किये गये उपभोग व्यय हैं। इस प्रकार का व्यय **आवर्ती प्रकार** का होता है, जो वर्ष-दर-वर्ष किया जाता है। इससे सरकार की **परिसंपत्ति-दायित्व स्थिति पर कोई प्रभाव नहीं पड़ता है**। इस प्रकार के ख़र्च से फ़र्म की दीर्घकालिक दक्षता नहीं बढ़ती है और न ही इसके परिणामस्वरूप किसी स्थायी चीज़ का अधिग्रहण होता है। उच्च राजस्व व्यय (High-revenue expenditure) से अर्थव्यवस्था की ग़रीबी और पिछड़ापन इंगित होता है।

2. पूँजीगत व्यय (Capital Expenditure)

पूँजीगत व्यय के परिणामस्वरूप मूर्त या अमूर्त परिसंपत्ति का अधिग्रहण या देयताओं का भुगतान होता है। इस प्रकार, यह सरकार की **परिसंपत्ति-दायित्व स्थिति को प्रभावित** करता है। पूँजीगत व्यय GDP **संवृद्धि पर केंद्रित होता** है और इस प्रकार राजमार्गों, बहुद्देशीय बाँधों, सिंचाई परियोजनाओं, मशीनरी और उपकरण आदि ख़रीदने जैसी टिकाऊ परिसंपत्तियों के निर्माण पर ख़र्च होता है। पूँजीगत व्यय पूँजीगत निवेशों के रूप में **ग़ैर-आवर्ती व्यय** भी होता है। इस प्रकार के ख़र्चों से अर्थव्यवस्था की **उत्पादक क्षमता में सुधार आने** की आशा की जाती है। हालाँकि, **उच्च पूँजीगत व्यय से अर्थव्यवस्था में निजी निवेश की कमी इंगित होती है।**

अतिरिक्त जानकारी

योजना और ग़ैर-योजना व्यय के रूप में वर्गीकरण – योजना आयोग को भंग होने के बाद

(Classification as Plan and Non-Plan Expenditure – *Scrapped after Abolishment of Planning Commission*)

➤ पंचवर्षीय योजना अवधि के दौरान प्रत्येक वित्तीय वर्ष का बजट अनुमान योजनागत और ग़ैर-योजनागत व्यय के रूप में तैयार किया जाता था।

- **योजनागत व्यय (Plan expenditures)** वे ख़र्च होते थे, जिनका **पंचवर्षीय योजनाओं के अंतर्गत विस्तृत विवरण** दिया जाता था और विभिन्न क्षेत्रकों की समग्र उत्पादक क्षमता को बढ़ाने और अर्थव्यवस्था में सामाजिक-आर्थिक मापदंडों में सुधार लाने के लिए प्रत्येक वर्ष के आम केंद्रीय बजट में ध्यान में रखे जाते थे। इसमें राजस्व व्यय (जैसे- राज्यों को अनुदान-सहायता आदि) और पूँजीगत व्यय (राजमार्गों, अस्पतालों आदि के निर्माण पर व्यय) दोनों शामिल होते थे।
- जबकि **ग़ैर-योजनागत व्यय (Non-plan expenditures)** केंद्र सरकार के **अनिवार्य लेकिन नियमित** कार्यकरण से संबंधित व्यय होते थे, जैसे- ब्याज भुगतान, सब्सिडी, रक्षा ख़र्च, वेतन और पेंशन आदि।
- हालाँकि यह वर्गीकरण अब समाप्त कर दिया गया है और अब बजट को केवल **राजस्व व्यय और पूँजीगत व्यय** के संदर्भ में वर्गीकृत किया जाता है।

बजट के प्रकार (TYPES OF BUDGET)

- **संतुलित बजट (Balanced Budget)** - जब बजट प्राप्तियाँ = बजट व्यय होता है। इससे अर्थव्यवस्था में कुल माँग के स्तर में मामूली वृद्धि होती है और जब अर्थव्यवस्था पूर्ण रोज़गार प्राप्त करने के निकट होती है; तो **इसकी अनुशंसा की जाती है।**
- **घाटे का बजट (Deficit Budget)**- जब बजट प्राप्तियाँ < बजट व्यय होती हैं। जब मंदी की स्थिति होती है और कुल माँग को बढ़ाने की आवश्यकता होती है, तो **इसकी अनुशंसा की जाती** है।
- **अधिशेष बजट (Surplus Budget)**- जब बजट प्राप्तियाँ > बजट व्यय होती हैं। जब मुद्रास्फीति अंतराल होता है और समग्र माँग कम करने की आवश्यकता होती है, तो **इसकी अनुशंसा की जाती है।**

उपर्युक्त तीनों में से सामान्यत: भारत जैसे विकासशील देश में इसे **घाटा बजट** जाता है।

विभिन्न प्रकार के घाटे (DIFFERENT TYPES OF DEFICITS)

परीक्षोपयोगी

विभिन्न प्रकार के घाटे (Different Types of Deficits)

- बजट घाटा (Budget Deficit)
- राजस्व घाटा (Revenue Deficit)
- प्रभावी राजस्व घाटा (Effective Revenue Deficit)
- राजकोषीय घाटा (Fiscal Deficit)
- प्राथमिक घाटा (Primary Deficit)
- मुद्रीकृत घाटा (Monetised Deficit)

I. बजट घाटा या सरकारी घाटा [Budget Deficit (or Government Deficit)]

- यह उस स्थिति को संदर्भित करता है, जब सरकार का कुल बजटीय व्यय बजट प्राप्तियों से अधिक होता है।
- **बजट घाटा = बजटीय व्यय (राजस्व + पूँजी) - बजटीय प्राप्तियाँ (राजस्व + पूँजी)।**
- *एक प्रमुख नीतिगत मापदंड के रूप में इस अवधारणा का उपयोग 1997* में बंद कर दिया गया, क्योंकि यह केवल भारतीय रिज़र्व बैंक से सरकारी उधारी को प्रतिबिंबित करता है।

II. राजस्व घाटा (Revenue Deficit)

- यह राजस्व प्राप्तियों की तुलना में राजस्व व्यय की **अधिकता** है।
- **राजस्व घाटा = राजस्व व्यय - राजस्व प्राप्तियाँ।**
- राजस्व घाटे को जनता से उधारी या विनिवेश के माध्यम से या राजस्व व्यय में कटौती (मुख्य रूप से सब्सिडी) करके वित्त पोषित किया जाता है।

लास्ट मिनट
रिनपपेट्स

राजस्व घाटे के निहितार्थ (IMPLICATIONS OF REVENUE DEFICIT)

1. उच्च राजस्व घाटा सरकार को सामाजिक कल्याण कार्यक्रमों पर **अपने ख़र्च में कटौती करने के लिए विवश करता** है, जिससे सामाजिक-आर्थिक विकास प्रभावित होता है।
2. घाटे के वित्तपोषण के लिए उधारी के माध्यम से धन जुटाने से दायित्व, अनुत्पादक ब्याज भुगतान बढ़ता है और साथ ही सरकार की साख-पात्रता भी कम होती है।

III. प्रभावी राजस्व घाटा (Effective Revenue Deficit)

- यह शब्दावली **केंद्रीय बजट 2012-13** में आरंभ की गयी थी। यह राजस्व घाटे और पूँजीगत परिसंपत्तियों के सृजन के लिए राज्यों, संवैधानिक और सांविधिक निकायों आदि को केंद्र सरकार द्वारा प्रदान की गयी अनुदान-सहायता के बीच अंतर है।
- **प्रभावी राजस्व घाटा = राजस्व घाटा - पूँजीगत परिसंपत्तियों के सृजन के लिए अनुदान।**
- यह वास्तव में केंद्र सरकार के उपभोग व्यय के लिए उपयोग की गयी राजस्व प्राप्तियों की राशि है।

IV. राजकोषीय घाटा (Fiscal Deficit)

- यह सरकार की आय और उसके कुल व्यय का अंतर है।
- यह **सभी स्रोतों से सरकार की कुल उधारी आवश्यकताओं** को इंगित करता है।
- इस साधन का उपयोग एक निश्चित समय पर **सरकार की वास्तविक देयता** का निर्धारण करने के लिए किया जाता है।
- **राजकोषीय घाटा = बजट घाटा (अर्थात् RBI से उधारी) + बाज़ार उधारी और देयताएँ।**
- यह केंद्र सरकार की राजकोषीय कार्य निष्पादनता को मापने का एक **सर्वाधिक महत्त्वपूर्ण नीतिगत मापदंड हैं।**

अतिरिक्त जानकारी

राजकोषीय घाटे के निहितार्थ (IMPLICATIONS OF FISCAL DEFICIT)

- इसका निहितार्थ केंद्र सरकार द्वारा अधिक उधारी है। RBI से प्राप्त उधारी से अर्थव्यवस्था में धन की आपूर्ति बढ़ जाती है, जिससे एक समयावधि में सामान्य क़ीमत स्तर में वृद्धि हो जाती है। इससे मुद्रास्फीति में उत्तरोत्तर वृद्धि की स्थिति (inflationary spiral) पैदा होती है।
- इसका GDP **संवृद्धि पर प्रभाव पड़ता** है, क्योंकि बजटीय राजस्व की एक बड़ी राशि केंद्र सरकार द्वारा उधारी के **ब्याज भुगतान पर ख़र्च हो जाती** है और इस प्रकार निवेश में कमी आती है। यदि एक समयावधि में इसकी रोकथाम नहीं की जाती है, तो उच्च राजकोषीय घाटे और कम GDP संवृद्धि का **दुष्चक्र बन जाता** है।

- उच्च राजकोषीय घाटे का '**ह्रासकारी प्रभाव (crowding out effect)**' होता है, क्योंकि इससे ऐसी स्थिति उत्पन्न होती है, जिससे भारी राजकोषीय घाटे का प्रबंधन करने के लिए सरकार द्वारा बड़ी उधारी से निजी निवेशकों के लिए धन की उपलब्धता कम हो जाती है।
- उच्च राजकोषीय घाटे के कारण **सरकार की ऋण-पात्रता (credit rating) भी कम हो जाती है।**

राजकोषीय घाटे की जाँच करने के उपाय (Measures to Check Fiscal Deficit)

निम्नलिखित के माध्यम से सार्वजनिक व्यय को कम करके :-

- सब्सिडी का युक्तीकरण।
- सरकारी कर्मचारियों को बोनस, LTC, अवकाश नक़दीकरण आदि के संदर्भ में राजस्व व्यय में कमी।
- अन्य परिहार्य राजस्व व्यय को कम करना।

निम्नलिखित के माध्यम से राजस्व बढ़ाकर :-

- अर्थव्यवस्था में कर आधार बढ़ाना।
- कर चोरी की जाँच।
- विनिवेश के माध्यम से सार्वजनिक क्षेत्र के उद्यमों का पुनर्गठन करना और स्वास्थ्य और शिक्षा जैसे रणनीतिक क्षेत्रों में प्राप्त निधि का उपयोग करना।

V. प्राथमिक घाटा (Primary Deficit)

- जहाँ राजकोषीय घाटा पिछले ऋणों पर ब्याज भुगतान सहित सरकार की उधारी की आवश्यकता को दर्शाता है, वहीं प्राथमिक घाटा **ब्याज भुगतान को छोड़कर उधारी की आवश्यकता** को इंगित करता है।
- यह अवधारणा 1993-94 के बजट में आरंभ की गयी थी।
- उस राशि को, जिसके द्वारा अपने ऋण पर ब्याज भुगतान को छोड़कर सरकार का व्यय उसके कुल राजस्व से अधिक हो जाता है, प्राथमिक घाटा कहा जाता है। दूसरे शब्दों में यह **राजकोषीय घाटे और सरकार द्वारा ब्याज भुगतान का अंतर** है।
- **प्राथमिक घाटा** = राजकोषीय घाटा - सरकार द्वारा ब्याज भुगतान।
- प्राथमिक घाटे का निहितार्थ - यह पिछले ऋणों पर ब्याज भुगतान का भार वहन नहीं करता है। **यह केवल कुल उधारी (न कि कुल देयताओं) को इंगित करता है।**

VI. मुद्रीकृत घाटा (Monetised Deficit)

- यह RBI से केंद्र सरकार द्वारा **नयी मुद्रा के मुद्रण के माध्यम से ली गयी उधारी** को संदर्भित करता है। इसका आश्रय तब लिया जाता है, जब सरकार राजकोषीय घाटे का वित्तपोषण करने के लिए बाज़ार से उधार नहीं ले सकती है।

➤ इससे अर्थव्यवस्था में मुद्रा आपूर्ति में वृद्धि *(नयी मुद्रा जारी होने के कारण)* के कारण अर्थव्यवस्था में मुद्रास्फीति का स्तर बढ़ जाता है।

कृपया ध्यान दें : *उपर्युक्त सभी घाटों को सकल घरेलू उत्पाद (GDP) के प्रतिशत के रूप में इंगित किया गया है।*

घाटे के वर्तमान रुझान (PRESENT TREND IN DEFICITS)

प्रकार	वित्त वर्ष 2021-22	वित्त वर्ष 2022-23	वित्त वर्ष 2023-24	वित्त वर्ष 2024-25	वित्त वर्ष 2025-26
राजकोषीय घाटा	GDP का 6.9%	GDP का 6.4%	GDP का 5.6%	GDP का 4.8%*	GDP का 4.4%#
राजस्व घाटा	GDP का 4.7%	GDP का 3.8%	GDP का 2.6%	GDP का 1.9%*	GDP का 1.5%#
प्रभावी राजस्व घाटा	GDP का 3.7%	GDP का 2.6%	GDP का 1.6%	GDP का 1.0%*	GDP का 0.3%#
प्राथमिक घाटा	GDP का 3.3%	GDP का 2.8%	GDP का 2.0%	GDP का 1.3%*	GDP का 0.8%#

*2024-25 का संशोधित अनुमान; #केंद्रीय बजट, 2025-26

ध्यान दें : राजकोषीय घाटे के मामले में केंद्र सरकार बड़े पैमाने पर जी-सेक, ट्रेज़री बिल, कैश मैनेजमेंट बिल और RBI से वेज ऐंड मीन्स ऐडवांस सुविधा तक पहुँच जैसे उपकरणों का उपयोग करती है।

घाटे की वित्तव्यवस्था (DEFICIT FINANCING)

घाटे की वित्तव्यवस्था को सार्वजनिक **ऋणों और नयी मुद्रा के सृजन के माध्यम से** बजटीय घाटे के वित्तपोषण के रूप में परिभाषित किया जाता है। भारत में घाटे की वित्तव्यवस्था से आशय चालू राजस्व और सार्वजनिक उधारी से अधिक व्यय से है। सरकार निम्नलिखित तरीक़ों से घाटे का वित्तपोषण कर सकती है :

1. RBI से अपना संचित नक़दी भंडार निकालकर।
2. सरकार द्वारा ही नयी मुद्रा का निर्गम (इसे मुद्रीकृत घाटा भी कहा जाता है)।
3. RBI से उधार लेकर और RBI सरकार को अधिक करेंसी नोट छापकर ऋण देता है।

घाटे की वित्तव्यवस्था के उद्देश्य (Objectives of Deficit Financing)

1. मंदी के उपचार के रूप में कार्य करना।
2. सब्सिडी देने के लिए।
3. कुल माँग बढ़ाना।
4. ब्याज के भुगतान के लिए।
5. सार्वजनिक क्षेत्र के उद्यमों की हानि पर क़ाबू पाना।
6. निर्धनता-रोधी कार्यक्रम कार्यान्वित करने के लिए।

घाटे की वित्तव्यवस्था के प्रतिकूल प्रभाव (Adverse Effects of Deficit Financing)

1. **मुद्रास्फीति का मार्ग प्रशस्त होता है :** घाटे की वित्तव्यवस्था से मुद्रास्फीति हो सकती है। घाटे की वित्तव्यवस्था के कारण मुद्रा की आपूर्ति बढ़ जाती है और लोगों की क्रय शक्ति भी बढ़ जाती है, जिससे समग्र माँग बढ़ती है और क़ीमतें भी बढ़ जाती हैं।
2. यह **बचत और निवेश पर प्रतिकूल प्रभाव** डालता है।
3. इससे **असमानता** के स्तर में वृद्धि हो सकती है।
4. यह क़ीमत वृद्धि के कारण **भुगतान संतुलन में घाटा** पैदा कर सकता है, जिससे वैश्विक बाज़ार में निर्यात अप्रतिस्पर्धी हो सकते हैं।
5. इससे उत्पादन की लागत बढ़ सकती है।

अतिरिक्त जानकारी

क्या घाटे का वित्तपोषण एक आवश्यक अहित है? (Is Deficit Financing a Necessary Evil?)

इस प्रश्न का उत्तर राजस्व व्यय और पूँजीगत व्यय के संदर्भ में राजकोषीय घाटे की संरचना पर निर्भर करता है।
यदि कम राजस्व व्यय और उच्च पूँजीगत व्यय का वित्तपोषण करने के लिए घाटे की वित्तव्यवस्था की है, तो यह अर्थव्यवस्था के लिए अच्छी है। ऐसा इसलिए है, क्योंकि इस मामले में उधारी का अर्थव्यवस्था में पूँजीगत परिसंपत्तियों के सृजन के लिए उपयोग किया जाता है, जिससे उत्पादन में वृद्धि हो सकती है और सकल घरेलू उत्पाद भी अधिक हो सकता है।

वहीं दूसरी ओर, यदि अधिकांश घाटे का वित्तपोषण राजस्व व्यय को पूरा करने के लिए ख़र्च किया जाता है, तो यह भारत जैसी विकासशील अर्थव्यवस्था के लिए अत्यंत बुरा हो सकता है। ऐसा इसलिए है, क्योंकि उधारी के संदर्भ में इस भारी दायित्व के माध्यम से केवल नियमित ख़र्चों से निपटा जाता है और पूँजीगत परिसंपत्तियों का सृजन नहीं होता है, जिससे हमारी अर्थव्यवस्था की उत्पादक क्षमता में वृद्धि हो सकती है।

भारत में घाटे की वित्तव्यवस्था की स्थिति (Status of Deficit Financing in India)

भारत ने पहली बार 1969 में इस साधन का उपयोग किया और तब से उच्चतर राजकोषीय घाटे से निपटने के लिए 1991 तक यह एक नियमित परिघटना बन गया। 1970 के दशक तक जो राजकोषीय घाटा सकल घरेलू उत्पाद के 4 प्रतिशत से कम था, 1980 के दशक के उत्तरार्द्ध में उछलकर 7 प्रतिशत से अधिक हो गया। राजस्व घाटा भी काफ़ी बढ़ गया। इस प्रकार भारत घाटे की वित्तव्यवस्था का आश्रय लेने के लिए बाध्य हो गया।

हालाँकि, 1991 के बाद भारत घाटे की वित्तव्यवस्था पर अपनी निर्भरता को कम करने के लिए **राजकोषीय समेकन (fiscal consolidation)** के रूप में राजकोषीय सुधारों की ओर धीरे-धीरे आगे बढ़ा है। इस संबंध में 2003 में राजकोषीय उत्तरदायित्व और बजट प्रबंधन अधिनियम [Fiscal Responsibility and Budget Management Act (FRBM Act)] बनाया गया।

तथापि विभिन्न उपाय किये जाने के बाद भी सरकार राजकोषीय घाटे को वांछित स्तर पर नहीं ला पायी है।

राजकोषीय समेकन (FISCAL CONSOLIDATION)

यह वह प्रक्रिया है, जिसके माध्यम से राजकोषीय घाटे को प्रबंधनीय स्तर तक कम करने का उपाय कर अर्थव्यवस्था के राजकोषीय स्वास्थ्य में सुधार लाया जाता है। राजकोषीय समेकन के घटकों में बेहतर राजस्व प्राप्तियाँ और बेहतर तालमेलवाले व्यय शामिल हैं। अपने बाद के संशोधनों के साथ 'FRBM अधिनियम, 2003' भी इस दिशा में एक क़दम है।
संक्षेप में भारत में राजकोषीय समेकन सुधारों में निम्नलिखित शामिल हैं :

1. GST के प्रचलन, संपत्ति कर की समाप्ति, कर छूटों का युक्तीकरण, कर स्थिरता के साथ कर संग्रहण की दक्षता में सुधार के संदर्भ में कर राजस्व में सुधार।

2. विनिवेश और निजीकरण के रूप में स्थिर पूँजीगत प्राप्तियों में सुधार।
3. व्यय के मोर्चे पर सब्सिडियों का युक्तीकरण, डिजिटलीकरण के माध्यम से रिसाव से निपटना और प्राथमिकता प्राप्त और सामरिक क्षेत्रों के लिए संसाधनों का आवंटन राजकोषीय समेकन के उपाय हैं।

यह बहुत महत्त्वपूर्ण है कि राजकोषीय घाटे में कमी पूँजीगत व्यय में कमी करके हासिल नहीं की जानी चाहिए। राजकोषीय समेकन का बेहतर परिणाम प्राप्त करने के लिए राजस्व व्यय में कमी का लक्ष्य रखा जाना चाहिए।

राजकोषीय उत्तरदायित्व और बजट प्रबंधन अधिनियम, 2003 [FISCAL RESPONSIBILITY AND BUDGET MANAGEMENT ACT (FRBM ACT), 2003]

➤ राजकोषीय समेकन के माध्यम से विवेकपूर्ण राजकोषीय नीति के ढाँचे को आगे बढ़ाने के लिए FRBM अधिनियम बनाया गया था। इस अधिनियम के प्रमुख **उद्देश्यों** में राजकोषीय घाटे में कमी, राजकोषीय अनुशासन आत्मसात् करना और दीर्घकालिक समष्टि आर्थिक स्थिरता सुनिश्चित करना शामिल है। FRBM अधिनियम 2003 में निर्धारित किये गये लक्ष्यों की **मुख्य विशेषताएँ** इस प्रकार हैं :

(a) प्रतिवर्ष **राजकोषीय घाटा (fiscal deficit)** 0.3 प्रतिशत तक कम करना और वर्ष 2008-09 तक 3 प्रतिशत राजकोषीय घाटे के स्तर तक पहुँचना।

(b) प्रतिवर्ष **राजस्व घाटे (revenue deficit)** में 0.5 प्रतिशत की कमी लाना और 2008-09 तक राजस्व घाटे को समाप्त कर देना।

(c) केवल राष्ट्रीय सुरक्षा, आपदा या किसी अन्य असाधारण आधार पर FD और RD लक्ष्यों से अधिक हो सकते हैं।

(d) सरकार नक़द प्राप्तियों की तुलना में नक़दी संवितरण की अस्थायी अधिकता को पूरा करने के लिए **अर्थोपाय अग्रिमों [Ways and Means Advances (WMAs)]** को छोड़कर भारतीय रिज़र्व बैंक से ऋण न ले। WMA वह वित्तीय साधन है, जिसका RBI द्वारा राज्यों की प्राप्तियों और भुगतानों के नक़दी प्रवाह में अस्थायी असंतुलन का प्रबंधन करने के लिए वित्तीय सहायता हेतु उपयोग किया जाता है। राज्यों को इसका तीन महीने के भीतर वापस भुगतान करना होता है। WMA पर ब्याज दर वर्तमान में **रेपो दर** है।

(e) बजट और अनुदानो की माँग के साथ-साथ सरकार को प्रत्येक वित्तीय वर्ष में संसद के समक्ष इन तीन विवरणों को रखना होता है :

  i. राजकोषीय नीति रणनीति विवरण [Fiscal Policy Strategy Statement (FPSS)]
  ii. मध्यावधिक राजकोषीय नीति विवरण [Medium-Term Fiscal Policy Statement (MTFPS)]
  iii. समष्टि आर्थिक रूपरेखा विवरण [Macro-economic Framework Statement (MFS)]

➤ हालाँकि **2008-09 के अंत तक निर्धारित लक्ष्यों को हासिल नहीं किया जा सका** था। इस प्रकार की विफलता के लिए उत्तरदायी एक प्रमुख कारण 2008 का अंतरराष्ट्रीय सब-प्राइम संकट था।

➤ **FRBM 2.0 :** बाद में **2012 में FRBM अधिनियम** में दो प्रमुख विशेषताओं के साथ **संशोधन किया गया :**

1. FRBM अधिनियम को राजस्व घाटे के स्थान पर **प्रभावी राजस्व घाटे (Effective Revenue Deficit)** को लक्षित करना है। प्रभावी राजस्व घाटा = राजस्व घाटा - पूँजीगत परिसंपत्तियों के सृजन पर व्यय।

   इसलिए **31 मार्च, 2015** तक प्रभावी राजस्व घाटा कम करके 0 प्रतिशत करने का लक्ष्य रखा गया।

2. द्वितीय, केंद्रीय बजट के साथ संसद में **मध्यावधिक व्यय विवरण (Medium-Term Expenditure Statement)** रखा जायेगा।

➤ इसके बाद 2016 में, केंद्र सरकार द्वारा **FRBM अधिनियम के कार्यान्वयन की समीक्षा करने के** लिए **एन. के. सिंह समिति** का गठन किया गया। समिति ने भारत में बेहतर राजकोषीय समेकन के लिए सरकारी ऋण, राजकोषीय घाटा और राजस्व घाटा निश्चित स्तर तक सीमित कर नियम आधारित राजकोषीय नीति बनाने का सुझाव दिया।

लास्ट मिनट
स्निपपेट्स

एन. के. सिंह समिति की प्रमुख अनुशंसाएँ (Major Recommendations of the N. K. Singh Committee)

1. वर्तमान FRBM अधिनियम को निरस्त कर **ऋण और राजकोषीय उत्तरदायित्व (Debt and Fiscal Responsibility Act)** अधिनियम बनाना।
2. **ऋण (debt) को** राजकोषीय घाटे के बजाए **नया राजकोषीय नीति मापदंड (new fiscal policy parameter)** मानना। इस संबंध में केंद्र और राज्यों का संयुक्त ऋण लक्षित किया जाना चाहिए।
3. केंद्र के लिए 40 प्रतिशत और राज्यों के लिए कुल मिलाकर 20 प्रतिशत सीमा के साथ 2022-23 तक कुल सरकारी ऋण को 60 प्रतिशत तक कम करना। *(अनुशंसाएँ करने के समय केंद्र सरकार के वर्तमान 49.4 प्रतिशत और राज्यों के 21 प्रतिशत के विरुद्ध)*।
4. **2022-23 तक राजकोषीय घाटे (fiscal deficit)** को सकल घरेलू उत्पाद के 25 प्रतिशत तक **कम करना।**
5. **प्रतिवर्ष राजस्व घाटे (revenue deficit) को 0.25 प्रतिशत तक कम करना** और 2022–23 तक 0.8 प्रतिशत तक पहुँचाना।
6. समिति द्वारा मोचन खंड (Escape Clause) की भी अनुशंसा की गयी। मोचन खंड के अनुसार विशेष परिस्थितियों में निर्धारित राजकोषीय घाटे के लक्ष्य से GDP **के 05 प्रतिशत तक विचलन** की अनुमति दी जा सकती है। इन विशेष परिस्थितियों में राष्ट्रीय सुरक्षा चिंताएँ, प्राकृतिक आपदाएँ, कृषि क्षेत्र का पतन, अप्रत्याशित राजकोषीय निहितार्थों के साथ दूरगामी संरचनात्मक सुधार शामिल हैं।
7. केवल कुछ विशिष्ट परिस्थितियों में RBI से उधारी की जानी चाहिए।
8. बहु-वर्षीय राजकोषीय पूर्वानुमान तैयार करने और राजकोषीय रणनीति में परिवर्तनों की अनुशंसा करने के लिए **स्वायत्त राजकोषीय परिषद् (autonomous fiscal council)** की स्थापना की जाये।

➤ केंद्र सरकार ने बाद के केंद्रीय बजटों में एन. के. सिंह समिति की कुछ प्रमुख अनुशंसाओं को स्वीकार किया। इनमें शामिल हैं :
   - **ऋण नियम (Debt rule),** जिसमें सरकार द्वारा ऋण-GDP अनुपात घटाकर 40 प्रतिशत करने की अनुशंसा की गयी थी।
   - **राजकोषीय विसर्पण पथ, (Fiscal glide path),** जिसने दोनों ओर घाटे (संवृद्धि अच्छी होने पर अधोगामी और न होने पर उर्ध्वगामी) को लक्षित करने में कुछ लचीलेपन की अनुमति दी।

राजकोषीय समेकन का लक्ष्य प्राप्त करने की दिशा में आगे की चुनौतियाँ (Challenges Ahead Towards Achieving the Targets of Fiscal Consolidation)

1. **धीमी संवृद्धि** की राजस्व संग्रह पर प्रभाव पड़ने की आशंकाएँ।
2. गत वित्त वर्ष में GST **संग्रह में कमी** के चलते GST की राजस्व-मात्रा में सुधार लाने की आवश्यकता।
3. हाल ही में प्रारम्भ आयुष्मान भारत और अन्य कल्याणकारी योजनाओं के आलोक में **उच्च अनुमानित व्यय।**
4. ईरान से तेल आयात पर संयुक्त राज्य अमेरिका के हालिया प्रतिबंध के कारण सरकार को **पेट्रोलियम सब्सिडी** पर अधिक ख़र्च करना पड़ सकता है, जिससे तेल की क़ीमतों पर प्रभाव पड़ सकता है।

परीक्षोपयोगी

सार्वजनिक वित्त से संबंधित अन्य महत्त्वपूर्ण शब्दावली (OTHER IMPORTANT TERMS RELATED TO PUBLIC FINANCE)

ह्रासमान प्रभाव (Crowding Out)

- राजकोषीय घाटे का प्रबंधन करने के लिए सरकार द्वारा अत्यधिक उधारी से बाज़ार में तरलता की कमी हो जाती है और ब्याज दरें बढ़ जाती हैं। इससे **निजी क्षेत्र के लिए धन की उपलब्धता कम होती** है। इसलिए निवेश में गिरावट आती है और संवृद्धि मंद पड़ जाती है। यदि सरकार उधार ली गयी धनराशि लोकलुभावन योजनाओं के लिए राजस्व व्यय के रूप में ख़र्च करती है, तो इससे **क्राउडिंग आउट हो सकता** है।
- तथापि यदि सरकार पूँजीगत व्यय के रूप में, अर्थात् अवसंरचना परियोजनाओं में धन ख़र्च करती है, तो इससे **क्राउडिंग इन** हो सकती है और इसका निवेश, रोज़गार, कर संग्रह आदि पर गुणक प्रभाव पड़ सकता है।

राजकोषीय फाँस (Fiscal Cliff)

करों में कटौती और उदार सार्वजनिक व्यय की लंबी **अवधि के बाद अधिक कर और सार्वजनिक व्यय में कमी के कारण** जनता के पास नक़दी की कम उपलब्धता की **अचानक स्थिति** को **राजकोषीय फाँस** के रूप में जाना जाता है। 2013 के दौरान सरकारी ख़र्च में अचानक कटौती और मौजूदा कर कटौती की समाप्ति के कारण संयुक्त राज्य अमेरिका में अनुभव किया गया था।

राजकोषीय खिंचाव (Fiscal Drag)

- जब **मुद्रास्फीति या आय में वृद्धि करदाताओं को उच्च कर वर्ग में धकेल देती है,** तो वास्तव में कर दरों में वृद्धि किये बिना सरकार का कर राजस्व बढ़ जाता है। करदाताओं द्वारा कर भुगतान में वृद्धि से समग्र उपभोक्ता व्यय में कमी आती है, क्योंकि अब उनकी आय का एक बड़ा हिस्सा करों में चला जाता है, जिससे अर्थव्यवस्था में **अपस्फीतिकारी दबाव या खिंचाव (deflationary pressure or drag)** पैदा होता है।
- **प्रगतिशील कराधान (Progressive taxation)** के परिणामस्वरूप राजकोषीय खिंचाव होता है, जिससे व्यक्ति मुद्रास्फीति या आय में वृद्धि के कारण स्वचालित रूप से उच्च कर वर्ग में चले जाते हैं।
- राजकोषीय खिंचाव को **स्वचालित राजकोषीय स्थिरक (automatic fiscal stabiliser)** के रूप में देखा जा सकता है, क्योंकि यह तेज़ी से बढ़ती उच्च मुद्रास्फीतिवाली अर्थव्यवस्था को नियंत्रित करता है।

राजकोषीय तटस्थता (Fiscal Neutrality)

राजकोषीय तटस्थता एक ऐसी स्थिति है, जिसमें कर, ख़र्च या उधार लेने के निर्णय का अर्थव्यवस्था पर कोई शुद्ध प्रभाव नहीं पड़ता है या इसमें ऐसे प्रभाव के पड़ने का प्रयोजन नहीं होता है। किसी नीतिगत परिवर्तन जो राजकोषीय रूप से तटस्थ है, के द्वारा किया जानेवाला कोई भी नया ख़र्च, उत्पन्न अतिरिक्त राजस्व द्वारा पूरी तरह से प्रतिसंतुलित (ऑफ़सेट) किये जाने की संभावना रखता है। इस प्रकार, राजकोषीय तटस्थता एक ऐसी स्थिति है, जिसमें कराधान और सरकारी ख़र्च से माँग न तो बढ़ती है और न ही घटती है।

बजट से इतर देयताएँ (Off-budget Liabilities)

- यह देयताएँ सरकार द्वारा **उधारी या सार्वजनिक धन के उपयोग** के कारण नहीं होती हैं।
- यह देयताएँ वह धनराशि है, जिन्हें सरकार **नीतिगत विषय** के रूप में विभिन्न संस्थाओं को भुगतान करने के लिए उत्तरदायी होती है।
- उदाहरण के लिए- *सरकार कच्चे तेल की क़ीमत बढ़ने पर तेल विपणन उद्यमों को क़ीमतें बढ़ाने की अनुमति नहीं देती है। इन तेल विपणन उद्यमों के घाटे को वहन करने के लिए सरकार ब्याजधारक बंधपत्र जारी करती है।*
- इन पर बजट में घाटे की गणना में विचार नहीं किया जाता है, भले ही ये उधार लिये गये ख़र्च हैं।

राजकोषीय चूक (Fiscal Slippage)

- यदि **वास्तविक राजकोषीय घाटा अपेक्षा से अधिक होता है**, तो इसे राजकोषीय चूक कहा जाता है।

- उदाहरण के लिए *बजट, 2018-19 में अनुमानित राजकोषीय घाटा 3.3% था, लेकिन वित्त वर्ष के अंत में वास्तविक घाटा 3.4% था, जिससे राजकोषीय फ़िसलन का संकेत मिलता है।*

राजकोषीय प्रोत्साहन (Fiscal Stimulus)

- राजकोषीय प्रोत्साहन में **सरकार या सरकारी एजेंसियों द्वारा अर्थव्यवस्था को** वित्तीय रूप से **उत्प्रेरित करने** का प्रयास शामिल होता है।
- मंदी के दौरान आर्थिक संवृद्धि को गति देने के लिए **मौद्रिक या राजकोषीय नीति में परिवर्तन का उपयोग** राजकोषीय प्रोत्साहन **है**।
- यह सरकारें ब्याज दरें कम करने, सरकारी ख़र्च में वृद्धि करने और मात्रात्मक सहजता आदि जैसी रणनीतियों का उपयोग करके पूरा कर सकती हैं।

पंप प्राइमिंग (Pump Priming)

कर कटौती, ब्याज दर में कटौती और सरकारी ख़र्च का उपयोग करके आमतौर पर मंदी के दौरान अर्थव्यवस्था को प्रोत्साहित करने की प्रथा को पंप प्राइमिंग के रूप में जाना जाता है। विकास को प्रोत्साहित करने के प्रयास में संघर्षरत अर्थव्यवस्था में अपेक्षाकृत छोटी मात्रा में सार्वजनिक धन को अंत:क्षेपित (इंजेक्ट) करने की प्रथा को पंप प्राइमिंग के रूप में जाना जाता है

राजकोषीय लक्ष्य प्राप्ति (Fiscal Marksmanship)

- यह **पूर्वानुमानों, लक्ष्यों और अनुमानों** की **परिशुद्धता या सटीकता**, अर्थात् बजट निर्माण की क़वायद को संदर्भित करता है।
- यह शब्द तब महत्त्वपूर्ण बना, जब **आर्थिक सर्वेक्षण 2012-13** में इसका कई बार उपयोग किया गया।

राजकोषीय स्थान (Fiscal Space)

- राजकोषीय स्थान को सामान्यत: **बजटीय गुंजाइश (budgetary room)** के रूप में परिभाषित किया जाता है, जो सरकार को राजकोषीय संधारणीयता को अनदेखा किये बिना **सार्वजनिक प्रयोजनों के लिए संसाधन उपलब्ध कराने** की अनुमति देता है।
- अंतरराष्ट्रीय मुद्रा कोष [International Monetary Fund (IMF)] के अनुसार फ़िस्कल स्पेस का अस्तित्व तब होता है, यदि सरकार बाज़ार पहुँच को ख़तरे में या ऋण संधारणीयता को जोखिम में **डाले बिना ख़र्च बढ़ा सकती है** या करों को कम कर सकती है।
- इसका निहितार्थ यह है कि फ़िस्कल स्पेस विश्लेषण राजस्व के साथ वर्तमान और भविष्य के व्यय को ध्यान में रखते हुए किया जाना चाहिए।
- इसलिए फ़िस्कल स्पेस विश्लेषण एक **मध्यावधिक व्यय ढाँचे (medium-term expenditure framework)** में किया जाना चाहिए, जिसका सरकार की व्यय प्राथमिकताओं पर व्यापक परिप्रेक्ष्य हो।

राज्य के वित्त पर RBI की रिपोर्ट (RBI REPORT ON STATE FINANCES)

RBI द्वारा जारी "राज्य वित्त - वर्ष 2024-25 का बजट अध्ययन (The State Finances - A Study of Budgets of 2024-25)" नामक रिपोर्ट में राज्य सरकारों के राजकोषीय कटौती प्रयासों पर ज़ोर दिया गया, साथ ही बढ़ते कर्ज़ और बढ़ती सहायिकी (सब्सिडी) जैसी प्रमुख बाधाओं की ओर भी संकेत किया गया। इसमें रेखांकित किये गये महत्त्वपूर्ण पहलू इस प्रकार हैं :

- **बेहतर कर राजस्व (Improved Tax Revenue) :** कर उछाल (Tax buoyancy) 0.86 (वर्ष 2013-20 में) से बढ़कर 1.4 (वर्ष 2021-25 में) हो गया, जो बेहतर कर संग्रह दक्षता को दर्शाता है।
- **उच्च पूँजीगत व्यय (Higher Capital Expenditure) :** GDP के 2.4 प्रतिशत (वर्ष 2021-22) से बढ़कर 3.1 प्रतिशत (2024-25 के बजट में) हो गया, जो अवसंरचना के निवेश पर ध्यान केंद्रित करने का संकेत देता है।
- **राजकोषीय घाटा और ऋण (Fiscal Deficit - Debt) :** बजट में सकल राजकोषीय घाटा GDP (वित्त वर्ष 25) के 3.2 प्रतिशत पर रखा गया है, जिसमें ऋण-से-GDP अनुपात घटकर 28.5 प्रतिशत (वर्ष 2024 में) हो गया है, लेकिन अभी भी महामारी-पूर्व स्तर (2019 में 25.3 प्रतिशत) से ऊपर है।

- **उधार में वृद्धि (Increased Borrowing) :** बाज़ार उधार अब राजकोषीय घाटे का 79 प्रतिशत है, कुल उधार 32.8 प्रतिशत बढ़कर 10.07 ट्रिलियन (वित्त वर्ष 24) हो गया है।
- **वित्तीय तनाव (Financial Strains) :**
    - **कुछ राज्यों में उच्च घाटा (High Deficits in Some States) :** अरुणाचल प्रदेश और हिमाचल प्रदेश जैसे छोटे राज्यों में घाटा अधिक है, जबकि गुजरात और महाराष्ट्र जैसे बड़े राज्यों में घाटा कम है।
    - **डिस्कॉम घाटा (DISCOM Losses) :** विद्युत वितरण कंपनियों का घाटा ₹6.5 लाख करोड़ (वित्त वर्ष 23) तक पहुँच गया, जिससे राज्य के वित्त पर असर पड़ा।
    - **बढ़ती सब्सिडी (Rising Subsidies) :** ऋण माफ़ी और मुफ़्त/सहायिकीवालीं सेवाएँ (बिजली, परिवहन, नक़द हस्तांतरण) बजट पर दबाव डालती हैं, जिससे अवसंरचना के लिए उपलब्ध धन कम हो जाता है।
    - **राजस्व संबंधी चिंताएँ (Revenue Concerns) :** घटता ग़ैर-कर राजस्व और मंद SGST वृद्धि जोखिम पैदा करती है।
    - **राजकोषीय पारदर्शिता का अभाव (Lack of Fiscal Transparency) :** ऑफ़-बजट देनदारियों को अक्सर कम करके आँका जाता है, जिससे वास्तविक राजकोषीय स्थिति छिप जाती है।

राज्यों के वित्त के संबंध में RBI की सिफ़ारिशें (Recommendations by RBI on State Finances)

- **ऋण नियंत्रण (Debt Control) :** पारदर्शी रिपोर्टिंग के साथ ऋण में कमी के लिए स्पष्ट, समयबद्ध लक्ष्य।
- **लचीले राजकोषीय नियम (Flexible Fiscal Rules) :** ऐसी नीतियों को अपनाना जो आर्थिक आघातों से निपटने की क्षमता के साथ वित्तीय स्थिरता को संतुलित करती हैं।
- **बेहतर ख़र्च (Better Spending) :** परिणाम-आधारित, जलवायु-संवेदनशील बजट पर ध्यान केंद्रित करना और केंद्र प्रायोजित योजनाओं (CSS) को कारगर बनाना।
- **सहायिकी अनुकूलन (Subsidy Optimisation) :** महत्त्वपूर्ण निवेशों पर सहायिकी की अति होने से रोकना।
- **उधार पर निर्भरता कम करना (Reduced Borrowing Dependence) :** वित्तीय जोखिमों से बचने के लिए बाज़ार उधार पर अत्यधिक निर्भरता को सीमित करना।
- **मज़बूत राजस्व सृजन (Stronger Revenue Generation) :** कर संग्रह (SGST, स्टांप ड्यूटी) में सुधार और उधार की ज़रूरतों को कम करने के लिए ग़ैर-कर राजस्व में वृद्धि।

अतिरिक्त जानकारी

राज्य का स्वयं का कर राजस्व (SOTR) और राज्य का स्वयं का ग़ैर-कर राजस्व (SONTR) [STATE'S OWN TAX REVENUE (SOTR) AND STATE'S OWN NON-TAX REVENUE (SONTR)]

राज्यों की राजस्व प्राप्तियों में शामिल हैं : (i) स्वयं का राजस्व, और (ii) केंद्र सरकार से स्थानांतरित। राज्यों के स्वयं के राजस्व में राज्य सरकारों द्वारा कर और ग़ैर-कर स्रोतों से अर्जित राजस्व शामिल होता है, जिसे क्रमशः **राज्य के स्वयं के कर राजस्व (SOTR) और राज्य के स्वयं के ग़ैर-कर राजस्व (SONTR)** के रूप में जाना जाता है।

केंद्रीय स्थानांतरण में वित्त आयोग द्वारा अनुशंसित केंद्रीय करों का हस्तांतरण और सहायता अनुदान शामिल है। केंद्र द्वारा राज्यों को दिये जानेवाले सहायता अनुदान में वित्त आयोग द्वारा अनुशंसित अनुदान, केंद्र प्रायोजित योजनाओं के लिए अनुदान और GST मुआवज़े का अनुदान जैसे अन्य अनुदान शामिल हैं। वित्त वर्ष 2023-24 में, राज्यों का कुल मिलाकर अपनी राजस्व प्राप्तियों का 57% स्वयं के कर और ग़ैर-कर स्रोतों से जुटाने का अनुमान है, जबकि 43% केंद्रीय करों के हस्तांतरण और केंद्र से से प्राप्त होनेवाले अनुदान से आने का अनुमान है।

बजट (BUDGET)

सरकार बजट कैसे तैयार करती है? (How is the Budget Prepared by the Government?)

सरकारी बजट (Government budgeting), एक ऐसी विधि है, जिसके द्वारा सरकारें सार्वजनिक निधियों के उपयोग को व्यवस्थित, वितरित और नियंत्रित करती हैं। इसमें एक विशिष्ट वित्तीय अवधि, आमतौर पर एक वर्ष के भीतर, सरकारी राजस्व (करों, शुल्कों और अन्य स्रोतों से) का अनुमान लगाना और सरकार के नीतिगत लक्ष्यों को पूरा करने के लिए आवश्यक व्यय तय करना सम्मिलित है।

भारतीय संविधान के **अनुच्छेद 112** के अनुसार, किसी निश्चित वित्तीय वर्ष के लिए केंद्र सरकार के वार्षिक वित्तीय विवरण को केंद्रीय बजट कहा जाता है। इसमें एक विशिष्ट वित्तीय वर्ष के लिए सरकार के अनुमानित राजस्व और व्यय का विस्तृत विवरण सम्मिलित होता है, जो 1 अप्रैल से 31 मार्च तक होता है।

वित्त मंत्रालय के आर्थिक कार्य विभाग का बजट प्रभाग आम बजट तैयार करने के लिए नोडल एजेंसी है। यह प्रत्येक मंत्रालय द्वारा उपलब्ध कराये गये आँकड़ों (डेटा) पर आधारित होता है।

भारत के केंद्रीय बजट में आँकड़ों (डेटा) को निम्नलिखित तीन श्रेणियों में विभाजित किया जा सकता है :

1. **आगामी** वित्तीय वर्ष या बजट वर्ष (वर्ष 2025-26 के लिए BE अनुमान) के लिए **बजट अनुमान (BE)** (प्राप्तियाँ और व्यय का)।
2. चालू वित्तीय वर्ष (2024-25 के लिए RE अनुमान) के लिए **संशोधित अनुमान (RE)** (प्राप्तियाँ और व्यय का)।
3. पूर्व वित्तीय वर्ष (2023 -24 के लिए PE अनुमान) के **अनंतिम वास्तविक (PA)** (प्राप्तियाँ और व्यय का)।

उपर्युक्त आँकड़ों के आधार पर, **वार्षिक वित्तीय विवरण** तैयार किया जाता है और संसद के समक्ष रखा जाता है।

अतिरिक्त जानकारी

केंद्रीय बजट के संबंध में महत्त्वपूर्ण विवरण (IMPORTANT DETAILS OF THE UNION BUDGET)

- केंद्रीय वित्त मंत्री 2017-18 के बजट वर्ष से प्रत्येक वर्ष 1 फ़रवरी को केंद्रीय बजट पेश करते हैं।
- औपनिवेशिक परंपरा के अनुसार, 2017-18 के बजट वर्ष से पहले फ़रवरी के अंतिम सप्ताह में बजट पेश किया जाता था।
- एकवर्थ समिति की सिफ़ारिशों के बाद, अँगरेज़ों ने वर्ष 1924 में रेल बजट को आम बजट से अलग कर दिया।
- बिबेक देबरॉय समिति की सिफ़ारिश पर, 2017-18 के बजट वर्ष के लिए रेल बजट को आम बजट के साथ जोड़ दिया गया।
- आर्थिक कार्य विभाग (वित्त मंत्रालय) का बजट प्रभाग, केंद्रीय बजट तैयार करने के लिए ज़िम्मेदार नोडल संस्था है।
- योजनागत और ग़ैर-योजनागत व्यय के रूप में बजट व्यय का भेद समाप्त कर दिया गया है। इसके बजाए, अब बजट को राजस्व और पूँजीगत व्यय में विभाजित किया गया है।

भारत में सरकारी बजट बनाने की प्रक्रिया के चार अलग-अलग चरण हैं:

- **बजट निर्माण (Budget Formulation) :** यह अगले वित्तीय वर्ष के लिए राजस्व और व्यय का अनुमान लगाने की प्रक्रिया है।
- **बजट अधिनियमन (Budget Formulation) :** इस प्रक्रिया में विधानमंडल को वित्त विधेयक और विनियोग विधेयक पारित करके प्रस्तावित बजट को मंजूरी देनी होती है।
- **बजट निष्पादन (Budget Execution) :** इसमें सरकार द्वारा वित्त अधिनियम और विनियोग अधिनियम के प्रावधानों को लागू करना सम्मिलित है। इसमें मूल रूप से प्राप्तियों को एकत्रित करना और क़ानून द्वारा अधिकृत विभिन्न सेवाओं के लिए धन का वितरण करना सम्मिलित है।

➤ **विधायी समीक्षा (Legislative Review)** : यह विधानमंडल की ओर से सरकार द्वारा किये गये वित्तीय अंकेक्षण (ऑडिट) का वर्णन करता है।

बजट निर्माण प्रक्रिया (Process of Budgeting)

बजट निर्माण	➡	बजट अधिनियमन	➡	बजट क्रियान्वयन	➡	विधायी समीक्षा
राजस्व और व्यय का अनुमान		वित्त विधेयक और विनियोग विधेयक पारित करना		प्राप्तियाँ एकत्रित करना और धन का वितरण		बजट खाते की लेखा परीक्षा

बजट निर्माण प्रक्रिया (Process of Budgeting)

➤ सबसे पहले, लोकसभा में बजट पेश करने और उस पर विचार करने के लिए राष्ट्रपति की संस्तुति ली जाती है।

➤ इसके बाद बजट को केंद्रीय वित्त मंत्री के बजट भाषण के साथ लोकसभा में रखा जाता है, उसके बाद *वित्त विधेयक* पेश किया जाता है।

➤ लोकसभा में बजट पर चर्चा दो चरणों में होती है - *पहले सामान्य चर्चा* (मतदान के बिना) और फिर स्थगन की अवधि के बाद *विस्तृत चर्चा*।

➤ विस्तृत चर्चा के बाद *अनुदानों की माँग* पर मतदान होता है।

➤ मतदान के बाद, *विनियोग विधेयक* पेश किया जाता है और उस पर मतदान होता है, जिससे केंद्र सरकार को भारत की संचित निधि से धन ख़र्च करने का क़ानूनी अधिकार मिल जाता है।

➤ इसके बाद *विनियोग विधेयक* और *वित्त विधेयक* चर्चा के लिए राज्यसभा में भेजे जाते हैं। लोकसभा के विपरीत, राज्यसभा के पास अनुदानों की माँगों पर मतदान करने का अधिकार नहीं है और उसे 14 दिनों के भीतर सिफ़ारिशों के साथ या बिना सिफ़ारिशों के वापस करना होता है। हालाँकि, लोकसभा सिफ़ारिशों को स्वीकार नहीं भी कर सकती है।

➤ इसके बाद *वित्त विधेयक* को भारत के राष्ट्रपति के पास सहमति के लिए भेजा जाता है। राष्ट्रपति के पास इसे अस्वीकार करने का अधिकार नहीं है।

अतिरिक्त जानकारी

अंतरिम बजट (INTERIM BUDGET)

आमतौर पर अंतरिम बजट सरकार द्वारा अपने कार्यकाल के अंतिम वर्ष के दौरान या जब आम चुनाव आनेवाला हो, तब पेश किया जाता है।

अंतरिम बजट पेश करना यह सुनिश्चित करता है कि सरकार के सभी आवश्यक ख़र्च कार्यालय में सरकार की विशिष्ट अवधि के लिए किये जा सकते हैं। पूर्ण बजट नयी सरकार के गठन के बाद पेश किया जाता है।

बजट के प्रकार और भारतीय संदर्भ में इसकी उपयुक्तता
(TYPES OF BUDGET AND ITS SUITABILITY IN THE INDIAN CONTEXT)

प्रकार	विवरण
वृद्धिशील बजट (Incremental Budgeting)	• यह नया बजट तैयार करने के लिए **मौजूदा बजट में सिर्फ़ थोड़ा वृद्धिशील** परिवर्तन करने के सिद्धांत पर आधारित है। • राजस्व और व्यय में अतिरिक्त राशि जोड़ने के लिए गत वर्ष के बजट को आधार के रूप में लिया जाता है *(जैसे कि व्यय में 5 प्रतिशत जोड़ना)*। • यह बजट तैयार करने का **अपेक्षाकृत आसान और कम जटिल तरीक़ा** है। • हालाँकि **इसकी सीमाएँ हैं** – पुरानी योजनाएँ चलती रहती हैं, कम प्राथमिकता प्राप्त क्षेत्रकों में ख़र्च जारी रहता है, आदि। • वर्तमान में कुछ संशोधनों के साथ **भारत में इसका अनुगमन किया जाता** है।
शून्य आधारित बजट (Zero Base Budgeting)	• पूरा बजट **शून्य के रूप में आधार लेते हुए शुरू से** तैयार किया जाता है। • इस मामले में **गत वर्ष के बजट पर विचार नहीं किया जाता है**। • सभी सरकारी योजनाओं और कार्यक्रमों की बारीकी से और आलोचनात्मक जाँच की जाती है। लागत-लाभ विश्लेषण में उपयुक्त नहीं होने पर इन्हें अगले वर्ष के बजट में छोड़ दिया जाता है। • प्रत्येक नयी अवधि के लिए विचार किये जाने के लिए सभी ख़र्चों को उचित होना चाहिए। • बजट की इस तकनीक ने **न्यूज़ीलैंड** जैसे देशों में अच्छे परिणाम दिये हैं। • हालाँकि भारत में अभी भी इसका सही अर्थों में कार्यान्वयन किया जाना बाक़ी है, क्योंकि इसकी कुछ **सीमाएँ** हैं – 1. इसमें थकाऊ और जटिल समयसाध्य क़वायद शामिल है। 2. कुछ ऐसी सार्वजनिक सेवाएँ होती हैं, जो लागत-लाभ विश्लेषण की अवहेलना करती हैं जैसे रक्षा, क़ानून और व्यवस्था, विदेशी संबंध आदि।
निष्पादन बजट (Performance Budgeting)	• 1968 से सरकारी मंत्रालय निष्पादन बजट तैयार कर रहे थे। • 2007-08 से निष्पादन बजट का **परिणामोन्मुखी बजट के साथ विलय** कर दिया गया, क्योंकि कदाचित् ही इसका संसाधन आवंटन पर कोई प्रत्यक्ष प्रभाव पड़ा था।
परिणामोन्मुखी बजट (Outcome Budgeting)	• यह सभी सरकारी योजनाओं के विकास परिणामों का मापन करता है। • यह किये गये ख़र्च और अनुगामी परिणामों के बीच **संबंध विकसित करने का एक साधन** है। • परिणामों का न केवल रुपये के संदर्भ में, बल्कि उत्पादित टन इस्पात, उत्पादित किलोवाट ऊर्जा आदि जैसी **भौतिक इकाइयों के संदर्भ में भी** मापन किया जाता है। • सभी मंत्रालय 2005-06 से बजट विवरण तैयार करते समय परिणामोन्मुखी बजट तैयार कर रहे हैं।
लैंगिक संबंधी बजट (Gender Budgeting)	• यह **लैंगिक संवेदनशील तरीक़े से** बजट की योजना, निष्पादन, निगरानी और अंकेक्षण को निर्दिष्ट करता है और सुनिश्चित करता है कि विकास का लाभ **पुरुषों जितना ही महिलाओं तक भी पहुँचे**। • यह **कोई लेखांकन क़वायद नहीं** है, बल्कि नीति/कार्यक्रम निर्माण में महिला संबंधी परिप्रेक्ष्य बनाये रखने से संबंधित है। • **2005-06 से** वित्त मंत्रालय प्रतिवर्ष व्यय बजट दस्तावेज़ के एक भाग के रूप में महिला संबंधी बजट पर अलग नोट (विवरण 20) जारी करता है। • **विवरण 20 में दो भाग शामिल होते हैं–** 1. **भाग क** महिलाओं के लिए **100 प्रतिशत निधि आवंटनवा**लीं महिला योजनाओं को परिलक्षित करता है। 2. **भाग ख** महिलाओं के लिए **कम-से-कम 30 प्रतिशत निधि आवंटनवालीं महिला** योजनाओं को परिलक्षित करता है।

भारतीय अर्थव्यवस्था की चक्रव्यूह चुनौती (Chakravyuha Challenge of the Indian Economy)

स्वतंत्रता के बाद भारतीय अर्थव्यवस्था ने सीमित प्रवेश के साथ समाजवाद को अपनाया। 1980 के दशक की शुरुआत से ही भारतीय अर्थव्यवस्था ने प्रवेश बढ़ाने में उल्लेखनीय प्रगति की। हालाँकि, बाज़ार अर्थव्यवस्था के लिए न सिर्फ़ नयी फ़र्मों, नये विचारों और नयी प्रौद्योगिकियों के अप्रतिबंधित प्रवेश की आवश्यकता होती है, बल्कि निकास की भी आवश्यकता होती है, ताकि संसाधनों को अकुशल और असंधारणीय उपयोगों से दूर किया जाये। भारत में निकास के संबंध में कम प्रगति हुई है। इस प्रकार, भारतीय अर्थव्यवस्था की विशेषता निकास के बिना 'बाज़ारवाद **(marketism)**' की है। इसे भारतीय अर्थव्यवस्था की चक्रव्यूह चुनौती कहा जाता है।

वित्त आयोग (FINANCE COMMISSION)

- वित्त आयोग अगले पाँच वर्षों के लिए केंद्र और राज्यों के बीच करों और अन्य राजकोषीय मामलों के आवंटन के बारे में अपनी सिफ़ारिशें रखता है।

पृष्ठभूमि (Background)

- भारतीय संविधान के अनुच्छेद 280 में अर्ध-न्यायिक निकाय के रूप में वित्त आयोग का प्रावधान है।
- आयोग का गठन भारत के राष्ट्रपति द्वारा प्रत्येक पाँचवें वर्ष या उस चरण में किया जाता है, जब वह इसकी आवश्यकता समझते हैं।
- पिछली बार 9वें वित्त आयोग, जिसका गठन वर्ष 1987 में किया गया था, का कार्यकाल 6 वर्ष किया गया था।
- आयोग का गठन भारत के राष्ट्रपति द्वारा नियुक्त एक अध्यक्ष और चार अन्य सदस्यों से मिलाकर किया जाता है।
    - इसके सदस्य राष्ट्रपति द्वारा जारी किये गये आदेश में निर्धारित एक विशेष कार्यकाल के लिए पद पर बने रहते हैं।
    - वे पुनर्नियुक्ति के पात्र होते हैं।

वित्त आयोग के उद्देश्य (Objectives of Finance Commission)

- **सहकारी संघवाद** को मज़बूत करना।
- **सार्वजनिक व्यय की गुणवत्ता** में सुधार करना।
- **राजकोषीय स्थिरता को बनाये रखने** में मदद करना।

सदस्यों की योग्यता (Qualification of Members)

- संसद ने आयोग के अध्यक्ष और सदस्यों के चयन के लिए कुछ योग्यताओं का उल्लेख किया है।
- इसका अध्यक्ष सार्वजनिक मामलों में अनुभव रखनेवाला व्यक्ति होना चाहिए और चार अन्य सदस्यों का चयन निम्नलिखित में से किया जाना चाहिए:
    - उच्च न्यायालय का न्यायाधीश या न्यायाधीश के रूप में नियुक्त होने के योग्य व्यक्ति।
    - सरकार के वित्त और लेखा का विशेष ज्ञान रखनेवाला व्यक्ति।
    - वित्तीय मामलों और प्रशासन में व्यापक अनुभव रखनेवाला व्यक्ति।
    - अर्थशास्त्र का विशेष ज्ञान रखनेवाला व्यक्ति।

वित्त आयोग की शक्तियाँ (Powers of the Finance Commission)

- **सिविल प्रक्रिया संहिता**, 1908 के आधार पर, **भारत के वित्त आयोग** को सिविल न्यायालय की शक्तियों के समान शक्तियाँ प्राप्त हैं।

➤ आयोग के पास **गवाहों को बुलाने** और किसी भी कार्यालय या न्यायालय से सार्वजनिक दस्तावेज़ या रिकॉर्ड माँगने की **शक्तियाँ** हैं।

- वित्त आयोग कर प्रयास, जनसंख्या, क्षेत्र, वन क्षेत्र, आय दूरी और जनसांख्यिकीय प्रदर्शन जैसे चरों को ध्यान में रखते हुए केंद्र और राज्यों के बीच कर राजस्व आवंटित करने का सूत्र निर्धारित करता है।

यह सूत्र कैसे काम करता है? (How does the formula work?)

➤ विभिन्न राज्यों की आवश्यकताओं और स्थितियों को ध्यान में रखते हुए, इस सूत्र का उद्देश्य केंद्र और राज्यों के बीच संसाधनों के समान आवंटन की गारंटी देना है।

➤ प्रत्येक राज्य का योगदान आयोग द्वारा विभिन्न मापदंडों के भारित औसत का उपयोग करके निर्धारित किया जाता है।

आय अंतराल मानदंड (Income distance criterion) यह निर्धारित करने में एक महत्त्वपूर्ण कारक रहा है कि भारत के वित्त आयोग, केंद्र और राज्यों के बीच कर राजस्व साझा करने की सिफ़ारिश कैसे करते हैं। इसे **नौवें वित्त आयोग** द्वारा पेश किया गया था, और इसका उद्देश्य निर्धन राज्यों को अधिक धन आवंटित करके **राजकोषीय क्षमता की समानता** को बढ़ावा देना है। समय के साथ, इस मानदंड का महत्त्व कम हो गया है, जिससे इसका **पुनर्वितरण प्रभाव भी कम हो गया है**। यह मानदंड **गाडगिल-मुखर्जी सूत्र** जैसे पहले के मॉडलों से विकसित हुआ है तथा इसका उपयोग **पंद्रहवें वित्त आयोग** तक विभिन्न रूपों में किया गया है।

अतिरिक्त जानकारी

वर्ष 1990 में शुरू किये गये **गाडगिल-मुखर्जी सूत्र** का इस्तेमाल भारत में राज्य योजनाओं के लिए केंद्रीय सहायता आवंटित करने हेतु किया गया था। यह **मूल गाडगिल सूत्र** (चौथी और पाँचवीं पंचवर्षीय योजनाओं में इस्तेमाल किया गया) का संशोधित संस्करण था और इसे **प्रणब मुखर्जी (योजना आयोग के तत्कालीन उपाध्यक्ष)** के तहत विकसित किया गया था।

इसके मुख्य मानदंड और निर्धारित किये गये भारांक निम्नवत थे :

➤ जनसंख्या (Population) (वर्ष 1971) – 60%

➤ प्रतिव्यक्ति आय (Per Capita Income) – 25% (20% विचलन विधि, 5% दूरी विधि)

➤ राजकोषीय प्रदर्शन (Fiscal Performance) – 7.5% (2.5% कर प्रयास, 2% राजकोषीय प्रबंधन, 3% राष्ट्रीय उद्देश्य)

➤ विशेष समस्याएँ (Special Problems) – 7.5%

राज्यों के बीच उचित संसाधन वितरण सुनिश्चित करने के लिए इस सूत्र ने इक्विटी और प्रदर्शन को संतुलित किया।

15वें वित्त आयोग द्वारा तैयार किया गया सूत्र (Formula designed by 15th Finance Commission)

15वें वित्त आयोग ने राज्यों को करों के विभाज्य पूल के 41 प्रतिशत पर पूर्ण नियंत्रण देने की सिफ़ारिश की।

2011 की जनसंख्या को स्वयं के कर राजस्व (OTR) से सकल राज्य घरेलू उत्पाद (GSDP) अनुपात से गुणा करके, 15वें वित्त आयोग ने कर प्रयास की गणना की।

यह सूत्र तैयार करते समय निम्नलिखित कारकों को ध्यान में रखा गया है :

➤ **आय अंतराल (Income Distance)** : आय अंतराल को **45 प्रतिशत** का भारांक दिया गया है, जो राज्यों के बीच प्रतिव्यक्ति आय में अंतराल को दर्शाता है।

➤ **जनसंख्या (Population)** : वर्ष 2011 में जनसंख्या का भारांक **15 प्रतिशत** निर्धारित किया गया।

➤ **क्षेत्र (Area)** : इसमें राज्य के क्षेत्र को **15 प्रतिशत** का भारांक प्रदान किया गया।

➤ **वन और पारिस्थितिकी (Forest and Ecology)** : इसमें वन और पारिस्थितिकी को **10 प्रतिशत** का भारांक प्रदान किया गया।

➤ **जनसांख्यिकीय प्रदर्शन (Demographic Performance)** : जनसांख्यिकीय प्रदर्शन को **12.5 प्रतिशत** का भारांक प्रदान किया गया।

➤ **कर एवं राजकोषीय उपाय (Tax and Fiscal Efforts)** : इसमें कर एवं राजकोषीय प्रयासों को **2.5 प्रतिशत** का भारांक प्रदान किया गया।

अतिरिक्त जानकारी

16वाँ वित्त आयोग (16th FINANCE COMMISSION)

सरकार ने 31 दिसंबर, 2023 को नीति आयोग के पूर्व उपाध्यक्ष **श्री अरविंद पनगड़िया** की अध्यक्षता में सोलहवें वित्त आयोग का गठन किया है। यह आयोग **31 अक्टूबर, 2025** तक अपनी सिफ़ारिशें प्रस्तुत करेगा।

आयोग के अन्य सदस्य हैं :

1. **श्री अजय नारायण झा**, पूर्व सदस्य, 15वें वित्त आयोग एवं पूर्व सचिव, व्यय (पूर्णकालिक सदस्य)
2. **श्रीमती एनी जॉर्ज मैथ्यू**, पूर्व विशेष सचिव, व्यय (पूर्णकालिक सदस्य)
3. **डॉ. निरंजन राजाध्यक्ष**, कार्यकारी निदेशक, अर्थ ग्लोबल (पूर्णकालिक सदस्य)
4. **डॉ. सौम्य कांति घोष**, समूह मुख्य आर्थिक सलाहकार, भारतीय स्टेट बैंक (अंशकालिक सदस्य)

सोलहवें वित्त आयोग से 31 अक्टूबर, 2025 के भीतर अपनी रिपोर्ट सौंपने का अनुरोध किया गया है। 16वें वित्त आयोग की सिफ़ारिशों की पुरस्कार अवधि 1 अप्रैल, 2026 से शुरू होकर 5 वर्ष तक होगी।

वित्तीय स्थिरता और विकास परिषद् (Financial Stability and Development Council)

वित्तीय स्थिरता और विकास परिषद् **(FSDC)** एक शीर्ष स्तर का नियामक निकाय है, जिसका गठन **2010** में किया गया था। इस संस्था को 2008 में वैश्विक आर्थिक मंदी के जवाब में **वित्तीय क्षेत्र की स्थिरता (financial sector stability)** को बनाये रखने के लिए परिकल्पित किया गया था। परिषद् का संचालन **केंद्रीय वित्त मंत्री** और इसके सदस्यों द्वारा किया जाता है, जिसमें RBI के गवर्नर, वित्त सचिव, आर्थिक मामलों के विभाग के सचिव, वित्तीय सेवा विभाग के सचिव; वित्त मंत्रालय के मुख्य आर्थिक सलाहकार और विभिन्न वित्तीय क्षेत्र के विनियामकों (SEBI, PFRDA, IRDA, आदि) के अध्यक्ष/प्रमुख शामिल हैं।

FSDC का निर्माण वित्तीय स्थिरता बनाये रखने, विभिन्न विनियामक निकायों के बीच समन्वय बढ़ाने और वित्तीय क्षेत्र के विकास को बढ़ावा देने के लिए एक संस्थागत तंत्र के रूप में किया गया था।

परिषद् बड़े वित्तीय संगठनों की कार्य पद्धति सहित वित्तीय स्थिरता, वित्तीय क्षेत्र के विकास, अर्थव्यवस्था और वित्तीय समावेशन के स्थूल विवेकपूर्ण पर्यवेक्षण से संबंधित मुद्दों का निपटान करती है।

लास्ट मिनट स्निपपेट्स

वित्तीय स्थिरता और विकास परिषद् (FSDC) की 28वीं बैठक नयी दिल्ली में फ़रवरी, 2024 को आयोजित की गयी थी।

संक्षिप्त विवरण

➤ **राजकोषीय नीति (Fiscal Policy)**– मुख्य रूप से अर्थव्यवस्था के महत्त्वपूर्ण मापदंडों को संचालित करने से संबंधित होती है - तीन भाग हैं – सरकारी प्राप्तियाँ, सरकारी व्यय, सार्वजनिक ऋण।

➤ **राजस्व प्राप्तियाँ (Revenue Receipts)**– एक से अधिक बार प्राप्त होती है – नियमित प्रकृति – परिसंपत्तियों और देनदारियों पर सीधा प्रभाव नहीं – डिविडेंड दो भागों में - कर राजस्व (आय कर, कस्टम शुल्क इत्यादि) और ग़ैर-कर राजस्व (शुल्क, जुर्माना एवं दंड, ब्याज तथा डिविडेंड इत्यादि)

- **पूँजी प्राप्तियाँ (Capital Receipts)**– केवल एक बार प्राप्त होती है – परिसंपत्तियों और देनदारियों पर सीधा प्रभाव होता है –डिविडेंड दो भागों में - ऋण सृजन करनेवालीं (सरकारी प्रतिभूतियों की बिक्री) और ग़ैर-ऋण सृजन करनेवालीं (ऋण एवं अग्रिमों की वसूली, विनिवेश इत्यादि)
- **राजस्व व्यय (Revenue Expenditure)**– नियमित व्यय – नागरिक प्रशासन, रक्षा, सेनाओं, सार्वजनिक स्वास्थ्य एवं शिक्षा, सरकारी तंत्र के रखरखाव इत्यादि पर किया गया व्यय – परिसंपत्ति-देयता स्थिति को प्रभावित नहीं करती है– उच्च राजस्व व्यय ग़रीबी और अर्थव्यवस्था के पिछड़ेपन को दर्शाता है।
- **पूँजी व्यय (Capital Expenditure)**– एक बार किया जानेवाला व्यय – मूर्त या अमूर्त परिसंपत्तियों का अधिग्रहण अथवा देनदारियों का भुगतान – परिसंपत्ति-देयता स्थिति को प्रभावित करती है – अर्थव्यवस्था की उत्पादन क्षमता में सुधार होता है– उच्च पूँजीगत निवेश अर्थव्यवस्था में निजी निवेश की कमी को दर्शाता है।
- **बजट (Budget)** – भारतीय संविधान में अनुच्छेद 112 के अंतर्गत वार्षिक वित्तीय विवरण के रूप में संदर्भित किया गया है– अनुमानित प्राप्तियाँ और व्यय सम्मिलित हैं – संसाधनों का पुन: आवंटन – दो घटक हैं – राजस्व बजट और पूँजी बजट –अधिशेष या संतुलित या घाटेवाला बजट हो सकता है।
- **बजट घाटा (Budget Deficit)** – जब सरकार का बजट व्यय बजट प्राप्तियों से अधिक होता है - केवल RBI से लिये गये सरकारी उधारों को दर्शाता है।
- **राजस्व घाटा (Revenue Deficit)**– राजस्व प्राप्तियों पर राजस्व व्यय की अधिकता – जनता से उधार के माध्यम से या विनिवेश के माध्यम से या राजस्व व्यय में कटौती करके वित्त पोषित किया जाता है (मुख्य रूप से सब्सिडी)।
- **प्रभावी राजस्व घाटा (Effective Revenue Deficit)**– राजस्व घाटे तथा पूँजीगत परिसंपत्तियों के सृजन के लिए प्रदान किये गये सहायता अनुदान के बीच का अंतर – राजस्व प्राप्तियों की राशि, जो वास्तव में उपभोग व्यय के लिए उपयोग की जाती है।
- **राजकोषीय घाटा (Fiscal Deficit)** – सभी स्रोतों से सरकार की कुल उधार आवश्यकताएँ – सरकार की वास्तविक देनदारी – बजट घाटा तथा बाज़ार उधारों एवं देनदारियों का योग।
- **प्राथमिक घाटा (Primary Deficit)** – ब्याज भुगतान को छोड़कर उधार आवश्यकताओं को दर्शाता है – राजकोषीय घाटे और सरकार द्वारा किये गये ब्याज भुगतान के बीच का अंतर – कुल उधार (न कि कुल देनदारी) को दर्शाता है।
- **राजकोषीय समेकन (Fiscal Consolidation)** – वह प्रक्रिया, जिसके माध्यम से राजकोषीय घाटे को प्रबंधन योग्य स्तर तक कम करने के उपाय कर अर्थव्यवस्था के राजकोषीय स्वास्थ्य में सुधार किया जाता है।

यूपीएससी सिविल सेवा के पिछले वर्षों की प्रारंभिक परीक्षा के प्रश्न

1. भारत में काले धन के सृजन का निम्नलिखित प्रभावों में से कौन-सा प्रभाव भारत सरकार के लिए चिंता का मुख्य कारण रहा है? **[2021]**

(a) अचल संपत्ति की ख़रीद और विलासितापूर्ण आवास में निवेश के लिए संसाधनों का विचलन।

(b) अनुत्पादक गतिविधियों में निवेश और क़ीमती पत्थरों, आभूषणों, सोने आदि की ख़रीद।

(c) राजनीतिक दलों को बड़ा दान और क्षेत्रवाद की वृद्धि।

(d) कर चोरी के कारण राज्य के राजकोष को राजस्व का नुक़सान।

2. बजट के साथ-साथ वित्त मंत्री संसद के समक्ष अन्य दस्तावेज़ भी रखता है जिसमें 'समष्टि आर्थिक ढाँचा विवरण' भी शामिल है। उपर्युक्त दस्तावेज़ प्रस्तुत किया गया है, क्योंकि यह अनिवार्य बनाया गया है **[2020]**

(a) लंबे समय से चली आ रही संसदीय परंपरा द्वारा

(b) भारत के संविधान का अनुच्छेद 112 और अनुच्छेद 110(1) द्वारा

(c) भारत के संविधान का अनुच्छेद 113 द्वारा

(d) राजकोषीय उत्तरदायित्व और बजट प्रबंधन अधिनियम, 2003 के प्रावधानों द्वारा।

3. भारत द्वारा अनिवासी संस्थाओं द्वारा प्रदान की जानेवालीं ऑनलाइन विज्ञापन सेवाओं पर 6 प्रतिशत का समीकरण कर लगाने के निर्णय के संदर्भ में निम्नलिखित में से कौन-सा/से कथन सही है/सही है? **[2018]**
   1. यह आयकर अधिनियम के एक भाग के रूप में आरंभ किया गया है।
   2. भारत में विज्ञापन सेवाएँ प्रदान करनेवाली अनिवासी संस्थाएँ 'दोहरा कराधान परिहार समझौतों' के अंतर्गत अपने गृह देश में कर समंजन का दावा कर सकती हैं।

   नीचे दिये गये कूट का उपयोग कर सही उत्तर का चयन कीजिए :

   (a) केवल 1 (b) केवल 2
   (c) 1 और 2 दोनों (d) 1 और 2 में से कोई नहीं

4. निम्नलिखित कथनों पर विचार कीजिए : **[2018]**
   1. राजवित्तीय उत्तरदायित्व और बजट प्रबंध (FRBM) समीक्षा समिति की रिपोर्ट में सामान्य सरकार के लिए 2023 तक 60 प्रतिशत GDP से ऋण अनुपात की अनुशंसा की गयी है, जिसमें केंद्र सरकार के लिए 40 प्रतिशत और राज्य सरकारों के लिए 20 प्रतिशत शामिल हैं।
   2. राज्य सरकारों की GDP के 49 प्रतिशत की घरेलू देयताओं की तुलना में केंद्र सरकार की घरेलू देयताएँ GDP का 21 प्रतिशत हैं।
   3. भारत के संविधान के अनुसार, यदि राज्य पर केंद्र की कोई भी बक़ाया देयता है, तो राज्य के लिए कोई ऋण उठाने के लिए केंद्र सरकार की सहमति लेना अनिवार्य है।

   ऊपर दिये गये कौन-सा/से विवरण सही है/हैं?

   (a) केवल 1 (b) केवल 2 और 3
   (c) केवल 1 और 3 (d) 1, 2 और 3

5. बेनामी लेनदेन निषेध अधिनियम, 1988 (PBPT अधिनियम) के संदर्भ में निम्नलिखित कथनों पर विचार कीजिए : **[2017]**
   1. यदि संपत्ति का स्वामी लेनदेन से अनभिज्ञ है, तो संपत्ति के लेनदेन को बेनामी लेनदेन नहीं माना जाता है।
   2. बेनामी रखी गयीं संपत्तियाँ सरकार द्वारा ज़ब्ती के योग्य हैं।
   3. यह अधिनियम जाँच के लिए तीन प्राधिकरणों का प्रावधान करता है, लेकिन किसी अपीलीय तंत्र का प्रावधान नहीं करता है।

   ऊपर दिये गये कथनों में से कौन-सा/से कथन सही है/हैं?

   (a) केवल 1 (b) केवल 2
   (c) केवल 1 और 3 (d) केवल 2 और 3

6. निम्नलिखित कथनों पर विचार कीजिए : **[2017]**
   1. पिछले दशक में भारत के GDP के प्रतिशत के रूप में कर राजस्व में निरंतर वृद्धि हुई है।
   2. पिछले दशक में भारत के GDP के प्रतिशत के रूप में राजकोषीय घाटे में निरंतर वृद्धि हुई है।

   ऊपर दिये गये कथनों में से कौन-सा/से कथन सही है/हैं?

   (a) केवल 1 (b) केवल 2
   (c) 1 और 2 दोनों (d) 1 और 2 में से कोई नहीं

7. वर्ष-दर-वर्ष लगातार घाटे का बजट रहा है। घाटा कम करने के लिए सरकार द्वारा निम्नलिखित में से कौन-सी कार्रवाई/कार्रवाइयाँ की जा सकती है/हैं? **[2016]**
   1. राजस्व व्यय कम करना
   2. नयी कल्याणकारी योजनाएँ आरंभ करना
   3. सब्सिडियों को तर्कसंगत बनाना
   4. आयात शुल्क कम करना

   नीचे दिये गये कूट का उपयोग कर सही उत्तर का चयन कीजिए :

   (a) केवल 1 (b) केवल 2 और 3
   (c) केवल 1 और 3 (d) 1, 2, 3 और 4

8. निम्नलिखित में से कौन-सा/से भारत सरकार के पूँजीगत बजट में शामिल है/हैं? **[2016]**
   1. सड़कों, भवनों, मशीनरी आदि जैसी परिसंपत्तियों के अधिग्रहण पर व्यय।
   2. विदेशी सरकारों से प्राप्त ऋण।
   3. राज्यों और केंद्र शासित प्रदेशों को दिये गये ऋण और अग्रिम।

   नीचे दिये गये कूट का उपयोग कर सही उत्तर का चयन कीजिए:

   (a) केवल 1 (b) केवल 2 और 3
   (c) केवल 1 और 3 (d) 1, 2 और 3

9. 'आधार क्षरण एवं लाभ स्थानांतरण (BEPS)' शब्दावली कभी-कभी किस संदर्भ में सुर्ख़ियों में रहती है? **[2016]**

   (a) संसाधन-समृद्ध, लेकिन पिछड़े क्षेत्रों में बहुराष्ट्रीय कंपनियों द्वारा खनन कार्य।
   (b) बहुराष्ट्रीय कंपनियों द्वारा कर चोरी पर अंकुश लगाना।
   (c) बहुराष्ट्रीय कंपनियों द्वारा किसी देश के आनुवांशिक संसाधनों का दोहन।
   (d) विकास परियोजनाओं के योजना निर्माण और कार्यान्वयन में पर्यावरणीय लागतों पर विचारण की कमी।

10. दंतमंजन ख़रीदते समय आप जिस बिक्री कर का भुगतान करते हैं, वह **[2014]**

    (a) केंद्र सरकार द्वारा आरोपित कर है।
    (b) केंद्र सरकार द्वारा आरोपित, लेकिन राज्य सरकार द्वारा एकत्रित किया जानेवाला कर है।
    (c) राज्य सरकार द्वारा आरोपित, लेकिन केंद्र सरकार द्वारा एकत्रित किया जानेवाला कर है।
    (d) राज्य सरकार द्वारा आरोपित और एकत्रित किया जानेवाला कर है।

11. केंद्रीय बजट के संदर्भ में निम्नलिखित में से कौन-सा/से ग़ैर-योजनागत व्यय के अंतर्गत आता है/आते हैं? **[2014]**

1. रक्षा व्यय
2. ब्याज भुगतान
3. वेतन और पेंशन
4. सब्सिडी

नीचे दिये गये कूट का उपयोग कर सही उत्तर का चयन कीजिए :

(a) केवल 1 (b) केवल 2 और 3
(c) 1, 2, 3 और 4 (d) कोई नहीं

12. निम्नलिखित में से कौन-सी तेरहवें वित्त आयोग की अनुशंसाओं की ध्यान देने योग्य विशेषता/विशेषताएँ है/हैं? **[2012]**

1. प्रस्तावित अभिकल्पना के अनुपालन से जुड़ी वस्तु एवं सेवा पैकेज की अभिकल्पना।
2. भारत के जनसांख्यिकीय लाभांश के अनुरूप अगले दस वर्षों में लाखों रोज़गारों के सृजन की अभिकल्पना।
3. केंद्रीय करों के एक विशिष्ट हिस्से का अनुदान के रूप में स्थानीय निकायों को हस्तांतरण।

नीचे दिये गये कूट का उपयोग कर सही उत्तर का चयन कीजिए :

(a) केवल 1 (b) केवल 2 और 3
(c) केवल 1 और 3 (d) 1, 2 और 3

13. सरकार के निम्नलिखित कार्यों पर विचार कीजिए : **[2010]**

1. कर दरों में कटौती करना
2. सरकारी ख़र्च में वृद्धि करना
3. सब्सिडी समाप्त करना

आर्थिक मंदी के संदर्भ में उपर्युक्त कार्यों में से किसे 'राजकोषीय प्रोत्साहन' पैकेज का भाग माना जा सकता है?

(a) केवल 1 और 2 (b) केवल 2
(c) केवल 1 और 3 (d) 1, 2 और 3

14. राजवित्तीय उत्तरदायित्व और बजट प्रबंध अधिनियम, 2003 में निम्नलिखित में से क्या निर्धारित नहीं किया गया था? **[2010]**

(a) वित्तीय वर्ष 2008-09 के अंत तक राजस्व घाटे की समाप्ति।
(b) केंद्र सरकार द्वारा कुछ परिस्थितियों को छोड़कर भारतीय रिज़र्व बैंक से ऋण न लेना।
(c) वित्तीय वर्ष 2008-2009 के अंत तक प्राथमिक घाटे की समाप्ति।
(d) सकल घरेलू उत्पाद के प्रतिशत के रूप में किसी भी वित्तीय वर्ष में सरकारी गारंटी नियत करना।

☞ कोई प्रश्न नहीं
2024, 2023, 2022, 2021, 2019, 2015, 2013, 2011

उत्तर कुंजी

1. (d)	2. (d)	3. (a)	4. (c)	5. (b)
6. (d)	7. (c)	8. (d)	9. (b)	10. (d)
11. (c)	12. (c)	13. (a)	14. (c)	

यूपीएससी सिविल सेवा के पिछले वर्षों की मुख्य परीक्षा के प्रश्न

1. पूँजीगत बजट और राजस्व बजट में अंतर स्पष्ट कीजिए। इन दोनों बजटों के घटकों के बारे में वर्णन कीजिए। **[2021]**

2. भारत सरकार के लिए उदारीकरण पश्चात् अवधि में बजट निर्माण के संबंध में सार्वजनिक व्यय प्रबंधन एक चुनौती है। इसे स्पष्ट कीजिए। **[2019]**

3. FRBM अधिनियम, 2013 अधिनियमित करने के लिए उत्तरदायी कारण क्या हैं? आलोचनात्मक रूप से इसकी मुख्य विशेषताओं और प्रभावशीलता की विवेचना कीजिए। **[2013]**

4. कर व्यय से क्या आशय है? आवास क्षेत्रक को उदाहरण के रूप में लेते हुए विवेचना कीजिए कि यह सरकार की बजटीय नीतियों को कैसे प्रभावित करता है? **[2013]**

☞ कोई प्रश्न नहीं
2024, 2023, 2022, 2020, 2018, 2017, 2016, 2015, 2014

अध्याय 9

भारत में आर्थिक योजना (Economic Planning in India)

अध्याय की रूपरेखा

- आर्थिक योजना के विभिन्न प्रकार
- स्वतंत्रता के समय भारत में आर्थिक योजना की आवश्यकता
- भारतीय आर्थिक योजना का क्रमिक विकास
- भारत में नियोजन या योजना की रणनीति
- नियोजन में 1991 के पूर्व का चरण या पूर्व-आर्थिक सुधार चरण
- नियोजन में 1991 के पश्चात् का चरण या आर्थिक सुधार के पश्चात् का चरण
- भारत में पंचवर्षीय योजनाएँ
- पंचवर्षीय योजनाओं की उपलब्धियाँ और आलोचनाएँ
- नीति आयोग
- नीति आयोग की संरचना
- नीति आयोग के लिए हाल ही के अपॉइंटमेंट
- नीति आयोग के उद्देश्य
- नीति आयोग के कार्य
- नीति आयोग के कार्य-योजना प्रलेख के अंतर्गत मुख्य कार्यक्रम
- नीति आयोग का प्रदर्शन मूल्यांकन
- नीति आयोग द्वारा हाल ही में जारी प्रमुख प्रदर्शन सूचकांक
- योजना आयोग बनाम नीति आयोग

आर्थिक योजना (Economic Planning) व्यापक तरीक़े से संसाधनों के आवंटन या बँटवारे को प्रस्तुत करती है, जिसका उद्देश्य संसाधनों के इष्टतम उपयोग के साथ पूर्व निर्धारित लक्ष्यों को प्राप्त करना है।

परीक्षोपयोगी

आर्थिक योजना के विभिन्न प्रकार (TYPES OF ECONOMIC PLANNING)

प्रकार	विवरण
आदेशात्मक योजना (Imperative Planning)	• इसे निर्देशात्मक या आधिकारिक योजना बनानाँ या निर्देश या आदेश द्वारा योजना बनाने के रूप में भी जाना जाता है। • **एक केंद्रीय प्राधिकरण (Central Authority)** होता है, जो योजना के सभी पक्षों को निर्धारित करता है। • सामान्यत: **समाजवादी अर्थव्यवस्थाओं (socialist economies)** में प्रयोग में लायी जाती है। • योजना के लक्ष्यों को पूरा करने के लिए संपूर्ण संसाधनों का अधिकतम उपयोग किया जाता है। • भारत ने 7वीं पंचवर्षीय योजना तक इस प्रकार से योजना बनाने का पालन किया।

प्रकार	विवरण
सांकेतिक योजना (Indicative Planning)	• प्रोत्साहन योजना के रूप में भी जाना जाता है। (*प्रकृति में लचीली*) • **सरकार एक सहायक के रूप में कार्य करती है** और अर्थव्यवस्था में निजी क्षेत्र की भूमिका को प्रोत्साहित करती है। • यद्यपि यह विशिष्ट लक्ष्यों को प्राप्त करने के लिए निजी क्षेत्र को नियंत्रित भी करती है। • सामान्यत: **मिश्रित अर्थव्यवस्था (Mixed Economy)** में प्रयोग में लायी जाती है। • भारत ने 8वीं पंचवर्षीय योजना तक इस प्रकार की योजना बनाने की विधि का पालन किया।
भावी योजना (Perspective Planning)	• यह एक **दीर्घ अवधि** के लिए नियोजित की जाती है, सामान्यत: 15-20 वर्ष (*यह किसी पूर्ण अवधि के लिए केवल एक योजना नहीं होती*)। • इसका संचालन पंचवर्षीय योजनाओं (FYP) और वार्षिक योजनाओं के माध्यम से किया जाता है। • इसमें योजनाकर्ता एक भावी योजना निर्धारित कर देता है, जो व्यापक रूप से अर्थव्यवस्था की वांछित दिशा को निरूपित करती है। • **नीति आयोग** ने इसी प्रकार की योजना की संरचना को अपनाया है।
निश्चित योजना (Fixed Plan)	• यह चार, पाँच, छह या सात वर्षों के लिए निश्चित कर दी जाती है। • भौतिक लक्ष्य कुल ख़र्च के साथ निश्चित कर दिये जाते हैं।
विकेंद्रीकृत योजना (Decentralised Plan)	• **आधार स्तर** से योजना का कार्यान्वयन। • राज्य प्राधिकरणों के साथ ताल-मेल कर केंद्र द्वारा बनायी जाती है। • वस्तुओं की क़ीमत बाज़ार तंत्र के माध्यम से निर्धारित की जाती हैं।
आवर्ती योजना (Rolling Plan)	• आवर्ती योजना के अंतर्गत **प्रत्येक वर्ष पर तीन नयी योजनाएँ** तैयार की जाती हैं तथा उनपर काम किया जाता है : 1. चालू वर्ष के लिए योजना, जिसमें वार्षिक बजट सम्मिलित होता है 2. निश्चित वर्षों (अर्थात् 3-5 वर्ष) के लिए यह योजना होती है। इसे हर वर्ष अर्थव्यवस्था की ज़रूरतों और आर्थिक दशाओं में परिवर्तन के अनुसार संशोधित किया जाता है। 3. 10, 15 और 20 वर्षों के लिए एक भावी योजना। • इस प्रकार, आवर्ती योजना के अंतर्गत योजना के आरम्भ और अंत के संबंध में **कोई तिथि निश्चित नहीं** होती। • इसे 1978-83 की अवधि के लिए मोरारजी देसाई के नेतृत्ववाली जनता सरकार द्वारा 1978 में प्रारम्भ किया गया था। यद्यपि, सरकार में परिवर्तन के कारण इसे बीच में ही समाप्त कर दिया गया।
मूलभूत योजना (Core Plan)	• इसके अनुसार, योजना प्राधिकरण राज्यों से अपने संभावित राजस्व का अनुमान प्रस्तुत करने का अनुरोध करता है। • इस तरह के अनुमानों के आधार पर योजना प्राधिकरण राज्य की वार्षिक योजनाओं के लिए ख़र्च का निर्धारण करता है। • यह प्राथमिकतावाले क्षेत्रों से ग़ैर-योजनागत खाते में फ़ंड को जाने से रोकने में सहायक है।

स्वतंत्रता के समय आर्थिक नियोजन की आवश्यकता (Need for Economic Planning at the Time of Independence)

- रोज़गार सृजन
- स्वतंत्रता के समय कमज़ोर आर्थिक स्थिति
- महत्त्वपूर्ण निजी क्षेत्र का अभाव
- संसाधनों का प्रभावी एकत्रीकरण करना
- संतुलित आर्थिक विकास करना
- अंतरराष्ट्रीय प्रभाव

परीक्षोपयोगी

भारतीय आर्थिक योजना का क्रमिक विकास (EVOLUTION OF INDIAN ECONOMIC PLANNING)

वर्ष	योजना	विशेषताएँ
1934	**एम. विश्वेश्वरय्या योजना (M. Visvesvaraya Plan)**	• इस योजना ने कृषि से औद्योगिकीकरण की तरफ़ बढ़ने पर ज़ोर दिया तथा रोज़गार बढ़ाने पर भी ज़ोर दिया गया। • इस योजना ने 10 वर्षों के अंदर राष्ट्रीय आय को दोगुना करने का लक्ष्य रखा। • अपनी पुस्तक, **प्लांड इकोनॉमी फ़ॉर इंडिया** (1934) में उन्होंने विकास के माध्यम से निर्धनता उन्मूलन का लक्ष्य निर्धारित किया था।
1934	**फ़िक्की प्रस्ताव (FICCI Proposal)**	• इस योजना ने अहस्तक्षेप नीति (laissez-faire) को समाप्त करने का समर्थन किया तथा पूँजीवादी वर्ग के मत को प्रस्तुत किया। • इस योजना ने राष्ट्रीय योजना आयोग (National Planning Commission) की स्थापना का भी समर्थन किया।
1938	**कांग्रेस योजना (Congress Plan)**	• सुभाषचंद्र बोस की पहल पर 'राष्ट्रीय योजना समिति' (1938) का गठन किया गया, और जे. एल. नेहरू को इसका **अध्यक्ष** बनाया गया। • यद्यपि, इसके कुछ दस्तावेज़ रिपोर्ट के रूप में बहुत बाद 1949 में प्रकाशित किये गये।
1944	**बॉम्बे योजना (Bombay Plan)**	• बॉम्बे के आठ शीर्ष उद्योगपतियों द्वारा प्रायोजित थी। • इसका लक्ष्य ज़मींदारी व्यवस्था के उन्मूलन, तीव्र औद्योगीकरण, आवश्यक एवं उपभोक्ता वस्तुओं का विकास तथा छोटे, मध्यम और कुटीर उद्योगों के माध्यम से **कृषि का पुनर्गठन** करना था। • महँगाई के कारण कठिनाई का सामना कर रही जनसंख्या को राहत पहुँचाने के लिए **औद्योगीकरण** पर ज़ोर दिया गया।
1944	**गांधीवादी योजना (Gandhian Plan)**	• **आचार्य श्रीमन् नारायण अग्रवाल** द्वारा तैयार की गयी थी। • **आर्थिक विकेंद्रीकरण** तथा **लघु और कुटीर उद्योगों** के प्रोत्साहन पर ज़ोर।
1945	**जनता की योजना (People's Plan)**	• **एम.एन. रॉय** द्वारा 10 वर्ष की अवधि के लिए तैयार की गयी थी। • योजना की मुख्य प्राथमिकता कृषि विकास और कृषि उत्पादन में वृद्धि के साथ-साथ औद्योगीकरण के साथ भी समान संतुलन बनाये रखना था।

1946	योजना सलाहकारी परिषद् (Planning Advisory Board)	• उस समय की अंतरिम सरकार द्वारा स्थापित की गयी थी। • योजनाओं और भविष्य की परियोजनाओं की समीक्षा करना तथा उन पर सिफ़ारिशें देना।
1947	आर्थिक कार्यक्रम समिति (Economic Programme Committee)	• **अखिल भारतीय कांग्रेस समिति (All India Congress Committee)** द्वारा गठित की गयी थी, जिसका उद्देश्य निजी और सार्वजनिक भागीदारी तथा शहरी और ग्रामीण अर्थव्यवस्थाओं को संतुलित करने के लिए योजना बनाना था। • इसने **योजना आयोग** (Planning Commission) के गठन की सिफ़ारिश की थी।
1950	सर्वोदय योजना (Sarvodaya Plan)	• श्री जयप्रकाश नारायण द्वारा तैयार की गयी थी। • कृषि तथा लघु एवं कुटीर उद्योगों पर ज़ोर दिया गया। • इसने विदेशी तकनीकी से मुक्ति का सुझाव दिया तथा भूमि सुधार पर बल दिया। • इसने विकेंद्रीकृत और भागीदारीवाली योजना की भी सिफ़ारिश की।
1950	योजना आयोग (Planning Commission)	• इसकी स्थापना 15 मार्च, 1950 को एक कैबिनेट प्रस्ताव द्वारा की गयी थी। • इसकी स्थापना एक अतिरिक्त-संवैधानिक, ग़ैर-राजनीतिक, ग़ैर-वैधानिक सलाहकार निकाय के रूप में की गयी थी। • इसे देश के सभी संसाधनों का मूल्यांकन करने और संसाधनों के सबसे प्रभावी और संतुलित उपयोग के लिए योजनाएँ तैयार करने की ज़िम्मेदारी सौंपी गयी थी। • प्रधानमंत्री होने के नाते, **जवाहर लाल नेहरू** इसके **पहले अध्यक्ष** थे।
1952	राष्ट्रीय विकास परिषद् (National Development Council)	• इसे 6 अगस्त, 1952 को एक कार्यकारी आदेश द्वारा स्थापित किया गया था। • एक अतिरिक्त-संवैधानिक ग़ैर-वैधानिक निकाय के रूप में स्थापित किया गया था • इसमें प्रधानमंत्री, कैबिनेट मंत्री, सभी राज्यों के मुख्यमंत्री और सभी केंद्र शासित प्रदेशों के उपराज्यपाल और योजना आयोग के सदस्य शामिल होते हैं। • इसने निर्णय लेनेवाली सर्वोच्च संस्था के रूप में काम किया और इसने पंचवर्षीय योजनाओं को भी मंजूरी दी। • इसका लक्ष्य देश के सभी हिस्सों का संतुलित और तीव्र विकास सुनिश्चित करना था। • NDC की आख़िरी बैठक 2011 में हुई थी। अब नीति आयोग की गवर्निंग काउंसिल (NDC के समान संरचना और उद्देश्य) NDC का कार्य करती है।
2015	नीति आयोग (NITI Aayog)	• 1 जनवरी, 2015 को स्थापित। • योजना आयोग की जगह ली। • नीति आयोग की संपूर्ण गतिविधियों को चार मुख्य वर्गों में विभाजित किया जा सकता है : 1. नीति और कार्यक्रम की रूपरेखा 2. सहयोगात्मक संघवाद 3. निगरानी एवं मूल्यांकन 4. थिंक टैंक एवं ज्ञान और नवाचार केंद्र

भारत में नियोजन या योजना की रणनीति (STRATEGIES OF PLANNING IN INDIA)

भारत में नियोजन : 1991 के पूर्व बनाम 1991 के पश्चात्

(Planning in India: Pre-1991 vs. Post-1991)

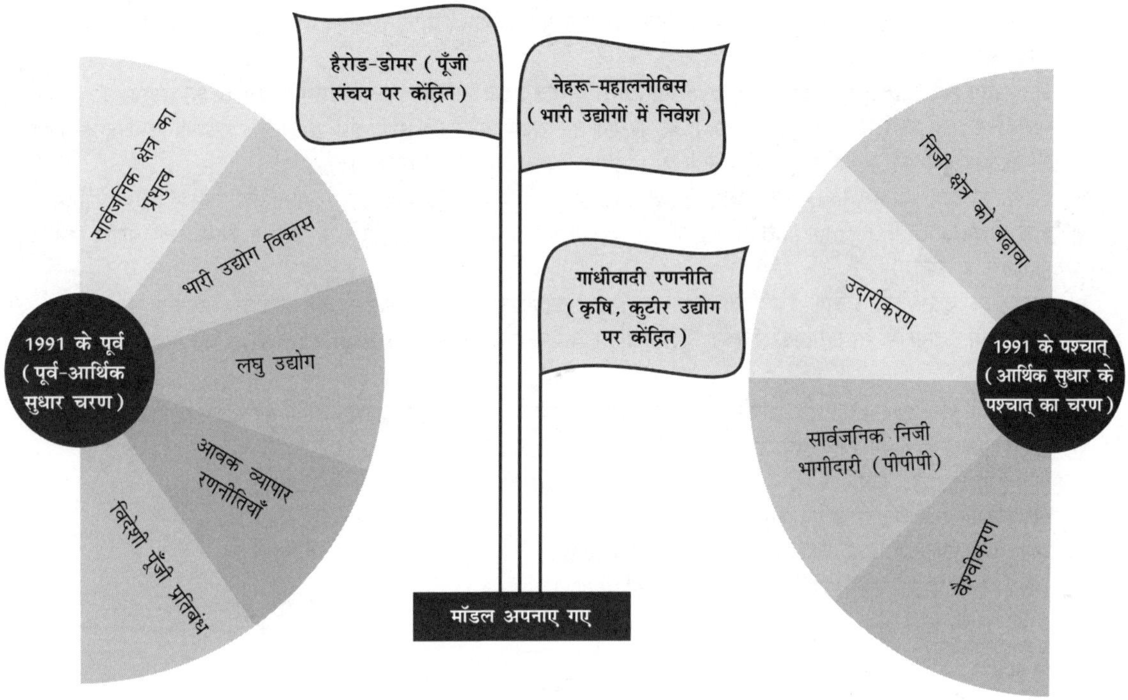

अतिरिक्त जानकारी

LPG यानी उदारीकरण, निजीकरण और वैश्वकीकरण रणनीति
[LPG (LIBERALISATION, PRIVATISATION AND GLOBALISATION) STRATEGY]

- राव-सिंह द्वारा बनायी गयी थी (पी.वी. नरसिम्हा राव और मनमोहन सिंह, 1991 में आर्थिक सुधार के समय क्रमशः भारत के प्रधानमंत्री और वित्त मंत्री)।
- इस रणनीति ने कुछ हद तक **'लाइसेंस-परमिट राज' को समाप्त कर दिया।**
- इसने निजीकरण को बढ़ावा दिया और **विदेशी प्रत्यक्ष निवेश [Foreign Direct Investment (FDI)]** को मंज़ूरी दी।
- आर्थिक विकास को बढ़ावा देने के लिए **निर्यात प्रोत्साहन नीति (Export Promotion policy)** को अपनाया गया।
- इस मॉडल ने योजना की प्रकृति को केंद्रीकृत योजना से **सांकेतिक योजना (indicative planning)** में बदल दिया।

उदारीकरण (Liberalisation) : इसका अर्थ अर्थव्यवस्था के विभिन्न भागों के अनियंत्रण उद्योग और अन्य क्षेत्रों पर सरकारी नियंत्रण में कमी की नीति है। उदारीकरण के लिए उठाये गये उपायों में सम्मिलित था :

- अधिकांश उद्योगों का **लाइसेंस रद्द करना (delicencing)**, जिससे उद्यमी किसी भी उद्योग या व्यापार में प्रवेश के लिए सक्षम हो गये यद्यपि, पूर्ण अनियंत्रण (अहस्तक्षेप) [deregulation (laissez-faire)] को लागू नहीं किया गया, लेकिन अब कुछ उद्योग ही रह गये थे, जिन्हें अनिवार्य लाइसेंस की ज़रूरत थी।

- औद्योगिक स्थापना नीति का उदारीकरण।
- विलय, अधिग्रहण इत्यादि प्रतिबंधों को काफ़ी सीमा तक हटा दिया गया।
- पूँजी बाज़ार को काफ़ी हद तक उदार कर दिया गया। यद्यपि, इसके कार्य पर नियंत्रण और नज़र बनाये रखने के लिए 1992 में सेबी (SEBI) की स्थापना की गयी थी।

निजीकरण (Privatisation) : इसका अर्थ सार्वजनिक उपक्रमों के स्वामित्व का हस्तांतरण, सरकारी क्षेत्र से निजी क्षेत्र की तरफ़ करना था। इसका अर्थ निर्णय लेने में सार्वजनिक उपक्रमों को अधिक स्वायत्तता प्रदान करना भी था। निजीकरण के लिए जो प्रमुख क़दम उठाये गये उनमें सम्मिलित थे :

- **अनारक्षण की नीति (Policy of De-reservation)**, अर्थात् पहले औद्योगिक नीति प्रस्ताव, 1956 के अनुसार 17 उद्योग सार्वजनिक क्षेत्र के लिए आरक्षित थे। 1991 के पश्चात् यह संख्या घटकर 8 रह गयी। 2019 तक सार्वजनिक क्षेत्र के लिए आरक्षित उद्योगों की संख्या 2 पर पहुँच गयी है (परमाणु ऊर्जा और रेलवे संचालन)।
- 1992 के बाद, बीमार सार्वजनिक उद्यमों (Sick Public Sector Enterprises) को औद्योगिक और वित्तीय पुनर्निर्माण बोर्ड [Board for Industrial and Financial Reconstruction (BIFR)] के दायरे के अंतर्गत लाया गया, ताकि उनका पुनरुद्धार हो सके।
- सार्वजनिक उद्यमों को अधिक स्वायत्तता प्रदान करने के लिए **मिनीरत्न और नवरत्न** की नीति को अपनाया गया।
- सार्वजनिक उद्यमों में सरकार की इक्विटी या हिस्सेदारी को बेचकर **विनिवेश (Disinvestment)** की नीति को अपनाया गया।

वैश्विकीकरण (Globalisation) : इसका अर्थ, विश्व अर्थव्यवस्था के लिए भारतीय अर्थव्यवस्था को खोलना था। वैश्विकीकरण के मार्ग के लिए जो उपाय किये गये उनमें सम्मिलित थे :

- निर्यात शुल्क और आयात कोटा (नियंत्रण) कम करके निर्यात उदारीकरण कार्यक्रमों को लाना।
- FDI के लिए अर्थव्यवस्था को खोलना।
- अन्य देशों को तथा अन्य देशों से तकनीक का मुक्त प्रवाह।
- 1994 में BOP के चालू खाते पर रुपये की परिवर्तनीयता को मंजूरी।

अतिरिक्त जानकारी

पीयूआरए (ग्रामीण क्षेत्रों में शहरी सुविधाएँ उपलब्ध कराना) रणनीति

[PURA (PROVIDING URBAN AMENITIES IN RURAL AREAS) STRATEGY]

- यह ए.पी.जे. अब्दुल कलाम के दिमाग़ की उपज थी।
- यह रणनीति ग्रामीण क्षेत्रों को चार प्रकार के संपर्क प्रदान करने पर केंद्रित थी :
    1. **भौतिक संपर्क (Physical connectivity) (सड़क, रेलवे पुल आदि)**
    2. **विद्युत संपर्क (Electric connectivity)**
    3. **ज्ञान संपर्क (Knowledge connectivity)**
    4. **आर्थिक संपर्क (Economic connectivity)**
- इस रणनीति का उद्देश्य ग्रामीण क्षत्रों में गाँवों के समूहों की समृद्धि को बढ़ाना था। यद्यपि, पीयूआरए (PURA) अपने इच्छित उद्देश्यों को अच्छी तरह से पूरा करने में सफल नहीं हो सका।
- 2012 में PURA की एक संशोधित अवधारणा भारत सरकार के ग्रामीण विकास मंत्रालय द्वारा तैयार किया गया था, जिसे PURA 2.0 नाम दिया गया था। इसने सार्वजनिक-निजी भागीदारी [Public–Private Partnership (PPP)] प्रारूप के अंतर्गत जनगणना शहरों (Census Towns) के भौतिक अवसंरचना विकास पर बल दिया। किसी शहर को जनगणना शहर के रूप में मान्यता के लिए तीन शर्तों को पूरा करना चाहिए :

1. कम-से-कम 5,000 जनसंख्या
2. जनसंख्या घनत्व 400 व्यक्ति प्रतिवर्ग किलोमीटर
3. कम-से-कम 75 प्रतिशत पुरुष जनसंख्या ग़ैर-कृषि गतिविधियों में लगी हो।

➤ 2016 में ग्रामीण विकास मंत्रालय द्वारा **श्यामा प्रसाद मुखर्जी रुर्बन मिशन (SPMRM)** आरंभ किया गया था। इसके उद्देश्य PURA या PURA 2.0 के समान थे, लेकिन इसकी विशेषताएँ और दृष्टिकोण PURA या PURA 2.0 से अलग थे। SPMRM गाँवों के ऐसे संकुल (cluster) के विकास पर ध्यान केंद्रित करता है, जो अनिवार्य रूप से शहरी मानी जानेवालीं सुविधाओं के साथ समझौता किये बिना, समता और समावेशिता पर ध्यान केन्द्रित करते हुए ग्रामीण सामुदायिक जीवन के सार को संरक्षित और पोषित करते हों और **इस प्रकार 'रुर्बन गाँवों (Rurban Villages)' के एक संकुल का सृजन करते हों।**

भारत में पंचवर्षीय योजनाएँ (FIVE YEAR PLANS IN INDIA)

भारत में पंचवर्षीय योजनाओं को योजना आयोग द्वारा बनाया गया, कार्यान्वयित किया गया और उसी के द्वारा निगरानी भी की गयी। भारत में 12 पंचवर्षीय योजनाओं (FYP) के लक्ष्यों और उपलब्धियों के संक्षिप्त विवरण की चर्चा नीचे की गयी है :

योजना	उद्देश्य
पहली पंचवर्षीय योजना (1951–56) संवृद्धि लक्ष्य : 2.1% वास्तविक संवृद्धि : 3.6%	• यह **हैरोड-डोमर मॉडल** पर आधारित थी। • **1952 में सामुदायिक विकास कार्यक्रम** आरम्भ किया गया। • प्रमुख अर्थशास्त्री के. एन. राज इस योजना के मुख्य शिल्पकार थे। • ध्यान केंद्रित था : ◆ कृषि, बड़े पैमाने पर खाद्यान्न के आयात को देखते हुए और खाद्य सुरक्षा प्राप्त करने के लिए। ◆ सिंचाई (*भाखरा नांगल, दामोदार घाटी, हीराकुंड आदि जैसी नदी घाटी परियोजनाएँ प्रारम्भ की गयीं*)। ◆ ग्रामीण विकास। ◆ क़ीमत स्थिरता। ◆ विद्युत-शक्ति एवं परिवहन। • इस योजना के दौरान- ◆ **राष्ट्रीय परिवार नियोजन कार्यक्रम** 1952 में शुरू किया गया था। ◆ **राज्य वित्तीय निगम अधिनियम** 1951 में पारित किया गया था। ◆ **संपत्ति शुल्क** 1953 में पेश किया गया था। ◆ 1955 में, **ग्राम एवं लघु उद्योग विकास समिति** का गठन किया गया था (लघु उद्योग समिति को **कर्वे समिति** के नाम से भी जाना जाता था)। ◆ पश्चिम बंगाल भूमि सुधार अधिनियम 1955 में तैयार किया गया था और 1956 में पारित किया गया था।

योजना	उद्देश्य
दूसरी पंचवर्षीय योजना (1956–61) संवृद्धि लक्ष्य : 4.5% वास्तविक संवृद्धि : 4.27%	• यह **नेहरू-महलानोबिस रणनीति** पर आधारित थी। ◆ **जे. एल. नेहरू की विज़न** से व्यक्त की गयी पीसी महलानोबिस इसके मुख्य शिल्पकार थे। • **तीव्र औद्योगीकरण**, **आत्म-निर्भरता** और **भारी पूँजीगत वस्तु** उद्योगों में निवेश पर ध्यान केंद्रित था। • विदेशी ऋणों के माध्यम से भारी आयात की वकालत की ◆ इस आधार पर कि यह चौतरफ़ा निवेश, सहयोग, टाउनशिप निर्माण को आकर्षित करेगी तथा इसका परिणाम उच्च विकास दर होगा– रिस कर नीचे पहुँचने का प्रभाव (the trickle-down effect)। ◆ बिजली, परिवहन आदि जैसी बुनियादी अवसंरचना उपलब्ध कराने के लिए आयात प्रतिस्थापन और सार्वजनिक क्षेत्र पर ज़ोर। • यद्यपि इसने बहुत जल्द बुनियादी ज़ोर को कृषि से उद्योग की तरफ़ स्थानांतरित कर दिया। • इस योजना के दौरान क़ीमतों में 30% तक वृद्धि हो गयी, जबकि पहली पंचवर्षीय योजना के दौरान इसमें 13% की गिरावट हुई थी। • इस योजना के दौरान– ◆ **1956 का औद्योगिक नीति संकल्प** (IPR 1956) अपनाया गया था। ◆ दुर्गापुर, भिलाई और राउरकेला इस्पात संयंत्र क्रमशः ब्रिटेन, रूस और जर्मनी के सहयोग से स्थापित किये गये थे। ◆ उपहार कर अधिनियम, 1958, अधिनियमित किया गया था। ◆ 1956 में, LIC का गठन संसद के एक अधिनियम द्वारा किया गया था। ◆ **भारत ने** अमेरिका के साथ **P.L. 480 समझौता किया।** (P.L. 480 के II के शीर्षक I के तहत भारत का खाद्य सहायता का कार्यक्रम 1954 में शुरू हुआ)।
तीसरी पंचवर्षीय योजना (1961–66) संवृद्धि लक्ष्य : 5.6% वास्तविक संवृद्धि : 2.84%	*संकल्पना के स्तर पर ये सोचा गया था कि भारतीय अर्थव्यवस्था तेज़ी से बढ़ने के चरण (take-off stage) में प्रवेश कर चुकी है।* • इसका लक्ष्य भारत को बनाना था एक– ◆ **'आत्म-निर्भर (self-reliant)'**, और ◆ **'स्व-उत्पादक (self-generating)'** अर्थव्यवस्था। • ध्यान निम्न दोनों पर केंद्रित था– ◆ **भारी औद्योगीकरण (heavy industrialisation)**, और ◆ **खाद्यान्न उत्पादन (food grains production)**। • पहली दो योजनाओं के अनुभव के आधार पर **निर्यात और उद्योग को समर्थन प्रदान करने** के लिए **कृषि को सर्वोच्च प्राथमिकता** दी गयी। • हालाँकि चीनी आक्रमण (1962), भारत-पाकिस्तान युद्ध (1965) और भयंकर सूखा (1965-66) जैसी अप्रत्याशित घटनाओं के कारण योजना अपने लक्ष्यों तक पहुँचने में पूरी तरफ़ विफल रही। ◆ विदेशी मुद्रा संकट के कारण भारत ने IMF से उधार लिया। जून, 1966 में पहली बार रुपये का अवमूल्यन किया गया था, यद्यपि तकनीकी रूप से यह तीसरी पंचवर्षीय योजना के दौरान नहीं किया गया था।

योजना	उद्देश्य
	◆ भारत को तीव्र खाद्यान्न संकट का भी सामना करना पड़ा था और संयुक्त राज्य अमेरिका ने भारतीय रुपये के बदले भारत को खाद्यान्न का निर्यात किया। **खाद्य सहायता** को लोकप्रिय रूप से **PL-480** के नाम से जाना जाता है, क्योंकि इसे अमेरिका के लोक क़ानून की धारा 480 के अंतर्गत प्रदान किया गया था। • इस योजना के दौरान– ◆ **भारतीय खाद्य निगम** की स्थापना 1965 में हुई थी। ◆ **भारतीय औद्योगिक विकास बैंक (IDBI)** की स्थापना भारतीय औद्योगिक विकास बैंक अधिनियम, 1964 के तहत की गयी थी। ◆ **यूनिट ट्रस्ट ऑफ़ इंडिया (UTI)** की स्थापना 1963 में हुई थी। ◆ **कृषि मूल्य आयोग** की स्थापना 1965 में की गयी थी, बाद में इसका नाम बदलकर कृषि लागत और मूल्य आयोग (CAPC) कर दिया गया। ◆ **राष्ट्रीय डेयरी विकास बोर्ड (NDDB)** की स्थापना 1965 में आणंद नामक स्थान में हुई थी। ◆ **केंद्रीय भेड़ और ऊन अनुसंधान संस्थान (CSWRI) की स्थापना 1962 में अविकानगर में की गयी थी।** ◆ **गहन मवेशी विकास परियोजना (आईसीडीपी)** 1964 में शुरू की गयी थी। ◆ ग्रामीण जनशक्ति कार्यक्रम 1960 में शुरू किया गया था। ◆ तीसरी पंचवर्षीय योजना (FYP) **जॉन सैंडी और सुखमय चक्रवर्ती के मॉडल** पर आधारित थी। तीसरी FYP को **गाडगिल योजना** के रूप में भी जाना जाता था (जैसा कि धनंजय रामचंद्र गाडगिल (D.R. Gadgil), योजना आयोग के उपाध्यक्ष थे)।
तीन वार्षिक योजनाएँ (1966–69)	• यद्यपि, चौथी पंचवर्षीय योजना का ड्राफ़्ट तैयार था, लेकिन ख़राब वित्तीय स्थिति के कारण अगले तीन वर्षों के लिए वार्षिक योजना बनायी गयी। इस तीन वर्ष की अवधि को समीक्षकों द्वारा योजना अवकाश का नाम दिया गया। • इन तीन वार्षिक योजनाओं के दौरान एक सर्वथा नयी कृषि रणनीति कार्यान्वयित की गयी, जिसमें सम्मिलित थे : ◆ हरित क्रांति के अंतर्गत उच्च उपज के क़िस्मवाले [High-Yielding Variety (HYV)] बीजों का व्यापक वितरण। ◆ उर्वरकों का व्यापक उपयोग। ◆ सिंचाई क्षमता का दोहन, और ◆ मृदा संरक्षण पर फ़ोकस। • इन तीन वार्षिक योजनाओं के दौरान अर्थव्यवस्था ने तीसरी पंचवर्षीय योजना के दौरान मिले संकटों को आत्मसात् कर लिया।
चौथी पंचवर्षीय योजना (1969–74) संवृद्धि लक्ष्य : 5.7% वास्तविक संवृद्धि : 3.3%	• गाडगिल रणनीति पर आधारित थी, जिसका मुख्य फ़ोकस कृषि में विकास पर था, ताकि अन्य क्षेत्रों को आत्मनिर्भरता की तरफ़ आगे बढ़ने और प्रगति करने में सक्षम बनाया जा सके। • योजना के पहले दो वर्षों में रिकॉर्ड उत्पादन देखा गया। यद्यपि, अंतिम तीन वर्ष में ख़राब मानसून के कारण अपने लक्ष्य को पूरा नहीं कर सके। • पहली बार सामाजिक न्याय को महत्त्व दिया गया। • बैंकों का राष्ट्रीयकरण, राजाओं को मिलनेवाले प्रीवी पर्स की समाप्ति, हरित क्रांति के नतीजे, भारत-पाक युद्ध इस योजना अवधि के दौरान हुईं महत्त्वपूर्ण गतिविधियाँ थीं।

योजना	उद्देश्य
	• परिवार नियोजन इस योजना का एक अन्य महत्त्वपूर्ण पक्ष था। • 1971 के भारत-पाकिस्तान युद्ध के पहले और बाद में बांग्लादेशी शरणार्थियों का बड़ी संख्या में आना एक प्रमुख चुनौती था। • इस योजना के दौरान- ◆ **एकाधिकार और प्रतिबंधात्मक व्यापार व्यवहार अधिनियम, 1969,** शुरू किया गया था। ◆ **कमान क्षेत्र विकास कार्यक्रम यानी कमांड एरिया डेवलपमेंट प्रोग्राम (CADP)** 1974-75 में शुरू किया गया था। ◆ **सूखा प्रवण क्षेत्र कार्यक्रम (DPAP)** 1973-74 में शुरू किया गया था। ◆ **बफ़र स्टॉक की अवधारणा** को चौथी पंचवर्षीय योजना (1969-74) के दौरान पेश किया गया था। 5 मिलियन टन खाद्यान्न के बफ़र स्टॉक की परिकल्पना की गयी थी। ◆ **'ग़रीबी हटाओ'** का नारा पहली बार 1971 में पेश किया गया था।
पाँचवीं पंचवर्षीय योजना **(1974–79)** संवृद्धि लक्ष्य : 4.4% वास्तविक संवृद्धि : 4.8%	• यह **डी. डी. धर** द्वारा तैयार की गयी थी। • इसने दो मुख्य उद्देश्यों की प्राप्ति को प्रस्तावित किया : ◆ निर्धनता उन्मूलन (*ग़रीबी हटाओ*) और ◆ आत्म-निर्भरता की प्राप्ति • निम्नलिखित कार्यक्रम प्रारम्भ किये गये : ◆ न्यूनतम आवश्यकता कार्यक्रम, (Minimum Needs Programme) कुछ आधारभूत न्यूनतम ज़रूरतों को उपलब्ध कराना तथा इस प्रकार लोगों के जीवन स्तर में सुधार करना। ◆ निर्देशित निर्धनता-विरोधी कार्यक्रम (Directed anti-poverty programme) : 1975 में बीस-सूत्री कार्यक्रम को अपनाया गया, जिसका उद्देश्य लोगों को विशेषरूप से बीपीएल परिवारों के जीवन की गुणवत्ता में सुधार करना था।। • मुख्य उपकरण थे : ◆ उच्च संवृद्धि दर को बढ़ावा देना, ◆ आय का बेहतर वितरण और ◆ घरेलू बचत की दर में उल्लेखनीय वृद्धि। 1975 में आपातकाल की घोषणा के कारण योजना रद्द कर दी गयी और 1978 में नयी जनता सरकार द्वारा **आवर्ती योजना (Rolling Plan)** (1978-83) प्रारम्भ की गयी। यद्यपि आवर्ती योजना को भी 1980 में सरकार में परिवर्तन के कारण बीच में ही समाप्त कर दिया गया। कांग्रेस सरकार ने 1978-79 को मूल चौथी पंचवर्षीय योजना का भाग माना तथा 1979-80 को पृथक् वार्षिक योजना के रूप में लिया। • इस योजना के दौरान, **मरुस्थल विकास कार्यक्रम (Desert Development Programme)** को केन्द्र प्रायोजित योजना के रूप में 1977-78 में शुरू किया गया था।
छठी पंचवर्षीय योजना **(1980–85)** संवृद्धि लक्ष्य : 5.2% वास्तविक संवृद्धि : 5.66%	• निम्न पर फ़ोकस किया गया : ◆ राष्ट्रीय आय में वृद्धि। ◆ तकनीक का आधुनिकीकरण ◆ निर्धनता और बेरोज़गारी में निरंतर कमी को सुनिश्चित करना। • योजना को **"ग़रीबी हटाओ"** के नारे के साथ अपनाया गया, ताकि अधिक लक्षित दृष्टिकोण के साथ ग़रीबी का उन्मूलन किया जा सके।

योजना	उद्देश्य
	• औद्योगीकरण से अवसंरचना विकास की तरफ़ झुकाव देखा गया। • रोज़गार सर्जित करनेवाले कुछ फ़ोकस कार्यक्रम थे : ◆ राष्ट्रीय ग्रामीण रोज़गार कार्यक्रम ◆ एकीकृत ग्रामीण विकास कार्यक्रम ◆ ग्रामीण एवं सूक्ष्म उद्योग विकास कार्यक्रम • सबसे अधिक वित्तीय आवंटन **ऊर्जा क्षेत्र** को दिया गया। • इस योजना के दौरान– ◆ **नाबार्ड** की स्थापना 1982 में की गयी थी। ◆ भारतीय **निर्यात-आयात बैंक** की स्थापना 1982 में भारतीय निर्यात-आयात बैंक अधिनियम 1981 के तहत की गयी थी। ◆ सुखमय चक्रवर्ती समिति का गठन दिसंबर, 1982 में भारतीय मौद्रिक प्रणाली में सुधार के लिए किया गया था। ◆ भारतीय औद्योगिक पुनर्निर्माण निगम (IRCI, 1971 में स्थापित) को 1984 में भारतीय औद्योगिक पुनर्निर्माण बैंक (IRBI) में परिवर्तित कर दिया गया था। IRBI की स्थापना 1985 में हुई थी।
सातवीं पंचवर्षीय योजना (1985–90) संवृद्धि लक्ष्य : 5% वास्तविक संवृद्धि : 6.1%	• फ़ोकस निम्नलिखित बिंदुओं पर किया गया : ◆ खाद्यान्न उत्पादन में तीव्र वृद्धि, ◆ रोज़गार अवसर में वृद्धि, और ◆ योजना की रूपरेखा या फ़्रेमवर्क के भीतर उत्पादकता • दीर्घकालिक राजकोषीय नीति शुरू की गयी। • पहली बार एक 3 वर्षीय आयात-निर्यात नीति की घोषणा की गयी। • इसे अवसंरचना योजना का भी नाम दिया गया था। • आयात प्रतिस्थापन रणनीति को उचित महत्त्व दिया गया और अर्थव्यवस्था धीरे-धीरे उदारीकरण की तरफ़ बढ़ने लगी। • इस योजना के दौरान– ◆ **जवाहर रोज़गार योजना** 1989 में शुरू की गयी थी। ◆ **ऑपरेशन ब्लैकबोर्ड** की शुरुआत 1987 में की गयी थी। ◆ राष्ट्रीय साक्षरता मिशन 1988 में शुरू किया गया था। ◆ सेबी (SEBI) की स्थापना 12 अप्रैल, 1988 को एक कार्यकारी निकाय के रूप में हुई थी।
वार्षिक योजनाएँ (1990-92)	केंद्र में तेज़ी से बदलती राजनीतिक परिस्थिति के कारण आठवीं पंचवर्षीय योजना 1990 में शुरू नहीं हो सकी और 1990-91 और 1991-92 को वार्षिक योजनाओं के रूप में माना गया। आठवीं योजना अंततः 1992-97 की अवधि के लिए तैयार की गयी। इसके अतिरिक्त 1991 में BOP संकट और IMF द्वारा रखी गयी शर्तों के कारण भारतीय अर्थव्यवस्था में भारी परिवर्तन आया और इसके कारण आठवीं पंचवर्षीय योजना में 2 वर्ष की देरी भी हुई। • इस योजना के दौरान– ◆ कर सुधार संबंधी चेलैया समिति 1991 में नियुक्त की गयी। ◆ फ़रवरी, 1992 में राष्ट्रीय नवीनीकरण कोष (NRF) की स्थापना की गयी थी।

योजना	उद्देश्य
आठवीं पंचवर्षीय योजना (1992–97) संवृद्धि लक्ष्य : 5.6% वास्तविक संवृद्धि : 6.8%	• उदारीकरण, निजीकरण और वैश्वीकरण (LPG) की नीति लागू की गयी। • संरचनात्मक सुधारों को अपनाया गया और देश के आर्थिक विकास मॉडल को फिर से परिभाषित किया गया। • उदारीकरण के राव-मनमोहन सिंह मॉडल पर आधारित योजना। • योजना मॉडल का आदेशात्मक एवं निर्देशात्मक (कठोर) से सांकेतिक (मृदु) योजना की तरफ़ बदलाव। • इस योजना के कुछ प्रमुख परिणाम थे : ◆ तीव्र समग्र आर्थिक विकास। ◆ कृषि, विनिर्माण और संबद्ध क्षेत्रों में विकास की उच्च दर। ◆ आयात और निर्यात में वृद्धि। ◆ व्यापार और चालू खाते के घाटे में सुधार। • यद्यपि इस योजना में सामाजिक व्यय की अनदेखी की गयी। • इस योजना के दौरान– ◆ **रोज़गार आश्वासन योजना** 1993 में शुरू की गयी थी। ◆ **स्वर्ण जयंती शहरी रोज़गार योजना** 1997 में शुरू की गयी थी। ◆ **राष्ट्रीय महिला कोष (RMK)** की स्थापना 1993 में हुई थी। ◆ **मध्याह्न भोजन योजना** 1995 में शुरू की गयी थी। ◆ सांकेतिक योजना को अपनाया गया था। ◆ बाल श्रम उन्मूलन कार्यक्रम 1994 में शुरू किया गया था।
नौवीं पंचवर्षीय योजना (1997–2002) संवृद्धि लक्ष्य : 6.5% वास्तविक संवृद्धि : 5.35%	• इसे चार महत्त्वपूर्ण आयामों के संदर्भ में विकसित किया गया था : ◆ जीवन की गुणवत्ता ◆ क्षेत्रीय संतुलन और ◆ उत्पादनपूर्ण रोज़गार का सृजन ◆ आत्म-निर्भरता • कृषि और ग्रामीण विकास को भी प्राथमिकता दी गयी। • नौवीं पंचवर्षीय योजना "सामाजिक न्याय और समानता के साथ विकास" पर केंद्रित थी। • स्वर्ण जयंती ग्राम स्वरोज़गार योजना (SGSY) 1999 में लॉन्च की गयी तथा प्रधानमंत्री ग्राम सड़क योजना (PMGSY) 2000 में शुरू की गयी। • इस योजना के दौरान सार्वजनिक क्षेत्र की इकाइयों का निजीकरण शुरू किया गया, जबकि पिछली योजना में विनिवेश की शुरुआत हुई थी। • इस योजना के दौरान– ◆ **अंत्योदय अन्न योजना** 2000 में शुरू की गयी थी। ◆ **सर्व शिक्षा अभियान (SSA)** 2001 में शुरू किया गया था।
दसवीं पंचवर्षीय योजना (2002–07) संवृद्धि लक्ष्य : 8% वास्तविक संवृद्धि : 7.6%	मुख्य उद्देश्य थे– • निम्नलिखित क्षेत्रों में कमी करना : ◆ निर्धनता अनुपात को योजना की अवधि के अंत तक 5% अंकों तक। ◆ साक्षरता और मज़दूरी में लिंग-अंतराल को कम-से-कम 50% तक। ◆ 2001-2011 के बीच जनसंख्या वृद्धि की दशकीय दर को 16.2% तक लाना। ◆ शिशु-मृत्यु-दर को 2007 तक प्रति 1,000 जन्म पर 45 और 2012 तक प्रति 1,000 जन्म पर 28 तक। ◆ समग्र पूँजी का बहिर्गमन।

<table>
<tr><th>योजना</th><th>उद्देश्य</th></tr>
<tr><td></td><td>
• निम्नलिखित क्षेत्रों में वृद्धि करना :
◆ प्रतिवर्ष 8 प्रतिशत जीडीपी विकास-दर
◆ साक्षरता-दर को 2007 तक 72% और 2012 तक 80% तक लाना
◆ वन एवं वृक्ष आच्छादन 2007 तक 25% और 2012 तक 33% तक लाना
◆ घरेलू बचत, विदेशी निवेश और विदेशी मुद्रा
• सार्वभौम रूप से प्राथमिक शिक्षा को उपलब्ध कराना।
• अतिरिक्त श्रम बल को लाभदायक और उच्च-गुणवत्तावाला रोज़गार उपलब्ध कराना।
• 2007 तक सभी प्रमुख प्रदूषित नदियों तथा 2012 तक अन्य अधिसूचित विस्तारों को स्वच्छ करना था।
• परिणाम :
◆ 2002-03 में भीषण सूखा पड़ा।
◆ NREGA और राष्ट्रीय ग्रामीण स्वास्थ्य मिशन शुरू किया गया।
• राष्ट्रीय कार्य के लिए भोजन कार्यक्रम यानी नेशनल फ़ूड फ़ॉर वर्क प्रोग्राम (NFWP) 2004 में शुरू किया गया था।
• भारत निर्माण कार्यक्रम, ग्रामीण आधारभूत संरचना के विकास के लिए 2005 में शुरू किया गया था।
</td></tr>
<tr><td>ग्यारहवीं पंचवर्षीय योजना (2007–12)
संवृद्धि लक्ष्य : 9%
वास्तविक संवृद्धि : 8%</td><td>
• वैश्विक वित्तीय संकट (2008) के उभरने के दौरान योजना शुरू की गयी।
• योजना की प्रमुख विशेषताएँ थीं-
◆ निम्नलिखित क्षेत्रों में वृद्धि :
■ सकल GDP वृद्धि को 8% से 10% तक करना।
■ कृषि क्षेत्र के विकास को 4% तक करना।
■ अकुशल श्रमिकों की वास्तविक मज़दूरी-दर को 20% तक।
■ 7 वर्ष या अधिक आयु के व्यक्तियों के लिए साक्षरता दर 85% तक।
■ 0-6 आयु वर्ग के लिंग-अनुपात को 2011-12 तक 935 और 2016-17 तक 950 करना।
■ वन आच्छादन को 5% अंकों तक।
■ 2016-17 तक ऊर्जा क्षमता 20% अंकों तक।
◆ निम्नलिखित क्षेत्रों में कमी :
■ प्राथमिक स्कूलों में बच्चों की पढ़ाई छोड़ने की 2003-04 में 52.2% की दर को 2011-12 में 20% करना।
■ कुल प्रजनन-दर को 2.1% तक।
■ शिशु-मृत्यु-दर को 28 तक।
■ 0 से 3 वर्ष आयु के बच्चों के बीच कुपोषण के वर्तमान स्तर को आधे तक लाना।
■ लड़कियों और महिलाओं में रक्त-अल्पता (Anaemia) को 50% तक लाना।
◆ 70 मिलियन नये कार्य अवसरों को सर्जित करना तथा शिक्षित बेरोज़गारी को 5% से नीचे लाना।
◆ पहली बार, सामाजिक सेवाओं के क्षेत्र के लिए कुल परिव्यय का 30.2% रखा गया।
◆ इस बात को सुनिश्चित करना कि सभी सरकारी योजनाओं के प्रत्यक्ष और अप्रत्यक्ष लाभार्थियों में 33% महिलाएँ और बच्चियाँ हों।
</td></tr>
</table>

योजना	उद्देश्य
	◆ 2009 के अंत तक 1,000 या उससे अधिक जनसंख्यावाली बस्तियों तक हर मौसम में उपलब्ध रहनेवाले सड़क संपर्क को सुनिश्चित करना। ◆ 2007 तक सभी गाँवों को टेलीफ़ोन के माध्यम से जोड़ना तथा 2012 तक सभी गाँवों में ब्रॉडबैंड कनेक्टिविटी उपलब्ध कराना। ◆ 2011-12 तक सभी प्रमुख शहरों में WHO मानकों के अनुरूप वायु गुणवत्ता प्राप्त करना। • **ग्यारहवीं** पंचवर्षीय योजना का विषय था- 'तेज़ और अधिक समावेशी विकास की ओर' (Towards Faster and More Inclusive Growth) ।
बारहवीं पंचवर्षीय योजना **(2012–17)** संवृद्धि लक्ष्य : 8.2% वास्तविक संवृद्धि दर : 6.9%	• योजना के लक्ष्य : ◆ कृषि में 4% विकास दर प्राप्त करना। ◆ 10% अंकों तक निर्धनता कम करना, और ◆ तीव्र, संधारणीय और अधिक समावेशी विकास को प्राप्त करना। • थीम– "तेज़, अधिक समावेशी और संधारणीय विकास" (Faster, More Inclusive and Sustainable Growth)
बारहवीं योजना, योजना आयोग की अंतिम योजना थी। 2015 में **योजना आयोग** का स्थान लेने के लिए **नीति आयोग** की स्थापना की गयी (**इस अध्याय में बाद में चर्चा की गयी है**)।	

पंचवर्षीय योजनाओं की उपलब्धियाँ और आलोचनाएँ (Achievements and Criticisms of Five Year Plans)

उपलब्धियाँ (Achievements)

- जीडीपी, प्रतिव्यक्ति आय, बचत और निवेश में वृद्धि।
- MMR, IMR, साक्षरता-दर आदि जैसे सामाजिक संकेतकों में सुधार।
- उद्योग और औद्योगिक विकास में प्रगति।
- भारत ने लगभग सभी आधारभूत और पूँजीगत वस्तु उद्योगों तथा उपभोक्ता वस्तु उद्योगों में आत्म-निर्भरता प्राप्त की।
- औद्योगिक संरचना में विविधीकरण का उत्तम कार्य किया गया।
- बृहत् शिक्षा प्रणाली का विकास।
- आर्थिक अवसंरचना का विकास, विशेष रूप से परिवहन, सिंचाई और दूरसंचार के क्षेत्र में।
- विज्ञान एवं प्रौद्योगिकी के क्षेत्र में विकास।

आलोचना (Criticisms)

- निर्धनता उन्मूलन में विफल।
- आय और लैंगिक असमानता दूर करने में विफल।
- सभी योग्य व्यक्तियों को रोज़गार उपलब्ध कराने में विफल।
- भूमि सुधार को लागू करने में विफल।
- काले धन की वृद्धि को नियंत्रित करने में विफल।

- आर्थिक शक्ति के संकेंद्रण को रोकने में विफल।
- शिक्षा परिणामों की गुणवत्ता संतोषजनक नहीं थी।
- विकास में क्षेत्रीय असंतुलन को देखा गया था।
- योजना की केंद्रीकृत प्रकृति *(योजनाएँ माँग संचालित होने के स्थान पर कार्यक्रम संचालित थीं)*।

नीति आयोग (NITI AAYOG)

- **नेशनल इंस्टीट्यूशन फ़ॉर ट्रांसफ़ॉर्मिंग इंडिया (NITI) आयोग** एक **ग़ैर-संवैधानिक (non-constitutional)** और **ग़ैर-वैधानिक** निकाय (non-statutory body) है, जिसकी स्थापना 1 जनवरी, 2015 को 65 वर्ष पुराने योजना आयोग के स्थान पर की गयी थी।
- यह एक नीति निर्धारित करनेवाला प्रबुद्ध मंडल (think tank) हैं, जिसकी स्थापना केंद्र सरकार को रणनीतिक और तकनीकी सलाह देने के लिए की गयी है। इस प्रकार, यह एक **सलाहकारी निकाय है, जिसकी कोई वित्तीय भूमिका नहीं होती**। इसकी **संस्तुतियाँ सरकार के लिए बाध्यकारी नहीं** होती हैं।
- योजना आयोग के विपरीत, इसके पास **राज्यों को फ़ंड आवंटित करने की वित्तीय शक्तियाँ नहीं** हैं। अब फ़ंड आवंटन भारत सरकार के वित्त मंत्रालय द्वारा किया जाता है।

नीति आयोग की संरचना (Composition of NITI Aayog)

क्रम	पद	विवरण
1.	अध्यक्ष	प्रधानमंत्री
2.	शासन करनेवाली परिषद्	मुख्यमंत्री (राज्य) एवं उपराज्यपाल (संघ शासित प्रदेश)
3.	क्षेत्रीय परिषदें	आवश्यकता के आधार पर गठित, जिसमें क्षेत्र के मुख्यमंत्री और उपराज्यपाल शामिल होते हैं
4.	सदस्य	पूर्णकालिक आधार
5.	अंशकालिक सदस्य	अधिकतम 2, रोटेशनल, प्रासंगिक संस्थानों से
6.	पदेन सदस्य	प्रधानमंत्री द्वारा मनोनीत मंत्रिपरिषद् से अधिकतम 4 सदस्य
7.	विशेष आमंत्रित	विभिन्न क्षेत्रों के विशेषज्ञ, डोमेन ज्ञानवाले व्यवसायी
8.	मुख्य कार्यकारी अधिकारी	प्रधानमंत्री द्वारा निश्चित कार्यकाल के लिए नियुक्त, सचिव पद
9.	सचिवालय	जैसा आवश्यक समझा जाये

➤ नीति आयोग के संपूर्ण कर्मचारी या स्टाफ़ दो समूहों या हब में विभाजित हैं:

1. **ज्ञान और नवाचार समूह (Knowledge and Innovation Hub)–** इसमें 12–14 शीर्ष प्रधान (verticals) हैं, जो विभिन्न क्षेत्रों को देखते हैं और नीति की थिंक टैंक क्षमता का निर्माण करते हैं।
2. **टीम इंडिया समूह (Team India Hub)–** ये केंद्र सरकार और राज्यों के बीच इंटरफ़ेस या अंतर-फलक के रूप में कार्य करते हैं।

➤ **नीति आयोग से सम्बद्ध कार्यालय :**

1. **विकास निगरानी और मूल्यांकन कार्यालय [Development Monitoring and Evaluation Office (DMEO)] –** 2015 में पूर्व के कार्यक्रम मूल्यांकन संगठन (Programme Evaluation Organisation) और स्वतंत्र मूल्यांकन कार्यालय (Independent Evaluation Office) का विलय कर नीति आयोग के संबद्ध कार्यालय के रूप में स्थापित किया गया। यह भारत सरकार की योजनाओं, नीतियों और कार्यक्रमों की निगरानी करता है और जहाँ भी उपयुक्त होता है शोध संबंधी सहयोग प्रदान करता है।
2. **राष्ट्रीय श्रम अर्थशास्त्र अनुसंधान और विकास संस्थान [National Institute of Labour Economics Research and Development (NILERD)] –** 1962 से अस्तित्व में हैं (योजना आयोग के काल में सर्जित किया गया) और एक केंद्रीय स्वायत्तशासी संगठन है। इसके मुख्य कार्य में विकास के विभिन्न पक्षों से जुड़े शोध और आँकड़ों का संग्रह सम्मिलित है।

लास्ट मिनट स्निपपेट्स

नीति आयोग में हाल की नियुक्तियाँ (Recent Appointments to NITI Aayog)

नवंबर, 2023 को, नीति आयोग ने एक वर्ष की अवधि के लिए फ़ैलोशिप दिशा-निर्देशों के तहत चार प्रतिष्ठित फ़ेलो को नियुक्त किया। चार प्रतिष्ठित व्यक्ति हैं:

➤ प्रो. (डॉ.) अनूप सिंह - 15वें वित्त आयोग के सदस्य, आईएमएफ़ में भी काम किया, मैक्रोइकोनोमिक्स और प्रबंधन में विशेषज्ञ हैं।
➤ डॉ. ओ. पी. अग्रवाल - 1979 के आईएएस, इन्हें शहरी परिवहन में विशेषज्ञता प्राप्त है।
➤ डॉ. अजय चौधरी - एचसीएल के सह-संस्थापकों में से एक, आईटी विशेषज्ञ।
➤ श्री वी. लक्ष्मीकुमारन - 3 दशकों से अधिक लंबे कैरियरवाले क़ानूनी विशेषज्ञ।

नीति आयोग के प्रभावी शासन के सात स्तंभ (NITI Aayog's Seven Pillars of Effective Governance)

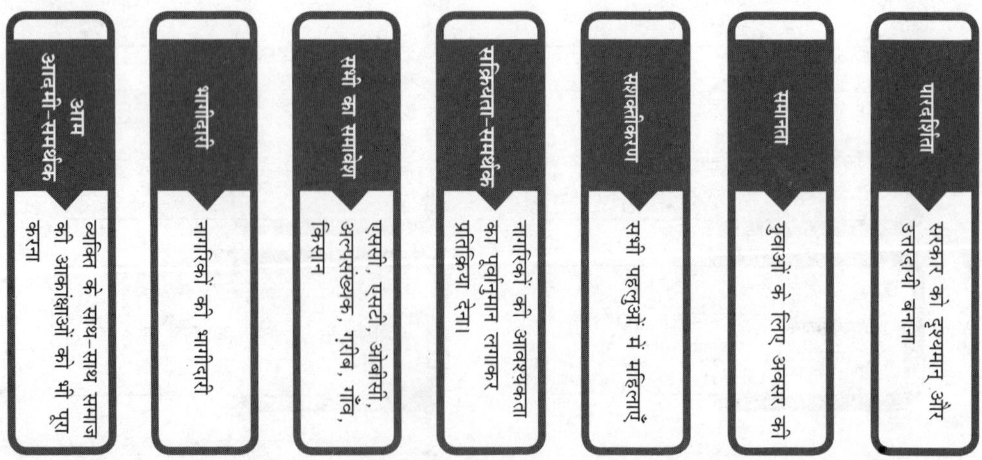

नीति आयोग के उद्देश्य (Objectives of NITI Aayog)

नीति निर्माण में राज्यों की सक्रिय भागीदारी के साथ **सहकारी संघवाद** को प्रोत्साहित करना।	**ग्राम** स्तर पर योजनाओं का निर्माण, उच्च स्तर पर संग्रह	आर्थिक प्रगति से पर्याप्त लाभ नहीं पाने की आशंकावाले वर्गों पर **विशेष ध्यान देना**
राष्ट्रीय सुरक्षा हितों को भी सम्मिलित करनेवाली आर्थिक नीति	निरंतर **नवीन सुधारों** के लिए सुझाव	राष्ट्रीय और अंतरराष्ट्रीय **थिंक टैंक के साथ भागीदारी करना**
ज्ञान, नवाचार और उद्यमशीलता समर्थन प्रणाली का निर्माण	अंतर-क्षेत्रीय और अंतर-विभागीय मुद्दों के **समाधान के लिए मंच**	सुशासन पर **अनुसंधान** के लिए अत्याधुनिक संसाधन केंद्र
तकनीक के उन्नतीकरण और **क्षमता निर्माण** पर फ़ोकस करना।		

नीति आयोग के कार्य (Functions of NITI Aayog)

- **प्रबुद्ध मंडल (think tank)** के रूप में कार्य करना तथा केंद्र और राज्य सरकारों की नीति संबंधी तत्वों की पूरी विस्तृत श्रेणी पर रणनीतिक एवं तकनीकी सलाह देना।
- आवश्यक संसाधनों और कौशलों के साथ स्वयं को एक अत्याधुनिक संसाधन केंद्र के रूप में विकसित करना, जो इसे सरकार को रणनीतिक नीति विज़न उपलब्ध कराने और अचानक सामने आनेवालीं समस्याओं के समाधान में सक्षम बनायेगा।
- केंद्र-राज्य के बेहतर समन्वय के माध्यम से **सहकारी संघवाद को प्रोत्साहित करना।**
- ग्राम स्तर पर और सरकार के उच्च स्तर पर **विश्वसनीय योजनाओं** और **नीति के प्रारूप** बनाने के लिए क्रियाविधि विकसित करना।
- **कार्यक्रमों के कार्यान्वयन** की निगरानी और मूल्यांकन के लिए तकनीक के उन्नतीकरण और क्षमता निर्माण पर फ़ोकस करना।
- विभिन्न सामाजिक-आर्थिक सूचकांकों को जारी करना।

अतिरिक्त जानकारी

पंचवर्षीय योजना के स्थान पर राष्ट्रीय विकास एजेंडा
(NATIONAL DEVELOPMENT AGENDA REPLACED THE FIVE YEAR PLAN)

पहले के योजना आयोग द्वारा तैयार की जानेवालीं पंचवर्षीय योजनाओं के स्थान पर नीति आयोग ने एक राष्ट्रीय विकास एजेंडा तैयार किया है। नीति आयोग के राष्ट्रीय विकास एजेंडा में निम्न तीन सम्मिलित हैं :

1. **भविष्यदृष्टि प्रलेख (Vision document)–** 15 वर्ष की अवधि तक चलनेवाली एक भावी योजना (2017-18 से 2031-32)। यह **आंतरिक सुरक्षा, रक्षा आदि के साथ** राष्ट्रीय विकास लक्ष्यों और अंतरराष्ट्रीय संधारणीय विकास लक्ष्यों को संयुक्त करती है।
2. **रणनीति प्रलेख (Strategy document) –** दीर्घकालिक विज़न को लागू करने योग्य नीति में परिवर्तित करने के लिए सात-वर्षीय-दीर्घ योजना (2017-18 से 2023-24)।
3. **कार्य योजना प्रलेख (Action Plan Document) –** नीतियों को कार्यरूप में परिणत करने के लिए एक तीन वर्षीय अल्पकालिक कार्य योजना (2017-18 से 2019-20)।

नीति आयोग का प्रदर्शन मूल्यांकन (Performance Evaluation of NITI Aayog)

भारत के नीति थिंक टैंक, नीति आयोग ने **विभिन्न क्षेत्रों में देश के विकास में बहुमूल्य योगदान दिया है। इनकी चर्चा नीचे की गयी है :**

I. कृषि क्षेत्र में सुधार (Agricultural Sector Reforms)

1. **अधिसूचित फ़सलों के लिए न्यूनतम समर्थन मूल्य (MSP) का कार्यान्वयन [Implementation of Minimum Support Price (MSP) for Notified Crops] :** इसने कृषि मंत्रालय को वर्ष 2018 में *प्रधानमंत्री अन्नदाता आय संरक्षण अभियान* (PM-AASHA) शुरू करने की सलाह दी, जिसमें निम्न सम्मिलित हैं :
   - मूल्य समर्थन योजना [Price Support Scheme (PSS)]
   - मूल्य न्यूनता भुगतान योजना (Price Deficiency Payment Scheme)
   - पायलट ऑन प्राइवेट प्रोक्योरमेंट स्टॉकिस्ट्स् स्कीम (Pilot on Private Procurement Stockists Scheme)
2. **अनुबंध खेती पर मॉडल अधिनियम (Model Act on Contract Farming) :** किसानों को क़ीमतों पर बातचीत करने और ख़रीदारों के साथ अनुबंध स्थापित करने के लिए सशक्त बनाने हेतु तैयार किया गया।
3. **किसानों की आय दोगुनी करने के लिए व्यापार मॉडल (Business Model for Doubling Farmers' Income) :** कृषि में विज्ञान और प्रौद्योगिकी के अनुप्रयोग को बढ़ावा देने, किसानों की जोखिम को कम करने और आधुनिक व्यवसाय प्रथाओं को सम्मिलित करने के लिए एक टास्क फ़ोर्स की स्थापना की गयी।
4. **कृषि निर्यात नीति (Agriculture Export Policy) :** वाणिज्य एवं उद्योग मंत्रालय को इनपुट प्रदान किये गये, जिसमें वैश्विक निर्यात परिवेश और उभरती माँग पर एक अनुभाग को सम्मिलित करने पर ज़ोर दिया गया।
5. **ग्रामीण कृषि बाज़ार [Gramin Agricultural Markets (GrAMs)] :** वर्ष 2018-19 के बजट में 22,000 ग्रामीण हाट बाज़ारों को GrAMs में विकसित और उन्नत करने की घोषणा की गयी।
6. **आदर्श कृषि भूमि पट्टा अधिनियम, 2016 (Model Agriculture Land Leasing Act, 2016) :** किरायेदारों के अधिकारों को मान्यता देता है और भू-मालिकों के हितों की रक्षा करता है, साथ ही भूमि सुधारों के लिए एक समर्पित प्रकोष्ठ भी है।
7. **कृषि विपणन और किसान-हितैषी सुधार सूचकांक (Agriculture Marketing and Farmer-Friendly Reforms Index) :** निजी भूमि पर बाज़ार पहुँच, भूमि पट्टे और वानिकी में सुधारों की आवश्यकता का आकलन करने के लिए पेश किया गया।

II. पोषण क्षेत्र में सुधार (Nutritional Sector Reforms)

1. **राष्ट्रीय पोषण रणनीति (National Nutrition Strategy) :** महिला एवं बाल विकास मंत्रालय (MoWCD) द्वारा राष्ट्रीय पोषण मिशन (पोषण अभियान) के शुभारंभ का मार्गदर्शन करने के लिए तैयार की गयी, जिसमें निगरानी और मूल्यांकन के लिए नीति आयोग ज़िम्मेदार है।
2. **भारत की पोषण चुनौतियों पर राष्ट्रीय परिषद् (National Council on India's Nutritional Challenges) :** नीति आयोग के उपाध्यक्ष की अध्यक्षता में गठित, जिसका उद्देश्य पोषण संबंधी चुनौतियों से निपटने के लिए नीतिगत दिशा-निर्देश प्रदान करना और मंत्रालयों के बीच प्रयासों का समन्वय करना है।
3. **राष्ट्रीय पोषण तकनीकी बोर्ड (National Technical Board of Nutrition (NTBN)] :** महिलाओं और बच्चों के लिए पोषण नीतियों पर तकनीकी, साक्ष्य-आधारित सिफ़ारिशें देने के लिए नीति आयोग के सदस्य की अध्यक्षता में स्थापित।

III. स्वास्थ्य क्षेत्र में सुधार (Health Sector Reforms)

1. **आयुष्मान भारत योजना (Ayushman Bharat Scheme) :** आम जनता को किफ़ायती स्वास्थ्य सेवा प्रदान करने के उद्देश्य से स्वास्थ्य बीमा योजना की अवधारणा और डिज़ाइन में महत्त्वपूर्ण भूमिका निभायी।

2. **राष्ट्रीय चिकित्सा आयोग विधेयक (National Medical Commission Bill)** : भारतीय चिकित्सा परिषद् को नये राष्ट्रीय चिकित्सा आयोग से प्रतिस्थापित करने का प्रस्ताव करते हुए इस विधेयक के निर्माण में योगदान दिया।
3. **राष्ट्रीय होम्योपैथी आयोग (NCH) विधेयक, 2018 [National Commission for Homoeopathy (NCH) Bill] 2018]** : होम्योपैथी प्रथाओं को विनियमित करने के लिए इस विधेयक के निर्माण में सहायता की।
4. **भारतीय चिकित्सा प्रणाली के लिए राष्ट्रीय आयोग विधेयक, 2018 (National Commission for Indian System of Medicine Bill, 2018)** : पारंपरिक भारतीय चिकित्सा प्रणालियों को विनियमित करने के लिए इस विधेयक के विकास में योगदान दिया।
5. **योग और प्राकृतिक चिकित्सा के लिए राष्ट्रीय आयोग विधेयक, 2018 (National Commission for Yoga and Naturopathy Bill] 2018)** : योग और प्राकृतिक चिकित्सा प्रथाओं को विनियमित करने के लिए इस विधेयक को तैयार करने में सहायता की।

IV. *शैक्षिक क्षेत्र में सुधार (Educational Sector Reforms)*

1. **विश्वविद्यालयों के लिए प्रदर्शन-आधारित श्रेणीबद्ध स्वायत्तता कार्य ढाँचा (Performance-Based Graded Autonomy Framework for Universities)** : प्रदर्शन मेट्रिक्स के आधार पर विश्वविद्यालयों को अधिक स्वायत्तता प्रदान करने के लिए इस ढाँचे के निर्माण में योगदान दिया।
2. **मान्यता देने की प्रणाली को मज़बूत करना (Strengthening Accreditation Framework)** : उच्च शिक्षा संस्थानों को मान्यता देने के लिए तीसरे पक्ष के संगठनों सहित अतिरिक्त एजेंसियों को सक्षम करने, मान्यता प्रक्रिया को बढ़ाने में सहायता की।

V. *खनिज क्षेत्र में सुधार (Mineral Sector Reforms)*

1. **राष्ट्रीय खनिज नीति मसौदा - 2018 (Draft National Mineral Policy – 2018)** : फ़्लाई ऐश और स्लैग के उपयोग पर समितियों का गठन करके इस नीति को तैयार करने में सक्रिय भूमिका निभायी।
2. **दुर्लभ मृदा खनिजों में आत्मनिर्भरता के लिए रणनीति (Strategy for Self-Reliance in Rare Earth Minerals)** : दुर्लभ मृदा खनिजों में आत्मनिर्भरता प्राप्त करने हेतु रणनीति विकसित करने और प्रतिबंधात्मक व्यापार प्रथाओं का मुक़ाबला करने के लिए विभिन्न समितियों का गठन किया गया।

VI. *ऊर्जा क्षेत्र में सुधार (Energy Sector Reforms)*

1. **राष्ट्रीय ऊर्जा नीति 2018 (National Energy Policy 2018)** : ऊर्जा की सुलभता में वृद्धि, ऊर्जा स्वतंत्रता में वृद्धि, अधिक स्थिरता और उच्च आर्थिक विकास जैसे उद्देश्यों की ओर बढने के लिए इस नीति का मसौदा तैयार करना शुरू किया।

VII. *भारत के स्वर्ण बाज़ार में बदलाव (Transforming India's Gold Market)*

1. **भारत के स्वर्ण बाज़ार में बदलाव पर समिति (Committee on Transforming India's Gold Market)** : भारत में स्वर्ण बाज़ार की क्षमता का दोहन करने के उपायों की सिफ़ारिश करने के लिए गठित। इसका उद्देश्य निर्यात, आर्थिक विकास और रोज़गार को प्रोत्साहित करना है।

VIII. *आकांक्षी ज़िला कार्यक्रम (Aspirational Districts Programme)*

1. **117 अविकसित ज़िलों का परिवर्तन (Transformation of 117 Underdeveloped Districts)** : वामपंथी उग्रवाद से प्रभावित 35 ज़िलों सहित 117 ज़िलों को बदलने के लिए एक अनूठी पहल शुरू की गयी, जिसमें प्रमुख सामाजिक संकेतकों में सुधार और आर्थिक दक्षता बढ़ाने पर ध्यान केंद्रित किया गया।

IX. *अटल इनोवेशन मिशन [Atal Innovation Mission (AIM)]*

1. **नवाचार और उद्यमिता को बढ़ावा देना (Fostering Innovation and Entrepreneurship)** : देश के उद्यमिता पारिस्थितिकी तंत्र में एक अभिनव मानसिकता का निर्माण करने के लिए नीति आयोग के तहत शुरू किया गया।

2. **अटल टिंकरिंग लैब्स [Atal Tinkering Labs (ATLs)]** : छात्रों के बीच रचनात्मकता और वैज्ञानिक मनोवृत्ति को बढ़ावा देने के लिए स्कूलों में स्थापित, उन्हें स्थानीय चुनौतियों को हल करने के लिए प्रोटोटाइप डिज़ाइन करने और इनके सृजन में सक्षम बनाना।

X. समावेशी और संधारणीय भारत का निर्माण (Building Inclusive and Sustainable India)

1. **एक भारत, श्रेष्ठ भारत (Ek Bharat Shrestha Bharat)** : सांस्कृतिक आदान-प्रदान और शिक्षा के माध्यम से दीर्घकालिक अंतर-राज्यीय जुड़ाव के माध्यम से एकता और उत्कृष्टता को बढ़ावा देना।
2. **मानव पूँजी के रूपांतरण हेतु संधारणीय कार्रवाई [Sustainable Action for Transforming Human Capital (SATH)]** : राज्यों को उनके सामाजिक क्षेत्र के संकेतकों को बेहतर बनाने और तकनीकी सहायता प्रदान करके परिवर्तनकारी बदलाव लाने का लक्ष्य है।
3. **राज्यों को विकास सहायता सेवाएँ [Development Support Services to States (DSSS)]**: परियोजना विकास में प्रमुख संरचनात्मक मुद्दों को संबोधित करने और संस्थागत और संगठनात्मक क्षमताओं का निर्माण करने, केंद्र-राज्य भागीदारी मॉडल की स्थापना और अवसंरचना क्षेत्रों में निजी-सार्वजनिक भागीदारी को बढ़ावा देने के लिए शुरू किया गया।
4. **राज्य मानव विकास रिपोर्ट (State Human Development Reports)** : मानव विकास चुनौतियों का आकलन करने और उनका समाधान करने के लिए इन रिपोर्टों को तैयार करने में राज्यों की सहायता की।

XI. भारत की गिग और प्लेटफ़ॉर्म अर्थव्यवस्था पर रिपोर्ट (Report on India's Gig and Platform Economy)

1. **कार्यबल जुड़ाव (Workforce Engagement)** : वर्ष 2020–21 में, 7.7 मिलियन कर्मचारी गिग अर्थव्यवस्था में संलग्न थे। वे गैर-कृषि कार्यबल का 2.6 प्रतिशत थे।

XII. कार्बन कैप्चर, उपयोग और भंडारण (CCUS) के नीतिगत ढाँचे पर रिपोर्ट [Report on Carbon Capture, Utilisation, and Storage (CCUS) Policy Framework]

1. **उत्सर्जन में कटौती की रणनीति (Emission Reduction Strategy)** : CCUS को स्टील, सीमेंट और पेट्रोकेमिकल जैसे मुश्किल से कम होनेवाले क्षेत्रों से उत्सर्जन को कम करने के लिए एक महत्त्वपूर्ण विधि के रूप में पहचाना जाता है।
2. **नीतिगत हस्तक्षेप (Policy Interventions)** : यह रिपोर्ट CCUS प्रौद्योगिकियों के परिनियोजन को सुविधाजनक बनाने के लिए विभिन्न क्षेत्रों में आवश्यक नीतिगत उपायों की रूपरेखा प्रस्तुत करती है।
3. **राष्ट्रीय लक्ष्यों के साथ संरेखण (Alignment with National Targets)** : इस रिपोर्ट की सिफ़ारिशें भारत के अद्यतन राष्ट्रीय स्तर पर निर्धारित अंशदान (NDCs) के साथ संरेखित हैं, जिसका लक्ष्य गैर-जीवाश्म आधारित ऊर्जा स्रोतों से कुल स्थापित क्षमता का 50 प्रतिशत और वर्ष 2030 तक उत्सर्जन तीव्रता में 45 प्रतिशत की कमी लाना है।

XIII. राष्ट्रीय डेटा और एनालिटिक्स प्लेटफ़ॉर्म (NDAP) का शुभारंभ [Launch of the National Data and Analytics Platform (NDAP)]

1. **पहुँच में वृद्धि (Enhance Accessibility)** : डेटा (आँकड़ों) को उपयोगकर्ताओं के लिए सुलभ, अंतर-संचालन योग्य और अंत:क्रियात्मक बनाना।
2. **निर्णय लेने में सहायता (Support Decision-Making)** : नीति निर्माताओं, शोधकर्ताओं और जनता की डेटा तक पहुँच सुनिश्चित करने और उसका विश्लेषण करने के लिए उपयोगकर्ता के अनुकूल इंटरफ़ेस प्रदान करना।
3. **पारदर्शिता को बढ़ावा देना (Promote Transparency)** : डेटा को आसानी से उपलब्ध कराकर शासन में पारदर्शिता और जवाबदेही को बढ़ावा देना।

इन पहलों के माध्यम से, नीति आयोग ने विभिन्न क्षेत्रों में भारत को संधारणीय और समावेशी विकास की ओर ले जाने में महत्त्वपूर्ण भूमिका निभायी है।

हालाँकि, नीति आयोग से जुड़े कुछ मुद्दे हैं, जो इस प्रकार हैं -

- नीति आयोग की निजी या सार्वजनिक निवेश को प्रभावित करने में भूमिका कम है।
- भारतीय समाज में असमानता लगातार बढ़ रही है और नीति आयोग का इससे निपटने में उतना प्रभाव नहीं रहा है।
- देश में संरचनागत मुद्दों को हल करने के उपाय अभी भी सामने नहीं आ रहे हैं।
- नीति आयोग को एक महिमामंडित अनुशंसात्मक निकाय में बदल दिया गया है, जिसके पास सरकार के कार्यों में सकारात्मक बदलाव लाने के लिए अपेक्षित शक्ति का अभाव है।
- नये थिंक टैंक के लिए संसाधन अपर्याप्त हैं।

आगे की राह (Way Forward)

- इस थिंक टैंक को अपेक्षित शक्तियों से लैस करना, ताकि वह बदलाव ला सके।
- समुचित संसाधन आवंटन।
- नीति आयोग को लक्ष्यों को पूरा करने में असमर्थता के लिए विधायिका के प्रति क़ानूनी रूप से जवाबदेह बनाया जा सकता है। इससे अधिक जवाबदेही सुनिश्चित होगी।
- यह सुनिश्चित करना कि यह संगठन एक ग़ैर-पक्षपाती संस्था बनी रहे।

इस प्रकार, नीति आयोग की स्थापना से सकारात्मक परिणाम सामने आये हैं। हालांकि, संगठन में बदलाव की आवश्यकता है, ताकि यह अपने उद्देश्यों को पूरा कर सके।

नीति आयोग द्वारा हाल ही में जारी प्रमुख प्रदर्शन सूचकांक (Key Performance Indices recently published by NITI Aayog)

परीक्षोपयोगी

सूचकांक का नाम	विवरण
राज्य स्वास्थ्य सूचकांक (State Health Index)	• नीति आयोग, *स्वास्थ्य एवं परिवार कल्याण मंत्रालय* (MoHFW) के सहयोग से और विश्व बैंक की तकनीकी सहायता से, वर्ष 2017 से स्वास्थ्य सूचकांक पहल की अगुआई कर रहा है, जिसका उद्देश्य विभिन्न संकेतकों - स्वास्थ्य परिणाम, शासन और प्रक्रियाओं पर राज्यों और केंद्र शासित प्रदेशों के वार्षिक प्रदर्शन का मापन करना है। • इस सूचकांक का उद्देश्य राज्यों को स्वास्थ्य क्षेत्र में परिवर्तनकारी कार्रवाई के लिए प्रेरित करना और देश का ध्यान बेहतर स्वास्थ्य परिणाम प्राप्त करने पर केंद्रित करना है। • राज्य स्वास्थ्य सूचकांक 2021 के अनुसार, केरल, तमिलनाडु और तेलंगाना क्रमशः 2020-21 के लिए पहले, दूसरे और तीसरे स्थान पर रहे। • इसमें बिहार सबसे निचले स्थान पर है। • केंद्र शासित प्रदेशों में लक्षद्वीप शीर्ष पर और दिल्ली सबसे निचले स्थान पर है। वृद्धिशील प्रदर्शन के आधार पर, राजस्थान, उत्तराखंड और ओडिशा 2020-21 में शीर्ष प्रदर्शन करनेवाले राज्यों के रूप में उभरे।

सूचकांक का नाम	विवरण
संयुक्त जल प्रबंधन सूचकांक [Composite Water Management Index (CWMI)] *(CWMI पहली बार जून, 2018 में जारी किया गया था। उसके बाद 2019 में CWMI 2.0 को प्रकाशित किया गया था।)*	• **सड़क परिवहन एवं राजमार्ग, जहाज़रानी एवं जल संसाधन मंत्रालयों** तथा राज्यों/केंद्र शासित प्रदेशों के साथ भागीदारी में नीति आयोग द्वारा विकसित किया गया। इसे 2018 में पहली बार जारी किया गया था। • यह जल संसाधन के कुशल प्रबंधन में राज्यों/केंद्र शासित प्रदेशों के प्रदर्शन के मूल्यांकन और सुधार का एक उपकरण है। • **CWMI** में **28 प्रमुख प्रदर्शन संकेतकों** के साथ **9 प्रसंग (theme)** सम्मिलित हैं (प्रत्येक के साथ एक भार जुड़ा हुआ है), प्रदर्शन संकेतकों में भूजल एवं सतह जल पुनरुद्धार, बड़ी एवं मध्यम सिंचाई परियोजनाएँ, जल-विभाजक या वाटर-शेड विकास, भागीदारीयुक्त सिंचाई प्रबंधन, खेत में जल प्रयोग (on-farm water use), ग्रामीण एवं शहरी जल आपूर्ति तथा नीति और संचालन समाहित हैं। • **CWMI** 2.0 को 2019 में आधार वर्ष 2016-17 के स्थान पर संदर्भ वर्ष (reference year) 2017-18 के लिए **लॉञ्च किया गया** था। गुजरात पहले स्थान पर बरक़रार रहा, जबकि औसत रूप से 80% राज्यों का पिछले तीन वर्षों के संकेतकों के आधार पर मूल्यांकन किया गया। जिसमें उनके जल प्रबंधन स्कोर में सुधार हुआ, जिसमें +5.2 अंकों का औसत सुधार दिखा। ◆ जल की कमीवाले कई राज्य सूचकांक प्रदर्शन में अग्रणी रहे। ◆ 60% राज्यों ने वित्त वर्ष 2015-16 की तुलना में वित्त वर्ष 2016-17 में अपने स्कोर में सुधार किया।
स्कूल शिक्षा गुणवत्ता सूचकांक [School Education Quality Index (SEQI)] *(2019 में प्रकाशित किया गया)*	• नीति आयोग द्वारा स्कूल शिक्षा क्षेत्र में राज्यों और केंद्र शासित प्रदेशों के प्रदर्शन का मूल्यांकन करने के लिए विकसित किया गया। • SEQI संकेतकों को मानव संसाधन मंत्रालय के **निष्पादन ग्रेडिंग सूचकांक [Performance Grading Index (PGI)]** के एक पूर्ण उपसमुच्चय या उपवर्ग (subset) के रूप में संशोधित किया गया है। इसका उद्देश्य इनपुट और कार्यक्रमों के स्थान पर शैक्षिक आउटकम या परिणामों पर ध्यान केंद्रित करना है। • सूचकांक **30 महत्त्वपूर्ण संकेतकों** को समाहित करता है, जो गुणवत्तापूर्ण शिक्षा प्रदान किये जाने का मूल्यांकन करते हैं। • संकेतकों को निम्नलिखित श्रेणियों में वर्गीकृत किया गया है : ◆ **परिणाम (Outcomes)** *(शिक्षा प्राप्ति का परिणाम, उपलब्धता के परिणाम, परिणाम प्राप्त करने के लिए अवसंरचना और सुविधाएँ, सामान्य हिस्सेदारी परिणाम या इक्विटी आउटकम)*। ◆ **संचालन प्रक्रियाओं को सहायता देने का परिणाम (Governance processes aiding outcomes)** *(छात्र एवं शिक्षक उपस्थिति, प्रशासनिक उपयुक्तता, प्रशिक्षण और पारदर्शिता)* • 2015-16 को आधार वर्ष माना गया। • समान की तुलना समान से हो सके, इसके लिए राज्यों और केंद्र शासित प्रदेशों को बड़े राज्य, छोटे राज्य और केंद्र शासित प्रदेशों में वर्गीकृत किया गया। • 2019 की रिपोर्ट के अनुसार : ◆ **बड़े राज्यों में** – प्रदर्शन स्कोर केरल के लिए 76.6% से लेकर उत्तर प्रदेश के लिए 36.4% तक था।

सूचकांक का नाम	विवरण
	◆ **छोटे राज्यों में –** प्रदर्शन का स्कोर मणिपुर के लिए 68.8% से लेकर अरुणाचल प्रदेश के लिए 24.6% तक था। ◆ **केंद्र शासित प्रदेशों में –** प्रदर्शन का स्कोर चंडीगढ़ के लिए 82.9% से लेकर लक्षद्वीप के लिए 31.9% तक था।
भारत नवाचार सूचकांक 2020 **(India Innovation Index 2020)**	• ज्ञान भागीदार (knowledge partner) के रूप में **प्रतिस्पर्धा संस्थान (Institute for Competitiveness)** के सहयोग से नीति आयोग द्वारा विकसित किया गया। • सूचकांक को **वैश्विक नवाचार सूचकांक [Global Innovation Index (GII)] की तर्ज़** पर भारतीय राज्यों/केंद्र शासित प्रदेशों की **नवाचार क्षमता और प्रदर्शन की जाँच** और सभी क्षेत्रों के लिए नवाचार अभियान हेतु नीतियाँ बनाने के लिए विकसित किया गया है। • सूचकांक की गणना इसके दो आयामों के स्कोर के औसत के रूप में की जाती है : 1. **पाँच सक्षम बनानेवाले समर्थक (Five Enablers)** (मानव पूँजी, निवेश, कुशल श्रमिक, कारोबारी वातावरण, सुरक्षा एवं क़ानूनी वातावरण।) 2. **प्रदर्शन आयाम (Performance Dimension)** [ज्ञान का उत्पादन (Knowledge output), ज्ञान का प्रसार] • **भारत नवाचार सूचकांक (India Innovation Index) 2021:** ◆ भारत नवाचार सूचकांक के तीसरे संस्करण में कर्नाटक, मणिपुर और चंडीगढ़ ने अपनी संबंधित श्रेणियों में शीर्ष स्थान हासिल किया है। ◆ कर्नाटक 'प्रमुख राज्यों' की श्रेणी में शीर्ष पर है, मणिपुर 'पूर्वोत्तर और पहाड़ी राज्यों' की श्रेणी में अग्रणी है और चंडीगढ़ 'केंद्र शासित प्रदेशों और शहर राज्यों' की श्रेणी में शीर्ष प्रदर्शनकर्ता है। ◆ संकेतकों की संख्या 36 (भारत नवाचार सूचकांक, 2020 में) से बढ़कर 66 (भारत नवाचार सूचकांक, 2021 में) हो गयी है।
संधारणीय विकास लक्ष्य (SDG) भारत सूचकांक 2020-21 **[Sustainable Development Goals (SDG) India Index 2020-21]**	• इसे भारत में संयुक्त राष्ट्र के सहयोग से विकसित किया गया है, ताकि 115 संकेतकों पर सभी राज्यों और केंद्र शासित प्रदेशों की प्रगति को ट्रैक किया जा सके, जो **MoSPI** के **राष्ट्रीय संकेतक ढाँचे (NIF)** से जुड़े हैं। • SDG भारत सूचकांक 2020-21 पिछले संस्करणों की तुलना में अधिक मज़बूत था, इसमें NIF के साथ अधिक संरेखण के साथ लक्ष्यों और संकेतकों की विस्तृत श्रृंखला शामिल था। • 115 संकेतकों में 17 SDG में से 16, और लक्ष्य 17 पर गुणात्मक मूल्यांकन (70 SDG लक्ष्यों को शामिल करें) शामिल हैं। • **केरल ने शीर्ष स्थान (स्कोर 75) को बरकरार रखा, इसके बाद तमिलनाडु और हिमाचल प्रदेश (दोनों का स्कोर 74 रहा)।**
SDG भारत सूचकांक 2020-21 **डैशबोर्ड (SDG India Index 2020-21 dashboard)**	SDG भारत सूचकांक 2020-21 ऑनलाइन डैशबोर्ड पर भी लाइव है, यह SDG पर नज़र रखने और राज्य/केंद्र शासित प्रदेशों के स्तरों पर एक सांख्यिकीय प्रणाली विकसित करने से संबंधित महत्त्वपूर्ण अंतरालों की पहचान करने की सुविधा प्रदान करेगा।

सूचकांक का नाम	विवरण
SDG शहरी सूचकांक (SDG Urban Index)	**भारत-जर्मन** सहयोग के तहत **नीति आयोग ने संधारणीय विकास लक्ष्य (SDG)** शहरी सूचकांक और डैशबोर्ड 2021-22 विकसित किये। • SDG ढाँचे के 46 लक्ष्यों में 77 SDG संकेतकों पर **गणना के लिए कुल 56 शहरी क्षेत्रों पर विचार किया गया है।** • **शीर्ष शहरी क्षेत्र :** शिमला (समग्र स्कोर **75.50**), कोयंबटूर (समग्र स्कोर **73.29**), चंडीगढ़ (समग्र स्कोर **72.36**), तिरुवनंतपुरम (समग्र स्कोर **72.36**), कोच्चि (समग्र स्कोर **72.29**)
ज़िला अस्पताल सूचकांक (District Hospital Index)	• नीति आयोग ज़िला अस्पतालों के निष्पादन पर आधारित परिणामों के आधार पर उनको ट्रैक करने की गतिविधि में लगा है। • यह भारतीय सांख्यिकी संस्थान [Indian Statistical Institute (ISI)] और अस्पतालों के लिए राष्ट्रीय प्रत्यायन बोर्ड [National Accreditation Board of Hospitals (NABH)] एवं भारतीय गुणता परिषद् (Quality Council of India) के सहयोग से किया जा रहा है। • 707 ज़िला अस्पतालों (97%) के लिए स्वास्थ्य-प्रबंधन-सूचना प्रणाली का डेटा सत्यापन हो चुका है तथा परिणामों का विश्लेषण किया जा रहा है।
राज्य ऊर्जा और जलवायु सूचकांक 2022 (राउंड 1) (2019-20 के आँकड़ों पर आधारित) [State Energy and Climate Index 2022 (Round 1)] *(based on 2019-20 data)*	• सभी भारतीय राज्यों और केंद्र शासित प्रदेशों की ऊर्जा अभिगम्यता, सामर्थ्य और संधारणीयता की तुलना के लिए विश्व बैंक के तकनीकी सहयोग से राज्य ऊर्जा और जलवायु सूचकांक विकसित करने के लिए 2021 में काम शुरू किया गया था। • सूचकांक में **छह व्यापक श्रेणियों** के अंतर्गत **27 संकेतक** सम्मिलित हैं, ये छह श्रेणियाँ हैं- (1) अभिगम्यता, सामर्थ्य और विश्वसनीयता (2) स्वच्छ ऊर्जा पहल (3) ऊर्जा दक्षता (4) DISCOM का प्रदर्शन (5) पर्यावरण स्थिरता (6) नयी पहलें। • 2022 राउंड 01 रिपोर्ट के अनुसार - गुजरात सबसे ऊपर है, इसके बाद केरल और पंजाब हैं।
भारत ऊर्जा डैशबोर्ड (संस्करण 2.0) [India Energy Dashboards (Version 2.0)]	नीति आयोग द्वारा ऊर्जा डैशबोर्ड (संस्करण 2.0) शुरू किया गया है। इंडिया एनर्जी डैशबोर्ड (IED) केंद्रीय विद्युत प्राधिकरण, कोयला नियंत्रक संगठन और पेट्रोलियम और प्राकृतिक गैस मंत्रालय द्वारा प्रदान किये गये ऊर्जा डेटा तक एकल-खिड़की पहुँच प्रदान करने का एक प्रयास है। **प्रमुख विशेषताएँ :** • IED2.0 वित्त वर्ष 2005-06 से वित्त वर्ष 2019-20 तक समय श्रृंखला डेटा प्रदान करता है; • बेहतर डेटा को सुविधाजनक स्प्रैडशीट प्रारूपों में अधिक सहज तरीक़े से डाउनलोड किया जाता है। • IED सरकारी एजेंसियों द्वारा बनाये गये कुछ पोर्टल्स से उप-वार्षिक आवृत्तियों, API लिंक से जुड़े डेटा पर डेटा प्रदान करता है। • **UJALA**, विद्युत **PRAVAH** और **PRAAPTI** को पोर्टल में शामिल किया गया है। • ऊर्जा डेटा उपयोगकर्ता समुदाय की भागीदारी के लिए नयी 'प्रतिक्रिया और सुझाव' मंच।

सूचकांक का नाम	विवरण
आहार में मिलेट को बढ़ावा देना : भारत के राज्यों/केंद्र शासित प्रदेशों में सर्वोत्तम कार्याभ्यास (2023) [Promoting Millets in Diets: Best Practices across States/UTs of India (2023)]	• इस रिपोर्ट में मिलेट उत्पादन, प्रसंस्करण और उपभोग के विभिन्न पहलुओं में राज्य सरकारों और संगठनों द्वारा अपनायी गयीं उत्तम और नवीन प्रथाओं पर ज़ोर दिया गया है। • सामान्य रूप से ज्ञात नौ पारंपरिक मिलेट उत्पादित होते हैं, जिनमें ज्वार (Sorghum), बाजरा (Pearl), रागी/मँडुआ (Finger), कँगनी/कौणी (Foxtail), चना (Proso), कुटकी (Little), सावाँ (Barnyard), छोटी कँगनी (Browntop) और कोदो (Kodo) मिलेट सम्मिलित हैं। • उष्ण और शुष्क परिस्थितियों सहित जलवायु परिवर्तनों का सामना करने की अपनी क्षमता के कारण मिलेट छोटे किसानों के लिए अत्यधिक सुरक्षित फसलें हैं। • वर्ष 2017 में शुरू किया गया, ओडिशा मिलेट मिशन इस संबंध में पहला कार्यक्रम था, क्योंकि यह एक साथ उत्पादन, प्रसंस्करण, उपभोग, विपणन और सरकारी योजनाओं में मिलेट को सम्मिलित करने पर ध्यान केंद्रित करता है। • यह रिपोर्ट हमारे आहार में मिलेट को पुनर्जीवित करने के लिए एक दिशानिर्देश के रूप में कार्य करती है। यह भी आशा है कि मिलेट भारत में अधिक टिकाऊ और स्वस्थ खाद्य प्रणाली में योगदान देंगे।
वैश्विक अर्थव्यवस्था के लिए हरित और संधारणीय विकास एजेंडा (2023) [A Green and Sustainable Growth Agenda for the Global Economy (2023)]	• इस रिपोर्ट में नवीकरणीय ऊर्जा और निम्न कार्बन उत्सर्जन की ओर एक त्वरित, न्यायसंगत बदलाव का संकेत दिया गया है। • इसे नीति आयोग ने IDRC और GDN के साथ साझेदारी में विकसित किया है। • नीति आयोग विकासशील देशों में हरित विकास को वित्तपोषित करने के लिए क्रेडिट रेटिंग एजेंसियों के विनियमन और बहुपक्षीय विकास बैंकों में सुधार का आह्वान करता है।
राष्ट्रीय बहुआयामी निर्धनता सूचकांक: एक प्रगति समीक्षा 2023 [National Multidimensional Poverty Index: A Progress Review 2023]	• यह रिपोर्ट राष्ट्रीय परिवार स्वास्थ्य सर्वेक्षण 2019-21 (NFHS-5) पर आधारित है। • इस रिपोर्ट के अनुसार, 5 वर्षों में 13.5 करोड़ भारतीय बहुआयामी निर्धनता से बाहर निकले हैं। • बहुआयामी निर्धनों का प्रतिशत वर्ष 2015-16 में 24.85 प्रतिशत से घटकर वर्ष 2019-21 में 14.96 प्रतिशत हो गया (9.89 प्रतिशत की गिरावट)। • निर्धन लोगों की संख्या में सर्वाधिक गिरावट उत्तर प्रदेश में देखी गयी। • इस संबंध में शीर्ष पाँच प्रदर्शनकर्ता निम्न हैं - 1. तमिलनाडु 2. महाराष्ट्र 3. कर्नाटक 4. गुजरात 5. हरियाणा।
राजकोषीय स्वास्थ्य सूचकांक 2025 (Fiscal Health Index 2025)	• राजकोषीय स्वास्थ्य सूचकांक (FHI) को राज्य के प्रदर्शन का आकलन करने के लिए डिज़ाइन किया गया है, जो राजकोषीय विवेक के प्रमुख स्तंभों में राज्यों का मूल्यांकन करता है। • यह समग्र सूचकांक निम्न पाँच प्रमुख संकेतकों के आधार पर राज्यों का मूल्यांकन करता है: व्यय की गुणवत्ता, राजस्व जुटाव, राजकोषीय विवेक, ऋण सूचकांक और ऋण स्थिरता, जो राज्य की राजकोषीय स्थिति का विश्लेषण करने के लिए महत्त्वपूर्ण हैं। • FHI, एक रेटिंग उपकरण मात्र न होकर, इससे कहीं अधिक है; यह सार्वजनिक रूप से उपलब्ध प्रमुख संकेतकों का उपयोग करके वित्तीय स्वास्थ्य का मूल्यांकन करने हेतु एक व्यवस्थित ढाँचा प्रदान करता है।

योजना आयोग *बनाम* नीति आयोग (PLANNING COMMISSION *vs* NITI AAYOG)

क्रमांक	योजना आयोग (PC)	नीति आयोग (NA)
1	PC के पास मंत्रालयों और राज्य सरकारों को फ़ंड आवंटन का अधिकार था।	NA के पास फ़ंड आवंटन का कोई वित्तीय अधिकार नहीं है। यह केवल एक प्रबुद्ध मंडल (think tank) हैं।
2	अपने कार्यान्वयन के लिए इसने राज्य सरकारों को आदेश जारी किये थे।	यह राज्य सरकारों के परामर्श से दिशानिर्देश जारी करता है।
3	योजना बनाने में **शीर्ष से नीचे जाने (Top-Down-approach) के दृष्टिकोण का पालन किया गया था।**	NA द्वारा नीचे से **शीर्ष की ओर जाने का दृष्टिकोण (Bottom-up-approach) अपनाया जाता है।**
4	PC के अंतर्गत निर्णय अधिक केंद्रीकृत थे।	**सहकारी संघवाद** को सुनिश्चित करने के लिए विकेंद्रीकरण NA के **मार्गदर्शक सिद्धांतों में से एक है**। राज्य अब नीति निर्माण में अधिक महत्त्वपूर्ण भूमिका निभाते हैं।
5	PC के पास आठ पूर्ण-कालिक सदस्य थे। अंश-कालिक सदस्यों के लिए कोई प्रावधान नहीं था।	**चार पूर्ण-कालिक सदस्य** और अधिकतम दो अंश-कालिक सदस्य।
6	पूर्ण-कालिक सदस्यों के अतिरिक्त उपाध्यक्ष **(Deputy Chairperson)** और सदस्य सचिव थे। वाइस-चेयरपर्सन और CEO का पद नहीं था।	वाइस-चेयरपर्सन का पद है। इसके अतिरिक्त प्रधानमंत्री द्वारा नामित CEO का पद है (भारत सरकार के सचिव के पद के बराबर)।
7	**PC राष्ट्रीय विकास परिषद् को रिपोर्ट करता था, जिसमें मुख्य मंत्री और उप-राज्यपाल सम्मिलित थे।**	NA के पास शासकीय परिषद् या गवर्निंग काउंसिल है, जिसमें राज्यों के मुख्यमंत्री और केंद्र शासित प्रदेशों के उप-राज्यपाल सम्मिलित हैं।
8	PC राज्यों पर नीति अधिरोपित करता था।	NA को नीति अधिरोपित करने का अधिकार नहीं है। यह आवश्यक रूप से एक सलाहकारी निकाय है।

क्या आप जानते हैं ?

क्या आज के परिप्रेक्ष्य में आर्थिक नियोजन सरकार के लिए एक उपकरण के रूप में अभी भी प्रासंगिक है? (Is Economic Planning Still Relevant as a Tool for Government in Today's Perspective?)

आलोचकों का मानना है कि विकास प्राथमिकताओं को निर्धारित करने की पहल वास्तव में योजना प्राधिकरणों के बजाए वित्त मंत्रालय के पास है। इसलिए, विकास प्राथमिकताओं के निर्धारण में, नियोजन के बजाए बजट की भूमिका अधिक है।

हालाँकि, एक महत्त्वपूर्ण कार्य के रूप में नियोजन को ग़ैर-प्रासंगिक नहीं किया जा सकता है। इसकी प्रासंगिकता न केवल व्यक्तिगत मानव जीवन के सभी पहलुओं में, बल्कि एक प्रभावी सरकारी कामकाज में भी निहित है। एक सुयोजना निम्नलिखित तरीक़ों से विकास सहायता के रूप में कार्य कर सकती है :

1. प्रतिबद्धताओं और परिणामों के बीच संतुलन साधने के उपकरण के रूप में।
2. सरकार में अपनी योजना के वांछित परिणाम प्राप्त करने के लिए अधिक जवाबदेही को आत्मसात करने के तंत्र के रूप में।
3. रणनीतियों के कार्यान्वयन को मापने के लिए एक मानदंड के रूप में।
4. अंत में, नियोजन, प्राथमिकताओं के अनुसार सरकार की भावी रणनीतियों को आकार और रूपरेखा प्रदान करने में मदद करता है। यह भविष्य में उन्हें लागू करने के लिए बड़े पैमाने पर जनता को आश्वासन देता है।

इस प्रकार, नीति आयोग ने योजना आयोग को प्रतिस्थापित किया है, परंतु आर्थिक नियोजन की भूमिका को नकारा नहीं जा सकता है। हालाँकि, अब यह अधिक सांकेतिक और विकेन्द्रीकृत हो गया है तथा सहकारी संघवाद को सुनिश्चित करता है।

संक्षिप्त विवरण

- **आर्थिक नियोजन (Economic planning)** - संसाधनों के महत्तम उपयोग द्वारा पूर्व-निर्धारित उद्देश्यों की प्राप्ति के लिए संसाधनों का व्यापक रूप से आवंटन।
- **भारतीय आर्थिक नियोजन का विकास (Evolution of Indian Economic Planning)**
  - 1934 - एम. विश्वेश्वरैया योजना - कृषि से औद्योगीकरण की ओर प्रयास तथा उद्योगों में रोज़गार में वृद्धि
  - 1934 - FICCI प्रस्ताव - अबंध नीति की समाप्ति हेतु
  - 1944 - बॉम्बे योजना - ज़मींदारी प्रथा के उन्मूलन एवं तीव्र गति से औद्योगीकरण के माध्यम से कृषि-व्यवस्था का पुनर्गठन
  - 1944 - गांधीवादी योजना - आचार्य श्रीमन् नारायण अग्रवाल द्वारा प्रारूपित - आर्थिक विकेंद्रीकरण - लघु एवं कुटीर उद्योग
  - 1950 - योजना आयोग - देश के सभी संसाधनों के मूल्यांकन का दायित्व
  - 2015 - NITI आयोग।
- **नियोजन का लक्ष्य (Goals of Planning)** - विकास, आधुनिकीकरण, आत्म-निर्भरता तथा सामाजिक न्याय।
- **हैरोड-डोमर मॉडल (Harrod-Domar Model)** - प्रथम पंचवर्षीय योजना (1951-56) में स्वीकृत - पूँजी संचय के दोहरे लक्षणों की भूमिका पर बल - राष्ट्रीय आय (माँग संबंधी भूमिका) तथा उत्पादन क्षमता (आपूर्ति पक्ष की भूमिका) में वृद्धि।
- **नेहरू-महलानोबिस मॉडल (Nehru-Mahalanobis Model)** - द्वितीय पंचवर्षीय योजना (1956-61) में स्वीकृत - भारी उद्योगों में निवेश पर बल - द्रुत आर्थिक विकास हेतु औद्योगीकरण का लक्ष्य प्राप्त करने के उद्देश्य से।
- **उदारीकरण, निजीकरण एवं वैश्वीकरण संबंधी रणनीति [LPG (Liberalisation, Privatisation and Globalisation) Strategy]** - आठवीं पंचवर्षीय योजना (1992-97) में स्वीकृत - लाइसेंस परमिट राज की समाप्ति - निजीकरण को प्रोत्साहित कर प्रत्यक्ष विदेशी निवेश (FDI) को अनुमति - निर्यात प्रोत्साहन नीति को अपनाया जाना।
- **ग्रामीण क्षेत्रों में शहरी सुविधाएँ प्रदान करने संबंधी रणनीति [PURA (Providing Urban Amenities in Rural Areas) strategy]** - ए.पी.जे. अब्दुल कलाम - PPP प्रणाली के अंतर्गत - सेंसस टाउन्स की - भौतिक अवसंरचना विकास पर बल।
- **नियोजन की उपलब्धियाँ (Achievements of Planning)** - GDP में महत्त्वपूर्ण वृद्धि - सामाजिक संकेतकों तथा औद्योगिक अवसंरचना में सुधार - विदेशी मुद्रा भण्डार में अत्यधिक बढ़त।
- **नियोजन की विफलताएँ (Failures of Planning)** - निर्धनता, लैंगिक असमानता, बेरोज़गारी, क्षेत्रीय विकास संबंधी असंतुलन का सतत रूप से बरक़रार रहना।
- **नीति आयोग [National Institution for Transforming India (NITI) Aayog]** - 1 जनवरी, 2015 - ग़ैर-संवैधानिक तथा ग़ैर-वैधानिक निकाय - विचार मंच - कोई वित्तीय भूमिका नहीं - अध्यक्ष के रूप में प्रधानमंत्री।
- **नीति आयोग की शासकीय परिषद् (Governing Council of NITI Aayog)** - सदस्य के रूप में राज्यों के मुख्यमंत्री तथा केंद्र शासित प्रदेशों के उपराज्यपाल - PM की अध्यक्षता में।
- **नीति आयोग के उद्देश्य (Objectives of NITI Aayog)** - सहकारी संघवाद, योजनाओं हेतु पाद-शीर्ष दृष्टिकोण, सुभेद्य क्षेत्रकों पर विशेष बल, राष्ट्रीय सुरक्षा संबंधी हित, अंतर-क्षेत्रकीय तथा अंतरविभागीय मामलों का समाधान।
- **राष्ट्रीय विकास एजेंडा (National Development Agenda)** - पंचवर्षीय योजना के बदले - तीन दस्तावेज़ों को सम्मिलित करता है : 1. भविष्यदृष्टि प्रलेख (Vision document) 2. रणनीति प्रलेख (Strategy document) 3. कार्य योजना प्रलेख (Action Plan Document)।

यूपीएससी सिविल सेवा के पिछले वर्षों की प्रारंभिक परीक्षा के प्रश्न

1. अटल नवाचार मिशन निम्नलिखित में किसके अंतर्गत स्थापित है : **[2019]**

(a) विज्ञान एवं प्रौद्योगिकी विभाग
(b) श्रम एवं रोज़गार मंत्रालय
(c) नीति आयोग
(d) कौशल विकास एवं उद्यमिता मंत्रालय

2. 1991 में भारत में आर्थिक नीतियों के उदारीकरण के बाद निम्नलिखित में क्या घटित हुआ/हुए? **[2017]**

1. जीडीपी में कृषि का हिस्सा बहुत अधिक बढ़ गया।
2. विश्व व्यापार में भारत की हिस्सेदारी बढ़ गयी।
3. एफ़डीआई का प्रवाह बढ़ गया।
4. भारत के विदेशी मुद्रा भंडार में बहुत अधिक वृद्धि हो गयी।

नीचे दिये कूट या कोड का प्रयोग कर सही उत्तर चुनें :

(a) केवल 1 और 4 **(b)** केवल 2, 3 और 4
(c) केवल 2 और 3 **(d)** 1, 2, 3 और 4

3. भारत सरकार ने किसके स्थान पर **नीति आयोग** की स्थापना की? **[2015]**

(a) मानव अधिकार आयोग **(b)** वित्त आयोग
(c) विधि आयोग **(d)** योजना आयोग

4. बारहवीं पंचवर्षीय योजना का मुख्य उद्देश्य है : **[2014]**

(a) समावेशी विकास और निर्धनता उन्मूलन
(b) समावेशी और संधारणीय विकास
(c) बेरोज़गारी कम करने के लिए संधारणीय और समावेशी विकास
(d) तीव्र, संधारणीय और अधिक समावेशी विकास

5. किस पंचवर्षीय योजना के संदर्भ में भारी उद्योग पर कम बल देने के साथ औद्योगीकरण और अवसरंचना पर अधिक महत्त्व देने के पैटर्न की तरफ़ बदलाव दिखा? **[2010]**

(a) चौथी योजना **(b)** छठी योजना
(c) आठवीं योजना **(d)** दसवीं योजना

6. ग्यारहवीं पंचवर्षीय योजना में निरूपित समावेशी विकास में निम्न में कौन एक सम्मिलित नहीं है? **[2010]**

(a) निर्धनता उन्मूलन
(b) रोज़गार अवसरों का विस्तार
(c) पूँजी बाज़ार को मज़बूत करना
(d) लिंग असमानता को कम करना

☞ **कोई प्रश्न नहीं**
2024, 2023, 2022, 2021, 2020, 2018, 2016, 2013, 2012, 2011

उत्तर कुंजी

1. (c) 2. (b) 3. (d) 4. (d) 5. (b) 6. (c)

यूपीएससी सिविल सेवा के पिछले वर्षों की मुख्य परीक्षा के प्रश्न

1. नीति आयोग के द्वारा अपनाये जानेवाले सिद्धांत, कैसे पहले के योजना आयोग द्वारा अपनाये जानेवाले सिद्धांतों से भिन्न हैं? **[2018]**

2. वैश्विकीकरण ने भारतीय अर्थव्यवस्था के औपचारिक क्षेत्र में रोज़गार को कैसे कम किया है? क्या अनौपाचारिकीकरण में वृद्धि देश के विकास के लिए हानिकारक है? **[2016]**

3. भारतीयों के स्वामित्ववालीं कंपनियों पर उदारीकरण के प्रभाव की समीक्षा कीजिए। क्या वे बहुराष्ट्रीय कंपनियों (MNCs) के साथ संतोषजनक तरीक़े से प्रतिस्पर्धा कर पा रही हैं? **[2013]**

☞ **कोई प्रश्न नहीं**
2024, 2023, 2022, 2021, 2020, 2019, 2017, 2015, 2014, 2012, 2011

अध्याय
10

मुद्रा एवं मुद्रा आपूर्ति
(Money and Money Supply)

अध्याय की रूपरेखा

- मुद्रा
- मुद्रा के प्रकार
- मुद्रा के कार्य
- मुद्रा की विशेषताएँ
- मुद्रा आपूर्ति
- मुद्रा आपूर्ति के निर्धारक
- मुद्रा आपूर्ति के स्रोत
- मुद्रा आपूर्ति को मापने के लिए उपकरण
- मौद्रिक समुच्चय
- मुद्रा आपूर्ति का विस्तार
- बैंक नोटों के बारे में जानने योग्य बातें
- स्वतंत्रता के बाद से जारी किये गये विभिन्न प्रकार के बैंक नोट
- क्रिप्टो-मुद्राएँ
- भारतीय समाज पर क्रिप्टोकरेंसी का प्रभाव

मुद्रा (MONEY)

मुद्रा, वह वस्तु है, जिसे क़ानूनी तौर पर विनिमय के माध्यम के रूप में वैधता प्राप्त है, जैसे कि काग़ज़ी मुद्रा और सिक्के।

मुद्रा के प्रकार (Types of Money)

- कमोडिटी मनी
- फ़िड्युसरी मनी
- प्रतिनिधिमूलक मुद्रा
- फ़िएट मनी
- वाणिज्यिक बैंक मुद्रा

मुद्रा के कार्य (Functions of Money)

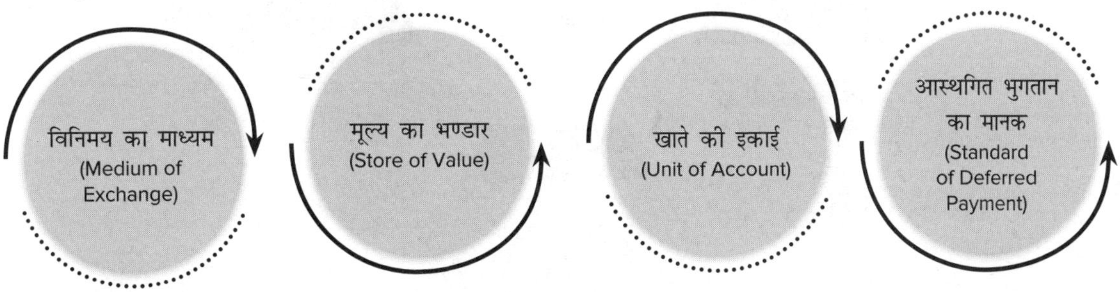

क्या आप जानते हैं? मुद्रा के मूल्य कार्य भण्डार को शास्त्रीय अर्थशास्त्रियों ने स्वीकार नहीं किया था। कीन्स ने मुद्रा की इस भूमिका पर ज़ोर दिया।

मुद्रा की विशेषताएँ (Characteristics of Money)

आधुनिक अर्थव्यवस्था में, मुद्रा के कई महत्त्वपूर्ण कार्य हैं, जिन्हें निम्नलिखित प्रकार से वर्गीकृत किया जा सकता है:

- **विनिमय का माध्यम (Medium of Exchange):** मुद्रा, उत्पादों की ख़रीद और बिक्री को सुविधाजनक बनाकर और विनिमय के माध्यम के रूप में कार्य करते हुए, वस्तु विनिमय प्रणाली, जिसके लिए माँगों के दो संयोगों की आवश्यकता होती है, से बेहतर व्यवस्था प्रदान करती है। मुद्रा व्यवस्था में कोई व्यक्ति अपनी वस्तु, जैसे गेहूँ को नक़द में बेच सकता है तथा इससे प्राप्त मुद्रा से वह चाहे तो अन्य वस्तु, जैसे चावल ख़रीद भी सकता है।
- **मूल्य का भंडारण (Store of Value):** इस उदाहरण में, मुद्रा को 'संपत्ति (asset)' के रूप में संग्रहीत किया जाता है। मुद्रा संपत्ति या धन का एक रूप है, क्योंकि यह एक दावा होता है। यह, ऐसी वस्तुओं और सेवाओं का दावा करने का सबसे व्यावहारिक तरीका है, जिन्हें कोई ख़रीदना चाहता है। नतीजतन, लोग अपनी संपत्ति को मुद्रा के रूप में रखना पसंद करते हैं।
- **लेखा इकाई (Unit of Account):** क़ीमतों की तुलना करने और सटीक ख़रीद निर्णय लेने के लिये, मुद्रा हमें आम करेंसी में वस्तुओं और सेवाओं के मूल्य को व्यक्त करने में सक्षम बनाती है।
- **आस्थगित भुगतान का मानक (Standard of Deferred Payment):** मुद्रा, आस्थगित भुगतान के मानक के रूप में कार्य करती है क्योंकि यह लोगों और व्यवसायों को भविष्य के लेन-देन के लिए मूल्य की एक सामान्य इकाई प्रदान करती है, जिससे उन्हें तुरंत भुगतान करने के बजाए बाद में भुगतान करने की सुविधा मिलती है। मुद्रा का यह कार्य भविष्य के भुगतानों का सटीक अनुमान लगाने और योजना बनाने में सक्षम बनाकर, उधार देने और उधार लेने, समझौतों और आर्थिक विकास को बढ़ावा देता है।

अर्थशास्त्रियों ने मुद्रा की छह विशेषताओं की पहचान की है, जो इस प्रकार हैं:

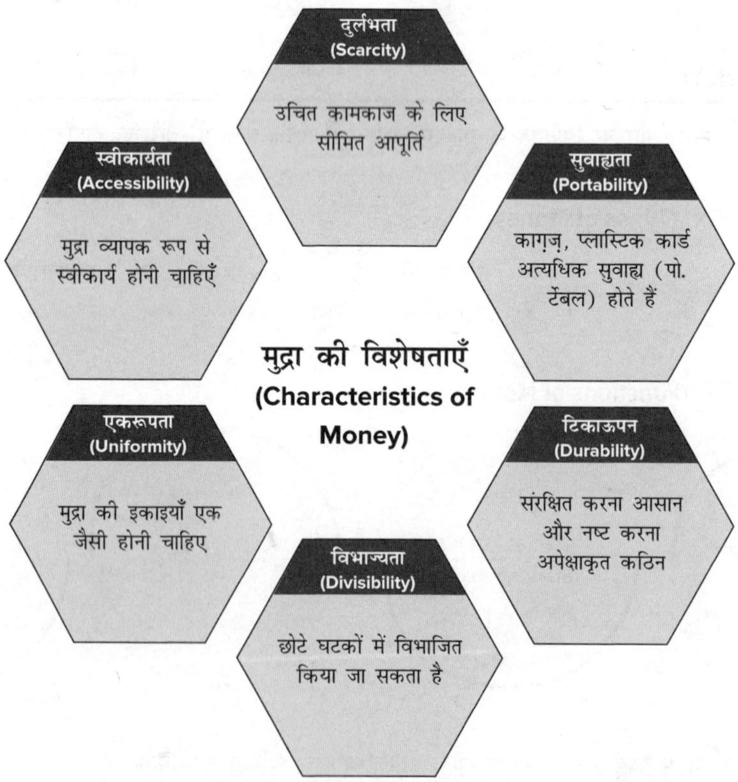

अर्थव्यवस्था में प्रचलित विभिन्न प्रकार की मुद्राएँ इस प्रकार हैं:

प्रकार	परिभाषा
वास्तविक मुद्रा (Actual Money)	वस्तुओं और सेवाओं के लिए विनिमय का माध्यम।
धात्विक मुद्रा (Metallic Money)	सिक्के, जो सोने, चाँदी, ताँबे या लोहे जैसी धातुओं से बने होते हैं।
कागज़ी मुद्रा (Paper Money)	कागज़ से बनी।
पूर्ण-मूल्यवाली मुद्रा (Full-bodied Money)	एक प्रकार की मुद्रा, जिसका मूल्य मुद्रा के रूप में वस्तु के मूल्य के बराबर होता है। उदाहरण के लिए एक सोने का सिक्का।
प्रतिनिधिमूलक पूर्ण मूल्यवाली मुद्रा (Representative Full-Bodied Money)	एक प्रकार की टोकन मुद्रा, जो जारी करनेवाले प्राधिकारी के पास बुलियन (थोक में सोना और चाँदी) के बराबर मूल्य द्वारा समर्थित होती है।
क़ानूनी वैध मुद्रा (Legal Tender Money)	सीमित क़ानूनी वैध मुद्रा (एक निश्चित सीमा तक ऋण का भुगतान करने के लिए उपयोग की जाती है, जिसके बाद कोई लेनदार इसे अस्वीकार कर सकता है) असीमित क़ानूनी वैध मुद्रा (किसी भी ऋण राशि का भुगतान करने के लिए उपयोग की जा सकती है)
वैकल्पिक मुद्रा (Optional Money)	चेक, विनिमय बिल और वचन पत्र जैसे ग़ैर-क़ानूनी वैध साधन, जो भुगतान के लिए स्वीकार किये जाते हैं, लेकिन उन्हें स्वीकार करने की कोई क़ानूनी बाध्यता नहीं होती है।
मानक मुद्रा (Standard Money)	पूर्ण अंकित मूल्यवाली क़ानूनी रूप से मान्यता प्राप्त मुद्रा।
टोकन मनी (Token Money)	वह मुद्रा जिसका आंतरिक मूल्य, अंकित मूल्य की तुलना में कम होता है।
फ़िएट मनी (Fiat Money)	सोने या चाँदी जैसी किसी भी भौतिक वस्तु द्वारा समर्थित नहीं। इसका मूल्य इसे जारी करनेवाली सरकार और जनता द्वारा इसकी स्वीकृति पर निर्धारित होता है।
फ़िड्युसरी मनी (Fiduciary Money)	भुगतानकर्ता और स्वीकारकर्ता के बीच विश्वास के आधार पर विनिमय के माध्यम के रूप में स्वीकार किया जाता है, न कि सरकारी आदेश पर।

अतिरिक्त जानकारी

सिक्का ढलाई मुनाफ़ा (Seigniorage) = मुद्रा नोट/सिक्के का अंकित मूल्य (Face value) (जैसे- ₹2,000) – उस नोट/सिक्के की वास्तविक उत्पादन लागत (जैसे- ₹3.50)।

मुद्रा नोटों की छपाई के माध्यम से भारतीय रिज़र्व बैंक (RBI) द्वारा अर्जित सिक्का ढलाई मुनाफ़े, अधिशेष या लाभ का प्रमुख स्रोत बन जाता है। उस सिक्का ढलाई मुनाफ़े का एक अंश भारतीय रिज़र्व बैंक द्वारा अपने पास रखा जाता है और शेष भारत सरकार को हस्तांतरित कर दिया जाता है।

- भारतीय रिज़र्व बैंक अधिनियम, 1934 की धारा 26 के अनुसार, बैंक नोट के मूल्य का भुगतान करने के लिए उत्तरदायी है। यह जारीकर्ता होने के नाते RBI द्वारा माँग पर देय है।
- बैंक नोटों पर छपा वचन खंड, यानी, 'मैं धारक को .... रुपये की राशि का भुगतान करने का वादा करता हूँ' बैंक की ओर से नोट धारक के प्रति दायित्व को दर्शाता है।

क्या आप जानते हैं ?

- 1861 के पेपर करेंसी अधिनियम ने भारत सरकार को नोट जारी करने का विशेषाधिकार देते हुए, निजी और प्रेसीडेंसी बैंकों द्वारा नोट जारी किये जाने के कार्य को प्रतिबंधित कर दिया। सर जेम्स विल्सन (भारत के वायसराय की कार्यकारी परिषद् में पहले वित्त सदस्य) की बौद्धिक प्रेरणा और व्यक्तिगत तत्परता भारत में काग़ज़ी मुद्रा के विकास के लिए महत्त्वपूर्ण थी।
- 1 अप्रैल, 1935 को भारतीय रिज़र्व बैंक की स्थापना से पहले, भारत सरकार करेंसी नोट जारी करती रही। अगस्त, 1940 में युद्धकालीन आवश्यकता के रूप में इस कार्य को पुनः शुरू करते हुए सरकार द्वारा एक रुपये का नोट जारी किया गया।

मुद्रा आपूर्ति (MONEY SUPPLY)

यह स्टॉक की अवधारणा है। किसी विशेष समय पर **जनता के बीच चलन में विद्यमान मुद्रा** के कुल स्टॉक को मुद्रा आपूर्ति कहा जाता है। मुद्रा आपूर्ति में सरकार द्वारा **धारित मुद्रा (माँग जमाओं के अतिरिक्त)** और देश की बैंकिंग प्रणाली द्वारा धारित मुद्रा का स्टॉक सम्मिलित नहीं होता है, क्योंकि वे मुद्रा के आपूर्तिकर्ता या मुद्रा के उत्पादक होते हैं। इसलिए, उनके द्वारा धारित मुद्रा का स्टॉक लोगों द्वारा धारित मुद्रा के स्टॉक का भाग नहीं होता है।

मुद्रा आपूर्ति के निर्धारक (Determinants of Money Supply)

किसी अर्थव्यवस्था में कई चर मुद्रा आपूर्ति को प्रभावित करते हैं। वे इस प्रकार हैं :

- **केंद्रीय बैंकों द्वारा खुले बाज़ार का संचालन (Open Market Operations by Central Banks)** : केंद्रीय बैंक खुले बाज़ार के संचालन के माध्यम से मुद्रा आपूर्ति को नियंत्रित करते हैं, जिसमें सरकारी संपत्तियों को ख़रीदना और बेचना शामिल है।
- **आरक्षित आवश्यकताएँ (Reserve Requirements)** : बैंकों को जमा राशि का एक निश्चित प्रतिशत आरक्षित रखना चाहिए, जो उनकी ऋण देने की क्षमता को प्रभावित करता है।
- **व्यापार चक्र (Trade Cycle)** : तेज़ी के दौरान, मुद्रा आपूर्ति बढ़ जाती है और मंदी के दौरान, मुद्रा आपूर्ति कम हो जाती है।
- **उधार देने की प्रथाओं में वाणिज्यिक बैंकों की भूमिका (Role of Commercial Banks in Lending Practices)** : वाणिज्यिक बैंकों की उधार देने की प्रथाएँ, यह निर्धारित करके मुद्रा आपूर्ति को प्रभावित करती हैं कि वे कंपनियों और लोगों को कितना उधार देते हैं।
- **सार्वजनिक प्राथमिकताएँ (Public Preferences)** : ब्याजवाले खातों में पैसा डालने के बजाए मुद्रा को बचाये रखने की लोगों की प्रवृत्ति मुद्रा आपूर्ति को प्रभावित करती है।
- **नये वित्तीय उत्पाद (New Financial Products)** : नये वित्तीय उपकरणों और नवाचारों की शुरुआत मुद्रा आपूर्ति की सामग्री और मात्रा को परिवर्तित कर सकती है।
- **धन का वेग (Money Velocity)** : अर्थव्यवस्था में रुपये के प्रचलित होने की दर का कुल आर्थिक गतिविधि पर प्रभाव पड़ता है।
- **सरकारी व्यय (Government Expenditure)** : सरकारी व्यय और वित्तीय नीतियों का मुद्रा आपूर्ति पर प्रभाव पड़ता है, विशेष रूप से यदि उन्हें उधार दी गयी निधि से वित्तपोषित किया जाता है।

मुद्रा आपूर्ति के स्रोत (Sources of Money Supply)

भारत में, केंद्रीय बैंक (आरबीआई) और वाणिज्यिक बैंक, दोनों ही मुद्रा आपूर्ति में योगदान करते हैं। जिसके प्रमुख स्रोत इस प्रकार हैं :

1. **केंद्रीय बैंक के स्रोत (Central Bank Sources)** :
   - सेंट्रल बैंक (आरबीआई) मुद्रा नोट और सिक्के जारी करता है, जो मुद्रा आपूर्ति (M_0) के भौतिक घटकों के लिए योगदान करते हैं।

- आरबीआई ब्याज दरों को संशोधित करके, खुले बाज़ार का संचालन करके और आरक्षित आवश्यकताओं को स्थापित करके मुद्रा आपूर्ति को प्रभावित करने के लिए मौद्रिक नीति उपकरणों का इस्तेमाल करता है।

2. **वाणिज्यिक बैंक के स्रोत (Commercial Bank Sources) :**
   - वाणिज्यिक बैंक उधार देकर पैसा कमाते हैं। जब बैंक ऋण देते हैं, तो वे वास्तव में उधारकर्ता के खाते में नयी जमा राशि जनरेट करते हैं, जिससे समग्र मुद्रा आपूर्ति का विस्तार होता है।
   - बैंक, केंद्रीय बैंक के पास आरक्षित निधि भी बनाये रखते हैं, जो उच्च-शक्तिवाले मुद्रा घटकों (M_0) को प्रभावित करते हैं।

मुद्रा आपूर्ति को मापने के लिए उपकरण (TOOLS TO MEASURE MONEY SUPPLY)

मौद्रिक समुच्चय (Monetary Aggregates)

मौद्रिक समुच्चय किसी देश की कुल मुद्रा आपूर्ति की माप करते हैं। अर्थव्यवस्था में मुद्रा आपूर्ति को कभी-कभी मौद्रिक समुच्चय का इस्तेमाल करके दर्शाया जाता है, जिसे 'वाइड मनी (wide money)' के रूप में जाना जाता है, जिसे संक्षिप्त में M_3 भी कहा जाता है। कई अन्य मौद्रिक समुच्चय भी हैं। 1977 से 1998 तक, RBI ने मुद्रा आपूर्ति का आकलन करने के लिए चार मौद्रिक समुच्चय का इस्तेमाल किया था - M_1, M_2, M_3 और M_4। हालाँकि, 1998 में माप के मानक बदल दिये गये।

वर्तमान शब्दावली M_0, M_1, M_2 और M_3 है। नये और पुराने समुच्चय के बीच अंतर करने के लिए, RBI कभी-कभी नये समुच्चय को NM_0, NM_1, NM_2 और NM_3 के रूप में संदर्भित करता है।

मौद्रिक समुच्चय के अलावा, कार्य समूह ने तीन तरलता समुच्चय, L_1, L_2 और L_3 के संकलन की सिफ़ारिश की, जिसमें डाकघर बचत बैंक को छोड़कर, ग़ैर-जमाकर्ता वित्तीय निगमों जैसे विकास वित्तीय संस्थानों और सार्वजनिक जमा स्वीकार करनेवालीं ग़ैर-बैंकिंग वित्तीय कंपनियों की वित्तीय देनदारियों की चुनिंदा वस्तुएँ शामिल हैं।

नाम	बराबर है
M_0 [संचित मुद्रा (Reserve money)]	प्रचलन में मुद्रा + RBI के पास बैंकों की जमाराशियाँ + 'अन्य' जमाराशियाँ (प्राथमिक डीलरों सहित अर्ध-सरकारी और अन्य वित्तीय संस्थाओं की जमाराशियाँ, विदेशी केंद्रीय बैंकों और सरकारों के खातों में शेषराशि, अंतरराष्ट्रीय मुद्रा कोष जैसी अंतरराष्ट्रीय एजेंसियों के खाते, आदि)
M_1 [संकीर्ण मुद्रा (Narrow money)]	जनता के पास मौजूद मुद्रा + वाणिज्यिक बैंकों द्वारा धारित शुद्ध माँग जमाराशि
M_2	= M_1 + डाकघर बचत बैंकों के पास विद्यमान बचत जमा
M_3 [व्यापक मुद्रा (Broad money)]	= M_1+ बैंक व्यवसाय प्रणाली के पास विद्यमान 'निवल सावधि जमा' (Net Time deposits)
M_4	= M_3+ डाकघर बचत संगठनों के पास कुल जमा राशि (राष्ट्रीय बचत प्रमाण पत्र को छोड़कर)

जबकि भारत में M_0, M_1 और M_3 की मापों का व्यापक रूप से उपयोग किया जाता है, M_2 और M_4 का उपयोग शायद ही कभी किया जाता है।

इन मौद्रिक समुच्चयों की तरलता का घटता क्रम है- $M_0 > M_1 > M_2 > M_3 > M_4$। तरलता में गिरावट इनके लक्षण का **'विनिमय के माध्यम (medium of exchange)'** से **'मूल्य के भण्डार (store of value)'** के रूप में रूपांतरित होने का संकेत देती है।

- **नये मौद्रिक समुच्चय** (New Monetary Aggregates) – NM_0 (मौद्रिक आधार), NM_1 (संकुचित आधार), NM_2 और NM_3 (व्यापक मुद्रा)
- **तरलता समुच्चय** (Liquidity Aggregates)– L_1, L_2 और L_3

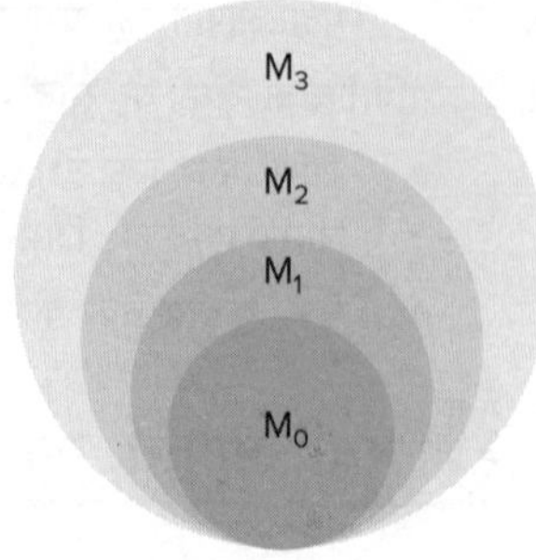

NM_1 = जनता के पास विद्यमान करेंसी + बैंकिंग प्रणाली के पास विद्यमान माँग जमा + भारतीय रिज़र्व बैंक के पास अन्य जमा

NM_2 = **NM_1** + निवासियों की सावधि जमा (1 वर्ष की संविदात्मक परिपक्वता को समाहित करते हुए और उसकी सीमा तक)

NM_3 = **NM_2** + निवासियों के दीर्घकालिक सावधि जमा + वित्तीय संस्थानों से कॉल/टर्म फ़ंडिंग

L_1 = **NM_3** + पोस्ट ऑफ़िस बचत बैंकों के साथ सभी जमा (राष्ट्रीय बचत प्रमाण पत्रों (National Saving Certificate) को छोड़कर)

L_2 = **L_1** + टर्म लेंडिंग संस्थानों (term lending institutions) और पुनर्वित्त संस्थानों (refinancing institutions) के पास टर्म डिपॉजिट + वित्तीय संस्थानों (FIs) द्वारा अवधि उधार (Term borrowing) + वित्तीय संस्थानों [Financial Institutions (FIs)] द्वारा जारी किया गया जमा प्रमाण पत्र [Certificate of Deposits (CDs)]

L_3= **L_2** + ग़ैर-बैंकिंग वित्तीय कंपनियों [Non Banking Finacial Companies (NBFCs)] का सार्वजनिक जमा

ध्यान दें :

- M_0 *पर भारतीय रिज़र्व बैंक द्वारा साप्ताहिक आधार पर जानकारी प्रकाशित की जाती है, जबकि* M_1 *और* M_3 *के लिए प्रति दो सप्ताह पर जानकारी प्रकाशित की जाती है।*
- L_1 और L_2 पर डेटा मासिक आधार पर प्रकाशित किया जाता है, जबकि L_3 त्रैमासिक आधार पर प्रकाशित किया जाता है।

परीक्षोपयोगी

मुद्रा गुणक (Money Multiplier) : यह व्यापक मुद्रा (broad money) और आरक्षित मुद्रा (reserve money) का अनुपात है। यह इंगित करता है कि प्रारंभिक धनराशि, कुल धन आपूर्ति में अधिक अंतिम वृद्धि की ओर कैसे अग्रसर करती है।

मुद्रा गुणक (Money Multiplier) = **M_3/M_0** मुद्रा गुणक M_3 या M_0 के अंतर्गत उल्लिखित घटकों में किसी भी परिवर्तन से प्रभावित हो सकता है।

M_3 की वृद्धि करने के लिए कोई भी क़दम मुद्रा गुणक में सुधार करता है। उदाहरण के लिए- लोगों की बैंकिंग करने की अभिवृत्ति में वृद्धि, जिसे बेहतर वित्तीय समावेशन के माध्यम से प्राप्त किया जा सकता है।

1990 के दशक के मध्य से 2016-17 तक, मनी मल्टीप्लायर ज़्यादातर बढ़ रहा था। हालाँकि 2017-18 के बाद से इसमें गिरावट आ रही है। हालाँकि, 2019-20, 2020-21, 2021-22, 2022-23, मनी मल्टीप्लायर ने रिवर्स रेपो (reverse repo) के अंतर्गत भारतीय रिज़र्व बैंक में बैंकों द्वारा बड़े जमा को दर्शाते हुए मामूली गिरावट दर्ज की है।

मुद्रा संचलन का वेग (THE VELOCITY OF MONEY CIRCULATION)

यह एक निश्चित समयावधि के दौरान एक हाथ से दूसरे हाथ में धन के गमन की औसत संख्या होती है। इसे आमतौर पर किसी देश की कुल मुद्रा आपूर्ति के लिए GDP के अनुपात के रूप में मापा जाता है। इस प्रकार,

मुद्रा का वेग (Velocity of Money) = GDP/कुल मुद्रा आपूर्ति

GDP = मुद्रा आपूर्ति × मुद्रा का वेग

इस प्रकार, GDP को केवल धन की आपूर्ति के माध्यम से नियंत्रित नहीं किया जा सकता है।

मुद्रा संचलन के वेग को प्रभावित करनेवाले कारक (Factors influencing the velocity of money circulation)

- **आय का आवंटन (Income allocation) :** ग़रीबी में लोग अपना पैसा तुरंत ख़र्च करते हैं। इसलिए, ग़रीब लोगों के हाथ में पैसे की गति तेज़ होती है।
- **तेज़ी (Boom) :** तेज़ी की अवधि के दौरान मुद्रा का वेग बढ़ जाता है।
- **ईएमआई (EMI) :** यदि ज़्यादा लोग चीज़ें ख़रीदने के लिए ईएमआई का इस्तेमाल करते हैं, तो मुद्रा का वेग बढ़ जाता है।
- **न्यूनतम वित्तीय समावेशन (Minimal financial inclusion) :** यह कम वेग को दर्शाता है, क्योंकि बैंकों का हस्तक्षेप कम होता है। लोग अचल संपत्तियों को बनाये रखना अधिक पसंद करते हैं, इसलिए पैसा लगातार एक हाथ से दूसरे हाथ में नहीं जाता है।
- **राष्ट्र का विकास (Development of a nation) :** जैसे-जैसे राष्ट्र विकसित होता है, धन का वेग अधिक हो जाता है, क्योंकि जीवनशैली और सरकारी सामाजिक सुरक्षा पर भरोसे के कारण लोग बचत कम करते हैं और ख़र्च अधिक करते हैं।

मुद्रा आपूर्ति का विस्तार (Expansion of Money Supply)

मुद्रा आपूर्ति को इन विभिन्न तंत्रों के माध्यम से बढ़ाया जा सकता है। जो इस प्रकार हैं :

- बैंक ऋण देकर उधारकर्ता के खातों में जमा राशि बनाकर धन की आपूर्ति को बढ़ाता है।
- केंद्रीय बैंक के खुले बाज़ार का संचालन, जैसे सरकारी प्रतिभूतियों को ख़रीदना और बेचना, मुद्रा आपूर्ति को बदल सकता है।
- सरकारी खर्च, विशेष रूप से उधार लेने के माध्यम से, मुद्रा आपूर्ति को बढ़ा सकते हैं।
- वाणिज्यिक बैंकों के लिए आरक्षित आवश्यकताओं को कम करने से ऋण देने की क्षमता बढ़ती है और मुद्रा आपूर्ति का विस्तार होता है।
- केंद्रीय बैंक के विदेशी मुद्रा परिचालन का घरेलू मुद्रा आपूर्ति पर प्रभाव पड़ सकता है।

अतिरिक्त जानकारी

भारतीय मुद्रा को भारतीय रुपया (INR) के नाम से जाना जाता है, और इसका प्रतीक '₹' है। एक रुपये में 100 पैसे होते हैं। '₹' प्रतीक देवनागरी अक्षर 'रुपये' और अंग्रेजी अक्षर '₹' के संयोजन जैसा दिखता है, जिसके ऊपर दो क्षैतिज रेखाएँ हैं।

भारतीय रिज़र्व बैंक द्वारा जारी सभी बैंक नोट (जैसे ₹2, ₹5, ₹10, ₹20, ₹50, ₹100, ₹200, ₹500, और ₹2000) भारत में कहीं भी उपयोग करने हेतु वैध मुद्राएँ हैं, जब तक कि सरकार इन्हें वापस नहीं ले लेती। इन नोटों की गारंटी केंद्र सरकार द्वारा दी जाती है। भारत सरकार द्वारा जारी ₹1 नोट को भी वैध मुद्रा माना जाता है।

हालाँकि, 8 नवंबर, 2016 से पहले जारी महात्मा गांधी श्रृंखला के ₹500 और ₹1000 के नोट अब वैध नहीं हैं तथा इस दिन रात्रि 12 बजे के बाद से इसे वैध मुद्रा (लीगल टेंडर) नहीं माना जाता है।

भारत में अब तक छपा सर्वाधिक मूल्य का नोट ₹10,000 का था। इसे पहली बार वर्ष 1938 में पेश किया गया था लेकिन बाद में वर्ष 1946 में इसे बंद कर दिया गया। वर्ष 1954 में इसे पुनः चालू किया गया परंतु वर्ष 1978 में इसे फिर से बंद कर दिया गया।

बैंक नोटों के बारे में जानने योग्य बातें (Things to Know about Bank Notes)

- बैंक नोटों के भाषा पैनल में पंद्रह भाषाएँ होती हैं, इसके अतिरिक्त, नोट के बीच में हिंदी एवं नोट के पृष्ठ भाग में अंगरेज़ी प्रमुखता से होती है।

- भारत में, बैंक नोट वर्तमान में 100 प्रतिशत कपास आधारित काग़ज़ पर मुद्रित होते हैं।
- एक ही सीरियल नंबरवाले दो या दो से अधिक बैंक नोट मौजूद हो सकते हैं, लेकिन उनमें या तो अलग खचित अक्षर या मुद्रण वर्ष या RBI के अलग गवर्नर के हस्ताक्षर होंगे।
- खचित अक्षर (Inset Letter) बैंक नोट के नंबर पैनल पर छपा एक अक्षर होता है। बिना किसी खचित अक्षरवाले नोट भी हो सकते हैं।
- अंतरराष्ट्रीय सर्वोत्तम प्रथाओं के अनुसार, परिचालन दक्षता और लागत प्रभावशीलता में सुधार के उद्देश्य से 2011 में ग़ैर-अनुक्रमिक नंबरिंग का उपयोग किया गया था।
- स्टार सीरीज के बैंक नोटों में एक अतिरिक्त वर्ण होता है, अर्थात् उपसर्ग के बीच के स्थान में नंबर पैनल में एक '(स्टार) होता है।
- RBI द्वारा जारी सभी बैंक नोट RBI अधिनियम, 1934 की धारा 33 में परिभाषित स्वर्ण, सरकारी प्रतिभूतियों और विदेशी मुद्रा जैसी परिसंपत्तियों द्वारा समर्थित होते हैं।
- स्वतंत्र भारत द्वारा जारी पहला बैंक नोट, वर्ष 1949 में जारी किया गया एक रुपये का नोट था। उसी डिज़ाइन के नये बैंक नोट, किंग जॉर्ज के चित्र के स्थान पर वॉटरमार्क विंडो में सारनाथ में स्थित अशोक स्तंभ के सिंह शीर्ष के प्रतीक के साथ जारी किये गये थे।
- वर्ष 1970 में पहली बार, 'सत्यमेव जयते', यानी 'केवल सत्य की जीत होगी' उद्धरणवाले बैंक नोट जारी किये गये थे।
- अक्टूबर 1987 में महात्मा गांधी के चित्र और अशोक स्तंभ वॉटरमार्क के साथ ₹500 का बैंक नोट जारी किया गया था।

स्वतंत्रता के बाद से जारी किये गये विभिन्न प्रकार के बैंक नोट (Various Types of Bank Notes issued since Independence)

अशोक स्तंभवाला बैंक नोट : स्वतंत्र भारत का पहला बैंक नोट वर्ष 1949 में जारी किया गया एक रुपये का नोट था। उसी डिज़ाइन को बनाये रखते हुए, नये बैंक नोटों को किंग जॉर्ज के चित्र के स्थान पर वॉटरमार्क विंडो में सारनाथ में स्थित अशोक स्तंभ के सिंह शीर्ष प्रतीक के साथ जारी किया गया था।

महात्मा गांधी (MG) शृंखला 1996 : इस शृंखला के सभी बैंक नोटों में अशोक स्तंभ के सिंह शीर्ष के प्रतीक के स्थान पर महात्मा गांधी का चित्र है। इसमें सिंह शीर्ष को भी बरकरार रखा गया है तथा वॉटरमार्क विंडो के बगल में बायीं ओर स्थानांतरित कर दिया गया है। इसका मतलब है कि इन बैंक नोटों में महात्मा गांधी के चित्र के साथ-साथ महात्मा गांधी का वॉटरमार्क भी है।

महात्मा गांधी शृंखला - 2005 बैंक नोट : MG शृंखला 2005 के बैंक नोट ₹10, ₹20, ₹50, ₹100, ₹500 और ₹1000 के मूल्यवर्ग में जारी किये गये थे तथा इनमें 1996 MG शृंखला की तुलना में कुछ अतिरिक्त/नयी सुरक्षा विशेषताएँ भी सम्मिलित थीं। इन बैंक नोटों की शुरुआत का वर्ष इस प्रकार है: →

मूल्यवर्ग	जारी करने का माह और वर्ष
₹50 और ₹100	अगस्त, 2005
₹500 और ₹1000	अक्टूबर, 2005
₹10	अप्रैल, 2006
₹20	अगस्त, 2006

इस शृंखला के ₹500 और ₹1000 रुपये के बैंक नोटों की वैध मुद्रा बाद में 8 नवंबर, 2016 की मध्यरात्रि से वापस ले ली गयी।

महात्मा गांधी (नयी) शृंखला (MGNS) - नवंबर 2016

2016 में शुरू की गयी महात्मा गांधी (नयी) शृंखला देश की सांस्कृतिक विरासत एवं वैज्ञानिक उपलब्धियों पर प्रकाश डालती है। इस शृंखला के बैंक नोटों को छोटे आकार के होने के कारण जेब में रखना आसान हैं तथा इसी कारण से इनके घिसने-फटने की संभावना भी तुलनात्मक रूप से कम है। पहली बार, बैंक नोटों में देश के विविध इतिहास, संस्कृति और लोकाचार तथा वैज्ञानिक उपलब्धियों को दर्शानेवाले विषयों पर स्वदेशी डिज़ाइन विकसित किये गये हैं। इन बैंक नोटों को विशिष्ट बनाने के लिए रंग योजना स्पष्ट और जीवंत है।

इस नयी शृंखला का पहला बैंक नोट 8 नवंबर, 2016 को जारी किया गया था तथा यह मंगलयान की थीम पर आधारित ₹2000 का नया मूल्यवर्ग है। इसके बाद, इस शृंखला में ₹500, ₹200, ₹100, ₹50, ₹20 और ₹10 के मूल्यवर्ग के बैंक नोट भी जारी किये गये।

क्या आप जानते हैं?

1 जनवरी, 2020 को **दृष्टिबाधित लोगों** को भारतीय बैंक नोटों का मूल्य पहचानने में मदद करने के लिये **MANI ऐप** लॉन्च किया गया था। यह ऐप हिंदी और अंगरेज़ी में ऑडियो के माध्यम से मूल्यवर्ग की घोषणा करता है, तथा असमिया, बंगाली, गुजराती, कन्नड़, मलयालम, मराठी, ओडिया, पंजाबी, तमिल, तेलुगु और उर्दू सहित 11 अन्य भाषाओं को भी सपोर्ट करता है।

क्रिप्टो-मुद्राएँ (CRYPTO-CURRENCIES)

यह इंटरनेट पर ट्रांसफ़र की जानेवाली **डिजिटल मुद्रा** होती हैं। यह विकेंद्रीकृत खाता-आधारित **ब्लॉकचेन तकनीक** पर आधारित होती हैं, जो सरकार द्वारा वर्तमान में जारी किये जानेवाले केंद्रीकृत स्वरूप के विपरीत, मुद्रा प्रणाली को विकेंद्रीकृत बनाने का प्रयास करती है। कुछ लोकप्रिय क्रिप्टो-मुद्राएँ हैं- **बिटकॉइन (Bitcoin), एथेरियम (Ethereum), लाइटकॉइन (Litecoin)** और **रिपल (Ripple)**।

क्रिप्टो मुद्राओं के कुछ ख़ास फ़ायदे हैं, जैसे :

- लेन-देन की लागत बहुत कम है,
- वित्तीय समावेशन में सुधार ला सकता है,
- वित्तीय प्रणाली की सुरक्षा में वृद्धि,
- एक बेहतर निर्देशित मौद्रिक या राजकोषीय नीति की क्षमता

हालाँकि, क्रिप्टो-मुद्राओं की **निम्नलिखित हानियाँ** भी होती हैं -

- ये सोने या चाँदी के रिज़र्व जैसी किसी भी भौतिक संपत्ति द्वारा समर्थित नहीं हैं।
- इन्हें अभी भी हैकिंग का ख़तरा है और डिजिटल वॉलेट से बिटकॉइन की चोरी के मामले सामने आये थे, जो उन्हें जोखिम भरा बना देते हैं।
- क्रिप्टो-मुद्राओं के उपयोग में गुमनामी, जैसे- आतंकवाद के वित्तपोषण, तस्करी, मादक द्रव्य व्यापार, मनी लॉन्डरिंग और अन्य आपराधिक गतिविधियों की संभावना रहती है।
- वहीं इसकी क़ीमतों की अत्यधिक अस्थिरता, इसे अटकलबाज़ी और जुए के लिए आदर्श बनाती है, जिसकी किसी स्थिर मुद्रा प्रणाली से अपेक्षा नहीं की जाती है।
- क्रिप्टो-मुद्राओं को 'खनन (Mine)' करने में शामिल बिजली और पर्यावरणीय लागतें बहुत अधिक होती हैं।

अप्रैल, 2018 में **भारतीय रिज़र्व बैंक** ने भारत में आभासी मुद्राओं (virtual currencies) या क्रिप्टो-मुद्राओं के व्यापार को प्रतिबंधित कर दिया।

हालाँकि, **मार्च, 2020 में**, सर्वोच्च न्यायालय (Supreme Court) ने भारतीय रिज़र्व बैंक द्वारा क्रिप्टो-मुद्राओं पर लगाये गये प्रतिबंध को समाप्त कर दिया। सर्वोच्च न्यायालय ने यह निर्णय दिया कि इनके व्यापार पर पूर्ण प्रतिबंध आवश्यकता से अधिक था।

भारत में क्रिप्टो-मुद्राओं को विनियमित करने के लिए अभी तक ऐसा कोई अधिनियम **नहीं** बनाया गया है। वित्त मंत्रालय ने दिसंबर, 2021 में सूचित किया है कि '**द क्रिप्टोकरंसी ऐंड रेगुलेशन ऑफ़ ऑफ़िशियल डिजिटल करेंसी बिल, 2021**' शीर्षकवाले क्रिप्टो मुद्रा संबंधी एक बिल को कैबिनेट के विचार के लिए अंतिम रूप दिया जा रहा है।

क्या आप जानते हैं? अल साल्वाडोर (El Salvador) के बाद सेंट्रल अफ्रीकन रिपब्लिक (CAR) बिटकॉइन को विधि मान्य मुद्रा के रूप में स्वीकार करनेवाला दूसरा देश बन गया। स्विट्ज़रलैंड, जर्मनी और संयुक्त राज्य अमेरिका के कुछ विश्वविद्यालयों ने हाल ही में अपनी आधिकारिक वेबसाइटों पर शिक्षा के लिए भुगतान के रूप में क्रिप्टोकरेंसी स्वीकार की है।

भारतीय समाज पर क्रिप्टोकरेंसी का प्रभाव (Impact of Cryptocurrencies on Indian Society)

- **बढ़ती रुचि (Growing Interest):** भारत में बहुत से लोग, ख़ास तौर पर युवा, बिटकॉइन और एथेरियम जैसी क्रिप्टोकरेंसी में काफ़ी रुचि ले रहे हैं। भारतीय युवाओं ने क्रिप्टोकरेंसी में बहुत ज़्यादा निवेश किया है, इस प्रकार एक नया क्रिप्टो समुदाय उभरा है।
- **नये अवसर (New Opportunities):** क्रिप्टोकरेंसी ने धन कमाने, निवेश करने और यहाँ तक कि व्यवसाय शुरू करने के नये रास्ते खोले हैं, ख़ास तौर पर प्रौद्योगिकी और वित्त क्षेत्रों में।
- **स्पष्ट नियमों और विनियमों का अभाव (Lack of Clear Rules and Regulations):** भारतीय रिज़र्व बैंक ने वर्ष 2018 में सभी बैंकों को क्रिप्टोकरेंसी में काम करने से रोकने के लिए एक परिपत्र (सर्कुलर) जारी किया था। इस परिपत्र को मई, 2020 में उच्चतम न्यायालय ने असंवैधानिक घोषित कर दिया था। चूँकि क्रिप्टोकरेंसी ज्यादातर अनियमित हैं, इसलिए कुछ लोगों ने घोटालों और नक़ली प्लेटफ़ॉर्म के कारण अपना धन गवाँ दिया है।
- **सरकारी कार्रवाई (Government Action):** सरकार ने एक सॉवरेन डिजिटल करेंसी बनाने और साथ ही सभी निजी क्रिप्टोकरेंसी पर प्रतिबंध लगाने के लिए क्रिप्टोकरेंसी और आधिकारिक डिजिटल करेंसी विनियमन विधेयक, 2021 नामक एक विधेयक पेश करने की घोषणा की है।

- **वित्त तक पहुँच (Access to Finance):** क्रिप्टो, लोगों को, ख़ास तौर पर पारंपरिक बैंकों तक पहुँच न रखनेवालों को, धन प्रबंधित करने और अंतरित करने का एक नया तरीका प्रदान करता है। इससे उद्यमियों के लिए राष्ट्रीय बाज़ारों से सख़्ती से जुड़े रहने के बजाए अंतरराष्ट्रीय बाज़ारों तक पहुँच बनाना आसान हो गया है।
- **अभी भी विकास हो रहा है (Still Developing):** भारत में क्रिप्टो का उपयोग बढ़ रहा है, लेकिन इसे सभी के लिये सुरक्षित और उपयोगी बनाने के लिए बेहतर नियमों और अधिक जागरूकता की आवश्यकता है।

अतिरिक्त जानकारी

ब्लॉकचेन तकनीक (BLOCKCHAIN TECHNOLOGY)

कंप्यूटर के नेटवर्क पर लेन-देन को ट्रैक करनेवाली विकेंद्रीकृत डिजिटल खाता बही (digital ledger) को ब्लॉकचेन तकनीक के रूप में जाना जाता है। इसमें श्रृंखला (चेन) के प्रत्येक ब्लॉक में कई लेन-देन होते हैं, और हर बार जब ब्लॉकचेन पर कोई नया लेन-देन होता है, तो इसका रिकॉर्ड प्रत्येक प्रतिभागी के खाते में जोड़ा जाता है। चूँकि यह तकनीक विकेंद्रीकृत है, इसलिए इसमें सुरक्षा और पारदर्शिता का उच्च स्तर है, क्योंकि कोई भी व्यक्ति या संस्था पूर्व लेन-देन को परिवर्तित या हटा नहीं सकती है। हालाँकि ब्लॉकचेन बिटकॉइन जैसी क्रिप्टोकरेंसी के लिए आधार के रूप में कार्य करता है, लेकिन आभासी धन के दायरे से बाहर इसके अन्य संभावित अनुप्रयोग भी हैं।

नॉन-फ़न्जिबल (अपूरणीय) टोकन (NON-FUNGIBLE TOKEN)

नॉन-फ़न्जिबल टोकन (NFT) एक अपूरणीय, अद्वितीय क्रिप्टोग्राफ़िक ब्लॉकचेन आधारित टोकन है, जिसका उपयोग संगीत, फोटो, कलाकृति, ट्वीट्स और यहाँ तक कि मीम जैसी **डिजिटल परिसंपत्तियों के स्वामित्व के प्रमाण (evidence of ownership for digital assets)** के रूप में किया जा सकता है। अन्य मुद्राओं के विपरीत, नॉन-फ़न्जिबल टोकन को समान मूल्य के लिए आदान-प्रदान नहीं किया जा सकता है, छोटे मूल्यों में भी विभाजित नहीं किया जा सकता है और इसलिए वाणिज्यिक लेनदेन के माध्यम के रूप में उपयोग नहीं किया जा सकता है। उदाहरण के लिए, दस रुपये के नोट का एक और दस रुपये के नोट के साथ आदान-प्रदान किया जा सकता है, लेकिन इसके विशिष्ट गुणों के कारण NFT के मामले में यह संभव नहीं है। NFT को **डिजिटल बाज़ारों में ट्रेड किया और बेचा जा सकता है।** NFTs क्रिप्टोग्राफ़िक टोकन की तरह कार्य करते हैं, लेकिन बिटकॉइन या एथेरियम जैसी क्रिप्टो मुद्रा के विपरीत, NFT परस्पर विनिमेय नहीं हैं, और इसलिए फ़न्जिबल (पूरणीय) नहीं हैं।

स्थिर सिक्का (STABLE COIN)

स्थिर सिक्का, वह क्रिप्टोकरेंसी है, जो स्थिर परिसंपत्तियों से जुड़ी होती है, जो अक्सर डॉलर के लिए होती हैं, और ब्लॉकचेन लेनदेन के लिए डिजिटल रूप में सरकार द्वारा जारी किये गये पैसे के समान सुसंगत मूल्य देने के लिए डिज़ाइन की जाती हैं, लेकिन निजी व्यवसायों द्वारा जारी की जाती हैं।

संक्षिप्त विवरण

- **मुद्रा (Money)** - मुद्रा, वह वस्तु होती है, जिसे क़ानूनी तौर पर विनिमय के माध्यम, खाते (अकाउंट) की इकाई, मूल्य के भंडार और आस्थगित भुगतान के मानक के रूप में वैधता प्राप्त है।
- **मुद्रा के कार्य (Functions of Money)** - मुद्रा, लेन-देन की सुविधा प्रदान करती है, वस्तुओं के मूल्य निर्धारण में मददगार है, धन की बचत करने और भविष्य के भुगतानों का निपटान करने में सहायक है।
- **कमोडिटी मनी (Commodity Money)** - स्वर्ण या नमक जैसे शुरुआती मुद्रा रूपों का आंतरिक मूल्य होता था तथा इनका उपयोग विनिमय में किया जाता था।
- **फ़िएट मुद्रा (Fiat Money)** - क़ानून द्वारा विनिमय के माध्यम के रूप में घोषित, जैसे काग़ज़ के नोट और सिक्के।
- **फ़िड्युसरी मनी (Fiduciary Money)** - इसमें चेक और ड्राफ़्ट जैसे उपकरण सम्मिलित हैं, जिन्हें वैध मुद्रा की स्थिति के बजाय भरोसे के आधार पर स्वीकार किया जाता है।

- **वाणिज्यिक बैंक मुद्रा (Commercial Bank Money)** – क्रेडिट और ऋण के माध्यम से निर्मित, यह मुद्रा प्रकार, प्रिंट किये बिना मुद्रा आपूर्ति का विस्तार करता है।
- **भारत में मुद्रा जारीकर्ता (Currency Issuers in India)** – भारतीय रिज़र्व बैंक ₹2 और उससे अधिक मूल्य के नोट जारी करता है; ₹1 के नोट और सभी सिक्के भारत सरकार द्वारा जारी किये जाते हैं।
- **वैध मुद्रा (Legal Tender)** – वह मुद्रा, जिसे क़ानून के अनुसार, देश के भीतर भुगतान हेतु स्वीकार किया जाता है।
- **मौद्रिक नीति (Monetary Policy)** – RBI, मुद्रा प्रवाह और मुद्रास्फीति को नियंत्रित करने के लिए रेपो दर, CRR और SLR जैसे उपकरणों का इस्तेमाल करता है।
- **मुद्रा आपूर्ति की परिभाषा (Definition of Money Supply)** – अर्थव्यवस्था में उपलब्ध मुद्रा (करेंसी + जमाएँ) के कुल स्टॉक को संदर्भित करता है।

यूपीएससी सिविल सेवा के पिछले वर्षों की प्रारंभिक परीक्षा के प्रश्न

1. किसी अर्थव्यवस्था में धन गुणक निम्नलिखित में से किसके साथ बढ़ता है? **[2021]**

(a) बैंकों में नक़द आरक्षित अनुपात में वृद्धि
(b) बैंकों में वैधानिक तरलता अनुपात में वृद्धि
(c) लोगों की बैंकिंग आदत में वृद्धि
(d) देश की जनसंख्या में वृद्धि

2. ''**ब्लॉकचेन प्रौद्योगिकी**'' के संदर्भ में निम्नलिखित कथनों पर विचार कीजिए : **[2020]**

1. यह एक सार्वजनिक खाता है, जिसका हर कोई निरीक्षण कर सकता है, लेकिन जिसे कोई एकल उपयोगकर्ता नियंत्रित नहीं करता है।
2. ब्लॉकचेन की संरचना और डिज़ाइन ऐसा है कि इसमें सभी डेटा केवल क्रिप्टोकरेंसी के बारे में होता है।
3. ब्लॉकचेन की आधारभूत सुविधाओं पर निर्भर ऐप्लिकेशन किसी की अनुमति के बिना विकसित किये जा सकते हैं।

ऊपर दिये गये कथनों में से कौन-सा/से कथन सही है/हैं?

(a) केवल 1 **(b)** केवल 1 और 2
(c) केवल 2 **(d)** केवल 1 और 3

3. यदि आप अपने बैंक में अपने माँग जमा खाते से नक़द में ₹1,00,000 निकालते हैं, तो अर्थव्यवस्था में कुल मुद्रा आपूर्ति पर तत्काल प्रभाव होगा- **[2020]**

(a) यह ₹1,00,000 कम हो जायेगी।
(b) यह ₹1,00,000 बढ़ जायेगी।
(c) यह ₹1,00,000 से ज़्यादा बढ़ जायेगी।
(d) इस पर कोई प्रभाव नहीं होगा।

4. निम्नलिखित कथनों में से कौन-सा 'क़ानूनी निविदा मुद्रा' (legal tender money) के अर्थ का सही ढंग से वर्णन करता है? **[2018]**

(a) वह मुद्रा, जो क़ानूनी मामलों की फ़ीस चुकाने के लिए न्यायालयों में दी जाती है।
(b) वह मुद्रा, जिसे कोई लेनदार अपने दावों के निपटान में स्वीकार करने के लिए बाध्य होता है।
(c) चेक, ड्राफ़्ट, विनिमय बिल आदि के रूप में बैंक की मुद्रा।
(d) किसी देश में प्रचलित धातु की मुद्रा।

5. मुद्रा की माँग में वृद्धि होने पर मुद्रा की आपूर्ति समान बनी रहने पर, वहाँ होगी : **[2013]**

(a) क़ीमतों के स्तर में गिरावट
(b) ब्याज दर में वृद्धि
(c) ब्याज दर में कमी
(d) आय और रोज़गार के स्तर में वृद्धि

☞ **कोई प्रश्न नहीं**
2024, 2023, 2022, 2019, 2017, 2016, 2015, 2014

उत्तर कुंजी

1. (c) 2. (d) 3. (d) 4. (b) 5. (b)

यूपीएससी सिविल सेवा के पिछले वर्षों की मुख्य परीक्षा के प्रश्न

☞ **कोई प्रश्न नहीं**
2024, 2023, 2022, 2021, 2020, 2019, 2018, 2017, 2016, 2015, 2014, 2013

अध्याय 11

भारत में बैंकिंग क्षेत्र (Banking Sector in India)

अध्याय की रूपरेखा

- भारत में बैंकिंग
- बैंकिंग का इतिहास
- भारतीय रिज़र्व बैंक
- भारत में मौद्रिक नीति
- ऋण नियंत्रण के मात्रात्मक उपकरण
- ऋण नियंत्रण के गुणात्मक उपकरण
- भारत में बैंकिंग प्रणाली की संरचना
- वाणिज्यिक बैंक
- भारतीय स्टेट बैंक
- राष्ट्रीयकृत बैंक
- निजी क्षेत्र भारतीय बैंक
- निजी क्षेत्र विदेशी बैंक
- क्षेत्रीय ग्रामीण बैंक
- सहकारी बैंक
- बैंकिंग विनियमन (संशोधन) अधिनियम, 2020
- विकास बैंक
- ग़ैर-बैंकिंग वित्तीय कंपनियाँ
- प्राथमिक डीलर
- विभेदित बैंकिंग
- लघु वित्त बैंक
- भुगतान बैंक
- बैंक बोर्ड ब्यूरो
- भारतीय राष्ट्रीय भुगतान निगम
- भारतीय बैंकिंग कोड और मानक बोर्ड
- बैंकिंग धोखाधड़ी के लिए सलाहकार बोर्ड
- डेबिट कार्ड
- भारतीय वित्तीय प्रणाली कोड
- चुंबकीय स्याही चिह्न पहचान कोड
- स्विफ़्ट कोड
- कोर बैंकिंग सॅल्यूशन
- KYC मानदंड
- शून्य रुपये का नोट
- क़ानूनी इकाई पहचानकर्ता
- ग़ैर-निष्पादित परिसम्पत्तियाँ
- परिसम्पत्ति पुनर्निर्माण कम्पनी
- अशोध्य परिसंपत्ति बैंक
- शीघ्र सुधारात्मक कार्रवाई
- बैंकिंग स्थिरता सूचकांक/संकेतक
- बेसल मानदंड
- प्रणालीगत महत्त्वपूर्ण वित्तीय संस्थान
- भारत में बैंकों की क्रेडिट रेटिंग
- वित्तीय समावेशन
- वित्तीय समावेशन के लिए राष्ट्रीय रणनीति (2019-24)
- वित्तीय शिक्षा के लिए राष्ट्रीय रणनीति (2020-25)

भारत में बैंकिंग (BANKING IN INDIA)

बैंक क्या है?

1949 के बैंकिंग कंपनी अधिनियम के अनुसार, बैंक एक ऐसी वित्तीय इकाई है, जो अपने ग्राहकों को बैंकिंग और अन्य वित्तीय सेवाएँ प्रदान करता है। बैंक को आमतौर पर एक ऐसी संस्था के रूप में परिभाषित किया जाता है, जो ऋण उत्पत्ति और जमा प्राप्ति जैसी बुनियादी वित्तीय सेवाएँ प्रदान करता है।

बैंकिंग का इतिहास
(History of Banking)

- स्वतंत्रता-पूर्व (1786-1947) [Pre Independence Period (1786–1947)]
- स्वतंत्रता-पश्चात् (1947-अब तक) [Post Independence Period (1947–Till Date)]
  - राष्ट्रीयकरण के पहले की अवधि (1947-69) [Pre Nationalisation Period (1947–69)]
  - राष्ट्रीयकरण के बाद की अवधि (1969-91) [Post Nationalisation Period (1969–91)]
  - उदारीकरण अवधि (1991-अब तक) [Liberalisation Period (1991–Till Date)]

➤ भारत में बैंकिंग का प्रारम्भ **1770 में बैंक ऑफ़ हिन्दुस्तान** की स्थापना के साथ हुआ था।

➤ ज़नरल बैंक ऑफ़ इंडिया की स्थापना वर्ष 1786 में की गयी थी।

➤ बाद में, तीन प्रेसीडेंसी बैंकों की स्थापना की गयी-

1. 1806 में बैंक ऑफ़ कलकत्ता
2. 1840 में बैंक ऑफ़ बॉम्बे
3. 1843 में बैंक ऑफ़ मद्रास

इन बैंकों ने कई वर्षों तक अर्द्ध-केंद्रीय बैंकों के रूप में काम किया-

➤ 1921 में **इंपीरियल बैंक ऑफ़ इंडिया** निर्मित करने के लिए इन तीनों बैंकों का विलय किया गया। इंपीरियल बैंक ने 1955 तक काम जारी रखा, जिसके बाद इसका नाम बदलकर भारतीय स्टेट बैंक कर दिया गया।

क्या आप जानते हैं?

➤ यूनियन बैंक, जिसे 1865 में भारतीय व्यापारियों द्वारा स्थापित किया गया था, एक दशक के भीतर ही विफल हो गया।

➤ इलाहाबाद बैंक की स्थापना भी 1865 में की गयी थी, जो भारत में सार्वजनिक क्षेत्र का सर्वाधिक पुराना बैंक है। यह बैंक पिछले 146 वर्षों से सेवाएँ दे रहा है।

➤ पंजाब नेशनल बैंक वह पहला बैंक था, जो पूर्णत: भारतीयों द्वारा प्रबंधित था।

➤ 1922 में, **हिल्टन यंग** की अध्यक्षता में, **रॉयल कमीशन ऑन इंडियन करेंसी ऐंड फ़ाइनेंस की स्थापना** की गयी थी। इस आयोग ने 1926 में मुद्रा प्रबंधन के संचालन की अनुशंसा की। इस आयोग की अनुशंसाओं के आधार पर **1934 में भारतीय रिज़र्व बैंक अधिनियम** पारित किया गया था, जो **1 अप्रैल, 1935** को लागू हुआ था।

➤ प्रारंभ में (1935–37), भारतीय रिज़र्व बैंक का मुख्यालय कोलकाता में स्थित था। इसके बाद से यह मुंबई में स्थित है।

➤ भारतीय रिज़र्व बैंक ने निम्नलिखित देशों के लिए भी केंद्रीय बैंक के रूप में काम करना जारी रखा-

(i) **बर्मा,** 1947 तक (ii) **पाकिस्तान,** जुलाई 1948 तक

➤ बैंकों का राष्ट्रीयकरण 1969 में हुआ। 1969 में **चौदह निजी बैंकों का राष्ट्रीयकरण किया गया और 1980 में छह और बैंकों का राष्ट्रीयकरण किया गया था।**

➤ 1990 के दशक के बाद, धीरे-धीरे कई राष्ट्रीयकृत बैंकों का विलय किया गया *(जिसकी इसी अध्याय में बाद में चर्चा की गयी है)*।

भारतीय रिज़र्व बैंक (RESERVE BANK OF INDIA)

➤ भारतीय रिज़र्व बैंक की स्थापना **हिल्टन यंग कमीशन (ब्रिटिश सरकार द्वारा 1920 के दशक में स्थापित किया गया)** की अनुशंसाओं के आधार पर की गयी थी।

- भारतीय रिज़र्व बैंक की स्थापना **1935 में भारतीय रिज़र्व बैंक अधिनियम, 1934** के अनुसार हुई थी और यह भारत की केंद्रीय बैंकिंग संस्था है। इसने भारतीय रिज़र्व बैंक अधिनियम (RBI Act), **1934** के प्रावधानों के अनुसार ब्रिटिश शासन के दौरान 1 अप्रैल, 1935 को अपना संचालन प्रारम्भ किया था।
- भारतीय रिज़र्व बैंक ने एक शेयरधारक कंपनी (अर्थात् निजी स्वामित्ववाली कंपनी) के रूप में कार्य आरम्भ किया था, लेकिन भारतीय रिज़र्व बैंक (सार्वजनिक स्वामित्व का हस्तांतरण) अधिनियम [RBI (Transfer of Public Ownership) Act], 1948 के अंतर्गत **1949 में इसका राष्ट्रीयकरण** हो गया और उसके बाद यह **पूरी तरह से भारत सरकार के स्वामित्व में** है।
- भारतीय रिज़र्व बैंक के पहले गवर्नर **सर ओसबोर्न स्मिथ** (1935–1937) थे।
- भारतीय रिज़र्व बैंक के पहले भारतीय गवर्नर **सी. डी. देशमुख** (1943–1949) थे।
- **मनमोहन सिंह** अब तक ऐसे एकमात्र प्रधानमंत्री थे, जिन्होंने विभिन्न समयावधियों के दौरान भारतीय रिज़र्व बैंक के गवर्नर के रूप में भी कार्य किया।
- पहले भारतीय रिज़र्व बैंक का मुख्य कार्यालय कोलकाता में स्थित था। लेकिन इसे 1937 में मुंबई स्थानान्तरित किया गया। इसमें 4 आंचलिक (ज़ोनल) कार्यालय और लगभग 22 क्षेत्रीय (रीजनल) कार्यालय हैं।
- भारतीय रिज़र्व बैंक का प्रतीक एक बाघ (पहले यह शेर था) और एक ताड़ का वृक्ष (Palm tree) है।
- जनवरी, **1938** में **पहला रिज़र्व बैंक नोट** जारी किया गया था।
- 1940 में, चाँदी के रुपये को चतुष्क मिश्रधातु रुपये से बदल दिया गया और एक रुपये के नोट को फिर से चालू किया गया। इस नोट को एक रुपये के सिक्के का दर्जा प्राप्त था और यह भारत में आधिकारिक कागज़ी मुद्रा के आगमन का प्रतीक था।
- RBI ने भारत के रक्षा दिशानिर्देशों के तहत **1939** में पहली बार **भारत में विनिमय नियंत्रण** (exchange control in India) लागू किया। इन सीमाओं को बैंकिंग और सर्राफ़ा बाज़ारों में बढ़ती सट्टा गतिविधि के कारण 1945 में लागू किया गया।
- प्रारंभ में सुरक्षा उपायों के तौर पर 1944 में रुपये के नोटों पर सुरक्षा धागों का इस्तेमाल किया गया।
- आरबीआई ने 30 जून, 1948 तक पाकिस्तान के केंद्रीय बैंक के रूप में कार्य किया। 1 जुलाई, 1949 को, स्टेट बैंक ऑफ़ पाकिस्तान ने पाकिस्तान के केंद्रीय बैंक के रूप में काम करना शुरू किया।
- 12 जनवरी, 1946 को अघोषित धन को कम करने के लिए ₹500, ₹1000 और ₹10,000 के उच्च मूल्यवर्ग के बैंक नोटों का विमुद्रीकरण किया गया।
- **भारतीय रिज़र्व बैंक की प्रस्तावना (Preamble of RBI)** में भारतीय रिज़र्व बैंक के आधारिक कार्यों का वर्णन किया गया है– '*बैंक नोट जारी करने को विनियमित करना, भारत में मौद्रिक स्थिरता प्राप्त करने और सामान्य रूप से देश की मुद्रा और ऋण प्रणाली को देश के लाभ के लिए संचालित करने की दृष्टि से आरक्षित निधि रखना।*'
- इससे पहले RBI का लेखा वर्ष 1 जुलाई से 30 जून तक था, लेकिन वित्तीय वर्ष 2020–21 से इसे बदलकर 1 अप्रैल से 31 मार्च तक कर दिया गया है।
- भारतीय रिज़र्व बैंक के पास **पूरी तरह से स्वामित्ववालीं पाँच सहायक कंपनियाँ हैं**, अर्थात् :-
  1. जमा बीमा और क्रेडिट गारंटी भारतीय निगम [Deposit Insurance and Credit Guarantee Corporation (DICGC)]
  2. भारतीय रिज़र्व बैंक नोट मुद्रण प्राइवेट लिमिटेड [Bharatiya Reserve Bank Note Mudran Private Limited (BRBNMPL)]
  3. रिज़र्व बैंक सूचना प्रौद्योगिकी प्राइवेट लिमिटेड [Reserve Bank Information Technology Private Limited (ReBIT)]
  4. भारतीय वित्तीय प्रौद्योगिकी और संबद्ध सेवाएँ [Indian Financial Technology and Allied Services (IFTAS)]
  5. रिज़र्व बैंक इनोवेशन हब [Reserve Bank Innovation Hub (RBIH)]
- भारतीय रिज़र्व बैंक के मामले केंद्रीय निदेशक मंडल द्वारा शासित होते हैं, जिसमें निम्नलिखित 21 सदस्य शामिल हैं–
  - **सरकारी निदेशक (Official Directors),** जिसमें शामिल हैं–
    - गवर्नर + अधिकतम 4 डिप्टी गवर्नर (अधिकतम 5 वर्ष के कार्यकाल के लिए)

- **ग़ैर-सरकारी निदेशक (Non-Official Directors),** जिनमें शामिल हैं-
  - विभिन्न क्षेत्रों के 10 निदेशक (भारत सरकार द्वारा नामित और वे 4 वर्षों तक पद धारण करते हैं)।
  - भारतीय रिज़र्व बैंक के 4 स्थानीय बोर्डों में से प्रत्येक द्वारा नामित 1 निदेशक।
  - भारत सरकार द्वारा नामित 2 सरकारी अधिकारी।

➤ **भारतीय रिज़र्व बैंक के गवर्नर और उप-गवर्नर (Governor and Deputy Governors)** भारत सरकार द्वारा नामित किये जाते हैं और इनका कार्यकाल अधिकतम 5 वर्ष का होता है।

➤ RBI के गवर्नर **RBI अधिनियम से अपनी शक्तियाँ** प्राप्त करते हैं। उसके पास RBI के मामलों और कारोबार के सामान्य अधीक्षण और निर्देशन की शक्तियाँ होंगी।

क्या आप जानते हैं? **वर्तमान में,** भारतीय रिज़र्व बैंक के **गवर्नर** (26वें गवर्नर) श्री संजय मल्होत्रा और चार उप-गवर्नर श्री टी. रबी शंकर, श्री स्वामीनाथन जे., डॉ. पूनम गुप्ता तथा श्री एम. राजेश्वर राव हैं।

पहले, RBI के पास NHB और नाबार्ड का पूर्ण स्वामित्व था। हालाँकि, 2019 में सरकार ने RBI से इन संस्थानों में पूरी हिस्सेदारी हासिल कर ली। 1990 के दशक की शुरुआत में, नरसिम्हम समिति ने कहा कि एक नियामक के रूप में RBI वित्तीय कंपनियों के स्वामी नहीं है।

भारतीय रिज़र्व बैंक की सहायक कंपनियाँ (Subsidiaries of RBI)

जमा बीमा और क्रेडिट गारंटी निगम [Deposit Insurance and Credit Guarantee Corporation (DICGC)]

➤ इसकी स्थापना 1978 में संसद द्वारा जमा बीमा और क्रेडिट गारंटी निगम अधिनियम, 1961 को मंज़ूरी देने के बाद की गयी थी, जिसने जमा बीमा निगम (DIC) और क्रेडिट गारंटी कॉरपोरेशन ऑफ़ इंडिया लिमिटेड को समामेलित किया।

➤ यह भारतीय रिज़र्व बैंक की पूर्ण स्वामित्ववाली सहायक कंपनी है, जो जमा बीमा प्रदान करती है।

➤ इसमें प्रति बैंक खाताधारक, अधिकतम 5 लाख रुपये तक के जमा खाते शामिल हैं।

➤ यदि किसी बैंक खाताधारक की जमा राशि किसी एक बैंक में 5 लाख रुपये तक पहुँच जाती है, तो बैंक के दिवालिया होने पर DICGC 5 लाख रुपये तक का भुगतान करेगा, जिसमें ब्याज और मूलधन शामिल हैं।

भारतीय रिज़र्व बैंक नोट मुद्रण प्राइवेट लिमिटेड [Bharatiya Reserve Bank Note Mudran Private Limited (BRBNMPL)]

➤ 1995 में, रिज़र्व बैंक ने भारत में बैंक नोट के निर्माण को बढ़ावा देने और बैंक नोटों के लिए देश की आपूर्ति और माँग के अंतर को कम के लिए पूर्ण स्वामित्ववाली सहायक कंपनी के रूप में BRBNMPL की शुरुआत की।

➤ BRBNMPL 1956 के कंपनी अधिनियम के तहत निगमित एक सार्वजनिक लिमिटेड कंपनी है, जिसका पंजीकृत और कॉर्पोरेट कार्यालय बेंगलुरु में हैं।

➤ कंपनी मैसूर, कर्नाटक और सालबोनी, पश्चिम बंगाल में स्थित दो प्रेसों का संचालन करती है।

रिज़र्व बैंक सूचना प्रौद्योगिकी प्राइवेट लिमिटेड [Reserve Bank Information Technology Private Limited (ReBIT)]

➤ भारतीय रिज़र्व बैंक (RBI) ने 2016 में रिज़र्व बैंक और साइबर सुरक्षा सहित इसकी विनियमित फ़र्म की आईटी आवयकताओं को प्रबंधित करने के लिए एक पूर्ण स्वामित्ववाली सहायक कंपनी के रूप में रिज़र्व बैंक सूचना प्रौद्योगिकी प्राइवेट लिमिटेड (ReBIT) की स्थापना की।

भारतीय वित्तीय प्रौद्योगिकी और संबद्ध सेवाएँ [Indian Financial Technology and Allied Services (IFTAS)]

➤ यह भारतीय रिज़र्व बैंक की पूर्ण स्वामित्ववाली एक सहायक कंपनी है।

➤ IFTAS ने IDRBT से भारतीय वित्तीय नेटवर्क [Indian Financial Network (INFINITE)], संरचित वित्तीय संदेश प्रणाली [Structured Financial Messaging System (SFMS)] और भारतीय बैंकिंग समुदाय क्लाउड [Indian Banking Community Cloud (IBCC)] का अधिग्रहण कर लिया है।

रिज़र्व बैंक इनोवेशन हब [Reserve Bank Innovation Hub (RBIH)]

➤ रिज़र्व बैंक इनोवेशन हब (RBIH) भारतीय रिज़र्व बैंक की पूर्ण स्वामित्ववाली एक सहायक कंपनी है। इसकी स्थापना वित्तीय उद्योग में नवाचार को बढ़ावा देनेवाले माहौल को प्रोत्साहित करने और उसे सक्षम बनाने के लिए की गयी थी। RBIH भारतीय वित्तीय क्षेत्र में सबसे महत्त्वपूर्ण मुद्दों से निपटने के दौरान एक सामान्य दृष्टिकोण को साझा करने और दूरदर्शी-सोच की नवाचार रणनीतियों को विकसित करने के लिए सभी वित्तीय पारिस्थितिकी तंत्र के खिलाड़ियों के लिए एक मंच के रूप में कार्य करता है।

भारतीय रिज़र्व बैंक के कार्य (Functions of RBI)

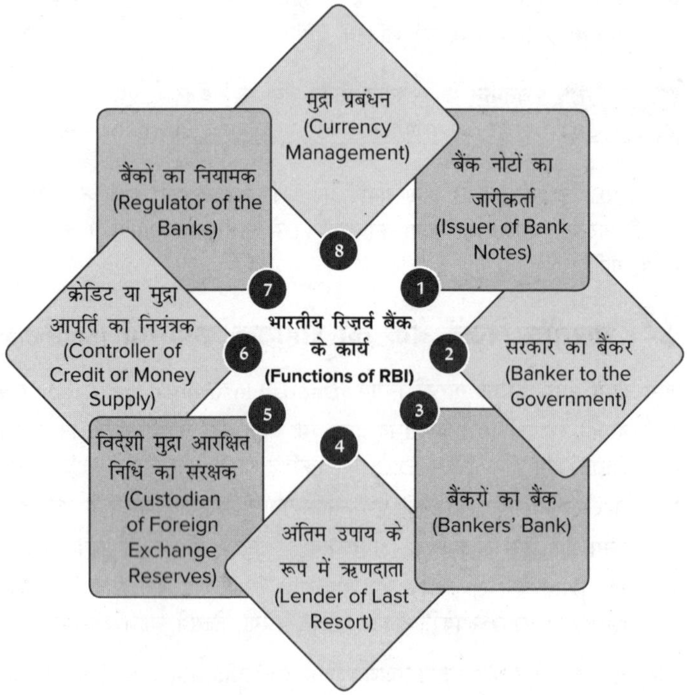

1. **बैंक नोटों का जारीकर्ता (Issuer of Bank Notes) :** भारतीय रिज़र्व बैंक को ₹1 के नोट को छोड़कर सभी प्रकार के करेंसी नोट जारी करने का एकाधिकार प्राप्त है। ₹1 के नोट और सभी मूल्यवर्ग के सिक्कों को भारत सरकार (भारतीय रिज़र्व बैंक नहीं) द्वारा ढाला जाता और जारी किया जाता है, लेकिन उन्हें भारतीय रिज़र्व बैंक के माध्यम से परिचालित किया जाता है। भारतीय रिज़र्व बैंक ने 1957 से नोट जारी करने के लिए न्यूनतम आरक्षित निधि प्रणाली (मिनिमम रिज़र्व सिस्टम) को अपनाया, जिसके अनुसार उसे ₹200 करोड़ मूल्य के सोने और विदेशी मुद्रा आरक्षित निधि को बनाये रखना है, जिसमें से न्यूनतम ₹115 करोड़ सोने में होने चाहिए।
2. **सरकार का बैंकर (Banker to the Government) :** भारतीय रिज़र्व बैंक, केंद्र और साथ ही राज्य सरकारों के बैंकिंग एजेंट और वित्तीय सलाहकार के रूप में कार्य करता है। यह सरकारी खातों और राजकोषों का प्रबंधन करता है। RBI, केंद्र और राज्य सरकारों को, उनके नक़दी प्रवाह में अस्थायी कमी को पूरा करने के लिए अर्थोपाय अग्रिम (WMA) के ज़रिए अल्पावधि ऋण प्रदान करता है। अल्पावधि ऋण मौजूदा रेपो दर की ब्याज दर पर अधिकतम 90 दिनों की अवधि के लिए प्रदान किया जाता है। भारतीय रिज़र्व बैंक, सरकार की ओर से सरकारी प्रतिभूतियों (G-Secs) को ख़रीदता और बेचता है। यह सरकारों को मौद्रिक और वित्तीय सलाह देता है।
3. **बैंकरों का बैंक (Bankers' Bank) :** देश के अन्य सभी बैंक संकट के समय की देनदारियों को पूरा करने के लिए जमा के रूप में भारतीय रिज़र्व बैंक के पास नक़दी शेष राशियों का अपना भाग रखते हैं। अनुसूचित वाणिज्यिक बैंक दो प्रकार से नक़द शेष रखते हैं-
   a. वे नक़द शेष का एक भाग अपने पास रखते हैं, और
   b. दूसरे भाग को भारतीय रिज़र्व बैंक के पास जमा के रूप में रखा जाता है।
4. **अंतिम उपाय के रूप में ऋणदाता (Lender of Last Resort) :** भारतीय रिज़र्व बैंक न केवल बैंकों का बैंकर है, अपितु यह अंतिम उपाय के रूप में ऋणदाता भी है। इसका अर्थ है कि संकट के समय अनुसूचित वाणिज्यिक बैंक वित्तीय सहायता प्राप्त करने के लिए भारतीय रिज़र्व बैंक से संपर्क करते हैं। चूँकि भारतीय रिज़र्व बैंक, अंतिम उपाय के रूप में ऋणदाता है, इसलिए यह भारतीय रिज़र्व बैंक को देश की बैंकिंग प्रणाली पर नियंत्रण करने का अवसर देता है और इसके लिए उसे सक्षम बनाता है।

5. **विदेशी मुद्रा आरक्षित निधि का संरक्षक (Custodian of Foreign Exchange Reserves) :** भारतीय रिज़र्व बैंक, राष्ट्र की विदेशी मुद्रा आरक्षित निधि के संरक्षक के रूप में कार्य करता है। रुपये के बाहरी मूल्य को स्थिर करने के लिए भारतीय रिज़र्व बैंक विदेशी मुद्राओं की आरक्षित निधियों को बनाये रखता है, जो विनिमय दर को स्थिर करने और अंतरराष्ट्रीय व्यापार को बढ़ावा देने में भी सहायता करती है।
6. **क्रेडिट या मुद्रा आपूर्ति का नियंत्रक (Controller of Credit or Money Supply):** भारतीय रिज़र्व बैंक, राष्ट्र की मौद्रिक आवश्यकता के अनुसार मुद्रा आपूर्ति की मात्रा में वृद्धि या कमी को नियंत्रित करता है। यह महत्त्वपूर्ण है, ताकि अर्थव्यवस्था में मुद्रास्फीति और अवस्फीति को (बाज़ार में मुद्रा आपूर्ति के स्तर को नियंत्रित करके) नियंत्रित किया जा सके। क्रेडिट मनी या मुद्रा आपूर्ति का अधिक विस्तार मुद्रास्फीति का कारण बन सकता है, जबकि क्रेडिट मनी के भारी संकुचन के परिणामस्वरूप अपस्फीति उत्पन्न होती है। भारतीय रिज़र्व बैंक इन स्थितियों पर रोक लगाते हुए, सामान्य मूल्य स्तर को स्थिर बनाये रखता है और आउटपुट बढ़ाता है।
7. **बैंकों का नियामक (Regulator of the Banks) : भारतीय रिज़र्व बैंक अधिनियम (RBI Act), 1934 और बैंकिंग विनियमन अधिनियम (Banking Regulation Act), 1949** के अंतर्गत भारतीय रिज़र्व बैंक नियामक शक्तियों का हक़दार है। ये विनियमन, बैंकों की लाइसेंसिंग, देश या विदेश में अपनी शाखाओं के संदर्भ में वाणिज्यिक बैंकों के विस्तार, प्रदत्त **(paid-up)** पूँजी और आरक्षित निधियों की न्यूनतम आवश्यकताओं को निर्धारित करने आदि से संबंधित हैं।
8. **मुद्रा प्रबंधन (Currency Management) :** मुद्रा प्रबंधन का कार्य RBI द्वारा किया जाता है, क्योंकि यह माँग का पूर्वानुमान भी लगाता है, सिक्के और नोट जारी करता है तथा उन्हें बैंकों और सरकारी कोषागारों के नेटवर्क में वितरित करता है। इसमें छोटे सिक्कों के भंडार (डिपो), करेंसी चेस्ट और रिपॉज़िटरी के विशाल नेटवर्क में वितरित करने से पहले सिक्कों की ढलाई और बैंक नोटों का निर्माण कार्य सम्मिलित है। इसके अतिरिक्त, RBI प्रचलन में अनुपयुक्त नोटों को हटाने का कार्य भी देखता है।

RBI का अधिशेष हस्तांतरण (Surplus Transfer of RBI)

RBI, अपनी अतिरिक्त आय सरकार को हस्तांतरित करता है। इसे अधिशेष हस्तांतरण के रूप में जाना जाता है।

अधिशेष, व्यय की तुलना में आय की अधिकता को दर्शाता है। RBI का कुल व्यय उसकी कुल शुद्ध ब्याज आय का केवल 1/7वाँ हिस्सा है, जिससे अधिशेष उत्पन्न होता है।

लास्ट मिनट स्निपपेट्स

भारतीय रिज़र्व बैंक ने वित्त वर्ष 2024 के लिए सरकार को 2.11 लाख करोड़ रुपये का अब तक का सर्वाधिक अधिशेष हस्तांतरण मंजूर किया है। यह पिछले वर्ष के 86,416 करोड़ रुपये के अधिशेष से दोगुना से भी अधिक है।

RBI द्वारा सरकार को अधिशेष हस्तांतरण से संबंधित प्रावधान (Provisions relating to RBI's surplus transfer to the government)

- **RBI अधिनियम, 1934 :** भारतीय रिज़र्व बैंक को RBI अधिनियम, 1934 की धारा 48 के तहत अपनी किसी भी आय, लाभ या मुनाफ़े पर आयकर या सुपर टैक्स का भुगतान करने से छूट दी गयी है। हालाँकि, ADF और आकस्मिकताओं के लिए धन आवंटित करने के बाद, यह अपनी अतिरिक्त राशि सरकार को हस्तांतरित कर देता है।
- **विभिन्न समितियों की सिफ़ारिशें :** पहले, RBI इस अधिशेष का एक बड़ा हिस्सा अपनी आकस्मिकता निधि (CF) और परिसंपत्ति विकास निधि (ADF) के लिए रखता था। मालेगाम समिति (2013) की सिफारिशों के बाद सरकार को अधिशेष का हस्तांतरण बढ़ा। वी. सुब्रह्मण्यम (1997), उषा थोराट (2004), वाई. एच. मालेगाम (2013) एवं बिमल जालान (2018) समितियों का गठन अधिशेष हस्तांतरण की आदर्श राशि तय करने हेतु किया गया था।
- **आर्थिक पूँजी ढाँचा (ECF) :** ECF, यह पता लगाने हेतु एक विधि प्रदान करता है कि कितना लाभ साझाकरण और जोखिम पूर्वोपाय किये जाने चाहिए।
- **आर्थिक पूँजी (मुद्रा और स्वर्ण पुनर्मूल्यांकन खाता - CGRA):** इसे बैलेंस शीट के 20.8-25.4 प्रतिशत की सीमा में बनाये रखा जाना चाहिए एवं शेष राशि सरकार को हस्तांतरित की जानी चाहिए।

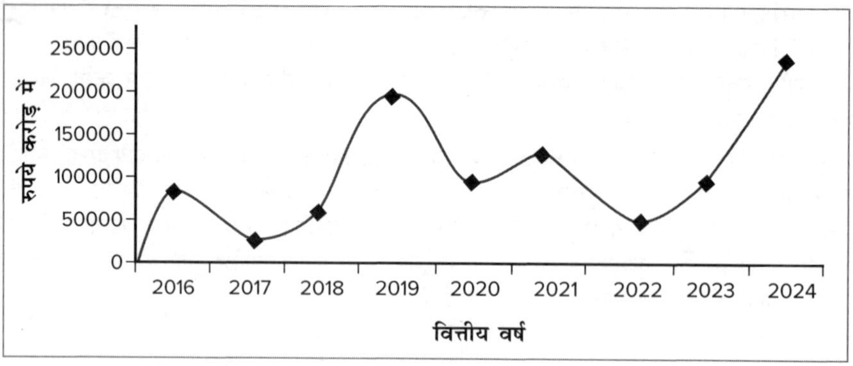

RBI द्वारा केंद्र को किये जानेवाले भुगतान की प्रवृति

➤ CGRA, स्वर्ण और विदेशी मुद्रा के मूल्य में **अवास्तविक लाभ/हानि होता है**, जिसे RBI उनके मूल्य में होनेवाले उतार-चढ़ाव के आधार पर रखता है, जिसे आय खाते में नहीं माना जाता है लेकिन बैलेंसशीट मद के रूप में लिया जाता है। CGRA में शेष राशि, विनिमय दर/सोने की क़ीमत में उतार-चढ़ाव के विरुद्ध एक बफ़र प्रदान करती है।

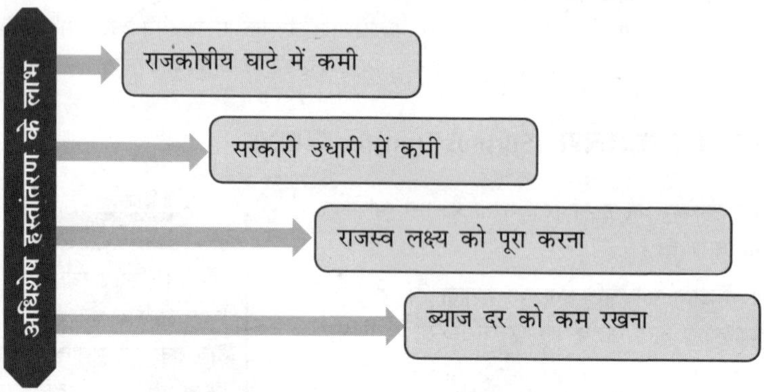

RBI की आय और व्यय (RBI's Income and Expenditure)

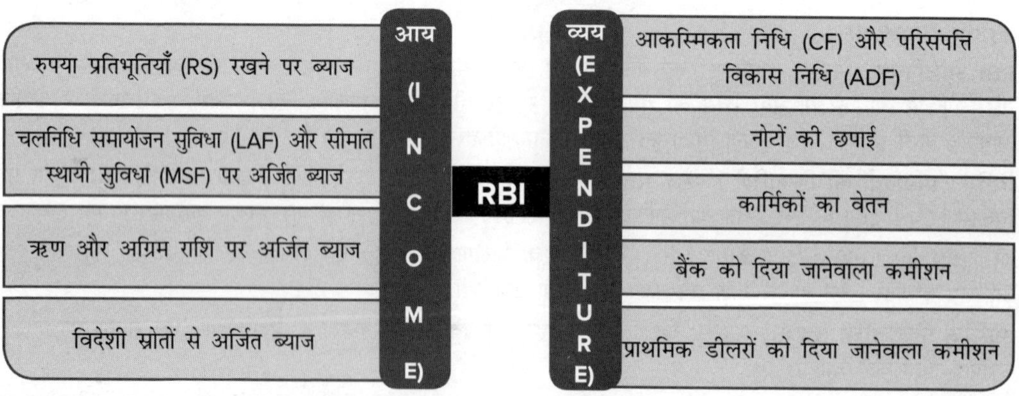

रिज़र्व बैंक - एकीकृत लोकपाल योजना, 2021 (The Reserve Bank – Integrated Ombudsman Scheme, 2021)

RBI ने अपनी तीन पूर्ववर्ती लोकपाल योजनाओं अर्थात् (i) बैंकिंग लोकपाल योजना, 2006, (ii) ग़ैर-बैंकिंग वित्तीय कंपनियों के लिए लोकपाल योजना, 2018, और (iii) डिजिटल लेनदेन के लिए लोकपाल योजना, 2019 को एक ही योजना - 'रिज़र्व बैंक - एकीकृत लोकपाल योजना, 2021' में एकीकृत कर दिया है, **जो 2021 से प्रभावी हुआ है।** यह योजना बैंकों, ग़ैर-बैंकिंग वित्तीय कंपनियों (NBFCs), भुगतान प्रणाली प्रतिभागियों (PSPs) और क्रेडिट सूचना कंपनियों जैसी विनियमित संस्थाओं (REs) के ग्राहकों को एक केंद्रीकृत संदर्भ बिंदु पर अपनी शिकायतें दर्ज करने में सक्षम बनाकर RBI में शिकायत निवारण प्रक्रिया को सरल बनाती है। इस योजना का उद्देश्य, विनियमित संस्थाओं की ओर से 'सेवा में कमी' से जुड़ी ग्राहक शिकायतों को त्वरित, लागत प्रभावी और संतोषजनक तरीक़े से हल करना है।

क्या आप जानते हैं?

- भारतीय सिक्का अधिनियम (Indian Coinage Act), 1906 के अनुसार, **₹1,000** के मूल्य वर्ग तक सिक्के जारी किये जा सकते हैं। भारतीय रिज़र्व बैंक अधिनियम, 1934 के अनुसार **₹10,000** के मूल्य वर्ग तक करेंसी नोट जारी किये जा सकते हैं।
- ₹1 का नोट ही ऐसा एकमात्र करेंसी नोट है, जिस पर भारतीय रिज़र्व बैंक के गवर्नर के नहीं, बल्कि भारत सरकार के **वित्त सचिव (Finance Secretary)** के हस्ताक्षर होते हैं।

अतिरिक्त जानकारी

करेंसी नोटों का मुद्रण और सिक्कों की ढलाई (CURRENCY NOTES PRINTING AND COINS MINTING)

करेंसी नोट भारत में चार प्रेसों में छपते हैं। दो करेंसी नोट प्रिंटिंग प्रेस भारत सरकार के स्वामित्व में हैं और दो भारतीय रिज़र्व बैंक के पूर्ण स्वामित्ववाली सहायक कंपनी, **भारतीय रिज़र्व बैंक नोट मुद्रण लिमिटेड (BRBNML)** के स्वामित्व में हैं। भारत सरकार के स्वामित्ववाले प्रेस नासिक (पश्चिमी भारत) और देवास (मध्य भारत) में हैं। अन्य दो प्रेस मैसूर (दक्षिणी भारत) और सालबोनी (पूर्वी भारत) में हैं।

भारत सरकार के स्वामित्ववालीं चार टकसालों (mints) में सिक्के ढाले जाते हैं। ये टकसालें मुंबई, हैदराबाद, कलकत्ता और नोएडा में स्थित हैं।

बैंक की देनदारियाँ (LIABILITIES OF A BANK)

बैंक द्वारा प्राप्त जमा, उस बैंक के लिए देनदारियों के रूप में माने जाते हैं, क्योंकि भविष्य में उन्हें वापस भुगतान करना होगा। बैंक के पास निम्नलिखित प्रकार की देनदारियाँ होती हैं–

1. **माँग देनदारियाँ (Demand Liabilities):** ये ऐसी देनदारियाँ हैं, जिनका **भुगतान बैंकों को माँग पर करना पड़ता है। इनमें समाविष्ट हैं–**
   - खाताधारकों द्वारा **चालू बैंक खाता जमा**
   - खाताधारकों द्वारा बचत **बैंक खाता जमाओं** का माँग देनदारियोंवाला भाग
   - ऋण पत्रों/गारंटियों के विरुद्ध धारित मार्जिन
   - अतिदेय सावधि जमाओं में शेष राशियाँ

- नक़द प्रमाण पत्र और संचयी/आवर्ती जमा
- बक़ाया टेलीग्राफ़िक ट्रांसफ़र (TTs)
- मेल ट्रांसफ़र (MTs)
- **डिमांड ड्राफ़्ट** (DDs)
- लावारिस जमा (Unclaimed deposits)
- नक़द ऋण खाते में शेष ऋण
- अग्रिम के लिए सुरक्षा के रूप में धारित जमा, जो माँग पर देय होती हैं

2. **सावधि देनदारियाँ (Time Liabilities) :** ये ऐसी हैं देनदारियाँ हैं, जिन्हें बैंकों को **विशिष्ट समयावधि** के बाद भुगतान करना होता है। इनमें समाविष्ट हैं-
   - **सावधि जमा (Fixed Deposits)**
   - नक़द प्रमाण पत्र (Cash Certificates)
   - संचयी और आवर्ती जमा (Cumulative and Recurring deposits)
   - बचत बैंक जमाओं का सावधि देयताओंवाला भाग
   - स्टाफ़ सुरक्षा जमा
   - ऋण पत्र के विरुद्ध धारित मार्जिन [Line of Credit (LoC)], यदि माँग पर देय नहीं हो तो
   - अग्रिमों के लिए प्रतिभूतियों के रूप में धारित जमा, जो माँग पर देय नहीं हैं
   - **सोना जमा (Gold deposits)**
3. **अन्य माँग और सावधि देयताएँ (Other Demand and Time Liabilities) :** इनमें वे सभी विविध देनदारियाँ समाविष्ट हैं, जो उपर्युक्त दो प्रकार की देनदारियों के अंतर्गत निर्दिष्ट नहीं हैं। इनमें समाविष्ट हैं-
   - जमाओं पर अर्जित ब्याज (Interest accrued on deposits)
   - अदत्त लाभांश (Unpaid dividend)
   - निलंबित खाता शेष, जो अन्य बैंकों या जनता को देय राशि दिखाते हैं
   - अन्य बैंकों को जारी भागीदारी प्रमाण पत्र
   - नक़द संपार्श्विक (Cash collaterals), आदि

कुल माँग और सावधि देयताओं [Total Demand and Time Liabilities **(DTL)**] में ऊपर 1, 2 और 3 में उल्लेख की गयीं मदें समाविष्ट हैं।

निवल माँग और सावधि देयताएँ [Net Demand and Time Liabilities **(NDTL)**] = DTL – अन्य बैंकों के पास बैंक की संपत्तियाँ। **बैंकों की संपत्तियों में समाविष्ट हैं**- अन्य बैंकों के पास बैंकों की संपत्तियाँ, बैंक द्वारा दिये गये अग्रिम, बैंक द्वारा निवेश तथा माँग पर और अल्पकालीन सूचना पर प्राप्त धन।

भारत में मौद्रिक नीति (MONETARY POLICY IN INDIA)

यह एक समष्टि अर्थशास्त्रीय नीति साधन है, जिसे भारतीय रिज़र्व बैंक ने अर्थव्यवस्था में मुद्रा की आपूर्ति को प्रभावित करने के लिए उपयोग किया है। मौद्रिक नीति के एक भाग के रूप में, भारतीय रिज़र्व बैंक मुद्रा आपूर्ति या ऋण को नियंत्रित करने के लिए विभिन्न साधनों का उपयोग करता है।

आर्थिक विकास को बढ़ावा देने और अर्थव्यवस्था में मुद्रा की आपूर्ति बढ़ाने के लिए भारतीय रिज़र्व बैंक द्वारा किये जानेवाले नीतिगत उपायों को **मौद्रिक सहजता (Monetary Easing)** कहा जाता है और इसके व्युत्क्रम के रूप में भारतीय रिज़र्व बैंक द्वारा मौद्रिक सहजता के नीतिगत उपाय अपनाये जाना, मुद्रा की आपूर्ति बढ़ाने के प्रयास कहे जाते हैं।

मौद्रिक नीति समिति [Monetary Policy Committee (MPC)]

मौद्रिक नीति समिति (MPC) के गठन हेतु वैधानिक और संस्थागत ढाँचा उपलब्ध कराने के लिए 2016 में भारतीय रिज़र्व बैंक अधिनियम, 1934 में संशोधन किया गया था।

आर्थिक विकास के उद्देश्य को ध्यान में रखते हुए भारतीय रिज़र्व बैंक को मुद्रास्फीति लक्ष्यीकरण की अतिरिक्त ज़िम्मेदारी सौंपकर **मौद्रिक नीति फ्रेमवर्क समझौते** (भारतीय रिज़र्व बैंक और भारत सरकार के बीच 2015 में संपन्न) के उद्देश्य को पूरा करने के लिए 2016 में **मौद्रिक नीति समिति (MPC)** की स्थापना की गयी थी।

मौद्रिक नीति फ्रेमवर्क समझौते के अनुसार, भारतीय रिज़र्व बैंक मौजूदा अध्यादेश के अनुसार मार्च, 2026 तक **वार्षिक मुद्रास्फीति को 4 प्रतिशत (±2 प्रतिशत)** पर नियंत्रित करने के लिए ज़िम्मेदार है। यदि मुद्रास्फीति लगातार 3 तिमाहियों से अधिक समय तक जारी रहती है, तो भारतीय रिज़र्व बैंक भारत सरकार के प्रति जवाबदेह होता है। इस मुद्रास्फीति को लक्षित करने के लिए, भारतीय रिज़र्व बैंक द्वारा नीतिगत ब्याज दर (रेपो रेट) की समीक्षा की जाती है और समय-समय पर बदल दिया जाता है।

मौद्रिक नीति समिति (MPC) के गठन से पहले भारतीय रिज़र्व बैंक के गवर्नर, भारतीय रिज़र्व बैंक की तकनीकी सलाहकार समिति और अन्य विशेषज्ञों के परामर्श से नीतिगत ब्याज दर (रेपो रेट) तय करते थे। 2016 के बाद से, मौद्रिक नीति समिति (MPC) **बेंचमार्क नीति दर** (रेपो रेट) की समीक्षा करती है और इसे निर्दिष्ट लक्ष्य स्तर के भीतर मुद्रास्फीति को नियंत्रित करने की आवश्यकतानुसार नीति तय करती है।

मौद्रिक नीति समिति की संरचना (Composition of MPC)

संशोधित भारतीय रिज़र्व बैंक अधिनियम के प्रावधानों के अनुसार, मौद्रिक नीति समिति में कुल 6 सदस्यों में से-

- **तीन सदस्य भारतीय रिज़र्व बैंक से होते हैं,** अर्थात् गवर्नर, एक उप-गवर्नर (मौद्रिक नीति के प्रभारी) और आरबीआई द्वारा नामित एक अधिकारी।
- **शेष तीन सदस्यों** को सरकार द्वारा मनोनीत किया जाता है। ये तीन बाहरी सदस्य 4 वर्ष तक पद धारण करते हैं और ये पुनर्नियुक्ति के पात्र नहीं होते। सांसद (MP), विधायक (MLA), विधान पार्षद (MLC) अथवा लोक सेवकों (Public Servents) को भारत सरकार द्वारा मौद्रिक नीति समिति (MPC) का सदस्य नियुक्त नहीं किया जा सकता है।

भारतीय रिज़र्व बैंक गवर्नर MPC के **पदेन अध्यक्ष** होते हैं। समिति की बैठक वर्ष में **कम-से-कम चार** बार होती है।

ऋण नियंत्रण के उपकरण (INSTRUMENTS OF CREDIT CONTROL)

भारतीय रिज़र्व बैंक, अर्थव्यवस्था में मुद्रा आपूर्ति की मात्रा या ऋण (Credit) के नियंत्रण को अमल में लाने के लिए मौद्रिक नीति उपकरण के रूप में विभिन्न साधनों का उपयोग करता है। इन साधनों को दो श्रेणियों में विभाजित किया जा सकता है-

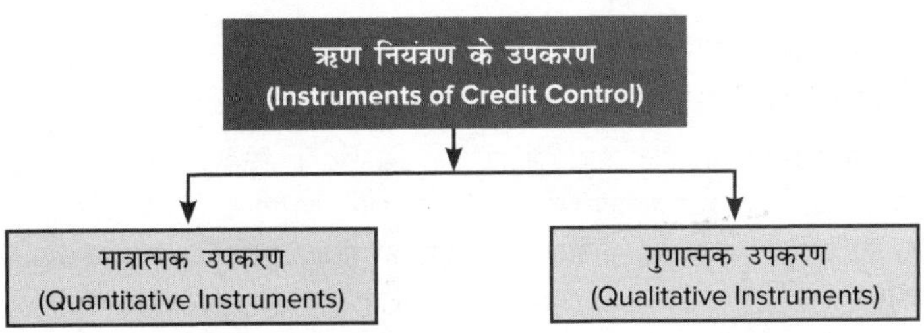

ऋण नियंत्रण के मात्रात्मक उपकरण (Quantitative Instruments of Credit Control)

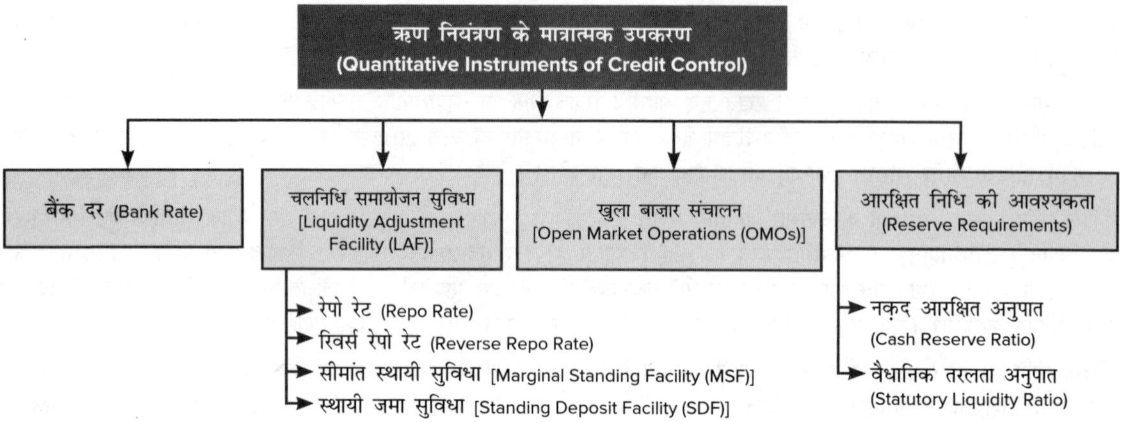

1. बैंक दर (Bank Rate)

यह ब्याज दर है, जिस पर भारतीय रिज़र्व बैंक **अनुसूचित वाणिज्यिक बैंकों [Scheduled Commercial Banks (SCBs)] को बिना** किसी अनुमोदित प्रतिभूतियों (ट्रेज़री बिल, कैश मैनेजमेंट बिल, दिनांकित प्रतिभूतियों और राज्य विकास बिलों) के **दीर्घकालिक ऋण** प्रदान करता है। बैंक दर भारतीय रिज़र्व बैंक द्वारा रेपो रेट से **25 बेसिस प्वाइंट्स (या 0.25 प्रतिशत)** पर तय की जाती है। **12 मार्च, 2025 तक बैंक दर 6.5 प्रतिशत थी।**

2. चलनिधि समायोजन सुविधा [Liquidity Adjustment Facility (LAF)]

तरलता समायोजन सुविधा (LAF) एक मौद्रिक नीति उपकरण है, जो बैंकों को पुनः ख़रीद समझौतों (repos) के माध्यम से RBI से धन उधार लेने या रिवर्स रेपो समझौतों के माध्यम से RBI को ऋण देने की अनुमति देता है। बैंकिंग क्षेत्र के सुधारों पर नरसिम्हन समिति की रिपोर्ट (1998) के परिणामस्वरूप, RBI ने LAF की शुरुआत की। इसमें निम्नलिखित चार उप-उपकरण समाविष्ट हैं-

a. रेपो रेट (पुनः ख़रीद विकल्प) [Repo Rate (Re-purchase Option Rate)] : यह वह ब्याज दर है, जिस पर भारतीय रिज़र्व बैंक SCBs को अनुमोदित प्रतिभूतियों के विरुद्ध **अल्पकालिक ऋण** प्रदान करता है। **24 अप्रैल, 2025 को रेपो रेट 6.0 प्रतिशत रही।**

परिवर्तनीय रेपो दर (Variable Repo Rate - VRR) : VRR, भारतीय रिज़र्व बैंक (RBI) द्वारा निर्धारित ब्याज दर है, जो बाज़ार दशाओं के आधार पर बदलती रहती है। RBI, बैंकिंग प्रणाली में तरलता प्रबंधन हेतु इस मौद्रिक उपकरण का इस्तेमाल करता है।

अतिरिक्त जानकारी

दीर्घावधि रेपो परिचालन [LONG TERM REPO OPERATIONS (LTROS)]

- यह हाल ही में प्रचलित हुआ उपकरण है, यह एक हालिया उपकरण है, जिसके माध्यम से भारतीय रिज़र्व बैंक SCBs को प्रचलित रेपो दर पर 1 से 3 वर्ष का ऋण प्रदान करता है, और संपार्श्विक के रूप में समान या अधिक अवधिवालीं सरकारी प्रतिभूतियों को स्वीकार करता है। भारतीय रिज़र्व बैंक की मौजूदा चलनिधि समायोजन सुविधा (LAF) 1 से लेकर 28 दिनों तक के लिए उनकी तात्कालिक आवश्यकताओं के लिए बैंकों को मुद्रा प्रदान करती है, जबकि दीर्घावधि रेपो परिचालन (LTROS) उन्हें उनकी 1 से 3 वर्ष की आवश्यकताओं के लिए चलनिधि की आपूर्ति करती है।
- भारतीय रिज़र्व बैंक द्वारा दीर्घकालिक रेपो संचालन (LTRO) प्रारम्भ करने का उद्देश्य SCBs को उचित लागत अर्थात् रेपो रेट पर टिकाऊ चलनिधि (1 से 3 वर्ष के लिए) की उपलब्धता के बारे में **आश्वस्त करना है।** दीर्घावधि रेपो परिचालन (LTRO), SCBs द्वारा प्रभारित की जानेवालीं **अल्पकालिक बाज़ार ब्याज दरों को कम करने में** सहायक होंगे और कॉर्पोरेट बॉण्ड में निवेश को भी बढ़ायेंगे।

➤ दीर्घावधि रेपो परिचालन (LTRO) का उपयोग करके, भारतीय रिज़र्व बैंक का उद्देश्य यह सुनिश्चित करना होता है कि **धन की आपूर्ति में वृद्धि** के प्रभाव को उचित रूप से भारतीय अर्थव्यवस्था के बेहतर **आर्थिक विकास** के रूप में साकार किया जाये।

लक्षित दीर्घावधि रेपो परिचालन [TARGETED LONG TERM REPO OPERATIONS (TLTRO)]

➤ भारतीय रिजर्व बैंक द्वारा इस्तेमाल किया जानेवाला लक्षित दीर्घावधि रेपो परिचालन (TLTRO)], दीर्घावधि रेपो परिचालन (LTRO) से इस अर्थ में भिन्न है कि यहाँ प्रदत्त ऋण 'लक्षित (TARGETED)' होते हैं, अर्थात् SCBs को TLTRO योजना के तहत प्राप्त धनराशि को निर्धारित समय सीमा के भीतर निर्दिष्ट प्रतिभूतियों (निवेश-ग्रेड कॉर्पोरेट बॉण्ड, वाणिज्यिक पत्र और गैर-परिवर्तनीय डिबेंचरों) में निवेश करना होता है। यदि SCBs इस नियम का पालन नहीं करते हैं, तो उन्हें दंडात्मक ब्याज देना पड़ता है, जो प्रचलित रेपो दर से काफ़ी अधिक होता है।

b. **रिवर्स रेपो रेट (RRR) :** यह वह ब्याज दर है, जिस पर **भारतीय रिज़र्व बैंक** देश के वाणिज्यिक बैंकों से निधियों को उधार लेता है। दूसरे शब्दों में, यह वह दर है, जिस पर भारत में स्थित वाणिज्यिक बैंक अपनी **अधिशेष मुद्रा को थोड़े समय के लिए** भारतीय रिज़र्व बैंक के पास जमा करते हैं। 24 अप्रैल, 2025 तक, रिवर्स रेपो दर 3.35% थी।

c. **सीमांत स्थायी सुविधा [Marginal Standing Facility (MSF)] :** यह सुविधा भारतीय रिज़र्व बैंक द्वारा 2011 में प्रारम्भ की गयी थी।

पात्रता (Eligibility) : भारतीय रिज़र्व बैंक के पास चालू खाता रखने वाले सभी SCBs, **सीमांत स्थायी सुविधा (MSF)** का लाभ उठा सकते हैं। वे सरकारी प्रतिभूतियों को सम्पार्श्विक के रूप में उपयोग करके, दूसरे पूर्ववर्ती पखवाड़े के अंत में अपनी 'निवल माँग और सावधि देयताओं' [Net Demand and Time Liabilities (NDTL)] के **2 प्रतिशत तक रात्रिपर्यन्त अल्पकालिक ऋण** प्राप्त कर सकते हैं। यह सुविधा रेपो रेट पर लोन दिये जाने की सुविधा के अतिरिक्त है।

सीमांत स्थायी सुविधा (MSF) के माध्यम से न्यूनतम ₹1 करोड़ तथा ₹1 करोड़ के गुणकों में राशि प्राप्त की जा सकती है। MSF के तहत ब्याज दर रेपो दर से 25 आधार अंक **(अर्थात् 0.25 प्रतिशत)** ऊपर होती है। 24 अप्रैल, 2025 को सीमांत स्थायी सुविधा (MSF) ब्याज दर **6.25 प्रतिशत** थी।

d. **स्थायी जमा सुविधा [Standing Deposit Facility (SDF)]:** RBI ने 2022 में प्रणाली में तरलता को अवशोषित करने और बिना किसी संपार्श्विक के मुद्रास्फीति को नियंत्रित करने के लिए एक अतिरिक्त उपकरण के रूप में स्थायी जमा सुविधा (SDF) की शुरुआत की है।

2018 में RBI अधिनियम की धारा 17 में संशोधन करके RBI को SDF शुरू करने का अधिकार दिया गया। तरलता प्रबंधन में अपनी भूमिका के अलावा SDF एक **वित्तीय स्थिरता उपकरण** भी है।

SDF की दर, **नीति दर** (रेपो रेट) **से 25 आधार अंक कम है**, और यह इस स्तर पर **रात भर की जमा राशियों पर** लागू होती है। हालाँकि, यह उचित मूल्य निर्धारण के साथ, आवश्यकता पड़ने पर लंबी अवधि की तरलता को अवशोषित करने का लचीलापन बनाये रखेगा।

SDF ने तरलता समायोजन सुविधा के गलियारे के आधार के रूप में निर्धारित दर आरक्षित रेपो **(FRRR)** की **जगह ले ली** है। दोनों स्थायी सुविधाएँ - MSF (सीमांत स्थायी सुविधा) और SDF पूरे वर्ष, सप्ताह के **सभी दिन उपलब्ध** है।

24 अप्रैल, 2025 तक SDF 5.75 प्रतिशत था।

LAF घाटे के प्रभाव (Implications of LAF Deficit)

➤ धन प्राप्त करने के लिए, बैंक जमा दरों या विशेष जमा योजनाओं में वृद्धि कर सकते हैं।

➤ RBI के रेपो रेट में संभावित बदलाव से उपभोक्ताओं के लिए ऋण की ब्याज दरें बढ़ सकती हैं।

➤ मुद्रा बाज़ार दरों में वृद्धि से उधार ली गयीं निधियों की लागत में वृद्धि हो सकती है। उदाहरण के लिए, हाल ही में, सख़्त चलनिधि स्थितियों के कारण टी-बिलों पर प्रतिफल में वृद्धि हुई थी।

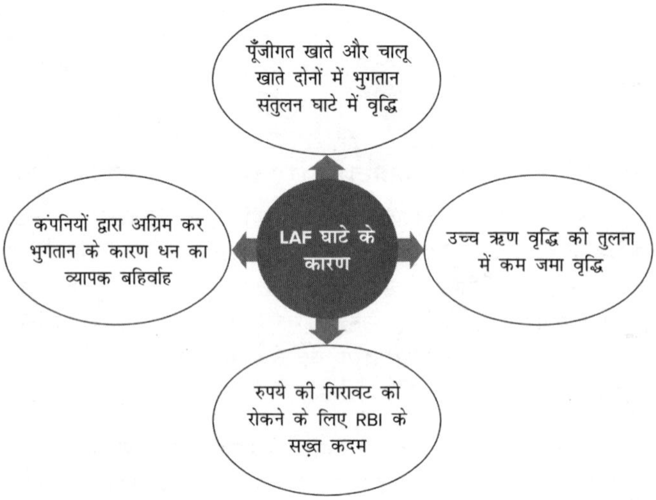

3. खुला बाज़ार संचालन [Open Market Operations (OMOs)]

यह खुले बाज़ार में (अर्थात् जनता में) भारतीय रिज़र्व बैंक द्वारा सरकारी प्रतिभूतियों (G-Sec) **की ख़रीद और बिक्री** से संदर्भित होते हैं। भारतीय रिज़र्व बैंक, सरकारी प्रतिभूतियों (G-Sec) को बेचकर, आर्थिक नियंत्रणों के भीतर से नक़द शेष राशि वापस निकालकर, पैसे की आपूर्ति कम कर देता है, जिससे मुद्रास्फीति को नियंत्रित किया जा सके। OMO के तहत, स्टर्लाइजेशन एक प्रकार की मौद्रिक नीति का उद्देश्य है, जिसमें केंद्रीय बैंक का लक्ष्य मुद्रा आपूर्ति पर पूँजी प्रवाह और बहिर्प्रवाह के प्रभाव को रोकना है। क्लासिकल स्टर्लाइजेशन में केंद्रीय बैंक खुले बाज़ारों में ख़रीदारी और बिक्री करते हैं। यह अक्सर विदेशी मुद्रा हस्तक्षेप के प्रभावों को प्रतिसंतुलन (ऑफ़सेट) करने के लक्ष्य के साथ, केंद्रीय बैंक की वित्तीय परिसंपत्तियों की ख़रीद या बिक्री के द्वारा प्राप्त किया जाता है। यह एक ऐसी प्रक्रिया है, जो एक स्थानीय मुद्रा के मूल्य में दूसरी की तुलना में हेरफेर करती है।

अतिरिक्त जानकारी

भारतीय रिज़र्व बैंक द्वारा ऑपरेशन ट्विस्ट (OPERATION TWIST BY RBI)

2019 में, दीर्घकालिक ब्याज दरों को कम करके दीर्घकालिक निवेश (incentivise long-term investment) को प्रोत्साहित करने के लिए भारतीय रिज़र्व बैंक ने ऑपरेशन ट्विस्ट संपन्न किया था।

यह दीर्घकालिक प्रतिभूतियों को ख़रीदने (या अल्पकालिक प्रतिभूतियों को दीर्घकालिक प्रतिभूतियों में परिवर्तित करने) के लिए खुले बाज़ार संचालनों (OMOs) के माध्यम से किया गया था।

ऑपरेशन ट्विस्ट का लक्ष्य दीर्घकालिक सरकारी बाण्ड पर ब्याज की दर को कम करना है।

अमेरिकी मुद्रा को मज़बूत करने और अर्थव्यवस्था में पूँजी प्रवाह को बढ़ावा देने की एक पद्धति के रूप में 1961 में ऑपरेशन ट्विस्ट की शुरुआत की गयी।

4. आरक्षित निधि की आवश्यकताएँ (Reserve Requirements)

इसमें यह दो शामिल होते हैं-

a. **आरक्षित नक़दी निधि अनुपात [Cash Reserve Ratio (CRR)] :** यह बैंक की कुल माँग और सावधि देयताओं [Total Demand and Time Liabilities (DTL)] (कुछ छूटों के

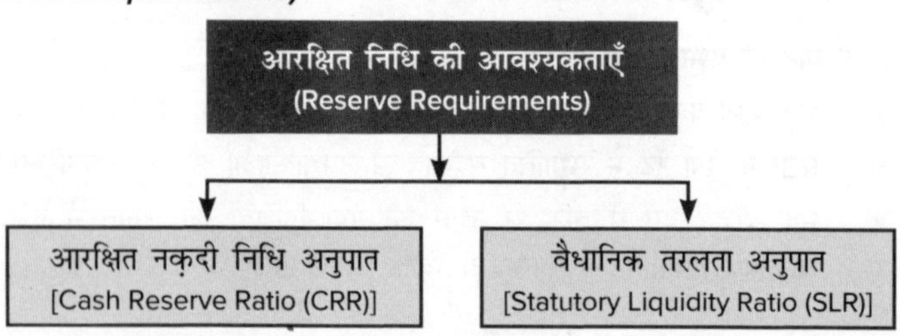

लिए समायोजित) का न्यूनतम प्रतिशत है, जिसे कोई अनुसूचित वाणिज्यिक बैंक (SCB) नक़दी के रूप में केंद्रीय बैंक (भारतीय रिज़र्व बैंक) के पास जमा करने के लिए बाध्य होता है।

SCBs द्वारा RBI के पास रखे गये CRR बैलेंस पर RBI कोई ब्याज नहीं देता है।

भारतीय रिज़र्व बैंक अधिनियम के प्रावधानों में CRR तय करने के लिए कोई रेंज (सीलिंग रेट या फ़्लोर रेट) निर्धारित नहीं है।

मुद्रा आपूर्ति को कम करने के लिए भारतीय रिज़र्व बैंक CRR बढ़ाता है और इसके विपरीत मुद्रा आपूर्ति बढ़ाने के लिए CRR को कम करता है।

CRR को **पखवाड़े के दौरान औसत आधार पर** बनाये रखा जाता है। सभी SCBs को दैनिक रूप से SLR आवश्यकता का 95 प्रतिशत न्यूनतम CRR शेष बनाये रखना होता है।

यदि SCBs भारतीय रिज़र्व बैंक द्वारा तय CRR को बनाये रखने में विफल रहता है, तो यह कम रह जानेवाली राशि की मात्रा पर बैंक दर से ऊपर 3 प्रतिशत प्रतिवर्ष पर दंडात्मक ब्याज का भुगतान करने के लिए उत्तरदायी होता है। यदि कमी अगले दिन भी जारी रहती है, तो दंडात्मक ब्याज का भुगतान बैंक दर +5 प्रतिशत पर किया जाना होता है।

लास्ट मिनट स्निपपेट्स

प्रारम्भ में CRR काफ़ी अधिक था, लेकिन कई वर्षों से इसे धीरे-धीरे नीचे लाया गया है। **24 अप्रैल, 2025** को CRR की दर शुद्ध DTL का 4.5 प्रतिशत थी।

क्या आप जानते हैं?

वृद्धिशील आरक्षित नक़दी निधि अनुपात (Incremental Cash Reserve Ratio)

आरक्षित नक़दी निधि अनुपात (CRR) के अतिरिक्त, वृद्धिशील CRR की अवधारणा को **RBI ने वर्ष 2016 में** विमुद्रीकरण के बाद, अर्थव्यवस्था में **अतिरिक्त तरलता का प्रबंधन** करने हेतु विशुद्ध रूप से एक अस्थायी उपाय के रूप में लागू किया था। यह रणनीति तरलता प्रबंधन में केंद्रीय बैंक की सहायता करती है तथा वित्तीय क्षेत्र में दबाव के समय एक बफ़र के रूप में कार्य करती है। **वर्तमान में**, SCBs को किसी भी वृद्धिशील CRR को बनाये रखने की **आवश्यकता नहीं है।**

b. सांविधिक चलनिधि अनुपात [Statutory Liquidity Ratio (SLR)] : यह SCBs की शुद्ध माँग और समय देयताओं (NDTL) का वह प्रतिशत है, जिसे उनके पास केवल निम्नलिखित में से किसी के रूप में रखा जाना होता है–

- **i.** नक़द, या
- **ii.** स्वर्ण, जिसका मूल्य निर्धारण वर्तमान बाज़ार मूल्य से अधिक नहीं है, या
- **iii.** SLR प्रतिभूतियाँ (कुछ दिनांकित प्रतिभूतियाँ या भारत सरकार बॉण्ड, राजकोषीय बिल, बाज़ार उधार कार्यक्रम के अंतर्गत राज्य सरकारों के राज्य विकास ऋण और भारतीय रिज़र्व बैंक द्वारा अधिसूचित कोई अन्य साधन)।
- **iv.** उपर्युक्त तीन का कोई संयोजन।

ध्यान दें : भारतीय रिज़र्व बैंक के LAF के अंतर्गत SCBs द्वारा अधिग्रहीत प्रतिभूतियों को SLR प्रतिभूतियों के रूप में नहीं माना जायेगा।

SLR को SCBs द्वारा सरकारी प्रतिभूतियों की ख़रीद के माध्यम से **सरकार को ऋण प्रदान करने** के लिए उपयोग किये जानेवाले तंत्र के रूप में देखा जा सकता है।

भारतीय रिज़र्व बैंक द्वारा निर्धारित SLR की सीमा **0 से 40 प्रतिशत तक है।**

मुद्रास्फीति कम करने के लिए RBI के द्वारा SLR में बढ़ोतरी की जाती है और आर्थिक विकास में वृद्धि करने के लिए भारतीय रिज़र्व बैंक द्वारा SLR को घटाया जाता है। (**ध्यान दें :** *आम तौर पर, मुद्रास्फीति और आर्थिक विकास मुद्रास्फीति के एक निश्चित स्तर तक साथ-साथ चलते हैं, यानी, वे प्रारंभिक चरण में एक दूसरे के सीधे आनुपातिक होते हैं, लेकिन लंबे समय में नहीं।*)

यदि बैंक आवश्यक SLR को बनाये रखने में विफल रहता है, तो यह कम पड़ जानेवाली राशि पर बैंक दर से 3 प्रतिशत प्रतिवर्ष की दर पर दंडात्मक ब्याज का भुगतान करने के लिए उत्तरदायी होता है। यदि यह कमी अगले दिन तक जारी रहती है, तो दंडात्मक ब्याज का भुगतान बैंक दर +5 प्रतिशत पर किया जाना होता है।

प्रारंभ में, भारतीय रिज़र्व बैंक द्वारा निर्धारित SLR की दर (1991-92 में NDTL का 38.5 प्रतिशत जितनी) अत्यधिक उच्च थी। हालाँकि बैंकिंग क्षेत्र में सुधारों पर बनी नरसिम्हम समिति की अनुशंसाओं के आधार पर SLR की दर को धीरे-धीरे कम किया गया।

24 अप्रैल, 2025 को SLR की दर NDTL का **18 प्रतिशत** थी।

निधि आधारित ऋण दर की सीमांत लागत [Marginal Cost of funds-based Lending Rate (MCLR)] : यह न्यूनतम ब्याज दर है, **जिससे कम दर पर कोई बैंक उधार नहीं दे सकता।** भारतीय रिज़र्व बैंक ने ब्याज दरें तय करने के लिए जुलाई, 2010 के बाद से जारी रही आधार दर संरचना (base rate structure) को प्रतिस्थापित करके 1 अप्रैल, 2016 से MCLR पद्धति शुरू की। MCLR बैंकों को, सीमांत लागत या बैंकों द्वारा धन प्राप्त करने के लिए व्यय की गयी वृद्धिशील लागत के आधार पर, ब्याज दर प्रभारित करने की आवश्यकता नियत करती है, जबकि आधार दर निधियों की SLR लागत पर आधारित थी।

मात्रात्मक उपकरणों का उपयोग (USE OF QUANTITATIVE TOOLS) (संक्षेप में)

साधन का नाम	मुद्रास्फीति कम करने के लिए	आर्थिक विकास बढ़ाने के लिए
नक़द आरक्षित अनुपात (CRR)	CRR बढ़ायें	CRR घटायें
वैधानिक तरलता अनुपात (SLR)	SLR बढ़ायें	SLR घटायें
रेपो रेट (RR)	RR बढ़ायें	RR घटायें
रिवर्स रेपो रेट (RRR)	RRR बढ़ायें	RRR घटायें
बैंक दर (BR)	BR बढ़ायें	BR घटायें
खुला बाज़ार परिचालन (OMOs)	सरकारी प्रतिभूतियाँ बेचें	सरकारी प्रतिभूतियाँ ख़रीदें

परीक्षोपयोगी

नक़द आरक्षित अनुपात *बनाम* वैधानिक तरलता अनुपात
[CASH RESERVE RATIO (CRR) *VS* STATUTORY LIQUIDITY RATIO (SLR)]

भारतीय रिज़र्व बैंक द्वारा अर्थव्यवस्था में मुद्रा की आपूर्ति को विनियमित करने के लिए दोनों आरक्षित निधि आवश्यकताओं के उपकरणों का उपयोग किया जाता है। हालाँकि-

- CRR को SCBs के द्वारा भारतीय रिज़र्व बैंक के पास नक़द के रूप में बनाये रखा जाता है, जबकि SLR को SCBs के द्वारा अपने पास ही नक़द, स्वर्ण और यहाँ तक कि सरकार द्वारा अनुमोदित प्रतिभूतियों के रूप में बनाये रखा जाता है।
- SCBs, सरकार द्वारा अनुमोदित प्रतिभूतियों के संदर्भ में SLR बनाये रखते समय **मुद्रा अर्जित करने में सक्षम होते हैं**, जबकि भारतीय रिज़र्व बैंक के साथ CRR बनाये रखने से उन्हें कोई ब्याज अर्जित नहीं होता है।
- CRR भारतीय रिज़र्व बैंक का **छोटे से लेकर मध्यम अवधि का उपकरण है,** जबकि SLR में **परिवर्तन** का मुद्रा आपूर्ति पर **दीर्घकालीन** प्रभाव पड़ता है।

ऋण नियंत्रण के गुणात्मक उपकरण (Qualitative Instruments of Credit Control)

ये साधन आर्थिक गतिविधियों के विशिष्ट क्षेत्रों में ऋण के प्रवाह में सहायक बनते या उसे प्रतिबंधित करते हैं। उनमें से कुछ हैं-

- **मार्जिन आवश्यकताएँ (Margin Requirements) :** यह ऋण राशि के उस भाग को संदर्भित करती हैं, जिसे बैंक से उधार नहीं लिया जा सकता है। यह ऋण के लिए प्रदान की जानेवालीं प्रतिभूतियों के मूल्य और दिये गये ऋणों के मूल्य के बीच का अंतर होता है। भारतीय रिज़र्व बैंक द्वारा मुद्रा आपूर्ति को कम करने के लिए मार्जिन की आवश्यकता में वृद्धि की जाती है, अन्यथा इसके विपरीत किया जाता है।
- **ऋण नियतन [Rationing of Credit)] :** यह ऋण की अधिकतम मात्रा (credit ceilings) (जिसे SCBs द्वारा प्रदान किया जा सकता है) को संदर्भित करती है, जिसे भारतीय रिज़र्व बैंक द्वारा नियंत्रित किया जा रहा है।

➤ **नैतिक प्रत्यायन [Moral (Per) Suasion] :** भारतीय रिज़र्व बैंक, बैंकों से अर्थव्यवस्था में मुद्रा आपूर्ति के निश्चित स्तर को बनाये रखने के लिए समझाकर या दबाव के माध्यम से नीति और निर्देशों का पालन करवाता है।

➤ **उपभोक्ता ऋण विनियमन (Consumer Credit Regulation) :** भारतीय रिज़र्व बैंक, देय होते ही तत्काल अदायगी (down payments) तथा वस्तुओं की ख़रीद के लिए क़िस्त ऋण की अधिकतम परिपक्वता के संबंध में बैंकों को मौखिक/लिखित दिशानिर्देश जारी करता है।

परीक्षोपयोगी

RBI के नीतिगत रुख़ (POLICY STANCES OF THE RBI)

भारतीय रिज़र्व बैंक की मौद्रिक नीति समिति देश के लिए महत्त्वपूर्ण मौद्रिक नीति से संबंधित निर्णय लेने के लिए प्रत्येक दो महीने में बैठक करती है। मौद्रिक नीति रुख़ को मुख्य रूप से **नरम (डोविश)**, **आक्रामक (हॉकिश)**, **उदार** और **तटस्थ** के रूप में वर्गीकृत किया गया है।

आक्रामक (हॉकिश) मौद्रिक नीति रुख़ (Hawkish Monetary Policy Stance)

➤ मुद्रास्फीति को नियंत्रण में रखने के लिए, हॉकिश दृष्टिकोण उच्च ब्याज दरों का समर्थन करता है।

➤ ब्याज दरें बढ़ने के कारण उधार लेना (बैंक से लोन लेना) कम हो जायेगा।

➤ धन की कमी के कारण, ग्राहक ख़रीदारी नहीं करेंगे या कम ख़रीदारी करेंगे, साथ ही बैंकों से क्रेडिट (ऋण) प्राप्त करने से भी परहेज़ करेंगे।

➤ इसके परिणामस्वरूप वस्तुओं और सेवाओं की **घरेलू माँग कम हो जायेगी**। सीमित माँग के कारण, वस्तुओं और सेवाओं की क़ीमतें स्थिर हो जायेंगी। इससे मँहगाई पर रोक लगेगी। इससे एक पूर्ण चक्र बनता है।

➤ ब्याज दर बढ़ने से देश की मुद्रा भी मज़बूत हो सकती है।

नरम (डोविश) मौद्रिक नीति रुख़ (Dovish Monetary Policy Stance)

➤ इस मौद्रिक नीति रुख़ में कम ब्याज की दरें शामिल हैं।

➤ कम ब्याज दरें लोगों को बैंकों और अन्य स्रोतों से क्रेडिट (ऋण) लेने के लिए प्रोत्साहित करेंगी।

➤ जैसे-जैसे माँग बढ़ेगी, वस्तुओं और सेवाओं की क़ीमतें भी बढ़ेंगी।

➤ मुद्रास्फीति से **आर्थिक वृद्धि को संतुलित** करने में मदद मिलेगी।

➤ उदार मौद्रिक नीति रुख़ का समर्थन करनेवाले अर्थशास्त्रियों का मानना है कि कम ब्याज दरों से रोज़गार और आर्थिक विकास में वृद्धि होगी।

➤ इस स्थिति से **देश की मुद्रा का अवमूल्यन** भी हो सकता है।

उदार मौद्रिक नीति रुख (Accommodative Monetary Policy Stance)

➤ ऐसा तब होता है जब केंद्रीय बैंक (RBI) विकास में गिरावट होने पर अर्थव्यवस्था को उभारने के लिए सामान्य मुद्रा आपूर्ति को बढ़ाना चाहता है। प्राथमिक लक्ष्य ख़र्च को बढ़ावा देना है।

➤ इसे कभी-कभी **'आसान मौद्रिक नीति'** के रूप में जाना जाता है।

➤ यह ब्याज दरों में कटौती की एक श्रृंखला को लागू करके, उधार लेने की लागत को कम करके पूरा करता है।

➤ उदार मौद्रिक नीति का इस्तेमाल अल्पकालिक ब्याज दरों को कम करके, पैसा उधार लेने को अधिक किफ़ायती बनाकर बढ़े हुए व्यय को संतुलित रखने के लिए किया जाता है।

तटस्थ मौद्रिक नीति रुख (Neutral Monetary Policy Stance)

➤ 'तटस्थ रुख़' बताता है कि केंद्रीय बैंक **या तो दर में कटौती कर सकता है या उसे बढ़ा सकता है**। यह रुख़ आमतौर पर **तब अपनाया जाता है, जब नीतिगत प्राथमिकता मुद्रास्फीति और वृद्धि दोनों पर समान हो**।

➤ कराधान और सरकारी व्यय का आर्थिक विकास को बढ़ाने (तेज़ करने) या धीमा करने पर बहुत कम प्रभाव पड़ता है।

➤ आर्थिक परिस्थितियाँ आदर्श हैं।

कई बार RBI एक क़दम आगे बढ़ जाता है और निम्नलिखित प्रकार के शब्दों का उल्लेख करता है-

1. मात्रात्मक सहजता (Quantitative Easing)
2. अंशांकित संकुचन (Calibrated tightening)

मात्रात्मक सहजता [Quantitative Easing (QE)] : – यह एक नीति है, जिसके अंतर्गत भारतीय रिज़र्व बैंक **खुले बाज़ार से लंबी अवधि की प्रतिभूतियों की ख़रीद करता है** और अर्थव्यवस्था में मुद्रा डालता है, जिससे ऋण और निवेश को प्रोत्साहित करने के लिए मुद्रा आपूर्ति में वृद्धि होती है और अतंत: आर्थिक विकास को बढ़ावा मिलता है। **जब ब्याज दरें काम करने में विफल** हो जाती हैं, तो अर्थव्यवस्था में व्यय को प्रोत्साहित करने के लिए भारतीय रिज़र्व बैंक द्वारा किया जानेवाला यह अंतिम उपाय होता है।

अंशशोधित (कैलिब्रेटेड) सख़्ती (Calibrated Tightening) : – इसका तात्पर्य यह है कि मौजूदा दर चक्र के दौरान, रेपो दर को कम करना संभव नहीं हैं। हालाँकि, **दरों में वृद्धि क्रमबद्ध तरीक़े से होगी**। इसका अर्थ यह है कि **केंद्रीय बैंक हर नीति बैठक में दर में वृद्धि नहीं कर सकता है**, लेकिन समग्र नीति रुख़, दरों में बढ़ोतरी की ओर झुका हुआ है। यदि स्थिति उचित हो तो यह नीतिगत बैठकों के बाहर भी हो सकता है।

क्या आप जानते हैं?

समेकित ऋण शोधन निधि [CONSOLIDATED SINKING FUND (CSF)]

- भारतीय संविधान के अनुच्छेद 266(1) में इस निधि के प्रावधान हैं।
- राज्य सरकारें अपनी देनदारियों के पुनर्भुगतान के लिए एक बफ़र के रूप में भारतीय रिज़र्व बैंक के पास समेकित ऋण शोधन निधि (CSF) बनाये रखती हैं।

अतिरिक्त जानकारी

मौद्रिक नीति रिपोर्ट तथा वित्तीय स्थिरता रिपोर्ट
(MONETARY POLICY REPORT AND FINANCIAL STABILITY REPORT)

RBI को **हर छह महीने में** एक बार मौद्रिक नीति रिपोर्ट (MPR) प्रकाशित करने की आवश्यकता होती है। जिसमें :-

1. पिछले छह महीनों में मुद्रास्फीति की गतिशीलता और निकट अवधि के मुद्रास्फीति दृष्टिकोण की व्याख्या,
2. प्रकाशन की तारीख़ से छह से अठारह महीने की अवधि के लिए मुद्रास्फीति और विकास के अनुमान शामिल हैं।

भारतीय रिज़र्व बैंक **द्विवार्षिक रूप** से वित्तीय स्थिरता रिपोर्ट [Financial Stability Report (FSR)] भी प्रकाशित करता है, जो वित्तीय स्थिरता के लिए जोखिम पर वित्तीय स्थिरता और विकास परिषद् की उप समिति [Financial Stability and Development Council (FSDC)] के आकलन को प्रतिबिम्बित करती है।

(परीक्षा से पहले, भारतीय रिज़र्व बैंक द्वारा प्रकाशित सबसे हाल की मौद्रिक नीति रिपोर्ट (MPR) तथा वित्तीय स्थिरता रिपोर्ट (FSR) पढ़ने से अभ्यर्थियों को लाभ हो सकता है)।

भारतीय रिज़र्व बैंक द्वारा प्रशासित प्रमुख अधिनियम (Major Acts Administered by the RBI)

- भारतीय रिज़र्व बैंक अधिनियम, 1934
- सार्वजनिक ऋण अधिनियम, 1944 / सरकारी प्रतिभूति अधिनियम, 2006
- बैंकिंग विनियमन अधिनियम, 1949
- विदेशी मुद्रा प्रबंधन अधिनियम, 1999
- वित्तीय परिसंपत्तियों का प्रतिभूतीकरण और पुनर्निर्माण और प्रतिभूति हित का प्रवर्तन अधिनियम (सरफ़ैसी अधिनियम अध्याय 2), 2002
- क्रेडिट सूचना कंपनी (विनियमन) अधिनियम, 2005
- सरकारी प्रतिभूति विनियम, 2007
- भुगतान और निपटान प्रणाली अधिनियम, 2007
- आढ़ती विनियमन अधिनियम, 2011

प्रवाह पोर्टल (PRAVAAH PORTAL)

प्रवाह (*'विनियामक आवेदन, मान्यता, और प्राधिकृति के लिए प्लेटफ़ॉर्म'* यानी *'Platform for Regulatory Application] Validation and Authorisation'*) पोर्टल, किसी भी व्यक्ति या संस्था के लिए **RBI** को प्रदत्त किसी भी संदर्भ पर प्राधिकार, लाइसेंस या विनियामक अनुमोदन प्राप्त करने हेतु एक सुरक्षित और केंद्रीकृत वेब-आधारित पोर्टल है।

भारत में बैंकिंग प्रणाली की संरचना (STRUCTURE OF BANKING SYSTEM IN INDIA)

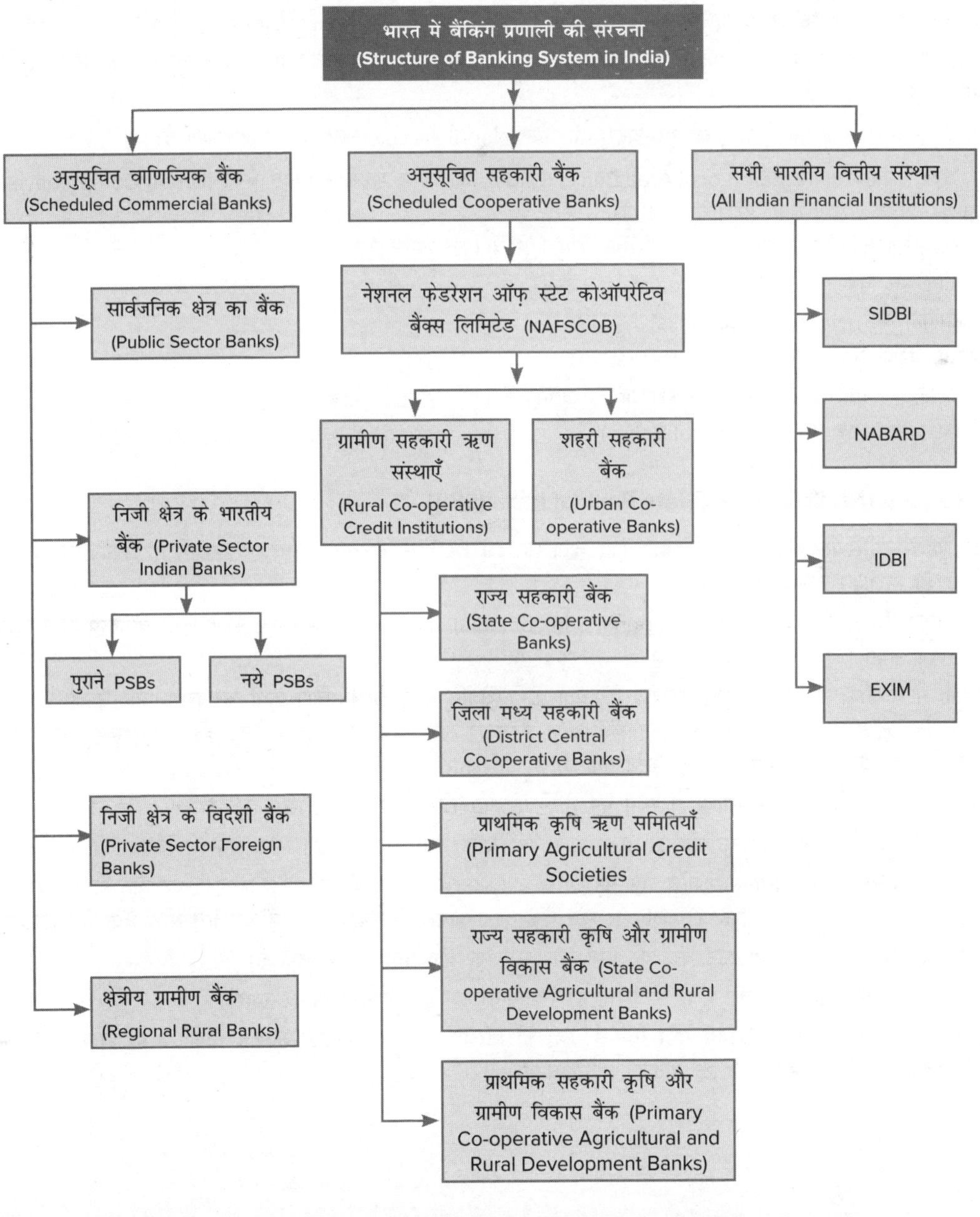

कोई अनुसूचित वाणिज्यिक बैंक (SCB); एक ऐसे बैंक को संदर्भित करता है, जो भारतीय रिज़र्व बैंक अधिनियम (RBI Act), 1934 की **दूसरी अनुसूची (Second Schedule) में सूचीबद्ध** है। अनुसूचित वाणिज्यिक बैंकों को बैंकिंग विनियमन अधिनियम (Banking Regulation Act), 1949 के प्रावधानों के अंतर्गत **विनियमित किया** जाता है।

अनुसूचित वाणिज्यिक बैंकों को कुछ लाभ मिलते हैं, जैसे- वे बैंक दर, रेपो रेट, सीमान्त स्थायी सुविधा (MSF) आदि पर वित्तीय सहायता के लिए भारतीय रिज़र्व बैंक से संपर्क कर सकते हैं। हालाँकि, वे भारतीय रिज़र्व बैंक के अधिदेश के अनुसार CRR और SLR बनाये रखने जैसे कुछ दायित्वों से बँधे हुए होते हैं।

अनुसूचित वाणिज्यिक बैंक के रूप में मान्यता के लिए मानदंड

(Criteria for Recognition as Scheduled Commercial Bank)

1. इसके पास न्यूनतम **₹5 लाख** की प्रदत्त पूँजी (paid-up capital) और आरक्षित निधि (reserves) होनी चाहिए, और
2. इसे भारतीय रिज़र्व बैंक को संतुष्ट करना चाहिए कि इसके मामले इसके जमाकर्ताओं के प्रति नुक़सानदेह तरीक़े से संचालित नहीं किये जा रहे हैं।

इस अनुसूची के अंतर्गत सूचीबद्ध बैंकों को ग़ैर-अनुसूचित बैंक (Non-Scheduled Banks) कहा जाता है।

भारत में, **कुछ** स्थानीय क्षेत्रीय बैंकों [Local Area Banks (LABs)] और कुछ शहरी सहकारी बैंकों [Urban Co-operative Banks (UCBs)] को छोड़कर सभी बैंक अनुसूचित बैंक हैं।

भारत में अनुसूचित वाणिज्यिक बैंकों को पाँच विभिन्न समूहों में वर्गीकृत किया गया है :-

1. भारतीय स्टेट बैंक (State Bank of India)
2. राष्ट्रीयकृत बैंक (Nationalised Banks)
3. भारतीय निजी बैंक (Indian Private Banks)
4. निजी क्षेत्र के विदेशी बैंक (Private Sector Foreign Banks)
5. क्षेत्रीय ग्रामीण बैंक (Regional Rural Banks)

1. भारतीय स्टेट बैंक [State Bank of India (SBI)]

- इसे पहले **'इंपीरियल बैंक ऑफ़ इंडिया'** कहा जाता था, इसे 1921 में कलकत्ता, बंबई और मद्रास के बैंकों जैसे तीन प्रेसीडेंसी बैंकों को मिलाकर बनाया गया था।
- बाद में इंपीरियल बैंक ऑफ़ इंडिया (Imperial Bank of India) का 1955 में **भारतीय स्टेट बैंक के रूप में राष्ट्रीयकरण** कर दिया गया।
- 1960 में भारतीय स्टेट बैंक ने पूर्व भारतीय रियासतों के 7 क्षेत्रीय बैंकों का नियंत्रण प्राप्त कर लिया और उनका नाम बदलकर *स्टेट बैंक ऑफ़ बीकानेर एंड जयपुर, स्टेट बैंक ऑफ़ हैदराबाद, स्टेट बैंक ऑफ़ इंदौर, स्टेट बैंक ऑफ़ मैसूर, स्टेट बैंक ऑफ़ सौराष्ट्र, स्टेट बैंक ऑफ़ पटियाला और स्टेट बैंक ऑफ़ त्रावणकोर* रखा गया।
- भारतीय महिला बैंक के साथ-साथ इन सभी का धीरे-धीरे भारतीय स्टेट बैंक में विलय हो गया था।
- 2008 में स्टेट बैंक ऑफ़ सौराष्ट्र और 2010 में स्टेट बैंक ऑफ़ इंदौर का **भारतीय स्टेट बैंक में विलय** हो गया।
- भारतीय महिला बैंक के साथ-साथ पाँच शेष सहयोगी बैंक (स्टेट बैंक ऑफ़ बीकानेर ऐंड जयपुर, स्टेट बैंक ऑफ़ हैदराबाद, स्टेट बैंक ऑफ़ मैसूर, स्टेट बैंक ऑफ़ पटियाला और स्टेट बैंक ऑफ़ त्रावणकोर) का 2017 में **भारतीय स्टेट बैंक में विलय** हो गया।
- इस प्रकार वर्तमान में भारतीय स्टेट बैंक का ऐसा कोई सहयोगी बैंक **अस्तित्व में नहीं** है।
- भारतीय स्टेट बैंक का मुख्यालय **मुंबई** में स्थित है। (वर्तमान अध्यक्ष : **दिनेश कुमार खारा**)
- भारतीय स्टेट बैंक भारत का सबसे बड़ा बैंक है, जिसकी परिसम्पत्ति बाज़ार में 23 प्रतिशत भागीदारी है, इसके अतिरिक्त लोन और डिपॉजिट बाज़ार में लगभग 25 प्रतिशत भागीदारी है।

- भारतीय स्टेट बैंक **राष्ट्रीयकृत बैंकों की सूची में समाविष्ट नहीं है,** क्योंकि यह अपनी स्थापना के समय से ही देश में राज्य के स्वामित्ववाली वित्तीय संस्था थी। भारतीय स्टेट बैंक में भारत सरकार की 50 प्रतिशत से ज़्यादा शेयरधारिता है।

2. राष्ट्रीयकृत बैंक (Nationalised Banks)

- 1913–17 के बैंकिंग संकट और 1949 के अंत में देश के विभिन्न भागों में 588 बैंकों की विफलता के कारण वाणिज्यिक बैंकों को विनियमित और नियंत्रित करना आवश्यक समझा गया।
- **बैंककारी कंपनी अधिनियम** (Banking Companies Act) 1949 में पारित किया गया था, जो बाद में बैंकिंग विनियमन अधिनियम (Banking Regulation Act), 1949, बन गया। इसमें भारत में बैंकिंग प्रणाली के विनियमन के लिए क़ानूनी ढाँचे का प्रावधान है।
- वर्ष 1969 में बैंककारी विनियमन अधिनियम, 1949 में कुछ ऐसे प्रावधान लागू किये गये, जिससे बैंकों पर सामाजिक नियंत्रण संभव हुआ। इसके बाद **1969 में 14 बैंकों का राष्ट्रीयकरण किया गया।**
- इस प्रावधान से बैंकिंग कंपनियों द्वारा दी जानेवालीं अग्रिम धनराशियों पर कुछ प्रतिबंध लगे, ताकि बैंकों द्वारा दी जानेवालीं अग्रिम धनराशियाँ केवल बड़े पैमाने के उद्योगों में ही केंद्रित न हो और बैंक अपनी प्राथमिकताओं को कृषि, लघु उद्योगों और निर्यात जैसे क्षेत्रों की ओर स्थानांतरित कर सके।
- 1980 में छह (6) न्यूनतम ₹200 करोड़ की 'माँग और समय देयताओंवाले (DTL) छह और बैंकों का राष्ट्रीयकरण किया गया (इस प्रकार अब राष्ट्रीयकृत बैंकों की कुल संख्या 20 हो गयी)।
- 1993 में न्यू बैंक ऑफ़ इंडिया (New Bank of India) का पंजाब नेशनल बैंक (Punjab National Bank) में विलय कर दिया गया। यह राष्ट्रीयकृत बैंकों के बीच एकमात्र विलय हुआ और इससे राष्ट्रीयकृत बैंकों की संख्या 20 से घटकर 19 हो गयी।
- **राष्ट्रीयकरण के कारण (Reasons for Nationalisation)**–
  1. कुछ ही हाथों में आर्थिक शक्ति का संकेन्द्रण होना।
  2. वाणिज्यिक बैंकों का निजी स्वामित्व।
  3. बैंक पहले मुख्य रूप से शहरी क्षेत्रों में स्थित थे, जिससे कृषि और ग्रामीण क्षेत्रों के विकास की उपेक्षा की गयी थी, क्योंकि यह प्राथमिकतावाला क्षेत्र नहीं था।
- **राष्ट्रीयकरण के बाद प्रगति (Progress after Nationalisation)**–
  1. शाखाओं की संख्या का विस्तार (यहाँ तक कि ग्रामीण क्षेत्रों में भी)।
  2. प्राथमिकता क्षेत्र ऋण में वृद्धि हुई।
  3. जमा जुटाने और बैंक ऋण का स्तर बढ़ा।
  4. बैंकों ने वित्तपोषण योजनाओं का प्रारम्भ किया, जिससे उद्यमिता को बढ़ावा मिला।

सार्वजनिक क्षेत्र के बैंकों का एकीकरण (AMALGAMATION OF PUBLIC SECTOR BANKS)

भारत सरकार ने 2020 में, 1 अप्रैल, 2020 से प्रभावी होने के प्रावधान के साथ सार्वजनिक क्षेत्र के 10 बैंकों [Public Sector Banks (PSBs)] का 4 सार्वजनिक क्षेत्र बैंकों (PSB) में समामेलन किया–

- ओरिएंटल बैंक ऑफ़ कॉमर्स (Oriental Bank of Commerce) और यूनाइटेड बैंक ऑफ़ इंडिया (United Bank of India) का **पंजाब नेशनल बैंक** में समामेलन।
- सिंडिकेट बैंक (Syndicate Bank) का **केनरा बैंक** (Canara Bank) में समामेलन।
- आंध्र बैंक (Andhra Bank) और कॉर्पोरेशन बैंक (Corporation Bank) का **यूनियन बैंक ऑफ़ इंडिया (Union Bank of India)** में समामेलन।
- इलाहाबाद बैंक (Allahabad Bank) का **इंडियन बैंक (Indian Bank)** में समामेलन।

इस प्रकार के समामेलन के लाभ (Benefits of such Amalgamation)–

- यह मेगा समेकन ऐसे बैंक निर्मित करने में सहायक होगा, जो **वैश्विक बैंकों के साथ प्रभावी रूप से प्रतिस्पर्धा** कर सकते हैं।
- समेकन के माध्यम से **बड़े पैमाने पर संचालन और तालमेल** से इन बैंकों को लागत लाभ मिलेंगे।
- इससे समामेलित बैंकों को भी प्रोत्साहन प्राप्त होगा, क्योंकि **बड़े ऋण देने में सहायता** करने की उनकी क्षमता में वृद्धि होगी तथा उनकी वित्तीय क्षमता भी बढ़ जायेगी।
- **व्यापक प्रतिभा पूल** तथा बड़े डेटाबेस की उपलब्धता उनके प्रतिस्पर्धात्मक लाभ को बढ़ायेगी।
- समामेलित होनेवालीं विभिन्न संस्थाओं के मध्य सर्वोत्तम प्रथाओं को अपनाने से बैंकों को अपनी लागत-दक्षता और जोखिम **प्रबंधन में सुधार** करने में सुविधा होगी।

इसलिए, वर्तमान में, 12 **सार्वजनिक क्षेत्र बैंक (11 राष्ट्रीयकृत बैंक + भारतीय स्टेट बैंक)** निम्नलिखित हैं :-

1. पंजाब नेशनल बैंक (PNB)
2. बैंक ऑफ़ बड़ौदा
3. बैंक ऑफ़ इंडिया
4. सेंट्रल बैंक ऑफ़ इंडिया
5. केनरा बैंक
6. यूनियन बैंक ऑफ़ इंडिया (UBI)
7. इंडियन ओवरसीज बैंक
8. पंजाब और सिंध बैंक
9. इंडियन बैंक
10. यूको बैंक
11. बैंक ऑफ़ महाराष्ट्र
12. भारतीय स्टेट बैंक (SBI)

इस विलय के बाद, भारतीय स्टेट बैंक के बाद, पंजाब नेशनल बैंक (PNB), भारत में दूसरा सबसे बड़ा सार्वजनिक क्षेत्र का बैंक बन गया है।

3. निजी क्षेत्र के भारतीय बैंक (Private Sector Indian Banks)

- जिस बैंक की पूँजी का प्रमुख हिस्सा निजी स्टॉकधारक द्वारा रखा जाता है, उसे निजी क्षेत्र बैंक के रूप में जाना जाता है। भारत में निजी क्षेत्र बैंक **दो प्रकार** के होते हैं, अर्थात्
  - a. **पुराने निजी क्षेत्र बैंक (Old Private Sector Banks) :** ये वे बैंक हैं, जिन्हें उनके छोटे आकार और क्षेत्रीय रूप से संचालनों पर ध्यान केन्द्रित करने के कारण 1969 में और 1980 में राष्ट्रीयकृत नहीं किया गया था।
  - b. **नये निजी क्षेत्र के बैंक (New Private Sector Banks) :** ये वे बैंक हैं, जो आर्थिक सुधारों और वित्तीय क्षेत्र में सुधारों के प्रारम्भ के साथ 1991 के बाद अस्तित्व में आये। बैंकिंग विनियमन अधिनियम में 1993 में संशोधन किया गया और नये निजी क्षेत्र बैंकों के प्रवेश की अनुमति दी गयी।
- भारत में निजी बैंकों का विनियमन बैंकिंग विनियमन अधिनियम, 1949 के तहत RBI द्वारा किया जाता है, जिसमें पूँजीगत आवश्यकताओं, स्वामित्व, अभिशासन और संचालन जैसे पहलुओं को कवर करनेवाले दिशानिर्देश सम्मिलित हैं।

भारतीय निजी बैंकों के उदाहरणों में समाविष्ट हैं- एचडीएफ़सी बैंक (HDFC Bank), एक्सिस बैंक (Axis Bank), आईसीआईसीआई बैंक (ICICI Bank), बंधन बैंक, यस बैंक आदि।

4. निजी क्षेत्र के विदेशी बैंक (Private Sector Foreign Banks)

भारत में परिचालन करने के इच्छुक विदेशी बैंकों को अपने शेयरधारकों की वित्तीय स्थिति और अन्य प्रासंगिक विवरणों संबंधी विस्तृत जानकारी प्रदान करते हुए RBI को आवेदन करना होता है।

भारत में परिचालन करनेवाले निजी विदेशी बैंकों सहित सभी बैंकों को RBI द्वारा विनियमित किया जाता है। इन्हें कुछ अपवादों के साथ घरेलू बैंकों के समान ही नियमों का पालन करना होता है। इसके अतिरिक्त, इन्हें पूर्ण स्वामित्ववालीं सहायक कंपनियों (WOS) के माध्यम से परिचालन करने के लिए प्रोत्साहित किया जाता है।

विदेशी बैंक अपनी **पूर्ण स्वामित्ववाली सहायक कंपनी (WOS)** स्थापित कर सकते हैं तथा विदेशी बैंकों की मौजूदा शाखाओं को WOS में परिवर्तित भी कर सकते हैं। इस संबंध में RBI द्वारा निर्धारित नियम इस प्रकार हैं:

WOS के लिए मूल बैंक की पात्रता (Eligibility of Parent Bank for WOS)

1. विदेशी बैंक अपने देश में पर्याप्त विवेकपूर्ण पर्यवेक्षण के अधीन होते हैं। गृह देश विनियामक द्वारा अपनाये जानेवाले पर्यवेक्षण के मानक पर विचार करते समय, RBI बेसल मानकों को ध्यान में रखता है।
2. भारत में WOS की स्थापना के लिये **गृह देश विनियामक की स्वीकृति** होनी चाहिये।
3. RBI द्वारा ध्यान में रखे जानेवाले अन्य कारक (लेकिन केवल इन तक सीमित नहीं) निम्नलिखित हैं:
   i. भारत और विदेशी बैंक के निगमन देश के बीच आर्थिक और राजनीतिक संबंध
   ii. विदेशी बैंक की **वित्तीय सुदृढ़ता**
   iii. विदेशी बैंक का **स्वामित्व पैटर्न**
   iv. विदेशी बैंक की अंतरराष्ट्रीय और स्वदेश रैंकिंग
   v. अंतरराष्ट्रीय रेटिंग एजेंसियों द्वारा **विदेशी बैंक की रेटिंग**
   vi. विदेशी बैंक की **अंतरराष्ट्रीय उपस्थिति**

पूँजीगत आवश्यकता (Capital Requirement)

WOS के लिए **न्यूनतम स्टार्ट-अप पूँजी आवश्यकता ₹3 बिलियन** होगी और WOS को अपने परिचालन के प्रारंभ से निरंतर आधार पर 10 प्रतिशत या समय-समय पर निर्धारित पूँजी पर्याप्तता अनुपात बनाये रखना आवश्यक होगा।

मूल विदेशी बैंक, परिचालन की न्यूनतम निर्धारित अवधि के लिए **भारतीय सहायक कंपनी में 100 प्रतिशत इक्विटी रखना** जारी रखेगा।

कॉर्पोरेट प्रशासन (Corporate Governance)

किसी विदेशी बैंक के WOS के निदेशक मंडल की संरचना में निम्नलिखित आवश्यकताएँ पूरी होनी चाहिए :

- निदेशकों का **कम-से-कम 50 प्रतिशत** भारत में रहनेवाले **भारतीय नागरिक होने चाहिए।**
- निदेशकों का **कम-से-कम 50** प्रतिशत **ग़ैर-कार्यकारी निदेशक होने चाहिए।**
- निदेशकों का कम-से-कम एक तिहाई भारत में सहायक कंपनी, उसकी मूल कंपनी या सहयोगी कंपनी के प्रबंधन से पूरी तरह स्वतंत्र होना चाहिए।
- निदेशक RBI के 25 जून, 2004 के मौजूदा दिशा-निर्देशों में निर्धारित **'उपयुक्त और उचित'** मानदंडों के अनुरूप होने चाहिए।

लेखांकन, विवेकपूर्ण मानदंड और अन्य आवश्यकताएँ (Accounting, Prudential Norms and other requirements)

i. WOS, उन लाइसेंसिंग आवश्यकताओं और शर्तों के अधीन होंगे, **जो मोटे तौर पर निजी क्षेत्र के नये बैंकों के लिए हैं।**
ii. शाखा विस्तार के लिए WOS को विदेशी बैंकों की मौजूदा शाखाओं के बराबर माना जायेगा। रिज़र्व बैंक WTO के अनुरूप बाज़ार पहुँच और राष्ट्रीय उपचार सीमाएँ भी निर्धारित कर सकता है, साथ ही WOS के संचालन के लिए ऐसी अन्य उपयुक्त सीमाएँ भी निर्धारित कर सकता है, जो अंतर्राष्ट्रीय प्रथाओं और देश की आवश्यकताओं के अनुरूप हों।
iii. बैंकिंग सहायक कंपनी, **कंपनी अधिनियम, 2013**, **बैंकिंग विनियमन अधिनियम, 1949**, **भारतीय रिज़र्व बैंक अधिनियम, 1934**, अन्य प्रासंगिक क़ानूनों और RBI द्वारा जारी निर्देशों, विवेकपूर्ण विनियमों और अन्य दिशा-निर्देशों/निर्देशों के प्रावधानों द्वारा शासित होगी।

निजी क्षेत्र के विदेशी बैंकों के उदाहरणों में सिटीबैंक, HSBC, ड्यूश बैंक, अमेरिकन एक्सप्रेस आदि सम्मिलित हैं।

5. क्षेत्रीय ग्रामीण बैंक (Regional Rural Banks)

- चूँकि बैंकों के राष्ट्रीयकरण का उद्देश्य उतना पूरा नहीं हो पाया था, इसलिए **1975** में क्षेत्रीय ग्रामीण बैंक (RRB) की अवधारणा प्रारम्भ की गयी थी। RRBs के उदाहरणों में पश्चिम बंग ग्रामीण बैंक, आंध्र प्रगति ग्रामीण बैंक आदि सम्मिलित हैं।
- **कृषि और अन्य ग्रामीण क्षेत्रों** के लिए पर्याप्त बैंकिंग और ऋण सुविधा प्रदान करने के लिए 1975 में पारित अध्यादेश और क्षेत्रीय ग्रामीण बैंक अधिनियम (RRBs Act), 1976 के प्रावधानों के अंतर्गत क्षेत्रीय ग्रामीण बैंकों की स्थापना की गयी थी। **एम. नरसिम्हम कार्य समूह** की अनुशंसाओं पर क्षेत्रीय ग्रामीण बैंकों की स्थापना की गयी थी।
- वर्तमान में, प्रत्येक क्षेत्रीय ग्रामीण बैंक का स्वामित्व क्रमश **50:15:35** के अनुपात में **केंद्र सरकार, संबंधित राज्य सरकार और प्रायोजक बैंक** के पास होता है।
- क्षेत्रीय ग्रामीण बैंक, **अनुसूचित वाणिज्यिक बैंक होते हैं।**
- **किसी विशेष राज्य में एक या अधिक क्षेत्रीय ग्रामीण बैंक हो सकते हैं।**
- क्षेत्रीय ग्रामीण बैंक, मुख्य रूप से ग्रामीण/अर्द्ध-शहरी क्षेत्रों से जमा राशि जुटाते हैं और ज़्यादातर छोटे और सीमांत किसानों, कृषि मज़दूरों, ग्रामीण कारीगरों और प्राथमिकता क्षेत्र के अन्य संभागों को ऋण और अग्रिम प्रदान करते हैं।
- क्षेत्रीय ग्रामीण बैंकों की मुद्रा के स्रोतों में नाबार्ड, प्रायोजक बैंक और सिडबी और नेशनल हाउज़िंग बैंक सहित अन्य स्रोत से स्वामित्ववाली मुद्राराशि, जमा, उधारी, समाविष्ट हैं।
- क्षेत्रीय ग्रामीण बैंकों का पर्यवेक्षण नाबार्ड (NABARD) द्वारा किया जाता है और उन्हें भारतीय रिज़र्व बैंक द्वारा निर्धारित मानकों का पालन करना होता है।

क्या आप जानते हैं? **24 अप्रैल, 2025 तक, भारत में 43 क्षेत्रीय ग्रामीण बैंक हैं।**

सहकारी बैंक (CO-OPERATIVE BANKS)

- भारत में सहकारी बैंकों को राज्य सहकारी समिति अधिनियम (राज्यों द्वारा पारित) के अंतर्गत समाविष्ट और पंजीकृत किया जाता है। सहकारी बैंकों को भी केंद्र सरकार के निम्नलिखित अधिनियमों के माध्यम से **विनियमित किया जाता है**-
  1. **बैंकिंग विनियम अधिनियम (Banking Regulations Act)**, 1949
  2. **बैंकिंग क़ानून (सहकारी समितियाँ) अधिनियम [Banking Laws (Co-operative Societies) Act]**, 1955।
- सहकारी बैंक भारत में उत्पादन, विपणन, वितरण, प्रतिधारण, सर्विसिंग और बैंकिंग जैसी सभी प्रकार की गतिविधियों में समाविष्ट हैं।
- यह '**एक सदस्य एक मत (one member one vote)**' के नियम के साथ और '**कोई लाभ या हानि नहीं**' **(no profit no loss)** के आधार पर काम करते हैं। इसलिए, यह लाभ अधिकतमीकरण का लक्ष्य नहीं रखते हैं।
- **सहकारी बैंकों के स्वामी, ग्राहक होते हैं।**
- सहकारी बैंक मुख्य रूप से **कृषि और ग्रामीण क्षेत्र के ऋण** पर ध्यान केंद्रित करते हैं।
- अल्पकालिक ऋण प्रदान करने के लिए, भारत में सहकारी बैंक 3-स्तरों में विद्यमान हैं-
  1. राज्य सहकारी बैंक (State Co-operative Banks) (राज्य स्तर पर)
  2. ज़िला सहकारी केंद्रीय बैंक (District Co-operative Central Banks) (ज़िला स्तर पर)
  3. प्राथमिक कृषि ऋण समितियाँ [Primary Agricultural Credit Societies (PACS)] (ग्राम स्तर पर)

  सहकारी बैंक दीर्घकालिक ऋण से संबंधित होते हैं-
  - भूमि विकास बैंक [Land Development Banks (LDBs)], और
  - सहकारी और ग्रामीण विकास बैंक [Co-operative and Rural Development Banks (CARDBs)]

➤ सहकारी बैंक भारत में, पहली सरकार प्रायोजित, सरकार समर्थित और सरकारी सब्सिडीवाली वित्तीय एजेंसी हैं।

अतिरिक्त जानकारी

2020 में, भारत सरकार ने बैंकिंग विनियमन अधिनियम, 1949, में संशोधन लाकर सहकारी बैंकों के विनियमन को **भारतीय रिज़र्व बैंक (RBI) के अंतर्गत** लाने के लिए मंज़ूरी दे दी है। इससे पहले, वे भारतीय रिज़र्व बैंक और राज्य सरकारों (सहकारी समितियों के रजिस्ट्रार के माध्यम से) के दोहरे नियंत्रण में थे।

यह संशोधन हाल ही में पंजाब और महाराष्ट्र सहकारी (पीएमसी) बैंक संकट के मद्देनज़र किया गया था।

संशोधन **सभी शहरी सहकारी बैंकों (प्राथमिक सहकारी बैंकों) और बहु-राज्य सहकारी बैंकों पर भी लागू होंगे।** शहरी सहकारी बैंकों को 1966 में एक संशोधन के माध्यम से बैंकिंग विनियमन अधिनियम, 1949, के दायरे में लाया गया था।

परिवर्तनों के अनुसार :

➤ *सहकारी* बैंकों का भारतीय रिज़र्व बैंक के मानदंडों के अनुसार ऑडिट किया जाना है।

➤ यदि कोई सहकारी बैंक तनाव में है, तो भारतीय रिज़र्व बैंक राज्य सरकार के परामर्श से बोर्ड का स्थान ले सकता है।

➤ सहकारी बैंकों के सीईओ की नियुक्ति के लिए भी भारतीय रिज़र्व बैंक से अनुमति लेनी होगी।

शहरी सहकारी बैंकों (यूसीबी) के लिए संशोधित विनियामक ढाँचा [Revised Regulatory Framework for Urban Co-operative Banks (UCBs)]

फ़रवरी, 2021 में, RBI ने यूसीबी से संबंधित मुद्दों की जाँच करने, तेज़ी से समाधान के लिए उपाय सुझाने और इस क्षेत्र को मज़बूत करने के लिए एक मध्यम अवधि का रोड मैप प्रदान करने के लिए आरबीआई के पूर्व डिप्टी गवर्नर श्री एन.एस. विश्वनाथन की अध्यक्षता में शहरी सहकारी बैंकों संबंधी एक विशेषज्ञ समिति का गठन किया।

TIER IV — ₹10,000 करोड़ से अधिक की जमा राशियोंवाले शहरी सहकारी बैंक।

TIER III — ₹1,000 करोड़ से अधिक और ₹10,000 तक की जमा राशियोंवाले शहरी सहकारी बैंक।

TIER II — ₹100 करोड़ से अधिक और ₹1000 तक की जमा राशियोंवाले शहरी सहकारी बैंक।

TIER I — ₹100 करोड़ तक की जमाराशियोंवाले शहरी सहकारी बैंक।

समिति की प्रमुख सिफ़ारिशें निम्नलिखित हैं :

i. समिति ने मौजूदा यूसीबी की वित्तीय सुदृढ़ता को मज़बूत करने के लिए मौजूदा दो-स्तरीय ढाँचे की जगह **चार-स्तरीय नियामक ढाँचे** को लाने की सिफ़ारिश की है।

ii. मौजूदा शहरी सहकारी बैंकों (UCB) को वित्तीय रूप से मज़बूत बनाने के लिए, एक ज़िले में कार्यरत टियर I UCB के लिए न्यूनतम ₹2 करोड़ की निवल संपत्ति निर्धारित की गयी है और सभी टियर के अन्य शहरी सहकारी बैंकों के लिए यह ₹5 करोड़ है। यदि कोई शहरी सहकारी बैंक आवश्यकता को पूरा नहीं करता है, तो संशोधित मानदंडों के सुचारु पारगमन की सुविधा के लिए पाँच साल का एक ग्लाइड पाथ प्रदान किया जायेगा।

iii. बेसल I मानदंडों के आधार पर मौजूदा पूँजी पर्याप्तता ढाँचे के तहत टियर I यूसीबी के लिए न्यूनतम जोखिम भारित संपत्तियों की तुलना में पूँजी अनुपात (CRAR) को 9 प्रतिशत पर बनाये रखा जाना है। दूसरी ओर, बाक़ी यूसीबी के लिए CRAR को उनकी पूँजी संरचना को मज़बूत करने के लिए 12 प्रतिशत पर संशोधित किया जायेगा।

iv. यूसीबी में शाखा विस्तार हेतु स्वचालित मार्ग शुरू करने के लिए, उन्हें वित्तीय रूप से मज़बूत और अच्छी तरह से प्रबंधित [Financially Sound and Well Managed (FSWM)] के संशोधित मानदंडों को पूरा करना होगा, जो इस प्रकार हैं :

- क. निवल NPA 3 फ़ीसदी से ज़्यादा नहीं होना चाहिए।
- ख. पिछले वित्तीय वर्ष के दौरान CRR/SLR के प्रबंधन में कोई चूक नहीं हुई हो।
- ग. बोर्ड में कम-से-कम दो पेशेवर निदेशकों के साथ मज़बूत आंतरिक नियंत्रण प्रणाली हो।
- घ. कोर बैंकिंग समाधान (CBS) पूरी तरह से लागू हो।

v. समिति ने यूसीबी क्षेत्र के लिए अंब्रेला (छत्र) संगठन के संबंध में भी कुछ सिफ़ारिशें की हैं, जिनकी इकाई के पूरी तरह से परिचालन में आने के बाद जाँच की जायेगी।

बैंकिंग विनियमन (संशोधन) अधिनियम, 2020 [The Banking Regulation (Amendment) Act, 2020)]

प्रबंधन, पूँजी, लेखा परीक्षा और परिसमापन के मामले में सहकारी बैंकों पर भारतीय रिज़र्व बैंक के नियामक नियंत्रण का विस्तार करने के लिए 1949 के मौजूदा अधिनियम का **सितंबर, 2020** में संशोधन किया गया था। इसका उद्देश्य सहकारी बैंकों के बेहतर प्रबंधन और उचित नियमन की व्यवस्था करना था।

इसे यह सुनिश्चित करने के लिए किया गया था कि सहकारी बैंकों के मामले इस प्रकार से संपन्न किये जायें कि जिससे जमाकर्ताओं के हितों की रक्षा, व्यावसायिकता का अभिवर्धन, पूँजी की बेहतर उपलब्धता, शासन में सुधार और भारतीय रिज़र्व बैंक के माध्यम से स्वस्थ बैंकिंग सुनिश्चित होती हों।

संशोधित अधिनियम सहकारी समितियों/बैंकों की कुछ श्रेणियों पर **लागू नहीं होता** है, अर्थात्-

i. प्राथमिक कृषि ऋण समितियाँ [Primary Agricultural Credit Societies (PACS)], और

ii. सहकारी समितियाँ (Co-operative Societies), जिनका प्रमुख व्यवसाय कृषि विकास के लिए दीर्घकालिक वित्तपोषण है।

संक्षेप में, सहकारी बैंकों की केवल कुछ श्रेणियाँ भारतीय रिज़र्व बैंक की निगरानी प्रक्रिया के तहत लायी गयी हैं, उसी सिद्धांत के अनुसार; जो अनुसूचित वाणिज्यिक बैंकों [Scheduled Commercial Banks (SCBs)] पर लागू होता है।

शहरी सहकारी बैंकों [Urban Co-operative Banks (UCBs)] को भारतीय रिज़र्व बैंक के पर्यवेक्षण में लाने का ऐसा क़दम धोखाधड़ी और गंभीर वित्तीय अनियमितताओं के कई उदाहरणों - 2019 में पंजाब और महाराष्ट्र को-ऑपरेटिव PMC में बड़े घोटाले/संकट - के बाद उठाया गया है।

विकास बैंक (DEVELOPMENT BANKS)

वे भारतीय अर्थव्यवस्था के उन क्षेत्रों को दीर्घकालिक वित्त और सहायता प्रदान करते हैं, जिनके पास उच्च जोखिम होती हैं और जिन्हें वाणिज्यिक बैंकों से पर्याप्त ऋण की उपलब्धता नहीं हो सकती है।

भारत में प्रमुख विकास बैंकों में समाविष्ट हैं-

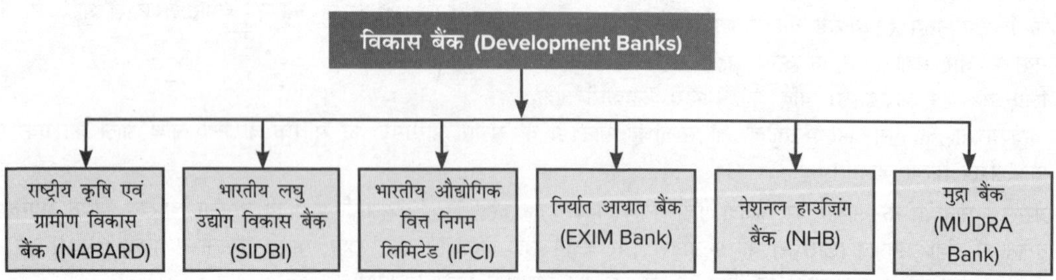

राष्ट्रीय कृषि एवं ग्रामीण विकास बैंक [National Bank for Agriculture and Rural Development (NABARD)]

राष्ट्रीय कृषि और ग्रामीण विकास बैंक (नाबार्ड) शीर्ष विकास बैंक है, **जिसका मुख्यालय मुंबई में है, जिसकी** शाखाएँ पूरे भारत में हैं।

राष्ट्रीय कृषि एवं ग्रामीण विकास बैंक, 1981 को लागू करने के लिए **12 जुलाई, 1982** को **बी. शिवरमन समिति** की अनुशंसाओं पर नाबार्ड की स्थापना की गयी थी। इसने भारतीय रिज़र्व बैंक के कृषि ऋण विभाग [Agricultural Credit Department (ACD)] और ग्रामीण योजना एवं ऋण प्रकोष्ठ [Rural Planning and Credit Cell (RPCC)] और कृषि पुनर्वित्त और विकास निगम [Agricultural Refinance and Development Corporation (ARDC)] को प्रतिस्थापित किया।

इस बैंक को भारत के ग्रामीण क्षेत्रों में कृषि और अन्य आर्थिक गतिविधियों के लिए ऋण के क्षेत्र में नीति, योजना और संचालन से संबंधित मामलों का उत्तरदायित्व सौंपा गया है।

नाबार्ड की अधिकृत पूँजी 2018 में बढ़ाकर **₹30 हजार करोड़** कर दी गयी है।

नांबार्ड, **ग्रामीण अवसंरचना विकास निधि [Rural Infrastructure Development Fund (RIDF)]** योजना को लागू करने की मुख्य एजेंसी है। नाबार्ड निम्नलिखित भूमिकाएँ निभाकर अपने कर्तव्य का निर्वहण करता है-

1. **ग्रामीण क्षेत्रों** में विभिन्न विकासात्मक गतिविधियों को बढ़ावा देने के लिए निवेश और उत्पादन ऋण प्रदान करनेवालीं संस्थाओं के लिए **शीर्ष वित्तपोषण एजेंसी (apex financing agency)** के रूप में कार्य करता है।
2. नाबार्ड, ग्रामीण क्षेत्र को वित्तपोषण करनेवाले वित्तीय संस्थानों को पुनर्वित्त प्रदान करता है।
3. नाबार्ड, **ग्रामीण विकास बैंकों का पर्यवेक्षण करता** है।

नाबार्ड की पुनर्वित्त सुविधा : राज्य सहकारी कृषि और ग्रामीण विकास बैंक [State Co-operative Agriculture and Rural Development Banks (SCARDBs)], राज्य सहकारी बैंकों [State Co-operative Banks (SCBs)], ग्रामीण विकास बैंकों, वाणिज्यिक बैंकों और भारतीय रिज़र्व बैंक द्वारा अनुमोदित अन्य वित्तीय संस्थानों के लिए उपलब्ध है।

2019 में भारतीय रिज़र्व बैंक ने नाबार्ड में अपनी भागीदारी सरकार को बेच दी। इस प्रकार, **अब नाबार्ड पूरी तरह से सरकार के स्वामित्व में है।**

भारतीय लघु उद्योग विकास बैंक [Small Industries Development Bank of India (SIDBI)]

भारतीय लघु उद्योग विकास बैंक (सिडबी) की स्थापना **1990** में एक स्वतंत्र वित्तीय संस्थान के रूप में की गयी थी, जिसका उद्देश्य भारत में **सूक्ष्म, लघु और मध्यम उद्यमों [Micro, Small and Medium scale Enterprises (MSMEs)**, के विस्तार और विकास में सहायता करना था।

इसे प्रारम्भ में **भारतीय औद्योगिक विकास बैंक [Industrial Development Bank of India (IDBI)] की पूर्ण स्वामित्ववाली सहायक कंपनी के** रूप में निगमित किया गया था। वर्तमान में, **इसका स्वामित्व भारतीय सरकार** और भारत सरकार के स्वामित्व/नियंत्रणवाले कई अन्य संस्थानों द्वारा रखा जाता है।

यह छोटे उद्योगों को अपने ऋण प्रदान करने के लिए बैंकों और राज्य स्तरीय वित्तीय संस्थानों हेतु एक पुनर्वित्त एजेंसी के रूप में आरम्भ हुआ था, बाद में इसने लघु और मध्यम उद्यमों (SMEs) को प्रत्यक्ष ऋण सहित अन्य गतिविधियों के क्षेत्र में अपना विस्तार किया है। सिडबी का **मुख्यालय लखनऊ** में स्थित है।

सूक्ष्म, लघु और मध्यम उद्यम (MSMEs) क्षेत्र को बढ़ावा देने और विकसित करने के लिए सिडबी एक **'क्रेडिट+'** दृष्टिकोण अपनाता है, जिसके अंतर्गत सिडबी क्रेडिट के अतिरिक्त, सूक्ष्म, लघु और मध्यम उद्यमों (MSMEs) को अपने प्रचार और विकासात्मक समर्थन के माध्यम से उद्यम विकास, कौशल उन्नयन, विपणन सहायता, क्लस्टर विकास, प्रौद्योगिकी आधुनिकीकरण आदि हेतु सहयोग-समर्थन देता है।

भारतीय औद्योगिक वित्त निगम [Industrial Finance Corporation of India (IFCI)]

औद्योगिक वित्त निगम (IFCI) लिमिटेड की स्थापना, **भारतीय औद्योगिक वित्त निगम** (एक वैधानिक निगम) के रूप में उद्योग को मध्यम और दीर्घकालिक वित्त प्रदान करने के लिए, **भारतीय औद्योगिक वित्त निगम** (Industrial Finance Corporation of India Act), **1948** के माध्यम से, 1948 में की गयी थी।

भारतीय औद्योगिक वित्त निगम, कंपनी अधिनियम, 1956 के अंतर्गत पंजीकृत होकर 1993 में सार्वजनिक लिमिटेड कंपनी बन गया। भारतीय औद्योगिक वित्त निगम, भारतीय रिज़र्व बैंक के साथ पंजीकृत, जमा स्वीकार नहीं करनेवाली प्रणालीगत रूप से महत्त्वपूर्ण ग़ैर-बैंकिंग वित्त कंपनी [Non-Banking Finance Company (NBFC)] भी है।

भारतीय औद्योगिक वित्त निगम का प्राथमिक व्यवसाय विनिर्माण, सेवाओं और अवसंरचना क्षेत्रों के माध्यम से दीर्घकालिक वित्तीय सहायता प्रदान करना है। अपनी सहायक कंपनियों और सहयोगी संगठनों के माध्यम से, भारतीय औद्योगिक वित्त निगम ने दलाली (broking), उद्यम पूँजी (venture capital), वित्तीय सलाहकार (financial advisory), जमा स्वीकार करने संबंधी सेवाएँ (depository services), आढ़त (factoring) आदि सहित विभिन्न प्रकार के व्यवसायों में विकास किया है।

निर्यात-आयात बैंक [Export-Import Bank (EXIM Bank)]

IDBI की अंतरराष्ट्रीय वित्त शाखा के संचालन को अपने क़ब्ज़े में लेने और निर्यातकों और आयातकों को वित्तीय सहायता प्रदान करने के लिए 1982 में निर्यात-आयात बैंक (EXIM Bank) की स्थापना की गयी थी। एक्ज़िम बैंक पूरी तरह से केंद्र सरकार के स्वामित्व में है।

एक्ज़िम बैंक के कार्यों में समाविष्ट हैं :-

1. यह मध्यम अवधि के ऋण के रूप में संयंत्र, मशीनरी और संबंधित सेवाओं के निर्यातकों को सीधी **वित्तीय सहायता** प्रदान करता है।
2. यह वाणिज्यिक बैंकों द्वारा छूट प्राप्त अल्पकालिक निर्यात बिलों की तुलना में, निर्यात बिलों को अधिकतम 90 दिनों की अवधि के लिए **पुनः छूट** देता है।
3. यह विदेशी ख़रीदारों को भारतीय पूँजीगत वस्तुओं और संबंधित सेवाओं के आयात के लिए, विदेशी आयातकों के क्रेता को ऋण देता है।
4. यह **निर्यातोन्मुखी उद्योगों** के विकास और वित्तपोषण में सुविधा प्रदान करता है।

नेशनल हाउज़िंग बैंक (National Housing Bank)

- **नेशनल हाउज़िंग बैंक (NHB)** की स्थापना राष्ट्रीय आवास बैंक अधिनियम, 1987, के अंतर्गत **1988** में एक वैधानिक संगठन के रूप में की गयी थी। यह **वित्त मंत्रालय**, भारत सरकार के अधिकार क्षेत्र में है।
- यह आवासन के लिए **शीर्ष वित्तीय संस्थान** है।
- इसकी स्थापना स्थानीय और क्षेत्रीय दोनों स्तरों पर आवास वित्त संस्थानों को बढ़ावा देने और ऐसे संस्थानों को और उससे जुड़े मामलों के लिए वित्तीय और अन्य प्रासंगिक सहायता प्रदान करने के लिए प्रमुख एजेंसी के रूप में कार्य करने के उद्देश्य से की गयी है।
- **नेशनल हाउज़िंग बैंक** आवास वित्त कंपनियों (HFCs) को पंजीकृत, नियंत्रित और उनकी निगरानी करता है, साइट पर और ऑफ़-साइट तंत्रों के माध्यम से निगरानी रखता है और अन्य नियामकों के साथ समन्वय करता है।
- इसका **मुख्यालय दिल्ली** में स्थित है।
- यह **भारतीय रिज़र्व बैंक द्वारा विनियमित** है।
- भारतीय रिज़र्व बैंक द्वारा 2019 में नेशनल हाउज़िंग बैंक में अपनी भागीदारी बेचे जाने के बाद, नेशनल हाउज़िंग बैंक **अब 100 प्रतिशत केंद्र सरकार के स्वामित्व में है**। यह कार्य नरसिम्हम पैनल की अनुशंसाओं के आधार पर किया गया था, जिसमें कहा गया था कि भारतीय रिज़र्व बैंक को उन संस्थानों का स्वामी नहीं होना चाहिए, जो उसके द्वारा विनियमित हैं।

मुद्रा बैंक (MUDRA Bank)

सूक्ष्म वित्त संस्थानों [Micro finance institutions (MFIs)] और ग़ैर-बैंकिंग वित्तीय संस्थानों को कम दरों पर ऋण प्रदान करने के लिए भारत सरकार द्वारा 2015 में माइक्रो यूनिट्स डेवलपमेंट ऐंड रिफ़ाइनेंस एजेंसी बैंक (Micro United Development and Refined Agency Bank) की स्थापना की गयी थी, जो MSMEs को ऋण प्रदान करते हैं। प्रधानमंत्री मुद्रा योजना के अंतर्गत मुद्रा बैंक की स्थापना की गयी थी।

मुद्रा बैंक से उधार लेने के लिए पात्र व्यक्तियों में समाविष्ट हैं : ग्रामीण और शहरी क्षेत्रों में छोटी विनिर्माण इकाइयाँ, सेवा क्षेत्र इकाइयाँ, दुकानदार, फल/सब्ज़ी विक्रेता, ट्रक ऑपरेटर, खाद्य सेवा इकाइयाँ, मरम्मत दुकानें, मशीन ऑपरेटर, छोटे उद्योग, कारीगर, खाद्य प्रसंस्करणकर्ता और अन्य।

लाभार्थी सूक्ष्म इकाइयों/उद्यमियों के विकास के चरण को दर्शाने के लिए इसके ऋण उत्पादों को 'शिशु', 'किशोर' और 'तरुण' नाम दिया गया है।

- **शिशु :** ₹50,000 तक के ऋण को आच्छादित करनेवाले।
- **किशोर :** ₹50,000 से ऊपर और ₹5 लाख तक के ऋण को आच्छादित करनेवाले।
- **तरुण :** ₹5 लाख से ऊपर और ₹10 लाख तक के ऋण को आच्छादित करनेवाले।

मुद्रा बैंक मुख्य रूप से निम्नलिखित के लिए ज़िम्मेदार है :

- सूक्ष्म/लघु उद्यमवाले वित्त पोषण व्यवसायों के लिए विनियामक मानदंड स्थापित करना।
- MFI संस्थाओं का पंजीकरण।
- MFI संस्थाओं का विनियमन।
- MFI संस्थाओं का प्रमाणन और श्रेणीकरण (ग्रेडिंग)।
- ऋण से बचने और प्रभावी ग्राहक सुरक्षा सिद्धांत और वसूली के साधन प्रदान करने के लिए उचित वित्तपोषण प्रक्रियाएँ स्थापित करना।
- सूक्ष्म/लघु व्यवसायों के लिए आख़िरी चरण के वित्तपोषण को नियंत्रित करनेवाले नियमों के मानकीकृत सेट का निर्माण करना।
- अंतिम मील के लिए उपयुक्त तकनीकी समाधानों को बढ़ावा देना।
- सूक्ष्म फ़र्मों को दिये गये ऋण हेतु गारंटी प्रदान करने के लिए क्रेडिट गारंटी प्रणाली का विकास और कार्यान्वयन।
- प्रधानमंत्री मुद्रा योजना के तहत सूक्ष्म कंपनियों के लिए अंतिम चरण की एक प्रभावी क्रेडिट डिलीवरी के बुनियादी ढाँचे का विकास करना।

स्थानीय क्षेत्र बैंक [Local Area Banks (LABs)]

1996 में प्रारम्भ किये गये, **स्थानीय क्षेत्र बैंक (LABs)** छोटे निजी बैंक हैं, जो संचालन के सीमित क्षेत्र (**तीन निकटस्थ ज़िलों** में मुख्य रूप से ग्रामीण और अर्द्ध शहरी क्षेत्रों में) में वित्तीय मध्यस्थता सेवाएँ प्रदान करते हैं। स्थानीय क्षेत्र बैंक (LABs) स्थापित करने का उद्देश्य ग्रामीण बचत जुटाना और उन्हें स्थानीय क्षेत्रों में निवेश के लिए उपलब्ध कराना था। स्थानीय क्षेत्र बैंक (LABs) के लिए भारतीय रिज़र्व बैंक के दिशानिर्देशों में समाहित हैं :-

a. स्थानीय क्षेत्र बैंकों (LABs) के पास न्यूनतम ₹5 करोड़ की पूँजी होनी चाहिए।

b. स्थानीय क्षेत्र बैंक (LABs) के प्रोत्साहकों में न्यूनतम ₹2 करोड़ की पूँजी का योगदान करनेवाले निजी व्यक्ति, कॉर्पोरेट संस्थाएँ, ट्रस्ट और सोसाइटी समाविष्ट हो सकते हैं।

c. संचालन का क्षेत्र भौगोलिक रूप से निकटस्थ अधिकतम तीन ज़िलों तक सीमित होता है।

d. नेट बैंक क्रेडिट (NBC) के 40 प्रतिशत तक प्राथमिकता क्षेत्र ऋण देने का लक्ष्य रखना।

2014 में, भारतीय रिज़र्व बैंक ने निर्धारित पात्रता मानदंडों को पूरा करने पर स्थानीय क्षेत्र बैंकों (LABs) को लघु वित्त बैंकों (आगे समझाया गया) में परिवर्तित करने की अनुमति दी।

स्थानीय क्षेत्र बैंकों (LABs) के **उदाहरणों** में समाविष्ट हैं- तटीय स्थानीय क्षेत्र बैंक लिमिटेड, कैपिटल लोकल एरिया बैंक लिमिटेड।

नियोबैंक (Neobanks)

'नियोबैंक' शब्द **'फ़िनटेक फ़र्म'** को संदर्भित करता है, जिनकी पूरी तरह से **डिजिटल उपस्थिति** होती है और उनका कोई भौतिक स्थान नहीं होता है। वे बचत खाते, तत्काल ऋण, क्रेडिट कार्ड, म्यूचुअल फ़ंड और सावधि जमा जैसी **बैंकिंग सेवाएँ प्रदान करते** हैं। वे इसे RBI द्वारा लाइसेंस प्राप्त बैंकों के साथ साझेदारी करके पूरा करते हैं। उदाहरण : फ़ैम्पे (Fampay), महिला मनी (Mahila Money), रेज़रपेएक्स (RazorpayX), फ़ाई मनी (Fi Money), जुपिटर (Jupiter), नियो (Niyo), आदि।

नियोबैंक आमतौर पर धन प्रबंधन जैसी वस्तुओं के लिए निवेश सलाहकार लाइसेंस प्राप्त करते हैं। वे आमतौर पर SFB या छोटे SCB के साथ गठबंधन बनाते हैं। वे भारतीय बाज़ार में तेज़ी से प्रवेश कर रहे हैं।

नियोबैंक बनाम पारंपरिक बैंक (Neobank vs. Traditional bank) : जहाँ पारंपरिक बैंक अपने विरासत-आधारित बुनियादी ढाँचे को आधुनिक बनाने के लिए संघर्ष करते हैं, नियोबैंक ग्राहक डेटा का मूल्यांकन करने और डेटा-चालित विकल्पों को चुनने के लिए नये डिजिटल प्लेटफ़ॉर्म का इस्तेमाल करते हैं।

नियोबैंक बनाम डिजिटल बैंक (Neobank vs. Digital bank) : डिजिटल बैंक और नियोबैंक एक जैसे नहीं हैं। जहाँ डिजिटल बैंकों की अक्सर बैंकिंग क्षेत्र में एक बडे भागीदार की केवल ऑनलाइन शाखा होती हैं, वहीं नियोबैंक पूरी तरह से डिजिटल होते हैं और पारंपरिक बैंकों की तुलना में स्वतंत्र रूप से कार्य करते हैं।

लाभ :

- वे आम तौर पर मोबाइल-फ़र्स्ट होते हैं, ख़र्चों में कटौती करने और उपयोगकर्ता के अनुकूल अनुभव प्रदान करने के लिए प्रौद्योगिकी पर भरोसा करते हैं।
- नियोबैंकों ने बचत खातों पर अधिक ब्याज दरों की पेशकश करने के लिए छोटे बैंकों के साथ भागीदारी की है।
- वे ख़र्च का विश्लेषण और ट्रैक करने में मदद करते हैं।

समस्याएँ :

- जटिल IT विरासत, अपर्याप्त डेटा आर्किटेक्चर (data architecture), उच्च लागत प्रबंधन, संगठनात्मक प्रतिरोध, उन्नत प्रौद्योगिकी की कमी, आदि।

ग़ैर-बैंकिंग वित्तीय कंपनियाँ [NON-BANKING FINANCIAL COMPANIES (NBFC)]

- ग़ैर-बैंकिंग वित्तीय कंपनी एक ऐसी कंपनी है, जो ऋण और अग्रिम, शेयर, बॉण्ड, डिबेंचर या लीजिंग (debenture or leasing), इंश्योरेंस, चिटफ़ंड आदि के अधिग्रहण और बिक्री के कारोबार में लगी हुई होती है। यह एक बहुत व्यापक अवधारणा है और इसके कई रूप/भेद होते हैं।
- 2016 में, सरकार ने ग़ैर-बैंकिंग वित्तीय कंपनियों द्वारा किये गये 'अन्य वित्तीय सेवाओं' में 100% प्रत्यक्ष विदेशी निवेश की अनुमति दी।
- इनकी वित्तीय परिसंपत्तियाँ कुल परिसंपत्तियों के 50% से अधिक होनी चाहिए और वित्तीय परिसंपत्तियों से होनेवाली आय सकल आय की 50% से अधिक होनी चाहिए।
- ये कंपनियाँ जनता से माँग जमा (demand deposits) स्वीकार नहीं कर सकतीं। हालाँकि, डिबेंचर और बॉण्ड्स माँग-देयताएँ नहीं होती हैं, इसलिए इनका उपयोग ग़ैर-बैंकिंग वित्तीय कंपनियों द्वारा निधियाँ जुटाने के लिए किया जा सकता है।
- **सभी ग़ैर-बैंकिंग वित्तीय कंपनियाँ भारतीय रिज़र्व बैंक द्वारा विनियमित नहीं होती हैं।** उदाहरण के लिए, उद्यम पूँजी निधि/मर्चेंट बैंकिंग कंपनियों/स्टॉक ब्रोकिंग कंपनियों को सेबी द्वारा विनियमित किया जाता है, बीमा कंपनियों को आईआरडीए द्वारा विनियमित किया जाता है, आदि।

भारतीय रिज़र्व बैंक द्वारा विनियमित बैंकिंग वित्तीय कंपनियाँ (NBFCs Regulated by RBI)

RBI विनियमन के तहत NBFI की संरचना (28 फ़रवरी, 2024 तक)
[Structure of NBFIs under the RBI Regulation (as of 28th February, 2024)]

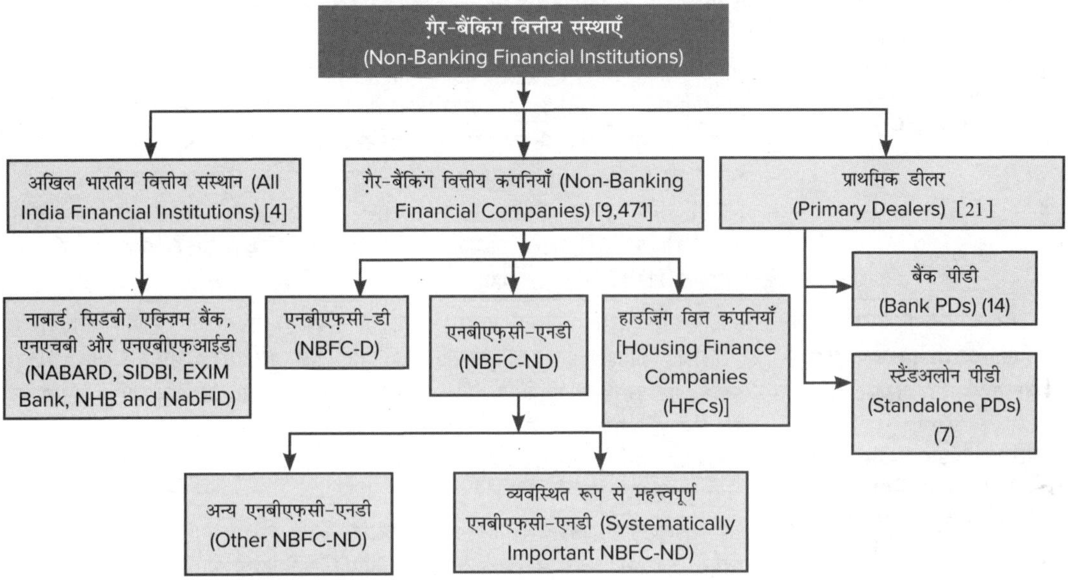

ध्यान दें : 1. जानकारी अनंतिम है (Data is provisional) डी (D) – जमा धन लेनेवाले (Deposit taking) एनडी (ND) – जमा धन नहीं लेनेवाले (Non-Deposit taking)
2. कोष्ठकों में दिये गये आँकड़े संस्थानों की संख्या दर्शाते हैं।

स्रोत : RBI

उपर्युक्त प्रवाह चार्ट में से, **भारतीय रिज़र्व बैंक द्वारा विनियमित कुछ प्रमुख प्रकार की ग़ैर-बैंकिंग वित्तीय कंपनियों** (NBFC) का विवरण इस प्रकार है :-

ग़ैर-बैंकिंग वित्तीय कंपनी का प्रकार	समाविष्ट गतिविधि
ग़ैर-बैंकिंग वित्तीय कंपनी-निवेश और क्रेडिट कंपनी [NBFC-Investment and Credit Company (NBFC-ICC)]	• प्रारंभ में, ग़ैर-बैंकिंग वित्तीय कंपनी NBFCs के प्रकारों में ऐसेट फ़ाइनेंस कंपनी (AFC), निवेश कंपनी [Investment Company (IC)] और ऋण कंपनी [Loan Company (LC)] समाविष्ट थे। 2019 में ग़ैर-बैंकिंग वित्तीय कंपनियों (NBFCs V) की 03 श्रेणियों को एक नयी श्रेणी ग़ैर-बैंकिंग वित्तीय कंपनी - इन्वेस्टमेंट ऐंड क्रेडिट कंपनी (NBFCs - ICC) में विलय कर दिया गया है। ऐसा नियमों और विनियमों में सामंजस्य और ग़ैर-बैंकिंग वित्तीय कंपनी (NBFCs) को अधिक परिचालन लचीलापन प्रदान करने के लिए किया गया है। • यह ऋण और निवेश के व्यवसाय से संबंधित है।

ग़ैर-बैंकिंग वित्तीय कंपनी का प्रकार	समाविष्ट गतिविधि
ग़ैर-बैंकिंग वित्तीय कंपनी–अवसंरचना वित्तपोषण कंपनी [NBFC-Infrastructure Finance Company (NBFC-IFC)]	• यह जमा स्वीकार नहीं करनेवाली ऋण-प्रदायन कंपनी होती है, जो अवसंरचना परियोजनाओं के लिए वित्त प्रदान करती है। इसे इन सभी निम्नलिखित मानदंडों का पालन करना होता है :- – अवसंरचना वित्तपोषण कंपनी - ग़ैर-बैंकिंग वित्तीय कंपनी (IFC-NBFC) की कुल परिसंपत्तियों का न्यूनतम 75% अवसंरचना ऋणों में परिनियोजित किया जाना चाहिए। – कंपनी के पास ₹300 करोड़ की न्यूनतम नेटवर्थ होनी चाहिए। – कंपनी का CRAR 10% पर प्रथम टियर कैपिटल के साथ 15% पर होना चाहिए। – कंपनी की न्यूनतम क्रेडिट रेटिंग क्रिसिल, फ़िच, केयर, आईसीआरए, ब्रिकवर्क द्वारा 'ए' या किन्हीं अन्य मान्यता प्राप्त रेटिंग एजेंसियों द्वारा इसके समकक्ष रेटिंग के समतुल्य रेटिंग की होनी चाहिए।
ग़ैर-बैंकिंग वित्तीय कंपनी-व्यवस्थित रूप से महत्त्वपूर्ण कोर इन्वेस्टमेंट कंपनी [NBFC-Systematically Important Core Investment Company (CIC-ND-SI)]	• यह इक्विटी शेयरों, वरीयता शेयरों, ऋण या समूह कंपनियों के ऋण में निवेश से संबंधित है। इसे इन सभी निम्नलिखित शर्तों को पूरा करना होता है :- – इसके पास समूह कंपनियों में इक्विटी शेयरों, वरीयता शेयरों, ऋण या ऋणों में निवेश के रूप में अपनी कुल संपत्ति का 90% से अधिक होना चाहिए। – समूह कंपनियों के इक्विटी शेयरों में इसका निवेश उनकी कुल परिसंपत्तियों के 60% से कम नहीं हो। – यह डाइलूशन या विनिवेश के उद्देश्य से ब्लॉक बिक्री के माध्यम से समूह कंपनियों में शेयरों, लोन या ऋणों में इसके निवेश में व्यापार नहीं करती है। – इसकी परिसंपत्ति का आकार ₹100 करोड़ या उससे अधिक है। – यह सार्वजनिक निधियों को स्वीकार करती है।
अवसंरचना ऋण निधि-ग़ैर-बैंकिंग वित्तीय कंपनी [Infrastructure Debt Fund-NBFC (IDF-NBFC)]	• यह अवसंरचना परियोजनाओं में दीर्घकालिक ऋण के प्रवाह को सुगम बनानेवाली संस्था है। यह न्यूनतम 5 वर्ष की परिपक्वता के रुपये या डॉलर मूल्यवर्गवाले बॉण्ड जारी करके संसाधन जुटाता है। केवल अवसंरचना वित्तपोषण कंपनियाँ (अवसंरचना वित्तपोषण कंपनी) ही अवसंरचना ऋण निधि- ग़ैर-बैंकिंग वित्तीय कंपनी (NBFC) को प्रायोजित कर सकती हैं।
ग़ैर-बैंकिंग वित्तीय कंपनी-सूक्ष्म वित्त संस्थान [NBFC-Micro Finance Institution (NBFC-MFI)]	• यह सूक्ष्म वित्त उधार देने में संलग्न, जमा स्वीकार नहीं करनेवाली ग़ैर-बैंकिंग वित्तीय कंपनी (NBFC) होती है। इसे मालेगाम कमेटी की अनुशंसाओं के बाद आरंभ किया गया था।
ग़ैर-बैंकिंग वित्तीय कंपनी-फ़ैक्टर (NBFC-Factor)	• यह फ़ैक्टरिंग के कारोबार में लगी, जमा स्वीकार नहीं करनेवाली ग़ैर-बैंकिंग वित्तीय कंपनी (NBFC) होती है। • फ़ैक्टरिंग एक ऐसी व्यवस्था है, जहाँ कोई व्यक्ति या संस्था छूट के लिए अपने खातों के प्राप्य या देनदारियों को किसी अन्य वित्तपोषण कंपनी को बेच/स्थानांतरित कर सकती है। इसमें सामान्य रूप से उपयोग किये जानेवाले उपकरण विनिमय बिल, वचन पत्र आदि हैं। • फ़ैक्टरिंग, फ़ैक्टरिंग में लगी कंपनियों को नक़दी के अंतर्वाह के बदले में अपनी प्राप्य राशियों को बेचकर अपनी अल्पकालिक नक़दी ज़रूरतों में सुधार करने में सहायक हो सकती है।

ग़ैर-बैंकिंग वित्तीय कंपनी का प्रकार	समाविष्ट गतिविधि
बंधक गारंटी कंपनी [Mortgage Guarantee Company (MGC)]	• बंधक गारंटी कंपनियाँ ऐसी ग़ैर-बैंकिंग वित्तीय कंपनियाँ (NBFC) हैं, जिनका कम-से-कम 90% कारोबार बंधक गारंटी कारोबार से होता है या सकल आय का कम-से-कम 90% बंधक गारंटी कारोबार से होता है और निवल स्वामित्ववाली निधि ₹100 करोड़ की होती है।
हाउज़िंग फ़ाइनेंस कंपनी (HFC)	• हाउज़िंग फ़ाइनेंस कंपनियाँ (HFCs) भारत में हाउज़िंग फ़ाइनेंस के लिए विशेष ऋण प्रदान करनेवालीं ग़ैर-बैंकिंग वित्तीय कंपनियाँ (NBFC) हैं। इनके उदाहरणों में समाविष्ट हैं- एलआईसी हाउज़िंग फ़ाइनेंस, पीएनबी हाउज़िंग फ़ाइनेंस, हाउज़िंग डेवलपमेंट फ़ाइनेंस कॉर्पोरेशन (एचडीएफ़सी), आदि। • हाउज़िंग फ़ाइनेंस कंपनी के लिए मुद्रा के स्रोत डिबेंचर, बैंक उधार, सार्वजनिक जमा, बाहरी वाणिज्यिक उधार [External Commercial Borrowings (ECBs)], वाणिज्यिक काग़ज़ात और यहाँ तक कि राष्ट्रीय आवास बैंक (NHB) द्वारा प्रदान की जानेवाली पुनर्वित्त सहायता भी हैं। • हाउज़िंग फ़ाइनेंस कंपनी को प्रारम्भ में नेशनल हाउज़िंग बैंक द्वारा विनियमित किया गया था। लेकिन, हाल ही में यह निर्णय लिया गया है कि हाउज़िंग फ़ाइनेंस कंपनी को **भारतीय रिज़र्व बैंक द्वारा विनियमित किया जायेगा।** ऐसा इसलिए है, क्योंकि हाल के वर्षों में ऋण वृद्धि और हाउज़िंग फ़ाइनेंस कंपनी की मौन लाभप्रदता में गिरावट आयी है।

परीक्षोपयोगी

बैंकों और ग़ैर-बैंकिंग वित्तीय कंपनी के बीच अंतर
(DIFFERENCE BETWEEN BANKs AND NBFCs)

- बैंकों के विपरीत, ग़ैर-बैंकिंग वित्तीय कंपनियाँ (NBFC) माँग जमाओं को **स्वीकार नहीं कर सकती।**
- बैंकों के विपरीत, ग़ैर-बैंकिंग वित्तीय कंपनियाँ (NBFC) भुगतान और निपटान प्रणाली का **भाग नहीं बनतीं** और स्वयं पर आहरित होनेवाले **चेक जारी नहीं कर सकतीं।**
- ग़ैर-बैंकिंग वित्तीय कंपनी (NBFC) के निवेशकों/जमाकर्ताओं के लिए जमा बीमा सुविधा **उपलब्ध नहीं है।**
- ग़ैर-बैंकिंग वित्तीय कंपनियों (NBFC) को भारतीय रिज़र्व बैंक द्वारा निर्धारित रिज़र्व अनुपातों (CRR, SLR आदि) को बनाये रखने की **आवश्यकता नहीं होती है।**
- बैंकों को बैंकिंग विनियमन अधिनियम, 1949 के तहत विनियमित किया जाता है, जबकि NBFC को कंपनी अधिनियम 1956 या कंपनी (संशोधन) अधिनियम 2019 के तहत विनियमित किया जाता है।
- निजी क्षेत्र के बैंकों के लिए विदेशी निवेश की अनुमति 74% तक है, लेकिन NBFC के लिए यह सीमा 100% तक है।

ग़ैर-बैंकिंग वित्तीय कंपनी और तरलता संकट (NBFCs and Liquidity Crisis)

पिछले कुछ वर्षों में भारतीय रिज़र्व बैंक के विवेकपूर्ण मानदंड, **ग़ैर-बैंकिंग वित्तीय कंपनी (NBFC) द्वारा जमा लेने का, निर्माण करने तथा उनकी (जिन्हें NBFC-D भी कहा जाता है) वृद्धि को हतोत्साहित करना तथा जमा न लेनेवालीं ग़ैर-बैंकिंग वित्तीय कंपनियों (जिन्हें NBFC-ND भी कहा जाता है) के प्रवेश को प्रोत्साहित करने के रहे हैं।** ऐसा जमाकर्ता की पूँजी (प्राय: आम

जनता) की सुरक्षा के लिए किया जाता रहा है, क्योंकि NBFC-D की जमा राशि डिपॉजिट इंश्योरेंस ऐंड क्रेडिट गारंटी कॉर्पोरेशन (DICGC) द्वारा आच्छादित नहीं की जाती है और इसके परिणामस्वरूप जमा की कुल हानि हो सकती है।

इसके चलते ग़ैर-बैंकिंग वित्तीय कंपनी (NBFC) के वित्तपोषण स्रोतों के रूप में थोक वित्तपोषण (बैंकों से लोन, डेट म्यूचुअल फ़ंड्स, डिबेंचर्स, कमर्शियल पेपर) में बढ़ोतरी हुई है। वित्तीय संस्थान और ग़ैर-बैंकिंग वित्तीय कंपनियाँ (NBFC) अपनी कम लागत और आसान उपलब्धता और तरलता के कारण अल्पकालिक वित्तपोषण स्रोतों को वरीयता देती हैं।

हालाँकि, लगातार अल्पकालिक वित्तपोषण पर निर्भरता से परिसंपत्ति देयता प्रबंधन [Asset Liability Management (ALM)] की समस्या होती है और **ग़ैर-बैंकिंग वित्तीय कंपनी (NBFC) द्वारा अल्पकालिक वित्तपोषण की लागत में वृद्धि करने की संभावना बढ़ जाती है,** क्योंकि उन्हें लगातार अपने अल्पकालिक ऋण चुकाने और नये ऋण लेने होते हैं।

लिक्विड डेट म्यूचुअल फ़ंड, ग़ैर-बैंकिंग वित्तीय कंपनी (NBFC) क्षेत्र के लिए अल्पकालिक निधियों का प्राथमिक स्रोत है। इस प्रकार, ग़ैर-बैंकिंग वित्तीय कंपनी (NBFC) क्षेत्र 'लिक्विड डेट म्यूचुअल फ़ंड' क्षेत्र से गहरा जुड़ा हुआ है, जिसके कारण म्यूचुअल फ़ंड, ग़ैर-बैंकिंग वित्तीय कंपनी (NBFC) क्षेत्र से प्रणालीगत जोखिम के संचरण हेतु प्रवण होते है। ग़ैर-बैंकिंग वित्तीय कंपनी (NBFC) क्षेत्र में आघात, लिक्विड डेट म्यूचुअल फ़ंड्स (LDMF) क्षेत्र में निवेशकों द्वारा कम क़ीमतों पर बड़े पैमाने पर शोधन (redemptions) का कारण बन सकते हैं। इस समस्या को दूर करने के लिए सरकार द्वारा हाल के दिनों में नीतिगत परिवर्तन किये गये हैं।

ग़ैर-बैंकिंग वित्तीय कंपनी क्षेत्र में सरकार द्वारा हाल ही में किये गये प्रमुख नीतिगत परिवर्तन (Recent Major Policy changes by Government in the NBFC Sector)

व्यापक वित्तीय प्रणाली की स्थिरता बनाये रखने और विश्वास को बढ़ावा देने के लिए, भारतीय रिज़र्व बैंक और सरकार ने हाल ही में निम्नलिखित प्रमुख उपाय किये हैं :-

- ग़ैर-बैंकिंग वित्तीय कंपनी (NBFC) के शासन में सुधार करने, जमाकर्ताओं/लेनदारों के हित की रक्षा करने और क्षेत्र की वित्तीय स्थिरता सुनिश्चित करने के लिए भारतीय रिज़र्व बैंक को शक्तियाँ प्रदान करने हेतु भारतीय रिज़र्व बैंक अधिनियम, 1934 में संशोधन।
- ग़ैर-बैंकिंग वित्तीय कंपनियों (NBFC) और हाउज़िंग फ़ाइनेंस कंपनियों के लिए मुद्रा जुटाने की लागत को कम करने और कॉर्पोरेट बॉण्ड बाज़ार को मज़बूत करने के लिए प्रासंगिक नियमों में संशोधन।
- ग़ैर-बैंकिंग वित्तीय कंपनी-इन्वेस्टमेंट ऐंड क्रेडिट कंपनी (NBFC-ICC) को एसेट फ़ाइनेंस कंपनियों, लोन कंपनियों और निवेश कंपनियों को मिलाकर बनाया गया था। यह कार्य कई श्रेणियों से उत्पन्न जटिलताओं को कम करने और उनके संचालन में अधिकाधिक लचीलापन लाने के लिए किया गया था।
- बड़ी ग़ैर-बैंकिंग वित्तीय कंपनियाँ (₹5,000 करोड़ से अधिक परिसंपत्ति आकारवालीं) के लिए स्वतंत्र मुख्य जोखिम अधिकारी [Chief Risk Officer (CRO)] नियुक्त किया जायेगा।
- शिकायतों के समाधान के लिए NBFCs-D के लिए लोकपाल योजना को NBFCs-ND (₹100 करोड़ या उससे अधिक की परिसंपत्ति आकारवाली) पर भी विस्तारित किया गया।

लास्ट मिनट
स्निपपेट्स

हाल ही में RBI ने NBFC के लिए नये नियम प्रस्तावित किये हैं, जो कि निम्नलिखित हैं :

(a) **चार स्तरवाले विनियामक ढाँचे का निर्माण,** जिसमें एक आधार स्तर, एक मध्य स्तर, एक ऊपरी स्तर और एक शीर्ष स्तर शामिल है। बढ़ते स्तर के साथ विनियमन की तीव्रता में प्रगतिशील वृद्धि होगी।

(b) **NPA के लिए वर्गीकरण में बदलाव होगा।** RBI ने आधार स्तर NBFC के लिए NPA के वर्गीकरण के लिए 180 दिनों से 90 दिनों की अतिदेय अवधि में परिवर्तन का प्रस्ताव दिया है।

NBFC के लिए स्केल-आधारित विनियमन (Scale-Based Regulation for NBFCs)

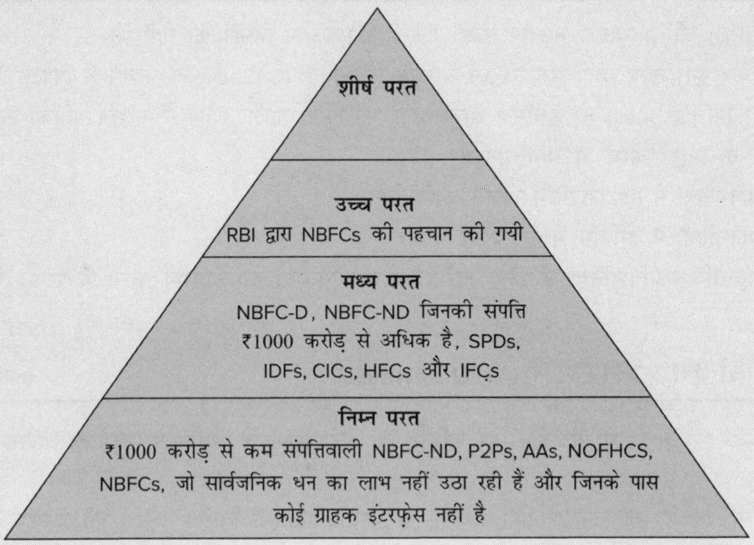

टिप्पणियाँ :

1. NBFCs-D, CICs, NBFC-IFCs और HFCs को मध्य या उच्च श्रेणी में शामिल किया जायेगा।
2. शेष NBFCs, यानी, NBFC-ICC, NBFC-MFI, NBFC-फ़ैक्टर्स और NBFC-MGC, SBR के मापदंडों के आधार पर किसी भी श्रेणी में हो सकते हैं।
3. सरकारी स्वामित्ववाली NBFC को निम्न श्रेणी या मध्य श्रेणी, जैसा भी मामला हो, में रखा जायेगा।

स्रोत : आरबीआई।

अतिरिक्त जानकारी

छाया बैंकिंग (SHADOW BANKING)

अर्थशास्त्री **पॉल मैककली** ने 2007 में जैक्सन होल, व्योमिंग में कैनसस सिटी फ़ेडरल रिज़र्व बैंक के वार्षिक वित्तीय सम्मेलन में 'छाया बैंक (Shadow Bank)' शब्द का प्रयोग किया।

छाया बैंकिंग में ऐसे बाज़ार और संस्थान शामिल होते हैं, जो आंशिक रूप से (या पूरी तरह से) पारंपरिक वाणिज्यिक बैंकिंग के बाहर संचालित होते हैं और/या तो हलके ढंग से विनियमित होते हैं या ग़ैर-विनियमित होते हैं। सहज रूप से, यह अवैध नहीं होते है, इन पर केवल भारतीय रिज़र्व बैंक के द्वारा वाणिज्यिक बैंकों की निगरानी की तरह कड़ाई से निगरानी नहीं की जाती है। उदाहरण के लिए, हाउज़िंग फ़ाइनेंस कंपनियाँ (HFC), खुदरा-ग़ैर-बैंकिंग वित्तीय कम्पनियाँ (Retail-NBFCs) और लिक्विड डेट म्यूचुअल फ़ंड (LDMFs)।

छाया बैंकों की केंद्रीय बैंक की तरलता तक सीधी पहुँच नहीं होती है। छाया बैंकिंग प्रणाली को जोखिमपूर्ण और अतरल संपत्तियों से अत्यधिक लाभ प्राप्त होता है, जबकि इसकी देनदारियाँ 'बैंक रन' का कारण बन जाती हैं।

ध्यान दें : बैंक रन तब होता है, जब कई क्लाइंट बैंक से अपना पैसा निकालते हैं, क्योंकि वह ऐसा मान बैठते हैं कि निकट भविष्य में बैंक का दिवालिया हो सकता है या वह कार्य करना बंद कर सकता है।

प्राथमिक डीलर (PRIMARY DEALERS)

- प्राथमिक डीलर (PD) की अवधारणा भारतीय रिज़र्व बैंक द्वारा 1995 में प्रारम्भ की गयी थी।
- प्राथमिक डीलर केंद्र और राज्य, दोनों सरकारों की सरकारी प्रतिभूतियों (G-Secs) के बाज़ार से निपटते हैं।
- वे सरकारी प्रतिभूतियों (G-Secs) के प्राथमिक बाज़ार और माध्यमिक बाज़ार, दोनों में सक्रिय भूमिका निभाते हैं।
- **प्राथमिक डीलर के प्रमुख कार्यों में समाविष्ट हैं-**
  - सरकारी प्रतिभूतियों में **अंडरराइटिंग सेवाएँ** प्रदान करना।
  - सरकारी प्रतिभूतियों में **ब्रोकिंग सेवाएँ** प्रदान करना।
  - फ़र्म को **दिनांकित प्रतिभूतियों के लिए ख़रीदने-बेचने/निविदा हेतु उद्धरण पूछने** के प्रस्ताव देना।

विभेदित बैंकिंग (DIFFERENTIATED BANKING)

परीक्षोपयोगी

- भारतीय रिज़र्व बैंक द्वारा 2013 में **नचिकेत मोर समिति** की अनुशंसाओं के आधार पर विभेदित बैंकिंग की अवधारणा प्रारम्भ की गयी थी।
- विभेदित बैंक, ऐसे बैंक हैं, जो अन्य सामान्य सार्वभौमिक बैंकों (जो सभी वित्तीय उत्पादों की पेशकश करते हैं) के विपरीत ग्राहकों के एक विशिष्ट खंड की **आवश्यकताओं को पूरा करते या सेवा प्रदान करते हैं।**
- यह विभेदन पूँजी की आवश्यकता, गतिविधियों की परिधि या संचालन के क्षेत्रों पर आधारित हो सकता है।
- इस विभेदित बैंकिंग अवधारणा को ऐसी **विशेष सेवाओं या अद्वितीय उत्पादों** को प्रस्तुत करने के लिए आरम्भ किया गया था, जो उस विशेष क्षेत्र के लिए अत्यधिक अनुरूप हों।
- विभेदित बैंक, सार्वभौमिक बैंकों की तुलना में **सीमित श्रेणी की सेवाएँ/उत्पाद प्रदान करते हैं।**
- इसलिए निम्नलिखित दो प्रकार के विभेदित बैंकों का प्रक्षेपण किया गया- →

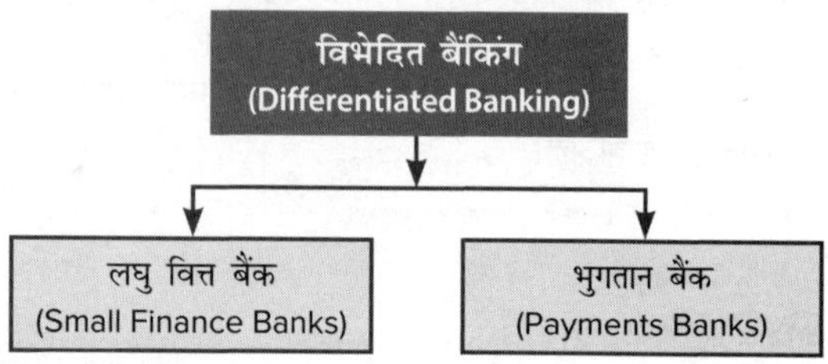

लघु वित्त बैंक [Small Finance Banks (SFBs)]

- लघु वित्त बैंक (SFBs), ऐसे **SCBs** हैं, जो लघु व्यवसाय इकाइयों, लघु और सीमांत किसानों, सूक्ष्म और लघु उद्योगों, असंगठित क्षेत्र की संस्थाओं आदि को उधार देते हैं।
- यह कंपनी (संशोधन) अधिनियम [Companies (Amendment) Act], 2019 के अंतर्गत **सार्वजनिक लिमिटेड कंपनी** के रूप में स्थापित **निजी वित्तीय संस्थान** हैं। इन्हें बैंकिंग विनियमन अधिनियम (Banking Regulation Act), 1949 के अंतर्गत लाइसेंस प्राप्त है और ये **भारतीय रिज़र्व बैंक अधिनियम (RBI Act), 1934 से संचालित होते हैं।**
- यह या तो व्यक्तियों, कॉर्पोरेट, ट्रस्ट या सोसायटियों द्वारा स्थापित किये जा सकते है। मौजूदा एनबीएफ़सी, **सूक्ष्म वित्त संस्थान** [Micro Finance Institutions (MFIs)] और **स्थानीय क्षेत्र बैंक** [Local Area Banks (LABs)] भी SFBs में रूपांतरण का विकल्प चुन सकते हैं।
- 2019 में भारतीय रिज़र्व बैंक ने '**ऑन टैप फ़ैसिलिटी** (on tap facility)' प्रारम्भ की थी, जिसके अंतर्गत भारतीय रिज़र्व बैंक वर्ष भर SFBs के लिए आवेदन स्वीकार कर सकता है और लाइसेंस दे सकता है।

- SFBs से संबंधित दिशानिर्देश निम्नलिखित हैं-
  - i. SFBs के पात्र प्रमोटर 10 **वर्षों** के बैंकिंग और वित्त अनुभववाले **निवासी व्यक्ति/पेशेवर** हो सकते हैं, जिनमें उनके द्वारा नियंत्रित कंपनियों का कार्यानुभव समाविष्ट है।
  - ii. वे मुख्य रूप से जमा की स्वीकृति और असेवित (unserved) और अल्पसेवित (underserved) वर्गों को ऋण देने की आधारिक बैंकिंग गतिविधियाँ प्रारम्भ करेंगे।
  - iii. SFBs के लिए न्यूनतम पेड-अप इक्विटी पूँजी **₹100 करोड़** होगी।
  - iv. भारतीय रिज़र्व बैंक के सभी विवेकपूर्ण मानदंड और विनियम मौजूदा वाणिज्यिक बैंकों पर लागू होते हैं, जिनमें CRR और SLR के रखरखाव की आवश्यकता समाविष्ट है।
  - v. उनका 75 प्रतिशत ऋण प्राथमिकता क्षेत्र ऋण के लिए होना चाहिए, और
  - vi. ऋण और अग्रिम का कम-से-कम 50 प्रतिशत ₹25 लाख तक होना चाहिए।

SFBs के उदाहरणों में समाविष्ट हैं- कैपिटल स्मॉल फ़ाइनेंस बैंक (पहला SFBs और यह 2016 में प्रारम्भ हुआ), उज्जीवन स्मॉल फ़ाइनेंस बैंक आदि।

भुगतान बैंक (Payments Bank)

- पेमेंट बैंक किसी भी अन्य बैंक के समान होता है; हालाँकि, यह छोटे पैमाने पर और बिना किसी क्रेडिट जोखिम के संचालन करते हैं।
- इसकी स्थापना **नचिकेत मोर समिति** (Nachiket Mor Committee) की सिफ़ारिशों पर की गयी थी।
- इसका उद्देश्य बैंकिंग सुविधा से वंचित और अल्प बैंकिंग सुविधावाले लोगों को बैंकिंग और वित्तीय सेवाएँ प्रदान करने के साथ-साथ प्रवासी श्रमिकों, कम आयवाले परिवारों, छोटे व्यवसायों आदि की सहायता करके वित्तीय समावेशन को बढ़ावा देना है।
- यह 2013 के कंपनी अधिनियम के तहत एक **पब्लिक लिमिटेड कंपनी** के रूप में पंजीकृत है और 1949 के बैंकिंग विनियमन अधिनियम की धारा 22 द्वारा लाइसेंस प्राप्त है।
- इसका निरीक्षण क़ानून के कई नियमों द्वारा किया जाता है, जिनमें 1949 का बैंकिंग विनियमन अधिनियम, 1934 का आरबीआई अधिनियम और 1999 का विदेशी मुद्रा प्रबंधन अधिनियम आदि शामिल हैं।

भुगतान बैंकों के लिए दिशानिर्देश यह प्रावधान करते हैं कि-

- i. इसके पात्र प्रमोटर **ग़ैर-बैंक प्री-पेड पेमेंट इंस्ट्रूमेंट (PPI) जारीकर्ता** और मोबाइल टेलीफोन कंपनियों आदि जैसी अन्य संस्थाएँ हो सकती हैं।
- ii. मुख्य रूप से प्रतिव्यक्ति ग्राहक **अधिकतम ₹2,00,000 तक की माँग** जमा स्वीकार करेंगे।
- iii. एटीएम/डेबिट कार्ड, भुगतान और प्रेषण सेवाएँ जारी कर सकते हैं।
- iv. अपनी बाहरी माँग और सावधि देयताओं पर भारतीय रिज़र्व बैंक के साथ CRR बनाये रखें और SLR पात्र सरकारी प्रतिभूतियों/ट्रेज़री बिलों में अपने 'माँग जमा शेष' (demand deposit balances) का **कम-से-कम 75 प्रतिशत निवेश करें**।
- v. पेमेंट्स बैंकों को वाणिज्यिक बैंकों पर लागू होनेवाले सभी नियामक और पर्यवेक्षी ढाँचे का भी अनुपालन करना होगा।
- vi. पेमेंट्स बैंक ऋण या क्रेडिट कार्ड प्रदान नहीं करते हैं।
- vii. यह सावधि जमा या NRI जमा नहीं लेता है।
- viii. यह ग़ैर-बैंकिंग वित्तीय संबंधी गतिविधि करने के लिए सहायक कंपनियाँ स्थापित नहीं कर सकता है।

वर्तमान में भारत में कई पेमेंट्स बैंक काम कर रहे हैं। वे हैं - एयरटेल पेमेंट्स बैंक, इंडिया पोस्ट पेमेंट्स बैंक, फ़िनो, NSDL पेमेंट्स बैंक और जियो पेमेंट्स बैंक।

लघु वित्त बैंक *बनाम* भुगतान बैंक (SMALL FINANCE BANKS *VS* PAYMENTS BANKS)

लघु वित्त बैंक (Small Finance Banks)	भुगतान बैंक (Payments Banks)
वाणिज्यिक बैंक (चालू खाता, बचत खाता, सावधि जमा, आवर्ती जमा आदि) जैसे सभी प्रकार के जमा स्वीकार कर सकते हैं।	केवल चालू खाता, बचत खाता में ही जमा लेते हैं और सावधि जमा (FD) को स्वीकार नहीं कर सकते। वे क्रेडिट कार्ड भी जारी नहीं कर सकते हैं, लेकिन डेबिट कार्ड जारी कर सकते हैं।
वे जमाकर्ताओं के पैसे को अन्य ग्राहकों को ऋण के रूप में दे सकते हैं, लेकिन उनके संचालन का क्षेत्र छोटा होता है।	वे जमाकर्ता के पैसे को ऋण के रूप में नहीं दे सकते। वे केवल सरकारी प्रतिभूति (G-Secs) में जमाकर्ता के पैसे का निवेश कर सकते हैं।
केंद्र बिंदु : जमा और ऋण।	**केंद्र बिंदु :** भुगतान/प्रेषण, केवल सीमा पार प्रेषणों सहित।
शर्तें : 75% ऋण प्राथमिकता प्राप्त क्षेत्रों को उधारी के लिए होना चाहिए।	**शर्तें :** प्रतिग्राहक अधिकतम बैलेंस : ₹2 लाख न्यूनतम उत्तोलन अनुपात 3 प्रतिशत होना चाहिए, अर्थात् देयताएँ इसके निवल मूल्य के 33 गुना से अधिक नहीं होनी चाहिए।

परीक्षोपयोगी

इंडिया पोस्ट पेमेंट्स बैंक (INDIA POST PAYMENTS BANK)

इंडिया पोस्ट पेमेंट्स बैंक (IPPB) सार्वजनिक सीमित कंपनी है, जिसे 2017 में डाक विभाग के अंतर्गत भारत सरकार की 100 प्रतिशत इक्विटी के साथ स्थापित किया गया। इंडिया पोस्ट पेमेंट्स बैंक (IPPB) ₹2 लाख की शेष राशि तक बचत और चालू खातों के रूप में माँग जमाओं की सुविधा प्रदान करता है। यह एक प्रकार का भुगतान बैंक है।

डिजिटल भुगतान सुरक्षा नियंत्रण (Digital Payment Security Controls)

RBI (डिजिटल भुगतान सुरक्षा नियंत्रण) निर्देश, 2021, को भारत के डिजिटल भुगतान संरचना को सुरक्षित करने के लिए प्रकाशित किया गया है। यह एक मज़बूत शासन संरचना स्थापित करने और डिजिटल भुगतान सुरक्षा नियंत्रणों के लिए **सामान्य न्यूनतम मानकों** के कार्यान्वयन की दिशा में निर्देशित है।

ये निर्देश अनुसूचित वाणिज्यिक बैंकों, लघु वित्त बैंकों, भुगतान बैंकों, क्रेडिट-कार्ड जारी करनेवाले NBFC, तीसरे पक्ष के भुगतान आवेदनों, भुगतान ऑपरेटरों और गेटवे के लिए **लागू** हैं।

निर्देशों में बहु-स्तरीय अनुप्रयोग संरचना, डेटाबेस और प्रस्तुति अंश, धोखाधड़ी जोखिम प्रबंधन, वास्तविक समय या निकट-वास्तविक समय सामंजस्य ढाँचा, ग्राहक सुरक्षा, कार्ड भुगतान सुरक्षा नियंत्रण आदि जैसे घटक शामिल हैं।

बैंकिंग क्षेत्र से संबंधित अन्य संगठन (OTHER ORGANISATIONS RELATED TO BANKING SECTOR)

परीक्षोपयोगी

बैंक बोर्ड ब्यूरो (Banks Board Bureau)

- **पी. जे. नायक समिति** की अनुशंसाओं के आधार पर, बैंक बोर्ड ब्यूरो (BBB) **सार्वजनिक क्षेत्र के बैंकों** [Public Sector Banks (PSBs)] के शासन में सुधार के लिए एक स्वायत्त सिफ़ारिशी निकाय के रूप में **2016** में स्थापित किया गया था।

- यह ब्यूरो सरकार की **इंद्रधनुष योजना** के सात पहलुओं में से भी एक था, जो सार्वजनिक क्षेत्र के **बैंकों के पुनरुद्धार** से संबंधित है।
- बैंक बोर्ड ब्यूरो का मुख्य कार्य PSBs और वित्तीय संस्थानों के प्रमुख के नाम की अनुशंसा करना है। इसके अतिरिक्त, यह मुद्रा जुटाने और तनावग्रस्त परिसंपत्तियों के मुद्दे से निपटने के तरीक़ों पर भी सलाह देता है। इसके अतिरिक्त बैंक बोर्ड ब्यूरो सरकार और सार्वजनिक क्षेत्र बैंकों के बीच भी एक कड़ी है।
- इसमें **एक अध्यक्ष और छह सदस्य** समाविष्ट होते हैं (जिनमें से तीन पदेन हैं)। बैंक बोर्ड ब्यूरो (BBB) के वर्तमान **अध्यक्ष भानु प्रताप शर्मा** हैं।
- BBB का मुख्यालय **मुंबई** में है।

वित्तीय सेवा संस्थान ब्यूरो (एफ़एसआईबी) [Financial Services Institutions Bureau (FSIB)]

- हाल ही में कैबिनेट की नियुक्ति समिति (ACC) ने बैंक बोर्ड ब्यूरो (BBB) के स्थान पर **वित्तीय सेवा संस्थान ब्यूरो** (FSIB) की स्थापना के सरकारी प्रस्ताव को मंजूरी दी है।
- यह सार्वजनिक क्षेत्र के बैंकों, सार्वजनिक क्षेत्र के बीमाकर्ताओं और वित्तीय संस्थानों सहित वित्तीय सेवा संस्थानों के बोर्ड में निदेशकों और ग़ैर-कार्यकारी अध्यक्षों की नियुक्ति के लिए व्यक्तियों की सिफ़ारिश करने के लिए स्थापित किया गया है। यह वित्तीय सेवा विभाग, वित्त मंत्रालय के तहत काम करेगा।
- FSIB सार्वजनिक क्षेत्र के वित्तीय संस्थानों में कॉर्पोरेट अभिशासन में उत्कृष्टता को बढ़ावा देगा।
- वित्तीय सेवा संस्थानों के लिए बोर्ड स्तर पर वांछित प्रबंधन संरचना पर सलाह प्रदान करने के लिए FSIB की परिकल्पना की गयी है।
- FSIB का उद्देश्य वित्तीय सेवा संस्थानों के प्रदर्शन से संबंधित डेटावाले डेटाबैंक का निर्माण करना है।

एफ़एसआईबी की संरचना (Composition of FSIB)

i. **अध्यक्ष** को केंद्र सरकार द्वारा नामित किया जायेगा, जो होंगे :
   क. बैंकिंग क्षेत्र या नियामक संस्थान से सेवानिवृत्त अधिकारी, या
   ख. वित्तीय क्षेत्र के पर्याप्त ज्ञानवाले एक प्रतिष्ठित कारोबारी व्यक्ति, या
   ग. बैंकिंग और वित्तीय क्षेत्र में अनुभव के साथ लोक प्रशासन में कम-से-कम 25 वर्ष का अनुभव रखनेवाला व्यक्ति।

ii. **पदेन सदस्य :** डीएफ़एस के प्रभारी सचिव, सार्वजनिक उद्यम विभाग, भारतीय बीमा विनियामक और विकास प्राधिकरण (IRDAI) के अध्यक्ष और आरबीआई के उप गवर्नर।

iii. अंशकालिक सदस्य के रूप में PSBs और FIs से संबंधित विषय पर जानकारीवाले 3 व्यक्ति और PSI से संबंधित विषय पर जानकारीवाले 3 व्यक्ति (केंद्र सरकार द्वारा नामित किये जायेंगे)।

भारतीय राष्ट्रीय भुगतान निगम [National Payments Corporation of India (NPCI)]

- भारतीय राष्ट्रीय भुगतान निगम (NPCI) भारत में **खुदरा भुगतान और निपटान प्रणाली (retail payments and settlement systems)** संचालित करने के लिए एक सर्वसमावेशी संगठन है।
- यह भारत में मज़बूत भुगतान और निपटान अवसंरचना बनाने के लिए भुगतान और निपटान प्रणाली अधिनियम, 2007 के प्रावधानों के अंतर्गत **भारतीय रिज़र्व बैंक** और **भारतीय बैंक संघ [Indian Banks' Association (IBA)]** की एक पहल है।
- इसका गठन कंपनी अधिनियम, 1956 की धारा 25 (अब कंपनी अधिनियम, 2013 की धारा 8 है) के तहत 'नॉट फ़ॉर प्रॉफ़िट' कंपनी के रूप में किया गया था।
- NPCI का मुख्यालय मुंबई में स्थित है। **दिलीप अस्बे** NPCI के वर्तमान एमडी और सीईओ हैं।
- NPCI कई भुगतान प्रणालियाँ चला सकता है, जिनमें राष्ट्रीय वित्तीय स्विच (NFS) , तत्काल भुगतान प्रणाली (IMPS), आधार-सक्षम भुगतान प्रणाली (AEPS), और राष्ट्रीय स्वचालित समाशोधन गृह (NACH) शामिल हैं।

- आइए, एनपीसीआई द्वारा लॉन्च किये गये और प्रदान किये गये कुछ प्रमुख उत्पादों/सेवाओं पर चर्चा करें :-

i. ***यूनिफ़ाइड पेमेंट्स इंटरफ़ेस (UPI) :*** यह **NPCI द्वारा** विकसित भुगतान प्रणाली है, जो स्मार्टफोन का उपयोग करके किसी भी दो बैंक खातों के बीच मनी ट्रांसफ़र की अनुमति देती है। यह एक ग्राहक को क्रेडिट कार्ड विवरण, भारतीय वित्तीय प्रणाली कोड [Indian Financial System Code (IFSC)] या नेट बैंकिंग/वॉलेट पासवर्ड टाइप करने के **झंझट** के बिना ऑनलाइन और ऑफ़लाइन दोनों तरह के विभिन्न व्यापारियों को सीधे बैंक खाते से भुगतान करने की अनुमति देती है। यह भारतीय रिज़र्व बैंक द्वारा विनियमित है और आईएमपीएस (तत्काल भुगतान सेवा/immediate payment service) पर बनाया गया है।

ii. ***रुपे कार्ड (RuPay Card) :*** यह कार्ड नेटवर्क का भारतीय संस्करण है, जिसे **NPCI ने** 2012 में प्रारम्भ किया था। रुपे मुख्य रूप से डेबिट कार्ड प्रदान करता है। इसके अतिरिक्त, रुपे किसानों के लिए 'किसान क्रेडिट कार्ड' भी जारी करता है। ये कार्ड केवल घरेलू स्तर पर स्वीकार किये जाते हैं।

iii. ****99# सेवा :*** **NPCI** ने *99# सेवा लॉन्च की, जो असंरचित अनुपूरक सेवा डेटा [Unstructured Supplementary Service Data (USSD)] चैनल पर काम करती है। यह सेवा मोबाइल बैंकिंग की क्षमता और तत्काल कम मूल्यवाले प्रेषण की आवश्यकता की कल्पना करते हुए प्रारम्भ की गयी थी, जो बैंकों तक कम पहुँचवाले समुदायों को वित्तीय रूप से मज़बूत बनाने और मुख्यधारा की बैंकिंग सेवाओं में समाविष्ट करने में सहायक होगी।

iv. ***भीम ऐप (BHIM App) :*** यह यूपीआई पर आधारित एनपीसीआई द्वारा विकसित एक ऐप है और इसका उपयोग डिजिटल भुगतान के लिए किया जाता है। यह पेटीएम, अमेज़न पे या मोबीक्विक जैसे अन्य डिजिटल वॉलेट की तरह 'धारित' नहीं करता है। इससे आईएफ़एससी और अकाउंट नंबर का उपयोग कर नॉन-यूपीआई लिंक्ड अकाउंट्स में मुद्रा भेजी जा सकती है।

v. ***भारत बिल भुगतान प्रणाली [Bharat Bill Payment System (BBPS)] :*** BBPS एक एकीकृत बिल भुगतान प्रणाली है, जो ग्राहकों को ऑनलाइन और साथ ही भूमि आधारित एजेंटों के नेटवर्क के माध्यम से अंतर-संचालित (interoperable) बिल भुगतान सेवा प्रदान करती है। यह सिस्टम कई भुगतान मोड और भुगतान की तत्काल पुष्टि प्रदान करता है।

vi. ***राष्ट्रीय स्वचालित समाशोधन गृह [National Automated Clearing House (NACH)] :*** बैंकों, वित्तीय संस्थानों, कॉर्पोरेट्स और सरकार के लिए NACH को दोहराव और आवधिक प्रकृतिवाले इंटरबैंक, उच्च मात्रा, इलेक्ट्रॉनिक लेनदेन की सुविधा के लिए वेब-आधारित समाधान के रूप में लॉन्च किया गया है। यह भारत संपूर्ण में चल रही कई ECS प्रणालियों को समेकित करता है और मानकों और प्रथाओं के सामंजस्य के लिए एक ढाँचा प्रदान करता है।

vii. ***यूएसएसडी सेवाएँ (USSD Services) :*** NCPCI ने व्यक्तियों को इंटरनेट या सेलफ़ोन की आवश्यकता के बिना बैंकिंग संबंधी लेनदेन करने की अनुमति देने के लिए **अनस्ट्रक्चर्ड सप्लीमेंट्री सर्विस डेट (USSD)** की स्थापना की।

viii. ***नेशनल फ़ाइनेंसियल स्विच (NFS) :*** यह एक ATM नेटवर्क है, जिसमें 37 सदस्य एवं लगभग 50,000 ATM जुड़े हुए हैं।

अतिरिक्त जानकारी

नयी छत्र इकाई [NEW UMBRELLA ENTITIES (NUES)]

- RBI ने वर्ष 2019 में ऐसी संस्थाओं की स्थापना के लिए एक "नयी छत्र इकाई" (NUE) योजना का प्रस्ताव रखा था, जो भारतीय राष्ट्रीय भुगतान निगम (NPCI) के साथ प्रतिस्पर्धा कर सकें, लेकिन अभिनव प्रस्तावों की कमी के कारण वर्ष 2021 में इस प्रक्रिया को रोक दिया गया।
- RBI ने NUEs को ऐसी गैर-लाभकारी संस्थाओं के रूप में देखा जो ATM, व्हाइट-लेबल PoS, आधार-आधारित भुगतान एवं प्रेषण सेवाओं सहित नयी भुगतान प्रणालियों की स्थापना, प्रबंधन और संचालन करेंगे।
- RBI का उद्देश्य डिजिटल भुगतान परिदृश्य में प्रतिस्पर्धा को बढ़ावा देना और नयी संस्थाओं को बाज़ार में प्रवेश की अनुमति देकर नवाचार को प्रोत्साहित करना था।
- 2020 में, RBI ने NUE लाइसेंस के लिए आवेदन आमंत्रित किये, लेकिन अभिनव प्रस्तावों के अभाव में वर्ष 2021 में यह प्रक्रिया रोक दी गयी।

भारतीय बैंकिंग कोड और मानक बोर्ड (Banking Codes and Standards Board of India)

- श्री एस. एस. तारापोर की अध्यक्षता में सार्वजनिक सेवाओं की प्रक्रिया एवं निष्पादन लेखा परीक्षा समिति की अनुशंसाओं के अनुसार 2006 में बैंकिंग कोड एवं मानक बोर्ड ऑफ़ इंडिया (BCSBI) की स्थापना की गयी थी। यह स्वतंत्र बैंकिंग उद्योग निगरानी प्रणाली मुंबई में स्थित है। यह एक स्वतंत्र और स्वायत्त निकाय के रूप में कार्य करता है और सोसायटी पंजीकरण अधि नियम, 1860 के अंतर्गत एक सोसायटी के रूप में पंजीकृत है।
- प्रारंभ में, BCSBI की सदस्यता केवल SCB के लिए खुली थी, लेकिन अब क्षेत्रीय ग्रामीण बैकों और चुनिंदा शहरी सहकारी बैंकों [Urban Co-operative Banks (UCBs)] को समाविष्ट करने के लिए इसकी सदस्यता को विस्तारित कर दिया गया है।
- BCSBI यह सुनिश्चित करने के लिए परिकल्पित है कि बैंकिंग उद्योग से वित्तीय सेवाओं के उपभोक्ता के रूप में सामान्य व्यक्ति किसी भी तरह से हानिकारक स्थिति में न हो और उसे वह प्राप्त हो, जिसका उसे वायदा किया गया हो।

बैंकिंग धोखाधड़ी के लिए सलाहकार बोर्ड (Advisory Board for Banking Frauds)

- 2019 में, केंद्रीय सतर्कता आयोग [Central Vigilance Commission (CVC)] ने भारतीय रिज़र्व बैंक के परामर्श से, 'बैंक, वाणिज्यिक और वित्तीय धोखाधड़ी के विषय में सलाहकार बोर्ड [Advisory Board on Bank, Commercial and Financial Frauds (ABBCFF)]' का 'बैंकिंग धोखाधड़ी के लिए सलाहकार बोर्ड [Advisory Board for Banking Frauds (ABBF)]' के रूप में पुनर्गठन किया है।
- यह जाँच एजेंसियों को जाँच हेतु अनुशंसा किये जाने से पहले **धोखाधड़ी के सभी बड़े मामलों की प्रथम स्तर की जाँच आयोजित करता है**।

चेक और इसके प्रकार (CHEQUE AND ITS TYPES)

चेक एक प्रकार का परक्राम्य लिखत है, जिस पर आहर्ता द्वारा हस्ताक्षर किया जाता है, जो किसी व्यक्ति को एक निश्चित राशि का भुगतान करने का बैंक को निर्देश देता है। सरल शब्दों में, चेक बैंक के लिए विशेष रूप से मुद्रित प्रपत्र में आदेशक के खाते से निर्दिष्ट राशि का भुगतान करने लिए एक आदेश होता है। सुरक्षित और सुविधाजनक भुगतान करने के लिए चेक का उपयोग किया जाता है। यह कम जोखिम भरा होता है और इसमें नुक़सान का ख़तरा कम-से-कम होता है।

किसी चेक में तीन लोग जुड़े होते हैं. वे हैं :

- **ड्रॉअर या मेकर (Drawer or Maker)** - ग्राहक या खाताधारक, जो चेक जारी करता है, उसे '**ड्रॉअर**' या '**आरएफ़**' कहा जाता है।
- **अदाकर्ता (Drawee)** - वह बैंक, जहाँ से चेक की निकासी की जाती है। याद रखें कि चेक आमतौर पर एक निश्चित बैंकर पर जारी किये जाते हैं।
- **प्राप्तकर्ता (Payee)** - यह वह व्यक्ति है, जिसकी पहचान चेक पर की गयी है, जो चेक पर निर्दिष्ट राशि का भुगतान प्राप्त करता है। कुछ परिस्थितियों में (जहाँ ड्रॉअर सेल्फ़-चेक लिखता है), ड्रॉअर और प्राप्तकर्ता एक ही व्यक्ति हो सकते हैं।

इस प्रक्रिया में दो अन्य लोग भी शामिल हैं :

- **एंडॉर्सर (Endorser) :** जब कोई पार्टी, या भुगतानकर्ता, भुगतान प्राप्त करने का अपना अधिकार किसी अन्य पार्टी को स्थानांतरित करता है, तो उसे एंडॉर्सर के रूप में जाना जाता है।
- **एंडोर्सी (Endorsee) :** जिस पार्टी को अधिकार स्थानांतरित किया जाता है, उसे एंडोर्सी कहा जाता है।

चेक के बारे में कुछ महत्त्वपूर्ण जानकारियाँ इस प्रकार हैं :

- चेक एक **बिना शर्त** का आदेश है।

- चेक आमतौर पर एक निश्चित बैंक पर जारी किया जाता है।
- चेक हमेशा माँगने पर ही देय होता है।
- एक्सचेकर पर हस्ताक्षर ज़रूरी है और यह केवल क्रीएटर द्वारा ही किया जाना चाहिए।
- राशि हमेशा किसी के खाते से निकाली गयी एक निश्चित राशि होती है।
- यह मौद्रिक राशि दस्तावेज़, आदेश या बेरर में नामित व्यक्ति को भुगतान की जानी होती है।

बियरर चेक (Bearer Cheque) : बियरर चेक एक ऐसे चेक को संदर्भित करता है, जो निर्दिष्ट भुगतानकर्ता के स्थान पर चेक प्रस्तुत करनेवाले व्यक्ति को देय होता है।

आर्डर चेक (Order Cheque) : इस प्रकार के चेक को एंडोर्स नहीं किया जा सकता; इसलिए, केवल भुगतानकर्ता, जिसका नाम चेक पर दिखाई देता है, उस राशि के लिए नक़द प्राप्त करने का हक़दार है। ड्रॉअर को चेक पर निर्दिष्ट अनुसार 'ऑर बेरर (OR BEARER)' का मार्क अवश्य लगाना चाहिए, ताकि चेक केवल प्राप्तकर्ता द्वारा ही भुनाया जा सके।

अनक्रॉस/ओपन चेक (Uncrossed/Open Cheque) : जब चेक को क्रॉस नहीं किया जाता है, तो इसे 'ओपन चेक' या 'अनक्रॉस्ड चेक' के रूप में जाना जाता है। इस प्रकार के चेक का भुगतान बैंक के काउंटर पर प्राप्त किया जा सकता है।

क्रॉस्ड चेक (Crossed Cheque) : चेक को क्रॉस करने का अर्थ है, चेक के सामनेवाले भाग पर दो समानांतर रेखाएँ खींचना। क्रॉस किया गया चेक किसी बैंक के कैश काउंटर पर जमा नहीं किया जा सकता है, लेकिन इसे केवल प्राप्तकर्ता के खाते में जमा किया जा सकता है।

चेक ट्रंकेशन (Cheque Truncation) : ट्रंकेशन प्रस्तुत करनेवाले बैंक द्वारा भुगतानकर्ता बैंक शाखा के एन-रूट (en-route) में **फ़िज़िकल चेक के प्रवाह को रोकने** की प्रक्रिया है। **इसके स्थान पर, चेक की एक इलेक्ट्रॉनिक इमेज़** संबंधित जानकारी के साथ क्लियरिंग हाउस के माध्यम से भुगतान करनेवाली शाखा को **प्रेषित की जाती है**। इस प्रकार, चेक ट्रंकेशन से बैंक की शाखाओं में फ़िज़िकल इंस्ट्रूमेंट्स को स्थानांतरित करने की आवश्यकता दूर हो जाती है, जिससे भौतिक चेक की आवाजाही के लिए संबंधित लागत समाप्त हो जाती है और चेक प्रॉसेसिंग की संपूर्ण गतिविधि के लिए समय कम हो जाता है।

एंटीडेटेड चेक (Antedated Cheque) : यदि कोई चेक उस तारीख़ से पहले की तारीख़ का होता है, जिस दिन उसे बैंक में प्रस्तुत किया जाता है, तो उसे 'एंटीडेटेड चेक' कहा जाता है। ऐसा चेक, चेक की तारीख़ से 3 महीने तक वैध होता है।

पोस्ट-डेटेड चेक (Post-Dated Cheque) : यदि किसी चेक पर ऐसी तारीख़ होती है, जैसे अभी (भविष्य की तारीख़) आना है, तो उसे पोस्ट-डेटेड चेक के रूप में जाना जाता है। चेक पर लिखे दिनांक से पहले पोस्ट-डेटेड चेक का भुगतान नहीं किया जा सकता है।

सेल्फ़ चेक (Self Cheque) : यदि ड्रॉअर स्वयं के लिए नक़द चाहता है, तो वह चेक पर प्राप्तकर्ता के नाम के बजाय 'सेल्फ़' लिख सकता/सकती है और इसे उस बैंक में भुना सकता/सकती है, जहाँ उसका खाता है।

स्टेल चेक (Stale cheque) : यदि चेक को चेक पर लिखी तारीख़ से **3 महीने बाद भुगतान के लिए** प्रस्तुत किया जाता है, तो इसे बासी चेक कहा जाता है। बैंक द्वारा बासी चेक का भुगतान नहीं किया जाता है।

ट्रैवेलर्स चेक (Traveller's Cheque) : जैसा कि नाम से पता चलता है, ट्रैवेलर्स चेक का इस्तेमाल विदेश जाते समय किया जा सकता है, जहाँ भारतीय मुद्रा को स्वीकार नहीं किया जाता है। यदि कोई व्यक्ति विदेश जा रहा है, तो वह ट्रैवेलर्स चेक ले जा सकता/सकती है और उसे विदेश में भुना सकता है।

कटा-फटा चेक (Mutilated Cheque) : कटा-फटा चेक, वह चेक होता है, जो बैंक में आने तक फट जाता है। यदि चेक कटी हुई आवश्यक जानकारी के साथ **दो या दो से अधिक हिस्सों में फटा हुआ है**, तो बैंक चेक को अस्वीकार कर देगा और तब तक उसे अमान्य मानेगा जब तक कि ड्रॉअर इसकी वैधता प्रमाणित नहीं कर देता। यदि चेक किनारों से फटा है लेकिन सभी संबंधित डेटा अभी भी उपलब्ध हैं, तो बैंक इसे आगे प्रॉसेस कर सकता है।

ब्लैंक चेक (Blank Cheque) : ब्लैंक चेक वह होता है, जिस पर ड्रॉअर के केवल हस्ताक्षर होते हैं और अन्य सभी क्षेत्रों को ख़ाली छोड़ दिया जाता है।

चेक का अनादर होने पर जुर्माना (Penalty for dishonouring a cheque) : यदि किसी चेक को डिसऑनर करने का दोषी पाया जाता है, तो डिफ़ॉल्टर को चेक की राशि के दोगुने के बराबर आर्थिक दंड, दो साल तक की क़ैद या दोनों का सामना करना पड़ सकता है। बैंक बार-बार चेक बाउंस किये जाने के अपराध पर चेकबुक और खाते को बंद भी कर सकता है।

डिमांड ड्राफ़्ट (DD) : यह एक प्रकार का प्री-पेड परक्राम्य लिखत लेखा-पत्र है, जिसका उपयोग किसी व्यक्ति को निश्चित राशि का भुगतान करने के लिए एक बैंक से दूसरे बैंक या अपनी स्वयं की शाखाओं को निर्देशित करने के लिए किया जाता है।

परक्राम्य लिखत (NEGOTIABLE INSTRUMENTS)

परक्राम्य लिखित एक वचन पत्र, विनिमय पत्र या आदेश पर देय या धारक को देय चेक होता है। परक्राम्य लिखित अधिनियम (Negotiable Instrument Act), 1881, वचन पत्रों, विनिमय पत्रों, चेक, आहरणकर्ता, धारक आदि को परिभाषित करता है। यह चेक वापस आने, और इस तरह के परक्राम्य साधनों के संबंध में अन्य उल्लंघनों के लिए अर्थदंड निर्दिष्ट करता है।

प्रीपेड भुगतान के साधन [PREPAID PAYMENT INSTRUMENTS (PPI)]

ये ऐसे साधन हैं, जो ऐसे साधनों में/पर संग्रहीत मूल्य के विरुद्ध वस्तुओं की ख़रीद और प्रेषणों, धन हस्तांतरण आदि वित्तीय सेवाओं की ख़रीद करने को सुविधाजनक स्वरूप देते हैं। प्रीपेड भुगतान साधन जारीकर्ता, भारत में निगमित और पंजीकृत कंपनियाँ होती हैं। कोई कंपनी आरबीआई से प्राधिकार प्राप्त करने के बाद प्रीपेड भुगतान साधन जारी कर सकती हैं और संचालित कर सकती है। प्रीपेड भुगतान साधन को स्मार्ट कार्ड, मैग्नेटिक स्ट्राइप कार्ड, ऑनलाइन वॉलेट, इंटरनेट अकाउंट आदि के रूप में जारी किया जा सकता है।

अतिरिक्त जानकारी

हुंडी (HUNDI)

हुंडी, मध्ययुगीन काल में भारतीय उप-महाद्वीप में विकसित हुआ एक वित्तीय साधन [विनिमय पत्र (Bill of Exchange)] है। यह व्यापार और ऋण के लेनदेन में उपयोग किया गया था। हुंडियों को **कोई क़ानूनी मान्यता नहीं है** और वे 1881 के परक्राम्य लिखत अधिनियम के अधीन नहीं हैं, क्योंकि वे अनौपचारिक प्रणाली का हिस्सा हैं।

बैंकिंग क्षेत्र से संबंधित अन्य प्रमुख शब्द (OTHER KEY TERMS RELATED TO BANKING SECTOR)

डेबिट कार्ड (Debit Card)

यह एक प्लास्टिक पेमेंट कार्ड है, जिसका उपयोग ख़रीदारी करते समय नक़दी के स्थान पर किया जाता है। क्रेडिट कार्ड के विपरीत, डेबिट कार्ड से लेनदेन करने पर कार्डधारक के बैंक खाते से तुरंत मुद्रा स्थानांतरित कर दी जाती है। डेबिट कार्ड बचत बैंक खाते (Savings Bank Account) के साथ-साथ चालू बैंक खाते (Current Bank Account) के लिए जारी किया जाता है।

भारत में विभिन्न प्रकार के डेबिट कार्ड, कार्ड से जुड़े भुगतान प्लेटफ़ार्म के प्रकार पर निर्भर करते हैं। इनमें **वीज़ा कार्ड, (Visa Card) मैस्ट्रो कार्ड (Maestro Card), रुपे कार्ड (RuPay Card), मास्टरकार्ड (MasterCard)** आदि समाविष्ट हैं।

क्रेडिट कार्ड (Credit Card)

क्रेडिट कार्ड बैंकों द्वारा जारी किया गया प्लास्टिक कार्ड है, जो कार्ड जारीकर्ता के प्रति भुगतान की गयी राशि और अन्य सहमत शुल्कों का भुगतान करने के लिए कार्डधारक के वादे के आधार पर, कार्डधारक को वस्तुओं और सेवाओं के लिए व्यापारी का भुगतान करने में सक्षम बनाता है। **सेंट्रल बैंक ऑफ़ इंडिया** भारत में क्रेडिट कार्ड प्रस्तुत करनेवाला पहला सार्वजनिक क्षेत्र का बैंक था।

प्रीपेड कार्ड (Prepaid Card)

एक प्रीपेड कार्ड कुछ-कुछ उपहार कार्ड की तरह काम करता है- आप इसमें आंशिक रूप से मुद्रा रखते हैं और आप केवल उस राशि तक खर्च कर सकते हैं। यह प्राय: यात्रियों द्वारा छुट्टी हेतु मुद्रा ले जाने के लिए और सामान्य बैंक खाते से रहित किसी भी व्यक्ति जैसे कि बच्चों, किशोरों और कम क्रेडिट रेटिंगवाले लोगों द्वारा प्रयोग किया जाता है।

स्मार्ट कार्ड (Smart Card)

इसमें एक इलेक्ट्रॉनिक चिप होती है, जिसका उपयोग कैश स्टोर करने के लिए किया जाता है। यह सबसे उपयोगी तब होता है, जब आपको छोटी ख़रीद के लिए भुगतान करना पड़ता है। उदाहरण के लिए, बस किराया और कॉफ़ी। इस कार्ड का उपयोग करने के लिए किसी पहचान, हस्ताक्षर या भुगतान प्राधिकार की आवश्यकता नहीं है। ख़रीद की सही राशि भुगतान के दौरान स्मार्ट कार्ड से काटी जाती है और स्मार्ट कार्ड रीडिंग मशीनों द्वारा एकत्र किये जाते हैं।

ऑटोमेटेड टेलर मशीन [Automated Teller Machine (ATM)]

ATM एक कंप्यूटरीकृत मशीन है, जो बैंकों के ग्राहकों को नक़दी वितरण के लिए उनके खाते तक पहुँचने और वास्तव में अपनी बैंक शाखा में जाने की आवश्यकता के बिना अन्य वित्तीय और ग़ैर-वित्तीय लेनदेन करने की सुविधा प्रदान करती है। देश के किसी भी ATM/WLA में किसी विशिष्ट बैंक के एटीएम कार्ड का उपयोग किया जा सकता है। हाल ही में भारतीय रिज़र्व बैंक ने भी विभिन्न ATM में कार्ड रहित निकासी की भी अनुमति दी है। ATM के प्रकारों में समाविष्ट हैं-

1. ***ऑनसाइट एटीएम (Onsite ATM) :*** इस प्रकार का एटीएम या तो शाखा परिसर के भीतर या शाखा के बहुत निकट स्थित होता है।
2. ***ऑफ़साइट एटीएम (Offsite ATM) :*** यह शाखा परिसर के भीतर स्थित नहीं होता है और अन्य स्थानों जैसे- मॉल, हवाई अड्डे, पेट्रोल पंप आदि पर स्थित होता है।
3. ***वर्कसाइट एटीएम (Worksite ATM) :*** यह एक संगठन के परिसर के भीतर स्थित होता है और सामान्य रूप से केवल संगठन के कर्मचारियों के लिए होता है।
4. ***व्हाइट लेबल एटीएम [White Label ATMs (WLAs)] :*** ग़ैर-बैंकों द्वारा स्थापित, स्वामित्व और संचालित एटीएम को WLAs कहा जाता है। नॉनबैंक एटीएम ऑपरेटर्स को भारतीय रिज़र्व बैंक द्वारा पेमेंट ऐंड सेटलमेंट सिस्टम्स अधिनियम, 2007 के अंतर्गत अधिकृत किया गया है। ग़ैर-बैंक संस्थाओं को WLAs स्थापित करने की अनुमति देने का उद्देश्य एटीएम के भौगोलिक प्रसार को बढ़ाना है। बैंक एटीएम की तरह WLAs नक़द निकासी, नक़द जमा, नियमित बिल भुगतान आदि जैसी सेवाएँ प्रदान करते हैं। हालाँकि, मोबाइल के लिए री-लोड वाउचर की ख़रीद की अनुमति WLAs पर नहीं है। एटीएम की तरह ही डेबिट कार्ड, क्रेडिट कार्ड या यहाँ तक कि प्रीपेड कार्ड का उपयोग WLAs में किया जा सकता है।

   WLAs के उदाहरणों में- मुथूट फ़ाइनेंस (Muthoot Finance), टाटा कम्युनिकेशंस पेमेंट सॉल्यूशंस (Tata Communications Payment Solutions), हिताची पेमेंट सर्विसेज (Hitachi Payment Services) आदि समाविष्ट हैं।
5. ***ब्राउन लेबल एटीएम (Brown Label ATMs) :*** ब्राउन लेबल एटीएम वे एटीएम हैं, जहाँ हार्डवेयर और एटीएम का पट्टा एक सेवा प्रदाता के स्वामित्व में होता है, लेकिन नक़दी प्रबंधन और बैंकिंग नेटवर्क के लिए कनेक्टिविटी उस प्रायोजक बैंक द्वारा प्रदान की जाती है, जिसका ब्रांड एटीएम पर प्रयोग किया जाता है।
6. ***ग्रीन लेबल एटीएम (Green Label ATM) :*** कृषि संबंधी लेनदेन के लिए एटीएम उपलब्ध है।

7. ***ऑरेंज लेबल एटीएम (Orange Label ATM)*** : शेयर ट्रांजैक्शन के लिए उपलब्ध है।
8. ***येलो लेबल एटीएम (Yellow Label ATM)*** : ई-कॉमर्स के लिए सेटअप।
9. ***पिंक लेबल एटीएम (Pink Label ATM)*** : इन एटीएम की सुरक्षा के लिए गार्ड तैनात रहते हैं, जो गारंटी देते हैं कि इनका इस्तेमाल केवल महिलाएँ ही करेंगी। ऐसे एटीएम का मुख्य लक्ष्य एटीएम पर लंबी क़तारों में इंतज़ार करनेवालीं महिलाओं की समस्या को कम करना है।
10. ***बायोमेट्रिक एटीएम (Biometric ATM)*** : ये एटीएम बैंक खाते से संबंधित जानकारी तक पहुँचने और लेनदेन करने के लिए फ़िंगरप्रिंट स्कैनर और आई स्कैनर जैसी ग्राहक सुरक्षा संबंधी सुविधाओं का इस्तेमाल करते हैं।

प्वाइंट-ऑफ़-सेल मशीन (Point-of-Sale Machine)

पॉइंट-ऑफ़-सेल (PoS) टर्मिनल, कैश रजिस्टर के लिए एक कंप्यूटरीकृत प्रतिस्थापन है, जो क्रेडिट और डेबिट कार्डों को संसाधित कर सकता है। पीओएस टर्मिनल का उपयोग करके लेन-देन को पूरा करने के लिए किसी ग्राहक को कार्ड पिन दर्ज करना होता है।

व्यापारी छूट दर (Merchant Discount Rate)

व्यापारी छूट दर (MDR) **किसी व्यापारी द्वारा** डिजिटल साधनों के माध्यम से अपने ग्राहकों से भुगतान स्वीकार करने के लिए बैंक को भुगतान किया जानेवाला शुल्क होता है। दूसरे शब्दों में, यह डेबिट और क्रेडिट कार्ड लेनदेन पर भुगतान प्रसंस्करण सेवाओं के लिए किसी व्यापारी से लिया जानेवाला शुल्क होता है। व्यापारी छूट दर लेनदेन राशि के प्रतिशत में व्यक्त की जाती है। भारतीय रिज़र्व बैंक द्वारा समय-समय पर MDR की दर तय और संशोधित की जाती है। **1 जनवरी, 2020 से, रुपे (RuPay) और भीम (BHIM) यूपीआई प्लेटफ़ार्मों** के माध्यम से किये गये लेनदेन पर कोई **MDR शुल्क नहीं** लगता है।

भारतीय वित्तीय प्रणाली कोड [Indian Financial System Code (IFSC)]

भारतीय वित्तीय प्रणाली कोड [Indian Financial System Code (IFSC)] की अवधारणा भारतीय रिज़र्व बैंक द्वारा विकसित की गयी थी। यह 11 अंकों का एक ऐल्फ़ा-न्यूमेरिक/वर्ण संख्यात्मक कोड है, जो किसी भी भारतीय रिज़र्व बैंक विनियमित फ़ंड हस्तांतरण प्रणाली में भाग लेनेवाली बैंक शाखा की विशिष्ट पहचान करता है। IFSC, राष्ट्रीय इलेक्ट्रॉनिक निधि अन्तरण [National Electronic Funds Transfer (NEFT)] , रियल टाइम ग्रॉस सेटलमेंट [Real Time Gross Settlement (RTGS)] और केंद्रीकृत निधि प्रबंधन प्रणाली [Centralised Funds Management System (CFMS)] विधि का उपयोग करते हुए मुद्रा ट्रांसफ़र करने में सहायता करता है।

IFSC में 11 कैरेक्टर होते हैं-

- पहलेवाले 4 वर्ण कैरेक्टर संस्था का प्रतिनिधित्व करते हैं।
- पाँचवाँ स्थान भविष्य के उपयोग के लिए 0 (शून्य) रखा गया है।
- पिछलेवाले 6 अंक बैंक शाखा पहचान को निरूपित करते हैं, उदाहरण के लिए : ICIC0000438

चुंबकीय स्याही चिह्न पहचान कोड [Magnetic Ink Character Recognition (MICR) Code]

MICR कोड एक 9 **अंकों का कोड है,** जो इलेक्ट्रॉनिक क्लियरिंग सिस्टम (ECS) में भाग लेनेवाले **बैंक और शाखा को विशिष्ट रूप से पहचानता** है। कोड के पहलेवाले 3 अंक शहर कोड का प्रतिनिधित्व करते हैं, मध्य के 3 अंक बैंक कोड का प्रतिनिधित्व करते हैं और अंतिम 3 शाखा कोड का प्रतिनिधित्व करते हैं। चेक के नीचे एमआईसीआर नंबर लिखा होता है।

स्विफ़्ट कोड [Society for Worldwide Interbank Financial Telecommunication (SWIFT) Code]

यह अंतरराष्ट्रीय मानकीकरण संगठन [International Organisation for Standardisation (ISO)] द्वारा अनुमोदित **वित्तीय और ग़ैर-वित्तीय संस्थानों, दोनों** के लिए विशिष्ट पहचान कोड है। स्विफ़्ट मानक (SWIFT Standards), सोसाइटी फ़ॉर वर्ल्डवाइड इंटरबैंक

फ़ाइनेंशियल टेलीकम्यूनिकेशन (SWIFT) का एक प्रभाग है, जो इन कोड के पंजीकरण का कार्य संभालता है। **बैंकों** के बीच, विशेष रूप से अंतरराष्ट्रीय वायर ट्रांसफ़र के लिए और बैंकों के बीच अन्य संदेशों के आदान-प्रदान के लिए भी स्विफ़्ट कोड का उपयोग किया जाता है।

कोर बैंकिंग सॅल्यूशन (Core Banking Solution)

कोर बैंकिंग सॅल्यूशन (CBS) के अंतर्गत, कोर (CORE) का तात्पर्य 'सेंट्रलाइज़्ड ऑन-लाइन रियल-टाइम एक्सचेंज (Centralised Online Real-time Exchange)' होता है। CBS ऐसी शाखाओं का नेटवर्क है, जो खाताधारकों को अपने खातों को संचालित करने और सीबीएस नेटवर्क पर बैंक की किसी भी **शाखा से बैंकिंग सेवाओं का लाभ उठाने में सक्षम बनाता है, भले ही उसका खाता कहीं भी हो। ग्राहक अब** किसी बैंक की एक शाखा का ग्राहक नहीं रहता है। वह समग्र बैंक का ग्राहक बन जाता है।

अतिरिक्त जानकारी

ई-कुबेर (E-Kuber) : यह आरबीआई का कोर बैंकिंग सॅल्यूशन (CBS) प्लेटफ़ॉर्म है, जिसका उपयोग आरबीआई द्वारा सरकारी प्रतिभूतियों (G-Secs) की नीलामी करने के लिए किया जाता है। वाणिज्यिक बैंक, अनुसूचित - शहरी सहकारी बैंक (UCB), प्राथमिक डीलर, बीमा कंपनियाँ और भविष्य निधियाँ, जो चालू खाता और प्रतिभूतियाँ, जो आरबीआई के साथ खाते, ई-कुबेर के सदस्य हैं और नीलामी में भाग ले सकते हैं।

KYC मानदंड (Know Your Customer Norms)

KYC का अर्थ है **'अपने ग्राहक को जानें (Know Your Customer)'**। यह एक ऐसी प्रक्रिया है, जिसके माध्यम से बैंक ग्राहकों की पहचान और पते के बारे में जानकारी प्राप्त करते हैं।

यह प्रक्रिया यह सुनिश्चित करने में सहायता करती है कि बैंकों की सेवाओं का दुरुपयोग न हो। खाता खुलवाते समय बैंकों द्वारा केवाईसी प्रक्रिया पूरी की जानी होती है। बैंकों को अपने ग्राहकों के केवाईसी विवरण को समय-समय पर अपडेट करना भी आवश्यक होता है। ई-केवाईसी या इलेक्ट्रॉनिक केवाईसी केवल उन्हीं लोगों के लिए संभव है, जिनके पास **आधार नंबर होते हैं।**

कोई भी व्यक्ति अपनी हालिया तस्वीर जमा करके और बैंक अधिकारी की उपस्थिति में हस्ताक्षर या अंगूठे का निशान डालकर **'छोटे खाते (Small Accounts)'** के रूप में जाना जानेवाला बैंक खाता खोल सकता है। हालाँकि, **'छोटे खातों'** की कुछ सीमाएँ होती हैं, जैसे-

- किसी भी समय ऐसे खातों में शेष **राशि ₹50,000 से अधिक नहीं होनी चाहिए।**
- 1 वर्ष में **कुल क्रेडिट ₹1,00,000 से अधिक नहीं होना चाहिए।**
- एक महीने में **कुल निकासी और ट्रांसफ़र ₹10,000 से अधिक नहीं होने चाहिए।**
- ऐसे खातों में विदेशी प्रेषण **जमा नहीं किया** जा सकता है।

शून्य रुपये का नोट (Zero-Rupee Note)

शून्य रुपये के नोट **"फ़िफ़्थ पिलर"** नामक ग़ैर-सरकारी संगठन द्वारा वितरित किये जाते हैं। यह बैंक के नोट की नक़ल होती है, जिसे रिश्वतख़ोरी और व्यवस्थागत राजनीतिक भ्रष्टाचार के बारे में जागरूकता बढ़ाने के लिए जारी किया जाता है।

क़ानूनी इकाई पहचानकर्ता [Legal Entity Identifier (LEI)]

क़ानूनी इकाई पहचानकर्ता (LEI), अंतरराष्ट्रीय मानकीकरण संगठन [International Organisation for Standardisation (ISO)] द्वारा विकसित आईएसओ 17442 मानक के आधार पर 20 संकेताक्षरोंवाला, वर्ण-संख्यात्मक कोड है। यह एक विशिष्ट वैश्विक संदर्भ संख्या है, जो वित्तीय लेन-देन में भाग लेनेवालीं क़ानूनी संस्थाओं की स्पष्ट और विशिष्ट पहचान के लिए मुख्य संदर्भ जानकारी को जोड़ती है।

क़ानूनी इकाई पहचानकर्ता (LEI), **ग्लोबल लीगल एंटिटी आइडेंटिफ़ायर फ़ाउंडेशन (GLEIF)** से प्रत्यायन प्राप्त है। इसे भारतीय रिज़र्व बैंक से मान्यता प्राप्त है। भारतीय रिज़र्व बैंक, **भुगतान एवं निपटान प्रणाली अधिनियम (Payment and Settlement Systems Act)**, 2007 के तहत क़ानूनी इकाई पहचानकर्ता (LEI) को जारी की जाती है।

डिजिटल उधार [Digital Lending]

यह एक **स्वचालित उधार प्रक्रिया (automated lending process)** है, जो मुख्य रूप से ग्राहक अधिग्रहण, क्रेडिट मूल्यांकन, ऋण अनुमोदन, संवितरण, वसूली और संबंधित ग्राहक सेवा में सहज डिजिटल तकनीकों के उपयोग से संपन्न होती है।

दुनिया भर में कई डिजिटल उधार मॉडल हैं जैसे- ऑनलाइन ऋणदाता, पेयर टू पेयर ऋणदाता, मोबाइल मनी लेंडर, मार्केट प्लेटफ़ार्म आदि।

ग़ैर-निष्पादित परिसम्पत्तियाँ (NON-PERFORMING ASSETS)

बैंकों में ग्राहकों को दिये गये ऋण को परिसंपत्तियों (assets) के रूप में सूचीबद्ध किया जाता है। ग़ैर-निष्पादित परिसंपत्ति (NPA) बैंक की वह परिसंपत्ति होती है, **जो कोई आय उत्पन्न नहीं कर रही होती है**, यानी यह ऐसा ऋण या पट्टा (लीज़) होता है, जो उसके घोषित मूलधन और ब्याज भुगतान को पूरा नहीं कर रहा है। RBI के अनुसार, कोई ऋण/अग्रिम राशि, जिस पर ब्याज या मूलधन **90 दिनों या उससे अधिक समय तक लंबित रहता है**, तो उसे NPA श्रेणी में माना जाता है। **RBI की अर्धवार्षिक वित्तीय स्थिरता रिपोर्ट** (FSR) ग़ैर-निष्पादित परिसंपत्तियों (NPA) में उपलब्धियों पर प्रकाश डालती है। यह **वित्तीय स्थिरता और विकास परिषद (FSDC)** की उप-समिति के आकलन पर आधारित है।

NPA की श्रेणियों में समाविष्ट हैं-

1. **अवमानक परिसंपत्ति (Sub-standard assets) :** जब NPA की समयावधि ≤ 12 **महीने** हो।
2. **संदिग्ध परिसंपत्ति (Doubtful assets) :** जब NPA की समयावधि > 12 **महीने** हो।
3. **घाटा करनेवाली परिसंपत्ति (Loss assets) :** जब बैंक या उसके लेखा परीक्षकों ने घाटे की पहचान की हो, लेकिन इसे बट्टे खाते में नहीं डाला गया है।

> **ध्यान दें : दबाववाली परिसंपत्तियाँ (Stressed assets)** = ग़ैर-निष्पादित परिसंपत्तियाँ (NPA) + पुन:संरचित या पुनर्गठित ऋण (Restructured loans) + बट्टे खाते में डाली गयीं परिसंपत्तियाँ (Written-off assets)।

ग़ैर-निष्पादित परिसम्पत्तियों का प्रभाव (Impact of NPAs)

- इससे भारतीय प्रतिभूति बाज़ार में **मुद्रा की कमी** हो जाती है, क्योंकि बैंक ऋण देने के लिए अनिच्छुक हो जाते हैं।
- बैंकों के शेयरधारकों को बहुत मुद्रा गँवानी पड़ेगी, क्योंकि बैंकों को खुद बाज़ार में **टिके रहना मुश्किल** लगेगा।
- इससे बाज़ार में विश्वास का संकट खड़ा हो जाता है। ब्याज दरें बढ़ जाती हैं, जो औद्योगिक परियोजनाओं की स्थापना के लिए ऋण लेने की इच्छा रखनेवाले निवेशकों को सीधे प्रभावित करती हैं।
- प्रतिभूति बाज़ार से मुद्रा का कम उठाव भारतीय अर्थव्यवस्था में समग्र माँग को **ठेस पहुँचाता** है।
- अंतत: उच्च NPA से **आर्थिक विकास दर कम** होती है और पूँजी की लागत अधिक होने के कारण **मुद्रास्फीति** अधिक होती है। दुष्चक्र में यह रुझान जारी रह सकता है और संकट गहरा सकता है।

ग़ैर-निष्पादित परिसम्पत्तियाँ बढ़ने के कारण (Reasons for Rising NPAs)

- भारतीय फ़र्मों की गिरती ऋण सर्विसिंग क्षमता कम होना।
- सार्वजनिक क्षेत्र के बैंकों (PSBs) द्वारा ऋण देने से पहले उचित परिश्रम और पृष्ठभूमि की जाँच की कमी और उनके द्वारा परिसंपत्तियों का ग़लत वर्गीकरण किया जाना।

- परियोजनाओं के कार्यान्वयन में देरी।
- सतर्कता समिति द्वारा निर्णयों की समीक्षा मज़बूत निर्णय लेने से रोकती है।
- बैंकों के पास घाटे के अवशोषण के लिए अलग से एक बड़ा बफ़र सेट नहीं है।

NPA से निपटने में सरकार द्वारा पूर्व में निम्नलिखित उपाय किये गये थे-

उपाय	परिणाम
5/25 योजना - 2014 मौजूदा परियोजनाओं की दीर्घकालिक आधिकारिक संरचना के लिए लचीला पुनर्भुगतान और पुनर्भुगतान विकल्प, जहाँ उधारदाताओं का कुल एक्सपोजर ₹500 करोड़ से अधिक है।	पुनर्वित्तीयन उच्च ब्याज दर पर किया गया था, ताकि बैंक ऋण राशि के शुद्ध वर्तमान मूल्य [Net Present Value (NPV)] को सुरक्षित रख सकें। योजना के तहत पुनर्वित्त होनेवाले खातों का खुलासा हुआ और यह माना गया था कि यह NPA कमी पूर्ति करने के लिए बैंकों द्वारा तैनात एक उपकरण था।
सामरिक ऋण पुनर्गठन [Strategic Debt Restructuring (SDR)] - 2015 बैंक जिन्होंने कॉर्पोरेट उधारकर्ता को ऋण दिया है, उन्हें उस कंपनी के इक्विटी शेयरों में उनके ऋण के पूर्ण या भाग को परिवर्तित करने का अधिकार प्राप्त है।	यह देखा गया है कि ख़रीदारों को खोजने में कठिनाइयाँ और मूल्यांकन पर असहमति कार्यान्वयन में चुनौतियाँ थीं।
परिसंपत्ति गुणवत्ता समीक्षा (Asset Quality Review) - 2015 दबावग्रस्त संपत्तियों (stressed assets) को वर्गीकृत और प्रावधानीकरण (provisioning) किया जाये, ताकि बैंकों के भविष्य को सुरक्षित किया जा सके तथा संपत्ति की अतिशीघ्र पहचान और उनकी दबावग्रस्त होने की रोकथाम के लिए उचित कार्रवाई की जा सके।	पारदर्शिता बढ़ाने में सहायक, लेकिन कोई हल प्रदान नहीं करता है।
दबावग्रस्त आस्तियों की धारणीय संरचना की योजना [Scheme for Sustainable Structuring of Stressed Assets] (S4A) - 2016 वैकल्पिक ढाँचे में कई निर्धारण शामिल हैं; जैसे एक तनावग्रस्त उधारकर्ता के धारणीय ऋण स्तर तथा बकाया ऋण व धारणीय ऋण में विभाजन का और क़र्ज़दार के पलट जाने पर इक्विटी/अर्द्ध-इक्विटी लेखा जो उधारदाताओं को अपसाइड (upside) प्रदान करना।	बैंक अवलेखन (write-downs) देने को तैयार नहीं थे, क्योंकि ऐसा करने के लिए कोई प्रोत्साहन नहीं था और अवलेखन बड़े ऋणी बैंकों के पूँजी-संचय को जल्दी समाप्त कर सकते हैं।
दिवाला और दिवालियापन संहिता - 2016 (Insolvency and Bankruptcy Code - 2016) दिवालियापन के लिए एक सर्वव्यापी समाधान।	इसका लक्ष्य छोटे निवेशकों की सुरक्षा करना है।

उपर्युक्त उपायों के बाद भी NPA में कमी प्राप्त नहीं हो सकी। NPA, इस प्रकार, **4R रणनीति** के रूप में कुछ और प्रभावी उपाय किये गये, जिसमें समाविष्ट थे-

1. पारदर्शी ढंग से NPA की **पहचान करना (Recognition)।**
2. तनावग्रस्त खातों का **समाधान** और उनसे मूल्य की **वसूली (Resolution and recovery)।**
3. **PSBs का पुन:पूँजीकरण (Recapitalisation)।**
4. **PSBs** में **सुधार (Reforms)** और एक ज़िम्मेदार और स्वच्छ प्रणाली के लिए व्यापक वित्तीय पारिस्थितिकी तंत्र।

NPA के लिए प्रावधानीकरण (Provisioning for NPA)

- प्रावधानीकरण मानदंड, जो कि RBI के विवेकपूर्ण नियमन का एक हिस्सा होता है, वह बैंकिंग क्षेत्र में NPA या अशोध्य संपत्ति की समस्या से निपटने के लिए कई तंत्रों में से एक है।
- प्रावधानीकरण मानदंड के अंतर्गत, बैंकों को अपनी अशोध्य परिसंपत्तियों के निर्धारित प्रतिशत के लिए निधियों को अलग नियत करके रखना होगा या निधियों को उपलब्ध कराना होगा।
- **प्रावधान कवरेज अनुपात** (PCR) अनिवार्य रूप से सकल NPA के लिए प्रावधान का अनुपात है और यह दर्शाता है कि एक बैंक ने ऋण घाटों को कवर करने के लिए कितना धन सुरक्षित रखा है।
- इस प्रकार, PCR उन अशोध्य परिसंपत्तियों का प्रतिशत है, जिनके लिए बैंक को अपने स्वयं की निधियों में से व्यवस्था प्रदान करनी (निधि रखनी) पड़ती है।

सकल NPA [Gross NPA (GNPA)]

- सकल NPA वह कुल राशि है, जिसके लिए प्रदान की गयी अवधि के भीतर उधारकर्ताओं द्वारा भुगतान करने में चूक की गयी है।
- सकल NPA (GNPA) संगठन के वास्तविक नुक़सान की धनराशि नहीं होती है, क्योंकि इसमें से भुगतान न किये गये ऋणों के प्रावधान की राशि की कटौती नहीं की गयी होती है।
- GNPA कंपनी की सद्भावना पर बुरा प्रभाव डालता है और इसके इक्विटी मूल्य को कम करता है।

नेट NPA (Net NPA)

- नेट NPA वह राशि है, जो सकल NPA से भुगतान न किये गये ऋणों के प्रावधान की राशि को घटाने के बाद आती है।
- नेट NPA संगठन के वास्तविक नुक़सान की मात्रा होती है, क्योंकि भुगतान न किये गये ऋणों के प्रावधान की राशि को इसमें से पहले ही घटा दिया गया होता है।
- इससे कंपनी के नक़दी भंडारों में कम लाभप्रदता और तरलता आती है।

परीक्षोपयोगी

तनावग्रस्त परिसम्पत्तियों के समाधान के लिए RBI द्वारा विवेकपूर्ण ढाँचा (PRUDENTIAL FRAMEWORK BY RBI FOR RESOLUTION OF STRESSED ASSETS)

सर्वोच्च न्यायालय द्वारा अप्रैल, 2019 में, RBI द्वारा जारी किये गये तत्कालीन मौजूदा दिशानिर्देशों को बहुत कठोर होने के कारण फ़रवरी, 2018 में अक्षम किये जाने के बाद **जून, 2019** में, RBI ने **तनावग्रस्त परिसम्पत्तियों के समाधान के लिए विवेकपूर्ण ढाँचा (Prudential Framework for Resolution of Stressed Assets)** जारी किया था।

यह विवेकपूर्ण ढाँचा **पारदर्शी और समयबद्ध तरीक़े से तनावग्रस्त परिसंपत्तियों के शीघ्र समाधान के लिए बैंकों हेतु दिशा-निर्देशों का सेट है।**

तनावग्रस्त परिसम्पत्तियों के समाधान के लिए इस विनियामक दृष्टिकोण के अंतर्निहित मौलिक सिद्धांत इस प्रकार हैं-

1. बड़े ऋण लेनेवालों के संबंध में चूक की शीघ्र पहचान और प्रतिवेदन (reporting)।
2. समाधान योजनाओं की परिकल्पना और कार्यान्वयन के संबंध में ऋणदाताओं को पूर्ण विवेक।
3. तनावग्रस्त परिसंपत्तियों के समाधान के लिए सामंजस्यपूर्ण रूपरेखा। यह **S4A, SDR, 5/25 आदि जैसी सभी पूर्ववर्ती समाधान योजनाओं को निलंबित कर देती है।**

4. समाधान योजना या दिवालियेपन की प्रक्रिया को लागू करने में देरी के लिए अतिरिक्त प्रावधान के रूप में हतोत्साहन।
5. **पुनर्गठन** पर परिसंपत्ति वर्गीकरण वितरण की वापसी। भविष्य के उन्नयन संतोषजनक प्रदर्शन पर निर्भर होने चाहिए।
6. **वित्तीय कठिनाई** की परिभाषा, बेसेल कमेटी ऑन बैंकिंग सुपरविज़न (BCBS) द्वारा जारी दिशा-निर्देशों के अनुरूप होनी चाहिए।
7. सभी उधारदाताओं द्वारा **अंतर-लेनदार समझौते** [Inter-Creditor Agreement (ICA)] पर हस्ताक्षर करना अनिवार्य है, जो बहुमत से निर्णय लेने के मानदंडों को सुनिश्चित करेगा।

परिसम्पत्ति पुनर्निर्माण कम्पनी (Asset Reconstruction Company)

परिसंपत्ति पुनर्निर्माण कंपनी (ARC) एक विशेष वित्तीय संस्था है, जो बैंकों और वित्तीय संस्थानों से NPA या अशोध्य परिसंपत्तियों को ख़रीदती है ताकि वित्तीय संस्थान अपनी बैलेंस शीट में इसका निपटान कर सकें। नरसिम्हम समिति (वर्ष 1998) ने बैंकों और वित्तीय संस्थानों से NPA ख़रीदने के लिए विशेष रूप से ARC स्थापित करने की अनुशंसा की थी।

➤ इसके बाद, **SARFAESI अधिनियम, 2002** ने कई निजी ARCs की स्थापना के लिए क़ानूनी ढाँचा तैयार किया।

भारत सरकार ने सरकारी स्वामित्ववाले और निजी क्षेत्र के बैंकों द्वारा, परिसंपत्ति पुनर्निर्माण कंपनी (ARC) स्थापित करने का प्रस्ताव किया है। सार्वजनिक क्षेत्र के बैंकों द्वारा अपनी तनावग्रस्त परिसंपत्तियों के उच्च स्तर के प्रावधान की आवश्यकता को समाप्त करने के लिए इसमें सरकार से किसी भी प्रकार का इक्विटी योगदान नहीं किया जायेगा। यह भारत में अशोध्य परिसंपत्ति बैंक के उद्देश्य को पूरा करेगा, जो ग़ैर-निष्पादित परिसंपत्तियों के बोझ को कम करने और देश के बैंकिंग क्षेत्र के स्वास्थ्य में सुधार करने के लिए काफ़ी समय से सरकार के एजेंडे में था।

अतिरिक्त जानकारी

राष्ट्रीय संपत्ति पुनर्निर्माण कंपनी लिमिटेड अर्थात् नेशनल एसेट रिकंस्ट्रक्शन कंपनी लिमिटेड [NATIONAL ASSET RECONSTRUCTION CO. LTD. (NARCL)]

बैंक के खातों से ख़राब ऋण को क्लियर करने के लिए, हाल ही में RBI ने NARCL को ऐसेट रिकंस्ट्रक्शन कंपनी (ARC) लाइसेंस दिया है।

ARC द्वारा **₹100 करोड़ का न्यूनतम NOF** (नेट ओन्ड फ़ंड) अर्थात् (शुद्ध स्वामित्ववाली निधि) को बनाये रखा जाना है और इसकी जोखिम भारित परिसंपत्तियों के **15% का पूँजी पर्याप्तता अनुपात** भी बनाये रखा जाना चाहिए।

2002 में SBI, PNB, ICICI और IDBI नाम के चार बैंकों ने ऐसेट रिकंस्ट्रक्शन कंपनी (इंडिया) लिमिटेड या ARCIL की स्थापना की थी, जो भारत का पहला ARC था।

अशोध्य परिसंपत्ति बैंक (Bad Bank)

➤ अशोध्य परिसंपत्ति बैंक, किसी **वित्तीय संस्थान की अशोध्य ऋणों से तनावग्रस्त परिसंपत्तियों को ख़रीदने के लिए** स्थापित किया गया बैंक होता है। बैंक अपनी NPA बाज़ार मूल्य पर अशोध्य परिसंपत्ति बैंक को बेच देते हैं, मूल संस्था की बैलेंस शीट स्पष्ट हो जाती है, हालाँकि इसके अभी भी अवलेखन प्राप्त करने की बाध्यता होती है।

➤ अशोध्य परिसंपत्ति बैंक की अवधारणा को भारत में पहली बार मुख्य आर्थिक सलाहकार अरविंद सुब्रमण्यन ने **2017 में** प्रस्तुत किया था।

- अशोध्य परिसंपत्ति बैंक को इतने सरल रूप से यह नाम इसलिए दिया गया है, क्योंकि इसमें अशोध्य परिसंपत्तियों को रखा जाता है, या वित्तीय भाषा में ग़ैर-निष्पादित परिसंपत्तियों [Non-Performing Assets (NPAs)] को रखा जाता है। यह मूल रूप से **एक सार्वजनिक क्षेत्र की परिसंपत्ति पुनर्वास एजेंसी होती है, जो सार्वजनिक क्षेत्र के बैंकों के पुराने अशोध्य ऋणों को लेगी और उनके समाधान और अंतर्निहित परिसंपत्ति से किसी भी अवशिष्ट मूल्य का निष्कर्षण करने पर ध्यान केंद्रित करेगी।**

अतिरिक्त जानकारी

सरफ़ेसी ऐक्ट, 2002 (SARFAESI ACT, 2002)

वित्तीय आस्तियों का प्रतिभूतिकरण एवं पुनर्निर्माण तथा प्रतिभूति हित प्रवर्तन अधिनियम (Securitisation and Reconstruction of Financial Assets and Enforcement of Security Interest Act), 2002 या जिसे सरफ़ेसी अधिनियम के रूप में भी जाना जाता है, एक ऐसा क़ानून है, जो बैंकों और अन्य वित्तीय संगठनों को प्रभावी ढंग से अशोध्य ऋणों की वसूली करने की अनुमति देता है। यह अधिनियम बैंकों और वित्तीय संस्थानों को विभिन्न प्रक्रियाओं के माध्यम से ग़ैर-निष्पादनशील आस्तियों (NPA) की समस्या से निपटने में सक्षम बनाता है।

सरफ़ेसी अधिनियम वित्तीय संस्थानों को 'ज़ब्त करने और बंद करने' की अनुमति देता है। वे अपचारी उधारकर्ता को एक अधिसूचना भेजते हैं, जिसमें अनुरोध किया जाता है कि वह 60 दिनों के भीतर धनराशि वापस कर दे। यदि देनदार सहयोग नहीं करता है, तो बैंक निम्नलिखित तीन कार्यवाहियों में से एक कर सकता है :

1. लोन सिक्योरिटी को नियंत्रण में ले सकता है।
2. सिक्योरिटी को बेचना, पट्टे पर देना या उसका अधिकार सौंपना।
3. स्वयं परिसंपत्ति का प्रबंधन करना या इसके लिए ज़िम्मेदारी सौंपना।

यह अधिनियम बैंकों और अन्य वित्तीय संस्थानों से परिसंपत्ति ख़रीदने के लिए परिसंपत्ति पुनर्निर्माण कंपनियों (ARC) के गठन को भी अधिकृत करता है। **RBI द्वारा ARC को नियंत्रित किया जाता है।**

शीघ्र सुधारात्मक कार्रवाई (Prompt Corrective Action)

- शीघ्र सुधारात्मक कार्रवाई (PCA) भारतीय रिज़र्व बैंक द्वारा निर्धारित एक मानक है, जिसके अंतर्गत कमज़ोर वित्तीय स्थितिवाले बैंकों को **भारतीय रिज़र्व बैंक द्वारा जाँच की परिधि में रखा जाता** है।
- इसे **2002** में लागू किया गया था और **2017** में **भारतीय रिज़र्व बैंक द्वारा** संशोधित किया गया था। यह संरचित शीघ्र हस्तक्षेप और समाधान का ढाँचा है।
- शीघ्र सुधारात्मक कार्रवाई (PCA) फ़्रेमवर्क बैंकों को जोखिम भरा मानता है, यदि वे तीन मापदंडों- पूँजी अनुपात, परिसंपत्ति गुणवत्ता और लाभप्रदता के आधार पर कुछ मानकों/मानदंडों से नीचे आते हैं।
- **शीघ्र सुधारात्मक कार्रवाई (PCA) का महत्त्व-**
  - बाद में एक बड़े संकट को रोकने के लिए पहले चरण में चिंताओं की पहचान।
  - यह बैंकों के प्रमुख वित्तीय प्रदर्शन संकेतकों की निगरानी करने और तदनुसार किसी बैंक की वित्तीय स्थिति में सुधार के लिए सुधारात्मक उपाय तैयार करने में भारतीय रिज़र्व बैंक की सहायता करता है।
  - किसी भी प्रकार की बैंक विफलताओं और प्रणालीगत संकट को रोकने के लिए।
- **शीघ्र सुधारात्मक कार्रवाई (PCA)** के अंतर्गत रखे गये बैंकों को भारतीय रिज़र्व बैंक द्वारा निर्धारित **'अनिवार्य कार्य योजना'** का पालन करना होगा। बैंक की ज़रूरतों और स्थिति के आधार पर भारतीय रिज़र्व बैंक 'विवेकाधीन कार्य योजना' भी निर्धारित कर सकता है। अनिवार्य कार्रवाईयाँ वास्तव में होती हैं-
  - लाभांश वितरण/लाभ प्रेषण पर प्रतिबंध।
  - अधिक पूँजी लाने के लिए प्रवर्तकों/स्वामियों/जनक कंपनियों हेतु नियत आवश्यकता।

- शाखाओं के विस्तार पर प्रतिबंध।
- उच्च प्रावधान की आवश्यकता।
- प्रबंधन हेतु सम्पूर्ति पर प्रतिबंध।

क्या आप जानते हैं? 1 अप्रैल, 2025 से RBI ने प्राथमिक शहरी सहकारी बैंकों (UCBs) के लिए पूर्व पर्यवेक्षी कार्रवाई ढाँचे (SAF) को शीघ्र सुधारात्मक कार्रवाई (PCA), ढाँचे से प्रतिस्थापित कर दिया, जिसका उद्देश्य UCBs की वित्तीय सेहत में सुधार करना और त्वरित पर्यवेक्षी उपाय लागू करना है। इसे टियर 2, टियर 3 और टियर 4 श्रेणियों के सभी UCBs पर लागू किया जायेगा, सिवाय उन UCBs के, जो सर्व समावेशी निर्देशों (AID) के अंतर्गत आते हैं।

बैंकिंग स्थिरता सूचकांक/संकेतक (Banking Stability Index/Indicator)

- भारतीय रिज़र्व बैंक, बैंकिंग स्थिरता सूचकांक [Banking Stability Index (BSI)] को कम-से-कम एक बैंक विपदाग्रस्त हो जाने को देखते हुए, संभावित रूप से विपदाग्रस्त हो जानेवाले बैंकों की अपेक्षित संख्या के रूप में परिभाषित करता है।
- यह बैंकों के लिए एक परिसंपत्ति गुणवत्ता सूचक होता है।
- उच्च BSI इंगित करता है कि प्रणाली में एक बैंक विपदाग्रस्त हो जाने पर और भी अधिक बैंकों के विपदाग्रस्त हो जाने की संभावना है।

बेसल मानदंड (BASEL NORMS)

इन मानदंडों को **बैंक फ़ॉर इंटरनेशनल सेटलमेंट्स (BIS)** द्वारा वैश्विक मानकों के सेट के रूप में निर्धारित किया जाता है, जो वाणिज्यिक बैंकों, विदेशी बैंकों या यहाँ तक कि क्षेत्रीय ग्रामीण बैकों के लिए परिसंपत्तियों से लेकर न्यूनतम पूँजी आवश्यकताओं को निर्धारित करते हैं।

बेसल **स्विट्ज़रलैंड** का एक शहर है, जो BIS का **मुख्यालय** भी है। **1930** में स्थापित BIS विश्व का सबसे पुराना अंतरराष्ट्रीय वित्तीय संगठन है।

कुल मिलाकर, BIS का स्वामित्व विश्व भर के देशों का प्रतिनिधित्व करनेवाले 62 केंद्रीय बैंकों के पास है और यह विश्व के सकल घरेलू उत्पाद का लगभग 95 प्रतिशत समाविष्ट करता है।

अब तक, **BIS** द्वारा **तीन बेसल मानदंड** जारी किये गये हैं-

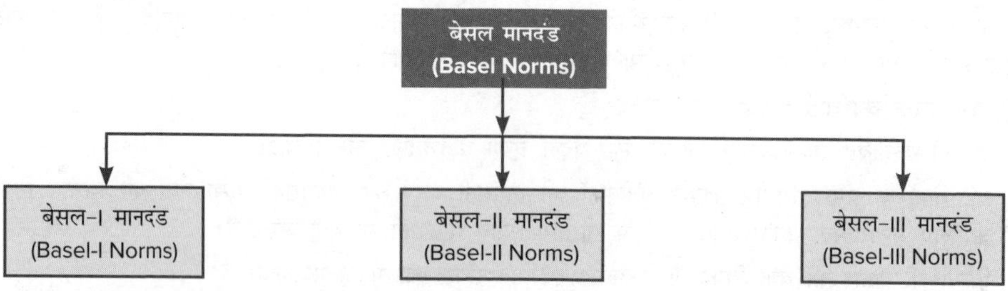

बेसल-I मानदंड (Basel-I Norms)

- 1988 में बेसल कमेटी ऑन बैंकिंग सुपरविज़न (BCBS) ने बेसल कैपिटल अकॉर्ड नामक पूँजी मापन प्रणाली (capital measurement system) का आरम्भ किया, जिसे बेसल-I के नाम से भी जाना जाता है।
- यह केवल **क्रेडिट जोखिम (credit risk)** पर केंद्रित था।

➤ इसमें बैंकों के लिए जोखिम भारित परिसंपत्तियों [Risk Weighted Assets (RWA)] के **8 प्रतिशत पर न्यूनतम पूँजी** की आवश्यकता निर्धारित की गयी थी।

➤ भारत ने **वर्ष 1999** में बेसल-1 मानदंडों को अपनाया। बेसल-1 के अंतर्गत भारतीय रिज़र्व बैंक ने प्रत्येक SCB द्वारा पूंजी-जोखिम (भारित) परिसंपत्ति अनुपात [Capital to Risk Assets Ratio (CRAR)] पूँजी पर्याप्तता अनुपात [Capital Adequacy Ratio (CAR)] को 9 प्रतिशत बनाये रखने के लिए दिशा-निर्देश जारी किये।

परीक्षोपयोगी

पूंजी-जोखिम (भारित) परिसंपत्ति अनुपात (CRAR)

इसे शेयरधारकों की इक्विटी और पूँजी के कुछ अन्य परिभाषित वर्ग के रूप में धारित की जानेवालीं बैंक की कुल जोखिम-भारित परिसंपत्तियों के अनुपात के रूप में परिभाषित किया जाता है।

गणितीय रूप से, **CAR** या **CRAR** = **(श्रेणी-I + श्रेणी-II पूँजी)/कुल जोखिम-भारित संपत्ति।**

जहाँ :

➤ **श्रेणी-I पूँजी (Tier-I Capital)**, जिसे **कोर पूँजी** भी कहा जाता है, एक नियामक के दृष्टिकोण से बैंक की वित्तीय क्षमता की मुख्य माप है। यह मुख्य पूँजी से **गठित** होती है और इसमें मुख्य रूप से शेयर पूँजी और खुलासा भंडार शामिल हैं। यह उच्चतम गुणवत्तावाली पूँजी है, क्योंकि यह घाटे को कवर करने के लिए पूरी तरह से उपलब्ध है। टियर-I पूँजी अधिकांशत: इक्विटी के रूप में होती है।

➤ **श्रेणी-II पूँजी (Tier-II Capital)**, जिसे **'माँग पर पूँजी'** यानी **'कैपिटल ऑन कॉल'** भी कहा जाता है, में अधीनस्थ ऋण, पुनर्मूल्यांकन रिज़र्व, सामान्य ऋण-हानि रिज़र्व और हाइब्रिड (ऋण/इक्विटी) पूँजी उपकरण सम्मिलित किये जाते हैं।

श्रेणी-II पूँजी का अधिकांश भाग ऋण और आरक्षित निधि आदि के रूप में होता है।

बेसल-II मानदंड (Basel-II Norms)

➤ **BCBS** ने 2004 में द्वितीय बेसल मानदंडों को प्रकाशित किया।

➤ द्वितीय बेसल को प्रथम बेसल का परिष्कृत और सुधारा हुआ संस्करण माना जाता था।

➤ इसने तीन स्तंभोंवाला दृष्टिकोण अपनाया :

1. **जोखिम परिसंपत्तियों के 8 प्रतिशत की न्यूनतम पूँजी आवश्यकता (Minimum capital requirement) :** तीन प्रकार की जोखिमों से संबंधित- परिचालन जोखिम, बाज़ार जोखिम और पूँजी जोखिम।
2. **पर्यवेक्षी समीक्षा (Supervisory review) :** बैंक की आंतरिक प्रक्रियाओं और प्रणालियों पर ध्यान केंद्रित करता है।

3. **बाज़ार अनुशासन (Market discipline) :** इसके अंतर्गत, बैंकों को सभी तीन प्रकार की जोखिमों की निगरानी और प्रबंधन में बेहतर जोखिम प्रबंधन तकनीकों को विकसित करने और उपयोग करने की आवश्यकता थी।

➤ भारतीय रिज़र्व बैंक द्वारा क्रमिक दृष्टिकोण अपनाकर भारत में द्वितीय बेसल मानदंडों का कार्यान्वयन किया गया।

➤ भारतीय रिज़र्व बैंक के अनुसार, सभी SCB द्वितीय बेसल मानदंडों का पालन करने के लिए बाध्य थे।

बेसल-III मानदंड (Basel-III Norms)

- यह चरणबद्ध तरीक़े से 1 जनवरी, 2013 से चालू हो गया।
- बैंकों को प्रथम श्रेणी पूँजी अनुपात को बढ़ाना और 4.5 प्रतिशत बनाये रखना होता है।
- बैंकों को 2.5 प्रतिशत पूँजी संरक्षण बफ़र को बनाये रखना होता है।
- साथ ही, बैंकिंग क्षेत्र में अतिरिक्त ऋण वृद्धि को रोकने के लिए प्रतिचक्रीय बफ़र को 0–2.5 प्रतिशत की सीमा में बनाये रखा जायेगा।
- कुल **CRAR को 9.5 प्रतिशत** बनाये रखने का प्रस्ताव है।
- भारतीय रिज़र्व बैंक के अनुसार, सभी **वाणिज्यिक बैंकों (अनुसूचित और ग़ैर-अनुसूचित दोनों)** द्वारा तृतीय बेसल मानदंडों का अनुपालन किया जाना चाहिए।
- भारतीय रिज़र्व बैंक ने वाणिज्यिक बैंकों द्वारा तृतीय बेसल दिशानिर्देशों को चरणबद्ध तरीक़े से लागू करने का निर्देश दिया।

RBI ने बेसल-III पूँजी विनियमों के संबंध में 1 अप्रैल, 2022 को मास्टर परिपत्र जारी किया।

- बेसल-III फ़्रेमवर्क ने **तरलता कवरेज अनुपात [Liquidity Coverage Ratio (LCR)]** के रूप में तरलता मानकों को भी प्रस्तुत किया।
- **प्रतिचक्रीय पूँजी बफ़र योजना [Countercyclical Capital Buffer (CCCB)]** का फ़्रेमवर्क भी प्रस्तुत किया गया था (पूँजी संरक्षण बफ़र के विस्तार के रूप में) CCCB एक अनिवार्य पूँजी है, जिसे बैंकों द्वारा प्रचुरता के समय, जब ऋण तेज़ी से बढ़ रहे होते हैं, तभी अलग नियत करने और अर्थव्यवस्था में संकट के दौरान इसका उपयोग करने की आवश्यकता होती है। यह बैंक को संकटकालीन आर्थिक स्थितियों का प्रतिकार करने में सहायता करता है और अधिक ऋण लिये जाने की अवधियों के दौरान भी बैंकिंग क्षेत्र को अंधाधुंध अत्यधिक उधार देने से प्रतिबंधित करता है।

प्रतिचक्रीय पूँजी बफ़र [Countercyclical Capital Buffer (CCCB)]

प्रतिचक्रीय पूँजी बफ़र का उद्देश्य बैंकिंग उद्योग को अर्थव्यवस्था में बढ़ते चक्रीय प्रणालीगत जोखिमों से होनेवाले संभावित नुक़सान से बचाना है।

प्रतिचक्रीय पूँजी बफ़र के तहत, बैंकों को त्वरित ऋण विस्तार की अवधि के दौरान पूँजी बनाये रखनी चाहिए, ताकि वित्तीय चक्र के नीचे जाने या आर्थिक एवं वित्तीय वातावरण के काफ़ी ख़राब होने की स्थिति में बफ़र को कम किया जा सके।

बैंक, वास्तविक अर्थव्यवस्था को ऋण प्रदान करना जारी रख सकते हैं तथा वित्तीय चक्र के उत्कर्ष चरण के दौरान जमा किये गये पूँजी बफ़र का उपयोग करके दबाव के समय में संभावित नुक़सान को कवर कर सकते हैं।

चलनिधि कवरेज अनुपात (Liquidity Coverage Ratio)

LCR, **बेसल-III मानदंडों के** अंतर्गत एक आवश्यकता है, जिसके अंतर्गत बैंकों को 30 दिनों के लिए नक़दी बहिर्वाह निधि के लिए पर्याप्त **उच्च गुणवत्तावालीं तरल आस्तियां [High-Quality Liquid Assets (HQLAs)]** की राशि रखने की आवश्यकता होती है।

दूसरे शब्दों में, LCR वित्तीय संस्थानों द्वारा कुल शुद्ध नक़द प्रवाह राशि के अनुपात के रूप में बनाये रखी गयी HQLAs की राशि को संदर्भित करता है, ताकि अल्पकालिक वित्तीय दायित्वों और व्यवधानों को पूरा करने की उनकी क्षमता सुनिश्चित हो सके।

यदि आस्तियाँ (परिसम्पत्तियाँ) मूल्य का कोई नुक़सान नहीं होने या कम नुक़सान के साथ ही आसानी से और तुरंत नक़दी में परिवर्तित की जा सकती हैं, तो उन्हें उच्च गुणवत्तावाली तरल संपत्ति माना जाता है। किसी संपत्ति की तरलता अंतर्निहित तनाव परिदृश्य, मुद्रीकृत होनेवाली मात्रा और विचार की जानेवाली समय सीमा पर निर्भर करती है।

निम्नलिखित परिसंपत्तियों को बिना किसी सीमा के तरल संपत्ति के स्टॉक में शामिल किया जा सकता है-

- **i.** आवश्यक CRR से अधिक नक़दी भंडार सहित नक़द।
- **ii.** न्यूनतम SLR आवश्यकता से अधिक सरकारी प्रतिभूतियाँ।
- **iii.** अनिवार्य SLR आवश्यकता के भीतर, सीमांत स्थायी सुविधा (MSF) के अंतर्गत भारतीय रिज़र्व बैंक द्वारा अनुमत सीमा तक सरकारी प्रतिभूतियाँ।
- **iv.** विपणन करने योग्य प्रतिभूतियाँ, जिन्हें विदेशी संप्रभु इकाइयों द्वारा कुछ शर्तों को पूरा करते हुए जारी किया गया या गारंटीकृत किया गया।

गणितीय रूप से, **बैंक का LCR** = $\dfrac{\textbf{उच्च गुणवत्तावालीं तरल आस्तियाँ (High-Quality Liquid Assets)}}{\textbf{कुल निवल नक़द प्रवाह (Total Net Cash Flows)}}$

इसके साथ ही बैंकिंग विनियमन अधिनियम (Banking Regulation Act), 1949 के अनुसार, भारत में बैंकों को SLR बनाये रखने के लिए तरल संपत्ति रखने की आवश्यकता होती है। इस तथ्य को ध्यान में रखते हुए कि SLR के अंतर्गत तरल परिसंपत्तियाँ तथा LCR के अंतर्गत और HQLAs अत्यधिक सीमा तक समान होती हैं, भारतीय रिज़र्व बैंक ने बैंकों को SLR प्रतिभूतियों के उत्तरोत्तर बढ़ते अनुपात का उपयोग LCR के लिए HQLAs माने जाने हेतु करने की अनुमति दी, ताकि दोनों आवश्यकताओं के लिए तरल संपत्ति बनाये रखने की आवश्यकता को अनुकूलित किया जा सके।

बैंकों द्वारा धारित **संपूर्ण SLR-पात्र परिसंपत्तियों** को भारतीय रिज़र्व बैंक द्वारा LCR की आवश्यकता को पूरा करने के लिए HQLAs माने जाने की अनुमति प्रदान की गयी है।

भारतीय रिज़र्व बैंक के आरम्भिक निर्देश के अनुसार, 1 जनवरी, 2019 से बैंकों को **100 प्रतिशत LCR बनाये रखने की** आवश्यकता है।

प्रणालीगत महत्त्वपूर्ण वित्तीय संस्थान [SYSTEMICALLY IMPORTANT FINANCIAL INSTITUTION (SIFI)]

SIFI एक बैंक, बीमा कंपनी या अन्य वित्तीय संस्थान हैं, जिनकी विफलता वित्तीय संकट का कारण बन सकती है। उन्हें बोलचाल की भाषा में "**विफल होने के लिए बहुत बड़ा (too big to fail)**" कहा जाता है। कुछ बड़े बैंकों को कई प्राधिकरणों द्वारा व्यवस्थित रूप से महत्त्वपूर्ण वित्तीय संस्थानों के रूप में मान्यता दी जाती है, जो कि वैश्विक और घरेलू वित्तीय बाज़ारों में उनके कार्य संचालनों के पैमाने और प्रभाव के आधार पर निर्भर करते हैं।

वैश्विक प्रणालीगत रूप से महत्त्वपूर्ण बैंक [Global Systemically Important Banks (G-SIBs)] : 2011 से, G-SIB की एक सूची प्रकाशित करना शुरू कर दिया है। बैंकिंग पर्यवेक्षण पर बेसल समिति द्वारा उनकी पहचान की जाती है।

घरेलू व्यवस्थित रूप से महत्त्वपूर्ण बैंक [Domestic Systemically Important Banks (D-SIBs)] : भारत में D-SIB को 2014 में जारी किये गये ढाँचे के अंतर्गत भारतीय रिज़र्व बैंक द्वारा मान्यता प्राप्त होती है। **D-SIB का अर्थ है कि बैंक विफल होने के लिए बहुत बड़ा है।** जिन बैंकों की संपत्ति **GDP के 2% से अधिक होती है**, उन्हें D-SIB माना जाता है। भारतीय रिज़र्व बैंक द्वारा SBI, ICICI बैंक, और HDFC बैंक की पहचान D-SIB के रूप में की गयी है।

भारत में बैंकों की क्रेडिट रेटिंग (CREDIT RATING OF BANKS IN INDIA)

पद्मनाभन समिति की अनुशंसाओं के अनुसार भारत में बैंकों को अंतरराष्ट्रीय **CAMELS रेटिंग मॉडल** के आधार पर, A से E तक पाँच सूत्री पैमानों पर आँका जा सकता है।

परिणामस्वरूप, भारतीय रिज़र्व बैंक ने **CAMELS** के आधार पर बैंकों की क्रेडिट रेटिंग के लिए एक मॉडल तैयार किया। निम्नलिखित छह अवयवों को 1 से 100 के पैमाने पर मापा जाता है और इसमें व्यक्तिगत भारिता के साथ कई मानदण्ड होते हैं-

1. पूँजी पर्याप्तता अनुपात (**C**apital Adequacy Ratio)
2. परिसम्पत्ति गुणवत्ता (**A**sset quality)
3. प्रबंधन प्रभावशीलता (**M**anagement effectiveness)
4. अर्जन (**E**arning)
5. नक़दी (**L**iquidity)
6. प्रणालियाँ और नियंत्रण (**S**ystems and controls)

बैंकिंग सुधारों से संबंधित महत्त्वपूर्ण समितियाँ
(IMPORTANT COMMITTEES RELATED TO BANKING REFORMS)

समिति का नाम	इस विषय पर अनुशंसा करने के लिए
नचिकेत मोर समिति, 2013	छोटे व्यवसायों और कम आयवाले परिवारों के लिए व्यापक वित्तीय सेवाएँ
जस्टिस एम.बी. शाह समिति, 2014	काले धन की जाँच।
पी. जे. नायक समिति, 2014	सार्वजनिक क्षेत्र बैंकों के बोर्डों का शासन।
जसबीर सिंह समिति, 2015	बैंकों के लिए विभेदित प्रीमियम प्रणाली।
दीपक मोहंती समिति, 2015	वित्तीय समावेशन का मध्यावधि मार्ग।
एल. पी. पार्थसारथी समिति, 2015	डेटा मानकीकरण पर शहरी सहकारी बैंक समिति।
शंकर आचार्य समिति, 2016	नये वित्तीय वर्ष की व्यवहार्यता।
विमल जालान समिति, 2018	भारतीय रिज़र्व बैंक का आर्थिक पूँजी ढाँचा।
सुरेश माथुर समिति, 2018	माइक्रो-इंश्योरेंस के नियामक ढाँचे की समीक्षा।
हर्षवर्धन समिति, 2019	आवास वित्त प्रतिभूतीकरण बाज़ार का विकास।
उषा थोरात समिति, 2019	ऑफ़शोर रुपये बाज़ारों पर भारतीय रिज़र्व बैंक का कार्य बल।
सुरजीत भल्ला समिति, 2019	500 अरब डॉलर के काले धन की वसूली के लिए एलिफेंट बॉण्ड (EB) जारी करने के लिए उच्च स्तरीय सलाहकार समूह। अघोषित आय की घोषणा करनेवाले लोग उस आय का 50 प्रतिशत EB में निवेश करने के लिए बाध्य होंगे, जो दीर्घकालिक अवसंरचना परियोजनाओं के वित्तपोषण के लिए 25 वर्ष का संप्रभु बॉण्ड है।
वी. जी. कन्नन समिति, 2019	एटीएम इंटरचेंज शुल्क संरचना।
तपन रे समिति, 2019	कोर निवेश कंपनियों (CICs) के पर्यवेक्षी ढाँचे को मज़बूत करना।
तमिलनाडु मनोहरन समिति, 2019	कॉर्पोरेट ऋण के लिए द्वितीयक बाज़ार में सुधार करना।
नंदन नीलेकणी समिति, 2019	डिजिटल भुगतान की पैठ बढ़ाना।
पी. के. मोहंती समिति, 2020	भारतीय निजी क्षेत्र के बैंकों के वर्तमान स्वामित्व दिशानिर्देशों और कॉर्पोरेट संरचना की समीक्षा करने के लिए।
दीपक पाठक समिति, 2020	संपर्क रहित लेनदेन को संसाधित करने के लिए QR कोड के उपयोग का अध्ययन करना।

वित्तीय स्थिरता और विकास परिषद Financial Stability and Development Council (FSDC)]

- वित्तीय स्थिरता और विकास परिषद (FSDC) की स्थापना वर्ष **2010** में एक शीर्ष स्तरीय मंच के रूप में की गयी थी, जिसका लक्ष्य वित्तीय स्थिरता को बनाये रखने, अंतर-नियामक सहयोग में सुधार लाने और वित्तीय क्षेत्र के विकास को प्रोत्साहित करने के लिए प्रणाली को संस्थागत और मज़बूत बनाना है। यह एक वैधानिक निकाय नहीं है।
- **वित्त मंत्री FSDC के अध्यक्ष** के रूप में कार्य करते हैं।

इसके सदस्यों में RBI गवर्नर, वित्तीय क्षेत्र के नियामक (RBI, SEBI, PFRDA और IRDAI), वित्त सचिव और/या आर्थिक कार्य विभाग के सचिव, वित्तीय सेवा विभाग के सचिव एवं मुख्य आर्थिक सलाहकार सम्मिलित हैं।

- **FSDC के कार्य निम्न हैं** - वित्तीय स्थिरता; वित्तीय क्षेत्र का विकास; अंतर-नियामक समन्वय; वित्तीय साक्षरता; वित्तीय समावेशन; बड़े वित्तीय समूहों के कामकाज सहित अर्थव्यवस्था का बृहत् विवेकपूर्ण पर्यवेक्षण; वित्तीय कार्रवाई कार्य बल (FATF), वित्तीय स्थिरता बोर्ड (FSB) आदि जैसे वित्तीय क्षेत्र के निकायों के साथ भारत के अंतरराष्ट्रीय इंटरफ़ेस का समन्वय करना।
- FSDC को अपनी गतिविधियों के संचालन के लिए अलग से कोई धनराशि आवंटित नहीं की जाती है।

वित्तीय समावेशन (FINANCIAL INCLUSION)

वित्तीय समावेशन समिति (2008) ने वित्तीय समावेशन को किफ़ायती लागत पर कमज़ोर वर्गों और कम आयवाले समूहों जैसे कमज़ोर समूहों के लिए समय पर और पर्याप्त ऋण की वित्तीय सेवाओं तक पहुँच सुनिश्चित करने की प्रक्रिया के रूप में परिभाषित किया।

आधारिक औपचारिक वित्तीय उत्पादों और सेवाओं की टोकरी में सामान्य रूप से बचत, प्रेषण, ऋण, सरकार समर्थित बीमा और पेंशन उत्पाद समाविष्ट हैं।

संयुक्त राष्ट्र के 2030 के संधारणीय विकास लक्ष्य [Sustainable Development Goals (SDGs)] अपने लक्ष्यों में से कम-से-कम सात के लिए संधारणीय विकास प्राप्त करने हेतु एक प्रमुख संबल के रूप में वित्तीय समावेशन को देखते हैं।

2020 तक **सार्वभौमिक वित्तीय पहुँच** [Universal Financial Access (UFA)] प्राप्त करना **विश्व बैंक** के प्रमुख विकासात्मक एजेंडे में से भी एक रहा है।

वित्तीय समावेशन के लाभ (Benefits of Financial Inclusion)

1. वित्तीय समावेशन के माध्यम से बचत और वित्तीय सुरक्षा की संस्कृति को बढ़ावा दिया जाता है।
2. अर्थव्यवस्था पर इसका गुणक प्रभाव पड़ता है।
3. यह निर्धनता उन्मूलन में सहायता करता है।
4. यह सस्ते और औपचारिक ऋण स्रोतों तक पहुँच प्रदान करता है।
5. यह नौकरियों और स्वरोज़गार को बढ़ा देता है।
6. यह लैंगिक समानता और महिला आर्थिक सशक्तीकरण को प्राप्त करने में सहायता करता है।

वित्तीय समावेशन के लिए भारत के प्रयास (India's Efforts for Financial Inclusion)

क्रमिक भारतीय सरकारों ने वित्तीय समावेशन को प्रोत्साहित करने के लिए 1950 के दशक से कई पहलें की हैं।
1956 में जीवन बीमा कंपनियों का राष्ट्रीयकरण किया गया था। 1972 में सामान्य बीमा कंपनियों का राष्ट्रीयकरण किया गया था। वित्तीय समावेशन को गति देने के लिए 1969 और 1980 में बैंकों का राष्ट्रीयकरण किया गया था।

वित्तीय समावेशन को बढ़ावा देने के लिए एक अन्य उपाय के रूप में, **1969** में एक विशेष ज़िले हेतु व्यक्तिगत बैंकों (सार्वजनिक क्षेत्र और निजी क्षेत्र दोनों में) को लीड भूमिकाएँ प्रदान करके **अग्रणी (लीड) बैंक योजना** प्रारम्भ की गयी थी। चुने गये ज़िले के

ग्रामीण क्षेत्रों में शाखाओं का अपेक्षाकृत बड़ा नेटवर्क रखनेवाले बैंक को सामान्य रूप से उस ज़िले के लिए लीड बैंक की ज़िम्मेदारी सौंपी जाती है। तदनुसार, देश के सभी ज़िलों में से प्रत्येक को 1 लीड बैंक आवंटित किया गया है। लीड बैंक ज़िले में विद्यमान सभी बैंकों के बीच एक नेता के रूप में कार्य करता है और उस ज़िले में कृषि, लघु उद्योगों आदि जैसे प्राथमिकतावाले क्षेत्रों में ऋण के प्रवाह को बढ़ाने के लिए उनके प्रयासों का समन्वय करता है। लीड बैंक योजना सेवा क्षेत्र दृष्टिकोण [Service Area Approach (SAA)] पर आधारित है, जिसे 1989 में प्रस्तुत किया गया था और यह सभी SCB और क्षेत्रीय ग्रामीण बैकों पर लागू है। SAA को भारतीय रिज़र्व बैंक ने 2004 में अपनी समीक्षा के बाद संशोधित किया था। संशोधित SAA के अनुसार, जबकि SCB और RRB (क्षेत्रीय ग्रामीण बैंक) किसी भी ग्रामीण और अर्द्ध-शहरी क्षेत्र में ऋण देने के लिए स्वतंत्र हैं, उधारकर्ताओं के पास अपनी ऋण आवश्यकताओं के लिए किसी भी बैंक शाखा में आने का विकल्प होता है। प्रत्येक ज़िले के लिए **लीड बैंक भारतीय रिज़र्व बैंक द्वारा तय किया जाता है**। वर्तमान में, **भारतीय स्टेट बैंक भारत में अधिकतम ज़िलों में लीड बैंक के रूप में कार्य करता है**।

बैंकिंग लोकपाल (Banking Ombudsman) की एक अन्य योजना **1995** में बैंकिंग सेवाओं में कमी से संबंधित बैंक ग्राहकों की शिकायतों को प्राप्त करने और उन पर विचार करने के लिए प्रारम्भ की गयी थी। बैंकिंग लोकपाल की नियुक्ति भारतीय रिज़र्व बैंक द्वारा की जाती है। यह योजना भारत में व्यापार करनेवाले सभी वाणिज्यिक बैंकों, क्षेत्रीय ग्रामीण बैंकों और अनुसूचित प्राथमिक सहकारी बैंकों पर लागू है। भारत में बैंक खाता रखनेवाला कोई भी व्यक्ति (NRI सहित) बैंकिंग लोकपाल के पास शिकायत दर्ज करा सकता है। ऐसी शिकायत निवारण सेवाएँ प्रदान करने के लिए कोई शुल्क नहीं लिया जाता है। हालाँकि बैंकिंग लोकपाल द्वारा पारित आदेश पक्षकारों के लिए बाध्यकारी नहीं है और वे अपीलीय प्राधिकरण के समक्ष अपील दायर कर सकते हैं। बैंकिंग लोकपाल योजना **आज भी जारी है**।

वित्तीय समावेशन में सुधार के लिए हाल की प्रमुख पहलें
(Recent Major Initiatives to Improve Financial Inclusion)

1. **प्रधानमंत्री जन धन योजना (PMJDY)**: 2014 में प्रारम्भ की गयी यह योजना, वित्तीय समावेशन के लिए एक राष्ट्रीय मिशन है। इसमें बैंकों के माध्यम से आधारिक वित्तीय सेवाओं तक पहुँच उपलब्ध कराने का प्रयास किया जाता है। PMJDY के अंतर्गत 34 करोड़ से अधिक खाते खोले गये हैं।
2. **प्रधानमंत्री सुरक्षा बीमा योजना (PMSBY)**: यह सदस्यता ग्रहण करनेवाले सभी बैंक खाताधारकों (18 से 70 वर्ष के आयु वर्ग में) को ₹12 प्रतिवर्ष प्रतिउपभोक्ता के न्यूनतम प्रीमियम पर ₹2 लाख का नवीकरणीय 1 वर्ष का दुर्घटनावश मृत्यु सह विकलांगता आच्छादन प्रदान करती है।
3. **प्रधानमंत्री जीवन ज्योति बीमा योजना (PMJJBY)**: इसमें बैंक खाताधारकों (18 से 50 वर्ष के आयु वर्ग में) को ₹330 प्रतिवर्ष प्रतिउपभोक्ता के प्रीमियम पर ₹2 लाख का 1 वर्ष का टर्म लाइफ़ इंश्योरेंस प्रदान किया जाता है।
4. **अटल पेंशन योजना (APY)**: APY के अंतर्गत, एक उपभोक्ता (18 से 40 वर्ष के आयु वर्ग में) उपभोक्ता द्वारा किये गये योगदान के आधार पर 60 वर्ष की आयु पूरी करने के बाद ₹1,000 से 5,000 की सीमा में निश्चित मासिक पेंशन प्राप्त करेगा।
5. **प्रधानमंत्री मुद्रा योजना (PMMY)** : स्वरोज़गार और लघु व्यवसाय उद्यमों के वित्तपोषण के लिए इसे 2015 में प्रारम्भ किया गया था, जिससे ऋण देनेवालीं संस्थाएँ सूक्ष्म उद्यमियों को ₹10 लाख तक का वित्त प्रदान करती हैं।
6. **MSMEs के लिए** : MSMEs क्षेत्र ऋण संबंधी मुद्दों के विषय में बैंकरों को प्रशिक्षण प्रदान करने के लिए 'MSMEs क्षेत्र के वित्तपोषण के लिए बैंकरों का राष्ट्रीय क्षमता निर्माण मिशन [National Mission for Capacity Building of Bankers for financing MSME Sector' (NAMCABS)]' लॉञ्च किया गया था। साथ ही, उधारी की लागत को कम करने के लिए MSMEs हेतु ब्याज अनुदान योजना लॉञ्च की गयी है।
7. **कृषि के लिए** : प्राथमिकता क्षेत्र ऋण [Priority Sector Lending (PSL)] के अंतर्गत, घरेलू SCB को कृषि क्षेत्र को अपने निवल ऋण का एक निश्चित प्रतिशत उधार देना होगा। बैंक छोटे और सीमांत किसानों को ₹1.6 लाख तक का संपार्श्विक मुक्त ऋण भी प्रदान करेंगे।

   1998 में प्रारम्भ की गयी **किसान क्रेडिट कार्ड योजना (KCC)**, काश्तकार किसानों, मौखिक पट्टेदारों और बटाई में खेती करनेवालों (शेयर क्रॉपर्स) को नकद ऋण सुविधा प्रदान करने के लिए एक उपकरण है। हाल ही में पशुपालन और मछली पालन के लिए भी KCC की सुविधा दी गयी है।

8. **लघु वित्त बैंकों [Small Finance Banks (SFBs)]** और भुगतान बैंकों को 2015 में लाइसेंस दिये गये थे। यह प्रवासी श्रमिकों, लघु और सीमांत किसानों, सूक्ष्म और लघु उद्योगों और असंगठित क्षेत्र की संस्थाओं के लिए लघु बचत खातों, प्रेषण सेवाओं और ऋण सुविधा को बढ़ावा देने के लिए किया गया था।

9. **इंडिया पोस्ट पेमेंट्स बैंक (IPPB)** 2018 में लॉन्च किया गया था। 1.55 लाख से अधिक डाकघर हैं और 3 लाख से अधिक पोस्टमैन और ग्रामीण डाक सेवक हैं, जो वित्तीय समावेशन की पैठ बढ़ा रहे हैं।

10. बायोमेट्रिक और विशिष्ट पहचान संख्यावाले (UID) आधार कार्ड ने दोहराव को समाप्त करने में सहायता की है और लाभार्थियों के बैंक खातों में प्रत्यक्ष लाभ अंतरणों (DBTs) को लागू करने में सहायता की है। जनधन खातों और मोबाइल नंबरों के साथ-साथ **जैम (JAM) ट्रिनिटी** (जनधन, आधार, मोबाइल) ने वित्तीय समावेशन को संचालित करने में महत्त्वपूर्ण भूमिका निभायी है।

11. **महिला सम्मान बचत प्रमाणपत्र [Mahila Samman Saving Certificate (MSSC)]** एक नयी लघु बचत योजना है, जिसे विशेष रूप से महिला निवेशकों के लिए बनाया गया है, जिसे महिलाओं को निवेश के लिए प्रोत्साहित करने के लिए केंद्रीय बजट 2023-24 में बताया गया था।

    इस प्रणाली के माध्यम से बनाये गये खाते एकल-धारक खाते हैं, जिन्हें डाकघर या किसी भी पंजीकृत बैंक में खोला जा सकता है। कोई भी महिला स्वयं के लिए या छोटी बच्ची के लिए महिला सम्मान खाता खुलवा सकती है।

    मौजूदा खाते और दूसरे खाते की स्थापना के बीच तीन महीने का अंतर रखा जाना चाहिए। न्यूनतम निवेश ₹1000 है, जबकि योजना के तहत अधिकतम निवेश ₹2 लाख है। वार्षिक ब्याज दर 7.5 प्रतिशत है। खाता खुलवाने की तारीख़ से दो वर्ष बाद, जमाकर्ता को योग्य धनराशि प्राप्त होगी।

प्राथमिकता क्षेत्र ऋणयन (Priority Sector Lending)

भारतीय रिज़र्व बैंक, बैंकों को अपने धन का एक निश्चित हिस्सा अर्थव्यवस्था के ऐसे **निर्दिष्ट कमज़ोर क्षेत्रों को उधार या ऋण देने के लिए बाध्य करता है,** जो अन्यथा लाभप्रदता के दृष्टिकोण से बैंकों के लिए आकर्षक नहीं हो सकते हैं।
सभी अनुसूचित वाणिज्यिक बैंकों और प्राइवेट विदेशी बैंकों (भारत में उल्लेखनीय उपस्थितिवालों) को अपने 40 प्रतिशत समायोजित नेट बैंक क्रेडिट [Adjusted Net Bank Credit (ANDC)] को इन क्षेत्रों को ऋण देने के लिए सुरक्षित रखना अनिवार्य है।

क्षेत्रीय ग्रामीण बैंक, सहकारी बैंक और लघु वित्त बैंक को अपने ANDC का 75 प्रतिशत, प्राथमिकता क्षेत्र ऋणयन के लिए आवंटित करना होता है।

प्राथमिकता क्षेत्र में निम्नलिखित श्रेणियाँ शामिल हैं-

(a) कृषि
(b) सूक्ष्म, लघु और मध्यम उद्यम (MSME)
(c) निर्यात ऋण
(d) शिक्षा
(e) आवास
(f) सामाजिक अवसंरचना
(g) नवीकरणीय ऊर्जा
(h) अन्य

2020 में, भारतीय रिज़र्व बैंक ने स्टार्टअप क्षेत्र को भी प्राथमिकता क्षेत्र उधार का दर्जा दिया।

प्राथमिकता क्षेत्र ऋणयन प्रमाणपत्र [Priority Sector Lending Certificates (PSLCs)] : प्राथमिकता क्षेत्र उधार प्रमाणपत्र (PSLCs) एक ऐसा तंत्र है, जो बैंकों को प्राथमिकता क्षेत्र के लिए उधार देने में किसी प्रकार की कमी रह जाने, इन उपकरणों की ख़रीद द्वारा प्राथमिकता क्षेत्र हेतु उधार देने के लक्ष्य और उप-लक्ष्य हासिल करने में सक्षम बनाता है। इससे अधिशेष प्राथमिकता क्षेत्र उधारवाले बैंकों को भी प्रोत्साहन मिलता है, क्योंकि यह उन्हें प्राथमिकता क्षेत्र हेतु उधार के विषय में अपने लक्ष्य से अधिक अतिरिक्त उपलब्धि की बिक्री करने की अनुमति देता है, जिससे प्राथमिकता क्षेत्र के तहत आनेवालीं श्रेणियों को उधार देने की गतिविधियों में और अधिक वृद्धि होती है।

वित्तीय समावेशन प्राप्त करने की राह में वर्तमान चुनौतियाँ
(Existing Challenges for Achieving Financial Inclusion)

1. पूर्वोत्तर क्षेत्र, वामपंथी उग्रवाद प्रभावित ज़िलों, हिमालयी क्षेत्र और चिह्नित आकांक्षी ज़िलों जैसे कुछ क्षेत्रों में पहुँच बिंदुओं की संख्या कम है।
2. दूरसंचार कनेक्टिविटी, स्मार्टफोन की उपलब्धता और वहनीयता भी एक बाधा का कार्य करती है।
3. निरक्षरता, घोटालों का डर और जोखिम से परहेज़ भी नयी प्रौद्योगिकियों को अपनाने से रोकते हैं।
4. इसमें में वित्तीय सेवा प्रदाता के व्यवसाय की व्यवहार्यता और स्थिरता सुनिश्चित करना भी उतना ही चुनौतीपूर्ण है।

वित्तीय समावेशन के लिए राष्ट्रीय रणनीति (2019-24)
(National Strategy for Financial Inclusion) (2019–24)

भारतीय रिज़र्व बैंक ने जनवरी, 2020 में वित्तीय समावेशन (2019-2024) के लिए राष्ट्रीय रणनीति की घोषणा की। यह विश्व भर में आर्थिक विकास और निर्धनता उन्मूलन के एक प्रमुख चालक के रूप में वित्तीय समावेशन की पहचान करती है। इसका उद्देश्य डिजिटल वित्तीय सेवाओं के विभिन्न साधनों को बढ़ावा देने के लिए व्यापक पारिस्थितिकी तंत्र को मज़बूत करना है।

इसे भारतीय रिज़र्व बैंक की वित्तीय समावेशन सलाह समिति [Financial Inclusion Advisory Committee (FIAC)] ने तैयार किया है।

भारतीय रिज़र्व बैंक ने वित्तीय समावेशन के लिए **6 प्रमुख रणनीतिक उद्देश्यों** की पहचान की है।

विस्तार से, ये छह रणनीतिक उद्देश्य इस प्रकार हैं-

1. **वित्तीय सेवाओं के लिए सार्वभौमिक पहुँच (Universal access to financial services):**
   - हर गाँव को 5 किमी. की परिधि की उचित दूरी के भीतर एक औपचारिक वित्तीय सेवा प्रदाता तक पहुँच होनी चाहिए।
   - इसमें बैंकिंग आउटलेट्स की पहुँच बढ़ाना और पहुँच बढ़ाने के लिए फ़िन-टेक क्षेत्र का उपयोग करना भी समाविष्ट है।
2. **वित्तीय सेवाओं का आधारिक गुलदस्ता प्रदान करना (Providing basic bouquet of financial services):**
   - इसमें एक आधारिक बचत बैंक खाता, ऋण सुविधाएँ, एक माइक्रो लाइफ़ और ग़ैर-जीवन बीमा उत्पाद, एक पेंशन उत्पाद और एक निवेश उत्पाद समाविष्ट है।

वित्तीय समावेशन के लिए राष्ट्रीय रणनीति के रणनीतिक स्तंभ (Strategic Pillars of National Strategy for Financial Inclusion)

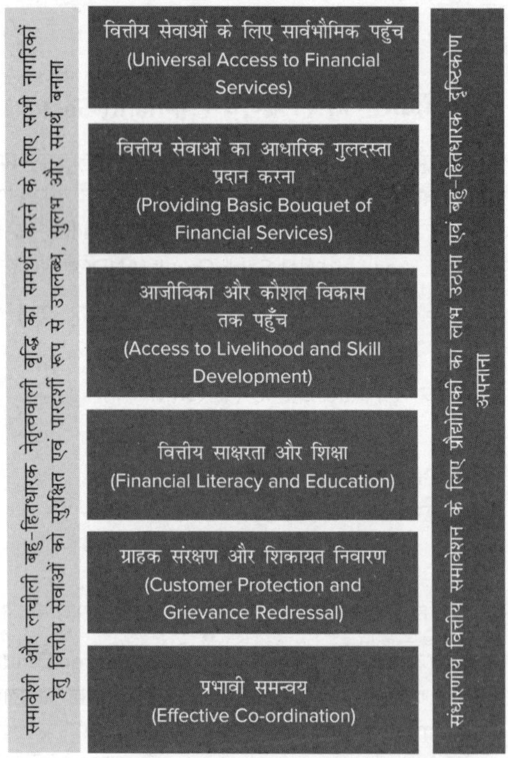

स्रोत : भारतीय रिज़र्व बैंक, 'वित्तीय समावेशन के लिए राष्ट्रीय रणनीति के रणनीतिक स्तंभ' www.rbidocs.rbi.org.in

- **अनुकूलित वित्तीय उत्पाद (Customised financial products)** बनाये जाने चाहिए।
- केंद्रीय बजट 2022-23 में, एक राष्ट्रीय वित्तीय सूचना रजिस्ट्री (**पब्लिक क्रेडिट रजिस्ट्री*** - एक नये नाम के तहत) स्थापित करने की घोषणा की गयी थी।

परीक्षोपयोगी

***पब्लिक क्रेडिट रजिस्ट्री (PCR)**

यह भारत में उधारकर्ताओं की वित्तीय जानकारी को प्रग्रहण (कैप्चर) करने और संग्रहीत करने के लिए भारतीय रिज़र्व बैंक द्वारा निर्मित किया गया एक डिजिटल प्लेटफ़ॉर्म है। मौजूदा और नये दोनों सरकार के उधारकर्ताओं की जानकारी PCR में संग्रहीत की जायेगी। क्रेडिट सूचना के अंतर का अभाव PCR द्वारा भरा जायेगा। भारतीय रिज़र्व बैंक ने भारत में एक पब्लिक क्रेडिट रजिस्ट्री स्थापित करने के दायरे का पता लगाने के लिए एक उच्च स्तरीय टास्क फ़ोर्स (अध्यक्ष : श्री वाई. एम. देवस्थली) का गठन किया।

3. **आजीविका और कौशल विकास तक पहुँच (Access to livelihood and skill development) :**
   - नये प्रतिभागियों को राष्ट्रीय ग्रामीण आजीविका मिशन [National Rural Livelihoods Mission (NRLM)], राष्ट्रीय शहरी आजीविका मिशन [National Urban Livelihoods Mission (NULM)], प्रधानमंत्री कौशल विकास योजना (PMKVY) जैसे आजीविका कार्यक्रमों के बारे में सूचित किया जाना चाहिए।
4. **वित्तीय साक्षरता और शिक्षा (Financial literacy and education) :**
   - अवधारणा साक्षरता के साथ-साथ प्रक्रिया साक्षरता, ग्राहकों को उत्पादों के बारे में समझने और उनका उपयोग करने की विधि को जानने में भी सक्षम बनाते हैं।
   - भारतीय रिज़र्व बैंक, नाबार्ड, NRLM रिसोर्स पर्सन, NGOs, पंचायतों, स्वयं सहायता समूहों, किसान क्लब आदि को ज़मीनी स्तर पर वित्तीय साक्षरता को प्रोत्साहित करना चाहिए।
   - बच्चों, युवा वयस्कों, महिलाओं, नये कामगारों/उद्यमियों, वरिष्ठ नागरिकों आदि जैसे संभागों को जानकारी प्रदान करने के लिए राष्ट्रीय वित्तीय शिक्षा केंद्र [National Centre for Financial Education (NCFE)] के माध्यम से वित्तीय साक्षरता मॉड्यूल का विकास किया जायेगा।
   - देश में ब्लॉक स्तर पर वित्तीय साक्षरता केंद्र [Centre for Financial Literacy (CFL)] की पहुँच का विस्तार।
5. **ग्राहक संरक्षण और शिकायत निवारण (Customer protection and grievance redressal) :**
   - आंतरिक शिकायत निवारण तंत्र को सुदृढ़ किया जाना चाहिए। सर्वनिष्ठ टोल-फ़्री हेल्पलाइन, ग्राहक शिकायत पोर्टल/मोबाइल ऐप का विकास सुनिश्चित किया जाये।
6. **प्रभावी समन्वय (Effective coordination) :**
   - भारत सरकार, राज्य सरकारों, नियामकों, वित्तीय सेवा प्रदाताओं, दूरसंचार सेवा नियामकों और कौशल प्रशिक्षण संस्थानों जैसे प्रमुख हितधारकों के बीच निरंतर समन्वय सुनिश्चित करना।

वित्तीय शिक्षा के लिए राष्ट्रीय रणनीति (2020-25)
[National Strategy for Financial Education (2020–25)]

अगस्त, 2020 में, भारतीय रिज़र्व बैंक ने अगले पाँच वर्षों में लागू किये जाने के लिए वित्तीय शिक्षा के लिए राष्ट्रीय रणनीति (NSFE) को जारी किया। इस बहु-हितधारक नेतृत्व दृष्टिकोण का उद्देश्य आर्थिक रूप से जागरूक और सशक्त भारत बनाना है।

यह दूसरी वित्तीय शिक्षा के लिए राष्ट्रीय रणनीति (NSFE) है। (*पहली नीति 2013 में जारी की गयी थी*)

वित्तीय शिक्षा के लिए राष्ट्रीय रणनीति (NSFE) 2020-25 का मूल उद्देश्य उपयुक्त पेंशन उत्पादों के कवरेज के **माध्यम से बुढ़ापे और सेवानिवृत्ति के लिए योजना** बनाने के अतिरिक्त प्रासंगिक और उपयुक्त बीमा कवर के माध्यम से जीवन के विभिन्न चरणों में जोखिम का प्रबंधन करना है।

इसे **RBI, SEBI, IRDAI, PFRDA** और अन्य संबंधित हितधारकों से परामर्श करके राष्ट्रीय वित्तीय शिक्षा केंद्र (NCFE) द्वारा तैयार किया गया है।

वित्तीय शिक्षा के लिए राष्ट्रीय रणनीति (NSFE) की मुख्य अनुशंसाएँ इस प्रकार हैं-

a. सभी भारतीयों के वित्तीय कल्याण के लिए '5C'- **अर्थात् विषयवस्तु (Content), क्षमता (Capacity), समुदाय (Community), संचार (Communication) और सहयोग (Collaboration)** – का दृष्टिकोण अपनाना।

b. स्कूली बच्चों, शिक्षकों, किशोर-किशोरियों, महिलाओं, कार्यस्थल पर नवप्रवेशियों/उद्यमियों (MSMEs) के वरिष्ठ नागरिकों, विकलांग व्यक्तियों, निरक्षर लोगों आदि के लिए वित्तीय साक्षरता विषयवस्तु का विकास करना।

c. स्कूली पाठ्यक्रम, विभिन्न व्यावसायिक पाठ्यक्रम और बी.एड./एम.एड. कार्यक्रमों में वित्तीय शिक्षा सामग्री को एकीकृत करना।

d. वित्तीय शिक्षा प्रदाताओं के लिए आचार संहिता विकसित करना।

e. रणनीति के अंतर्गत की गयी प्रगति का आकलन करने के लिए **'निगरानी और मूल्यांकन ढाँचा (Monitoring and Evaluation Framework)'** अपनाना।

महत्त्व : यह रणनीति ऋण अनुशासन विकसित करना और आवश्यकता के अनुसार औपचारिक वित्तीय संस्थानों से ऋण प्राप्त करने के लिए प्रोत्साहित करना चाहती है। यह सुरक्षित और निरापद तरीक़े से डिजिटल वित्तीय सेवाओं का उपयोग किये जाने में सुधार करना चाहती है।

परीक्षोपयोगी

ट्विन बैलेंस शीट समस्या (Twin Balance Sheet Problem)

बैलेंस शीट एक वित्तीय विवरण है, जो किसी संगठन की परिसंपत्तियों, देनदारियों और इक्विटी होल्डिंग को किसी भी समय प्रदर्शित करता है। भारत में ट्विन बैलेंस शीट समस्या भारतीय कंपनियों और भारतीय बैंकों की बैलेंस शीट से संबंधित है। ऐसी स्थिति में, जब बैंक गंभीर रूप से संकटग्रस्त होते हैं और कॉर्पोरेट इतने अधिक ऋणग्रस्त होते हैं कि वे अपने ऋण चुकाने में असमर्थ होते हैं, तो इसे ट्विन बैलेंस शीट समस्या के रूप में जाना जाता है।

खाता समूहक (ACCOUNT AGGREGATOR)

एक खाता समूहक अर्थात् अकाउंट ऐग्रीगेटर (AA) एक प्रकार की **RBI द्वारा विनियमित इकाई है,** जो **किसी व्यक्ति को AA नेटवर्क में किसी अन्य विनियमित वित्तीय संस्थान के साथ एक वित्तीय संस्थान से सुरक्षित और डिजिटल रूप से जानकारी प्राप्त करने और साझा करने में मदद करती है।** व्यक्ति की सहमति के बिना डेटा साझा नहीं किया जा सकता है। व्यक्ति के बैंक को केवल खाता समूहक नेटवर्क में शामिल होने की आवश्यकता है। इसमें आठ बैंक पहले से ही शामिल हैं – जिनमें से चार पहले से ही सहमति के आधार पर डेटा साझा कर रहे हैं (Axis, ICICI, HDFC और IndusInd Banks) और चार जल्द ही इसमें सक्षम होने जा रहे हैं (State Bank of India, Kotak Mahindra Bank, IDFC First Bank, and Federal Bank)। AA के साथ पंजीकरण करना **उपभोक्ताओं के लिए पूरी तरह से उसकी इच्छा पर निर्भर करता है।**

इस तरह के संदर्भ में कि आधार eKYC और CKYC केवल KYC उद्देश्यों (जैसे- नाम, पता, लिंग, आदि) के लिए चार 'पहचान' डेटा फ़ील्ड साझा करने की अनुमति देते हैं। इसी तरह, क्रेडिट ब्यूरो डेटा केवल ऋण संबंधी इतिहास और/या क्रेडिट स्कोर दिखाता है। खाता समूहक नेटवर्क बचत/जमा/चालू खातों से लेनदेन डेटा या बैंक विवरण साझा करने की अनुमति देता है।

संक्षिप्त विवरण

- **भारतीय रिज़र्व बैंक (Reserve Bank of India)** - हिल्टन यंग आयोग की अनुशंसाओं पर 1935 में स्थापित - सरकार का बैंकर - नोट और सिक्कों का जारीकर्ता (₹1 को छोड़कर) – बैंकों का बैंकर - विदेशी मुद्रा भंडार का संरक्षक - ऋण या मुद्रा आपूर्ति का नियंत्रक।
- **मौद्रिक नीति (Monetary Policy)** – समष्टि आर्थिक नीति साधन - RBI द्वारा मुद्रा की आपूर्ति को प्रभावित करने के लिए उपयोग किया जाता है – इसके अंतर्गत मात्रात्मक साधनों और गुणात्मक साधनों का उपयोग किया जाता है।
- **मात्रात्मक उपकरण (Quantitative Instruments)** - बैंक दर (RBI द्वारा अनुमोदित प्रतिभूतियों के बिना SCB को दीर्घकालिक ऋण प्रदान करता है) - रेपो रेट (वह ब्याज दर, जिस पर RBI अनुमोदित प्रतिभूतियों के विरूद्ध SCB को अल्पकालिक ऋण प्रदान करता है) - रिवर्स रेपो दर (जिस दर पर SCB, RBI के साथ फ़ंड जमा करते हैं) – खुले बाज़ार की संक्रियाएँ (खुले बाज़ार में सरकारी प्रतिभूतियों की ख़रीद और बिक्री) - नक़द आरक्षित अनुपात (बैंक की कुल माँग और सावधि देयताओं का न्यूनतम प्रतिशत, जिसे SCB नक़दी के रूप में RBI के पास जमा करने के लिए बाध्य हैं) - सांविधिक तरलता अनुपात (SCB की शुद्ध माँग और सावधि देयताओं का प्रतिशत, जिसे उनके पास नक़दी, सोना या SLR प्रतिभूतियों के रूप में रखा जाना होता है)।
- **अनुसूचित वाणिज्यिक बैंक [Scheduled Commercial Bank (SCB)]** - RBI अधिनियम, 1934 की दूसरी अनुसूची में सूचीबद्ध - बैंकिंग विनियमन अधिनियम, 1949 के प्रावधानों के अंतर्गत विनियमित - चुक्ता पूँजी और आरक्षित भंडार ₹5 लाख से कम नहीं होना चाहिए - प्रकार हैं- सार्वजनिक क्षेत्र के बैंक, निजी क्षेत्र के भारतीय बैंक, निजी क्षेत्र के विदेशी बैंक और क्षेत्रीय ग्रामीण बैंक।
- **क्षेत्रीय ग्रामीण बैंक (Regional Rural Bank)** - एम. नरसिम्हम कार्य समूह की अनुशंसाओं के आधार पर स्थापित - अंशधारक क्रमश: 50:15:35 के अनुपात में केंद्र सरकार, संबंधित राज्य सरकार और प्रायोजक बैंक हैं – NABARD द्वारा पर्यवेक्षण किया जाता है।
- **सहकारी बैंक (Co-operative Bank)** - बैंकिंग विनियमन अधिनियम, 1949 और बैंकिंग क़ानून (सहकारी समितियाँ) अधिनियम, 1955 के माध्यम से विनियमित - 'एक सदस्य एक वोट' के नियम और 'कोई लाभ नहीं कोई हानि नहीं' के आधार पर कार्य करते हैं।
- **विकास बैंक (Development Banks)** - भारतीय अर्थव्यवस्था के उन क्षेत्रकों को दीर्घकालिक वित्त और सहायता प्रदान करते हैं, जिनकी उच्च जोखिम होती है और जिनकी वाणिज्यिक बैंकों से पर्याप्त ऋण तक पहुँच नहीं हो सकती है - उदाहरण हैं- NABARD, SIDBI, EXIM बैंक आदि।
- **ग़ैर-बैंकिंग वित्तीय कंपनी [Non-Banking Financial Company (NBFC)]** - ऋण और अग्रिमों, शेयरों, बंधपत्रों, ऋणपत्रों, पट्टाधृति, बीमा, चिटफ़ंड आदि के अधिग्रहण और बिक्री के कारोबार में लगी हैं - माँग जमाएँ स्वीकार नहीं कर सकती हैं - भुगतान और निपटान प्रणाली का हिस्सा नहीं हैं और अपने ऊपर आहरित चेक जारी नहीं कर सकती हैं - आरक्षित भंडार आवश्यकता बनाये रखना आवश्यक नहीं होता है।
- **ग़ैर-निष्पादक परिसंपत्तियाँ [Non-Performing Asset (NPA)]** – वह परिसंपत्ति, जो कोई भी आय उत्पन्न नहीं कर रही होती है - ऋण, जिस पर ब्याज या मूल धन 90 दिन या उससे अधिक समय से लंबित हैं।
- **बेसल मानदंड (Basel Norms)** - अंतरराष्ट्रीय निपटान बैंक द्वारा निर्धारित - वैश्विक मानकों का सेट, जो बैंकिंग क्षेत्र के लिए न्यूनतम पूँजी आवश्यकताओं के लिए परिसंपत्तियाँ निर्धारित करता है - अब तक तीन बेसल मानदंड - बेसल 1, बेसल 2 और बेसल 3 मानदंड निर्धारित किये जा चुके हैं।
- **वित्तीय समावेश (Financial Inclusion)** - वित्तीय सेवा तक पहुँच सुनिश्चित करने की प्रक्रिया - कमज़ोर वर्गों और कम आयवाले समूहों, जैसे कमज़ोर समूहों के लिए समय पर और पर्याप्त ऋण।

यूपीएससी सिविल सेवा के पिछले वर्षों की प्रारंभिक परीक्षा के प्रश्न

1. निम्नलिखित कथनों पर विचार कीजिए : **[2024]**

1. भारत में, गैर-बैंकिंग वित्तीय कंपनियाँ भारतीय रिज़र्व बैंक की चल-निधि समायोजन सुविधा विंडो का लाभ उठा सकती हैं।

2. भारत में, विदेशी संस्थागत निवेशक सरकारी प्रतिभूतियों (G-Secs) के धारक बन सकते हैं।

3. भारत में, शेयर बाज़ार (स्टॉक एक्सचेंज) ऋणों के लिए पृथक् व्यापारिक मंच (ट्रेडिंग प्लेटफॉर्म) प्रदान कर सकते हैं ।

उपर्युक्त कथनों में से कौन-सा/कौन-से सही है/हैं?

(a) केवल 1 और 2 **(b)** केवल 3
(c) 1, 2 और 3 **(d)** केवल 2 और 3

2. विदेशी बैंकों के साथ व्यवहार करते समय भारतीय रिज़र्व बैंक द्वारा अधिरोपित नियम/नियमों के संदर्भ में, निम्नलिखित कथनों पर विचार कीजिए: **[2024]**

1. भारत में पूर्ण स्वामित्ववाले सहायक बैंकों (बैंकिंग सब्सिडरियों) के लिए कोई न्यूनतम पूँजी की आवश्यकता नहीं है.।

2. भारत में पूर्ण स्वामित्ववाले सहायक बैंकों (बैंकिंग सब्सिडरियों) के लिए, बोर्ड सदस्यों के कम-से-कम 50% भारतीय नागरिक होने चाहिए ।

उपर्युक्त कथनों में से कौन-सा/कौन-से सही है/हैं ?

(a) केवल 1 **(b)** केवल 2
(c) 1 और 2 दोनों **(d)** न तो 1, न ही 2

3. निम्नलिखित कथनों पर विचार कीजिये: **[2023]**

कथन-I : कोविड विश्वमारी के बाद के हाल के विगत काल में, पूरे विश्व में अनेक केंद्रीय बैंकों ने ब्याज दरें बढ़ा दी थीं।

कथन-II : आमतौर पर केंद्रीय बैंक मानते हैं कि उनके पास बढ़ती हुई उपभोक्ता क़ीमतों का, मौद्रिक नीति के उपायों से, प्रतिकार करने की सामर्थ्य है।

उपर्युक्त कथनों के बारे में, निम्नलिखित में से कौन-सा एक सही है?

(a) कथन-I और कथन-II दोनों सही हैं तथा कथन-II, कथन-I की सही व्याख्या है।
(b) कथन-I और कथन-II दोनों सही हैं तथा कथन-II, कथन-I की सही व्याख्या नहीं है
(c) कथन-I सही है, किन्तु कथन-II ग़लत है
(d) कथन-I गलत है, किन्तु कथन-II सही है

4. भारतीय रिज़र्व बैंक की निम्नलिखित में से किस एक गतिविधि को 'बंध्यकरण (स्टेरिलाइजेशन)' के एक के रूप में माना जाता है? **[2023]**

(a) 'खुला बाज़ार कार्रवाई' का संचालन
(b) निपटारा और भुगतान प्रणालियों की निगरानी
(c) केंद्र सरकार और राज्य सरकारों के लिए ऋण एवं रोकड़ प्रबंधन
(d) गैर-बैंक वित्तीय संस्थानों के कार्यों का विनियमन

5. केंद्रीय बैंक डिजिटल मुद्राओं के संदर्भ में, निम्नलिखित कथनों पर विचार कीजिये: **[2023]**

1. यू.एस. डॉलर या एस.डब्ल्यू.आई.एफ.टी. प्रणाली का प्रयोग किये बिना डिजिटल मुद्रा में भुगतान करना संभव है।

2. कोई डिजिटल मुद्रा इसके अंदर प्रोग्रामिंग प्रतिबंध, जैसे कि इसके व्यय के समय-ढाँचे के साथ वितरित की जा सकती है।

उपर्यक्त कथनों में से कौन-सा/से सही है/हैं?

(a) केवल 1 **(b)** केवल 2
(c) 1 और 2 दोनों **(d)** न तो 1 और न ही 2

6. निम्नलिखित कथनों पर विचार कीजिये: **[2023]**

1. स्वयं सहायता समूह [सेल्फ़-हेल्प ग्रुप (एस.एच.जी.)] कार्यक्रम मूलतः भारतीय स्टेट बैंक द्वारा वित्तीय रूप से वंचितों को लघु ऋण प्रदान कर प्रारंभ किया गया था।

2. किसी एस.एच.जी. में, समूह के सभी सदस्य उस ऋण के लिए उत्तरदायित्व लेते हैं, जो ऋण कोई अकेला सदस्य लेता है।

3. क्षेत्रीय ग्रामीण बैंक और अनुसूचित वाणिज्यिक बैंक एस.एच.जी. को समर्थन देते हैं।

उपर्युक्त में से कितने कथन सही हैं?

(a) केवल एक **(b)** केवल दो
(c) सभी तीन **(d)** कोई भी नहीं

7. 'बैंक बोर्ड ब्यूरो (BBB)' के संदर्भ में, निम्नलिखित में कौन-से कथन सही है? **[2022]**

1. RBI का गवर्नर BBB का चेयरमैन होता है।

2. BBB, सार्वजनिक क्षेत्रक बैंकों के अध्यक्षों के चयन के लिए संस्तुति करता है।

3. BBB सार्वजनिक क्षेत्रक बैंकों को कार्यनीतियों और पूँजी-वर्धन योजनाओं को विकसित करने में मदद करता है।

नीचे दिए कूट का प्रयोग कर सही उत्तर चुनिए :

(a) केवल 1 और 2 **(b)** केवल 2 और 3
(c) केवल 1 और 3 **(d)** 1, 2 और 3

8. नॉन फ़ंजिबल टोकेंस [Non-Fungible Tokens (NFTs)] के संदर्भ में, निम्नलिखित कथनों पर विचार कीजिए: **[2022]**

1. वे भौतिक परिसंपत्तियों के अंकीय निरूपण (डिजिटल रिप्रेजेंटेशन) को सुकर बनाते हैं।

2. वे अनन्य क्रिप्टोग्राफ़िक टोकेंस हैं, जो किसी ब्लॉकचेन में विद्यमान हैं।

3. उनका, तुल्यता पर, व्यापार या विनिमय किया जा

सकता है और इसलिए उनका वाणिज्यिक लेन-देन के माध्यम के रूप में इस्तेमाल किया जा सकता है।

ऊपर दिए गए कथनों में से कौन-से सही हैं?

(a) केवल 1 और 2 **(b)** केवल 2 और 3
(c) केवल 1 और 3 **(d)** 1, 2 और 3

9. निम्नलिखित कथनों पर विचार करें : **[2021]**

1. RBI के गवर्नर की नियुक्ति केंद्र सरकार द्वारा की जाती है।

2. भारत के संविधान में कुछ प्रावधान केंद्र सरकार को सार्वजनिक हित में RBI को निर्देश जारी करने का अधिकार देते हैं।

3. RBI के गवर्नर RBI अधिनियम से अपनी शक्ति प्राप्त करते हैं।

उपर्युक्त कथनों में से कौन-से कथन सही हैं?

(a) केवल 1 और 2 **(b)** केवल 2 और 3
(c) केवल 1 और 3 **(d)** 1, 2 और 3

10. भारत में, केन्द्रीय बैंक का "अंतिम उपाय के ऋणदाता" के रूप में कार्य आमतौर पर निम्नलिखित में से किसको संदर्भित करता है? **[2021]**

1. व्यापार और उद्योग निकायों को उधार देना, जब वे अन्य स्रोतों से उधार लेने में विफल रहते हैं

2. अस्थायी संकटवाले बैंकों को तरलता प्रदान करना

3. बजटीय घाटे के वित्तपोषण के लिए सरकारों को ऋण देना

नीचे दिये गये कूट का उपयोग करके सही उत्तर चुनें

(a) 1 और 2 **(b)** केवल 2
(c) 2 और 3 **(d)** केवल 3

11. भारत में शहरी सहकारी बैंकों के संदर्भ में, निम्नलिखित कथनों पर विचार कीजिए : **[2021]**

1. राज्य सरकारों द्वारा स्थापित स्थानीय बोर्डों द्वारा उनका पर्यवेक्षण और विनियमन किया जाता है।

2. वे इक्विटी शेयर और प्रेफ़रेंस शेयर जारी कर सकते हैं।

3. उन्हें 1966 में एक संशोधन के माध्यम से बैंकिंग विनियमन अधिनियम, 1949 के दायरे में लाया गया था।

ऊपर दिये गये कथनों में से कौन-सा/से सही है/हैं?

(a) केवल 1 **(d)** केवल 2 और 3
(c) केवल 1 और 3 **(d)** 1, 2 और 3

12. यदि आरबीआई विस्तारवादी मौद्रिक नीति अपनाने का निर्णय करता है, तो इसे निम्नलिखित में से क्या नहीं करना चाहिए? **[2020]**

1. वैधानिक तरलता अनुपात में कटौती और अनुकूलन करना

2. सीमांत स्थायी सुविधा दर में वृद्धि करना

3. बैंक दर और रेपो दर में कटौती करना

नीचे दिये गये कोड का उपयोग करके सही उत्तर का चयन करें :

(a) केवल 1 और 2 **(b)** केवल 2
(c) केवल 1 और 3 **(d)** 1, 2 और 3

13. निम्नलिखित कथनों पर विचार करें : **[2020]**

1. कृषि क्षेत्र में अल्पकालिक ऋण वितरण के संदर्भ में, ज़िला केंद्रीय सहकारी बैंक (DCCB) अनुसूचित वाणिज्यिक बैंकों और क्षेत्रीय ग्रामीण बैंकों की तुलना में अधिक ऋण वितरित करते हैं।

2. ज़िला केंद्रीय सहकारी बैंकों (DCCBS) का सबसे महत्त्वपूर्ण कार्य प्राथमिक कृषि ऋण समितियों को धन उपलब्ध कराना है।

ऊपर दिये गये कथनों में से कौन-सा/से सही है/हैं?

(a) केवल 1 **(b)** केवल 2
(c) 1 और 2 दोनों **(d)** न तो 1 और न ही 2

14. भारत में ''ब्याज कवरेज अनुपात'' शब्द का महत्त्व क्या है? **[2020]**

1. यह किसी ऐसे फ़र्म की वर्तमान जोखिम को समझने में सहायता करता है, जिसे कोई बैंक ऋण देने जा रहा है।

2. यह किसी ऐसे फ़र्म की उभरती जोखिम का मूल्यांकन करने में मदद करता है, जिसे कोई बैंक ऋण देने जा रहा है।

3. उधार लेनेवाली फ़र्म का ब्याज कवरेज अनुपात जितना अधिक होगा, उसकी अपने ऋण चुकाने की क्षमता उतनी ही ख़राब होगी।

नीचे दिये गये कोड का उपयोग करके सही उत्तर चुनें :

(a) केवल 1 और 2 **(b)** केवल 2
(c) केवल 1 और 3 **(d)** 1, 2 और 3

15. आमतौर पर हर्षोत्तर काल के स्रोतों में संदर्भित की जानेवाली 'हुंडी' की प्रकृति को निम्नलिखित में से कौन-सा वाक्यांश परिभाषित करता है? **[2020]**

(a) राजा द्वारा अपने अधीनस्थों को जारी सलाह
(b) दैनिक खातों के लिए बनाये रखा जानेवाला रोज़नामचा
(c) एक विनिमय पत्र
(d) सामंती शासक की ओर से अपने अधीनस्थों के लिए जारी एक आदेश।

16. निम्नलिखित में से कौन-सा भारत में वाणिज्यिक बैंक की परिसंपत्तियों में समाविष्ट नहीं है? **[2019]**

(a) अग्रिम
(b) जमा
(c) निवेश
(d) कॉल और शॉर्ट नोटिस पर मुद्रा

17. हाल ही में भारतीय बैंकों और वित्तीय संस्थानों द्वारा हस्ताक्षरित अंतर-लेनदार समझौते का उद्देश्य क्या था? **[2019]**

(a) भारत सरकार के राजकोषीय घाटे और चालू खाते के घाटे के बहुवर्षी बोझ को कम करना।
(b) केंद्र और राज्य सरकारों की अवसंरचना परियोजनाओं का समर्थन करना।

(c) ₹50 करोड़ या उससे अधिक के ऋण के लिए आवेदनों के मामले में स्वतंत्र नियामक के रूप में कार्य करना।

(d) कंसोर्टियम लेंडिंग के अंतर्गत आनेवाली ₹50 करोड़ या उससे अधिक की दबाववाली परिसम्पत्तियों का तेज़ी से समाधान करने का लक्ष्य रखना।

18. सार्वजनिक क्षेत्र बैंकों के अध्यक्ष का चयन किसके द्वारा किया जाता है? **[2019]**

(a) बैंक बोर्ड ब्यूरो **(b)** भारतीय रिज़र्व बैंक
(c) केंद्रीय वित्त मंत्रालय **(d)** संबंधित बैंक का प्रबंधन

19. निम्नलिखित में से कौन-सा भारतीय रुपये की गिरावट रोकने के लिए सरकार/भारतीय रिज़र्व बैंक द्वारा किया जानेवाला सबसे संभावित उपाय नहीं है? **[2019]**

(a) ग़ैर-ज़रूरी वस्तुओं के आयात पर अंकुश लगाना और निर्यात को बढ़ावा देना
(b) भारतीय उधारकर्ताओं को रुपये-मूल्य युक्त मसाला बॉण्ड जारी करने के लिए प्रोत्साहित करना
(c) बाहरी वाणिज्यिक उधारी से संबंधित शर्तों को आसान बनाना
(d) विस्तारवादी मौद्रिक नीति का पालन करना

20. निम्नलिखित कथनों पर विचार कीजिए : **[2019]**

'भुगतान प्रणाली डेटा के भंडारण' से संबंधित भारतीय रिज़र्व बैंक के हाल के निर्देश, जिन्हें डेटा डिक्टट के नाम से जाना जाता है, वे भुगतान प्रणाली प्रदाताओं को आदेश देते हैं कि :

1. वे यह सुनिश्चित करेंगे कि उनके द्वारा संचालित भुगतान प्रणालियों से संबंधित संपूर्ण डेटा केवल भारत में स्थित प्रणाली में संग्रहीत किया जाता है।
2. वे यह सुनिश्चित करेंगे कि प्रणालियों का स्वामित्व धारण और संचालन सार्वजनिक क्षेत्र उद्यमों द्वारा किया जाता है।
3. वे कैलेंडर वर्ष के अंत तक भारत के नियंत्रक और महालेखा परीक्षक को समेकित प्रणाली लेखा परीक्षा रिपोर्ट प्रस्तुत करेंगे।

ऊपर दिये गये कथनों में से कौन-सा सही है?

(a) केवल 1 **(b)** केवल 1 और 2
(c) केवल 3 **(d)** 1, 2 और 3

21. सेवा क्षेत्र दृष्टिकोण किस परिप्रेक्ष्य में लागू किया गया था? **[2019]**

(a) एकीकृत ग्रामीण विकास दृष्टिकोण
(b) लीड बैंक योजना
(c) महात्मा गांधी राष्ट्रीय ग्रामीण रोज़गार गारंटी योजना
(d) राष्ट्रीय कौशल विकास मिशन

22. निम्नलिखित में से कौन-सा विकल्प कभी-कभी समाचारों में देखे जानेवाले 'व्यापारी छूट दर' (Merchant discount rate) शब्द की सर्वश्रेष्ठ व्याख्या है? **[2018]**

(a) किसी बैंक द्वारा किसी व्यापारी को उस बैंक से संबंधित डेबिट कार्ड के माध्यम से भुगतान स्वीकार करने के लिए दिया जानेवाला प्रोत्साहन।
(b) बैंकों द्वारा अपने ग्राहकों को वापस भुगतान की गयी राशि, जब वे माल या सेवाओं की ख़रीद के लिए वित्तीय लेनदेन हेतु डेबिट कार्ड का उपयोग करते हैं।
(c) बैंक के डेबिट कार्ड के माध्यम से अपने ग्राहकों से भुगतान स्वीकार करने के लिए बैंक द्वारा किसी व्यापारी पर प्रभारित शुल्क।
(d) प्वाइंट ऑफ़ सेल (PoS) मशीनों और डेबिट कार्ड के माध्यम से अपने ग्राहकों द्वारा डिजिटल भुगतान को बढ़ावा देने के लिए सरकार द्वारा व्यापारियों को दिया जानेवाला प्रोत्साहन।

23. निम्नलिखित कथनों पर विचार कीजिए : **[2018]**

1. पूँजी पर्याप्तता अनुपात (CAR) वह राशि है, जिसे बैंकों को अपने स्वयं की निधियों के रूप में बनाये रखना होता है, ताकि यदि खाताधारक बक़ाया चुकाने में विफल रहते हैं, तो बैंकों को होनेवाले किसी भी नुक़सान की भरपाई की जा सके।
2. CAR प्रत्येक व्यक्तिगत बैंक द्वारा तय किया जाता है।

ऊपर दिये गये कथनों में से कौन-सा सही है?

(a) केवल 1 **(b)** केवल 2
(c) 1 और 2 दोनों **(d)** न तो 1 और न ही 2

24. निम्नलिखित कथनों पर विचार कीजिए : **[2018]**

1. भारतीय रिज़र्व बैंक, किसी राज्य सरकार की प्रतिभूतियों के विषय में नहीं, बल्कि भारत सरकार की प्रतिभूतियों का प्रबंधन करता और तदर्थ सेवाएँ देता है।
2. ट्रेज़री बिल, भारत सरकार द्वारा जारी किये जाते हैं और राज्य सरकारों द्वारा कोई ट्रेज़री बिल जारी नहीं किये जाते हैं।
3. ट्रेज़री बिल ऑफ़र, सममूल्य से छूट पर जारी किये जाते हैं।

ऊपर दिये गये कथनों में से कौन-सा/से सही है/हैं?

(a) केवल 1 और 2 **(b)** केवल 3
(c) केवल 2 और 3 **(d)** 1, 2 और 3

25. भारत में सार्वजनिक क्षेत्र बैंकिंग के शासन के संदर्भ में, निम्नलिखित कथनों पर विचार कीजिए : **[2018]**

1. भारत सरकार द्वारा सार्वजनिक क्षेत्र बैंकों में पूँजी निवेश पिछले दशक में तेज़ी से बढ़ा है।
2. सार्वजनिक क्षेत्र बैंकों को व्यवस्थित रखने के लिए, सहयोगी बैंकों का मूल भारतीय स्टेट बैंक ऑफ़ इंडिया में विलय किया गया है।

ऊपर दिये गये कथनों में से कौन-सा/से कथन सही है/हैं?

(a) केवल 1 **(b)** केवल 2
(c) 1 और 2 दोनों **(d)** न तो 1 और न ही 2

26. मौद्रिक नीति समिति (मौद्रिक नीति समिति (MPC)) के संबंध में निम्नलिखित में से कौन-सा कथन सही है/सही है? **[2017]**

1. यह भारतीय रिज़र्व बैंक की बेंचमार्क ब्याज दर तय करती है।

2. यह भारतीय रिज़र्व बैंक के गवर्नर सहित 12 सदस्यीय निकाय है और हर वर्ष इसका पुनर्गठन किया जाता है।

3. यह केंद्रीय वित्त मंत्री की अध्यक्षता में कार्य करती है।

नीचे दिये गये कोड का उपयोग करके सही उत्तर चुनें :

(a) केवल 1 **(b)** केवल 1 और 2

(c) केवल 3 **(d)** केवल 2 और 3

27. निम्नलिखित में से कौन-सा कथन हाल ही में समाचार में देखी गयी 'दबावयुक्त परिसम्पत्तियों की संधारणीय संरचना (S4A) के लिए योजना' शब्द का सबसे अच्छा वर्णन करता है? **[2017]**

(a) यह सरकार द्वारा निर्मित की गयी विकास योजनाओं की पारिस्थितिकीय लागतों पर विचार करने की प्रक्रिया है।

(b) यह वास्तविक कठिनाइयों का सामना कर रही बड़ी कॉर्पोरेट संस्थाओं के वित्तीय ढाँचे का पुनर्निमाण करने के लिए भारतीय रिज़र्व बैंक की एक योजना है।

(c) यह केन्द्रीय सार्वजनिक क्षेत्र उपक्रमों के संबंध में सरकार की विनिवेश योजना है।

(d) यह सरकार द्वारा हाल ही में लागू किये गये दिवाला और दिवालियापन संहिता में एक महत्त्वपूर्ण प्रावधान है।

28. भारत में लघु वित्त बैंकों (SFBs) की स्थापना का उद्देश्य क्या है? **[2017]**

1. लघु व्यवसाय इकाइयों को ऋण की आपूर्ति करना।

2. लघु और सीमांत किसानों को ऋण की आपूर्ति करना।

3. युवा उद्यमियों को विशेष रूप से ग्रामीण क्षेत्रों में व्यवसाय स्थापित करने के लिए प्रोत्साहित करना।

नीचे दिये गये कोड का उपयोग करके सही उत्तर चुनें :

(a) केवल 1 और 2 **(b)** केवल 2 और 3

(c) केवल 1 और 3 **(d)** 1, 2 और 3

29. निम्नलिखित कथनों पर विचार कीजिए: **[2017]**

1. नेशनल पेमेंट्स कॉर्पोरेशन ऑफ़ इंडिया (NPCI) देश में वित्तीय समावेशन को बढ़ावा देने में सहायता करता है।

2. NPCI ने रुपे, एक कार्ड भुगतान योजना, प्रारम्भ की है।

ऊपर दिये गये कथनों में से कौन-सा सही है/?

(a) केवल 1 **(b)** केवल 2

(c) 1 और 2 दोनों **(d)** न तो 1 और न ही 2

30. निम्नलिखित में से कौन-सा 'यूनिफ़ाइड पेमेंट्स इंटरफ़ेस' (UPI) को लागू करने का सबसे संभावित परिणाम है? **[2017]**

(a) ऑनलाइन भुगतान के लिए मोबाइल वॉलेट ज़रूरी नहीं होगा।

(b) दो दशकों में डिजिटल मुद्रा पूरी तरह से भौतिक मुद्रा की जगह ले लेगी।

(c) प्रत्यक्ष विदेशी निवेश प्रवाहों में भारी वृद्धि होगी।

(d) निर्धन लोगों को सब्सिडी का सीधा अंतरण बहुत प्रभावी हो जायेगा।

31. वित्तीय समावेशन को बढ़ावा देने के लिए भारत में 'पेमेंट्स बैंक' की स्थापना की अनुमति दी जा रही है। इस संदर्भ में निम्नलिखित में से कौन-सा/से कथन सही हैं? **[2016]**

1. मोबाइल टेलीफोन कंपनियाँ और सुपरमार्केट चेन, जिनका स्वामित्व और नियंत्रण निवासियों द्वारा किया जाता है, वे भुगतान बैंकों के प्रमोटर होने के लिए पात्र होती हैं।

2. भुगतान बैंक, क्रेडिट कार्ड और डेबिट कार्ड दोनों जारी कर सकते हैं।

3. भुगतान बैंक, ऋण गतिविधियाँ प्रारम्भ नहीं कर सकते हैं।

नीचे दिये गये कोड का उपयोग करके सही उत्तर चुनें :

(a) केवल 1 और 2 **(b)** केवल 1 और 3

(c) केवल 2 **(d)** 1, 2 और 3

32. कोर बैंकिंग समाधान शब्द कभी-कभी सुर्ख़ियों में देखा जाता है। निम्नलिखित में से कौन-सा कथन इस शब्द का सर्वोत्तम वर्णन करता है? **[2016]**

1. यह एक बैंक की शाखाओं की नेटवर्किंग है, जो ग्राहकों को अपने नेटवर्क पर बैंक की किसी भी शाखा से अपने खातों को संचालित करने में सक्षम बनाता है, चाहे वे अपना खाता कहीं से भी खोलते हों।

2. यह कंप्यूटरीकरण के माध्यम से वाणिज्यिक बैंकों पर भारतीय रिज़र्व बैंक का नियंत्रण बढ़ाने का प्रयास है।

3. यह एक विस्तृत प्रक्रिया है, जिसके द्वारा विशाल ग़ैर-निष्पादित परिसंपत्तियोंवाले बैंक का किसी अन्य बैंक द्वारा अधिग्रहण कर लिया जाता है।

नीचे दिये गये कोड का उपयोग करके सही उत्तर चुनें :

(a) केवल 1 और 2 **(b)** केवल 2 और 3

(c) केवल 1 और 3 **(d)** 1, 2 और 3

33. प्रधानमंत्री मुद्रा योजना का उद्देश्य है : **[2016]**

(a) छोटे उद्यमियों को औपचारिक वित्तीय प्रणाली में लाना।

(b) निर्धन किसानों को विशिष्ट फ़सलों की खेती के लिए ऋण प्रदान करना।

(c) वृद्ध और बेसहारा व्यक्तियों को पेंशन प्रदान करना।

(d) कौशल विकास और रोज़गार सृजन को बढ़ावा देने में समाविष्ट स्वैच्छिक संगठनों को वित्तपोषण प्रदान करना।

34. 'तृतीय बेसल समझौता' या सहज रूप से 'बेसल-III' प्राय: सुर्ख़ियों में देखा जाता है, इसका उद्देश्य है : **[2015]**

(a) जैविक विविधता के संरक्षण और संधारणीय उपयोग के लिए राष्ट्रीय रणनीतियों का विकास।

(b) वित्तीय और आर्थिक तनाव से निपटने और जोखिम प्रबंधन में सुधार करने के लिए बैंकिंग क्षेत्र की क्षमता में सुधार।

(c) ग्रीनहाउस गैस उत्सर्जन को कम करना, लेकिन इसकी ज़िम्मेदारी का अधिकाधिक भार विकसित देशों पर डालना।

(d) विकसित देशों से निर्धन देशों में प्रौद्योगिकी का हस्तांतरण करना, ताकि उन्हें प्रशीतन में क्लोरोफ़्लोरोकार्बन के उपयोग को हानिरहित रसायनों से प्रतिस्थापित करने में सक्षम किया जा सके।

35. जब भारतीय रिज़र्व बैंक ने वैधानिक तरलता अनुपात में 50 आधार अंकों की कमी की, तो निम्नलिखित में से कौन-सा होने की संभावना है? **[2015]**

(a) भारत की सकल घरेलू वृद्धि दर में भारी वृद्धि।
(b) विदेशी संस्थागत निवेशक हमारे देश में और अधिक पूँजी ला सकते हैं।
(c) अनुसूचित वाणिज्यिक बैंक अपनी ऋण दरों में कटौती कर सकते हैं।
(d) इससे बैंकिंग प्रणाली में तरलता में भारी कमी आ सकती है।

36. भारतीय अर्थव्यवस्था के संदर्भ में, निम्नलिखित पर विचार कीजिए : **[2015]**

1. बैंक दर
2. खुले बाज़ार संचालन (ओपन मार्केट ऑपरेशंस)
3. सार्वजनिक ऋण
4. सार्वजनिक राजस्व

उपर्युक्त में से कौन-सा मौद्रिक नीति का घटक/घटक है?

(a) केवल 1 **(b)** केवल 2, 3 और 4
(c) केवल 1 और 2 **(d)** 1, 3 और 4

37. लाभार्थियों को शाखाविहीन क्षेत्रों में व्यापार संवाददाता (बैंक साथी) की सेवाओं से क्या सुविधा/सुविधाएँ मिल सकती हैं? **[2014]**

1. यह लाभार्थियों को अपने गाँवों में सब्सिडी और सामाजिक सुरक्षा लाभ प्राप्त करने में सक्षम बनाता है।
2. यह ग्रामीण क्षेत्रों में लाभार्थियों को जमा और निकासी करने में सक्षम बनाता है।

नीचे दिये गये कोड का उपयोग करके सही उत्तर चुनें :

(a) केवल 1 **(b)** केवल 2
(c) 1 और 2 दोनों **(d)** न तो 1 और न ही 2

38. कभी-कभी समाचारों में प्रदर्शित होनेवाले शब्द 'सीमान्त स्थायी सुविधा दर' (मार्जिनल स्टैंडिंग फ़ैसिलिटी रेट) और 'निवल माँग और सावधि देयताएँ' (नेट डिमांड ऐंड टाइम लायबिलिटीज) का उपयोग इसके संबंध में किया जाता है : **[2014]**

(a) बैंकिंग संचालन **(b)** संचार नेटवर्किंग
(c) सैन्य रणनीतियाँ **(d)** कृषि उत्पादों की आपूर्ति और माँग

39. निम्नलिखित तरल परिसंपत्तियों पर विचार कीजिए : **[2013]**

1. बैंकों के पास माँग जमा
2. बैंकों के पास सावधि जमा
3. बैंकों के पास बचत जमा
4. करेंसी (मुद्रा)

तरलता के घटते क्रम में इन परिसंपत्तियों का सही अनुक्रम है :

(a) 1-4-3-2 **(b)** 4-3-2-1
(c) 2-3-1-4 **(d)** 4-1-3-2

40. भारतीय अर्थव्यवस्था के संदर्भ में, खुले बाज़ार संचालन (ओपन मार्केट ऑपरेशंस) का संदर्भ इससे होता है : **[2013]**

(a) अनुसूचित बैंकों द्वारा भारतीय रिज़र्व बैंक से उधार लेना
(b) वाणिज्यिक बैंकों द्वारा उद्योग और व्यापार के लिए ऋण लेना
(c) भारतीय रिज़र्व बैंक द्वारा सरकारी प्रतिभूतियों की ख़रीद और बिक्री
(d) उपर्युक्त में से कोई नहीं

41. भारत में बैंकों द्वारा प्राथमिकता क्षेत्र ऋण, इस हेतु ऋण प्रदायन का गठन करता है : **[2013]**

(a) कृषि **(b)** सूक्ष्म और लघु उद्यम
(c) कमज़ोर वर्ग **(d)** उपर्युक्त सभी

42. निम्नलिखित में से कौन-सा ग्रामीण परिवारों को सीधी ऋण सहायता प्रदान करता है? **[2013]**

1. क्षेत्रीय ग्रामीण बैंक
2. कृषि एवं ग्रामीण विकास बैंक (नेशनल बैंक फ़ॉर ऐग्रीकल्चर ऐंड रूरल डेवलपमेंट)
3. भूमि विकास बैंक

नीचे दिये गये कोड का उपयोग करके सही उत्तर चुनें :

(a) केवल 1 और 2 **(b)** केवल 2
(c) केवल 1 और 3 **(d)** 1, 2 और 3

43. भारतीय रिज़र्व बैंक, किन मामलों में वाणिज्यिक बैंकों को नियंत्रित करता है? **[2013]**

1. परिसंपत्तियों की तरलता 2. शाखा विस्तार
3. बैंकों का विलय 4. बैंकों का समापन

नीचे दिये गये कोड का उपयोग करके सही उत्तर चुनें :

(a) केवल 1 और 4 **(b)** केवल 2, 3 और 4
(c) केवल 1, 2 और 3 **(d)** 1, 2, 3 और 4

44. बैंक दर में वृद्धि सामान्य रूप से यह इंगित करती है कि-

(a) बाज़ार ब्याज दर में गिरावट की संभावना है। **[2013]**
(b) केंद्रीय बैंक अब वाणिज्यिक बैंकों को ऋण नहीं दे रहा है।
(c) केंद्रीय बैंक एक आसान मुद्रा नीति का पालन कर रहा है।
(d) केंद्रीय बैंक एक तंग मुद्रा नीति का पालन कर रहा है।

45. भारतीय रिज़र्व बैंक, बैंकरों के बैंक के रूप में कार्य करता है। इसका निहितार्थ निम्नलिखित में से कौन-सा होगा? **[2012]**

1. अन्य बैंक भारतीय रिज़र्व बैंक के पास अपनी जमा राशि बनाये रखते हैं।
2. भारतीय रिज़र्व बैंक आवश्यकता के समय वाणिज्यिक बैंकों को निधियाँ उधार देता है।
3. भारतीय रिज़र्व बैंक मौद्रिक मामलों पर वाणिज्यिक बैंकों को सलाह देता है।

नीचे दिये गये कोड का उपयोग करके सही उत्तर चुनें :

(a) केवल 2 और 3 **(b)** केवल 1 और 2
(c) केवल 1 और 3 **(d)** 1, 2 और 3

46. निम्नलिखित उपायों में से किस उपाय से अर्थव्यवस्था में मुद्रा की आपूर्ति में वृद्धि होगी? **[2012]**

1. केंद्रीय बैंक द्वारा जनता से सरकारी प्रतिभूतियों की ख़रीद।
2. जनता द्वारा वाणिज्यिक बैंकों में मुद्रा जमा करना।
3. केंद्रीय बैंक से सरकार द्वारा उधार लेना।
4. केंद्रीय बैंक द्वारा जनता के लिए सरकारी प्रतिभूतियों की बिक्री।

नीचे दिये गये कोड का उपयोग करके सही उत्तर चुनें :

(a) केवल 1 (b) केवल 2 और 4
(c) केवल 1 और 3 (d) 2, 3 और 4

47. लीड बैंक योजना का मूल विचार यह है कि- **[2012]**
(a) बड़े बैंकों को हर ज़िले में कार्यालय खोलने का प्रयास करना चाहिए।
(b) विभिन्न राष्ट्रीयकृत बैंकों के बीच कड़ी प्रतिस्पर्धा होनी चाहिए।
(c) व्यक्तिगत बैंकों को गहन विकास के लिए विशेष ज़िले को अपनाना चाहिए।
(d) सभी बैंकों को जमा राशि जुटाने के लिए गहन प्रयास करने चाहिए।

48. भारतीय रिज़र्व बैंक द्वारा बैंक दर कम करना इस ओर अग्रसर करता है : **[2011]**
(a) बाज़ार में अधिक तरलता
(b) बाज़ार में कम तरलता
(c) बाज़ार में तरलता में कोई परिवर्तन नहीं
(d) वाणिज्यिक बैंकों द्वारा अधिक जमा राशि जुटाया जाना

49. भारत में, कृषि और संबद्ध गतिविधियों के लिए ऋण वितरण में निम्नलिखित में से किसकी सबसे अधिक भागदारी है? **[2011]**
(a) वाणिज्यिक बैंक
(b) सहकारी बैंक
(c) क्षेत्रीय ग्रामीण बैंक
(d) सूक्ष्म वित्त (माइक्रोफ़ाइनेंस) संस्थान

50. भारत में बैंकिंग लोकपाल की संस्था के संदर्भ में, कौन-सा कथन सही नहीं है? **[2010]**
(a) बैंकिंग लोकपाल की नियुक्ति भारतीय रिज़र्व बैंक द्वारा की जाती है।
(b) बैंकिंग लोकपाल, भारत में खाते रखनेवाले अनिवासी भारतीयों की शिकायतों पर विचार कर सकता है।
(c) बैंकिंग लोकपाल द्वारा पारित आदेश पक्षों के लिए अंतिम और संबंधित बाध्यकारी होते हैं।
(d) बैंकिंग लोकपाल द्वारा प्रदान की जानेवाली सेवा किसी भी शुल्क से मुक्त होती है।

51. भारत के संदर्भ में, निम्नलिखित पर विचार कीजिए : **[2010]**
1. बैंकों का राष्ट्रीयकरण।
2. क्षेत्रीय ग्रामीण बैंकों का गठन।
3. बैंक शाखाओं द्वारा गाँवों को गोद लेना।

उपर्युक्त में से किसको भारत में वित्तीय समावेशन प्राप्त करने के लिए उठाये गये कदमों के रूप में माना जा सकता है?

(a) केवल 1 और 2 (b) केवल 2 और 3
(c) केवल 3 (d) 1, 2 और 3

52. निम्नलिखित कथनों पर विचार कीजिए : **[2010]**
भारत में वाणिज्यिक बैंकों के कार्यों में समाविष्ट हैं
1. ग्राहकों की ओर से शेयरों और प्रतिभूतियों की ख़रीद और बिक्री
2. वसीयतों के निष्पादकों और न्यासियों के रूप में कार्य करना

ऊपर दिये गये कथनों में से कौन-सा/से सही है/हैं?

(a) केवल 1 (b) केवल 2
(c) 1 और 2 दोनों (d) न तो 1 और न ही 2

53. भारत में सभी राष्ट्रीयकृत वाणिज्यिक बैंकों में बचत खाते पर ब्याज दर किसके द्वारा तय की जाती है? **[2010]**
(a) केंद्रीय वित्त मंत्रालय (b) केंद्रीय वित्त आयोग
(c) भारतीय बैंक संघ (d) उपर्युक्त में से कोई नहीं

54. निम्नलिखित में से कौन-सी शर्तें वाणिज्यिक बैंकों द्वारा सरकार को ऋण प्रदान करने के लिए उपयोग किये जानेवाले तंत्र को इंगित करती हैं? **[2010]**
(a) नक़द ऋण अनुपात
(b) ऋण सेवा दायित्व
(c) तरलता समायोजन (लिक्विडिटी एडजस्टमेंट) की सुविधा
(d) वैधानिक तरलता अनुपात

55. भारत में ग़ैर-बैंकिंग वित्तीय कंपनियों **(NBFC)** के संदर्भ में, निम्नलिखित कथनों पर विचार कीजिए : **[2010]**
1. वे सरकार द्वारा जारी प्रतिभूतियों के अधिग्रहण में समाविष्ट नहीं हो सकतीं।
2. वे बचत खाते की तरह माँग जमा स्वीकार नहीं कर सकतीं।

ऊपर दिये गये कथनों में से कौन-सा सही है?

(a) केवल 1 (b) केवल 2
(c) 1 और 2 दोनों (d) न तो 1 और न ही 2

56. जब भारतीय रिज़र्व बैंक नक़द आरक्षित अनुपात में वृद्धि की घोषणा करता है, तो इसका क्या अर्थ होता है? **[2010]**
(a) वाणिज्यिक बैंकों के पास ऋण देने के लिए कम मुद्रा होगी।
(b) भारतीय रिज़र्व बैंक के पास ऋण देने के लिए कम मुद्रा होगी।
(c) केंद्र सरकार के पास ऋण देने के लिए कम मुद्रा होगी।
(d) वाणिज्यिक बैंकों के पास ऋण देने के लिए अधिक मुद्रा होगी।

उत्तर कुंजी

1. (c) 2. (b) 3. (a) 4. (a) 5. (c) 6. (b) 7. (b) 8. (a) 9. (c) 10. (b) 11. (b) 12. (b) 13. (b) 14. (a) 15. (c) 16. (b) 17. (d) 18. (a) 19. (d) 20. (a) 21. (b) 22. (c) 23. (a) 24. (c) 25. (b) 26. (a) 27. (b) 28. (a) 29. (c) 30. (a) 31. (b) 32. (a) 33. (a) 34. (b) 35. (c) 36. (c) 37. (c) 38. (a) 39. (d) 40. (c) 41. (d) 42. (c) 43. (d) 44. (d) 45. (a) 46. (c) 47. (c) 48. (a) 49. (a) 50. (c) 51. (d) 52. (c) 53. (d) 54. (d) 55. (b) 56. (a)

यूपीएससी सिविल सेवा के पिछले वर्षों की मुख्य परीक्षा के प्रश्न

1. बिना बैंकवाले लोगों को संस्थागत वित्त की परिधि में लाने के लिए प्रधानमंत्री जनधन योजना (PMJDY) आवश्यक है। क्या आप भारतीय समाज के निर्धन वर्ग के वित्तीय समावेशन हेतु इससे सहमत हैं? अपनी राय को सही ठहराने के लिए तर्क दें। **[2016]**

☞ **कोई प्रश्न नहीं**

2024, 2023, 2022, 2021, 2020, 2019, 2018, 2017, 2015, 2014, 2013

अध्याय

12

वित्तीय बाज़ार (Financial Market)

अध्याय की रूपरेखा

- वित्तीय बाज़ार
- मुद्रा बाज़ार
- मुद्रा बाज़ार से संबंधित पद या शब्द
- सामान्य मुद्रा बाज़ार उपकरण
- पूँजी बाज़ार
- प्राथमिक बाज़ार बनाम द्वितीयक बाज़ार
- पूँजी बाज़ार के प्रमुख वित्तीय उपकरण
- शेयर
- ऋणपत्र
- बंधपत्र
- भारत में कुछ प्रमुख बंधपत्र
- सॉवरेन गोल्ड बंधपत्र स्कीम
- म्यूचुअल फ़ंड
- व्युत्पन्न
- रियल एस्टेट इनवेस्टमेंट ट्रस्ट
- एक्सचेंज ट्रेडेड फ़ंड
- भारतीय प्रतिभूति और विनिमय बोर्ड
- सेबी के कार्य
- सेबी और पूँजी बाज़ार सुधार
- प्रतिभूति अपीलीय न्यायाधिकरण
- स्टॉक एक्सचेंज
- बॉम्बे स्टॉक एक्सचेंज
- नेशनल स्टॉक एक्सचेंज
- अंतरराष्ट्रीय वित्तीय सेवा केंद्र प्राधिकरण
- स्पॉट एक्सचेंज
- डिजिटल प्रौद्योगिकियों के उपयोग पर भारतीय अनुभव
- इंडियन एनर्जी एक्सचेंज
- इंडियन गैस एक्सचेंज
- विदेशी खाता कर अनुपालन अधिनियम
- क्रेडिट रेटिंग एजेंसी

वित्तीय बाज़ार (FINANCIAL MARKET)

वित्तीय बाज़ार एक ऐसा स्थान या व्यवस्था होती है जहाँ ख़रीदार और विक्रेता **बॉण्ड, इक्विटी, स्टॉक, विभिन्न अंतरराष्ट्रीय मुद्राओं और व्युत्पन्न (derivatives)** जैसे वित्तीय साधनों का व्यापार करते हैं। वित्तीय बाज़ार उन लोगों के बीच व्यापार की सुविधा प्रदान करते हैं जिन्हें पूँजी की आवश्यकता होती है और जिनके पास निवेश करने के लिए पूँजी होती है। यह मूल रूप से दो प्रकार का होता है – **पूँजी बाज़ार (Capital Market)** और **मुद्रा बाज़ार (Money Market)**।

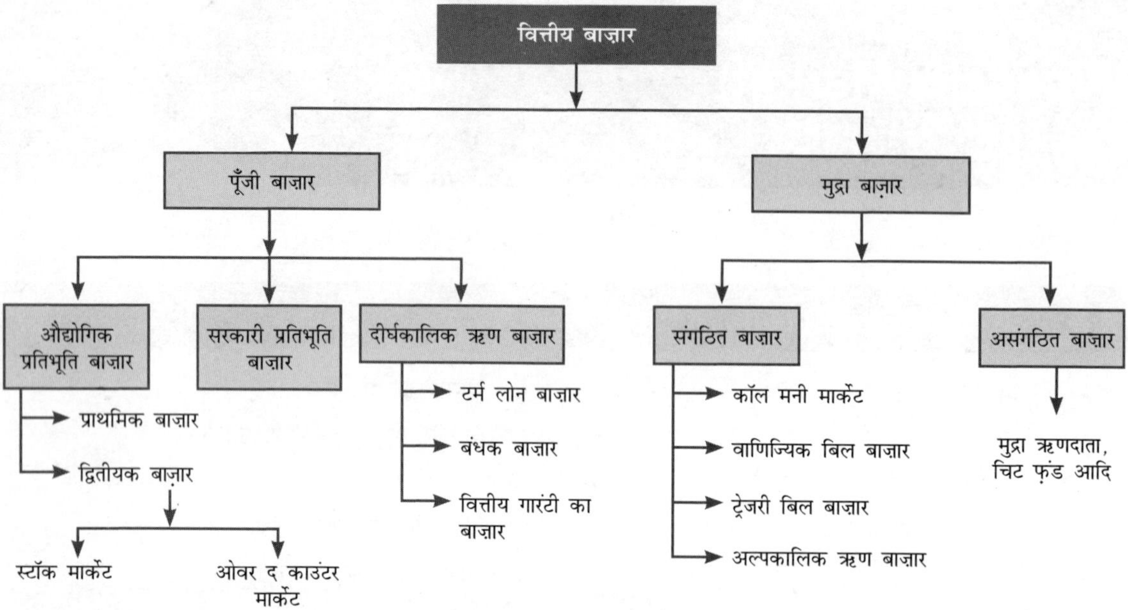

वित्तीय बाज़ार के कार्य (Functions of Financial Market)

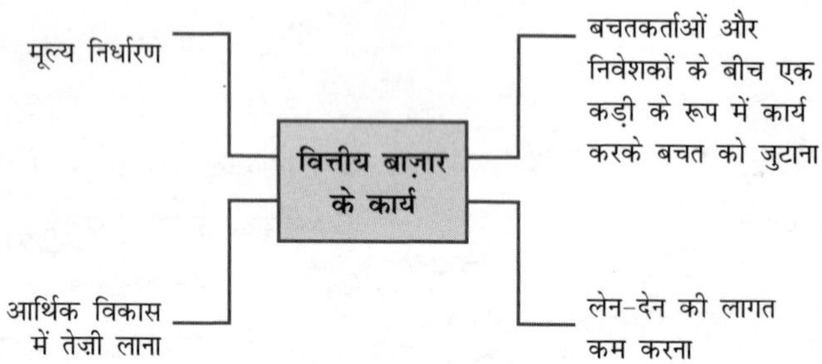

मुद्रा बाज़ार (MONEY MARKET)

- मुद्रा बाज़ार एक ऐसा स्थान होता है, जहाँ अल्प-कालिक ऋण और वित्तीय परिसंपत्तियाँ (**1 वर्ष तक की परिपक्वता**) ख़रीदी और बेची जाती हैं। संगठित मुद्रा बाज़ार में **भाग लेनेवाले** RBI, बैंक, गैर-बैंकिंग वित्तीय कंपनियाँ (NBFCs), म्यूचुअल फ़ंड, बीमा कंपनियाँ, वित्तीय संस्थान (FIs) आदि हैं।
- इन प्रतिभूतियों को ख़रीदने और बेचने के लिए **कोई निश्चित स्थान नहीं** होता है और इनका लेन-देन ऑनलाइन हो सकता है।
- भारत में प्राचीन काल से ही एक असंगठित मुद्रा बाज़ार है, जिसमें स्थानीय साहूकार, चिट फ़ंड आदि सम्मिलित हैं। ये सरकार द्वारा विनियमित नहीं हैं।

मुद्रा बाज़ार से संबंधित पद या शब्द (Terms Relating to Money Market)

माँग मुद्रा (Call Money)	धन, जो एक दिन के लिए ऋण पर दिया गया है या उधार पर लिया गया है।
नोटिस मनी (Notice Money)	धन, जो 2–14 दिन की अवधि के लिए ऋण पर दिया गया है या उधार पर लिया गया है।
टर्म मनी (Term Money)	धन, जो 15 दिन से 1 वर्ष के लिए ऋण पर दिया गया है या उधार पर लिया गया है।
परिपक्वता प्रतिफल [Yield to Maturity (YTM)]	बाज़ार से ख़रीदी गयी वर्तमान प्रतिभूति पर प्रतिफल (return) की संभावित दर।
ब्याज दर (Coupon Rate)	निर्गम के समय निश्चित परिपक्वता प्रतिभूति पर विनिर्दिष्ट ब्याज दर।

सामान्य मुद्रा बाज़ार उपकरण (Common Money Market Instruments)

- राजकोष विपत्र [Treasury Bills (T-Bills)]
- पुनःक्रय समझौते (Repurchase Agreements)
- अल्प-कालिक सरकारी बंधपत्र (Short-term Government Bond)
- नक़द प्रबंधन विपत्र [Cash Management Bill (CMB)]
- अर्थोपाय अग्रिम [Ways and Means Advances (WMA)]
- जमा प्रमाणपत्र [Certificate of Deposit (CD)]
- वाणिज्यिक प्रपत्र [Commercial Paper (CP)]
- वाणिज्यिक विपत्र [Commercial Bill (CB)]
- बैंकर की स्वीकृति [Banker's Acceptance (BA)]
- मनी मार्केट म्युचुअल फ़ंड [Money Market Mutual Fund (MMMF)]

राजकोष विपत्र [Treasury Bills (T-Bills)]

ये भारत सरकार की अल्प-कालिक वित्तीय आवश्यकताओं को पूरा करने के लिए मुद्रा बाज़ार उपकरण हैं।

सामान्य रूप से, प्रत्यक्ष और अप्रत्यक्ष करों के माध्यम से प्राप्त होनेवाले सरकारी राजस्व की प्राप्तियों की प्रकृति नियत-कालिक और मौसमी होती है। सरकार को निर्धारित करों (जीएसटी रिटर्न, त्रैमासिक अग्रिम कर दाख़िल या क्वॉर्टरली ऐडवांस टैक्स फ़ाइलिंग आदि) की नियत तिथियों के बीत जाने पर राजस्व प्राप्त होता है, जबकि व्यय दैनिक आधार पर होता है, जिसके लिए अल्प-कालिक फ़ंड की आवश्यकता होती है। इसलिए, सरकार के बैंकर के रूप में **RBI सरकार की तरफ़ से राजकोष विपत्र या T-Bills को बेचता है।**

राजकोष विपत्र की विशेषताएँ (Features of T-Bills)

- ये छूट पर मिली प्रतिभूतियाँ (discounted securities) होती हैं, अर्थात् जिन्हें **छूट देकर जारी किया जाता (issued at discount)** है और अंकित मूल्य (Face value) या बराबर मूल्य (Par value) पर छुड़ाया जाता है। उदाहरणस्वरूप, एक राजकोष विपत्र ₹97 पर जारी किया जा सकता है, जिसका अंकित मूल्य या बराबर मूल्य ₹100 है। ₹3 का अंतर उधार देनेवाले की ब्याज आय होगी।
- इन विपत्रों को *जोखिम-मुक्त* माना जाता है। ये अत्यधिक तरल होते हैं।
- ये विपत्र केंद्र सरकार द्वारा जारी किये जाते हैं और सरकार की तरफ़ से **RBI द्वारा इन्हें बेचा जाता है**। राज्य सरकार राजकोष विपत्र जारी नहीं करती।
- **राजकोष विपत्र के ख़रीदारों में** स्वयं RBI, वाणिज्यिक बैंक, NBFC, LIC, यूनिट ट्रस्ट ऑफ़ इंडिया (UTI) और जनरल इंश्योरेंश कंपनी (GIC) सम्मिलित हैं। व्यक्ति, ट्रस्ट और संस्थाएँ इन विपत्रों को ख़रीद सकती हैं। इन्हें निम्न माध्यमों से ख़रीदा जा सकता है–
    a. **रिटेल डायरेक्ट स्कीम अकाउंट (Retail Direct Scheme Account) :** राजकोष विपत्र ख़रीदने के लिए RBI के पास खाता खोलना।

b. **स्टॉक एक्सचेंज (Stock exchange)** : स्टॉक एक्सचेंज के माध्यम से राजकोष विपत्र ख़रीदना।

c. **अधिकृत ब्रोकर (Authorised brokers)** : अधिकृत ब्रोकर के माध्यम से राजकोष विपत्र ख़रीदना।

- सक्रिय/नीलामी टी-बिल **चार प्रकार** के होते हैं, जो उनकी अवधि पर निर्भर करते हैं :
  - 14 दिन का राजकोष विपत्र
  - 91 दिन का राजकोष विपत्र
  - 182 दिन का राजकोष विपत्र
  - 364 दिन का राजकोष विपत्र
- बैंक राजकोष विपत्र को Statutory Liquidity Ratio (SLR) आवश्कताओं के एक भाग के रूप में रख सकते हैं और रेपो (Repo) के अंतर्गत ऋण प्राप्त करने के लिए RBI को राजकोष विपत्र दे भी सकते हैं।
- राजकोष विपत्र न्यूनतम ₹25,000 की राशि में उपलब्ध होते हैं या ₹25,000 के गुणक में उपलब्ध होते हैं।

अतिरिक्त जानकारी

राजकोष विपत्र पर प्रतिफल दर (YIELD RATE ON TREASURY BILLS)

राजकोष विपत्र से उत्पन्न प्रतिफल के प्रतिशत की गणना निम्न सूत्र का उपयोग करके की जा सकती है -

$$Y = (100 - P)/P \times 365/D \times 100$$

जहाँ Y = प्रतिफल प्रतिशत (Return per cent)

P = छूट मूल्य जिस पर प्रतिभूति ख़रीदी जाती है (Discounted price at which a security is purchased)

D = विपत्र की अवधि (Tenure of the bill)

उदाहरण : यदि RBI 91-दिन के राजकोष विपत्र ₹96 के छूट मूल्य पर जारी करता है और विपत्र का अंकित मूल्य ₹100 है, तो ऐसे G-Sec पर प्रतिफल की गणना निम्न प्रकार से की जा सकती है -

$$\text{प्रतिफल (Yield)} = (100 - 96)/96 \times 365/91 \times 100 = 16.71\%$$

पुनःक्रय समझौते (Repurchase Agreements)

- पुनःक्रय समझौते, जिन्हें अक्सर रेपो के रूप में जाना जाता है, अल्प-कालिक ऋण व्यवस्थाएँ हैं, जिसमें बैंक, निवेशक को प्रतिभूतियाँ बेचता है, आमतौर पर सरकारी बंधपत्र (बॉण्ड) या स्थिर मूल्योंवाले अन्य ऋण उपकरण और फिर कुछ समय बाद उन्हें थोड़ी अधिक क़ीमत पर पुनः ख़रीद लेता है।
- रेपो दो प्रकार के होते हैं - ओवरनाइट रेपो (अगले दिन परिपक्व होनेवाले) और टर्म रेपो (भविष्य की तिथि पर परिपक्व होनेवाले)। जिन रेपो की कोई परिपक्वता तिथि नहीं होती है, उन्हें ओपन रेपो (Open Repo) कहा जाता है तथा इन्हें किसी भी समय, किसी भी पक्ष द्वारा समाप्त किया जा सकता है।

अल्प-कालिक सरकारी बंधपत्र (Short-Term Government Bond)

- अल्प-कालिक परिपक्वता अवधिवालीं सरकारी ऋण प्रतिभूतियाँ, आमतौर पर कुछ माह से लेकर कुछ वर्षों तक, अल्प-कालिक सरकारी बंधपत्र के रूप में जानी जाती हैं। चूँकि सरकार स्वयं अपने पूर्ण विश्वास और ऋण के साथ इन बंधपत्रों को जारी करती है, इसलिए इन्हें कम जोखिमवाले निवेश के रूप में माना जाता है।

नक़द प्रबंधन विपत्र [Cash Management Bill (CMB)]

- CMB को 2010 में शुरू किया गया।

- यह सरकार की तरफ़ से RBI द्वारा बेची जानेवाली एक अल्प-कालिक प्रतिभूति है, जिसका उद्देश्य केंद्र सरकार की अस्थायी ज़रूरतों के लिए धन जुटाना है।
- यह **राजकोष विपत्र के समान** होता है, लेकिन इसकी **अवधि 91 दिन से कम** होती है।
- यह राजकोष विपत्र की तरह नीलामी के माध्यम से अंकित मूल्य पर छूट के साथ जारी किया जाता है, जिसका उद्देश्य सरकार के अल्प-कालिक नक़द प्रवाह के असंतुलन को ठीक करना होता है।
- बैंकिंग विनियमन अधिनियम 1949 की धारा 24 के अंतर्गत SLR प्रयोजनों के लिए बैंकों द्वारा CMB निवेश को योग्य सरकारी प्रतिभूति निवेश (qualified government securities investments) के रूप में भी स्वीकार किया जाता है

अर्थोपाय अग्रिम [Ways and Means Advances (WMA)]

- WMA को RBI और भारत सरकार के बीच हुए एक समझौते के अनुसार शुरू किया गया। WMA RBI ऐक्ट के भाग 17(5) के अंतर्गत RBI द्वारा सरकार (केंद्र और राज्य दोनों) को दिये जानेवाला अस्थायी ऋण/ओवरड्राफ़्ट हैं। WMA ने अस्थायी (adhoc) राजकोष विपत्र प्रणाली का स्थान लिया है।
- WMA का उद्देश्य सरकार के व्यय और प्राप्तियों के बीच **असंतुलन के समय-अंतराल को भरना** है। यह वित्त का स्रोत नहीं है। अग्रिम या ऐडवांस की अवधि केंद्र सरकार और राज्य सरकारों के लिए क्रमश**: 10 और 14 दिन के लगातार कार्य दिवस** की होती है। यदि सरकार WMA के तहत RBI से तत्काल नक़दी का लाभ उठाती है, तो राशि 90 दिनों के भीतर वापस कर दी जानी चाहिए।
- यदि WMA पुन:भुगतान 90 दिनों से अधिक हो जाता है, तो इसे ओवरड्राफ़्ट (overdraft) के रूप में माना जाता है।
- अर्थोपाय अग्रिम को सामान्य या विशेष के रूप में वर्गीकृत किया जा सकता है।
- राज्य की सरकारी प्रतिभूतियों का उपयोग विशेष WMA या विशेष आहरण सुविधा के लिए संपार्श्विक (collateral) के रूप में किया जाता है।
- SDF सीमा तक पहुँचने के बाद राज्य को सामान्य WMA प्राप्त होता है।
- सामान्य WMA के लिए, RBI से वित्त पोषण के लिए लागू ब्याज दर रेपो दर है और ओवरड्राफ़्ट रेपो जमा 2 प्रतिशत के दर पर दिये जाते हैं।

जमा प्रमाणपत्र [Certificate of Deposit (CD)]

- जमा प्रमाणपत्र [Certificate of Deposit (CD)] अनुसूचित वाणिज्यिक बैंकों [Scheduled Commercial Banks (SCBs)] (क्षेत्रीय ग्रामीण बैंकों और स्थानीय क्षेत्र के बैंकों को छोड़कर) और चयनित वित्तीय संस्थाओं [Financial Institutions (FIs)] द्वारा जारी किये जाते हैं, जिन्हें अल्प-कालिक फ़ंड जुटाने के लिए RBI द्वारा अनुमति मिली हुई है। बैंकों द्वारा इसका उपयोग अपनी स्वयं की अल्प-कालिक फ़ंड आवश्यकताओं को पूरा करने के लिए किया जाता है।
- एक CD की न्यूनतम राशि ₹1 लाख होनी चाहिए और उसके आगे ₹1 लाख के गुणक में होनी चाहिए।
- SCBs द्वारा जारी CD की परिपक्वता अवधि **7 दिन से अधिक और 1 वर्ष से कम** होती है। FIs जारी करने की तिथि से 1 वर्ष से कम और 3 वर्ष से अधिक अवधि के लिए CD जारी कर सकते हैं। नियत तिथि से पहले CD की निकासी (Withdrawal) पर जुर्माना देना पड़ता है।
- CD, व्यक्तियों, निगमों, कंपनियों (बैंकों और प्राथमिक डीलरों सहित), न्यासों (trusts), कोषों (funds), संघों आदि को जारी किये जा सकते हैं। अनिवासी भारतीय (NRIs) भी CD को सब्सक्राइब कर सकते हैं, लेकिन केवल ग़ैर-प्रत्यावर्तनीय (non-repatriable) आधार पर।
- CD अंकित मूल्य पर **छूट के साथ जारी किये जाते** हैं। **व्यक्तियों, कॉर्पोरेट्स, म्यूचुअल फ़ंड कंपनी, बीमा कंपनियों आदि द्वारा जमा कराया जा सकता है।**
- CD, स्वतंत्र रूप से हस्तांतरणीय (transferable) हैं।
- यह आयकर अधिनियम के तहत कर योग्य है।

➤ बैंक/वित्तीय संस्थाएँ, CD के बदले ऋण नहीं दे सकती हैं। इसके अलावा, वे परिपक्वता से पहले अपने CD को वापस नहीं ख़रीद सकते हैं।

वाणिज्यिक प्रपत्र [Commercial Paper (CP)]

➤ CP एक अल्प-कालिक मुद्रा बाज़ार उपकरण है, जिसे 1990 के दौरान एक असुरक्षित वचन मुद्रा (unsecured promissory note) के रूप में जारी किया गया था तथा जिसे निजी रूप से रखा जाता है।

➤ कंपनियाँ, प्राथमिक डीलर (PDs) और RBI द्वारा अनुमति प्राप्त FIs अपनी अल्प-कालिक निधि आवश्यकताओं को पूरा करने के लिए CPs जारी कर सकते हैं। एक कॉर्पोरेट CP जारी करने के लिए पात्र होगा बशर्ते वह निर्दिष्ट वित्तीय शर्तों का अनुपालन करता हो।

➤ परिपक्वता अवधि **न्यूनतम 7 दिन और अधिकतम 1 वर्ष तक** है तथा इसकी न्यूनतम राशि **5 लाख और उसके आगे 5 लाख के गुणक में** होती है। जारीकर्ता के लिए अपनी क्रेडिट रेटिंग कराना आवश्यक होता है।

➤ वाणिज्यिक प्रपत्र व्यक्तियों, बैंकिंग कंपनियों, भारत में पंजीकृत या निगमित अन्य कॉर्पोरेट निकायों और अनिगमित निकायों, अनिवासी भारतीयों (NRIs) और विदेशी संस्थागत निवेशकों (FIIs) द्वारा ख़रीदे जा सकते हैं।

ध्यान दें :
वाणिज्यिक प्रपत्र के रिआयती मूल्य का आकलन करने का सूत्र :
मूल्य (Price) = अंकित मूल्य/[1 + प्रतिफल × (परिपक्वता के लिए दिनों की संख्या/365)]
प्रतिफल (Yield) = (अंकित मूल्य − मूल्य)/(मूल्य × परिपक्वता के लिए दिनों की संख्या) × 365 × 100

वाणिज्यिक विपत्र [Commercial Bill (CB)]

➤ बिल विक्रेता या ख़रीदार द्वारा जारी की गयी **हुण्डी (negotiable instruments)** होते हैं, जो दी गयी वस्तुओं के मूल्य के लिए होती हैं। इन्हें **व्यापारिक बिल (trade bill)** कहा जाता है।

➤ व्यापारिक बिल या ट्रेड बिल **जब वाणिज्यिक बैंकों द्वारा स्वीकार किये जाते हैं,** तब वे कमर्शियल बिल या CB बन जाते हैं। अधिकतम स्वीकृत अवधि 90 दिन है।

➤ इन बिलों पर पहले वाणिज्यिक बैंकों द्वारा छूट दी जाती है और इसके बाद RBI द्वारा इन पर पुनः छूट दी जाती है।

➤ यह **भारत में लोकप्रिय नहीं है** तथा भारत में CB के लिए बाज़ार अल्प-विकसित है।

बैंकर की स्वीकृति [Bankers Acceptance (BA)]

बैंक द्वारा तैयार और स्वीकृत किया गया एक टाइम ड्राफ़्ट बैंकर की स्वीकृति (BA) के रूप में जाना जाता है। ड्राफ़्ट ड्रॉअर से बैंक को एक निर्देश है कि वह किसी निर्दिष्ट व्यक्ति या ड्राफ़्ट धारक को एक निश्चित तिथि पर एक निश्चित राशि का भुगतान करे। स्वीकृति से पहले यह बैंक का दायित्व नहीं है।

मनी मार्केट म्युचुअल फ़ंड [Money Market Mutual Fund (MMMF)]

मनी मार्केट म्यूचुअल फ़ंड कम परिपक्वता और कम क्रेडिट जोखिमवालीं ऋण प्रतिभूतियों में निवेश करता है। MMMF निवेश के सबसे कम अस्थिर प्रकारों में से एक है। मनी मार्केट म्यूचुअल फ़ंड की आय कर-योग्य या कर-मुक्त हो सकती है, यह उन प्रतिभूतियों पर निर्भर करता है, जिनमें वह निवेश करता है।

मुद्रा बाज़ार सुधार [Money Market Reforms]

सुखमय चक्रवर्ती समिति (1985), **वाघुल समिति** (1987) और **नरसिम्हम समिति** (1991) की सिफ़ारिशों पर :

➤ ब्याज दर को विनियंत्रित कर दिया गया था।

➤ अधिक पारदर्शिता प्रदान करने के लिए इलेक्ट्रॉनिक लेनदेन को बढ़ावा दिया गया था।

- मुद्रा बाज़ार म्यूचुअल फ़ंड (MMMF) ने कॉर्पोरेट्स और व्यक्तियों को इकाइयाँ बेचने की अनुमति दी।
- भारतीय रिज़र्व बैंक, सार्वजनिक क्षेत्र के बैंकों और वित्तीय संस्थानों द्वारा संयुक्त रूप से भारतीय छूट और वित्त गृह, अर्थात् डिस्काउंट ऐंड फ़ाइनेंस हाउस ऑफ़ इंडिया (DFHI) की स्थापना की गयी थी।
- तरलता समायोजन सुविधा (LAF) शुरू की गयी। LAF RBI द्वारा वित्तीय संसाधनों के अवशोषण और इंजेक्शन के माध्यम से बाज़ार में तरलता को समायोजित करती है।
- बाज़ार स्थिरीकरण योजना, अर्थात् मार्केट स्टैबिलाइजेशन स्कीम (MSS) आदि जैसे नये बाज़ार स्थिरीकरण का विकास।

पूँजी बाज़ार (CAPITAL MARKET)

व्यापक रूप से, यह एक ऐसा स्थान है, जहाँ बचत और पूँजी निवेशकों से उन कंपनियों या इकाइयों तक पहुँचती हैं, जिन्हें अपने व्यवसाय या उसके संचालन के लिए धन की आवश्यकता होती है।

व्यवसायों को अपनी संवृद्धि को बढ़ाने के लिए पूँजी या वित्त की आवश्यकता होती है। उदाहरणस्वरूप, नयी भूमि, इमारत या मशीन की ख़रीद, नये कर्मचारियों की भर्ती, नये उत्पादों का विकास आदि। इसके अतिरिक्त, कोई भी व्यवसाय केवल अपने वित्तीय संसाधनों के बल पर आगे नहीं बढ़ सकता है। उसे वित्त के नये और बाह्य स्रोतों की ओर देखना ही पड़ता है। इस तरह के व्यवसाय या बिज़नेस अपनी वित्त आवश्यकताओं के लिए पूँजी बाज़ार का उपयोग कर सकते हैं।

जिन व्यक्तियों और संस्थाओं के पास **अधिशेष फ़ंड (surplus funds)** या **बचत (savings)** होती है, वे पूँजीगत लाभ और आय के लिए पूँजी बाज़ारों में निवेश करने के रास्ते तलाशते हैं। इस प्रकार, पूँजी बाज़ार **बचत** और **अधिशेष फ़ंड को निवेश की तरफ़ मोड़ने** के उद्देश्य को पूरा करता है।

यहाँ तक कि सरकार भी अपने विकास लक्ष्यों, जैसे- नये अवसंरचना निर्माण और पूँजी निर्माण को पूरा करने के लिए पूँजी बाज़ार में भाग लेती है और सरकारी बंधपत्र या **दिनांकित सरकारी प्रतिभूतियों (Dated Government Securities)** के माध्यम से व्यक्तियों और वित्तीय संस्थाओं से फ़ंड जुटाती है।

पूँजी बाज़ार में क़र्ज़ **(बंधपत्र, ऋणपत्र, आदि)** और न्यायसम्य **[equity (share)]** दोनों सम्मिलित हैं। सामान्य रूप से पूँजी बाज़ार में निवेश की अवधि 1 वर्ष से अधिक होती है, क्योंकि यह उधार लेनेवाले की दीर्घ-कालिक आवश्यकताओं को पूरा करता है।
पूँजी बाज़ार दो प्रकार के हो सकते हैं- प्राथमिक बाज़ार और द्वितीयक बाज़ार।

1. **प्राथमिक बाज़ार (Primary Markets)** ऐसी जगहें हैं, जहाँ सामान्य रूप से पहली बार नवीन पूँजी या फ़ंड को जुटाया जाता है, जैसे **प्रारम्भिक सार्वजनिक प्रस्ताव [Initial Public Offer (IPO)]**, **फ़ॉलो-ऑन पब्लिक ऑफ़र (FPO)** आदि के माध्यम से फ़ंड जुटाना। इसे **नवीन निर्गम बाज़ार (new issue market)** भी कहा जाता है। व्यक्ति (इन्हें खुदरा निवेशक कहा जाता है), वित्तीय संस्थाएँ, म्यूचुअल फ़ंड और बीमा कंपनियाँ किसी कंपनी के नये शेयर निर्गम ख़रीद सकते हैं। IPO के लिए भारतीय प्रतिभूति एवं विनिमय बोर्ड [Securities and Exchange Board of India (SEBI)] की पूर्व अनुमति आवश्यक है।
2. **द्वितीयक बाज़ार (Secondary Markets)** ऐसी जगहें, जहाँ कंपनियों की वर्तमान प्रतिभूतियों का कारोबार स्टॉक एक्सचेंज, जैसे बॉम्बे स्टॉक एक्सचेंज (BSE) और नेशनल स्टॉक एक्सचेंज (NSE) के माध्यम से किया जाता है। यहाँ, सार्वजनिक रूप से कारोबार करनेवालीं कंपनियाँ अतिरिक्त फ़ंड को जुटा सकती हैं। यह उन निवेशकों के लिए अनुकूल होता है, जो एक अच्छी तरह स्थापित कंपनियों में निवेश की तलाश में रहते हैं। निवेशकों के पास सेंट्रल डिपॉज़िटरीज सर्विसेज लिमिटेड (CDSL) या नेशनल सिक्युरिटीज़ डिपॉज़िटरी लिमिटेड (NSDL) जैसी डिपॉज़िटरी के साथ एक **डीमैट अकाउंट** तथा प्रतिभूतियों की ख़रीद/बिक्री के लिए एक स्टॉक ब्रोकर के साथ एक ट्रेडिंग अकाउंट की ज़रूरत होती है।

   द्वितीयक बाज़ार बहुत महत्त्वपूर्ण है और **SEBI द्वारा विनियमित** होते हैं। यह वह स्थान है, जहाँ प्रतिभूतियों की निरंतर ख़रीद और बिक्री होती रहती है।

प्राथमिक बाज़ार *बनाम* द्वितीयक बाज़ार (PRIMARY MARKET *VS* SECONDARY MARKET)

प्राथमिक बाज़ार	द्वितीयक बाज़ार
नयी बाज़ार प्रतिभूतियाँ बेची जाती हैं।	केवल मौजूदा शेयरों का कारोबार होता है।
केवल प्रतिभूतियों की ख़रीद की जाती है।	प्रतिभूतियों की ख़रीद और बिक्री दोनों की जाती है।
SEBI की आवश्यकताओं का अनुपालन करते हुए प्रतिभूतियों की क़ीमत कंपनी के प्रबंधन द्वारा निश्चित की जाती है।	प्रतिभूतियों की क़ीमत बाज़ार की माँग और आपूर्ति द्वारा निर्धारित होती है।
प्राथमिक बाज़ार के लिए किसी तरह कोई निश्चित भौगोलिक स्थान नहीं होता।	ये निर्दिष्ट स्थानों पर स्थित होते हैं, जैसे NSE मुंबई में स्थित है।
प्राथमिक बाज़ार में प्रमुख मध्यस्थ मर्चेंट बैंक, अंडरराइटर्स, ऋणपत्र ट्रस्टी, पोर्टफ़ोलियो मैनेजमेंट इत्यादि होते हैं।	द्वितीयक बाज़ार में प्रमुख मध्यस्थ (ब्रोकर्स), जॉबर्स इत्यादि होते हैं।

पूँजी बाज़ार के प्रमुख वित्तीय उपकरण (FINANCIAL INSTRUMENTS IN CAPITAL MARKET)

शेयर (Shares)

- कंपनी की पूँजी को शेयरों में विभाजित किया जाता है। प्रत्येक शेयर कंपनी के स्वामित्व की एक इकाई को सर्जित करता है और बिक्री के लिए प्रस्तुत किया जाता है, ताकि कंपनी के लिए पूँजी जुटायी जा सके।
- शेयरधारक कंपनी से प्रतिफल या रिटर्न लाभांश (dividends) (ब्याज नहीं) के रूप में प्राप्त करते हैं।
- वे शेयरों की बिक्री के समय लाभ/हानि का सुख/कष्ट भी उठाते हैं।
- शेयरों को व्यापक रूप से दो वर्गों में विभाजित किया जाता है–
  1. **इक्विटी शेयर (Equity shares)**
  2. **प्राथमिक या अधिमान शेयर (Preference shares)**
- **इक्विटी शेयर** अपने धारक को कंपनी की **आय/लाभ को साझा या शेयर करने** तथा कंपनी की वार्षिक सामान्य बैठक [Annual General Meetings (AGMs)] में एक वोट करने की शक्ति देता है। ऐसे शेयरधारकों को कंपनी के लाभों को साझा करने के साथ-साथ नुक़सानों को भी सहना पड़ता है
- **इक्विटी शेयरधारक (equity shareholders)** कंपनी के **वास्तविक स्वामी (real owners)** माने जाते हैं।
- दूसरी तरफ़, **प्राथमिक या अधिमान शेयर** अपने धारक के लिए केवल लाभांश या डिविडेंड अर्जित करते हैं, जो निश्चित होता है, जो कोई **वोट करने का अधिकार नहीं देता**। प्राथमिक या अधिमान शेयर निम्न प्रकार के होते हैं–
  (a) **संचयी अधिमान शेयर (Cumulative Preference Share)** – ऐसे अधिमान शेयर, जिनका लाभांश (यदि कंपनी को हुए नुक़सान के कारण किसी विशेष वर्ष में नहीं दिया गया हो तो) जुड़ता जाता है और लाभवाले वर्ष में भुगतान कर दिया जाता है।
  (b) **ग़ैर-संचयी अधिमान शेयर (Non-cumulative Preference Share)** – ऐसे अधिमान शेयर, जिनका लाभांश यदि कंपनी को किसी वर्ष हुए नुक़सान के कारण भुगतान नहीं किया गया हो, तो वह आगे जोड़ा नहीं जाता है।

अतिरिक्त जानकारी

लाभांश क्या है? (WHAT IS A DIVIDEND?)

लाभांश (dividend), जो कंपनी के शुद्ध मुनाफ़े से आता है, एक ऐसा लाभ होता है, जो सार्वजनिक रूप से सूचीबद्ध कंपनियाँ अपने शेयरधारकों को देती हैं। ये प्रतिफल (rewards) अक्सर आवश्यक ख़र्चों को कवर करने के बाद आय के शेष हिस्से से प्रदान किये जाते हैं। लाभांश के प्रकार निम्नलिखित हैं :

- **विशेष लाभांश (Special Dividend)** : इसका भुगतान सामान्य स्टॉक पर किया जाता है। यह, कुछ स्थितियों में, अक्सर तब जारी किया जाता है, जब किसी कंपनी ने कई वर्षों में महत्त्वपूर्ण लाभ कमाया हो।
- **पसंदीदा/तरजीही लाभांश (Preferred Dividend)** : इस प्रकार का लाभांश पसंदीदा/तरजीही स्टॉक मालिकों को मिलता है, जो आमतौर पर एक निश्चित राशि अर्जित करता है तथा इसका भुगतान तिमाही आधार पर किया जाता है। इसके अतिरिक्त, बंधपत्र (बॉण्ड) की तरह काम करनेवाले शेयरों को इस प्रकार का लाभांश मिलता है।
- **अंतरिम लाभांश (Interim Dividend)** : अंतिम पूर्ण-वर्ष के खाते तैयार होने से पहले, फ़र्म अंतरिम लाभांश घोषित करती हैं।
- **अंतिम लाभांश (Final Dividend)** : वर्ष के लिए खाते तैयार होने के बाद अंतिम लाभांश घोषित किया जाता है।

ऋणपत्र (Debentures)

ये किसी कंपनी द्वारा जारी किये गये **निश्चित ब्याज दरवाले ऋण उपकरण हैं**, तथा ये किसी विशिष्ट प्रतिभूति द्वारा समर्थित नहीं होते हैं। यह मध्य-कालिक या दीर्घ-कालिक हो सकता है और परिपक्वता तिथि पर पूर्ण पुन:भुगतान योग्य होता है। बहुत से निवेशक ऋणपत्र को प्राथमिकता देते हैं, क्योंकि यह **सावधि जमा [Fixed Deposits (FDs)]** से अधिक ब्याज दर प्रदान करता है।
ब्याज की दरें क्रेडिट रेटिंग एजेंसियों **(CRAs)** जैसे CARE, ICRA, आदि द्वारा दी गयी क्रेडिट रेटिंग पर भी निर्भर करती हैं। कम रेटिंगवाले ऋणपत्र के साथ ब्याज दर अधिक होगी, क्योंकि इसमें जोखिम अधिक मानी जाती है।

ऋणपत्र की विशेषताएँ (Features of Debentures)

- यह मध्य-कालिक से लेकर दीर्घ-कालिक अवधि तक के लिए होता है।
- कंपनी ऋणपत्र धारक को ब्याज के साथ एक निश्चित राशि का भुगतान करने के लिए उत्तरदायी होती है।
- यद्यपि ऋणपत्र कंपनी के पूँजीगत संरचना के एक भाग का सृजन करता है, लेकिन इसे शेयर/इक्विटी पूँजी नहीं माना जाता।
- ऋणपत्र सामान्यत: हस्तांतरणीय होते हैं।
- इक्विटी शेयरधारकों के विपरीत ऋणपत्र धारक को कंपनी की सामान्य बैठकों (general meetings) में **वोट करने का अधिकार नहीं होता**।
- ऋणपत्र पर दिया जानेवाला ब्याज कंपनी के लाभ पर भारित होता है और सकल लाभ को कम करता है।

ऋणपत्र के सामान्य प्रकारों में सम्मिलित हैं-

- **परिवर्तनीय ऋणपत्र (Convertible Debentures)** - जिन्हें शेयरों में परिवर्तित किया जा सकता है;
- **अपरिवर्तनीय ऋणपत्र (Non-Convertible Debentures-NCDs)** - जिन्हें शेयरों में परिवर्तित नहीं किया जा सकता;
- **प्रतिदेय योग्य ऋणपत्र (Redeemable Debentures)** - जिन्हें परिपक्वता के बाद जारीकर्ता द्वारा छुड़ाया या भुनाया जा सकता है;
- **अप्रतिदेय योग्य ऋणपत्र (Irredeemable Debentures)** - जिन्हें जारीकर्ता द्वारा छुड़ाया या भुनाया नहीं जा सकता।

बंधपत्र (Bonds)

- बंधपत्र एक **ऋण उपकरण (debt instrument)** है, जिसके माध्यम से सरकार, सरकारी एजेंसियाँ या बड़े निगम एक अस्थिर (floating) या निश्चित (fixed) ब्याज दर पर निर्दिष्ट अवधि के लिए फ़ंड उधार लेते हैं।
- सरकार अपनी व्यय आवश्यकताओं को पूरा करने के लिए फ़ंड जुटाने के साधन के रूप में बंधपत्र का उपयोग करती है, जो प्रकृति में सामान्यत: पूँजी होती है। **भारतीय राष्ट्रीय राजमार्ग प्राधिकरण (NHAI)** जैसे निकाय अवसंरचना के विकास को वित्त पोषित करने के लिए प्राय: बंधपत्र जारी करते हैं।
- बंधपत्र भी ऋणपत्र की तरह ही होते हैं, लेकिन 'बंधपत्र' शब्द का प्रयोग सामान्यत: तब किया जाता है, जब ऐसी सुरक्षा सरकार या नगरपालिका जैसे सरकारी निकायों द्वारा दी जाती है। यद्यपि, भारत में बंधपत्र और ऋणपत्र शब्द का प्रयोग प्राय: एक-दूसरे के लिए किया जाता है।

बॉण्ड लाभ (Bond Yield)

- सीधे शब्दों में कहें, तो बॉण्ड का लाभ वह **प्रभावी प्रतिफल है; जो वह कमाता है। वैश्विक बाज़ार और अर्थव्यवस्था सहित कई कारकों के अनुसार प्रतिफल (yield) में उतार-चढ़ाव होता रहता है।**
- प्रत्येक बॉण्ड का अंकित मूल्य और एक कूपन भुगतान (**अंकित मूल्य** पर भुगतान किया जानेवाला ब्याज) होता है ।
- उदाहरण के लिए, यदि कोई व्यक्ति 100 रुपये अंकित मूल्य का बॉण्ड ख़रीदता है और उसे एक वर्ष के लिए 10 रुपये का कूपन ब्याज मिलता है, तो उसका प्रतिफल 10% (10*100/100) होता है।
- हालाँकि, बॉण्ड **बाज़ार में ऐसे मूल्य पर ख़रीदे जा सकते हैं; जो अंकित मूल्य से कम या अधिक हैं, इसे बॉण्ड का वास्तविक ख़रीद मूल्य कहा जाता है।**
- अब, महत्त्वपूर्ण प्रश्न यह है कि वे कौन-से कारक हैं, जो बॉण्ड की वास्तविक क़ीमत गिरने या बढ़ने को प्रभावित करते हैं।
- ऐसी स्थिति की कल्पना करें, जहाँ व्यापक अर्थव्यवस्था में ब्याज दर एक बॉण्ड द्वारा दिये गये प्रारंभिक कूपन भुगतान से अलग है। उदाहरण के लिए, बचत पर ब्याज दर केवल 4% है, जबकि बॉण्ड 5% ब्याज दर दे रहा है। फिर, ज़्यादा-से-ज़्यादा लोग बॉण्ड ख़रीदने जायेंगे। इससे बॉण्ड की क़ीमत बढ़ जायेगी। इसके विपरीत, यदि बचत पर ब्याज दर 6% है, तो कम लोग बॉण्ड ख़रीदने जायेंगे, इस प्रकार इसकी क़ीमत में गिरावट आयेगी।
- **अन्य कारक जो बॉण्ड की वास्तविक क़ीमत और बॉण्ड प्रतिफल को समान तरीक़े से प्रभावित कर सकते हैं, वे हैं :**
  - **a.** मुद्रास्फीति की दर;
  - **b.** **RBI** द्वारा खुला बाज़ार संचालन - बॉण्ड की बिक्री या ख़रीद।
  - **c.** सरकार की राजकोषीय नीति।
  - **d.** घरेलू अर्थव्यवस्था के साथ-साथ वैश्विक अर्थव्यवस्था की स्थिति - निवेशक सुरक्षित अर्थव्यवस्थाओं की तलाश करेंगे।
  - **e.** संयुक्त राज्य अमेरिका में बॉण्ड्स जैसे प्रतिस्पर्धी उपकरणों से प्रतिफल।

अतिरिक्त जानकारी

परिपक्वता प्रतिफल [YIELD TO MATURITY (YTM)]

परिपक्वता प्रतिफल, वह कुल प्रतिफल है, जिसकी अपेक्षा कोई व्यक्ति तब कर सकता है, जब प्रतिभूति परिपक्वता समय तक रखी जा रही हो। परिपक्वता प्रतिफल अनिवार्य रूप से वह छूट दर है, जिस पर आगामी भुगतानों (निवेश आय और मूलधन की वापसी) का वर्तमान मूल्य प्रतिभूति की क़ीमत के बराबर होता है।

प्रतिफल वक्र (YIELD CURVE)

यह विभिन्न परिपक्वताओं और समान क्रेडिट गुणवत्तावाले बंधपत्रों के बीच प्रतिफल और परिपक्वता के बीच आरेखीय (ग्राफ़िकल) संबंध है। यह वक्र ब्याज दरों की अवधि संरचना को दर्शाता है। यह निवेशकों को विभिन्न परिपक्वताओं और कूपनवालीं ऋण प्रतिभूतियों की तुलना करने में भी सक्षम बनाता है।

भारत में कुछ प्रमुख बंधपत्र (Some Major Bonds in India)

सरकारी बंधपत्र (Government Bond)

सरकारी बंधपत्र एक ऋण साधन है, जो भारत की **केंद्र और राज्य सरकारों द्वारा** जारी किया जाता है। यह तब जारी किया जाता है, जब जारीकर्ता प्राधिकरण (केंद्र या राज्य सरकार) को तरलता संकट का सामना करना पड़ता है और अवसंरचनागत विकास के उद्देश्य से फ़ंड की आवश्यकता होती है।

इस प्रकार का बंधपत्र जारीकर्ता और निवेशक के बीच एक अनुबंध होता है, जिसमें जारीकर्ता निवेशकों द्वारा रखे गये बंधपत्र के अंकित मूल्य पर ब्याज आय की गारंटी देता है और साथ ही एक निर्धारित समयावधि के भीतर मूल मूल्य का पुनःभुगतान करता है।

ज़ीरो कूपन बंधपत्र (Zero Coupon Bond)

एक नियमित बंधपत्र (कूपन बंधपत्र), बंधपत्र के जीवन के दौरान बंधपत्र धारक को ब्याज का भुगतान करता है तथा **परिपक्वता (maturity)** के समय मूलधन का पुनःभुगतान करता है। लेकिन एक ज़ीरो कूपन बंधपत्र ब्याज का भुगतान नहीं करता। परिपक्वता पर पहुँचने के बाद बंधपत्रधारक द्वारा बंधपत्र **के अंकित मूल्य (face value) को** प्राप्त किया जाता है।

कॉर्पोरेट बंधपत्र (Corporate Bond)

कॉर्पोरेट बंधपत्र, एक प्रकार का बंधपत्र होता है, जिसे कोई कंपनी कई उद्देश्यों के लिए धन जुटाने हेतु जारी करती है, जिसमें चल रहे संचालन, विलय और अधिग्रहण या व्यवसाय विस्तार सम्मिलित हैं। यह एक दीर्घ-कालिक ऋण साधन है, जो प्रमाणित करता है कि किसी व्यवसाय ने एक निश्चित ऋण लिया है और पूर्व निर्धारित शर्तों के तहत समय के साथ इसे वापस चुकाने के लिए सहमत है।

टैक्स मुक्त बंधपत्र (Tax-Free Bond)

सार्वजनिक उद्यम निश्चित आयवालीं प्रतिभूतियाँ जारी करते हैं। इन्हें कर-मुक्त बंधपत्र कहा जाता है। वे निवेशकों को **वार्षिक पूर्व-निर्धारित ब्याज रिटर्न** की क्षमता प्रदान करते हैं और वे अपेक्षाकृत सुरक्षित निवेश विकल्प हैं। इसके अलावा, अर्जित ब्याज कर-मुक्त होता है, जिससे निवेशकों को अपनी बचत बढ़ाने में मदद मिलती है। अन्य बंधपत्रों की तरह, मूल राशि परिपक्वता पर देय होती है।

इन बंधपत्रों की परिपक्वता अवधि आमतौर पर **10 से 20 वर्ष** तक होती है, जिसमें अन्य निश्चित आयवाले निवेश विकल्पों की तुलना में कम ब्याज दरें होती हैं। परिणामस्वरूप, उन्हें एक सुरक्षित निवेश विकल्प माना जाता है, जो कर लाभ के साथ भरोसेमंद, दीर्घकालिक निवेश चाहनेवाले निवेशकों के लिए आदर्श है।

मुद्रास्फीति संरक्षित बंधपत्र [Inflation Indexed Bond (IIB)]

मुद्रास्फीति संरक्षित बंधपत्र (IIB) **मुद्रास्फीति के स्तर से प्रभावित हुए बिना** नियत रिटर्न प्रदान करता है और निवेशक को माइक्रोइकोनॉमिक जोखिमों के विरुद्ध सुरक्षा प्रदान करता है।

प्रारम्भ में IIB को 1997 के दौरान **पूँजी संरक्षित बंधपत्र [Capital Indexed Bond (CIB)]** के नाम से जारी किया गया था। CIB ने मुद्रास्फीति सुरक्षा केवल मूलधन पर दी थी, ब्याज भुगतान पर नहीं। यद्यपि IIB मूलधन और ब्याज भुगतान दोनों पर मुद्रास्फीति सुरक्षा प्रदान करता है।

IIB सरकारी प्रतिभूति (G-Secs) हैं, जो सरकार के बाज़ार उधार कार्यक्रम के भाग के रूप में जारी किये जाते हैं। ये बैंकों द्वारा **वैधानिक तरलता अनुपात [Statutory Liquidity Ratio (SLR)]** को बनाये रखने के लिए पात्र होते हैं। सरकार IIB के माध्यम से अपने उधार पर कूपन दरों में कटौती कर सकती है।

कैपिटल गेन बॉण्ड (Capital Gain Bond)

कैपिटल गेन बॉण्ड, जिसे 54EC बॉण्ड के रूप में भी जाना जाता है, आयकर अधिनियम के अनुभाग 54EC के अनुसार NHAI, REC और PFC द्वारा जारी किये गये बॉण्ड हैं। 54EC बॉण्ड उन निवेशकों के लिए एक उत्कृष्ट विकल्प है, जो संपत्ति की बिक्री से दीर्घकालिक वित्तीय लाभ की आशा करते हैं। ये बॉण्ड हर वर्ष ₹50 लाख तक की टैक्स छूट पाने में मदद करते हैं।

नेगेटिव यील्ड बॉण्ड (Negative Yield Bond)

नेगेटिव यील्ड बॉण्ड तब होता है, जब निवेशक को **बॉण्ड की परिपक्वता पर बॉण्ड के मूल ख़रीद मूल्य से कम धन मिलता है।** ये **केंद्रीय बैंकों द्वारा** तनाव और अनिश्चितता के समय में **जारी किये जाते हैं**, क्योंकि निवेशक अपनी पूँजी को महत्त्वपूर्ण क्षरण से बचाने की कोशिश करते हैं।

कोविड-19 महामारी के दौरान, यूरोपीय और कई अन्य देशों में नेगेटिव यील्ड बॉण्ड की बहुत माँग थी।

नगर निगम बंधपत्र (Municipal Bond)

नगर निगम बंधपत्र, जिन्हें **'मुनिस (Munis)'** के नाम से भी जाना जाता है, **निश्चित आय उपकरण (fixed income instruments)** होते हैं, अर्थात् सरकार या अर्द्ध-सरकारी संस्थाओं द्वारा जारी ऋण प्रतिभूतियाँ, जिन्हें नागरिक परियोजनाओं के लिए धन की आवश्यकता होती है। जब तक क्रेता नगर निगम द्वारा निर्धारित दिशानिर्देशों का अनुपालन करता है, तब तक नगर निगम बॉण्ड पर दिया जानेवाला ब्याज कर-मुक्त होता है।

नगर निगम बंधपत्र दो प्रकार के होते हैं- सामान्य दायित्व बंधपत्र तथा राजस्व बंधपत्र। सामान्य दायित्व बंधपत्र (General Obligation Bonds) को जल, स्वच्छता, कूड़ा निस्तारण इत्यादिक नागरिक सुविधाओं को बढ़ावा देने के लिए जारी किया जाता है, जबकि राजस्व बंधपत्र (Revenue Bonds) एक विशेष उद्देश्य के लिए जारी किया जाता है, जैसे टोल रोड या टोल ब्रिज का निर्माण। नगर निगम बंधपत्र 1997 से बाज़ार में मौजूद हैं। बैंगलोर नगर निगम भारत में नगर निगम बंधपत्र जारी करनेवाला पहला शहरी स्थानीय निकाय है। 1998 में अहमदाबाद नगर निगम **सार्वजनिक प्रस्ताव (public offering)** करनेवाला पहला निगम था।

> **क्या आप जानते हैं?** 2017 में **पुणे नगर निगम [Pune Municipal Corporation (PMC)]** देश का पहला स्थानीय निकाय बन गया, जिसने लगभग 15 वर्ष में इसे जारी कर स्मार्ट सिटी प्रोजेक्ट के लिए ₹200 करोड़ जुटाये।

- इंदौर 2018 में नेशनल स्टॉक एक्सचेंज **(NSE)** में नगर निगम बंध पत्र को सूचीबद्ध करानेवाला पहला शहर बना।
- SEBI ने 2015 में शहरी स्थानीय निकायों **[Urban Local Bodies (ULBs)]** के लिए विस्तृत दिशा-निर्देश जारी किये हैं, ताकि नगर निगम बंधपत्र जारी कर फ़ंड जुटाया जा सके।
- **निर्गम के लिए पात्रता (Eligibility for issue) :**
  - नगरपालिका का पिछले तीन वर्षों में किसी भी वर्ष नकारात्मक निवल मूल्य (net worth) नहीं होना चाहिए।
  - जारी कर्ता (नगर निगम) के बंधपत्र को क्रेडिट रेटिंग एजेंसियों द्वारा रेटिंग प्राप्त करनी चाहिए।
  - पिछले एक साल में किसी भी प्रकार की ऋण चूक नहीं होनी चाहिए और मूल राशि चुकाने के लिए पूर्ण संपार्श्विक/एसेट कवर को बनाये रखना चाहिए।
  - राजस्व बंधपत्र के लिए, परियोजना से सर्जित राजस्व को एक पृथक् निलंब (escrow) खाते में रखा जाना चाहिए और वित्तीय संस्थान उनके खातों की नियमित निगरानी करेंगे।

➤ **वर्तमान स्थिति (Present status) :**

◆ हाल के नये नियमों के अनुसार, नगर निगम बंधपत्र अब न केवल वित्तीय संस्थानों के लिए, बल्कि जनता के लिए भी प्रस्तुत किये जायेंगे, जो स्टॉक एक्सचेंज में सूचीबद्ध होंगे।

लास्ट मिनट
स्निपपेट्स

➤ वर्ष 2024 तक, भारत के कुल ऋण बाज़ार में नगरपालिका बॉण्ड की हिस्सेदारी के लगभग 0.06% होने के अनुमान है।

➤ वर्ष 2024 तक, कर्नाटक और गुजरात नगरपालिका बॉण्ड जारी करनेवाले अग्रणी राज्य हैं।

सॉवरेन गोल्ड बंधपत्र स्कीम (Sovereign Gold Bond Scheme)

➤ सॉवरेन गोल्ड बंधपत्र (SGB) भौतिक रूप से सोना रखने का एक विकल्प है। ये बंधपत्र केंद्र सरकार की तरफ़ से **RBI द्वारा जारी किये जाते हैं** और इन्हें **स्वर्ण या गोल्ड में नामित** किया जाता है।

➤ सरकार **एक निश्चित मूल्य पर** क़िश्तों में ऐसे बंधपत्र जारी करती है कि निवेशक शेयर बाज़ार के माध्यम से बैंकों, डाकघरों और द्वितीयक बाज़ारों में भी ख़रीद कर सकें।

➤ SGB का **08 वर्ष का निश्चित कार्यकाल** है, यद्यपि जारी करने के पाँच वर्ष बाद आरम्भिक मोचन (early redemption) की अनुमति है।

➤ चूँकि, **बंधपत्र एक्सचेंज में सूचीबद्ध होते हैं**, इसलिए इन्हें अन्य निवेशकों को हस्तांतरित भी किया जा सकता है।

➤ बंधपत्र की रुपये में क़ीमत **999 शुद्धता**वाले सोने के सामान्य औसत बंद क़ीमत पर आधारित होती है, जिसे सब्स्क्रिप्शन अवधि के पहले सप्ताह के अंतिम तीन कारोबारी दिनों के लिए इंडियन बुलियन ऐंड ज्वैलर्स एसोसिएशन द्वारा प्रकाशित किया जाता है।

➤ मोचन (redemption) के समय यूनिट की संख्या का तत्कालीन प्रचलित मूल्य से गुणा करने के बाद आयी नक़द राशि को निवेशक के बैंक खाते में जमा कर दिया जायेगा।

➤ जो लोग नवीनतम क़िश्त के लिए ऑनलाइन आवेदन करते हैं, वे ₹50 प्रतिग्राम की छूट के पात्र हैं।

➤ **अनिवासी भारतीयों (NRIs)** को छोड़कर हर कोई निवेश कर सकता है।

➤ इन बंधपत्र में निवेश कैश (₹20,000 तक), चेक या डिमांड ड्राफ़्ट के माध्यम से किया जा सकता है।

➤ बंधपत्र **एक ग्राम के मूल्यवर्ग** में और उसके गुणकों में जारी किये जाते हैं।

➤ व्यक्तियों के एक वर्ष में अधिकतम निवेश की सीमा **4 कि.ग्रा. (kg)** है। न्यूनतम अनुमेय निवेश 1 ग्राम सोना होगा।

➤ इस बंधपत्र की **क़ीमत RBI तय करता है।**

➤ **SGB को ख़रीदने के लाभ (Benefits of buying SGB) :**

◆ ये बंधपत्र एक सॉवरेन गारंटी द्वारा समर्थित होते हैं और डीमैट फ़ॉर्म में भी रखे जा सकते हैं।

◆ इनकी क़ीमत अंडरलाइंग स्पॉट गोल्ड क़ीमतों के अनुसार होती है।

◆ इसलिए जो निवेशक सोने में निवेश करना चाहते हैं, वे लॉकर शुल्क, मेकिंग चार्ज या शुद्धता के साथ भौतिक सोने की सुरक्षा की चिंता किये बिना बंधपत्र ख़रीद सकते हैं।

◆ ये बंधपत्र मूल निवेश राशि पर 2.5% वार्षिक का ब्याज देते हैं।

◆ बंधपत्र पर ब्याज कर योग्य है, जबकि मोचन के समय हुआ पूँजी लाभ कर से मुक्त है।

◆ भौतिक सोने की तुलना में SGB ख़रीदने या बेचने का ख़र्च बहुत मामूली होता है।

◆ इन बंधपत्रों को बैंकों और NBFC से ऋण प्राप्त करने के लिए संपार्श्विक के रूप में भी उपयोग किया जा सकता है।

➤ **SGB में निवेश की जोखिम (Risk in investing in SGB)** – पूँजीगत हानि की जोखिम हैं, क्योंकि बंधपत्र की क़ीमत सोने की क़ीमत में हुए परिवर्तन को दर्शाती है। यदि सोने की क़ीमत गिरती है, तो उसी अनुपात में मूल निवेश गिर जायेगा।

परीक्षोपयोगी

सॉवरेन ग्रीन बॉण्ड (SOVEREIGN GREEN BOND)

विश्व बैंक के अनुसार, ग्रीन बॉण्ड एक डेट प्रतिभूति (debt security) है, जो **पर्यावरण या जलवायु संबंधी गतिविधियों** के लिए धन जुटाने के लिए जारी की जाती है। सरकारें ऐसे कार्यक्रमों के लिए धन जुटाने के लिए सॉवरेन ग्रीन बॉण्ड जारी करती हैं।

भारत ने हाल ही में अपना पहला सॉवरेन ग्रीन बॉण्ड **जारी किया**। उम्मीद है कि ग्रीन बॉण्ड न केवल भारत के ऊर्जा परिवर्तन प्रयासों का समर्थन करेंगे, बल्कि हरित बुनियादी ढाँचे और नवीकरणीय ऊर्जा परियोजनाओं के लिए धन भी उपलब्ध करायेगा। पहला ग्रीन बॉण्ड 2008 में विश्व बैंक द्वारा जारी किया गया था।

भारत सरकार ने कहा कि ग्रीन बॉण्ड का उपयोग हरित पहल के लिए किया जायेगा जो –

- ऊर्जा दक्षता को प्रोत्साहित करेगी।
- कार्बन उत्सर्जन और ग्रीनहाउस गैसों को कम करेगी।
- जलवायु लचीलेपन और अनुकूलन को बढ़ावा देगी।
- विशेष रूप से संधारणीय विकास लक्ष्यों की अवधारणाओं का उपयोग करके, प्राकृतिक पारिस्थितिकी तंत्र और जैव विविधता में सुधार करेगी।

सॉवरेन ब्लू बंधपत्र (SOVEREIGN BLUE BOND)

सेशल्स गणराज्य (Republic of Seychelles) ने संधारणीय समुद्री और मछलीपालन परियोजनाओं को समर्थन करने के लिए विश्व का पहला सॉवरेन ब्लू बंधपत्र जारी किया है। विश्व बैंक ने निवेशकों तक पहुँचाने में सेशल्स का सहयोग किया और सुझाव भी दिया कि बंधपत्र से प्राप्त हुई आय का उपयोग कैसे किया जाये। वर्ष 2023 में, इंडोनेशिया ने जापानी ऋण पूँजी बाज़ार में अपनी तरह का पहला ब्लू बॉण्ड जारी किया।

परिवर्तनीय बंधपत्र (CONVERTIBLE BOND)

परिवर्तनीय बंधपत्र में ऋण और इक्विटी दोनों की विशेषताएँ होती हैं। इन ऋण उपकरणों को भविष्य की तारीख़ में इक्विटी शेयरों में बदला जा सकता है। उन्हें कंपनी की इक्विटी की पूर्व निर्धारित राशि में परिवर्तित किया जा सकता है। परिवर्तनीय बंधपत्र ब्याज की कम दर का भुगतान करते हैं, क्योंकि इक्विटी के लिए बंधपत्र की अदला-बदली करने का विकल्प होता है।

अतिरिक्त जानकारी

मसाला बंधपत्र (MASALA BONDS)

मसाला बंधपत्र के आरम्भ से पहले कंपनियाँ और वित्तीय संस्थाएँ अमेरिका, ब्रिटेन, सिंगापुर जैसे विदेशी बाज़ारों में जारी बंधपत्र के माध्यम से विदेशी मुद्रा में उधार लेती थीं, इसका कारण था निम्न ब्याज दरों पर फ़ंड की सुगम उपलब्धता। लेकिन इससे उधार लेनेवाले भारतीय विदेशी मुद्रा विनिमय की जोखिमों से भी परिचित हो गये। साथ ही रुपये के मूल्य में गिरावट के कारण उनकी पूँजी की लागत बढ़ गयी।

उदाहरणस्वरूप, XYZ लिमिटेड ने 2021 में 1 मिलियन यूएस डॉलर उधार लिया, जब 1 यूएस डॉलर की क़ीमत ₹70 थी। कुल उधार ₹7 करोड़ का था। अब मान लीजिए, 2022 में रुपये के मूल्य में गिरावट के कारण 1 यूएस डॉलर ₹75 के बराबर हो गया। 2022 में XYZ लिमिटेड अपना उधार चुकाना चाहता है, तो अब उसे वर्तमान विदेशी मुद्रा विनिमय दर के अनुसार 1 मिलियन यूएस डॉलर का भुगतान करना होगा, अर्थात् 1 यूएस डॉलर = ₹75। यह राशि ₹7.5 करोड़ के बराबर होगी, इस प्रकार रुपये के मूल्य में गिरावट के कारण कुल नुक़सान ₹50 लाख का होगा। इसी कारण डॉलर मूल्य-वर्गवाले बंधपत्र के स्थान पर रुपये के मूल्य-वर्गवाले बंधपत्र को प्रारम्भ करने की आवश्यकता पड़ी।

इस प्रकार, **मसाला बंधपत्र रुपये के मूल्य-वर्गवाला बंधपत्र** है, जिसे **विदेशी बाज़ारों से फ़ंड जुटाने के लिए** सरकारी निकाय, NBFC और योग्य कॉर्पोरेट जैसी **संस्थाएँ जारी कर सकती हैं**। मसाला बंधपत्र में **विदेशी मुद्रा विनिमय दर की जोखिम** उधार लेनेवाले भारतीयों के द्वारा नहीं, बल्कि **अंतरराष्ट्रीय उधारदाताओं द्वारा वहन की जाती है**।

पहला मसाला बंधपत्र 2014 में **अंतरराष्ट्रीय वित्त निगम [International Finance Corporation (IFC)]** द्वारा ₹1,000 करोड़ जुटाने के लिए जारी किया गया था, जिसका उद्देश्य भारत में अवसंरचना परियोजनाओं को वित्त पोषित करना था। मसाला शब्द का प्रयोग IFC (वर्ल्ड बैंक का एक अंग) द्वारा भारतीय संस्कृति को चिह्नित करने के लिए किया गया, जिसका उद्देश्य विशेष रूप से भारतीय रुपये के मूल्य-वर्गवाले बंधपत्र का अन्य बंधपत्र से अंतर करना है। इसी तरह, **हॉङ्कॉङ में जारी 'डिम सम बंधपत्र'**, जो **चीनी रेनमिनबी** मूल्य-वर्ग का है, और **इंडोनेशिया के लिए कोमोडो** बंधपत्र प्रयुक्त किया जाता है। मसाला बंधपत्र जारी करने से रुपये की माँग पैदा होती है, जो मुद्रा के मूल्य में गिरावट को रोकने में सहायक होती है। मसाला बंधपत्र का उपयोग पूँजी बाज़ार में निवेश, भूमि ख़रीदने आदि के लिए नहीं किया जा सकता है।

परिपक्वता (Maturity)	न्यूनतम परिपक्वता अवधि 3 वर्ष है- ➤ प्रतिवित्तवर्ष 50 मिलियन डॉलर तक – 3 वर्ष परिपक्वता। ➤ प्रतिवित्तवर्ष 50 मिलियन डॉलर से अधिक – 5 वर्ष परिपक्वता।
कौन जारी कर सकता है?	कोई भी कॉर्पोरेट, रियल एस्टेट इनवेस्टमेंट ट्रस्ट (REITs) और इन्फ्रास्ट्रक्चर इनवेस्टमेंट ट्रस्ट (InvITs) भारतीय बैंक भी निम्न रूपों में इन बंधपत्रों को जारी कर सकते हैं- ➤ **सार्वकालिक ऋण उपकरण [Perpetual Debt Instruments (PDIs)**, अतिरिक्त श्रेणी 1 या टियर 1 पूँजी के रूप में योग्य तथा **ऋण पूँजी उपकरण (Debt Capital Instruments)** श्रेणी 2 पूँजी के रूप में योग्य और ➤ अवसंरचना और सस्ते आवास को वित्त पोषित करने के लिए।
इन बंधपत्र को कहाँ जारी किया जा सकता है?	रुपये के मूल्य-वर्गवाले बंधपत्र किसी ऐसे देश में जारी किये जा सकते हैं और केवल उसी देश के निवासी द्वारा ख़रीदे जा सकते हैं, जो- ➤ **वित्तीय कार्रवाई कार्यदल [Financial Action Task Force (FATF)]** का सदस्य है या जिसका प्रतिभूति बाज़ार नियामक (हमारे मामले में SEBI) **अंतरराष्ट्रीय प्रतिभूति आयोग संगठन (International Organisation of Securities Commission)** का सदस्य है। ➤ जिसके पास **बहुपक्षीय समझौता ज्ञापन (Multilateral Memorandum of Understanding)** हो, या वह सूचना साझा करने की व्यवस्था के लिए सेबी के साथ **द्विपक्षीय समझौता ज्ञापन (Bilateral Memorandum of Understanding)** का हस्ताक्षरकर्ता हो।

सरकारी प्रतिभूतियों (G-Secs) की अवधारणा [Concept of Government Securities (G-Secs)]

➤ RBI ने 'RBI रिटेल डायरेक्ट' प्रणाली शुरू की है, जो छोटे खुदरा निवेशकों को केंद्रीय बैंक के साथ गिल्ट खाते बनाकर सरकारी प्रतिभूतियों (G-Secs) में निवेश करने की अनुमति देता है।

➤ **G-Secs और गिल्ट खातों की कुछ विशेषताएँ :**
- G-Secs केंद्र सरकार या राज्य सरकार द्वारा जारी किया जानेवाला एक व्यापार योग्य साधन है।
- यह सरकार की ऋण बाध्यता को स्वीकार करता है।

- G-Secs मुख्य रूप से 2 प्रकार के होते हैं :
  - एक वर्ष से कम की परिपक्वता के साथ **लघु अवधि** (जैसे ट्रेज़री बिल)।
  - एक वर्ष से अधिक की परिपक्वता के साथ **दीर्घावधि** (जैसे सरकारी बॉण्ड)।

➤ G-Secs, RBI द्वारा आयोजित नीलामी के माध्यम से जारी किये जाते हैं। यह नीलामी, E-Kuber नामक इलेक्ट्रॉनिक प्लेटफ़ॉर्म पर आयोजित की जाती है, जो RBI का कोर बैंकिंग सॉल्यूशन (CBS) प्लेटफ़ॉर्म है। वाणिज्यिक बैंक, अनुसूचित UCBs, प्राथमिक डीलर, बीमा कंपनियाँ और भविष्य निधि, जिनके RBI के पास फ़ंड अकाउंट (चालू खाता) और प्रतिभूति खाते [Subsidiary General Ledger (SGL) account] होते हैं, इस इलेक्ट्रॉनिक प्लेटफ़ॉर्म के सदस्य होते हैं।

➤ इन्हें **जोखिम मुक्त गिल्ट-एज साधन** कहा जाता है।

➤ सरकारी प्रतिभूतियों को रखने के उद्देश्य से भारतीय रिज़र्व बैंक द्वारा अनुमत किसी इकाई या व्यक्ति द्वारा गठित और बनाये गये खाते को **'गिल्ट खाता'** कहा जाता है।

➤ विदेशी मुद्रा प्रबंधन अधिनियम, 1999 'भारत से बाहर रहनेवाले व्यक्ति' के मामले में गिल्ट खाते के संचालन/रखरखाव को नियंत्रित करता है।

म्यूचुअल फ़ंड (Mutual Funds)

म्यूचुअल फ़ंड एक वित्तीय उपकरण है, जिसमें धन का एक कोष या पूल (pool) बनाने के लिए कई निवेशकों से धन एकत्र किया जाता है, जिसे फिर **पेशेवर प्रबंधकों द्वारा** आय और पूँजी की वृद्धि के लिए वित्तीय परिसंपत्तियों, जैसे- स्टॉक, सरकार और सार्वजनिक क्षेत्र उद्यमों के बंधपत्र, कॉर्पोरेट बंधपत्र इत्यादिक, में निवेश किया जाता है।

प्रत्येक निवेशक 'यूनिट' (units) का स्वामित्व रखता है, जो फ़ंड में जमा पूँजी के एक भाग का प्रतिनिधित्व करता है। इस पूल से सर्जित आय या लाभांश को फ़ंड प्रबंधकों के प्रबंधन ख़र्च को निकालने के बाद निवेशकों के बीच वितरित कर दिया जाता है।

'सकल पूँजी मूल्य' [Net Asset Value (NAV)] **म्यूचुअल फ़ंड के वर्तमान बाज़ार मूल्य को प्रदर्शित करता है।**

म्यूचुअल फ़ंड विभिन्न प्रकार के होते हैं, जैसे-

1. **इक्विटी फ़ंड (Equity funds) :** ये फ़ंड या योजनाएँ अपने पूरे धन का निवेश स्टॉक एक्सचेंज में सूचीबद्ध कंपनियों के शेयर/इक्विटी में करते हैं। इक्विटी में विभिन्नता होती है, जो कंपनी के **बाज़ार पूँजीकरण (market capitalisation)** जैसे- मल्टी कैप, लार्ज कैप, मिड कैप और स्माल कैप फ़ंड, माइक्रो कैप फ़ंड पर निर्भर होती है।
2. **ऋण या निश्चित आय फ़ंड (Debt or fixed income funds) :** ये फ़ंड केंद्र सरकार, राज्य सरकार, सार्वजनिक क्षेत्र उद्यमों, कॉर्पोरेट्स, **NBFC** आदि द्वारा जारी किये गये निश्चित आय उपकरणों जैसे बंधपत्रों में निवेश करते हैं।
3. **मिश्रित या संतुलित फ़ंड (Hybrid or balanced funds) :** ये योजनाएँ/फ़ंड एक से ज़्यादा तरह के परिसंपत्ति वर्गों (asset class) में निवेश किये जाते हैं। इसमें इक्विटी के साथ-साथ ऋण (debt) में भी निवेश किया जाता है (जैसे कि इक्विटी में 65 प्रतिशत और ऋण में 35 प्रतिशत)। कुछ मिश्रित फ़ंड स्वर्ण में भी निवेश किये जा सकते हैं।
4. **इक्विटी लिंक्ड सेविंग्स स्कीम (ELSS) :** यह एक विशिष्ट अनूठा/अनोखा फ़ंड है, जो इक्विटी में निवेश करता है। किसी एक वित्त वर्ष में ELSS में निवेश, व्यक्ति को आय कर अधिनियम, 1961 के भाग 80C के अंतर्गत कुल आय से ₹1.5 लाख की कटौती का दावा करने की मंज़ूरी देता है। यह एक कर बचत उपकरण है, जिसे इक्विटी में बचत और निवेश को बढ़ावा देने के लिए लाया गया है।

म्यूचुअल फ़ंड कैसे काम करता है?

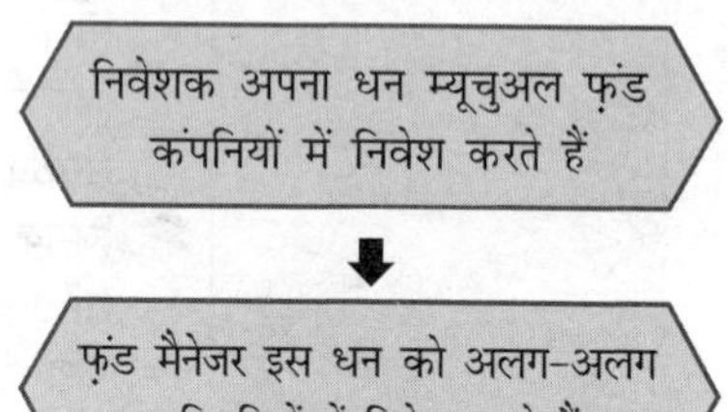

म्यूचुअल फ़ंड के लाभ (Advantages of Mutual Funds)

1. म्यूचुअल फ़ंड का **प्रबंधन पेशेवर लोगों द्वारा किया जाता है**। इसके अतिरिक्त, निवेशक को शोध में संलग्न होना नहीं होता और उसे इन गतिविधियों से अपने को दूर रखना होता है।
2. इसमें कम लागत जुड़ी होती है और यहाँ तक कि छोटे निवेश भी किये जा सकते हैं।
3. यह **विविधीकरण (diversification) प्रदान करता है,** जो निवेश से जुड़ी जोखिम को कम करता है।
4. म्यूचुअल फ़ंड की बहुत-सी क़िस्में उपलब्ध होती हैं, जिन्हें निवेशक की **ज़रूरत और आवश्यकताओं के अनुसार चुना जा सकता है**।
5. **तरलता (Liquidity) उच्च होती है,** क्योंकि म्यूचुअल फ़ंड को सुगमता से बेचा जा सकता है।

व्युत्पन्न (Derivatives)

- व्युत्पन्न एक वित्तीय उपकरण है, जिसका **मूल्य एक या अधिक मूलभूत (underlying) परिसंपत्तियों या प्रतिभूतियों से प्राप्त किया जाता है**। मूलभूत परिसंपत्तियों (underlying assets) में शेयर, बंधपत्र, सूचकांक या इंडेक्स, मुद्रा या सोना, चाँदी, चीनी, कॉफ़ी इत्यादि वस्तुएँ हो सकती हैं।
- व्युत्पन्न स्वयं में एक परिसंपत्ति या परिसंपत्तियों पर आधारित अनुबंध है, जो दो या अधिक पक्षों के बीच होता है।
- इसका मूल्य मूलभूत परिसंपत्तियों में होनेवाले उतार-चढ़ाव द्वारा निर्धारित होता है।
- व्युत्पन्न भविष्य में क़ीमत में होनेवाले उतार-चढ़ाव और अनिश्चितता से रक्षा करते हैं। इसका सामान्य रूप से प्रयोग आयातकों/निर्यातकों, किसानों और डीलरों द्वारा कृषिगत वस्तुओं में किया जाता है।
- यह वित्तीय जोखिम से बचाता है और एक स्थापित जोखिम प्रबंधन क्रिया-विधि है।
- **SEBI** भारत में व्युत्पन्न बाज़ार को विनियमित करता है।
- **व्युत्पन्न** की या तो **ओवर-द-काउंटर (OTC)** पर ख़रीद-फ़रोख़्त हो सकती है या **एक्सचेंज** पर ख़रीद-फ़रोख़्त हो सकती है। OTC व्युत्पन्न अस्तित्ववान (in existence) व्युत्पन्न के एक बड़े भाग का सृजन करते हैं और विनियमित नहीं होते हैं, जबकि एक्सचेंज से ख़रीद-फ़रोख़्त किये गये व्युत्पन्न प्रमाणित या मानकीकृत (standardised) होते हैं।
- प्रतिपक्ष (counter-party) के लिए मानकीकृत डेरिवेटिव की तुलना में OTC व्युत्पन्न सामान्यत: अधिक जोखिम भरे होते हैं।
- व्युत्पन्न (derivatives) के कुछ सामान्य रूप निम्न हैं–

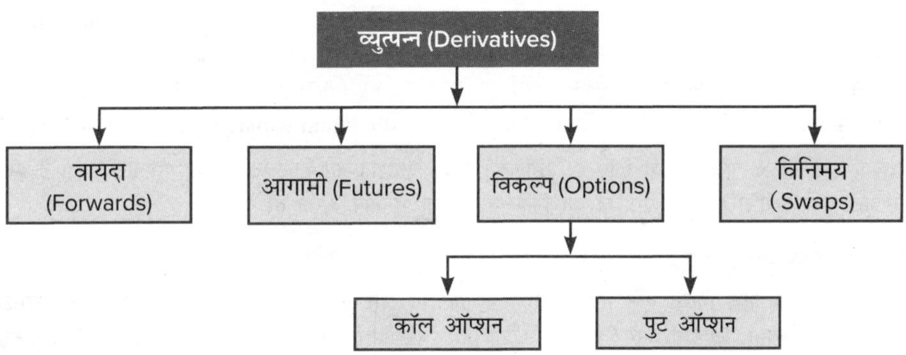

वायदा अनुबंध (Forwards)

यह किसी **निश्चित क़ीमत और तिथि पर किसी विशिष्ट परिसंपत्ति को ख़रीदने या बेचने के लिए** दो पक्षों के बीच हुआ समझौता या अनुबंध है। ये **विनियमित नहीं** होते और **OTC में ख़रीदे-बेचे जाते हैं**। ये सम्मिलित पक्षों की ज़रूरतों के अनुसार बदले या अनुकूलित किये जा सकते हैं।

आगामी अनुबंध (Futures)

ये वायदा अनुबंध के समान होते हैं, लेकिन ये **विनियमित** होते हैं और **स्टॉक एक्सचेंज में ख़रीदे-बेचे जाते हैं।** सभी पक्ष अनुबंध को मानने के लिए **बाध्य** होते हैं।

दूसरे शब्दों में, यह एक निश्चित क़ीमत और तिथि पर किसी विशेष परिसंपत्ति को ख़रीदने या बेचने के लिए दो पक्षों के बीच हुआ एक **मानक अनुबंध (standard contract)** है।

विकल्प (Options)

यह एक ऐसा अनुबंध है, जहाँ ख़रीदार को एक निश्चित समय अवधि के दौरान एक निश्चित क़ीमत **(strike price)** पर **मूलभूत परिसंपत्ति (underlying asset)** को ख़रीदने/बेचने का अधिकार होता है। ख़रीदार के लिए **अनुबंध को मानने की बाध्यता नहीं** होती।

अधिकार या ऑप्शन का भी **कारोबार स्टॉक एक्सचेंज में होता है**। अधिकार या ऑप्शन के प्रकार निम्न हैं-

- **कॉल ऑप्शन (Call option):** यह ख़रीदार को एक निश्चित क़ीमत और तिथि पर मूलभूत परिसंपत्ति को **'ख़रीदने'** का अधिकार देता है। यह तब ख़रीदा जाता है, जब क़ीमतों के **बढ़ने की संभावना** होती है।
- **पुट ऑप्शन (Put option):** यह ख़रीदार को एक निश्चित क़ीमत और तिथि पर मूलभूत परिसंपत्ति को **'बेचने'** का अधिकार देता है। यह तब ख़रीदा जाता है, जब परिसंपत्ति की क़ीमत **निराशावादी** होती है।

विनिमय (Swaps)

स्वैप ऐसे डेरिवेटिव हैं, जो विभिन्न प्रकार की **जोखिमों का प्रबंधन करने के लिए प्रयोग किये जाते हैं**। ये सामान्यतः **ब्याज दर जोखिम** और **मुद्रा जोखिम** का प्रबंधन करने के लिए प्रयोग किये जाते हैं।

यह दो पक्षों के बीच दो भिन्न वित्तीय उपकरणों के **पूर्व-सहमत नक़द प्रवाह (pre-agreed cash flows)** के विनिमय के लिए हुआ अनुबंध है। नक़द प्रवाह को सामान्यतः **अनुमानित मूल राशि (notional principal amount) (ऋण या बंधपत्र)** का प्रयोग कर निर्धारित किया जाता है।

विनिमय के प्रमुख प्रकार (Major Types of Swaps)

ब्याज दर विनिमय (Interest Rate Swaps)

यह विनिमय अनुबंध (swap contract) का सबसे आम प्रकार है, जिसमें स्थिर ब्याज दर को अस्थिर (floating) ब्याज दर के लिए विनिमय किया जाता है। अनुबंध की अवधि के दौरान, ये ब्याज भुगतान पूर्व निर्धारित अंतराल पर किये जाते हैं। यह विनिमय अल्प-कालिक, जैसे कुछ माह का, या दीर्घ-कालिक, जैसे दस साल का हो सकता है। यह पक्षकारों को ब्याज दरों में बदलाव से जुड़ी जोखिम से स्वयं को बचाने में सक्षम बनाता है। इसे **प्लेन वेनिला स्वैप (plain vanilla swap)** के रूप में भी जाना जाता है।

उदाहरण : पक्षकार (पार्टी) A पाँच वर्ष के लिए ₹1 मिलियन पर 4 प्रतिशत की निश्चित दर का भुगतान करता है, जबकि पक्षकार B दस साल के लिए समान राशि पर 3.5 प्रतिशत की निश्चित दर का भुगतान करता है।

मुद्रा विनिमय (Currency Swaps)

मुद्रा विनिमय दो पक्षकारों के बीच किसी एक मुद्रा में ऋण के मूलधन और ब्याज को दूसरी मुद्रा में बदलने का समझौता होता है। मुद्रा विनिमय का उपयोग निगमों, सरकारों और वित्तीय संस्थानों द्वारा विदेशी मुद्रा जोखिम का प्रबंधन करने के लिए किया जाता है।

यह मूलधन विभिन्न मुद्राओं में होता है। इससे बहुत सी फ़र्मों को स्थानीय मुद्रा में त्वरित ऋण प्राप्त करने और विदेशी मुद्रा करों का भुगतान करने से बचने में मदद मिलती है। ये समझौते सरकारों द्वारा विनिमय दर में उतार-चढ़ाव को नियंत्रित करने के लिए भी किये जाते हैं।

क्रेडिट-डिफ़ॉल्ट विनिमय (Credit-default Swaps)

इस तरह का विनिमय उधारकर्ता की डिफ़ॉल्ट जोखिम के बदले ऋणदाता के लिए बीमा के समान कार्य करता है। इस मामले में, यदि उधारकर्ता पुनःभुगतान करने में असमर्थ होता है, तो तीसरा पक्ष ऋणदाता को मूलधन और ब्याज दोनों का भुगतान करने का वादा करता है। इससे उधारकर्ता के लिए ऋण प्राप्त करना आसान हो जाता है और यह ऋणदाता द्वारा उठायी जानेवाली जोखिम को कम करता है। हालाँकि, विनिमय समझौता केवल उधारकर्ता के डिफ़ॉल्ट की स्थिति में ही प्रभावी होता है।

ऋण-इक्विटी विनिमय (Debt-equity Swaps)

इस विनिमय में, ऋण को इक्विटी में या इसके विपरीत परिवर्तित किया जा सकता है। यह एक ऐसी तकनीक है जिसका उपयोग किसी कंपनी की पूँजी को पुनर्गठित करने के लिए किया जाता है। कंपनियाँ अक्सर यह क़दम तब उठाती हैं जब वे लिये गये ऋण पर अपना बक़ाया चुकाने में असमर्थ होती हैं। इक्विटी पर स्विच करके, वे पुनःभुगतान में तेज़ी ला सकती हैं।

अतिरिक्त जानकारी

खुले हित (Open interest) : यह बक़ाया व्युत्पन्न अनुबंध (derivative contracts) की कुल संख्या है, जिनका समाधान होना बाक़ी है। अनुबंध को ख़रीदार और विक्रेता द्वारा शुरू किये जाने से लेकर प्रतिपक्ष (counter-party) द्वारा बंद किये जाने तक खुला माना जाता है।

रियल एस्टेट इनवेस्टमेंट ट्रस्ट [REAL ESTATE INVESTMENT TRUST (REIT)]

इसकी कार्यप्रणाली म्यूचुअल फ़ंड की तरह होती है, जहाँ **भौतिक रियल एस्टेट परिसंपत्ति में निवेश करने के लिए** ट्रस्ट या **परिसंपत्ति-प्रबंध कंपनी [Asset Management Company (AMC)]** निवेशकों से धन की एक मात्रा को एकत्रित करती है। उपार्जित राशि को यूनिट धारकों (निवेशकों) में वितरित कर दिया जाता है। परिसंपत्ति के मूल्य में होनेवाली कोई भी वृद्धि रियल एस्टेट इनवेस्टमेंट ट्रस्ट (REIT) के NAV (Net Asset Value) में प्रदर्शित होती है। हाल ही में, एंबेसी ग्रुप और ब्लैकस्टोन ने भारत का पहला REIT प्रारम्भ किया है।

REIT का प्रमुख एक्सचेंजों पर **सार्वजनिक रूप से कारोबार** (publicly traded) किया जा सकता है, जो सार्वजनिक रूप से पंजीकृत होते हैं, लेकिन ग़ैर-सूचीबद्ध या निजी होते हैं। REIT के दो मुख्य प्रकार हैं- **इक्विटी REIT** और **बंधक REIT (Mortgage REITs)**।

अतिरिक्त जानकारी

इन्फ्रास्ट्रक्चर इनवेस्टमेंट ट्रस्ट [INFRASTRUCTURE INVESTMENT TRUST (InvIT)]

यह REIT और म्यूचुअल फ़ंड के समान होता है, लेकिन निवेश **अवसंरचना परियोजनाओं (infrastructure projects)** में किया जाता है। यह अवसंरचना के वित्त पोषण और निवेशकों के लिए निवेश के मार्गों के विविधीकरण में सहायक होता है।

एक्सचेंज ट्रेडेड फ़ंड [Exchange Traded Fund (ETF)]

परीक्षोपयोगी

- ये म्यूचुअल फ़ंड के समान होते हैं, क्योंकि इसमें सुरक्षा की एक टोकरी सम्मिलित होती है, इसके अतिरिक्त किसी ETF को **स्टॉक एक्सचेंज** में पूरे दिन ख़रीदा और बेचा जाता है, जबकि म्यूचुअल फ़ंड दिन के अंत में उनकी क़ीमत के आधार पर ख़रीदे और बेचे जाते हैं।
- ETF शेयर की क़ीमत में पूरे दिन उतार-चढ़ाव होता है।

- ETF में **सभी प्रकार के निवेश सम्मिलित हो सकते हैं**, जैसे- स्टॉक, बंधपत्र, मुद्राएँ, ऋण, वायदा अनुबंध, और/या कमोडिटीज जैसे स्वर्ण पट्टियाँ (gold bars)।
- ETF व्यक्तिगत रूप से ख़रीदे गये शेयर की तुलना में कम एक्सपेंस रेशियो और कम ब्रोकर कमीशन प्रदान करते हैं।
- ETF के उदाहरणों में बंधपत्र ETF, इंडस्ट्री ETF, कमोडिटी ETF, करेंसी ETF, गोल्ड ETF इत्यादिक सम्मिलित हैं।
- **भारत सरकार के पास वर्तमान में 2 ETF** हैं- CPSE-ETF में 11 सेंट्रल पब्लिक सेक्टर एंटरप्राइजेस के शेयर सम्मिलित हैं। भारत-22 ETF में 16 CPSE, 03 सार्वजनिक क्षेत्र के बैंक और 03 निजी क्षेत्र की कंपनियाँ सम्मिलित हैं। 2020-21 के बजट में एक नये ऋण ETF की घोषणा की गयी थी। भारत का पहला अंतरराष्ट्रीय ऋण ETF आईडीएफ़सी म्यूचुअल फ़ंड - 'यूएस ट्रेज़री बॉण्ड 0-1 ईयर फ़ंड ऑफ़ फ़ंड' द्वारा लॉन्च किया गया है।
- **भारत सरकार ने निम्न दो मुख्य ETF जारी किये हैं** - **CPSE ETF** और **भारत-22 ETF**। **CPSE-ETF** में केंद्रीय सार्वजनिक क्षेत्र के 10 उद्यमों, अर्थात् NTPC लिमिटेड, पावर ग्रिड कॉर्पोरेशन ऑफ़ इंडिया लिमिटेड, ऑयल ऐंड नेचुरल गैस कॉर्पोरेशन लिमिटेड, कोल इंडिया लिमिटेड, भारत इलेक्ट्रॉनिक्स लिमिटेड, NHPC लिमिटेड, ऑयल इंडिया लिमिटेड, SJVN लिमिटेड, NBCC (इंडिया) लिमिटेड, कोचीन शिपयार्ड लिमिटेड के शेयर शामिल हैं। भारत-22 ETF में 16 CPSE, 3 सार्वजनिक क्षेत्र के बैंक और 3 निजी क्षेत्र की कंपनियों के शेयर शामिल हैं।

म्यूचुअल फ़ंड (MF)	एक्सचेंज ट्रेडेड फ़ंड (ETF)
MF केवल प्रत्येक कारोबारी दिन के अंत में एक परिकलित मूल्य के आधार पर ख़रीदा जाता है।	ETF का स्टॉक एक्सचेंज में शेयरों की तरह पूरे दिन कारोबार किया जा सकता है।
MF सामान्यत: ETF की तुलना में अधिक न्यूनतम निवेश आवश्यकता के साथ आते हैं।	MF के तुलना में ETF में निवेश आवश्यकता से कम है।
MF को सक्रिय रूप से प्रबंधित किया जाता है। इस प्रकार MF में उच्च शुल्क और उच्च एक्सपेंस रेशियो समाहित होता है।	ETF को निष्क्रिय रूप से प्रबंधित किया जाता है।

अतिरिक्त जानकारी

गोल्ड ETF *बनाम* सॉवरेन गोल्ड बंधपत्र (GOLD ETF *vs* SOVEREIGN GOLD BOND)

गोल्ड ETF के माध्यम से निवेश पर कुल रिटर्न सोने पर वास्तविक रिटर्न से कम होता है [वास्तविक रिटर्न (प्रति ग्राम) माना जायेगा = बिक्री की तारीख़ पर ट्रेडिंग एक्सचेंज पर प्रतिग्राम सोने की क़ीमत – उतने ग्राम सोने की ख़रीद लागत] जबकि सॉवरेन गोल्ड बंधपत्र की स्थिति में सोने पर ज़्यादा रिटर्न होता है (होल्डिंग पीरियड के दौरान बंधपत्र पर दिये गये ब्याज के कारण)। सॉवरेन गोल्ड बंधपत्र के विपरीत, गोल्ड ETF का उपयोग ऋण के लिए संपार्श्विक रूप से नहीं किया जा सकता है।

डिपॉज़िटरी रिसीट (Depository Receipt)

डिपॉज़िटरी रिसीट (DR), किसी बैंक द्वारा जारी किया जानेवाला एक परक्राम्य प्रमाणपत्र (negotiable certificate) होता है। यह निवेशकों को बाहरी देशों में इक्विटी रखने में सक्षम बनाता है तथा स्थानीय स्टॉक एक्सचेंज में कारोबार किये जानेवाले विदेशी फ़र्म के शेयरों को दर्शाता है।

उनके पास वैश्विक बाज़ार में व्यापार करने का एक विकल्प होता है। मूल रूप से, एक डिपॉज़िटरी रिसीट एक भौतिक दस्तावेज़ होता था, जो निवेशकों को विदेशी स्टॉक के शेयर ख़रीदने की क्षमता प्रदान करता था। भारतीय संदर्भ में, डिपॉज़िटरी रिसीट तीन प्रकार की हो सकती है - ADR, GDR, IDR।

ADR, GDR, और IDR

- **अमेरिकन डिपॉज़िटरी रिसीट (ADR)**
  - US डिपॉज़िटरी बैंक द्वारा जारी
  - मूल्यांकन और कारोबार US$ में किया जाता है
  - अमेरिकी स्टॉक एक्सचेंज में सूचीबद्ध और कारोबार किया जाता है
- **ग्लोबल डिपॉज़िटरी रिसीट (GDR)**
  - दुनिया भर में परक्राम्य
  - किसी भी स्वतंत्र रूप से परिवर्तनीय मुद्रा में मूल्यांकित, लेकिन अधिकांशतः डॉलर (USD) या यूरो (EUR) में
  - कई अंतरराष्ट्रीय स्टॉक एक्सचेंजों में सूचीबद्ध और कारोबार किया जाता है
- **इंडियन डिपॉज़िटरी रिसीट (IDR)**
  - SEBI के पास पंजीकृत घरेलू डिपॉज़िटरी द्वारा जारी
  - भारतीय रुपये (INR) में मूल्यांकित और कारोबार किया जाता है
  - भारतीय स्टॉक एक्सचेंजों में सूचीबद्ध और कारोबार किया जाता है

स्वायत्त धन निधि (Sovereign Wealth Fund)

➤ **स्वायत्त धन निधि [Sovereign Wealth Fund (SWF)]** मुख्य रूप से राष्ट्रीय सरकार या एक संस्था के स्वामित्व में होता है, जो प्रायः भुगतान संतुलन अधिशेष या आधिकारिक विदेशी मुद्रा संचालन या निजीकरण की आय आदि से स्थापित किया जाता है।

➤ ये फ़ंड सामान्यतः वित्तीय उपकरणों, जैसे- बंधपत्र, स्टॉक, गोल्ड और रियल एस्टेट में निवेश करते हैं।

➤ एक SWF का मुख्य उद्देश्य तरलता प्रदान करने के बजाए दीर्घकालिक अवधि में अच्छा रिटर्न पैदा करना होता है।

➤ सिंगापुर का गवर्नमेंट इनवेस्टमेंट कॉर्पोरेशन (GIC) पहले SWF के रूप में जाना जाता है।

➤ **सैंटियागो सिद्धांत (Santiago Principles) निर्धारित करता है कि एक SWF को अनिवार्य रूप से अच्छे रिटर्न के लिए निवेश करना चाहिए और उसमें एक पारदर्शी संरचना होनी चाहिए**। हालाँकि, ये नियम उन्हीं देशों पर लागू होते हैं, जो स्वेच्छा से इसका पालन करते हैं।

➤ SWF **राष्ट्रीय निवेश और अवसंरचना कोष [National Investment and Infrastructure Fund (NIIF)]** भारत का पहला स्वायत्त धन निधि (SWF) है।

ESG फ़ंड (ESG Funds)

➤ **पर्यावरण, सामाजिक और शासन [Environment, Social and Governance (ESG)]** निवेश को संधारणीय निवेश के समानार्थी के रूप में प्रयोग किया जाता है।

➤ निवेश के लिए एक स्टॉक का चयन करते समय ESG फ़ंड ऐसी कंपनियों को शॉर्टलिस्ट करता है, जिनका पर्यावरण, सामाजिक उत्तरदायित्व और कॉर्पोरेट गवर्नेंस का स्कोर उच्च होता है और उसके बाद वित्तीय कारकों को देखा जाता है।

➤ जैसे-जैसे ESG फ़ंडों ने भारत में गति पकड़नी शुरू की है, फ़ंड मैनेजरों ने कहा है कि कंपनियों को बेहतर प्रशासन, नैतिक प्रथाओं, पर्यावरण अनुकूल उपायों और सामाजिक उत्तरदायित्व का पालन करने के लिए विवश किया जायेगा।

➤ उद्योगों के अंदरूनी सूत्रों का कहना है कि तम्बाकू कंपनियाँ और कोयला कारोबार में लगी कंपनियों को कटौती करने में कठिनाई महसूस हो रही है। इस प्रकार की कंपनियाँ ख़तरनाक अपशिष्ट पैदा करती हैं और उनका उचित प्रबंधन नहीं करती हैं।

➤ भारत में निवेशकों के लिए उपलब्ध कुछ ESG म्यूचुअल फ़ंड हैं- आदित्य बिरला सन लाइफ ESG फ़ंड, एक्सिस ESG फ़ंड, SBI मैग्नम इक्विटी ESG फ़ंड इत्यादिक।

मुद्रा बाज़ार और पूँजी बाज़ार में अंतर
(DIFFERENCE BETWEEN MONEY MARKET AND CAPITAL MARKET)

आधार (Basis)	मुद्रा बाज़ार (Money Market)	पूँजी बाज़ार (Capital Market)
अवधि	यह अल्प-कालिक फ़ंड से संबंधित है (परिपक्वता 1 वर्ष या उससे कम होती है)।	यह दीर्घ-कालिक फ़ंड से संबंधित है (परिपक्वता 1 वर्ष से अधिक होती है)।
फ़ंड की प्रकृति	फ़ंड को कार्यशील पूँजी आवश्यकता या नक़द प्रवाह के असंतुलन जैसी अल्प-कालिक ज़रूरतों के लिए जुटाया जाता है।	फ़ंड को दीर्घ-कालिक प्रतिबद्धताओं और ज़रूरतों के लिए जुटाया जाता है।
उपकरण	राजकोष विपत्र, वाणिज्यिक पत्र, जमा प्रमाणपत्र इत्यादि।	इक्विटी शेयर, अधिमान शेयर (preference shares), ऋणपत्र, बंधपत्र इत्यादि।
उपकरण की राशि	प्रत्येक एकल उपकरण सामान्यत: बड़ी राशि का होता है।	प्रत्येक एकल उपकरण सामान्यत: छोटी राशि का होता है।
संबंधित संस्थाएँ	RBI, वाणिज्यिक बैंक, NBFC, प्राथमिक डीलर, बिल ब्रोकर इत्यादि।	स्टॉक एक्सचेंज, वाणिज्यिक बैंक, NBFC, बीमा, पेंशन फ़ंड, व्यक्ति, मर्चेंट बैंक, अंडरराइटर्स इत्यादि।
जोखिम	कम परिपक्वता के कारण कम जोखिम।	चूक जोखिम (Default risk) या बाज़ार जोखिम अधिक होती है।
लेन-देन	लेन-देन फ़ोन पर किया जाता है और इसके लिए कोई औपचारिक स्थान नहीं होता।	लेन-देन औपचारिक स्थान पर किये जाते हैं, जैसे- शेयर बाज़ार या स्टॉक मार्केट।
ब्रोकर	ब्रोकर की सहायता के बिना लेन-देन किया जाता है।	ब्रोकर की सहायता से लेन-देन किया जाता है।
मूल भूमिका	उधार लेनेवालों और उधार देनेवालों के बीच तरलता समायोजन।	दीर्घ-कालिक ज़रूरतों के लिए पूँजी का नियोजन, निवेश और उत्पादनशील नियोजन।
केंद्रीय बैंक के साथ संबंध	देश के केंद्रीय बैंक के साथ निकटता से जुड़ा होता है, जो हमारे मामले में RBI है।	RBI का अप्रत्यक्ष प्रभाव होता है और मुद्रा बाज़ार में तरलता के माध्यम से होता है।
बाज़ार नियामक	भारतीय रिज़र्व बैंक (RBI)	भारतीय प्रतिभूति और विनिमय बोर्ड (SEBI)

प्रतिभूति अनुबंध (विनियमन) अधिनियम, 1956
[(THE SECURITIES CONTRACTS (REGULATION) ACT, 1956)]

प्रतिभूति अनुबंध (विनियमन) अधिनियम, 1956 यानी **SCRA गोरवाला समिति** की सिफ़ारिश पर पारित किया गया था। यह प्रतिभूति अनुबंधों और शेयर बाज़ार को नियंत्रित करता है। इसे निवेशकों की सुरक्षा और अवांछित प्रतिभूति लेनदेन को रोकने के लिए अधिनियमित किया गया था।

SCRA के उद्देश्य (Objectives of the SCRA)

- निष्पक्ष और नैतिक व्यापार प्रथाओं को सुनिश्चित करना
- निवेशकों के हितों की रक्षा करना

- प्रतिभूति बाज़ार के निरंतर विस्तार को प्रोत्साहित करना
- अवांछित प्रतिभूति विनिमय को रोकना
- भारतीय शेयर बाज़ार के संचालन को विनियमित करना

सेबी (SEBI)

- सेबी (SEBI) की स्थापना **12 अप्रैल, 1988** को की गयी थी और इसे **सेबी अधिनियम (SEBI Act)**, 1992 के माध्यम से 30 जनवरी, 1992 को वैधानिक शक्तियाँ प्रदान की गयीं।
- **पूँजी निर्गम नियंत्रक** [Controller of Capital Issues (CCI)] सेबी की पूर्ववर्ती संस्था थी, जो सेबी से पहले भारत में पूँजी बाज़ार को विनियमित करती थी।
- सेबी का मूल कार्य भारत में **प्रतिभूति बाज़ार को विनियमित करना** और निवेशकों के हितों की रक्षा करना है।
- 2015 में, **वायदा बाज़ार आयोग [Forward Markets Commission (FMC)]** का सेबी के साथ विलय कर दिया गया था। सेबी अब **कमोडिटी डेरिवेटिव मार्केट** के विनियमन के लिए भी उत्तरदायी है।
- सेबी एक बोर्ड द्वारा शासित होता है, जिसके प्रमुख एक चेयरमैन या अध्यक्ष होते हैं। आठ अन्य सदस्य होते हैं (वित्त मंत्रालय से 2, RBI से एक, पाँच अन्य सदस्य, जिनमें से कम-से-कम 2 पूर्ण-कालिक सदस्य होते हैं)।
- तुहिन कांत पांडे ने 1 मार्च, 2025 से SEBI के अध्यक्ष पद का कार्यभार ग्रहण किया।

अतिरिक्त जानकारी

वायदा बाज़ार आयोग [FORWARD MARKETS COMMISSION (FMC)]

इसे **अग्रिम संविदा (विनियमन) अधिनियम** [Forward Contracts (Regulation) Act], 1952 के अंतर्गत स्थापित किया गया था। FMC वस्तु वायदा बाज़ार (commodity futures market) का मुख्य नियामक था। इसका अब **सेबी के साथ विलय कर दिया गया है** और अब सेबी वस्तु वायदा बाज़ार का नियामक है।

भारत के प्रमुख वस्तु या कमोडिटी एक्सचेंज हैं-

- मल्टी-कमोडिटी एक्सचेंज ऑफ़ इंडिया लिमिटेड **(MCX)**, मुंबई
- नेशनल कमोडिटी ऐंड डेरिवेटिव्स एक्सचेंज लिमिटेड **(NCDEX)**, मुंबई
- नेशनल मल्टी-कमोडिटी एक्सचेंज ऑफ़ इंडिया लिमिटेड **(NMCE)**, अहमदाबाद

सेबी के कार्य (Functions of SEBI)

- सेबी को **स्टॉक एक्सचेंजों** के विनियमन और उनके कुशल कार्य-संचालन का कार्य सौंपा गया है।
- सेबी भारत में **म्यूचुअल फ़ंड** के विनियमन के लिए उत्तरदायी है।
- सेबी **बाज़ार भागीदारों**, जैसे- ब्रोकर और सब-ब्रोकर, अंडरराइटर्स, FII, सलाहकार, मर्चेंट बैंकर्स के पंजीकरण और विनियमन का कार्य करता है।
- सेबी इनसाइडर ट्रेडिंग और स्टॉक क़ीमतों में हेरफेर जैसी प्रतिभूतियों से संबंधित धोखाधड़ी और **अनुचित व्यापार गतिविधियों (unfair trade practices)** को रोक कर वित्तीय सेवा क्षेत्र में **कदाचार या भ्रष्टाचार** को रोकने का प्रयास करता है।
- सेबी **निवेशक सुरक्षा कोष (Investor Protection Fund)** के प्रबंधन और अधिक जागरूकता के लिए इसका प्रयोग करने के लिए भी उत्तरदायी है।

सेबी और पूँजी बाज़ार सुधार (SEBI and Capital Market Reforms)

- **इश्यू ऑफ़ कैपिटल ऐंड डिस्क्लोज़र रिक्वायरमेंट रेगुलेशन्स, 2018 (ICDR Regulations, 2018)** को SEBI द्वारा प्रस्तुत किया गया, जो कंपनी ऐक्ट, 2013 के साथ सेबी के कई विनियमों में सुधार करता है तथा वित्तीय क्षेत्र में नयी गतिविधियों को प्रस्तुत करता है।
- सेबी अब एक कंपनी द्वारा IPO के माध्यम से जुटायी गयी **₹100 करोड़ से अधिक** के फ़ंड के उपयोग पर नियंत्रण करता है। इससे पहले सेबी ₹500 करोड़ से अधिक के जुटाये गये फ़ंड की केवल निगरानी करता था। यह कंपनियों द्वारा फ़ंड के उचित उपयोग को सुनिश्चित करने और निवेशकों को सुरक्षित करने के लिए किया गया।
- वस्तु और शेयर दोनों के कारोबार के लिए एक **एकल कारोबार लाइसेंस (single trading licence)** तथा प्लेटफ़ॉर्म को शुरू किया जा रहा है। पहले यह अलग था, उदाहरण के लिए, NSE और BSE अब वस्तु कारोबार (commodity trading) के लिए सेवाएँ प्रदान कर सकते हैं।
- बेहतर कॉर्पोरेट प्रशासन को सुनिश्चित करने के लिए **अध्यक्ष और सीईओ की भूमिका को अलग करना**। यह 2020-21 से लागू हुआ। हालाँकि SEBI के अनुसार, कंपनी के अध्यक्ष और एमडी/सीईओ के पदों को अलग करना स्वैच्छिक है।
- **स्वतंत्र निदेशकों** की भूमिका को मज़बूत करना और उन्हें मूक दर्शक बने रहने के स्थान पर अधिक उत्तरदायी बनाना।
- संबंधित पक्षों के लेन-देन का बेहतर उद्घाटन या खुलासा।
- SME के लिए आईपीओ और स्टॉक एक्सचेंज में सूचीबद्ध करने के आसान मानक।
- विदेशी निवेश को प्रोत्साहित करने के लिए विदेशी पोर्टफ़ोलियो निवेशकों **[Foreign Portfolio Investors (FPIs)]** के लिए आसान KYC।
- IPO प्रक्रिया को सुगम बनाना और खुदरा निवेशकों के लिए इन्हें आसान बनाना।

प्रतिभूति अपीलीय न्यायाधिकरण (Securities Appellate Tribunal)

- प्रतिभूति अपीलीय न्यायाधिकरण या सिक्युरिटीज़ अपीलेट ट्रिब्यूनल (SAT) सेबी अधिनियम, 1992 के अंतर्गत स्थापित एक ट्रिब्यूनल है और सेबी, पेंशन निधि विनियामक और विकास प्राधिकरण [Pension Fund Regulatory and Development Authority (PFRDA)] और बीमा विनियामक और विकास प्राधिकरण [Insurance Regulatory and Development Authority (IRDA)] द्वारा पारित आदेशों के विरुद्ध सुनवाई और निपटारे की शक्ति रखता है।
- SAT में एक पीठासीन अधिकारी और दो सदस्य होते हैं। वे न्यायधीशों के रूप में कार्य करते हैं और अपीलों की सुनवाई करते हैं।
- यदि कोई व्यक्ति SAT के निर्णय से असंतुष्ट है, तो वह अपील के माध्यम से सीधे सर्वोच्च न्यायालय जा सकता है।

उद्यम इक्विटी नियम : SEBI (शेयर आधारित कर्मचारी लाभ और उद्यम इक्विटी) विनियम, 2021 (Sweat Equity Rules: SEBI (Share Based Employee Benefits and Sweat Equity) Regulations, 2021)

- ये विनियम निम्नलिखित विनियमों को विलय करने के बाद बनाये गये हैं :
  - सेबी (शेयर आधारित कर्मचारी लाभ) विनियम, 2014; तथा
  - सेबी (स्वेट इक्विटी का निर्गमन) विनियम, 2002
- नये नियमों ने उन **कर्मचारियों के दायरे को विस्तृत कर दिया है, जिन्हें स्टॉक विकल्पों** की पेशकश की जा सकती है और अन्य महत्त्वपूर्ण संशोधन किये जा सकते हैं, जो इन विकल्पों को जारी करनेवाले कर्मचारियों और निगमों दोनों को लाभान्वित करेंगे।
- **उद्यम इक्विटी शेयर (Sweat Equity Share) :**
  - यह एक **गैर-मौद्रिक योगदान** है, जो किसी कंपनी के व्यक्ति या संस्थापक कंपनी के लिए करते हैं।

- उद्यम इक्विटी का **उपयोग आमतौर पर नक़दी की तंगी से जूझ रहे स्टार्ट-अप** और व्यापार मालिकों द्वारा अपनी कंपनियों को फ़ंड देने के लिए किया जाता है।
- यह बौद्धिक संपदा अधिकारों या मूल्यवर्धन की **जानकारी प्रदान करने या उपलब्ध कराने के उद्देश्य से जारी** किया जाता है।
- सूचीबद्ध कंपनी द्वारा जारी किये जा सकनेवाले उद्यम इक्विटी शेयर की **अधिकतम वार्षिक सीमा** को समग्र सीमा के भीतर मौजूदा चुकता इक्विटी शेयर पूँजी के 15% पर निर्धारित किया गया है।
- इनोवेटर्स ग्रोथ प्लेटफ़ॉर्म (IGP) पर सूचीबद्ध व्यवसायों के लिए वार्षिक सीमा 15% होगी, और समग्र सीमा भुगतान पूँजी का 50% होगी।
- यह कंपनी के निगमन के दिन से शुरू होकर **10 वर्षों** तक प्रभावी रहेगा।

➤ नये नियम केवल सूचीबद्ध कंपनियों पर लागू होंगे; क्योंकि इन्हें सेबी द्वारा तैयार किया गया है, जो केवल सूचीबद्ध कंपनियों को नियंत्रित करता है।

➤ **असूचीबद्ध** कंपनियों के लिए, आवश्यक किसी भी बदलाव को कंपनी अधिनियम, 2013 में लाना होगा।

स्टॉक एक्सचेंज (STOCK EXCHANGE)

स्टॉक एक्सचेंज एक ऐसा **मंच** है, जहाँ ख़रीदार और विक्रेता शेयर, बंधपत्र, डेरिवेटिव आदि जैसी प्रतिभूतियों की ख़रीद-फ़रोख़्त या कारोबार करते हैं। ये कारोबार इलेक्ट्रॉनिक माध्यमों के द्वारा किया जाता है। प्रतिभूति की क़ीमत प्रतिभूति की माँग और आपूर्ति द्वारा प्रभावित होती है। यहाँ यह नोट किया जा सकता है कि कारोबार की जानेवाली ऐसी प्रतिभूति उस स्टॉक एक्सचेंज में **'सूचीबद्ध' अवश्य होनी चाहिए**।

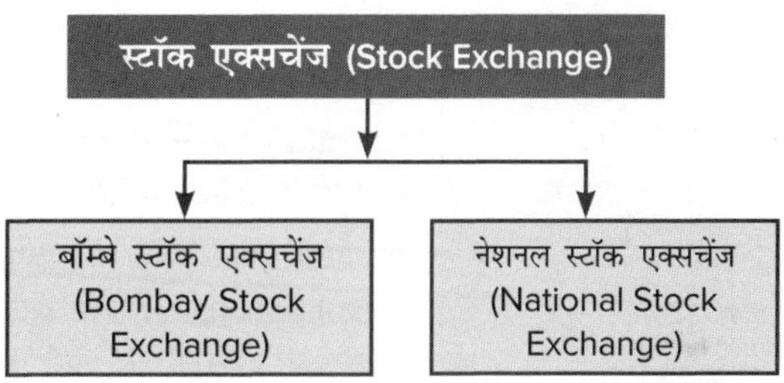

IPO के बाद, कंपनियों को इसे शेयर बाज़ार में सूचीबद्ध कराना होता है, लेकिन इसके लिए उन्हें स्टॉक एक्सचेंज में सूचीबद्ध होने की आवश्यकताओं को पूरा करना होता है, जो धोखाधड़ी को रोकने और आंतरिक कारोबार को निषेध करने का प्रयास करता है। बचत और पूँजी के एकत्रीकरण, कॉर्पोरेट्स के लिए फ़ंड जुटाने और आर्थिक विकास को प्रोत्साहित करने के लिए स्टॉक एक्सचेंज महत्त्वपूर्ण होते हैं। भारत अब **T+1 (trading plus one day)** भुगतान या **समाधान चक्र (settlement cycle)** का अनुपालन करता है। वर्तमान में भारत में दो प्रमुख स्टॉक एक्सचेंज हैं-

➤ **बॉम्बे स्टॉक एक्सचेंज (Bombay Stock Exchange):** यह **एशिया का सबसे पुराना स्टॉक एक्सचेंज** है और स्टॉक एक्सचेंज ऑफ़ मुंबई के नाम से भी जाना जाता है, इसकी स्थापना **1875** में हुई थी, उस समय इसका नाम नेटिव शेयर ऐंड स्टॉक ब्रोकर्स एसोसिएशन था। यहाँ कारोबार इक्विटी, करेंसी, ऋण उपकरणों, डेरिवेटिव और म्यूचुअल फ़ंड में किया जाता है। BSE ने GIFT सिटी अहमदाबाद में भारत के पहले **अंतरराष्ट्रीय स्टॉक एक्सचेंज इंडिया (INX)** की भी स्थापना की है।

लास्ट मिनट स्निपपेट्स

सेंसेक्स = 30 ब्लू-चिप कंपनियों का कुल भारित बाज़ार पूँजीकरण (Total weighted market capitalisation) / सूचकांक विभाजक (Index divisor)।

7 मार्च, 2025 को बाज़ार बंद होने पर सेंसेक्स **74,332.58** पर था।

सेंसेक्स BSE का लोकप्रिय सूचकांक है। सेंसेक्स BSE में सूचीबद्ध 30 सु-स्थापित (well-established) कंपनियों का फ़्री फ़्लोट मार्केट कैपिटलाइज़ेशन वेटेड स्टॉक मार्केट सूचकांक है। 100 आधार मूल्य या बेस वैल्यू के साथ सेंसेक्स का आधार वर्ष या बेस इयर 1978-79 है। इन 30 ब्लू-चिप कंपनियों की सूची को समय-समय पर संशोधित किया जाता है।

➤ **नेशनल स्टॉक एक्सचेंज (National Stock Exchange):** इसकी स्थापना **1992** में की गयी थी और यह भारत का पहला पूर्ण रूप से स्वचालित इलेक्ट्रॉनिक एक्सचेंज है, जिसकी देशव्यापी विद्यमानता या मौजूदगी है। यह भारत का पहला **डिमैटरियलाइज़्ड** (नॉन-पेपर) स्टॉक एक्सचेंज भी है। कारोबार की मात्रा **(trading volumes)** के मामले में NSE **देश का सबसे बड़ा एक्सचेंज है। NSE** का मुख्यालय **मुंबई** में स्थित है।

भारत में पूँजी जुटाने के लिए **NSE** विदेशी कंपनियों द्वारा नयी लिस्टिंग, IPO, ऋण बीमा और इंडियन डिपॉज़िटरी रिसीट्स **(IDRs)** की अनुमति देता है। **NSE** सभी प्रकार की प्रतिभूतियों- इक्विटी और ऋण, कॉर्पोरेट, सरकार और डेरिवेटिव के लिए एक कारोबार मंच या ट्रेडिंग प्लेटफ़ॉर्म प्रदान करता है।

लास्ट मिनट स्निपपेट्स

NSE का सूचकांक **NIFTY** है, जो **50 सु-स्थापित/स्थिर कंपनियों** के इक्विटी शेयरों के मूल्य पर आधारित होता है।

7 मार्च, 2025 को बाज़ार बंद होने पर निफ़्टी **22,552.50** पर था।

स्टॉक मार्केट से संबंधित महत्त्वपूर्ण शब्द या पद (IMPORTANT TERMS RELATED TO STOCK MARKET)

स्टॉक डिपॉज़िटरी (Stock Depository)	स्टॉक डिपॉज़िटरी : एक ऐसा संगठन या संस्थान है, जहाँ किसी वस्तु को भंडारण या सुरक्षित रखने के लिए जमा किया जाता है। स्टॉक डिपॉज़िटरी एक ऐसी संस्था है, जहाँ जमाकर्ताओं के लिए शेयर और अन्य प्रतिभूतियाँ रखी जाती हैं। यह धारक से किसी अन्य व्यक्ति को प्रतिभूतियों के हस्तांतरण को सक्षम बनाता है (मुख्यत: डीमैट रूप में), जिससे प्रतिभूतियों के हस्तांतरण की प्रक्रिया सुरक्षित और तेज़ होती है। यह प्रतिभूति प्रमाणपत्रों के भौतिक या मानवीय प्रबंधन की जोखिम को समाप्त करता है। इस प्रकार, वे सुरक्षा लेनदेन के लिए बैंकों की तरह हैं। भारत में **दो डिपॉज़िटरी हैं– राष्ट्रीय प्रतिभूति निक्षेपागार लिमिटेड [National Securities Depository Limited (NSDL)]** और **सेंट्रल डिपॉज़िटरी सर्विसेज लिमिटेड (CDSL)**, जो 1996 के निक्षेपागार अधिनियम (Depository Act) के परिणामस्वरूप अस्तित्व में आयी। डिपॉज़िटरी अपने एजेंट के माध्यम से संचालित होती हैं, जिसे निक्षेपागार सहभागी **[Depository Participants (DPs)]** कहा जाता है। ये **सेबी द्वार विनियमित होते हैं** और कारोबारियों के डीमैट अकाउंट की देखरेख और अन्य कारोबारी सेवाएँ प्रदान कर प्रतिभूतियों के कारोबार को सुगम बनाते हैं।
डीमैट अकाउंट (Demat Account)	**डीमैट (डीमैटेरियलाइज़्ड) अकाउंट** : ऐसा अकाउंट है, जो निवेशकों को इलेक्ट्रॉनिक रूप में प्रतिभूतियों को रखने में सहायता करता है। भारत में **NSDL** और **CDSL** द्वारा डीमैट अकाउंट की देखरेख की जाती है। यह प्रतिभूतियों के लेनदेन के **ई-भुगतान** को संभव बनाता है।
मार्केट ऑर्डर (Market Order)	मार्केट ऑर्डर किसी भी निवेशक द्वारा ब्रोकर से मौजूदा वित्तीय बाज़ार में सर्वोत्तम संभव क़ीमत पर स्टॉक, बॉण्ड या अन्य संपत्ति ख़रीदने या बेचने का अनुरोध है।
लिमिट ऑर्डर (Limit Order)	लिमिट ऑर्डर किसी भी निवेशक को ऑर्डर करते समय अधिकतम स्वीकार्य ख़रीद मूल्य या न्यूनतम स्वीकार्य बिक्री मूल्य निर्दिष्ट करने की अनुमति देता है। ऑर्डर तभी पूरा होगा, जब एसेट निर्दिष्ट मूल्य तक पहुँच जायेगा।

बुल मार्केट (Bull Market)	**बुल मार्केट :** एक ऐसी स्थिति को दर्शाता है, जब स्टॉक मार्केट/ प्रतिभूति की **क़ीमतें बढ़ रही होती है या बढ़ने की संभावना होती है**। निवेशकों में उम्मीद जगी होती है और वे भविष्य में लाभ पाने की आशा में प्रतिभूतियों को ख़रीदने में रुचि दिखाते हैं, इस प्रकार माँग में काफ़ी तेज़ी होती है। दूसरी तरफ़, आपूर्ति सीमित होती है, क्योंकि प्रतिभूति धारक बेचने के इच्छुक नहीं होते। माँग में वृद्धि के साथ आपूर्ति में कमी, शेयर के दामों को तेज़ी से बढ़ा देती है। बुल मार्केट सामान्यत: बढ़ती अर्थव्यवस्था और मज़बूत कॉर्पोरेट निष्पादन से जुड़ा होता है।
बियर मार्केट (Bear Market)	**बियर मार्केट :** एक ऐसी स्थिति है, जब **स्टॉक क़ीमतें नीचे गिर रही होती हैं** और भविष्य में स्टॉक के **अच्छा करने की उम्मीद नहीं होती**। निवेशकों में अपने नुक़सान को कम करने के लिए अपनी हिस्सेदारी बेचने की प्रवृत्ति होती है, जबकि प्रतिभूतियों को ख़रीदनेवाले ख़रीदारों की कमी होती है। यह आपूर्ति में वृद्धि और माँग में कमी की स्थिति को पैदा करता है, जिसके परिणामस्वरूप प्रतिभूतियों की क़ीमतें गिर जाती हैं। बियर बाज़ार सामान्यत: अर्थव्यवस्था में गिरावट और कमज़ोर कॉर्पोरेट निष्पादन से जुड़ा होता है।
लिवरेज़ (Leverage)	शेयर बाज़ार में लिवरेज़ का अर्थ कमाई बढ़ाने के एकमात्र उद्देश्य से ख़रीदने के लिए वित्तीय रूप से सक्षम एक से अधिक शेयरों में निवेश करने के लिए धन उधार लेना है। लिवरेज़ एक अपेक्षाकृत मामूली निवेश बल को आनुपातिक रूप से बड़े रिटर्न में बढ़ाना है।
नैसडैक (NASDAQ)	**नेशनल असोसिएशन ऑफ़ सिक्युरिटीज़ डीलर्स ऑटोमेटेड कोटेशन्स (NASDAQ)** न्यूयॉर्क में स्थित विश्व का पहला इलेक्ट्रॉनिक एक्सचेंज है। यह एक वैश्विक स्टॉक एक्सचेंज है, जिसमें विश्व की अग्रणी प्रौद्योगिकी कंपनियाँ जैसे- माइक्रोसॉफ़्ट, गूगल, ऐपल आदि सम्मिलित हैं। NASDAQ कंपोजिट NASDAQ स्टॉक एक्सचेंज में सूचीबद्ध लगभग 3000 स्टॉक या शेयरों का एक सूचकांक या इंडेक्स है।
ब्लू चिप (Blue Chip)	**ब्लू चिप** सामान्यत: एक ऐसे स्टॉक/कंपनी को संदर्भित करता है, जो अपने सेगमेंट में मार्केट लीडर होते हैं और जिनकी मज़बूत वित्तीय और विकास साख होती है। इन्हें एक अच्छा निवेश विकल्प माना जाता है और इनका स्थिर और विश्वसनीय विकास या ग्रोथ रिकॉर्ड होता है। उदाहरणस्वरूप, टीसीएस, रिलायंस इंडस्ट्रीज, एचडीएफ़सी बैंक आदि।
वन-साइडेड मार्केट (One-sided Market)	यह उन दुर्लभ अवसरों को संदर्भित करता है, जिनमें किसी बाज़ार में केवल संभावित ख़रीदार और विक्रेता होते हैं, लेकिन दोनों में से कोई भी एक ही समय पर मौजूद नहीं होता है। यह एक ऐसी स्थिति है, जिसमें बाज़ार केवल एक ही दिशा में आगे बढ़ रहा है। ऐसे मामलों में, बाज़ार बनानेवाले केवल बिड (bid) या आस्क प्राइस (Ask Price) कोट करेंगे।
मार्केट कैपिटलाइज़ेशन (Market Capitalisation)	सार्वजनिक रूप से कारोबार करनेवाली किसी कंपनी के बक़ाया शेयरों और उनके प्रति शेयर वर्तमान बाज़ार मूल्य का गुणनफल उस कंपनी का **मार्केट कैपिटलाइज़ेशन (मार्केट कैप)** होता है। यह कंपनी की सकल आय पर निवेशक की राय का एक संकेतक होता है। मार्केट कैपिटलाइज़ेशन को सामान्यत: कंपनी के आकार के मापक की इकाई के रूप में लिया जाता है। बाज़ार या मार्केट का आकार उन विशेषताओं का एक अच्छा संकेतक है, जिन्हें एक निवेशक निवेश करते समय देखता है। यह निवेशकों को विभिन्न मार्केट आकारों के अनुसार अपने पोर्टफ़ोलियो में विविधता लाने में भी सहायक होता है।

लार्ज कैप (Large Cap) मिड कैप (Mid Cap) स्माल कैप (Small Cap)	मार्केट कैपिटलाइज़ेशन के आधार पर स्टॉक को तीन भागों में विभाजित किया जाता है– **लार्ज कैप**, **मिड कैप** और **स्माल कैप**। **लार्ज कैप (Large Cap)** – जिन कंपनियों का मार्केट कैपिटलाइज़ेशन **₹20,000 करोड़ से अधिक** होता है, उन्हें लार्ज कैप के रूप में जाना जाता है। ये **सु-स्थापित कंपनियाँ** होती हैं और इन कंपनियों में निवेश करना कम जोखिमवाला निवेश माना जाता है। चूँकि ये बड़ी कंपनियाँ होती हैं, इसलिए वे नियमित रूप से लोगों के सामने अपने वार्षिक विवरणों को प्रकट करती हैं। उदाहरणस्वरूप, TCS, एयरटेल आदि। **मिड कैप (Mid Cap)**– जिन कंपनियों का मार्केट कैपिटलाइज़ेशन **₹5000 करोड़ से ₹20,000 करोड़** के बीच हो, तो उन्हें मिड कैप कंपनियों के वर्ग में रखा जाता है। इन्हें लार्ज कैप स्टॉक में निवेश की तुलना में जोखिम भरा माना जाता है। लेकिन सामान्यत: इनमें 3 से 5 वर्ष की अवधि के बाद उच्च प्रतिफल या रिटर्न प्रदान करने की संभावना रहती है। निवेशक इन स्टॉक में इस उम्मीद के साथ रुचि रखते हैं कि ये अच्छे उद्यम हैं, जो लार्ज कैप में बदल जायेंगे। उदाहरणस्वरूप, बाटा, अपोलो हॉस्पिटल, टीवीएस मोटर आदि। **स्माल कैप (Small Cap)**– जिन कंपनियों का मार्केट कैपिटलाइज़ेशन **₹5,000 करोड़ से कम** होता है, वे स्माल कैप के रूप में जानी जाती हैं। ये या तो स्टार्ट-अप या ऐसी कंपनियाँ होती हैं, जो अब भी अपने विकास के चरण में होती हैं। ये **उच्च जोखिम-उच्च रिटर्न** देनेवाले निवेश के रूप में जानी जाती हैं। चूँकि ये छोटी कंपनियाँ होती हैं, इसलिए सामान्यत: निवेशकों के लिए अधिक जानकारी उपलब्ध नहीं होती। उदाहरणस्वरूप आंध्रा बैंक, बॉम्बे डाइंग आदि।
प्रारंभिक सार्वजनिक प्रस्ताव (Initial Public Offerings - IPOs)	ये एक प्रकार के निर्गम (issue) होते हैं, जिसमें एक ग़ैर-सूचीबद्ध कंपनी नयी प्रतिभूतियाँ जारी करके पूँजी जुटाती है और इसे आम जनता द्वारा ख़रीदे जाने के लिए उपलब्ध कराती है। एक कंपनी जिसके शेयर सार्वजनिक स्टॉक एक्सचेंज में सूचीबद्ध नहीं हैं, उसे ग़ैर-सूचीबद्ध (unlisted) कहा जाता है। एक कंपनी जिसकी कोई भी प्रतिभूति किसी स्थापित स्टॉक एक्सचेंज में सूचीबद्ध प्रस्ताव दस्तावेज़ के माध्यम से पेश की जाती है, उसे सूचीबद्ध (listed) कंपनी कहा जाता है।
फ़ॉलो-ऑन पब्लिक ऑफ़रिंग (Follow-on Public Offer - FPO)	एक सार्वजनिक कंपनी, जो अपने प्रारंभिक सार्वजनिक प्रस्ताव (IPO) के बाद अधिक शेयर जारी करती है, उसे फ़ॉलो-ऑन पब्लिक ऑफ़रिंग (FPO) के रूप में जाना जाता है। इस प्रकार, FPO संकेत देते हैं कि जो कंपनियाँ पहले से ही एक्सचेंजों में सूचीबद्ध हैं, वे आम जनता के लिए अधिक शेयर प्रस्तावित कर रही हैं।
विविधीकरण (Diversification)	विविधीकरण, एक जोखिम-घटाने की तकनीक है, जिसमें परिसंपत्तियों को कई परिसंपत्ति वर्गों, उद्योगों या स्थानों पर वितरित करना सम्मिलित होता है। अपने पोर्टफ़ोलियो में विविधता लाकर, निवेशक अपने संपूर्ण पोर्टफ़ोलियो पर किसी एक शेयर के प्रदर्शन प्रभाव को कम करना चाहते हैं।
बुक बिल्डिंग (Book Building)	यह एक ऐसी प्रक्रिया है, जिसका उपयोग कंपनियाँ सार्वजनिक प्रस्तावों, प्रारंभिक सार्वजनिक प्रस्तावों (IPOs) और फॉलो-ऑन पब्लिक ऑफ़रिंग (FPOs), दोनों के माध्यम से पूँजी जुटाने के लिए करती हैं, ताकि मूल्य और माँग की खोज में सहायता मिल सके।
बीटा (Beta)	बीटा एक धारणा है, जो व्यापक बाज़ार के संबंध में स्टॉक की अनुमानित गतिविधि को मापता है। एक से अधिक बीटावाले स्टॉक अपने इंडेक्स समकक्षों की तुलना में अधिक अस्थिर होते हैं, जबकि कम बीटावाले स्टॉक कम अस्थिर होते हैं। बीटा निवेशकों को यह निर्धारित करने की अनुमति देता है कि वे कितनी जोखिम लेने को तैयार हैं। यदि वे अधिक रिटर्न की उम्मीद करते हैं, तो वे उच्च बीटावाले इक्विटी में निवेश करने के लिए तैयार हो सकते हैं। हालाँकि, उन्हें चेतावनी दी जानी चाहिए कि इन इक्विटी का मूल्य कम होने की अधिक संभावना होती है। यदि निवेशक अधिक स्थिरता चाहते हैं, तो वे कम बीटा वैल्यूवाले इक्विटी में निवेश करना चाह सकते हैं।

अल्फ़ा (Alpha)	अल्फ़ा किसी स्टॉक या निवेश का उसके बीटा द्वारा अपेक्षित रिटर्न से परे अतिरिक्त रिटर्न है। यह बीटा द्वारा मूल्यांकन की गयी जोखिम की मात्रा को ध्यान में रखते हुए बाज़ार की तुलना में स्टॉक के प्रदर्शन को प्रदर्शित करता है। पॉजिटिव अल्फ़ा बेहतर प्रदर्शन को दर्शाता है, जबकि नेगेटिव अल्फ़ा ख़राब प्रदर्शन को दर्शाता है।
राउंड ट्रिपिंग (Round Tripping)	राउंड-ट्रिपिंग से तात्पर्य देशों के बीच धन के आवागमन से जुड़े लेन-देन की एक श्रृंखला से है, जिसका समापन मूल देश में वापसी के रूप में होता है। उदाहरण के लिए, एक भारतीय निगम देश के बाहर एक सहायक कंपनी स्थापित करता है और राजस्व का उपयोग भारत में वापस निवेश करने के लिए किया जाता है।
अनधिकृत कारोबार (Insider Trading)	सार्वजनिक रूप से उपलब्ध स्टॉक का ऐसा कारोबार, जो ऐसी सूचनाओं पर आधारित है, जो सार्वजनिक रूप से उपलब्ध नहीं होती और जो **निवेश निर्णयों** को प्रभावित करती हैं, इसे **अनधिकृत कारोबार** या **इनसाइडर ट्रेडिंग** कहा जाता है। यह सामान्यत: तब होता है, जब प्रमुख कर्मचारियों की रणनीतिक जानकारियों तक पहुँच हो जाती है और वे स्टॉक मार्केट से फ़ायदा उठाने के लिए इन जानकारियों या सूचनाओं का प्रयोग करते हैं। यह नियमित निवेशक को नुक़सान में रखता है और **अनुचित कारोबार** का कारण बनता है। **सेबी** अनधिकृत या इनसाइडर ट्रेडिंग को **हतोत्साहित करता** है और इसका लक्ष्य निष्पक्ष और पारदर्शी एक्सचेंज परितंत्र को प्रोत्साहित करना है।
शेयरों की वापसी ख़रीद या पुन:क्रय (Buyback of Shares)	बॉयबैक या वापसी ख़रीद तब होती है, जब कंपनी **अपने स्वयं के शेयरों की बाज़ार में पुन:क्रय** करती है। इसके परिणामस्वरूप सार्वजनिक रूप से कारोबार किये जानेवाले कंपनी के शेयरों की कुल संख्या में कमी आती है, जिससे प्रति शेयर आय और शेयर के मूल्य में वृद्धि हो जाती है। इस प्रकार, बॉयबैक का सामान्यत: **शेयर के बाज़ार मूल्य पर सकारात्मक प्रभाव** पड़ता है। बॉयबैक निवेशकों को इस बात का भी भरोसा देता है कि संकट की स्थिति को सँभालने के लिए कंपनी के पास पर्याप्त नक़द और तरलता है।
शॉर्ट सेलिंग (Short Selling)	शॉर्ट सेलिंग एक निवेश या ट्रेडिंग तकनीक है, जो स्टॉक या अन्य प्रतिभूतियों की क़ीमत में कमी पर बेट लगाती है। यह एक जटिल विधि है, जिसका उपयोग अनुभवी ट्रेडर्स और निवेशकों को करना चाहिए।
पिरामिडिंग (Pyramiding)	यह समान प्रतिभूतियों की मौजूदा होल्डिंग्स के मूल्य में वृद्धि से अप्राप्त लाभ का उपयोग करके पोजीशन के साइज़ को बढ़ाने के लिए बढ़े हुए मार्जिन का लाभ उठाने का एक तरीक़ा है।
प्राथमिक डीलर्स (Primary Dealers)	प्राथमिक डीलर एक वित्तीय संस्थान होता है, जिसके पास राष्ट्रीय सरकार के साथ प्रतिभूतियों का व्यापार करने का लाइसेंस होता है। भारत में ये RBI के साथ पंजीकृत संस्थाएँ होती हैं और उन्हें सरकारी प्रतिभूतियों की ख़रीद और बिक्री की मंजूरी दी जाती है। प्राइमरी डीलर प्रणाली को RBI ने 1995 में पेश किया था।
डिस्काउंट ऐंड फ़ाइनेंस हाउस ऑफ़ इंडिया [Discount and Finance House of India (DFHI)]	इसे कंपनी अधिनियम, 1956 के अंतर्गत 1988 में स्थापित किया गया था। संस्था को वित्तीय बाज़ारों में तरलता प्रदान करने और स्थिरता लाने के लिए सम्मिलित किया गया था। DFHI – ट्रेज़री-बिल, सरकारी प्रतिभूतियों, सर्टिफ़िकेट ऑफ़ डिपॉज़िट, कमर्शियल पेपर, माँग मुद्रा, नोटिस मनी और टर्म मनी इत्यादि से संबंधित होता है। DFHI एक प्राथमिक डीलर है और SBI की सहायक संस्था है।
ऐक्टिव रिटर्न (Active Return)	ऐक्टिव रिटर्न पोर्टफ़ोलियो द्वारा बेंचमार्क, इंडेक्स या संपूर्ण बाज़ार की तुलना में प्राप्त अतिरिक्त रिटर्न है। ऐक्टिव रिटर्न अतिरिक्त रिटर्न होते हैं, जो पोर्टफ़ोलियो की जोखिम के दायरे से बाहर होते हैं और निवेश बेंचमार्क, सूचकांक या बाज़ार में रिटर्न होते हैं। वे पोर्टफ़ोलियो की ताक़त और पोर्टफ़ोलियो प्रबंधक के सक्रिय प्रबंधन निर्णयों का परिणाम होते हैं, यानी ऐसेट्स को कम या अधिक वेट देने का जानबूझकर लिया गया निर्णय।

ऐब्सोल्यूट रिटर्न (Absolute Return)	ऐब्सोल्यूट रिटर्न एक निश्चित समय अवधि में निवेश पर रिटर्न की दर है। यह अनिवार्य रूप से एक निश्चित समय अवधि में प्रारंभिक निवेश के अनुपात के रूप में हुए लाभ और हानि की गणना करता है।
अवरुद्ध राशि द्वारा समर्थित आवेदन [Application Supported by Blocked Amount (ASBA)]	एक इश्यू को सब्सक्राइब करने के लिए बैंक खाते में ऐप्लीकेशन मनी को ब्लॉक करने के लिए निवेशक द्वारा दिया गया आवेदन या ऐप्लीकेशन है। निवेशक निर्धारित IPO ऐप्लीकेशन फ़ॉर्म को भरते हैं और इसे अपनी किसी भी शाखा के माध्यम से किसी भी **स्व-प्रमाणित सिंडिकेट बैंक [Self-Certified Syndicate Bank (SCSB)]** में जमा करते हैं। **स्व-प्रमाणित सिंडिकेट बैंक (SCSB)** को अपने ग्राहकों को ASBA सेवाएँ प्रदान करने में सक्षम बैंक के रूप में मान्यता प्राप्त है। सुविधा की **शुरुआत 2008 में सेबी द्वारा** खुदरा निवेशकों के लिए की गयी थी, फिर इसे कॉर्पोरेट निवेशकों और **हाई नेटवर्थ इंडीविज़ुअल (HNI)** तक विस्तारित कर दिया गया।
कैपिटल ऐसेट प्राइसिंग मॉडल [Capital Asset Pricing Model (CAPM)]	कैपिटल ऐसेट प्राइसिंग मॉडल (CAPM) एक अक्सर इस्तेमाल किया जानेवाला वित्तीय मॉडल है, जो किसी स्टॉक के अनुमानित रिटर्न को उसके बीटा और जोखिम-मुक्त दर से जोड़ता है। यह जोखिम प्रोफ़ाइल के आधार पर निवेश पर सर्वोत्तम रिटर्न की गणना के लिए एक ढाँचा प्रदान करता है।
इनीशियल क्वॉइन ऑफ़रिंग (ICO)	यह **क्रिप्टोकरेंसी** (**बिटकॉन**, **इथेरियम**, **लाइटक्वॉइन**, **Z-कैश** इत्यादि) का प्रयोग कर किसी परियोजना के लिए फ़ंड जुटाने का अनियमित साधन है। ब्लॉक चेन टेक्नोलॉजी और वर्चुअल करेंसी में काम करनेवालीं स्टार्ट-अप कंपनियाँ ICO का प्रयोग करती हैं। भारत में इस तरह की क्राउड फ़ंडिंग का कोई विनियामक या रेगुलेटर नहीं है।
व्यापारी बैंक (Merchant Bank)	यह एक वित्तीय संस्थान है, जो पूँजी (**ऋण या इक्विटी**) बढ़ाने में कंपनियों को **सहायता और सुझाव प्रदान करता है**। ये कंपनियों को IPO के साथ आने में मदद करते हैं। ये इन सेवाओं को आम जनता को प्रदान नहीं करते हैं। IPO के दौरान खुदरा निवेशकों से कोई कमी होने पर ये धन की **रक़म जुटाने की गारंटी दे सकते हैं**।
अस्थिरता (Volatility)	अस्थिरता किसी विशेष प्रतिभूतियों या बाज़ार सूचकांक के लिए रिटर्न के प्रसार का एक सांख्यिकीय माप है। अधिकांश परिस्थितियों में, अधिक अस्थिरता जोखिमपूर्ण प्रतिभूति का संकेत देती है। अस्थिरता का आकलन अक्सर समान प्रतिभूतियों या बाज़ार सूचकांक से रिटर्न के मानक विचलन या भिन्नता का उपयोग करके किया जाता है।
ऐंकर इनवेस्टर (Anchor Investor)	**ऐंकर इनवेस्टर (या कॉर्नरस्टोन इनवेस्टर)** की अवधारणा को **2009** में SEBI द्वारा शुरू किया गया था। ये संस्थागत निवेशक हैं, जिन्हें IPO से आगे शेयरों को सब्स्क्राइब करने के लिए आमंत्रित किया जाता है, ताकि इश्यू की लोकप्रियता को रोचक बनाया जा सके और संभावित IPO निवेशकों में भरोसे को बढ़ाया जा सके। उन्हें अन्य निवेशकों में भरोसा बढ़ाने के लिए और शेयर की माँग को बढ़ाने के लिए एक निश्चित मूल्य पर शेयर लेने की आवश्यकता होती हैं। प्रत्येक ऐंकर निवेशक को इश्यू में कम-से-कम ₹10 करोड़ का निवेश करना होता है। IPO खुलने के एक दिन पहले उन्हें शेयर आवंटन किया जाता है। ऐंकर इनवेस्टर का एक तिहाई हिस्सा घरेलू म्यूचुअल फ़ंड के लिए आरक्षित होता है।
ओपन-हाई-लो-क्लोज-चार्ट (Open-High-Low-Close-Chart)	एक ओपन-हाई-लो-क्लोज़ चार्ट (OHLC) एक प्रकार का चार्ट है, जिसका उपयोग आमतौर पर समय के साथ किसी वित्तीय साधन के मूल्य के झुकाव को दिखाने के लिए तकनीकी विश्लेषण में किया जाता है। चार्ट पर प्रत्येक ऊर्ध्वाधर रेखा समय की एक इकाई, जैसे एक दिन या एक घंटे में मूल्य सीमा (उच्चतम और निम्नतम क़ीमतें) को दर्शाती है।

वेंचर कैपिटलिस्ट (VC)	ये ऐसी संस्थाएँ हैं, जो विशाल दीर्घ-कालिक संभावनाओं के साथ **नवगठित कंपनी या स्टार्ट-अप के वित्तपोषण के लिए** पूँजी देती हैं। VC विभिन्न निवेशकों और कंपनियों से धन का संग्रहण करते हैं और फिर उनकी तरफ़ से स्टार्ट-अप में निवेश करते हैं। सामान्यतः बैंक और वित्त पोषण के पारंपरिक स्रोत ऐसी **उच्च-जोखिम परियोजनाओं** को ऋण देने से बचते हैं। वेंचर कैपिटलिस्ट या पूँजीपति बिज़नेस को बढ़ाने के लिए पूँजी देते हैं और प्रायः प्रबंधकीय विशेषज्ञता भी प्रदान करते हैं। वेंचर कैपिटलिस्ट को सफल स्टार्ट-अप में तब उनके इक्विटी शेयर के **उच्च मूल्यांकन के साथ पुरस्कृत किया जाता** है। इस तरह के फ़ंड का उपयोग संचालनों को बढ़ाने और अपेक्षित क्षमता को पूरा करने के लिए किया जाता है। भारत में कुछ VC हैं- **सॉफ़्टबैंक, नैसपर्स (Naspers)**, **एसेल पार्टनर्स और सिकोइया कैपिटल (Sequoia Capital)**।
आर्बिट्रेज (Arbitrage)	आर्बिट्रेज एक समान ऐसेट की अलग-अलग बाज़ारों में एक साथ ख़रीद और बिक्री है, ताकि उनके बीच तत्काल मूल्य अंतर से लाभ प्राप्त किया जा सके। आर्बिट्रेज गारंटी देता है कि कई बाज़ारों में समान ऐसेट्स के बीच मामूली मूल्य अंतर कम हो जाता है, जिसके परिणामस्वरूप एक्सचेंजों में लगातार मूल्य निर्धारण होता है।
एंजल इनवेस्टर (Angel Investor)	एंजल इनवेस्टर (जिसे **इनफ़ॉर्मल इनवेस्टर या सीड इनवेस्टर** भी कहा जाता है) एक ऐसा व्यक्ति है, जो सामान्यतः **परिवर्तनीय ऋण या ओनरशिप इक्विटी** के बदले **स्टार्ट-अप** को कारोबार के लिए **पूँजी प्रदान करता है**। एंजल निवेशक सामान्यतः शुरुआती क्षणों में स्टार्टअप को समर्थन देते हैं, जब अधिकांश इनवेस्टर उन्हें समर्थन देने के लिए तैयार नहीं होते है। ये उच्च-जोखिम, उच्च-पुरस्कृत स्टार्ट-अप में निवेश करते हैं, लेकिन विशिष्ट रूप से **अपना स्वयं का धन उपयोग करते हैं** (VC के विपरीत)। ये सामान्यतः उच्च-शुद्ध-आयवाले व्यक्ति या हाई-नेट-वर्थ-इंडिविजुअल (HNI) होते हैं, जो संरक्षक (mentor) के रूप में भी कार्य करते हैं। एंजल इनवेस्टर काफ़ी शुरुआती निवेशक होते हैं, सामान्यतः VC के भी पहले। इन्हें VC की तुलना में अधिक जोखिम होती है; यद्यपि निवेश की मात्रा VC कंपनियों की तुलना में कम होती है, VC कंपनियों के पास धन का एक बड़ा कोष होता है।
इंट्राडे ट्रेडिंग (Intraday Trading)	इंट्राडे ट्रेडिंग एक ही दिन में स्टॉक एक्सचेंज में सूचीबद्ध प्रतिभूतियों की ख़रीद और बिक्री है। इस रणनीति का उपयोग करने का मुख्य लक्ष्य अर्जित ऐसेट्स पर पूँजीगत लाभ उत्पन्न करना है, साथ ही लंबी अवधि में पैसा निवेश करके जोखिम को भी कम किया जा सकता है।
P2P लेंडिंग	**P2P लेंडिंग या पीयर-टू-पीयर लेंडिंग** वित्तीय सेवाओं में एक उभरता हुआ क्षेत्र है। यह असुरक्षित ऋण से संबंधित होता है, जो **ऑनलाइन प्लेटफ़ॉर्म पर** व्यक्तियों या कारोबारियों द्वारा लिया जाता है। यह व्यक्तियों को मध्यस्थों के रूप में काम करनेवालीं वित्तीय संस्थाओं को किनारे कर **सीधे अन्य व्यक्तियों से ऋण प्राप्त करने में** सक्षम बनाता है। उधार उपलब्ध करानेवालीं वेबसाइटें उधार लेनेवाले को सीधे निवेशक से जोड़ती हैं। वेबसाइट लेन-देन की दर और शर्तों को निर्धारित करती है। हालाँकि ब्याज दरें सामान्यतः उच्च होती हैं, इसीलिए बैंको द्वारा दिये जानेवाले व्यक्तिगत ऋण (personal loans) सस्ते पड़ते हैं। भारत में कुछ प्रसिद्ध प्लेटफ़ॉर्म हैं– **फ़ेयरसेंट (Faircent)** और **लेंडबॉक्स (LendBox)** RBI ने हाल ही में भारत में P2P उधार देने के मापदंडों को मंज़ूरी दी है। P2P प्लेटफ़ॉर्मों को **NBFC-P2P के रूप में स्वयं को पंजीकृत कराना होगा** और कुछ निश्चित शर्तों और मापदंडों को पूरा करना होगा। वर्तमान में उधार लेनेवालों और उधार देनेवालों के लिए ऋण की **राशि 10 लाख से अधिक नहीं हो सकती है** और एक लेन-देन में यह ₹50,000 से अधिक नहीं होनी चाहिए। RBI के नियम प्रणालीगत जोखिम को रोकने के लिए सख़्त हैं, इसीलिए भारत में अभी ये क्षेत्र तेज़ी से आगे नहीं बढ़ रहा है, जबकि चीन में यह सफल रहा है।

बाज़ार सूचकांक (Market Index)	एक बाज़ार सूचकांक, जैसे कि S&P 500 या डॉव जोन्स इंडस्ट्रियल ऐवरिज़, एक निश्चित मार्केट या इंडस्ट्री के प्रदर्शन को प्रतिबिंबित करने के लिए चुनीं इक्विटीज़ का एक संग्रह है। इसका उपयोग विशिष्ट स्टॉक या निवेश के प्रदर्शन की तुलना करने के लिए एक बेंचमार्क के रूप में किया जाता है।
जोखिम-मुक्त दर (Risk-free Rate)	जोखिम-मुक्त दर किसी निवेश पर काल्पनिक रिटर्न है, जिसमें कोई जोखिम नहीं होती है। यह अक्सर सरकारी बॉण्ड या अन्य कम जोखिमवालीं प्रतिभूतियों पर आधारित होता है। वित्त में, जोखिम-मुक्त दर विभिन्न ऐसेट्स के रिटर्न की तुलना के लिए एक मानक के रूप में काम करती है।
बिज़नेस इनक्यूबेटर (Business Incubator)	यह एक ऐसी कंपनी है, जो नयी और **स्टार्ट-अप कंपनियों** का विकास **प्रबंधन प्रशिक्षण या कार्यालय स्थान** जैसी सेवाएँ उपलब्ध कराकर करती हैं।
निगोशिएटेड डीलिंग सिस्टम (बातचीत के ज़रिये व्यवहार प्रणाली) - ऑर्डर मैचिंग (NDS-OM) प्रणाली [Negotiated Dealing System-Order Matching (NDS-OM) System]	**निगोशिएटेड डीलिंग सिस्टम-ऑर्डर मैचिंग सिस्टम (NDS-OM) सरकारी प्रतिभूतियों में लेनदेन** के लिए एक इलेक्ट्रॉनिक, स्क्रीन आधारित, अनाम, ऑर्डर संचालित प्रणाली है। **RBI NDS-OM का मालिक है** और **क्लियरिंग कॉर्पोरेशन ऑफ़ इंडिया लिमिटेड (CCIL) NDS-OM का रखरखाव करता है**। प्लेटफ़ॉर्म सरकारी प्रतिभूतियों में ओवर-द-काउंटर (OTC) या फ़ोन बाज़ार की मौजूदा सुविधा के अतिरिक्त है। NDS-OM सरकारी प्रतिभूतियों में द्वितीयक बाज़ार लेनदेन में पारदर्शिता लाता है। सदस्य सीधे NDS-OM स्क्रीन पर बोलियाँ (ऑर्डर ख़रीद सकते हैं) और ऑफ़र (ऑर्डर बेच सकते हैं) रख सकते हैं। हाल ही में, RBI ने NDS-OM के माध्यम से "**RBI रिटेल डायरेक्ट स्कीम**" शुरू की है। इसका **उद्देश्य खुदरा निवेशकों के लिए सरकारी प्रतिभूति बाज़ार तक पहुँच बढ़ाना** है।
स्क्वायर ऑफ़ (Square Off)	स्क्वायरिंग ऑफ़ एक ट्रेडिंग रणनीति है, जिसे ट्रेडर बाज़ार की अस्थिरता से लाभ कमाने के लिए अपनाते हैं। ट्रेडर एक फ़र्म में बहुत सारे स्टॉक ख़रीदता है और उन्हें उसी दिन ऊँची क़ीमत पर बेचता है, जिसके परिणामस्वरूप लाभ होता है या हानि होती है।
यूनिकॉर्न (Unicorn)	"**यूनिकॉर्न**" ऐसे उद्यम होते हैं, जिनका मूल्यांकन 1 बिलियन डॉलर से अधिक होता है। जबकि, "**मिनीकॉर्न्स**" 1 मिलियन डॉलर से अधिक के मूल्यांकन के साथ स्टार्टअप हैं और "**सूनिकोर्न**" परीनिवेशकों (angel investors) या उद्यम पूँजीपतियों (venture capitalists) द्वारा वित्त पोषित स्टार्टअप हैं, जबकि "**डेकाकॉर्न**" वो हैं; जिनका मूल्यांकन 10 बिलियन डॉलर से अधिक होता है। **हुरुन रिपोर्ट** के अनुसार, 2021 में एक ही वर्ष में 33 "इकसिंगों" को जोड़कर, भारत ने ब्रिटेन को उन देशों की सूची में तीसरे स्थान पर विस्थापित कर दिया है, जहाँ सबसे अधिक संख्या में यूनिकॉर्न हैं। अमेरिका पहले स्थान पर है; जबकि चीन दूसरे स्थान पर है। मार्च, 2024 तक अमेरिका 661 यूनिकॉर्न के साथ पहले स्थान पर है, इसके बाद चीन 312 यूनिकॉर्न के साथ दूसरे स्थान पर है, जबकि भारत में 114 यूनिकॉर्न हैं।
सिस्टमैटिक जोखिम (Systematic Risk)	सिस्टमैटिक जोखिम का मतलब उस जोखिम से है, जो पूरे मार्केट या किसी विशिष्ट मार्केट सेक्टर में मौजूद होता है। यह डाइवर्सीफ़ाइ करने योग्य नहीं होता है और विभिन्न प्रकार की इक्विटी और निवेशों को प्रभावित करता है। बीटा ऐसे सिस्टमैटिक जोखिम को कैप्चर करता है, जिसे डाइवर्सीफ़ाइ द्वारा दूर नहीं किया जा सकता है।
अनसिस्टमैटिक जोखिम (Unsystematic Risk)	अनसिस्टमैटिक जोखिम, जिसे विशेष जोखिम या विशिष्ट जोखिम के रूप में भी जाना जाता है, एक एकल फ़र्म या निवेश से जुड़ी जोखिम है। इसे डाइवर्सिफ़िकेशन द्वारा कम किया जा सकता है, क्योंकि यह पूरे बाज़ार के बजाए व्यक्तिगत शेयरों के लिए विशेष होता है।

IPO ग्रे मार्केट	IPO ग्रे मार्केट एक **अनौपचारिक बाज़ार** है, जहाँ IPO शेयर या ऐप्लिकेशन शेयर बाज़ार में ट्रेडिंग के लिए उपलब्ध होने से पहले ख़रीदे और बेचे जाते हैं। इसे समानांतर बाज़ार या ओवर-द-काउंटर (OTC) बाज़ार भी कहा जाता है। चूँकि, यह अनौपचारिक है, अनिवार्य रूप से, **ऐसा कोई नियम नहीं है,** जो इसे नियंत्रित करते हैं।
तीसरा बाज़ार (Third Market)	ओवर-द-काउंटर (OTC) बाज़ार पर एक्सचेंज-सूचीबद्ध परिसंपत्तियों का व्यापार, तीसरे बाज़ार के रूप में जाना जाता है। ये व्यापार संस्थागत निवेशकों को एक्सचेंज के माध्यम से व्यापार करने के बजाए सीधे प्रतिभूतियों के ब्लॉक का व्यापार करने में सक्षम बनाकर ख़रीदारों को तरलता और गुमनामी की सुविधा प्रदान करते हैं।
चौथा बाज़ार (Fourth Market)	जब प्रतिभूतियों का व्यापार किसी स्थापित एक्सचेंज के माध्यम से व्यापार करने के बजाए एक निजी, ओवर-द-काउंटर (OTC) कंप्यूटर नेटवर्क पर संस्थानों के बीच सीधे किया जाता है, तो इसे चौथा बाज़ार कहा जाता है।

सोशल स्टॉक एक्सचेंज (एसएसई) [Social Stock Exchange (SSE)]

एसएसई की अवधारणा को पहली बार केंद्रीय बजट 2019-20 में पेश किया गया था। हाल ही में, सेबी ने **सामाजिक उद्यमों** (सामाजिक समस्याओं को दूर करने के लिए स्थापित ग़ैर-हानि, ग़ैर-लाभांश भुगतान कंपनियों) को धन जुटाने के लिए अतिरिक्त अवसर प्रदान करने के लिए एसएसई के लिए एक नया ढाँचा पेश किया है।

नये फ्रेमवर्क में बीएसई और एनएसई को एसएसई के लिए सेबी की मंजूरी मिल गयी है। यह निवेशकों को एसएसई में शेयर ख़रीदने की अनुमति देगा, जिन्हें आधिकारिक एक्सचेंज द्वारा सत्यापित किया गया है।

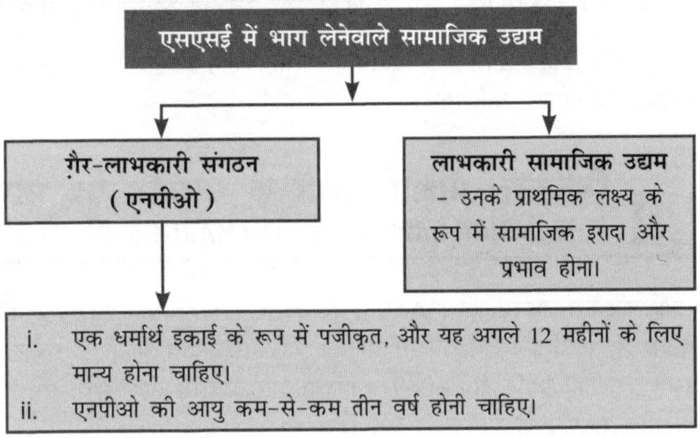

एसएसई के उदाहरण : सोशल स्टॉक एक्सचेंज (यूके), सोशल वेंचर कॉनेक्सियन (कनाडा) और इम्पैक्ट इन्वेस्टमेंट एक्सचेंज (सिंगापुर)।

अंतरराष्ट्रीय वित्तीय सेवा केंद्र प्राधिकरण [International Financial Services Centres Authority (IFSCA)]

- अंतरराष्ट्रीय वित्तीय सेवा केंद्र प्राधिकरण (IFSCA) एक वैधानिक प्राधिकरण हैं, जिसकी स्थापना **2020** में अंतरराष्ट्रीय वित्तीय सेवा केंद्र प्राधिकरण अधिनियम (International Financial Services Centres Authority Act), 2019 के अंतर्गत की गयी है।
- इसका मुख्यालय गुजरात में **गांधीनगर** की GIFT सिटी में स्थित है।
- यह देश में अंतरराष्ट्रीय वित्तीय सेवा केंद्र [International Financial Services Centres (IFSCs)] में होनेवालीं **सभी वित्तीय सेवाओं को विनियमित करने के लिए एक एकीकृत प्राधिकरण है।** IFSCA की स्थापना से पहले IFSC में होनेवाले कारोबार को घरेलू वित्तीय रेगुलेटर RBI, SEBI, PFRDA और IRDAI विनियमित करते थे।

➤ **IFSCA का मुख्य कार्य वित्तीय उत्पादों,** जैसे- प्रतिभूतियों, डिपॉज़िट या बीमा अनुबंध, तथा वित्तीय सेवाओं और वित्तीय संस्थानों **को विनियमित करना है**, जो पहले से किसी IFSC में किसी उचित नियामक द्वारा अनुमोदित किये गये हैं।

स्पॉट एक्सचेंज (Spot Exchanges)

एक स्पॉट मार्केट में वित्तीय उपकरणों और वस्तुओं का व्यापार तत्काल डिलिवरी के लिए किया जाता है। भारत में स्पॉट एक्सचेंज एक इलेक्ट्रॉनिक व्यापार मंच है, जहाँ विशिष्ट वस्तुओं, कृषि उत्पादों, धातुओं, बुलियन इत्यादि की ख़रीद और बिक्री की जाती है। स्पॉट एक्सचेंजों में देश भर के लोगों के व्यापक वर्ग द्वारा क़ीमत का निर्धारण होता है, इसलिए मूल्य निर्धारण अधिक कुशल होता है। ये कई प्रकार के होते हैं-

➤ **नेशनल कमोडिटी ऐंड डेरिवेटिव एक्सचेंज लिमिटेड (NCDEX) ई-मार्केट्स लिमिटेड** - यह भारत में अग्रणी नेशनल स्पॉट एक्सचेंज है। इसे 2006 में समाहित किया गया था। NeML NCDEX (अधिकांश स्वामित्व LIC, NABARD, IFFCO, PNB, केनरा बैंक, NSE के पास) के पूर्ण स्वामित्ववाली सहायक कंपनी है। NCDEX 90% से अधिक हिस्सेदारी के साथ भारत का सबसे बड़ा कृषि वस्तु एक्सचेंज है। इसका मुख्यालय मुंबई में स्थित है।

➤ नेशनल स्पॉट एक्सचेंज लिमिटेड (NSEL)।

➤ इंडियन बुलियन स्पॉट एक्सचेंज लिमिटेड - यह 2008 में स्थापित एक गै़र-सरकारी कंपनी है। यह एक सार्वजनिक गै़र-सूचीबद्ध कंपनी है और मुख्य रूप से खनन और उत्खनन व्यवसाय से जुड़ी है।

केंद्रीय बजट 2020-21 में GIFT सिटी, गांधीनगर में इंटरनेशनल फ़ाइनेंशियल सर्विसेज सेंटर में एक इंटरनेशनल बुलियन एक्सचेंज की स्थापना की घोषणा की गयी।

डिजिटल प्रौद्योगिकियों के उपयोग पर भारतीय अनुभव (THE INDIAN EXPERIENCE ON HARNESSING DIGITAL TECHNOLOGIES)

सार्क फ़ाइनेन्स गवर्नर्स ग्रुप (SAARCFINANCE Governors' Group) की मरेकेश (Marrakesh) में, वर्ष 2023 में, आयोजित 44वीं बैठक में, भारतीय रिज़र्व बैंक ने वैश्विक तौर पर केंद्रीय बैंकों के संचालन पर डिजिटल तकनीकों के बढ़ते प्रभाव को स्पष्ट किया। इसने तकनीकी प्रगति द्वारा उत्पन्न चुनौतियों और अवसरों का प्रभावी ढंग से समाधान करने के लिए केंद्रीय बैंकों और अन्य हितधारकों के बीच सहयोग के महत्त्व पर ज़ोर दिया।

यह कई कार्यों में नयी तकनीक अपनाने के भारतीय रिज़र्व बैंक (RBI) के प्रयास को दर्शाता है-

➤ RBI ने **अपने परिचालन में AI, मशीन लर्निंग और बिग डेटा एनालिटिक्स** जैसी उभरती प्रौद्योगिकियों को सक्रिय रूप से शामिल किया है, जिसमें मौद्रिक नीति निर्माण, अनुसंधान और डेटा प्रबंधन शामिल हैं।

➤ वित्तीय क्षेत्र में नवीनता को प्रोत्साहित करने के लिए नियामक **सैंडबॉक्स और हैकथॉन** विकसित किये गये हैं। इन पहलों के परिणामस्वरूप खुदरा भुगतान, सीमा पार लेनदेन, MSME ऋण और धोखाधड़ी से सुरक्षा के लिए व्यावहारिक समाधान प्राप्त हुए।

➤ भुगतान और निपटान प्रणालियों, विशेषकर **यूनिफ़ाइड पेमेंट इंटरफ़ेस [Unified Payment Interface (UPI)]** में RBI की उपलब्धियों ने अंतरराष्ट्रीय स्तर पर ध्यान आकर्षित किया है। ऑफ़लाइन भुगतान, फ़ोन-आधारित लेनदेन और संवादी भुगतान जैसी आगे की प्रगति, वित्तीय प्रौद्योगिकी नवाचार के प्रति भारत के समर्पण को दर्शाती है।

➤ RBI क्षमता सीमाओं का समाधान करने और भू-राजनीतिक और जलवायु संबंधी मुद्दों से जुड़ीं जोखिमों को कम करने के लिए क्लाउड सेवाओं और हलके पोर्टेबल भुगतान समाधान जैसे डिजिटल बुनियादी ढाँचे का निर्माण कर रहा है।

सार्क (SAARC) केंद्रीय बैंक अपने उपयोग और आधुनिक प्रौद्योगिकी को अपनाने में काफ़ी भिन्न हैं। इसलिए, केंद्रीय बैंकों को एक-दूसरे के अनुभवों से सीखना चाहिए और डिजिटल तकनीक विकसित करने की चुनौतियों से सफलतापूर्वक निपटने के लिए सहयोग और ज्ञान के आदान-प्रदान पर ज़ोर देना चाहिए।

अतिरिक्त जानकारी

वित्तीय कार्रवाई कार्य बल [FINANCIAL ACTION TASK FORCE (FATF)]

- **वैश्विक धन-शोधन (Global money laundering)** एक बड़ी चुनौती है; क्योंकि यह ड्रग्स व्यापार, मानव तस्करी, हथियारों का अवैध व्यापार और आतंकवाद जैसे अंतरराष्ट्रीय संगठित अपराधों को वित्त पोषित करता है।
- वित्तीय कार्रवाई कार्य बल (FATF) को आरम्भिक रूप से **1989 में G-7** (अमेरिका, ब्रिटेन, कनाडा, फ़्रांस, जर्मनी, इटली और जापान) द्वारा गठित किया गया था। इसका उद्देश्य **वैश्विक धन-शोधन और आतंकवाद की फ़ंडिंग** को रोकना तथा अंतरराष्ट्रीय वित्तीय व्यवस्था की अखंडता को बनाये रखना है। यह पेरिस में OECD के मुख्यालय में स्थित है।
- **FATF के वर्तमान में 40 सदस्य है :** 38 देश और 02 क्षेत्रीय संगठन (यूरोपियन कमीशन और गल्फ़ को-ऑपरेशन काउंसिल)।
- भारत 2006 में FATF का पर्यवेक्षक बना था। उसके बाद, **2010 में भारत इसका सदस्य बन गया।**
- **FATF के कार्य (Functions of FATF) :** यह अंतर-सरकारी निकाय है, जो अंतरराष्ट्रीय मानकों को निर्धारित करता है, जिसे **FATF संस्तुतियाँ (recommendations)** कहा जाता है। यह विश्व भर के देशों में FATF मानकों, नियमों और प्रक्रियाओं को अपनाने तथा उनके पालन के लिए ज़रूरी क़ानूनी एवं प्रशासनिक बदलावों को लाने के लिए अन्य देशों को राजी करता है।
- ऐसे देश, जो मनी लॉन्ड्रिंग के विरुद्ध प्रयासों में अन्य न्याय-अधिकारों के साथ असहयोगात्मक होते हैं, उन्हें **FATF ब्लैक लिस्ट** के अंतर्गत रखा जाता है या इन्हें नॉन-को-ऑपरेटिव कंट्री ऑर टेरिटरी (NCCT) भी कहा जाता है। FATF ब्लैक लिस्ट को **'कॉल फ़ॉर एक्शन'** भी कहा जाता है। FATF नियमित रूप से ब्लैक लिस्ट को अपडेट करता है।
- **FATF ग्रे लिस्ट** यानी, **बढ़ी हुई निगरानी के अंतर्गत क्षेत्राधिकार** उन देशों को मान्यता देता है, जो मनी लॉन्ड्रिंग, आतंकवादी फ़ंडिंग और प्रसार वित्त से निपटने के लिए अपने शासन में प्रमुख कमियों का समाधान करने के लिए FATF के साथ सक्रिय रूप से काम कर रहे हैं।

विदेशी खाता कर अनुपालन अधिनियम (Foreign Account Tax Compliance Act)

विदेशी खाता कर अनुपालन अधिनियम (FATCA) अमेरिकी सरकार द्वारा लाया गया अमेरिकी टैक्स रेगुलेशन है, जिसका उद्देश्य अमेरिकी नागरिकों द्वारा की जानेवाली अपतटीय या विदेशी कर की चोरी को रोकना है। **FATCA** की घोषणाओं को भारत में लागू करने के लिए **2005 में** भारत और अमेरिका के बीच अंतर-सरकारी समझौते पर हस्ताक्षर किये गये थे।

FATCA का प्राथमिक लक्ष्य अमेरिका को छोड़कर अन्य देशों से **अमेरिकी नागरिकों की आय और वित्तीय परिसंपत्तियों के बारे में जानकारी या सूचना प्राप्त करना है।** NPS, म्यूचुअल फ़ंड, बैंक खाते जैसे वित्तीय परिसंपत्तियों को रखनेवाले सभी भारतीयों को घोषणा करनी होती है कि वे अमेरिकी कर क्षेत्राधिकार के अंतर्गत नहीं आते हैं।

क्रेडिट रेटिंग एजेंसी (Credit Rating Agencies)

क्रेडिट रेटिंग एजेंसी या CRA किसी संस्था या व्यक्ति से जुड़ी ऋण जोखिम का पता लगाने के लिए **किसी कंपनी या व्यक्ति की वित्तीय स्थिति और उधार-पात्रता (credit worthiness) का विश्लेषण और मूल्यांकन करती है।** क्रेडिट रेटिंग ऋणदाताओं और निवेशकों को बेहतर निर्णय लेने में सहायक होती है।

बंधपत्र, ऋणपत्र, कमर्शियल पेपर, सरकारी ऋण आदि को जारी करने में CRA रेटिंग काफ़ी महत्त्वपूर्ण होती है। एक अच्छी रेटिंग कम ब्याज दर को सुनिश्चित करने में सहायक होती है, क्योंकि इसमें अंतर्निहित जोखिम कम मानी जाती है। कंपनी या सरकार की बदलती वित्तीय स्थिति और संभावनाओं के आधार पर रेटिंग लगातार बदलती रहती हैं। उदाहरणस्वरूप, राजकोषीय घाटे में वृद्धि रेटिंग में कमी या गिरावट को ला सकती है।

क्रेडिट रेटिंग तब बहुत महत्त्वपूर्ण हो जाती है, जब संस्थाएँ अंतरराष्ट्रीय बाज़ार से उधार लेना चाह रही हों। रेटिंग या स्कोर देने से पहले विभिन्न कारकों, जैसे- वर्तमान और अतीत के वित्तीय विवरण, उधार इतिहास, पुन:भुगतान क्षमता आदि पर विचार किया जाता है।

भारत में क्रेडिट रेटिंग एजेंसियों या CRA के **विनियमन के लिए सेबी उत्तरदायी है**। 2008 के वैश्विक वित्तीय संकट के दौरान अमेरिकी बैंकों द्वारा जारी किये गये सब-प्राइम लेंडिंग और डेरिवेटिव्स से जुड़ीं जोखिमों का उचित मूल्यांकन नहीं करने के लिए क्रेडिट रेटिंग एजेंसियों की आलोचना की गयी थी।

हाल ही में IL-FS, DHFL और यस बैंक ग़बन के बाद एक बार फिर क्रेडिट रेटिंग एजेंसियों की भूमिका की आलोचना की गयी है। इन विफल वित्तीय संस्थानों ने अपनी वास्तविक वित्तीय स्थिति के विपरीत सकारात्मक रेटिंग हासिल की थी। यह तर्क दिया गया कि **क्रेडिट रेटिंग एजेंसियों (CRA)** द्वारा इन NBFC का अच्छी तरह मूल्यांकन और आकलन नहीं किया गया था। इसके अतिरिक्त क्रेडिट रेटिंग एजेंसियों ने इन संस्थाओं की रेटिंग गिराने में बहुत देर कर दी थी।

हाल ही में, SEBI ने जारीकर्ता रेटिंग या कॉर्पोरेट क्रेडिट रेटिंग के लिए मानकीकृत प्रतीकों और उनकी परिभाषाओं को तैयार किया है। नये दिशानिर्देशों के अनुसार, CRA के पहले नाम का उपयोग रेटिंग प्रतीकों (जैसे- एएए, एए, ए, बीबीबी, आदि) के लिए एक उपसर्ग के रूप में किया जाना चाहिए।

भारत की मुख्य क्रेडिट रेटिंग एजेंसियाँ (CRAs) हैं-

1. क्रिसिल लिमिटेड (CRISIL Ltd)
2. इंडिया रेटिंग ऐंड रिसर्च प्राइवेट लिमिटेड (India Ratings & Research Pvt. Ltd.)
3. केयर (CARE)
4. आईसीआरए (ICRA)
5. ब्रिकवर्क रेटिंग्स (BWR)

मुख्य वैश्विक क्रेडिट रेटिंग एजेंसियाँ (CRAs) जो संप्रभु या सॉवरेन रेटिंग भी देती हैं, वे हैं-

1. फ़िच (Fitch)
2. मूडीज़ (Moody's)
3. स्टैंडर्ड ऐंड पूअर (S&P)

संक्षिप्त विवरण

- **वित्त बाज़ार (Financial Market)** – मुद्रा बाज़ार और पूँजी बाज़ार सम्मिलित हैं।
- **मुद्रा बाज़ार (Money Market)** – उच्च रूप से तरल – एक वर्ष तक की परिपक्वतावाली अल्प-कालिक वित्तीय परिसंपत्तियों का कारोबार किया जाता है।
- **राजकोष विपत्र (Treasury Bills)** – सरकार की अल्प-कालिक आवश्यकताओं को वित्त पोषित करने का मुद्रा बाज़ार साधन – छूट पर जारी किया जाता है और सम मूल्य (at par) पर भुनाया जाता है – केंद्र सरकार की तरफ़ से RBI राजकोष विपत्र को बेचती है – ये चार प्रकार के होते हैं- 14-दिवसीय राजकोष विपत्र, 91 दिवसीय राजकोष विपत्र, 182 दिवसीय बिल और 364 दिवसीय राजकोष विपत्र – राजकोष विपत्र ख़रीदारों में स्वयं RBI, वाणिज्यिक बैंक, NBFC, LIC, UTI और GIC सम्मिलित हैं।
- **नक़द प्रबंधन विधेयक (Cash Management Bill)** - सरकार की तरफ़ से RBI द्वारा बेची जानेवाली एक अल्प-कालिक प्रतिभूति - उद्देश्य केंद्र सरकार की अस्थायी ज़रूरतों के लिए धन जुटाना है – 91 दिन से कम की काल-अवधि ।
- **पूँजी बाज़ार (Capital Market)** – पूँजी बाज़ार में निवेश की अवधि 1 वर्ष से अधिक है, क्योंकि यह उधारकर्ता की दीर्घकालिक ज़रूरतों को पूरा करता है – दो प्रकार के होते हैं- प्राथमिक बाज़ार और द्वितीयक बाज़ार।
- **प्राथमिक बाज़ार (Primary Market)** – IPO, FPO के माध्यम से नयी पूँजी या फ़ंड जुटाना – इसे नया निर्गम बाज़ार या इश्यू मार्केट भी कहा जाता है।

- **द्वितीयक बाज़ार (Secondary Market)** – कंपनियों की मौजूदा प्रतिभूतियों का कारोबार बॉम्बे स्टॉक एक्सचेंज (BSE) और नेशनल स्टॉक एक्सचेंज (NSE) जैसे स्टॉक एक्सचेंज के माध्यम से किया जाता है– एक डीमैट अकाउंट की ज़रूरत – SEBI द्वारा विनियमित।
- **शेयर (Shares)** - शेयर कंपनी के स्वामित्व की एक इकाई को सर्जित करता है - बिक्री के लिए प्रस्तुत किया जाता है, ताकि कंपनी के लिए पूँजी जुटायी जा सके – कंपनी द्वारा शेयर पर डिविडेंड का भुगतान किया जाता है।
- **ऋणपत्र (Debentures)** - ऋण उपकरण होते हैं, जिनके ब्याज की दर निश्चित होती है - जो सामान्यत: असुरक्षित होते हैं - सामान्यत: यह सावधि जमा (FD) से अधिक ब्याज दर प्रदान करता है।
- **म्यूचुअल फ़ंड (Mutual Fund)** - धन का एक कोष या पूल (pool) बनाने के लिए कई निवेशकों से धन एकत्र किया जाता है, जिसे फिर वित्तीय परिसंपत्तियों, जैसे- स्टॉक, सरकार और सार्वजनिक क्षेत्र उद्यमों के बंधपत्र, कॉर्पोरेट बंधपत्र इत्यादिक, में निवेश किया जाता है - पेशेवरों द्वारा प्रबंधित होते हैं।
- **नगर निगम बंधपत्र (Municipal Bond)** - नगर निगम बंधपत्र **निश्चित आय उपकरण (fixed income instruments)** होते हैं, अर्थात् सरकार या अर्ध-सरकारी संस्थाओं द्वारा जारी ऋण प्रतिभूतियाँ, जिन्हें नागरिक परियोजनाओं के लिए धन की आवश्यकता होती है - नगर निगम बंधपत्र दो प्रकार के होते हैं– सामान्य दायित्व बंधपत्र (General Obligation Bonds) और राजस्व बंधपत्र (Revenue Bonds)।
- **मसाला बंधपत्र (Masala Bond)** – मसाला बंधपत्र रुपये के मूल्य-वर्गवाला बंधपत्र है - जिसे विदेशी बाज़ारों से फ़ंड जुटाने के लिए सरकारी निकाय, NBFC और योग्य कॉर्पोरेट जैसी संस्थाएँ जारी कर सकती हैं – पहला मसाला बंधपत्र 2014 में इंटरनेशनल फ़ाइनेंस कॉर्पोरेशन (IFC) द्वारा जारी किया गया था।
- **ज़ीरो-कूपन बंधपत्र (Zero Coupon Bond)** - ब्याज का भुगतान नहीं करता- परिपक्वता पर पहुँचने के बाद बंधपत्रधारक द्वारा बंधपत्र की फ़ेस वैल्यू प्राप्त की जाती है।
- **सॉवरेन गोल्ड बंधपत्र योजना (Sovereign Gold Bond Scheme)** - भौतिक रूप से सोना रखने का एक विकल्प है - ये बंधपत्र केंद्र सरकार की तरफ़ से **RBI द्वारा जारी किये जाते हैं** और **इन्हें स्वर्ण या गोल्ड में नामित किया जाता है** – NRI को छोड़कर कोई भी निवेश कर सकता है – बंधपत्र की क़ीमत RBI निश्चित करती है।
- **सॉवरेन ब्लू बंधपत्र (Sovereign Blue Bond)** – **सेशल्स गणराज्य** ने संधारणीय समुद्री और मछली पालन परियोजनाओं को समर्थन करने के लिए विश्व का पहला सॉवरेन ब्लू बंधपत्र जारी किया है।
- **रीयल एस्टेट इनवेस्टमेंट ट्रस्ट (Real Estate Investment Trust)** – म्यूचुअल फ़ंड के समान - भौतिक रियल एस्टेट परिसंपत्ति में निवेश करने के लिए ट्रस्ट या ऐसेट मैनेजमेंट कंपनी (AMC) निवशेकों से धन की एक मात्रा को एकत्रित करती है।
- सेबी **(SEBI)** – भारत का प्रतिभूति एवं विनिमय बोर्ड - 12 अप्रैल, 1988 को स्थापित किया गया तथा 30 जनवरी, 1992 को वैधानिक शक्तियाँ प्रदान की गयीं – भारत में प्रतिभूति बाज़ार को विनियमित करने और निवेशकों के हितों की रक्षा करने के लिए।
- **एंजल इनवेस्टर्स (Angel Investors)** - फ़रिश्ता या परीनिवेशक उच्च-जोखिम, उच्च-पुरस्कृत स्टार्ट-अप में निवेश करते हैं - विशिष्ट रूप से अपना स्वयं का धन उपयोग करते हैं - ये सामान्यत: **उच्च-शुद्ध-आयवाले व्यक्ति** या **हाई-नेट-वर्थ-इंडिविज़ुअल (HNI)** होते हैं।
- **ऐंकर इनवेस्टर्स (Anchor Investors)** - ये संस्थागत निवेशक जिन्हें IPO की लोकप्रियता बढ़ाने के लिए, IPO जारी करने से पहले शेयरों को सबस्क्राइब करने के लिए आमंत्रित किया जाता है

यूपीएससी सिविल सेवा के पिछले वर्षों की प्रारंभिक परीक्षा के प्रश्न

1. वित्त के संदर्भ में, शब्द 'बीटा' किसे निर्दिष्ट करता है? [2023]
   (a) अलग-अलग प्लेटफ़ॉर्मों से, साथ-साथ किसी परिसंपत्ति को ख़रीदने और बेचने की प्रक्रिया।
   (b) किसी पोर्टफोलियो प्रबंधक की, जोखिम और प्रतिफल के बीच संतुलन लाने की, निवेश कार्यनीति।
   (c) एक प्रकार की व्यवस्थागत जोखिम, जो वहाँ उत्पन्न होती है जहाँ पूर्ण प्रतिरक्षा संभव नहीं है।
   (d) एक संख्यात्मक मान, जो पूरे स्टॉक बाज़ार में होनेवाले परिवर्तनों के प्रति किसी स्टॉक के विचलनों को मापता है।

2. निम्नलिखित बाज़ारों पर विचार कीजिए : [2023]
   1. सरकारी बॉण्ड बाज़ार
   2. शीघ्रावधि द्रव्य बाज़ार (कॉल मनी मार्केट)
   3. कोषपत्र बाज़ार (ट्रेज़री बिल मार्केट)
   4. स्टॉक बाज़ार

   पूँजी बाज़ार में, उपर्युक्त में से कितने शामिल हैं?
   (a) केवल एक (b) केवल दो
   (c) केवल तीन (d) सभी चार

3. भारतीय अर्थव्यवस्था के संदर्भ में, "मुद्रास्फीति-सहलग्न बॉण्ड [Inflation-Indexed Bonds (IIBs)]" के क्या लाभ हैं? [2022]
   1. सरकार IIBs के रूप में अपने ऋणग्रहण पर कूपन दरों को कम कर सकती है।
   2. IIBs निवेशकों को मुद्रास्फीति के बारे में अनिश्चितता से सुरक्षा प्रदान करते हैं।
   3. IIBs पर प्राप्त ब्याज और साथ ही साथ पूँजीगत लाभ कर योग्य नहीं होते।

   उपर्युक्त कथनों में कौन-से सही हैं?
   (a) केवल 1 और 2 (b) केवल 2 और 3
   (c) केवल 1 और 3 (d) 1, 2 और 3

4. परिवर्तनीय बॉण्ड के संदर्भ में, निम्नलिखित कथनों पर विचार कीजिए : [2022]
   1. चूँकि बॉण्ड को इक्विटी के लिए बदलने का विकल्प है, परिवर्तनीय बॉण्ड अपेक्षाकृत कम ब्याज दर का भुगतान करते हैं।
   2. ईक्विटी के लिए बदलने का विकल्प बॉण्ड-धारक को बढ़ती हुई उपभोक्ता क़ीमतों से सहलग्नता (इंडेक्सेशन) की मात्रा प्रदान करता है।

   उपर्युक्त कथनों में कौन-सा/से सही है/हैं?
   (a) केवल 1 (b) केवल 2
   (c) 1 और 2 दोनों (d) न तो 1 न ही 2

5. निम्नलिखित कथनों पर विचार कीजिए : [2022]
   1. भारत में, साख क्षमता-निर्धारण एजेंसियाँ (क्रेडिट रेटिंग एजेंसीज़) भारतीय रिज़र्व बैंक द्वारा विनियमित होती हैं।
   2. ICRA नाम से जानी जानेवाली क्षमता-निर्धारण एजेंसी एक पब्लिक लिमिटेड कंपनी है।
   3. ब्रिकवर्क रेटिंग्स एक भारतीय साख क्षमता-निर्धारण एजेंसी है।

   उपर्युक्त कथनों में कौन-से सही हैं?
   (a) केवल 1 और 2 (b) केवल 2 और 3
   (c) केवल 1 और 3 (d) 1, 2 और 3

6. भारत के संदर्भ में, निम्नलिखित कथनों पर विचार करें : [2021]
   1. डीमैट खाते के माध्यम से खुदरा निवेशक प्राथमिक बाज़ार में ट्रेज़री बिल और 'भारत सरकार के ऋण बॉण्ड' में निवेश कर सकते हैं।
   2. निगोशिएटेड डीलिंग सिस्टम- ऑर्डर मैचिंग (NDS-OM) भारतीय रिज़र्व बैंक का एक सरकारी प्रतिभूति ट्रेडिंग प्लेटफ़ॉर्म है।
   3. सेंट्रल डिपॉज़िटरी सर्विसेज लिमिटेड (CDSL) को भारतीय रिज़र्व बैंक और बॉम्बे स्टॉक एक्सचेंज (BSE) द्वारा संयुक्त रूप से बढ़ावा दिया जाता है।

   ऊपर दिये गये कथनों में से कौन-सा/से सही है/हैं?
   (a) केवल 1 (b) केवल 1 और 2
   (c) केवल 3 (d) केवल 2 और 3

7. भारत सरकार के बॉण्ड यील्ड निम्नलिखित में से किससे प्रभावित होते हैं? [2021]
   1. संयुक्त राज्य अमेरिका फ़ेडरल रिज़र्व की कार्यवाहियाँ।
   2. भारतीय रिज़र्व बैंक की कार्यवाहियाँ।
   3. मुद्रास्फीति और अल्पकालिक ब्याज दरें।

   नीचे दिये गये कोड में से सही उत्तर चुनें :
   (a) केवल 1 और 2 (b) केवल 2
   (c) केवल 3 (d) 1, 2 और 3

8. भारतीय अर्थव्यवस्था के संदर्भ में गैर-वित्तीय ऋण में निम्नलिखित में कौन सम्मिलित है? [2020]
   1. परिवारों द्वारा लिये गये आवास ऋण
   2. क्रेडिट कार्ड पर बक़ाया राशि
   3. राजकोष विपत्र

   नीचे दिये गये कूट का प्रयोग कर सही उत्तर चुनें :
   (a) केवल 1 (b) केवल 1 और 2
   (c) केवल 3 (d) 1, 2 और 3

9. भारतीय अर्थव्यवस्था के संदर्भ में निम्नलिखित कथनों पर विचार कीजिए : [2020]

1. 'कमर्शियल पेपर' एक अल्प-कालिक असुरक्षित वचन पत्र है।
2. 'सर्टिफ़िकेट ऑफ़ डिपॉज़िट' भारतीय रिज़र्व बैंक द्वारा निगम को जारी किया गया एक दीर्घकालिक साधन है।
3. 'माँग मुद्रा' एक अल्प-कालिक वित्त है, जिसका उपयोग बैंकों के बीच लेनदेन के लिए किया जाता है।
4. 'ज़ीरो-कूपन बंधपत्र' अनुसूचित वाणिज्यिक बैंकों द्वारा निगमों को जारी किये गये अल्प-कालिक बंधपत्र हैं।

ऊपर दिये गये कथनों में कौन-सा/से सही है/हैं?

(a) केवल 1 और 2 **(b)** केवल 4
(c) केवल 1 और 3 **(d)** केवल 2, 3 और 4

10. निम्नलिखित में कौन रजिस्टर्ड फ़ॉरेन पोर्टफ़ोलियो निवेशकों द्वारा विदेशी निवेशकों को जारी किया जाता है, जो स्वयं को प्रत्यक्ष रूप से रजिस्टर्ड किये बिना भारतीय स्टॉक मार्केट का हिस्सा बनना चाहते हैं? **[2019]**

(a) सर्टिफ़िकेट ऑफ़ डिपॉज़िट
(b) कमर्शियल पेपर
(c) प्रॉमिसरी नोट
(d) पार्टिसिपेटरी नोट

11. समाचारों में कभी-कभी दिखाई देनेवाले 'IFC मसाला बंधपत्र' के संबंध में नीचे दिये गये कथनों में कौन-सा/से सही है/हैं? **[2016]**

1. इंटरनेशनल फ़ाइनेंस कॉर्पोरेशन, जो इन बंधपत्र को ऑफ़र या उपलब्ध कराता है, विश्व बैंक का एक अंग है।
2. ये रुपया-मूल्यवाले बंधपत्र हैं और सार्वजनिक एवं निजी क्षेत्र के लिए ऋण वित्तपोषण (debt financing) का एक स्रोत है।

दिये गये कूट का प्रयोग कर सही उत्तर चुनें :

(a) केवल 1 **(b)** केवल 2
(c) 1 और 2 दोनों **(d)** न 1 और न 2

12. सरकार की 'सॉवरेन गोल्ड बंधपत्र स्कीम' और 'गोल्ड मोनेटाइजेशन स्कीम' का उद्देश्य/के उद्देश्य क्या है/हैं? **[2016]**

1. भारतीय घरों में निरर्थक पड़े स्वर्ण को अर्थव्यवस्था में लाना।
2. स्वर्ण या आभूषण क्षेत्र में FDI को प्रोत्साहित करना।
3. स्वर्ण आयातों पर भारतीयों की निर्भरता कम करना।

नीचे दिये गये कूट का प्रयोग करते हुए सही उत्तर चुनें :

(a) केवल 1 **(b)** केवल 2 और 3
(c) केवल 1 और 3 **(d)** 1, 2 और 3

13. वेंचर कैपिटल का अर्थ क्या है? **[2014]**

(a) उद्योगों को प्रदान की गयी दीर्घ-कालिक पूँजी
(b) नये उद्यमियों को प्रदान की गयी दीर्घ-कालिक स्टार्ट-अप पूँजी
(c) घाटे के समय उद्योगों को प्रदान किया जानेवाला फ़ंड
(d) उद्योगों के प्रतिस्थापन और नवीनीकरण के लिए उपलब्ध कराया गया फ़ंड

14. निम्नलिखित में किस परिस्थिति में 'पूँजीगत लाभ हो सकता है'? **[2012]**

1. जब किसी उत्पाद की बिक्री में वृद्धि होती है।
2. जब मालिकाना हक़वाली संपत्ति के मूल्य में प्राकृतिक वृद्धि होती है।
3. जब आप एक पेंटिंग ख़रीदते हैं और इसकी लोकप्रियता के कारण इसके मूल्य में वृद्धि होती है।

नीचे दिये गये कूट का प्रयोग कर सही उत्तर चुनिए :

(a) केवल 1
(b) केवल 2 और 3
(c) केवल 2
(d) 1, 2 और 3

☞ **कोई प्रश्न नहीं**
2024, 2018, 2017, 2015, 2013

उत्तर कुंजी

1. (d)	2. (b)	3. (a)	4. (c)	5. (b)
6. (b)	7. (d)	8. (d)	9. (c)	10. (d)
11. (c)	12. (c)	13. (b)	14. (b)	

यूपीएससी सिविल सेवा के पिछले वर्षों की मुख्य परीक्षा के प्रश्न

☞ **कोई प्रश्न नहीं**
2024, 2023, 2022, 2021, 2020, 2019, 2018, 2017, 2016, 2015, 2014, 2013

अध्याय 13

प्रौद्योगिकी और वित्त (Technology and Finance)

अध्याय की रूपरेखा

- फ़िनटेक क्या है
- भारत में फ़िनटेक का विकास
- फ़िनटेक - वर्तमान में भारतीय परिदृश्य
- वित्त से संबंधित विभिन्न प्रकार की प्रौद्योगिकी
- भारत में फ़िनटेक के विकास के कारक
- भारत में फ़िनटेक के लिए सरकार की पहल
- भारत में फ़िनटेक की चुनौतियाँ

क्रिप्टोकरेंसी, बिटकॉइन, ब्लॉकचेन आदि जैसे शब्द, पिछले कुछ वर्षों में विभिन्न मीडिया में उनके लगातार उपयोग के कारण बहुत परिचित-से हो गये हैं। वित्त की दुनिया के संबंध में इन शब्दों का बारम्बार उपयोग वित्त और अर्थव्यवस्था में प्रौद्योगिकी के व्यापक उपयोग को इंगित करता है।

अर्थव्यवस्था में डिजिटलीकरण के उदय के साथ, प्रौद्योगिकी-आधारित अनुप्रयोगों की अधिकता नियमित अंतराल पर बाज़ार में प्रवेश कर रही है।

ऐसा अनुमान है कि 2025 में नौ डिजिटल प्रौद्योगिकी क्षेत्र सबसे तेज़ी से बढ़नेवाले और सर्वाधिक प्रभाववाले क्षेत्र के रूप में उभरेंगे और कुल लक्षित 1 ट्रिलियन अमेरिकी डॉलर में एक तिहाई का योगदान करेंगे।

> **लास्ट मिनट स्निपपेट्स**
>
> NASSCOM के अनुसार, प्रौद्योगिकी आधारित उत्पाद और सेवाएँ 2025 तक 100 ट्रिलियन अमेरिकी डॉलर के वैश्विक सकल घरेलू उत्पाद के आधे मूल्य का उत्पादन करेंगी।

इनमें से **तीन मूलभूत प्रौद्योगिकियाँ हैं**, अर्थात् **क्लाउड कंप्यूटिंग, बिग डेटा एनालिटिक्स** और **साइबर सुरक्षा**। अन्य छह की पहचान **उन्नत तकनीकों** के रूप में की गयी है, जो **आर्टिफ़िशल इंटेलिजेंस (एआई), इंटरनेट ऑफ़ थिंग्स (आईओटी), 3-डी प्रिंटिंग, रोबोटिक्स, ब्लॉकचेन** और **इमर्सिव मीडिया** हैं।

फ़िनटेक क्या है (WHAT IS FINTECH)

फ़िनटेक (वित्तीय प्रौद्योगिकी) [FinTech (Financial Technology)], सॉफ़्टवेयर, मोबाइल ऐप्लिकेशन और व्यवसायों और उपभोक्ताओं के लिए समान रूप से वित्त के पारंपरिक रूपों को बेहतर बनाने और स्वचालित करने के लिए बनायी गयीं अन्य तकनीकों को संदर्भित करनेवाला एक कैच-ऑल टर्म है। फ़िनटेक में सीधे मोबाइल भुगतान ऐप से लेकर एन्क्रिप्टेड लेन-देनवाले जटिल ब्लॉकचेन नेटवर्क तक सब कुछ शामिल हो सकता है।

वित्तीय स्थिरता बोर्ड (एफ़एसबी) **फ़िनटेक** को 'वित्तीय सेवाओं में प्रौद्योगिकी-सक्षम नवाचार' के रूप में परिभाषित करता है, जिसके परिणामस्वरूप वित्तीय सेवाओं के प्रावधान पर संबंधित भौतिक प्रभाव के साथ नये व्यवसाय मॉडल, अनुप्रयोग, प्रक्रियाएँ या उत्पाद हो सकते हैं।

'फ़िनटेक कंपनी' शब्द हर उस व्यवसाय का वर्णन करता है, जो व्यवसायों या उपभोक्ताओं के लिए वित्तीय सेवाओं को संशोधित करने, बढ़ाने या स्वचालित करने के लिए सूचना प्रौद्योगिकी का उपयोग करता है। कुछ उदाहरणों में मोबाइल बैंकिंग, पीयर-टू-पीयर भुगतान सेवाएँ, स्वचालित पोर्टफ़ोलियो प्रबंधक या ट्रेडिंग प्लेटफ़ॉर्म शामिल हैं।

यह **क्रिप्टोकरेंसी** (जैसे- बिटकॉइन, डॉजकॉइन, एथेरियम) के विकास और व्यापार पर भी लागू किया जा सकता है।

ध्यान दें : वित्तीय स्थिरता बोर्ड (FSB), का मुख्यालय **बेसल, स्विट्ज़रलैंड** में है और इसे बैंक फ़ॉर इंटरनेशनल सेटलमेंट्स (BIS) द्वारा वित्तपोषित किया जाता है। इसे **2009** में वित्तीय स्थिरता फ़ोरम की अनुक्रमवर्ती संस्था के रूप में स्थापित किया गया था, जिसका व्यापक उद्देश्य G20 सदस्य अर्थव्यवस्थाओं में वित्तीय स्थिरता को बढ़ावा देना और अंतरराष्ट्रीय स्तर पर राष्ट्रीय वित्तीय प्राधिकरणों के कार्यों का समन्वय करना है।

क्रिप्टोकरेंसी (Cryptocurrency)

- क्रिप्टोकरेंसी एक **डिजिटल या आभासी संपत्ति** है, जिसे विनिमय के माध्यम के रूप में काम करने के लिए डिज़ाइन किया गया है और जो सुरक्षा के लिए क्रिप्टोग्राफ़ी का उपयोग करती है।
- यह एक विकेंद्रीकृत मुद्रा है, जिसका अर्थ है कि यह केंद्रीकृत डिजिटल मुद्रा और केंद्रीय बैंकिंग प्रणालियों के विपरीत **किसी भी सरकार या संस्था द्वारा नियंत्रित नहीं है।**
- यह लेन-देन रिकॉर्ड को सुरक्षित करने, अतिरिक्त सिक्कों के निर्माण को नियंत्रित करने और सिक्का स्वामित्व के हस्तांतरण को सत्यापित करने के लिए मज़बूत क्रिप्टोग्राफ़िक ऐल्गोरिदम पर आधारित है। यह आमतौर पर भौतिक रूप (जैसे फ़िएट मनी) में मौजूद नहीं होती है और आमतौर पर केंद्रीय प्राधिकरण द्वारा जारी नहीं की जाती है।
- क्रिप्टोकरेंसी नेटवर्क पर आधारित डिजिटल संपत्ति का एक रूप है, जो बड़ी संख्या में कंप्यूटरों में वितरित की जाती है। यह विकेंद्रीकृत संरचना उन्हें सरकारों और केंद्रीय अधिकारियों के नियंत्रण के बाहर रहने की अनुमति देती है।
- क्रिप्टोकरेंसी के कुछ उदाहरणों में **बिटकॉइन, एथेरियम, लाइटकॉइन, XRP** आदि शामिल हैं।

क्या आप जानते हैं? क्रिप्टोग्राफ़ी, कोडित ऐल्गोरिदम या तकनीकों के उपयोग के माध्यम से संदेशों या डेटा को छिपाने की गतिविधि है, जिससे यह सुनिश्चित होता है कि केवल अधिकृत पक्ष ही जानकारी तक पहुँच सकते हैं या उसे समझ सकते हैं।

अतिरिक्त जानकारी

ब्लॉकचेन प्रौद्योगिकी (BLOCKCHAIN TECHNOLOGY)

- बिटकॉइन और अन्य क्रिप्टोकरेंसी की अपील और कार्यक्षमता के केंद्र में ब्लॉकचेन तकनीक है। ब्लॉकचेन एक **वितरित खाता-बही** है, जो ब्लॉकचेन में भाग लेनेवाले कंप्यूटरों के नेटवर्क में लेन-देन को डुप्लीकेट और वितरित करता है।
- ब्लॉकचेन अनिवार्य रूप से **ऑनलाइन लेज़र पर जानकारी के जुड़े हुए ब्लॉकों का एक सेट है।** प्रत्येक ब्लॉक में लेन-देन का एक सेट होता है, जिसे नेटवर्क पर प्रत्येक सत्यापनकर्ता द्वारा स्वतंत्र रूप से सत्यापित किया गया है।
- उत्पन्न हुए प्रत्येक नये ब्लॉक को पुष्टि करने से पहले प्रत्येक नोड द्वारा सत्यापित किया जाना चाहिए, जिससे लेन-देन इतिहास बनाना लगभग असंभव हो जाता है। ऑनलाइन खाता-बही की सामग्री को अलग-अलग नोडों के नेटवर्क या खाता-बही को सँभालनेवाले कंप्यूटरों द्वारा सहमति दी जानी चाहिए।
- ब्लॉकचेन तकनीक कई उद्योगों, आपूर्ति शृंखलाओं और ऑनलाइन मतदान और क्राउडफ़ंडिंग जैसी प्रक्रियाओं के लिए काम कर सकती है।

भारतीय सॉफ़्टवेयर प्रौद्योगिकी पार्क [SOFTWARE TECHNOLOGY PARKS OF INDIA (STPI)]

- यह इलेक्ट्रॉनिक्स और सूचना प्रौद्योगिकी मंत्रालय (MeitY) के तहत प्रमुख S&T संगठन है। यह IoT, ब्लॉकचेन, AI आदि जैसी उभरती प्रौद्योगिकियों सहित सॉफ़्टवेयर निर्यात को बढ़ावा देता है।

- STPI की स्थापना **1991** में की गयी थी।
- STPI ने 2023 में ब्लॉकचेन टेक्नोलॉजी में उद्यमशीलता को बढ़ावा देने के लिए **अपने गुरुग्राम कैम्पस में 'अत्याधुनिक इनक्यूबेशन सुविधा'** की शुरुआत की है।

बाली फ़िनटेक एजेंडा (Bali FinTech Agenda)

- बाली फ़िनटेक एजेंडा 12 नीतिगत तत्वों का विश्व स्तर पर स्वीकृत सेट है, जो सदस्य देशों को वित्तीय प्रौद्योगिकी (फ़िनटेक) में तेज़ी से प्रगति के लाभों और अवसरों का उपयोग करने में मदद करने के लिए स्थापित किया गया है, एवं उसी समय में उत्पन्न होनेवालीं जोखिमों का प्रबंधन भी करता है। **अंतरराष्ट्रीय मुद्रा कोष (आईएमएफ़)** और **विश्व बैंक** ने बाली फ़िनटेक एजेंडा **2018 में** प्रारंभ किया।
- एजेंडा उच्च-स्तरीय मुद्दों के एक ढाँचे का प्रस्ताव रखता है, जिसे देशों को अपनी घरेलू नीति चर्चाओं में विचार करना चाहिए और इसका उद्देश्य राष्ट्रीय अधिकारियों के साथ अपने काम और बातचीत में मार्गदर्शन करना है।
- यह **संधारणीय विकास लक्ष्यों का समर्थन करने के लिए एक रूपरेखा प्रदान करता है**, विशेष रूप से कम आयवाले देशों में, जहाँ वित्तीय सेवाओं तक पहुँच कम है।

अतिरिक्त जानकारी

ग्लोबल फ़िनटेक का भविष्य (THE FUTURE OF GLOBAL FINTECH)

यह एक शोध की पहल है, जिसे विश्व आर्थिक मंच और कैम्ब्रिज सेंटर फ़ॉर अल्टरनेटिव फ़ाइनेंस (CCAF) द्वारा संयुक्त रूप से शुरू किया गया है। परियोजना का उद्देश्य वैश्विक फ़िनटेक के भविष्य, सार्वजनिक और निजी क्षेत्र की ज़रूरतों, मज़बूत डेटा और एंपिरिकल साक्ष्य का पता लगाना और फ़िनटेक पर साक्ष्य-आधारित विनियमन की सुविधा प्रदान करना है।

भारत में फ़िनटेक का विकास (Evolution of FinTech in India)

भारतीय फ़िनटेक पिछले एक दशक में तेज़ गति से विकसित हुआ है। डिजिटल सेवाओं के कार्यान्वयन से भारतीय अर्थव्यवस्था पूरी तरह से नक़दी पर निर्भर अर्थव्यवस्था से आंशिक डिजिटल अर्थव्यवस्था में बदल गयी है। जैसा कि हम तकनीक दशक (Techade) में आगे बढ़ रहे हैं, समावेशी प्रौद्योगिकियाँ, नवाचार पारिस्थितिकी तंत्र और प्रगतिशील नीतियाँ दुनिया के लिए भारत की फ़िनटेक क्रांति का मार्ग दिखाती हैं।

अतिरिक्त जानकारी

टेकेड 2020 (TECHADE 2020)

पिछले दशक (2010-19) में प्रौद्योगिकी नवाचार में आश्चर्यजनक रूप से तेज़ी आयी, क्योंकि व्यवसाय प्रौद्योगिकी के साथ अभूतपूर्व रुप से जुड़ गये थे। इस प्रवृत्ति का एक प्रमुख संकेतक भारतीय प्रौद्योगिकी उद्योग का विकास था, जिसने इस दशक में राजस्व में 100 अरब अमेरिकी डॉलर से अधिक और 20 लाख से अधिक तकनीकी नौकरियाँ जोड़ीं।

2020 का चल रहा दशक **टेकेड** या **'टेक-दशक'** है, जहाँ प्रौद्योगिकी एक पूर्ण और खुशहाल दुनिया के लिए अंतहीन संभावनाएँ पैदा करेगी। यह ध्यान में रखा जाना चाहिए कि अगले दशक में प्रौद्योगिकी सक्षम व्यवधान और भी तेज़ होने का वादा करता है और इससे निपटने के लिए पर्याप्त सुरक्षा उपायों का निर्माण करने की आवश्यकता है।

भारत में विभिन्न भुगतान प्रणालियों का कालक्रम (Timeline of Different Payment Systems in India)

परीक्षोपयोगी

- **आरटीजीएस या 'रियल टाइम ग्रॉस सेटलमेंट'** 2004 में लागू किया गया था। यह भारतीय रिज़र्व बैंक द्वारा संचालित है और यह अंतर-बैंक इलेक्ट्रॉनिक नक़द प्रेषण को सक्षम बनाता है। इसका उपयोग उच्च मूल्य के लेन-देन के लिए किया जाता है।
- **एनईएफ़टी** या **'नेशनल इलेक्ट्रॉनिक फ़ंड ट्रांसफ़र'** 2005 में कम रक़म के लेन-देन के लिए शुरू किया गया था। यह बैंक खातों के बीच इलेक्ट्रॉनिक फ़ंड ट्रांसफ़र के लिए है। इसकी देखरेख भारतीय रिज़र्व बैंक द्वारा की जाती है।
- **आईएमपीएस** या **तत्काल भुगतान सेवा** एक इलेक्ट्रॉनिक फ़ंड ट्रांसफ़र सिस्टम है, जिसे 2010 में शुरू किया गया था। यह 24×7 फ़ंड ट्रांसफ़र सुविधा प्रदान करने के लिए शुरू की गयी थी।
- ग्रामीण क्षेत्रों में वित्तीय समावेशन सुनिश्चित करने के लिए 2010 में **एईपीएस (आधार सक्षम भुगतान प्रणाली)** शुरू की गयी थी।
- **आधार पेमेंट ब्रिज सिस्टम** ने सरकारी सब्सिडी और लाभों के आवर्ती थोक भुगतान को लागू करना आसान बना दिया है।
- चेकों की तेज़ी से निकासी को सक्षम बनाने के लिए 2011 में **सीटीएस (चेक ट्रंकेशन सिस्टम)** शुरू किया गया था।
- **एनएसीएच (नेशनल ऑटोमेटेड क्लियरिंग हाउस)** 2012 में शुरू किया गया था। यह अत्यधिक मात्रा में और बार-बार किये जानेवाले अंतर-बैंक इलेक्ट्रॉनिक लेन-देन के लिए एक वेब आधारित (web-based) प्लेटफ़ॉर्म है।
- **RuPay** एक वैश्विक कार्ड भुगतान नेटवर्क है, जिसे NPCI ने 2012 में शुरू किया था।
- **बीबीपीएस (भारत बिल भुगतान प्रणाली)** को 2014 में शुरू किया गया था।
- **भीम या 'भारत इंटरफ़ेस फ़ॉर मनी'** एक मोबाइल वॉलेट ऐप है, जिसे NPCI ने यूपीआई के आधार पर बनाया है। इसे 2016 में शुरू किया गया था।
- **भारतक्यूआर कोड 2016** में शुरू की गयी एकीकृत भुगतान प्रणाली है। यह क्यूआरकोड-आधारित डिजिटल भुगतान तंत्र है, जिसे NPCI, वीज़ा, मास्टरकार्ड और अमेरिकन एक्सप्रेस द्वारा विकसित किया गया है। इसकी अंतरपरिचालनीयता (interoperability) फ़ीचर का मतलब है कि व्यापारियों को भुगतान करने के लिए ग्राहकों के लिए केवल एक क्यूआर कोड प्रदर्शित करने की आवश्यकता है (विभिन्न भुगतान नेटवर्क के लिए विशिष्ट अलग क्यूआर कोड के विपरीत)।

भारत में डिजिटल भुगतान - यूपीआई की कहानी (Digital Payment in India – The UPI Story)

परीक्षोपयोगी

- डिजिटल इंडिया के प्रमुख उद्देश्यों में से एक **"फ़ेसलेस, पेपरलेस, कैशलेस"** का दर्जा प्राप्त करना है। भारत के सभी नागरिकों को सुविधाजनक, आसान, किफ़ायती, त्वरित और सुरक्षित तरीक़े से निर्बाध डिजिटल भुगतान की सुविधा प्रदान करने के लिए भारत सरकार द्वारा डिजिटल भुगतान को बढ़ावा देने को सर्वोच्च प्राथमिकता दी गयी है।
- वित्तीय क्षेत्र और अर्थव्यवस्था को डिजिटल बनाने के लिए भारत सरकार की रणनीति के एक हिस्से के रूप में, पिछले कुछ वर्षों में डिजिटल भुगतान लेन-देन लगातार बढ़ रहा है।
- **यूनिफ़ाइड पेमेंट्स इंटरफ़ेस (यूपीआई)** को भुगतान पारिस्थितिकी तंत्र में एक क्रांतिकारी उत्पाद कहा गया है। 2016 में लॉन्च किया गया, यह डिजिटल लेन-देन करने के लिए देश में सबसे लोकप्रिय साधनों में से एक के रूप में उभरा है।

> **लास्ट मिनट स्निपपेट्स**
>
> **दिसंबर, 2024** तक UPI के माध्यम से किये गये **लेनदेन का मान ₹23,24,699.91** करोड़ है, जबकि दिसंबर, 2020 में यह **₹4,16,176.21** करोड़ था और **दिसंबर, 2016** में यह **₹707.93** करोड़ था। (PIB)

भारत में UPI के उपयोग में बढ़ोतरी

	दिसंबर 2016	दिसंबर 2020	दिसंबर 2024
लाइव बैंकों की संख्या	35	207	641
लेनदेन की संख्या	1.99 मिलियन	2,234.16 मिलियन	16,730.01 मिलियन
लेनदेन का मान (करोड़ में)	₹707.93 करोड़	₹4,16,176.21 करोड़	₹23,24,699.91 करोड़

स्रोत : PIB

- **भारत इंटरफ़ेस फ़ॉर मनी-यूनिफ़ाइड पेमेंट्स इंटरफ़ेस (भीम-यूपीआई) भारतीय राष्ट्रीय भुगतान निगम (एनपीसीआई)** द्वारा विकसित एक त्वरित भुगतान प्रणाली है। यह कई बैंक खातों को एक ही मोबाइल ऐप्लिकेशन में चलाता है, कई बैंकिंग सुविधाओं, निर्बाध फ़ंड रूटिंग और व्यापारी भुगतान को एक ही स्थान पर विलय करता है।
- एकीकृत भुगतान इंटरफ़ेस एक **रियल-टाइम भुगतान प्रणाली** है। इसे एकल दो-क्लिक कारक प्रमाणीकरण प्रक्रिया के माध्यम से पीयर-टू-पीयर इंटर-बैंक ट्रांसफ़र को सक्षम बनाने के लिए डिज़ाइन किया गया है। इंटरफ़ेस को **भारतीय रिज़र्व बैंक (आरबीआई)** द्वारा विनियमित किया जाता है।
- यूपीआई ने छोटे व्यवसायों और रेहड़ी-पटरीवाले विक्रेताओं को बढ़ावा दिया है, क्योंकि यह काफ़ी कम राशि के लिए भी **तेज़ी से और सुरक्षित बैंक-से-बैंक लेन-देन** को सक्षम बनाता है। कोविड-19 महामारी के दौरान यूपीआई भी एक रक्षक रहा है। आसान, संपर्क रहित लेन-देन की अनुमति देने की इसकी क्षमता के कारण इसे तेज़ी से अपनाया जा रहा है। यह प्रवासी श्रमिकों के लिए त्वरित धन हस्तांतरण के समाधान के लिए तैयार है।

क्या आप जानते हैं?

वर्तमान में भारत में होनेवाले सभी डिजिटल लेन-देन में यूपीआई की हिस्सेदारी 40 प्रतिशत से अधिक है। यूपीआई इंटरफ़ेस के माध्यम से लेन-देन ने अपनी स्थापना से लेकर आज तक अभूतपूर्व ऊँचाई को छुआ है।

जनवरी, 2025 तक UPI, 7 देशों में लाइव लेनदेन के लिए उपलब्ध है। ये 7 देश संयुक्त अरब अमीरात, सिंगापुर, भूटान, नेपाल, श्रीलंका, फ़्रांस और मॉरीशस हैं।

भारत ने 13 देशों के साथ समझौता ज्ञापन (MoUs) पर हस्ताक्षर किये हैं, जो डिजिटल भुगतान के लिए एकीकृत भुगतान इंटरफ़ेस (यूपीआई) को अपनाना चाहते हैं।

अतिरिक्त जानकारी

भारतीय राष्ट्रीय भुगतान निगम (एनपीसीआई)
[NATIONAL PAYMENTS CORPORATION OF INDIA (NPCI)]

NPCI भारत में एक मज़बूत भुगतान और निपटान बुनियादी ढाँचा बनाने के लिए भुगतान और निपटान प्रणाली अधिनियम, 2007, के प्रावधानों के तहत भारतीय रिज़र्व बैंक और भारतीय बैंक संघ (आईबीए) की एक पहल है। यह 2008 में मुंबई में अपने मुख्यालय के साथ स्थापित किया गया था। यह भारत में खुदरा भुगतान और निपटान प्रणालियों के संचालन के लिए समग्र संगठन है।

NCPI द्वारा निम्नलिखित प्रणालियाँ संचालित की जाती हैं -

- RuPay (स्वदेशी निर्मित भुगतान प्रणाली),
- आईएमपीएस (तत्काल भुगतान सेवा),
- एनएसीएच (नेशनल ऑटोमेटेड क्लियरिंग हाउस),
- एपीबीएस (आधार पेमेंट ब्रिज सिस्टम),
- एनएफ़एस (राष्ट्रीय वित्तीय स्विच), और
- भारत बिल भुगतान प्रणाली आदि।

फ़िनटेक - वर्तमान में भारतीय परिदृश्य (FINTECH – INDIAN SCENARIO AT PRESENT)

- भारत दुनिया के सबसे बड़े डिजिटल बाज़ारों में से एक के रूप में उभरा है। **भारत में फ़िनटेक को अपनाने की दर 87 प्रतिशत है,** जबकि वैश्विक औसत 64 प्रतिशत है।
- इंटरनेट ऐंड मोबाइल ऐसोसिएशन ऑफ़ इंडिया **(IAMAI)** की ओर से जारी, **भारत में इंटरनेट रिपोर्ट 2024** के अनुसार, 488 मिलियन उपयोगकर्ताओं के साथ, कुल इंटरनेट आबादी का 55 प्रतिशत ग्रामीण भारत में है।
- यह वृद्धि तमिल, तेलुगु और मलयालम सहित भारतीय भाषाओं में सामग्री तक उपयोगकर्ताओं की पहुँच के कारण है; ग्रामीण भारत में 98 प्रतिशत उपयोगकर्ता और शहरी भारत में 57 प्रतिशत उपयोगकर्ता क्षेत्रीय भाषाओं में सामग्री तक पहुँच बना रहे हैं।
- इंटरनेट उपयोगकर्ताओं में 47 प्रतिशत महिलाएँ होने के कारण **डिजिटल लैंगिक अंतराल** कम हो रहा है।
- भारत अब संयुक्त राज्य अमेरिका और चीन के बाद विश्व स्तर पर स्टार्टअप के लिए **तीसरे सबसे बड़े पारिस्थितिकी तंत्र** की मेज़बानी करता है; DPIIT द्वारा 57 अद्वितीय उद्योगों में 59,593 स्टार्टअप को मान्यता दी गयी है, जिनमें से 3,085 स्टार्टअप फ़िनटेक क्षेत्र से संबंधित हैं।

लास्ट मिनट स्निपपेट्स

- भारत में इंटरनेट उपयोगकर्ताओं की संख्या के, वर्ष 2025 तक 900 मिलियन से अधिक होने के अनुमान है, जो डिजिटल सामग्री में भारतीय भाषाओं के बढ़ते उपयोग से प्रेरित है।
- भारत में सक्रिय इंटरनेट उपयोगकर्ताओं की संख्या, वर्ष 2024 में 886 मिलियन तक पहुँच गयी, जो कि सालाना आधार पर 8% की वृद्धि दर को दर्शाता है।

- भारत दुनिया के सबसे तेज़ी से बढ़ते फ़िनटेक बाज़ारों में से एक है, जिसमें लगभग 7,000 फ़िनटेक स्टार्टअप हैं। भारतीय फ़िनटेक उद्योग का बाज़ार आकार, वर्ष 2021 में, US$ 31 बिलियन था, और वर्ष 2024 में, लगभग US$ 110 बिलियन है, जिसके वर्ष 2029 तक लगभग US$ 420 बिलियन तक पहुँचने का अनुमान है, जो 31 प्रतिशत की संचयी वार्षिक वृद्धि दर को दर्शाता है।
- **'स्टेट ऑफ़ द फ़िनटेक यूनियन, 2023' रिपोर्ट** के अनुसार, भारतीय फ़िनटेक इंडस्ट्री 2030 तक US$190 बिलियन का राजस्व उत्पन्न कर सकती है।
- कुल डिजिटल भुगतान लेनदेन वित्त वर्ष 2017-18 में ₹2,071 करोड़ से बढ़कर वित्त वर्ष 2023-24 में 44 प्रतिशत की चक्रवृद्धि वार्षिक वृद्धि दर (CAGR) पर ₹18,737 करोड़ हो गया।
- भारत में तकनीकी सक्षमकर्ताओं की तेज़ी से वृद्धि हुई है। दूरसंचार की पहुँच, इंटरनेट सेवाओं की उपलब्धता, ऋण तक पहुँच को सुविधाजनक बनाने में प्रौद्योगिकी को अपनाना, अधिक कुशल भुगतान प्रणाली और वित्तीय समावेशन को गहरा करने में महत्त्वपूर्ण प्रगति हुई है और आगे भी जारी है।

वित्त से संबंधित विभिन्न प्रकार की प्रौद्योगिकी (DIFFERENT TYPES OF TECHNOLOGY RELATED TO FINANCE)

वित्त और अर्थशास्त्र के क्षेत्र में प्रौद्योगिकी के अनुप्रयोग के विस्तार के साथ, फ़िनटेक उद्योग में व्यापार मॉडल की अधिकता अस्तित्व में आयी है। इससे फ़िनटेक अनुप्रयोगों की विभिन्न श्रेणियाँ सामने आयी हैं, जैसा कि नीचे दिखाया गया है।

PayTech - डिजिटल भुगतान (PayTech – Digital Payments)

- फ़िनटेक कंपनियों ने अपनी तकनीकी क्षमताओं और ग्राहक केंद्रितता का लाभ उठाने के लिए पारंपरिक भुगतान पारिस्थितिकी तंत्र में नये तरीक़े पेश किये हैं। PayTech बढ़ती डिजिटल अर्थव्यवस्था के साथ निर्बाध भुगतान की माँग को पूरा करने के लिए उपभोक्ताओं और व्यापारियों, दोनों के लिए एकीकृत समाधान प्रदान कर रहे हैं।

- **'डिजिटल वॉलेट'** वित्तीय ऐप्लिकेशन हैं, जो उपभोक्ताओं को धन संग्रहीत करने, लेन-देन करने और फोन और टैबलेट जैसे उपकरणों पर भुगतान इतिहास (payment histories) को ट्रैक करने की अनुमति देते हैं। कोई भी डिजिटल वॉलेट में सभी वित्तीय जानकारी स्टोर कर सकता है, यहाँ तक कि कुछ ऐप के मामले में ID कार्ड भी।
- **'डिजिटल वॉलेट'** को बैंक के मोबाइल ऐप या PayPal जैसे भुगतान ऐप में शामिल किया जा सकता है। डिजिटल वॉलेट अनिवार्य रूप से उपभोक्ता की भुगतान जानकारी को सुरक्षित और कॉम्पैक्ट रूप से संग्रहीत करके फ़िजिकल वॉलेट ले जाने की आवश्यकता को समाप्त करते हैं। **उदाहरण** - Amazon Pay, Paytm, MobiKwik, SBI द्वारा Yono, ICICI Pocket.
- **मोबाइल वॉलेट** वित्तीय जानकारी और अन्य दस्तावेज़ों जैसे क्रेडिट कार्ड, बैंक की जानकारी और यहाँ तक कि ड्राइवर के लाइसेंस को संग्रहीत करने के लिए ऐप हैं।
- वर्तमान में, मोबाइल उपकरणों और डिजिटल वॉलेट द्वारा उपयोग की जानेवालीं प्रौद्योगिकियाँ हैं :
  - **क्यूआर कोड :** त्वरित प्रतिक्रिया कोड मैट्रिक्स बार कोड हैं, जो जानकारी संग्रहीत करते हैं। भुगतान शुरू करने के लिए डिवाइस के कैमरे और वॉलेट की स्कैनिंग प्रणाली का उपयोग किया जा सकता है।
  - **नियर फ़ील्ड कम्युनिकेशन (एनएफ़सी) :** एनएफ़सी एक ऐसी तकनीक है, जो दो स्मार्ट उपकरणों को विद्युत चुम्बकीय संकेतों का उपयोग करके जानकारी को कनेक्ट करने और स्थानांतरित करने की अनुमति देती है। इसे कनेक्ट करने के लिए दो उपकरणों को एक दूसरे से लगभग 4 सेंटीमीटर के भीतर होना चाहिए।
  - **मैग्नेटिक सिक्योर ट्रांसमिशन (एमएसटी) :** मैग्नेटिक कार्ड रीडर्स द्वारा इस्तेमाल की जानेवाली वही तकनीक, जो क्रेडिट/डेबिट कार्ड को तब पढ़ती है; जब उपयोगकर्ता इसे विक्रय बिंदु पर स्लॉट के माध्यम से स्वाइप करते हैं। फ़ोन एक एन्क्रिप्टेड फ़ील्ड उत्पन्न करता है, जिसे विक्रय बिंदु पढ़ सकता है।
  - **प्रीपेड भुगतान यंत्र (पीपीआई) :** पीपीआई ऐसे इंस्ट्रूमेंट पर संग्रहीत मूल्य के प्रति वस्तुओं और सेवाओं की ख़रीद की सुविधा प्रदान करते हैं। उन पर संग्रहीत मूल्य का भुगतान धारक द्वारा एक माध्यम (नक़द, डेबिट कार्ड, क्रेडिट कार्ड आदि) का उपयोग करके किया जाता है। ये आम तौर पर स्मार्ट कार्ड, मोबाइल वॉलेट, पेपर वाउचर, इंटरनेट अकाउंट/वॉलेट के रूप में जारी किये जाते हैं।

    पीपीआई प्री-लोडेड मूल्य के साथ आते हैं और कुछ मामलों में भुगतान का पूर्व-निर्धारित उद्देश्य होता है। वे वस्तुओं और सेवाओं की ख़रीद के साथ-साथ 'अंतर-व्यक्तिगत प्रेषण' लेन-देन की सुविधा प्रदान करते हैं।

    पीपीआई को भारतीय रिज़र्व बैंक द्वारा लाइसेंस और विनियमित किया जाता है। पीपीआई तीन प्रकार के होते हैं- क्लोज़्ड सिस्टम पीपीआई, सेमी क्लोज़्ड सिस्टम पीपीआई और ओपन सिस्टम पीपीआई। **उदाहरण** - अमेज़ॉन गिफ़्ट कार्ड की तरह एक ब्रांड विशिष्ट उपहार कार्ड एक बंद प्रणाली पीपीआई है।
  - **एकीकृत भुगतान साधन (यूपीआई) : (पहले चर्चा की जा चुकी है)**
  - **ब्लॉकचेन और क्रिप्टोकरेंसी :** स्मार्ट अनुबंधों की उपलब्धता, प्रूफ-ऑफ़-वर्क, पीयर-टू-पीयर लेन-देन, ब्लॉकचेन-संचालित ट्रेडिंग प्लेटफ़ॉर्म, विकेंद्रीकृत लेज़र और अपरिवर्तनीय रिकॉर्ड के साथ, फ़िनटेक और ब्लॉकचेन इस बात के अच्छे उदाहरण हैं कि फ़िनटेक वित्तीय सेवाओं के विकास को कैसे प्रभावित कर रहा है।
  - **सेंट्रल बैंक डिजिटल मुद्रा : (बाद के खंड में चर्चा की गयी है)**
  - **भुगतान गेटवे :** यह व्यापारियों द्वारा लागू की गयी एक तकनीक है, जहाँ भुगतान जानकारी एकत्र करने के लिए उपभोक्ता-फ़ेसिंग इंटरफ़ेस का उपयोग किया जाता है।

भौतिक दुकानों में, भुगतान गेटवे में **पॉइंट ऑफ़ सेल (पीओएस)** टर्मिनल होते हैं, जिनका उपयोग कार्ड या स्मार्टफोन द्वारा क्रेडिट कार्ड की जानकारी स्वीकार करने के लिए किया जाता है। ऑनलाइन स्टोर में, भुगतान गेटवे चेकआउट पोर्टल हैं, जिनका उपयोग क्रेडिट कार्ड की जानकारी या सेवाओं के लिए क्रेडेंशियल दर्ज करने के लिए किया जाता है। **उदाहरण** - BillDesk, PayU, RazorPay, CCAvenue.

LendTech – वैकल्पिक उधार (LendTech – Alternative Lending)

- ग्राहकों को अधिक सटीक और त्वरित प्रक्रियाओं के माध्यम से वित्तपोषण विकल्प प्रदान करना। आर्टिफ़िशल इंटेलिजेंस और मशीन लर्निंग ऐल्गोरिदम जैसी प्रौद्योगिकियाँ क्रेडेंशियल की पहचान करने और आय अपेक्षाओं का पूर्वानुमान लगाने, उधारकर्ता के ट्रैक रिकॉर्ड का मूल्यांकन करने, संपार्श्विक मूल्य का मूल्यांकन करने और परिवर्तनों को देखने के लिए प्रक्रिया और मान्य करने के लिए नियोजित हैं।
- **पीयर टू पीयर लेंडिंग** – जिसे "सामाजिक उधार" या "क्राउडलेंडिंग" के रूप में भी जाना जाता है। ये प्लेटफ़ॉर्म व्यक्तियों को बैंक जाये बिना सीधे अन्य व्यक्तियों से ऋण प्राप्त करने में सक्षम बनाते हैं। P2P उधार प्लेटफ़ार्मों के **उदाहरण** – The Money Club, Finzy, Lendbox, Cred, IndiaP2P, Faircent.
- **ख़रीदें अब भुगतान बाद में (बीएनपीएल) :** यह एक प्रकार का अल्पकालिक वित्तपोषण है, जो उपभोक्ताओं को ख़रीदारी करने और समय के साथ उनके लिए भुगतान करने की अनुमति देता है, आमतौर पर कम ब्याज दरों के साथ।
- बीएनपीएल ऐप आमतौर पर ब्याज या शुल्क नहीं लेते हैं, और उनका पुनर्भुगतान का समय निर्धारित होता है। **उदाहरण** – Zest Money, Amazon Pay Later, LazyPay.

क्या आप जानते हैं?

क्राउडफ़ंडिंग : क्राउडफ़ंडिंग एक नये व्यावसायिक उद्यम के वित्तपोषण के लिए बड़ी संख्या में व्यक्तियों से पूँजी की छोटी मात्रा का उपयोग है। **क्राउडफ़ंडिंग** निवेशकों और उद्यमियों को एक साथ लाने के लिए सोशल मीडिया और क्राउडफ़ंडिंग वेबसाइटों के माध्यम से लोगों के विशाल नेटवर्क की आसान पहुँच का उपयोग करता है। क्राउडफ़ंडिंग साइटें जुटायी गयी धनराशि के प्रतिशत से राजस्व उत्पन्न करती हैं। **उदाहरण** – Indiegogo, Catapooolt, Fueladream, Fundabale, Ketto, Impactguru.

बैंकिंग – BankTech (Banking – BankTech)

परीक्षोपयोगी

- BankTech उपभोक्ताओं को बैंकिंग समाधान और उत्पाद प्रदान करने के लिए डिजिटल प्लेटफ़ॉर्म का उपयोग करता है। BankTech के पास पारंपरिक बैंकिंग विधियों के कई फ़ायदे हैं, जिनमें बेहतर उपयोगकर्ता अनुभव, कम लागत और कम परिचालन घर्षण शामिल हैं।
- **ओपन बैंकिंग** – इसे "ओपन बैंक डेटा" के रूप में भी जाना जाता है। ओपन बैंकिंग ऐसी बैंकिंग है, जो तृतीय-पक्ष वित्तीय सेवा प्रदाताओं को **ऐप्लिकेशन प्रोग्रामिंग इंटरफ़ेस (एपीआई)** के उपयोग के माध्यम से बैंकों और ग़ैर-बैंक वित्तीय संस्थानों से उपभोक्ता बैंकिंग, लेन-देन और अन्य वित्तीय डेटा तक खुली पहुँच प्रदान करता है। ओपन बैंकिंग उपभोक्ताओं, वित्तीय संस्थानों और तृतीय-पक्ष सेवा प्रदाताओं द्वारा उपयोग के लिए संस्थानों में खातों और डेटा की नेटवर्किंग की अनुमति देता है।
- **नियोबैंक :** ये फ़िनटेक फ़र्म हैं, जो मोबाइल और ऑनलाइन बैंकिंग को सुव्यवस्थित करने के लिए ऐप, सॉफ़्टवेयर और अन्य तकनीकों की पेशकश करती हैं। नियोबैंक एक डिजिटल बैंक है, जिसकी कोई शाखा नहीं है और ऑनलाइन वित्तीय सेवाएँ प्रदान करता है।

ये फ़िनटेक आम तौर पर विशिष्ट वित्तीय उत्पादों में विशेषज्ञ होते हैं और भुगतान, डेबिट कार्ड, मनी ट्रांसफ़र, उधार और बहुत कुछ जैसी डिजिटल और मोबाइल-फ़र्स्ट सेवाएँ प्रदान करते हैं। अमेरिका में, इन फ़िनटेक को आमतौर पर फ़िनटेक-आधारित वित्तीय प्रदाताओं का वर्णन करने के लिए **"नियोबैंक"** के रूप में जाना जाता है, जो पारंपरिक बैंकों को चुनौती दे रहे थे। उन्हें यूके में "चैलेंजर बैंक" के रूप में भी जाना जाता है।

क्या आप जानते हैं?

भारत में, नियोबैंकों के पास अपना खुद का बैंक लाइसेंस नहीं है, क्योंकि **भारतीय रिज़र्व बैंक (आरबीआई) अभी तक बैंकों को 100 प्रतिशत डिजिटल होने की अनुमति नहीं देता है।** इसके बजाय, वे बैंक-लाइसेंस प्राप्त सेवाएँ प्रदान करने के लिए पारंपरिक बैंकों के साथ साझेदारी में काम करते हैं।

उदाहरण – Jupiter (फ़ेडरल बैंक के साथ साझेदारी), FI Money, Niyo, RazorpayX, Open Money आदि।

व्यक्तिगत वित्त - WealthTech (Personal Finance – WealthTech)

- डेटा सेट का प्रबंधन करने, विश्लेषण करने और सकारात्मक निवेशक अनुभव सुनिश्चित करने के लिए प्रौद्योगिकी का उपयोग करनेवाले निवेशकों के लिए धन पैदा करना।
- WealthTech व्यावसायिक बैंकों, निवेश फ़र्मों और धन प्रबंधन व्यवसायों के लिए **B2B व्यवसाय समाधान** और **B2C व्यवसाय मॉडल** के तहत समाधान प्रदान करते हैं, जहाँ वे सीधे अंतिम उपयोगकर्ताओं को सेवाएँ प्रदान करते हैं।
- **रोबोऐडवाइज़री:** रोबो-सलाहकारों से ऑनलाइन धन प्रबंधन सेवाएँ, जो उन्नत पोर्टफ़ोलियो प्रबंधन गणना-प्रक्रिया (ऐल्गोरिदम) के आधार पर स्वचालित निवेश सलाह प्रदान करती हैं।
- पहली बार निवेश करनेवाले युवाओं के लिए **वित्तीय साक्षरता बढ़ाना**, उन्हें अपने पसंदीदा प्लेटफ़ॉर्मों और निवेश वाहनों को चुनने में मदद करता है।
- निवेशकों को अपने वित्तीय लक्ष्यों को प्राप्त करने और उनकी जोखिम और रिटर्न प्रोफाइल के आधार पर अपने निवेश पोर्टफ़ोलियो में विविधता लाने में सहायता करने के लिए निवेश साधन।
- **उदाहरण** - Zerodha, Groww, Upstox, Kuvera, Cube Wealth

बीमा - InsurTech (Insurance – InsurTech)

- कंपनियों को **माइक्रो इंश्योरेंस**, सोशल इंश्योरेंस जैसी अति-अनुकूलित पॉलिसियों की पेशकश करने और देखे गये व्यवहार के अनुसार गतिशील प्रीमियम मूल्य निर्धारण के लिए डेटा की नयी धाराओं का उपयोग करने जैसे रास्ते तलाशने की अनुमति देता है।
- दावों को अधिक प्रभावी ढंग से संसाधित करने, जोखिम का मूल्यांकन करने, अनुबंधों को संसाधित करने या नीतियों को अंडरराइट करने के लिए उपयोग किया जाता है।
- बीमा वेब ऐग्रीगेटर्स प्लेटफ़ॉर्म।
- माइक्रो-इवेंट के लिए ऑन-डिमांड बीमा और अनुकूलित समूह कवरेज बनाने और समूह छूट के माध्यम से सकारात्मक विकल्पों को प्रोत्साहित करने के लिए पीयर-टू-पीयर मॉडल को अपनाना।
- **उदाहरण** - PolicyBazaar, Acko, Digit Insurance

विनियामक - RegTech (Regulatory – RegTech)

- यह फ़िनटेक की एक उप-श्रेणी है, जो अत्याधुनिक तकनीक का उपयोग करती है, जो मौजूदा क्षमताओं की तुलना में विनियामक दायित्वों के वितरण का अधिक कुशलतापूर्वक और प्रभावी ढंग से समर्थन कर सकती है।
- अच्छे डेटा गवर्नेंस मॉडल पर आधारित विनियामक सैंडबॉक्स, जो नवप्रवर्तकों को दक्षता बढ़ाने, विनियामक ढाँचे के भीतर जोखिमों का प्रबंधन करने में मदद कर सकता है; धोखाधड़ी का पता लगाने के लिए पहचान प्रबंधन और नियंत्रण; जोखिम प्रबंधन; RegTech ऐप्लिकेशन केवाईसी (अपने ग्राहक को जानें) और एएमएल (एंटी-मनी लॉन्ड्रिंग) अनुपालन पर केंद्रित है।
- **उदाहरण** - Finchat, Kyo Lab, Enforcd

डिजिटल वॉलेट और मोबाइल वॉलेट में अंतर (DIFFERENCE BETWEEN DIGITAL WALLETS AND MOBILE WALLETS)

"**डिजिटल वॉलेट**" का उपयोग अक्सर "मोबाइल वॉलेट" या "मोबाइल भुगतान" के स्थान पर किया जाता है। हालाँकि अलग-अलग तरीक़े से लागू किया गया है, दोनों का उपयोग भुगतान जानकारी संग्रहीत करने के लिए किया जाता है। डिजिटल वॉलेट का उपयोग ज़्यादातर ऑनलाइन लेन-देन के लिए किया जाता है और ज़रूरी नहीं कि मोबाइल उपकरणों पर उपयोग किया जाये। मोबाइल वॉलेट

का उपयोग उन लोगों द्वारा किया जाता है, जो इन-स्टोर ख़रीदारी करते समय फ़िज़िकल वॉलेट नहीं रखना पसंद करते हैं। इस कारण से, इन वॉलेट को मोबाइल और आसानी से ले जानेवाले प्लेटफ़ार्मों पर उपयोग करने की आवश्यकता होती है।

अतिरिक्त जानकारी

डिजिटल वॉलेट के प्रकार (TYPES OF DIGITAL WALLET)

डिजिटल वॉलेट तीन अलग-अलग प्रकार के होते हैं, अर्थात् **क्लोज़्ड**, **सेमी क्लोज़्ड** और **ओपन**।

क्लोज़्ड वॉलेट : ये डिजिटल वॉलेट हैं, जो उन कंपनियों द्वारा बनाये जाते हैं, जो उत्पादों या सेवाओं से डील करते हैं और उपयोगकर्ताओं को केवल वॉलेट के जारीकर्ता या उसी वॉलेट के अन्य उपयोगकर्ताओं के साथ लेन-देन करने की अनुमति देते हैं। **उदाहरण** - Ola Money, Amazon Pay

सेमी क्लोज़्ड वॉलेट : ये डिजिटल वॉलेट हैं, जो उपयोगकर्ताओं को ऑनलाइन और ऑफ़लाइन भुगतान करके सूचीबद्ध व्यापारियों और स्टोरों पर लेन-देन करने की अनुमति देते हैं। व्यापारियों को इन वॉलेट से भुगतान स्वीकार करने के लिए वॉलेट के जारीकर्ता के साथ एक ऑनबोर्डिंग समझौते पर हस्ताक्षर करना होगा। **उदाहरण** - Paytm, PhonePe, MobiKwik, Oxigen

ओपन वॉलेट : ये डिजिटल वॉलेट हैं, जो केवल बैंकों या संस्थानों द्वारा जारी किये जा सकते हैं, जो किसी अन्य प्रमुख बैंक के साथ भागीदारी करते हैं। ये वॉलेट उपयोगकर्ताओं को सेमी क्लोज़्ड वॉलेट के समान लेन-देन करने की अनुमति देते हैं, लेकिन एटीएम से पैसे निकालने में सक्षम होने की अतिरिक्त सुविधा भी प्रदान करते हैं। **उदाहरण** - YONO by SBI, ICICI Pockets, YesPay

भारत में फ़िनटेक के विकास के कारक (FACTORS OF GROWTH FOR FINTECH IN INDIA)

भारत में फ़िनटेक क्षेत्र में तेज़ी से विकास के लिए ज़िम्मेदार कारक इस प्रकार हैं :

- **उन्नत प्रौद्योगिकियों को अपनाना (Embracing Advanced Technologies) :** फ़िनटेक का तेज़ी से विकास मुख्य रूप से नयी प्रौद्योगिकियों द्वारा प्रेरित है, जिसने वित्तीय उत्पादों और सेवाओं को बनाने, प्रदान करने और प्रबंधित करने के तरीक़ों में क्रांति ला दी है। इसने प्रीपेड भुगतान इंस्ट्रूमेंट्स, नॉन-फ़न्जिबल टोकन (NFT), क्रिप्टोकरेंसी आदि जैसे पूरी तरह से नये उत्पादों के निर्माण को सक्षम किया है।
- **JAM Trinity** (जन धन खाते, आधार और मोबाइल प्रौद्योगिकी) के संयोजन ने भारत में डिजिटल लेनदेन के उद्भव और विकास को सुगम बनाया है।
- **अनुकूल विनियामक ढाँचा (Conducive Regulatory Framework) :** भारत में सरकारों के ईमानदार और अविश्वसनीय प्रयासों ने नयी फ़िनटेक फ़र्मों के लिए उचित विनियामक वातावरण और बुनियादी ढाँचे का विकास सुनिश्चित किया है। भारतीय रिज़र्व बैंक लंबे समय से लगातार फ़िनटेक स्पेस की निगरानी कर रहा है और समय-समय पर इस क्षेत्र के लिए दिशानिर्देश और रूपरेखा जारी करता रहा है।
- **युवा आबादी के व्यवहार पैटर्न में परिवर्तन (Changes in Behaviour Pattern of Young Population) :** युवा तकनीक-प्रेमी आबादी के उदय ने धन हस्तांतरण, निवेश, नियोबैंक आदि जैसी अभिनव वित्तीय सेवाओं के लिए गुंजाइश बनायी है।
- **नोटबंदी और कोविड महामारी के बाद की अर्थव्यवस्था (Economy Post-demonetisation and Covid Pandemic) :** जहाँ नोटबंदी ने काग़ज़ आधारित, नक़दी आधारित अर्थव्यवस्था से डिजिटल, कैशलेस अर्थव्यवस्था की ओर बदलाव की शुरुआत की, वहीं महामारी के वर्ष 2020 और 2021 के दौरान लॉकडाउन और सोशल डिस्टेंसिंग (social distancing) मानदंडों ने वित्तीय क्षेत्र में नवाचार और डिजिटलीकरण को बढ़ावा दिया।
- **वित्तीय समावेशन और बढ़ती डिजिटल साक्षरता (Financial Inclusion and Rising Digital Literacy) :** प्रधानमंत्री जन धन योजना, डिजिटल इंडिया कार्यक्रम, पीएम ग्रामीण डिजिटल साक्षरता अभियान (पीएमडीआईएसएचए), आदि

जैसी योजनाओं ने व्यापक स्तर पर वित्तीय साक्षरता बढ़ाने और फ़िनटेक अनुप्रयोगों के उपभोक्ता आधार का विस्तार करने में मदद की है।

- **उद्यमिता की सामाजिक-आर्थिक संस्कृति (Socio-economic Culture of Entrepreneurship) :** फ़िनटेक क्षेत्र में नये उद्यमों का उदय, विशेष रूप से डिजिटल भुगतान, उधार और धन खंड, ट्रेडिंग प्लेटफ़ॉर्म आदि। यह स्टार्टअप इंडिया, अटल इनोवेशन मिशन, प्रोडक्शन लिंक्ड इंसेंटिव (पीएलआई) योजना, औद्योगिक सूचना प्रणाली (आईआईएस), पीएम गतिशक्ति, नीति आयोग फ़िनटेक हैकाथॉन आदि जैसी पहलों के माध्यम से निर्मित भारत के स्टार्टअप और नवाचार पारिस्थितिकी तंत्र का परिणाम है।
- IndiaStack की समग्र डिजिटल पहचान के बुनियादी ढाँचे में विकास।
- भारत में टियर 2 और 3 शहरों में अप्रयुक्त उपभोक्ता आधार भविष्य में फ़िनटेक के विकास में महत्त्वपूर्ण भूमिका निभा सकता है। अनुकूलित फ़िनटेक समाधान जैसे अभी ख़रीदें, बाद में भुगतान करें (buy now, pay later), अनुकूलित माइक्रोइंश्योरेंस (regulated micro-insurance) आदि के पास बैंक रहित या कम बैंक सुविधावाली आबादी, विशेष रूप से बढ़ते मध्य वर्ग और उनकी बढ़ती क्रय शक्ति की वित्तीय ज़रूरतों को पूरा करने की अपार संभावनाएँ हैं। लॉकडाउन के बाद डिजिटल लेन-देन को अपनाने से अर्थव्यवस्था के इस खंड में फ़िनटेक की घुसपैठ की गुंजाइश खुल गयी है।

भारत में फ़िनटेक विकास के लिए सरकार की पहलें (GOVERNMENT INITIATIVES FOR BOOSTING FINTECH IN INDIA)

डिजिटल अर्थव्यवस्था के इस बड़े पैमाने पर कार्यान्वयन के लिए बुनियादी ढाँचे का निर्माण, कई सरकारी पहलों द्वारा वर्षों से किया गया है, जिसके परिणामस्वरूप भारत में एक फ़िनटेक पारिस्थितिकी तंत्र बन गया है, जिसके आधार पर फ़िनटेक क्रांति आज प्राप्त करने योग्य लगती है।

1. **फ़िनटेक से संबंधित मुद्दों पर संचालन समिति** के गठन का उद्देश्य फ़िनटेक से संबंधित विनियमनों को अधिक लचीला बनाना तथा उद्यमिता को बढ़ावा देना था। **अध्यक्ष सुभाष चंद्र गर्ग** की अध्यक्षतावाली इस समिति ने वर्ष 2019 में अपनी रिपोर्ट प्रस्तुत की।
    - इस समिति ने फ़िनटेक और डिजिटल सेवाओं में उपभोक्ता संरक्षण के लिए एक व्यापक क़ानूनी ढाँचे का प्रस्ताव रखा।
    - सभी वित्तीय क्षेत्र नियामकों द्वारा **विनियमन प्रौद्योगिकी (या रेगटेक)** को अपनाना।
    - **पर्यवेक्षी प्रौद्योगिकी (या सुपटेक)** का संस्थागत ढाँचा।

    इस समिति ने कृषि क्षेत्र और MSMEs पर फ़िनटेक नवाचारों के सकारात्मक प्रभाव पर प्रकाश डाला, जैसे कि नाबार्ड द्वारा किसानों के लिए विकसित की जानेवाली क्रेडिट रजिस्ट्री, फ़िनटेक का अधिक उपयोग, कोर बैंकिंग समाधान (CBS), आदि।
2. **इंडिया स्टैक :** इंडिया स्टैक एपीआई का एक सेट है, जो सरकारों, व्यवसायों, स्टार्टअप और डेवलपर्स को उपस्थिति-रहित, पेपरलेस और कैशलेस सेवा वितरण की दिशा में भारत की कठिन समस्याओं को हल करने के लिए एक अद्वितीय डिजिटल बुनियादी ढाँचे का उपयोग करने की अनुमति देता है। इंडिया स्टैक का विकास भारत में मज़बूत फ़िनटेक पारिस्थितिकी तंत्र की नींव रहा है।

    इंडिया स्टैक वह नाम है, जिसका उपयोग असमान प्रौद्योगिकी उत्पादों और ढाँचे के संग्रह का वर्णन करने के लिए किया जाता है। इस संग्रह के घटकों का स्वामित्व और रखरखाव विभिन्न एजेंसियों द्वारा किया जाता है :
    - ई-ऑथ (e-auth) और ई-केवाईसी (e-KYC) जैसे **आधार (Aadhaar)** उत्पादों का स्वामित्व भारतीय विशिष्ट पहचान प्राधिकरण के पास है।
    - **eSign** एक प्रौद्योगिकी विनिर्देश है, जिसका संचार और सूचना प्रौद्योगिकी मंत्रालय द्वारा रखरखाव किया जाता है।
    - **डिजीलॉकर (Digilocker)** का स्वामित्व इलेक्ट्रॉनिक्स और सूचना प्रौद्योगिकी मंत्रालय के पास है।
    - **यूपीआई** का स्वामित्व नेशनल पेमेंट्स कॉरपोरेशन ऑफ़ इंडिया के पास है।

- **खाता ऐग्रीगेटर फ्रेमवर्क (The Account Aggregator Framework)** भारतीय रिज़र्व बैंक द्वारा विनियमित है और इसके प्रौद्योगिकी मानकों का स्वामित्व रिज़र्व बैंक सूचना प्रौद्योगिकी प्राइवेट लिमिटेड (ReBIT) के पास है।

3. **केंद्रीय बैंक डिजिटल मुद्रा :** केंद्रीय बजट 2022-23 में भारत की अपनी सेंट्रल बैंक डिजिटल करेंसी (CBDC) के विचार की घोषणा की गयी थी। इसके बाद अक्टूबर, 2022 में RBI द्वारा सेंट्रल बैंक डिजिटल करेंसी (CBDC) पर एक कॉन्सेप्ट नोट प्रकाशित किया गया।

अतिरिक्त जानकारी

डिजिटल रुपया (e₹) [DIGITAL RUPEE (e₹)]

- डिजिटल रुपी, जिसे सेंट्रल बैंक डिजिटल करेंसी (CBDC) के रूप में भी जाना जाता है, इसे RBI द्वारा लॉन्च किया गया है। इसके बाद, RBI ने थोक और खुदरा, दोनों क्षेत्रों में सीबीडीसी के पायलट लॉन्च किये हैं। डिजिटल रुपी-थोक (e₹W) के रूप में जाना जानेवाला थोक खंड में पायलट 1 नवंबर, 2022 को लॉन्च किया गया था, जिसमें उपयोग के मामले सरकारी प्रतिभूतियों में द्वितीयक बाज़ार लेन-देन के निपटान तक सीमित थे। e₹W के उपयोग से अंतर-बैंकबाज़ार को और अधिक कुशल बनाने की उम्मीद है। केंद्रीय बैंक के धन में निपटान, निपटान जोखिम को कम करने के लिए निपटान गारंटी बुनियादी ढाँचे या संपार्श्विक की आवश्यकता को पूर्व-ख़ाली करके लेन-देन लागत को कम करेगा।
- खुदरा खंड में पायलट, जिसे **डिजिटल रुपी-रिटेल (e₹-R)**) के रूप में जाना जाता है, 1 दिसंबर, 2022 को एक बंद उपयोगकर्ता समूह (सीयूजी) के भीतर लॉन्च किया गया था, जिसमें भाग लेनेवाले ग्राहक और व्यापारी शामिल थे। **e₹-R** पायलट वर्तमान में पाँच शहरों मुंबई, नयी दिल्ली, बेंगलुरु, भुवनेश्वर और चंडीगढ़ को कवर करता है।
- खुदरा खंड में भारतीय रिज़र्व बैंक द्वारा शुरू किये गये सीबीडीसी पायलट में **ब्लॉकचेन प्रौद्योगिकी** पर आधारित घटक हैं।

डिजिटल रुपये की विशेषताएँ (e₹) [Features of Digital Rupee (e₹)]

- **e₹-R** एक डिजिटल टोकन के रूप में है, जो **क़ानूनी निविदा** का प्रतिनिधित्व करता है।
- यह **कागज़ की मुद्रा और सिक्कों के समान मूल्यवर्ग** में जारी किया जा रहा है। यह देश की फ़िएट मुद्रा के मूल्य से आँका जाता है।
- यह **वित्तीय मध्यस्थों**, अर्थात् बैंकों के माध्यम से वितरित किया जा रहा है।
- उपयोगकर्ता भाग लेनेवाले बैंकों द्वारा पेश किये गये डिजिटल वॉलेट के माध्यम से **e₹-R** के साथ लेन-देन करने में सक्षम होंगे।
- लेन-देन व्यक्ति से व्यक्ति **(P2P)** और व्यक्ति से व्यापारी **(P2M)**, दोनों हो सकते हैं।
- **e₹-R** विश्वास, सुरक्षा और निपटान अंतिमता जैसी भौतिक नक़दी की सुविधाएँ प्रदान करता है।
- सेंट्रल बैंक डिजिटल करेंसी **(CBDC)** भारत सरकार की ओर से भारतीय रिज़र्व बैंक द्वारा जारी की जाती है, और यह भारतीय रिज़र्व बैंक की देयता है।
- सीबीडीसी एक फ़ंजीबल लीगल टेंडर है, जिसका मतलब है कि इसे बैंकों के पास जमा धन के अन्य रूपों में परिवर्तित किया जा सकता है। हालाँकि सीबीडीसी पर कैश की तरह कोई ब्याज नहीं मिलेगा।
- पायलट में एक अलग **e₹ वॉलेट** की कल्पना की गयी है, यह देखते हुए कि **e₹**, इसका हिस्सा है। **मुद्रा प्रणाली** जबकि अन्य डिजिटल वॉलेट **भुगतान प्रणाली** का हिस्सा हैं। उपयोगकर्ता भाग लेनेवाले बैंकों द्वारा पेश किये गये डिजिटल वॉलेट के माध्यम से **e₹-R** के साथ लेन-देन करने में सक्षम होंगे और मोबाइल फोन/उपकरणों पर संग्रहीत होंगे।

4. **भारतीय रिज़र्व बैंक, आईआरडीए और भारतीय प्रतिभूति और विनिमय बोर्ड द्वारा विनियामक सैंडबॉक्स (Regulatory Sandbox)**

- भारतीय रिज़र्व बैंक द्वारा **विनियामक सैंडबॉक्स** फ्रेमवर्क सन 2019 में नवाचार को बढ़ावा देने के उद्देश्य से जारी किया गया था। खुदरा भुगतान, सीमा पार भुगतान, एमएसएमई ऋण और वित्तीय धोखाधड़ी की रोकथाम पर प्रारंभिक चार

थीम-आधारित समूहों को लॉञ्च करने के बाद, 2022 में एक थीम न्यूट्रल **पाँचवें समूह** की घोषणा की गयी थी, जो फ़िनटेक स्पेस में नवाचार के पदचिह्न को बढ़ाने का मार्ग प्रशस्त करता है।

- **'विनियामक सैंडबॉक्स'** विनियामक द्वारा स्थापित एक ढाँचा है, जो फ़िनटेक स्टार्टअप और अन्य इनोवेटर्स को विनियामक की देखरेख में एक नियंत्रित वातावरण में लाइव प्रयोग करने की अनुमति देता है। यह पायलट आधार पर नये उत्पादों या सेवाओं का लाइव परीक्षण है।
- RS फ़्रेमवर्क को वर्ष 2024 में अद्यतन किया गया है, जिसके तहत सैंडबॉक्स संस्थाओं को *डिजिटल व्यक्तिगत डेटा संरक्षण अधिनियम, 2023 (Digital Personal Data Protection Act, 2023)* के प्रावधानों का अनुपालन सुनिश्चित करना आवश्यक है।
- भारतीय रिज़र्व बैंक (आरबीआई) ने एक से अधिक विनियामकों के दायरे में आनेवाले नये फ़िनटेक उत्पादों और सेवाओं को विनियमित करने के लिए **इंटरऑपरेबल विनियामक सैंडबॉक्स** के लिए एक **मानक संचालन प्रक्रिया (एसओपी) [Standard Operating Procedure (SOP)]** की घोषणा की। इस कदम का उद्देश्य एक स्पष्ट क्षेत्राधिकार विकसित करना है, जहाँ भारतीय रिज़र्व बैंक, भारतीय प्रतिभूति और विनिमय बोर्ड (सेबी), बीमा विनियामक और विकास प्राधिकरण (आईआरडीएआई), पेंशन फ़ंड विनियामक और विकास प्राधिकरण (पीएफ़आरडीए) सहित कई विनियामकों को शामिल करनेवाले अतिव्यापी क्षेत्र हैं।

हमारी विनियामक सैंडबॉक्स पहल से निकलनेवाली सफलता की कहानियों में अन्य बातों के अलावा, 'ऑफ़लाइन मोड' में छोटे मूल्य के डिजिटल भुगतान की सुविधा के लिए फ़्रेमवर्क' और हाल ही में लॉञ्च किया गया **यूपीआई123पे** शामिल है, NPCI द्वारा विकसित एक भुगतान प्रणाली, जो उपयोगकर्ताओं को इंटरनेट कनेक्शन के बिना डिजिटल लेनदेन करने की सुविधा देती है।

5. **खाता ऐग्रीगेटर नेटवर्क :** यह एक **वित्तीय डेटा-साझाकरण प्रणाली** है, जो निवेश और क्रेडिट में क्रांतिकारी बदलाव ला सकती है, जिससे लाखों उपभोक्ताओं को अपने वित्तीय रिकॉर्ड पर अधिक पहुँच और नियंत्रण मिल सकता है और उधारदाताओं और फ़िनटेक कंपनियों के लिए ग्राहकों के संभावित पूल का विस्तार हो सकता है।

   खाता ऐग्रीगेटर (AA) एक प्रकार की भारतीय रिज़र्व बैंक विनियमित इकाई (एनबीएफ़सी-एए लाइसेंस के साथ) है, जो किसी व्यक्ति को सुरक्षित और डिजिटल रूप से एक वित्तीय संस्थान से जानकारी तक पहुँचने और साझा करने में मदद करती है, जिसके साथ उनका खाता AA नेटवर्क में किसी अन्य विनियमित वित्तीय संस्थान में है। **व्यक्ति की सहमति के बिना डेटा साझा नहीं किया जा सकता है।**

   भारत में **यह ओपन बैंकिंग लाने की दिशा में पहला क़दम है** और लाखों ग्राहकों को सुरक्षित और कुशल तरीक़े से संस्थानों में अपने वित्तीय डेटा को डिजिटल रूप से ऐक्सेस करने और साझा करने के लिए सशक्त बनाना।

   वर्ष 2022 तक, 94 वित्तीय संस्थान वित्तीय सूचना उपयोगकर्ता (FIU) के रूप में अकाउंट ऐग्रीगेटर (AA) प्लेटफ़ॉर्म पर सम्मिलित हो चुके हैं। इन संस्थाओं में से 73 भारतीय रिजर्व बैंक (RBI) द्वारा विनियमित हैं, 10 संस्थाएँ भारतीय प्रतिभूति और विनिमय बोर्ड (SEBI) द्वारा विनियमित हैं, 9 भारतीय बीमा विनियामक और विकास प्राधिकरण (IRDAI) द्वारा विनियमित हैं और 2 पेंशन फ़ंड विनियामक और विकास प्राधिकरण (PFRDA) द्वारा विनियमित संस्थाएँ हैं।

6. भारतीय रिज़र्व बैंक ने 2022 में **'ऑफ़लाइन मोड में छोटे मूल्य डिजिटल भुगतान की सुविधा के लिए फ़्रेमवर्क'** की घोषणा की। भारतीय रिज़र्व बैंक ने ग़ैर-इंटरनेट उपयोगकर्ताओं के लिए डिजिटल भुगतान करने के लिए **यूपीआई123पे** नामक फ़ीचर फोन के लिए नयी यूपीआई सेवाएँ और डिजिटल भुगतान के लिए 24×7 हेल्पलाइन **"डिजीसाथी"** भी शुरू की है। इसका उद्देश्य 40 करोड़ से अधिक फ़ीचर फोन उपयोगकर्ताओं को सुरक्षित तरीक़े से यूपीआई के लाभों तक पहुँचने में सक्षम बनाकर डिजिटल वित्तीय समावेशन को बढ़ाना है।
7. भारतीय रिज़र्व बैंक ने कम मूल्यवाले यूपीआई भुगतान को गति देने और सरल बनाने के लिए 2022 में **यूपीआई लाइट** की शुरुआत की थी। **यूपीआई लाइट एक ऑन-डिवाइस वॉलेट** फ़ंक्शन है, जो यूपीआई पिन दर्ज किये बिना 200 रुपये तक रियल-टाइम के छोटे मूल्य के भुगतान की अनुमति देता है।
8. भारतीय रिज़र्व बैंक ने **बेंगलुरु** में एक सहायक के रूप में **रिज़र्व बैंक इनोवेशन हब (RBIH)** की स्थापना की है।
9. इस विकसित और गतिशील क्षेत्र पर ध्यान केंद्रित करने के लिए 2022 से **भारतीय रिज़र्व बैंक** में एक नया **फ़िनटेक विभाग** बनाया गया है।

10. **नेशनल इलेक्ट्रॉनिक टोल कलेक्शन (एनईटीसी) प्रणाली** ग्राहक को **फ़ास्टैग (FASTag)** आधारित रेडियो फ़्रीक्वेंसी आइडेंटिफ़िकेशन (आरएफ़आईडी) तकनीक का उपयोग करके टोल पर रुके बिना राजमार्ग पर एनईटीसी-सक्षम टोल प्लाज़ा पर इलेक्ट्रॉनिक भुगतान करने में सक्षम बनाती है।

11. विभिन्न वित्तीय संस्थानों के लिए कई केवाईसी से गुज़रने की परेशानी को कम करने के लिए एक केंद्रीय रिपॉजिटरी, जिसे **सेंट्रल केवाईसी** के रूप में जाना जाता है, विकसित किया गया है। यह उपभोक्ताओं की केवाईसी प्रक्रिया को केवल एक बार आयोजित करने की अनुमति देता है, जब तक कि उपभोक्ता विवरण में कोई बदलाव न हो।

12. **फ़िनटेक पर संयुक्त कार्य समूह :** भारत ने व्यवसायों और अन्य क्षेत्रों के लिए फ़िनटेक समाधानों को बढ़ावा देने के लिए कई अन्य देशों के साथ द्विपक्षीय संयुक्त कार्य समूहों का गठन किया है। ऐसे दो उदाहरण हैं :
    i. **यूके-इंडिया फ़िनटेक जेडब्ल्यूजी** - दोनों देशों के बीच प्रेषण के तेज़ और सस्ते प्रवाह की सुविधा प्रदान करने के लिए। दोनों देश भारत की यूपीआई प्रणाली और ब्रिटेन की भुगतान प्रणाली के बीच संपर्क में सुधार के विकल्प भी तलाश रहे हैं।
    ii. **सिंगापुर-भारत फ़िनटेक जेडब्ल्यूजी** - एपीआई विकास के क्षेत्रों में सहयोग के लिए, विनियामक सैंडबॉक्स, भुगतान नेटवर्क का एकीकरण, भुगतान में सुरक्षा और डिजिटल नक़दी प्रवाह और ई-केवाईसी।

13. अंतरराष्ट्रीय वित्तीय सेवा केंद्र प्राधिकरण (आईएफ़एससीए) ने **गिफ़्ट सिटी**, गुजरात में एक विश्व स्तरीय **फ़िनटेक हब** की स्थापना को बढ़ावा देने के उद्देश्य से एक विस्तृत **"आईएफ़एससी मेंफ़िनटेक इकाई के लिए रूपरेखा"** जारी की है, जिसकी तुलना अन्य अंतरराष्ट्रीय वित्तीय केंद्रों (आईएफ़सी) के साथ की जा सकती है। इस ढाँचे के तहत, पाँच फ़िनटेक फ़र्मों को प्राधिकरण प्रमाण पत्र दिये गये थे। नवाचार-उन्मुख संस्थाओं को बढ़ावा देने और पोषण करने, आईएफ़एससीए जीआईएमटी-आईएफ़एससी में एक संपन्न फ़िनटेक पारिस्थितिकी तंत्र बनाने का इरादा रखता है।

14. **डिजिटल बैंकिंग इकाइयाँ (डीबीयू) :** हमारे देश की स्वतंत्रता के 75 वर्ष पूरे होने के उपलक्ष्य में देश के 75 ज़िलों में 75 डीबीयू शुरू किये गये हैं। डीबीयू की स्थापना यह सुनिश्चित करने के उद्देश्य से की जा रही है कि डिजिटल बैंकिंग का लाभ देश के हर नुक्कड़ और कोने तक पहुँचे। इस प्रयास में 11 सार्वजनिक क्षेत्र के बैंक, 12 निजी क्षेत्र के बैंक और एक लघु वित्त बैंक भाग ले रहे हैं। फ़रवरी, 2023 तक, **देश भर में 84 डीबीयू चालू हैं।**

15. **फ़िनक्लुवेशन :** भारतीय स्वतंत्रता और आज़ादी के अमृत महोत्सव की 75वीं वर्षगाँठ के अवसर पर, डाक विभाग (डीओपी) के तहत 100 प्रतिशत सरकारी स्वामित्ववाली इकाई, इंडिया पोस्ट पेमेंट्स बैंक (आईपीपीबी) ने वित्तीय समावेशन के लिए समाधानों को सह-बनाने और नवाचार करने के लिए **फ़िनटेक स्टार्टअप समुदाय के साथ सहयोग करने के लिए एक संयुक्त पहल फ़िनक्लुवेशन** शुरू करने की घोषणा की। **फ़िनक्लुवेशन** भाग लेनेवाले स्टार्टअप के साथ समावेशी वित्तीय समाधान बनाने के लिए आईपीपीबी का एक स्थायी मंच होगा।

16. **फ़िनटेक ओपन मंथ** का आयोजन नीति आयोग द्वारा अपनी तरह की पहली पहल के रूप में किया गया था, जिसमें विनियामकों, फ़िनटेक पेशेवरों और उत्साही, उद्योग के नेताओं, स्टार्टअप समुदाय और डेवलपर्स को सहयोग, विचारों का आदान-प्रदान और नवाचार करने के लिए एक आम मंच पर लाया गया था। नीति आयोग ने फोनपे के सहयोग से फ़िनटेक स्पेस के लिए सबसे रचनात्मक समाधानों के साथ विचार करने और आने के लिए पहले **ओपन-टू-ऑल हैकाथॉन कार्यक्रम** की मेज़बानी की। हैकाथॉन ने पूरे भारत के इनोवेटर्स, डिजिटल क्रिएटर्स और डेवलपर्स को सोचने, विचार करने और कोड करने का अवसर प्रदान किया। प्रतिभागियों को खुले सरकारी डेटा प्लेटफ़ॉर्म का उपयोग करना पड़ा।

17. कई अन्य क्षेत्रों में प्रौद्योगिकी बुनियादी ढाँचे की पहल बुनियादी ढाँचे का उपयोग करके नवीन फ़िनटेक समाधानों को बढ़ने में मदद कर सकती है। उदाहरण के लिए, **राष्ट्रीय स्वास्थ्य स्टैक** स्वास्थ्य बीमा क्षेत्र में फ़िनटेक हस्तक्षेप में मदद कर सकता है या कई फ़ाइनेंसरों के माध्यम से सूक्ष्म, लघु और मध्यम उद्यमों (एमएसएमई) के व्यापार प्राप्तियों के वित्तपोषण/छूट की सुविधा के लिए **टीआरईडीएस** प्लेटफ़ॉर्म व्यापार वित्तपोषण में फ़िनटेक समाधानों के लिए मार्ग प्रशस्त कर सकता है।

18. RBI ने यूनिफ़ाइड लेंडिंग इंटरफ़ेस (ULI) लॉन्च किया है और NBFCs से ULI प्लेटफ़ॉर्म पर आने, फ़िनटेक इकोसिस्टम के साथ नियमित अंतर्क्रिया करने और अपने नियामक सैंडबॉक्स ढाँचे में वीडियो-आधारित KYC परियोजनाओं पर काम करने का आग्रह किया है।

लास्ट मिनट
स्निपपेट्स

रिज़र्व बैंक ने पहली बार खुदरा भुगतान को और अधिक अभिनव बनाने के उद्देश्य से **हार्बिंगर 2021 (HaRBInger 2021)** नामक एक **वैश्विक हैकाथॉन** का आयोजन किया। वर्ष 2024 में, HaRBInger के तीसरे संस्करण में वित्तीय धोखाधड़ी को रोकने के लिए प्रौद्योगिकी के उपयोग पर ध्यान केंद्रित किया गया। इसके मुख्य विषय थे 'शून्य वित्तीय धोखाधड़ी (Zero Financial Frauds)' और 'दिव्यांगों के अनुकूल होना (Being Divyang Friendly)'।

भारत में फ़िनटेक क्षेत्र की चुनौतियाँ और जोखिम (CHALLENGES AND RISKS OF FINTECH SECTOR IN INDIA)

फ़िनटेक में मौलिक तरीक़ों से भारत में वित्तीय सेवाओं और वित्तीय समावेशन परिदृश्य को नया रूप देने की क्षमता है। लेकिन, भारत में बड़े पैमाने पर फ़िनटेक को अपनाने में कुछ चुनौतियाँ और संभावित जोखिम हैं :

- विकासशील और आगामी फ़िनटेक प्रौद्योगिकियों को विनियमित करना एक चुनौती है। इसका एक उदाहरण क्रिप्टोकरेंसी का विनियमन है।
- बढ़ते अवैध उधार ऐप और क्रिप्टो उधार, उधार देने में लगीं अनियमित संस्थाएँ और 'बाय नाउ पे लेटर (बीएनपीएल)' जैसे अनरिपोर्टेड उत्पाद सरकारों के लिए चिंता का विषय हैं, जो डिजिटल उधार बाज़ार में किसी भी विनियामक ढाँचे के अभाव में गंभीर मुद्दे पैदा करते हैं।
- फ़िनटेक उत्पादों की विस्तृत श्रृंखला उन्हें नियंत्रित करने के लिए एक एकल, सर्वव्यापी रणनीति बनाना चुनौतीपूर्ण बनाती है, ख़ासकर जब फ़िनटेक समाधान भारतीय प्रतिभूति और विनिमय बोर्ड, भारतीय रिज़र्व बैंक आदि जैसे विभिन्न विनियामकों के अतिव्यापी अधिकार क्षेत्र में आते हैं।
- साइबर सुरक्षा ख़तरे और डेटा गोपनीयता की ज़रूरतें उपयोगकर्ताओं द्वारा उत्पन्न फ़िनटेक द्वारा ऐक्सेस किये गये और आयोजित वित्तीय डेटा की सुरक्षा के लिए एक प्रमुख चिंता का विषय हैं। व्यक्तिगत उपयोगकर्ता की सहमति के बिना एक कंपनी से दूसरी कंपनी में डेटा का अंतरण शासन के लिए चुनौती है।
- डिजिटल लेन-देन के मामले में साइबर धोखाधड़ी आजकल बहुत बार होती है। यह आम जनता के लिए अपनी रोज़मर्रा की वित्तीय ज़रूरतों में नये फ़िनटेक समाधानों को अपनाने के लिए एक संभावित निवारक है। उपयोगकर्ताओं के आत्मविश्वास को बढ़ाने के लिए उचित साइबर सुरक्षा उपायों को आत्मसात् करने की आवश्यकता है।
- फ़िनटेक प्लेटफ़ार्मों की गुमनामी और तकनीकी फ़र्मों की सीमा पार प्रकृति का उपयोग करके मनी लॉन्ड्रिंग गतिविधियों, आतंकवाद और अन्य आपराधिक गतिविधियों के प्रसार की जोखिम।
- साइबर सुरक्षा और जोखिम प्रबंधन से संबंधित बड़ी तकनीकी कंपनियों का विनियमन राष्ट्र राज्य सीमाओं और देशों के संबंधित क़ानूनों के परिवर्तन के कारण एक बड़ी चुनौती है।
- प्रौद्योगिकी और उद्यम पूँजी पारिस्थितिकी तंत्र का विषम विकास, कुशल तकनीक/वित्त उद्यमियों की कमी, छोटे बाज़ार, सीमित राजस्व क्षमता कुछ प्रमुख चुनौतियाँ हैं। लेन-देन में नक़दी का प्रभुत्व, अनौपचारिक ऋण और बचत और डिजिटल साक्षरता की कमी भी देश की बैंक रहित आबादी में फ़िनटेक के विस्तार के लिए चिंता का विषय है।
- विनियामक अनुपालन और उचित पर्यवेक्षण सुनिश्चित करने के लिए RegTech और SupTech क्षेत्रों का विकास एक अनिवार्यता है।

अतिरिक्त जानकारी

RegTech और SupTech

संभावित जोखिमों और उनके शमन के संदर्भ में, **RegTech** और **SupTech** की महत्त्वपूर्ण भूमिका है।

- **RegTech** या **विनियामक प्रौद्योगिकी** विनियामक को यह सुनिश्चित करने के लिए प्रौद्योगिकी समाधानों का उपयोग करने में मदद करता है कि 8 कंपनियाँ मानदंडों का पालन कर रही हैं।
- **SupTech** या **पर्यवेक्षी प्रौद्योगिकी** विनियमित संस्थाओं द्वारा विनियामक अनुपालन की निगरानी और सुनिश्चित करने के लिए प्रौद्योगिकी का उपयोग है।
- दोनों प्रौद्योगिकियों का उद्देश्य स्वचालन का उपयोग करके दक्षता में सुधार करना, नयी क्षमताओं को पेश करना और वर्कफ़्लो को सुव्यवस्थित करना है।
- भारत में, भारतीय रिज़र्व बैंक डेटा संग्रह और विश्लेषण के लिए SupTech का उपयोग हो रहा है। इन 8 उदाहरणों में आयात डेटा प्रोसेसिंग ऐंड मॉनिटरिंग सिस्टम (**आईडीपीएमएस**), एक्सपोर्ट डेटा प्रोसेसिंग ऐंड मॉनिटरिंग सिस्टम (**ईडीपीएमएस**) और सेंट्रल रिपॉजिटरी ऑफ़ इंफ़ॉर्मेशन ऑन लार्ज क्रेडिट (**सीआरआईएलसी**) शामिल हैं।
- बैंकों का जोखिम-आधारित पर्यवेक्षण बड़े पैमाने पर डेटा-संचालित है और यह SupTech का एक उदाहरण है।
- RegTech और SupTech प्रौद्योगिकियों का भविष्य बिग डेटा एनालिटिक्स, आर्टिफ़िशल इंटेलिजेंस, 8 मशीन लर्निंग, क्लाउड कंप्यूटिंग, भौगोलिक सूचना प्रणाली (जीआईएस) मैपिंग, डेटा ट्रांसफ़र प्रोटोकॉल, बायोमेट्रिक्स आदि में निहित है।

लास्ट मिनट स्निपपेट्स

ग्लोबल फ़िनटेक फ़ेस्ट [Global Fintech Fest (GFF)]

ग्लोबल फ़िनटेक फ़ेस्ट (GFF), 2024 का आयोजन मुंबई में किया गया, जिसका आयोजन पेमेंट्स काउंसिल ऑफ़ इंडिया, नेशनल पेमेंट्स कॉरपोरेशन ऑफ़ इंडिया और फ़िनटेक कन्वर्जेंस काउंसिल ने संयुक्त रूप से किया। इस कार्यक्रम में फ़िनटेक क्षेत्र में भारत की प्रगति पर प्रकाश डाला गया और प्रमुख उद्योग हितधारकों को एक साथ लाने के लिए एक मंच के रूप में कार्य किया गया। इसने इस बात पर ज़ोर दिया कि जन धन, आधार और मोबाइल की त्रयी (ट्रिनिटी) ने 'नक़दी ही राजा है' की मानसिकता को तोड़ दिया है और दुनिया में होनेवाले लगभग आधे डिजिटल लेन-देन भारत में होने की उपलब्धि हासिल करने का मार्ग प्रशस्त किया है।

संक्षिप्त विवरण

- **फ़िनटेक (FinTech)** - व्यवसायों और उपभोक्ताओं के लिए समान रूप से वित्त के पारंपरिक रूपों को सुधारने और स्वचालित करने के लिए बनाये गये सॉफ़्टवेयर, मोबाइल ऐप्लिकेशन और अन्य तकनीकों के बारे में है।
- **क्रिप्टोकरेंसी (Cryptocurrency)** - सुरक्षा के लिए क्रिप्टोग्राफी का उपयोग करनेवाले एक्सचेंज के माध्यम के रूप में काम करने के लिए डिज़ाइन की गयी डिजिटल या आभासी संपत्ति। उदाहरण के लिए : बिटकॉइन, एथेरियम, लाइटकॉइन, एक्सआरपी, आदि।
- **ब्लॉकचेन प्रौद्योगिकी (Blockchain Technology)** - एक ऑनलाइन खाता-बही पर जानकारी के कनेक्टेड ब्लॉक का सेट, जो बिटकॉइन और अन्य क्रिप्टोकरेंसी की अपील और कार्यक्षमता के लिए केंद्रित है।
- **भारतीय राष्ट्रीय भुगतान निगम (एनपीसीआई) [National Payments Corporation of India (NPCI)]** - भारत में एक मज़बूत भुगतान और निपटान बुनियादी ढाँचा बनाने के लिए भुगतान और निपटान प्रणाली अधिनियम, 2007 के प्रावधानों के तहत भारतीय रिज़र्व बैंक और भारतीय बैंक संघ (आईबीए), की एक पहल है।

- **डिजिटल वॉलेट (Digital Wallets)** – वित्तीय ऐप्लिकेशन हैं, जो उपभोक्ताओं को धन संग्रहीत करने, लेन-देन करने और फोन और टैबलेट जैसे उपकरणों पर भुगतान इतिहास को ट्रैक करने की अनुमति देते हैं।
- **क्यूआर कोड (QR Codes)** – त्वरित प्रतिक्रिया कोड मैट्रिक्स बार कोड हैं, जो जानकारी संग्रहीत करते हैं।
- **डिजिटल रुपया (Digital Rupee)** – सरकारी प्रतिभूतियों में द्वितीयक बाज़ार लेन-देन को निपटाने के लिए RBI द्वारा जारी मुद्रा नोटों का डिजिटल रूप।
- **पर्यवेक्षी प्रौद्योगिकी (Supervisory Technology)** – विनियमित संस्थाओं द्वारा विनियामक अनुपालन की निगरानी और सुनिश्चित करने के लिए स्वयं विनियामक प्राधिकरणों द्वारा प्रौद्योगिकी का उपयोग।

यूपीएससी सिविल सेवा के पिछले वर्षों की प्रारंभिक परीक्षा के प्रश्न

1. डिजिटल रुपये के संबंध में निम्नलिखित कथनों पर विचार कीजिए : **[2024]**

1. यह भारतीय रिज़र्व बैंक (RBI) द्वारा अपनी मौद्रिक नीति के अनुरूप जारी की गई राष्ट्रिक (सॉवरेन) मुद्रा है।
2. यह RBI के तुलन-पत्र (बैलेंस शीट) पर देयता के रूप में दिखाई देता है।
3. यह अपने डिज़ाइन से ही मुद्रास्फीति के विरुद्ध बीमाकृत है।
4. यह वाणिज्यिक बैंक मुद्रा और नक़दी के लिए स्वतंत्र रूप से परिवर्तनीय है।

उपर्युक्त कथनों में से कौन-से सही हैं?

(a) केवल 1 और 2 **(b)** केवल 1 और 3
(c) केवल 2 और 4 **(d)** 1, 2 और 4

2. केन्द्रीय बैंक डिजिटल मुद्राओं के संदर्भ में, निम्नलिखित कथनों पर विचार कीजिए : **[2023]**

1. यू० एस० डॉलर या एस० डब्ल्यू० आइ० एफ० टी० प्रणाली का प्रयोग किए बिना डिजिटल मुद्रा में भुगतान करना संभव है।
2. कोई डिजिटल मुद्रा इसके अंदर प्रोग्रामित प्रतिबंध, जैसे कि इसके व्यय के समय ढाँचे, के साथ वितरित की जा सकती है।

उपर्युक्त कथनों में से कौन-सा/से सही है/हैं?

(a) केवल 1 **(b)** केवल 2
(c) 1 और 2 दोनों **(d)** न तो 1 और न ही 2

3. "**ब्लॉकचेन प्रौद्योगिकी**" के संदर्भ में, निम्नलिखित कथनों पर विचार करें : **[2020]**

1. यह एक सार्वजनिक खाता-बही है जिसका हर कोई निरीक्षण कर सकता है, लेकिन जिसे कोई भी उपयोगकर्ता नियंत्रित नहीं करता है।
2. ब्लॉकचेन की संरचना और डिज़ाइन ऐसा है कि इसमें मौजूद सारा डेटा केवल क्रिप्टोकरेंसी के बारे में हैं।
3. ब्लॉकचेन की बुनियादी विशेषताओं पर निर्भर करनेवाले ऐप्लिकेशन्स को बिना किसी की अनुमति के बनाया जा सकता है।

ऊपर दिये गये कथनों में से कौन-सा/से सही है/हैं?

(a) केवल 1 **(b)** केवल 1 और 2
(c) केवल 2 **(d)** केवल 1 और 3

4. भारतीय रिज़र्व बैंक के 'भुगतान प्रणाली डेटा के भंडारण' से संबंधित हालिया निर्देश, जिसे डेटा फ़रमान के रूप में जाना जाता है, भुगतान प्रणाली प्रदाताओं को आदेश देता है कि : **[2019]**

1. वे यह सुनिश्चित करेंगे कि उनके द्वारा संचालित भुगतान प्रणालियों से संबंधित संपूर्ण डेटा केवल भारत में एक प्रणाली में संग्रहीत किया जाता है।
2. वे यह सुनिश्चित करेंगे कि प्रणालियाँ सार्वजनिक क्षेत्र के उद्यमों के स्वामित्व और संचालन में हों।
3. वे नियंत्रक और लेखा परीक्षक को समेकित प्रणाली लेखा परीक्षा रिपोर्ट प्रस्तुत करेंगे कैलेंडर वर्ष के अंत तक भारत के जनरल।

ऊपर दिये गये कथनों में से कौन-सा/से सही है/हैं?

(a) केवल 1 **(b)** केवल 1 और 2
(c) केवल 3 **(d)** केवल 1, 2 और 3

5. डिजिटल भुगतान के संदर्भ में, निम्नलिखित कथन पर विचार करें : **[2018]**

1. भीम ऐप उपयोगकर्ता को यूपीआई-सक्षम बैंक खातेवाले किसी भी व्यक्ति को पैसे ट्रांसफ़र करने की अनुमति देता है।
2. जबकि एक चिप-पिन डेबिट कार्ड में प्रमाणीकरण के चार कारक होते हैं, भीम ऐप में प्रमाणीकरण के केवल दो कारक होते हैं।

ऊपर दिये गये कथनों में से कौन-सा/से सही है/हैं?

(a) केवल 1 **(b)** केवल 2
(c) दोनों 1 और 2 **(d)** न तो 1 और न ही 2

☞ **कोई प्रश्न नहीं**

2022, 2021, 2017, 2016, 2015, 2014, 2013

उत्तर कुंजी

1. (d) 2. (c) 3. (d) 4. (a) 5. (a)

यूपीएससी सिविल सेवा के पिछले वर्षों की मुख्य परीक्षा के प्रश्न

1. भारतीय अर्थव्यवस्था में डिजिटलीकरण की स्थिति क्या है? इस संबंध में आनेवालीं समस्याओं का परीक्षण कीजिए और सुधार के लिए सुझाव दीजिए। **[2023]**

☞ **कोई प्रश्न नहीं**

2024, 2022, 2021, 2020, 2019, 2018, 2017, 2016, 2015, 2014, 2013

अध्याय 14

भारत में सहकारिता क्षेत्र (Co-operative Sector in India)

अध्याय की रूपरेखा

- सहकारी समितियाँ क्या हैं
- भारत में सहकारी क्षेत्र का विकास
- भारत में सहकारी समितियों से संबंधित संवैधानिक प्रावधान और क़ानून
- सहकारी समितियों की कार्यप्रणाली
- भारतीय अर्थव्यवस्था में सहकारिता का महत्त्व
- सहकारी समितियों के विभिन्न प्रकार
- राष्ट्रीय सहकारी समितियाँ
- सहकारी समितियों में महिलाओं की भागीदारी
- सहकारी क्षेत्र में चुनौतियाँ
- सरकार की हालिया पहल
- भारत में सहकारी क्षेत्र से संबंधित संस्थान
- अंतरराष्ट्रीय सहकारी गठबंधन

सहयोग का विचार मानव सभ्यता की शुरुआत से ही मौजूद है। सहकारी समितियाँ आज संगठन का लगभग सार्वभौमिक रूप हैं, जो व्यावहारिक रूप से सभी देशों में पायी जातीं हैं, जिनका लोगों द्वारा कई तरीक़ों से उपयोग किया जाता है। इनका गठन कम लागतवाले ऋण को पाने, खेती और घरेलू ज़रूरतों के लिए आपूर्ति और उपकरण ख़रीदने, उत्पादों का विपणन करने और यहाँ तक कि बिजली, सिंचाई, स्वास्थ्य और बीमा जैसी कई सेवाओं को पाने के लिए किया जाता है। सहकारी समितियाँ लोगों के रोज़मर्रा के जीवन में कई तरह से फ़ायदेमंद हो सकती हैं।

सहकारी समितियाँ क्या हैं (WHAT IS A CO-OPERATIVE)

अंतरराष्ट्रीय सहकारी गठबंधन [International Co-operative Alliance (ICA)] ने सहकारी समिति को 'संयुक्त स्वामित्ववाले और लोकतांत्रिक रूप से नियंत्रित उद्यम के माध्यम से अपनी सामान्य आर्थिक, सामाजिक और सांस्कृतिक ज़रूरतों और आकांक्षाओं को पूरा करने के लिए स्वेच्छा से एकजुट व्यक्तियों के स्वायत्त संघ' के रूप में परिभाषित किया है।

- सहयोग की अवधारणा मानव सभ्यता के शुरुआती दिनों से बहुत पुरानी है। आदिम समाजों में, सहयोग जीवन का एक अभिन्न अंग था और सांस्कृतिक, धार्मिक और सामाजिक पहलुओं में पाया जाता था।
- सहयोग की आधुनिक अवधारणा यूरोप, विशेष रूप से ग्रेट ब्रिटेन में औद्योगिक क्रांति का परिणाम है।
- औद्योगिक क्रांति के परिणामस्वरूप समाज में दो वर्गों का विकास हुआ, अर्थात् पूँजीपति वर्ग और श्रमिक वर्ग। इस संदर्भ में, श्रमिक वर्ग को उद्योगों के मालिकों के शोषण से बचाने के लिए किसी प्रकार की सामूहिक सुरक्षा की आवश्यकता थी। इस समय के दौरान, ब्रिटिश उद्योगपति और परोपकारी, **रॉबर्ट ओवेन** (1771–1859) ने एक नये दर्शन की परिकल्पना की, जिससे अंततः सहकारी आंदोलन का जन्म हुआ। रॉबर्ट ओवेन को सहकारी आंदोलन का अगुआ कहा जाता है।

- सहकारी समिति की एक और परिभाषा लैंबर्ट द्वारा दी गयी है, जो बताती है कि '*सहकारी समिति एक ऐसा उद्यम है, जो उपयोगकर्ताओं के एक संघ द्वारा गठित और निर्देशित होती है और जो अपने भीतर लोकतंत्र के नियमों को लागू करती है और सीधे तौर पर अपने स्वयं के सदस्यों और समग्र समुदाय, दोनों की सेवा करती है।*'
- **अंतरराष्ट्रीय श्रम संगठन [International Labour Organisation (ILO)]** का कहना है कि 'सहकारी समिति अलग-अलग संख्या में व्यक्तियों का एक संघ है, जो समान आर्थिक कठिनाइयों से जूझ रहे हैं और जो स्वेच्छा से, समान अधिकारों और दायित्वों के आधार पर जुड़ते हैं, मुख्य रूप से अपनी जोखिम पर एक उपक्रम का संचालन करके उन कठिनाइयों का समाधान करने का प्रयास करते हैं, जिसमें उन्होंने अपने ऐसे एक या अधिक आर्थिक कार्यों को स्थानांतरित कर दिया है, जो उनकी सामान्य आवश्यकताओं के अनुरूप हैं, और इस उपक्रम का उपयोग अपने सामान्य सामग्री और नैतिक लाभों के लिए संयुक्त सहयोग में करते हैं। इस परिभाषा को सहकारी समिति की सबसे व्यापक परिभाषा माना जाता है, क्योंकि इसमें सहयोग के अधिकांश सिद्धांत शामिल हैं।

भारत में सहकारिता क्षेत्र का विकास (EVOLUTION OF CO-OPERATIVE SECTOR IN INDIA)

- **1889** – **अन्योन्या सहकारी मंडली** [भारत की पहली सहकारी व्यवस्था]
- **1904** – **सहकारी ऋण समिति अधिनियम** [किसानों को संस्थागत ऋण की व्यवस्था]; **कंजीवरम शहरी सहकारी क्रेडिट सोसाइटी** [पहली शहरी सहकारी ऋण समिति]
- **1912** – **सहकारिता समिति अधिनियम** [सदस्यों को गैर ऋण सेवाएँ प्रदान करता है]
- **1914** – **मैकलेगन समिति सहकारिता संबंधी** [ऋण सहकारी समितियों की एक मज़बूत त्रि-स्तरीय संरचना की सिफ़ारिश की]
- **1925** – **बॉम्बे सहकारी समिति अधिनियम** [एक व्यक्ति एक वोट का सिद्धांत पेश किया]
- **1942** – **बहु इकाई सहकारी समिति अधिनियम** [विभिन्न अधिनियमों के प्रावधानों की दोहराव को हटाता है]
- **1945** – **सहकारी योजना समिति (1945)** - इसकी स्थापना 1945 में, श्री आर.जी. सरैया की अध्यक्षता में, की गयी थी। समिति ने पाया कि आर्थिक नियोजन के लोकतंत्रीकरण के लिए सहकारी समितियाँ सबसे उपयुक्त माध्यम हैं।

अतिरिक्त जानकारी

1946 में, सरदार वल्लभ भाई पटेल से प्रेरित होकर और श्री मोरारजी देसाई और श्री त्रिभुवन दास पटेल के नेतृत्व में, गुजरात के खेड़ा ज़िले के दूध उत्पादकों ने दूध की आपूर्ति करने से इनकार करते हुए पंद्रह दिन की हड़ताल की और एक निजी डेयरी कंपनी, पोलसन को दिये गये एकाधिकार ख़रीद अधिकार के ख़िलाफ़ बॉम्बे सरकार को मजबूर किया। इसके परिणामस्वरूप, 14 दिसंबर, 1946 को खेड़ा ज़िला सहकारी दुग्ध उत्पादक संघ, जिसे अमूल के नाम से जाना जाता है, की स्थापना की गयी।

स्वतंत्रता के बाद (Post-Independence)

- स्वतंत्रता के तुरंत बाद, भारत सरकार ने राष्ट्रीय अर्थव्यवस्था के विकास में सहकारी समितियों की महत्त्वपूर्ण भूमिका को समझते हुए, सहकारी समितियों को तीसरे आर्थिक क्षेत्र के रूप में मान्यता दी। उन्हें छोटे और सीमांत किसानों के साथ-साथ समाज के

कमज़ोर वर्गों के उत्थान पर विशेष ज़ोर देने के साथ, ग्रामीण भारत की ज़रूरतों और आकांक्षाओं का ख़्याल रखने की ज़िम्मेदारी सौंपी गयी थी।

- विभिन्न पहलुओं में समग्र सामुदायिक विकास सुनिश्चित करने के लिए सहकारी समितियों की आवश्यकता को क्रमिक पंचवर्षीय योजनाओं (FYP) में मान्यता दी गयी है।
- 1963 में, संसद के एक अधिनियम द्वारा **राष्ट्रीय सहकारी विकास निगम [National Co-operative Development Corporation (NCDC)]** को एक वैधानिक निगम के रूप में स्थापित किया गया था। NCDC की स्थापना से सहकारी विपणन और प्रसंस्करण समितियों के विकास को काफ़ी बढ़ावा मिला।
- 1984, 2002 का बहुराज्य सहकारी सोसायटी अधिनियम और 2023 के संशोधन पारित किये गये हैं।
- वर्तमान समय में, **भारत के पास विश्व में सहकारी समितियों का सबसे बड़ा नेटवर्क** है।

भारत में सहकारी समितियों से संबंधित संवैधानिक प्रावधान और क़ानून (CONSTITUTIONAL PROVISIONS AND LAWS RELATING TO CO-OPERATIVES IN INDIA)

- **97वें संविधान (संशोधन) अधिनियम, 2011** ने सहकारी समितियों को संवैधानिक दर्जा दिया और उसमें निम्नलिखित प्रावधान किये गये हैं।
    - (a) संविधान के **भाग IXB** का सम्मिलन, जिसमें सहकारी समितियों के निगमन, विनियमन और समापन और सहकारी समितियों के लोकतांत्रिक कामकाज के लिए प्रावधान शामिल हैं (अनुच्छेद 243-ZH से 243-ZT)। इसे संविधान (99वाँ संशोधन) अधिनियम, 2011 द्वारा सम्मिलित किया गया था।
    - (b) **मौलिक अधिकार के रूप में (As a Fundamental Right)** : संविधान के भाग III में अनुच्छेद 19(1)(c) में 'सहकारी समितियाँ' शब्द सम्मिलित करके **सहकारी समितियाँ बनाने के अधिकार** को मौलिक अधिकार के रूप में शामिल किया गया था। अनुच्छेद में कहा गया है कि - सभी नागरिकों को संघ या यूनियन [या सहकारी समितियाँ] बनाने का अधिकार होगा।
    - (c) **DPSP के भाग के रूप में (As part of DPSP)** : सहकारी समितियों को बढ़ावा देने के लिए राज्य के नीति निर्देशक सिद्धांत के रूप में अनुच्छेद 43B को संविधान के भाग IV में शामिल किया गया था।
- **संविधान की 7वीं अनुसूची (सूची II की प्रविष्टि 32)** के अनुसार सहकारी समितियाँ राज्य सूची के अंतर्गत आती हैं।

संबंधित क़ानून (Related Laws)

सहकारी समिति की प्रकृति को संरक्षित और सहकारी सिद्धांतों का पालन करते हुए सहकारी समितियों के संगठन और पंजीकरण के लिए सहकारी क़ानून बनाये गये हैं। ये क़ानून रजिस्ट्रार और अधीनस्थ अधिकारियों की नियुक्ति का प्रावधान करते हैं और क़ानून के तहत शक्तियाँ और कार्य संबंधित अधिकारियों की देखरेख करते हैं।

स्वतंत्रता से पहले के कुछ महत्त्वपूर्ण अधिनियम इस प्रकार हैं :

1. **सहकारी क्रेडिट सोसायटी अधिनियम, 1904 (The Co-operative Credit Societies Act, 1904)** - यह बड़े पैमाने पर अँगरेज़ी फ्रेंडली सोसायटी अधिनियम, 1896 पर आधारित था। इसमें ग्रामीण बैंकों के निर्माण के लिए निकोलसन की सिफ़ारिश का पालन किया गया था और अधिनियम का संचालन केवल कृषि ऋण तक ही सीमित था।
2. **अखिल भारतीय सहकारी सोसायटी अधिनियम, 1912 (All India Co-operative Societies Act, 1912)** - इस अधिनियम ने ऋण की उचित निगरानी के लिए बड़ी समितियों को संगठित करने की आवश्यकता को मान्यता दी और ग़ैर-ऋण गतिविधियों की सहकारी समितियों की स्थापना को सक्षम बनाया।
3. 1919 में, **मोंटेग्यु-चेम्सफोर्ड सुधारों (Montagu-Chelmsford reforms) के कार्यान्वयन** ने सहकारी समितियों को एक विषय के रूप में प्रांतीय (राज्य) सरकारों को हस्तांतरित कर दिया। तदनुसार, प्रांतीय सरकारों ने 1925-32 के दौरान अपने स्वयं

के सहकारी समिति अधिनियम बनाये। बॉम्बे प्रांतीय सरकार 1925 में अपना स्वयं का अधिनियम, 'बॉम्बे प्रांतीय सहकारी समिति अधिनियम' पारित करनेवाली पहली सरकार थी।

4. **मल्टी-यूनिट कोऑपरेटिव सोसायटी ऐक्ट, 1942 (Multi-Unit Co-operative Societies Act, 1942)** – केंद्र सरकार ने विभिन्न अधिनियमों के प्रावधानों के दोहरेपन को दूर करने के लिए 1942 में इस अधिनियम को पारित किया। यह अधिनियम उस राज्य के सहकारी समिति अधिनियम के प्रावधानों द्वारा ऐसी सोसायटी के मामलों के विनियमन का प्रावधान करता है, जहाँ सोसायटी का मुख्य व्यवसाय स्थित है।

स्वतंत्रता के बाद भारत के कुछ महत्त्वपूर्ण सहकारी क़ानून इस प्रकार हैं :

1. **राष्ट्रीय सहकारी विकास निगम अधिनियम, 1962 (National Co-operative Development Corporation (NCDC) Act, 1962)** – उपर्युक्त राष्ट्रीय सहकारी विकास निगम को एक वैधानिक संगठन के रूप में स्थापित करने के लिए अधिनियमित किया गया था।
2. **बहु-राज्य सहकारी सोसायटी अधिनियम, 1984 (Multi State Co-operative Societies Act, 1984)** – इस अधिनियम ने मल्टी-यूनिट कोऑपरेटिव सोसाइटी ऐक्ट, 1942 का स्थान ले लिया। अधिनियम का उद्देश्य देश में विभिन्न मल्टी-यूनिट सहकारी समितियों को विभिन्न राज्य सहकारी क़ानूनों द्वारा शासित होने से बचाना था।
3. **बहु-राज्य सहकारी सोसायटी अधिनियम, 2002 (Multi State Co-operative Societies Act, 2002)** – इस अधिनियम ने 1984 के बहु-राज्य सहकारी समिति अधिनियम का स्थान लिया। 2002 का अधिनियम संघीय सहकारी समितियों के पंजीकरण और कार्यों के लिए विशेष प्रावधान प्रदान करता है।

अतिरिक्त जानकारी

बहु-राज्य सहकारी समितियाँ (MULTI STATE CO-OPERATIVE SOCIETIES)

हालाँकि, सहकारी समितियों को संविधान में राज्य के विषय के रूप में उल्लिखित किया गया है, फिर भी ऐसी कई सहकारी समितियाँ स्थापित की गयी हैं, जिनके संचालन क्षेत्र एक से अधिक राज्यों में फैले हुए हैं और सभी भाग लेनेवाले राज्यों के सदस्य हैं। ऐसी सहकारी समितियों को बहु-राज्य सहकारी समितियाँ कहा जाता है।

ये समितियाँ कई राज्यों से सदस्यता की अनुमति देती हैं और इस प्रकार वे बहु-राज्य सहकारी समिति अधिनियम, 2002 के तहत पंजीकृत होती हैं। उनके निदेशक मंडल में आमतौर पर संचालन के सभी राज्यों का प्रतिनिधित्व होता है।

इन बहु-राज्य सहकारी समितियों का प्रशासनिक और वित्तीय नियंत्रण केंद्रीय रजिस्ट्रार के पास होता है, क्योंकि संचालन किसी एक राज्य तक ही सीमित नहीं होता है।

4. **बहु-राज्य सहकारी समितियाँ (संशोधन) अधिनियम, 2023 (Multi State Co-operative Societies (Amendment) Act, 2023)** – इस संशोधन अधिनियम के कुछ सबसे महत्त्वपूर्ण उद्देश्य इस प्रकार हैं :
   - बहु-राज्य सहकारी सोसायटी अधिनियम, 2002 में संशोधन करके बहु-राज्य सहकारी समितियों के बोर्डों के चुनाव कराने और पर्यवेक्षण करने के लिए सहकारी चुनाव प्राधिकरण की स्थापना करना।
   - बहु-राज्य सहकारी समिति की शेयरधारिता को भुनाने से पहले सरकार की अनुमति की आवश्यकता।
   - रुग्ण बहु-राज्य सहकारी समितियों के पुनरुद्धार के लिए सहकारी पुनर्वास, पुनर्निर्माण और विकास कोष की स्थापना। इस फ़ंड को लाभदायक बहु-राज्य सहकारी समितियों के योगदान के माध्यम से वित्तपोषित किया जायेगा।
   - संबंधित राज्य क़ानूनों के अधीन, राज्य सहकारी समितियों को मौजूदा बहु-राज्य सहकारी समिति में विलय करने का प्रावधान।

सहकारिता मंत्रालय (MINISTRY OF COOPERATION)

2021 में, भारत सरकार में **'समृद्धि के लिए सहयोग' (सहकार-से-समृद्धि) [Cooperation to Prosperity (Sahakar-se-Samriddhi)]** के दृष्टिकोण को साकार करने के लिए एक समर्पित मंत्रालय बनाया गया था। कैबिनेट सचिवालय की राजपत्र अधिसूचना

दिनांक 6 जुलाई, 2021 के माध्यम से पूर्ववर्ती कृषि, सहयोग और किसान कल्याण मंत्रालय के व्यवसाय में सहयोग और सहकारिता से संबंधित मौजूदा प्रविष्टियों को स्थानांतरित करके सहकारिता मंत्रालय बनाया गया है।

मंत्रालय का नेतृत्व माननीय सहकारिता मंत्री द्वारा किया जाता है और इसकी सहायता माननीय सहकारिता राज्य मंत्री द्वारा की जाती है।

मंत्रालय की ज़िम्मेदारियों में शामिल हैं

- देश में सहकारी आंदोलन को मज़बूत करने के लिए एक अलग प्रशासनिक, क़ानूनी और नीतिगत ढाँचा प्रदान करना।
- ज़मीनी स्तर तक पहुँचनेवाले सच्चे जन-आधारित आंदोलन के रूप में सहकारिता को गहरा करना और एक सहकारी आधारित आर्थिक मॉडल विकसित करना, जहाँ प्रत्येक सदस्य ज़िम्मेदारी की भावना के साथ काम करता है।
- सहकारी समितियों के लिए 'व्यवसाय करने में आसानी' की प्रक्रियाओं को सुव्यवस्थित करना और बहु-राज्य सहकारी समितियों के विकास को सक्षम बनाना।
- पारदर्शिता, आधुनिकीकरण, कंप्यूटरीकरण को मज़बूत करना और लाना, प्रतिस्पर्धी सहकारी समितियों का निर्माण, ग्रामीण क्षेत्रों में हर वंचित के लिए विकास की पहुँच की चुनौती को पूरा करने के लिए लगातार काम करना और हर गाँव को सहकारी समितियों से जोड़ना, **'सहकार से समृद्धि'** के मंत्र से हर गाँव को समृद्ध बनाना।

अमृत काल के पंच प्रण (5 व्रत)

सहकारिता मंत्रालय अमृत काल के पंच प्रण (5 प्रतिज्ञा) द्वारा निर्देशित है। ये 5 प्रतिज्ञाएँ हैं : ⟶

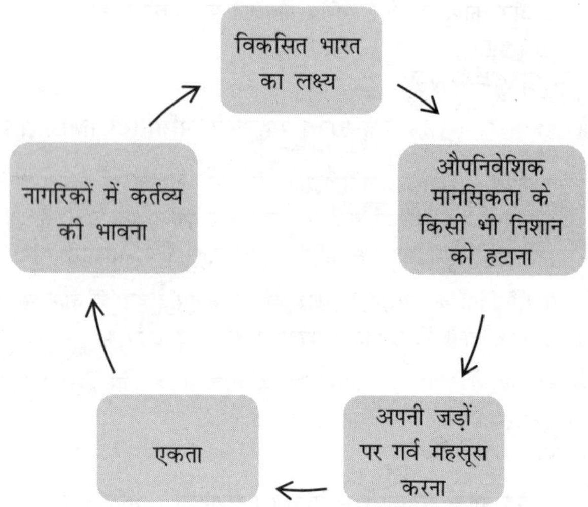

सहकारिता के सिद्धांत

भारत में सहकारिता का दृष्टिकोण 7 सार्वभौमिक रूप से स्वीकृत सहकारी सिद्धांतों पर आधारित है, जिनका उल्लेख नीचे किया गया है :

1. खुली एवं स्वैच्छिक सदस्यता
2. लोकतांत्रिक सदस्य नियंत्रण
3. सदस्यों की आर्थिक भागीदारी
4. स्वायत्तता एवं स्वतंत्रता
5. शिक्षा, प्रशिक्षण और सूचना
6. सहकारी समितियों के बीच सहयोग
7. समुदाय के प्रति चिंता

सहकारी समितियों की कार्यप्रणाली (Functioning of Co-operatives)

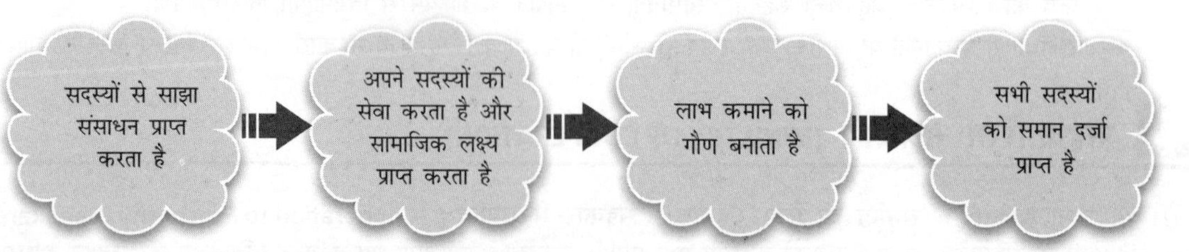

सहकारी समितियों और अन्य व्यवसायों के बीच उन्हें अस्तित्व में लाने और उन्हें संचालन में बनाये रखने के लिए ज़िम्मेदार लोगों के तीन मुख्य समूहों के संबंध में अंतर हैं।

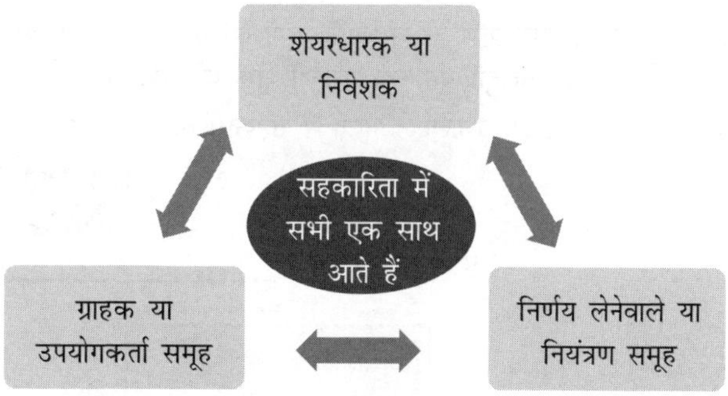

तीन समूह हैं :

1. वे व्यक्ति, जो उनके मालिक हैं (शेयरधारक, निवेशक),
2. वे व्यक्ति, जो उन्हें नियंत्रित करते हैं (प्रभावी निर्णय लेनेवाले) और
3. वे व्यक्ति, जो उनका उपयोग करते हैं (ग्राहक)।

पारंपरिक व्यवसायों में, विशेष रूप से बड़े उद्यमों और बहुराष्ट्रीय निगमों में, ये तीनों अलग और विशिष्ट समूह होते हैं। छोटे निजी व्यवसाय में, शेयरधारकों (निवेशकों) और नियंत्रण समूह के बीच घनिष्ठ संबंध के कारण स्थिति आमतौर पर काफ़ी बेहतर होती है। एक छोटे खुदरा व्यवसाय में, पहले दो घटक अक्सर समान होते हैं। लेकिन फिर भी, उपयोगकर्ता, ग्राहक, एक अलग समूह हैं।

सहकारिता में, तीनों मिलकर **एकता** बनाते हैं; जो मालिक हैं, जो नियंत्रित करते हैं और जो उपयोग करते हैं, वे एक इकाई होते हैं।

भारतीय अर्थव्यवस्था में सहकारिता का महत्त्व (Significance of Co-operatives in Indian Economy)

भारतीय अर्थव्यवस्था में लंबे समय से कृषि क्षेत्र के प्रभुत्व के कारण, कृषि और अन्य संबद्ध गतिविधियों के लिए ऋण एक बहुत ही महत्त्वपूर्ण मुद्दा रहा है। कृषि ऋण के क्षेत्र में सहकारी समितियों की प्रमुख भूमिका है। भारत में ग्रामीण विकास बहुत हद तक सहकारी समितियों पर निर्भर है।

सहकारी आंदोलन का एक बड़ा फ़ायदा यह है कि यह अन्य सभी वित्तीय संस्थानों के बीच अपनी स्थिति को अद्वितीय बनाता है। यह सभी चरणों में निर्णय लेने और कार्यान्वयन प्रक्रिया में जनता की भागीदारी को सुनिश्चित करता है।

स्वतंत्रता के बाद शुरुआती दिनों से ही भारतीय अर्थव्यवस्था में सहकारिता के महत्त्व को कई पंचवर्षीय योजनाओं में उल्लेखित कर स्वीकार किया गया है।

सस्ते ऋण के प्रावधान के साथ-साथ सहकारी समितियों का विस्तार कई नये क्षेत्रों जैसे सहकारी विपणन, उत्पादक सहकारी समितियाँ आदि में किया गया है। भारत में पंचायती राज संस्थाओं के साथ-साथ सहकारी समितियाँ ग्रामीण पुनर्निर्माण के एक स्तंभ के रूप में उभरी हैं। दोनों की परिकल्पना ग्रामीण क्षेत्रों के सामाजिक-आर्थिक परिवर्तन के साधन के रूप में की गयी है। सहकारी समितियों में असमानता को कम करने और कमज़ोर वर्गों को औपचारिक अर्थव्यवस्था के दायरे में लाकर ग़रीबों के जीवन स्तर में सुधार करने की काफ़ी क्षमता है।

सहकारी समितियों के विभिन्न प्रकार (DIFFERENT TYPES OF CO-OPERATIVES)

सहकारी समितियों को मोटे तौर पर दो श्रेणियों में वर्गीकृत किया जा सकता है, अर्थात्

I. वित्तीय सहकारी समितियाँ

II. ग़ैर-वित्तीय सहकारी समितियाँ

वित्तीय सहकारी समितियाँ (Financial Co-operatives)

➤ वित्तीय सहकारी समिति एक प्रकार की **वित्तीय संस्था** है, जिसका **स्वामित्व और संचालन उसके सदस्यों द्वारा किया जाता है**। वित्तीय सहकारी का लक्ष्य पारंपरिक बैंकिंग सेवाएँ प्रदान करने के लिए एकीकृत समूह की ओर से कार्य करना है। ये सहकारी

समितियाँ प्रतिस्पर्धी दर के साथ गुणवत्तापूर्ण सेवा प्रदान करते हुए, पारंपरिक बैंकों की तरह अधिकतम लाभ कमाने के बजाय अपने सदस्यों की वित्तीय भलाई पर ध्यान केंद्रित करती हैं।

- भारत में, कृषि ऋण के संस्थागत ऋण की कमी के कारण वर्ष 1894 में 'ऋण सहकारी समितियों' का गठन हुआ, जब भारत में ग्रामीण वित्त की यह नयी प्रणाली शुरू की गयी थी।
- इन वर्षों में, इस प्रणाली ने भारत में सहकारी बैंकिंग की प्रणाली शुरू की। भारत में सहकारी बैंकिंग की संरचना इस प्रकार है :

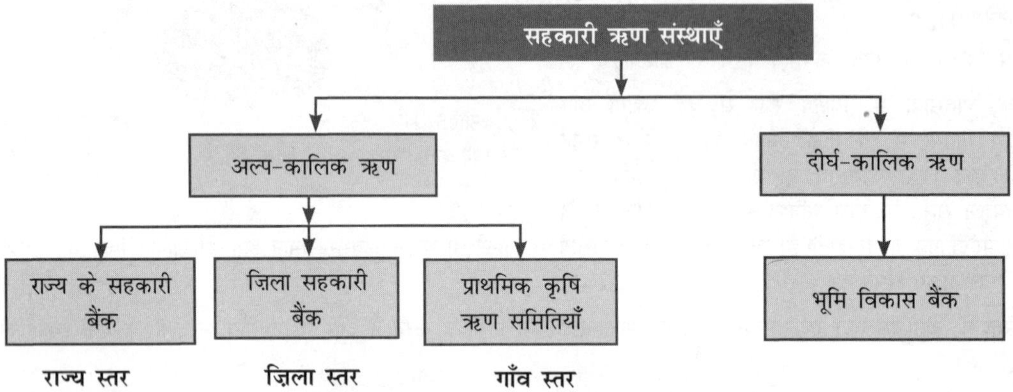

भारत में सहकारी ऋण संस्थानों को मोटे तौर पर दो श्रेणियों में वर्गीकृत किया जा सकता है :

(i) **कृषि ऋण संस्थाएँ**

(ii) **ग़ैर-कृषि ऋण संस्थाएँ**

कृषि ऋण संस्थाएँ (Agricultural Credit Institutions)

- कृषि ऋण संस्थानों को दो प्रकारों में वर्गीकृत किया जा सकता है – अर्थात् **अल्पकालिक कृषि ऋण संस्थान और दीर्घकालिक कृषि ऋण संस्थान** (short-term agricultural credit institutions and long-term agricultural credit institutions)।
- अल्पावधि कृषि ऋण संस्थान कृषि क्षेत्र से संबंधित लोगों की अल्पकालिक वित्तीय आवश्यकताओं को पूरा करने के लिए हैं। इन संस्थाओं का **त्रिस्तरीय संघीय ढाँचा** (three-tier federal structure) है–
  (a) राज्य स्तर पर, प्रत्येक राज्य में राज्य सहकारी बैंक मौजूद हैं;
  (b) ज़िला स्तर पर, ज़िला केंद्रीय सहकारी बैंक हैं;
  (c) ग्राम स्तर पर, इकाइयाँ प्राथमिक कृषि ऋण समितियाँ हैं।

लास्ट मिनट स्निपपेट्स

राष्ट्रीय सहकारी डेटाबेस के अनुसार, मार्च, 2025 तक, सहकारी समितियों के आँकड़े इस प्रकार हैं :

संस्थान के प्रकार	संख्या
प्राथमिक स्तर की सहकारी समितियाँ	825397
राज्य संघ	231
राष्ट्रीय संघ	19
बहु-राज्य सहकारी समितियाँ	1734
राज्य सहकारी बैंक	32
ज़िला सहकारी बैंक	338
प्राथमिक सहकारी कृषि और ग्रामीण विकास बैंक (PCARDB)	526
राज्य सहकारी कृषि और ग्रामीण विकास बैंक (SCARDB)	14

स्रोत : PIB और राष्ट्रीय सहकारी समिति डेटाबेस, सहकारिता मंत्रालय, भारत सरकार

➤ कृषि क्षेत्र में दीर्घकालिक ऋण की आवश्यकता आमतौर पर **भूमि विकास बैंकों (Land development banks)** द्वारा पूरी की जाती है।

वित्तीय सहकारी समितियों ने भारत के ग्रामीण और हाशिये पर रहनेवाले लोगों के वित्तीय समावेशन में महत्त्वपूर्ण भूमिका निभायी है। विकासशील देशों में, पारंपरिक रूप से उपेक्षित क्षेत्रों को शामिल करने के लिए सहकारी बैंकिंग सबसे उपयुक्त है, उदाहरण के लिए मुख्यधारा की अर्थव्यवस्था में महिला क़र्ज़दार।

ये संस्थाएँ ग्रामीण उत्थान और लोगों की भागीदारी से अर्थव्यवस्था के समग्र विकास के लिए महत्त्वपूर्ण हैं।

ग़ैर-वित्तीय सहकारी समितियाँ (Non-Financial Co-operatives)

ग़ैर-वित्तीय सहकारी समितियाँ एक विशिष्ट प्रकार की गतिविधि जैसे- कृषि, डेयरी, मछली पकड़ने, हस्तशिल्प आदि में लगे लोगों के एक समूह द्वारा बनायी जाती हैं।

ऐसी सहकारी समितियाँ विभिन्न रूपों में बनायी जा सकती हैं, जैसे- किसान उत्पादक संगठन (FPO), औद्योगिक सहकारी समिति, उपभोक्ता सहकारी समिति, विपणन सहकारी समिति, श्रमिक संघ, उत्पादक सहकारी समिति, आदि।

ऐसी ग़ैर-वित्तीय सहकारी समितियों की कुछ विशेषताएँ इस प्रकार हैं :

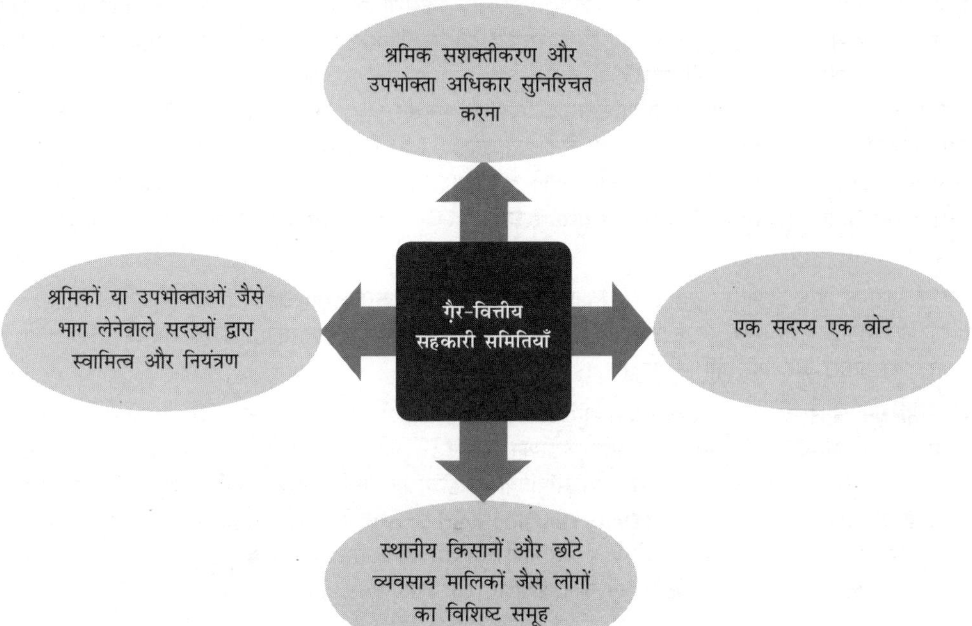

भारत में, खुदरा, बैंकिंग, आवास, विपणन, कृषि, विनिर्माण, क्रय और रोज़गार जैसे विभिन्न क्षेत्रों में सहकारी समितियों का सफलतापूर्वक गठन किया गया है। भारत में सबसे उल्लेखनीय सहकारी समितियों में से कुछ हैं :

1. **अमूल** (आणंद मिल्क यूनियन लिमिटेड) आणंद, गुजरात में स्थित गुजरात मिल्क मार्केटिंग फ़ेडरेशन नामक सहकारी समिति के स्वामित्व में है - भारत में सबसे बड़ी डेयरी सहकारी समिति
2. श्री महिला गृह उद्योग **(लिज्जत पापड़)** - एक भारतीय महिला कार्यकर्ता सहकारी समिति, जो विभिन्न फ़ास्ट मूविंग कन्ज्यूमर गुड्स के निर्माण में शामिल है।

3. इंडियन फ़ार्मर्स फ़र्टिलाइजर कोऑपरेटिव लिमिटेड **(IFFCO)**
4. राष्ट्रीय कृषि सहकारी विपणन संघ **(NAFED)**
5. **कर्नाटक मिल्क फ़ेडरेशन** (भारत में दूसरी सबसे बड़ी दुग्ध सहकारी समिति)
6. **इंडियन कॉफ़ी हाउस**
7. **कृषक भारती को-ऑपरेटिव लिमिटेड (KRIBHCO)**, भारत सरकार के सहकारिता मंत्रालय के स्वामित्ववाली एक केंद्र सरकार की सहकारी समिति है, जो उर्वरक बनाती है।

भारत की तीन सहकारी समितियाँ **अमूल, इफ़को और कृभको** दुनिया की 300 सबसे बड़ी सहकारी समितियों की सूची में शामिल हैं।

क्या आप जानते हैं?

अमूल की कहानी (THE AMUL STORY)

अमूल या आणंद मिल्क यूनियन लिमिटेड का स्वामित्व गुजरात के आणंद में स्थित गुजरात मिल्क मार्केटिंग फ़ेडरेशन नामक सहकारी समिति के पास है। फ़िलहाल इस पर 36 लाख दुग्ध उत्पादकों का नियंत्रण है।

अमूल का गठन गुजरात के आणंद में पोल्सन डेयरी के एकाधिकार के ख़िलाफ़ एक सहकारी आंदोलन के एक हिस्से के रूप में किया गया था, यह कंपनी कैरा (अब खेड़ा) ज़िले के स्थानीय किसानों से बहुत कम दरों पर दूध ख़रीदती थी और बॉम्बे मिल्क योजना के हिस्से के रूप में इसे तत्कालीन बॉम्बे सरकार को बेचती थी। दुग्ध उत्पादकों को छोड़कर सभी लोग व्यवस्था से संतुष्ट दिखे। दूध की ख़राब होने की प्रकृति के कारण उन्हें कम क़ीमत पर दूध बेचने के लिए मजबूर होना पड़ा। स्थिति को बदलने के लिए दूध उत्पादकों ने सरदार वल्लभभाई पटेल से समर्थन प्राप्त किया और ठेकेदारों को दूध बेचने से इनकार कर दिया। किसानों ने 'दूध हड़ताल' की, जो 15 दिनों तक चली, जिससे बॉम्बे मिल्क योजना ख़तरे में पड़ गयी। अंततः, ब्रिटिश सरकार ने किसानों की एक सहकारी समिति बनाने की माँग स्वीकार कर ली और 1946 में आणंद में **कैरा डिस्ट्रिक्ट को-ऑपरेटिव मिल्क प्रोड्यूसर्स यूनियन लिमिटेड (Kaira District Co-operative Milk Producers' Union Limited)** की स्थापना हुई।

इसका उद्देश्य ज़िले के दुग्ध उत्पादकों को उचित विपणन सुविधा उपलब्ध कराना था। सहकारी संघ ने जून, 1948 में अपने दम पर दूध को पाश्चुरीकृत करना शुरू किया, केवल दो ग्राम सहकारी समितियों के किसान प्रतिदिन लगभग 250 लीटर दूध का उत्पादन करते थे। अमूल ब्रांड नाम की परिकल्पना 1955 में की गयी थी।

डॉ. वर्गीस कुरियन के नेतृत्व में, इस सहकारी समिति ने 1970 के दशक में भारत की **श्वेत क्रांति (White Revolution)** का नेतृत्व किया। गुजरात को-ऑपरेटिव मिल्क मार्केटिंग फ़ेडरेशन लिमिटेड, ज़िला सहकारी समितियों का एक शीर्ष विपणन निकाय है, जिसे बाज़ार का विस्तार करने और ज़िला सहकारी समितियों के बीच प्रतिस्पर्धा से बचने के लिए 1973 में स्थापित किया गया था। **राष्ट्रीय डेयरी विकास बोर्ड (National Dairy Development Board)** की स्थापना 1965 में डॉ. कुरियन की अध्यक्षता में पूरे देश में अमूल मॉडल को दोहराने के उद्देश्य से की गयी थी। इस छोटी-सी शुरुआत से, अमूल ने अपनी टैगलाइन - *भारत का स्वाद (the taste of India)* - का पर्याय बन जाने के लिए एक लंबा सफ़र तय किया है।

अमूल ने न केवल भारत को दुनिया में सबसे बड़ा दूध उत्पादक बनने के लिए प्रेरित किया है, बल्कि खुद को भारत में सहकारिता के इतिहास में सबसे सफल सहकारी समिति के रूप में स्थापित किया है।

राष्ट्रीय सहकारी समितियाँ (NATIONAL CO-OPERATIVES)

'राष्ट्रीय सहकारी समिति' का अर्थ **बहु-राज्य सहकारी सोसायटी अधिनियम, 2002 (Multi State Co-operative Societies Act, 2002)** की दूसरी अनुसूची में निर्दिष्ट एक बहु-राज्य सहकारी समिति है।

राष्ट्रीय सहकारी समितियों पर अपने सदस्यों के लिए आचार संहिता, व्यवहार्यता मानदंड विकसित करने और उनके द्वारा सहकारी सिद्धांतों का अनुपालन सुनिश्चित करने के अलावा विशेष प्रशिक्षण, शिक्षा प्रदान करने, अनुसंधान करने और बाज़ार सूचना प्रणाली विकसित करने, लोगो ब्रांड प्रचार, गुणवत्ता नियंत्रण और प्रौद्योगिकी उन्नयन की ज़िम्मेदारी है।

मार्च, 2025 तक, इस सूची में 19 राष्ट्रीय सहकारी समितियाँ शामिल हैं, जो इस प्रकार हैं :

क्र.सं.	राष्ट्रीय सहकारी संस्था का नाम
1	नेशनल फ़ेडरेशन ऑफ़ फ़िशरमेन को-ऑपरेटिव लिमिटेड, नयी दिल्ली
2	नेशनल फ़ेडरेशन ऑफ़ स्टेट को-ऑपरेटिव बैंक लिमिटेड, मुंबई
3	नेशनल फ़ेडरेशन ऑफ़ को-ऑपरेटिव शुगर फ़ैक्ट्रीज़ लिमिटेड, नयी दिल्ली
4	नेशनल को-ऑपरेटिव डेयरी फ़ेडरेशन ऑफ़ इंडिया लिमिटेड, आणंद, गुजरात
5	नेशनल को-ऑपरेटिव कंज्यूमर फ़ेडरेशन ऑफ़ इंडिया लिमिटेड, नयी दिल्ली
6	नेशनल फ़ेडरेशन ऑफ़ लेबर को-ऑपरेटिव लिमिटेड, नयी दिल्ली
7	नेशनल को-ऑपरेटिव हाउज़िंग फ़ेडरेशन लिमिटेड, नयी दिल्ली
8	नेशनल फ़ेडरेशन ऑफ़ अर्बन को-ऑपरेटिव बैंक्स ऐंड क्रेडिट सोसाइटीज लिमिटेड, नयी दिल्ली
9	ट्राइबल को-ऑपरेटिव मार्केटिंग डेवलपमेंट फ़ेडरेशन ऑफ़ इंडिया लिमिटेड, नयी दिल्ली (ट्राइफ़ेड)
10	नेशनल ऐग्रीकल्चर को-ऑपरेटिव मार्केटिंग फ़ेडरेशन ऑफ़ इंडिया लिमिटेड, नयी दिल्ली
11	भारतीय राष्ट्रीय सहकारी संघ लिमिटेड, नयी दिल्ली
12	कृषक भारती सहकारी लिमिटेड, नयी दिल्ली
13	भारतीय किसान उर्वरक सहकारी लिमिटेड, नयी दिल्ली
14	नेशनल को-ऑपरेटिव ऑर्गेनिक्स लिमिटेड, आणंद, गुजरात
15	भारतीय बीज सहकारी समिति लिमिटेड, नयी दिल्ली
16	नेशनल को-ऑपरेटिव एक्सपोर्ट्स लिमिटेड, नयी दिल्ली
17	राष्ट्रीय सहकारी भूमि विकास बैंक फ़ेडरेशन लिमिटेड, मुंबई
18	अखिल भारतीय हथकरघा कपड़ा विपणन सहकारी समिति लिमिटेड, नयी दिल्ली
19	ऑल इंडिया फ़ेडरेशन ऑफ़ को-ऑपरेटिव स्पिनिंग मिल्स लिमिटेड, मुंबई

1987 में ट्राइफ़ेड के गठन के बाद से 36 वर्षों के लंबे अंतराल के बाद, क्रमशः निर्यात, जैविक उपज और बीज संबंधी गतिविधियों के लिए MSCS अधिनियम, 2002 के तहत तीन नयी राष्ट्रीय सहकारी समितियों का गठन किया गया है। इन सोसायटियों को MSCS अधिनियम, 2002 (MSCS Act, 2002) के तहत पंजीकृत किया गया है।

लास्ट मिनट स्निपपेट्स

इन 19 राष्ट्रीय संघों में, **भारतीय किसान उर्वरक सहकारी लिमिटेड (इफको)** [Indian Farmer's Fertiliser Co-operative Limited (IFFCO)], जिसका मुख्यालय नयी दिल्ली में है, सबसे बड़ा है, जिसका टर्नओवर वित्तीय वर्ष 2023-24 में ₹39,330 करोड़ का है।

ये तीन नयी राष्ट्रीय स्तर की बहु-राज्य सोसायटी इस प्रकार हैं:

1. **प्रमाणित बीजों के लिए नयी राष्ट्रीय बहु-राज्य सहकारी बीज सोसायटी (New National Multi-State Co-operative Seed Society for certified seeds) :** यह MSCS अधिनियम, 2002 के तहत एक नयी शीर्ष बहु-राज्य सहकारी बीज सोसायटी है, जिसका नाम भारतीय बीज सहकारी समिति लिमिटेड (BBSSL) है, जो एक ही ब्रांड के तहत गुणवत्तापूर्ण बीज की खेती, उत्पादन और वितरण के लिए एक व्यापक संगठन के रूप में कार्य करेगा। गेहूँ, सरसों और दालों (चना, मटर) के ब्रीडर बीज 1,750 एकड़ में लगाये गये हैं। मूँगफली, धान, मक्का और बाजरा के लिए आधार/प्रमाणित बीजों की खेती के लिए परिचालन का विस्तार किया जायेगा।

2. **जैविक खेती के लिए नयी राष्ट्रीय बहु-राज्य सहकारी जैविक सोसायटी (New National Multi-State Co-operative Organic Society for organic farming) :** यह एक नयी शीर्ष बहु-राज्य सहकारी जैविक सोसायटी है, जिसका नाम नेशनल को-ऑपरेटिव ऑर्गेनिक्स लिमिटेड (NCOL) है। यह प्रमाणित और विश्वसनीय जैविक उत्पादों का उत्पादन, वितरण और विपणन करनेवाला एक प्रमुख संगठन है। NCOL द्वारा 'भारत ऑर्गेनिक्स' ब्रांड के तहत छह जैविक उत्पाद लॉन्च किये गये हैं।

3. **निर्यात को बढ़ावा देने के लिए नयी राष्ट्रीय बहु-राज्य सहकारी निर्यात सोसायटी (New National Multi-State Co-operative Export Society for promoting exports) :** यह MSCS अधिनियम, 2002 के तहत एक नयी शीर्ष बहु-राज्य सहकारी निर्यात सोसायटी है, जिसका नाम कोऑपरेटिव एक्सपोर्ट लिमिटेड (NCEL) है। यह सहकारी क्षेत्र से निर्यात को बढ़ावा देनेवाला एक प्रमुख संगठन है। फ़रवरी, 2024 तक, NCEL को 20 देशों को 23.9 LMT चावल और 2 देशों को 50,000 मीट्रिक टन चीनी निर्यात करने की अनुमति मिल गयी है।

परीक्षोपयोगी

प्राथमिक कृषि ऋण समितियाँ (PRIMARY AGRICULTURAL CREDIT SOCIETIES)

प्राथमिक कृषि ऋण समितियाँ (PACS) त्रि-स्तरीय अल्पकालिक सहकारी ऋण संरचना की ज़मीनी स्तर की शाखाएँ हैं। पैक्स, एक गाँव-स्तरीय संस्था है, जिसका गठन कृषि आवश्यकताओं के लिए ग्रामीण उधारकर्ताओं से सीधे निपटने, उन्हें ऋण प्रदान करने और प्रदान किये गये ऋण का पुनर्भुगतान एकत्र करने और वितरण और विपणन कार्य करने के लिए किया जाता है।

पैक्स के कार्यों में शामिल हैं -

i. किसानों के बीच बचत की आदत पैदा करना,
ii. उनसे जमा स्वीकार करना,
iii. ज़रूरतमंद व्यक्तियों को कृषि ऋण प्रदान करना, और
iv. ऋणों के लिए पुनर्भुगतान एकत्र करना।

पैक्स एक ओर ग्रामीण स्तर पर ग्रामीण उधारकर्ताओं और दूसरी ओर उच्च एजेंसियों, जैसे ज़िला केंद्रीय सहकारी बैंक, राज्य सहकारी बैंक, के बीच एक कड़ी के रूप में कार्य करता है।

पैक्स की संगठनात्मक संरचना (Organisational Structure of PACS)

एक पैक्स में आम तौर पर पैक्स की सामान्य सभा (मामलों के प्रबंधन के लिए ज़िम्मेदार);

प्रबंधन समिति (निर्वाचित सामान्य निकाय को सोसाइटी के नियमों का पालन करते हुए कार्य करने का दायित्व सौंपा गया);

दैनिक कार्यालय कार्य करने के लिए अध्यक्ष, उपाध्यक्ष और सचिव और अन्य कार्यालय कर्मचारी शामिल होते हैं।

प्राथमिक कृषि ऋण सोसायटी का महत्त्व (Significance of Primary Agriculture Credit Society)

- पैक्स भारत की सदियों पुरानी सहकारी ऋण प्रणाली का ज़मीनी स्तर का बिल्डिंग ब्लॉक है।
- ग्रामीण कृषि समुदायों के लोगों को ऋण, आदान, बाज़ार और मूल्य संवर्धन तक पहुँच प्रदान करने में महत्त्वपूर्ण भूमिका निभाता है।
- ग्रामीण बाज़ारों या निजी क्षेत्र द्वारा बनाये गये बड़े गोदामों में कृषि-उत्पादों की आपूर्ति श्रृंखला के साथ गोदाम को एकीकृत करने की प्रमुख भूमिका निभाता है।

कम्प्यूटरीकरण के माध्यम से पैक्स को मज़बूत बनाना (Strengthening of PACS through Computerisation)

- वर्तमान में, क्रेडिट संस्थानों के कार्यों से परे प्राथमिक कृषि क्रेडिट सोसायटी (पैक्स) की क्षमता, दक्षता और प्रभावशीलता को बढ़ाना अनिवार्य है। इस प्रक्रिया के माध्यम से, ग्रामीण कृषि समुदायों के लोगों को ऋण और वित्तीय सेवाओं के साथ-साथ कई अन्य ग़ैर-बैंकिंग सेवाएँ प्रदान करने के लिए पैक्स को मज़बूत किया जायेगा।
- **कुल 63,000 कार्यात्मक पैक्स को एकल राष्ट्रीय सॉफ़्टवेयर नेटवर्क पर नाबार्ड के साथ जोड़ा जा रहा है।** कम्प्यूटरीकरण सदस्यों को वित्तीय सेवाएँ प्रदान करने में उनकी दक्षता, पारदर्शिता और समग्र प्रभावशीलता को बढ़ाकर

प्राथमिक कृषि ऋण समितियों (पैक्स) को मज़बूत करने में महत्त्वपूर्ण भूमिका निभाता है। इससे पैक्स के परिचालन का आधुनिकीकरण, सेवा वितरण में सुधार, परिचालन लागत में कमी और वित्तीय समावेशन को बढ़ावा देकर उन्हें मज़बूत किया जायेगा।

सहकारी समितियों में महिलाओं की भागीदारी (WOMEN'S PARTICIPATION IN CO-OPERATIVES)

आर्थिक गतिविधियों में महिलाओं की अधिक भागीदारी को औपचारिक बनाने के लिए सहकारी समितियाँ आदर्श संस्थाएँ हैं।

महिलाओं ने **अमूल** (आणंद मिल्क यूनियन लिमिटेड) और श्री महिला गृह उद्योग (**लिज्जत पापड़**) जैसे कई सहकारी आंदोलनों की सफलता में महत्त्वपूर्ण भूमिका निभायी है। लिज्जत के सहकारी आंदोलन से लगभग 45,000 महिलाएँ जुड़ी थीं, जबकि अमूल सहकारी समितियों ने 36 लाख परिवारों, विशेषकर महिला किसानों को जोड़ा है।

इन महिला सहकारी समितियों ने ग्रामीण महिलाओं के जीवन को सफलतापूर्वक बदल दिया है। अन्य सफल महिला सहकारी समितियों के उदाहरण हैं :

- वूमन्स इंडस्ट्रियल को-ऑपरेटिव सोसाइटी लिमिटेड (Women's Industrial Co-operative Society Limited)
- सेल्फ़-इम्प्लॉयड वूमन्स असोसिएशन (सेवा) को-ऑपरेटिव्स (Self Employed Women's Association (SEWA) Co-operatives)
- स्वाश्रयी महिला सेवा बैंक (Swashrayi Mahila SEWA Bank)
- महिला सेवा लोक स्वास्थ्य को-ऑपरेटिव (Mahila Sewa Lok Swasthya Co-operative)
- मुलकानूर वूमन्स को-ऑपरेटिव डेयरी [Mulkanoor Women's Co-operative Dairy (MWCD)]
- संगिनी चाइल्ड केयर वर्कर्स कोऑपरेटिव (Sangini Child-Care Workers Co-operative)
- आबोदाना महिला कपड़ चपकम उत्पादक सेवा सहकारी मंडली लिमिटेड (Abodana Mahila Kapad Chapkam Utpadak SEWA Sahakari Mandali Limited)
- भ्रमरम्बा महिला कोऑपरेटिव बैंकिंग सोसायटी (Bhramaramba Mahila Co-operative Banking Society), आदि।

इन सहकारी समितियों ने समाज में महिलाओं के समग्र सशक्तीकरण में योगदान दिया है।

अधिक ग्राम स्तरीय सहकारी समितियों को बढ़ावा देने से सशक्तीकरण और सामाजिक-आर्थिक विकास की दिशा में महिलाओं की भागीदारी को मुख्यधारा में लाया जा सकता है। ग्रामीण महिलाएँ मुख्य रूप से कृषि और संबद्ध गतिविधियों में लगी हुई हैं। इसलिए, सहकारी समितियों को लिंग-उत्तरदायी पहल करने की आवश्यकता है, अर्थात् भुगतान में समानता, अन्य बातों के अलावा ग्रामीण महिला सहकारी समितियों के स्थानीय उत्पादों को बढ़ावा देना।

सहकारी समितियाँ रोज़गार का एक महत्त्वपूर्ण स्रोत उत्पन्न करती हैं और सामूहिक आवाज़, पैमाने की अर्थव्यवस्थाओं और सामाजिक सुरक्षा के विस्तार के माध्यम से अनौपचारिक रोज़गार के औपचारिककरण का समर्थन करती हैं। भारत में एक महत्त्वपूर्ण महिला कार्यबल है, जिसे बड़े पैमाने पर समाज को बदलने में उनके योगदान को बढ़ाने के लिए मुख्यधारा में लाया जा सकता है।

सहकारी क्षेत्र में चुनौतियाँ (CHALLENGES IN CO-OPERATIVE SECTOR)

भारत में सहकारी क्षेत्र सामाजिक न्याय की सेवा प्रदान करते हुए समावेशी विकास और समान विकास को बढ़ावा देने के लिए एक शक्तिशाली साधन के रूप में उभरा है। हालाँकि, इसकी क्षमता के बावजूद, संसाधनों और अवसरों का समान वितरण सुनिश्चित करने के लिए सहकारी क्षेत्र का पूर्ण लाभ उठाने में कई चुनौतियाँ हैं।

- क्रेडिट सहकारी समितियों में **बढ़ते ख़राब ऋण और ग़ैर-निष्पादित परिसंपत्तियों** ने उनके वित्तीय स्वरूप को विकृत कर दिया है। उनके घाटे के कारणों में जानबूझकर क़र्ज़ न चुकानेवालों की बढ़ती संख्या, ख़राब ऋण वसूली, सरकारों की माफ़ी प्रथाएँ, अप्रभावी ऋण प्रशासन और निगरानी, बही-खातों में बताया गया बढ़ा हुआ मुनाफा, धोखाधड़ी और धन की चोरी में वृद्धि आदि शामिल हैं।
- प्रभावी विज्ञापन की कमी, **असफल विपणन रणनीतियों**, बाज़ार का विस्तार करने में असमर्थता आदि के कारण ग्राहकों को आकर्षित करने में असमर्थता के कारण ग़ैर-ऋण सहकारी समितियों में विफलताएँ।
- **पारदर्शिता और जवाबदेही की कमी** के कारण सहकारी समितियों के प्रशासन के मुद्दे। सीमित सदस्यों की भागीदारी और **कुछ सदस्यों के भीतर शक्ति का संकेंद्रण** सहकारी संचालन के सिद्धांतों का उल्लंघन करता है।
- कई सहकारी समितियों के बीच समन्वय की कमी।
- महाराष्ट्र में चीनी सहकारी समितियों जैसी सहकारी समितियों को **राजनीतिक हस्तक्षेप** का सामना करना पड़ा।
- सहकारी समितियों द्वारा उत्पादित वस्तुओं की **बेहतर ब्रांडिंग न होने के कारण** उनकी माँग कम होना।
- सहकारी आंदोलन, इसके नियमों और विनियमों के बारे में लोगों में जागरूकता की कमी।
- सहकारी समितियों के कर्मचारियों के बीच **पेशेवर प्रशिक्षण और कौशल की कमी**।

सरकार की हालिया पहल (RECENT INITIATIVES BY THE GOVERNMENT)

सरकार ने देश में सहकारी समितियों के कामकाज से संबंधित चुनौतियों को दूर करने के लिए कई योजनाएँ बनायी हैं या शुरू की हैं। इन पहलों का उद्देश्य इस क्षेत्र में आधुनिक प्रौद्योगिकी और सर्वोत्तम प्रथाओं को शामिल करना और सहकारी क्षेत्र की अर्थव्यवस्था को बढ़ावा देने में सक्षम बनाना है।

- **पैक्स के लिए मॉडल उप-क़ानून (Model Bye-Laws for PACS)** तैयार किये गये हैं और उन्हें **बहुउद्देश्यीय, बहुआयामी और पारदर्शी संस्थाएँ** बनाने के लिए सभी राज्यों/केंद्रशासित प्रदेशों में संचरित किया गया है। यह PACS को 25 से अधिक व्यावसायिक गतिविधियाँ करने, उनके संचालन में प्रशासन, पारदर्शिता और जवाबदेही में सुधार करने में सक्षम बनायेगा।
- सरकार का लक्ष्य राष्ट्रीय कृषि और ग्रामीण विकास बैंक (नाबार्ड), राष्ट्रीय डेयरी विकास बोर्ड (NDDB), राष्ट्रीय मत्स्य विकास बोर्ड (NFDB), राष्ट्रीय कॉर्पोरेट विकास निगम (NCDC) और अन्य राष्ट्रीय स्तर के संघ के सहयोग से अगले पाँच वर्षों में **प्रत्येक पंचायत/गाँव** को कवर करते हुए, **नयी बहुउद्देश्यीय पैक्स** या **प्राथमिक डेयरी/मत्स्य पालन सहकारी समितियाँ** स्थापित करना है। दिसंबर, 2023 तक, 24 राज्यों/केंद्र शासित प्रदेशों में 9,961 नयी पैक्स/डेयरी/मत्स्य सहकारी समितियों के पंजीकरण की प्रक्रिया विभिन्न चरणों में है।
- **सहकारी क्षेत्र में विश्व की सबसे बड़ी विकेंद्रीकृत अनाज भंडारण योजना (World's Largest Decentralised Grain Storage Plan in Co-operative sector)** : इसे ₹1.25 लाख करोड़ के निवेश के साथ अगले 5 वर्षों में 700 लाख टन की अनाज भंडारण क्षमता बनाने की योजना के साथ शुरू किया गया है। इस परियोजना के हिस्से के रूप में, केंद्र सरकार की विभिन्न योजनाओं को एक साथ जोड़ते हुए, पैक्स स्तर पर अनाज भंडारण के लिए गोदाम, प्राथमिक प्रसंस्करण इकाइयाँ और अन्य कृषि-बुनियादी ढाँचा बनाया जायेगा। इससे खाद्यान्न की बर्बादी और परिवहन लागत कम होगी, किसानों को अपनी उपज के लिए बेहतर क़ीमतें मिल सकेंगी और पैक्स स्तर पर ही विभिन्न कृषि ज़रूरतों को पूरा किया जा सकेगा। 27 राज्य/केंद्र शासित प्रदेश और राष्ट्रीय स्तर के सहकारी संघ, जैसे राष्ट्रीय सहकारी उपभोक्ता महासंघ (NCCF) और भारतीय राष्ट्रीय कृषि सहकारी विपणन महासंघ लिमिटेड (नेफ़ेड) ने पायलट प्रोजेक्ट के तहत भंडारण क्षमता के निर्माण के लिए 2,000 से अधिक पैक्स की पहचान की है।
- प्राथमिक कृषि ऋण समितियों (पैक्स) को मज़बूत करने के लिए, ₹2,516 करोड़ के कुल वित्तीय परिव्यय के साथ 63,000 कार्यात्मक पैक्स के कम्प्यूटरीकरण की परियोजना को भारत सरकार द्वारा अनुमोदित किया गया है, जिसमें सभी कार्यात्मक पैक्स को ERP आधारित राष्ट्रीय सॉफ़्टवेयर पर लाना, उन्हें राज्य सहकारी बैंकों (StCBs) और ज़िला सहकारी बैंकों (DCCBs) के माध्यम से नाबार्ड से जोड़ना शामिल है।

- **नया राष्ट्रीय सहकारी डेटाबेस (New National Co-operative Database) :** नीति निर्माण प्रक्रिया को सुविधाजनक बनाने और देश भर में सहकारी समितियों से संबंधित योजनाओं के कार्यान्वयन को सुव्यवस्थित करने के लिए राज्य सरकारों के सहयोग से भारत में सहकारी समितियों का एक व्यापक डेटाबेस तैयार किया गया है।
- **कॉमन सर्विस सेंटर के रूप में पैक्स (PACS as Common Service Centres) :** प्राथमिक कृषि ऋण समितियों (PACS) को सहकारिता मंत्रालय, MeitY, नाबार्ड और CSC ई-गवर्नेंस सर्विसेज इंडिया के सहयोग से बैंकिंग, बीमा, आधार नामांकन/अद्यतन, स्वास्थ्य सेवाएँ, पैन कार्ड जारी करना और IRCTC/बस/हवाई टिकट की बुकिंग आदि जैसी 300 से अधिक ई-सेवाएँ प्रदान करने में सक्षम बनाया गया है।

> **लास्ट मिनट रिनपपेट्स**
>
> ऐसे 30,000 से अधिक पैक्स ने पहले ही ग्रामीण नागरिकों को CSC सेवाएँ प्रदान करना शुरू कर दिया है, जिससे इन पैक्सों की आय में भी वृद्धि होगी। *(फ़रवरी, 2025 तक)*

- सरकार देश में किसानों तक उर्वरक और संबंधित सेवाओं की आसान पहुँच सुनिश्चित करने के लिए **प्रधानमंत्री किसान समृद्धि केंद्र** (PMKSK) संचालित करने के लिए पैक्स को बढ़ावा दे रही है।
- **PACS स्तर पर पीएम-कुसुम का अभिसरण (Convergence of PM-KUSUM at PACS level) :** PACS से जुड़े किसान सौर कृषि जल पंप अपना सकते हैं तथा अपने खेतों में फ़ोटोवोल्टिक मॉड्यूल स्थापित कर सकते हैं।
- सरकार **पीएम भारतीय जन औषधि केंद्र** संचालित करने के लिए पैक्स को बढ़ावा दे रही है, जो पैक्स के लिए अतिरिक्त आय स्रोत उत्पन्न करने के साथ-साथ ग्रामीण नागरिकों के लिए जेनेरिक दवाओं तक पहुँच प्रदान करता है।
- जिन ब्लॉकों में अभी तक FPO का गठन नहीं हुआ है, वहाँ NCDC के सहयोग से पैक्स द्वारा 1,100 **नये किसान उत्पादक संगठन** [Farmer Producer Organisations (FPOs)] बनाये जायेंगे।
- **डोर-स्टेप वित्तीय सेवाएँ प्रदान करने के लिए बैंक मित्र सहकारी समितियों के लिए माइक्रो-एटीएम (Micro-ATMs to Bank Mitra Co-operative Societies for providing doorstep financial services) :** डेयरी और मत्स्य पालन सहकारी समितियों को DCCB और STCB के बैंक मित्रों में परिवर्तित किया जायेगा। इन बैंक मित्र सहकारी समितियों को 'डोर-स्टेप वित्तीय सेवाओं' (Door-step Financial Services) से सक्षम करने के लिए नाबार्ड के समर्थन से माइक्रो-एटीएम से लैस किया जायेगा, जिससे उनके व्यापार करने में आसानी, पारदर्शिता और वित्तीय समावेशन में वृद्धि होगी। गुजरात के पंचमहल और बनासकांठा ज़िलों में 1,723 माइक्रो-एटीएम के साथ एक पायलट परियोजना शुरू की गयी है।
- मछुआरों को बाज़ार संपर्क और प्रसंस्करण सुविधाएँ प्रदान करने के लिए, भारत सरकार के मत्स्य पालन विभाग ने ₹225.50 करोड़ के अनुमोदित परिव्यय के साथ 1000 मौजूदा मत्स्य पालन सहकारी समितियों को **मछली किसान उत्पादक संगठनों** (FFPO) में परिवर्तित करने का कार्य आवंटित किया है।
- **शहरी सहकारी बैंकों के लिए अम्ब्रेला संगठन [Umbrella Organisation for Urban Co-operative Banks (UCB)] :** RBI ने यूसीबी क्षेत्र के लिए एक अम्ब्रेला संगठन के गठन के लिए नेशनल फ़ेडरेशन ऑफ़ अर्बन को-ऑपरेटिव बैंक्स ऐंड क्रेडिट सोसाइटीज लिमिटेड (NAFCUB) को मंजूरी दे दी है, जिसकी परिकल्पना लगभग 1,500 यूसीबी को आवश्यक आईटी अवसंरचना और परिचालन सहायता प्रदान करने के लिए की गयी है।
- सरकार ने **सहकारी चीनी मिलों के पुनरुद्धार** के लिए कई नयी पहलें की हैं, जैसे ₹10,000 करोड़ की नयी ऋण योजना, इथेनॉल मिश्रण कार्यक्रम (EBP) के तहत भारत सरकार द्वारा इथेनॉल की ख़रीद के लिए सहकारी चीनी मिलों को प्राथमिकता।
- **सहकारी समितियों को GeM पोर्टल पर 'ख़रीदार' के रूप में पंजीकरण करने की अनुमति दी गयी है,** जिससे वे अधिक पारदर्शिता के साथ बेहतर ख़रीदारी की सुविधा के लिए GeM पोर्टल में 67 लाख से अधिक विक्रेताओं से सामान और सेवाएँ ख़रीदने में सक्षम हो गये हैं।
- **राष्ट्रीय सहकारी प्रशिक्षण परिषद् (NCCT)** ने **प्रशिक्षण के माध्यम से जागरूकता को बढ़ावा देने** के लिए वित्त वर्ष 2022-23 में 3,287 प्रशिक्षण कार्यक्रम आयोजित किये हैं और 2,01,507 प्रतिभागियों को प्रशिक्षण प्रदान किया है।
- ग्रामीण क्षेत्रों में पाइप जलापूर्ति योजनाओं (PWS) का संचालन एवं रखरखाव (O&M) करने के लिए PACS को पात्र एजेंसियों के रूप में नामित किया गया है : सहकारिता मंत्रालय की पहल पर, जल शक्ति मंत्रालय ने इन क्षेत्रों में PACS की व्यापक

पहुँच का लाभ उठाते हुए ग्रामीण क्षेत्रों में PWS का संचालन एवं रखरखाव (O&M) करने के लिए PACS को पात्र एजेंसियों के रूप में नामित किया है। राज्यों और केंद्र शासित प्रदेशों के आँकड़ों के अनुसार, 16 राज्यों और केंद्र शासित प्रदेशों ने पंचायत/गाँव स्तर पर O&M सेवाएँ प्रदान करने के लिए 1,833 PACS की पहचान की है और उन्हें चुना है।

- सहकारिता मंत्रालय ने अनुसंधान और विकास उद्देश्यों को पूरा करने के लिए सहकारी क्षेत्र से संबंधित प्रशिक्षण, परामर्श, प्रशिक्षित जनशक्ति की स्थायी आपूर्ति प्रदान करने के लिए **राष्ट्रीय सहकारी विश्वविद्यालय** स्थापित करने का निर्णय लिया है।
- '*सहकार-से-समृद्धि*' के दृष्टिकोण को साकार करने के लिए, एक जीवंत पारिस्थितिकी तंत्र को सक्षम करने के लिए, नयी **राष्ट्रीय सहकारी नीति** बनाने के लिए, एक राष्ट्रीय स्तर की समिति का गठन किया गया है।

भारत में सहकारी क्षेत्र से संबंधित संस्थान (INSTITUTIONS RELATED TO CO-OPERATIVE SECTOR IN INDIA)

राष्ट्रीय सहकारी विकास निगम [National Co-operative Development Corporation (NCDC)]

यह **सहकारिता मंत्रालय** के प्रशासनिक नियंत्रण के तहत एक वैधानिक निगम (1963 में संसद के एक अधिनियम द्वारा स्थापित) है।

NCDC के कार्य कृषि उपज, खाद्य सामग्री, कुछ अन्य अधिसूचित वस्तुओं, जैसे उर्वरक, कीटनाशक, कृषि मशीनरी, लाख, साबुन, मिट्टी के तेल, कपड़ा, रबर आदि, के उत्पादन, प्रसंस्करण, विपणन, भंडारण, निर्यात और आयात के लिए कार्यक्रमों की योजना बनाना, बढ़ावा देना और वित्तपोषण करना, उपभोक्ता वस्तुओं की आपूर्ति करना, और इसमें सहकारी समितियों के माध्यम से लघु वन उपज का संग्रह, प्रसंस्करण, विपणन, भंडारण और निर्यात, इसके अलावा मुर्गीपालन, डेयरी, मत्स्य पालन, रेशम उत्पादन, हथकरघा आदि, जैसी गतिविधियों से आय उत्पन्न करनेवाले प्रभाव भी शामिल हैं।

इसका **मुख्य कार्यालय नयी दिल्ली में** होने के साथ, NCDC 18 क्षेत्रीय/राज्य निदेशालयों के माध्यम से देश भर में भी काम करता है।

सहकारी समितियों के केंद्रीय रजिस्ट्रार [Central Registrar of Co-operative Societies (CRCS)]

सहकारी समितियों के केंद्रीय रजिस्ट्रार (CRCS) का कार्यालय सहकारी समितियों के **निगमन, विनियमन और समापन से संबंधित है,** जिसका उद्देश्य स्वयं-सहायता और पारस्परिक सहायता पर आधारित लोगों की संस्थाओं के रूप में सहकारी समितियों के स्वैच्छिक गठन और लोकतांत्रिक कामकाज को सुविधाजनक बनाने के लिए एक राज्य तक सीमित नहीं है, साथ ही उन्हें अपनी आर्थिक और सामाजिक बेहतरी को बढ़ावा देने में सक्षम बनाना और बहु राज्य सहकारी समिति (MSCS) अधिनियम, 2002 के तहत निहित सहकारी सिद्धांतों और विधायी ढाँचे के अनुसार कार्यात्मक स्वायत्तता प्रदान करना है। CRCS की नियुक्ति संविधान के अनुच्छेद 243ZH(f) और MSCS अधिनियम, 2002 की धारा 4 के तहत की जाती है।

अतिरिक्त जानकारी

अंतरराष्ट्रीय सहकारी गठबंधन (International Cooperative Alliance)

अंतरराष्ट्रीय सहकारी गठबंधन (ICA), सहकारी समितियों का प्रतिनिधित्व करनेवाली शीर्ष संस्था है, जिनकी संख्या दुनिया भर में लगभग 3 मिलियन होने का अनुमान है, यह सहकारी समितियों के लिए और उनके बारे में ज्ञान, विशेषज्ञता और समन्वित कार्रवाई के लिए एक **वैश्विक आवाज़ और मंच** प्रदान कर रही है। इसकी स्थापना 1895 में हुई थी, जिससे यह सबसे पुराने गैर-सरकारी संगठनों में से एक बन गया और **ग्रह पर 1 अरब सहकारी सदस्यों** के प्रतिनिधित्ववाले लोगों की संख्या के आधार पर सबसे बड़े संगठनों में से एक बन गया।

103 देशों के 305 से अधिक संगठन अंतरराष्ट्रीय सहकारी गठबंधन के सदस्य हैं। ICA के सदस्य अर्थव्यवस्था के सभी क्षेत्रों, अर्थात् कृषि, बैंकिंग, उपभोक्ता, मत्स्य पालन, स्वास्थ्य, आवास, बीमा और उद्योग और सेवाओं से अंतरराष्ट्रीय और राष्ट्रीय सहकारी संगठन हैं।

क्या आप जानते हैं?

अंतरराष्ट्रीय सहकारिता वर्ष (INTERNATIONAL YEAR OF CO-OPERATIVES)

संयुक्त राष्ट्र महासभा ने वर्ष 2025 को अंतरराष्ट्रीय सहकारिता वर्ष घोषित किया है, जिसका विषय है, "सहकारी संस्थाएँ एक बेहतर विश्व का निर्माण करती हैं (Cooperatives Build a Better World)"। इससे पहले, 2012 को संयुक्त राष्ट्र महासभा द्वारा सहकारिता का पहला अंतरराष्ट्रीय वर्ष घोषित किया गया था।

संक्षिप्त विवरण

- **अंतरराष्ट्रीय सहकारी गठबंधन (ICA)** द्वारा एक सहकारी को 'संयुक्त स्वामित्ववाले और लोकतांत्रिक रूप से नियंत्रित उद्यम के माध्यम से अपनी सामान्य आर्थिक, सामाजिक और सांस्कृतिक ज़रूरतों और आकांक्षाओं को पूरा करने के लिए स्वेच्छा से एकजुट व्यक्तियों का एक स्वायत्त संघ' के रूप में परिभाषित किया गया है।
- **रॉबर्ट ओवेन (Robert Owen)** (1771-1859), एक ब्रिटिश उद्योगपति और परोपकारी, सहकारी आंदोलन के अगुआ, ने सहकारिता की आधुनिक अवधारणा की परिकल्पना की थी।
- भारत में सहकारी आंदोलन में पहला महत्त्वपूर्ण कदम 1904 में सहकारी क्रेडिट सोसायटी अधिनियम का अधिनियमन था। इसका मुख्य उद्देश्य किसानों को कृषि गतिविधियों के लिए संस्थागत ऋण की व्यवस्था करना था।
- **97वें संविधान (संशोधन) अधिनियम, 2011** ने सहकारी समितियों को संवैधानिक दर्जा प्रदान किया।
- संविधान के **भाग IXB** में सहकारी समितियों के निगमन, विनियमन और समापन और सहकारी समितियों के लोकतांत्रिक कामकाज के लिए प्रावधान शामिल हैं (अनुच्छेद 243-ZH से 243-ZT)। इसे संविधान (99वाँ संशोधन) अधिनियम, 2011 द्वारा सम्मिलित किया गया था।
- संविधान के भाग III में अनुच्छेद 19(1)(c) में 'सहकारी समितियाँ' शब्द शामिल करके सहकारी समितियाँ बनाने का अधि कार मौलिक अधिकार के रूप में शामिल किया गया था।
- सहकारी समितियों को बढ़ावा देने के लिए राज्य के नीति निर्देशक सिद्धांत के रूप में **अनुच्छेद 43B** को संविधान के भाग IV में शामिल किया गया था।
- सहकारी समितियाँ संविधान की **7वीं अनुसूची की राज्य सूची के अंतर्गत आती हैं**।
- सहकारी समितियाँ एकल राज्य समिति या बहु-राज्य सहकारी समितियाँ हो सकती हैं।
- **बहु-राज्य सहकारी समितियाँ** कई राज्यों से सदस्यता की अनुमति देती हैं, और इस प्रकार वे मल्टी स्टेट को-ऑपरेटिव सोसायटी अधिनियम, 2002 के तहत पंजीकृत होती हैं।
- 2021 में, भारत सरकार में **'समृद्धि के लिए सहयोग' (सहकार-से-समृद्धि)** दृष्टिकोण की प्राप्ति के लिए एक समर्पित मंत्रालय बनाया गया था।
- भारत में सहकारिता का दृष्टिकोण **7 सार्वभौमिक रूप से स्वीकृत सहकारी सिद्धांतों** पर आधारित है, जो हैं - खुली और स्वैच्छिक सदस्यता, लोकतांत्रिक सदस्य नियंत्रण, सदस्य आर्थिक भागीदारी, स्वायत्तता और स्वतंत्रता, शिक्षा, प्रशिक्षण और सूचना, सहकारी समितियों के बीच सहयोग और समुदाय के लिए चिंता।
- गतिविधियों की प्रकृति के आधार पर, सहकारी समितियों को मोटे तौर पर दो श्रेणियों में वर्गीकृत किया जा सकता है - **वित्तीय सहकारी समितियाँ** और **ग़ैर-वित्तीय सहकारी समितियाँ**।
- भारत में विभिन्न प्रकार की सहकारी ऋण संस्थाओं को मोटे तौर पर दो श्रेणियों में वर्गीकृत किया जा सकता है- कृषि ऋण संस्थाएँ और ग़ैर-कृषि ऋण संस्थाएँ।
- कृषि ऋण संस्थानों को **अल्पकालिक और दीर्घकालिक कृषि ऋण संस्थानों** में वर्गीकृत किया जा सकता है।
- अल्पावधि कृषि ऋण की ज़रूरतों को पूरा करनेवाले अल्पकालिक कृषि ऋण संस्थानों की **तीन स्तरीय संघीय संरचना** होती है - राज्य स्तर पर राज्य केंद्रीय सहकारी बैंक, ज़िला केंद्रीय सहकारी बैंक और प्राथमिक कृषि सहकारी समितियाँ।
- **प्राथमिक कृषि ऋण समितियाँ (PACS)** त्रि-स्तरीय अल्पकालिक सहकारी ऋण संरचना की ज़मीनी स्तर की शाखाएँ हैं। पैक्स, एक गाँव-स्तर की संस्था है, जो सीधे ग्रामीण (कृषि) उधारकर्ताओं को सँभालती है, उन्हें ऋण देती है और दिये गये ऋणों का पुनर्भुगतान प्राप्त करती है और वितरण और विपणन का कार्य भी करती है।

यूपीएससी सिविल सेवा के पिछले वर्षों की प्रारंभिक परीक्षा के प्रश्न

☞ **कोई प्रश्न नहीं**
2024, 2023, 2022, 2021, 2020, 2019, 2018, 2017, 2016, 2015, 2014, 2013

यूपीएससी सिविल सेवा के पिछले वर्षों की मुख्य परीक्षा के प्रश्न

1. 'गाँवों में सहकारी समिति को छोड़कर, ऋण संगठन का कोई भी अन्य ढाँचा उपयुक्त नहीं होगा।'

– *अखिल भारतीय ग्रामीण ऋण सर्वेक्षण।*

भारत में कृषि वित्त की पृष्ठभूमि में, इस कथन पर चर्चा कीजिए। कृषि वित्त प्रदान करनेवालीं वित्तीय संस्थाओं को किन बाध्यताओं और कसौटियों का सामना करना पड़ता है? ग्रामीण सेवार्थियों तक बेहतर पहुँच और सेवा के लिए प्रौद्योगिकी का किस प्रकार इस्तेमाल किया जा सकता है? **[2014]**

☞ **कोई प्रश्न नहीं**
2024, 2023, 2022, 2021, 2020, 2019, 2018, 2017, 2016, 2015, 2013

अध्याय 15

भारत में कृषि एवं संबद्ध क्षेत्र (Agriculture and Allied Sectors in India)

अध्याय की रूपरेखा

- भारतीय अर्थव्यवस्था में कृषि की भूमिका
- भारतीय कृषि और संबद्ध क्षेत्रों का वर्तमान परिदृश्य
- भारत में खाद्यान्न उत्पादन
- हरित क्रांति
- बाग़बानी क्षेत्र
- बाग़बानी के एकीकृत विकास के लिए अभियान
- बीज
- बीज क्षेत्र में किये गये प्रमुख सुधार
- उर्वरक
- मृदा पुनरुद्धार
- फ़सल-प्रारूप
- भारत में फ़सल-प्रारूप के प्रकार
- फ़सल-प्रारूप को प्रभावित करनेवाले कारक
- फ़सल विविधीकरण
- अनुबंध खेती
- आदर्श अनुबंध कृषि अधिनियम, 2018 का ड्राफ़्ट
- सहकार मित्र
- कृषि वित्त
- कृषि वित्त के स्रोत
- नाबार्ड की भूमिका
- कृषि ऋण को बढ़ावा देने के लिए अब-तक की सरकारी पहलें
- कृषि में विदेशी प्रत्यक्ष निवेश
- कृषि विपणन
- मॉडल एपीएमसी अधिनियम, 2003
- कृषि विपणन के लिए एकीकृत योजना
- कृषि सब्सिडी
- कृषि बीमा
- पुनर्गठित मौसम आधारित फ़सल बीमा योजना (RWBCIS)
- बॉयोटेक-किसान कार्यक्रम
- पशु-पालन
- कृषि क्षेत्र में व्याप्त चुनौतियाँ
- किसानों की आय दोगुना करना रिपोर्ट
- कृषि उपज के उत्पादन और विपणन में ई-प्रौद्योगिकी
- द्वितीय हरित क्रांति के अंतर्गत आवश्यक प्रमुख सुधार
- जलवायु स्मार्ट कृषि (CSA)
- कृषि में प्रमुख प्रौद्योगिकी मिशन पहल
- न्यूनतम समर्थन मूल्य (MSP) योजना के माध्यम से लघु वनोपज (MFP) के विपणन के लिए तंत्र
- 2021 में निरस्त हुए कृषि क़ानून
- स्थिति मूल्यांकन सर्वेक्षण
- मीठी क्रांति
- इथेनॉल मिश्रित पेट्रोल (EBP) कार्यक्रम
- प्राकृतिक कृषि

भारतीय अर्थव्यवस्था में कृषि की भूमिका (ROLE OF AGRICULTURE IN INDIAN ECONOMY)

- कृषि क्षेत्र भारतीय अर्थव्यवस्था का सबसे बड़ा असंगठित क्षेत्र है और रोज़गार सृजन तथा आजीविका सृजन में इसकी हिस्सेदारी सबसे अधिक है।
- कृषि को नियोजन प्रक्रिया के एजेंडे के केंद्र में रखा जाता है, क्योंकि यह निर्धनता और कुपोषण कम करने तथा दीर्घ-कालिक खाद्य सुरक्षा को बेहतर करने में सहायता करती है।
- यह श्रम आय, रोज़गार सृजन इत्यादि के रूप में अतिरिक्त गतिविधि को प्रेरित करती है।
- यह क्रय शक्ति को बढ़ाती है, जो आगे समग्र माँग में वृद्धि करती है।
- यह चाय, चीनी, चावल इत्यादि जैसे कृषि उत्पादों के निर्यात के माध्यम से भारत के विदेशी मुद्रा भंडार को बढ़ाने में सहायता करती है।
- **कृषि के घटक/उप-क्षेत्रों और सम्बद्ध क्षेत्रों में सम्मिलित हैं :-**
  1. खेती या फ़सल (Crops)
  2. पशुधन (Livestock)
  3. वानिकी एवं लकड़ी काटना (Forestry and Logging)
  4. मछली पालन (Fisheries)

भारतीय कृषि और संबद्ध क्षेत्रों का वर्तमान परिदृश्य (CURRENT SCENARIO OF INDIAN AGRICULTURE AND ALLIED SECTORS)

- वित्त वर्ष 2025-26 में कृषि एवं किसान कल्याण मंत्रालय को ₹1,37,757 करोड़ आवंटित किये गये हैं (कृषि एवं किसान कल्याण : ₹1,27,290 करोड़ और कृषि अनुसंधान एवं शिक्षा : ₹10,466 करोड़)।
- वित्त वर्ष 2024-25 में कृषि ऋण लगभग ₹25 लाख करोड़ तक पहुँच गया, जिसमें संस्थागत और गै़र-संस्थागत ऋण दोनों सम्मिलित हैं।
- भारत का कृषि बाज़ार डिजिटल क्रांति का अनुभव कर रहा है। e-NAM प्लेटफ़ॉर्म पर अधिक मंडियों का समावेश इस विकास को दर्शाता है। अखिल भारतीय इलेक्ट्रॉनिक राष्ट्रीय कृषि बाज़ार (e-NAM) एक व्यापार मंच है। यह वर्तमान राज्य संचालित कृषि उपज विपणन समितियों (APMCs), मंडियों को एक साथ लाता है। अगस्त, 2024 तक, e-NAM पोर्टल पर 1.7 करोड़ किसान और 2.6 लाख व्यापारी पंजीकृत थे।
- मूँगफली और सरसों जैसे स्वदेशी तिलहनों के अनुसंधान और विकास का समर्थन करने के लिए आत्मनिर्भर तेल बीज अभियान। रणनीति में उच्च उपज देनेवालीं तिलहन क़िस्मों, आधुनिक कृषि पद्धतियों के उपयोग, ख़रीद प्रक्रियाओं, मज़बूत बाज़ार लिंक की स्थापना, मूल्यवर्धित प्रयासों और फ़सल बीमा कवरेज के लिए अनुसंधान को प्राथमिकता दी जायेगी।
- भारत में, यूरिया के बाद DAP (di-ammonium phosphate) सबसे अधिक इस्तेमाल किया जानेवाला उर्वरक है। नैनो यूरिया के सफल कार्यान्वयन के बाद, सरकार सभी जलवायु क्षेत्रों में नैनो DAP के उपयोग की सिफ़ारिश कर रही है।
- भारत दुनिया का सबसे बड़ा दूध उत्पादक है। डेयरी क्षेत्र 80 मिलियन डेयरी किसानों को आजीविका प्रदान करता है और राष्ट्रीय अर्थव्यवस्था में महत्त्वपूर्ण योगदान देता है। केंद्रीय मंत्रिमंडल ने इंफ्रास्ट्रक्चर डेवलपमेंट फ़ंड (IDF) के अंदर पशुपालन इन्फ्रास्ट्रक्चर डेवलपमेंट फ़ंड के विस्तार को मंज़ूरी दे दी है। बजट में 2025-26 तक, अगले तीन वर्षों के लिए ₹29,610.25 करोड़ का निवेश किया गया है।
- बजट जलकृषि की विशाल निर्यात क्षमता को मान्यता देता है। इसका इरादा जलीय कृषि उत्पादन को 5 टन प्रतिहेक्टेयर तक बढ़ाने और निर्यात को चार गुना बढ़ाकर ₹1 लाख करोड़ करने का है।

अतिरिक्त जानकारी

कृषि में प्रयुक्त होनेवाले प्रमुख शब्द (KEY TERMS USED IN AGRICULTURE)

फ़सल (Crop)

फ़सल एक पौधा या कृषि उपज है, जिसकी **लाभ या निर्वाह के लिए** बड़े पैमाने पर खेती की जाती है या उगाया जाता है। कुछ प्रमुख फ़सलों के उदाहरण हैं - खाद्यान्न, गन्ना, जूट और मेस्टा, कपास, तिलहन, वृक्षरोपण फ़सलें।

कृषि में विभिन्न प्रकार की फ़सलें (Different types of crops in agriculture)

फ़सल का प्रकार	विवरण	उदाहरण
खाद्यान्न	**खाद्यान्न**- मानव उपभोग के लिए उत्पादित घास (विशेषकर अनाज का पौधा) के छोटे कठोर बीज, जैसे फल, को खाद्यान्न कहा जाता है। इसमें अनाज और दालें शामिल हैं। **अनाज**- घास परिवार का कोई भी पौधा, जो खाने योग्य अनाज पैदा करता है। **मोटे अनाज**- ये एशिया और अफ़्रीका के शुष्क क्षेत्रों या अर्ध-शुष्क उष्णकटिबंधीय क्षेत्रों में छोटे बीजवालीं कठोर फ़सलें हैं, जो चरम मौसम के प्रति उनकी उच्च सहनशीलता को दर्शाती हैं। **दालें**- दालें वार्षिक फलियोंवालीं फ़सलें हैं, जो एक फली के भीतर 1 से 12 दाने या विभिन्न आकार, आकृति और रंग के बीज पैदा करती हैं, जिनका उपयोग भोजन और चारे दोनों के लिए किया जाता है।	1. **अनाज** (चावल, गेहूँ, पोषक तत्ववाले/मोटे अनाज) मोटे अनाज दो प्रकार के होते हैं - **मक्का, बाजरा** [बाजरा (मोती बाजरा), ज्वार (सोरघम बाजरा), रागी (फ़िंगरमिलेट), कांगनी (फ़ॉक्सटेल बाजरा), कोदो बाजरा, बैरी (प्रोसो बाजरा), जौ, अन्य छोटे बाजरा] 2. **दालें** (तूर, उड़द, मूँग, चना, मसूर, अन्य दालें)
तिलहन	तेलयुक्त फ़सलें या तेलवालीं फ़सलें या तिलहन ऐसे **बीज, फल या मेसोकार्प और नट्स** हैं, जिनसे खाने योग्य और औद्योगिक तेल निकाले जाते हैं।	मूँगफली, रेपसीड, सरसों, तिल, अलसी, अरंडी के बीज, नाइजर के बीज, कुसुम, सूरजमुखी, सोयाबीन
वृक्षरोपण-वाली फ़सलें	वृक्षरोपणवालीं फ़सलें बारहमासी व्यावसायिक फ़सलें हैं, जो लाभप्रदता के लिए बाज़ारों में बेचने के उद्देश्य से उगाई जाती हैं।	चाय, कॉफ़ी, रबर, आलू
नक़दी फ़सल	जब फ़सलों की **खेती व्यापार करने** और **अधिक लाभ** कमाने के लिए की जाती है, तो उन फ़सलों को नक़दी फ़सलें कहा जाता है।	जेट्रोफा (जैव ईंधन के उत्पादन के लिए इस्तेमाल किया जाता है), कपास, चाय, जूट, आदि।
ख़रीफ़ की फ़सल	देश के विभिन्न हिस्सों में मानसून के आगमन के साथ ही ख़रीफ़ की फ़सलें बोयी जाती हैं और **सितंबर-अक्टूबर** में **काटी जाती हैं**।	चावल, मक्का, ज्वार, बाजरा, जूट, मूँगफली, आदि।
रबी की फ़सल	रबी की फ़सलें **सर्दियों में** बोयी जाती हैं और **वसंत ऋतु में काटी जाती हैं**। शीत ऋतु में होनेवाली वर्षा रबी फ़सलों के लिए हानिकारक होती है।	गेहूँ, जौ, सरसों, मटर, तिल, धनिया, प्याज, आदि।
ज़ायद की फ़सल	ये शुष्क भूमि पर उगती हैं, जिसके लिए मानसून का इंतजार करने की आवश्यकता नहीं होती है और मुख्य रूप से मार्च से जून तक **रबी और ख़रीफ़ फ़सल के मौसम** के बीच की समय अवधि में बोयी जाती हैं।	तरबूज़, ख़रबूज़ा, करेला, कद्दू, ककड़ी, मूँग दाल, आदि।

फ़सल का प्रकार	विवरण	उदाहरण
औद्योगिक फ़सल	ऐसी फ़सलें, जो मुख्य रूप से कारख़ानों या मशीनों में उपयोग किये जानेवाले उत्पादों के लिए काटी जाती हैं या औद्योगिक वस्तुओं के उत्पादन में उपयोग की जाती हैं।	बुचलो, जेट्रोफा, स्विचग्रास, रबर, आदि।
सजावटी फ़सल	सजावटी फ़सलें बगीचों और **लैंडस्केप डिज़ाइन परियोजनाओं** में **सजावट के उद्देश्यों** के लिए उगायी जाती हैं।	गुलाब, ट्यूलिप, पेटुनिया, आदि।

भारत में खाद्यान्न उत्पादन (FOOD GRAIN PRODUCTION IN INDIA)

वर्ष 2023-24 में दो बड़े उत्पादक राज्यों में महत्त्वपूर्ण फ़सलों का उत्पादन
(PRODUCTION OF IMPORTANT CROPS IN TWO LARGEST PRODUCING STATES IN 2023-24)

फ़सल	बड़े उत्पादक राज्य
चावल	तेलंगाना, पश्चिम बंगाल
गेहूँ	उत्तर प्रदेश, पंजाब
मक्का	कर्नाटक, मध्य प्रदेश
कुल दलहन	मध्य प्रदेश, महाराष्ट्र
कुल खाद्यान्न	उत्तर प्रदेश, मध्य प्रदेश
कुल तिलहन	राजस्थान, मध्य प्रदेश
गन्ना	उत्तर प्रदेश, महाराष्ट्र
कपास (प्रत्येक 170 किलोग्राम की हज़ार गाँठों में)	महाराष्ट्र, गुजरात
जूट और मेस्ता (प्रत्येक 180 किलोग्राम की हज़ार गाँठों में)	पश्चिम बंगाल, बिहार

स्रोत : कृषि एवं किसान कल्याण मंत्रालय, भारत सरकार

वर्ष 2023-24 में कृषि के अंतर्गत फ़सल-वार क्षेत्र
(CROP-WISE AREA UNDER CULTIVATION IN 2023-24)

फ़सल	क्षेत्र (मिलियन हेक्टेयर में)	टिप्पणी
चावल	47.8	पिछले कुछ वर्षों में वृद्धि हुई है। सभी फ़सलों में सर्वाधिक।
गेहूँ	31.8	कई वर्षों के दौरान बढ़ा है।
दालें	27.5	पिछले 3 साल से घट रही है।
तिलहन	30.1	पिछले साल से थोड़ा कम हुआ।
मोटा अनाज	24.9	वर्षों में उतार-चढ़ाव आया।
गन्ना	5.8	कई वर्षों के दौरान बढ़ा है।

फ़सल	क्षेत्र (मिलियन हेक्टेयर में)	टिप्पणी
कपास	13.0	वर्षों से बढ़ रहा रुझान, लेकिन पिछले 2 वर्षों में मामूली गिरावट।
चाय	0.62	कई वर्षों से लगभग एक जैसा ही रहा।
कॉफ़ी	0.48	कई वर्षों के दौरान थोड़ी वृद्धि।

स्रोत : कृषि एवं किसान कल्याण मंत्रालय, भारत सरकार, भारतीय कॉफ़ी बोर्ड, भारतीय चाय बोर्ड।

भारत में चावल उत्पादन (Rice Production in India)

- भारत विश्व में चावल का दूसरा सबसे बड़ा उत्पादक है।
- भारत में चावल के दो सबसे बड़े उत्पाद राज्य पश्चिम बंगाल और उत्तर प्रदेश हैं।
- भारत में उपजाये जानेवाले चावल को मुख्य रूप से दो वर्गों- बासमती चावल और ग़ैर-बासमती चावल में बाँटा जाता है।
- हाल के समय में चावल उत्पादन से संबंधित आँकड़े निम्नलिखित हैं :-

चावल	2021-22	2022-23	2023-24	टिप्पणी
उत्पादन	130.3 मिलियन टन	135.7 मिलियन टन	137.8 मिलियन टन	पिछले 3 वर्षों में बढ़ती प्रवृत्ति
सकल क्षेत्र के अंतर्गत चावल का उत्पादन	46.4 मिलियन हेक्टेयर	47.7 मिलियन हेक्टेयर	47.8 मिलियन हेक्टेयर	पिछले 3 वर्षों में बढ़ती प्रवृत्ति
पैदावार प्रतिहेक्टेयर	2,809 किग्रा./ हेक्टेयर	2,838 किग्रा./ हेक्टेयर	2,822 किग्रा./ हेक्टेयर	पिछले 3 वर्षों में उतार-चढ़ाव का रुझान

स्रोत : कृषि एवं किसान कल्याण मंत्रालय, भारत सरकार।

- भारत में चावल उत्पादन की **प्रमुख चुनौतियाँ** :-
  - चावल के उत्पादन में जल की अत्यधिक मात्रा आवश्यक होती है। दिन प्रतिदिन जनसंख्या में वृद्धि हो रही है। इसके साथ ही, प्रतिव्यक्ति प्रतिदिन जल की माँग में भी वृद्धि हो रही है। इससे भविष्य में चावल उत्पादन के लिए और गंभीर चुनौतियों का सामना करना पड़ेगा।
  - चावल में नाइट्रोजन उपयोग की दर को कम करने की आवश्यकता है, क्योंकि यह उत्पादन को प्रभावित कर सकता है। चावल में नाइट्रोजन उपयोग दक्षता (NUE) अमोनिया वाष्पीकरण, विनाइट्रीकरण (denitrification), सतह अपवाह और लीचिंग के कारण अनाजों में सबसे कम है। इसलिए, अधिक नाइट्रोजन उपयोग दक्ष क़िस्में तैयार करने की त्वरित आवश्यकता है। इसके साथ ही, ऐसी चावल उत्पादन तकनीकों को भी विकसित करने की आवश्यकता है, जिससे चावल उत्पादन में जल, श्रम, नाइट्रोजन और कीटनाशक की कम मात्रा में आवश्यकता पड़े।
  - खेती का **एक ही प्रकार का पैटर्न** भी एक महत्त्वपूर्ण चुनौती है।
  - मृदा अपरदन और कम मृदा उर्वरता के कारण पौधे के पोषक तत्व और नमी का ह्रास होता है।
  - **रोगों के नये रोगवाहक**।

भारत में गेहूँ उत्पादन (Wheat Production in India)

- भारत विश्व में गेहूँ का दूसरा सबसे बड़ा उत्पादक देश है।
- भारत में गेहूँ की खेती करनेवाले दो प्रमुख राज्य हैं - उत्तर प्रदेश और मध्य प्रदेश।
- भारत में उगायी जानेवालीं गेहूँ की क़िस्में हैं - VL-832, VL-804, HS-365, HS-240, श्रेष्ठ, आदित्य आदि।

➤ हाल के दिनों में गेहूँ उत्पादन से संबंधित आँकड़े नीचे दिये गये हैं :-

गेहूँ	2021–22	2022–23	2023–24	टिप्पणी
उत्पादन	106.8 मिलियन टन	110.5 मिलियन टन	113.2 मिलियन टन	पिछले 3 वर्षों में बढ़ती प्रवृत्ति
सकल क्षेत्र के अंतर्गत गेहूँ का उत्पादन	30.5 मिलियन हेक्टेयर	31.4 मिलियन हेक्टेयर	31.8 मिलियन हेक्टेयर	पिछले 3 वर्षों में बढ़ती प्रवृत्ति
पैदावार प्रतिहेक्टेयर	3,507 किग्रा./हेक्टेयर	3,521 किग्रा./हेक्टेयर	3,559 किग्रा./हेक्टेयर	पिछले 3 वर्षों में बढ़ती प्रवृत्ति

स्रोत : कृषि एवं किसान कल्याण मंत्रालय, भारत सरकार।

➤ वर्तमान में भारत में गेहूँ उत्पादन के समक्ष निम्न **प्रमुख चुनौतियाँ हैं** :-

- **ग्रीष्म आघात (heat stress)** में वृद्धि और जल की कमी (water deficiency) के कारण ऐसे जीनोटाइप या जीन-प्रारूप को विकसित करने की आवश्यकता है, जो ग्रीष्म आघातों को अंत तक सहने की क्षमता रखते हों या जो जल्द परिपक्व हो जायें, जिससे इस आघात से बच सकें।
- **कुछ कृषि-पैटर्न (cultivation pattern)** की प्रकृति एक अन्य चुनौती है।
- **शहरीकरण (urbanisation)** और प्रवासन पैटर्न में बदलाव।
- **रोगों के नये प्रकोप (New virulence of diseases)** (गेहूँ का किट्ट रोग और पर्ण शीर्णता) तथा अपर्याप्त कृमिनाशक।
- बीज बोने की दर को कमकर, उपज स्तर को बढ़ाकर और पौधरोपण तकनीकियों को बदलकर **संकर बीजों (hybrid seeds)** को लागत-प्रभावी बनाया जाना चाहिए।

➤ ऐसी **प्रमुख रणनीतियाँ**, जिस पर भारत में **चावल और गेहूँ** के उत्पादन में सुधार के लिए ध्यान देने की आवश्यकता है :-

- विभिन्न कृषि-जलवायु क्षेत्रों में स्थान विशिष्ट फ़सल उत्पादन तकनीकों का प्रसार।
- ऐसी उच्च पैदावार देनेवालीं क़िस्मों का अधिक उपयोग, जिसकी पैदावार क्षमता को और बढ़ाया जा सकता है।
- अपवाह वर्षा जल प्रबंधन की ऐसी विधियाँ अपनाना, जो व्यक्तिगत खेतों के साथ-साथ समग्र रूप से जल विभाजक के लिए भी उपयुक्त हों।
- फ़सल-चक्र में या मिश्रित फ़सल के रूप में फलीदार फ़सलों की, साथ में, खेती करना, जिससे मृदा की उर्वरता बढ़ेगी।
- कीटनाशकों के आवश्यकता के आधार पर उपयोग पर ज़ोर देकर कीटों और रोगों के प्रभावी नियंत्रण के लिए एकीकृत कीट प्रबंधन दृष्टिकोण को प्रोत्साहन देना।
- समय पर बुआई, पौधे की अधिकतम संख्या बनाये रखना, समय पर सिंचाई, उर्वरकों का दक्षता से उपयोग, आवश्यकता आधारित पौधा सुरक्षा उपाय और समय पर फ़सलों की कटाई।

भारत में दालों का उत्पादन (Pulses Production in India)

➤ भारत विश्व में दालों का **सबसे बड़ा उत्पादक, उपभोक्ता और आयातक** है।

➤ भारत में दालों के तीन प्रमुख उत्पादक राज्य **मध्य प्रदेश, महाराष्ट्र और राजस्थान** हैं।

➤ खाद्यान्न के अंतर्गत जितना क्षेत्र है, उसमें **दाल के अंतर्गतवाले क्षेत्र लगभग 24 प्रतिशत हैं** (पिछले वर्षों में वृद्धि हुई है) और देश में कुल **खाद्यान्न उत्पादन में लगभग 8-9 प्रतिशत योगदान देते हैं** (पिछले वर्षों में वृद्धि हुई है)।

➤ दालें **ख़रीफ़ और रबी दोनों** ऋतु में उगती हैं। कुल उत्पादन में रबी में होनेवाली दाल का योगदान 60 प्रतिशत से अधिक होता है।

➤ **ख़रीफ़ की प्रमुख दालें** अरहर, उड़द और मूँग हैं। **रबी की प्रमुख दालें** चना, मसूर, उड़द और मूँग हैं।

- अन्य सभी दालों की तुलना में कुल दाल उत्पादन में **सबसे अधिक योगदान चने का है**। कुल उत्पादन में इसका योगदान लगभग 40 प्रतिशत है। इसके बाद लगभग 15 से 20 प्रतिशत योगदान के साथ तूर/अरहर का स्थान है। भारत में क्षेत्र और उत्पादकता के संदर्भ में भी चने का सर्वाधिक योगदान है।
- वर्ष 2021-22 में प्रतिव्यक्ति दाल की शुद्ध उपलब्धता 53.8 ग्राम/दिन (आयात सहित) थी, जो भारतीय चिकित्सा अनुसंधान परिषद (ICMR) द्वारा अनुशंसित 52 ग्राम/दिन की सीमा से अधिक है।
- हाल के दिनों में दाल उत्पादन से संबंधित आँकड़े निम्नलिखित हैं :-

दाल	2021-22	2022-23	2023-24	टिप्पणी
उत्पादन	27.7 मिलियन टन	26 मिलियन टन	24.2 मिलियन टन	पिछले 3 वर्षों में घटती प्रवृत्ति
सकल क्षेत्र के अंतर्गत दालों का उत्पादन	31 मिलियन हेक्टेयर	28.9 मिलियन हेक्टेयर	27.5 मिलियन हेक्टेयर	पिछले 3 वर्षों में घटती प्रवृत्ति
प्रतिहेक्टेयर उत्पादन	892 किग्रा./हेक्टेयर	902 किग्रा./हेक्टेयर	881 किग्रा./हेक्टेयर	पिछले 3 वर्षों में उतार-चढ़ाव का रुझान

स्रोत : कृषि एवं किसान कल्याण मंत्रालय, भारत सरकार

- भारत में दाल उत्पादन में सामना की जा रहीं **प्रमुख चुनौतियाँ** :-
  - वर्षा पर आश्रित होने और प्रोटीन की प्रचुर मात्रावाली फ़सल होने के कारण दाल जैव और अजैव घटकों के प्रति अतिसंवेदनशील होती है।
  - जोखिम टालनेवाले संसाधन : ग़रीब किसान खेती के उन्नयन के प्रति इच्छुक नहीं हैं, क्योंकि इसके लिए उन्हें आधुनिक तकनीकी उपकरणों में निवेश करना पड़ेगा।
  - एक ही प्रकार के **खेती के पैटर्न** (cultivation pattern) का इस्तेमाल अन्य चुनौती है।
  - कीट एवं रोग (चने को नुक़सान पहुँचानेवालों में फली वेधक, कवक से होनेवाले फ़्यूज़ेरियम रंग, जड़ों का सड़ना और एसोचाइटा ब्लाइट नाम का रोग; तूर को नुक़सान पहुँचानेवाले सूक्ष्मजीवों में फली वेधक, फली मक्खी, फ़्यूज़ेरियम विल्ट और उत्पादन क्षमता कम करनेवाला मोज़ेक रोग; मसूर उत्पादन को प्रभावित करनेवालों में फली वेधक, एफ़िड नाम का कीड़ा, कर्तनकीट (कटवर्म), पाउडर रूपी फफूँद, रस्ट और शिथिलन)।
  - उच्च पैदावार के लिए किसानों के अथक प्रयास के कारण दीर्घकालीन संधारणीयता प्रभावित होती है।
- दाल उत्पादन और उत्पादकता में सुधार के लिए **संभावित रणनीतियाँ (prospective strategies)** :-
  - गन्ना, बाजरा, कपास इत्यादि के बीच में कम समय में होनेवालीं दालें (मूँग, उड़द) की फ़सलों को उगाना।
  - नयी फ़सल पद्धति को बढ़ावा देना; जैसे कि भारत के उत्तरी भाग में अरहर-गेहूँ, पूर्व में चावल-मसूर और दक्षिण में उड़द-चावल की खेती।

भारत में मिलेट उत्पादन (Millets Production in India)

- मिलेट (श्री अन्न) छोटे बीजवालीं घासों को वर्गीकृत करने के लिए एक सामान्य शब्द है और उच्च पोषण मूल्यवाला स्मार्ट भोजन है, ये जलवायु के प्रति लचीले होते हैं और कई संयुक्त राष्ट्र सतत विकास लक्ष्यों (SDG) के साथ संरेखित है। ये आजीविका उत्पन्न करने, किसानों की आय बढ़ाने और दुनिया भर में खाद्य और पोषण सुरक्षा सुनिश्चित करने की उनकी विशाल क्षमता के आधार पर भी महत्त्वपूर्ण हैं।
- भारत में, मिलेट मुख्य रूप से **ख़रीफ़ की फ़सल** है, जो ज़्यादातर वर्षा आधारित परिस्थितियों में उगायी जाती है, जिसमें अन्य मुख्य फ़सलों की तुलना में कम पानी और कृषि आदानों की आवश्यकता होती है। उनके उत्पादन के लिए कम से मध्यम वर्षा (**200-800 मिमी वर्षा**) की आवश्यकता होती है।

लास्ट मिनट स्निपपेट्स

भारत दुनिया में मिलेट का **सबसे बड़ा उत्पादक** है। 2023-24 में, 12 मिलियन टन से अधिक मिलेट का उत्पादन होने का अनुमान है। भारत ने 2023-24 में, मिलेट उत्पादन में 42 प्रतिशत की वृद्धि दर्ज की।

- भारत में प्रमुख रूप से उगाये जानेवाले मिलेट में ज्वार, बाजरा (पर्ल मिलेट), रागी, कुटकी, कांगनी (फ़ॉक्सटेल बाजरा), प्रोसो बाजरा (चेना), साँवा (बारण्यार्ड मिलेट), कोदो और अन्य मिलेट हैं। इनमें से उत्पादन के मामले में तीन प्रमुख रूप से भारत में उगाये जानेवाले मिलेट हैं - **बाजरा** (60%), **ज्वार** (27%) और **रागी** (11%)।
- संयुक्त राष्ट्र महासभा ने **2023** को **अंतरराष्ट्रीय मिलेट वर्ष के रूप में** घोषित किया था।
- भारत की मिलेट की दो क़िस्में बाजरा और ज्वार वर्तमान में विश्व उत्पादन में लगभग 20 प्रतिशत का योगदान करती हैं।
- भारत में छह प्रमुख मिलेट उत्पादक राज्य **राजस्थान, उत्तर प्रदेश, कर्नाटक, महाराष्ट्र, गुजरात** और **मध्य प्रदेश** हैं। राजस्थान भारत में कुल मिलेट उत्पादन का लगभग 30 प्रतिशत योगदान देता है।
- मिलेट के पोषण मूल्य को देखते हुए, भारत सरकार ने 2018 में, मिलेट को **न्यूट्रीसिरिअल** के रूप में अधिसूचित किया।
- मिलेट **स्मार्ट फ़ूड** है, क्योंकि *वे उपभोक्ताओं के लिए अच्छे हैं, किसान के लिए अच्छे हैं और हमारी पृथ्वी के लिए अच्छे भी हैं।*
- **मिलेट के लाभों** में शामिल हैं -
  - मिलेट पौष्टिक रूप से समृद्ध हैं और अधिक संतुलित अमीनो एसिड प्रोफ़ाइल के साथ प्रोटीन के उच्च स्तर के कारण गेहूँ और चावल से बेहतर हैं।
  - मिलेट की **आहार फ़ाइबर सामग्री** भी कुछ मुख्य अनाजों की तुलना में अधिक है।
  - उनमें विभिन्न **फ़ाइटोकेमिकल्स** भी होते हैं, जो उनके ऐंटी-इन्फ़्लेमेटरी और ऐंटी-ऑक्सीडेटिव गुणों के कारण चिकित्सकीय गुणों को बढ़ाते हैं।
  - इनमें कैल्शियम, पोटेशियम, मैग्नीशियम, आइरन, मैंगनीज़, जस्ता और बी कॉम्प्लेक्स विटामिन जैसे ख़निजों की काफ़ी अधिक मात्रा होती है।
  - वे **लस मुक्त** हैं और इनका कम ग्लाइसेमिक इंडेक्स है।
  - मिलेट **जलवायु के प्रति लचीले** होते हैं और शुष्क भूमि कृषि के लिए रीढ़ की तरह हैं। वे कठोर, के प्रति लचीली फ़सलें हैं, जिनमें कम कार्बन और पानी होता है, उच्च तापमान का सामना कर सकते हैं, बहुत कम या बिना किसी बाहरी इनपुट के कम उपजाऊ मिट्टी में भी उग सकते हैं और इस प्रकार उन्हें **'चमत्कारी अनाज'** या **'भविष्य की फ़सलें'** कहा जाता है। जलवायु परिवर्तन के समय में, वे छोटे किसानों के लिए सबसे सुरक्षित फ़सलें हैं, क्योंकि वे कठोर, गर्म और सूखे के वातावरण में सबसे कठिन, सबसे लचीला और जलवायु अनुकूलनीय फ़सलें हैं।
- मिलेट उत्पादन **पारिस्थितिक रूप से टिकाऊ** है और मुख्य रूप से रासायनिक उर्वरकों के उपयोग पर निर्भर नहीं है। कीटनाशकों का उपयोग भी अधिकांश मामलों में अनिवार्य नहीं है।
- **मिलेट क्षेत्र को बढ़ावा देने के लिए हाल के वर्षों में सरकार की कोशिशें** -
  - अंतरराष्ट्रीय मिलेट वर्ष (IYM)-2023 के दौरान, लक्ष्य अन्य चीज़ों के अलावा उत्पादन और उत्पादकता, खपत, निर्यात, मूल्य शृंखला को मज़बूत करना, ब्रांडिंग और स्वास्थ्य लाभों के बारे में जागरूकता बढ़ाना था।
  - भारत सरकार ने दुनिया भर में भारतीय मिलेट, व्यंजनों और मूल्यवर्धित वस्तुओं को बढ़ावा देने के लिए एक जन-आंदोलन बनाने के लिए कई कार्यक्रम आयोजित किये हैं। भारत की G20 अध्यक्षता के दौरान मिलेट का प्रचार किया गया, जिसमें **मिलेट पाक कार्निवल (millet culinary carnival)**, अंतरराष्ट्रीय व्यापार कार्यक्रम, शेफ़ सम्मेलन, किसान उत्पादक संगठनों (FPO) की प्रदर्शनी, रोड शो, किसान मेले, अर्धसैनिक बलों के लिए शेफ़ प्रशिक्षण और अन्य बातों के अलावा, इंडोनेशिया और दिल्ली में आसियान भारत मिलेट महोत्सव शामिल थे।
  - **हैदराबाद में भारतीय कदन्न अनुसंधान संस्थान [Indian Institute of Millet Research (IIMR)]** किसानों, महिला

लास्ट मिनट स्निपपेट्स

खाद्य प्रसंस्करण उद्योग मंत्रालय (MoFPI) ने ₹800 करोड़ की लागत से 2022-23 से 2026-27 तक कार्यान्वयन के लिए **मिलेट-आधारित उत्पादों के लिए खाद्य प्रसंस्करण उद्योग के लिए उत्पादन लिंक्ड प्रोत्साहन योजना [Production Linked Incentive Scheme for Food Processing Industry for Millet-based Products (PLISMBP)]** को अधिकृत किया है।

किसानों, गृहिणियों, छात्रों और युवा उद्यमियों को मूल्यवर्धित बाजरा खाद्य पदार्थों के उत्पादन, दैनिक व्यंजनों और अन्य गतिविधियों में प्रशिक्षित करता है, साथ ही उन्हें अपने खुद के व्यवसाय स्थापित करने में भी सहायता करता है। संस्था ने अन्य के बीच मिलेट खाद्य पदार्थों के लिए 'रेडी टू ईट' और 'रेडी टू कुक', **'ईट्राइट'** लेबल के तहत मिलेट खाद्य ब्रांडिंग, जागरूकता अभियान, कृषि-उद्यम इनक्यूबेटर और प्रौद्योगिकी व्यवसाय इनक्यूबेटर जैसी मूल्यवर्धित प्रौद्योगिकियाँ भी बनायी हैं।

- महिला एवं बाल विकास मंत्रालय ने अपने **पोषण अभियान में मिलेट को भी शामिल किया है**। इसके अलावा, खाद्य और सार्वजनिक वितरण मंत्रालय ने लक्षित सार्वजनिक वितरण प्रणाली (TPDS), एकीकृत बाल विकास सेवाओं (ICDS) और मिड-डे मील के माध्यम से मिलेट ख़रीद को बढ़ावा देने के लिए अपने निर्देशों को अद्यतन किया है।

हरित क्रांति (GREEN REVOLUTION)

- **वैश्विक आधार पर हरित क्रांति** के जनक **डॉ. नॉर्मन ई. बोरलॉग (अमेरिकी)** हैं। **एम. एस. स्वामीनाथन (1925-2023)** को **भारतीय हरित क्रांति (Indian Green Revolution)** के जनक के रूप में जाना जाता है। प्रोफेसर एम. एस. स्वामीनाथन को 2024 में प्रतिष्ठित भारत रत्न पुरस्कार मिला और भारतीय कृषि अनुसंधान संस्थान ने उनके सम्मान में एक विशेष उत्सव की मेज़बानी की। 'हरित क्रांति' शब्द का सर्वप्रथम प्रयोग **विलियम गौड** ने किया था।
- हरित क्रांति के राजनीतिक जनक - **चिदम्बरम सुब्रमण्यम**।
- गेहूँ क्रांति के जनक - **दिलबाग सिंह अठवाल**।

हरित क्रांति के उद्देश्य (Objectives of Green Revolution)

हरित क्रांति के मुख्य उद्देश्य नीचे दिये गये हैं :

- द्वितीय पंचवर्षीय योजना के दौरान भारत की खाद्य समस्या को कम करना।
- ग्रामीण समुदायों में कृषि पद्धतियों का आधुनिकीकरण करना। इसके परिणामस्वरूप ग्रामीण और औद्योगिक विकास, बुनियादी ढाँचे, कच्चे माल आदि का आधुनिकीकरण होगा।
- ग्रामीण और औद्योगिक श्रमिकों के लिए रोज़गार प्रदान करना।
- ऐसे मज़बूत पौधे बनाना, जो कठोर मौसम और बीमारियों को सहन कर सकें।

हरित क्रांति की विशेषताएँ (Characteristics of Green Revolution)

- **बहु फ़सल (Multiple cropping)**- वर्ष के दौरान दो या अधिक फ़सलों की कटाई की गयी और इसके साथ खेती के क्षेत्र में निरंतर विस्तार हुआ।
- पैक किये गये इनपुट आगत जैसे- HYV बीज, उर्वरक और कीटनाशक उन क्षेत्रों में उपलब्ध कराये गये, जहाँ जल की आपूर्ति सुनिश्चित थी।
- **हालाँकि, हरित क्रांति (GR) केवल पाँच फ़सलों- गेहूँ, चावल, मक्का, ज्वार** और **बाजरा** तक ही सीमित रही।
- संस्थागत ऋण घेरे के अंदर अधिक-से-अधिक छोटे और सीमांत किसानों को सम्मिलित करने से **संस्थागत ऋण (Institutional credit)** में वृद्धि हुई, इसमें वाणिज्यिक बैंक, कोऑपरेटिव बैंक आदि द्वारा मामूली ब्याज-दर पर ऋण उपलब्ध कराने से विस्तार हुआ।

हरित क्रांति का प्रभाव (IMPACT OF GREEN REVOLUTION)

सकारात्मक प्रभाव	नकारात्मक प्रभाव
• **कृषि उत्पादन एवं उत्पादकता में कई** गुना **वृद्धि।** • भूमि रूपांतरण में वृद्धि की तुलना में **खाद्य उत्पादन-दर** में तिगुनी वृद्धि हुई, भूमि रूपांतरण में 10 प्रतिशत तक वृद्धि हुई थी। • अगड़े एवं पिछड़े संपर्कों की स्थापना के कारण **रोज़गार अवसरों में वृद्धि** हुई। • ग्रामीण सड़कों को बड़े पैमाने पर बनाया गया तथा विद्युतीकरण अच्छी गति से शुरू हुआ। • उच्च एवं सतत उत्पादन और आपूर्ति ने खाद्य मुद्रास्फीति को कम करने में सहायता की।	• भूजल के निरंतर अवशोषण से **खारेपन** में वृद्धि हुई। • कीटनाशकों एवं रासायनिक उर्वरक के बढ़ते प्रयोग के कारण **विषाक्तता**-स्तर में वृद्धि हुई। • आड़ा-तिरछा विकास **अंतर-क्षेत्रीय असमानता** का कारण बना। • कीटों की कीटनाशकों के प्रति प्रतिरोधकता में वृद्धि हुई तथा **मिट्टी के पोषकतत्व** कम हो गये। • कीटनाशकों के अनुपयुक्त प्रयोग और देखभाल से **स्वास्थ्य संबंधी समस्याएँ** शुरू हुईं। • हरित क्रांति ने बड़ी संख्या में रैयतों और बँटाईदारों को **कृषि मज़दूरों** में रूपांतरित कर दिया।

हरित क्रांति के परिणाम (Repercussions of Green Revolution)

➤ उत्पादकता में क्रांतिकारी वृद्धि केवल कुछ सीमित **खाद्यानों** तक ही सीमित रही। **दलहन और वाणिज्यिक फ़सलों** के उत्पादन में कोई वृद्धि नहीं हुई।

➤ क्रांति सभी क्षेत्रों में समान रूप से नहीं फैली। केवल कुछ राज्य जैसे- **पंजाब, हरियाणा, महाराष्ट्र** और **तमिलनाडु** लाभान्वित हुए।

➤ HYV तकनीकी के अंतर्गत उगाये गये बीज छोटे और सीमांत किसानों की पहुँच की दृष्टि से काफ़ी **महँगे** थे।

➤ अमीर और ग़रीब किसानों के बीच **आर्थिक विभाजन की खाई** समय के साथ बढ़ती गयी और यह भारतीय ग्रामीण अर्थव्यवस्था के लिए गंभीर चुनौती बन गयी।

सभी क्रांतियों पर एक दृष्टि (All Revolutions at a Glance)

क्रांति का नाम	अवधि	क्रांति का संबंध	क्रांति के जनक
काली क्रांति (Black Revolution)		पेट्रोलियम उत्पादन	
नीली क्रांति (Blue Revolution)	1985 (7वीं पंचवर्षीय योजना के दौरान)	मछली उत्पादन	डॉ. अरुण कृष्णन डॉ. हीरालाल चौधरी
भूरी क्रांति (Brown Revolution)		चमड़ा, कोको	
स्वर्ण रेशा क्रांति (Golden Fibre Revolution)	1990	जूट उत्पादन	
स्वर्ण क्रांति (Golden Revolution)	1991–2003	बाग़बानी, शहद, फल का समग्र उत्पादन	नीरपाख तुतेज़
हरित क्रांति (Green Revolution)	1966–67	कृषि उत्पादन	एम.एस. स्वामीनाथन
धूसर क्रांति (Grey Revolution)	1960–70	उर्वरक	
गुलाबी क्रांति (Pink Revolution)	1996	फ़ार्मास्युटिकल, प्याज़ और झींगा	दुर्गेश पटेल

क्रांति का नाम	अवधि	क्रांति का संबंध	क्रांति के जनक
सदाबहार क्रांति (Evergreen Revolution)	2017–22	कृषि उत्पादन में वृद्धि	एम.एस. स्वामीनाथन
गोल क्रांति (Round Revolution)	1965–2005	आलू उत्पादन	
रजत रेशा क्रांति (Silver Fibre Revolution)	2000	कपास उत्पादन	
रजत क्रांति (Silver Revolution)	1969-1978	अंडा उत्पादन	इंदिरा गांधी
श्वेत क्रांति या ऑपरेशन फ्लड (White Revolution or Operation Flood)	1970-1996	डेयरी, दुग्ध उत्पादन	वर्गीस कुरियन
पीली क्रांति (Yellow Revolution)	1986–1990	तिलहन उत्पादन	सैम पित्रोदा
केसरिया ऊर्जा क्रांति (Saffron Energy Revolution)		सौर-ऊर्जा के प्रोत्साहन एवं बेहतर उपयोग के लिए	
लाल क्रांति (Red Revolution)	1996	मांस एवं पोल्ट्री	विशाल तिवारी
प्रोटीन क्रांति (Protein Revolution)	2014–2020	कृषि उच्च उत्पादन	नरेंद्र मोदी द्वारा

बाग़बानी क्षेत्र (HORTICULTURE SECTOR)

- बाग़बानी क्षेत्र में विस्तृत श्रेणियों की फ़सलें सम्मिलित हैं। इसमें फलों की फ़सलें, सब्ज़ियों की फ़सलें, फूल की खेती, सजावटी खेती, औषधीय और सुगंधवालीं फ़सलें, मसाले, नारियल, काजू, कोको, वृक्षरोपण इत्यादि सम्मिलित हैं। यहाँ तक कि इसमें मधुमक्खी-पालन, मशरूम, बाँस इत्यादि भी सम्मिलित हैं।
- कृषि एवं कृषक कल्याण मंत्रालय के अंतर्गत **कृषि, सहकारिता एवं कृषक कल्याण विभाग [Department of Agriculture, Co-operation & Farmers Welfare (DAC&FW)]** भारत में बाग़बानी क्षेत्र के विकास को बढ़ावा देने का मुख्य विभाग (nodal department) है।
- 2012-13 के बाद से बाग़बानी फ़सलों के उत्पादन ने खाद्यान्न उत्पादनों को पीछे छोड़ दिया है।
- भारत में कृषि GDP में लगभग 33 प्रतिशत हिस्सा बाग़बानी का होता है।
- प्राकृतिक खाद्य प्रणाली और जलवायु परिवर्तन का सामना करने के माध्यम से पोषण सुरक्षा सुनिश्चित करने के लिए, कृषि अनुसंधान और शिक्षा विभाग (DARE) ने 2021-22 के दौरान क्षेत्र और बाग़बानी फ़सलों की **बॉयोफ़ोर्टिफ़ाइड और तनाव सहिष्णु क़िस्मों सहित** 35 विशिष्ट क़िस्मों को विकसित किया है, जिससे बॉयोफ़ोर्टिफ़ाइड क़िस्मों की संख्या 87 हो गयी है। बाग़बानी फ़सलों के उत्पादन में **सब्ज़ियों का योगदान** लगातार उच्च (58 प्रतिशत से अधिक) बना हुआ है ।
- 2023-24 के लिए कुल बाग़बानी उत्पादन 354.74 मिलियन टन होने का अनुमान है। नवीनतम आँकड़ों के अनुसार, बाग़बानी उत्पादन उत्तर प्रदेश में सबसे अधिक है, इसके बाद मध्य प्रदेश का स्थान है।
- **फूल उत्पादन** में **तमिलनाडु** अग्रणी है, उसके बाद आंध्र प्रदेश का स्थान है।
- बाग़बानी क्षेत्र को समग्र रूप से उन्नत करने के लिए भारत सरकार ने 2014-15 में एक केंद्र प्रयोजित योजना शुरू की, जिसका नाम था – **'बाग़बानी के एकीकृत विकास के लिए अभियान [Mission for Integrated Development of Horticulture (MIDH)]'**। इसे पहले से ही मौजूद राष्ट्रीय बाग़बानी मिशन (National Horticulture Mission) (2005-06 में शुरू हुआ) के अंतर्गत रखा गया है।

➤ बाग़बानी उत्पादन

कुल बाग़बानी	2022-23	2023-24
क्षेत्रफल (मिलियन हेक्टेयर में)	28.34	28.98
उत्पादन (मिलियन टन में)	355.48	354.74

बाग़बानी के एकीकृत विकास के लिए अभियान
(Mission for Integrated Development of Horticulture)

➤ सभी राज्य और केंद्र शासित प्रदेश भारत सरकार की MIDH योजना के दायरे के अंतर्गत आते हैं।

➤ इसमें फ़ंड भागीदारी का पैटर्न 60 : 40 का है (अर्थात् 60 प्रतिशत केंद्र सरकार का हिस्सा और 40 प्रतिशत राज्य सरकार का हिस्सा)। उत्तर-पूर्वी एवं पहाड़ी राज्यों के लिए फ़ंड भागीदारी का पैटर्न 90 : 10 है। केंद्र शासित प्रदेशों के लिए भारत सरकार 100 प्रतिशत योगदान करती है।

➤ **MIDH के अंतर्गत** भारत सरकार के बाग़बानी से संबंधित सभी चल रहे/रहीं मिशन/योजनाएँ हैं, जिनमें सम्मिलित हैं - नेशनल हॉर्टिकल्चर मिशन, नेशनल हॉर्टिकल्चर बोर्ड, कोकोनट डेवलपमेंट बोर्ड, सेंट्रल इंस्टीट्यूट ऑफ़ हॉर्टिकल्चर, नागालैंड।

➤ **MIDH के प्रमुख लक्ष्यों में सम्मिलित हैं (Strategies involved under MIDH) :-**

1. क्षेत्रीय रूप से अलग-अलग रणनीतियों के माध्यम से बाग़बानी क्षेत्र का समग्र विकास।
2. आर्थिक मितव्ययता, अवसर और ब्रैंड को प्राप्त करने के लिए किसानों को FIG/FPO और कृषक उत्पादक कंपनी [Farmer Producer Companies (FPCs), जैसे- कृषक समूह को गठित करने के लिए प्रोत्साहित करना, ताकि इसे क्षेत्र में उत्पादकता, उत्पादन और लाभ में वृद्धि हो सके।
3. आधुनिक वैज्ञानिक ज्ञानवालीं तकनीकियों को प्रोत्साहित और विकसित करना।
4. विशेषरूप से बेरोज़गार युवाओं के लिए कुशल और अकुशल, दोनों तरह के रोज़गार के अवसरों को सर्जित करना।

➤ **MIDH के अंतर्गत समाहित रणनीतियाँ (Strategies involved under MIDH) :-**

1. आरम्भ से लेकर अंत तक समग्र दृष्टिकोण (End-to-end holistic approach) अपनाना जो उत्पादन से लेकर फ़सल-पश्चात् प्रबंधन, प्रसंस्करण और विपणन तक को समाहित करता हो।
2. फ़सल के उत्पादन, फ़सल-पश्चात् प्रबंधन और प्रसंस्करण में शोध एवं विकास प्रौद्योगिकियों (R&D technologies) को प्रोत्साहित करना।
3. परंपरागत फ़सलों से लेकर रोपण फ़सलें, बाग़ानों इत्यादि तक फ़सल विविधीकरण (crop diversification) को प्रोत्साहित करना।
4. क्षेत्र के समग्र विकास के लिए विभिन्न हितधारकों के बीच साझेदारी, संमिलन एवं तालमेल (partnership, convergence and synergy) को प्रोत्साहित करना।
5. उत्पादन प्रक्रिया के सभी स्तरों पर क्षमता-निर्माण (capacity building) एवं मानव संसाधन विकास को प्रोत्साहित करना।

➤ **MIDH के अंतर्गत उप-योजनाएँ या घटक (Sub-schemes or components under MIDH)-**

1. राष्ट्रीय बाग़बानी मिशन (National Horticulture Mission)
2. पूर्वोत्तर और हिमालयी राज्यों के लिए राष्ट्रीय बाग़बानी मिशन (National Horticulture Mission for North-East and Himalayan States)
3. राष्ट्रीय बाग़बानी बोर्ड (National Horticulture Board)
4. नारियल विकास बोर्ड (Coconut Development Board)
5. केंद्रीय बाग़बानी संस्थान, नागालैंड (Central Institute of Horticulture, Nagaland)

➤ **MIDH के अंतर्गत अब-तक की गयीं प्रमुख पहलें (Major interventions under MIDH till now) :-**

1. नर्सरियों और ऊतक संवर्धन इकाइयों (tissue culture unit) की स्थापना के लिए वित्तीय सहयोग देना, ताकि गुणवत्तापूर्ण बीजों एवं पौध सामग्रियों का उत्पादन किया जा सके।
2. फलों, सब्ज़ियों और फूलों के नये बाग़ानों के विकास के लिए क्षेत्र विस्तार हेतु वित्तीय सहयोग प्रदान करना।
3. अनुत्पादक पुराने बाग़ों के कायाकल्प के लिए वित्तीय सहायता प्रदान करना।
4. संरक्षित कृषि (पॉली हाउस, ग्रीन हाउस इत्यादि) को प्रोत्साहित करना।
5. कटाई-पश्चात् प्रबंधन और विपणन अवसंरचना का सृजन।
6. एकीकृत पोषक-तत्व प्रबंधन [Integrated Nutrient Management (INM)] और एकीकृत कीट प्रबंधन [Integrated Pest Management (IPM)] उपायों को प्रोत्साहित करना।

अतिरिक्त जानकारी

हॉर्टनेट (HORTNET) : MIDH में ई-गवर्नेंस प्राप्त करने की एक परियोजना है, जो कार्यप्रवाह की सभी प्रक्रियाओं में पारदर्शिता के माध्यम से प्राप्त की जाती है। इसमें ऑनलाइन आवेदन दाख़िल करना, उन्हें संसाधित करना, ऑनलाइन भुगतान के माध्यम से लाभार्थियों को डायरेक्ट बेनेफ़िट ट्रांसफ़र आदि प्रदान किया जाता है।

➤ **बाग़बानी क्षेत्र के प्रोत्साहन से जुड़ीं एजेंसियाँ :-**

नाम	स्थापना की जगह
राष्ट्रीय बाग़बानी बोर्ड [National Horticulture Board (NHB)]	गुरुग्राम
काजू एवं कोको विकास निदेशालय [Directorate of Cashew and Cocoa Development (DCCD)]	कोच्चि
राष्ट्रीय मधुमक्खी बोर्ड (National Bee Board)	नयी दिल्ली
नारियल विकास बोर्ड (Coconut Development Board)	कोच्चि
केंद्रीय बाग़बानी संस्थान (Central Institute of Horticulture)	मेडजिफेमा, नागालैंड
सुपारी एवं मसाला विकास निदेशालय (Directorate of Arecanut & Spices Development)	कोझिकोड (कालीकट)

➤ **बाग़बानी क्षेत्र में वर्तमान चुनौतियाँ :-**

1. बाग़बानी क्षेत्र के लिए न्यूतम समर्थन मूल्य [Minimum Support Price (MSP)] जैसी सरकार की कोई रणनीति नहीं है, जैसा खाद्यान्नों के विषय में है।
2. पर्याप्त और गुणवत्तापूर्ण कोल्ड स्टोरेज श्रृंखला और परिवहन नेटवर्क का अभाव।
3. मशीन एवं उपकरण की दृष्टि से आगतों की सीमित उपलब्धता।
4. बाज़ार सूचनाओं की, मुख्य रूप से निर्यात सुविधाओं के बारे में, सीमित उपलब्धता।

बीज (SEEDS)

➤ अन्य कृषि आगतों, जैसे उर्वरक आदि की दक्षता बीज पर निर्भर होती है।

➤ बीज की विकसित क़िस्म कृषि उत्पादन एवं उत्पादकता को बढ़ाती है।

- भारत में कुल संचालित जोत-क्षेत्र में केवल 10 प्रतिशत के आसपास **प्रमाणित बीजों (Certified Seeds)** और केवल 10 प्रतिशत **संकर बीजों (Hybrid Seeds)** का प्रयोग होता है।
- **बीज प्रतिस्थापन अनुपात (Seed Replacement Ratio)** – यह इस बात की माप है कि कुल फ़सली क्षेत्र का कितना भाग खेत से बचाये गये बीजों (farm-saved seeds) की तुलना में प्रमाणित बीजों (certified seeds) के साथ बोया गया था। एक बेहतर बीज प्रतिस्थापन दर प्रमाणित/गुणवत्तावाले बीजों के बेहतर उपयोग को दर्शाता है।
- 2022 के आँकड़ों के आधार पर, लगभग 6 बिलियन अमेरिकी डॉलर के बाज़ार आकार के साथ वैश्विक बीज बाज़ार में भारत की 4 प्रतिशत से अधिक हिस्सेदारी है।
- बीजों के विकास और उत्पादन में अब भारत सरकार द्वारा 100 प्रतिशत FDI स्वचालित मार्ग (automatic route) के अंतर्गत स्वीकृत है।
- देश में बीज उत्पादन में सार्वजनिक क्षेत्र की हिस्सेदारी 2017-18 के 42.72 प्रतिशत से घटकर 2020-21 में 35.54 प्रतिशत हो गयी है, जबकि इसी अवधि के दौरान निजी क्षेत्र का हिस्सा 57.28 प्रतिशत से बढ़कर 64.46 प्रतिशत हो गया, जो भारत के बीज क्षेत्र में निजी कंपनियों की बढ़ती भूमिका को दर्शाता है।
- 2008 से भारत **OECD बीज योजना** का सदस्य है, जो बीज प्रमाणीकरण से संबंधित योजना है।
- बीज क्षेत्र संबंधित मुख्य संगठन :-
  - **राष्ट्रीय बीज निगम (National Seeds Corporation)** (1963 में स्थापित)- सरकार के पूर्ण स्वामित्ववाली एक मिनिरत्न-I कंपनी है। यह प्रमाणित बीजों की लगभग 600 क़िस्मों के उत्पादन का कार्य करती है।
  - राष्ट्रीय बीज अनुसंधान एवं प्रक्षिक्षण केंद्र, वाराणसी (National Seed Research and Training Centre) I
  - राज्य बीज प्रमाणीकरण एजेंसियाँ (State Seed Certification Agencies) I
  - राज्य बीज निगम (State Seed Corporations) I

बीज क्षेत्र में किये गये प्रमुख सुधार (Major Reforms Undertaken in Seeds Sector)

1. **नेशनल मिशन फ़ॉर सीड्स** को 2012 में शुरू किया गया था। इसका उद्देश्य किसानों को उचित मूल्य पर उच्च गुणवत्तावाले प्रमाणित बीजों की उपलब्धता को सुनिश्चित करना है।
2. 2005-06 के पहले एक अन्य केंद्र प्रायोजित योजना शुरू की गयी, जिसका नाम- "*गुणवत्तापूर्ण बीजों के उत्पादन एवं वितरण के लिए अवसंरचना सुविधाओं का विकास एवं सुदृढ़ीकरण (Development and Strengthening of Infrastructure Facilities for Production and Distribution of Quality Seeds)*" है।

   यह योजना जारी है और इसके **उद्देश्यों में सम्मिलित हैं**- पर्याप्त मात्रा में सभी फ़सलों के उच्च उपजवाले प्रमाणित/गुणवत्तापूर्ण बीजों का उत्पादन और प्रजनन करना है, ताकि इसे भारत के दूर-दराज़ के क्षेत्रों में भी उपलब्ध कराया जा सके।

   इस योजना के घटकों में सम्मिलित हैं :–

   - उत्तर-पूर्व एवं पहाड़ी राज्यों के लिए बीजों की आवाजाही पर परिवहन सब्सिडी (Transport subsidy) (आलू को छोड़कर सभी बीजों के लिए)।
   - प्राकृतिक आपदाओं के समय भी बीजों की उपलब्धता बनाये रखने के लिए बीज बैंक (Seed Bank) की स्थापना एवं उसका रख-रखाव।
   - **बीज अधिनियम (Seeds Act), 1966** के प्रावधानों के अनुसार बीजों के गुणवत्ता नियंत्रण को विनियमित (Regulation of quality control) करना तथा केंद्रीय और राज्य गणुवत्ता नियंत्रण संगठनों को सुदृढ़ करना।
   - **बीज ग्राम कार्यक्रम (Seed Village Programme):** (i) आधुनिक तकनीकों के प्रयोग का प्रशिक्षण देकर किसानों द्वारा बचाकर रखे गये बीजों की गुणवत्ता को उन्नत करना, (ii) फ़ाउंडेशन/प्रमाणित बीजों को 50 प्रतिशत लागत पर वितरित करने के लिए वित्तीय सहायता देना और (iii) उपयुक्त गुणवत्तावाली बीज-भंडारण-क्षमता के विकास को बढ़ावा देने के लिए वित्तीय सहायता प्रदान करना।
   - वित्तीय सब्सिडी प्रदान कर *संकर चावल बीज* उत्पादन (hybrid rice seed production) को प्रोत्साहित करना।

बीज क्षेत्र की प्रमुख चुनौतियाँ (Present Challenges in Seeds Sector)

- काश्तकारों में बीजों की गुणवत्ता के बारे में जागरुकता का अभाव।
- अपर्याप्त गुणवत्तावाले बीजों की उपलब्धता।
- बीज उत्पादन में कुछ निजी कंपनियों का एकाधिकार, जो उच्च मूल्य वसूलते हैं।
- आनुवांशिक रूप से संशोधित [Genetically Modified (GM)] फ़सलों और GM बीजों के बारे में स्पष्टता का अभाव।
- बीजों की असमय आपूर्ति और वह भी अपर्याप्त मात्रा में।
- बीज अधिनियम, 1966 में संशोधन की आवश्यकता, जो मूलरूप से बीज प्रमाणीकरण के वैधानिक कार्य–ढाँचे या फ़्रेमवर्क से संबंधित है।

परीक्षोपयोगी

जैव सुदृढ़ीकरण (बायोफ़ोर्टिफ़िकेशन) (BIOFORTIFICATION)

बायोफ़ोर्टिफ़िकेशन (जैव सुदृढ़ीकरण) पारंपरिक प्रजनन, आनुवंशिक इंजीनियरिंग, या कृषि विज्ञान दृष्टिकोण का उपयोग करके खाद्य फ़सलों के पोषण मूल्य में सुधार करने की प्रक्रिया है। बायोफ़ोर्टिफ़ाइड बीज ऐसी नस्लें हैं, जो मिट्टी और जल पारिस्थितिकी पर नकारात्मक प्रभाव डाले बिना पोषण संबंधी सामग्री को बढ़ाने का प्रयास करती हैं।

बायोफ़ोर्टिफ़ाइड बीजों का पारिस्थितिकीय प्रभाव (Ecological Impact of Biofortified Seeds)

2014 के बाद से, भारतीय कृषि अनुसंधान परिषद् (ICAR) के तत्वावधान में 124 खेतीवालीं फ़सलों (चावल - 10; गेहूँ - 43; मक्का - 20, मोती बाजरा - 11, छोटे बाजरा - 13, अलसी - 1, मसूर - 2, चना - 2, मूँग - 1, फ़ील्ड मटर- 1, उर्दबीन - 1, सरसों - 8, सोयाबीन - 7, तिल - 1, मूँगफली –3) और 18 बाग़बानी फ़सलें (शकरकंद - 5, चौलाई - 3, रतालू - 2, आलू - 2 और 1 फूलगोभी, भिंडी, अंगूर, केला, अमरूद और अनार) सहित 142 बायोफ़ोर्टिफ़ाइड क़िस्में विकसित की गयी हैं।

सभी बायोफ़ोर्टिफ़ाइड क़िस्मों की उपज संबंधित फ़सलों के पारंपरिक प्रकारों के समान या अधिक होती है। इन बायोफ़ोर्टिफ़ाइड क़िस्मों का उत्पादन मौजूदा बाज़ार क़िस्मों की तुलना में कम महँगा होता है, क्योंकि खेती से जुड़ा कोई उपज जुर्माना या अतिरिक्त ख़र्च नहीं होता है।

राष्ट्रीय खाद्य सुरक्षा मिशन (NFSM) राज्य/केंद्र शासित प्रदेश के माध्यम से किसानों को प्रथाओं के बेहतर पैकेज पर क्लस्टर प्रदर्शन, फ़सल प्रणाली प्रदर्शन, बीज उत्पादन, उच्च उपजवालीं क़िस्मों (HYV)/संकरों का वितरण, फ़सल प्रणाली आधारित प्रशिक्षण आदि जैसे हस्तक्षेपों के लिए सहायता प्रदान करता है। मिशन ने विषय वस्तु विशेषज्ञों/वैज्ञानिकों की देखरेख में किसानों को तकनीकी बैकस्टॉपिंग और प्रौद्योगिकी हस्तांतरण में ICAR, राज्य कृषि विश्वविद्यालयों और कृषि विज्ञान केंद्रों की भी सहायता की। NFSM के तहत, राज्य/आईसीएआर अत्याधुनिक फ़सल उत्पादन प्रौद्योगिकियों के प्रदर्शन, क्लस्टर फ़्रंटलाइन प्रदर्शन और बायोफ़ोर्टिफ़ाइड क़िस्मों के फ़्रंटलाइन प्रदर्शन आयोजित कर सकते हैं। राज्यों से बायोफ़ोर्टिफ़ाइड बीज विकसित करने और वितरित करने का भी आग्रह किया गया है।

अतिरिक्त जानकारी

बीज अधिनियम (SEEDS ACT), 1966

- यह बीज प्रमाणीकरण (seed certification) के लिए वैधानिक कार्यढाँचा (framework) प्रदान करता है और किसानों के लिए गुणवत्तापूर्ण बीज की उपलब्धता को सुनिश्चित करता है।
- यह अधिनियम खाद्यान्न फ़सलों, तिलहन फ़सलों, कपास बीज, पशुओं के चारे के बीजों और सभी प्रकार की वनस्पतियों का प्रसार करनेवालीं सामग्रियों को समाहित करता है।

- इस अधिनियम के अंतर्गत, 1968 में बीज नियमों को अधिसूचित किया गया था और 1969 में भारत में व्यवस्थित बीज प्रमाणीकरण को शुरू किया गया था।
- अधिनियम के अंतर्गत केंद्रीय बीज समिति (Central Seed Committee) की स्थापना की गयी थी।
- इस अधिनियम में राज्यों में बीज प्रमाणीकरण एजेंसियों, राज्य बीज परीक्षण प्रयोगशाला की स्थापना के साथ केंद्र सरकार द्वारा केंद्रीय बीज प्रयोगशाला (Central Seed Laboratory) की स्थापना का भी प्रावधान है।
- अधिनियम के अनुसार, अधिसूचित क़िस्मों के बीजों के आयात एवं निर्यात पर भी प्रतिबंध लगाया गया है। जैसे- बीजों और पौध सामग्रियों का आयात नयी बीज विकास नीति (New Policy on Seed Development), 1988, द्वारा प्रशासित होता है और अलग-अलग विषय के आधार पर उनके आयात पर अलग-अलग प्रकार के प्रतिबंध हैं।

पुराने पड़ चुके मौजूदा बीज अधिनियम, 1966 में संशोधन करने के प्रयासों के तहत 2004 में बीज विधेयक लाया गया था, लेकिन कई कमियों के कारण यह वर्तमान अधिनियम में संशोधन लाने में सफल नहीं हो सका। हाल ही में वर्तमान सरकार ने बीज विधेयक, 2019 के मसौदा (Draft Seeds Bill, 2019) को अंतिम रूप दिया है।

बीज विधेयक, 2019 का मसौदा (DRAFT SEEDS BILL, 2019)

- यह बीज अधिनियम, 1966 को प्रतिस्थापित करने और बेचे जानेवाले बीजों की गुणवत्ता को विनियमित करने का प्रस्ताव करता है।
- ड्राफ़्ट बिल के अनुसार, **बिक्री के लिए सभी प्रकार के बीजों को** पंजीकृत कराना होगा।
- बीजों को कुछ **न्यूनतम निर्धारित मानकों** को पूरा करने की आवश्यकता होती है।
- बीज कंपनियों की अधिक जवाबदेही को सुनिश्चित करने के लिए यह विधेयक प्रस्तावित करता है कि **परा उत्पत्ति मूलक (transgenic) क़िस्मों के बीजों** का तभी पंजीकरण किया जा सकता है, जब आवेदक ने पर्यावरण (संरक्षण) अधिनियम [Environment (Protection) Act], 1986 के अंतर्गत मंजूरी प्राप्त कर ली हो।
- इसके अतिरिक्त, बीज पात्र (container) पर लगे लेबल को विशिष्ट सूचनाओं को इंगित करना होगा।
- यह विधेयक **केंद्रीय बीज समिति के पुनर्गठन** के लिए केंद्र सरकार को अधिकृत करता है।
- विधेयक अनिवार्य पंजीकरण की आवश्यकता से किसानों को छूट देता है। किसानों को अपने खेत के बीजों और पौध सामग्रियों को बोने, आदान-प्रदान करने या बेचने की अनुमति होगी।
- किसानों को अंकुरण, भौतिक शुद्धता और आनुवंशिक शुद्धता के निर्धारित न्यूनतम मानकों की पुष्टि नहीं करनी होगी (जैसा कि पंजीकरण बीजों के लिए ज़रूरी है)। यद्यपि, पंजीकरण के बिना किसी ब्रैंड नाम के अंतर्गत बीज नहीं बेचे जा सकते हैं।
- विधेयक फल नर्सरी के लाइसेंस/पंजीकरण को ज़रूरी करता है।
- विधेयक अप्रत्याशित परिस्थितियों की स्थिति में सरकार को चुनिंदा क़िस्मों के बीजों की **क़ीमतें निश्चित करने का अधिकार** देता है।

आनुवांशिक रूप से संशोधित फ़सलें [Genetically Modified (GM) Crops] परीक्षोपयोगी

- WHO के अनुसार, आनुवांशिक रूप से संशोधित **[Genetically Modified Organisms (GMO)]** ऐसे पौधे या जंतु या सूक्ष्म-जीव होते हैं, जिनमें आनुवांशिक पदार्थ (DNA) इस प्रकार बदलते हैं, जैसा सामान्यत: मैथुन या संभावित नियमित पुन:संयोजन द्वारा नहीं होता। इसे आधुनिक जैव प्रौद्योगिकी/जीन प्रौद्योगिकी (modern biotechnology/gene technology) के नाम से भी जाना जाता है।
- जब किसी पौधे का GM करना होता है, तब विदेशी जीन **(transgene)** या अन्य किसी जीव के जीन को पौधे के स्वयं के जीन में कृत्रिम रूप से प्रवेश कराया जाता है। यही आनुवंशिक संशोधन (genetic modification) है। जैसे, इस GM के बाद पौधा कीटनाशक प्रतिरोधी बन सकता है।

- किसी जीन को रासायनिक विकिरण, सहज परिवर्तन एवं पारम्परिक प्रसंस्करण के माध्यम से भी बदला जा सकता है।
- नॉर्मन बोरलॉग ने विश्व से भूख की समस्या को समाप्त करने के लिए GM फ़सलों के उत्पादन का समर्थन किया था।
- भारत में, किसी विशेष GM फ़सल का बड़े पैमाने पर क्षेत्र परीक्षण करने और वाणिज्यिक रूप से निर्गत करने की स्वीकृति **आनुवंशिक इंजीनियरिंग मूल्यांकन समिति [Genetic Engineering Appraisal Committee (GEAC)]** द्वारा दी जाती है, जो एक वैधानिक निकाय के रूप में कार्य करती है [पर्यावरण (संरक्षण) अधिनियम, 1986 के तहत] तथा यह समिति पर्यावरण, वन और जलवायु परिवर्तन मंत्रालय (Ministry of Environment, Forests - Climate Change) के अधीन है। क्षेत्र परीक्षण के लिए राज्य सरकारों से NOC या अनापत्ति प्रमाणपत्र लिया जाना अनिवार्य है। FSSAI की मंजूरी के बिना, खाद्य सुरक्षा और मानक अधिनियम, 2006 GM खाद्य के आयात, निर्माण, उपयोग या बिक्री पर प्रतिबंध लगाता है।
- प्रारम्भ में, संभवत: जैव-सुरक्षा एवं स्वास्थ्य चिंताओं के कारण **बीटी कॉटन (Bt cotton)** एकमात्र GM फ़सल थी, जिसे भारत में स्वीकृति मिली थी (वर्ष 2002 में)। BT कॉटन केवल ट्रांसजेनिक फ़सल है, जिसकी भारत में व्यावसायिक रूप से खेती की जाती है।
- 2016 में GEAC द्वारा GM मस्टर्ड या धारा मस्टर्ड हाइब्रिड-11 (DMH-11) के लिए क्षेत्र परीक्षण की स्वीकृति दी गयी थी। इसके बाद 2022 में, GEAC ने DMH-11 की पर्यावरणीय रिलीज़ और इसकी पैतृक लाइनों को मौजूदा ICAR दिशानिर्देशों, GEAC द्वारा लगायी गयीं शर्तों के अनुसार इसके बीज उत्पादन और परीक्षण के लिए मंजूरी दी। हालाँकि, विरोधियों द्वारा इसे उच्चतम न्यायालय में चुनौती दी गयी है।
- दुनिया में सबसे बड़ा जीएम सरसों उत्पादक कनाडा है। आलोचकों का तर्क है कि आनुवंशिक रूप से इंजीनियर बार्नेस-बारस्टार (Barnase-Barstar) प्रणाली सरसों में संकर बीज उत्पादन के लिए एक कुशल और मज़बूत वैकल्पिक विधि प्रदान करती है और इसे कई दशकों से कनाडा, ऑस्ट्रेलिया और अमेरिका जैसे देशों में सफलतापूर्वक परिनियोजन किया गया है। भारत सरकार इसे भारत में पेश करने के लिए प्रयास कर रही है।
- यहाँ उल्लेखनीय है कि GEAC ने 2007 में **बीटी बैंगन (Bt brinjal)** के वाणिज्यिक निर्गम की संस्तुति की थी, लेकिन सरकार ने 2010 में इसे रोक दिया था।
- पर्यावरण संरक्षण अधिनियम (Environment Protection Act), 1986 के प्रावधानों के अनुसार सरकार द्वारा स्वीकृत नहीं हुई। GM फ़सलों को उगाने पर 5 वर्ष की क़ैद या ₹1 लाख तक का जुर्माना या दोनों की सज़ा हो सकती है।
- विश्व स्तर पर, अमेरिका में GM फ़सल खेती के अंतर्गत सर्वाधिक क्षेत्र है, इसके बाद ब्राज़ील, अर्जेंटीना और चीन का स्थान है। इस संबंध में भारत का चौथा स्थान है। यद्यपि, भारत के विपरीत अमेरिका में कई प्रकार की GM फ़सलों को उगाया जाता है, जिनमें सोयाबीन, मक्का, कपास, कनोला आदि सम्मिलित हैं।
- GM जीव समेत जैव प्रौद्योगिकी उत्पादों के प्रयोग के लिए एक नियामक निकाय निर्मित करने की परिकल्पना करनेवाला जैव प्रौद्योगिकी नियामक प्राधिकरण विधेयक (Biotechnology Regulatory Authority Bill), 2008 से संसद में लंबित है।

GM फ़सल के पक्ष में तर्क	GM फ़सल के विरुद्ध तर्क
• उच्च फ़सल उपज खाद्य सुरक्षा को सुनिश्चित करती है। • कृषि लागत में कमी और कृषि लाभ में वृद्धि। • GM फ़सलें मौसम के उतार-चढ़ाव और चरम स्थितियों का सामना कर सकती हैं तथा कीटनाशकों एवं शाकनाशियों के प्रयोग को कम कर सकती हैं। • परिपक्वता अवधि अपेक्षाकृत कम होती है। • बीटी कॉटन के आविर्भाव के बाद भारत एक कॉटन-निर्यातक देश के रूप में परिवर्तित हो गया है।	• संकर-परागण (cross-pollination) के माध्यम से अन्य क्षेत्र संदूषित हो सकते हैं। • खाद्य श्रृंखला में एलर्जी पैदा करनेवाले तत्वों के प्रवेश करने का ख़तरा है। • ये लचीले सुपर बग को रोक सकता है। यह पूरी फ़सल भूमि को नष्ट करने का कारण बन सकता है। • यह फ़सलों की घरेलू और जंगली क़िस्मों के लिए ख़तरा बन सकता है। यदि GM फ़सलें जंगली संबंधियों के साथ संकर-प्रजनन या क्रॉस ब्रीड करती हैं, तो विदेशी ट्रांसजीन प्राकृतिक पारिस्थितिकी तंत्र को 'संदूषित' कर सकता है।

उर्वरक (FERTILISERS)

- उर्वरक एक प्राकृतिक या संश्लेषित रसायन (सिंथेटिक केमिकल) आधारित पदार्थ है, जो पौधों की वृद्धि एवं उपज को बढ़ाने के लिए मृदा या पौधों के ऊतकों पर प्रयुक्त किया जाता है। इससे पौधों को एक या अधिक पोषक तत्वों की आपूर्ति होती है।
- पोषक तत्व दो प्रकार के हो सकते हैं : **स्थूल पोषक-तत्व (macro nutrients)** और **सूक्ष्म पोषक-तत्व (micro nutrients)**। छह स्थूल या मैक्रो पोषक तत्व हैं- **नाइट्रोजन, फ़ॉस्फ़ोरस, पोटैशियम, कैल्शियम, मैग्नीशियम** और **सल्फ़र**। आठ सूक्ष्म या माइक्रो पोषक-तत्व हैं- **कॉपर, ज़िंक, आयरन, मैंगनीज, बोरॉन, क्लोरीन, मॉलिब्ल्डेनम** और **निकिल**।
- भारतीय मृदा या मिट्टी में सामान्यत: **नाइट्रोजन (N)**, **फ़ॉस्फ़ोरस (P)** और **पोटैशियम (K)** की कमी होती है; इसीलिए भारत में उर्वरकों का व्यापक रूप से उपयोग देखा जाता है। **N, P** और **K** इन तीन को **प्राथमिक स्थूल पोषक-तत्व (primary macro-nutrients)** भी कहा जाता है।
- इस क्षेत्र का प्रशासन रसायन एवं उर्वरक मंत्रालय (Ministry of Chemicals and Fertilisers) के अंतर्गत **उर्वरक विभाग** (Department of Fertilisers) द्वारा किया जाता है। इसका उद्देश्य कृषि उत्पादन को अधिकतम करने के लिए सस्ती क़ीमतों पर उर्वरक की उपलब्धता को सुनिश्चित करना है। यह विभाग उर्वरक के 9 सार्वजनिक क्षेत्र उपक्रमों (PSUs) का भी प्रशासन करता है।
- **भारत में उर्वरक उत्पादन एवं उपभोग की वर्तमान स्थिति-**
  - वर्तमान में भारत में तीन प्रकार के उर्वरकों का मुख्य रूप से उत्पादन किया जाता है- यूरिया, डाईअमोनियम फ़ॉस्फ़ेट (DAP) और मिश्रित उर्वरक।
  - **यूरिया** (नाइट्रोजन के लिए) भारत में सर्वाधिक उत्पादित (86 प्रतिशत), सर्वाधिक उपभोग (74 प्रतिशत) और सर्वाधिक आयात (74 प्रतिशत) किया जानेवाला उर्वरक है।
  - घरेलू ज़रूरतों को पूरा करने के लिए फ़ॉस्फ़ेटिक उर्वरकों के लिए 56.5 प्रतिशत स्वदेशी क्षमता को विकसित किया गया है। यद्यपि फ़ॉस्फ़ेटिक उर्वरकों के उत्पादन के लिए ज़रूरी कच्चे पदार्थों एवं मध्यवर्तियों का आयात किया जाता है।
  - पोटाश की संपूर्ण आवश्यकता को आयात के माध्यम से पूरा किया जाता है।

लास्ट मिनट स्निपपेट्स

वर्तमान में, देश में लगभग 284.95 एलएमटी की संस्थापित वार्षिक क्षमतावालीं **36 यूरिया विनिर्माण इकाईयाँ** हैं, जिनमें **प्राकृतिक गैस** आधारित (घरेलू गैस/एलएनजी/सीबीएम का उपयोग करते हुए) और साथ ही **नाफ़्था (Naphtha) आधारित** दोनों शामिल हैं। इन 36 में से **अधिकांश प्राकृतिक गैस आधारित** यूरिया विनिर्माण इकाइयाँ हैं।

- **अब-तक की सरकारी पहलें :-**
  - **प्रतिधारण मूल्य-निर्धारण योजना [Retention Pricing Scheme (RPS)]** को शुरू में नाइट्रोजनयुक्त उर्वरकों के लिए 1977 में आरम्भ किया गया था। यद्यपि, बाद में इसे फ़ॉस्फ़ेटिक एवं पोटाश उर्वरकों के लिए विस्तारित किया गया था। इस योजना के अंतर्गत सरकार द्वारा सब्सिडी प्रदान की जाती थी। यह सब्सिडी प्रतिधारण मूल्य (retention prices) (उत्पादन की लागत + शुद्ध क़ीमत पर 12 प्रतिशत कर पश्चात् विवरणी निवल मूल्य) पर (post-tax returnon net worth) और वैधानिक रूप से अधिसूचित मूल्य के अंतर के रूप में प्रदान की जाती है। यद्यपि, RPS को 2003 में NPS द्वारा प्रतिस्थापित कर दिया गया था।
  - 2003 में आयी **नयी मूल्य-निर्धारण योजना-I [New Pricing Scheme (NPS-I)]** में यूरिया इकाइयों के **प्रतिधारण मूल्य** (retention prices) **के समूह औसत** के आधार पर सब्सिडी का निर्धारण किया गया था। यूरिया का फ़ार्म गेट मूल्य सरकार द्वारा तय किया गया था और **फ़ार्म गेट मूल्य और उत्पादन/टन की इकाई लागत के अंतर के बराबर** सरकार द्वारा सब्सिडी की प्रतिपूर्ति की जाती थी।

  NPS-I के बाद NPS-II (2004 से 2006 तक) और फिर NPS-III (2006 से 2014 तक) को लाया गया। संशोधित NPS-III 2014 से 2015 तक जारी रहा।

यद्यपि, उपर्युक्त उत्पाद आधारित सब्सिडी व्यवस्था की कुछ सीमाएँ हैं, जैसे- बाज़ार की विकृतियाँ, अवैध निर्यात, आगत वस्तुओं के मूल्य में वृद्धि आदि सरकार ने 2010 में एक अन्य पोषक-तत्व आधारित सब्सिडी नीति (Nutrient Based Subsidy Policy) शुरू की। वर्तमान में इसके साथ NPS-III और संशोधित NPS-III (Modified NPS-III) भी जारी है।

- **पोषक-तत्व आधारित सब्सिडी** [Nutrient-Based Subsidy (NBS) Policy, को 2010 में शुरू किया गया था। इसमें किसी उर्वरक के लिए सब्सिडी निश्चित (वार्षिक आधार पर) होती है, जो इसके माइक्रो या मैक्रो न्यूट्रिएंट के रूप में पोषकतत्वों की मात्रा पर आधारित होती है। वर्तमान में, **P और K उर्वरकों की** 21 श्रेणियाँ NBS नीति के अंतर्गत आती हैं।

  इन 21 में प्रमुख हैं– डाई अमोनियम फ़ॉस्फ़ेट (DAP, 18-46-0), म्यूरिएट ऑफ़ पोटाश (MOP), मोनोअमोनियम फ़ॉस्फ़ेट (MAP, 11-52-0), ट्रिपल सुपरसल्फ़ेट (TSP, 0-46-0), **मिश्रित उर्वरकों** की 12 श्रेणियाँ और अमोनियम सल्फ़ेट (AS–GSFC और FACT द्वारा कैप्रोलैक्टम ग्रेड) तथा सिंगल सुपरफ़ॉस्फ़ेट (SSP)।

  इस योजना का उद्देश्य मृदा स्वास्थ्य में सुधार के लिए उर्वरकों के संतुलित प्रयोग को बढ़ावा देना तथा उर्वरक समर्थन या सहायता में सरकार के ख़र्च को कम करना है। केंद्रीय मंत्रिमंडल ने फॉस्फेटिक और पोटाश (P&K) उर्वरकों पर ख़रीफ़ सीजन, 2024 (01.04.2024 से 30.09.2024 तक) के लिए पोषक-तत्व आधारित सब्सिडी (NBS) दरों और NBS योजना के तहत तीन अतिरिक्त उर्वरक ग्रेड को शामिल करने को मंज़ूरी दे दी।

  यद्यपि, इस योजना में **कुछ कमियाँ हैं,** जैसे- यूरिया को सम्मिलित नहीं किया गया है; सरकार द्वारा सब्सिडी के भुगतान में देरी इत्यादि।

- **नीम-लेपित यूरिया नीति (Neem-Coated Urea Policy) (2015 में)**
  - इसके अनुसार, घरेलू/आयातित 100 प्रतिशत यूरिया को नीम के तेल के साथ लेपित करना *अनिवार्य* है। यह ग़ैर-कृषि क्षेत्रों में यूरिया के उपयोग को रोकने में मदद करता है और फ़सल उपज में सुधार करता है।
  - भारत में हर वर्ष लगभग 2.5 लाख टन नीम के तेल का उत्पादन होता है, जो उत्पादित और आयातित सभी यूरिया को कवर करने के लिए कमोबेश पर्याप्त है।
  - लगभग 2.5 लाख टन नीम के तेल का उत्पादन किया जाता है, जो सभी उत्पादित एवं आयातित यूरिया के लेपित करने के लिए पर्याप्त है।
  - नीम-लेपित यूरिया बेचनेवालीं कंपनियों द्वारा यूरिया के वर्तमान MRP के 5 प्रतिशत तक अतिरिक्त प्रीमियम लगाया जा सकता है।
  - नीम-लेपित यूरिया [Neem Coated Urea (NCU)] के लाभ :

    (a) मृदा के स्वास्थ्य में सुधार।

    (b) पौध संरक्षण रसायनों के संदर्भ में लागत में कमी।

    (c) कीट और रोगों के आक्रमण में कमी, जिसके फलस्वरूप धान, गन्ना, मक्का, सोयाबीन और अरहर/लाल चने की उपज में वृद्धि।

    (d) केवल नीम-लेपित यूरिया के उत्पादन एवं वितरण की अनिवार्यता की नीति को शुरू करने के बाद सब्सिडीवाले यूरिया का ग़ैर-कृषि उद्देश्यों/औद्योगिक प्रयोग की तरफ़ जाना कम हुआ है।

- यूरिया के स्वदेशी उत्पादन को प्रोत्साहित करने के लिए 2015 में **नयी यूरिया नीति [New Urea Policy (NUP)]** शुरू की गयी थी।
  - **उद्देश्य :-**

    (a) स्वदेशी यूरिया उत्पादन को अधिकतम करना।

    (b) यूरिया उत्पादन में ऊर्जा दक्षता को प्रोत्साहित करना।

    (c) सरकार पर पड़नेवाले सब्सिडी बोझ को तर्कसंगत बनाना।
  - NUP-2015 को शुरू में 1 जून, 2015 से 31 मार्च, 2019 तक के लिए प्रभावी बनाया गया था, लेकिन 2019 में इसे अगले आदेश तक के लिए बढ़ा दिया गया।
  - यह सब्सिडी योजना **केवल गैस-आधारित इकाइयों के लिए** लागू है।

➤ 100 प्रतिशत पुनर्मूल्यांकित क्षमता या [re-assessed capacity (RAC)] तक उत्पादन के लिए 25 गैस-आधारित यूरिया इकाइयाँ यूरिया उत्पादन के कुल लागत के रूप में सब्सिडी प्राप्त करने की अधिकारी हैं। कुल लागत में निश्चित लागत (fixed cost) और परिवर्तनीय लागत (variable cost) सम्मिलित है।

यूरिया के लिए निम्न 04 नीतियाँ जारी हैं, जिनके माध्यम से यूरिया इकाइयों को सब्सिडी का भुगतान किया जा रहा है–

1. नयी मूल्य निर्धारण योजना–III (New Pricing Scheme-III)
2. संशोधित नयी मूल्य निर्धारण योजना–III (Modified New Pricing Scheme-III)
3. नयी यूरिया नीति (New Urea Policy) 2015 – 25 गैस आधारित इकाइयों के लिए।
4. 2015 की अन्य अधिसूचना – नेफ्था आधारित 3 यूरिया इकाइयों के लिए।

P और K के लिए वर्तमान में सब्सिडी पोषकतत्व आधारित सब्सिडी नीति* (Nutrient Based Subsidy Policy), *2010 के माध्यम से प्रदान की जा रही है।

➤ **उर्वरक सब्सिडी भुगतान के लिए प्रत्यक्ष लाभ हस्तांतरण [Direct Benefit Transfer (DBT)] प्रणाली (2016 में शुरू की गयी)।**
- विभिन्न कंपोस्ट श्रेणी पर 100 प्रतिशत आर्थिक सुरक्षा सीधे खाद संगठनों को दी जाती है। यह खुदरा विक्रेताओं द्वारा प्राप्तकर्ताओं से किये गये प्रामाणिक सौदों पर निर्भर होती है।
- सब्सिडीवाले उर्वरकों को ख़रीदारों और लाभार्थियों को बेचने के लिए प्रत्येक खुदरा दुकान पर प्वाइंट-ऑफ़-सेल (PoS) यंत्र या डिवाइस को लगाया जाता है (फोटो पहचान पत्र (ID) *के माध्यम से पहचान की जाती है*)।
- किसान/लाभार्थी बाज़ार में यूरिया को वैधानिक सब्सिडीवाली क़ीमत पर तथा P और K सब्सिडीवालीं क़ीमतों पर प्राप्त करते रहेंगे।
- वास्तविक बिक्री को सब्सिडी भुगतान से जोड़कर यह उत्पादक से लाभार्थी की मूल्य कड़ी के साथ-साथ फ़ंड को अधिक पारदर्शी बनाता है एवं तेज़ निगरानी की सुविधा प्रदान करता है।
- उर्वरक के डायवर्जन या दिशा-परिवर्तन के न्यूनतम होने की उम्मीद है।

➤ ई-उर्वरक **(e-Urvarak)**- यह उर्वरक को समर्पित एक डैशबोर्ड है। यहाँ राष्ट्रीय, राज्य और ज़िला स्तर पर विभिन्न उर्वरकों की आपूर्ति/उपलब्धता/आवश्यकता की स्थिति के समय में वास्तविक सूचना प्रदान की जायेगी।

अतिरिक्त जानकारी

समेकित हानिकारक कीट प्रबंधन [INTEGRATED PEST MANAGEMENT (IPM)]

IPM को **फ़ूड और ऐग्रीकल्चर ऑर्गेनाइजेशन (FAO)** इस रूप में परिभाषित करता है– "सभी उपलब्ध कीट नियंत्रण तकनीकी और इसके साथ सभी उचित उपायों का समेकन, जो हानिकारक कीटों की संख्या को हतोत्साहित करता है और कीटनाशकों एवं अन्य मध्यवर्तियों को उस स्तर पर बनाये रखता है, जो आर्थिक रूप से उचित होते हैं तथा मानव स्वास्थ्य और पर्यावरण के ख़तरे को कम करते हैं या न्यूनतम रखते हैं"।

परीक्षोपयोगी

मृदा-स्वास्थ्य कार्ड योजना (SOIL HEALTH CARD SCHEME)

➤ मृदा-स्वास्थ्य कार्ड [Soil Health Card (SHC)] को 2015 में कृषि एवं कृषक कल्याण मंत्रालय द्वारा लॉन्च किया गया था। इस कार्ड को सभी किसानों को उनकी भूमि की मृदा-पोषकतत्व स्तर (soil nutrient status) की जानकारी देने के लिए प्रदान किया गया है।

➤ इस योजना को मृदा सैंपल कलेक्शन, परीक्षण, निर्माण और मृदा-स्वास्थ्य कार्ड को किसानों को वितरित किये जाने के माध्यम से राज्य सरकार द्वारा कार्यान्वित किया जा रहा है (कृषि राज्य सूची का विषय है)।

- किसानों को दिये गये कार्ड में मृदा-पोषकतत्व की स्थिति के बारे में 12 मापदंडों (या पैरामीटर) के आधार पर विवरण का उल्लेख होता है :-
  a. **3 स्थूल-पोषकतत्व (macro-nutrients)**, जैसे- **N, P, K**
  b. **1 द्वितीयक-पोषक तत्व (Secondary-nutrient), जैसे- S**
  c. **5 सूक्ष्म-पोषकतत्व (Micro-nutrients), जैसे- Zn, Fe, Cu, Mn, B**
  d. **3 भौतिक मापदंड (Physical parameters) जैसे- pH, Electrical Conductivity (EC), Organic Carbon (OC)**
- उपर्युक्त **12 मापदंडों** की स्थिति के आधार पर यह सूचना किसानों को **उर्वरक की मात्रा** और लंबे समय तक मृदा-स्वास्थ्य को बनाये रखने के लिए **आवश्यक मृदा सुधारों** का परामर्श देती है।
- SHC किसान को **तीन वर्ष के चक्र को दौरान एक बार** (हर वर्ष नहीं) उपलब्ध कराया जाता है, जिसमें किसान की भूमि के बारे में उस विशेष अवधि के लिए मृदा स्वास्थ्य की स्थिति की सूचना होती है।
- **अब-तक की प्रगति : चक्र**-1 (2015 से 2017) के दौरान पूरे देश में 10.74 करोड़ SHC का वितरण किया गया और चक्र-2 (2017-21) के दौरान 11.97 करोड़ SHC वितरित किये गये।

पीएम-प्रणाम (PM-PRANAAM)

"पीएम-प्रणाम [*PM Programme for Restoration, Awareness Generation, Nourishment, and Amelioration of Mother-Earth* (PM-PRANAM)]" कार्यक्रम भारत सरकार द्वारा वर्ष 2023 में शुरू किया गया था। रसायन और उर्वरक मंत्रालय के तहत इस पहल का उद्देश्य **उर्वरकों के सतत और संतुलित उपयोग को बढ़ावा देकर, वैकल्पिक उर्वरकों को अपनाकर, जैविक और प्राकृतिक खेती को बढ़ावा देकर**, धरती माता के स्वास्थ्य को बचाने के लिए राज्यों/केंद्र शासित प्रदेशों द्वारा शुरू किये गये प्रयासों को पूरक बनाना है।

पीएम-प्रणाम के तहत **सभी राज्य/केंद्र शासित प्रदेश आते हैं**। उक्त योजना के तहत, पिछले 3 वर्षों की औसत खपत की तुलना में रासायनिक उर्वरकों (यूरिया, DAP, NPK, MOP) की खपत में कमी के माध्यम से किसी विशेष वित्तीय वर्ष में किसी राज्य/केंद्र शासित प्रदेश द्वारा बचायी गयी **उर्वरक सहायिकी (सब्सिडी) का 50 प्रतिशत उस राज्य/केंद्र शासित प्रदेश को** अनुदान के रूप में दिया जाएगा।

मृदा पुनरुद्धार (Soil Reclamation)

मृदा पुनरुद्धार वह प्रक्रिया है, जिसके माध्यम से मृदा की गुणवत्ता पुनः प्राप्त की जाती है। उदाहरण के लिए, मृदा में उर्वरता, खनिज, पोषकतत्व और नमी का ह्रास होता है, जिसे इस प्रक्रिया के माध्यम से पुनः प्राप्त किया जाता है। इससे मृदा का पुनः गहन उपयोग किया जा सकता है। मृदा, इसके पोषकतत्व और उर्वरता का पुनरुद्धार भूमि उपयोग को और विस्तार देने एवं कृषि गतिविधियों जैसे कि फ़सल उगाना और सिंचाई आदि को बढ़ाने के उद्देश्य से किया जाता है।

मृदाजनन (Pedogenesis) (मृदा की तैयारी, विकास, निर्माण, और मृदा की उत्पत्ति) मृदा निर्माण की प्रक्रिया है, जो स्थान, पर्यावरण, एवं इतिहास के प्रभावों से विनियमित होती है।

फ़सल-प्रारूप (CROPPING PATTERN)

फ़सल-प्रारूप का अर्थ किसी समय बिंदु पर विभिन्न फ़सलों के अंतर्गत, क्षेत्र के भाग, एक समयावधि के दौरान इसके बँटवारे में हुआ परिवर्तन तथा इस बँटवारे के परिवर्तन को निर्धारित करनेवाले कारकों से है।

वैकल्पिक रूप से यह एक निर्दिष्ट क्षेत्र में फ़सलों के सामयिक (temporal) और/या स्थानीय (spatial) व्यवस्थाओं को इंगित करता है। सामयिक व्यवस्था विभिन्न फ़सलों के उगाने के वार्षिक क्रम को इंगित करती है। स्थानिक व्यवस्था किसी निश्चित समय पर एक भूमि खंड पर विभिन्न पैटर्न (जैसे वैकल्पिक पंक्तियाँ) में फ़सलों की व्यवस्था को इंगित करती है।

भारत में फ़सल-प्रारूप के बारे में महत्त्वपूर्ण तथ्य (Important Facts about Cropping Pattern in India)

- 1950-51 में, खाद्यान्नों के अंतर्गत कुल क्षेत्रफल का लगभग 80 प्रतिशत **मोटे अनाजों** के अंतर्गत था। 2022-23 में यह घटकर 78 प्रतिशत रह गया है। *इस गिरावट के कारण हैं- कृषि का वाणिज्यीकरण, खाद्यान्नों के मामले में बेहतर क़ीमत प्राप्ति इत्यादि*
- 1950-51 में खाद्यान्नों के अंतर्गत कुल क्षेत्रफल में दलहनों के अंतर्गत 20 प्रतिशत क्षेत्र था। 2022-23 में यह बढ़कर 22.01 प्रतिशत हो गया है।
- 1950-51 में खाद्यान्नों के अंतर्गत कुल क्षेत्रफल का लगभग 32 प्रतिशत क्षेत्र चावल के अंतर्गत था। 2022-23 में यह बढ़कर लगभग 36.08 प्रतिशत हो गया *(यह इंगित करता है कि खाद्यान्नों के अंतर्गत कुल क्षेत्रफल का एक-तिहाई से अधिक पर चावल उगाया जाता है)। इस उछाल के कारण हैं- सरकार द्वार चलाये जा रहे विशेष चावल कार्यक्रम, तकनीकी आविष्कार इत्यादि।*
- 1950-51 में गेहूँ के अंतर्गत कुल क्षेत्र खाद्यान्न के कुल क्षेत्र का लगभग 10 प्रतिशत था। 2022-23 में यह बढ़कर लगभग 24.05 प्रतिशत हो गया। *इस वृद्धि के कारण हैं- तकनीकी सफलता, क़ीमत समर्थन और बाज़ार अवसंरचना।*
- हालाँकि, मोटे अनाजों के मामले में निराशाजनक प्रदर्शन रहा है। 1950-51 में खाद्यान्न के अंतर्गत कुल क्षेत्रफल में ज्वार, बाजरा और मक्का का हिस्सा 29 प्रतिशत था, जो 2022-23 में गिरकर लगभग 17.85 प्रतिशत रह गया। *इस तरह की भारी कमी का कारण है- स्थान की विशिष्टता, कीटों और रोगों के प्रति संवेदनशीलता, लाभ की कम दर, सीमित माँग जो ग़रीब वर्गों के द्वारा होती है, गेहूँ और चावल जैसी बेहतर अनाज फ़सलों से प्रतिस्पर्धा आदि।*
- 1950-51 में **तिलहन** के अंतर्गत 11 मिलियन हेक्टयर क्षेत्रफल था, जो 2022-23 में **बढ़कर** लगभग 30 मिलियन हेक्टेयर हो गया। *कारण हैं- 1980 के दशक के दौरान तिलहन पर शुरू किया गया तकनीकी मिशन।*
- वाणिज्यिक फ़सलों के अंतर्गत **गन्ने, कपास और जूट** तीनों फ़सलों के क्षेत्र में वृद्धि हुई है।

भारत में फ़सल-प्रारूप के प्रकार (Types of Cropping Pattern in India)

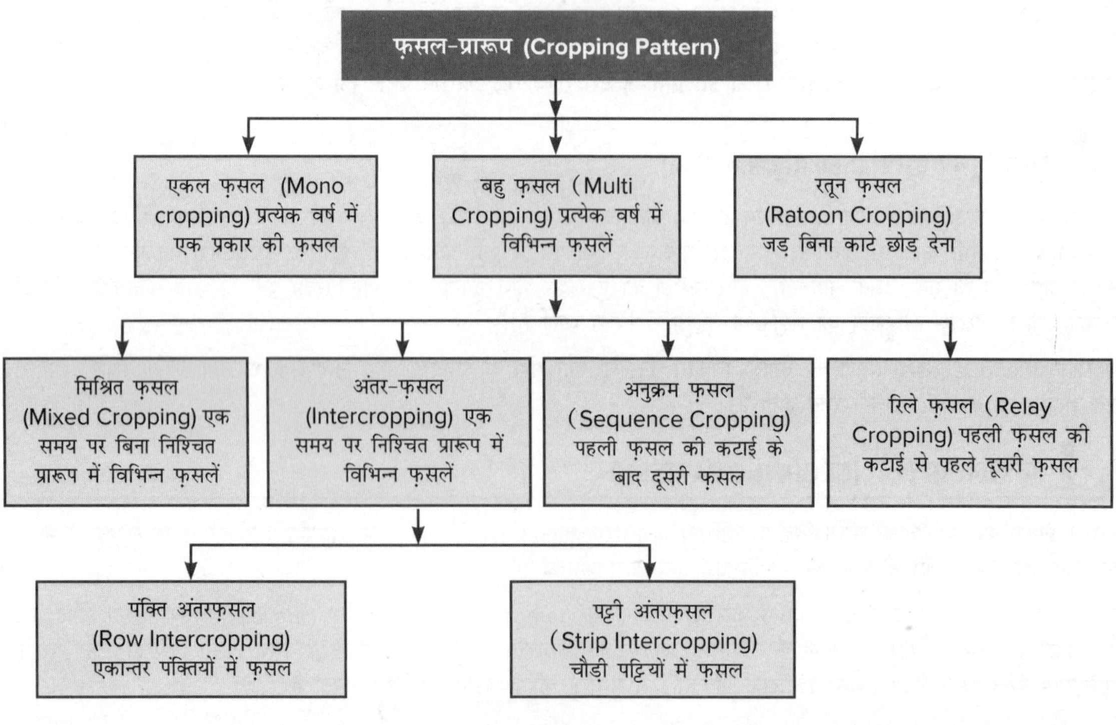

1. एकल फ़सल (Mono-Cropping or Single Cropping)

यह किसी विशेष भूमि पर वर्ष-दर-वर्ष केवल एक फ़सल उगाने को प्रदर्शित करता है। उदाहरण के लिए, शुष्क भूमि में उगायी जानेवालीं केवल **रबी फ़सलें**।

2. बहु-फ़सल (Multiple Cropping or Poly-Cropping)

इस प्रणाली में, मृदा की मूल उर्वरता को प्रभावित किये बिना उच्च भूमि आगतों या इनपुट का प्रयोग कर, एक ही भूखंड पर वार्षिक रूप से दो या दो से अधिक फ़सलों को उगाया जाता है। जैसे- केला + गेंदे का फूल (Marigold) + बरसीम (Berseem)। बहु फ़सल **चार प्रकार** की हो सकती हैं- मिश्रित फ़सल (mixed cropping), अंतर-फ़सल (inter cropping), अनुक्रम फ़सल (sequence cropping) और रिले फ़सल (relay cropping)।

(a) **मिश्रित फ़सल (Mixed Cropping) :** एक निश्चित पंक्ति व्यवस्था के बिना, एक ही खेत में एक साथ दो या अधिक फ़सलें उगाना। इस पैटर्न का प्रयोग शुष्क क्षेत्रों में अधिक किया जाता है और यह मुख्यत: भोजन या निर्वाह के उद्देश्य से किया जाता है। उदाहरण के लिए सोरघम, मोती बाजरा और लोबिया की खेती कई बार एक साथ की जाती है।

(b) **अंतर-फ़सल (Inter Cropping) :** एक निश्चित पंक्ति व्यवस्था के साथ एक ही खेत में एकसाथ दो या अधिक फ़सल उगाना। यहाँ संसाधनों का कुशलतापूर्वक उपयोग किया जाता है और उत्पादकता अधिकतम होती है। उदाहरणस्वरूप, कपास एक धीमी गति से बढ़नेवाली फ़सल है, जबकि मूँगफली अल्प अवधि एवं तेज़ी से बढ़नेवाली फ़सल है, इसीलिए ये दोनों साथ उगनेवालीं फ़सलें हैं।

अंतर-फ़सल के लाभ– खरपतवारों का दबना, जैव विविधता बढ़ने के कारण रोगों के प्रकोप एवं फ़सल कीट घटनाओं में कमी, एक फ़सल की विफलता की स्थिति में भी उपज स्थिरता इत्यादि।

(c) **अनुक्रम फ़सल (Sequence Cropping) :** इस प्रकार की फ़सल में एक ही वर्ष में, एक ही खेत में क्रम से दो या अधिक बार फ़सलें उगायी जाती हैं। परवर्ती फ़सल को, पूर्ववर्ती फ़सल के कटने के बाद, उगाया जाता है। उदाहरणस्वरूप, चावल + आलू + मूँगफली।

(d) **रिले फ़सल (Relay Cropping) :** इसमें पहली फ़सल के कटने से पहले ही, दूसरी फ़सल के बीज बोये जाते हैं। जैसे- कपास, सरसों।

विशेषताएँ :-

i. हल जोतने की न्यूनतम आवश्यकता और खेती की प्राथमिक लागत कम होती है।
ii. खरपतवार का फैलना कम होता है।
iii. पूर्ववर्ती फ़सलों के अवशिष्ट (Residual) उर्वरकों का प्रयोग परवर्ती फ़सलों के लिए होता है।

3. रतून फ़सल (Ratoon Cropping)

इस विधि के अंतर्गत कटाई के समय फ़सल की जड़ या निचले हिस्से को **बिना काटे छोड़ दिया** जाता है। फ़सल जड़ से पुन: उग जाती है। इस फ़सल पैटर्न के लाभ में आगतों और खेत तैयार करने की लागत का समाप्त हो जाना सम्मिलित है। यद्यपि, उत्पादकता हर चक्र के बाद कम हो जाती है। उदाहरणों में, गन्ना, केला, अनानास इत्यादि सम्मिलित हैं।

झूम/स्थानांतरण खेती (Jhum/Shifting Cultivation)

झूम खेती, जिसे **स्लैश ऐंड बर्न ऐग्रीकल्चर (काटो और जलाओ खेती)** भी कहा जाता है, फ़सल उगाने की ऐसी प्रक्रिया है, जिसमें भूमि को साफ़ करने के लिए पहले वृक्षों और वनस्पतियों को काटा जाता है और फिर उन्हें जला दिया जाता है। **जली हुई मिट्टी में पोटाश होता है,** जो मिट्टी में पोषकतत्वों की मात्रा को बढ़ाता है। विश्व के अलग-अलग क्षेत्रों में झूम खेती को निम्न नामों से जाना जाता है :- ⟶

झूम खेती का नाम	क्षेत्र
रे (Ray)	वियतनाम
तावी (Tavi)	मेडागास्कर
मासोल (Masole)	कॉन्गो (मध्य अफ़्रीका)
फ़ांग (Fang)	विषुवतरेखीय अफ़्रीकी देश
लोगान (Logan)	पश्चिम अफ़्रीका
कोमाइल (Comile)	मेक्सिको
मिल्पा (Milpa)	युकाटान और ग्वाटेमाला
मिल्या (Milya)	मेक्सिको और मध्य अमेरिका
कोनुको (Konuko)	वेनेज़ुएला

अतिरिक्त जानकारी

मिश्रित कृषि (MIXED FARMING)

इस प्रकार की खेती में फ़सल उत्पादन के साथ पशुधन पालन को भी किया जाता है। यह खेती की एक संतुलित एवं उत्पादनशील प्रणाली प्रदान करता है। यहाँ कुल आय का एक निश्चित हिस्सा पशुधन गतिविधियों के द्वारा प्राप्त होना चाहिए। इसने फ़सल और पशुधन उद्यमों के बीच एक पूरक संबंध को भी स्थापित किया है। फ़सल उत्पादन, पशुधन में वृद्धि, मुर्गीपालन, मछलीपालन, मधुमक्खी-पालन आदि एक साथ जारी रहते हैं।

ऊर्ध्वाधर खेती (VERTICAL FARMING)

ऊर्ध्वाधर खेती में, फ़सलें प्रकाश और तापमान की कृत्रिम परिस्थितियों में घर के अंदर उगायी जाती हैं। इसका उद्देश्य छोटे स्थानों में उच्च उत्पादकता प्राप्त करना है। इसमें मिट्टी रहित विधियों का उपयोग होता है जैसे- हाइड्रोपोनिक्स, एक्वापोनिक्स और एयरोपोनिक्स। पारंपरिक कृषि विधियों की तुलना में ऊर्ध्वाधर खेती में काफ़ी कम पानी और कीटनाशकों का उपयोग होता है।

ख़ज़ान कृषि प्रणाली (KHAZAN FARMING SYSTEM)

गोवा के निचले इलाकों में एक मुहाना कृषि प्रणाली है, जिसे ख़ज़ान खेती कहा जाता है। यह प्रणाली मुख्य रूप से लवणता और ज्वार के नियमन पर आधारित एक सावधानीपूर्वक तैयार किया गया टोपो-हाइड्रो-इंजीनियर कृषि-जलीय पारिस्थितिकी तंत्र है।

ज़ीरो-बजट प्राकृतिक खेती [ZERO-BUDGET NATURAL FARMING (ZBNF)]

ज़ीरो-बजट प्राकृतिक खेती पारंपरिक भारतीय प्रथाओं से व्युत्पन्न रसायनमुक्त कृषि की एक विधि है। यह मूल रूप से मराठी कृषक सुभाष पालेकर द्वारा प्रचारित किया गया था, जिन्होंने इसे 1990 के दशक के मध्य में रासायनिक उर्वरकों और कीटनाशकों द्वारा संचालित हरित क्रांति के तरीक़ों के विकल्प के रूप में विकसित किया था। प्राकृतिक कृषि प्रणालियों में कम पानी की आवश्यकता होती है और ये जलवायु के अनुकूल होती हैं। इसे केंद्र सरकार द्वारा भारतीय प्राकृतिक कृषि पद्धति कार्यक्रम (BPKP) के माध्यम से बढ़ावा दिया जा रहा है। यह योजना बॉयोमास मल्चिंग, ऑन-फ़ार्म गाय के गोबर-मूत्र फ़ॉर्मूलेशन के उपयोग, आवधिक मिट्टी वातन और सभी सिंथेटिक रासायनिक आदानों के बहिष्करण के प्रमुख तनाव के साथ ऑन-फ़ार्म बॉयोमास पुनर्चक्रण को बढ़ावा देती है। वर्तमान में, आंध्र प्रदेश और मध्य प्रदेश BPKP के तहत क्षेत्र कवरेज़ के मामले में सबसे ऊपर हैं।

जैविक खेती (ORGANIC FARMING)

परीक्षोपयोगी

जैविक खेती, कीटनाशकों, उर्वरकों, ऐंटीबॉयोटिक्स और वृद्धि हॉर्मोन के प्रयोग के बिना, फ़सल और पशुधन उत्पादन की पद्धति है।

महत्त्व :-

- एक ही जगह पर कई फ़सलें उगा सकते हैं और यह प्राकृतिक संसाधनों के अधिकतम उपयोग को सुनिश्चित करता है।
- मृदा के भौतिक गुणों में सुधार होता है, जैसे- अच्छा वायु-संचारण, सुगम जड़ प्रवेशन आदि।
- उत्पाद में अवशिष्ट स्तर को कम करके मानव एवं पशु स्वास्थ्य के ख़तरे को कम करना।
- जैविक उर्वरकों के प्रयोग के कारण यह जल प्रदूषण को रोकता है।
- पारिस्थितिकीय सेवाएँ जैसे- परभक्षण, परागण और निवास-स्थान का सुधार होता है।
- जैविक खेती, जैविक उर्वरकों के प्रयोग एवं ऐग्रोकेमिकल खपत को कम करके ग़ैर-नवीकरणीय ऊर्जा स्रोतों के प्रयोग को कम करती है।

भारत सरकार ने **2 समर्पित योजनाओं** के अंतर्गत जैविक खेती को बढ़ावा दिया है-

1. पूर्वोत्तर क्षेत्र के लिए जैविक मूल्य श्रृंखला विकास मिशन [Mission Organic Value Chain Development for North Eastern Region (MOVCDNER)]
2. परंपरागत कृषि विकास योजना (PKVY)

जैविक उत्पाद के रूप में किसी उत्पाद के प्रमाणीकरण के लिए FSSAI ने खाद्य सुरक्षा और मानक (जैविक खाद्य पदार्थ) विनियमन रेगुलेशन [Food Safety & Standards (Organic Foods) Regulation], 2017 को अधिसूचित किया है, जिसके अंतर्गत किसी जैविक खाद्य पदार्थ को निम्न 2 प्रमाणीकरण पद्धतियों में से किसी एक का पालन करना होता है-

1. जैविक उत्पादन हेतु राष्ट्रीय कार्यक्रम [National Programme for Organic Production (NPOP)], जिसे वाणिज्य एवं उद्योग मंत्रालय के दिशानिर्देशों के अनुसार कृषि और प्रसंस्कृत खाद्य उत्पाद निर्यात विकास प्राधिकरण [Agricultural & Processed Food Products Export Development Authority (APEDA)] द्वारा कार्यान्वित किया जा रहा है।
2. भागीदारी प्रत्याभूति योजना [Participatory Guarantee System for India (PGS-India)], जो कृषि एवं कृषक कल्याण मंत्रालय के अंतर्गत है।

सिक्किम ने NPOP के दिशानिर्देशों के अनुसार लगभग 75,000 हेक्टेयर कृषि भूमि पर जैविक गतिविधियों को लागू किया है और 2015 में ही भारत का पहला पूर्ण जैविक राज्य बन चुका है। इसे विश्व का पहला 100 प्रतिशत जैविक या ऑर्गेनिक राज्य बनने के लिए 2018 में *यूएन फ़ूड ऐंड ऐग्रीकल्चर ऑर्गेनाइजेशन का फ़्यूचर पॉलिसी गोल्ड अवॉर्ड* भी मिल चुका है।

फ़सल-प्रारूप को प्रभावित करनेवाले कारक (Factors Influencing Cropping Pattern)

- **कृषि-पारिस्थितकीय कारक (Agro-ecological factors)**, जैसे- वर्षा की मात्रा, जलवायु और मृदा दशाएँ। *पश्चिम बंगाल जैसे क्षेत्रों में, जहाँ पर्याप्त वर्षा और जलभराव है, वे चावल की खेती के लिए उपयुक्त हैं। राजस्थान जैसे अर्द्ध-शुष्क क्षेत्रों में ज्वार और बाजरा मूलभूत फ़सलें हैं।*
- **अवसंरचना (Infrastructure)**, जैसे- सिंचाई, बिजली, परिवहन, विपणन या मार्केटिंग संगठन तथा अन्य आगतों या इनपुट की उपलब्धता जैसे- बीज, उर्वरक, कीटनाशक इत्यादि।
- **आर्थिक कारक (Economic factors)**, जैसे- भूमि जोत का आकार, कृषि वस्तुओं की क़ीमत, किसानों की आय इत्यादि। उदाहरण के लिए, छोटी भूमि जोत रखनेवाले किसानों की प्राथमिकता नक़दी फ़सलों की जगह खाद्य फ़सलें होंगी, ताकि वे अपने भोजन या निर्वाह की ज़रूरत को पूरा कर सकें। बड़ी भूमि जोत रखनेवाले बड़े किसान नक़दी फ़सलें चुनते हैं।
- **सामाजिक-आर्थिक कारक (Socio-economic factors)**, जैसे- भोजन की आदतें, शिक्षा, खेती करनेवाली जनसंख्या की आयु इत्यादि।
- **संस्थागत एवं सरकार के नीतिगत उपाय (Institutional and government policy measures)**, जैसे- कृषि ऋण, MSP, सब्सिडी, नि:शुल्क बिजली तथा सरकार द्वारा तिलहन, जौ आदि फ़सलों के लिए तय किये गये फ़सलवार लक्ष्य, जिनका उद्देश्य एक निर्धारित कृषि-विकास-दर को प्राप्त करना होता है।
- **तकनीकी कारक (Technological factors)**, जैसे- HYV बीज, कुछ विशेष फ़सलों के लिए उपयुक्त वैज्ञानिक सिंचाई की सुविधा, रिआयती दरों पर आधुनिक कृषि उपकरणों की आसान उपलब्धता इत्यादि।

फ़सल-प्रारूप में सब्सिडी की भूमिका (Role of Subsidies in Cropping Pattern)

सब्सिडी में सम्मिलित हैं : **न्यूनतम समर्थन मूल्य** [Minimum Support Price (MSP)] , **बिजली सब्सिडी, उच्च कृषि ऋण आदि**

- सब्सिडी शुष्क क्षेत्रों में भी फ़सल उगाने के लिए किसानों को प्रोत्साहित करती हैं।
- चावल और गेहूँ एक तरफ़, हाल के वर्षों में गन्ना और कपास जैसी नक़दी फ़सलों ने भी बेहतर क़ीमत प्रोत्साहन के कारण फ़सल क्षेत्र के एक बड़े भाग को अपने दायरे में लाया है। यद्यपि महाराष्ट्र और तेलंगाना जैसे राज्यों में जहाँ बोरवेल के पानी का प्रयोग कर गन्ने और कपास की खेती की जा रही है, वहाँ जल-तालिका (water table) पर इसका विपरीत प्रभाव पड़ा है।

फ़सल विविधीकरण (Crop Diversification)

यह वर्तमान कृषि खेतों में नयी फ़सलों को जोड़ने को प्रदर्शित करता है। फ़सल विविधीकरण के प्रमुख संभावित लाभों में बेहतर मृदा स्वास्थ्य, उत्पादन में वृद्धि और उसके कारण खेती में मुनाफ़ा, एक विशेष फ़सल के विफल होने की स्थिति में नुक़सान का कम ख़तरा इत्यादि सम्मिलित हैं।

अत: उच्च मूल्यवालीं फ़सलों और बाग़बानी फ़सलों के विविधीकरण पर अधिक ध्यान देने की आवश्यकता है।

फ़सल विविधीकरण का सूचकांक (Index of Crop Diversification)

यह जाँचने के लिए गणना की जाती है कि क्या फ़सल पैटर्न में कोई बड़ा बदलाव हुआ है। सूचकांक का मूल्य 0 से 1 के बीच होता है और मूल्य अधिक होने का अर्थ है अधिक विविधीकरण।

2017-18 के आर्थिक सर्वेक्षण में फ़सल विविधीकरण के सूचकांक पर डेटा विश्लेषण प्रकाशित किया गया था।

फ़सल विविधीकरण सूचकांक (कुछ दृष्टांत) (INDEX OF CROP DIVERSIFICATION)

राज्य	1994–95	2010–11	2014–15	टिप्पणी
छत्तीसगढ़	लागू नहीं (NA)	0.503	0.491	समय के साथ ह्रास
हरियाणा	0.83	0.788	0.774	समय के साथ ह्रास
हिमाचल प्रदेश	0.74	0.741	0.754	समय के साथ थोड़ी वृद्धि
झारखंड	लागू नहीं (NA)	0.537	0.578	समय के साथ वृद्धि
कर्नाटक	0.92	0.937	0.938	**समय के साथ वृद्धि और भारत में उच्चतम**
ओडिशा	0.74	0.38	0.34	**समय के साथ अत्यधिक ह्रास और भारत में निम्नतम**
पंजाब	0.71	0.664	0.658	समय के साथ ह्रास
पश्चिम बंगाल	0.55	0.663	0.654	समय के साथ वृद्धि
सकल भारत	**0.905**	**0.907**	**0.899**	**समय के साथ ह्रास**

स्रोत : आर्थिक सर्वेक्षण 2017-18

ध्यान दें : फ़सल विविधीकरण के सूचकांक पर सूचना बाद के आर्थिक सर्वेक्षणों में जारी नहीं की गयी थी।

इसके अनुसार, **छत्तीसगढ़, हरियाणा, ओडिशा, पंजाब** आदि जैसे राज्यों के लिए फ़सल **विविधीकरण** में गिरावट का सामयिक व्यवहार दिखाई देता है, जो ऊपर दी गयी तालिका में स्पष्ट है। **विविधीकरण में इस तरह की गिरावट के कारकों में एक सब्सिडी है।** फ़सल विविधीकरण के उच्चतम स्तरवाले **राज्यों में तेलंगाना शीर्ष पर है।**

संरक्षित विशेष कृषि क्षेत्र (Protected Special Agriculture Zone)

जब किसी क्षेत्र को संरक्षित विशेष कृषि क्षेत्र घोषित किया जाता है, तो उस क्षेत्र को किसी और नयी परियोजनाओं जैसे कि हाइड्रोकार्बन से संबंधित परियोजनाओं के लिए अनुमति नहीं दी जायेगी। केवल कृषि आधारित उद्योगों के निर्माण की अनुमति दी जायेगी।

तमिलनाडु ने कावेरी के डेल्टा को संरक्षित विशेष कृषि क्षेत्र घोषित किया है।

अनुबंध खेती (CONTRACT FARMING)

यह किसानों और प्रसंस्करण और/या विपणन कंपनियों के बीच पूर्व-निर्धारित क़ीमतों पर कृषि उत्पादों के उत्पादन एवं आपूर्ति के लिए एक समझौता है। इस व्यवस्था में ख़रीदार द्वारा आगतों की आपूर्ति एवं तकनीकी परामर्श के प्रावधान के माध्यम से उत्पादन समर्थन

का एक अंश प्रदान किया जाना सम्मिलित होता है। बदले में किसान विशेष कृषि उत्पादन की एक निश्चित मात्रा प्रदान करने के लिए सहमत होता है।

अनुबंध खेती की विशेषताएँ (Features of Contract Farming)

- **नये एवं विश्वसनीय बाज़ारों तक पहुँच (Access to New and Reliable Markets) –** किसानों को बाज़ार गारंटी उपलब्ध करके।
- **मितव्ययिता (Economics of Scale)–** बड़े पैमाने पर की जानेवाली कृषि सामान्यत: लागत-प्रभावी होती है।
- **गुणवत्ता मानकों को सुनिश्चित करना (Ensuring Quality Standards) –** लगातार गुणवत्ता नियंत्रण कीटनाशकों के बेहतर प्रयोग में सहायक होता है।
- **आधुनिक तकनीक (Modern Technologies)–** अपने प्रत्यक्ष आर्थिक हित को ध्यान में रखकर प्रायोजक नयी तकनीक के प्रयोग को प्राथमिकता देते हैं, ताकि उत्पादकता एवं गुणवत्ता को बेहतर किया जा सके तथा कृषि उत्पादों को बाज़ारों के अनुरूप उन्नत किया जा सके, जहाँ उच्च गुणवत्ता स्तर की माँग होती है।
- **सूचना (Information)–** उत्पादकता में सुधार के लिए अनुबंधित किसानों को सभी प्रासंगिक तकनीकी जानकारी प्रदान की जाती है।
- **मूल्य अस्थिरता (Price Volatility)–** सामान्यत: अनुबंध खेती के अंतर्गत क़ीमतें निर्दिष्ट होती हैं, जो किसानों को बाज़ार में क़ीमत अस्थिरता से बचाता है।
- **जोखिम को साझा करना (Sharing of Risk)–** किसानों के साथ प्रायोजक भी ख़राब मौसम, रोग आदि के कारण उत्पादन विफलता की जोखिम को साझा करते हैं।

चुनौतियाँ (Challenges)

- प्रायोजक वादा किये गये आगतों जैसे बीज आदि को उपलब्ध कराने में देरी करते हैं या निम्न गुणवत्तावाले देते हैं।
- वास्तव में, कभी-कभी किसानों को लिखित अनुबंध भी नहीं दिया जाता और यह शक्ति असमानता को उत्पन्न करता है।
- गुणवत्ता को प्रायोजकों द्वारा निर्धारित किया जाता है और वे किसानों को भुगतान की जानेवाली क़ीमत कम करने के लिए हेरफेर कर सकते हैं।

वर्तमान नियामक ढाँचा (Existing Regulatory Structure)

- भारत में अनुबंध या संविदा खेती को भारतीय संविदा अधिनियम, 1872 के अंतर्गत विनियमित किया जाता है। इस अधिनियम में कई ऐसे सामान्य प्रावधान हैं, जो अनुबंध खेती के लिए प्रासंगिक हैं, जैसे- अनुबंधों को बनाना, पक्षकारों की बाध्यताएँ और अनुबंध के उल्लंघन की स्थिति में परिणाम।
- इसके अतिरिक्त, कुछ राज्यों में अनुबंध खेती के लिए APMC (ऐग्रीकल्चरल प्रोड्यूस मार्केटिंग कमेटी) मंडियों में रजिस्ट्रेशन कराना आवश्यक है।
- अनुबंध खेती के प्रभावी कार्यान्वयन से जुड़े मुद्दे :-
  - a. अनुबंध खेती के अंतर्गत हुए उत्पादन पर भंडारण-सीमा का प्रावधान।
  - b. अनुबंध खेती के लाभों के बारे में किसानों के बीच अपर्याप्त प्रचार।
  - c. कई राज्यों में अनुबंध खेती के लिए APMC द्वारा बाज़ार शुल्क एवं अन्य शुल्क वसूले जाते हैं, जबकि उनके द्वारा बाज़ार सुविधाएँ और अवसंरचना जैसी कोई सेवा प्रदान नहीं की जाती।
- अत: उपर्युक्त उल्लेख किये गये मुद्दों के समाधान के लिए कृषि एवं कृषक कल्याण मंत्रालय आदर्श अनुबंध कृषि अधिनियम (Model Contract Farming Act), 2018 का एक ड्राफ़्ट लेकर आया है।

आदर्श अनुबंध कृषि अधिनियम, 2018 का ड्राफ्ट (Draft Model Contract Farming Act, 2018)

आदर्श अधिनियम का ड्राफ्ट अनुबंध कृषि के लिए एक नियामक एवं नीतिगत कार्यढाँचा सर्जित करने का प्रयास है।

आदर्श अधिनियम ड्राफ्ट के प्रमुख प्रावधानों में सम्मिलित हैं-

1. अनुबंध कृषि राज्य APMC के दायरे के बाहर होगी। इसका तात्पर्य है कि अनुबंध खेती करने के लिए ख़रीदारों को APMC को बाज़ार शुल्क और कमीशन चार्ज देने की ज़रूरत नहीं है।
2. आदर्श अधिनियम ड्राफ्ट के कार्यान्वयन को सुनिश्चित करने के लिए एक राज्य-स्तरीय **अनुबंध कृषि (संवर्धन और सुविधा) प्राधिकरण** [Contract Farming (Promotion and Facilitation) Authority] की स्थापना।
3. अनुबंधित उत्पाद की बिक्री और ख़रीद संबंधित राज्य/केंद्र शासित प्रदेश के कृषि विपणन अधिनियम के नियंत्रण के दायरे से बाहर है।
4. प्रत्येक अनुबंध को एक **ज़िला पंजीकरण एवं समझौता दर्ज समिति** (District Registering and Agreement Recording Committee) के पास पंजीकृत कराना होगा, यह समिति कृषि, पशुपालन, विपणन एवं ग्रामीण विकास विभागों के अधिकारियों से मिलकर बनायी जायेगी। (*ऐसी समिति ज़िला, तालुका या ब्लॉक स्तर पर बनायी जा सकती है*)।
5. अच्छी तरह **परिभाषित विवाद समाधान प्रक्रिया** (dispute resolution procedure) निर्धारित की गयी है।
6. कृषि उपज के **भंडारण की सीमा** (Limits of stockholding) अनुबंध खेती के अंतर्गत ख़रीदी गयी उपज पर लागू नहीं होगी।
7. अनुबंध खेती के लिए **राज्य विधानमंडल** (State legislatures) **क़ानून बना सकती है,** क्योंकि अनुबंध संविधान की समवर्ती सूची के अंतर्गत आता है।
8. समझौते के अनुसार उत्पादक (जैसे- किसान) बेहतर फ़सल के लिए ख़रीदार से आगतों (जैसे- तकनीकी, कटाई-पूर्व और कटाई-पश्चात् अवसंरचना) के माध्यम से समर्थन या सहयोग प्राप्त कर सकता है। यद्यपि, ख़रीदार उत्पादक की भूमि पर कोई स्थायी निर्माण नहीं करवा सकता है। उत्पादक की भूमि का अधिकार या स्वामित्व ख़रीदार को हस्तांतरित नहीं किया जा सकता है।

कृषि सुधार : कृषि क़ानून, 2020 [Agricultural Reforms : Farm Laws, 2020]

केंद्र सरकार ने विशेष रूप से कृषि विपणन से संबंधित भारत में कृषि सुधारों को पेश करने के लिए 2020 में कृषि क़ानूनों के रूप में लोकप्रिय खेती से संबंधित 3 नये अधिनियमों की शुरुआत की। **ये तीन अधिनियम थे :-**

1. **मूल्य आश्वासन और कृषि सेवा अधिनियम, 2020 संबंधी किसान (सशक्तीकरण और संरक्षण) समझौता**
2. **किसान उत्पादन व्यापार और वाणिज्य (संवर्धन और सुविधा) अधिनियम, 2020**
3. **आवश्यक वस्तु (संशोधन) अधिनियम, 2020**

1. किसान (सशक्तीकरण और संरक्षण) मूल्य आश्वासन और कृषि सेवा अधिनियम, 2020 का समझौता [The Farmers (Empowerment and Protection) Agreement of Price Assurance and Farm Services Act, 2020] :-

- अधिनियम में एक किसान (निर्माता) और एक प्रायोजक (क्रेता) के बीच अनुबंध, कृषि समझौते की रूपरेखा प्रदान करके अनुबंध खेती की एक प्रणाली की परिकल्पना की गयी थी और इसमें एक कृषि सेवा प्रदाता (तीसरे पक्ष के रूप में) भी शामिल हो सकता है।
- अधिनियम में ऐसे कृषि समझौतों के इलेक्ट्रॉनिक पंजीकरण के लिए पंजीकरण प्राधिकरण स्थापित करने के प्रावधान थे।
- किसान या प्रायोजक या दोनों को जोखिम-शमन और ऋण का प्रवाह सुनिश्चित करने के लिए केंद्र सरकार या राज्य सरकार या किसी भी वित्तीय सेवा प्रदाता की किसी भी योजना के तहत एक कृषि समझौते को बीमा या ऋण साधन से जोड़ा जा सकता है।
- अधिनियम में **कृषि समझौते की न्यूनतम अवधि** एक फ़सल मौसम या पशुधन का एक उत्पादन चक्र पूरा होने का प्रावधान किया गया है, जिसकी अधिकतम अवधि 5 वर्ष थी।
- इसका उद्देश्य किसानों को अधिक प्रतिफल सुनिश्चित करने के लिए लाभकारी **मूल्य खोज** की सुविधा प्रदान करना है।
- इसके अलावा, इसने **विवाद समाधान प्रक्रिया के प्रत्येक स्तर** के लिए **समय सीमा निर्धारित** करके, एक तरफ़ निजी

खिलाड़ियों, व्यवसायों और कॉर्पोरेट्स और दूसरी ओर किसानों के बीच विवाद के त्वरित समाधान के लिए एक तंत्र प्रदान किया, अर्थात् सुलह बोर्ड, उपमंडल न्यायाधीश और अपीलीय प्राधिकरण।

- इसमें समझौते का उल्लंघन करने के लिए जुर्माने का प्रावधान था। इसके साथ ही, अधिनियम में किसानों की बक़ाया राशि की **वसूली हेतु किसानों की ज़मीन के विरुद्ध कार्यवाही करने की संभावना के विरुद्ध किसानों की रक्षा** करने के प्रावधान थे।

2. किसान उत्पादन व्यापार और वाणिज्य (संवर्धन और सुविधा) अधिनियम, 2020 [The Farmers' Produce Trade and Commerce (Promotion and Facilitation) Act, 2020] :-

- अधिनियम में कृषि उपज और **विपणन समिति (APMC) मंडियों के बाहर कृषि वस्तुओं की बिक्री और ख़रीद** की एक प्रणाली प्रदान की गयी और कृषि उपज के इलेक्ट्रॉनिक व्यापार को बढ़ावा दिया गया।
- यह विचार कृषि उत्पादों के **अंतर-राज्य व्यापार में बाधाओं को दूर करने** और निर्बाध आपूर्ति के लिए बाज़ारों के एकीकरण को प्रोत्साहित करने और देश के पूरे क्षेत्र में माँग को पूरा करने के लिए था।

3. आवश्यक वस्तु (संशोधन) अधिनियम, 2020 [The Essential Commodities (Amendment) Act, 2020] :-

- **अधिनियम ने छह वस्तुओं, अर्थात् अनाज, दालें, प्याज़, आलू, खाद्य तेल और तिलहन** को आवश्यक वस्तुओं की सूची से हटा दिया। हालाँकि, इसमें **युद्ध, अकाल, प्राकृतिक आपदा या असाधारण मूल्य वृद्धि के मामलों में अपवाद** के प्रावधान थे।
- इसने इन वस्तुओं के भंडारण के विनियमन और **स्टॉक-होल्डिंग सीमाओं को हटाने** की परिकल्पना की, जो आवश्यक वस्तुओं की जमाख़ोरी और कालाबाज़ारी को रोकने के लिए लगाया गया था।

उपर्युक्त तीन कृषि अधिनियमों का विभिन्न हितधारकों- किसानों, व्यापारियों और राज्य सरकारों द्वारा विभिन्न कारणों से विरोध किया गया था।

किसानों के एक समूह के विरोध और देश भर के कृषि क़ानूनों के विरोध के मद्देनज़र, सरकार ने तीन कृषि क़ानूनों को निरस्त करने का फ़ैसला किया और समावेशी विकास के रास्ते पर सभी को एक साथ ले जाने के लिए **कृषि क़ानून निरसन विधेयक, अर्थात् फ़ार्म लॉ रिपील बिल, 2021** पारित किया।

अतिरिक्त जानकारी

सहकारी कृषि (COOPERATIVE FARMING)

सहकारी कृषि में, सभी किसान अपनी भूमि, पशुधन और अन्य साधनों को आपस में जोड़कर उनका पूल या भंडार बनाते हैं। पूरे खेत को एक ही इकाई समझा जाता है और सभी सदस्यों द्वारा उनके प्रबंधन के लिए व्यक्तियों को चुना जाता है। कुल उत्पादन में प्रत्येक सदस्य को उनके भूमि योगदान और श्रम के अनुसार हिस्सा मिलता है।

लाभ :-

1. सहकारी कृषि से यह समस्या हल हो जाती है कि भूमि और उसकी जोत टुकड़ों में नहीं बँटती है।
2. सहकारी खेती के पास अधिक आदमी-सामग्री-पैसे का संसाधन होता है। इससे सिंचाई प्रणाली की क्षमता और भूमि की उत्पादकता बढ़ती है। सदस्य अपने छोटे खेत पर व्यक्तिगत रूप से ऐसा नहीं कर सकते।

किसान-उत्पादक संगठन [Farmer Producer Organization (FPO)]

यह कृषि कार्य से संबंधित सहकारी संगठन है, जिसमें छोटे किसान बड़ी संख्या में सहकारी के रूप में कार्य करते हैं।

किसान-उत्पादक कंपनी [Farmer Producer Company (FPC)]

किसान-उत्पादक कंपनी सहकारी समितियों और प्राइवेट लिमिटेड कंपनियों की संकर संस्था है। यह दोनों की भूमिका का निर्वाह करती है।

नयी राष्ट्रीय सहकारी नीति (New National Co-operative Policy)

देश में 'सहकारिता आंदोलन (Co-operative Movement)' को मज़बूत करने, ज़मीनी स्तर तक अपनी पहुँच को गहरा करने और सहकारी आधारित आर्थिक विकास को बढ़ावा देने के लिए एक नयी राष्ट्रीय सहयोग नीति बनायी जा रही है। संविधान की सातवीं अनुसूची में सहकारी समिति राज्य का विषय है। इसके अलावा, सहकारिता मंत्रालय ने पिछले बहु-राज्य सहकारी समिति अधिनियम, 2002 में संशोधन करने के लिए बहु-राज्य सहकारी समिति (संशोधन) विधेयक, 2022, तैयार किया है।

➤ महाराष्ट्र में ऐसी समितियों की संख्या सबसे अधिक (लगभग 567) है, इसके बाद उत्तर प्रदेश (लगभग 147) और नयी दिल्ली (लगभग 133) हैं।

सहकार मित्र (Sahakar Mitra)

➤ इस नयी योजना को वर्ष 2020 में कृषि और किसान कल्याण मंत्रालय द्वारा आरंभ किया गया था।

➤ यह इंटर्नशिप कार्यक्रम की योजना [Scheme on Internship Programme (SIP)] है। इसमें **युवा पेशेवरों को वेतनभोगी इंटर्न के रूप में कार्य करने का अवसर प्रदान करने का प्रावधान है।**

➤ यह योजना राष्ट्रीय सहकारी विकास निगम [National Cooperative Development Corporation (NCDC)] की पहल है।

➤ कृषि और संबंधित क्षेत्रों, IT आदि विषयों में पेशेवर ग्रैजुएट इंटर्नशिप के योग्य हैं। वे पेशेवर भी इंटर्न के रूप में कार्य करने के योग्य हैं, जो कृषि व्यापार, सहकारिता, वित्त, अंतरराष्ट्रीय व्यापार, वानिकी, ग्रामीण विकास, परियोजना प्रबंधन आदि में या तो MBA कर रहे हैं या पूरा कर लिया है।

➤ कथित इंटर्नशिप **4 महीने** की है।

परीक्षोपयोगी

कृषि का यंत्रीकरण (MECHANISATION OF AGRICULTURE)

कृषि उत्पादकता को बढ़ाने के लिए कृषि का मशीनीकरण आधुनिक कृषि की अवधारणा का एक आवश्यक तत्व है।

चूँकि खेती के अंतर्गत क्षेत्र के साथ-साथ जल संसाधनों की उपलब्धता और श्रमबल भी कम होते जा रहे हैं, इसलिए कृषि उत्पादकता को उत्पादन और कटाई-पश्चात् कार्यों के मशीनीकरण के माध्यम से बढ़ाया जा सकता है।

कृषि उत्पादन प्रक्रिया के चार स्तरों पर मशीनीकरण किया जा सकता है :-

1. बीज के लिए क्यारी तैयार करने के दौरान
2. बोआई/पौधरोपण/रोपाई के दौरान
3. निराई एवं गुड़ाई तथा पौधों के संरक्षण के दौरान
4. कटाई और दाँवनी (थ्रेसिंग) के दौरान

यंत्रीकरण के लाभ :-

➤ जल, श्रम, ऊर्जा, उर्वरक जैसे आगतों का प्रभावी उपयोग और बचत

➤ फ़सलों के त्वरित चक्रण के साथ समय पर खेती कार्य

➤ फ़सल उत्पादकता और उत्पादन में वृद्धि

➤ किसानों की आय में वृद्धि

कृषि के मशीनीकरण को बढ़ाने के लिए **2014-15** में सरकार द्वारा **कृषि यंत्रीकरण पर एक उप-अभियान शुरू किया गया था,** जिसके अंतर्गत राज्य सरकारों को प्रशिक्षण प्रदान करने और कृषि मशीनों के प्रदर्शन के लिए सहायता दी जाती है तथा किसानों को कृषि मशीनों को ख़रीदने एवं कस्टम हायरिंग सेंटर की स्थापना के लिए वित्तीय सहायता प्रदान की जाती है।

भारत में यंत्रीकरण की धीमी गति के कारण :-

NABARD द्वारा 2018 का अध्ययन कारणों को पता लगाने का एक प्रयास था। मशीनीकरण की धीमी गति के निम्नलिखित कारण पाये गये–

- अधिकांश किसानों के पास छोटी भूमि जोत होने के कारण मितव्ययिता को प्रभावी रूप से प्राप्त नहीं किया जा सकता।
- कृषि मशीनों के प्रयोग के लिए आवश्यक बिजली की अपर्याप्त उपलब्धता।
- उच्च ऋण लागत और ऋण वितरण की जटिल प्रक्रियाएँ।
- ग़ैर-बीमाकृत बाज़ार (Uninsured markets)।
- कृषि मशीनीकरण या यंत्रीकरण के लाभों के बारे में किसानों के बीच जागरूकता की कमी।

कृषि वित्त (AGRICULTURAL FINANCE)

भारत में अधिकांश किसान अपर्याप्त बचत करनेवाले छोटे या सीमांत किसान हैं। इसीलिए किसानों को पर्याप्त एवं समय पर ऋण प्राप्त होना काफ़ी महत्त्वपूर्ण माना जाता है, क्योंकि उर्वरक, कीटनाशक जैसे आगतों और बीज बोने से लेकर फ़सल कटाई और कृषि उत्पाद को बेचने तक, फ़सल से आय प्राप्त करने की लंबी अवधि को देखते हुए उन्हें वित्त की आवश्यकता पड़ती है।

कृषि वित्त के स्रोत (Sources of Agriculture Finance)

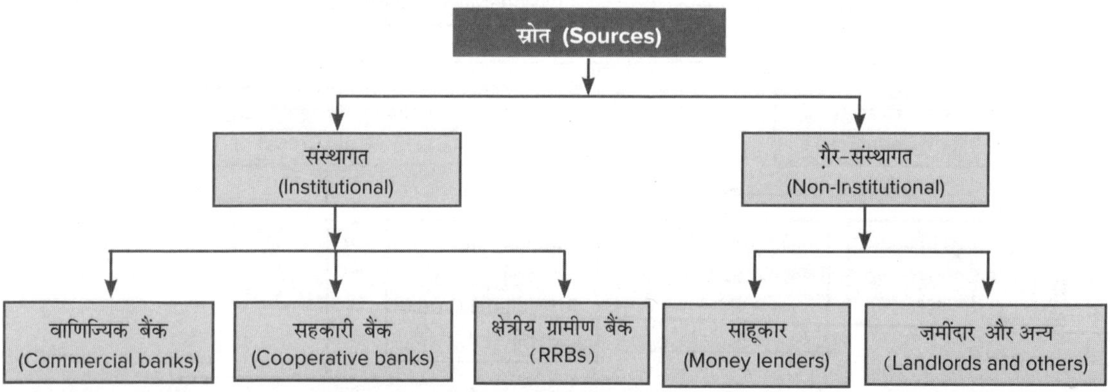

कृषि वित्त को निम्नलिखित श्रेणियों में वर्गीकृत किया जा सकता है :-

समय के आधार पर (ON THE BASIS OF TIME)

वित्त का प्रकार	ऋण की अवधि	स्रोत	उद्देश्य
अल्प-कालिक ऋण	15 महीने तक के लिए	साहूकार, व्यापारी और सहकारी समितियाँ	उर्वरक, कीटनाशक, बीज, श्रम मज़दूरी आदि।
मध्य-कालिक ऋण	15 महीने से 5 वर्ष तक	साहूकार, सहकारी समितियाँ और वाणिज्यिक बैंक	कुएँ की मरम्मत और रखरखाव, कृषि उपकरणों की ख़रीद आदि।
दीर्घ-कालिक ऋण	5 वर्ष से अधिक	प्राथमिक सहकारी, कृषि एवं ग्रामीण विकास बैंक	खेती की रणनीति में दीर्घकालिक संरचनात्मक परिवर्तन लाने के लिए।

उद्देश्य के आधार पर (On the Basis of Purpose)

ऋण के प्रकार	स्रोत	उद्देश्य
उत्पादक	साहूकार, सहकारी समितियाँ और सभी बैंक	कृषि उत्पादन में सुधार के लिए, जैसे- उर्वरक, कीटनाशक, बीज, श्रम मज़दूरी, नलकूप मरम्मत, खुदाई आदि के लिए।
उपभोग	अनौपचारिक क्षेत्र जैसे- साहूकार और रिश्तेदार	निर्वाह और परिवार की बुनियादी ज़रूरतों को पूरा करने के लिए।
ग़ैर-उत्पादक	अनौपचारिक क्षेत्र जैसे- साहूकार और रिश्तेदार	विवाह, रीति-रिवाज, त्योहार जैसे महत्त्वपूर्ण सामाजिक दायित्वों को पूरा करने के लिए।

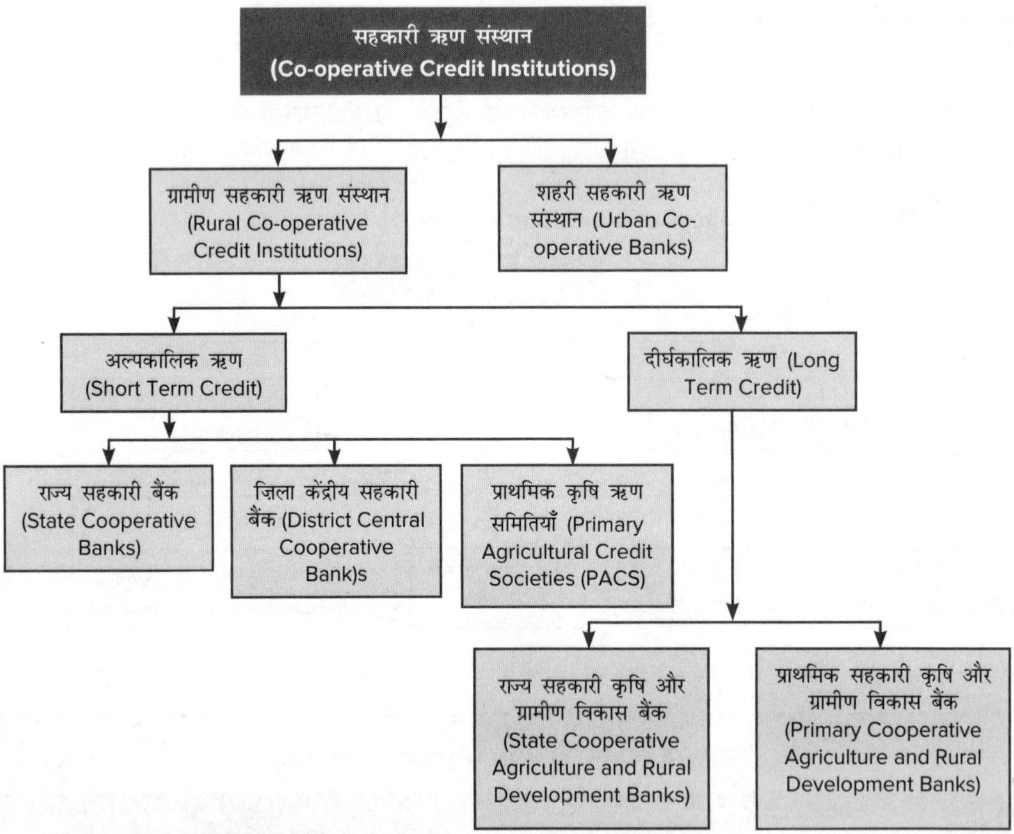

नाबार्ड की भूमिका (ROLE OF NABARD)

- यह ऐसे संस्थानों की **शीर्ष वित्तीय एजेंसी** के रूप में कार्य करता है, जो ग्रामीण क्षेत्रों में विभिन्न विकास गतिविधियों को बढ़ावा देने के लिए निवेश और उत्पादक ऋण प्रदान करते हैं।
- यह ग्रामीण क्षेत्रों में ऋण देनेवालीं **संस्थाओं को पुनर्वित्त (refinance)** प्रदान करता है। यह उन **राज्य सहकारी कृषि एवं ग्रामीण विकास बैंकों [State Cooperative Agriculture and Rural Development Banks (SCARDBs)], SCB**, **RRB**, **वाणिज्यिक बैंकों** और अन्य वित्तीय संस्थाओं के लिए उपलब्ध होता है, जो RBI द्वारा अनुमोदित होती हैं।

- यह संस्थागत विकास के प्रोत्साहन तथा अपने द्वारा पुनर्वित्त प्राप्त परियोजनाओं के मूल्यांकन एवं निगरानी का कार्य करता है।
- यह फ़ील्ड स्तर पर विकास कार्यों में लगी संस्थाओं की **ग्रामीण वित्तीय गतिविधियों को समन्वित करता है।**
- यह **RRB के लिए पर्यवेक्षक (न कि नियामक)** के रूप में कार्य करता है।
- यह ग्रामीण विकास से संबंधित विषयों पर सरकार, RBI और अन्य संगठनों को सहयोग प्रदान करता है।
- यह ग्रामीण विकास के लिए काम करनेवाले बैंकों, सहकारी समितियों और अन्य संगठनों को **प्रशिक्षण और अनुसंधान की सुविधाएँ** प्रदान करता है।
- राज्य सरकारों को कृषि और ग्रामीण विकास के पात्र संस्थानों को **सहायता प्रदान करने के अपने लक्ष्य तक पहुँचने में** भी यह सहायता प्रदान करता है।

कृषि वित्त की स्थिति (Status of Agricultural Finance)

कृषि ऋण देनेवाली एजेंसी	1950–51 (%)	2001–02 (%)	2021–22 (%)	टिप्पणी
संस्थागत एजेंसियाँ	10	61	75	*सरकार की केंद्रीकृत पहलों की मदद से समय के साथ संस्थागत एजेंसियों द्वारा दिये जानेवाले वित्त में वृद्धि हुई है।*
ग़ैर-संस्थागत एजेंसियाँ	90	39	25	
कुल	**100%**	**100%**	**100%**	

स्रोत : आर्थिक सर्वेक्षण 2024-25

संस्थागत एजेंसियों में **अनुसूचित वाणिज्यिक बैंकों** (Scheduled Commercial Banks) द्वारा दिया जानेवाला कृषि ऋण सर्वाधिक है।

कृषि ऋण को बढ़ावा देने के लिए अब तक की सरकारी पहलें (Government Initiatives so far to promote Agricultural Credit)

- **नो-फ़्रिल खाता (No Frill Account) :** आधारभूत बैंकिंग के लिए 'नो फ़्रिल बैंक खाता' न्यूनतम या शून्य शेष राशि के साथ भी उपलब्ध होता है।
- **सूक्ष्मवित्त संस्थाओं [Micro Finance Institutions (MFIs)] को बढ़ावा :** MFI बिना किसी प्रमाण के ग़रीब लोगों को सूक्ष्मऋण प्रदान करने के एक साधन के रूप में काम करता है। कम ब्याज दरों पर पुनर्वित्त प्रदान कर नाबार्ड इसमें महत्त्वपूर्ण भूमिका निभाता है।
- **किसान क्रेडिट कार्ड (KCC) :** इसे नाबार्ड द्वारा डिज़ाइन किया गया था और किसानों को अल्प-कालिक औपचारिक ऋण सुविधा प्रदान करने के लिए **1998** में शुरू किया गया था।
  - KCC को भारत में सरकार के दिशानिर्देशों के अनुसार वाणिज्यिक बैंकों, RRB और सहकारी समितियों द्वारा लागू किया जाना है।
  - पात्र लाभार्थियों में शामिल हैं-
    - i. सभी किसान - व्यक्ति/संयुक्त उधारकर्ता, जो मालिक कृषक हैं।
    - ii. बँटाईदार किसान, मौखिक पट्टेदार और बँटाईदार।
    - iii. SHGs या किसानों का संयुक्त देयता समूह, जिसमें काश्तकार, बँटाईदार आदि शामिल हैं।
  - मत्स्य पालन और पशुपालन के लाभार्थी भी KCC प्राप्त कर सकते हैं। **आयु सीमा 18 से 75 वर्ष है।**
  - KCC की वैधता अवधि **5 वर्ष है।**
  - KCC के लिए ₹1.60 लाख की सीमा तक प्रमाणिक संपार्श्विक सुरक्षा (Collateral Security) को छोड़ दिया जाता है।
  - सभी KCC ऋणों के लिए अधिसूचित फ़सलें/अधिसूचित क्षेत्र **फ़सल बीमा** सुरक्षा के अंतर्गत आते हैं। KCC **व्यक्तिगत दुर्घटना बीमा** का भी प्रावधान करता है, जिसे किसान चुन सकता है। इसके अंतर्गत, दुर्घटना में मृत्यु की स्थिति में ₹50,000/- और विकलांगता की स्थिति में ₹25,000/- की सुरक्षा प्रदान की जाती है।

- **KCC के उद्देश्यों में शामिल हैं :**
  - क. फ़सलों की खेती के लिए अल्पकालिक ऋण आवश्यकताओं को पूरा करना।
  - ख. फ़सल-कटाई के बाद का ख़र्च।
  - ग. विपणन ऋण का उत्पादन करना।
  - घ. किसान परिवार की उपभोग संबंधी आवश्यकताएँ।
  - ङ. कृषि परिसंपत्तियों और कृषि से संबंधित गतिविधियों, जैसे डेयरी पशु, अंतर्देशीय मत्स्य पालन आदि के रखरखाव के लिए कार्यशील पूँजी।
  - च. पंप सेट, स्प्रेयर, डेयरी पशु आदि जैसे कृषि और संबद्ध गतिविधियों के लिए निवेश ऋण की आवश्यकता।

  नोट : उपर्युक्त घटकों 'क' से 'ङ' का समुच्चय अल्पकालिक क्रेडिट सीमा भाग का निर्माण करेगा और 'च' के तहत घटकों का कुल दीर्घकालिक क्रेडिट सीमा भाग का निर्माण करेगा।

- वर्तमान में **7.1 करोड़ से अधिक सक्रिय किसान क्रेडिट कार्ड या KCC हैं।**

➤ **ब्याज अनुदान योजना (Interest Subvention Scheme) :** इसके अंतर्गत किसान ₹3 लाख तक का रिआयती फ़सल ऋण 7 प्रतिशत की ब्याज दर पर प्राप्त कर सकते हैं। समय पर पुनर्भुगतान पर ब्याज दर आगे और कम होकर 4 प्रतिशत वार्षिक हो जाती है। इस योजना का उद्देश्य सस्ती दर पर ऋण उपलब्ध कराना है।

डिजिटल कृषि की दिशा में सरकार की पहल (Government Initiatives towards Digital Agriculture)

➤ **एकीकृत किसान सेवा मंच (यूएफ़एसपी) [Unified Farmer Service Platform (UFSP)] :** यह एक मंच है, जिसमें कोर इन्फ्रास्ट्रक्चर डेटा अनुप्रयोग और उपकरण शामिल हैं, जो देश भर में कृषि पारिस्थितिकी तंत्र में विभिन्न सार्वजनिक और निजी आईटी प्रणालियों को सक्षम करते हैं।

➤ **कृषि में राष्ट्रीय ई-गवर्नेंस योजना (एनईजीपीए) [National e-Governance Plan in Agriculture (NeGPA)] :** यह एक केन्द्र प्रायोजित योजना है, जिसे 2010-11 में 7 पायलट राज्यों में लॉन्च किया गया था, जिसे बाद में अन्य सभी राज्यों और 2 केन्द्र शासित प्रदेशों में विस्तारित किया गया था। इसका उद्देश्य किसानों को कृषि से संबंधित जानकारी तक समय पर पहुँच के लिए सूचना और संचार प्रौद्योगिकी (आईसीटी) के उपयोग के माध्यम से भारत में तेज़ी से विकास प्राप्त करना है।

➤ **डिजिटल कृषि मिशन (Digital Agriculture Mission) :** कृत्रिम बुद्धिमत्ता, ब्लॉकचेन रिमोट सेंसिंग, ड्रोन, रोबोट और जीआईएस प्रौद्योगिकी जैसी प्रौद्योगिकियों का उपयोग किया जायेगा। यह 2021-25 के लिए शुरू किया गया है।

➤ **ऐग्रीस्टैक (AgriStack) :** यह कृषि खाद्य मूल्य श्रृंखला में किसानों के लिए एक एकीकृत मंच बनाने के लिए कृषि में प्रौद्योगिकी आधारित हस्तक्षेपों का एक संग्रह है, ताकि उन्हें कृषि खाद्य मूल्य श्रृंखला में शुरू से अंत तक की सेवाएँ प्रदान की जा सकें।

कृषि ऋण क्षेत्र में चुनौतियाँ (Challenges in Agricultural Credit Sector)

संस्थागत कृषि ऋण प्रवाह में प्रभावशाली वृद्धि के बावजूद इस क्षेत्र में कई मुद्दे और चुनौतियाँ हैं :-

1. **ऋण की पहुँच (Credit Reach) :** नाबार्ड की वित्तीय समावेशन सर्वेक्षण रिपोर्ट, 2021-22 [NABARD's Financial Inclusion Survey Report (NAFIS)] के अनुसार, ऋण आवश्यकता का 76 प्रतिशत संस्थागत स्रोतों से और 24 प्रतिशत ग़ैर-संस्थागत स्रोतों से पूरा किया गया था। इसके अतिरिक्त एक उचित क़ानूनी कार्यढाँचे के अभाव और कृषि गतिविधियों से जुड़े दस्तावेज़ों की कमी के कारण किरायेदार किसानों/बँटाईदारों/मौखिक पट्टेदारों/भूमिहीन श्रमिकों को संस्थागत ऋण को प्राप्त करने में कठिनाई आती है।
2. **सम्बद्ध गतिविधियों के लिए ऋण का हिस्सा (Share of Credit to Allied Activities) :** अर्थात्, पशुधन, वानिकी और मछली पालन कृषि ऋण प्राप्त करने में उप-इष्टतम (sub-optimal) है।

3. **कृषि ऋण में क्षेत्रीय असमानता (Regional Disparity in Agricultural Credit) :** कुछ राज्यों को काफ़ी ऊँची हिस्सेदारी मिल रही है, जो कुल कृषि ऋण के 10 प्रतिशत तक है, जबकि अन्य राज्यों का 0.5 प्रतिशत तक कम हिस्सा है।
4. **राज्य सरकारों द्वारा ऋण माफ़ी (Loan Waiver by State Governments) :** राज्य सरकारों द्वारा ऋण माफ़ी की घोषणा ने देश की ऋण संस्कृति को प्रभावित किया है, जिसमें बहुत से क़र्ज़दार ऋण माफ़ी की उम्मीद में पुनर्भुगतान को रोक देते हैं। यह क़र्ज़दारों के ऋण इतिहास और कृषि उद्देश्यों के लिए भविष्य में उनके ऋण प्राप्त करने की संभावनाओं को विपरीत रूप से प्रभावित करता है।

परीक्षोपयोगी

कृषि अवसंरचना कोष (AGRICULTURE INFRASTRUCTURE FUND)

- यह **केंद्रीय क्षेत्र की योजना [Central Sector Scheme (CSS)]** है, जिसकी घोषणा भारत सरकार द्वारा वर्ष 2020 में की गयी।
- इस कोष/योजना के अंतर्गत मुख्य रूप से **फ़सल कटाई के बाद** और **सामुदायिक कृषि** (community farming) से संबंधित अवसंरचना में निवेश को बढ़ावा देने के लिए **मध्य से दीर्घकाल** वित्तपोषण सुविधा प्रदान की जाती है।
- इस योजना के अंतर्गत ₹2 करोड़ के ऋण पर **ब्याज में** 3 प्रतिशत तक की **छूट** (Interest subvention) मिलेगी और अधिकतम 7 वर्षों में चुकाया जा सकता है।
- ₹2 करोड़ की राशि तक ऋण के लिए **गारंटी** (Credit guarantee coverage) सरकार देगी।
- बैंकों और वित्तीय संस्थानों द्वारा PACS, विपणन सहकारी सोसाइटियों, FPOs, स्वयं सहायता समूह किसानों, संयुक्त देयता समूह, बहुद्देशीय सहकारी सोसायटी, कृषि उद्यमी, स्टार्ट अप, ऐग्रीगेशन इन्फ्रास्ट्रक्चर प्रोवाइडर्स और केंद्र/राज्य सरकार की एजेंसी या स्थानीय निकाय द्वारा प्रायोजित PPP परियोजनाओं के लिए भी कुल ₹1 लाख करोड़ प्रदान किये जायेंगे।
- इस योजना की अवधि **10 वर्ष** (2020-21 से 2029-30) है।

कृषि में विदेशी प्रत्यक्ष निवेश (FDI IN AGRICULTURE)

विदेशी प्रत्यक्ष निवेश [Foreign direct investment (FDI)] भारत में निम्न दो मार्गों से आ सकता है :-

1. **स्वचालित मार्ग (Automatic Route) :** स्वचालित मार्ग के अंतर्गत विदेशी मुद्रा विनियमन अधिनियम विनियमनों (FEMA Regulations) में निर्दिष्ट सभी गतिविधियों/क्षेत्रों में सरकार या RBI की **पूर्व-स्वीकृति के बिना** विदेशी निवेश करने की अनुमति है।
2. **सरकारी मार्ग (Government Route) :** ऐसी गतिविधियों में विदेशी, निवेश जो स्वचालित रूट के अंतर्गत नहीं आतीं, उनमें निवेश के लिए सरकार की पूर्व अनुमति की आवश्यकता होती है।

क्षेत्र	FDI सीमा (%)	प्रवेश मार्ग या रूट
फूलों की खेती, वानिकी, बीजों का विकास, पशु-पालन, मछली-पालन, जलीय कृषि और पाँच रोपण फ़सलें – कॉफ़ी, रबर, इलायची, ताड़ (palm) का वृक्ष और जैतून का वृक्ष	100	स्वचालित
सब्ज़ी एवं मशरूम की खेती, तथा कृषि एवं सम्बद्ध क्षेत्रों से जुड़ी सेवाएँ	100	स्वचालित
चाय की खेती एवं प्रसंस्करण	100	सरकारी

कृषि विपणन (AGRICULTURAL MARKETING)

दो प्रकार के कृषि बाज़ार हैं :-

- **अनियमित बाज़ार (Unregulated Markets) :** कारोबार के संचालन के लिए नियमों एवं विनियमों का कोई समूह नहीं होता है। ये बाज़ार, संचालन की त्रुटियों से ग्रस्त रहते हैं। जैसे- **ग्रामीण हाट।**
- **नियमित बाज़ार (Regulated Markets) :** इसमें कारोबार के नियम एवं विनियम वैधानिक बाज़ार संगठनों द्वारा नियंत्रित किये जाते हैं। यहाँ बाज़ार शुल्कों को मानकीकृत और निश्चित किया जाता है तथा **कृषि उपज विपणन समिति [Agricultural Produce Market Committee (APMC)]** द्वारा विनियमित किया जाता है।

मॉडल एपीएमसी अधिनियम, 2003 (Model APMC Act, 2003)

उद्देश्य (Objectives)

- कुशल विपणन प्रणाली का विकास करना।
- कृषि-प्रसंस्करण एवं कृषि निर्यात को बढ़ावा देना।
- कृषि उत्पादों के विपणन के लिए एक कुशल अवसंरचना का निर्माण करना।

विशेषताएँ (Features)

- यह विनियमित बाज़ारों के माध्यम से नहीं, बल्कि उत्पादों की सीधी बिक्री से संबंधित है।
- इसमें ग्रेडिंग या श्रेणीकरण, मानकीकरण और गुणवत्ता प्रमाणीकरण के लिए 'राज्य कृषि उत्पाद विपणन मानक ब्यूरो (State Agricultural Produce Marketing Standards Bureau)' की स्थापना से जुड़े प्रावधान हैं।
- यह कटाई-पश्चात् संचालनों, कोल्ड स्टोरेज, प्री-कूलिंग सुविधाओं, पैक हाउस इत्यादि के लिए, कृषि बाज़ारों के प्रबंधन एवं विकास में सार्वजनिक-निजी भागीदारी (PPP) को प्रोत्साहित करता है।
- यह अनुबंध खेती का समर्थन करता है। यह एक विवाद-समाधान-तंत्र भी उपलब्ध कराता है।
- बिक्री के लिए बाज़ार क्षेत्र में लाये गये कृषि उत्पाद के आगमन आँकड़ों (arrival data) और दरों (rates) को प्रकाशित करना।
- विशिष्ट कृषि वस्तुओं (जैसे- जल्द ख़राब होनेवालीं वस्तुएँ) के लिए विशिष्ट बाज़ारों की स्थापना।
- किसानों द्वारा अपने कृषि उत्पाद के लिए नये बाज़ारों की स्थापना तथा लाइसेंस के स्थान पर बाज़ार कार्यकर्ताओं का रजिस्ट्रेशन।
- किसी भी बाज़ार क्षेत्र में अधिसूचित कृषि वस्तुओं की बिक्री पर बाज़ार-शुल्क की एकल वसूली को अनिवार्य करता है।

एपीएमसी अधिनियम, 2003 में चुनौतियाँ (Challenges in APMC Act, 2003)

- यह अधिनियम ख़रीदारों द्वारा APMC शुल्कों के भुगतान के प्रावधान को बरक़रार रखता है, तब भी जब उत्पाद को APMC क्षेत्र के बाहर सीधे बेचा जाता है।
- सभी मंडियों के लिए कृषि उत्पाद की ई-नीलामी (e-auction) से पारदर्शिता एवं बेहतर भागीदारी आयेगी।
- कई बाज़ार क्षेत्रों में राज्य का बिखराव, क्योंकि सभी क्षेत्र अलग-अलग APMC द्वारा प्रशासित होते हैं।
- मंडी-शुल्कों की कई बार वसूली, अलग-अलग APMC में कारोबार के लिए बार-बार लाइसेंस लेने की ज़रूरत।
- वानिकी उत्पाद की भंडारण-सेवा के लिए कोई विशिष्ट शुल्क नहीं, अन्य उत्पादों की तरह वानिकी उत्पादों का भंडारण उन्हें नुक़सान पहुँचा सकता हैं, जो बहुत जल्द ख़राब होनेवाले उत्पाद होते हैं।
- अब तक, केवल 22 राज्यों ने इसे अपनाया है। (कृषि राज्य सूची का विषय है)

अतिरिक्त जानकारी

राज्य/संघ राज्य क्षेत्र कृषि उत्पाद और पशुधन विपणन (संवर्धन और सुविधा) अधिनियम, 2017
[STATE/UT AGRICULTURAL PRODUCE AND LIVESTOCK MARKETING PROMOTION AND FACILITATION ACT, 2017]

- मॉडल APMC ऐक्ट, 2003 को अधिक व्यापक एवं किसानों के अनुकूल बनाने के लिए, भारत सरकार ने 2017 में इस मॉडल ऐक्ट को बनाया और जारी किया, इसे APLM ऐक्ट के नाम से भी जाना जाता है।
- इस अधिनियम का सार कृषकों और पशुधन पालकों को पूर्ण स्वतंत्रता प्रदान करना है, ताकि वे अपने उत्पाद, पशुधन एवं इसके उत्पादों को बेहतर क़ीमत की पेशकश करनेवाले अपनी पसंद के मार्केटिंग चैनल के माध्यम से ख़रीदारों को बेच सकें।
- उपर्युक्त के अतिरिक्त, मॉडल क़ानूनी कार्यढाँचा कटाई-पश्चात् एवं बाज़ार अवसंरचना के विकास में निजी क्षेत्र के निवेश को आकर्षित करने पर ज़ोर देता है।
- यह **पूरे राज्य को एक एकीकृत बाज़ार**, और गोदाम/कोष्ठागार/कोल्ड स्टोरेज को सब-यार्ड के रूप में घोषित करता है तथा बाज़ार-शुल्क एवं कमीशन-चार्ज को युक्तिसंगत बनाने का प्रावधान भी करता है।
- **अनुबंध खेती (Contract farming)** को अब APMC के दायरे से बाहर कर दिया गया है, जो पहले 2003 के ऐक्ट में विद्यमान थी।
- मॉडल ऐक्ट, 2017 न्यूनतम समर्थन मूल्य (MSP) के **नीचे उत्पाद की बिक्री/ख़रीद को रोकने के लिए** APLMC को कदम उठाने के लिए अधिकृत करता है।
- मॉडल ऐक्ट, 2017 किसान-विक्रेता को उसी दिन भुगतान करने का प्रावधान करता है (APLM बाज़ार में या सीधी ख़रीद में)।
- अरुणाचल प्रदेश, उत्तर प्रदेश और छत्तीसगढ़ ने मॉडल APLM ऐक्ट, 2017 को अंगीकृत किया है।

कृषि विपणन के लिए एकीकृत योजना (Integrated Scheme for Agricultural Marketing)

भारत सरकार द्वारा 2014 में आरम्भ की गयी **कृषि विपणन के लिए एकीकृत योजना** में वर्तमान में **6 उप-योजनाएँ** सम्मिलित हैं :-

1. कृषि विपणन अवसंरचना [Agricultural Marketing Infrastructure (AMI)]
2. विपणन अनुसंधान और सूचना नेटवर्क [Marketing Research and Information Network (MRIN)]
3. एगमार्क ग्रेडिंग सुविधाओं का सुदृढ़ीकरण [Strengthening of Agmark Grading Facilities (SAGF)]
4. चौधरी चरण सिंह राष्ट्रीय कृषि विपणन संस्थान [National Institute of Agricultural Marketing (NIAM)] के माध्यम से प्रशिक्षण, शोध और परामर्श सुविधाएँ प्रदान करना
5. उद्यम पूँजी सहायता [Venture Capital Assistance (VCA)] और परियोजना विकास सुविधा (Project Development Facility) के माध्यम से कृषि-व्यवसाय विकास।
6. राष्ट्रीय कृषि बाज़ार [National Agriculture Market (e-NAM)]

क्या आप जानते हैं ?

ऐग्रिडेक्स (Agridex) : नेशनल कमोडिटी ऐंड डेरिवेटिव एक्सचेंज (NCDEX) ने देश का पहला कृषि वायदा व्यापार सूचकांक - 'ऐग्रिडेक्स (Agridex)' वर्ष 2020 में आरंभ किया। इसमें NCDEX पर व्यापार होनेवाली 10 तरल कमोडिटी है। इन कमोडिटी में सोयाबीन, चना, धनिया, कपास का बीज, खली, ग्वार का गोंद, ग्वार का बीज, सरसों का बीज, रिफ़ाइन सोया तेल, अरंडी का बीज और जीरा सम्मिलित हैं। सूचकांक में ख़रीफ़ और रबी ऋतु, दोनों की विभिन्न कृषि सामग्री सम्मिलित है। इसके लिए सालों भर प्राइस रेफ़रेंस की सुविधा उपलब्ध होगी।

परीक्षोपयोगी

प्रमाणीकरण के विभिन्न मानक (DIFFERENT STANDARDS OF CERTIFICATION)

भारतीय मानक ब्यूरो या ब्यूरो ऑफ़ इंडियन स्टैंडर्ड्स (BIS)

भारतीय मानक ब्यूरो (BIS) भारत का राष्ट्रीय मानक निकाय है, जिसे 'BIS ऐक्ट, 2016' के अंतर्गत स्थापित किया गया था और *जो उपभोक्ता मामले, खाद्य एवं सार्वजनिक वितरण मंत्रालय* के अधीन काम कर रहा है। नया BIS ऐक्ट, 2016, BIS Act, 1986 का एक संशोधित संस्करण है। **BIS के कार्यों में सम्मिलित हैं :-**

1. विभिन्न औद्योगिक उत्पादों के मानकों का निरूपण (Formulation of Standards) (रसायन, खाद्य एवं कृषि, आईटी, पेट्रोलियम एवं उससे संबंधित उत्पादन, परिवहन इंजीनियरिंग इत्यादि जैसे 14 क्षेत्रों का समूह)।
2. भारतीय मानकों का अनुपालन सुनिश्चित करने के लिए **उत्पाद प्रमाणीकरण योजना (Product Certification Scheme)**- किसी उत्पाद पर BIS मानक चिह्न (**जिसे ISI चिह्न के नाम से भी जाना जाता है**) का होना, उसके उचित भारतीय मानक के प्रति अनुरूपता का सूचक है। BIS प्रमाणीकरण योजना स्वैच्छिक है। यद्यपि, कुछ उत्पादों के लिए यह अनिवार्य है।

   भारत के बाहर विनिर्मित वस्तुओं को प्रमाणित करने के लिए एक पृथक् प्रमाणीकरण योजना भी है।
3. **हॉलमार्क (Hallmark) :** इसके अंतर्गत, एसेइंग ऐंड हॉलमार्क सेंटर के माध्यम से ज्वैलर्स को रजिस्ट्रेशन का प्रमाणपत्र प्रदान किया जाता है, ताकि वे हॉलमार्कवाले सोने और चाँदी के आभूषण बेच सकें।

एगमार्क (AGMARK)

यह भारत में **कृषि उत्पादों** का एक प्रमाणीकरण चिह्न है, जो यह भरोसा दिलाता है कि ये उत्पाद **विपणन और निरीक्षण निदेशालय** (Directorate of Marketing and Inspection), (जो कृषि और किसान कल्याण मंत्रालय के अधीन कृषि, सहकारिता एवं किसान कल्याण से संबद्ध एक कार्यालय है) द्वारा स्वीकृत मानकों के समूह द्वारा अनुमोदित हैं। एगमार्क का मुख्यालय फ़रीदाबाद (हरियाणा) में है। यह भारत में कृषि उत्पाद अधिनियम (Agricultural Produce Act), 1937 द्वारा क़ानूनी रूप से लागू किया गया था। वर्तमान में एगमार्क मानकों में **224 विभिन्न वस्तुओं के** लिए गुणवत्ता दिशानिर्देश सम्मिलित हैं, जिसमें **दालें, अनाज, आवश्यक तेल, वनस्पति तेल, फल एवं सब्ज़ियाँ और सेंवई** जैसे अर्द्ध-प्रसंस्कृत उत्पाद सम्मिलित हैं।

एफ़पीओ चिह्न (FPO Mark)

फ़ूड सेफ़्टी ऐंड स्टैंडर्ड्स ऐक्ट, 2006 के अनुरूप, FPO मार्क प्रमाणीकरण भारत में बेचे जानेवाले सभी **प्रसंस्कृत फल उत्पादों (Processed Fruit Products)** के लिए अनिवार्य हैं, जैसे पैक में उपलब्ध **फलों के पेय पदार्थ, फलों के जैम, क्रश एवं स्क्वॉश, अचार, निर्जलित फलों के उत्पाद और फलों के अरक़।** FPO चिह्न इसकी गारंटी देता है कि उत्पाद को एक स्वच्छ **'खाद्य-सुरक्षित वातावरण'** में निर्मित किया गया था, अतः इसको सुनिश्चित करता है कि उत्पाद उपभोग करने लिए फ़िट या ठीक है। FPO चिह्न खाद्य प्रसंस्करण और उद्योग मंत्रालय द्वारा प्रदान किया जाता है।

कृषि सब्सिडी (AGRICULTURAL SUBSIDY)

यह कम आगत ख़र्च के साथ किसानों की आय बढ़ाने के लिए उन्हें भुगतान किया जानेवाला वित्तीय समर्थन है। कृषि सब्सिडी भारत में कृषि क्षेत्र के **विकास में महत्त्वपूर्ण भूमिका** निभाती है।

सब्सिडी के प्रकार (Types of Subsidy)

1. **प्रत्यक्ष सब्सिडी (Direct Subsidy) :** यहाँ लाभ सीधे किसानों को दिया जाता है (नक़द के रूप में)। जैसे खाद्य सब्सिडी।
2. **अप्रत्यक्ष सब्सिडी (Indirect Subsidy) :** सब्सिडी किसानों तक परोक्ष रूप से पहुँचती है, नक़द रूप में नहीं। जैसे- सस्ते उर्वरक आदि को उपलब्ध कराने के लिए कंपनियों को सब्सिडी देना।

विभिन्न क्षेत्रों में सरकार द्वारा मिलनेवाली सब्सिडी
(Subsidy in Different Sectors by the Government)

- **कृषि उपकरणों पर सब्सिडी (Subsidy on Farm Equipments) :** यह लाभ किसानों को खेती हेतु अधिक उपकरणों को ख़रीदने के लिए प्रोत्साहित करता है।
- **किसानों के लिए कम क़ीमत पर उर्वरकों की उपलब्धता (Availability of fertilisers to farmers at lower price) :** यह उर्वरकों के आयात पर शुल्क हटाने के रूप में भी हो सकता है।
- **शोध एवं विकास के लिए सब्सिडी (Subsidies for R&D) :** उच्च गुणवत्तावाले बीजों के उत्पादन हेतु।
- **अवसंरचना पर सब्सिडी (Subsidies on Infrastructure)**
- **बिजली क्षेत्र में सब्सिडी (Subsidy in Power Sector) :** पम्पिंग सेट, नलकूप आदि को चलाने के लिए एक प्रोत्साहन के रूप में सरकार कम दर वसूलती है।
- **सिंचाई क्षेत्र में सब्सिडी (Subsidy in Irrigation Sector) :** सरकार नहरों, बाँध और नलकूप निर्माण के माध्यम से सुविधाएँ प्रदान करती है, ताकि सभी खेती योग्य भूमि सिंचाई सुविधा के अंतर्गत आ सके।
- **रोज़गार सब्सिडी (Employment Subsidy) :** कारोबार में अधिक रोज़गार अवसर प्रदान करने और देश में बेरोज़गारी को कम करने के लिए।
- अंतरराष्ट्रीय प्रतिस्पर्धा का सुगमतापूर्वक सामना करने के लिए **निर्यात क्षेत्र** को भी सब्सिडी प्रदान की जाती है। यह किसानों को विदेशी वस्तुओं के समक्ष अधिक प्रतिस्पर्धी बनाता है। यद्यपि, विश्व व्यापार संगठन [World Trade Organization (WTO)] के कृषि समझौते [Agreement on Agriculture (AoA)] के अनुसार कुछ प्रतिबंध भी लगाये गये हैं।
- **सब्सिडीवाली ऋण सुविधा (Subsidised Credit Facility) :** कृषि क्षेत्र में मुख्यतः तीन प्रकार के वित्त का प्रचलन है- अल्प-कालिक, मध्य-कालिक और दीर्घ-कालिक वित्त।
  - **दीर्घ-कालिक वित्त (Long-term finance)** में **5-20 वर्ष के लिए ऋण** के उद्देश्य डूब कुएँ का निर्माण, भूमि समतलीकरण, भूमि के चारों तरफ़ बाड़ लगाना और भूमि पर स्थायी सुधार, ट्रैक्टर जैसी बड़ी मशीन की ख़रीद आदि होते हैं।
  - **मध्य-कालिक वित्त (Medium-term finance)** में मुख्यतः **खेती के उपकरण और थ्रैसर जैसी छोटी मशीनें** तथा अन्य उपकरण सम्मिलित होते हैं।
  - **अल्प-कालिक वित्त (short-term finance)** में मुख्यतः फ़सल वित्त सम्मिलित होता है। इस वित्त की अवधि 1-2 वर्ष की होती है तथा ब्याज की दर काफ़ी कम होती है, अर्थात् 2 प्रतिशत से 4 प्रतिशत के बीच।

कृषि सब्सिडी प्रदान करने के विरुद्ध तर्क
(Points against providing Agriculture Subsidy)

- सब्सिडी छोटे किसानों की तुलना में **बड़े किसानों को अधिक लाभ पहुँचाती है।**
- **उर्वरता बढ़ाने की असंतुलित गतिविधि** *(सब्सिडी जारी रहने के कारण कुछ उर्वरकों का बड़ी मात्रा में प्रयोग)* ने मिट्टी में पोषकतत्वों की कमी की समस्या को बढ़ाया है। इसने मिट्टी की उर्वरता और उत्पादकता को कम किया है।
- राज्य सरकारों द्वारा सब्सिडीवाली बिजली मिलने का परिणाम जल का अनुचित उपयोग है।
- **भ्रष्टाचार का होना** सब्सिडी के पूर्ण लाभ को अंतिम उपयोगकर्ता, अर्थात् किसानों तक पहुँचाने में कठिनाई पैदा करता है।

यदि उपर्युक्त बाधाओं या अड़चनों का प्रभावी तरीक़े से समाधान कर दिया जाता है, तो सब्सिडी कृषि क्षेत्र के समतापूर्ण विकास के लिए वास्तव में एक वरदान सिद्ध हो सकती है।

परीक्षोपयोगी

न्यूनतम समर्थन मूल्य [MINIMUM SUPPORT PRICE (MSP)]

➤ यह वह मूल्य है, जिस पर सरकार किसानों से फ़सल ख़रीदती है। यदि बंपर फ़सल होती है, तो क़ीमत न्यूनतम समर्थन मूल्य (MSP) से नीचे नहीं जा सकती है। यह किसानों को **हानिप्रद बिक्री से सुरक्षित करने** के लिए गारंटीकृत क़ीमत के रूप में कार्य करता है। MSP को पहली बार 1966-67 में गेहूँ के लिए घोषित किया गया था।

MSP की तरह ही एक अन्य अवधारणा है, जिसे **पर्याप्त एवं लाभकारी क़ीमत या फ़ेयर ऐंड रिम्यूनरेटिव प्राइस (FRP)** कहा जाता है। MSP किसानों को ख़रीद के लिए सरकार द्वारा **भुगतान** किया जाता है, जबकि FRP ऐसी क़ीमत है, जो सरकार द्वारा निश्चित की जाती है, लेकिन मिल मालिकों द्वारा इसका भुगतान किया जाता है। **FRP केवल गन्ने के लिए सरकार द्वारा निश्चित किया जाता है।** ऐसा इसलिए है, क्योंकि गन्ने में वज़न कम होने के गुण के कारण गन्ने को एक निर्धारित समय के भीतर मिल तक पहुँचाना होता है। अत: गन्ने के लिए सरकारी ख़रीद एक व्यावहारिक समाधान नहीं है।

➤ **MSP के उद्देश्यों में सम्मिलित हैं :-**

1. स्थिर लाभकारी क़ीमत के रूप में किसानों को आर्थिक सुरक्षा प्रदान करना।
2. खाद्यान्न उत्पादन को बढ़ाना तथा खाद्य सुरक्षा को सुनिश्चित करना।
3. कृषि अर्थव्यवस्था के समग्र विकास के लिए फ़सल-प्रारूप को प्रभावित करना।

➤ MSP सामान्यत: कृषि लागत एवं मूल्य आयोग [Commission for Agricultural Costs and Prices (CACP)] की संस्तुतियों के आधार पर बोआई के मौसम की शुरुआत में सरकार द्वारा निश्चित और घोषित किया जाता है।

➤ MSP की संस्तुति करते समय CACP कई **निर्धारकों** को ध्यान में रखता है, जैसे– माँग एवं आपूर्ति, उत्पादन की लागत, बाज़ार में क़ीमत प्रवृत्ति, अंतर-फ़सल क़ीमत समता, उत्पादन की लागत पर न्यूनतम 50 प्रतिशत मुनाफ़ा इत्यादि।

➤ इस प्रकार, MSP उत्पादन की लागत का 1.5 गुना घोषित किया जाता है।

➤ वर्तमान में, सरकार ने **22 अनिवार्य फ़सलों के लिए MSP** और **गन्ने के लिए पर्याप्त एवं लाभकारी क़ीमत (FRP)** की घोषणा की है।

➤ इसके अतिरिक्त **तोरिया** और बिना छालवाले नारियल **(De-Husked Coconut)** के लिए MSP को क्रमश: रेपसीड (सफ़ेद सरसों)/सरसों और खोपरा या गरी के आधार पर निश्चित किया जाता है।

22 अनिवार्य MSP फ़सलें

ख़रीफ़ - 14 फ़सलें	रबी - 6 फ़सलें	अन्य - 2 फ़सलें
धान, ज्वार, बाजरा, मक्का, रागी, अरहर (तूर), मूँग, उड़द, कपास, मूँगफली, सूरजमुखी बीज, सोयाबीन, तिल, नाइजर सीड।	गेहूँ, जौ, चना, मसूर (लेंटिल), रेपसीड और सरसों, कुसुम या कुसुंभ	खोपरा (सूखा नारियल) एवं जूट

पीएम-आशा : MSP योजना में गैप या अंतराल दूर करने के लिए, **प्रधानमंत्री अन्नदाता आय संरक्षण अभियान (PM-AASHA)** को 2018 में लॉन्च किया गया था, इसका उद्देश्य दलहन, तिलहन और खोपरा (सूखा नारियल) के किसानों के लिए लाभकारी क़ीमतों को वसूलना है। इस छत्र योजना में तीन घटक या उप-योजनाएँ हैं :-

1. **क़ीमत समर्थन योजना [Price Support Scheme (PSS)]** : इसके अंतर्गत दलहन, तिलहन और खोपरा की भौतिक ख़रीद राज्य सरकार की अग्र-सक्रिय भूमिका के साथ केंद्रीय नोडल एजेंसियों द्वारा की जाती है। NAFED के अतिरिक्त भारतीय खाद्य निगम [Food Corporation of India (FCI)] भी PSS संचालन का काम करता है।

2. **क़ीमत न्यूनतम भुगतान योजना [Price Deficiency Payment Scheme (PDPS)]** : PDPS सभी तिलहनों पर लागू है (मूँगफली, सोयाबीन, सूरजमुखी, तिल, नाइजर बीज, रेपसीड/सरसों, कुसुम और तोरिया)। घोषित MSP और मॉडल प्राइस/सेलिंग प्राइस के बीच का अंतर नीलामी के माध्यम से अधिसूचित बाज़ारों में अपने उत्पाद बेचनेवाले किसानों को पुनः पंजीकृत कर देता है। अंतर राशि का भुगतान सीधे किसान के पंजीकृत बैंक खाते में किया जाता है। इस योजना में फ़सलों की किसी भी प्रकार की भौतिक ख़रीद शामिल नहीं है।
3. **पाइलट ऑफ़ प्राइवेट प्रोक्योरमेंट ऐंड स्टॉकिस्ट स्कीम (PPPS)** : इस उप-योजना के अंतर्गत चुनिंदा ज़िलों में तिलहनों की ख़रीद प्रक्रिया में निजी क्षेत्र के स्टॉकिस्टों की भागीदारी को प्रयोग के तौर पर शुरू किया गया है। इन चुनिंदा ज़िलों में PSS/PDPS को PPPS ने प्रतिस्थापित किया है।

कृषि बीमा (AGRICULTURE INSURANCE)

- कृषि बीमा किसानों को कृषिगत हानि से सुरक्षा प्रदान करता है। भारत में 1985 में फ़सल बीमा को शुरू किया गया था। इसके बाद आवश्यकता के अनुसार पॉलिसी/स्कीम में कई परिवर्तन किये गये हैं। संबंधित सरकारी योजनाएँ थीं-
  - **1985 –** व्यापक फ़सल बीमा योजना (Comprehensive Crop Insurance Scheme)
  - **1999 –** राष्ट्रीय कृषि बीमा योजना [National Agricultural Insurance Scheme (NAIS)]
  - **2007 –** मौसम आधारित फ़सल बीमा योजना [Weather-Based Crop Insurance Scheme (WCIS)]
  - **2010 –** संशोधित राष्ट्रीय कृषि बीमा योजना [Modified National Agricultural Insurance Scheme (MNAIS)
- यद्यपि, उपर्युक्त योजनाएँ कई तरह की **कमियों** से ग्रस्त थीं :-
  - हमारे देश के सकल फ़सल क्षेत्र का केवल 23 प्रतिशत बीमा सुरक्षा के अंतर्गत।
  - सभी आपदाओं के लिए जोखिम सुरक्षा उपलब्ध नहीं।
  - प्रीमियम रेट पर कैप के परिणामस्वरूप किसानों को निम्न दावों या क्लेम की प्राप्ति।
  - जोखिम कारक के आधार पर वाणिज्यिक और वानिकी फ़सलों का प्रीमियम 25 प्रतिशत तक ऊँचा हो सकता है।
  - तकनीक का अपर्याप्त प्रयोग।
  - दावों या क्लेम के भुगतान में देरी।
- उपर्युक्त कमियों को दूर करने के उद्देश्य से 2016 में एक नयी फ़सल बीमा योजना शुरू की गयी। यह थी- **प्रधानमंत्री फ़सल बीमा योजना (PMFBY)।**

परीक्षोपयोगी

प्रधानमंत्री फ़सल बीमा योजना [PRADHAN MANTRI FASAL BIMA YOJANA (PMFBY)]

- PMFBY ने **दो वर्तमान योजनाओं को प्रतिस्थापित किया है**- राष्ट्रीय कृषि बीमा योजना [National Agricultural Insurance Scheme (NAIS)] और संशोधित NAIS [Modified NAIS (MNAIS)]।
- यह **एक राष्ट्र-एक योजना (One Nation–One Scheme)** के सिद्धांत पर आधारित है और इसे **कृषि एवं कृषक कल्याण मंत्रालय** द्वारा क्रियान्वित किया जा रहा है।
- यह बोआई-पूर्व से लेकर कटाई-पश्चात् तक, न रोके जा सकने योग्य **प्राकृतिक ख़तरों पर**, व्यापक जोखिम सुरक्षा प्रदान करता है, जैसे- सूखा, शुष्क दौर, बाढ़, हानिकारक कीट एवं रोग, प्राकृतिक आग, बिजली गिरना, झंझावात, चक्रवात, तूफान, आँधी, हरिकेन और टॉरनेडो। **स्थानीय आपदाएँ** जैसे- ओलावृष्टि, बेमौसम बारिश, भूस्खलन, जलप्लावन आदि PMFBY के अंतर्गत आती हैं।
- **PMFBY का लक्ष्य** बीमा सुरक्षा को देश के सकल फ़सल क्षेत्र [Gross Cropped Area (GCA)] के 23 प्रतिशत से बढ़ाकर 50 प्रतिशत करना है।

- **'क्षेत्र दृष्टिकोण आधार'** या परिभाषित क्षेत्र के आधार पर योजना को लागू किया जा रहा है। प्रमुख फ़सलों के लिए **परिभाषित क्षेत्र** (अर्थात् बीमा का इकाई क्षेत्र) **ग्राम/ग्राम पंचायत** स्तर है, जबकि गौण फ़सलों के लिए परिभाषित क्षेत्र ग्राम/ग्राम पंचायत स्तर से ऊँचा होता है।
- PMFBY में **सभी खाद्य और तिलहन फ़सलें और वार्षिक वाणिज्यिक/बाग़बानी फ़सलें शामिल हैं,** जिनके लिए पिछली उपज के आँकड़े उपलब्ध हैं और जिनके लिए सामान्य फ़सल अनुमान सर्वेक्षण [General Crop Estimation survey (GCES)] के तहत अपेक्षित संख्या में फ़सल कटाई प्रयोग [Crop Cutting Enterprises (CCEs)] किये जा रहे हैं।
- PMFBY के अंतर्गत **किसानों द्वारा भुगतान की जानेवाली राशि :** ख़रीफ़ की सभी तिलहन एवं खाद्यान्न फ़सलों के लिए बीमाकृत राशि (sum insured) का **2 प्रतिशत** या वास्तविक दर (जो भी कम हो); रबी की सभी तिलहन एवं खाद्यान्न फ़सलों को लिए **1.5 प्रतिशत;** वाणिज्यिक/वानिकी फ़सलों के लिए **5 प्रतिशत।**
- शेष प्रीमियम को केंद्र और राज्य सरकार द्वारा **समान रूप** से साझा किया जाता है (उत्तर-पूर्व राज्यों के लिए यह अनुपात 90:10 है)।
- PMFBY **राज्यों के लिए स्वैच्छिक है** (अर्थात् राज्यों के लिए PMFBY को अपनाना ज़रूरी नहीं है)।
- PMFBY के अंतर्गत **प्रत्यक्ष लाभ अंतरण [Direct Benefit Transfer (DBT)** को 2017 में शुरू किया गया, ताकि किसान दावों को सीधे अपने बैंक खाते में प्राप्त कर सकें, इसीलिए **आधार पंजीकरण कराना भी अनिवार्य कर दिया गया।**
- हितधारकों के बीच वेब-आधारित परिपथ (interface) प्रदान करने के लिए राष्ट्रीय फ़सल बीमा पोर्टल (National Crop Insurance Portal) शुरू किया गया है।
- **2018 में भारत सरकार द्वारा PMFBY के कार्यशील दिशानिर्देशों को संशोधित किया गया था, कुछ महत्त्वपूर्ण संशोधन थे :-**

(a) कट-ऑफ़ डेट के 10 दिनों के बाद दावों के निपटारे में देरी होने पर बीमा कंपनियों द्वारा किसानों को प्रतिवर्ष 12 प्रतिशत ब्याज-दर का भुगतान करना होगा।

(b) राज्य के हिस्से को जारी करने में देरी होने पर, राज्य सरकार को 12 प्रतिशत ब्याज-दर का भुगतान करना होगा।

(c) बीमा के लिए फ़सल के नामांकन में परिवर्तन का समय बढ़ा।

(d) स्थानीय आपदा के कारण और कटाई-पश्चात् नुक़सान की जानकारी देने का समय, 48 घंटे से बढ़ाकर, 72 घंटे किया गया।

- **PMFBY के लाभ :** निम्न प्रीमियम दरें, आधुनिक तकनीक के प्रयोग के कारण दावों का त्वरित निपटान, फ़सल-पश्चात् सुरक्षा, पहले से अधिक आपदाओं पर सुरक्षा, पूर्ण बीमाकृत राशि के समक्ष किसान दावों को प्राप्त करते हैं इत्यादि।
- **PMFBY की सीमाएँ :** कम कवरेज़, कुछ राज्य सरकारों द्वारा प्रीमियम के अपने हिस्से को जारी करने में देरी, जिसके कारण बीमा कंपनियों के भुगतान में देरी, केवल पायलट आधार पर जंगली पशुओं के हमलों के विरुद्ध कवरेज़ इत्यादि।
- **PMFBY का अब तक का प्रदर्शन :** 2016-17 और 2017-18 के लिए GCA के 30 प्रतिशत कवरेज़ का लक्ष्य था। लेकिन, महाराष्ट्र और उत्तर प्रदेश द्वारा ऋण माफ़ी योजना की घोषणा जैसे कारणों से यह लक्ष्य प्राप्त नहीं किया जा सका। 2018-19 में राजस्थान एवं मध्य प्रदेश द्वारा भी ऋण माफ़ी की घोषणा की गयी। हालाँकि, 2018-19 में GCA का 30 प्रतिशत बीमा के अंतर्गत आ गया।
- 2020 में सरकार द्वारा PMFBY में निम्नलिखित महत्त्वपूर्ण संशोधन किये गये :

(a) प्रीमियम सब्सिडी पर अब प्रतिबंध/कैप लगाये जायेंगे- अर्थात् असिंचित क्षेत्रों के लिए 30 प्रतिशत और सिंचित क्षेत्र के लिए 25 प्रतिशत। पहले सरकारी सब्सिडी पर कोई ऊपरी सीमा नहीं थी।

(b) PMFBY के अंतर्गत नामांकन अब **सभी किसानों के लिए स्वैच्छिक** कर दिया गया है। पहले यह ऋण लेनेवाले किसानों के लिए अनिवार्य था।

(c) अतिरिक्त जोखिम कवर चुनने के लिए **राज्य/केंद्र शासित प्रदेशों के पास लचीलापन** होगा। पहले यह अनिवार्य था।

पुनर्गठित मौसम आधारित फ़सल बीमा योजना [Restructured Weather-Based Crop Insurance Scheme (RWBCIS)]

- WBCIS के संशोधन के रूप में RWBICS को **2016** में **कृषि एवं कृषक कल्याण मंत्रालय** द्वारा शुरू किया गया था।
- WBCIS का उद्देश्य प्रतिकूल मौसम की घटनाओं (*वर्षा की आशंका, तापमान, वायु की गति, आर्द्रता और ओलावृष्टि*) के विरुद्ध कृषक को बीमा सुरक्षा प्रदान करना है।
- प्रमुख खाद्य फ़सलें, तिलहन और वाणिज्यिक/वानिकी फ़सलें RWBCIS के दायरे में आती हैं।
- जोखिम की अवधि बोआई से फ़सल की परिपक्वता तक होती है।
- यह योजना मौसम मापदडों या पैरामीटर्स का फ़सल उपज के प्रॉक्सी के रूप में प्रयोग करती है, ताकि फ़सल के नुक़सान की भरपाई किसानों को हो सके।
- यह योजना **'क्षेत्र दृष्टिकोण आधार' (Area Approach basis)** पर लागू की जा रही है।
- अधिसूचित फ़सल उगानेवाले सभी किसान (बँटाईदार और किरायेदार किसान) RWBCIS के अंतर्गत सुरक्षा के पात्र हैं।
- 2020 के संशोधन के अनुसार RWBCIS को किसानों के लिए स्वैच्छिक बनाया गया है (*पहले यह ऋण लेनेवाले किसानों के लिए अनिवार्य था*)।
- **RWBCIS के अंतर्गत किसानों द्वारा भुगतान किये जानेवाले प्रीमियम की राशि :** ख़रीफ़ की सभी तिलहन एवं खाद्यान्न फ़सलों के लिए बीमाकृत राशि (sum insured) का 2 प्रतिशत या वास्तविक दर (जो भी कम हो); रबी की सभी तिलहन एवं खाद्यान्न फ़सलों को लिए **1.5 प्रतिशत;** वाणिज्यिक/वानिकी फ़सलों के लिए **5 प्रतिशत**।
- दावे के रूप में मुआवज़ा केवल विपरीत मौसम घटनाओं की स्थिति में ही मिलेगा। विपरीत मौसम घटना 'रिफ़रेंस वेदर स्टेशन' में दर्ज **'ट्रिगर वेदर'** और **'ऐक्चुअल वेदर'** के बीच हुए विचलन के बराबर होती है।

कृषि मेघ (Krishi Megh)

कृषि मेघ भारतीय कृषि अनुसंधान परिषद् [Indian Council of Agricultural Research (ICAR)] का डेटा रिकवरी सेंटर है। इसकी स्थापना का उद्देश्य भारत में कृषि के क्षेत्र में जोखिम को कम करना, ई-गवर्नेंस, अनुसंधान, विस्तार एवं शिक्षा की गुणवत्ता, उपलब्धता और सुलभता बढ़ाना है। यह नवीनतम प्रौद्योगिकी जैसे **कृत्रिम बौद्धिकता** और **डीप लर्निंग सॉफ़्टेवयर** से सुसज्जित है। इनकी सहायता से **डीप लर्निंग** आधारित ऐप्लिकेशन बनाया जायेगा और चित्रों के विश्लेषण, पशुधन में बीमारियों की पहचान आदि में उनका उपयोग किया जायेगा। इससे अनुसंधानकर्ताओं को वास्तविक डेटा उपलब्ध हो पायेगा।

बॉयोटेक-किसान कार्यक्रम (Biotech-Kisan Programme)

बॉयोटेक-किसान कार्यक्रम किसान, केंद्रित योजना है, जो किसानों के लिए है। इसे विज्ञान एवं प्रौद्योगिकी मंत्रालय के जैव प्रौद्योगिकी विभाग के अंतर्गत किसानों द्वारा और उनकी सहायता से तैयार किया गया है।

यह कार्यक्रम संपूर्ण भारत में चलेगा। इसमें हब और स्पोक मॉडल का अनुसरण किया जायेगा। इसका उद्देश्य उद्यमिता को बढ़ावा देना, किसानों को नवोन्मेषी बनाना और महिला किसानों को सशक्त करना है।

इस कार्यक्रम के अंतर्गत खेतों को उपलब्ध विज्ञान और प्रौद्योगिकी से जोड़ा जाता है। इसके लिए पहले स्थानीय किसान की समस्या को समझकर और फिर उन समस्याओं का वैज्ञानिक निराकरण किया जाता है।

पशु-पालन (ANIMAL REARING)

पालतू जानवरों में पशुधन और मुर्ग़ीपालन ग्रामीण भारत का एक अभिन्न अंग है और इनके द्वारा सर्जित आय बड़ी संख्या में ग्रामीण परिवारों के लिए एक महत्त्वपूर्ण द्वितीयक स्रोत है।

पशुधन में मवेशी, भैंस, मिथुन, याक, भेड़, बकरी, सुअर, घोड़ा, टट्टू, खच्चर, गधा और ऊँट सम्मिलित हैं। पशुधन क्षेत्र भारतीय अर्थव्यवस्था में कृषि का एक महत्त्वपूर्ण उप-क्षेत्र है। 2014-15 से 2021-22 तक यह 13.36 प्रतिशत की CAGR से बढ़ी।

कुल कृषि एवं संबद्ध क्षेत्र GVA (स्थिर मूल्यों पर) में पशुधन का योगदान 24.32 प्रतिशत (2014-15) से बढ़कर 30.23 प्रतिशत (2022-23) हो गया है। पशुधन क्षेत्र ने वर्ष 2022-23 में कुल GVA में 5.50 प्रतिशत का योगदान दिया।

पशुधन क्षेत्र के विकास से दूध, अंडे और मांस की प्रतिव्यक्ति उपलब्धता में सुधार हुआ है।

पशुधन का महत्त्व (Significance of Livestock)

- यह दूध, मांस एवं अंडे प्रदान करता है, जो परिवारों के पोषण का एक महत्त्वपूर्ण स्रोत है।
- यह ग़रीबों के लिए एक महत्त्वपूर्ण पूँजी और सुरक्षा जाल है तथा पूरक आय भी प्रदान करता है।
- गोबर जैसे पशु अपशिष्ट मिट्टी की उर्वरता और फ़सल की उपज में सुधार करने के लिए पोषक तत्वों का एक बड़ा स्रोत हैं।
- अन्य लाभों में चमड़े के लिए त्वचा का प्रयोग, खेतों की जुताई के लिए बैल आदि सम्मिलित हैं।

परीक्षोपयोगी

20वीं पशुधन गणना (20th LIVESTOCK CENSUS)

- पशुधन गणना में **ग्रामीण और शहरी क्षेत्रों** के सभी पालतू पशुओं को सम्मिलित किया जाता है और यह **एक पंचवर्षीय** (प्रति 5 साल में की जानेवाली) प्रक्रिया है। इस तरह की गणना का उद्देश्य प्रजातियों, नस्ल, आयु, लिंग और स्वामित्व जैसे विभिन्न पहलुओं पर जानकारी एकत्र करना है। यह पशुधन क्षेत्र में सुधार के लिए कार्यक्रमों की उचित योजना, निर्माण, कार्यान्वयन और निगरानी की सुविधा के लिए किया जाता है।
- पहली ऐसी पशुधन गणना 1919 में आयोजित की गयी थी। 2019 की गणना ऐसी 20वीं गणना है।
- 20वीं गणना के आँकड़े मछली पालन, पशु-पालन और डेयरी मंत्रालय द्वारा 2019 में जारी किये गये थे।
- इस गणना में पशुओं और पक्षियों की नस्ल-के आधार पर संख्या को गिना गया था।
- पशुधन गणना में इन प्रजातियों को सम्मिलित किया गया : मवेशी, भैंस, मिथुन, याक, भेड़, बकरी, सुअर, घोड़ा, टट्टू, खच्चर, गधा और ऊँट। इस गणना में पशुधन के अतिरिक्त घरों में रहनेवाले कुक्कुट पालन या पोल्ट्री पक्षी, कुत्ते और ख़रगोश तथा हाथी की भी गणना की गयी थी।
- पहली बार, पशुधन के आँकड़े ऑनलाइन एकत्र किये गये थे।
- कुल पशुधन की संख्या 2012 में 512 मिलियन से बढ़कर 2019 में **535.78** मिलियन हो गयी (जो 2012 की गणना से **4.6** प्रतिशत की वृद्धि को प्रदर्शित करती है)।
- कुल पशुधन संख्या में 35.94 प्रतिशत मवेशी, **27.80** प्रतिशत बकरी, 20.45 प्रतिशत भैंस, **13.87** प्रतिशत भेड़ और 1.69 प्रतिशत सूअर हैं। मिथुन, याक, घोड़े, टट्टू, खच्चर, गधे और ऊँट का एकसाथ कुल योगदान 0.23 प्रतिशत है।
- पिछली गणना की तुलना में भेड़ और बकरी की प्रतिशत भागीदारी में वृद्धि हुई है, जबकि मवेशी, भैंस और सुअर की संख्या में मामूली गिरावट आयी है।
- गोजातीय गणना (Bovine population) (मवेशी, भैंस, मिथुन और याक) में पिछली गणना की तुलना में 1 प्रतिशत की वृद्धि हुई है।
- मवेशियों की गणना में पिछली गणना की तुलना में 0.8 प्रतिशत की वृद्धि हुई है। यद्यपि, मादा मवेशियों की गणना में 18 प्रतिशत की बड़ी वृद्धि हुई है।

पशुधन संख्या

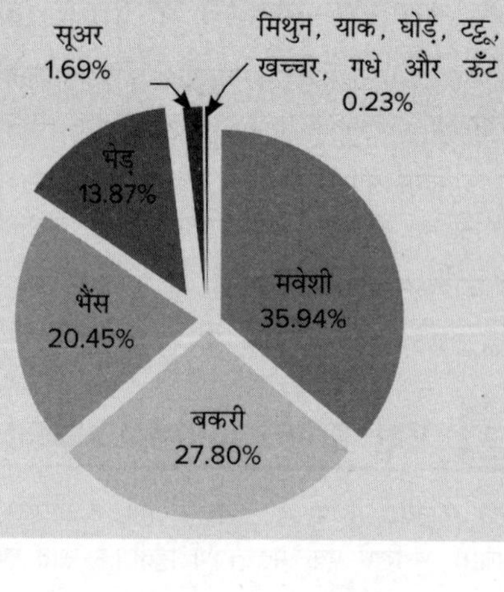

- विदेशज/संकर मवेशियों की (exotic/crossbreed cattle) संख्या देशज मवेशियों की संख्या का लगभग एक-तिहाई है।
- पिछली गणना की तुलना में देशज मवेशियों की संख्या में गिरावट हुई है, लेकिन इसकी रफ़्तार धीमी हुई है। दूसरी तरफ़, विदेशज/संकर मवेशियों की संख्या (Indigenous cattle population) में काफ़ी वृद्धि हुई है।
- पिछली गणना की तुलना में कुल पोल्ट्री में 17 प्रतिशत की वृद्धि हुई है, जबकि वाणिज्यिक पोल्ट्री (commercial poultry) में 4.5 प्रतिशत की वृद्धि हुई है।
- 21वीं **पशुधन गणना सितंबर से दिसंबर, 2024** तक आयोजित की गयी (*निष्कर्ष अभी तक प्रकाशित नहीं हुए हैं*)। **इसमें 16 प्रजातियाँ और 219 नस्लें सम्मिलित थीं**। पहली बार, 21वीं पशुधन गणना में पशुपालकों, पशुधन क्षेत्र में उनके योगदान, उनकी सामाजिक-आर्थिक स्थिति और **पशुधन धारण के बारे में** अलग से **डेटा** एकत्र किया गया है।

परीक्षोपयोगी

राष्ट्रीय पशुधन मिशन (NATIONAL LIVESTOCK MISSION)

यह कृषि एवं कृषक कल्याण मंत्रालय *(Ministry of Agriculture and Farmers Welfare)* की एक पहल है, जो 2014-15 से आरम्भ हुई है। उद्देश्य हैं :-

- पशुधन क्षेत्र का संधारणीय विकास।
- पशुधन उत्पादन प्रणाली में मात्रात्मक एवं गुणात्मक सुधार और सभी हितधारकों के क्षमता संवर्धन को सुनिश्चित करना।
- स्थानीय ज़रूरतों के अनुसार योजना बनाने और उन्हें कार्यान्वित करने में राज्य सरकारों को व्यावहारिक बनाना।

राष्ट्रीय पशुधन मिशन (National Livestock Mission) निम्न चार उप-मिशन में गठित है :-

1. **पशुधन विकास के विषय में उप-मिशन (Sub-mission on Livestock Development)** : पशुधन प्रजातियों के समग्र विकास में मवेशी एवं भैंस के अतिरिक्त पोल्ट्री भी सम्मिलित है। जोखिम प्रबंधन एवं बीमा के एक घटक के रूप में मवेशी, भैंस से लेकर मुख्य एवं गौण पशुधन तक सम्मिलित हैं।
2. **उत्तर-पूर्वी क्षेत्र में सुअर विकास के विषय में उप-मिशन (Sub-mission on Pig Development in North-Eastern Region)** : उत्तर एवं पूर्व क्षेत्र में सुअरों के समग्र विकास के लिए अनुसंधान एवं विकास संगठनों को लाना।
3. **चारा और चारा विकास के विषय में उप-मिशन (Sub-mission on Fodder and Feed Development)** : कृषिगत एवं ग़ैर-कृषिगत क्षेत्रों में तकनीकी हस्तक्षेप की सहायता से चारे और पशु-आहारों के उत्पादन एवं उत्पादकता, दोनों में वृद्धि करना।
4. **कौशल विकास, तकनीकी हस्तांतरण एवं विस्तार के विषय में उप-मिशन (Sub-mission on Skill Development, Technology Transfer and Extension)** : नयी तकनीकों और गतिविधियों को लाने और अपनाने के लिए यह हितधारकों को जोड़ता है। दूसरे शब्दों में, किसानों, शोधकर्ताओं एवं बाह्य श्रमिकों के सहयोग से अग्रिम खेत प्रदर्शनों के साथ तकनीक को विकसित करने एवं ग्रहण करने के लिए एक मंच प्रदान करना।

मीठी क्रांति (SWEET REVOLUTION)

- **राष्ट्रीय मधुमक्खी-पालन और शहद-मिशन (NBHM)** का उद्देश्य **'मीठी क्रांति'** के लक्ष्य को प्राप्त करने हेतु देश में वैज्ञानिक ढंग से मधुमक्खी-पालन का समग्र संवर्धन और विकास है।
- मिशन की घोषणा **आत्मनिर्भर भारत** योजना के हिस्से के रूप में की गयी थी।
- यह योजना **राष्ट्रीय मधुमक्खी बोर्ड (NBB)** के माध्यम से कार्यान्वित की जा रही है।
- देश में एकीकृत कृषि प्रणाली के एक हिस्से के रूप में मधुमक्खी पालन के महत्त्व को देखते हुए, तीन वर्षों (2020-21 से 2022-23) के लिए राष्ट्रीय मधुमक्खी पालन एवं शहद मिशन (NBHM) हेतु ₹500 करोड़ का आवंटन किया गया, तथा शेष ₹370 करोड़ के साथ इसे वर्ष 2025 तक बढ़ा दिया गया।

NBHM का उद्देश्य

- कृषि और ग़ैर-कृषि परिवारों के लिए आय और रोज़गार सृजन के लिए मधुमक्खी-पालन उद्योग के समग्र विकास को बढ़ावा देना,
- कृषि/बाग़बानी उत्पादन में वृद्धि करना,
- अवसंरचनात्मक सुविधाओं का विकास करना,
- जिसमें **एकीकृत मधुमक्खी-पालन विकास केंद्र** (IBDC) की स्थापना शामिल है,
- शहद परीक्षण प्रयोगशालाएँ, मधुमक्खी रोग निदान प्रयोगशालाएँ, कस्टम भर्ती केंद्र, चिप-थेरेपी केंद्र, न्यूक्लियस स्टॉक, मधुमक्खी प्रजनक आदि
- और मधुमक्खी-पालन के माध्यम से महिलाओं का सशक्तीकरण।

इसके अलावा, इस योजना का उद्देश्य मिनी मिशन-I के तहत वैज्ञानिक मधुमक्खी-पालन, मधुमक्खी-पालन के बाद फ़सल प्रबंधन, मधुमक्खी-पालन, मधुमक्खी-पालन उत्पादों के संग्रह, प्रसंस्करण, भंडारण, विपणन, मूल्य संवर्धन आदि के बारे में मिनी मिशन-III के तहत जागरूकता पैदा करना है और मिनी मिशन-III के तहत मधुमक्खी-पालन में अनुसंधान एवं प्रौद्योगिकी उत्पादन करना है।

खादी और ग्रामोद्योग आयोग (KVIC) ने किसानों और मधुमक्खी पालकों का समर्थन करने के लिए अभिनव "मोबाइल हनी प्रोसेसिंग वैन" की शुरुआत की है।

लाल क्रांति (RED REVOLUTION)

यह **मांस (विशेष रूप से भैंस का) और पोल्ट्री प्रसंस्करण क्षेत्र** के विशेषज्ञीकरण, मशीनीकरण और मानकीकरण को दर्शाती है। भारत को विश्व के दूसरे (ब्राज़ील के बाद) सबसे बड़े बीफ़ निर्यातक देश के रूप में प्रस्तुत किया गया है। FAOSTAT उत्पादन आँकड़ा (2019) के अनुसार, भारत को विश्व में मांस उत्पादन में 5वाँ स्थान मिला है।

इस संबंध में सरकार द्वारा की गयी पहल :-

- वन-स्टॉप समाधान के रूप में दिल्ली में पहले मांस एवं पोल्ट्री फ़ूड-टेस्टिंग प्रयोगशाला की स्थापना।
- 100 प्रतिशत **FDI** की अनुमति दी गयी है।
- खाद्य प्रसंस्करण में शोध एवं विकास **(R&D)**, प्रक्रिया विकास और बेहतर पैकेजिंग को बढ़ावा देने के लिए प्रोत्साहन राशि प्रदान की गयी है।

चुनौतियाँ :-

- प्रतिव्यक्ति मांस की खपत 6 ग्राम प्रतिदिन है और इसे 2020 तक बढ़ाकर 50 ग्राम प्रतिदिन किया जाना है।
- भारत में सर्वाधिक पशुधन संख्या होने के बाद भी भारत की वैश्विक बाज़ार में भागीदारी केवल 2 प्रतिशत के आसपास है।

नीली क्रांति (BLUE REVOLUTION)

इस क्रांति का मुख्य उद्देश्य मछुआरों की आर्थिक संवृद्धि को सुनिश्चित करना है। इस क्रांति के जनक **डॉ. अरुण कृष्णन और डॉ. हीरालाल चौधरी** थे।

लक्ष्य :-

- समग्र मछली क्षमता को पूर्ण रूप से प्राप्त करना और उत्पादन एवं निर्यातजनित आय को 2020 तक तिगुना करना।
- नयी तकनीकों एवं प्रक्रियाओं को लाना तथा मछलीपालन क्षेत्र को बॉयो फ़्लॉक फ़ार्मिंग जैसे आधुनिक उद्योग में रूपांतरित करना।

सरकार द्वारा हाल में उठाये गये क़दम

- मछलीपालन का एकीकृत विकास एवं प्रबंधन (Integrated Development and Management of Fisheries) नीली क्रांति की एक पुनर्गठित योजना है, जिसका ₹3000 करोड़ का परिव्यय है तथा जो 2015-20 की अवधि के लिए लागू की गयी।
- यह मछलीपालन के विकास एवं प्रबंधन पर फ़ोकस करती है, जिसमें अंत:स्थलीय मछलीपालन, जलीय-कृषि और गहरे समुद्र के मत्स्यन, मैरीकल्चर समेत समुद्री मछलीपालन तथा राष्ट्रीय मत्स्य विकास बोर्ड [National Fisheries Development Board (NFDB)] द्वारा की जानेवालीं सभी गतिविधियाँ सम्मिलित हैं।
- 2019-20 के बजट में प्रधानमंत्री मत्स्य संपदा योजना (PMMSY) की घोषणा की गयी है, जिसका उद्देश्य मत्स्य प्रबंधन कार्यढाँचे को सुदृढ़ करना तथा फ़सल-पश्चात् प्रबंधन और गुणवत्ता नियंत्रण के साथ मूल्य शृंखला, अवसंरचना, आधुनिकीकरण, उत्पादन एवं उत्पादकता में आये बड़े अंतरालों को दूर करना है। PMMSY का उद्देश्य वित्तीय वर्ष 2020-21 से 2024-25 तक, **पाँच वर्षों** की अवधि के लिए, **20,050 करोड़ रुपये** के निवेश के साथ भारत में मत्स्य-पालन क्षेत्र के सतत और ज़िम्मेदार विकास के माध्यम से नीली क्रांति लाना है। 2021-22 के दौरान, PMMSY ने बीमा कवरेज़ के तहत 22 राज्यों और 7 केंद्र शासित प्रदेशों के 31.89 लाख किसानों का समर्थन किया है और अतिरिक्त 6.77 लाख किसानों को आजीविका और पोषण सहायता के लिए कवर किया गया है। केंद्रीय बजट 2020-21 में, **सागर मित्रों** की अवधारणा पेश की गयी थी।
- **मत्स्य-पालन और जलीय कृषि अवसंरचना विकास कोष (FIDF)** को 7522.48 करोड़ रुपये के कुल फ़ंड आकार के साथ स्थापित किया गया है, जिसे रिआयती वित्त प्रदान करने के लिए 2018-19 से 2023-24 तक 5 वर्षों की अवधि के लिए लागू किया जा रहा है।
- **किसान क्रेडिट कार्ड (KCC)** सुविधा मछुआरों और मछली किसानों को उनकी कार्यशील पूँजी और अल्पकालिक ऋण आवश्यकताएँ पूरा करने में मदद करने के लिए भी उन्हें प्रदान की गयी है।

मछली उत्पादन की वर्तमान प्रवृत्ति :-

- आर्थिक सर्वेक्षण 2021-22 के अनुसार, भारत विश्व में तीसरा सबसे बड़ा मछली उत्पादक देश है और वैश्विक उत्पादन में इसकी लगभग **8** प्रतिशत भागीदारी है। वर्ष 2019-20 के दौरान भारत में मछली उत्पादन सर्वाधिक **16.25** मिलियन मीट्रिक टन की सीमा तक पहुँच गया।
- वर्तमान में दुनिया भर के मछली उत्पादन के 8 प्रतिशत के साथ, भारत मछली उत्पादन में तीसरे, जलीय कृषि में दूसरे, झींगा उत्पादन में पहले और समुद्री खाद्य निर्यात में चौथे स्थान पर है।
- मत्स्य-पालन क्षेत्र को **'सनराइज सेक्टर'** के रूप में मान्यता दी गयी है और इस क्षेत्र ने 2014-15 से 10.87 प्रतिशत की उत्कृष्ट दो अंकों की औसत वार्षिक वृद्धि का प्रदर्शन किया है।
- वर्ष 2017-18 के नवीनतम उपलब्ध आँकड़ों के अनुसार, **आंध्र प्रदेश** में अंतर्देशीय मछली उत्पादन और समग्र मछली उत्पादन सर्वाधिक है। वर्ष 2017-18 में **गुजरात** में समुद्री मछली उत्पादन सर्वाधिक था। भारत सरकार ने वर्ष 2024-25 में 22 मिलियन मीट्रिक टन मछली उत्पादन का लक्ष्य रखा है।
- **केंद्रीय बजट, 2021-22 में,** मछली क्षेत्र को और बढ़ावा देने के लिए, आर्थिक गतिविधि के केंद्र के रूप में 5 प्रमुख मछली बंदरगाहों को विकसित करने का प्रस्ताव रखा गया है। ये पाँच बंदरगाह कोच्चि, चेन्नई, विशाखापट्टनम, पारादीप और पेटुआघाट में बनाये जायेंगे।
- समुद्री सिवार की खेती को बढ़ावा देने के लिए, **तमिलनाडु** में एक **बहुद्देशीय समुद्री सिवार पार्क** बनाने की भी केंद्रीय बजट 2021-22 में घोषणा की गयी है।
- **केंद्रीय बजट 2023-24 में, प्रधान मंत्री मत्स्य किसान समृद्धि सहयोग (पीएम-एमकेएसएसवाई)** नामक एक नयी उप-योजना शुरू की गयी है। यह PMMSY के तहत एक केंद्रीय क्षेत्र की उप-योजना है, जिसका लक्ष्य 6,000 करोड़ रुपये का निवेश है, जिसके **निम्नलिखित उद्देश्य हैं :**
    - मछुआरों, मछली विक्रेताओं और मत्स्य-पालन क्षेत्र में लगे सूक्ष्म और लघु उद्यमों की आय को और बढ़ाना है।

- मत्स्य-पालन क्षेत्र को औपचारिक रूप देने के लिए केंद्रित हस्तक्षेप और इसमें डिजिटल समावेशन, पूँजी निवेश और कार्यशील पूँजी के लिए संस्थागत वित्त तक पहुँच की सुविधा, जलीय कृषि और मत्स्य-पालन में जोखिम को कम करने के लिए प्रणाली और संस्थानों को लाने के लिए प्रोत्साहन शामिल हैं। मूल्य-शृंखला दक्षता पर, उपभोक्ताओं को सुरक्षित मछली उत्पादों की डिलीवरी के लिए आपूर्ति शृंखला स्थापित करने के लिए सूक्ष्म और लघु उद्यमों को प्रोत्साहित करना, जिससे घरेलू बाज़ार का विस्तार होता है और इस क्षेत्र में महिलाओं के लिए नौकरियों के निर्माण और रख-रखाव के लिए प्रोत्साहन मिलता है।
- PM-MKSSY के तहत, **राष्ट्रीय मत्स्य पालन डिजिटल प्लेटफ़ॉर्म (NFDP)** लॉन्च किया गया, जिससे मछली उत्पादकों, श्रमिकों, विक्रेताओं और प्रसंस्करणकर्ताओं को सफलतापूर्वक संगठित और पंजीकृत किया गया।
- **मत्स्यपालन और जलीय कृषि अवसंरचना विकास निधि (FIDF)** की शुरुआत समुद्री और अंतर्देशीय मत्स्यपालन दोनों में अवसंरचनागत विकास हेतु वित्तीय सहायता प्रदान करने के लिए की गयी थी।

मछलीपालन क्षेत्र के सामने चुनौतियाँ :

- **गुणवत्तापूर्ण बीजों एवं मत्स्य आहार की अनुपलब्धता,** गादवाले तालाब तथा मछुआरों के बीच जागरुकता का अभाव।
- मत्स्ययन के बाह्य स्टाफ़ और मछुआरों के प्रशिक्षण की अपर्याप्तता।
- **प्रमुख रोगों के प्रकोप का अपर्याप्त प्रबंधन**, सामान्य मछली रोगों में सम्मिलित हैं - ड्रॉप्सी, फ़िन रोट, क्लाउड आई, स्विम ब्लैडर, गैस बबल रोग, EUS इत्यादि।
- क्षेत्र एवं प्रयोगशाला सुविधाओंवाले नेटवर्क की सीमित उपलब्धता।
- **विश्वसनीय और अपडेट आँकड़ों** तथा संसाधन-विशिष्ट मछली पकड़नेवालीं नावों का अभाव।

श्वेत क्रांति या ऑपरेशन फ़्लड (WHITE REVOLUTION OR OPERATION FLOOD)

- प्रारम्भ में पहली पंचवर्षीय योजना के अंतर्गत मवेशियों की गुणवत्ता सुधार के लिए प्रमुख ग्राम योजना (Key Village Scheme) शुरू की गयी थी।
- सहकारी समितियों के माध्यम से डेयरी विकास का समर्थन, नियोजन एवं संगठित करने के लिए दूसरी पंचवर्षीय योजना के दौरान राष्ट्रीय डेयरी विकास बोर्ड [National Dairy Development Board (NDDB) की स्थापना की गयी थी।
- इसके बाद तीसरी पंचवर्षीय योजना के दौरान गहन मवेशी विकास को (Intensive Cattle Development) लॉन्च किया गया था।
- यद्यपि, 1970 में एक व्यापक कार्यक्रम शुरू किया गया, जिसे ऑपरेशन फ़्लड या श्वेत क्रांति का नाम दिया गया। यह कार्यक्रम 1990 के दशक तक चला।
- ऑपरेशन फ़्लड का पूरा विचार ग्राम दुग्ध उत्पादक सहकारी समितियों पर आधारित है, जो अपने सदस्यों से दूध ख़रीदती हैं तथा उन्हें उन्नत तकनीक को उपलब्ध कराने के साथ आगतों एवं सेवाओं को प्रदान करती हैं।
- श्वेत क्रंति के जनक **डॉ वर्गीस कुरियन** थे।

ऑपरेशन फ़्लड के उद्देश्य

- दुग्ध उत्पादन एवं उत्पादकता में वृद्धि।
- ग्रामीण आय में वृद्धि।
- उचित मूल्य पर उपभोक्ताओं के लिए दूध की उपलब्धता सुनिश्चित करना।

ऑपरेशन फ़्लड के विभिन्न चरण (OPERATION FLOOD IN DIFFERENT PHASES)

चरण 1 (1970–80)	चरण 2 (1981–85)	चरण 3 (1985–96)
18 प्रमुख मिल्क शेड को मुंबई, दिल्ली, चेन्नई और कोलकाता के चार मेट्रो शहरों के उपभोक्ताओं से जोड़ा गया, ताकि दुग्ध बाज़ार में उत्पादकों की भागीदारी में वृद्धि हो सके।	मिल्क शेड 18 से बढ़कर 136 हो गये। शहरी बाज़ार में दूध के केंद्र बढ़कर 290 हो गये। 1985 के अंत तक 43,000 ग्राम सहकारी समितियाँ बनायी गयीं, जिसमें **42.5** लाख दुग्ध उत्पादक सम्मिलित थे।	• दुग्ध सहकारी समितियाँ बढ़कर 72,000 तक हो गयीं। • मिल्क शेड की संख्या बढ़कर 173 हो गयी तथा महिला दुग्ध सहकारी समितियों में उल्लेखनीय वृद्धि हुई। • पशु स्वास्थ्य एवं पोषण में अनुसंधान एवं विकास **(R&D)** पर फ़ोकस किया गया। • थिलेरिओसिस के लिए वैक्सीन, बाईपास प्रोटीन आहार और यूरिया-मोलासेस मिनिरल ब्लॉक जैसी नवीन खोज हुई, जिससे उत्पादन में वृद्धि हुई।

डेयरी क्षेत्र में समग्र उपलब्धियाँ (Overall Achievements in Dairy Sector)

- डेयरी क्षेत्र में पिछले 4 वर्षों में लगभग 6 प्रतिशत वार्षिक की वृद्धि हुई है (वैश्विक वृद्धि लगभग 2 प्रतिशत की तुलना में)।
- भारत दूध उत्पादन में पहले स्थान पर है, जो वैश्विक दूध उत्पादन में लगभग 25% का योगदान देता है।
- भारत में दूध उत्पादन पिछले 10 वर्षों में **5.62% की चक्रवृद्धि वार्षिक वृद्धि दर (CAGR)** से बढ़ रहा है। दूसरी ओर, वर्ष 2022 (फ़ूड आउटलुक जून 2024) की तुलना में, वर्ष 2023 के दौरान विश्व दूध उत्पादन में 1.5% की वृद्धि हुई है।
- वर्ष 2023-24 के दौरान, भारत में **प्रतिव्यक्ति** दूध की **उपलब्धता 471 ग्राम** प्रतिदिन होगी, जबकि वर्ष 2023 में विश्व औसत 329 ग्राम प्रतिदिन है (फ़ूड आउटलुक जून 2024)।
- **अमूल मॉडल** को छोटे और सीमांत किसानों के लिए डेयरी का सर्वश्रेष्ठ मॉडल माना जाता है। पिछले डेढ़ दशक से भारत विश्व में प्रमुख दुग्ध उत्पादक देश बना हुआ है।
- यद्यपि, भारत में **प्रतिपशु दुग्ध उत्पादकता** अब भी विश्व के औसत (2310 किग्रा/वर्ष) की तुलना में कम (1806 किग्रा/वर्ष) बनी हुई है तथा भारत की विश्व डेयरी **निर्यात बाज़ार में लगभग 0.01 प्रतिशत** भागीदारी है।

डेयरी क्षेत्र में चुनौतियाँ लगातार बनी हुई हैं :-

- प्रतिपशु उत्पादकता संतोषजनक नहीं है।
- पशुधन रोग।
- चारागाह क्षेत्रों के घटने और नष्ट होने से चारे और आहार संसाधनों पर दबाव बढ़ता जा रहा है।
- डेयरी उत्पादन में आविष्कारों एवं तकनीकी विकास में वृद्धि संतोषजनक स्तर से काफ़ी दूर है।
- बढ़ती अवसर-लागत के साथ प्रतिदिन भैंस को चरागाह ले जाना, आहार देना, सफ़ाई करना और दूध निकालना ग्रामीण कार्यबल के लिए कम लाभकारी और आकर्षक हो गया है।
- यह अब भी आय का दूसरे दर्जे का स्रोत है, क्योंकि दुग्ध उत्पादन अब भी एक सहायक व्यवसाय बना हुआ है, जिससे प्रतिपशु उत्पादकता प्रभावित हुई है।
- दूध में मिलावट।

दूध के निर्यात का निम्न स्तर, सरकार द्वारा हाल ही में उठाये गये प्रमुख क़दम :-

राष्ट्रीय गोकुल मिशन *(गोजातीय/गायों की स्थानीय नस्लों को विकसित एवं संरक्षित करना)* :-

- 2014 में लॉन्च किया गया।

➤ **उद्देश्य : स्वदेशी नस्लों** का विकास एवं संरक्षण, दुग्ध उत्पादन एवं उत्पादकता में वृद्धि इत्यादि।

➤ **गायों की स्वदेशी नस्लों** में गिर, साहीवाल, राठी, थारपारकर, हरियाणा, कांकरेज, लाल सिंधी, देवनी आदि सम्मिलित हैं। **भैंसों की स्वदेशी नस्लों** में मुर्राह, मेहसाणा, जाफ़राबादी, नीली रवि, बन्नी और पंढरपुरी सम्मिलित हैं।

➤ उद्देश्य प्राप्त करने के लिए अपनायी गयी रणनीति :-

1. जनन-मवेशियों के लिए नस्ल सुधार कार्यक्रम।
2. किसानों के दरवाज़े तक गुणवत्तापूर्ण कृत्रिम गर्भाधान [artificial insemination (AI)] सेवा पहुँचाना।
3. ब्रीडर और किसानों को जोड़ने के लिए ई-मार्केट पोर्टल (**ई-पशु हाट**)।
4. स्वदेशी नस्लों को विकसित करने के लिए **गोकुल ग्रामों** की स्थापना।
5. स्वदेशी नस्लों के विकास एवं संरक्षण के लिए दो नेशनल कामधेनु ब्रीडिंग सेंटर की स्थापना करना।
6. गोजातीयों की स्वदेशी नस्लों के पालन-पोषण हेतु किसान/ब्रीडर समितियों को प्रोत्साहित करने के लिए **कामधेनु पुरस्कार** एवं **गोपाल रत्न पुरस्कार**।

कामधेनु पुरस्कार : संस्थाओं/ट्रस्ट/NGO/गोशालाओं आदि द्वारा स्वदेशी पशु-समूह के सर्वश्रेष्ठ प्रबंधन के लिए।
गोपाल रत्न अवॉर्ड : स्वदेशी नस्ल के सर्वश्रेष्ठ पशु-समूह का रखरखाव और सर्वश्रेष्ठ प्रबंधन गतिविधियों का अभ्यास करनेवाले किसानों के लिए।

क्या आप जानते हैं?

वैश्विक भोजन के रूप में दूध के महत्त्व को स्वीकार करने और डेयरी क्षेत्र का उत्सव मनाने के लिए संयुक्त राष्ट्र के खाद्य और कृषि संगठन (FAO) द्वारा 2001 से हर साल **1 जून** को **विश्व दुग्ध दिवस** के रूप में मनाया जाता है। भारत में **26 नवंबर** को डॉ. वर्गीज कुरियन के जन्मदिन को **राष्ट्रीय दुग्ध दिवस** के रूप में मनाया जाता है।

परीक्षोपयोगी

पशुधन स्वास्थ्य में सुधार के लिए सरकारी प्रयास
(GOVERNMENT INTERVENTION TO IMPROVE LIVESTOCK HEALTH)

राष्ट्रीय पशु रोग नियंत्रण कार्यक्रम [National Animal Disease Control Programme (NADCP)] : 2019 में शुरू किये गये राष्ट्रीय पशु रोग नियंत्रण कार्यक्रम (NADCP) का लक्ष्य 2025 तक पशुधन (मवेशी, भैंस, सुअर, भेड़ और बकरी) में खुरपका एवं मुँहपका रोग [Foot and Mouth Disease (FMD)] और ब्रूसेलोसिस को पूर्ण रूप से नियंत्रित करना तथा 2030 तक इसका उन्मूलन कर देना है। इससे दूध का घरेलू उत्पादन बढ़ेगा और अंततः पशुधन उत्पादों के निर्यात में वृद्धि होगी। ब्रूसेलोसिस मवेशियों और भैंसों की एक प्रजनन बीमारी है, जो ब्रूसेला एबोर्टस जीवाणु के कारण होती है।

खुरपका और मुँहपका रोग (FMD) मवेशियों, भैंसों, भेड़ों, बकरियों और सूअरों आदि जैसे क्लोवेन-खुरवाले जानवरों का एक अत्यधिक संक्रामक वायरल वेसिकुलर रोग है। FMD दूध की उपज में कमी, विकास-दर में कमी, बाँझपन, बैलों में काम करने की क्षमता में कमी और अंतरराष्ट्रीय बाज़ार में व्यापार प्रतिबंध की ओर जाता है।

NADCP (NADCP) के उद्देश्य : FMD पर नियंत्रण के लिए 500 मिलियन से अधिक मवेशियों तथा ब्रूसेलोसिस पर नियंत्रण के लिए 36 मिलियन बछियों (female bovine calves) का प्रतिवर्ष टीकाकरण। भारत सरकार ने 2025 तक FMD के लिए 100 प्रतिशत मवेशियों, भैंस, भेड़, बकरी और सुअर की आबादी और 4-8 महीने की उम्र के 100 प्रतिशत गोजातीय मादा बछड़ों को ब्रूसेलोसिस के लिए टीका लगाने का संकल्प लिया है।

यह कार्यक्रम मत्स्य, पशु-पालन और डेयरी मंत्रालय द्वारा कार्यान्वित किया जा रहा है और 100 प्रतिशत भारत सरकार द्वारा वित्त पोषित है।

अतिरिक्त जानकारी

कृषि के विषय में समझौता (AGREEMENT ON AGRICULTURE)

कृषि के विषय में समझौता [Agreement on Agriculture (AoA)] विश्व व्यापार संगठन (WTO) की एक अंतरराष्ट्रीय संधि है। टैरिफ़ और व्यापार सबंधी सामान्य क़रार (General Agreement on Tariffs and Trade) की उरुग्वे दौर की वार्ता के दौरान इस पर बातचीत हुई थी और 1995 में WTO की स्थापना के साथ यह लागू हो गयी।

AoA का मूल उद्देश्य कृषि नीति के सिद्धांतों और व्यवस्थाओं में सुधार करना तथा सरकार द्वारा दिये जानेवाले कृषिगत संरक्षण एवं घरेलू समर्थन या सब्सिडी के कारण कृषि व्यापार में आयी विकृतियों को कम करना है।

AoA के तीन स्तम्भ हैं :-

1. घरेलू समर्थन या सब्सिडी (Domestic support or subsidy)
2. बाज़ार पहुँच (Market access)
3. निर्यात सब्सिडी प्रतिबद्धता (Export subsidy commitment)

अधिक विवरण अध्याय-29 (अंतरराष्ट्रीय आर्थिक संस्थाएँ) में दिया गया है।

इथेनॉल मिश्रित पेट्रोल (EBP) कार्यक्रम [Ethanol Blended with Petrol (EBP) Programme]

सरकार ने अब **2025 तक पेट्रोल के साथ 20 प्रतिशत इथेनॉल सम्मिश्रण** का लक्ष्य निर्धारित किया है। वर्तमान में, भारत में पेट्रोल के साथ 8.5 प्रतिशत इथेनॉल मिश्रित होता है। यह अनुमान लगाया गया है कि 2022 के दौरान 10 प्रतिशत का सम्मिश्रण लक्ष्य हासिल किया जायेगा।

इन लक्ष्यों को प्राप्त करने की दृष्टि से, सरकार ने विभिन्न फ़ीड स्टॉक जैसे- बी-हाई और सी-हाईशीरा, गन्ने का रस, चीनी की चाशनी, चीनी और अतिरिक्त FCI चावल, मक्का आदि सहित क्षतिग्रस्त खाद्यान्नों से इथेनॉल के उत्पादन की अनुमति दी है, जो या तो चीनी मिलों से जुड़ी हुई हैं या खुद को साबित कर रही हैं। देश में इथेनॉल उत्पादन क्षमता में वृद्धि के लिए पात्र आसवनियों को आर्थिक सहायता के रूप में वित्तीय सहायता भी प्रदान की जाती है।

कृषि क्षेत्र में व्याप्त चुनौतियाँ (PERSISTING CHALLENGES IN AGRICULTURE SECTOR)

1. **भूमि अपक्षय (Land Degradation) :** कीटनाशकों और उर्वरकों जैसे रसायनों के अत्यधिक प्रयोग से मिट्टी की उर्वरता कम हो जाती है। उर्वरकों के विवेकपूर्ण प्रयोग के लिए किसानों को प्रेरित किया जा सकता है। मिट्टी की गुणवत्ता की पुनः प्राप्ति के लिए बॉयोकेमिकल, खाद, कम्पोस्ट को लोकप्रिय बनाया जाना चाहिए।
2. **प्रतिव्यक्ति जोत (Per Capita Land Holding) :** अधिकांश जोतें छोटी और ग़ैर-आर्थिक हैं, जिससे बड़े-पैमाने पर खेती के लाभ संभव नहीं हो पाते और किसान अधिकतम उत्पादन नहीं कर पाते। जनसंख्या में वृद्धि और संयुक्त परिवार व्यवस्था के टूटने से कृषि भूमि छोटे-छोटे भूखंडों में विभाजित हो गयी हैं। यह उपविभाजन जोतों के बिखराव को (fragmentation of holdings) पैदा करता है।
3. **फ़सल चक्रण की अनदेखी (Neglect of Crop Rotation) :** किसान सामान्यतः वर्ष-दर-वर्ष एक ही प्रकार की फ़सलें उगाते हैं, जिससे भूमि की उर्वरता कम हो जाती है। किसान नयी गतिविधियों (जैसे- फ़सल चक्रण, मिश्रित फ़सल) को अपनाने के प्रति अनिच्छुक दिखते हैं और अपने पूर्ववर्तियों द्वारा अपनाये गये अभ्यासों को ही जारी रखते हैं।
4. **ख़राब गुणवत्तावाले बीजों का प्रयोग (Use of Poor-Quality Seeds) :** मुख्य खाद्यान्न अब भी अशोधित बीजों के साथ उगाये जा रहे हैं। किसानों को उन्नत क़िस्मों के बीजों से खेती करने के लिए प्रेरित किये जाने की आवश्यकता है।
5. **किसानों की ऋणग्रस्तता (Indebtedness of the Farmers) :** किसानों को ऋण उपलब्ध कराना एक प्रमुख चुनौती है। भारतीय किसान बारहमासी क़र्ज़दार होते हैं; फ़सल ख़राब होने या फ़सल की कम क़ीमत मिलने के कारण एक बार क़र्ज़ में

डूबने के बाद वे कभी इससे बाहर नहीं आ पाते। वे अपना क़र्ज़ अपने उत्तराधिकारियों पर डाल देते हैं। किसानों को उचित ऋण उपलब्धता के (proper loan availability) लिए एक सुव्यवस्थित तंत्र होना चाहिए। 100 प्रतिशत वित्तीय समावेशन के माध्यम से इसको बढ़ावा दिया जा सकता है।

6. **अपर्याप्त सिंचाई सुविधा (Inadequate Irrigated Facility) :** सिंचाई सुविधाओं के अभाव में विशाल मात्रा में भूमि बिना खेती के रह जाती हैं। खेती योग्य संपूर्ण क्षेत्रों को सिंचित स्थिति में लाने के लिए अधिक-से-अधिक लघु सिंचाई परियोजनाओं की आवश्यकता है।

7. **श्रमिक समस्या (Labour Problem) :** शहरीकरण, शहरों की तरफ़ प्रवास और मनरेगा (MGNREGA) में बढ़ती मज़दूरी ने कृषि श्रमिकों की कमी पैदा की है। जबकि, कुछ क्षेत्रों में अधिशेष श्रम या प्रछन्न बेरोज़गारी की समस्या है। यह मज़दूरी की दर को निर्वाह स्तर से भी नीचे लाता है।

8. **ख़राब अवसंरचना सुविधाएँ (Poor Infrastructural Facilities) :** उत्पादन केंद्रों को शहरी क्षेत्रों से जोड़ना अत्यंत आवश्यक है। बेहतर संचार सुविधाओं के अभाव के कारण किसान सस्ती क़ीमतों पर अपने उत्पाद की बिक्री के लिए मध्यस्थों पर निर्भर रहते हैं। इसलिए, सड़क, कोल्ड स्टोरेज और बाज़ार सुविधाएँ जैसी अवसंरचनात्मक ग्रामीण सुविधाओं (rural infrastructural facilities) का नवीनीकरण किया जाना चाहिए।

9. **कृषि क़ीमतों में सामान्य रूप से उतार-चढ़ाव (Fluctuation is common in agricultural prices) :** कृषि वस्तुओं के मूल्य में स्थिरीकरण की आवश्यकता है। यद्यपि, कृषि मूल्य आयोग (Agricultural Price Commission) (अब कृषि लागत औरं मूल्य आयोग (Agricultural Costs and Prices Commission)]) ने MSP, PP [(सरकारी ख़रीद क़ीमत (Procurement Prices)] जैसी क़ीमत नीतियों को लागू किया है, लेकिन ये सभी पर्याप्त नहीं हैं। कृषि वस्तुओं की क़ीमतों के स्थिरीकरण के लिए और अधिक नीतियाँ को बनाने की ज़रूरत है।

किसानों की आय दोगुना करना रिपोर्ट (Doubling of Farmers' Income Report)

भारत सरकार ने वर्ष 2016 में डॉ. अशोक दलवाई के नेतृत्व में एक अंतर-मंत्रीय दक्ष समिति का गठन किया। इसका उद्देश्य "किसानों की आय दोगुनी करना" [Doubling of Farmers' Income (DFI)] से संबंधित विषयों की जाँच करना और इसे प्राप्त करने के लिए रणनीतियाँ सुझाना था।

समिति ने अपनी रिपोर्ट वर्ष 2018 में पेश की, जिसमें वर्ष 2022 तक किसानों की आय दोगुनी करने के लिए रणनीति सुझायी गयी थी।

समिति द्वारा अनुशंसित DFI रणनीति में आय-वृद्धि के निम्नलिखित सात स्रोतों पर बल दिया गया :-

1. फ़सल उत्पादकता में सुधार।
2. पशुओं की उत्पादकता में सुधार।
3. संसाधन के उपयोग में दक्षता या उत्पादन की लागत में बचत।
4. फ़सलों की सघनता में वृद्धि।
5. उच्च मूल्य फ़सलों के लिए विविधीकरण।
6. किसानों द्वारा प्राप्त किये जानेवाले मूल्यों में सुधार।
7. खेती से ग़ैर-खेती पेशों की ओर बढ़ना।

समिति के प्रमुख सुझावों की व्याख्या नीचे की गयी है :-

- भूमि को पट्टे पर दिये जाने के नीति आयोग के मॉडल से संबंधित क़ानून (Model Land Leasing Act) को सभी राज्यों/केंद्रशासित प्रदेशों द्वारा समयबद्ध तरीक़े से अपनाया जाना चाहिए। इससे बेकार भूमि का परिचालनगत दक्षता के लिए बहुआवश्यक उपयोग हो पायेगा।
- खाद्य और पोषण सुरक्षा के अलावा, कृषि क्षेत्रक के लिए कच्ची सामग्री के रूप में संसाधन उत्पादन को अनिवार्य बनाना चाहिए, जिसका उपयोग चारे और औद्योगिक उद्यमों में किया जायेगा। इस प्रकार के प्रयोग से बाज़ारों में नयी लोचशीलता पैदा होगी, जो वर्तमान में भोजन और चारे के रूप में उपभोग तक ही सीमित है।
- **कृषि क्षेत्रक में सरकारी निवेश को बढ़ाकर GDP** का 4 प्रतिशत किया जाना चाहिए, जो वर्तमान में 2.76 प्रतिशत है।
- **आधुनिक मशीनरी, जैसे कि लेज़र लैंड लेवलर (laser land leveler)**, **डायरेक्ट सीडेड राइस (direct seeded rice)**, **ज़ीरो टिलेज (zero tillage), रेज्ड बेड प्लांटेशन (raised bed plantation)** और **रिज प्लांटेशन (ridge plantation)** से उच्च दक्षतावाली खेती होती है।

- **बीमा क्षेत्रक** को प्राकृतिक आपदा के लिए एक साधारण बीमा तैयार करना चाहिए, जिसकी प्रीमियम कम हो और दावा भुगतान की आसान प्रक्रिया हो।
- **सूक्ष्म सिंचाई प्रणाली [Micro-irrigation systems (MI)]** जल उपयोग दक्षता में सुधार की संभावित विधियों में से एक है। MI प्रणाली के उपयोगवाले राज्य और सूक्ष्म सिंचाई प्रणाली को अपनाने में सुधार से ऊर्जा और उर्वरक उपभोग में लगभग 40 से 50 प्रतिशत बचत होती है।
- छोटे पैमाने पर संचालन के लिए उपयुक्त पर्यावरण अनुकूल स्वचालित कृषि मशीन उपकरण के उपयोग को बढ़ावा देने की आवश्यकता है। छोटी और मामूली जोत के मशीनीकरण के लिए तथा उच्च तकनीकी मशीन के उपयोग को बढ़ावा देने के लिए कस्टम हायरिंग सेंटर (CHCs) की स्थापना की जा सकती है।
- ऐसी उत्पादन रणनीति अपनाना, जिसकी विशेषता हो : 'किसी भी क़ीमत पर से' के स्थान पर 'मामूली क़ीमत'; 'किसी भी तरह के दृष्टिकोण' के स्थान पर 'संधारणीय दृष्टिकोण'; 'आपूर्ति पर ज़ोर देने' के स्थान पर 'माँग पैदा करने' की उत्पादन प्रणाली अपनाना।
- सभी नीतियों और रणनीतियों में अभी सामान्य रूप से स्वीकृत 'फ़ार्म टू फ़ोर्क' दृष्टिकोण के स्थान पर 'फ़ोर्क टू फ़ार्म' दृष्टिकोण अपनाना चाहिए।

DFI समिति की अनुशंसाओं को स्वीकृति देने के बाद, भारत सरकार ने इससे संबंधित प्रगति की समीक्षा और निगरानी के लिए एक 'अधिकार प्राप्त संस्था' का गठन किया है। उसके बाद, किसानों के लाभ के लिए सरकार द्वारा कई पहलें की गयी हैं और योजनाएँ आरंभ की गयी हैं, जिनके बारे में इस अध्याय के विभिन्न खंडों में बताया गया है।

द्वितीय हरित क्रांति के अंतर्गत आवश्यक प्रमुख सुधार (MAJOR REFORMS NEEDED UNDER SECOND GREEN REVOLUTION)

- कृषि विज्ञान और बॉयोटेक्नोलॉजी में शोध एवं अनुसंधान को बढ़ावा देकर उत्पादकता में वृद्धि करना।
- **ऊर्जा एवं जल क्षमता को बढ़ाने के लिए** सस्ती एवं उपयुक्त **प्रौद्योगिकी, ताकि** संधारणीय कृषि को प्रोत्साहित किया जा सके।
- स्थिर क़ीमत के साथ खाद्य एवं पोषण सुरक्षा को सुनिश्चित करने के लिए **इंद्रधनुष क्रांति (rainbow revolution)** को प्रोत्साहित करना तथा कृषि-वृद्धि-दर को तीव्र करना।
- ऐसे नये बीजों को लाना, जो बाढ़ में भी जीवित रह सकें और सूखा, अत्यधिक गर्मी एवं लवणता को सहन कर सकें।
- सटीक कृषि जैसी तकनीकों के माध्यम से 'जलवायु परिवर्तन' का समाधान करना। उदाहरणस्वरूप, **लेसर लेवलर प्रौद्योगिकी (laser leveller technology)** के माध्यम से भूमि का समतलीकरण सिंचाई जल के संरक्षण में अत्यधिक उपयोगी हो सकता है।
- **"संरक्षण कृषि" (Conservation Agriculture)** पर ज़ोर दिया गया है। **FAO** ने संरक्षण कृषि को पर्यावरण संरक्षण के माध्यम से स्वीकार्य लाभ और संधारणीय उत्पादन स्तर के साथ-साथ संसाधनों की बचत करनेवाली कृषि फ़सल उत्पादन की अवधारणा के रूप में परिभाषित किया है। इसके अंतर्गत 3 व्यापक सिद्धांतों पर ज़ोर दिये जाने की ज़रूरत है- मिट्टी की जुताई में मिट्टी के साथ न्यूनतम छेड़छाड़ का अभ्यास; स्थायी जैविक मृदा परत के निर्माण के लिए ऊपरी मिट्टी का प्रबंधन और फ़सल चक्रण।

जलवायु स्मार्ट कृषि [Climate Smart Agriculture (CSA)]

यह एक ऐसी विधि है, जिसमें जलवायु परिवर्तन की परिवर्तनशील स्थिति के अनुसार कृषि गतिविधियों का प्रबंधन किया जाता है और उत्पादकता पर जलवायु परिवर्तन के प्रभावों का शमन किया जाता है। CSA की अवधारणा वर्ष 2010 में खाद्य एवं कृषि संगठन (FAO) द्वारा प्रस्तुत की गयी।

CSA के लक्ष्य (Aims of CSA)

1. संधारणीयता के साथ उत्पादकता बढ़ाना।
2. जलवायु परिवर्तन के प्रति अनुकूलन।
3. ग्रीनहाउस गैस उत्सर्जन कम करना।

CSA के तत्व (Elements of CSA)

1. खेत, फ़सल, पशुधन, मछली-पालन का प्रबंधन
2. पारितंत्र के संरक्षण के लिए पारितंत्र और स्थलाकृति का प्रबंधन
3. जलवायु की जोखिम/प्रभाव का प्रबंधन और शमन कार्य करना
4. व्यापक खाद्य प्रणाली में परिवर्तन

कुछ उत्तम CSA विधियाँ (Some best CSA practices)

- संरक्षण कृषि और संधारणीय मशीनीकरण को बढ़ावा देना।
- कृषि-वानिकी, मिश्रित फ़सल या अन्य विविधीकरण रणनीतियों के माध्यम से विविधीकरण करना।
- जलवायु परिवर्तन के अनुकूल (उदाहरण के लिए, सूखा प्रतिरोधक क्षमतावाली, गर्मी और बाढ़ सहन करनेवाली) बीज की उन्नत क़िस्मों की पहचान करना और उपयोग करना।
- जल उपलब्धता के आधार पर सिंचाई की उपयुक्त विधि का विस्तार।
- उर्वरक उपयोग दक्षता को बढ़ाने के लिए उर्वरक उपयोग विधियों में सुधार करना।
- कम कार्बन सघन उर्वरकों का उपयोग करना।
- पशुओं के अपशिष्ट का पुनः उपयोग (जैसे कि कार्बनिक उर्वरक, बॉयोगैस उत्पादन) करना।
- जल उपयोग दक्षता में सुधार लाना।

ओडिशा के पुरी ज़िले में, चावल और दाल उगानेवाले किसान उत्पादन की जलवायु स्मार्ट विधि अपनाकर उत्पादकता बढ़ा रहे हैं और जलवायु परिवर्तन के प्रभावों का शमन कर रहे हैं।

क्या आप जानते हैं?

तापन (Torrefaction) : सर्दी के मौसम में पराली जलने के कारण होनेवाला प्रदूषण वायु गुणवत्ता में तेज़ गिरावट का प्रमुख कारक है। भारत टोरेफ़ैक्शन या तापन नाम की एक स्वीडिश प्रौद्योगिकी का परीक्षण कर रहा है। इसमें चावल की पराली को 'बॉयो-कोयला' में परिवर्तित किया जा सकता है। सरकार ने एक प्रायोगिक परियोजना के लिए वित्तपोषण किया है। इस परियोजना पर राष्ट्रीय कृषि-खाद्य जैव प्रौद्योगिकी संस्थान, मोहाली (पंजाब) में काम किया जायेगा। इसमें एक स्वीडिश कंपनी प्रौद्योगिकी की संभाव्यता का मूल्यांकन करेगी।

कृषि उपज के उत्पादन और विपणन में ई-प्रौद्योगिकी (E-TECHNOLOGY IN PRODUCTION AND MARKETING OF AGRICULTURAL PRODUCE)

व्यापक रूप से माना जाता है कि ई-प्रौद्योगिकी में इंटरनेट और संबंधित सूचना प्रौद्योगिकी शामिल है।

- इसे 2007 की शुरुआत में ही लागू कर दिया गया था, जब ICT पर ज़ोर देने के साथ किसानों के लिए राष्ट्रीय नीति विकसित की गयी थी।
- यह कृषि उपज के उत्पादन और विपणन, दोनों में किसानों को निम्नलिखित तरीक़ों से कई फ़ायदे प्रदान करता है -
    - **जानकारी तक पहुँच (Access to information) :** ई-प्रौद्योगिकी किसानों को मौसम की भविष्यवाणी, बाज़ार मूल्य निर्धारण, कीट प्रबंधन रणनीतियों और कृषि की सर्वोत्तम प्रथाओं जैसी महत्त्वपूर्ण कृषि जानकारी प्राप्त करने में सक्षम बनाती है। किसान इस जानकारी का उपयोग फ़सल चयन, रोपण का समय, कटाई और विपणन विधियों के संबंध में जानकार निर्णय लेने के लिए कर सकते हैं।
    - **सटीकता (Precision) :** यह किसानों को सेंसर, GPS तकनीक और ड्रोन जैसे सटीक कृषि उपकरण लागू करने में सक्षम बनाता है। ये उपकरण किसानों को फ़सल स्वास्थ्य, मिट्टी की नमी के स्तर और पोषकतत्व सामग्री की निगरानी करने में सक्षम बनाते हैं, जिसके परिणामस्वरूप संसाधन का बेहतर उपयोग और उत्पादन होता है।
    - **कृषि मशीनरी (Agricultural machinery) :** ई-प्रौद्योगिकी प्लेटफ़ॉर्म किसानों को ऐग्रीकल्चर गियर प्रदाता ढूँढ़ने में भी मदद कर सकते हैं। इससे किसानों को अपना उत्पादन बढ़ाने के लिए आवश्यक मशीनरी को किराये पर लेने या ख़रीदने में मदद मिल सकती है।

- **स्थानिक डेटा प्रबंधन (Spatial data management)** : एक जिओग्राफ़िक इन्फ़ॉर्मेशन सिस्टम (GIS) का उपयोग फ़सल की उपज और कृषि संबंधी पहलुओं पर स्थानिक डेटा के प्रबंधन और विश्लेषण के लिए किया जा सकता है।

  उदाहरणार्थ : इसरो का पोर्टल भुवन कृषि घाटे का विश्लेषण करने, प्रभावित क्षेत्रों को मैप करने और किसानों को त्वरित भुगतान प्रदान करने के लिए बीमा दावों में तेज़ी लाने के लिए GIS, उपग्रह डेटा और मौसम की जानकारी को एकीकृत करता है।
- **ऋण तक पहुँच (Access to Credit)** : कृषि और ग्रामीण ऋण के माध्यम से वित्तपोषण में लगी कंपनियाँ (बैंक और ग़ैर-बैंक) अनुकूलित उत्पाद और कम ऋण जोखिम प्रदान कर सकती हैं।

  उदाहरणार्थ : एसबीआई योनो कृषि ऐप (SBI Yono Krishi app) किसानों की वित्तीय, इनपुट और सलाह संबंधी ज़रूरतों का समाधान करता है।
- **आपूर्ति शृंखला प्रबंधन (Supply Chain Management)** : ई-प्रौद्योगिकी खेत से बाज़ार तक कृषि उत्पादन की वास्तविक समय पर नज़र रखने की अनुमति देकर आपूर्ति शृंखला प्रबंधन में सुधार करती है। उदाहरणार्थ : ई-चौपाल।

कृषि में प्रमुख प्रौद्योगिकी मिशन पहल (Major Technology Mission Initiatives in Agriculture)

हाल के समय में कृषि विकास के लिए कई प्रौद्योगिकी संचालित पहलें की गयी हैं। कुछ प्रमुख पहलों में सम्मिलित हैं :-

- **कृषि में राष्ट्रीय ई-गवर्नेंस योजना [National e-Governance Plan in Agriculture (NeGP-A)]** : यह केंद्र सरकार की प्रायोजित योजना है। "कृषि में राष्ट्रीय ई-गवर्नेंस योजना" को ICT, जैसे कि इंटरनेट, कियोस्क, कृषि विज्ञान केंद्र, किसान कॉल सेंटर (KCC), सामान्य सेवा केंद्र [Common Service Centres (CSCs)] इत्यादि के माध्यम से कृषि के विकास के लिए अपनाया गया है।
- **किसान SMS पोर्टल (Kisan SMS Portal)** : यह किसानों को समर्पित एक पोर्टल है। इसका उद्देश्य किसानों को उपयुक्त सूचना प्रदान करना है। उदाहरण के लिए, विषय और मौसम से संबंधित सुझाव देना और स्थानीय भाषाओं में SMSs के माध्यम से सेवाएँ प्रदान करना।
- **फ़सल बीमा मोबाइल ऐप्लिकेशन (Crop Insurance Mobile App)** : इसका उपयोग अधिसूचित फ़सलों के लिए बीमा प्रीमियम की गणना के लिए किया जाता है। यह गणना क्षेत्र, कवर होनेवाली राशि और किसानों को विशेष रूप से मिलनेवाली ऋण राशि के आधार पर तय होती है।
- **राष्ट्रीय कृषि बाज़ार [National Agriculture Market (e-NAM)]** : यह संपूर्ण भारत के लिए इलेक्ट्रॉनिक व्यापार पोर्टल है। यह वर्तमान **APMC** मंडियों को आपस में जोड़ने का काम करता है और इस प्रकार से कृषि संबंधित वस्तुओं के लिए एक एकीकृत राष्ट्रीय बाज़ार बनाने का काम करता है।
- **सीडनेट (Seednet)** : यहाँ गुणवत्तापूर्ण बीजों के बारे में सूचना प्रदान की जाती है। उपयोगकर्ता गुणवत्ता नियंत्रण, बीज प्रतिस्थापन-दर, बीज वर्धन-दर, प्रजनक बीज, प्रमाणित बीज आदि के बारे में सूचना प्राप्त कर सकते हैं। बीजों की क़िस्मों, बीज बैंक, बीज परीक्षण प्रयोगशाला, बीज व्यापारी, परीक्षण प्रयोगशाला, प्रमाणन एजेंसियाँ आदि के बारे में भी पोर्टल के माध्यम से विस्तृत जानकारी प्राप्त की जा सकती है।
- **कृषि से उत्सर्जन कम करने के लिए Green-Ag परियोजना (Green-Ag Project to reduce emissions from agriculture)** : कृषि से उत्सर्जन को कम करना – इसका उद्देश्य कम-से-कम 1,04,070 हेक्टयेर कृषि भूमि को संधारणीय भूमि बनाना और जल प्रबंधन करना है। इसके अतिरिक्त, इसका उद्देश्य संधारणीय भूमि उपयोग और कृषि विधियों के माध्यम से 49 मिलियन टन कार्बन डाईऑक्साइड का उत्सर्जन कम करना है।

  5 राज्यों- मिज़ोरम, राजस्थान, मध्य प्रदेश, ओडिशा और उत्तराखंड में इस परियोजना को कार्यान्वित किया जा रहा है।

  इसके लिए वित्तपोषण वैश्विक पर्यावरण सुविधा [Global Environment Facility (GEF)] द्वारा किया जा रहा है और कृषि, सहकारिता और किसान कल्याण विभाग इसकी राष्ट्रीय निष्पादक एजेंसी है।

  इसके कार्यान्वियन में संलिप्त अन्य संगठन हैं : खाद्य और कृषि संगठन (FAO) और केंद्रीय पर्यावरण, वन और जलवायु परिवर्तन मंत्रालय [Union Ministry of Environment, Forest and Climate Change (MoEF&CC)] हैं।
- **ई-चौपाल (e-Choupal)** : ITC लिमिटेड की ई-चौपाल पहल कृषि संबंधित सूचना प्रदान करती है और बिचौलियों का सफ़ाया करती है। इससे ग्रामीण किसानों को भंडारण सेवाएँ और कृषि उपकरण भी सुलभ होते हैं। ई-चौपाल ने 6,500 केंद्रों को आपस में जोड़ा है, जो 40,000 गाँवों के प्रयासों के बीच समन्वय स्थापित करते हैं।

➤ **AI का उपयोग (Use of AI) :** भारत के कृषि और किसान कल्याण मंत्रालय ने विभिन्न कृषि कठिनाइयों से निपटने और किसानों की सहायता के लिए आर्टिफ़िशियल इंटेलिजेंस [Artificial Intelligence (AI)] दृष्टिकोण का उपयोग किया है। कुछ पहलें नीचे दी गयी हैं :

- **'किसान ई-मित्र (Kisan e-Mitra)'** एक AI-संचालित चैटबॉट है, जो किसानों की पीएम किसान सम्मान निधि योजना से संबंधित प्रश्नों में मदद करता है। यह सिस्टम विभिन्न भाषाओं का समर्थन करता है और इसे अन्य सरकारी कार्यक्रमों में भी सहायता के लिए विकसित किया जा रहा है।
- जलवायु परिवर्तन के कारण उत्पाद के नुक़सान से निपटने के लिए **राष्ट्रीय कीट निगरानी प्रणाली (National Pest Surveillance System)**। यह तकनीक फ़सल संबंधी चिंताओं का पता लगाने के लिए आर्टिफ़िशियल और मशीन लर्निंग का उपयोग करती है, जिससे समय पर कार्रवाई की अनुमति और बेहतर फ़सल मिलती है।
- AI-संचालित विश्लेषण चावल और गेहूँ की फ़सलों के लिए उपग्रह, मौसम विज्ञान और मिट्टी की नमी की जानकारी का उपयोग करके फ़सल स्वास्थ्य मूल्यांकन और निगरानी के लिए खेत की छवियों का उपयोग करता है।

संक्षिप्त विवरण

➤ **कृषि (Agriculture) –** भारत का सबसे बड़ा असंगठित क्षेत्र - रोज़गार और आजीविका सृजन में सर्वाधिक हिस्सेदारी - गुणित प्रभाव के साथ ग़रीबी उन्मूलन, रोज़गार सृजन और समावेशी विकास का महत्त्वपूर्ण क्षेत्र - चाय, चावल, चीनी, मछली आदि जैसे कृषि और संबद्ध उत्पादों के निर्यात के माध्यम से भारत के विदेशी मुद्रा भंडार में सुधार।

➤ **ख़रीफ़ फ़सल (Kharif Crop) –** मानसून के आगमन के साथ बोआई - सितंबर-अक्टूबर में फ़सल कटाई - चावल, मक्का, ज्वार, बाजरा, जूट, मूँगफली इत्यादि।

➤ **रबी फ़सल (Rabi Crop) –** सर्दी के मौसम में बोआई और बसंत के मौसम में फ़सल कटाई - गेहूँ, जौ, सरसों, मटर, तिल, धनिया, प्याज़ इत्यादि।

➤ **ज़ायद फ़सल (Zaid Crop) –** गर्मी के मौसम की फ़सल - शुष्क भूमि पर उगती हैं, जिन्हें मानसून की प्रतीक्षा नहीं करनी पड़ती - समयावधि रबी और ख़रीफ़ फ़सल मौसम के बीच की होती है, मुख्यत: मार्च से जून तक - तरबूज़, ख़रबूज़ा, करेला, कद्दू, खीरा, मूँग दाल इत्यादि।

➤ **हरित क्रांति (Green Revolution) –** एम. एस. स्वामीनाथन भारतीय हरित क्रांति के जनक हैं - संपन्न क्षेत्रों और सुनिश्चित जल और अवसरंचना सुविधाओं के संबंध में पर्याप्त उत्पादन क्षमतावाले क्षेत्रों में शुरू किया गया - पाँच फ़सलों - गेहूँ, चावल, मक्का, ज्वार और बाजरा - के लिए उच्च उपज क़िस्म (HYV) बीजों के संबंध में उच्च उपज क़िस्म कार्यक्रम (High Yielding Varieties Programme) शुरू किया गया।

➤ **बाग़बानी के एकीकृत विकास के लिए मिशन [Mission for Integrated Development of Horticulture (MIDH)] –** आधुनिक वैज्ञानिक ज्ञान के साथ प्रौद्योगिकियों को बढ़ावा और विकसित करना - इसके अंतर्गत सभी राज्य और केंद्र शासित प्रदेश हैं - फ़ंड का हिस्सेदारी-पैटर्न 60:40 है - उत्तर-पूर्वी राज्यों और पहाड़ी राज्यों के लिए फ़ंड का हिस्सेदारी-पैटर्न 90:10 है - केंद्र शासित प्रदेशों के लिए भारत सरकार 100 प्रतिशत योगदान देती है।

➤ **आनुवंशिक रूप से संशोधित फ़सलें (Genetically Modied Crops) –** बाहरी जीन (ट्रांसजीन) या किसी अन्य जीव के जीन को कृत्रिम रूप से पौधे के अपने जीन डाला जाता है - GM फ़सल के लिए मंज़ूरी आनुवंशिक इंजीनियरिंग मूल्यांकन समिति [Genetic Engineering Appraisal Committee (GEAC)] द्वारा दी जाती है, जो पर्यावरण, वन एवं जलवायु परिवर्तन मंत्रालय के अंतर्गत एक वैधानिक निकाय है - इसके उदाहरण हैं BT कॉटन, GM मस्टर्ड या धारा मस्टर्ड हाइब्रिड-11 (DMH-11)।

➤ **मृदा-स्वास्थ्य कार्ड योजना (Soil Health Card Scheme) –** सभी किसानों को मृदा-स्वास्थ्य कार्ड योजना (SHC) दिया जाता है, ताकि उनमें से प्रत्येक को अपनी भूमि जोत की मृदा की पोषक स्थिति के बारे में जानकारी प्रदान की जा सके - पोषकतत्वों की स्थित इस प्रकार है : 03 सूक्ष्म-पोषक तत्व N, P, K; 01 द्वितीयक-पोषकतत्व S; 05 सूक्ष्म-पोषकतत्व Zn, Fe, Cu, Mn, B और 03 भौतिक मापदंड pH, EC, OC।

- **अनुबंध कृषि (Contract Farming) –** पूर्व निर्धारित क़ीमतों पर कृषि उत्पादों के उत्पादन और आपूर्ति के लिए किसानों और प्रसंस्करण और/या विपणन कंपनियों के बीच एक समझौता।
- **सहकारी खेती (Co-operative Farming) –** किसान समूह बनाकर अपनी भूमि, पशुधन और अन्य अनुप्रयोगों को करते हैं। पूरे खेत या फ़ार्म का प्रबंधन एकल इकाई के रूप में किया जाता है तथा प्रबंधन सभी सदस्यों द्वारा चुना हुआ होता है।
- **किसान क्रेडिट कार्ड (KCC) –** NABARD द्वारा डिज़ाइन किया गया और 1998 में किसानों को अल्प-कालिक औपचारिक ऋण की सुविधा प्रदान करने के लिए आरम्भ किया गया था - नक़द ऋण सुविधा प्राप्त करने के लिए प्रत्येक किसान को KCC और पास बुक प्रदान किये जाते हैं।
- **जलवायु-स्मार्ट कृषि [Climate Smart Agriculture (CSA)] –** जलवायु परिवर्तन की गतिशीलता के साथ कृषि गतिविधियों के प्रबंधन और उत्पादकता पर जलवायु परिवर्तन के प्रभावों को कम करने के लिए एक दृष्टिकोण है - CSA की अवधारणा 2010 में खाद्य एवं कृषि संगठन [Food and Agriculture Organisation (FAO)] द्वारा शुरू की गयी थी।

यूपीएससी सिविल सेवा के पिछले वर्षों की प्रारंभिक परीक्षा के प्रश्न

1. निम्नलिखित कथनों पर विचार कीजिये: **[2023]**

1. भारत सरकार काले तिल [नाइजर (गुइज़ोटिया एबिसिनिका)] के बीजों के लिए न्यूनतम समर्थन कीमत उपलब्ध कराती है।

2. काले तिल की ख़ेती ख़रीफ़ की फ़सल के रूप में की जाती है।

3. भारत के कुछ जनजातीय लोग काले तिल के बीजों का तेल भोजन पकाने के लिए प्रयोग में लाते हैं।

उपर्युक्त में से कितने कथन सही हैं?

(a) केवल एक **(b)** केवल दो

(c) सभी तीन **(d)** कोई भी नहीं

2. स्वच्छ-जलवायु कृषि के लिए भारत की तैयारी के संदर्भ में, निम्नलिखित कथनों पर विचार करें : **[2021]**

1. भारत में 'स्वच्छ-जलवायु गाँव' दृष्टिकोण जलवायु परिवर्तन, कृषि और खाद्य सुरक्षा (CCAFS), एक अंतरराष्ट्रीय अनुसंधान कार्यक्रम के नेतृत्व में एक परियोजना का एक हिस्सा है।

2. CCAFS की परियोजना फ्रांस में स्थित मुख्यालयवाले अंतरराष्ट्रीय कृषि अनुसंधान (CGIAR) पर सलाहकार समूह के तहत की जाती है।

3. भारत में अर्ध-शुष्क उष्णकटिबंधीय के लिए अंतरराष्ट्रीय फ़सल अनुसंधान संस्थान (ICRISAT) CGIAR के अनुसंधान केंद्रों में से एक है।

ऊपर दिये गये कथनों में से कौन-सा कथन सही है?

(a) केवल 1 और 2 **(b)** केवल 2 और 3

(c) केवल 1 और 3 **(d)** 1, 2 और 3

3. स्थायी कृषि खेती पारंपरिक रासायनिक खेती से कैसे अलग है? **[2021]**

1. स्थायी कृषि खेती एकल कृषि प्रथाओं को हतोत्साहित करती है, लेकिन पारंपरिक रासायनिक खेती में, एकल कृषि प्रथाएँ प्रमुख हैं।

2. पारंपरिक रासायनिक खेती मिट्टी की लवणता में वृद्धि का कारण बन सकती है, लेकिन इस तरह की घटना स्थायी कृषि खेती में नहीं देखी जाती है।

3. अर्ध-शुष्क क्षेत्रों में पारंपरिक रासायनिक खेती आसानी से संभव है, लेकिन ऐसे क्षेत्रों में स्थायी कृषि खेती इतनी आसानी से संभव नहीं है।

4. स्थायी कृषि खेती में मल्चिंग (मलच बनाना) का अभ्यास बहुत महत्त्वपूर्ण है, लेकिन ज़रूरी नहीं कि पारंपरिक रासायनिक खेती में ऐसा हो।

नीचे दिये गये कूट का उपयोग करके सही उत्तर चुनें :-

(a) 1 और 3 **(b)** 1, 2 और 4

(c) केवल 4 **(d)** 2 और 3

4. निम्नलिखित में से सबसे कम जल-कुशल फ़सल कौन-सी है? **[2021]**

(a) गन्ना **(b)** सूरजमुखी

(c) मोती बाजरा **(d)** लाल चना

5. किसान क्रेडिट कार्ड योजना के अंतर्गत, किसानों को निम्नलिखित में से किस उद्देश्य के लिए लघुकालीन ऋण सहायता उपलब्ध करायी जाती है? **[2020]**

1. खेत से जुड़ी संपत्तियों के रखरखाव के लिए कार्यशील पूँजी

2. कंबाइन हार्वेस्टर, ट्रैक्टर और छोटे ट्रक की ख़रीदारी के लिए

3. कृषक परिवारों के उपभोग की आवश्यकताओं को पूरा करने के लिए
4. फ़सल कटाई के बाद के ख़र्चों के लिए
5. परिवार के लिए घर बनाने और गाँव में कोल्ड स्टोरेज सुविधा स्थापित करने के लिए

नीचे दिये गये कोड का उपयोग करते हुए सही उत्तर चुनें :-

(a) केवल 1, 2 और 5
(b) केवल 1, 3 और 4
(c) केवल 2, 3, 4 और 5
(d) 1, 2, 3, 4 और 5

6. भारत में निम्नलिखित में से किसे कृषि में सरकारी निवेश समझा जाना चाहिए? **[2020]**

1. सभी फ़सलों की कृषि उपज के लिए न्यूनतम समर्थन मूल्य निर्धारित करना
2. प्राथमिक कृषि क्रेडिट सोसायटी का कंप्यूटरीकरण
3. सामाजिक पूँजी विकास
4. किसानों को बिजली की निःशुल्क आपूर्ति
5. बैंकिंग प्रणाली द्वारा कृषि ऋण माफ़ करना
6. सरकार द्वारा कोल्ड स्टोरेज सुविधा स्थापित करना

नीचे दिये गये कोड का उपयोग करते हुए सही उत्तर चुनें :-

(a) केवल 1, 2 और 5 (b) केवल 1, 3, 4 और 5
(c) केवल 2, 3 और 6 (d) 1, 2, 3, 4, 5 और 6

7. हाल ही में भारत में चावल के मूल्य को निम्नलिखित में से कौन-से/सी कारक/नीतियाँ प्रभावित कर रहे थे/रहीं थी? **[2020]**

1. न्यूनतम समर्थन मूल्य
2. सरकार द्वारा व्यापार करना
3. सरकार द्वारा जमा करके रखना
4. उपभोक्ता को सब्सिडी

नीचे दिये गये कोड का उपयोग करते हुए सही उत्तर चुनें :-

(a) केवल 1, 2 और 4 (b) केवल 1, 3 और 4
(c) केवल 2 और 3 (d) 1, 2, 3 और 4

8. निम्नलिखित कथनों पर विचार कीजिए :- **[2020]**

1. सभी अन्न, दलहन और तिलहन की स्थिति में, भारत के किसी राज्य/केंद्रशासित प्रदेश में न्यूनतम समर्थन मूल्य (MSP) पर ख़रीदारी असीमित है।
2. अन्न और दलहन की स्थिति में, किसी राज्य/केंद्रशासित प्रदेश में MSP उस स्तर तक निर्धारित, जिसके ऊपर बाज़ार मूल्य कभी नहीं जायेगा।

ऊपर दिया गया / दिये गये कौन-सा/से कथन सही है/हैं?

(a) केवल 1 (b) केवल 2
(c) 1 और 2 दोनों (d) न 1, न तो 2

9. भारत में रासायनिक उर्वरक के संबंध में, निम्नलिखित कथनों पर विचार कीजिए :- **[2020]**

1. वर्तमान में, रासायनिक उर्वरक का खुदरा मूल्य बाज़ार के अनुसार निर्धारित होता है और सरकार द्वारा नियंत्रित नहीं है।
2. अमोनिया, जो यूरिया का एक आगत है, को प्राकृतिक गैस से तैयार किया जाता है।
3. सल्फ़र, जो फ़ॉस्फ़ोरिक एसिड उर्वरक के लिए कच्ची सामग्री है, तेल शोधन कारख़ानों का उत्पाद है।

ऊपर दिया गया / दिये गये कौन-सा/से कथन सही है/हैं?

(a) केवल 1 (b) केवल 2 और 3
(c) केवल 2 (d) 1, 2 और 3

10. भारत में दलहन उत्पादन के संदर्भ में, निम्नलिखित कथनों पर विचार कीजिए :- **[2020]**

1. उड़द (Black gram) की खेती ख़रीफ़ और रबी दोनों ऋतु में की जा सकती है।
2. दलहन उत्पादन में अकेले मूँग (Green gram) की लगभग आधी हिस्सेदारी है।
3. पिछले तीन दशकों में, ख़रीफ़ में दालों का उत्पादन बढ़ा है, जबकि रबी में दालों का उत्पादन कम हुआ है।

ऊपर दिया गया/दिये गये कौन-सा/से कथन सही है/हैं?

(a) केवल 1 (b) केवल 2 और 3
(c) केवल 2 (d) 1, 2 और 3

11. "यह फ़सल उपोष्णकटिबंधीय प्रकृति की है। कठोर पाला इसके लिए हानिकारक है। इसकी वृद्धि के लिए इसे कम-से-कम 210 पाला-मुक्त दिन और 50 से 100 सेंटीमीटर वर्षा की आवश्यकता होती है। हलकी कम सिंचित और नमी को रोके रखने में सक्षम मृदा इस फ़सल की खेती के लिए उपयुक्त है"। निम्नलिखित में कौन-सी फ़सल के बारे में बात हो रही है? **[2020]**

(a) कपास (b) जूट
(c) गन्ना (d) चाय

12. कृषि में ज़ीरो टिलेज का/के क्या लाभ है/हैं? **[2020]**

1. पहले की फ़सल के अवशेष को जलाए बग़ैर गेहूँ की बोआई संभव है।
2. चावल के पौधे को नर्सरी में तैयार करने की आवश्यकता नहीं होती, धान के बीज को सीधे नम मृदा में बोया जा सकता है।
3. मृदा में कार्बन पृथक्करण संभव है।

नीचे दिये गये कोड का उपयोग करते हुए सही उत्तर चुनें :-

(a) केवल 1 और 2 (b) केवल 2 और 3
(c) केवल 3 (d) 1, 2 और 3

13. भारत के संदर्भ में, निम्नलिखित में से किसे/किन्हें पर्यावरण अनुकूल कृषि (eco-friendly agriculture) की विधि समझा जाता है? **[2020]**

1. फ़सल विविधीकरण
2. फलीदार पादप (लेग्यूम) सघनीकरण
3. पृष्ठतनावमापी का उपयोग
4. खड़ी खेती या वर्टिकल फ़ार्मिंग

नीचे दिये गये कोड का उपयोग करते हुए सही उत्तर चुनें :-

(a) केवल 1, 2 और 3 **(b)** केवल 3
(c) केवल 4 **(d)** 1, 2, 3 और 4

14. खाद्यान्नों के लिए भारतीय खाद्य निगम को पड़नेवाली आर्थिक लागत है- न्यूनतम समर्थन मूल्य तथा किसानों को भुगतान किया जानेवाला बोनस (यदि कोई है) और **[2019]**

(a) केवल परिवहन लागत
(b) केवल ब्याज लागत
(c) सरकारी ख़रीद व्यय एवं वितरण लागत
(d) सरकारी ख़रीद व्यय एवं गोदाम शुल्क

15. पिछले 5 वर्षों में भारत में ख़रीफ़ खेती के संदर्भ में निम्न कथनों पर विचार कीजिए :- **[2019]**

1. चावल की खेती के अंतर्गत सर्वाधिक क्षेत्रफल है।
2. तिलहनों की तुलना में ज्वार की खेती के अंतर्गत अधिक क्षेत्रफल है।
3. कपास की खेती का क्षेत्रफल गन्ने की तुलना में अधिक है।
4. गन्ने की खेती के अंतर्गत क्षेत्रफल में निरंतर कमी हुई है।

उपर्युक्त दिये गये कथनों में कौन-से सही हैं?

(a) केवल 1 और 3 **(b)** केवल 2, 3 और 4
(c) केवल 2 और 4 **(d)** 1, 2, 3 और 4

16. भारत द्वारा आयात की जानेवालीं कृषि वस्तुओं में, निम्नलिखित में कौन-सी एक वस्तु का पिछले 5 वर्ष के दौरान मूल्य की दृष्टि से सर्वाधिक आयात हुआ? **[2019]**

(a) मसाले **(b)** ताज़े फल
(c) दालें **(d)** वनस्पति तेल

17. **NSSO** के 'सिचुएशन असेसमेंट सर्वे ऑफ़ ऐग्रीकल्चरल हाउसहोल्ड्स' के 70वें दौर के अनुसार, निम्न कथनों पर विचार कीजिए :- **[2018]**

1. राजस्थान में ग्रामीण परिवारों में कृषिगत परिवारों की प्रतिशत भागीदारी सर्वाधिक है।
2. देश के कुल कृषिगत परिवारों में 60 प्रतिशत से थोड़ा अधिक OBC से संबंधित हैं।
3. केरल में, 60 प्रतिशत से थोड़ा अधिक कृषिगत परिवारों ने कृषिगत गतिविधियों के अलावा अन्य स्रोतों से अधिकतम आय प्राप्त की।

उपर्युक्त दिये गये कथनों में कौन-सा/से सही है/हैं?

(a) केवल 2 और 3 **(b)** केवल 2
(c) केवल 1 और 3 **(d)** 1, 2 और 3

18. भारतीय कृषि में परिस्थितियों को ध्यान में रखते हुए 'संरक्षण कृषि' की अवधारणा महत्त्वपूर्ण है। निम्नलिखित में कौन संरक्षण कृषि के अंतर्गत आते हैं? **[2018]**

1. एकल कृषि (monoculture) प्रथाओं से बचना
2. न्यूनतम जुताई को अपनाना
3. रोपण फ़सलों की खेती (cultivation) से बचना
4. मिट्टी की सतह को ढकने के लिए फ़सल अवशेषों का उपयोग करना
5. स्थानीय एवं अस्थायी फ़सल अनुक्रम/फ़सल चक्रण को अपनाना

नीचे दिये गये कूट या कोड का प्रयोग कर सही उत्तर चुनें :-

(a) 1, 3 और 4 **(b)** 2, 3, 4 और 5
(c) 2, 4 और 5 **(d)** 1, 2, 3 और 5

19. भारत में विकसित आनुवांशिक रूप से संशोधित सरसों या जेनेटिकली मॉडीफ़ाइड मस्टर्ड (GM mustard) के संदर्भ में निम्न कथनों पर विचार कीजिए :- **[2018]**

1. जीएम मस्टर्ड में मिट्टी के एक बैक्टीरिया के जीन होते हैं, जो पौधे में कीटों की विस्तृत क़िस्मों के प्रति कीट-रोधी गुण प्रदान करते हैं।
2. जीएम मस्टर्ड में ऐसे जीन होते हैं, जो पर-परागण (cross-pollination) और संकरण (hybridisation) को संभव बनाते हैं।
3. जीएम मस्टर्ड को IARI और पंजाब कृषि विश्वविद्यालय द्वारा संयुक्त रूप से विकसित किया गया है।

उपर्युक्त दिये गये कथनों में कौन सही है/हैं।

(a) केवल 1 और 3 **(b)** केवल 2
(c) केवल 2 और 3 **(d)** 1, 2 और 3

20. कृषि मृदा के संबंध में निम्न कथनों पर विचार कीजिए :- **[2018]**

1. मृदा में जैविक पदार्थों की उच्च मात्रा उसकी जल धारण क्षमता को अत्यधिक कम कर देती है।
2. सल्फ़र चक्र में मिट्टी की कोई भूमिका नहीं होती।
3. एक समयावधि के बाद सिंचाई कुछ कृषि भूमियों के लवणीकरण में योगदान कर सकती है।

उपर्युक्त दिये गये कथनों में कौन सही है/हैं?

(a) केवल 1 और 2 **(b)** केवल 3
(c) केवल 1 और 3 **(d)** 1, 2 और 3

21. निम्नलिखित पर विचार कीजिए :- **[2018]**

1. सुपारी **2.** जौ
3. कॉफ़ी **4.** रागी
5. मूँगफली **6.** तिल
7. हल्दी

आर्थिक मामलों की मंत्रिमंडलीय समिति ने उपर्युक्त में किसके लिए न्यूनतम समर्थन मूल्य की घोषणा की है?

(a) केवल, 1, 2, 3 और 7
(b) केवल 2, 4, 5 और 6
(c) केवल 1, 3, 4, 5 और 6
(d) 1, 2, 3, 4, 5, 6 और 7

22. भारत में जैविक खेती के संदर्भ में निम्नलिखित कथनों पर विचार कीजिए :- **[2018]**

1. 'नेशनल प्रोग्राम फ़ॉर ऑर्गेनिक प्रोडक्शन' (NPOP) केंद्रीय ग्रामीण विकास मंत्रालय के मार्गदर्शन और निर्देश के अंतर्गत संचालित होता है।

2. NPOPDS कार्यान्वयन के लिए 'ऐग्रीकल्चरल ऐंड प्रोसेस्ड फूड प्रोडक्ट एक्सपोर्ट डेवेलपमेंट अथॉरिटी' (APEDA) के रूप में कार्य करता है।

3. सिक्किम भारत का पहला पूर्ण जैविक राज्य है।

उपर्युक्त दिये गये कथनों में कौन सही है/हैं?

(a) केवल 1 और 2 **(b)** केवल 1 और 3
(c) केवल 3 **(d)** 1, 2 और 3

23. निम्नलिखित कथनों पर विचार कीजिए :- **[2017]**

देश-व्यापी '**स्वॉयल हेल्थ कार्ड स्कीम**' के लक्ष्य हैं :-

1. सिंचाई के अंतर्गत खेती योग्य क्षेत्र का विस्तार।

2. मृदा की गुणवत्ता के आधार पर किसानों को दिये जानेवाले ऋण की मात्रा के आकलन में बैंकों को सक्षम बनाना।

3. खेतों में उर्वरकों के अति-प्रयोग की जाँच।

उपर्युक्त कथनों में कौन सही है/हैं?

(a) केवल 1 और 2 **(b)** केवल 3
(c) केवल 2 और 3 **(d)** 1, 2 और 3

24. 'नेशनल ऐग्रीकल्चर मार्केट' **(NAM)** योजना लागू करने के क्या लाभ हैं? **[2017]**

1. यह कृषि वस्तुओं के लिए एक अखिल भारतीय इलेक्ट्रॉनिक ट्रेडिंग पोर्टल है।

2. यह किसानों को राष्ट्रव्यापी बाज़ार तक पहुँच प्रदान करता है, जहाँ उनके उत्पाद के लिए गुणवत्ता के अनुरूप क़ीमत मिलती है।

नीचे दिये गये कूट या कोड का प्रयोग कर सही उत्तर चुनें :-

(a) केवल 1 **(b)** केवल 2
(c) 1 और 2 दोनों **(d)** न 1, न 2

25. भारत में 1991 में आर्थिक नीतियों के उदारीकरण के बाद निम्न में क्या घटित हुआ/हुए? **[2017]**

1. GDP में कृषि का हिस्सा बहुत बढ़ गया।

2. विश्व व्यापार में भारत के निर्यात की भागीदारी बढ़ी है।

3. FDI का अंतर्प्रवाह बढ़ा है।

4. भारत का विदेशी मुद्रा भंडार बहुत बढ़ गया।

नीचे दिये गये कूट या कोड का प्रयोग कर सही उत्तर चुनें?

(a) केवल 1 और 4 **(b)** केवल 2, 3 और 4
(c) केवल 2 और 3 **(d)** 1, 2, 3 और 4

26. निम्न कथनों पर विचार कीजिए :- **[2017]**

1. मोटर गाड़ियों के टायर और ट्यूब के लिए भारतीय मानक ब्यूरो (BIS) का मानक चिह्न अनिवार्य है।

2. एगमार्क (AGMARK) खाद्य एवं कृषि संगठन (FAO) द्वारा जारी किया गया एक गुणवत्ता प्रमाणन चिह्न है।

उपर्युक्त दिये गये कथनों में कौन सही है/हैं?

(a) केवल 1 **(b)** केवल 2
(c) 1 और 2 दोनों **(d)** न 1, न 2

27. भारत सरकार कृषि में 'नीम कोटेड यूरिया' के प्रयोग को क्यों बढ़ावा देती है? **[2016]**

(a) मिट्टी में नीम तेल के निर्गमित होने से मिट्टी के सूक्ष्म जीवों द्वारा नाइट्रोजन का स्थिरीकरण बढ़ जाता है।

(b) नीम कोटिंग मिट्टी में यूरिया के द्रवीकरण की दर को धीमा कर देती है।

(c) फ़सल खेतों द्वारा नाइट्रोजन ऑक्साइड, जो एक ग्रीन-हाउस गैस है, वातावरण में कभी भी निर्मुक्त नहीं होती।

(d) यह विशिष्ट फ़सलों के लिए खरपतवार और उर्वरक का एक संयोजन है।

28. 'प्रधानमंत्री फ़सल बीमा योजना' के संदर्भ में निम्न कथनों पर विचार कीजिए :- **[2016]**

1. इस योजना के अंतर्गत, किसानों को वर्ष के किसी भी मौसम में उनके द्वारा उगायी जानेवालीं फ़सलों के लिए 2 प्रतिशत के एक समान प्रीमियम का भुगतान करना होगा।

2. यह योजना चक्रवात और बेमौसम बारिश के कारण होनेवाली फ़सल-पश्चात् हानि को कवर करती है।

उपर्युक्त कथनों में कौन सही है/हैं?

(a) केवल 1 **(b)** केवल 2
(c) 1 और 2 दोनों **(d)** न 1 न 2

29. भारत की खाद्य एवं पोषण सुरक्षा के संदर्भ में, विभिन्न फ़सलों के 'बीज प्रतिस्थापन-दरों' में वृद्धि भविष्य के खाद्य उत्पादन लक्ष्यों को प्राप्त करने में सहायक होती है। लेकिन इसके व्यापक/अधिक कार्यान्वयन में क्या बाधा/बाधाएँ हैं? **[2014]**

1. कोई राष्ट्रीय बीज नीति नहीं है।

2. सब्ज़ियों के गुणवत्तापूर्ण बीजों और बाग़बानी फ़सलों के रोपण की सामग्रियों की आपूर्ति में निजी क्षेत्र की बीज कंपनियों की कोई हिस्सेदारी नहीं है।

3. निम्न मूल्य और उच्च मात्रावालीं फ़सलों के विषय में गुणवत्तापूर्ण बीजों के संबंध में माँग-आपूर्ति अंतराल है।

नीचे दिये गये कूट या कोड का प्रयोग कर सही उत्तर चुनें :-

(a) 1 और 2 **(b)** केवल 3
(c) 2 और 3 **(d)** इनमें से कोई नहीं

30. निम्न में से किस राज्य की जलवायु दशाएँ न्यूनतम उत्पादन लागत के साथ आर्किड की कई क़िस्मों की खेती के लिए सर्वाधिक उपयुक्त हैं और इस क्षेत्र में निर्यात-आधारित उद्योग को विकसित कर सकती हैं? **[2011]**

(a) आंध्र प्रदेश **(b)** अरुणाचल प्रदेश
(c) मध्य प्रदेश **(d)** उत्तर प्रदेश

☞ **कोई प्रश्न नहीं**

2024, 2022, 2015, 2013, 2012

उत्तर कुंजी

1. (c) 2. (d) 3. (b) 4. (a) 5. (b) 6. (c) 7. (d) 8. (d) 9. (b) 10. (a) 11. (a) 12. (d) 13. (d) 14. (c) 15. (a) 16. (d) 17. (c) 18. (c) 19. (b) 20. (b) 21. (b) 22. (b) 23. (b) 24. (c) 25. (b) 26. (a) 27. (b) 28. (b) 29. (b) 30. (b)

यूपीएससी सिविल सेवा के पिछले वर्षों की मुख्य परीक्षा के प्रश्न

1. भारत में स्वास्थ्य एवं पोषण की सुरक्षा को सुनिश्चित करने के लिए मोटे अनाजों की भूमिका को समझाइए। **[2024]**
2. कृषि उत्पादों के उत्पादन एवं विपणन में ई-तकनीक किसानों की किस प्रकार मदद करती है? इसे समझायें। **[2023]**
3. खपत पैटर्न एवं विपणन दशाओं में परिवर्तन के सन्दर्भ में, भारत में फ़सल प्रारूप (क्रॉपिंग पैटर्न) में हुए परिवर्तन की व्याख्या कीजिए। **[2023]**
4. भारत में कृषि उत्पादों के विपणन की उर्ध्वमुखी और अधोमुखी प्रक्रिया में मुख्य बाधाएँ क्या हैं? **[2022]**
5. समेकित कृषि प्रणाली क्या है? यह भारत में छोटे और सीमांत किसानों के लिए कैसे लाभदायक हो सकती है? **[2022]**
6. फ़सल विविधीकरण के सामने मौजूदा चुनौतियाँ क्या हैं? उभरती हुई प्रौद्योगिकियाँ फ़सल विविधीकरण के लिए एक अवसर कैसे प्रदान करती हैं? **[2021]**
7. भारत में कृषि उपज के परिवहन और विपणन में मुख्य बाधाएँ क्या हैं? **[2020]**
8. चावल-गेहूँ प्रणाली को सफल बनाने के लिए ज़िम्मेदार मुख्य कारक कौन-से हैं? इस सफलता के बावजूद यह प्रणाली कैसे भारत के लिए अभिशाप बन गयी है? **[2020]**
9. संधारणीय कृषि उत्पादन में एकीकृत कृषि प्रणाली या इंटेग्रेटेड फ़ार्मिंग सिस्टम (IFS) किस सीमा तक सहायक है? **[2019]**
10. न्यूनतम समर्थन मूल्य (MSP) से आप क्या समझते हैं? MSP निम्न आय जाल से किसानों को कैसे बचायेगा? **[2018]**
11. बाग़बानी फ़ार्म के उत्पादन, उत्पादकता और आय बढ़ाने में नेशनल हॉर्टिकल्चर मिशन (NHM) की भूमिका का मूल्यांकन कीजिए। किसानों की आय बढ़ाने में यह कितना सफल रहा है? **[2018]**
12. हाल के दिनों में कुछ फ़सलों पर ज़ोर देने से फ़सल-पैटर्न में कैसे बदलाव आया है? बाजरे के उत्पादन एवं खपत पर ज़ोर दिये जाने का विस्तारपूर्वक वर्णन कीजिए। **[2018]**
13. भारत में स्वतंत्रता के बाद कृषि में हुई विभिन्न प्रकार की क्रांतियों का विवरण दीजिए। इन क्रांतियों ने भारत में ग़रीबी उन्मूलन और खाद्य सुरक्षा में कैसे सहायता की है? **[2017]**
14. फ़सल प्रणाली में चावल और गेहूँ की उपज में गिरावट के प्रमुख कारण क्या हैं? फ़सल विविधीकरण कैसे इस प्रणाली में फ़सलों की उत्पादकता को स्थिर करने में सहायक है? **[2017]**
15. सब्सिडी कैसे फ़सल-पैटर्न, फ़सल विविधीकरण और किसानों की अर्थव्यवस्था को प्रभावित करती है? छोटे और सीमांत किसानों के लिए फ़सल बीमा, न्यूनतम समर्थन मूल्य और खाद्य प्रसंस्करण का क्या महत्त्व है? **[2017]**
16. प्रकृति की अनिश्चितता के प्रति भारतीय कृषि की अतिसंवेदनशीलता को देखते हुए फ़सल बीमा की ज़रूरत पर विचार कीजिए तथा प्रधान मंत्री फ़सल बीमा योजना (PMFBY) की मुख्य विशेषताओं को प्रस्तुत कीजिए। **[2016]**
17. ग्रामीण क्षेत्रों में ग़ैर-कृषिगत रोज़गार एवं आय प्रदान करने के लिए पशु-पालन में बड़ी क्षमता है। उपयुक्त उपायों को देते हुए भारत में इस क्षेत्र को बढ़ावा देने पर चर्चा कीजिए। **[2015]**
18. 'डिजिटल इंडिया' कार्यक्रम कृषि उत्पादकता और आय बढ़ाने में किसानों की कैसे सहायता कर सकता है? इस संबंध में सरकार ने क्या कदम उठाये हैं? **[2015]**
19. एक दृष्टिकोण यह है कि राज्य अधिनियमों के अंतर्गत स्थापित APMC ने भारत में न केवल कृषि क्षेत्र के विकास को बाधित किया है, बल्कि खाद्य मुद्रास्फीति का कारण भी बना है। आलोचनात्मक परीक्षण कीजिए। **[2014]**
20. सहकारी समितियों को छोड़कर गाँवों में स्वयं कोई भी ऋण संगठन उपयुक्त नहीं है - ऑल इंडिया रूरल क्रेडिट सर्वे। **[2014]**
21. भारत में कृषि वित्त की पृष्ठभूमि में इस कथन पर चर्चा कीजिए। कृषि वित्त को उपलब्ध करानेवाले वित्तीय संस्थान किन बाधाओं और चुनौतियों का सामना करते हैं? कैसे तकनीक की ग्रामीण ग्राहकों तक बेहतर पहुँच और उन्हें सेवा प्रदान करने के लिए प्रयोग किया जा सकता है? **[2014]**
22. राष्ट्रीय और राज्य स्तर पर किसानों को दी जानेवाली विभिन्न प्रकार की कृषि सब्सिडी क्या हैं? कृषि सब्सिडी व्यवस्था का, इसके द्वारा उत्पन्न होनेवाली विकृति के संदर्भ में, आलोचनात्मक विश्लेषण कीजिए। **[2013]**
23. भारत में बेहतर पोषण एवं स्वास्थ्य को सुनिश्चित करने के लिए खाद्य उद्योग में गुलाबी क्रांति को बढ़ावा देनेवाले उपायों को मज़बूत करने की ज़रूरत है। कथन को आलोचनात्मक रूप से स्पष्ट कीजिए। **[2013]**

अध्याय 16

खाद्य सुरक्षा और खाद्य प्रबंधन (Food Security and Food Management)

अध्याय की रूपरेखा

- खाद्य सुरक्षा
- एसडीजी 2 : भुखमरी जड़ से ख़त्म हो (Zero Hunger)
- खाद्य प्रबंधन
- सार्वजनिक वितरण प्रणाली
- संशोधित सार्वजनिक वितरण प्रणाली (RPDS)
- लक्षित सार्वजनिक वितरण प्रणाली (TPDS)
- भोजन का अधिकार
- भारतीय खाद्य निगम (FCI)
- FCI के पुनर्गठन पर उच्च स्तरीय समिति
- राष्ट्रीय खाद्य सुरक्षा अधिनियम, 2013
- महामारी के दौरान भूमिका
- एनएफ़एसए, 2013, के तहत वर्तमान टीपीडीएस प्रणाली की सीमाएँ
- सार्वजनिक वितरण प्रणाली में उन्नति के लिए हालिया सुधार
- राष्ट्रीय खाद्य सुरक्षा मिशन
- खाद्य सुरक्षा से संबंधित रिपोर्ट और रैंकिंग
- विश्व खाद्य कार्यक्रम
- कोडेक्स एलिमेंटेरियस
- उपभोक्ताओं के अधिकार सुनिश्चित करना
- उपभोक्ता संरक्षण अधिनियम, 2019
- कृषि अपशिष्ट
- कृषि अपशिष्ट एक ख़तरा कैसे बन जाता है?
- एहतियाती उपायों के रूप में अपनाये जानेवाले क़दम
- खाद्य सुरक्षा की चुनौतियाँ

"खाद्य सुरक्षा तब होती है; जब सभी लोगों को, हर समय, सक्रिय और स्वस्थ जीवन के लिए पर्याप्त, सुरक्षित और पौष्टिक भोजन तक भौतिक और आर्थिक पहुँच प्राप्त होती है, जो उनकी आहार संबंधी आवश्यकताओं और खाद्य प्राथमिकताओं को पूरा करती है।"
(विश्व खाद्य शिखर सम्मेलन, 1996)

खाद्य सुरक्षा (Food Security)

आधिकारिक नीतिगत सोच में बदलाव लाने के लिए पिछले तीस वर्षों में खाद्य सुरक्षा की अवधारणाएँ विकसित हुई हैं। यह शब्द पहली बार 1970 के दशक के मध्य में सामने आया, जब विश्व खाद्य सम्मेलन (1974) ने खाद्य आपूर्ति के संदर्भ में खाद्य सुरक्षा को इस प्रकार परिभाषित किया : खाद्य सुरक्षा का अर्थ है अंतरराष्ट्रीय और राष्ट्रीय स्तर पर बुनियादी खाद्य पदार्थों की उपलब्धता और मूल्य स्थिरता सुनिश्चित करना।

बाद में, खाद्य सुरक्षा से संबंधित नीति निर्माण ने व्यापक रूप से स्वीकृत 'विश्व खाद्य शिखर सम्मेलन' (1996) की परिभाषा में खाद्य सुरक्षा की बहुआयामी प्रकृति को सुदृढ़ करने और खाद्य पहुँच, उपलब्धता, खाद्य उपयोग और स्थिरता को शामिल करने तक एक लंबा सफ़र तय किया है।

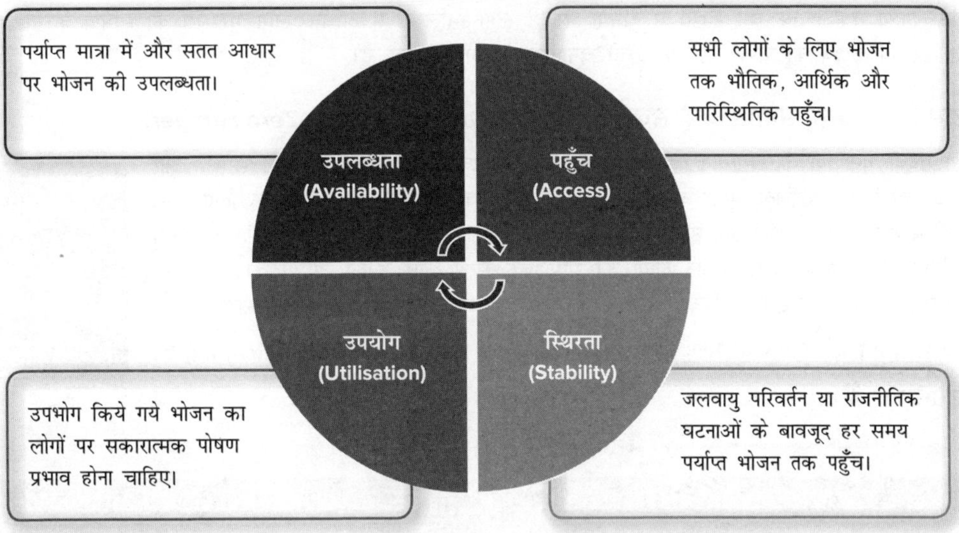

खाद्य और कृषि संगठन (एफ़एओ) के अनुसार, खाद्य सुरक्षा तब होती है; जब सभी लोगों को, हर समय, पर्याप्त, सुरक्षित और पौष्टिक भोजन तक भौतिक, सामाजिक और आर्थिक रूप से पहुँच प्राप्त होती है, जो एक सक्रिय और स्वस्थ जीवन के लिए उनकी आहार संबंधी ज़रूरतों और खाद्य प्राथमिकताओं को पूरा करती है।

दूसरे शब्दों में, खाद्य सुरक्षा और कुछ नहीं, बल्कि लंबी अवधि में मात्रा और गुणवत्ता के मामले में पूरी आबादी के लिए खाद्य सामग्री की उपलब्धता और इसे ख़रीदने की क्षमता रखनेवाले लोग हैं।

हमारे देश में खाद्य सुरक्षा सुनिश्चित करने के लिए केंद्र सरकार द्वारा 2013 में **राष्ट्रीय खाद्य सुरक्षा अधिनियम, 2013 [National Food Security Act, 2013 (NFSA)]**, के माध्यम से इस संबंध में एक बड़ा क़दम उठाया गया था। (इस बारे में इस अध्याय में बाद में चर्चा की गयी है)

एसडीजी 2 : भुखमरी जड़ से ख़त्म हो (ज़ीरो हंगर) (SDG 2: Zero Hunger)

संधारणीय विकास लक्ष्य 2 (एसडीजी 2015-2030) : '*भुखमरी ख़त्म करना, खाद्य सुरक्षा एवं उन्नत पोषण प्राप्त करना और संधारणीय कृषि को बढ़ावा देना*'।

संयुक्त राष्ट्र (2015) द्वारा स्थापित संधारणीय विकास लक्ष्यों (एसडीजी) के 17 लक्ष्यों में से दूसरा लक्ष्य 'भुखमरी जड़ से ख़त्म हो (ज़ीरो हंगर)' प्राप्त करना है। एसडीजी 2 खाद्य सुरक्षा, पोषण, ग्रामीण रूपांतरण और संधारणीय कृषि के बीच जटिल अंत:संबंधों पर प्रकाश डालता है।

एसडीजी 2 का लक्ष्य वर्ष 2030 तक दुनिया को भुखमरी से मुक्त बनाना है। भुखमरी और खाद्य असुरक्षा संबंधी प्रश्न को वर्ष 2015 से चिंताजनक रूप से उठाया जा रहा है। महामारी, जलवायु परिवर्तन, युद्ध और संघर्ष, निर्धनता और बढ़ती असमानताओं आदि जैसे कई कारकों के संयोजन से यह प्रवृत्ति और भी बढ़ गयी है।

संयुक्त राष्ट्र के अनुसार, "वर्ष 2022 तक, लगभग 735 मिलियन लोग - या दुनिया की आबादी के 9.2 प्रतिशत ने स्वयं को भुखमरी की पुरानी स्थिति में पाया - यह वर्ष 2019 की तुलना में एक चौंका देनेवाली वृद्धि है। यह डेटा स्थिति की गंभीरता को रेखांकित करता है, जो बढ़ते संकट को दर्शाता है।"

यह अनुमान लगाया गया कि 2022 में लगभग 2.4 बिलियन लोगों को मध्यम से गंभीर खाद्य असुरक्षा का सामना करना पड़ा। 2019 की तुलना में यह संख्या 391 मिलियन लोगों तक बढ़ गयी।

यह अनुमान लगाया गया है कि वर्ष 2030 में दुनिया भर के 600 मिलियन से अधिक लोग भुखमरी का सामना करेंगे। यह भुखमरी को समाप्त करने के लक्ष्य को प्राप्त करने की बड़ी चुनौती पर प्रकाश डालता है।

हम भुखमरी को कैसे समाप्त कर सकते हैं? (How can we achieve Zero Hunger?)

खाद्य सुरक्षा संबंधी चुनौतियों का समाधान करने हेतु बहुआयामी दृष्टिकोण की आवश्यकता है। सुरक्षित और पौष्टिक भोजन के लिए सामाजिक सुरक्षा को प्राथमिकता देना, जलवायु परिवर्तन से निपटने के लिए खाद्य प्रणालियों को बदलना और संसाधनों तक उचित पहुँच सुनिश्चित करना, एक अधिक समावेशी और संवहनीय दुनिया के निर्माण हेतु आवश्यक है। निर्धन लोगों की सामाजिक सुरक्षा और उनकी आजीविका को उन्नत करने हेतु भोजन तक उनकी पहुँच सुनिश्चित करने के लिए ग्रामीण और शहरी क्षेत्रों में निवेश आवश्यक है।

एसडीजी 2 में प्रगति को मापने के लिए आठ लक्ष्य (targets) और 14 संकेतक (indicators) हैं। ये लक्ष्य इस प्रकार हैं :

	लक्ष्य संख्या	लक्ष्य
परिणामित लक्ष्य	1	सुरक्षित और पौष्टिक भोजन तक सार्वभौमिक पहुँच
	2	हर तरह के कुपोषण को समाप्त करना
	3	छोटे पैमाने के खाद्य उत्पादकों की उत्पादकता और आय को दोगुना करना
	4	संधारणीय खाद्य उत्पादन प्रणाली और लचीली कृषि पद्धतियाँ
	5	खाद्य उत्पादन में आनुवंशिक विविधता बनाये रखना
लक्ष्य प्राप्त करने के साधन	6	ग्रामीण बुनियादी ढाँचे, कृषि अनुसंधान, प्रौद्योगिकी और जीन बैंकों में निवेश करना
	7	कृषि व्यापार प्रतिबंधों, बाज़ार विकृतियों और निर्यात सब्सिडी को रोकना
	8	स्थिर खाद्य वस्तु बाज़ार और सूचना तक समय पर पहुँच सुनिश्चित करना

खाद्य प्रबंधन (Food Management)

भारत खाद्य सुरक्षा नेटवर्क के व्यवस्थित कार्यान्वयन के माध्यम से दुनिया के सबसे बड़े खाद्य प्रबंधन कार्यक्रमों में से एक को चलाता है। भारत के खाद्य प्रबंधन कार्यक्रम में प्रभावी खाद्य और पोषण सुरक्षा के लिए विभिन्न सरकारी उपायों के साथ-साथ खाद्य ख़रीद, आवंटन, भंडारण और खाद्य सब्सिडी के मुद्दे शामिल हैं।

खाद्य प्रबंधन नीति (Food Management Policy) के तहत सरकार द्वारा मुख्य रूप से तीन मुद्दों को निपटाया जाता है :

1. किसानों से लाभकारी मूल्यों पर खाद्यान्न की ***ख़रीद***।
2. **राष्ट्रीय खाद्य सुरक्षा अधिनियम (एनएफ़एसए)**, 2013 और सरकार की अन्य कल्याणकारी योजनाओं के तहत उपभोक्ताओं, विशेष रूप से समाज के कमज़ोर वर्गों को किफ़ायती दामों पर खाद्यान्न का ***वितरण***।
3. खाद्य सुरक्षा और मूल्य स्थिरता सुनिश्चित करने के लिए ***सुरक्षित भंडार (बफ़र स्टॉक) का रखरखाव***।

खाद्य प्रबंधन की रीढ़ **सार्वजनिक वितरण प्रणाली (पीडीएस)** है, जो उचित लाभार्थियों को खाद्यान्न का वितरण सुनिश्चित करती है। **भारतीय खाद्य निगम (एफ़सीआई)** खाद्यान्नों की ख़रीद और भंडारण करनेवाली नोडल एजेंसी है।

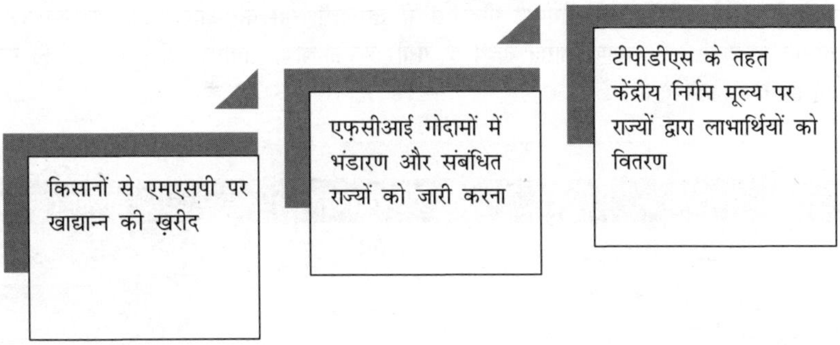

पीडीएस के माध्यम से भारत में खाद्य प्रबंधन (Food Management in India through PDS)

सार्वजनिक वितरण प्रणाली (Public Distribution System)

- भारत में पहली बार पीडीएस की शुरुआत 14 जनवरी, 1945 को द्वितीय विश्व युद्ध के दौरान हुई थी। इसके बाद, एफ़सीआई ने 1965 में पीडीएस का शुभारंभ किया। यह **केंद्र और राज्य सरकारों की संयुक्त ज़िम्मेदारी के तहत संचालित होता है।**
- पीडीएस लाभार्थियों को **दो अनाज** (चावल और गेहूँ) और **चार आवश्यक वस्तुएँ** (चीनी, खाद्य तेल, सॉफ़्ट कोक और मिट्टी का तेल) प्रदान करता है। राज्य सरकारें अन्य आवश्यक वस्तुएँ जैसे- दाल, नमक, साधारण कपड़े, स्कूल की पाठ्य पुस्तकें आदि शामिल कर सकती हैं।
- ये वस्तुएँ लाभार्थियों को **उचित मूल्य की दुकानों (एफ़पीएस)** या लोकप्रिय राशन की दुकानों के माध्यम से प्रदान की जाती हैं।
- **राज्यों को खाद्यान्न के भंडारण, परिवहन और थोक आवंटन** और एफ़सीआई के माध्यम से ख़रीद की **ज़िम्मेदारी केंद्र सरकार द्वारा प्रबंधित की जाती है** और **राज्य सरकारों** द्वारा लाभार्थियों को इसका वितरण और एफ़पीएस का पर्यवेक्षण प्रबंधित **किया जाता** है।
- **ग़रीबी रेखा से नीचे (बीपीएल)** के परिवारों की पहचान, राशन कार्ड जारी करने आदि की परिचालन ज़िम्मेदारी राज्य सरकारों की है।

संशोधित सार्वजनिक वितरण प्रणाली (आरपीडीएस) [Revamped Public Distribution System (RPDS)]

इसे 1992 में **पीडीएस को सुव्यवस्थित और मज़बूत करने** और दूर-दराज़, पहाड़ी, दुर्गम और अगम्य क्षेत्रों में अपनी पहुँच में सुधार करने के उद्देश्य से शुरू किया गया था, ताकि वहाँ रहनेवाले ग़रीब वर्गों को इसका लाभ मिल सके।

लक्षित सार्वजनिक वितरण प्रणाली (टीपीडीएस) [Targeted Public Distribution System (TPDS)]

- पीडीएस की विफलताओं को दूर करने के लिए, केंद्र सरकार ने **1997** में सभी क्षेत्रों में ग़रीबों पर ध्यान केंद्रित करते हुए **टीपीडीएस** की शुरुआत की, यह योजना एक ग़रीब समर्थक योजना बन गयी।
- इस योजना ने पूरी आबादी को दो श्रेणियों में विभाजित किया - **ग़रीबी रेखा से नीचे (बीपीएल)** और **ग़रीबी रेखा से ऊपर (एपीएल)**।
- बाद में 2001 में, बीपीएल आबादी के लिए निर्गम मूल्य तय करने के लिए **'बेहद ग़रीबों'** के लिए, जिनकी आय **15,000 रुपये प्रतिवर्ष से कम है**, **अंत्योदय अन्न योजना (एएवाई)** लायी गयी। प्रारंभ में, प्रति बीपीएल परिवारों को आपूर्ति किये जानेवाले खाद्यान्न की मात्रा 10 किलोग्राम थी; बाद में अप्रैल, 2002 से इसे बढ़ाकर 35 किलोग्राम प्रतिपरिवार प्रतिमाह कर दिया गया।
- एपीएल के लिए केंद्रीय निर्गम मूल्य (सीआईपी) आर्थिक लागत के 100 प्रतिशत पर तय किये गये थे और बीपीएल के लिए आर्थिक लागत के 50 प्रतिशत पर तय किये गये थे।

➤ एपीएल की उच्च लागत के कारण, कई लोगों ने पीडीएस से ख़रीदारी नहीं की और इसके परिणामस्वरूप एफ़सीआई गोदामों में संग्रहीत अतिरिक्त खाद्यान्नों की निर्माण लागत उच्च हो गयी। इसके बाद, बीपीएल और एपीएल की क़ीमतों को कम किया गया और निम्नानुसार तय किया गया :

श्रेणी	गेहूँ (रुपये/किलो)	चावल (रुपये/किलो)
एपीएल	6.1	8.3
बीपीएल	4.15	5.65
एएवाई	2	3

भोजन का अधिकार (RIGHT TO FOOD)

भोजन के अधिकार की अवधारणा को पहली बार 1948 में संयुक्त राष्ट्र मानवाधिकार घोषणापत्र (UN Declaration of Human Rights) में मान्यता दी गयी थी। 1996 में, विश्व खाद्य शिखर सम्मेलन में पर्याप्त भोजन के अधिकार को औपचारिक रूप से अपनाया गया था, जो खाद्य सुरक्षा के नैतिक और मानवाधिकार आयाम की दिशा में एक मील का पत्थर है।

राष्ट्रीय खाद्य सुरक्षा अधिनियम, 2013 [National Food Security Act, 2013]

एनएफ़एसए, 2013 के कार्यान्वयन के माध्यम से भारत द्वारा भोजन के अधिकार को क़ानूनी रूप से मान्यता दी गयी है और यह पूरे भारत में विस्तारित है।

➤ **यह खाद्य सुरक्षा के दृष्टिकोण में कल्याण से अधिकार-आधारित दृष्टिकोण में एक आदर्श बदलाव का प्रतीक है।** इसमें शामिल हैं :

1. **लक्षित सार्वजनिक वितरण प्रणाली (टीपीडीएस)।**
2. 'दोपहर का भोजन' यानी **मिड-डे मील (एमडीएम)** योजना, 1995 में केंद्र प्रायोजित योजना के रूप में शुरू की गयी थी।
3. **एकीकृत बाल विकास सेवा (आईसीडीएस) योजना**, 1975 में केंद्र प्रायोजित योजना के रूप में शुरू की गयी थी।

➤ एनएफ़एसए के तहत, **ग्रामीण आबादी का 75 प्रतिशत** और **शहरी आबादी का 50 प्रतिशत** टीपीडीएस के माध्यम से **रिआयती खाद्यान्न प्राप्त करता है।** यह **2011 की जनगणना के अनुसार कम-से-कम 67 प्रतिशत आबादी को रिआयती खाद्यान्न की आपूर्ति** सुनिश्चित करता है।

➤ वर्तमान में, एनएफ़एसए 2011 की जनगणना के अनुसार 81.35 करोड़ से अधिक व्यक्तियों को कवरेज़ प्रदान करता है; यानी एनएफ़एसए के तहत **दो-तिहाई आबादी** को अत्यधिक सब्सिडीवाला खाद्यान्न प्राप्त होता है। एनएफ़एसए निम्नलिखित दो श्रेणियों के तहत लोगों को कवरेज़ प्रदान करता है :

1. **अंत्योदय अन्न योजना (एएवाई) परिवार** – प्रति एएवाई परिवार प्रतिमाह 35 किलोग्राम खाद्यान्न की मासिक पात्रता के साथ।
2. **प्राथमिकतावाले परिवार** – 'प्राथमिकता' श्रेणी के तहत पात्र परिवारों के लिए **प्रतिव्यक्ति प्रतिमाह 5 किलोग्राम** मासिक पात्रता के साथ।

➤ अधिनियम के तहत लाभार्थी **पोषक अनाज/गेहूँ/चावल** के लिए क्रमश: **1 रुपये / 2 रुपये / 3 रुपये प्रतिकिलोग्राम** की दर से सब्सिडीवाले खाद्यान्न के हक़दार हैं।

➤ इस मामले में लाभार्थियों की पहचान राज्यों/संघ राज्य क्षेत्रों द्वारा की जाती है और यह एक सतत प्रक्रिया है, जिसमें **अपात्र/नक़ली/डुप्लीकेट राशन कार्डों का बहिष्करण** और **मृत्यु, प्रवास आदि के कारण बहिष्करण** और **जन्म के कारण समावेशन और वास्तविक बचे हुए परिवार** भी शामिल हैं।

- अधिनियम में राशन की दुकानों के माध्यम से रिआयती क़ीमतों पर खाद्यान्न आदि देने के बजाए सीधे लाभार्थियों के बैंक खाते में नक़द हस्तांतरण के रूप में सब्सिडी के **डीबीटी** को लागू करने का भी प्रावधान है।
- अब तक, **तीन केंद्र शासित प्रदेशों, चंडीगढ़, पुडुचेरी तथा दादर और नगर हवेली के शहरी क्षेत्रों में**, एनएफ़एसए को नक़द अंतरण **(कैश ट्रांसफ़र)** मोड में लागू किया जा रहा है।
- सरकार ने राष्ट्रीय खाद्य सुरक्षा अधिनियम (एनएफ़एसए), 2013 और राज्यों और केंद्र शासित प्रदेशों में लक्षित सार्वजनिक वितरण प्रणाली (टीपीडीएस) के कार्यान्वयन का मूल्यांकन करने के लिए तीन स्तंभों के आधार पर एनएफ़एसए के लिए पहला राज्य रैंकिंग सूचकांक जारी किया है। तीसरा स्तंभ विभाग की पोषण पहल पर केंद्रित है। ओडिशा को राज्य रैंकिंग सूचकांक (0.836 का स्कोर) में पहली रैंक प्राप्त हुई है।
- एनएफ़एसए मानव जीवन चक्र में **आईसीडीएस केंद्रों** के व्यापक नेटवर्क के माध्यम से और **एमडीएम योजना** के तहत स्कूलों के माध्यम से भी खाद्य और पोषण सुरक्षा प्रदान करता है।
- राष्ट्रीय खाद्य सुरक्षा अधिनियम की आलोचना इस बात पर होती है कि इसके लाभार्थी 2011 की जनगणना पर आधारित हैं। खाद्य सुरक्षा से प्रभावित होने की संभावनावाले लोगों की संख्या तब से लेकर बढ़ गयी होगी और हो सकता है कि कुछ लोगों को आज तक उन्हें इसका लाभ मिला ही न हो।
- एनएफ़एसए, 2013 के प्रभावी और समान कार्यान्वयन के लिए, केंद्र ने **प्रधानमंत्री ग़रीब कल्याण अन्न योजना (पीएम-जीकेएवाई)** के रूप में, एक नया एकीकृत खाद्य सुरक्षा कार्यक्रम पेश किया, जिसे 2020 से (*विवरण बाद में दिया गया*) लागू किया गया है।
- पीएम-जीकेएवाई ने खाद्य और सार्वजनिक वितरण विभाग की दो सब्सिडी योजनाओं को शामिल किया (क) भारतीय खाद्य निगम (एफ़सीआई) को खाद्य सब्सिडी (ख) एनएफ़एसए के तहत राज्यों को मुफ़्त खाद्यान्न की ख़रीद, आवंटन और वितरण से संबंधित विकेंद्रीकृत ख़रीद राज्यों के लिए खाद्य सब्सिडी।

भारतीय खाद्य निगम (एफ़सीआई) [FOOD CORPORATION OF INDIA (FCI)]

मुख्यालय	यह एक सार्वजनिक क्षेत्र का उद्यम है, जिसका मुख्यालय **दिल्ली** में है।
स्थापना	एफ़सीआई की स्थापना **1965** में खाद्य निगम अधिनियम, 1964 के तहत केंद्र सरकार की खाद्य नीतियों के निष्पादन के लिए एक मुख्य एजेंसी के रूप में की गयी थी।
उद्देश्य	➤ किसानों के हितों की रक्षा के लिए प्रभावी मूल्य समर्थन संचालन। ➤ पीडीएस के तहत पूरे देश में खाद्यान्न का वितरण। ➤ राष्ट्रीय खाद्य सुरक्षा सुनिश्चित करने के लिए खाद्यान्न के परिचालन और बफ़र भंडार के संतोषजनक स्तर को बनाये रखना।
कार्य	➤ केंद्र सरकार की ओर से खाद्यान्न की ख़रीद, भंडारण, आवाजाही, वितरण और बिक्री। ➤ एफ़सीआई समर्थन मूल्य पर खाद्यान्न ख़रीदता है और निर्गम मूल्य पर उसकी आपूर्ति करता है। यह पीडीएस के लिए खाद्यान्न का एकमात्र भंडार है और यह खाद्यान्न भंडारण मानदंड, 2015 (Foodgrain Stocking Norms, 2015) के अनुसार बफ़र भंडार और रणनीतिक भंडार भी रखता है।
एफ़सीआई को खाद्यान्न की आर्थिक लागत	ऐसी आर्थिक लागत में शामिल हैं : ➤ ख़रीद-मूल्य (एमएसपी) ➤ ख़रीद-लागत (आकस्मिक और वैधानिक शुल्क, श्रम और परिवहन शुल्क, भंडारण और ब्याज के लिए राज्य सरकार को भुगतान किया गया शुल्क) ➤ वितरण-लागत (माल-ढुलाई, संचालन-शुल्क, परिवहन और भंडारण के दौरान नुक़सान आदि।)

अतिरिक्त जानकारी

खाद्यान्न भंडारण मानदंड, 2015 (FOODGRAIN STOCKING NORMS, 2015)

केंद्र सरकार ने 2015 में बफ़र मानदंड़ को संशोधित किया और इसका नामकरण 'खाद्यान्न भंडारण मानदंड' कर दिया। इन खाद्यान्नों में **केवल चावल और गेहूँ** ही शामिल हैं। संशोधित मानदंडों के लक्ष्य निम्नलिखित हैं :

1. खाद्य सुरक्षा के लिए निर्धारित न्यूनतम भंडारण मानदंडों को पूरा करना।
2. टीपीडीएस/अन्य कल्याणकारी योजनाओं के माध्यम से आपूर्ति के लिए खाद्यान्न (गेहूँ और चावल) का मासिक आवंटन सुनिश्चित करना।
3. अप्रत्याशित फ़सल की विफलता, प्राकृतिक आपदाओं आदि से उत्पन्न होनेवालीं आपात स्थितियों से निपटना।
4. बाज़ार में हस्तक्षेप के लिए खाद्यान्नों का उपयोग और आपूर्ति करना, ताकि उनकी खुले बाज़ार की क़ीमतों को नियंत्रित किया जा सके।

उपर्युक्त लक्ष्यों को पूरा करने के लिए एफ़सीआई द्वारा केंद्रीय पूल में रखे जानेवाले खाद्यान्न भंडार (स्टॉक) को 2 श्रेणियों में वर्गीकृत किया गया है :

1. **परिचालन भंडार या बफ़र भंडार** (यानी टीपीडीएस के लिए निर्धारित भंडार + अन्य कल्याणकारी योजनाओं के लिए भंडार + खाद्य सुरक्षा भंडार)। प्रत्येक तिमाही की शुरुआत में केंद्र सरकार द्वारा परिचालन भंडार तय किया जाता है।
2. **सामरिक भंडार** (20 लाख टन चावल और 30 लाख टन गेहूँ)। इस 50 लाख टन सामरिक भंडार का हर तिमाही की शुरुआत में एफ़सीआई को रखरखाव करना होता है।

यदि खाद्यान्न का भंडार तिमाही की शुरुआत में परिचालन भंडार (Operational Stock) + सामरिक भंडार (Strategic Reserves) के संशोधित आँकड़ों से अधिक है, तो अतिरिक्त भंडार को खुली बिक्री या निर्यात के माध्यम से बाज़ार में लाना होता है।

कृषि मूल्यों को स्थिर रखने के लिए बफ़र स्टॉक का महत्त्व

(Importance of Buffer Stocks for Stabilising Agricultural Prices)

- बफ़र स्टॉक मूल्य स्थिरता बनाए रखने में मदद करते हैं। जब क़ीमतें बढ़ती हैं तो इस अनाज को बाज़ार में उतारा जाता है तथा क़ीमतों में गिरावट को रोकने के लिए अधिशेष के दौरान इसे ख़रीदा जाता है।
- बफ़र स्टॉक के ज़रिये, बेईमान व्यापारियों द्वारा बाज़ार में की जानेवाली हेरफेर, जमाख़ोरी और कालाबाज़ारी को रोका जाता है।
- प्राकृतिक आपदा, महामारी आदि के दौरान खाद्यान्न की निरंतर आपूर्ति से खाद्य सुरक्षा सुनिश्चित होती है।
- बफ़र स्टॉक, कृषि उत्पादन के मौसमी उतार-चढ़ाव के प्रभाव को कम करते हैं तथा फ़सलों के बीच स्थिर बाज़ार आपूर्ति सुनिश्चित करते हैं।

बफ़र स्टॉक के भंडारण से जुड़ी चुनौतियाँ

(Challenges associated with the Storage of Buffer Stock)

- भारत में भंडारण के अपर्याप्त बुनियादी ढाँचे के कारण बर्बादी।
- बड़े बफ़र स्टॉक को बनाये रखना उच्च भंडारण लागत से जुड़ा है।
- भंडारण सुविधाएँ विभिन्न राज्यों में आनुपातिक रूप से वितरित नहीं हैं, इसमें उच्च परिवहन लागत और अन्य रसद चुनौतियाँ भी सम्मिलित हैं।
- समय पर वितरण के बिना आवश्यकता से अधिक ख़रीद के परिणामस्वरूप अक्सर अधिक स्टॉक हो जाता है, जिससे अनाज सड़ जाता है।
- भंडारण की अवैज्ञानिक और पुरानी पद्धति।

खाद्यान्न भंडारण अवसंरचना को सहायता प्रदान करने के उपाय
(Measures to support Foodgrain Storage Infrastructure)

- भारत में खाद्यान्न भंडारण अवसंरचना को उन्नत करने तथा भंडारण क्षमता को बढ़ाने के लिए, PPP के तहत स्टील कोष्ठागारों (silos) का निर्माण किया जा रहा है।
- पहाड़ी तथा दूरदराज़ के क्षेत्रों में खाद्यान्न भंडारण को बढ़ाने के लिए, विश्व खाद्य कार्यक्रम (WFP) के सहयोग से मोबाइल स्टोरेज यूनिट (MSU) के प्रकार फ़्लोस्पैन के उपयोग की संभावना तलाशी जा रही है।
- भारत सरकार ने सरकारी अनाज गोदामों को आधुनिक बनाने के लिए, 'स्मार्ट वेयरहाउस' का संचालन करने हेतु WFP तथा IGMRI के साथ भागीदारी की है। ये गोदाम तापमान, आर्द्रता, वायु प्रवाह आदि की निगरानी करने के लिए सेंसर का उपयोग करते हैं तथा भंडारण को बढ़ाने तथा नुक़सान को कम करने के लिए वास्तविक समय डेटा प्रदान करते हैं।

अतिरिक्त जानकारी

FCI पुनर्गठन संबंधी उच्च स्तरीय समिति (HIGH LEVEL COMMITTEE ON RESTRUCTURING OF FCI)

भारतीय खाद्य निगम (FCI) पुनर्गठन संबंधी उच्च स्तरीय समिति (HLC) की स्थापना वर्ष 2014 में उपभोक्ता मामले, खाद्य और सार्वजनिक वितरण मंत्रालय (MoCAF), भारत सरकार द्वारा की गयी थी। **श्री शांता कुमार** ने समिति के **अध्यक्ष** के रूप में कार्य किया, जिसने 2015 में FCI पुनर्गठन संबंधी अपनी रिपोर्ट प्रस्तुत की।

महत्त्वपूर्ण सिफ़ारिशें (Important Recommendations)

ख़रीद से संबंधित मुद्दों पर (On procurement related issues)

- इस समिति ने FCI को गेहूँ, धान और चावल की सभी ख़रीद गतिविधियों को उन राज्यों को सौंपने की सिफ़ारिश की, जिनके पास इस संबंध में पर्याप्त अनुभव है और ख़रीद के लिए पर्याप्त बुनियादी ढाँचा है।
- चावल मिल मालिकों पर लेवी समाप्त की जानी चाहिए।

PDS और NFSA से संबंधित मुद्दों पर (On PDS and NFSA related issues)

- भारत सरकार को उन राज्यों में NFSA के कार्यान्वयन को स्थगित करना चाहिए, जिन्होंने शुरू से अंत तक (एंड टू एंड) कम्प्यूटरीकरण नहीं किया है और PDS से चोरी की जाँच के लिए सतर्कता समितियों का गठन नहीं किया है।
- NFSA के तहत लाभार्थियों की संख्या को मौजूदा 67% से घटाकर 40% करना।

भंडारण और आवागमन से संबंधित मुद्दों पर (On stocking and movement related issues)

- FCI को अपने भण्डारण कार्यों को विभिन्न एजेंसियों जैसे कि केंद्रीय भंडारण निगम, राज्य भंडारण निगम, निजी उद्यमी गारंटी (PEG) योजना के तहत निजी क्षेत्र आदि को आउटसोर्स करना चाहिए।

बफ़र भण्डारण संचालन और परिसमापन नीति पर (On Buffer Stocking Operations and Liquidation Policy)

- एक पारदर्शी परिसमापन नीति की आवश्यकता है, जो FCI के अधिशेष स्टॉक का सामना करने पर स्वत: ही लागू हो जानी चाहिए।

किसानों को प्रत्यक्ष सब्सिडी पर (On direct subsidy to farmers)

- किसानों को प्रत्यक्ष नक़द सब्सिडी (लगभग 7000 रुपये प्रति हेक्टेयर) दी जानी चाहिए और फिर उर्वरक क्षेत्र को विनियमन मुक्त किया जाना चाहिए।

एनएफ़एसए, 2013, के तहत वर्तमान टीपीडीएस प्रणाली की सीमाएँ [Limitations of the present TPDS System under NFSA, 2013]

- एनएफ़एसए से सरकार पर **सब्सिडी का बोझ** बढ़ गया है।
- **अनुचित लक्ष्य करण (Improper targeting)** यानी अभी भी उपयुक्त लाभार्थियों की उचित पहचान को लेकर समस्याएँ हैं। नतीजतन, टीपीडीएस का लाभ प्राप्त करनेवाले लोगों के एक बड़े वर्ग को बाहर कर दिया गया है।
- ग़रीब लाभार्थियों तक पहुँचने से पहले कई मामलों में वितरकों और एफ़पीएस मालिकों द्वारा खाद्यान्न, मिट्टी के तेल आदि का **क्षरण और अन्यत्र उपयोग**। क्षरण का यह आँकड़ा 40 प्रतिशत तक हो सकता है।
- कई मामलों में वितरण में अनुचित और आकस्मिक दृष्टिकोण के कारण एफ़पीएसएस में **खाद्यान्न की देरी और अनियमित आगमन**।
- ग़रीब हितग्राहियों को एपीएल श्रेणी में भूलवश दिये गये **डिजिटल राशन कार्डों में त्रुटि**। नतीजतन, उन्हें सब्सिडीवाला खाद्यान्न नहीं मिल पा रहा है।
- **घोस्ट कार्डहोल्डर (आभासी कार्डधारक) अभी भी बने हुए हैं** - एफ़पीएस मालिकों द्वारा क्षरण के लिए इसका काफ़ी फ़ायदा उठाया जाता है। हालाँकि, सरकार के प्रयासों से ऐसे कार्डों की संख्या में भारी कमी आयी है।

सार्वजनिक वितरण प्रणाली में उन्नति के लिए हालिया सुधार [Recent Reforms to Improve Public Distribution System]

1. **'एक राष्ट्र, एक राशन कार्ड (One Nation, One Ration Card)' या सार्वजनिक वितरण प्रणाली का एकीकृत प्रबंधन (आईएम-पीडीएस)**- सभी राज्यों/केंद्र शासित प्रदेशों में **2018** में शुरू की गयी, आईएम-पीडीएस योजना का उद्देश्य एनएफ़एस अधिनियम, 2013 के तहत राशन कार्डधारकों की **राष्ट्रव्यापी सुवाह्यता (nation-wide portability)** है। इसके माध्यम से प्रवासी राशन कार्डधारक **भारत में किसी भी एफ़पीएस से** अपने हक़ के खाद्यान्न ले सकते हैं। इसका लाभ उनके गृह राज्य/केंद्र शासित प्रदेश द्वारा जारी किये गये उसी राशन कार्ड का उपयोग करके लिया जा सकता है, लेकिन बायोमेट्रिक प्रमाणीकरण के बाद।

   वर्तमान में, सभी 36 राज्यों/संघ राज्य क्षेत्रों में एक राष्ट्र, एक राशन कार्ड की सुविधा सक्षम है और वह कुल एनएफ़एसए आबादी का 100 प्रतिशत कवर कर रही है (93.31 करोड़ से अधिक पोर्टेबिलिटी लेनदेन (portability transactions) इस योजना के तहत दर्ज किये गये)।
2. **एफ़पीएस का स्वचालन**- वास्तविक समय के आधार पर वास्तविक कार्ड धारकों को खाद्यान्न की बिक्री पर नज़र रखने, एवं खाद्यान्न के आवंटन और वितरण में दक्षता लाने के लिए।

   अब तक, भारत में 88 फ़ीसदी से अधिक एफ़पीएसएस को **ePoS (इलेक्ट्रॉनिक पॉइंट ऑफ़ सेल) उपकरणों** की स्थापना के माध्यम से स्वचालित किया गया है, जिससे शुरू से अंत तक कंप्यूटरीकरण सुनिश्चित होता है।
3. **राशन कार्डों का डिजिटलीकरण** और उनके **आधार को लिंक करना :** बायोमीट्रिक प्रमाणीकरण के बाद लाभार्थियों को खाद्यान्न के वितरण को सक्षम करने के लिए।
4. **डीबीटी योजना**- यह लाभार्थियों के बैंक खाते में खाद्य सब्सिडी के सीधे नक़द अंतरण (कैश ट्रांसफ़र) की योजना है। सब्सिडी राशि का उपयोग करके, लाभार्थी बाज़ार से सीधे, बाज़ार मूल्य पर खाद्यान्न ख़रीद सकते हैं। राज्यों/संघ राज्य क्षेत्रों के लिए इस डीबीटी योजना को लागू करना वैकल्पिक है। अब तक, भारत में तीन **केंद्र शासित प्रदेशों** (चंडीगढ़, पुडुचेरी तथा दादरा तथा नगर हवेली) ने लाभार्थियों को सीधे उनके बैंक खातों में खाद्य सब्सिडी के नक़द अंतरण के लिए इस डीबीटी योजना को लागू किया है।
5. **जीपीएस तकनीक का उपयोग** - राज्य के डिपो से एफ़पीएस तक खाद्यान्न ले जानेवाले ट्रकों की आवाजाही को ट्रैक करना।
6. गर्भवती महिलाओं, स्तनपान करानेवालीं माताओं, बच्चों आदि में कुपोषण और सूक्ष्म पोषकतत्वों की कमी से लड़ने के लिए सरकार ने 2021-22 के दौरान **एकीकृत बाल विकास योजना (Integrated Child Development Scheme)** और **प्रधानमंत्री पोषण** योजनाओं के तहत देश भर में **पोषक चावल** का वितरण शुरू किया है।

7. भारत सरकार देश भर में **100 प्रतिशत e-KYC** अनुपालन प्राप्त करने के लिए प्रतिबद्ध है।
8. लाभार्थी किसी भी **उचित मूल्य की दुकान पर अपने आधार बायोमेट्रिक्स को प्रमाणित कर सकते हैं**।
9. किसानों को फ़सल के बाद ऋण देने के लिए, इलेक्ट्रॉनिक नेगोशिएबल वेयरहाउस रसीद (e-NWR) आधारित प्लेज फ़ाइनेंसिंग (CGS-NPF) के लिए ऋण गारंटी योजना को मंज़ूरी दी गयी है।

परीक्षोपयोगी

प्रधानमंत्री ग़रीब कल्याण अन्न योजना [PRADHAN MANTRI GARIB KALYAN ANNA YOJANA (PM-GKAY)]

प्रधानमंत्री ग़रीब कल्याण अन्न योजना **(पीएम-जीकेएवाई) प्रवासियों और ग़रीब लागों को मुफ़्त खाद्यान्न** की आपूर्ति के लिए आत्मनिर्भर भारत का एक हिस्सा है।

यह योजना कोविड-19 महामारी के दौरान शुरू की गयी और यह 2020 से चल रही है। इस योजना के तहत, केंद्र सरकार ग़रीब लोगों को प्रतिमाह 5 किलो मुफ़्त खाद्यान्न प्रदान करती है। यह सार्वजनिक वितरण प्रणाली (पीडीएस) के तहत आनेवाले परिवारों को राष्ट्रीय खाद्य सुरक्षा अधिनियम (एनएफ़एसए) के तहत प्रदान किये जानेवाले सब्सिडीवाले (₹2-3 प्रतिकिलोग्राम) राशन के अतिरिक्त है। खाद्यान्न और मात्रा परिवर्तनशील हो सकती हैं।

योजना के लाभ (Benefits of the Scheme)

- पीएम-जीकेएवाई राशन कार्डधारित प्रत्येक परिवार को 5 किलो अनाज मुफ़्त प्रदान किया जाता है, इसके अतिरिक्त सार्वजनिक वितरण प्रणाली (पीडीएस) के माध्यम से पहले से ही 5 किलो सब्सिडीवाला अनाज दिया जा रहा है।
- गेहूँ 6 राज्यों/केंद्र शासित प्रदेशों – पंजाब, हरियाणा, राजस्थान, चंडीगढ़, दिल्ली और गुजरात को आवंटित किया जा रहा है और शेष राज्यों/केंद्र शासित प्रदेशों को चावल दिया जा रहा है।

योजना के तहत लाभ प्राप्त करने की पात्रता (Eligibility to avail benefits under the Scheme)

- अंत्योदय अन्न योजना (एएवाई) और प्राथमिकता घरेलू (पीएचएच) श्रेणियों से संबंधित परिवार पीएम-जीकेएवाई के लिए पात्र हैं। पीएचएच की पहचान राज्य सरकारों/केंद्र शासित प्रदेश के प्रशासनों द्वारा उनके विकसित मानदंडों के अनुसार की जानी है। केंद्र सरकार द्वारा निर्धारित मानदंडों के अनुसार राज्यों/केंद्र शासित प्रदेशों के द्वारा एएवाई परिवारों की पहचान की जानी है।
- ऐसे परिवार, जिनकी मुखिया विधवाएँ या मरणासन्न रूप से बीमार व्यक्ति या विकलांग व्यक्ति या 60 वर्ष या उससे अधिक आयु के व्यक्ति हैं, जिनके पास आजीविका या सामाजिक समर्थन के कोई सुनिश्चित साधन नहीं है।
- सभी साधारण जनजातीय परिवार।
- भूमिहीन कृषि मज़दूर, सीमांत किसान, ग्रामीण कारीगर/शिल्पकार जैसे- कुम्हार, टान्नर्स, बुनकर, लोहार, बढ़ई, झुग्गी-झोपड़ी में रहनेवाले और ग्रामीण और शहरी दोनों क्षेत्रों में बोझा ढोनेवाले, कुली, रिक्शा चालक, हाथ गाड़ी खींचनेवाले, फल और फूल विक्रेता, सपेरे, कूड़ा बीननेवाले, मोची, निराश्रित और अन्य समान श्रेणियों जैसे अनौपचारिक क्षेत्र में दैनिक आधार पर अपनी आजीविका कमानेवाले व्यक्ति।
- ग़रीबी रेखा से नीचे एड्स से पीड़ित व्यक्तियोंवाले सभी पात्र परिवार।

केंद्रीय मंत्रिमंडल ने **1 जनवरी, 2024 से 05 वर्ष की अवधि तक** पीएम-जीकेएवाई के तहत लगभग 81.35 करोड़ लाभार्थियों को **मुफ़्त अनाज प्रदान करना जारी रखने** के लिए मंज़ूरी दी।

राष्ट्रीय खाद्य सुरक्षा मिशन (National Food Security Mission)

राष्ट्रीय खाद्य सुरक्षा मिशन (एनएफ़एसएम) को 2007 में **केंद्र प्रायोजित योजना** के रूप में शुरू किया गया था।

इसका उद्देश्य क्षेत्र विस्तार और उत्पादकता वृद्धि के माध्यम से चावल, गेहूँ और दालों के उत्पादन में वृद्धि करना; मिट्टी की उर्वरता और उत्पादकता को बहाल करना; रोज़गार के अवसर पैदा करना; और कृषि स्तर की अर्थव्यवस्था को बढ़ाना था।

मोटे अनाज को 2014-15 से एनएफ़एसएम के तहत शामिल किया गया था।

एनएफ़एसएम के तहत अतिरिक्त उत्पादन का लक्ष्य :

12वीं पंचवर्षीय योजना के दौरान		12वीं योजना के बाद	
	अतिरिक्त उत्पादन लक्ष्य		नये अतिरिक्त उत्पादन लक्ष्य
चावल	1 करोड़ टन	चावल	50 लाख टन
गेहूँ	80 लाख टन	गेहूँ	30 लाख टन
दालें	40 लाख टन	दालें	30 लाख टन
मोटे अनाज	30 लाख टन	पोषक-सह-मोटे अनाज	20 लाख टन
कुल	**2.5 करोड़ टन खाद्यान्न**	**कुल**	**1.3 करोड़ टन खाद्यान्न**

वर्तमान में एनएफ़एसएम में उप-घटक शामिल हैं, जैसे **एनएफ़एसएम-चावल, एनएफ़एसएम-गेहूँ, एनएफ़एसएम-दालें, एनएफ़एसएम-मोटे अनाज, एनएफ़एसएम-पोषक अनाज और एनएफ़एसएम-वाणिज्यिक फ़सलें**। वर्तमान में, एनएफ़एनएसएम 28 राज्यों और 2 केंद्र शासित प्रदेशों (यूटी) के पहचान किये गये ज़िलों में लागू किया जा रहा है, जैसे- देश में जम्मू-कश्मीर और लद्दाख।

2021 में, क्षेत्र के विस्तार और मूल्य प्रोत्साहन के माध्यम से देश में खाद्य तेल की उपलब्धता बढ़ाने के लिए **राष्ट्रीय खाद्य तेल संबंधी मिशन - पाम ऑयल [National Mission on Edible Oils - Oil Palm (NMEO-OP)]** शुरू किया गया था। फ़्रेश फ़्रूट बंच (एफ़एफ़बी) के लिए सरकार की ओर से पाम ऑयल (ताड़ का तेल) किसानों को मूल्य आश्वासन का यह पहला उदाहरण है। इसे व्यवहार्यता मूल्य (वीपी) के रूप में जाना जायेगा, जो किसानों को अंतरराष्ट्रीय कच्चे ताड़ तेल (सीपीओ) की क़ीमतों में उतार-चढ़ाव से बचायेगा।

योजना का परिणाम (Outcome of the Scheme)

एनएफ़एसएम के परिणामस्वरूप कुल खाद्यान्न उत्पादन में वृद्धि हुई है। खाद्यान्नों की उत्पादकता; जो 2014-15 में 2028 किलोग्राम/हेक्टेयर थी, उसमें वृद्धि हुई है।

दालों का उत्पादन विशेष रूप से उल्लेखनीय है।

खाद्य सुरक्षा से संबंधित रिपोर्ट (REPORTS RELATED TO FOOD SECURITY)

विश्व में खाद्य सुरक्षा और पोषण की स्थिति रिपोर्ट (State of Food Security and Nutrition in the World Report)

- यह निम्नलिखित के संयुक्त प्रयासों के साथ 2017 से प्रतिवर्ष प्रकाशित होता है :
  1. एफ़एओ
  2. अंतरराष्ट्रीय कृषि विकास कोष
  3. संयुक्त राष्ट्र बाल कोष
  4. विश्व खाद्य कार्यक्रम
  5. विश्व स्वास्थ्य संगठन (डब्ल्यूएचओ)

- यह रिपोर्ट वैश्विक और क्षेत्रीय स्तरों पर **खाद्य असुरक्षा, भूख और कुपोषण संबंधी** आकलन प्रदान करती है।
- इस रिपोर्ट का उद्देश्य **दूसरे एसडीजी एजेंडा के अनुसार खाद्य सुरक्षा हासिल करना, पोषण स्तर में सुधार करना और भुखमरी को ख़त्म करना** है।

विश्व खाद्य सुरक्षा और पोषण स्थिति 2024 (एसओएफ़आई 2024) रिपोर्ट [State of Food Security and Nutrition in the World 2024 (SOFI 2024) Report]

- भारत में स्वस्थ आहार का ख़र्च उठाने में असमर्थ जनसंख्या का अनुपात (2022) - 55.6 प्रतिशत
- भारत में स्वस्थ आहार का ख़र्च वहन करने में असमर्थ लोगों की संख्या (2022) - 788.2 मिलियन
- भारत की लगभग 13 प्रतिशत जनसंख्या दीर्घकालिक कुपोषण से पीड़ित है।
- 2022 में बच्चों (<5 वर्ष) में वेस्टिंग की व्यापकता - 18.7 प्रतिशत
- 2019 में महिलाओं (15-49 वर्ष) में एनीमिया का प्रसार - 53 प्रतिशत

भारत से संबंधित प्रमुख निष्कर्ष (लाखों में)

2004-06 (246.5)	कुपोषित लोगों की संख्या	2021-23 (194.6)
2014-16 (N.R.)	गंभीर रूप से खाद्य-असुरक्षित लोगों की संख्या	2021-23 (N.R.)
2014-16 (N.R.)	मध्यम या गंभीर रूप से खाद्य-असुरक्षित लोगों की संख्या	2021-23 (N.R.)
	कृशता (वेस्टिंग) से प्रभावित बच्चों (<5 वर्ष) की संख्या	2022 (21.9)
2012 (52.5)	छोटे कद के (स्टंटेड) बच्चों (<5 वर्ष) की संख्या	2022 (36.1)
2012 (2.8)	अधिक वजनवाले बच्चों (<5 वर्ष) की संख्या	2022 (3.2)
2012 (33.6)	मोटापे की समस्या से ग्रस्त बच्चों (<5 वर्ष) की संख्या	2022 (71.4)
2012 (171.5)	एनीमिया से प्रभावित महिलाओं (15-49 वर्ष) की संख्या	2019 (187.3)
2012 (5.9)	केवल स्तनपान करनेवाले शिशुओं (0-5 महीने) की संख्या	2022 (7.2)
2012 (7.7)	कम वजनवाले शिशुओं की संख्या	2020 (6.3)

[N.R. = Not Reported]

परीक्षोपयोगी

ग्लोबल हंगर इंडेक्स (जीएचआई) [GLOBAL HUNGER INDEX (GHI)]

जीएचआई वैश्विक, क्षेत्रीय और राष्ट्रीय स्तर पर भुखमरी को मापने का एक साधन है। यह भुखमरी के गंभीर मुद्दे से निपटने में देशों द्वारा की गयी प्रगति या असफलताओं को दर्शाता है।

यह सूचकांक **कंसर्न वर्ल्डवाइड और वेल्थंगरहिल्फ़ (Welthungerhilfe)** द्वारा **प्रतिवर्ष** संयुक्त रूप से प्रकाशित किया जाता है।

देशों को रैंक करने के लिए जीएचआई के तहत समग्र स्कोर **4 संकेतकों** पर आधारित है :

1. **अल्पपोषण की दर** (अर्थात् अपर्याप्त खाद्य आपूर्ति के कारण अपर्याप्त कैलोरी सेवन)।
2. **चाइल्ड स्टंटिंग** (बच्चे के सम्यक विकास या वृद्धि का रुकना) (उम्र की तुलना में छोटा क़द; 5 साल से कम उम्र के बच्चों के लिए)।
3. **चाइल्ड वेस्टिंग** (क़द की तुलना में कम वज़न; 5 साल से कम उम्र के बच्चों के लिए)।
4. **बाल-मृत्यु-दर** (5 वर्ष से कम आयु में मृत्यु अपर्याप्त पोषण और अस्वास्थ्यकर वातावरण को दर्शाती है।

- 2024 की GHI रिपोर्ट में, भारत 105वें स्थान पर (127 देशों में से) है, जबकि 2023 की रिपोर्ट में भारत 111वें स्थान पर था।
- भारत का 2024 GHI स्कोर 27.3 है। GHI भुखमरी की गंभीरता पैमाने के अनुसार इसे 'गंभीर' श्रेणी में माना जाता है।

विश्व खाद्य कार्यक्रम (World Food Programme)

विश्व खाद्य कार्यक्रम (डब्ल्यूएफ़पी) जीवन बचाने और जीवन बदलनेवाला अग्रणी मानवीय संगठन है, आपात स्थिति में खाद्य सहायता प्रदान करता है और पोषण में सुधार और लचीलापन बनाने के लिए समुदायों के साथ काम करता है।

डब्ल्यूएफ़पी को भुखमरी से निपटने के प्रयासों, मतभेद प्रभावित क्षेत्रों में शांति के लिए बेहतर परिस्थितियों में योगदान के लिए और युद्ध और मतभेद के हथियार के रूप में भुखमरी के उपयोग को रोकने के प्रयासों में एक प्रेरक शक्ति के रूप में कार्य करने के लिए **2020 में नोबेल शांति पुरस्कार से सम्मानित किया गया था।**

अतिरिक्त जानकारी

खाद्य और कृषि संगठन (एफ़एओ) [FOOD AND AGRICULTURE ORGANIZATION (FAO)]

एफ़एओ **संयुक्त राष्ट्र की एक विशेष एजेंसी** है, जो भुखमरी को हराने के लिए अंतरराष्ट्रीय प्रयासों का नेतृत्व करती है।

मुख्यालय : रोम, इटली

स्थापित : 16 अक्टूबर, 1945 (**विश्व खाद्य दिवस 16 अक्तूबर** को मनाया जाता है)

उद्देश्य : सभी के लिए खाद्य सुरक्षा प्राप्त करना और यह सुनिश्चित करना कि लोगों के पास सक्रिय, स्वस्थ जीवन जीने के लिए पर्याप्त उच्च गुणवत्तावाले भोजन की नियमित पहुँच हो।

विश्व खाद्य शिखर सम्मेलन : 1996 में, एफ़एओ ने विश्व खाद्य शिखर सम्मेलन का आयोजन किया। शिखर सम्मेलन **रोम घोषणा (Rome Declaration)** पर हस्ताक्षर के साथ संपन्न हुआ, जिसने वर्ष 2015 तक भुखमरी से पीड़ित लोगों की संख्या को घटाकर आधा करने का लक्ष्य स्थापित किया।

एफ़एओ खाद्य मूल्य सूचकांक (एफ़एफ़पीआई) खाद्य वस्तुओं की अंतरराष्ट्रीय क़ीमतों में मासिक परिवर्तन का एक उपाय है।

कोडेक्स एलिमेंटेरियस (Codex Alimentarius)

कोडेक्स एलिमेंटेरियस कमीशन (सीएसी) एक अंतरराष्ट्रीय खाद्य मानक निकाय है। जिसकी स्थापना 1963 में खाद्य और कृषि संगठन (एफ़एओ) और विश्व स्वास्थ्य संगठन (डब्ल्यूएचओ) द्वारा संयुक्त रूप से **उपभोक्ता के स्वास्थ्य की रक्षा करने** और खाद्य व्यापार में **उचित प्रथाओं को सुनिश्चित करने** के उद्देश्य से की गयी थी।

विश्व व्यापार संगठन (डब्ल्यूटीओ) के स्वच्छता और आरोग्यकर स्वच्छता उपायों (एसपीएस) के अनुप्रयोग संबंधी समझौता अंतरराष्ट्रीय व्यापार और व्यापार विवाद निपटान के लिए संदर्भ मानकों के रूप में कोडेक्स मानकों, दिशानिर्देशों और सिफ़ारिशों को मान्यता देता है।

भारत 1964 में कोडेक्स एलिमेंटेरियस का सदस्य बना।

अंतरराष्ट्रीय अनाज परिषद् (International Grains Council - IGC)

अंतरराष्ट्रीय अनाज परिषद् (IGC), एक अंतर-सरकारी संगठन है, जिसका उद्देश्य अनाज व्यापार में अंतरराष्ट्रीय सहयोग को बढ़ावा देना है। IGC, 'अनाज क्षेत्र में विस्तार, खुलेपन और निष्पक्षता' को बढ़ावा देता है। यह विश्व खाद्य सुरक्षा के लिए अनाज बाज़ार की संवहनीयता को भी प्रोत्साहित करता है। IGC, गेहूँ, मक्का (मकई), चावल और जौ, ज्वार और जई जैसे अन्य मोटे अनाजों के लिए वैश्विक बाज़ारों की निगरानी और रिपोर्ट करता है। इसके मुख्य कार्यों में अनाज उत्पादन, खपत, स्टॉक, व्यापार और क़ीमतों के बारे में जानकारी एकत्र करना और उसका प्रसार करना, साथ ही बाज़ार के रुझानों का विश्लेषण और पूर्वानुमान लगाना सम्मिलित है।

- भारत अंतरराष्ट्रीय अनाज समझौते (IGA) 1995 और अनाज व्यापार सम्मेलन (GTC) 1995 का हस्ताक्षरकर्ता है और यह 1 जुलाई, 1995 से प्रभावी है।

- IGC की स्थापना वर्ष 1949 में अंतरराष्ट्रीय गेहूँ परिषद् (International Wheat Council) के रूप में की गई थी। इसके वर्तमान नाम को वर्ष 1995 में अपनाया गया था। IGC का मुख्यालय, लंदन में है।
- इसके सदस्यों में 11 उत्पादक सदस्य (भारत सहित) और 18 आयातक सदस्य सम्मिलित हैं।

क्या आप जानते हैं?

सार्क खाद्य बैंक (SAARC FOOD BANK)

दक्षिण एशियाई क्षेत्रीय सहयोग संगठन (सार्क) देशों ने वर्ष 2007 में नयी दिल्ली में आयोजित 14वें सार्क शिखर सम्मेलन में लिये गये निर्णय की अनुपालना में सार्क खाद्य बैंक (सार्क फ़ूड बैंक) की स्थापना के समझौते पर हस्ताक्षर किये हैं। इस खाद्य बैंक का उद्देश्य क्षेत्र के लोगों की खाद्य सुरक्षा को सुनिश्चित करना है। सार्क खाद्य बैंक के पास प्रत्येक सदस्य देश द्वारा बनाये रखने हेतु खाद्यान्न का भंडार (रिज़र्व) है। इस भंडार में गेहूँ या चावल या दोनों का संयोजन देश के निर्धारित हिस्से के रूप में होता है।

उपभोक्ताओं के अधिकार सुनिश्चित करना (Ensuring Rights of Consumers)

उपभोक्ताओं के अधिकार सुनिश्चित करना उपभोक्ता मामले, खाद्य और सार्वजनिक वितरण मंत्रालय के तहत उपभोक्ता मामले विभाग (डीसीए) की ज़िम्मेदारी है।

इस संबंध में, डीसीए निम्नलिखित प्रमुख अधिनियमों से संबंधित है :

- **उपभोक्ता संरक्षण अधिनियम**, 1986 का कार्यान्वयन।
- **भारतीय मानक ब्यूरो अधिनियम**, 2016 का कार्यान्वयन।
- **बाट और माप के मानकों का कार्यान्वयन** - क़ानूनी माप विज्ञान अधिनियम (मेट्रोलॉजी ऐक्ट), 2009।
- **आवश्यक वस्तु (संशोधन) अधिनियम, 2020 [Essential Commodities (Amendment) Act, 2020]** का कार्यान्वयन।
- **कालाबाज़ारी की रोकथाम और आवश्यक वस्तुओं की आपूर्ति का रखरखाव अधिनियम, 1980 (Prevention of Black Marketing and Maintenance of Supplies of Essential Commodities Act, 1980)** का कार्यान्वयन।

उपर्युक्त क़ानूनों में, सरकार द्वारा हाल के वर्षों में सुधार लाने के लिए, विशेष रूप से उपभोक्ताओं की सुरक्षा के विधायी पहलू में सुधार किये गये हैं। तदनुसार, और अधिक उपयुक्त **उपभोक्ता संरक्षण अधिनियम, 2019 (Consumer Protection Act, 2019)** अधिनियमित किया गया।

उपभोक्ता संरक्षण अधिनियम, 2019 (Consumer Protection Act, 2019)

नये अधिनियम ने तीन दशक पुराने **उपभोक्ता संरक्षण अधिनियम, 1986** का **स्थान लिया है**। पुराना अधिनियम अब निरस्त हो गया है। यह एक ऐसा क़ानून है, जो उपभोक्ताओं के हितों की रक्षा करता है।

अधिनियम के तहत, उपभोक्ता को 'एक ऐसे व्यक्ति के रूप में परिभाषित किया गया है, जो सेवाओं का लाभ उठाता है और स्वयं के उपयोग के लिए कोई सामान ख़रीदता है'। यदि व्यक्ति इसे पुनर्विक्रय/व्यावसायिक उद्देश्य के लिए ख़रीदता/प्राप्त करता है, तो उसे उपभोक्ता के रूप में नहीं माना जाता है। यह परिभाषा अब सभी प्रकार के लेन-देन (ऑनलाइन + ऑफ़लाइन) को कवर करती है।

अधिनियम में अब 'सभी वस्तुओं और सेवाओं (दूरसंचार और आवास निर्माण सहित) और लेनदेन के सभी माध्यम शामिल हैं। हालाँकि, मुफ़्त और व्यक्तिगत सेवाओं को नये अधिनियम के दायरे से बाहर रखा गया है'।

अधिनियम उपभोक्ताओं के निम्नलिखित छह अधिकारों को सुनिश्चित करता है :

1. **सूचना प्राप्त करने का अधिकार (Right to be informed)** (अर्थात् वस्तुओं और सेवाओं की मात्रा, गुणवत्ता, शुद्धता, शक्ति, मूल्य और मानक के बारे में जानकारी प्राप्त करना)

2. **सुरक्षा का अधिकार (Right to safety)** (अर्थात् ख़तरनाक वस्तुओं और सेवाओं, अनुचित और प्रतिबंधात्मक व्यापार प्रथाओं से सुरक्षा के लिए)
3. **चुनने का अधिकार (Right to choose)** (अर्थात् प्रतिस्पर्धी क़ीमतों पर विभिन्न प्रकार की वस्तुओं और सेवाओं का होना)
4. **सुने जाने का अधिकार (Right to be heard)**
5. **निवारण प्राप्त करने का अधिकार (Right to seek redressal)**
6. **उपभोक्ता शिक्षा का अधिकार (Right to consumer education)**

2019 अधिनियम में शामिल बड़े बदलाव (Major Changes incorporated in the 2019 Act)

1. नया अधिनियम **अब ई-कॉमर्स लेनदेन को शामिल करता है**। इससे **पहले**, यह इसमें शामिल नहीं था।
2. नये अधिनियम के तहत, उपभोक्ता द्वारा उस समय तक उत्पाद ख़रीदने पर ख़र्च किया गया पैसा (जैसे छूट के बाद) उत्पाद/सेवाओं के कुल मूल्य (जैसे एमआरपी) लेने के पिछले अभ्यास **के बज़ाय** मामले के मूल्य का निर्धारण करेगा।
3. **उत्पाद दायित्व :** अधिनियम अब विनिर्माताओं/सेवा प्रदाताओं से उपभोक्ता को **मुआवज़ा देने के लिए उत्तरदायी** बनाता है, यदि उनका उत्पाद 'दोषपूर्ण उत्पाद या सेवा में कमी' के कारण उपभोक्ता को नुक़सान/चोट पहुँचता है। इससे पहले, उपभोक्ता को केवल उत्पाद लागत के साथ मुआवज़ा दिया जाता था। इसके अलावा, **उत्पाद दायित्व** अब सेवा प्रदाताओं और विक्रेताओं के लिए भी बढ़ा दिया गया है।
4. **अनुचित व्यापार प्रथाओं की परिभाषा** को भी व्यापक बनाया गया है, जिसमें 'उपभोक्ता द्वारा व्यक्तिगत जानकारी को विश्वास में साझा करना शामिल है, जब तक कि किसी क़ानून के अनुसार खुलासा न किया जाये'।
5. ज़िला और राज्य स्तरीय उपभोक्ता विवाद निवारण आयोग **(सीडीआरसी)** के **आर्थिक क्षेत्राधिकार में वृद्धि हुई है**। ज़िला स्तर के लिए इसे 20 लाख रुपये से बढ़ाकर 1 करोड़ रुपये कर दिया गया है। जबकि राज्य स्तरीय सीडीआरसी 10 करोड़ रुपये तक की वस्तुओं या सेवाओं की क़ीमत होने पर शिकायतों की सुनवाई करेंगे।
6. अधिनियम अब उपभोक्ताओं को **कहीं से भी इलेक्ट्रॉनिक रूप से अपनी शिकायत दर्ज करने की अनुमति** देता है। इससे पहले, उन्हें उस क्षेत्र में शिकायत दर्ज करना आवश्यक था, जहाँ विक्रेता या सेवा प्रदाता स्थित है। ई-कॉमर्स लेनदेन में बड़ी वृद्धि को देखते हुए यह एक उपयुक्त संशोधन है।
7. अब, **अधिनियम केंद्रीय उपभोक्ता संरक्षण प्राधिकरण (सीसीपीए) नाम से एक केंद्रीय नियामक** की स्थापना का प्रावधान करता है। सीसीपीए उपभोक्ता अधिकारों के उल्लंघन, अनुचित व्यापार प्रथाओं, भ्रामक विज्ञापनों और यहाँ तक कि दोषपूर्ण और नक़ली उत्पादों जैसे मुद्दों से निपटेगा और यह जुर्माना भी लगा सकता है। इससे पहले, कोई अलग नियामक नहीं था।
8. **जुर्माने** को भी कठोर किया गया है - 3 साल तक की क़ैद या जुर्माना (25,000 रुपये - 1 लाख रुपये) या दोनों। **पहले** यह 1 महीने से 3 साल तक की क़ैद या जुर्माना (2,000 रुपये से 10,000 रुपये) या दोनों था।
9. नया अधिनियम वैकल्पिक विवाद समाधान तंत्र के रूप में **'मध्यस्थता'** का भी प्रावधान करता है। यह पुराने अधिनियम में मौजूद नहीं था।

कृषि अपशिष्ट (Farm Waste)

यह जानवरों के मल, मूत्र और दूध, कीटनाशकों और अन्य रसायनों का मिश्रण है। खेतों में पाये जानेवाले अन्य सामान्य अपशिष्ट पदार्थों में शामिल हैं : प्लास्टिक रैप, प्लास्टिक रासायनिक कंटेनर, फ़ीड बैग, उर्वरक बैग, काग़ज़ और कार्डबोर्ड, मशीनरी, मोटर, रबर, पाइपिंग और फ़िटिंग, लकड़ी, कंक्रीट, इंजन और हाइड्रोलिक तेल, मृत पशुधन और पशु दवाएँ।

कृषि अपशिष्ट एक ख़तरा कैसे बन जाता है? (How Farm Waste becomes a Threat)

- **कीटनाशकों, अमोनिया, उर्वरक, तेल आदि** के पीने के पानी में मिल जाने से स्वस्थ इंसान को भी गंभीर ख़तरा हो सकता है।

- ज़हरीले रसायनों की उपस्थिति **मिट्टी की उर्वरता** को कम करती है, **उत्पादन की गुणवत्ता को कम करती** है और इसके परिणामस्वरूप पारिस्थितिक असंतुलन होता है। कुल मिलाकर आगे चलकर **कृषि उपज** भी प्रभावित हो सकती है। सतही जल (तालाबों, झीलों, नदियों आदि) में उर्वरकों, खाद और जानवरों के अपशिष्ट से निकलनेवाले नाइट्रोजन और फ़ास्फोरस के उच्च स्तर **से विघटित ऑक्सीजन कम हो जाती है**, जिससे जलीय जीवन प्रभावित होता है।
- अन्य रासायनिक यौगिक जैसे भारी धातु और अमोनिया भी संभावित रूप से **जलीय जीवन को नुक़सान पहुँचा सकते हैं और इससे मछलियाँ मर सकती हैं**।
- स्प्रेयर (फुहारे) का उपयोग करके खेतों में रसायनों का छिड़काव किया जाता है, जिसके माध्यम से रसायनों की छोटी-छोटी बूँदें हवा में उड़कर कहीं और जा सकती हैं। इसे **स्प्रे ड्रिफ़्ट** कहा जाता है।
- **जमा हुआ ठोस अपशिष्ट मक्खियों के प्रजनन** के लिए एक माध्यम प्रदान करता है, जिसके द्वारा रोग आसानी से मनुष्यों और अन्य जानवरों में फैल जाते हैं।
- कारख़ाने में कृषि जानवरों को संक्रमण से बचाने के लिए उनके भोजन में **ऐंटीबायोटिक्स** दी जाती हैं। जानवरों के अपशिष्ट में बैक्टीरिया होते हैं। चूँकि ऐंटीबायोटिक दवाओं का केवल एक निश्चित हिस्सा कृषि जानवरों द्वारा पच पाता है, इसलिए उनके स्रावित अपशिष्ट में ऐंटीबायोटिक्स भी हो सकते हैं। इस प्रकार, **ऐंटीबायोटिक-प्रतिरोधी बैक्टीरिया** के विकास की संभावना है, जो बाद में कृषि अपशिष्ट से पानी दूषित होने पर मनुष्यों तक पहुँच सकता है।

एहतियाती उपायों के रूप में अपनाये जानेवाले क़दम

(Steps to be followed as Precautionary Measures)

- बाड़ के तार, वाहनों के पार्टस और नालीदार लोहे जैसे कृषि अपशिष्ट को नहीं छोड़ा जाना चाहिए और इसके बजाए, इसे **एकत्र या पुनर्नवीनीकरण** किया जाना चाहिए।
- **एस्बेस्टस** से बने उत्पादों का पुन: **उपयोग या पुनर्नवीनीकरण नहीं किया जाना** चाहिए। इस अपशिष्ट को उचित तरीक़े से सँभाला जाना चाहिए और सुरक्षित रूप से निपटाया जाना चाहिए।
- **पेड़ और पौधों के अपशिष्ट** को प्राकृतिक आवास या जलाऊ लकड़ी के रूप में उपयोग करने के लिए छोड़ा जा सकता है।
- **बायोडिग्रेडेबल अपशिष्ट** को खाद बनाने के लिए अलग से गड्ढे में डाला जा सकता है।
- पेड़, पौधे और पराली (ठूँठ) को जलाना एक अन्य प्रबंधन अभ्यास है, जहाँ प्रभावों को नियंत्रित किया जा सकता है। इन्हें **जलाते समय 'हवा किस दिशा में बह रही है'** ध्यान में रखना चाहिए।
- यह सुनिश्चित करने के लिए सावधानी बरती जानी चाहिए कि खेतों से खाद का उपचार किया जाये और यह **जलमार्गों तक न पहुँचे और उन्हें प्रदूषित न करे**।
- **ज़मींदारों, किसानों आदि को शिक्षित करने के लिए** और अधिक गहनता से कार्य करने की आवश्यकता है।
- कृषि अपशिष्ट से प्रभावी ढंग से निपटने के लिए सरकार द्वारा अधिक **प्रोत्साहन, सब्सिडी** दी जानी चाहिए।

इस प्रकार, कृषि अपशिष्ट से निपटने के लिए सरकार द्वारा एक प्रभावी नीति लाना समय की माँग है।

खाद्य सुरक्षा की चुनौतियाँ (Challenges to Food Security)

1. उचित बुनियादी ढाँचे की कमी के कारण किसानों को अपने माल के परिवहन और भंडारण के लिए संघर्ष करना पड़ता है। इससे किसानों के माल की अत्यधिक बर्बादी होती है और कम लाभ मिलता है।
2. जलवायु परिवर्तन से संबंधित गंभीर मौसम की घटनाओं से फ़सल बर्बाद हुई है और जिससे भोजन की कमी हो गयी है। बाढ़, सूखा और लू लगातार और गंभीर होते जा रहे हैं, जिससे खाद्य उत्पादन कम हो रहा है और अनाज की लागत बढ़ रही है।

3. ख़राब कृषि प्रथाओं, जैसे अत्यधिक खेती करना, अत्यधिक कीटनाशकों का इस्तेमाल और अनुपयुक्त सिंचाई की तकनीकों के परिणामस्वरूप मिट्टी की उर्वरता और फ़सल की पैदावार में कमी आयी है।

खाद्य क़ीमतों और खाद्य सुरक्षा की दीर्घकालिक स्थिरता सुनिश्चित करने के लिए जलवायु के अनुसार कृषि, सार्वजनिक वितरण कार्यक्रम की उचित निगरानी, बेहतर भंडारण क्षमता, कृषि के लिए जल आवंटन को सँभालना, भूमि उपयोग पैटर्न, खाद्य व्यापार, फ़सल के बाद खाद्य प्रसंस्करण आदि के माध्यम से जलवायु परिवर्तन के प्रभावों को दूर करने के लिए कृषि में अनुसंधान के आधार पर नीति प्रतिक्रियाओं और रणनीतियों के अनुकूलन को विकसित करने की आवश्यकता है।

संक्षिप्त विवरण

- **खाद्य सुरक्षा (Food Security)** – **एफ़एओ (Food and Agriculture Organization)** के अनुसार, खाद्य सुरक्षा तब होती है, जब सभी लोगों को, हर समय, पर्याप्त, सुरक्षित और पौष्टिक भोजन तक भौतिक, सामाजिक और आर्थिक रूप से पहुँच प्राप्त होती है, जो एक सक्रिय और स्वस्थ जीवन के लिए उनकी आहार संबंधी ज़रूरतों और खाद्य प्राथमिकताओं को पूरा करती है।
- **एसडीजी 2 : भुखमरी जड़ से ख़त्म हो (ज़ीरो हंगर) (SDG 2: Zero Hunger)** – संधारणीय विकास लक्ष्य 2 (एसडीजी 2015-2030): 'भुखमरी ख़त्म करना, खाद्य सुरक्षा एवं उन्नत पोषण प्राप्त करना और संधारणीय कृषि को बढ़ावा देना'।
- **खाद्य प्रबंधन (Food Management)** – सरकार की खाद्य प्रबंधन नीति के मुख्य तत्व खाद्यान्नों की ख़रीद, भंडारण और आवाजाही, सार्वजनिक वितरण व बफ़र स्टॉक का रखरखाव हैं।
- **सार्वजनिक वितरण प्रणाली (Public Distribution System)** – भारत में पहली बार पीडीएस की शुरुआत 14 जनवरी, 1945 को द्वितीय विश्व युद्ध के दौरान हुई थी। इसके बाद, एफ़सीआई ने 1965 में पीडीएस का शुभारंभ किया। यह केंद्र और राज्य सरकारों की संयुक्त ज़िम्मेदारी के तहत संचालित होता है।
- **राष्ट्रीय खाद्य सुरक्षा अधिनियम, 2013 (National Food Security Act, 2013)** – एनएफ़एसए, 2013 के कार्यान्वयन के माध्यम से भारत द्वारा भोजन के अधिकार को क़ानूनी रूप से मान्यता दी गयी है और यह पूरे भारत में विस्तारित है।
- **राष्ट्रीय खाद्य सुरक्षा मिशन (National Food Security Mission)** – राष्ट्रीय खाद्य सुरक्षा मिशन **(एनएफ़एसएम)** को 2007 में केंद्र प्रायोजित योजना के रूप में, क्षेत्र विस्तार और उत्पादकता वृद्धि के माध्यम से चावल, गेहूँ और दालों के उत्पादन में वृद्धि करना; मिट्टी की उर्वरता और उत्पादकता को बहाल करना; रोज़गार के अवसर पैदा करना; और कृषि स्तर की अर्थव्यवस्था को बढ़ाने के लिए शुरू किया गया था।
- **विश्व खाद्य कार्यक्रम (World Food Programme)** – विश्व खाद्य कार्यक्रम (डब्ल्यूएफ़पी) जीवन बचाने और जीवन बदलनेवाला अग्रणी मानवीय संगठन है, आपात स्थिति में खाद्य सहायता प्रदान करता है और पोषण में सुधार और लचीलापन बनाने के लिए समुदायों के साथ काम करता है।
- **कोडेक्स एलिमेंटेरियस (Codex Alimentarius)** – कोडेक्स एलिमेंटेरियस कमीशन (सीएसी) एक अंतरराष्ट्रीय खाद्य मानक निकाय है। जिसकी स्थापना 1963 में खाद्य और कृषि संगठन (एफ़एओ) और विश्व स्वास्थ्य संगठन (डब्ल्यूएचओ) द्वारा संयुक्त रूप से उपभोक्ता के स्वास्थ्य की रक्षा करने और खाद्य व्यापार में उचित प्रथाओं को सुनिश्चित करने के उद्देश्य से की गयी थी।
- **कृषि अपशिष्ट (Farm Waste)** – यह जानवरों के मल, मूत्र और दूध, कीटनाशकों और अन्य रसायनों का मिश्रण है। खेतों में पाये जानेवाले अन्य सामान्य अपशिष्ट पदार्थों में प्लास्टिक रैप, प्लास्टिक रासायनिक कंटेनर, फ़ीड बैग, उर्वरक बैग, काग़ज़ और कार्डबोर्ड, मशीनरी आदि शामिल हैं।

यूपीएससी सिविल सेवा के पिछले वर्षों की प्रारंभिक परीक्षा के प्रश्न

1. निम्नलिखित कथनों पर विचार कीजिए : **[2024]**

1. भारत इंटरनेशनल ग्रेन्स काउन्सिल का सदस्य है।

2. चावल और गेहूँ के निर्यात या आयात के लिए किसी देश को इंटरनेशनल ग्रेन्स काउन्सिल का सदस्य होना आवश्यक है।

उपर्युक्त कथनों में से कौन-सा/कौन-से सही है/हैं ?

(a) केवल 1 **(b)** केवल 2

(c) 1 और 2 दोनों **(d)** न तो 1, न ही 2

2. भारतीय खाद्य निगम को खाद्यान्न की आर्थिक लागत न्यूनतम समर्थन मूल्य और किसानों को दिया जानेवाला बोनस (यदि कोई हो) कहलाता है : **[2019]**

(a) केवल परिवहन लागत

(b) केवल ब्याज लागत

(c) ख़रीद आकस्मिक और वितरण लागत

(d) ख़रीद आकस्मिकता और गोदामों के लिए शुल्क

3. राष्ट्रीय खाद्य सुरक्षा अधिनियम, 2013 के तहत किये गये प्रावधानों के संदर्भ में, निम्नलिखित कथनों पर विचार करें : **[2018]**

1. केवल 'ग़रीबी रेखा से नीचे' (बीपीएल) की श्रेणी में आनेवाले परिवार ही सब्सिडीवाले खाद्यान्न प्राप्त करने के पात्र हैं।

2. राशन कार्ड जारी करने के उद्देश्य से घर की सबसे बड़ी महिला, जिसकी आयु 18 वर्ष या उससे अधिक है, घर की मुखिया होगी।

3. गर्भवती महिलाएँ और स्तनपान करानेवालीं माताएँ गर्भावस्था के दौरान और उसके बाद 6 महीने तक प्रतिदिन 1,600 कैलोरी के 'टेक-होम राशन' की हक़दार हैं।

ऊपर दिये गये कथनों में से कौन-सा/से सही है/हैं?

(a) केवल 1 और 2 **(b)** केवल 2

(c) केवल 1 और 3 **(d)** केवल 3

☞ **कोई प्रश्न नहीं**

2023, 2022, 2021, 2020, 2017, 2016, 2015, 2014, 2013

उत्तर कुंजी

1. (a) 2. (c) 3. (b)

यूपीएससी सिविल सेवा के पिछले वर्षों की मुख्य परीक्षा के प्रश्न

1. भारत में कृषि क़ीमतों के स्थिरीकरण के लिए सुरक्षित भंडार (बफ़र स्टॉक) के महत्त्व को स्पष्ट कीजिए। बफ़र स्टॉक के भंडारण से जुड़ी चुनौतियाँ क्या हैं? विवेचना कीजिए। **[2024]**

2. भारत में सार्वजनिक वितरण प्रणाली (पीडीएस) की प्रमुख चुनौतियाँ क्या हैं? इसे किस प्रकार प्रभावी तथा पारदर्शी बनाया जा सकता है? **[2022]**

3. राष्ट्रीय खाद्य सुरक्षा अधिनियम, 2013 की मुख्य विशेषताएँ क्या हैं? खाद्य सुरक्षा विधेयक ने भारत में भुखमरी और कुपोषण को ख़त्म करने में कैसे मदद की है? (उत्तर 250 शब्दों में दें) **[2021]**

4. **खाद्यान्न वितरण प्रणाली** को और अधिक प्रभावी बनाने के लिए सरकार द्वारा क्या सुधारात्मक कदम उठाये गये हैं? **[2019]**

5. खाद्य सुरक्षा विधेयक से भारत में भुखमरी और कुपोषण को ख़त्म करने की उम्मीद है। विश्व व्यापार संगठन में इससे उत्पन्न चिंताओं के साथ-साथ इसके प्रभावी कार्यान्वयन में विभिन्न आशंकाओं की आलोचनात्मक चर्चा करें। **[2013]**

☞ **कोई प्रश्न नहीं**

2023, 2020, 2018, 2017, 2016, 2015, 2014

अध्याय 17

भारत में भूमि सुधार (Land Reforms in India)

अध्याय की रूपरेखा

- भूमि सुधार के ऐतिहासिक दृष्टिकोण
- ब्रिटिश भारत में भू-राजस्व व्यवस्था
- ज़मींदारी व्यवस्था (स्थायी समझौता)
- रैयतवाड़ी व्यवस्था
- महालवाड़ी व्यवस्था
- भूमि सुधार की आवश्यकता तथा उद्देश्य
- स्वतंत्रता के बाद भूमि सुधार उपाय
- बिचौलियों का उन्मूलन
- काश्तकारी सुधार
- कृषि का पुनर्गठन
- विभिन्न भूमि सुधारों का आलोचनात्मक मूल्यांकन
- भूमि सुधार की सफलता के लिए ज़िम्मेदार कारक
- हालिया सरकारी नीतियाँ/भूमि सुधार से संबंधित अधिनियम
- भूमि अर्जन, पुनर्वासन और पुन:स्थापन में उचित प्रतिपूर्ति और पारदर्शिता अधिकार अधिनियम, 2013
- भूमि अर्जन, पुनर्वासन और पुनर्व्यस्थापन में उचित प्रतिकर तथा पारदर्शिता अधिकार (संशोधन) विधेयक, 2015 (भूमि विधेयक)
- मॉडल कृषि भूमि पट्टा अधिनियम, 2016
- लैंड पूलिंग पॉलिसी: भारत में शहरीकरण हेतु एक परिवर्तनकारी पहल
- राष्ट्रीय भूमि अभिलेख आधुनिकीकरण कार्यक्रम
- डिजिटल इंडिया भूमि अभिलेख आधुनिकीकरण कार्यक्रम

भूमि सुधार (Land reforms) का संबंध उन संस्थागत उपायों से है, जो कि स्वामित्व, काश्तकारी तथा भूमि के उचित प्रबंधन के **वर्तमान स्वरूप के परिवर्तन के** मामलों को देखता है।

इसे **स्वामित्व के अधिकार के पुनर्वितरण** या बड़े भूमि मालिकों तथा बहुत कम या बिना जोतवाले किसानों के बीच भूमि के उपयोग के रूप में परिभाषित किया जा सकता है।

इसके अतिरिक्त यह व्यापक रूप से लगान, सहकारी संगठनों, कृषिगत शिक्षा इत्यादिक से संबंधित नीतियों को देखता है।

अतिरिक्त जानकारी

कृषि भूमि सुधार (Agrarian Reforms)– भूमि सुधार की तुलना में यह **व्यापक शब्द** है; जिसमें किसानों की शिक्षा तथा प्रशिक्षण, बाज़ारों तक पहुँच, बेहतर उत्पादन के लिए सुख-सुविधाओं की व्यवस्था तथा विपणन के साथ भूमि सुधार सम्मिलित है, जो किसानों के जीवनयापन में सुधार करने में सहायता करता है।

भूमि सुधार के ऐतिहासिक दृष्टिकोण (HISTORICAL PERSPECTIVE OF LAND REFORMS)

संपूर्ण भारतीय इतिहास में अनेक उदाहरण सामूहिक भूमि स्वामित्व (collective land ownership) की व्यापकता को दर्शाते हैं।

इसके अतिरिक्त राजाओं तथा सम्राटों के लिए भू-राजस्व, राजस्व का मुख्य स्रोत था। भूमि को **जागीरों** में बाँटा गया था। ये जागीरें, **जागीरदारों** को आवंटित की जाती थीं। वे आगे भूमि के टुकड़े करके **ज़मींदारों** को आवंटित कर देते थे। ज़मींदार खेती के लिए भूमि किसानों को दे दिया करते थे और इस पर फिर उनसे कर/राजस्व वसूलते थे।

औपनिवेशिक काल में समुदायों तथा जनजातियों की भूमि पर ज़मींदारों तथा ब्रिटिश सरकार द्वारा क़ब्ज़ा कर लिया जाता था। इसके बाद, उन्होंने भूमि के माध्यम से **विभिन्न** कर संग्रहण **व्यवस्थाओं को प्रस्तुत** किया।

ब्रिटिश भारत में भू-राजस्व व्यवस्था (LAND REVENUE SYSTEMS IN BRITISH INDIA)

ब्रिटिश भारत में तीन मुख्य व्यवस्थाएँ आरंभ की गयी थीं :

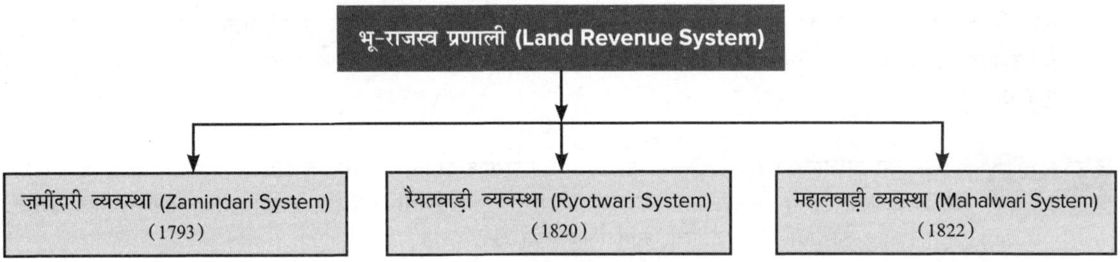

I. ज़मींदारी व्यवस्था (स्थायी समझौता) [Zamindari System (Permanent Settlement)]

- 1793 में **स्थायी बंदोबस्त अधिनियम (Permanent Settlement Act) के** माध्यम से ज़मींदारी व्यवस्था को **जॉन शोर (John Shore)** ने नियोजित किया था तथा **लॉर्ड कॉर्नवालिस (Lord Cornwallis)** ने आरंभ किया था।
- इस व्यवस्था के अंतर्गत **ज़मींदारी की पहचान** भूमि के **स्वामी के रूप** में की गयी थी तथा उनके पास किसानों से लगान वसूलने का अधिकार होता था।
- एकत्र राशि को 11 भागों में विभाजित किया गया था, जिसमें से **10/11 हिस्सा** ईस्ट इंडिया कंपनी से संबंधित था तथा **1/11 हिस्सा** ज़मींदार का था, अर्थात् 100 रुपये में 90 रुपये 90 पैसे ईस्ट इंडिया कंपनी को और 9 रुपये 10 पैसे ज़मींदार को मिलता था।

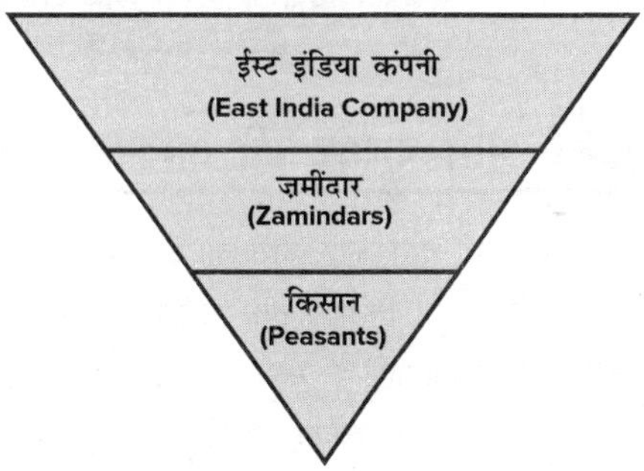

- इस प्रकार अपनी हिस्सेदारी बढ़ाने के लिए ज़मींदार, असहाय किसानों का शोषण किया करते थे।
- यह ज़मींदारी व्यवस्था **बंगाल, बिहार, ओडिशा, बनारस** प्रांतों **तथा सेंट्रल प्रांत के कुछ हिस्से तथा मद्रास प्रेसिडेंसी के उत्तरी ज़िले में विद्यमान् थी।**

II. रैयतवाड़ी व्यवस्था (Ryotwari System)

- 1820 में सर थॉमस मुनरो (Sir Thomas Munro) तथा कैप्टन अलेक्जेंडर रीड (Captain Alexander Reed) ने **रैयतवाड़ी व्यवस्था** को आरंभ किया था।
- **रिकार्डो के लगान का वैज्ञानिक सिद्धांत** (Scientific Rent Theory of Ricardo) रैयतवाड़ी व्यवस्था का मूल आधार था।

- इस व्यवस्था में मुग़लों की राजस्व व्यवस्था की कई विशेषताएँ थीं, जिसके अंतर्गत **राजस्व किसानों से सीधे अँगरेज़ों द्वारा वसूला जाता था** (रैयत भी कहा जाता था)।
- रैयतवाड़ी व्यवस्था के अंतर्गत **राजस्व की दर शुष्क भूमि के लिए 50 प्रतिशत तथा सिंचित भूमि के लिए 60 प्रतिशत लागू की गयी थी।**
- राजस्व **30 वर्षों की अवधि के भीतर के लिए** तथा मृदा की गुणवत्ता तथा फ़सल की प्रकृति के आधार पर निर्धारित होता था।
- इसका आरंभ मद्रास, बॉम्बे, असम के कुछ हिस्सों तथा ब्रिटिश भारत के कूर्ग प्रांत में किया गया था।

III. महालवाड़ी व्यवस्था (Mahalwari System)

- 1822, में **होल्ट मैकेन्ज़ी** (Holt Mackenzie) के शासनकाल में महालवाड़ी व्यवस्था प्रसिद्ध हुई।
- महालवाड़ी व्यवस्था के अंतर्गत भूमि को **माहलों** में विभाजित किया गया था तथा राजस्व का भुगतान ज़मींदार व ग्राम समुदाय **संयुक्त रूप से करते** थे। एक या एक से अधिक गाँवों में एक महल/महाल होता था।
- **स्वामित्व का अधिकार किसानों में निहित था।** हालाँकि, राजस्व **ग्रामीण समुदाय** द्वारा वसूला जाता था।
- वन भूमि के साथ ही गाँवों की संपूर्ण भूमि के साथ चरागाह राजस्व वसूलने के उद्देश्य से सम्मिलित किये जाते थे।
- **सेंट्रल प्रांत, उत्तर-पश्चिम सीमांत प्रांत, आगरा, पंजाब तथा गंगा घाटी क्षेत्र के** कुछ हिस्से थे, जहाँ इनकी शुरुआत की गयी थी।

क्या आप जानते हैं?

1859 का अधिनियम X (Act X of 1859) – इसे **बंगाल लगान अधिनियम (Bengal Rent Act)** के नाम से भी जाना जाता है, यह ब्रिटिश भारत का पहला काश्तकार अधिनियम था। इसे ज़मींदारों तथा रैयतों के बीच उभरते भूमि विवाद को कम करने के लिए लागू किया गया था।

- इस अधिनियम में भूमि से जुड़े हितों की विभिन्न श्रेणियों के अधिकारों तथा दायित्वों का समावेश था।
- इस अधिनियम के **मुख्य उद्देश्य** थे :
  - काश्तकारों की रक्षा करना तथा उन्हें **क़ब्ज़ा करने के अधिकार** के साथ विशेषाधिकार प्रदान करना।
  - इसमें किराया बढ़ाने के लिए **ज़मींदारों की शक्तियों को सीमित** करने के प्रावधान भी थे।

भूमि सुधार की आवश्यकता तथा उद्देश्य (NEED AND OBJECTIVE OF LAND REFORMS)

- ज़मींदारों द्वारा काश्तकारों का **शोषण रोकना।**
- ज़मींदारों से किसानों तक ज़मीन के **स्वामित्व का हस्तांतरण।**
- ग्रामीण आबादी के सभी वर्गों में स्थिति तथा अवसर की **समानता लाना।**
- भूमि की **उत्पादकता में वृद्धि** करना।
- अधिशेष निहित भूमि को ग्रामीण ग़रीबों में वितरित करना।

स्वतंत्रता-पूर्व सुधारों का उद्देश्य दो लक्ष्यों को पूरा करना था :

1. भूमि आय के संग्रह को सुव्यवस्थित करना।
2. ब्रिटिश सत्ता का समर्थन करनेवाले ग्रामीण कुलीन वर्ग का निर्माण करना।

परीक्षोपयोगी

तेभागा आंदोलन (Tebhaga Movement)– इस आंदोलन की शुरुआत **जोतदारों** के विरुद्ध बंगाल के बँटाईदारों ने 1946–47 में की थी। **जोतदार** अमीर किसान होते थे तथा ग्रामीण क्षेत्रों में भूमि के विशाल भागों को नियंत्रित करते थे;

यहाँ तक कि वे स्थानीय बाज़ारों तथा मुद्रा ऋण संबंधी गतिविधियों को नियंत्रित करते थे। इस आंदोलन में बँटाईदारों को **अखिल भारतीय किसान सभा (CPI की किसान इकाई) [All India Kisan Sabha (peasant wing of CPI)]** द्वारा प्रोत्साहित किया गया था और उन्होंने **फ़्लॉड आयोग (Floud Commission)** की सिफ़ारिशों को लागू करने की माँग की, जिसमें कहा गया है कि बँटाईदारों को कुल फ़सल का दो तिहाई हिस्सा रखना चाहिए।

भू-दान आंदोलन (भूमि उपहार आंदोलन) (land gift movement)- चूँकि भूमिहीन किसानों की स्थिति में सुधार नहीं हो रहा था, इसलिए **आचार्य विनोबा भावे** ने 1951 में **भू-दान आंदोलन** की शुरुआत पोचमपल्ली, आंध्र प्रदेश (जो अब **तेलंगाना** में है) की, जिसका उद्देश्य प्रत्येक भूमिहीन किसान को एक **एकड़ भूमि** भेंट करना था। यह माना गया कि 1951 में 5 करोड़ किसान भूमिहीन थे। मई, 1955 तक आंदोलन में वितरण के लिए भूस्वामियों से केवल 37.5 लाख एकड़ भूमि प्राप्त हुई तथा शीघ्र ही यह आंदोलन धीमा पड़ गया। भूदान आंदोलन को **गौरवशाली क्रांति (Bloodless Revolution)** के नाम से भी जाना जाता है।

ग्रामदान आंदोलन (Gramdan Movement)– 1952 में शुरू हुआ था तथा **आचार्य विनोबा भावे द्वारा दोबारा नेतृत्व किया गया,** यह भू-दान आंदोलन से इस अर्थ में अलग था कि यहाँ प्राप्त भूमि किसी किसान की जगह ग्राम संघ की संपत्ति बन गयी। इस आंदोलन में, एक विशेष गाँव को ग्रामदान (Gramdan) नाम दिया गया था, जब इसके 51 प्रतिशत भूमिवाले कम-से-कम 75 प्रतिशत निवासियों ने ग्रामदान के लिए लिखित रूप में अपनी मंजूरी दी थी। उत्तर प्रदेश के हरिपुर में मगरोथ, ग्रामदान में शामिल किया गया पहला गाँव था।

स्वतंत्रता के बाद से, भारत की भूमि नीति चार महत्त्वपूर्ण चरणों से गुज़री है :

पहला और सबसे लंबा चरण (1950-1972) [First and the Longest Phase (1950–1972)] : इसे भूमि सुधारों द्वारा प्रकाश में लाया गया, जिसमें तीन प्रमुख पहलें शामिल थीं : बिचौलियों को हटाना, किरायेदारी सुधार और भूमि सीमा के माध्यम से भूमि का पुनर्वितरण। बिचौलियों का हटाया जाना काफ़ी हद तक सफल रहा, लेकिन किरायेदारी सुधार और भूमि सीमा सफल नहीं हुआ।

दूसरा चरण (1972-1985) [Second Phase (1972–1985)] : इसका उद्देश्य पहले से पड़ी अकृषिक भूमि को विकसित करना था।

तीसरा चरण (1985-1995) [Third Phase (1985–1995)] : इस चरण में वाटरशेड का विकास, सूखा प्रवण क्षेत्र कार्यक्रम (DPAP), और रेगिस्तान-क्षेत्र विकास कार्यक्रम (DPAP) का कार्यान्वयन देखा गया। संघीय सरकार ने बंजर भूमि और निम्नीकृत भूमि को बेहतर बनाने के लिए बंजर भूमि विकास एजेंसी की स्थापना की।

चौथा और सबसे हालिया चरण (1995 से अब तक) [Fourth and Most Recent Phase (from 1995 onwards)] : यह भूमि क़ानूनों को बनाये रखने की आवश्यकता और सुधार के प्रयासों पर असहमति पर केंद्रित था।

स्वतंत्रता के बाद भूमि सुधार उपाय (LAND REFORM MEASURES POST-INDEPENDENCE)

भूमि समस्या का अध्ययन करने के लिए **जे.सी. कुमारप्पा (1949)** के नेतृत्व में एक समिति का गठन किया गया। कुमारप्पा समिति की रिपोर्ट में व्यापक कृषि सुधार के उपाय शामिल थे। कुमारप्पा समिति की रिपोर्ट ने व्यापक कृषि-भूमि सुधार के लिए कुछ उपायों की सिफ़ारिश की।

राज कृष्ण ने भूमि सुधार की पहलों को चार श्रेणियों में वर्गीकृत किया :

1. **मुक्ति (Liberating) :** मुक्ति के उपायों का उद्देश्य ज़मीन के असली किसानों को ज़मींदार के अत्याचार से मुक्त कराना था। यह किरायेदार को भूमि स्वामित्व या अधिभोग अधिकार प्रदान करके प्राप्त किया गया था। किराया निर्धारण कुछ राज्यों में किया गया था, जिसमें पश्चिम बंगाल का **ऑपरेशन बरगा** भी शामिल था, जहाँ किरायेदारी का दस्तावेज़ीकरण किया गया।
2. **वितरक (Distributive) :** वितरक उपायों का उद्देश्य, जैसा कि भारतीय संविधान द्वारा आदेशित है, ग़रीब लोगों तक वास्तविक संसाधन पहुँचाना था, विशेषकर उन लोगों को, जिन्हें उत्पादन संबंधी उद्देश्यों के लिए भूमि की आवश्यकता थी। यह महत्त्वपूर्ण भूस्वामियों से भूमिहीन लोगों, विशेषकर जो सामाजिक रूप से वंचित पृष्ठभूमि के लोग हैं, के लिए भूमि के स्वामित्व को स्थानांतरित करके किया गया।

3. **संगठनात्मक (Organisational) :** उनकी स्थापना 1960 के दशक के मध्य में प्रगतिशील प्रौद्योगिकी के इस्तेमाल के माध्यम से एक निश्चित प्रकार की कृषि उत्पादन पद्धतियों को चुनने और उसे निष्पादित करने के लक्ष्य के साथ की गयी थी। ये तीन रणनीतियाँ, एक साथ जुड़ने पर, विकासात्मक परिवर्तन की आवश्यकता पर प्रकाश डालते हुए, भूमि संबंधी संसाधनों की माँग करती हैं।
4. **विकासात्मक (Developmental) :** इन सुधारों ने भूमि नीति से संबंधित अतिरिक्त मुद्दों का समाधान किया, जिसने कृषि क्षेत्र के समग्र विकास को प्रभावित किया।

भूमि सुधार के अंतर्गत, तीन बड़े उपाय किये गये :

भूमि सुधार उपाय (Land Reform Measures)

- बिचौलियों का उन्मूलन (Abolition of Intermediaries)
- काश्तकारी सुधार (Tenancy Reforms)
- कृषि का पुनर्गठन (Reorganisation of Agriculture)

I. बिचौलियों का उन्मूलन (Abolition of Intermediaries)

➤ स्वतंत्रता के समय **57 प्रतिशत** भूमि-क्षेत्र ज़मींदारी व्यवस्था के अंतर्गत था तथा **राजस्व की वसूली के लिए ज़मींदारों या भू-स्वामियों ने किसानों तथा ब्रिटिश सरकार के बीच मध्यस्थों की भूमिका निभायी।**

क्या आप जानते हैं? भारतीय संविधान की सातवीं अनुसूची के अनुसार भूमि **राज्य का विषय (state subject) है** तथा राज्य सूची के अंदर है। जिसके परिणामस्वरूप, केवल राज्य विधानमंडलों के पास भूमि-सुधार के उपायों का मसौदा तैयार करने और उसे लागू करने का अधिकार है। फिर भी, सामाजिक और आर्थिक नियोजन के लिए अपनी संवैधानिक ज़िम्मेदारी के कारण, भूमि नीति (राज्यों के साथ साझा) में केंद्र सरकार की महत्त्वपूर्ण सलाहकारी और वित्तीय भूमिका थी। स्वतंत्रता पाने के तुरंत बाद, भारत सरकार ने सामाजिक और आर्थिक नियोजन के कार्यों को करने के लिए राष्ट्रीय योजना आयोग का गठन किया। हालाँकि 'संपत्ति का आवंटन तथा अधियाचन' **समवर्ती सूची (Concurrent list) में है।**

↓

➤ भारी राजस्व वसूली के मामले में किसानों को शोषण से बचाने के लिए इन बिचौलियों का उन्मूलन एक आवश्यक क़दम था।

↓

➤ संसद ने अनुच्छेद 31B को सम्मिलित करते हुए पहला संशोधन, 1951, अधिनियमित किया, जिसने 9वीं अनुसूची बनायी। इसमें ऐसे अधिनियम शामिल थे, जो ज़मींदारों के मुआवज़े को विनियमित करते थे। यह अनुच्छेद संवैधानिक चुनौतियों से उन्मुक्त है।

↓

➤ 1956 तक कई राज्यों ने अपने स्वयं के **ज़मींदारी उन्मूलन अधिनियम (Zamindari Abolition Acts)** (राज्य विषय के रूप में भूमि) को पारित किया। इस सुधार उपाय के माध्यम से **ज़मींदारी, महालवाड़ी तथा रैयतवाड़ी** जैसे भू-राजस्व की शोषणकारी प्रणालियों को समाप्त कर दिया गया।

↓

➤ राज्य सरकार द्वारा वनों, खानों, खनिजों, नदियों इत्यादिक सहित **सार्वजनिक भूमि (Common lands) राज्य सरकार में निहित थी या उन्हें उनके द्वारा ले ली गयी थी**, निजी खेती के अंतर्गत **घर, कृषि भूमि** तथा भूमि को बिचौलियों को एक सीमा के साथ दे दिया गया था और घर-कृषि भूमि की पट्टेदारी को उनके अंतर्गत काश्तकारों के रूप में जारी रखा गया था।

➤ इस प्रकार उन्मूलन के बाद पट्टेदारों की **दो मुख्य श्रेणियाँ** बन गयीं – राज्यों से मालिकों की सीधी पट्टेदारी तथा काश्तकार; जो मालिकों से भूमि पट्टे पर लेते थे।

- फिर से किसानों को भूमि को वितरित करने के लिए बिचौलियों से भूमि अधिगृहीत की गयी थी तथा इसमें राज्य सरकार द्वारा बिचौलियों को भारी मुआवज़े का भुगतान सम्मिलित था।
- इस प्रक्रिया में **17.3 करोड़ एकड़** भूमि सरकार द्वारा अधिगृहीत की गयी तथा लगभग **2.5 करोड़ किसान** राज्य के अंतर्गत आ गये थे।
- हालाँकि इन मध्यस्थों के उन्मूलन के बावजूद निम्न कारणों से विभिन्न प्रकार से ग़रीब किसानों का शोषण जारी रहा।
  a. बिचौलियों को **व्यक्तिगत खेती** के लिए अपने घर के खेतों को बनाये रखने की अनुमति दी गयी थी।
  b. **व्यक्तिगत खेती** शब्द को अस्पष्ट तरीक़े से परिभाषित किया गया था तथा इसमें ज़मींदार या उनके परिवार के सदस्यों द्वारा व्यक्तिगत पर्यवेक्षण सम्मिलित था। इस प्रकार उन्होंने बँटाईदारों को बेदख़ल करना शुरू कर दिया।
  c. ज़मींदारी उन्मूलन अधिनियम में बँटाईदारों को बेदख़ल किये जाने से कोई संरक्षण प्रदान नहीं किया गया था।

अतिरिक्त जानकारी

लागू करने के बाद की स्थिति (Status after enforcement)– बिचौलियों के उन्मूलन ने काश्तकारों के शोषण तथा उत्पीड़न को कम कर दिया। हालाँकि अब भी काश्तकार बेदख़ल किये जा रहे थे। इससे निपटने के लिए केरल सरकार ने 1959 में ज़मींदारों द्वारा बँटाईदारों को बेदख़ल करने को अवैध घोषित कर दिया। 1978 में उन्हें बेदख़ली से बचाने के लिए बर्गादारों (बँटाईदारों (sharecroppers)] के पक्ष में पश्चिम बंगाल में **ऑपरेशन बर्गा (Operation Barga)** *(पहले चर्चा की गयी है)* शुरू किया गया।

परीक्षोपयोगी

गोलकनाथ बनाम पंजाब राज्य प्रकरण (Golaknath *vs.* State of Punjab Case)– 1967 में इस मामले में सर्वोच्च न्यायालय ने फ़ैसला दिया कि ज़मींदारी उन्मूलन अधिनियम (Zamindari Abolition Act) भारत के संविधान के अनुच्छेद 31 'संपत्ति के अधिकार' (Right to Property) के प्रावधानों के साथ विरोधाभासी है। इस प्रकार 1978 में 44वें संशोधन अधिनियम (44th Amendment Act) के माध्यम से संसद ने अनुच्छेद 31 को निरस्त कर दिया तथा मौलिक अधिकार से 'संपत्ति का अधिकार' (Right to Property) हटा दिया और यह एक क़ानूनी अधिकार बन गया।

II. काश्तकारी सुधार (Tenancy Reforms)

- काश्तकारी को तीन श्रेणियों में वर्गीकृत किया गया था – **क़ाबिज़ काश्तकारी (Occupancy Tenancy)**, **इच्छापर्यंत काश्तकारी (Tenancy at Will) तथा उपकाश्तकार (Subtenant)**। इन तीनों में, क़ाबिज़ **काश्तकार को** मालिकों की तरह **स्थायी अधिकार** प्राप्त थे तथा उन्हें ज़मींदारों द्वारा बेदख़ल कर दिये जाने का भी भय नहीं होता था। लेकिन **इच्छापर्यंत तथा उप-काश्तकार ज़मींदारों की दया पर निर्भर होते थे**। अतः इनके अधिकारों की रक्षा तथा ज़मींदारों द्वारा उनके शोषण को रोकने के लिए विशेष क़ानून अधिनियमित किये जाने थे।
- काश्तकारी सुधार में तीन उप-उपाय सम्मिलित हैं :
  a. **लगान का विनियमन (Regulation of Rent)**– काश्तकारों द्वारा ज़मींदारों का एक निर्धारित तथा उचित लगान भुगतान किया जाना। साथ ही भुगतान योग्य लगान भूमि सकल उत्पादन के 1/5 या 1/4 भाग से अधिक नहीं हो सकता।
  b. **काश्तकारी के कार्यकाल की सुरक्षा (Security of Tenure)**– यह क़दम कृषकों को उनकी भविष्य की आय के लिए भरोसा दिलाने के लिए था। लेकिन क़ानून का प्रभाव उतना प्रभावी नहीं था, क्योंकि क़ानून ने काश्तकारी के स्वेच्छा से त्याग करने की अनुमति प्रदान की थी। देश के कई हिस्से में अनौपचारिक तथा मौखिक काश्तकारी प्रचलित थी।
  c. **काश्तकारों के स्वामित्व अधिकार (Ownership Rights of Tenants)** – यह भूमिहीन काश्तकारों के लिए था, ताकि वे जिस भूमि पर खेती करते हैं, उसके मालिकाना अधिकार के हस्तांतरण के माध्यम से स्वामित्व प्राप्त कर सकें। हालाँकि कुछ

राज्यों में काश्तकारी क़ानून में मालिकाना अधिकार के लिए कोई क़ानूनी प्रावधान नहीं था। लेकिन पश्चिम बंगाल जैसे राज्यों में ऑपरेशन बर्गा ने काश्तकारों की सहायता में महत्त्वपूर्ण भूमिका निभायी।

अतिरिक्त जानकारी

काश्तकार (Tenant) – एक काश्तकार किसी भी प्रकार के दावे, अधिकार या मालिकाना अधिकार के साथ भूमि पर क़ब्ज़ा करता है या आधिपत्य जमाता है तथा वह आवधिक रूप से लगान भी चुकाता है। एक काश्तकार संविदात्मक या वैधानिक हो सकता है।

उप-काश्तकार (Sub-tenant) – किसी काश्तकार से संपत्ति पट्टे पर लेता है।

क़ाबिज़ काश्तकारी (Occupancy Tenancy) – उनके पास स्थायी तथा आनुवांशिक अधिकार, सुरक्षा होती है एवं भूमि में किसी भी प्रकार के सुधार पर ज़मींदारों से मुआवज़े का दावा कर सकते हैं।

इच्छापर्यंत काश्तकारी (Tenancy at Will) – यह बिना पट्टे या लिखित समझौते के निर्धारित की जाती है एवं इसे किसी भी समय काश्तकार या ज़मींदार द्वारा समाप्त किया जा सकता है।

लागू करने के बाद की स्थिति (Status after enforcement)- **पश्चिम बंगाल में ऑपरेशन बर्गा** (Operation Barga) **के माध्यम से** सरकार द्वारा लगभग 14 लाख बँटाईदारों को दर्ज किया गया। केरल तथा कर्नाटक जैसे राज्यों में भी अन्य राज्यों की तुलना में अधिक सफलता प्राप्त हुई। लेकिन देशभर में किसानों की कुल स्थिति काश्तकारी सुधारों के बाद भी असंतोषजनक रही।

III. कृषि का पुनर्गठन (Reorganisation of Agriculture)

कृषि उत्पाद में वृद्धि के लिए इसकी आवश्यकता थी, इसमें सम्मिलित हैं :

कृषि का पुनर्गठन (Reorganisation of Agriculture)

- कृषि योग्य जोतों का उच्चतम सीमा-निर्धारण (Ceiling on Agricultural Landholdings)
- जोतों की चकबंदी (Consolidation of Landholdings)
- सहकारी कृषि (Cooperative Farming)

a. *कृषि योग्य जोतों का उच्चतम सीमा-निर्धारण (Ceiling on Agricultural Landholdings)*

कृषि योग्य जोतों का उच्चतम सीमा-निर्धारण यह इंगित करता है कि किसी व्यक्ति के पास **वैधानिक रूप** से कितनी भूमि **हो सकती है** (statutory absolute limit)। उच्चतम सीमा-निर्धारण के दो पहलू होते हैं :

(i) **भविष्य के आवंटन के लिए उच्चतम सीमा-निर्धारण (Ceiling on future acquisitions)** तथा

(ii) **वर्तमान जोतों का उच्चतम सीमा-निर्धारण (Ceiling on existing holdings)**

प्रथम पंचवर्षीय योजना [Five Year Plan (FYP)] केवल (i) पर केंद्रित थी, जबकि द्वितीय पंचवर्षीय योजना के माध्यम से ही (ii) अर्थात् वर्तमान जोतों के लिए उच्चतम सीमा-निर्धारण की अनुशंसा की गयी।

जोतों का उच्चतम सीमा-निर्धारण **लागू होता है**	भविष्य के आवंटन के साथ ही वर्तमान जोतों, दोनों पर
जोतों के उच्चतम सीमा-निर्धारण का स्तर (Level of land ceiling)	यह **'पारिवारिक जोतों' (Family Holding)** के आकार पर निर्भर करता है; न कि व्यक्तिगत जोतों पर (प्रथम पंचवर्षीय योजना के अनुसार)

इन्हें जोतों को उच्चतम सीमा-निर्धारण से **छूट**	खेतों के निम्नलिखित प्रकार पर : 1. चाय, कॉफ़ी तथा रबर की खेती 2. सुसंबद्ध क्षेत्र बाग़ 3. पशुओं के प्रजनन, डेयरी, ऊन बनाने, इत्यादिक के लिए खेत। 4. चीनी कारख़ानों के लिए गन्ने का खेत। 5. भारी निवेश और स्थायी संरचनाओं के साथ सुसंबद्ध ब्लॉक खेत।
दुर्भावपूर्ण हस्तांतरण (malafide transfers) को रोकने के लिए क़दम (जो कि सरकार द्वारा किये जा रहे अधिग्रहण से बचने के लिए था)।	द्वितीय पंचवर्षीय योजना के अनुसार भूस्वामियों द्वारा हस्तांतरित भूमि को सीमा-निर्धारण का पता लगाने के लिए ज़मींदारों द्वारा रखी गयी भूमि में जोड़ना था।
सीमा-निर्धारण क़ानूनों का उपयोग करके अधिगृहीत भूमि के लिए **मुआवज़े की राशि (Amount of compensation)** दी जायेगी।	द्वितीय **पंचवर्षीय** योजना में अनुशंसा की गयी कि राज्यों को अपनी वर्तमान परिस्थितियों के आधार पर अपनी नीति तैयार करनी चाहिए।
अधिगृहीत भूमि का **पुनर्वितरण (Re-distribution)**	राज्य सरकार द्वारा पुनर्वितरण के दौरान विस्थापित काश्तकारों, अलाभकारी जोतों के किसानों तथा भूमिहीन किसानों को प्राथमिकता दी जानी चाहिए।

चूँकि, भूमि राज्य का विषय है, इन जोतों के उच्चतम सीमा-निर्धारण के उपाय के परिणाम अलग-अलग रहे। **दुर्भावपूर्ण हस्तांतरण** को रोकने के लिए **व्यक्तिगत जोतों** के उपयोग की अपेक्षा राज्यों द्वारा **पारिवारिक जोतों** को **उच्चतम सीमा-निर्धारण** के लिए अपनाना ज़्यादा सफल रहा।

सीमांत जोत	छोटी जोत	अर्ध-मध्यम जोत	मध्यम जोत	बड़ी जोत
<1 हेक्टेयर	1-2 हेक्टेयर	2-4 हेक्टेयर	4-10 हेक्टेयर	>10 हेक्टेयर

b. *जोतों की चकबंदी (Consolidation of Landholdings)*

जोत का विभाजन बड़े पैमाने पर होनेवाली खेती के लाभ को प्राप्त करने में एक बड़ी बाधा है। विभाजन की तुलनात्मक स्थिति को नीचे दर्शाया गया है :

वर्ष	सीमांत जोतों की संख्या	छोटी जोतों की संख्या	अर्ध-मध्यम जोतों की संख्या	मध्यम जोतों की संख्या	बड़ी जोतों की संख्या	कुल
1970–71	51%	19%	15%	11%	4%	100
2018–19	70.4%	17.70%	8.6%	2.80%	0.4%	100

सीमांत जोत (marginal land holdings) का बड़ा हिस्सा एक मुद्दा था, लेकिन नयी पीढ़ी के बीच आनुवंशिक भूमि के विभाजन, बढ़ती जनसंख्या के दबाव तथा संयुक्त परिवार की व्यवस्था में कमी के कारण **विभाजित जोतों (fragmented holdings)** की संख्या में वृद्धि ने समस्या को आगे और बढ़ा दिया। **विभाजन के परिणामस्वरूप जोतें बर्बाद होती हैं, आधुनिकीकरण को अपनाने में कठिनाई होती है, छिपी हुई बेरोज़गारी तथा निम्न उत्पादकता उत्पन्न होती है।** अत: एक समाधान ढूँढ़ने की आवश्यकता होती है।

चकबंदी की प्रक्रिया (Process of consolidation) को जोतों के विभाजन को कम करने के समाधान के रूप में देखा जाता है। इसके माध्यम से, **भूमि का एक समेकित भू-खंड किसानों को दिया जाता है**, जो कि उसके आधिपत्य में मौजूद कुल बिखरे हुए भू-खंड के बराबर होता है।

अन्य शब्दों में **चकबंदी को भू-खंड तथा उसके स्वामित्व** की योजनाबद्ध **पुनः व्यवस्था व पुनः समायोजन** की प्रक्रिया कहा जाता है, ताकि कृषि संबंधी अर्थव्यवस्था के लाभ के लिए बड़ी जोतों का निर्माण किया जा सके।

राज्यों द्वारा क़ानून के माध्यम से **मानक क्षेत्र (standard area)** को चकबंदी के आधार पर निर्धारित किया गया था। हालाँकि उपलब्ध आँकड़ों के अनुसार खेती योग्य भूमि के लगभग 46 प्रतिशत की ही चकबंदी की गयी। जोतों की चकबंदी के इस क़दम को केवल हरियाणा, पंजाब तथा उत्तर प्रदेश राज्यों में सफलता मिली। हालाँकि यह देश के अन्य हिस्सों में इसलिए विफल हुआ, क्योंकि केवल 15 राज्यों ने चकबंदी के क़ानून पारित किये। छोटे किसान इस प्रक्रिया को अपनाने के अनिच्छुक थे, क्योंकि इन राज्य विधानसभाओं के **'प्रमुख क्षेत्र नियम' (major area rule)** के माध्यम से अप्रत्यक्ष रूप से उपजाऊ भूमि प्राप्त करने में अमीर तथा प्रभावशाली लोगों को सहायता मिलती।

नवीनतम उपलब्ध 2015–2016 अनुमानों के अनुसार – सीमांत एवं छोटी जोत खेती योग्य भूमि के कुल क्षेत्रफल का **47.3 प्रतिशत** है।

भूमि जोत का औसत आकार = **0.913 हेक्टेयर** (2018–19 के आँकड़ों के अनुसार) (अर्थात् पिछले कुछ वर्षों में **घटा** है)

c. *सहकारी कृषि (Cooperative Farming)*

व्यापक पैमाने की अर्थव्यवस्थाओं के लाभों को प्राप्त करने के लिए सहकारी खेती चकबंदी का विकल्प प्रदान करती है। **पहली तीन पंचवर्षीय योजनाओं में इस पर ध्यान दिये जाने के बाद भी** 1979 तक केवल 8,160 सहकारी कृषि समितियाँ गठित की गयीं, जो कि कुल खेती योग्य भूमि का केवल 0.38 प्रतिशत है।

सरकार द्वारा सहकारी खेतों को दिये गये विभिन्न प्रोत्साहन तथा सब्सिडी के बावजूद किसानों को सहकारी खेती के लिए प्रेरित नहीं किया जा सकता है। सहकारी खेती पर **गाडगिल समिति की रिपोर्ट में कहा गया है** कि इन गठित समितियों में से केवल एक-तिहाई ने ही अपने लक्ष्यों और आवश्यकताओं को प्राप्त किया है।

2018–19 के आँकड़े के मुताबिक़ **88.10 प्रतिशत जोत 2 हेक्टेयर से कम हैं (सीमांत तथा छोटी)**, तथा सहकारी कृषि को प्रोत्साहित करने के लिए काफ़ी कुछ किये जाने की आवश्यकता है।

सहकारी कृषि की असफलता के कारण :

1. समितियों का गठन सरकार से कुछ लाभ प्राप्त करने के लिए बड़े किसानों द्वारा; न कि छोटे या सीमांत किसानों द्वारा किया जाता था।
2. समितियों में पेशेवर तथा प्रबंधन कौशल की कमी थी।
3. कुछ सदस्यों का भ्रष्टाचारपूर्ण रवैया।
4. सहकारी कृषि की विफलता ने अन्य इच्छुक किसानों को भी हतोत्साहित किया।

अतिरिक्त जानकारी

कुछ राज्यों में सफल भूमि सुधार के साधन
(SUCCESSFUL LAND REFORM MEASURES IN SOME STATES)

पश्चिम बंगाल (West Bengal)

पश्चिम बंगाल में 1979 में **ऑपरेशन बर्गा** शुरू किया गया था। यह बर्गादारों (बँटाईदारों (sharecroppers)] का रिकॉर्ड दर्ज करने के लिए तत्कालीन राज्य सरकार द्वारा उठाया गया भूमि सुधार क़दम था, जिसका उद्देश्य उन्हें ज़मींदारों द्वारा अवैध बेदख़ली से सुरक्षा प्रदान करना था। ऑपरेशन बर्गा के अंतर्गत लगभग 15 लाख बर्गादारों का रिकॉर्ड दर्ज किया गया और इसे भारत में सबसे अधिक सफल भूमि सुधार कार्यक्रमों में एक माना गया है।

जम्मू एवं कश्मीर (Jammu and Kashmir)

जम्मू एवं कश्मीर में भूमि सुधार 1931 में **शेख़ अब्दुल्ला** के नेतृत्व में शुरू हुआ था। उसके बाद 1944 में आया नया कश्मीर प्रस्ताव भूमि सुधार का अभिन्न अंग बना। इस प्रस्ताव ने ज़मींदारी प्रथा के अंत, किसानों को भूमि प्रदान करने तथा फ़सलों और कृषि वस्तुओं के उत्पादन एवं बिक्री को विनियमित करने के लिए किसानों के सहकारी संगठन का आश्वासन दिया।

बड़ी भूमि संपदा उन्मूलन अधिनियम, 1950 (Big Landed Estates Abolition Act, 1950) ने भूमिहीनों के लिए उत्कृष्ट नतीजे प्रदान किये।

1963 में अलग-अलग तरह की कमियों का पता लगाने के लिए भूमि आयोग (Land Commission) का गठन किया। पट्टेदारी पद्धति में धीरे-धीरे ये कमियाँ आ गयी थीं। इस आयोग की सिफ़ारिशें जम्मू-कश्मीर कृषि सुधार अधिनियम, 1972 (J&K Agrarian Reforms Act, 1972) का आधार बनीं, जिसे आगे जम्मू-कश्मीर कृषि सुधार अधिनियम, 1976 (J&K Agrarian Reforms Act, 1976) के रूप में संशोधित किया गया।

जम्मू और कश्मीर राज्य भूमि (अधिभोगियों को स्वामित्व का अधिकार) अधिनियम, 2001 (रोशनी अधिनियम) [Jammu and Kashmir State Land (Vesting of Ownership to Occupants) Act, 2001 (Roshni Act)] जिसमें सरकारी भूमि के क़ब्ज़ेदारों को इसका स्वामित्व अधिकार हस्तांतरित करने का विचार है, जो सरकार द्वारा निर्धारित क़ीमत के भुगतान के अधीन है।

उत्तर प्रदेश (Uttar Pradesh)

उत्तर प्रदेश में 1950 में **ज़मींदारी उन्मूलन एवं भूमि सुधार अधिनियम** (Zamindari Abolition and Land Reforms Act, 1950) पारित किया गया था।

उत्तर प्रदेश में भूमि सीमा अधिनियम (Land Ceiling Act) 1960 में पारित किया गया था, जिसमें 40 एकड़ की अधिकतम सीमा का प्रावधान था।

भूमि वितरण कार्यक्रम का प्राप्तकर्ताओं की आर्थिक और सामाजिक स्थिति पर सकारात्मक प्रभाव पड़ा तथा इससे उनके जीवन में गुणात्मक परिवर्तन हुआ और बच्चों के बेहतर स्वास्थ्य एवं शिक्षा प्रदान करने में योगदान दिया।

उत्तर प्रदेश सरकार ने अपने भूमि सीमा अधिनियम (Land Ceiling Act) में 1973 में संशोधन किया। इसने अधिकतम सीमा को और कम कर दिया तथा पहले के अधिनियम में दी गयीं कई छूटों को हटा दिया। संशोधित अधिनियम के अनुसार, पाँच लोगों के परिवार के लिए सिंचित भूमि की अधिकतम सीमा 7.3 हेक्टेयर निर्धारित कर दी गयी।

केरल (Kerala)

स्वतंत्रता के बाद केरल में पहाड़ी क्षेत्रों की तरफ़ लोगों के प्रवासन के कारण बड़े पैमाने पर आदिवासी भूमि की बिक्री हुई।

केरल भूमि सुधार अधिनियम, 1963 (Kerala Land Reforms Act, 1963) ने 'किसानों को भूमि' नीति को लागू किया, जिसने किरायेदारों के क़ब्ज़ेवाली भूमि पर उनका पूर्ण स्वामित्व अधिकार दिया। इसने 'कुडिकिडप्पुकर' या झुग्गी वासियों को पूर्ण स्वामित्व अधिकार प्रदान किये थे।

केरल अनुसूचित जनजाति (हस्तांतरण पर प्रतिबंध एवं बेची गयी भूमि की बहाली) अधिनियम, 1975 [The Kerala Scheduled Tribes (Restriction on Transfer and Restoration of Alienated Lands) Act, 1975] को आदिवासियों की दुर्दशा में सुधार लाने के लिए लागू किया गया था।

तमिलनाडु (Tamil Nadu)

तमिलनाडु **भूमि सुधार (भूमि पर सीमा का निर्धारण) अधिनियम, 1961 (तमिलनाडु अधिनियम 58/61)** कृषि भूमि के स्वामित्व और विशेष समूहों के बीच एकाग्रता में असमानताओं को समाप्त करने के साथ-साथ भूमिहीन ग़रीब लोगों के बीच इस तरह की भूमि को विभाजित करने के लिए पारित किया गया था। केंद्रीय दिशानिर्देशों के अनुसार अनुबंध खेती अधिनियम पारित करनेवाला यह पहला राज्य है।

विभिन्न भूमि सुधारों का आलोचनात्मक मूल्यांकन (CRITICAL EVALUATION OF VARIOUS LAND REFORMS)

भूमि सुधारों की शुरुआत न केवल कृषि उत्पादन में सुधार के लिए, बल्कि देश की सामाजिक-आर्थिक तथा सामाजिक-राजनीतिक स्थितियों में सुधार के लिए की गयी। इसने सामाजिक न्याय के एक माध्यम के रूप में भी काम किया। **भूमि सुधार के लाभ** इस प्रकार थे :

1. बिचौलियों के उन्मूलन के बाद लगभग 2 करोड़ काश्तकारों को **सरकारों के साथ सीधे संबंध में लाया गया था**। हालाँकि इसके कारण बड़ी संख्या में काश्तकारों को बेदख़ल किया गया, जिसकी वजह क़ानूनों में ख़ामियाँ थीं।
2. किसानों द्वारा **निवेश में वृद्धि** की गयी (मालिक बनने के बाद), जिसने भूमि की उत्पादकता में सुधार किया।
3. अलग-अलग घटनाओं में जोतों की चकबंदी ने आकारिक मितव्ययिता के माध्यम से **उत्पादकता-वृद्धि** में सहायता की।

   हालाँकि भूमि सुधार से उत्पादकता की कुल वृद्धि में कोई बड़ा प्रभाव नहीं हुआ। इसके संभावित कारण थे :
   - सुधार को सही प्रकार से कार्यान्वित नहीं किया गया था।
   - कृषि भूमि पर वास्तविक लगान अभी भी अधिक था।
   - सहकारी कृषि को बहुत अधिक प्रोत्साहित नहीं किया गया था।
4. **सामाजिक न्याय पर प्रभाव** - यह सत्य है कि भूमि सुधार के उपाय धीमी गति से कार्यान्वित किये गये, लेकिन इसने सामाजिक न्याय के क्षेत्र में महत्त्वपूर्ण भूमिका निभायी। काश्तकारी को सुरक्षा प्रदान कर तथा लगान की अधिकतम सीमा निर्धारित कर छोटे किसानों को उनके भविष्य के लिए सामाजिक सुरक्षा प्राप्त हुई। इसके अतिरिक्त भारत में **सामंतवाद** (feudalism) का कमोबेश उन्मूलन हो गया।

क्या आप जानते हैं?

भूमि स्वामित्व पर भूमि सीमा नीति को आर्थिक मानदंडों के तहत एक प्रभावी सुधार के रूप में कैसे माना जा सकता है?

भूमि स्वामित्व पर भूमि सीमा नीति से पता चलता है कि एक व्यक्ति या परिवार कितनी भूमि धारण कर सकता है। इसका उद्देश्य भूमि को कुछ लोगों के हाथों में सीमित करना है। इस प्रकार की नीतियाँ बड़ी भूमि को छोटे भूखंडों में विभाजित करके आर्थिक दक्षता में सुधार कर सकती हैं, जिसके परिणामस्वरूप अधिक गहन खेती के माध्यम से कृषि उत्पादन में वृद्धि हुई और अधिकारहीन कर दिये गये किसानों के लिए भूमि तक पहुँच में सुधार हुआ। भूमि सीमा नीतियाँ ग़रीबी को ख़त्म करने, भूमि संसाधनों का समान वितरण सुनिश्चित करने, समाज कल्याण को बढ़ाने और भारत जैसी कृषि अर्थव्यवस्थाओं में आर्थिक विकास में मदद करती हैं। भूमि के इस्तेमाल में दक्षता को बढ़ावा देने के लिए भूमि सीमा नीतियों को एक सहायक आर्थिक सुधार के रूप में माना जा सकता है।

भूमि सुधार की सफलता के लिए ज़िम्मेदार कारक (Factors Responsible for the Success of Land Reforms)

- विभिन्न विधानों तथा संवैधानिक संशोधनों का अधिनियमन सरकार की **राजनीतिक इच्छाशक्ति** (Political will) का सूचक है।
- भूमि तथा संभावित सुधार उपायों के संबंध में **किसानों के बीच जागरूकता।**

भूमि सुधारों के पहले चरण में **विफलता के कुछ कारण** :

1. **व्यक्तिगत खेती** (personal cultivation) **शब्द को क़ानून के अंतर्गत ठीक से परिभाषित नहीं किया गया** था तथा इसके परिणामस्वरूप ज़मींदारों ने ग़रीब किसानों या पट्टेदारों को बड़े पैमाने पर बेदख़ल किया। हालाँकि पश्चिम बंगाल इस संबंध में **ऑपरेशन बर्गा** की पहल करके एक पट्टेदार मॉडल बन गया तथा पट्टेदारों को भू-खंड पर खेती तथा अन्य अधिकार प्राप्त हुए।
2. कई राज्यों में पारिवारिक जोत की तुलना में **व्यक्तिगत जोत** (Individual holding) को सीमा-निर्धारण की पहचान के आधार के रूप में उपयोग किया गया। इसका लाभ लेते हुए तथा सीमा-निर्धारण क़ानून से बचने के लिए ज़मींदारों ने अपनी भूमि अपने परिवार के सदस्यों को हस्तांतरित करनी शुरू की।

3. सीमा-निर्धारण क़ानून के अनुसार **भूमि का बड़ा हिस्सा बिचौलियों/भू-स्वामियों द्वारा निजी खेती के लिए प्राप्त किया जा सकता था**। परिणामस्वरूप, उनका स्वरूप केवल ज़मींदार से 'अनुपस्थित ज़मींदार' के रूप में परिवर्तित हो गया।
4. बड़ी संख्या में **काश्तकारी मौखिक तथा अनौपचारिक** थी, ताकि जो काश्तकार ऐसी भूमि पर खेती करते थे, अपनी स्थिति का दावा न कर सकें। यहाँ तक कि कुछ राज्यों में बँटाईदारों को काश्तकारों का दर्जा नहीं दिया गया था, यद्यपि वे भूमि के एक बड़े हिस्से पर खेती कर रहे थे।
5. **भूमि का स्वैच्छिक त्याग (voluntary surrender of the land)** तैयार किये गये क़ानूनों के बीच एक और ख़ामी थी। ज़मींदारों द्वारा काश्तकारों को उनकी ज़मीन सौंपने के लिए धमकाया तथा पीटा गया। चौथी पंचवर्षीय योजना की सिफ़ारिशों के बाद कुछ राज्यों द्वारा स्वैच्छिक त्याग को विनियमित किया गया था तथा एक क़ानून बनाया गया था, ताकि भू-स्वामियों को त्यागी गयी भूमि पर नियंत्रण नहीं होने दिया जाये।
6. भूमि अभिलेखों का राज्य सरकार द्वारा ख़राब रख-रखाव विफलता का एक अन्य कारण था।

अतिरिक्त जानकारी

1991 की नयी आर्थिक नीति तथा भूमि सुधार (NEW ECONOMIC POLICY OF 1991 AND LAND REFORMS)

सरकार द्वारा उदारीकरण, निजीकरण तथा वैश्वीकरण नीतियाँ प्रस्तुत करने तथा नये आर्थिक सुधारों के बाद भूमि के पट्टे व जोतों के सीमा-निर्धारण की नीतियों को और अधिक उदार बनाने की आवश्यकता थी। राज्य सरकारों ने यहाँ तक कि सीमा-निर्धारण व काश्तकारी क़ानूनों में ढील देने तथा भूमि बाज़ार के पुनरुद्धार के लिए पूँजीवादी या संविदात्मक खेती को प्रोत्साहित करने का प्रस्ताव दिया।

हालाँकि जापान तथा कोरिया जैसे देशों के अनुभव के साथ, जहाँ भूमि सुधार कृषि बाज़ार के तेज़ तथा संधारणीय विकास में उपयोगी साबित हुआ, यह तर्क दिया गया कि भूमि सुधार को ग्रामीण आबादी के लिए बिना अधिक तकलीफ़ पैदा किये तेज़ तथा संधारणीय विकास के लिए नये आर्थिक सुधारों से पहले होना चाहिए।

हालिया सरकारी नीतियाँ/भूमि सुधार से संबंधित अधिनियम (RECENT GOVERNMENT POLICIES/ACTS RELATED TO LAND REFORMS)

भूमि अर्जन, पुनर्वासन और पुनःस्थापन में उचित प्रतिपूर्ति और पारदर्शिता अधिकार अधिनियम, 2013 (Right to Fair Compensation and Transparency in Land Acquisition, Rehabilitation and Resettlement Act, 2013)

- 2013 में अधिनियमित होकर यह 2014 में लागू हुआ। इसके पहले भूमि अधिग्रहण को 1894 **के भूमि अधिग्रहण अधिनियम (Land Acquisition Act of 1894)** के अंतर्गत शासित किया जाता था।
- इस अधिनियम का मूल उद्देश्य किसानों का कल्याण व समृद्धि तथा साथ ही उन्हें उचित मुआवज़ा प्रदान करना था।
- इसका उद्देश्य भूमि के उपयोग के साथ इसका सामरिक तथा प्रभावी विकास करना है।
- केंद्रीय बलों तथा राज्य पुलिस बलों सहित सामरिक या रक्षा उद्देश्यों के लिए या राष्ट्रीय सुरक्षा से संबंधित किसी भी कार्य के लिए सरकार सार्वजनिक उद्देश्य की सुरक्षा के लिए भूमि का अधिग्रहण कर सकती है।
- सरकार भूमिहीन तथा ग़रीब लोगों के आवासीय उद्देश्यों के लिए या किसी प्राकृतिक आपदा से प्रभावित लोगों के लिए तथा देश के कल्याण के लिए सरकार द्वारा आरंभ की गयी किसी भी योजना के लिए भी भूमि का अधिग्रहण कर सकती है।
- इस अधिनियम के अंतर्गत सार्वजनिक-निजी भागीदारी [Public–Private Partnership (PPP)] परियोजनाओं के लिए निजी संस्थाओं द्वारा भूमि का अधिग्रहण किया जा सकता है, लेकिन भूमि का स्वामित्व सरकार के पास रहेगा।
- अधिग्रहण की प्रक्रिया को विनियमित करने के लिए केंद्र सरकार ने भूमि अर्जन, पुनर्वासन और पुनर्व्यवस्था में उचित प्रतिपूर्ति और पारदर्शिता के संबंध में नियम बनाये और इसे अधिनियमित किया।

2013 के अधिनियम के मुख्य प्रावधान (Main Provisions of the 2013 Act)

- **सहमति (Consent) :** निजी परियोजनाओं के लिए 80 प्रतिशत प्रभावित परिवारों की पूर्व सूचित सहमति तथा PPP के लिए 70 प्रतिशत आवश्यक है। हालाँकि सरकारी परियोजनाओं के लिए सहमति आवश्यक नहीं है।
- **सामाजिक प्रभाव का मूल्यांकन [Social Impact Assessment (SIA)] :** यह राष्ट्रीय सुरक्षा या आपात स्थिति के मामले को छोड़कर अन्य मामलों में अनिवार्य है। यह स्थानीय प्राधिकारों जैसे- ग्राम सभा, नगर निगम इत्यादिक को सम्मिलित करके किया जाता है।
- **खाद्य-सुरक्षा (Food Security) :** आम तौर पर अधिनियम बहु-फ़सली भूमि के अधिग्रहण की अनुमूति नहीं देता।
- **मुआवज़ा (Compensation) :** ग्रामीण क्षेत्र में बाज़ार मूल्य का चार गुना मुआवज़ा तथा शहरी क्षेत्रों में बाज़ार मूल्य का 2 गुना मुआवज़ा प्रदान किये जाने की आवश्यकता है।
- भूमि सिविल कोर्ट की शक्तियों के साथ **अधिग्रहण, पुनर्वासन तथा पुनर्स्थापन प्राधिकरण (Land Acquisition, Rehabilitation and Resettlement Authority)** को संबंधित मसलों पर निर्णय देने के लिए अधिनियम के अंतर्गत स्थापित किया जायेगा।
- अधिग्रहण के बाद 5 वर्षों तक उपयोग न किये जाने पर भूमि उसके पूर्व स्वामियों को वापस कर दी जायेगी।
- पुनर्वासन तथा पुनर्व्यस्थापन प्रावधान के अंतर्गत, इसमें प्रभावित परिवार के एक सदस्य के लिए रोज़गार की भी व्यवस्था सम्मिलित है।

भूमि अर्जन, पुनर्वासन और पुनर्व्यस्थापन में उचित प्रतिपूर्ति तथा पारदर्शिता अधिकार (संशोधन) विधेयक, 2015 (भूमि विधेयक) [Right to Fair Compensation and Transparency in Land Acquisition, Rehabilitation and Resettlement (Amendment) Bill, 2015 (Land Bill)]

- **यह भूमि अधिग्रहण, पुनर्वास और पुनर्स्थापन अधिनियम, 2013 [Land Acquisition] Rehabilitation and Resettlement (LARR) Act 2013] में संशोधन की माँग करता है।**
- विधेयक सरकार द्वारा भूमि के उपयोग को पाँच श्रेणियों में वर्गीकृत करता है– **रक्षा, ग्रामीण अवसंरचना, वहनीय आवास, औद्योगिक गलियारा तथा अवसंरचना परियोजना, जिसमें PPP परियोजनाएँ सम्मिलित हैं।**
- **यह विधेयक LARR अधिनियम, 2013 के प्रावधानों से पाँच श्रेणियों से ऊपर की छूट चाहता है।**
- उपर्युक्त पाँच श्रेणियों की छूट में SIA से राहत भी सम्मिलित है।
- निजी परियोजनाओं के लिए 80 प्रतिशत भू-स्वामियों तथा PPP परियोजनाओं के लिए 70 प्रतिशत भू-स्वामियों की सहमति की आवश्यकता को विधेयक में छूट दी गयी है।
- यह विधेयक LARR अधिनियम के अनुरूप राष्ट्रीय राजमार्ग अधिनियम (National Highway Act) तथा रेलवे अधिनियम (Railways Act) जैसे अन्य संबंधित कार्यों के अंतर्गत मुआवज़े, पुनर्वासन तथा पुनर्व्यस्थापन के प्रावधान प्रस्तुत करता है।
- LARR अधिनियम, 2013 के अंतर्गत निजी कंपनियों के लिए भूमि का अधिग्रहण निजी संस्थाओं में बदल जाता है, जिसमें निगमों तथा ग़ैर-लाभकारी संगठनों के साथ निजी कंपनियाँ सम्मिलित हैं।
- 2013 अधिनियम के विपरीत यहाँ तक कि उपर्युक्त पाँच श्रेणियों के लिए भी बहु-फ़सली भूमि का अधिग्रहण किया जा सकता है।
- 2013 अधिनियम 5 साल के बाद अप्रयुक्त भूमि की वापसी को अधिदेशित करता है, हालाँकि इस प्रावधान को 5 साल बाद अप्रयुक्त भूमि की वापसी या परियोजना की स्थापना के समय निर्दिष्ट समय अवधि के लिए संशोधित किया जाना प्रस्तावित है, जो बाद में भी हो।

2015 भूमि विधेयक की वर्तमान स्थिति (Present Status of the 2015 Land Bill)

अर्जन, पुनर्वासन और पुनर्व्यस्थापन में उचित प्रतिपूर्ति और पारदर्शिता (संशोधन) विधेयक, 2015, 24 फ़रवरी, 2015 को लोकसभा में प्रस्तुत किया गया तथा 10 मार्च, 2015 को लोकसभा द्वारा पारित किया गया। यह विधेयक **राज्य सभा** में लंबित है।

2015 भूमि विधेयक की आलोचना (Criticism of the 2015 Land Bill)

आलोचक कहते हैं कि :

- उपजाऊ, सिंचित, **बहु-फ़सली भूमि** को **केवल अंतिम उपाय** के रूप में अधिगृहीत किया जाना चाहिए।
- उर्ध्वगामी तथा भागीदारी के दृष्टिकोण के लिए **SIA** को राष्ट्रीय हित प्रभावित करनेवाले मामलों को छोड़कर आदर्श रूप से हर मामले में अनिवार्य होना चाहिए।
- संशोधन के दुरुपयोग से बचने के लिए पाँच छूटवालीं श्रेणियों के भीतर आनेवालीं परियोजनाओं की परिभाषा स्पष्ट की जानी चाहिए।
- प्रभावित परिवारों को उनके द्वारा आवश्यक मुआवज़े के रूप में लचीलापन प्रदान किया जाना चाहिए।
- अप्रयुक्त भूमि (असाधारण परिस्थितियों को छोड़कर) 5 साल बाद मूल स्वामियों को वापस कर दी जानी चाहिए।
- कृषि उत्पादकता तथा विखंडन एक बहुत बड़ा मामला है, जो विधेयक के अंतर्गत उपेक्षित है। पैदावार बढ़ाने के लिए कृषि के आधुनिकीकरण को सक्षम बनाने की दिशा में एक पूर्ण अधिनियम तैयार किया जाना चाहिए।

सरकार को **'राष्ट्रीय भूमि उपयोग नीति' (National Land Use Policy)** अपनानी चाहिए, जो ग़ैर-कृषि योग्य भूमि के वैज्ञानिक अधिग्रहण तथा इसके विकास पर ध्यान देगी, किसानों के हित की रक्षा करेगी तथा देश के खाद्य उत्पादन लक्ष्यों तथा आर्थिक लक्ष्यों को ध्यान में रखेगी।

मॉडल कृषि भूमि पट्टा अधिनियम, 2016
(Model AGRICULTURAL LAND LEASING ACT, 2016)

मॉडल भूमि पट्टा अधिनियम, 2016 को **नीति आयोग** द्वारा **टी. हक़ समिति** की अनुशंसाओं के आधार पर तैयार किया गया है। यह राज्यों तथा केंद्रशासित प्रदेशों के लिए एक मार्गदर्शक के रूप में कार्य करता है, ताकि स्थानीय आवश्यकताओं को ध्यान में रखते हुए मॉडल क़ानून के आधार पर अपने स्वयं के पट्टे के क़ानून का मसौदा तैयार किया जा सके।

नीति आयोग द्वारा मॉडल क़ानून जारी किये जाने के बाद मध्य प्रदेश ने अपना अलग भूमि पट्टा क़ानून अधिनियमित किया तथा उत्तर प्रदेश एवं उत्तराखंड ने अपने विद्यमान् भूमि पट्टा क़ानूनों को संशोधित किया है।

अधिनियम की आवश्यकता (Need of the Act)

- राज्य के मौजूदा क़ानूनों के अंतर्गत, कृषि भूमि पट्टे (जैसे मणिपुर, बिहार, केरल, इत्यादि के क़ानूनों में) के संबंध में निषेध तथा प्रतिबंध हैं।
- मौजूदा क़ानून भूस्वामियों तथा पट्टेदार किसानों को अनौपचारिक समझौते करने के लिए बाध्य करते हैं, जो पट्टेदार काश्तकारों को उन लाभों से वंचित कर देता है, जो आमतौर पर उनके कारण होते हैं; इससे काश्तकारी के लिए कोई सुरक्षा नहीं मिलती।
- भूमि पट्टे के क़ानूनी हुए बिना कई भूस्वामी अपनी ज़मीन को दूसरे किसानों को पट्टे पर नहीं देना चाहते हैं, क्योंकि उन्हें डर है कि काश्तकार-किसान सहमत अवधि के बाद ज़मीन को ख़ाली नहीं करेंगे तथा वे भूमि पर मालिकाना अधिकार खो देंगे।
- यह देखा गया है कि कृषि भूमि की क़ीमतें दिनोंदिन बढ़ रही हैं, इसलिए भूमिहीन छोटे व सीमांत किसान ज़मीन ख़रीदने की जोखिम नहीं उठा सकते हैं।

अधिनियम के उद्देश्य (Objectives of the Act)

- कृषि भूमि को पट्टे पर देने की अनुमति और सुविधा प्रदान करना।
- भूमिहीन तथा अर्ध-भूमिहीन ग़रीबों द्वारा भूमि तक पहुँच, व्यवसायिक विविधता तथा ग्रामीण विकास और रूपांतरण को तेज़ करने के लिए **कृषि दक्षता तथा हिस्सेदारी** में सुधार करना।

- कृषि भूमि पट्टे पर खेती करनेवाले **किसानों को मान्यता** प्रदान करना। यह उन्हें औपचारिक ऋण संस्थानों, बीमा, आपदा राहत इत्यादिक के माध्यम से ऋण तक पहुँच प्रदान करता है। जबकि मालिकों के भूमि अधिकारों की पूरी तरह से रक्षा करते हैं।
- यह सुनिश्चित करना कि काश्तकार किसानों का शोषण करने के लिए पट्टे की खेती का उपयोग नहीं किया जायेगा।
- **अनौपचारिक काश्तकार प्रथाओं को कम** करने के लिए।
- **संचालित जोत** क्षेत्र को संगठित करना।

अधिनियम की मुख्य विशेषताएँ (Key Features of the Act)

- कृषि दक्षता को बढ़ावा देने, हिस्सेदारी तथा बिजली की कमी के लिए भूमि पट्टे को वैध किया गया है।
- भूस्वामी के साथ-साथ पट्टेधारक की आवश्यकताओं तथा हितों का ध्यान रखा गया है।
- ज़मींदार कृषि तथा संबद्ध गतिविधियों के लिए भूमि को क़ानूनी रूप से पट्टे पर दे सकता है। इस अधिनियम में यह ध्यान रखा गया है कि किसी भी परिस्थिति में भूमि पर पट्टेधारकों का दावा मान्य नहीं होगा।
- पट्टाधारक (काश्तकार) ऋण, बीमा, आपदा राहत तथा अन्य सहायता सेवाएँ ले सकता है।
- अधिनियम सहमत पट्टे की अवधि के पूरा होने के बाद भूमि के स्वचालित पुनर्ग्रहण की अनुमति देता है।
- यह अधिनियम भूमि सुधार में निवेश करने के लिए काश्तकारों को प्रोत्साहित करने पर ज़ोर देता है।
- विवाद के तीव्र समाधान के लिए **'विशेष भूमि न्यायाधिकरण' (Special Land Tribunal)** का प्रावधान दीवानी न्यायालय में किया गया है।

समस्याएँ (Concerns)

- यह अनिश्चित अवधि के लिए पक्षों के बीच पट्टे के अनुबंध की अनुमति देता है, इस खंड का उपयोग शक्तिशाली निहित स्वार्थों द्वारा भूमि पर ज़बरदस्ती क़ब्ज़ा करने के लिए किया जा सकता है।
- यह पट्टा दाता को 'मृदा स्वास्थ्य' को किसी भी क्षति की स्थिति में भूमि को पुनः प्राप्त करने की व्यवस्था करता है। मृदा स्वास्थ्य स्पष्ट रूप से परिभाषित नहीं है तथा विवादों को जन्म दे सकता है।
- यदि पट्टाकार भूमि बेचना या उपहार देने का प्रयास करता है; तो यह अनिश्चितता व अविश्वास पैदा करता है।

अतिरिक्त जानकारी

भू-कर संबंधी (Cadastral data) डेटा वास्तविक संपत्ति में भूत, वर्तमान तथा भविष्य के अधिकारों और हितों की भौगोलिक सीमा तथा उस भौगोलिक सीमा का वर्णन करने के लिए आवश्यक स्थानिक जानकारी को परिभाषित करता है। ये अधिकार तथा हित भूमि अभिलेख दस्तावेज़ों में निहित हैं। आदर्श रूप से भू-कर रिकॉर्ड को **ज़मीनी वास्तविकता** को प्रतिबिंबित करना चाहिए।

भूमि पर मालिकाना अधिकार (Land Titling) भूमि सुधार का एक रूप है, जिसमें व्यक्तियों तथा परिवारों को भूमि के लिए औपचारिक संपत्ति अधिकार दिया जाता है, जो उन्होंने पूर्व में अनौपचारिक रूप से क़ब्ज़ा कर लिया है या प्रथागत भूमि काश्तकार के आधार पर उपयोग किया है।

लैंड पूलिंग पॉलिसी: भारत में शहरीकरण हेतु एक परिवर्तनकारी पहल (Land Pooling Policy: A Transformative Initiative for Urbanisation in India)

शहरी विकास में एक बड़ा बदलाव सतत शहरीकरण और लैंड पूलिंग नीतियों द्वारा देखा गया है, जिसमें भूमि संयोजन के लिए सार्वजनिक-निजी भागीदारी सम्मिलित है तथा इसे भारत में आर्थिक विकास के अपरिहार्य चालकों के रूप में देखा जाता है। इस नीति

के तहत, भूमि का एकत्रीकरण (pooling) किया जाता है और निजी भूस्वामियों द्वारा इसका विकास किया जाता है। मालिक, विकास के लिए किसी भी आकार के भूमि खंडों को संयोजित कर सकते हैं। इस संबंध में मानदंड और दिशा-निर्देश निर्धारित किये गये हैं। प्रत्येक क्षेत्र में 60:40 का अनुपात होगा, 60 प्रतिशत भूमि का विकास भूमि स्वामियों द्वारा किया जाएगा और 40 प्रतिशत भूमि का उपयोग निजी क्षेत्र की भागीदारी में सड़क, पानी, सीवरेज आदि जैसी विभिन्न शहर स्तरीय बुनियादी ढाँचे की आवश्यकताओं के लिए किया जायेगा।

राष्ट्रीय भूमि अभिलेख आधुनिकीकरण कार्यक्रम (NATIONAL LAND RECORDS MODERNISATION PROGRAMME)

परीक्षोपयोगी

भूमि अभिलेखों का अंकरूपण (Digitisation of Land Records)

भूमि अभिलेखों को तैयार करने तथा रख-रखाव की वर्तमान प्रणाली मुग़ल काल से काफ़ी हद तक प्रभावित है तथा इसमें ब्रिटिश शासन के दौरान थोड़ा सुधार हुआ।

उत्तरोत्तर पंचवर्षीय योजनाएँ अच्छे प्रशासन के आधार के रूप में भूमि अभिलेख के उचित रख-रखाव पर बल प्रदान करती है तथा इनका लक्ष्य ग्रामीण विकास कार्यक्रमों के बेहतर कार्यांवयन के माध्यम से सामाजिक न्याय प्रदान करना है।

सातवीं पंचवर्षीय योजना के अनुसार, *"भूमि अभिलेख सभी भूमि सुधार उपायों का आधार हैं और इसलिए, सभी राज्यों में भूमि अभिलेखों का नियमित आवधिक अद्यतनीकरण आवश्यक है। इसके लिए अनिवार्य रूप से बिना मापी गयी भूमि का वैज्ञानिक सर्वेक्षण और काश्तकारों और बँटाईदारों के अधिकारों का पुनर्लेखन शामिल करना होगा, जो अब तक अप्रतिबंधित हैं।"*

अंकरूपण (डिजिटलीकरण) की आवश्यकता (Need of Digitisation)

- भूमि अभिलेख प्राय: स्वामित्व तथा क़ब्ज़े से संबंधित ज़मीनी वास्तविकताओं का प्रतिनिधित्व नहीं करते हैं।
- इसका सरकारी कल्याण नीतियों के कार्यांवयन पर प्रभाव पड़ता है।
- संपत्ति विवाद के मामले में मुक़द्दमेबाज़ी की अवधि तथा लागत में वृद्धि। इसलिए संपत्ति के लिए एक स्पष्ट स्वत्वाधिकार की आवश्यकता होती है।
- भूमि सुधार नीतियों की सफलता के लिए भूमि अभिलेख का उचित रख-रखाव आवश्यक है।
- यह लेनदेन को तीव्र तथा पारदर्शी बनायेगा।
- कई राज्यों में भूमि अभिलेख के उत्तराधिकार/हस्तांतरण तथा अद्यतन की प्रक्रिया धीमी रही है।
- भूमि अभिलेख काग़ज़ या कपड़े पर बनाकर रखा गया था। ये प्राय: बहुत ख़राब स्थिति में होते हैं।
- स्मार्ट सिटी तथा AMRUT योजना के अंतर्गत, शहर संपत्ति कर के माध्यम से अपना राजस्व बढ़ाने की कोशिश कर रहे हैं। इस प्रकार, स्पष्ट भूमि मालिकाना अधिकार प्रदान करना आवश्यक है।
- इसके अलावा अंकरूपण भूमि अधिग्रहण को तीव्र कर सकता है।

अंकरूपण की चुनौतियाँ (Challenges with Digitisation)

- विभिन्न स्तरों पर भूमि सीमाओं या मालिकाना अधिकार सूचना से संबंधित पिछले 10 वर्षों की **डेटा एंट्री** अब तक पूरी नहीं हुई है।
- ज़मीनी वास्तविकताओं की विसंगतियों से बचने के लिए अंतर-सत्यापन की आवश्यकता है।
- बड़ी मात्रा में सूचना के कारण किसी भी विवाद के निवारण में समय लगता है।
- इसके अंकरूपण (डिजिटलीकरण) के लिए पुराने भौतिक मानचित्रों के उपयोग से पुराने रिकॉर्ड के भौतिक नुक़सान की जोखिम है।

➤ भूमि स्वामित्व विभिन्न विभागों द्वारा बनाये गये कई दस्तावेज़ों के माध्यम से स्थापित किया गया है, जिससे उन तक पहुँच पाना जटिल हो गया है। उदाहरण के लिए बिक्री दस्तावेज़ पंजीकरण विभाग में संग्रहित किये जाते हैं, नक्शे सर्वेक्षण विभाग में संग्रहित किये जाते हैं, तथा संपत्ति कर रसीदें राजस्व विभाग के पास होती हैं।

➤ देश के कई राज्यों ने अभी तक मौलिक सर्वेक्षण दस्तावेज़ों, रेखाचित्रों, नक्शों इत्यादि का डिजिटलीकरण **नहीं किया** है।

➤ सुव्यवस्थित भूमि अभिलेख के रख-रखाव की कमी के कारण भूमि के स्वामित्व पर **मुक़द्दमे, घोटाले तथा संपत्ति विवाद** हुए हैं।

डिजिटल इंडिया भूमि अभिलेख आधुनिकीकरण कार्यक्रम [DIGITAL INDIA LAND RECORDS MODERNISATION PROGRAMME (DILRMP)]

➤ केंद्र प्रायोजित योजनाएँ अर्थात् "भूमि अभिलेखों का कंप्यूटरीकरण" [Computerisation of Land Records (CLR)] तथा "राजस्व प्रशासन का सुदृढ़ीकरण तथा भूमि अभिलेखों का अद्यतन" [Strengthening of Revenue Administration and Updating of Land Records (SRA&ULR)] को "डिजिटल इंडिया भूमि अभिलेख आधुनिकीकरण कार्यक्रम" (DILRMP) नामक एक संशोधित योजना में विलय कर दिया गया था, जिसका आरंभ 2008 में हुआ था। यह भारत सरकार द्वारा **100 प्रतिशत वित्त पोषणवाली एक केंद्रीय क्षेत्र** की योजना है। इसे 2025-26 तक बढ़ा दिया गया है।

➤ यह देश में भूमि अभिलेख की गुणवत्ता तथा पहुँच में सुधार करता है तथा **गारंटीकृत अधिकारों** की दिशा में बढ़ना चाहता है।

➤ **राष्ट्रीय सूचना-विज्ञान केंद्र [National Informatics Centre (NIC)]** हार्डवेयर तथा सॉफ़्टवेयर की स्थापना व रख-रखाव के लिए ज़िम्मेदार है। NIC अधिकारियों को प्रशिक्षण व तकनीकी सहायता के लिए भी ज़िम्मेदार है।

➤ कार्यक्रम के मुख्य घटक निम्नलिखित हैं :

i. नाम परिवर्तन/हस्तांतरण सहित भूमि के सभी अभिलेखों का कंप्यूटरीकरण।

ii. मानचित्रों का अंकरूपण (डिजिटलीकरण) तथा शाब्दिक व स्थानिक आँकड़ा एकीकरण।

iii. जहाँ कहीं अनिवार्य हो; सर्वेक्षण/उप-सर्वेक्षण तथा सभी सर्वेक्षण का अद्यतन एवं वास्तविक भू-कर अभिलेख के निर्माण सहित अभिलेखों का अवस्थापन।

iv. पंजीकरण का कंप्यूटरीकरण तथा भूमि अभिलेख रख-रखाव प्रणाली के साथ इसका एकीकरण।

v. मुख्य भू-स्थानिक सूचना प्रणाली [Geospatial Information System (GIS)] का विकास।

vi. स्वैच्छिक आधार पर भूमि रिकॉर्ड के साथ आधार लिंकिंग।

DILRMP के लाभ (Benefits of DILRMP)

➤ **वास्तविक भूमि स्वामित्व अभिलेख** उपलब्ध कराया जा सकता है।

➤ अभिलेखों तक मुफ़्त पहुँच भ्रष्टाचार तथा प्रताड़ना को कम करेगा।

➤ स्टाम्प पेपर को हटाने तथा बैंकों इत्यादिक के माध्यम से स्टाम्प शुल्क व पंजीकरण शुल्क का भुगतान, पंजीकरण तंत्र अंतरवस्था को कम करेगा।

➤ **अभिलेख [Record of Rights (RoR)]** इत्यादिक प्राप्त करने का **समय** तेज़ी से घटेगा।

➤ **एकल-खिड़की सेवा या वेब-सक्षम 'कभी भी-कहीं भी'** पहुँच RoR इत्यादिक प्राप्त करने में समय व प्रयास को बचायेगा।

➤ **स्वचालित उत्परिवर्तन (Automated mutation)** से धोखाधड़ीवाले संपत्ति सौदों की संभावना में काफ़ी कमी आयेगी।

➤ **विशिष्ट अधिकार (Conclusive titling)** से मुक़द्दमेबाज़ी में भी काफ़ी कमी आयेगी।

➤ अभिलेख के साथ **छेड़छाड़** नहीं की जा सकेगी।

डीआईएलआरएमपी की उपलब्धियाँ (Achievements of DILRMP)

PIB (अक्टूबर 2024) के अनुसार

➤ लगभग 95 प्रतिशत भूमि अभिलेखों का कम्प्यूटरीकरण किया जा चुका है, जिसमें 6.26 लाख से अधिक गाँव सम्मिलित हैं।

- **कैडस्ट्रल मानचित्रों का डिजिटलीकरण** 68.02 प्रतिशत तक पहुँच गया है।
- 87 प्रतिशत उप-पंजीयक कार्यालयों (SROs) को भूमि अभिलेखों के साथ एकीकृत किया गया है।
- DILRMP को **2025-26 तक बढ़ा दिया गया है**। भूमि अभिलेखों के साथ **आधार-आधारित एकीकरण** और **राजस्व न्यायालयों के कम्प्यूटरीकरण** जैसी नयी सुविधाएँ सम्मिलित की गयी हैं।

डीआईएलआरएमपी के तहत अभिनव पहलें (Innovative Initiatives under DILRMP)

i. **National Genetic Document Registration System** : यूनिफ़ॉर्म रजिस्ट्रेशन के लिए एक देश एक सॉफ़्टवेयर।

ii. **Integrated Land Management Information System (ILMIS)** : डिजिटल भूमि रिकॉर्ड संगठित संग्रह (डेटाबेस) और प्रबंधन।

iii. **Unique Land Parcel Identification Number (ULPIN)** : ULPIN या 'भू-आधार' भूमि के स्वामित्व का आसानी से पता लगाने के लिए 14 अंकों की अल्फ़ा न्यूमेरिक विशिष्ट पहचान संख्या प्रदान करता है।

> **लास्ट मिनट स्निपपेट्स**
>
> वर्ष 2023 तक, 14 राज्यों के 161 ज़िलों ने इसके छह घटकों के अंतर्गत 99 प्रतिशत और उससे अधिक कार्य संपन्न करने के लिए भूमि सम्मान प्रमाण पत्र (प्लेटिनम ग्रेडिंग) प्राप्त किये हैं।

iv. **भूमि सम्मान प्रमाणन (राज्यों/संघ शासित प्रदेशों के लिए प्लेटिनम ग्रेडिंग प्रमाणपत्र योजना) [Bhoomi Samman Certification (Platinum Grading Certificate Scheme for States/UTs)]** : कार्यक्रम के 06 बुनियादी घटकों को पूर्ण करने का लक्ष्य निर्धारित किया गया है। ये 06 बुनियादी घटक निम्न हैं - अधिकारों के अभिलेख (RoRs) का कम्प्यूटरीकरण; कैडस्ट्रल मानचित्रों/FMBs का डिजिटलीकरण; कैडस्ट्रल मानचित्रों के साथ RoR का लिंकेज; पंजीकरण का कम्प्यूटरीकरण; भूमि अभिलेखों (राजस्व कार्यालय) के साथ पंजीकरण (SRO) का एकीकरण; आधुनिक रिकॉर्ड रूम।

यह प्रमाणन उपर्युक्त छह लक्ष्यों की प्राप्ति के आधार पर प्रदान किया जाता है।

v. **ई-कोर्ट एकीकरण (e-Court Integration)** : भूमि अभिलेखों को ई-कोर्ट से जोड़ने का उद्देश्य न्यायपालिका को प्रामाणिक भूमि संबंधी जानकारी प्रदान करना, मामलों का तेज़ी से समाधान करना आदि है।

vi. **भूमि अभिलेखों का लिप्यंतरण (Transliteration of Land Records)** : भूमि प्रशासन में भाषाई बाधाओं की समस्या का समाधान करने के लिए, भूमि संसाधन विभाग ने सेंटर फ़ॉर डेवलपमेंट ऑफ़ ऐडवांस्ड कंप्यूटिंग (C-DAC) पुणे के तकनीकी सहयोग से स्थानीय भाषा में उपलब्ध अधिकारों के अभिलेखों को संविधान की **अनुसूची VIII की 22 भाषाओं में से किसी में** भी लिप्यंतरित करने की पहल की है।

vii. **NAKSHA (NAtional geospatial Knowledge-based land Survey of urban HAbitations)** : DILRMP के तहत, ग्रामीण विकास मंत्रालय के तहत भूमि संसाधन विभाग द्वारा चयनित शहरों में शहरी क्षेत्रों में भूमि अभिलेखों को तैयार करने के लिए एक पायलट कार्यक्रम शुरू किया गया है, ताकि भूमि स्वामित्व का सटीक और विश्वसनीय दस्तावेजीकरण सुनिश्चित किया जा सके, शहरी नियोजन को बढ़ाया जा सके और भूमि संबंधी विवादों को कम किया जा सके। नक़्शा कार्यक्रम के लिए भारतीय सर्वेक्षण विभाग तकनीकी साझेदार है।

संक्षिप्त विवरण

- **भूमि सुधार (Land Reforms)** - स्वामित्व, काश्तकारी के वर्तमान प्रतिरूप में परिवर्तन और भूमि के उचित प्रबंधन से संबंधित संस्थागत उपाय।
- **कृषि सुधार (Agrarian Reforms)** - इसमें किसानों की शिक्षा और प्रशिक्षण के साथ-साथ भूमि सुधार, बाज़ार तक पहुँच, बेहतर उत्पादन और विपणन के लिए ऋण सुविधाओं को सुविधाजनक बनाना शामिल है, जो किसानों की आजीविका में सुधार लाने में सहायता करते हैं।
- **रैयत/रयत (Raiyat/Ryot)** - रैयतवाड़ी व्यवस्था के तहत, रैयत वह व्यक्ति होता है, जिसे खेती के लिए भूमि पर व्यक्तिगत रूप से या परिवार के सदस्यों, किराये के नौकरों या साझेदारों के माध्यम से अधिकार होता है।

- **मध्यस्थ (Intermediaries)** – मध्यस्थ किराया वसूलनेवाले होते थे, जैसे ज़मींदार, तालुकदार, जागीर, इनाम आदि।
- **अनुपस्थित ज़मींदार (Absentee landlords)** – अनुपस्थित ज़मींदार भूमि के मालिक (जमींदार की तरह) होते थे, जिनका कोई स्थानीय संबंध नहीं होता था या जो अपनी ज़मीन के स्थानीय इलाक़े में नहीं रहते थे।
- **ज़मींदारी प्रणाली (Zamindari System)** – 1793 में – लॉर्ड कॉर्नवालिस द्वारा शुरू की गयी और सर जॉन शोर द्वारा योजना बनायी गयी थी – इस प्रणाली को स्थायी बंदोबस्त अधिनियम के रूप में भी जाना जाता है – ज़मींदारों को भूस्वामी के रूप में मान्यता दी गयी – एकत्रित राशि को 11 भागों में विभाजित किया जाता था, जिसमें से 10/11 हिस्सा ईस्ट इंडिया कंपनी का होता था और 1/11 हिस्सा ज़मींदार का होता था – बंगाल, बिहार, उड़ीसा के प्रांतों, बनारस, मध्य प्रांत के कुछ हिस्सों और मद्रास प्रेसिडेंसी के उत्तरी ज़िलों में प्रचलित था।
- **रैयतवाड़ी बंदोबस्त (Ryotwari System)** – सर थॉमस मुनरो और कैप्टन अलेक्जेंडर रीड द्वारा 1820 में शुरू किया गया – रिकार्डो के वैज्ञानिक किराया सिद्धांत पर आधारित था – राजस्व अंगरेज़ों द्वारा सीधे किसानों से एकत्र किया जाता था – मद्रास, बंबई, असम के कुछ हिस्सों और ब्रिटिश भारत के कुर्ग प्रांत में प्रचलित किया गया था।
- **महालवाड़ी बंदोबस्त (Mahalwari System) – होल्ट मैकेन्ज़ी द्वारा** 1822 में शुरू किया गया – भूमि को महालों में विभाजित किया जाता था और ज़मींदार एवं ग्राम समुदाय संयुक्त रूप से राजस्व भुगतान के लिए ज़िम्मेदार थे। प्रत्येक महाल में एक या एक से अधिक गाँव शामिल होते थे – मध्य प्रांत, उत्तर पश्चिम सीमांत प्रांत, आगरा, पंजाब और गंगा घाटी में प्रचलित था।
- **तेभागा आंदोलन (Tebhaga Movement)** – 1946-47 – दमनकारी जोतदारों के ख़िलाफ़ बंगाल के बरगादारों (बँटाईदार) द्वारा।
- **स्वतंत्रता-पूर्व भूमि सुधार (Pre-Independence Land Reforms)** – भूमि आय के संग्रह को सुव्यवस्थित करना – ब्रिटिश सत्ता का समर्थन करनेवाले गाँव के कुलीन वर्ग का निर्माण करना।
- **स्वतंत्रता के बाद भूमि सुधार (Post-Independence Land Reforms)**– बिचौलियों का उन्मूलन – काश्तकारी सुधार – कृषि का पुनर्गठन (कृषि भूमि की हदबंदी, कृषि भूमि की चकबंदी और सहकारी खेती)।
- **भूदान आंदोलन (Bhoodan Movement)** – 1951 – आचार्य विनोबा भावे – प्रत्येक भूमिहीन किसान को 1 एकड़ भूमि उपहार में दी गयी।
- **ग्रामदान आंदोलन (Gramdan Movement)** – 1952 – आचार्य विनोबा भावे – भूदान आंदोलन से अलग – इसमें प्राप्त होनेवाली भूमि किसी व्यक्तिगत किसान की नहीं; अपितु ग्राम संघ की संपत्ति बन जाती थी।
- **ऑपरेशन बरगा (Operation Barga)** – 1979 – पश्चिम बंगाल में – अवैध बेदख़ली के ख़िलाफ़ बरगादारों (बँटाईदारों) के अधिकारों की रक्षा के लिए।
- **भूमि अधिग्रहण, पुनर्वास और पुनर्स्थापन में उचित मुआवज़ा पाने का अधिकार और पारदर्शिता अधिनियम, 2013 (Right to Fair Compensation and Transparency in Land Acquisition, Rehabilitation and Resettlement Act, 2013)** – 2013 में अधिनियमित किया गया और 2014 में लागू हुआ – इससे पहले, भूमि अधिग्रहण भूमि अधिग्रहण अधिनियम, 1894, के अंतर्गत नियंत्रित होता था।
- **मॉडल लैंड लीसिंग ऐक्ट 2016 (Model Land Leasing Act 2016)** – हक़ समिति की अनुशंसाओं के आधार पर NITI आयोग द्वारा तैयार किया गया – मॉडल क़ानून के आधार पर अपने स्वयं के पट्टा क़ानून का प्रारूप तैयार करने के लिए राज्यों और केंद्रशासित प्रदेशों के लिए मार्गदर्शिका के रूप में कार्य करता है।
- **टी. हक समिति (T. Haque Committee)** – राज्यों और केंद्र शासित प्रदेशों के लिए मॉडल क़ानून के आधार पर अपने स्वयं के पट्टे संबंधी क़ानून का प्रारूप तैयार करने के लिए एक मार्गदर्शक के रूप में कार्य करती है।
- **केंद्र प्रायोजित योजनाएँ (Centrally Sponsored Schemes)** – भूमि अभिलेखों का कम्प्यूटरीकरण (CLR) और राजस्व प्रशासन को सुदृढ़ बनाना तथा भूमि अभिलेखों को अद्यतन करना (SRA-ULR) को डिजिटल इंडिया भूमि अभिलेख आधुनिकीकरण कार्यक्रम (DILRMP) नामक एक संशोधित योजना में विलय कर दिया गया। DILRMP को वर्ष 2008 में शुरू किया गया

यूपीएससी सिविल सेवा के पिछले वर्षों की प्रारंभिक परीक्षा के प्रश्न

1. डिजिटल इण्डिया भूमि अभिलेख आधुनिकीकरण कार्यक्रम के संदर्भ में, निम्नलिखित कथनों पर विचार कीजिए : **[2024]**

1. इस योजना को कार्यान्वित करने के लिए, केंद्र सरकार 100% वित्त-पोषण करती है।

2. इस योजना के अंतर्गत, भूसंपत्ति (कैडस्ट्रल) मानचित्र डिजिटलीकृत किए जाते हैं।

3. स्थानीय भाषा में उपलब्ध अधिकार-अभिलेखों को भारत के संविधान द्वारा मान्यता प्राप्त किसी भी भाषा में लिप्यंतरित करने की पहल की गई है।

उपर्युक्त कथनों में से कौन-से सहीं हैं ?

(a) केवल 1 और 2 **(b)** केवल 2 और 3
(c) केवल 1 और 3 **(d)** 1, 2 और 3

2. स्वतंत्र भारत में भूमि सुधार के संदर्भ में निम्नलिखित कथनों में कौन-सा सही है? **[2019]**

(a) सीमा-निर्धारण का लक्ष्य पारिवारिक जोतों पर निर्भर था; न कि व्यक्तिगत जोतों पर।

(b) भूमि सुधारों का मुख्य उद्देश्य सभी भूमिहीनों को कृषियोग्य भूमि प्रदान करना था।

(c) इसके परिणामस्वरूप नक़दी फ़सलों की खेती मुख्य रूप से हुई।

(d) भूमि सुधारों ने सीमा-निर्धारण की सीमा में कोई छूट नहीं दी है।

कोई प्रश्न नहीं
2023, 2022, 2021, 2020, 2018, 2017, 2016, 2015, 2014, 2013

उत्तर कुंजी

1. (d) 2. (b)

यूपीएससी सिविल सेवा के पिछले वर्षों की मुख्य परीक्षा के प्रश्न

1. देश के कुछ भागों में भूमि सुधारों के सफल कार्यान्वयन के लिए उत्तरदायी कारक क्या थे? स्पष्ट कीजिए। **[2024]**

2. भारत में **भूमि सुधार** के उद्देश्यों एवं उपायों को बताइये। आर्थिक मापदंडों के अंतर्गत, **भूमि जोतों पर भूमि सीमा नीति** को कैसे एक प्रभावी सुधार माना जा सकता है, विवेचना कीजिये। **[2023]**

3. देश के कुछ हिस्सों में **भूमि सुधार** करनेवालों ने **सीमांत और छोटे किसानों** की **सामाजिक-आर्थिक स्थितियों** में सुधार करने में कैसे मदद की? **[2021]**

4. भारत में कृषि के विकास में **भूमि सुधार की भूमिका** पर चर्चा करें। भारत में भूमि सुधार की **सफलता के लिए ज़िम्मेदार कारकों** को चिह्नित करें। **[2016]**

5. भारत में **जोतों के औसत आकार में गिरावट** ने बहुसंख्यक किसानों के लिए कृषि को ग़ैर-व्यवहार्य बना दिया है, उसे देखते हुए क्या खेती को अनुबंधित किया जाना चाहिए या कृषि में भूमि के पट्टे को बढ़ावा दिया जाना चाहिए? आलोचनात्मक रूप से गुण एवं दोषों का मूल्यांकन करें। **[2015]**

6. **भूमि अर्जन, पुनर्वासन और पुनर्व्यस्थापन में उचित प्रतिकर और पारदर्शिता अधिकार अधिनियम** 2013, 1 जनवरी, 2014 से प्रभावी हो गया। वे मुख्य मुद्दे कौन से हैं, जिन पर इस अधिनियम में ध्यान दिया जायेगा? भारत में औद्योगिकीकरण तथा कृषि पर इसके क्या प्रभाव होंगे? **[2014]**

7. भारतीय अर्थव्यवस्था में **भूमि सुधार, कृषि संबंधी उत्पादकता तथा ग़रीबी उन्मूलन** के बीच संबंध को स्थापित करें। भारत में कृषि के अनुकूल भूमि सुधार को **तैयार करने तथा कार्यान्वयन की कठिनाइयों पर** चर्चा करें। **[2013]**

कोई प्रश्न नहीं
2022, 2020, 2019, 2018, 2017

भारत में सिंचाई (Irrigation in India)

अध्याय 18

अध्याय की रूपरेखा

- भारत में सिंचाई की अनिवार्यता
- भारत में प्रचलित सिंचाई प्रणाली
- कुआँ सिंचाई
- नहर सिंचाई
- टंकी सिंचाई
- लघु सिंचाई (MI) योजनाओं की 6वीं जनगणना
- वर्षा और सिंचाई प्रणाली
- सिंचाई की विधियाँ
- सतह सिंचाई
- बाढ़ सिंचाई
- कुंड सिंचाई
- सूक्ष्म सिंचाई
- सूक्ष्म सिंचाई के प्रकार
- सीमा पट्टी पद्धति
- जलाशय पद्धति
- भारत में लघु, मध्यम तथा बृहत् सिंचाई परियोजना
- भारत में सिंचाई संबंधित समस्याएँ
- अंतर-राज्यीय जल विवाद
- जल तालिका में गिरावट
- सिंचाई के क्षेत्र में सरकार की हालिया पहल
- प्रधानमंत्री कृषि सिंचाई योजना
- नीरांचल राष्ट्रीय जलग्रहण परियोजना
- अटल भूजल योजना
- नेशनल हाइड्रोलॉजी प्रोजेक्ट
- प्रथम जल निकायों की जनगणना
- मरुस्थलीकरण एवं भूमि क्षरण मानचित्र या एटलस
- राष्ट्रीय जलभृत मानचित्रण और प्रबंधन कार्यक्रम (NAQUIM)
- भुवन ऐप
- भारत-यूरोपीय संघ जल साझेदारी (IEWP)

सिंचाई को उन स्थानों में कृषिगत भूमि में उपयुक्त मात्रा में **जल आपूर्ति के कृत्रिम तरीक़ों** के रूप में परिभाषित किया जाता है, जहाँ कृषि के लिए जल की प्राकृतिक आपूर्ति कम या अपर्याप्त होती है। सिंचाई में खेतों से **अधिशेष जल की निकासी (draining away of surplus water)** भी सम्मिलित होती है। कृषिगत उत्पादकता में वृद्धि तथा कृषि क्षेत्रक में विस्तार के लिए जल की अधिक उपलब्धता महत्त्वपूर्ण तथा सर्वोपरि है। इसलिए, सिंचाई का विस्तार कृषि क्षेत्रक के विकास के लिए महत्त्वपूर्ण रणनीति है। भारत में सिंचाई के प्रमाण **हड़प्पा कालीन सभ्यता (Harappan Civilisation)** से ही हैं। भारत के दक्षिणी तथा मध्य भागों में स्थित भू-भाग पुरानी टंकियों तथा कुओं से ढके हुए पाये गये हैं। उनमें से कुछ संभवत: ईसाई युग के आरंभ से पहले बनाये गये थे। मध्यकाल में, नहरों का निर्माण तेज़ी से हुआ। चौदहवीं शताब्दी में, **फ़िरोज़ शाह तुग़लक़** ने इंडो-गंगेटिक दोआब के आसपास सबसे विस्तृत **नहर सिंचाई प्रणाली (canal irrigation system)** को विकसित किया, जिससे काफ़ी हद तक भारत के उत्तरी भागों में खेती को लाभ हुआ। उन्नीसवीं-बीसवीं शताब्दी में, **सर एम. विश्वेश्वरैया** का सिंचाई तथा जल इंजीनियरिंग के क्षेत्र में प्रचुर योगदान था। पेशे से इंजीनियर, उन्होंने **स्वचालित जलद्वार (automatic sluice gate)** तैयार किया था तथा बॉम्बे प्रेसीडेंसी की ब्लॉक वाटर सिंचाई प्रणाली

तथा स्वचालित वीयर फ़्लडगेट्स से परिचय कराया था। बीसवीं शताब्दी के आरंभ में **कृष्णराज सागर बाँध** (कर्नाटक के मंड्या ज़िले में स्थित) के मुख्य निर्माता थे। उन्हें संग्रही कुएँ के माध्यम से जल को छानने का एक कुशल तरीक़ा आरंभ करने के लिए भी याद किया जाता है। ब्रिटिश इरीगेशन इंजीनियर, **सर आर्थर थॉमस कॉटन** को दक्षिण भारत में सिंचाई कार्यों का प्रथम अन्वेषक माना जाता है। नागार्जुनसागर और भाखड़ा नांगल बाँधों के डिज़ाइनर **कनुरी लक्ष्मण राव**, जिन्हें **के.एल. राव** के नाम से जाना जाता है, **सिंचाई के जनक (Father of Irrigation)** के रूप में प्रसिद्ध हैं। उन्होंने गंगा नदी को कावेरी नदी से जोड़कर नदियों को जोड़ने का विचार भी रखा था। इसके बाद, 1977 में, बॉम्बे में रहनेवाले सलाहकार इंजीनियर **दिनशॉ दस्तूर** ने हिमालय, मध्य और प्रायद्वीपीय भारत के आसपास **गारलैंड कैनाल स्कीम (Garland Canal Scheme)** का प्रस्ताव रखा। स्वतंत्रता के बाद पहला सिंचाई आयोग 1972 में भारत सरकार द्वारा स्थापित किया गया था।

परीक्षोपयोगी

सिंचाई से संबंधित मुख्य शब्दावली (KEY TERMS RELATED TO IRRIGATION)

- **नहरी कृष्य क्षेत्र [Culturable Command Area (CCA)] :** क्षेत्र जिसे किसी योजना के तहत सिंचित किया जा सकता है तथा खेती के लिए उपयुक्त होता है।
- **सिंचित क्षेत्र [Irrigated Area (IA)] :** इस क्षेत्र को नहरों (सरकारी तथा निजी), टैंकों, नलकूपों, अन्य कुओं तथा यहाँ तक कि कुछ अन्य स्रोतों जैसे कि सूक्ष्म सिंचाई, इत्यादि के माध्यम से खेती के लिए सिंचित माना जाता है, इसे दो श्रेणियों में विभाजित किया जाता है :
  1. **शुद्ध सिंचित क्षेत्र [Net Irrigated Area (NIA)] :** यह एक ऐसा क्षेत्र है, जिसे किसी विशेष फ़सल के लिए वर्ष में एक बार किसी भी स्रोत के माध्यम से सींचा जाता है।
  2. **सकल सिंचित क्षेत्र [Gross Irrigated Area (GIA)] :** यह कुल क्षेत्र है, जिसके अंतर्गत वर्ष में एक बार या एक से अधिक बार फ़सलों को सींचा जाता है। एक वर्ष में क्षेत्र में जितनी बार फ़सल लगायी जाती है तथा सिंचाई की जाती है, इसे उतनी बार गिना जाता है।

ध्यान दें : कृषि वर्ष – 1 जुलाई से 30 जून तक

- **सिंचाई संभावित सृजन [Irrigation Potential Created (IPC)] :** यह कुल क्षेत्र है, जिसे किसी योजना के अंतर्गत इसके पूर्ण उपयोग के साथ सिंचित किया जा सकता है।
- **सिंचाई संभावित उपयोग [Irrigation Potential Utilised (IPU)] :** यह कुल क्षेत्र है, जिसे वास्तव में एक विशेष योजना के तहत सींचा जाता है।
- **सिंचाई क्षमता अंतराल (Irrigation Potential Gap)** – IPC और IPU के बीच का अंतराल, भूमि का वह क्षेत्र होता है जिसकी सिंचाई की संभावना होती है लेकिन विभिन्न कारणों से इसे कवर नहीं किया गया है। इसे सिंचाई क्षमता अंतराल के रूप में जाना जाता है। इस अंतराल में योगदान देनेवाले कारकों में सिंचाई परियोजनाओं को पर्यावरण मंजूरी में विलंब, भूमि अधिग्रहण में समस्याएँ, जल प्रबंधन बुनियादी ढाँचे में अक्षमता आदि सम्मिलित हैं।
- **शुद्ध बोया गया क्षेत्र (Net Sown Area) :** यह फ़सलों तथा बाग़ानों में बोया गया कुल क्षेत्र है। एक ही वर्ष में एक से अधिक बार बोये गये क्षेत्र को केवल एक बार ही गिना जाता है।
- **सकल फ़सली क्षेत्र [Gross Cropped Area (GCA)] :** यह कुल क्षेत्र है, जिसे एक बार, साथ ही किसी विशेष वर्ष में एक से अधिक बार बोया जाता है। जब फ़सल को ज़मीन के किसी हिस्से पर दो बार बोया जाता है, तो क्षेत्र को GCA के अंतर्गत दो बार गिना जाता है।
- **फ़सल की तीव्रता (Cropping Intensity) :** यह सकल फ़सली क्षेत्र में शुद्ध बोये गये क्षेत्र का अनुपात है।
- **जल-उपयोग दक्षता [Water-Use Efficiency (WUE)] : यह प्रभावी जल उपयोग तथा वास्तविक जल निकासी** के बीच का अनुपात है। यह इसे समझने में सहायता करता है कि जल का उपयोग कितना प्रभावी रहा है। भारत में कृषि क्षेत्रक में, वर्तमान में जल-उपयोग दक्षता काफ़ी कम है (**लगभग 38 प्रतिशत**)। वहीं, विकसित देशों में, सूक्ष्म सिंचाई के प्रभावी उपयोग के कारण WUE लगभग 50-60 प्रतिशत है।

➤ **एलेलोपैथी (Allelopathy) :** यह एक जैविक घटना है, जिसके द्वारा एक जीव एक या अधिक जैव-रसायन उत्पन्न करता है, जो अन्य जीवों के अंकुरण, वृद्धि, अस्तित्व तथा प्रजनन को प्रभावित करते हैं। इन जैव रसायनों को **एलेलोकेमिकल्स** के रूप में जाना जाता है, जिनके लक्षित जीवों तथा समुदाय पर लाभकारी (**सकारात्मक एलेलोपैथी**) या हानिकारक (**नकारात्मक एलेलोपैथी**) प्रभाव हो सकते हैं।

उच्च जल आवश्यकतावालीं फ़सलें (Crops with High Water Requirement)

फ़सल	जल की आवश्यकता (mm)
चावल	450–700
गन्ना	1500–2500
केला	1200–2200
कपास	700–1300
टमाटर	400–800
मक्का	500–800
गेहूँ	450–650

भारत में सिंचाई की अनिवार्यता (NECESSITY OF IRRIGATION IN INDIA)

➤ **मॉनसून की अनिश्चितता (Uncertainty of Monsoon)**- हमारे देश ने कई अनावृष्टिवाले वर्षों को झेला है, जिसने लाखों लोगों को प्रभावित किया, जिसके परिणामस्वरूप भुखमरी व महामारी पैदा हुई। अगस्त, 2023 में भारत में वर्षा की कमी लगभग 36 प्रतिशत के क़रीब थी। भारत के लगभग 30 प्रतिशत भूमि क्षेत्र में अलग-अलग स्तर का सूखा पड़ा। 'गंभीर', 'अत्यधिक' और 'असाधारण' सूखे की स्थितिवाले लगभग 11.5 प्रतिशत क्षेत्र थे।

➤ वर्ष 1987 में, संपूर्ण पूर्वी तथा पश्चिमोत्तर भारत सूखे से प्रभावित हुआ था एवं प्रासंगिक रिपोर्टों के अनुसार, लगभग 30 करोड़ किसान प्रभावित हुए थे।

➤ **मृदा की जल धारण क्षमता (Water Holding Capacity of Soils)**- विभिन्न प्रकार की मृदा में नमी बनाये रखने की क्षमता अलग-अलग होती है। उदाहरण के लिए, रेतीली मिट्टी को चिकनी मिट्टी की तुलना में लगातार सिंचाई की आवश्यकता होती है। लेटराइट तथा लाल मिट्टी में नमी बनाये रखने की क्षमता कम है, उचित सिंचाई के बिना, उन पर खेती संभव नहीं है।

➤ **फ़सलों के** तथा **उच्च उपजवाली क़िस्म [High-Yielding Variety (HYV)]** बीजों के भरपूर उपयोग के लिए, जल की उचित आपूर्ति की आवश्यकता होती है।

➤ **विविधतापूर्ण जलवायु (Diverse Climate)** – भारत में विभिन्न प्रकार की जलवायु तथा मौसम की परिस्थितियाँ है। हमारे देश के कुछ स्थानों में अत्यधिक गर्म मौसम होता है, जबकि कुछ अन्य स्थानों में कम तापमान होता है। राजस्थान, गुजरात, दक्कन पठार के आंतरिक हिस्से इत्यादि जैसे स्थानों में हर वर्ष लगभग 75 सेंटीमीटर वर्षा होती है। इस प्रकार, इन स्थानों में सही प्रकार से खेती केवल सिंचाई की सहायता से ही की जा सकती है।

➤ **रबी फ़सलें (Rabi Crops)** - गेहूँ तथा दलहन जैसी रबी फ़सलें शुष्क तथा सर्दी के मौसम में उगायी जाती हैं। उनकी खेती के लिए जल, सिंचाई के माध्यम से प्रदान किया जाता है

➤ **बहुफ़सली (Multiple Cropping)** – बहुफ़सली प्रणाली में जल की नियमित आपूर्ति की आवश्यकता होती है तथा इसे सिंचाई के माध्यम से संभव बनाया जा सकता है।

➤ सिंचाई **के कारण कृषि के अंतर्गत ज़्यादा-से-ज़्यादा ज़मीनें लायी जा सकती हैं**। रिकॉर्ड के अनुसार, लगभग 13.83 करोड़ हेक्टेयर ज़मीन को कृषि योग्य बंजर ज़मीन के रूप में वर्गीकृत किया गया है। इन ज़मीनों को खेती योग्य बनाने में सिंचाई का प्रावधान सहायक हो सकता है। **राजस्थान** में कृषि योग्य बंजर भूमि का सर्वाधिक क्षेत्रफल है।

- सिंचाई **उत्पादन में अस्थायित्व को कम करती है**। यह सूखा तथा बाढ़ दोनों ही स्थिति में उत्पादन में गिरावट को रोक सकती है।
- **कृषि उत्पादन में वृद्धि** के माध्यम से सिंचाई के कुछ अप्रत्यक्ष लाभ भी हैं। यह सिंचित ज़मीन के माध्यम से रोज़गार की संभावना को बढ़ाती है। यह अन्य क्षेत्रों जैसे- जल परिवहन, सरकारी आय, किसानों की आय में स्थिरता इत्यादि को विकसित करने में भी सहायता करता है।

भारत में प्रचलित सिंचाई प्रणाली (PREVALENT IRRIGATION SYSTEMS IN INDIA)

सिंचाई प्रणाली (Systems of irrigation) का संबंध जल संसाधनों के भंडारण तथा विनियमन की प्रक्रिया से है। भारत में, सिंचाई का काम मुख्य रूप से नलकूपों, अन्य कुओं, नहरों, टैंकों तथा बहुउद्देशीय परियोजनाओं के माध्यम से किया जाता है। इस प्रकार, हम उन्हें तीन तरह से वर्गीकृत करते हैं -

सिंचाई प्रणाली (Systems of Irrigation)
- कुआँ सिंचाई (Well Irrigation)
- नहर सिंचाई (Canal Irrigation)
- टंकी सिंचाई (Tank Irrigation)

1. कुआँ सिंचाई (Well Irrigation)

- यह भारत में सिंचाई की **सबसे लोकप्रिय पद्धति** है। इस प्रणाली के अंतर्गत, भूमिगत जल को पीने तथा सिंचाई दोनों उद्देश्यों के लिए बाहर निकाला जाता है। इस प्रणाली के कार्यान्वयन के लिए, जल की बारहमासी आपूर्ति प्राप्त करने के लिए एक गड्ढा खोदा जाता है। कुआँ सिंचाई के लिए खारा जल उपयुक्त नही होता है।
- यह प्रणाली **उन क्षेत्रों** में लोकप्रिय है, जहाँ **भू-जल प्रचुर मात्रा में है**। हालाँकि, भारत का प्रायद्वीपीय हिस्सा अपनी चट्टानी संरचना, असमान सतह तथा भूमिगत जल की कमी के कारण कुआँ सिंचाई के लिए उपयुक्त नहीं है।
- कुआँ सिंचाई **दो प्रकार** की हो सकती है :
  1. **नलकूप सिंचाई (Tube well irrigation)**
  2. **डग वेल (खुदाई कुआँ) सिंचाई (Dug well irrigation)**
- कुआँ सिंचाई के लाभों में सम्मिलित हैं - ग़रीब किसानों के लिए सरल तथा सस्ते स्रोत की उपलब्धता का उपयोग आवश्यकता के अनुसार कभी भी किया जा सकता है।
- यह सूखे के दौरान पानी का एक विश्वसनीय स्रोत है, जब ऊपरी सतह का पानी सूख जाता है।
- नलकूप सिंचाई की मुख्य कमी यह है कि इसका उपयोग खारे भूजल के क्षेत्रों में नहीं किया जा सकता है।

2. नहर सिंचाई (Canal Irrigation)

- नहर सिंचाई, कुआँ सिंचाई के बाद, भारत में **दूसरी सबसे अधिक लोकप्रिय** सिंचाई व्यवस्था है।
- इस व्यवस्था का विस्तार उन क्षेत्रों में आसानी से किया जा सकता है, जो बारहमासी नदियों के कारण शुष्क नहीं होते हैं। हालाँकि, आजकल नहर सूखे स्थानों में भी बन रही हैं, जहाँ बारहमासी नदियाँ विद्यमान् नहीं हैं।
- नहर की सिंचाई उन क्षेत्रों के लिए सहायक है, **जहाँ मिट्टी की नमी बनाये रखने की क्षमता कमज़ोर होती है**।
- नहर सिंचाई नदी घाटी परियोजनाओं द्वारा प्रशासित तथा नियंत्रित हैं। इस प्रकार, यह दोहरे उद्देश्य से कार्य करती है - यह सिंचाई की सुविधा प्रदान करती है तथा बाढ़ को भी नियंत्रित करती है। कई नदी घाटी परियोजनाएँ बहुउद्देशीय परियोजनाएँ हैं तथा विद्युत उत्पादन के लिए उपयोग की जाती हैं।

- नहर सिंचाई को दो श्रेणियों में वर्गीकृत किया जा सकता है :
  i. **जलप्लावन/जल निकासी नहरें (Inundation Canals)**- इन नहरों को **वर्षा के मौसम में बाढ़ के पानी के निकास के लिए बनाया जाता है**। इन नहरों में पानी के प्रवाह को विनियमित करने के लिए कोई भी मेड़ (या लो हेड डैम) नहीं होती है। जल निकासी नहरों के माध्यम से सिंचाई मौसमी होती है तथा वर्षा पर निर्भर करती है। **सर्दियों या शुष्क मौसम में, इन नहरों का कोई उपयोग नहीं होता है**। ये मुख्य रूप से **सतलज-गंगा घाटी और ब्रह्मपुत्र घाटी में** पायी जाती हैं। हालाँकि, उन्हें नदी घाटी परियोजनाओं तथा बहुउद्देश्यी परियोजनाओं के साथ जोड़कर बारहमासी नहरों में परिवर्तित करने का प्रयास चल रहा है।

अतिरिक्त जानकारी

भारत में महत्त्वपूर्ण जलप्लावन नहर (IMPORTANT INUNDATION CANALS IN INDIA)

नहर	सिंचित राज्य
इंदिरा गांधी नहर	हरियाणा, पंजाब तथा राजस्थान के मैदान
सरहिंद नहर	हरियाणा तथा पंजाब के मैदान
त्रिवेणी नहर	बिहार
शारदा नहर	उत्तर प्रदेश
ईडन नहर	पश्चिम बंगाल
तिलपाड़ा नहर	झारखंड और पश्चिम बंगाल
मुठा नहर	महाराष्ट्र
संपद सागर नहर	आंध्र प्रदेश
एनीकट नहर	तमिलनाडु
बकिंघम नहर	आंध्र प्रदेश और तमिलनाडु

  ii. **बारहमासी नहर (Perennial Canals)**– ये नहरें **वर्ष भर** जल के प्रवाह को बनाये रखती हैं। इस तरह की नहरों में जल के प्रवाह को **मेड़ तथा जलमार्ग** द्वारा नियंत्रित किया जाता है। ये नहरें जलाशय से या नदी घाटी परियोजनाओं से जल खींच सकती हैं। बारहमासी नहरें ज्यादातर पंजाब, उत्तर प्रदेश तथा तमिलनाडु में पायी जाती हैं।
- **नहर सिंचाई** के अंतर्गत NIA के संदर्भ में **उत्तर प्रदेश** शीर्ष पर है, जिसके बाद **राजस्थान** है।
- नहर सिंचाई के माध्यम से, तलछट को नदी के पानी से नीचे लाया जाता है, जो कृषि क्षेत्रों में जमा हो जाता है और मिट्टी की उर्वरता में वृद्धि करता है।
- नहर सिंचाई की एक कमी यह है कि पानी के अत्यधिक प्रवाह के कारण, केशिकीय क्रिया सतह पर नमक लाती है, जो बड़े क्षेत्रों को कृषि के लिए अयोग्य बनाती है। महाराष्ट्र, उत्तर प्रदेश, पंजाब और हरियाणा में बड़ी संख्या में क्षेत्रों को इस समस्या का सामना करना पड़ा है। इसे **'रेह (Reh)'** की समस्या के रूप में भी जाना जाता है।

3. टंकी सिंचाई (Tank Irrigation)

- जल की उपलब्धता तथा आवश्यकताओं के आधार पर टंकियाँ विशिष्ट आकार के जल-भंडार होती हैं।
- यह वर्षा, प्रवाह, नदियों इत्यादि से **जल के भंडारण का एक पारंपरिक तरीक़ा** है। इस संग्रहित जल का उपयोग मुख्य रूप से सिंचाई के लिए किया जाता है।

- विभिन्न क्षेत्रों में मत्स्य पालन टैंकों में किया जाता है, इस प्रकार किसान की आय में वृद्धि होती है।
- भारत के **दक्कन पठार तथा दक्षिणी क्षेत्र में**, तालाब (टंकी) सिंचाई का उपयोग काफ़ी हद तक किया जाता है। देश के इन हिस्सों में, जल की आपूर्ति ज़्यादातर मौसमी वर्षा पर निर्भर है। इसके अलावा, पथरीली तथा असमान सतहों के कारण, कुआँ या नहर की खुदाई करना मुश्किल है, इस प्रकार तालाब सिंचाई हमारे देश के दक्कन पठार तथा दक्षिणी भागों में सिंचाई की एक लोकप्रिय प्रणाली है।
- **टंकी सिंचाई** के अंतर्गत NIA के संदर्भ में, **आंध्र प्रदेश (29%)** शीर्ष पर है, जिसके बाद **तमिलनाडु (23%)** का स्थान है।
- हालाँकि, टंकी सिंचाई की प्रणाली कुछ **कमियों** से ग्रस्त है –
  - i. छिछले जल की टंकियों के व्यापक विस्तार के कारण, वाष्पीकरण तेज़ी से होता है, जिससे जल संसाधन की हानि होती है।
  - ii. सिंचाई के लिए जल की बारहमासी आपूर्ति सुनिश्चित नहीं करता है।
  - iii. यह खेती योग्य भूमि के एक विशाल क्षेत्र पर क़ब्ज़ा कर लेता है।

परीक्षोपयोगी

महत्त्वपूर्ण तथ्य (IMPORTANT FACTS)

- भारत में **कुल बोआई क्षेत्र का लगभग 49 प्रतिशत** ठीक से सिंचित है (शुद्ध सिंचित क्षेत्र) और शेष 51 प्रतिशत खेती योग्य भूमि वर्षा जल की दया पर निर्भर करता है।
- शुद्ध सिंचित क्षेत्र [Net Irrigated Area (NIA)] साल-दर-साल **धीरे-धीरे बढ़ा** है (2018 के नवीनतम उपलब्ध आँकड़ों के अनुसार, NIA **69.4** मिलियन हेक्टेयर है)।

सिंचाई की विभिन्न प्रणालियों के अंतर्गत शुद्ध सिंचित क्षेत्र

प्रकार	(2001–02) इसके अंतर्गत NIA का अनुपात	(2022–23) इसके अंतर्गत NIA का अनुपात	टिप्पणी
नहर से सिंचाई	27%	22.85%	गिरावट
टंकी से सिंचाई	4%	2.85%	गिरावट
नलकूप से सिंचाई	41%	49.34% (**सर्वोच्च**)	**बढ़ोतरी**
डग वेल से सिंचाई	21%	13.46%	गिरावट
सिंचाई के अन्य स्रोत	7%	11.5%	बढ़ोतरी
कुल	**100%**	**100%**	

निवल सिंचित क्षेत्रों के प्रतिशत के संदर्भ में शीर्ष 5 सिंचित राज्य (2018-19)

राज्य	कृषि योग्य भूमि ('000' हेक्टेयर में)	शुद्ध सिंचित क्षेत्र का प्रतिशत
पंजाब	4,233	97%
हरियाणा	3,817	86%
उत्तर प्रदेश	18,775	77%
मध्य प्रदेश	17,121	66%
पश्चिम बंगाल	5,615	55%

फ़सल-वार सकल सिंचित क्षेत्र (2014-15 के आँकड़ों के अनुसार)

फ़सल	अनाज के अंतर्गत % सकल सिंचित क्षेत्र के रूप में
चावल	**41% (दूसरा सर्वोच्च)**
ज्वार	1%
बाजरा	1.1%
मक्का	3.6%
रागी	0.2%
गेहूँ	**46.1% (सर्वोच्च)**
जौ	0.9%
कुल अनाज और बाजरा	**93.4%**
दाल	**6.6%**
कुल अनाज	**100%**

स्रोत : भारतीय सांख्यिकीय शब्दकोश 2018; आर्थिक सर्वेक्षण 2024-25

लघु सिंचाई (एमआई) योजनाओं की 6वीं जनगणना [6th CENSUS OF MINOR IRRIGATION (MI) SCHEMES]

➤ लघु सिंचाई (MI) योजनाओं की 6वीं जनगणना **संदर्भ वर्ष 2017-18** में जल शक्ति मंत्रालय द्वारा शुरू की गयी और रिपोर्ट 2023 में प्रकाशित की गई थी।

➤ रिपोर्ट के अनुसार, देशभर में **23.14 मिलियन MI योजनाएँ** दर्ज की गयी हैं, जिनमें से **21.93 मिलियन (94.8%)** सतही जल (SW) योजनाएँ और **1.21 मिलियन (5.2%)** भूजल (GW) योजनाएँ हैं।

भू-जल योजनाओं की संख्या में अग्रणी राज्य	सतह-जल योजनाओं की संख्या में अग्रणी राज्य	कुल योजनाओं में अग्रणी राज्य
• उत्तर प्रदेश	• महाराष्ट्र	• उत्तर प्रदेश
• महाराष्ट्र	• कर्नाटक	• महाराष्ट्र
• मध्य प्रदेश	• तेलंगाना	• मध्य प्रदेश

स्रोत : जल शक्ति मंत्रालय, पीआईबी, 6वीं जनगणना रिपोर्ट

प्रकार के आधार पर MI योजनाओं के वितरण का प्रतिशत (Percentage Distribution of MI schemes by type) : 6वीं MI जनगणना के दौरान, डगवेल योजनाओं के बाद उथले ट्यूबवेलों की प्रमुख हिस्सेदारी है, जिसे नीचे दिये गये पाई-चार्ट में भी दर्शाया गया है।

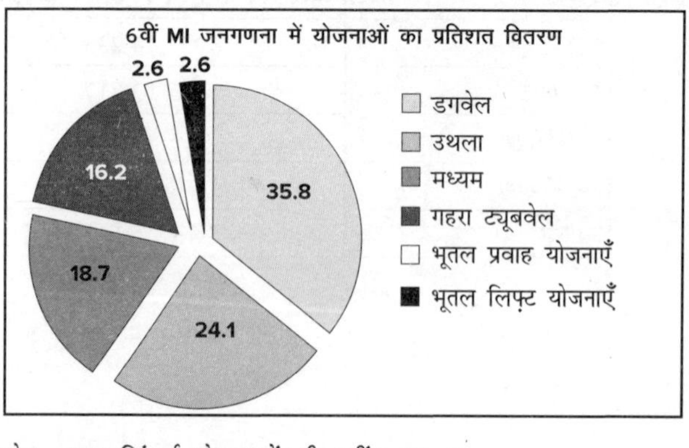

स्रोत : लघु सिंचाई योजनाओं की 6वीं जनगणना

प्रकार के अनुसार MI योजनाओं के अग्रणी राज्य

डगवेल	उथला ट्यूबवेल	मध्यम ट्यूबवेल	गहरा ट्यूबवेल	सतही प्रवाह	भूतल लिफ्ट
• महाराष्ट्र	• उत्तर प्रदेश	• कर्नाटक	• पंजाब	• महाराष्ट्र	• महाराष्ट्र
• तमिलनाडु	• मध्य प्रदेश	• तेलंगाना	• आंध्र प्रदेश	• कर्नाटक	• ओडिशा
• मध्य प्रदेश	• गुजरात	• बिहार	• राजस्थान	• झारखंड	• कर्नाटक

स्रोत : लघु सिंचाई योजनाओं की 6वीं जनगणना

- उथले ट्यूबवेल, मध्यम ट्यूबवेल और गहरे ट्यूबवेल के बाद MI योजनाओं की कुल संख्या में **डगवेल** की हिस्सेदारी सबसे अधिक है।
- MI योजनाओं में **उत्तर प्रदेश** अग्रणी राज्य है, इसके बाद महाराष्ट्र, मध्य प्रदेश और तमिलनाडु हैं।
- MI योजनाओं में करीब **1.42 मिलियन** की वृद्धि हुई है।
- GW और SW योजनाओं में क्रमशः **6.9 प्रतिशत** और **1.2 प्रतिशत** की वृद्धि हुई है।
- MI योजनाओं के IPC में 0.76 प्रतिशत की गिरावट आयी है। 6वीं जनगणना के दौरान IPC में उथली ट्यूबवेल योजना की हिस्सेदारी सबसे अधिक है।

लास्ट मिनट स्निपपेट्स

7वीं लघु सिंचाई जनगणना 2025 में आयोजित की जा रही है।

- IPU में करीब **6.1 प्रतिशत** की वृद्धि हुई है। IPU में उथली ट्यूबवेल योजना की हिस्सेदारी सबसे अधिक है।
- IPU से IPC का अनुपात **5वीं MI जनगणना में 79.7 प्रतिशत से बढ़कर 6वीं MI जनगणना में 85.1 प्रतिशत हो गया है।**

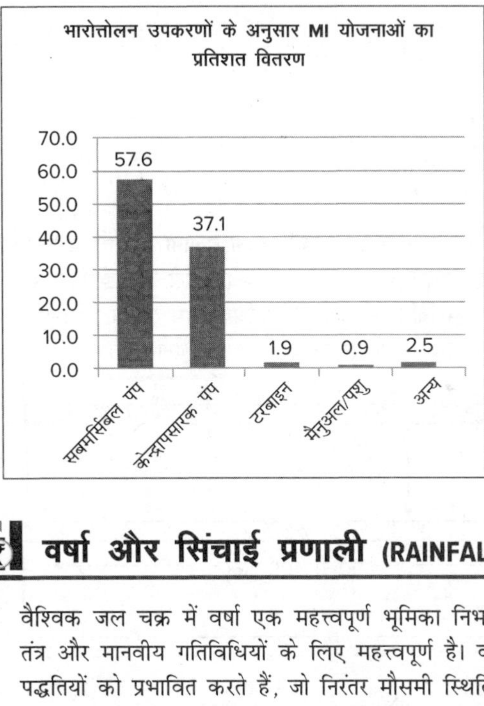

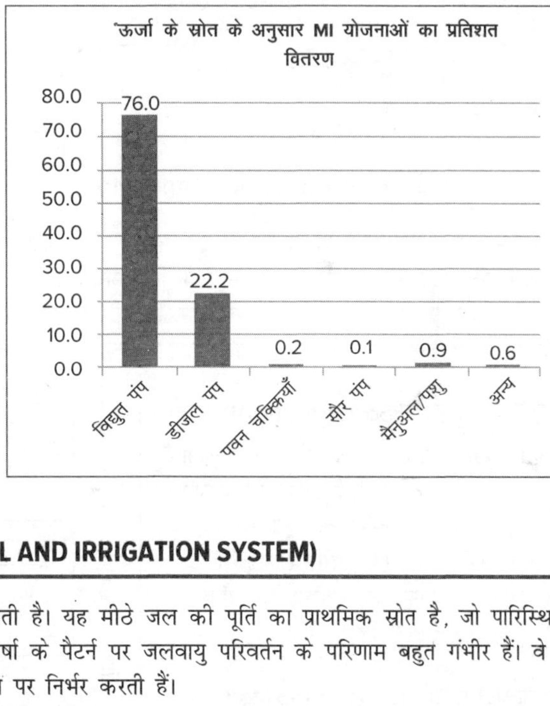

वर्षा और सिंचाई प्रणाली (RAINFALL AND IRRIGATION SYSTEM)

- वैश्विक जल चक्र में वर्षा एक महत्त्वपूर्ण भूमिका निभाती है। यह मीठे जल की पूर्ति का प्राथमिक स्रोत है, जो पारिस्थितिकी तंत्र और मानवीय गतिविधियों के लिए महत्त्वपूर्ण है। वर्षा के पैटर्न पर जलवायु परिवर्तन के परिणाम बहुत गंभीर हैं। वे कृषि पद्धतियों को प्रभावित करते हैं, जो निरंतर मौसमी स्थिति पर निर्भर करती हैं।
- भारत में लक्षित हस्तक्षेपों के कारण समय के साथ कृषि विकास में अस्थिरता काफ़ी कम हो गई है। आर्थिक सर्वेक्षण 2024-25 के अनुसार, शुद्ध बोये गये क्षेत्र का लगभग 55 प्रतिशत सिंचाई प्राप्त करता है। इसलिए, कृषि क्षेत्र मौसमी परिवर्तनशीलता के प्रति अत्यधिक संवेदनशील बना हुआ है।
- अनियमित मानसून पैटर्न के परिणाम सीमांत और छोटे पैमाने के किसानों के लिए बहुत स्पष्ट हैं। वे भारत की कृषि जोत के लगभग 85 प्रतिशत का प्रतिनिधित्व करते हैं। ये किसान लगभग 2 हेक्टेयर से कम आकार के भूखंडों पर खेती करते हैं। वे जलवायु परिवर्तनशीलता के नतीजों के प्रति अत्यधिक संवेदनशील हैं।

सिंचाई की विधियाँ (METHODS OF IRRIGATION)

खेती के लिए विभिन्न स्रोतों तथा विभिन्न प्रणालियों से जल प्राप्त करने के बाद, पौधे की जड़ों में जल की आपूर्ति विभिन्न कारकों पर निर्भर करती है जैसे – **ज़मीन का स्तर, मिट्टी का प्रकार, फ़सलों के प्रकार तथा जल की उपलब्धता।**

इन कारकों के आधार पर, सिंचाई की विभिन्न मूल विधियाँ हैं :

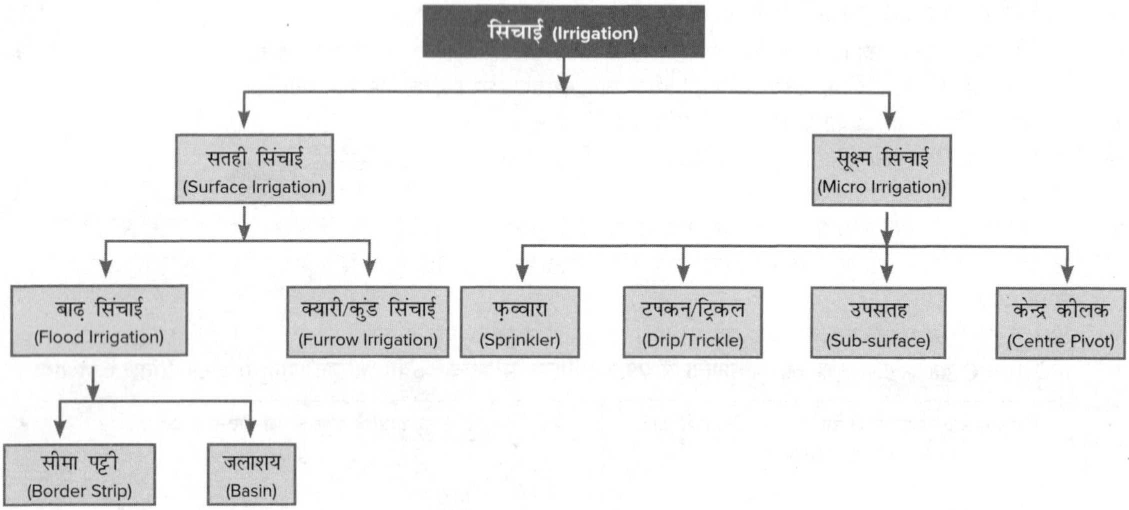

1. सतही सिंचाई (Surface Irrigation)

इस विधि में गुरुत्वाकर्षण प्रवाह के माध्यम से जल वितरित किया जाता है। यह विधि **समतल ज़मीनवाले ढलानों** तथा **दोमट या चिकनी मिट्टी** जैसी मध्यम या महीन बनावटवाली मिट्टी के लिए सबसे उपयुक्त है। बजरी व रेत जैसे मोटी बनावटवाले लंबे खेतों में समान रूप से जल वितरित करना मुश्किल है। आमतौर पर, इस विधि में सिंचाई की अन्य विधि की तुलना में **अधिक श्रम लगता** है। इस विधि को व्यापक रूप से उपयोग किया जाता है, क्योंकि इसकी प्रक्रिया सरल है तथा रख-रखाव पर ज़्यादा ध्यान नहीं देना पड़ता।

(i) बाढ़ सिंचाई (Flood Irrigation)

इसमें एक भूखंड / मैदान में एक जल मार्ग खोलना सम्मिलित है, ताकि जल सभी दिशाओं में बहुतायत रूप से बह सके तथा ज़मीन की पूरी सतह को कवर कर सके। यह एक **अयोग्य पद्धति** है, क्योंकि जल के प्रवाह का लगभग 20 प्रतिशत केवल पौधों द्वारा उपयोग किया जाता है।

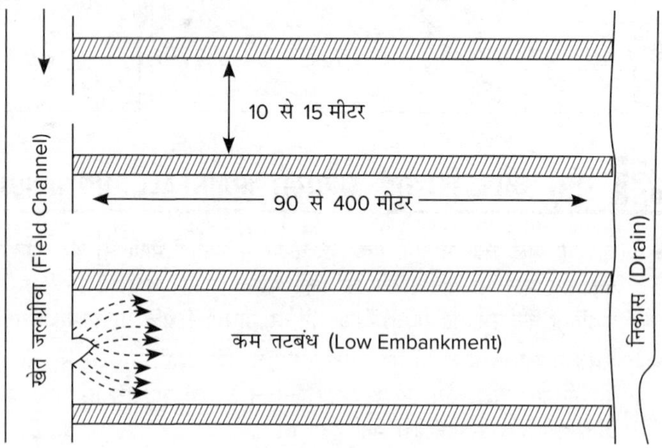

सीमा पट्टी पद्धति

(a) सीमा पट्टी पद्धति (Border Strip Method)

इस विधि में, फ़सल के खेत को 10–15 मीटर चौड़ी तथा 90–400 मीटर लंबी पट्टियों में विभाजित किया जाता है। पट्टियों के बीच में, तटबंध बनाये जाते हैं, जो सिंचित जल से भरे होते हैं। अंततः मिट्टी जल को अवशोषित करती है तथा पौधों को मिट्टी से अपेक्षित मात्रा में जल मिलता है।

(b) जलाशय पद्धति (Basin Method) खेत को **10–100 वर्ग मीटर** या उससे अधिक के क्षेत्र को जलाशय में विभाजित किया जाता है। लघु सिंचाई मार्ग दो नज़दीकी जलाशयों के बीच बनाये जाते हैं। मिट्टी को गीला करने के लिए इन छोटे जलाशयों को पानी से भर दिया जाता है। सिंचाई की यह विधि **चावल की खेती के लिए उपयुक्त** है। इस विधि में, जल की बर्बादी तथा मृदा के क्षरण को कम किया जा सकता है। लेकिन मैदान में जलाशयों के बीच की सीमाओं के निर्माण के कारण, इस पद्धति में **ज़मीन का अपव्यय** हो जाता है।

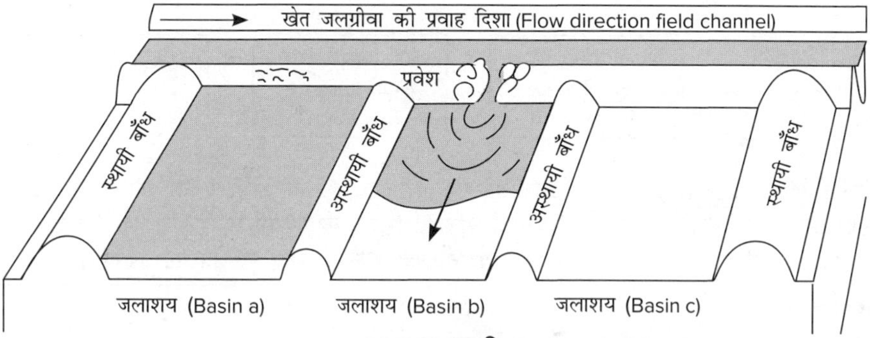

जलाशय पद्धति

(ii) क्यारी/कुंड सिंचाई (Furrow Irrigation)

इस पद्धति के अंतर्गत, किसी खेत में फ़सलों की क्यारी (पंक्तियाँ) के बीच **कुंड खोदा** जाता है। यह सिंचाई की सबसे पुरानी पद्धतियों में से एक है तथा **क्यारी (पंक्ति) फ़सलों** बीन्स, टमाटर, आलू, इत्यादि के जैसी सब्ज़ियों के लिए **अच्छी तरह से काम करता है**। इस पद्धति में कम निवेश की आवश्यकता होती है तथा इसमें सरल तकनीक लगती है। इस प्रकार, विकासशील अर्थव्यवस्थाओं में यह बहुत रोचक है, जहाँ अत्यधिक यंत्रीकृत प्रणाली उपलब्ध नहीं है।

कुंड (क्यारी) सिंचाई

2. सूक्ष्म सिंचाई (Micro-Irrigation)

- इसमें पौधों की जड़ों में कम दबाव के क्षेत्र के अंतर्गत कम मात्रा में जल का नियमित अंतराल के बाद उपयोग होता है।
- बाढ़ सिंचाई के विपरीत, जहाँ जल परिवहन के दौरान बर्बाद हो जाता है, सूक्ष्म सिंचाई से न केवल **जल की बचत** होती है, बल्कि **मृदा स्वास्थ्य प्रबंधन (soil health management)** में भी सहायता मिलती है तथा **जल जमाव को रोकता** है।
- डबलिंग फ़ार्मर्स इनकम (DFI) कमेटी रिपोर्ट, 2018 के अनुसार, सूक्ष्म सिंचाई से पारंपरिक बाढ़ सिंचाई का **40 प्रतिशत जल बचता है, 47 प्रतिशत तक फ़सल में वृद्धि** होती है तथा आय में **लगभग 48 प्रतिशत** की वृद्धि होती है।
- **₹5,000 करोड़** की राशिवाले समर्पित **सूक्ष्म सिंचाई कोष NABARD** के साथ स्थापित किया गया। इस कोष का उपयोग कर, NABARD सूक्ष्म सिंचाई में विशेष व नवोन्मेष परियोजना शुरू करने के लिए राज्य सरकार को ऋण प्रदान करेगा।

सूक्ष्म सिंचाई के प्रकार (Types of Micro-Irrigation)

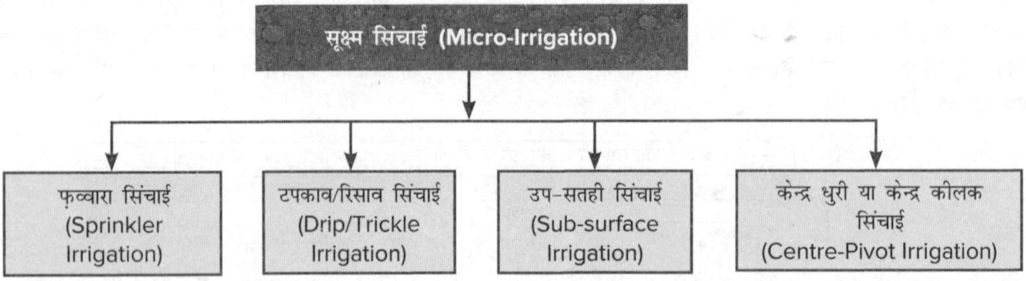

(a) फ़व्वारा सिंचाई (Sprinkler Irrigation) सिंचाई की एक पद्धति है, जो कि **सभी प्रकार की फ़सलों के लिए उपयुक्त** है तथा इसका विस्तार छोटे से बड़े क्षेत्रों में किया जा सकता है। फ़व्वारा सिंचाई के माध्यम से, फ़सलों तक जल **झरने के रूप** में प्रदान किया जाता है। इसके लिए किसी तरह के **मार्ग की आवश्यकता** नहीं होती, इसलिए पूरे क्षेत्र का उपयोग किया जा सकता है।

लाभ (Advantages) :

1. भूमि के अलग-अलग आकार – दोनों बड़े और छोटे भूखंड – के लिए उपयुक्त।
2. भूमि के विशिष्ट क्षेत्र तक सीधे जल धारा पहुँचाने में अधिक सक्षम, जल हानि से बचाव।
3. इस प्रणाली के माध्यम से उर्वरक एवं रासायनिक उपचार के प्रबंध करने की क्षमता।

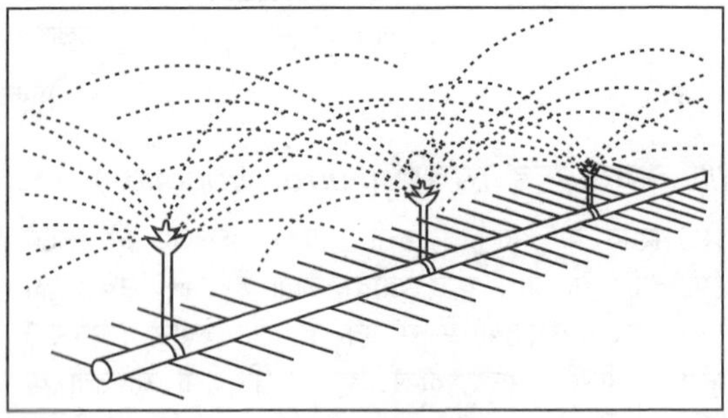

फ़व्वारा सिंचाई

हानि (Disadvantages) :

1. आरम्भिक लागत तुलनात्मक रूप से बहुत अधिक।
2. दबाव प्रदान करने के लिए बिजली की कोई भी लागत सिंचाई शुल्क में जोड़ी जानी चाहिए।
3. वायु व्यवधान के साथ वितरण पैटर्न फैलाव को कम करता है या पार्श्व पाइप के पास अनुप्रयोग दर को बढ़ा देता है।

(b) टपकाव/रिसाव सिंचाई (Drip/Trickle Irrigation) यह हर प्रकार की खेती योग्य ढलान में अपनाया जाता है तथा **अधिकतर मृदा के लिए उपयुक्त है**। यह एक ऐसी तकनीक है, जिसमें जल की आपूर्ति टपकनेवाली विशेष पाइप में की जाती है, जिसमें विशिष्ट अंतरवाले उत्सर्जक जुड़े होते हैं। उत्सर्जक के माध्यम से, जल की आपूर्ति सीधे पौधों की जड़ों के नज़दीक की जाती है, जिसमें जल के धीमे निकास के लिए विशेष उपकरण होता है।

लाभ (Advantages) :

1. वाष्पीकरण और गहरी जल-निकासी के कारण जल की हानि कम होती है।
2. पानी के संपर्क को न्यूनतम कर कवक या फफूँद रोगों को रोकती है।
3. **खर-पतवार की वृद्धि को हतोत्साहित करती है,** क्योंकि जल वहीं दिया जाता है, जहाँ इसकी आवश्यकता होती है।
4. डूब सिंचाई जल, जिसमें उर्वरक और कीटनाशक जैसे हानिकारक रसायन होते हैं, के माध्यम से फैलनेवाले बहुत से रोगों को जड़ से समाप्त कर सकती है।
5. जल उपयोग क्षमता को बढ़ाती है।

टपकाव/रिसाव सिंचाई

हानि (Disadvantages) :

1. अवरोध (clogging) के प्रति संवेदनशीलता।

2. आर्द्रता या नमी वितरण की समस्या।
3. **लवणता या खारेपन की जोखिम**।

(c) उप-सतही सिंचाई (Sub-surface Irrigation) इस विधि में **पॉली-इथिलीन पाइपों का एक जाल** ज़मीन की सतह के नीचे लगाया जाता है, ताकि बहाव रुक सके तथा सीधे पौधों की जड़ों में जल प्रदान कर सके। यह प्रणाली विशेष रूप से शुष्क तथा हवादार स्थानों के लिए उपयुक्त है। हालाँकि, यह प्रणाली **महँगी** है तथा **इसके लिए विशेषज्ञ डिज़ाइन व रख-रखाव की आवश्यकता होती है**।

(d) केन्द्र कीलक सिंचाई (Centre-Pivot Irrigation) इसके अंतर्गत, एक **स्व-चालित प्रणाली (self-propelled system),** जिसमें मोबाइल टावरों की एक पंक्ति द्वारा समर्थित एक पाइपलाइन ज़मीन से 2-4 मीटर ऊपर रहती है। जल को मध्य पाइप में डाला जाता है तथा **टावर** धुरी बिंदु के चारों ओर **धीरे-धीरे घूमते** हैं, जिसके माध्यम से एक **बड़ा गोलाकार क्षेत्र सिंचित** होता है। ऐसी विधि के लाभ में उपयोग किये गये जल की एकरूपता, ऊर्जा संरक्षण, पोषकतत्त्वों के नुक़सान की कम जोखिम इत्यादि सम्मिलित हैं।

हालाँकि, यह आयताकार/वर्गाकार आकार के कृषि योग्य खेतों के लिए उपयुक्त नहीं है। इसके अतिरिक्त, इसमें पूँजी लागत भी ज़्यादा लगती है तथा संचालन के लिए ऊर्जा के कुछ स्रोतों (इलेक्ट्रिक या डीज़ल) की आवश्यकता होती है।

सूक्ष्म सिंचाई की मज़बूती (Strengths of Micro-Irrigation)

- समान मात्रा के जल के साथ **अतिरिक्त क्षेत्र की** सिंचाई। (सिंचाई जल की 20 से 48 प्रतिशत बचत)
- ऊर्जा, उर्वरक, श्रम जैसे अन्य आगत का कुशल परिनियोजन। (**ऊर्जा की बचत** - 10 से 17 प्रतिशत, **श्रम लागत की बचत** - 30 से 40 प्रतिशत, उर्वरक की बचत - 11 से 19 प्रतिशत।
- **फ़सल की उत्पादकता (crop productivity)** में वृद्धि (20 से 38 प्रतिशत)
- **उपज की बेहतर गुणवत्ता (Better quality of produce)**, जिससे बिक्री मूल्य की अधिक प्राप्ति होती है, जिससे किसान की आय में वृद्धि होती है।
- जल की कमीवाली ज़मीन, **खेती योग्य बंजर (cultivable waste land)** ज़मीन इत्यादि को सूक्ष्म सिंचाई के उपयोग के कारण खेती के अंतर्गत लाया जा रहा है।

समस्याएँ/चुनौतियाँ (Issues/Challenges)

- सूक्ष्म सिंचाई की संपूर्ण प्रक्रिया की दक्षता में सुधार की आवश्यकता है।
- जल संचयन संरचनाओं (तालाबों, टैंकों, चेक बाँध, इंजेक्शन कुएँ इत्यादि) के साथ सूक्ष्म सिंचाई की विधि का अभिसरण तथा जलभृतों को रिचार्ज करने के लिए संबंधित वनरोपण।

लास्ट मिनट स्निपपेट्स

आर्थिक सर्वेक्षण 2024-25 के अनुसार, भले ही भारत में सूक्ष्म सिंचाई के अंतर्गत क्षेत्र में वृद्धि हुई है (सिंचित क्षेत्र का 8 प्रतिशत), फिर भी इसकी गति अमेरिका (68.6 प्रतिशत) और चीन (13.7 प्रतिशत) की तुलना में काफ़ी धीमी है।

सूक्ष्म सिंचाई के अंतर्गत क्षेत्र

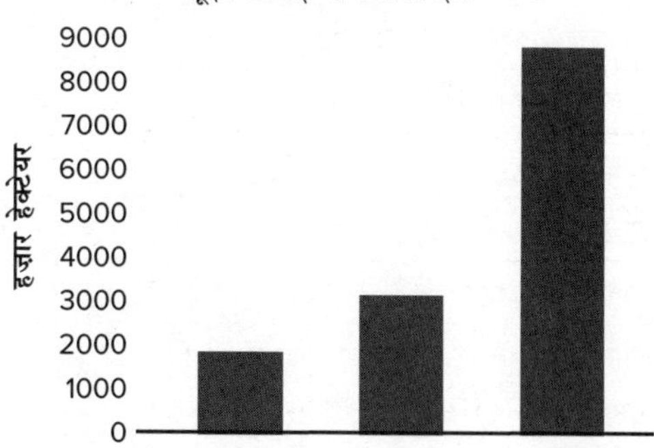

नोटः पीडीएमसी एवं अन्य केन्द्र प्रायोजित योजनाओं के अंतर्गत क्षेत्र

स्रोत : कृषि एवं किसान कल्याण मंत्रालय, [आर्थिक सर्वेक्षण 2024-25]

भारत में लघु, मध्यम तथा बृहत् सिंचाई परियोजना (MINOR, MEDIUM AND MAJOR IRRIGATION PROJECTS IN INDIA)

भारत में सिंचाई परियोजनाओं को लघु, मध्यम तथा बृहत् परियोजनाओं के रूप में व्यापक रूप से वर्गीकृत किया जाता है।

- यदि **नहरी कृष्य क्षेत्र** [**Culturable Command Area (CCA)**] **2,000 हेक्टेयर से कम है**, तो इसे **लघु सिंचाई परियोजना (minor irrigation project)** के रूप में वर्गीकृत किया जाता है। इसमें खोदे गये कुएँ, नलकूप, भंडारण टंकी इत्यादि सम्मिलित हैं।
- यदि कृषि योग्य कमांड क्षेत्र **2,000–10,000 हेक्टेयर** के बीच है, इसे मध्यम सिंचाई परियोजना (medium irrigation project) के रूप में वर्गीकित किया जाता है।
- अगर कृषि योग्य कमांड क्षेत्र **10,000 हेक्टेयर से अधिक है**, तब इसे **बृहत् सिंचाई परियोजना (major irrigation project)** के रूप में वर्गीकृत किया जाता है।

  दोनों मध्यम तथा बृहत् परियोजनाओं में नहर, पुश्ता, बाँध इत्यादि होते हैं।

भारत में कुछ **बड़ी सिंचाई परियोजनाएँ** निम्नलिखित हैं :

परीक्षोपयोगी

भारत में सिंचाई की बड़ी परियोजनाएँ (MAJOR IRRIGATION PROJECTS IN INDIA)

परियोजना	नदी	राज्य
DVC (विद्युत, सिंचाई, बाढ़ नियंत्रण)	दामोदर	झारखंड तथा पश्चिम बंगाल
गंडक परियोजना (विद्युत तथा सिंचाई)	गंडक	बिहार, उत्तर प्रदेश तथा नेपाल
कोसी परियोजना (विद्युत, सिंचाई, बाढ़ नियंत्रण)	कोसी	बिहार तथा नेपाल
फरक्का (विद्युत, सिंचाई, नौवहन)	गंगा	पश्चिम बंगाल
चंबल परियोजना (विद्युत तथा सिंचाई)	चंबल	मध्य प्रदेश, राजस्थान
दुर्गापुर बैराज (सिंचाई तथा नौवहन)	दामोदर	पश्चिम बंगाल, झारखंड
रामगंगा (विद्युत तथा सिंचाई)	रामगंगा	उत्तराखंड
माता टीला परियोजना (विद्युत तथा सिंचाई)	बेतवा	उत्तर प्रदेश तथा मध्य प्रदेश
हीराकुंड (विद्युत तथा सिंचाई)	महानदी	ओडिशा
तुंगभद्रा (विद्युत तथा सिंचाई)	तुंगभद्रा	कर्नाटक तथा आंध्र प्रदेश
काकरापार (सिंचाई)	तापी	गुजरात
उकाई (विद्युत तथा सिंचाई)	तापी	गुजरात
पोचमपाद (सिंचाई)	गोदावरी	आंध्र प्रदेश
नागार्जुनसागर (विद्युत तथा सिंचाई)	कृष्णा	आंध्र प्रदेश और तेलंगाना
कालेश्वरम लिफ्ट सिंचाई परियोजना या KLIP (बहुउद्देश्यीय सिंचाई परियोजना)	गोदावरी	तेलंगाना

भारत में सिंचाई संबंधित समस्याएँ (ISSUES RELATED TO IRRIGATION IN INDIA)

सिंचाई में सुधार के लिए कई उपाय किये गये हैं। हालाँकि, भारत में सिंचाई के उचित नेटवर्क को तैयार करने के समक्ष विभिन्न चुनौतियाँ विद्यमान हैं, जिनमें से कुछ पर निम्नलिखित रूप में चर्चा की गयी है।

1. परियोजना के समापन में देरी (Delay in Completion of Projects)

प्रथम पंचवर्षीय योजना से ही हम सिंचाई परियोजनाओं के प्रसार पर ध्यान दे रहे हैं। लेकिन इन परियोजनाओं का समापन बड़ी चुनौती है। ज़मीन अधिग्रहण, फ़ील्ड चैनल निर्माण, ज़मीन के समतलीकरण इत्यादि में देरी हो रही है।

2. सिंचाई का अर्द्ध-उपयोग (Under-utilisation of Irrigation Facilities)

सिंचाई संभावित सृजन [Irrigation Potential Created (IPC) और सिंचाई संभावित उपयोग [Irrigation Potential Utilised (IPU)] के बीच का अंतराल यह दर्शाता है कि निर्मित सिंचाई सुविधाओं का समुचित उपयोग नहीं किया जा रहा है।

3. अंतर-राज्यीय जल विवाद (Inter-State Water Disputes)

सिंचाई राज्य का विषय होने के कारण, विभिन्न राज्यों में विचारों तथा प्राथमिकताओं में अंतर होता है, सिंचाई परियोजनाओं के क्रियान्वयन में देरी की यह भी एक वजह है।

4. जल तालिका में गिरावट (Decline in Water Table)

हाल के समय में, यह देखा गया है कि देश के विभिन्न हिस्सों में जल तालिका में नियमित गिरावट आ रही है। यह भू-जल के अत्यधिक दोहन तथा वर्षा जल के माध्यम से अनुपयुक्त पुनर्भरण का परिणाम है। इससे सिंचाई के लिए जल भंडारण में कठिनाई उत्पन्न होती है। इस प्रकार, जल एकत्रण संरचनाओं के निर्माण के साथ सिंचाई विधियों के अभिसरण की आवश्यकता है।

सिंचाई से जुड़े अन्य मुद्दों में समय के साथ बढ़ती सिंचाई की लागत, लवणता और जल जमाव की समस्या, जल जनित और जल संबंधी बीमारियों का बढ़ना शामिल है।

अतिरिक्त जानकारी

केंद्रीय भू-जल बोर्ड [CENTRAL GROUND WATER BOARD (CGWB)]

यह भू-जल प्रबंधन के लिए सर्वोच्च राष्ट्रीय एजेंसी है तथा इसकी स्थापना 1970 में **जल संसाधन मंत्रालय** के अंतर्गत की गयी थी। केंद्रीय भू-जल बोर्ड एक बहु-विध वैज्ञानिक संगठन है। बोर्ड भू-जल क्षेत्र के विभिन्न पक्षों जैसे भू-जल में गिरावट, समुद्री जल अंतर्ग्रहण, भू-जल दूषण आदि पर विशेष अध्ययन भी करता है। **राष्ट्रीय जलभृत मानचित्रण और प्रबंधन कार्यक्रम [National Aquifer Mapping and Management program (NAQUIM)]** केंद्रीय भू-जल बोर्ड (CGWB) द्वारा कार्यान्वित किया जा रहा है।

केंद्रीय भू-जल प्राधिकरण [CENTRAL GROUND WATER AUTHORITY (CGWA)]

देश में भू-जल संसाधन के विकास और प्रबंधन को विनियमित और नियंत्रित करने के लिए **पर्यावरण (संरक्षण) अधिनियम [Environment (Protection) Act]**, 1986 के अंतर्गत 1997 **में इसकी स्थापना की गयी थी**। यह देश में भू-जल प्रबंधन एवं विकास को विनियमित और नियंत्रित करता है तथा इस उद्देश्य हेतु ज़रूरी नियामक निर्देश जारी करता है।

राष्ट्रीय जल सूचना विज्ञान केंद्र [NATIONAL WATER INFORMATICS CENTRE (NWIC)]

जल शक्ति मंत्रालय, जल संसाधन, RD और GR विभाग के तहत, सरकार ने **2018 में** राष्ट्रीय जल सूचना विज्ञान केंद्र **(NWIC)** की स्थापना की। NWIC का उद्देश्य एक मानकीकृत राष्ट्रीय GIS प्रारूप और मापनीय वेब-सक्षम सूचना प्रणाली प्रदान करना है।

केंद्रीय जल आयोग [CENTRAL WATER COMMISSION (CWC)]

CWC को पहले केंद्रीय जलमार्ग, सिंचाई और नेविगेशन आयोग (CWINC) के नाम से जाना जाता था। इसकी स्थापना 1945 में **(डॉ. बी. आर. अम्बेडकर द्वारा)** वायसराय की कार्यकारी परिषद् के सदस्य (श्रम) की सिफ़ारिश पर सरकार द्वारा की गयी थी। यह केंद्रीय जल संसाधन, नदी विकास और गंगा संरक्षण मंत्रालय के तहत जल संसाधनों के लिए भारत की अग्रणी तकनीकी संस्था है।

राष्ट्रीय जल विकास एजेंसी [NATIONAL WATER DEVELOPMENT AGENCY (NWDA)]

एजेंसी की स्थापना 1982 में सोसायटी पंजीकरण अधिनियम, 1860 के तहत स्वायत्त समिति के रूप में की गयी थी। इसका उद्देश्य जल संसाधनों के उत्पादक इस्तेमाल के लिए वैज्ञानिक और यथार्थवादी आधार पर जल संतुलन और अन्य शोध करना है।

सिंचाई के क्षेत्र में सरकार की हालिया पहल (RECENT GOVERNMENT INITIATIVES IN IRRIGATION)

परीक्षोपयोगी

प्रधानमंत्री कृषि सिंचाई योजना [Pradhan Mantri Krishi Sinchai Yojana (PMKSY)]

- इसका प्रारंभ 2015-16 में केंद्र सरकार की तीन पूर्व योजनाओं को सम्मिलित/समामेलित कर किया गया। जो इस प्रकार हैं -
  - i. जल शक्ति मंत्रालय **का त्वरित सिंचाई लाभ कार्यक्रम (Accelerated Irrigation Benefit Programme)**
  - ii. ग्रामीण विकास मंत्रालय का **एकीकृत जलग्रहण प्रबंधन (Integrated Watershed Management)**
  - iii. कृषि तथा सहयोग विभाग के राष्ट्रीय संधारणीय कृषि मिशन **का कृषि जल प्रबंधन (Farm Water Management)**
- PMKSY का प्रारंभ कृषि तथा कृषक कल्याण मंत्रालय के अंतर्गत किया गया, **लेकिन 2016 में, जल शक्ति मंत्रालय** को PMKSY के लिए नोडल मंत्रालय बनाया गया था।
- **PMKSY का सिद्धांत** है – 'हर खेत को पानी **(HKKP)**'
- इसका सूचक परिव्यय पाँच वित्तीय वर्षों (2015-16 से 2019-20) के लिए **₹50,000 करोड़** था।
- **PMKSY के मुख्य घटकों में सम्मिलित हैं** -
  1. **त्वरित सिंचाई लाभ कार्यक्रम [Accelerated Irrigation Benefits Programme (AIBP)]**- यह 1996–97 में शुरू किया गया था तथा इसे PMKSY के साथ जोड़ा गया है। AIBP वर्तमान में जल शक्ति मंत्रालय (जल संसाधन विभाग, RD तथा GR) द्वारा कार्यान्वित किया जाता है।

     यह पहले से जारी बड़ी तथा मध्यम सिंचाई परियोजनाओं को तेज़ी से पूरा करने के लिए राज्यों को ऋण **सहायता प्रदान** करने पर ध्यान देती है।

     इस योजना **का प्रधान उद्देश्य** मुख्य रूप से वित्तीय बाधाओं के कारण रुकी हुई नदी घाटी परियोजनाओं (बड़ी तथा मध्यम) को **दोबारा शुरू** करना है।
  2. **हर खेत को पानी [Har Khet Ko Paani (HKKP)]** – इस घटक का उद्देश्य जल तक पहुँच में वृद्धि करना तथा **सिंचाई के दायरे को बढ़ाना है**। यह भूमिगत जल विकास, जल से भरे क्षेत्रों से जल की कमीवाले क्षेत्रों में जल का दिशा परिवर्तन, निकासी, पारंपरिक जलाशयों का जीर्णोद्धार व मरम्मत इत्यादि पर ध्यान देता है। इसे **जल शक्ति मंत्रालय** (जल संसाधन विभाग RD तथा GR) द्वारा कार्यान्वित किया जा रहा है। PIB के अनुसार, नवंबर, 2023 तक 29,777 कुओं का निर्माण किया गया, 87,243 हेक्टेयर कमांड क्षेत्र बनाया गया और HKKP योजना से 67,902 लघु एवं सीमांत किसान लाभान्वित हुए थे।
  3. **प्रति बूँद अधिक फ़सल (सूक्ष्म सिंचाई) [Per Drop More Crop (Micro-irrigation)]**- यह सूक्ष्म सिंचाई तथा अन्य विभिन्न जल बचत प्रौद्योगिकियों को अपनाने में वृद्धि कर, **जल उपयोग दक्षता** बढ़ाने पर केंद्रित है। यह फ़सल विविधीकरण

को बढ़ावा देने तथा फ़सल जल बजट सुनिश्चित करने पर भी ध्यान केंद्रित करता है। सूक्ष्म सिंचाई योजना के लिए किसानों को वित्तीय सहायता/अनुदान का स्वरूप है – **लघु तथा सीमांत किसानों के लिए 55 प्रतिशत एवं अन्य किसानों के लिए 45 प्रतिशत है**। यह कोष को केंद्र तथा राज्यों द्वारा 60:40 (N-E तथा हिमालयी राज्यों के लिए, केंद्र-राज्य साझाकरण स्वरूप 90:10 है तथा केंद्रशासित प्रदेशों को केंद्र सरकार द्वारा 100 प्रतिशत दिया जाता है) के अनुपात में पूरा किया जाता है। इसे **कृषि तथा किसान कल्याण मंत्रालय** द्वारा कार्यान्वित किया जा रहा है।

4. **जलग्रहण विकास (Watershed Development)**– यह **भूमि संसाधन विभाग** (ग्रामीण विकास मंत्रालय के अंतर्गत) द्वारा कार्यान्वित किया जा रहा है तथा इस घटक का केंद्र बिंदु वर्षा जल संरक्षण, खेत तालाब का निर्माण, जल संचयन संरचना, छोटे रोधक बाँध, मृदा तथा नमी संरक्षण इत्यादि है।

नीरांचल राष्ट्रीय जलग्रहण परियोजना [Neeranchal National Watershed Project (NNWP)]

- इसका आरंभ भारत सरकार द्वारा 2016 में **विश्व बैंक की अंतरराष्ट्रीय विकास संघ [International Development Association (IDA)] शाखा से 50 प्रतिशत वित्तीय सहायता के साथ किया गया था**।
- **NNWP का उद्देश्य** जल संसाधनों में सुधार तथा संरक्षण के लिए एकीकृत जलग्रहण प्रबंधन कार्यक्रम [Integrated Watershed Management Programme (IWMP)] का समर्थन करना था।
- NNW परियोजना ने जल विज्ञान तथा जल प्रबंधन, कृषि उत्पादन प्रणाली, क्षमता निर्माण इत्यादि में **PMKSY का समर्थन** किया था।
- NNWP के अंतर्गत **जलग्रहण को लक्षित किया गया है**।
- **NNWP के चार घटकों में सम्मिलित हैं** - केंद्रीय संस्थान तथा क्षमता निर्माण, राष्ट्रीय नवाचार सहायता, [Integrated Watershed Management Programme (IWMP)] को सहायता तथा परियोजना प्रबंधन व समन्वय।
- NNWP का नोडल मंत्रालय – **ग्रामीण विकास मंत्रालय**।
- हालाँकि इसे सभी राज्यों में कार्यान्वित किया जा रहा है, लेकिन NNWP **नौ राज्यों** - गुजरात, राजस्थान, मध्य प्रदेश, छत्तीसगढ़, तेलंगाना, ओडिशा, आंध्र प्रदेश, झारखंड तथा महाराष्ट्र पर अधिक **ध्यान देता है**।

अटल भूजल योजना (Atal Bhujal Yojana)

- **2019** में शुरू की गयी अटल भूजल योजना (ABHY) 6,000 करोड़ रुपये की एक केंद्रीय क्षेत्र की योजना है, जिसका उद्देश्य सामुदायिक भागीदारी के साथ भूजल का संधारणीय प्रबंधन करना है। इसे 2020-21 से 5 साल के लिए शुरू किया गया है।
- यह योजना **जल उपयोगकर्ता संगठन (Water User Associations),** जल बजट, ग्राम-पंचायत-वार जल सुरक्षा योजनाओं के निर्माण एवं कार्यान्वयन आदि के माध्यम से लोगों की भागादारी की परिकल्पना करती है।
- यह *जल शक्ति मंत्रालय* के द्वारा कार्यान्वित की जा रही है।
- यह योजना 50:50 के आधार पर **भारत सरकार और विश्व बैंक** द्वारा वित्त पोषित की जा रही है।
- यह मुख्य रूप से सात जल संकटग्रस्त राज्यों अर्थात् गुजरात, हरियाणा, कर्नाटक, मध्य प्रदेश, महाराष्ट्र, राजस्थान और उत्तर प्रदेश पर केंद्रित है।

राष्ट्रीय जल विज्ञान परियोजना (National Hydrology Project)

- यह 2016 में केंद्रीय क्षेत्र की योजना के रूप में जल शक्ति मंत्रालय के अंतर्गत शुरू किया गया था तथा इसे **विश्व बैंक का सहयोग** प्राप्त है।
- NHP जल-मौसम संबंधी आँकड़े **(hydro-meteorological data)** को एकत्र करने में सहायक होगा, जिसे वास्तविक समय आधार पर संग्रहित और विश्लेषित किया जायेगा तथा राज्य/ज़िला/ग्राम स्तर पर किसी भी उपयोगकर्ता द्वारा समेकित रूप से प्रयोग किया जा सकेगा। इस योजना के अंतर्गत पूरे देश को समाहित करने का विचार है।

➤ **NHP के चार घटक (Four components of NHP) :**

1. स्वस्थानी हाइड्रोमेट निगरानी प्रणाली (In Situ Hydromet Monitoring System) और हाइड्रोमेट डेटा अधिग्रहण प्रणाली (Hydromet Data Acquisition System)
2. राष्ट्रीय जल सूचना विज्ञान केंद्र [National Water Informatics Centre (NWIC)] की स्थापना।
3. जल संसाधन परिचालन एवं प्रबंधन प्रणाली (Water Resources Operation and Management System)
4. जल संसाधन संस्थान एवं क्षमता निर्माण (Water Resources Institutions and Capacity Building)

➤ **NHP के लाभ (Benefits of NHP) :**

1. नेशनल वॉटर इनफ़ॉर्मेटिक्स सेंटर के माध्यम से डेटा का भंडारण, आदान-प्रदान और प्रसार।
2. **बाढ़ के पूर्वानुमान** में लीड टाइम 1 दिन से लेकर कम-से-कम 3 दिन तक।
3. बाढ़ जलमग्न क्षेत्रों के मानचित्रीकरण का उपयोग आपदा प्रबंधन प्राधिकरणों द्वारा किया जाता है।
4. किसी नदी बेसिन में सतह और भू-जल संसाधान का आकलन, ताकि PMKSY और भारत सरकार की अन्य योजनाओं के लिए बेहतर नियोजन और आवंटन किया जा सके।

अतिरिक्त जानकारी

प्रथम जल निकायों की जनगणना [FIRST WATER BODIES CENSUS]

जल शक्ति मंत्रालय ने देश भर में (दमन और दीव, दादरा और नगर हवेली और लक्षद्वीप को छोड़कर) छठी लघु सिंचाई जनगणना **(संदर्भ वर्ष 2017-18)** के संयोजन में पहली जल निकाय जनगणना की है।

प्रमुख निष्कर्ष (Key Findings)

➤ गणना किये गये 24,24,540 जल निकायों में से, 59.5% (14,42,993) तालाब हैं, 15.7% (3,81,805) टैंक हैं, 12.1% (2,92,280) रिजर्वायर्स हैं, जबकि शेष 12.7% (3,07,462) जल संरक्षण योजनाएँ/चेक डैम/पार्कोलेशन टैंक (9.3%), झीलें (0.9%) और अन्य जल निकाय (2.5%) हैं।

जल निकायों की संख्या में शीर्ष पाँच राज्य :

राज्य	संख्या
पश्चिम बंगाल	30.8% (7,47,480)
उत्तर प्रदेश	10.1% (2,45,087)
आंध्र प्रदेश	7.9% (1,90,777)
ओडिशा	7.5% (1,81,837)
असम	7.1% (1,72,492)

तालाबों, टैंकों, झीलों, जलाशयों और जल संरक्षण योजनाओं/रिसाव टैंकों/चेक बाँधों की अधिकतम संख्यावाले 5 अग्रणी राज्य

तालाब	टैंक	झील	जलाशय	जल संरक्षण योजनाएँ/ चेक बाँध
पश्चिम बंगाल	आंध्र प्रदेश	तमिलनाडु	पश्चिम बंगाल	महाराष्ट्र
उत्तर प्रदेश	ओडिशा	बिहार	झारखंड	आंध्र प्रदेश
असम	हिमाचल प्रदेश	कर्नाटक	बिहार	गुजरात
ओडिशा	तमिलनाडु	पश्चिम बंगाल	ओडिशा	तेलंगाना
झारखंड	गुजरात	ओडिशा	आंध्र प्रदेश	झारखंड

मरुस्थलीकरण एवं भूमि-क्षरण मानचित्र (Desertification and Land Degradation Atlas)

➤ **भारत संयुक्त राष्ट्र मरुस्थलीकरण रोकथाम अभिसमय** [United Nations Convention on Combating Desertification (UNCCD)] का **हस्ताक्षरकर्ता** है और मरुस्थलीकरण एवं भूमि-क्षरण का सामना करने के लिए प्रतिबद्ध है तथा 2030 तक भूमि-क्षरण की तटस्थ स्थिति को प्राप्त करने की इच्छा रखता है।

➤ एटलस राज्य-वार मरुस्थलीकरण और भूमि-क्षरण की स्थिति को दर्शाता है, जिसमें भूमि उपयोग, क्षरण की प्रक्रिया और गंभीरता के स्तर का मानचित्रीकरण होता है।

अतिरिक्त जानकारी

राष्ट्रीय जलभृत मानचित्रण और प्रबंधन कार्यक्रम यानी नेशनल एक्विफ़र मैपिंग ऐंड मैनेजमेंट प्रोग्राम [NATIONAL AQUIFER MAPPING AND MANAGEMENT PROGRAMME (NAQUIM)]

इस कार्यक्रम में भूजल संसाधनों के स्थायी प्रबंधन की सुविधा के लिए जलवाही स्तर (जल वहन संरचनाओं) के मानचित्रण, जलभृत प्रबंधन योजनाओं के लक्षण, वर्णन और विकास की परिकल्पना की गयी है। कार्यान्वयन एजेंसी **केंद्रीय भूजल बोर्ड** (CGWB) है। **NAQUIM** को 2012 में 'भूजल प्रबंधन और विनियमन' योजना के एक भाग के रूप में शुरू किया गया था।

बुलढाणा स्वरूप [THE BULDHANA PATTERN]

यह **महाराष्ट्र के विदर्भ क्षेत्र के बुलढाणा ज़िले** में प्रचलित **जल संरक्षण ढाँचा** है, जो सूखा प्रवण है। इस स्वरूप में, निर्माण गतिविधियों को जल संरक्षण के साथ समकालिक किया जाता है, जैसे कि राजमार्गों और रेलवे के निर्माण के लिए विलुप्त होने और जल निकाय को गहरा करना। नीति आयोग ने जल संरक्षण के लिए इस स्वरूप के आधार पर मसौदा दिशानिर्देश तैयार किये थे।

जड़ क्षेत्र की नमी [ROOT ZONE MOISTURE]

39 इंच की गहराई पर मिट्टी में पानी और नमी को जड़ क्षेत्र की नमी कहा जाता है। मसौदा प्रवण क्षेत्रों में, जलभृत मिट्टी और चट्टानों के माध्यम से रिसने के लिए सतह की नमी पर निर्भर करता हैं। जब बारिश और सतह पर नमी नहीं होती है, तो जड़ क्षेत्र की नमी बिल्कुल ग़ायब हो सकती है। मिट्टी खेती के लिए अयोग्य हो जाती है।

जड़ क्षेत्र सिंचाई मिट्टी का एकमात्र समाधान है, जिसने जड़ क्षेत्र की नमी खो दी है। सतह बूँद सिंचाई की तुलना में जड़ क्षेत्र सिंचाई अधिक प्रभावी है। **अंगूर की खेती में जड़ क्षेत्र सिंचाई का उपयोग किया जाता है।**

भुवन ऐप (BHUVAN APP)

➤ **ISRO** द्वारा **विकसित तथा 2009 में लॉञ्च** किया गया, यह पृथ्वी की सतह के 2-D/3-D चित्र की खोज करने की अनुमति देता है। यह विशेष रूप से भारत को उच्च क्षमतावाले दृश्य देखने के योग्य बनाता है तथा इसमें आपदाओं, फ़सल क्षेत्रों, जल निकायों, सिंचाई परियोजनाओं, भूमि आवरण इत्यादि पर विषयगत नक़्शे सम्मिलित हैं।

➤ PMKSY की प्रति बूँद अधिक फ़सल योजना के अंतर्गत बनायी गयी सिंचाई संबंधी संपत्ति **जियो-टैग** है। ऐप्लिकेशन विभिन्न सूक्ष्म सिंचाई परियोजनाओं की **जल उपयोग दक्षता के बारे में जानकारी** प्रदान करने में सक्षम है। ऐप्लिकेशन चार स्थानीय भाषाओं में है - अंग्रेजी, हिंदी, तमिल और तेलुगु।

भारत-यूरोपीय संघ जल साझेदारी (आईईडब्ल्यूपी) [INDIA-EU WATER PARTNERSHIP (IEWP)]

भारत-यूरोपीय संघ जल साझेदारी (आईईडब्ल्यूपी) 'जल संबंधी संयुक्त घोषणा' का परिणाम है, जिसे 2016 में ब्रसेल्स में 13वें यूरोपीय संघ-भारत शिखर सम्मेलन के दौरान भारत और यूरोपीय संघ द्वारा अपनाया गया था। यह भारत सरकार के 'स्वच्छ गंगा' कार्यक्रम सहित पानी के मुद्दों पर सहयोग बढ़ाने का इरादा रखती है।

संक्षिप्त विवरण

- **सिंचाई (Irrigation)**- कृषि उत्पादकता बढ़ाने और कृषि क्षेत्र का विस्तार करने के लिए - उचित मात्रा में कृषि भूमि को जलापूर्ति करने का कृत्रिम तरीका।
- **कृषि योग्य कमान क्षेत्र [Culturable Command Area (CCA)]** - वह क्षेत्र जिसकी किसी योजना से सिंचाई की जा सकती है और जो खेती के लिए उपयुक्त है।
- **शुद्ध बोया गया क्षेत्र (Net Sown Area)** - यह फ़सलों तथा बोये गये बाग़ानों में कुल क्षेत्र है- एक ही वर्ष में एक से अधिक बार बोया गया क्षेत्र केवल एक ही बार गिना जाता है।
- **सकल फ़सली क्षेत्र [Gross Cropped Area (GCA)]** - एक विशेष वर्ष में एक बार और साथ ही एक से अधिक बार बोया गया कुल क्षेत्रफल - जब फ़सल को दो बार एक ही भूखंड पर बोया जाता है, तो GCA के अंतर्गत क्षेत्र दो बार गिना जाता है ।
- **सिंचाई संभावित सृजन [Irrigation Potential Created (IPC)]** - यह भूमि के कुल क्षेत्रफल को संदर्भित करता है, जो विभिन्न सिंचाई परियोजनाओं और पहलों के माध्यम से संभावित रूप से सिंचाई योग्य है।
- **सिंचाई संभावित उपयोग [Irrigation Potential Utilized (IPU)]** - यह भूमि के वास्तविक क्षेत्र को संदर्भित करता है, जो बुनियादी सिंचाई ढाँचे द्वारा सिंचित है।
- **सिंचाई की प्रणालियाँ (Systems of irrigation) –** कुएँ से सिंचाई (भारत में सबसे लोकप्रिय विधि) **–** तालाब से सिंचाई - नहर से सिंचाई।
- **सूक्ष्म सिंचाई (Micro-Irrigation)** - पौधों की जड़ों के क्षेत्र में कम दबाव पर कम मात्रा में और बार-बार अंतराल पर पानी का अनुप्रयोग जल की बचत करने, मृदा ऊष्मा प्रबंधन, जलभराव रोकने में सहायता करता है - प्रकार स्प्रिंकलर, ड्रिप/ट्रिकल, उप-सतहगत और केंद्र कीलक हैं।
- **जलविभाजन विकास (Watershed Development)** - भूमि संसाधन विभाग के अधीन (ग्रामीण विकास मंत्रालय के अधीन) - इस घटक का ध्यान वर्षा जल संरक्षण, खेत तालाब, जल संचयन संरचना, छोटे रोकबाँधों के निर्माण, मृदा और नमी संरक्षण आदि पर केंद्रित है।
- **राष्ट्रीय जल विकास एजेंसी (National Water Development Agency) –** जिसकी स्थापना 1982 में सोसायटी पंजीकरण अधिनियम, 1860 के तहत स्वायत्त समितिं के रूप में की गयी।
- **भुवन ऐप (Bhuvan App)** - ISRO द्वारा - 2009 में - पृथ्वी की सतह के 2-D/3-D निरूपण का अन्वेषण - भारत को उच्च रिजोल्यूशन के साथ देखने के लिए तैयार किया गया है और इसमें फ़सल क्षेत्रों, जल निकायों, सिंचाई परियोजनाओं, भूमि-आच्छादन आदि पर विषयगत मानचित्र शामिल हैं।
- **राष्ट्रीय जलविज्ञान परियोजना (National Hydrology Project)** - 2016 में शुरू की गयी - जल शक्ति मंत्रालय के अधीन - केंद्रीय क्षेत्रक की योजना - विश्व बैंक द्वारा सहायतित।
- **अटल भू-जल योजना (Atal Bhujal Yojana)** - 2019 में शुरू की गयी - जल शक्ति मंत्रालय के अधीन - केंद्रीय क्षेत्रक की योजना - सामुदायिक भागीदारी के साथ भू-जल के संधारणीय प्रबंधन के लिए - 50:50 आधार पर भारत सरकार और विश्व बैंक द्वारा वित्त पोषित।

यूपीएससी सिविल सेवा के पिछले वर्षों की प्रारंभिक परीक्षा के प्रश्न

1. निम्नलिखित कथनों पर विचार कीजिये: **[2023]**

1. चीन की तुलना में भारत के पास अधिक कृषियोग्य क्षेत्र है।
2. चीन की तुलना में भारत में सिंचित क्षेत्र का अनुपात अधिक है।
3. चीन की तुलना में भारत की कृषि में प्रतिहेक्टेयर औसत उत्पादकता अधिक है।

उपर्युक्त में से कितने कथन सही है?

(a) केवल 1 **(b)** केवल 2
(c) सभी 3 **(d)** कोई भी नहीं

2. निम्नलिखित में कौन-सा एक, पर्यावरण (संरक्षण) अधिनियम, 1986 के अधीन गठित किया गया है? **[2022]**

(a) केन्द्रीय जल आयोग
(b) केन्द्रीय भू-जल बोर्ड
(c) केन्द्रीय भू-जल प्राधिकरण
(d) राष्ट्रीय जल विकास अभिकरण

3. निम्नलिखित कथनों पर विचार कीजिए : **[2020]**

1. भारत के 36% ज़िले केंद्रीय भू-जल प्राधिकरण (CGWA) द्वारा "अतिशोषित" या "गंभीर" रूप से श्रेणीबद्ध किये गये हैं।
2. CGWA की स्थापना पर्यावरण (संरक्षण) अधिनियम के अंतर्गत की गयी थी।
3. विश्व में भारत के पास भू-जल सिंचाई के अंतर्गत सर्वाधिक क्षेत्र है।

ऊपर दिये गये कथनों में कौन सही है/हैं?

(a) केवल 1 **(b)** केवल 2 और 3
(c) केवल 2 **(d)** केवल 1 और 3

4. ट्रप्स (ड्रिप) सिंचाई का अमल करने के निम्नलिखित में से कौन-सा/से लाभ हैं? **[2016]**

1. खर-पतवार में कमी
2. मृदा की लवणता में कमी
3. मृदा अपरदन में कमी

नीचे दिये गये कूट का प्रयोग कर सही उत्तर चुनें।

(a) केवल 1 और 2
(b) केवल 3
(c) केवल 1 और 3
(d) उपर्युक्त में से कोई भी ड्रिप सिंचाई पद्धति का लाभ नहीं है

5. सूक्ष्म सिंचाई के संबंध में, निम्नलिखित में कौन-सा/से कथन सही हैं? **[2011]**

1. उर्वरक/पोषक तत्वों की कमी को कम किया जा सकता है।
2. यह शुष्क भूमि की खेती में सिंचाई का एकमात्र साधन है।
3. खेती के कुछ क्षेत्रों में भू-जल तालिका की पुनरावृत्ति की जाँच की जा सकती है।

नीचे दिये गये कूट का प्रयोग कर सही उत्तर चुनें।

(a) केवल 1 **(b)** केवल 2 और 3
(c) केवल 1 और 3 **(d)** 1, 2 और 3

☞ कोई प्रश्न नहीं
2024, 2021, 2019, 2018, 2017, 2015, 2014, 2013, 2012

उत्तर कुंजी

1. (b) 2. (c) 3. (b) 4. (c) 5. (c)

यूपीएससी सिविल सेवा के पिछले वर्षों की मुख्य परीक्षा के प्रश्न

1. हाल के दिनों में भारतीय सिंचाई प्रणाली के सामने क्या प्रमुख चुनौतियाँ हैं? कुशल सिंचाई प्रबंधन के लिए सरकार द्वारा अपनाए गए उपायों को बताइए। **[2024]**

2. भारत के जल संकट को हल करने में सूक्ष्म सिंचाई किस प्रकार और किस हद तक मदद करेगी? **[2021]**

3. जल के विवेकपूर्ण उपयोग के लिए इसमें गिरावट के परिदृश्य को देखते हुए जल भंडारण और सिंचाई प्रणाली में सुधार के उपाय सुझाइए। **[2020]**

4. जल-दबाववाले क्षेत्रों से कृषि उत्पादन बढ़ाने में **राष्ट्रीय जलग्रहण परियोजना** के प्रभाव की व्याख्या कीजिए। **[2019]**

5. जल अभियांत्रिकी तथा कृषि विज्ञान के क्षेत्र में क्रमशः **डॉ. एम. विश्वेश्वरैया** तथा **डॉ. एम.एस. स्वामीनाथन** के योगदान से भारत कैसे लाभान्वित हुआ? **[2019]**

6. **जल-उपयोग दक्षता** क्या है? जल-उपयोग दक्षता बढ़ाने में **सूक्ष्म सिंचाई की भूमिका** का वर्णन कीजिए। **[2016]**

7. एलेलोपैथी क्या है? सिंचित कृषि की प्रमुख फ़सल प्रणालियों में इसकी भूमिका की विवेचना कीजिए। **[2016]**

☞ कोई प्रश्न नहीं
2023, 2022, 2018, 2017, 2015, 2014, 2013, 2012

अध्याय

19

भारतीय उद्योग

(Indian Industry)

अध्याय की रूपरेखा

- औद्योगिक क्षेत्र में वर्तमान रुझान
- 1991 से पूर्व औद्योगिक नीतियों का विकास
- नयी औद्योगिक नीति, 1991
- सार्वजनिक क्षेत्र के उपक्रम
- नवरत्नों की नीति
- मिनीरत्न की नीति
- महारत्न की नीति
- महारत्न CPSE के लिए वित्तीय स्वायत्तता
- CPSE का कार्यनिष्पादन
- उद्योगों के कार्यनिष्पादन मापने के साधन
- औद्योगिक उत्पादन सूचकांक
- आठ प्रमुख उद्योगों का सूचकांक
- उद्योगों का वार्षिक सर्वेक्षण
- क्रय प्रबंधक सूचकांक
- औद्योगिक रुग्णता
- अतीत में किये गये उपचारात्मक उपाय
- औद्योगिक और वित्तीय पुनर्निर्माण बोर्ड
- कंपनी (संशोधन) अधिनियम, 2019
- राष्ट्रीय कंपनी विधि न्यायाधिकरण
- निगमित सामाजिक उत्तरदायित्व
- विनिर्माण इंडस्ट्री के विभिन्न क्षेत्र
- राष्ट्रीय निवेश और विनिर्माण क्षेत्र
- भारत में विशेष आर्थिक क्षेत्र
- व्यापार की सुगमता रिपोर्ट
- मेक इन इंडिया
- स्टार्ट-अप इंडिया
- स्टैंड-अप इंडिया
- भारत में चैंपियन क्षेत्र
- उद्योग 4.0 और भारत

भारतीय अर्थव्यवस्था तीन प्रमुख क्षेत्रों; अर्थात् प्राथमिक क्षेत्र (कृषि), द्वितीयक क्षेत्र (विनिर्माण और उद्योग) और तृतीयक क्षेत्र (सेवाओं) में विभाजित हैं।

औद्योगिक क्षेत्र सामान्यत: प्राथमिक क्षेत्र से कच्चा माल प्राप्त करता है और फिर उपभोक्ता वस्तुओं, पूँजीगत वस्तुओं आदि का उत्पादन करता है। औद्योगिक क्षेत्र का अर्थव्यवस्था में सकल घरेलू उत्पाद [Gross Domestic Product (GDP)] में तीनों क्षेत्रों में दूसरा बड़ा योगदान है। इसलिए सरकार के द्वारा इस क्षेत्र के विकास पर ध्यान केंद्रित करना अनिवार्य है।

औद्योगिक क्षेत्र में वर्तमान रुझान (CURRENT TREND IN INDUSTRIAL SECTOR)

➤ इस प्रकार यह विवेचन किया जा सकता है कि स्वतंत्रता के बाद, आरंभ में औद्योगिक क्षेत्र ने सकल घरेलू उत्पाद (GDP) में अपने योगदान/हिस्सेदारी में वृद्धिशील रुझान दिखाया। हालाँकि, सेवा क्षेत्र की तेज़ी से बढ़ती हिस्सेदारी के साथ, हाल के वर्षों में

समग्र सकल घरेलू उत्पाद (GDP) में औद्योगिक क्षेत्र की हिस्सेदारी में **उतार-चढ़ाव का रुझान** दिख रहा है। आर्थिक सर्वेक्षण 2024-25 के आकलन के अनुसार, वित्त वर्ष 2024-25 के लिए GVA में औद्योगिक क्षेत्र का योगदान 27.6 प्रतिशत हैं।

➤ औद्योगिक क्षेत्र के अंतर्गत **प्रमुख क्षेत्रीय वर्गीकरण** :

1. खनन और उत्खनन
2. विनिर्माण
3. विद्युत, गैस, जलापूर्ति और अन्य जनोपयोगी सेवाएँ
4. निर्माण

क्या आप जानते हैं? 2020 में, **मिज़ोरम खेलों** को उद्योग का दर्जा देनेवाला भारत का पहला राज्य बन गया।

➤ उपर्युक्त चार में **विनिर्माण क्षेत्र (manufacturing sector)** का सकल घरेलू उत्पाद में प्रमुख योगदान है।

1991 से पूर्व औद्योगिक नीतियों का विकास
(EVOLUTION OF INDUSTRIAL POLICIES PRIOR TO 1991)

पॉलिसी का नाम	विशेषताएँ
1948 का औद्योगिक नीति संकल्प (आईपीआर-1948) [Industrial Policy Resolution of 1948 (IPR-1948)]	• मिली-जुली अर्थव्यवस्था की प्रणाली शुरू की गयी। • कुटीर एवं लघु उद्योगों को प्राथमिकता का दर्जा देकर संरक्षित करने पर ज़ोर दिया गया। • सामंजस्यपूर्ण औद्योगिक संकल्पों के लिए उचित मज़दूरी और सामाजिक सुरक्षा। • सड़क, रेलवे, बिजली और सिंचाई के विकास पर ध्यान केंद्रित किया। • उद्योगों को चार व्यापक श्रेणियों में वर्गीकृत किया गया : i. केंद्र सरकार के विशेष एकाधिकारवाले उद्योग : शस्त्र और गोला-बारूद, परमाणु ऊर्जा और रेल परिवहन। ii. मिश्रित क्षेत्र (सरकारी और निजी दोनों क्षेत्रों के अंतर्गत) (बुनियादी/प्रमुख उद्योग) : छह उद्योग - कोयला, लोहा और इस्पात, विमान निर्माण, जहाज़ निर्माण, खनिज तेल, और टेलीग्राफ़ और टेलीफ़ोन। iii. नियंत्रित निजी क्षेत्र : सरकार ने इन उद्योगों को अप्रत्यक्ष रूप से नियंत्रित किया। इन 18 उद्योगों में केमिकल्स, चीनी, ऑटोमोबाइल, सूती और ऊनी कपड़ें, सीमेंट, कागज़, नमक, उर्वरक, ट्रैक्टर, बिजली आदि शामिल थे। iv. निजी क्षेत्र के अंतर्गत उद्योग : उपर्युक्त तीन श्रेणियों में शामिल नहीं किये गये उद्योगों को इस श्रेणी के अंतर्गत शामिल किया गया।
1956 का औद्योगिक नीति संकल्प [Industrial Policy Resolution of 1956 (IPR-1956)]	• पी.सी. महालनोबिस मॉडल के आधार पर। इस मॉडल को 'भारत का आर्थिक संविधान' या 'राज्य पूँजीवाद की बाइबिल' भी माना जाता था। • **पिछड़े क्षेत्रों** में **भारी उद्योगों** और औद्योगिक विकास पर ज़ोर दिया गया। • औद्योगिक विकास और आईटीआई की स्थापना के लिए तकनीकी और प्रबंधकीय कौशल को बढ़ावा देना। • आईपीआर-1948 के तहत उद्योगों के चार-स्तरीय वर्गीकरण को अब तीन-स्तरीय वर्गीकरण में परिवर्तित कर दिया गया है : i. अनुसूची A (पूर्ण रूप से केंद्र सरकार के अधीन) - 17 उद्योग। ii. अनुसूची B (निजी और सार्वजनिक दोनों क्षेत्रों के लिए खुला है) - 12 उद्योग। iii. अनुसूची C (निजी क्षेत्र के लिए खुला है, लेकिन लाइसेंसिंग और विनियमन के अधीन) - अन्य सभी उद्योग।

पॉलिसी का नाम	विशेषताएँ
1969 का औद्योगिक नीति वक्तव्य [Industrial Policy Statement of 1969]	• **एकाधिकार और प्रतिबंधात्मक व्यापार व्यवहार (MRTP) अधिनियम, 1969 दत्त समिति** की सिफ़ारिश पर पेश किया गया था। • अपनी अंतर्निहित सीमाओं के कारण, MRTP अधिनियम को बाद में हटा दिया गया और प्रतिस्पर्धा अधिनियम, 2002 द्वारा प्रतिस्थापित किया गया।
1973 का औद्योगिक नीति वक्तव्य [Industrial Policy Statement of 1973]	• छह प्रमुख उद्योगों की पहचान की गयी - लोहा और इस्पात, सीमेंट, कोयला, कच्चा तेल, ऑयल रिफ़ाइनरी और बिजली। • सार्वजनिक-निजी भागीदारी (PPP) पर ज़ोर दिया गया और इसे संयुक्त क्षेत्र कहा गया, जिसमें राज्य और केंद्र सरकारों और निजी क्षेत्र के बीच साझेदारी की अनुमति दी गयी। • विदेशी मुद्रा विनियमन अधिनियम (FERA), 1973 बनाया गया।
1977 का औद्योगिक नीति वक्तव्य [Industrial Policy Statement of 1977]	• 1956 की 20 वर्षीय पुरानी औद्योगिक नीति को बदलकर, 1977 में जनता सरकार द्वारा पेश की गयी और छोटे पैमाने और लघु उद्योगों पर ध्यान केंद्रित किया गया। • औद्योगिक और कृषि क्षेत्रों के बीच क़रीबी पारस्परिक क्रिया। • बिजली उत्पादन और हस्तांतरण क्षेत्र को सबसे अधिक प्राथमिकता दी गयी। • ग्राम उद्योग, खादी और ग्राम उद्योग के पुनरुत्थान आदि पर ज़ोर दिया गया।
1980 का औद्योगिक नीति वक्तव्य [Industrial Policy Statement of 1980]	• **सार्वजनिक क्षेत्र** को इसकी **अधिक विश्वसनीयता, बड़े निवेश की आवश्यकताओं** और परियोजनाओं की **लंबी काल अवधि** के कारण महत्त्व दिया गया था। • बड़ी संख्या में उद्योगों को लाइसेंस देने में राहत। • घरेलू बाज़ार में प्रतिस्पर्धा, तकनीकी अपग्रेडेशन और आधुनिकीकरण। • निर्यात आधारित उद्योग और विदेशी निवेश को बढ़ावा देना।

अतिरिक्त जानकारी

उद्योग (विकास और विनियमन) अधिनियम, 1951
[THE INDUSTRIES (DEVELOPMENT & REGULATION) ACT, 1951]

1951 के उद्योग (विकास और विनियमन) अधिनियम ने सरकार को अनुज्ञप्ति के माध्यम से औद्योगिक विकास का प्रतिरूप विनियमित करने का अधिकार दिया था। इस प्रकार, व्यावसायिक उपक्रमों को उत्पादन आरंभ करने के लिए सरकार से लाइसेंस लेना होता था। यह भारत में **'लाइसेंस राज'** का आगमन था। इस अधिनियम के माध्यम से, सरकार ने अपने पास **तीन प्रमुख नियंत्रण** रखे - **अनुज्ञप्ति**, स्वीकृत उत्पादन के आधार पर उपक्रमों को **कच्चे माल** का आवंटन और **क़ीमतों पर नियंत्रण**।

संक्षेप में 1991 से पूर्व की अधिकांश औद्योगिक नीतियों की प्रमुख विशेषताएँ निम्नानुसार थीं :

1. **स्थानीय उद्योगों को संरक्षण**
2. **आयात प्रतिस्थापन नीति को बढ़ावा देना**
3. अनुज्ञप्ति व्यवस्था और सख़्त विनियमों के माध्यम से **भारतीय उद्योगों पर नियंत्रण**
4. FERA, 1973 के अंतर्गत **विदेशी पूँजी पर प्रतिबंध**
5. लघु और कुटीर उद्योगों को प्रोत्साहन तथा सार्वजनिक क्षेत्र के उद्योगों की स्थापना पर अधिक बल देना

परीक्षोपयोगी

नयी औद्योगिक नीति, 1991 [NEW INDUSTRIAL POLICY (NIP), 1991]

इस नीति का उद्देश्य चार दशकों में विकसित हुई देश की औद्योगिक संरचना की विकृतियों और दुर्बलताओं को ठीक करना था। इस नीति के आने तक विनियमन पर बल दिया जाता था। नयी नीति में विनियमन से ध्यान हटाकर विकास पर बल दिया गया। यह नीति निम्नलिखित क्षेत्रों में बड़े सुधार लाने पर केंद्रित थी :

- **औद्योगिक अनुज्ञप्ति की समाप्ति (Industrial De-licensing)**- NIP, 1991 की एक सर्वाधिक महत्त्वपूर्ण विशेषता **18 को छोड़कर** सभी उद्योगों के लिए अनिवार्य औद्योगिक अनुज्ञप्ति की नीति समाप्त करना था। इस क़दम से निजी क्षेत्र द्वारा उद्योगों की सुचारू स्थापना में काफ़ी सुविधा हुई।

वर्तमान में केवल 6 उद्योगों के लिए अनिवार्य रूप से औद्योगिक अनुज्ञप्ति की आवश्यकता होती है (Presently, only 6 industries compulsorily require industrial licensing) :

1. आसवन और मादक पेय पदार्थों का निर्माण
2. तंबाकू के सिगार और सिगरेट और विनिर्मित तंबाकू स्थानापन्न
3. सभी प्रकार के इलेक्ट्रॉनिक अंतरिक्ष प्रौद्योगिकी और रक्षा उपकरण
4. माचिस, बारूद आदि सहित औद्योगिक विस्फोटक
5. विशिष्ट ख़तरनाक रसायन जैसे- हाइड्रोसायनिक अम्ल, फॉस्जीन, आइसोसायनेट आदि
6. औषधियाँ और फ़ार्मास्यूटिकल्स

- **सार्वजनिक क्षेत्र का अनारक्षण (De-reservation of Public Sector)**- इस नीति में सार्वजनिक क्षेत्र के लिए आरक्षित उद्योगों की संख्या में भारी कमी की गयी। सार्वजनिक क्षेत्र के लिए आरक्षित उद्योगों की संख्या 17 (1956 की नीति के अनुसार) से घटाकर केवल 08 कर दी गयी, अर्थात् हथियार और गोला-बारूद, परमाणु ऊर्जा, कोयला, खनिज तेल, लौह अयस्क, मैंगनीज अयस्क, सोना, क्रोम अयस्क, जिप्सम, सल्फ़र और हीरे का खनन, ताँबा, सीसा, जस्ता, टिन, मोलिब्डेनम और वुल्फ़राम का खनन, परमाणु खनिज, रेलवे परिवहन इत्यादि।

वर्तमान में सार्वजनिक क्षेत्र के लिए केवल 02 क्षेत्र आरक्षित हैं : (Presently, only 2 sectors are reserved for the public sector)

1. **परमाणु ऊर्जा** *(विशेष विखंडनीय सामग्रियों और पदार्थों का उत्पादन, पृथक्करण या संवर्धन और सुविधाओं का परिचालन)।*
2. **रेलवे परिचालन** *(निर्माण, परिचालन और निम्नलिखित के रख-रखाव को छोड़कर - PPP के माध्यम से उपनगरीय गलियारा परियोजनाएँ, हाई स्पीड ट्रेन परियोजना, समर्पित मालभाड़ा लाइनें, ट्रेन सेट, लोकोमोटिव/कोच विनिर्माण और रख-रखाव सुविधाओं सहित रेल के डिब्बे और इंजन, रेलवे विद्युतीकरण, सिग्नलिंग प्रणाली, मालभाड़ा टर्मिनल, यात्री टर्मिनल, जन द्रुत परिवहन प्रणाली, आदि)।*

- **विदेशी निवेश (Foreign Investment)**- प्रत्यक्ष और अप्रत्यक्ष, दोनों रूपों में विदेशी निवेश को बढ़ावा दिया गया। FDI को बढ़ावा देने के लिए विदेशी निवेश संवर्धन बोर्ड [Foreign Investment Promotion Board (FIPB)] की भी स्थापना की गयी।
- **विदेशी प्रौद्योगिकी समझौते (Foreign Technology Agreement)**- उद्योगों को विदेशी समकक्षों के साथ प्रौद्योगिकी समझौते करने के लिए स्वचालित अनुमोदन (निर्दिष्ट मापदंडों के भीतर) की अनुमति दी।
- **MRTP अधिनियम में संशोधन (Amendments in MRTP Act)**- एक निश्चित निर्दिष्ट सीमा से अधिक परिसंपत्तियोंवाली कंपनियों को अब लाइसेंस रहित उद्योगों में निवेश करने के लिए सरकार से पूर्व अनुमोदन प्राप्त करने की आवश्यकता न रहे।

> ➤ **लघु उद्योगों [Small-Scale Industries (SSIs)]** की प्रतिस्पर्धात्मकता को बढ़ावा देने के लिए उन्हें पूर्व में प्रदान किया गया **संरक्षण कम करना।**
>
> ➤ इसमें सार्वजनिक क्षेत्र की दक्षता बढ़ाने और कमज़ोर इकाइयों के पुनरुद्धार के लिए रुग्ण सार्वजनिक क्षेत्र के उद्यमों को बंद करने पर भी ध्यान केंद्रित किया गया।
>
> 1991 के बाद, *उदारीकरण, निजीकरण और वैश्वीकरण [LPG (Liberalisation, Privatisation and Globalisation)]* के माध्यम से औद्योगिक सुधार किये गये *(आर्थिक योजना में LPG रणनीति पर चर्चा की गयी है)*

सार्वजनिक क्षेत्र के उपक्रम (PUBLIC SECTOR UNDERTAKINGS)

भारत सरकार या किसी राज्य या प्रादेशिक सरकार या दोनों के **स्वामित्ववालीं** कंपनियों को सार्वजनिक क्षेत्र के उपक्रम [Public Sector Undertakings (PSUs)] कहा जाता है।

PSU कहलाने के लिए कंपनी का अधिकांश शेयर (≥ **51%**) सरकार के स्वामित्व में होना चाहिए।

PSU का वर्गीकरण किया जा सकता है :

1. **केन्द्रीय सार्वजनिक क्षेत्र उद्यम [Central Public Sector Enterprises (CPSEs)]**
2. **सार्वजनिक क्षेत्र के बैंक [Public Sector Banks (PSBs)]**
3. **राज्य स्तरीय सार्वजनिक उद्यम [State-Level Public Enterprises (SLPEs)]**

CPSE के लिए किसी विशेष CPSE में केंद्र सरकार या अन्य CPSE की प्रत्यक्ष शेयरधारिता 51 प्रतिशत या अधिक होती हैं। इन्हें *भारी उद्योग और सार्वजनिक उद्यम मंत्रालय (Ministry of Heavy Industries and Public Enterprises)* द्वारा प्रशासित किया जाता है।

CPSE 04 क्षेत्रों - कृषि, खनन और अन्वेषण, विनिर्माण और सेवाओं में **परिचालनरत हैं।**

CPSE को अधिक से अधिक वित्तीय स्वायत्तता प्रदान करने के लिए CPSE का आगे वर्गीकरण किया गया है।

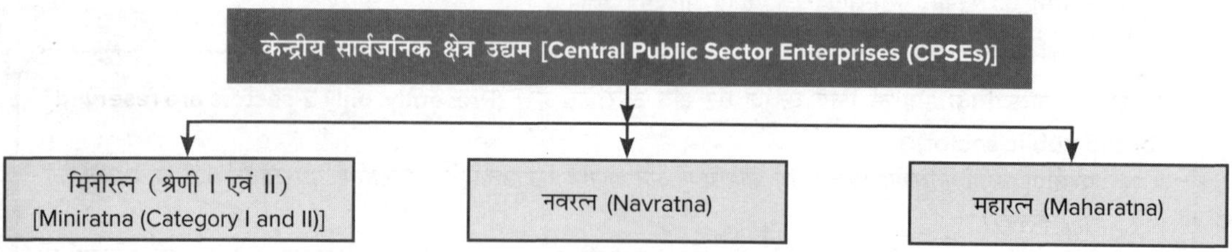

उपर्युक्त तीनों में महारत्न शीर्षतम श्रेणी है।

मिनीरत्न की नीति (Policy of Miniratnas)

सरकार ने मिनीरत्न नामक एक अन्य श्रेणी बनायी है। मिनीरत्न को दो श्रेणियों-I और II में बाँटा गया है।

> **क्या आप जानते हैं?** मिनीरत्न, नवरत्न और महारत्न के दर्जे को *भारी उद्योग और सार्वजनिक उद्यम मंत्रालय के अधीन सार्वजनिक उद्यम विभाग (Department of Public Enterprises under the Ministry of Heavy Enterprises and Public Enterprises)* के द्वारा प्रदान किया गया हैं।

श्रेणी-1 मिनीरत्न (Category-I Miniratna)

इन CPSE द्वारा विगत 3 वर्षों में निरंतर लाभ अर्जित किया होना चाहिए, इन 3 वर्षों में से कम-से-कम ₹1 से ₹30 करोड़ या उससे अधिक कर पूर्व लाभ अर्जित किया गया होना चाहिए और इनकी धनात्मक निवल संपत्ति होनी चाहिए।

इनके पास सरकार के अनुमोदन के बिना **₹300 करोड़** या अपनी निवल संपत्ति के बराबर, जो भी कम हो, पूँजीगत व्यय करने की वित्तीय स्वायत्तता होती है।

श्रेणी-2 मिनीरत्न (Category-II Miniratna)

इन CPSE द्वारा विगत 3 वर्षों में निरंतर लाभ अर्जित किया होना चाहिए और इनकी धनात्मक निवल संपत्ति होनी चाहिए।

इनके पास सरकार के अनुमोदन के बिना **₹ 150 करोड़** या अपनी निवल संपत्ति के 50 प्रतिशत तक, जो भी कम हो, पूँजीगत व्यय करने की वित्तीय स्वायत्तता होती है।

मिनीरत्नों की दोनों श्रेणियाँ संयुक्त उद्यम बना सकती हैं, लेकिन कुछ निर्दिष्ट प्रतिबंधों के अधीन और भारत में सहायक कंपनियों का निर्माण कर सकती हैं।

लास्ट मिनट स्निपपेट्स

12 मार्च, 2025 तक भारत में **61 श्रेणी-1 के मिनीरत्न CPSE और 12 श्रेणी-II के मिनीरत्न CPSE** थे।

नवरत्नों की नीति (Policy of Navratnas)

नवरत्न भारत सरकार द्वारा 1997 में सर्वाधिक प्रतिष्ठित के रूप में अभिनिर्धारित CPSE हैं और इन्हें *नवरत्न* की पदवी दी गयी है, जिससे इन्हें वैश्विक बाज़ार में प्रतिस्पर्धा करने के लिए अधिक-से-अधिक वित्तीय स्वायत्तता मिलती है।

CPSE को नवरत्न का दर्जा देने के मापदंड (Criteria for Granting Navratna status to a CPSE)

- CPSE का अनुसूची 'A' सूचीबद्धता के साथ मिनीरत्न श्रेणी-1 का दर्जा होना चाहिए।
- उसका विगत 5 वर्षों में कम-से-कम तीन 'उत्कृष्ट' या 'बहुत अच्छा' समझौता ज्ञापन [Memorandum of Understandings (MoU)] होना चाहिए।
- उसे विगत 3 वर्षों के दौरान अपने निष्पादन के आधार पर 60 (100 में से) का समग्र स्कोर प्राप्त होना चाहिए। यह स्कोर **छह मापदंडों** पर आधारित है, जिसमें सम्मिलित हैं :
    1. निवल संपत्ति से शुद्ध लाभ (अधिकतम 25)
    2. उत्पादन या सेवाओं की लागत से जनशक्ति लागत (अधिकतम 15)
    3. नियोजित पूँजी के प्रतिशत के रूप में कुल लाभ (अधिकतम 15)
    4. कुल बिक्री के प्रतिशत के रूप में सकल लाभ (अधिकतम 15)
    5. प्रतिशेयर आय (अधिकतम 10)
    6. निवल संपत्ति से शुद्ध लाभ के आधार पर अंतर-क्षेत्रीय तुलना (अधिकतम 20)
- CPSE के बोर्ड में चार स्वतंत्र निदेशक होने चाहिए।

लास्ट मिनट स्निपपेट्स

1. भारत इलेक्ट्रॉनिक्स लिमिटेड (BEL)
2. कंटेनर कॉर्पोरेशन ऑफ़ इंडिया लिमिटेड (CCIL)
3. इंजीनियर्स इंडिया लिमिटेड (EIL)
4. महानगर टेलीफोन निगम लिमिटेड (MTNL)
5. नेशनल एल्यूमिनियम कंपनी लिमिटेड (NALCO)
6. NBCC (इंडिया) लिमिटेड
7. NMDC लिमिटेड
8. NLC इंडिया लिमिटेड
9. राष्ट्रीय इस्पात निगम लिमिटेड
10. शिपिंग कॉर्पोरेशन ऑफ़ इंडिया लिमिटेड
11. रेल विकास निगम लिमिटेड
12. ओएनजीसी (ONGC) विदेश लिमिटेड
13. राष्ट्रीय केमिकल्स एंड फ़र्टिलाइजर्स लिमिटेड
14. इरकॉन (IRCON) इंटरनेशनल लिमिटेड
15. राइट्स (RITES) लिमिटेड
16. नेशनल फ़र्टिलाइजर्स लिमिटेड
17. केन्द्रीय भण्डारण निगम
18. हाउसिंग एंड अर्बन डेवलपमेंट कार्पोरेशन लिमिटेड

19. भारतीय अक्षय ऊर्जा विकास संस्था लिमिटेड
20. मझगांव डॉक शिपबिल्डर्स लिमिटेड
21. रेलटेल कॉर्पोरेशन ऑफ़ इंडिया लिमिटेड
22. सोलर एनर्जी कॉर्पोरेशन ऑफ़ इंडिया लिमिटेड (SECI)
23. NHPC लिमिटेड
24. SJVN लिमिटेड
25. भारतीय रेलवे खानपान और पर्यटन निगम (IRCTC)
26. इंडियन रेलवे फ़ाइनेंस कॉर्पोरेशन (IRFC)

नवरत्न CPSE को वित्तीय स्वायत्तता (Financial Autonomy to Navratna CPSEs)

नवरत्न का दर्जा उक्त CPSE को सरकार के अनुमोदन के बिना किसी एकल परियोजना में अपनी निवल संपत्ति का 15 प्रतिशत, लेकिन **₹ 1,000 करोड़** की पूर्ण सीमा तक सीमित निवेश करने का अधिकार देता है। एक साथ सभी परियोजनाओं में ऐसे निवेश पर समग्र सीमा उक्त CPSE की निवल संपत्ति के 30 प्रतिशत से अधिक नहीं होनी चाहिए।

महारत्न की नीति (Policy of Maharatnas)

तीनों में, महारत्न भारत सरकार द्वारा 2010 में आरंभ की गयी **सर्वाधिक नयी श्रेणी** है।

CPSE को महारत्न का दर्जा देने का मापदंड (Criteria for granting Maharatna Status to a CPSE)

निम्नलिखित मापदंडों को पूरा करनेवाले CPSE महारत्न का दर्जा प्राप्त करने के लिए विचार किये जाने हेतु पात्र हैं :

- **नवरत्न** का दर्जा होना।
- SEBI के विनियमों के अनुसार न्यूनतम निर्धारित सार्वजनिक शेयरधारिता के साथ भारतीय स्टॉक एक्सचेंज में सूचीबद्ध।
- विगत 3 वर्षों के दौरान ₹ 25,000 करोड़ से अधिक का *औसत वार्षिक कारोबार (Average annual turnover)*।
- विगत 3 वर्षों के दौरान ₹15,000 करोड़ से अधिक की *औसत वार्षिक निवल संपत्ति (Average annual net worth)*।
- विगत 3 वर्षों के दौरान ₹ 5,000 करोड़ से अधिक का कर-पश्चात् *औसत वार्षिक शुद्ध लाभ (Average annual net profit)*।
- कंपनी की *महत्त्वपूर्ण वैश्विक उपस्थिति (significant global presence)* या अंतरराष्ट्रीय परिचालन होना चाहिए।

महारत्न CPSE के लिए वित्तीय स्वायत्तता (Financial Autonomy to Maharatna CPSEs)

महारत्न का दर्जा उक्त CPSE को सरकार के अनुमोदन के बिना किसी एकल परियोजना में अपनी निवल संपत्ति का 15 प्रतिशत तक, लेकिन नवरत्नों के लिए ₹1000 करोड़ की सीमा के विपरीत ₹5,000 करोड़ की पूर्ण सीमा तक सीमित निवेश करने का अधिकार देता है। एक साथ सभी परियोजनाओं में ऐसे निवेश पर समग्र सीमा उक्त CPSE की निवल संपत्ति के 30 प्रतिशत से अधिक नहीं होनी चाहिए।

लास्ट मिनट
स्निपपेट्स

12 मार्च, 2025 तक निम्नलिखित 14 CPSE को महारत्न का दर्जा दिया गया है :

1. भारत हैवी इलेक्ट्रिकल्स लिमिटेड (BHEL)
2. भारत पेट्रोलियम कॉर्पोरेशन लिमिटेड (BPCL)
3. कोल इंडिया लिमिटेड
4. GAIL (इंडिया) लिमिटेड
5. हिंदुस्तान पेट्रोलियम कॉर्पोरेशन लिमिटेड (HPCL)
6. इंडियन ऑयल कॉर्पोरेशन लिमिटेड (IOCL)
7. NTPC लिमिटेड
8. ऑयल ऐंड नेचुरल गैस कॉर्पोरेशन (ONGC) लिमिटेड
9. पावर ग्रिड कॉर्पोरेशन ऑफ़ इंडिया लिमिटेड
10. स्टील अथॉरिटी ऑफ़ इंडिया लिमिटेड (SAIL)
11. पावर फ़ाइनेंस कॉर्पोरेशन (PFC)
12. ग्रामीण विद्युतीकरण निगम लिमिटेड (RECL)
13. ऑयल इंडिया लिमिटेड (OIL)
14. हिंदुस्तान एयरोनॉटिक्स लिमिटेड (HAL)

इन 14 CPSE में से **हिंदुस्तान एयरोनॉटिक्स लिमिटेड (HAL)** 2024 में महारत्न का दर्जा पानेवाला सबसे हालिया CPSE है।

CPSE का कार्यनिष्पादन (Performance of CPSEs)

सार्वजनिक क्षेत्र के उपक्रमों का निष्पादन न केवल लाभ के रूप में, बल्कि अर्थव्यवस्था में वस्तुओं और सेवाओं के प्रवाह में उनके द्वारा किये जानेवाले कुल परिवर्धन द्वारा आँका जाना चाहिए।

- 2024 में, लोक उद्यम विभाग (DPE) ने विभिन्न महत्त्वपूर्ण क्षेत्रों में आर्थिक विकास और दक्षता को बढ़ावा देने के लिए प्रतिबद्धता प्रदर्शित की है।
- डीपीई ने केंद्रीय सार्वजनिक क्षेत्र के उद्यमों (CPSE) के अंदर पूँजीगत व्यय (CAPEX) की निगरानी करने, CPSE के प्रदर्शन मूल्यांकन के लिए एक ऑनलाइन MoU डैशबोर्ड का निर्माण करके डिजिटल परिवर्तन को ग्रहण करने और DPE के नियंत्रण के तहत ख़रीद उन्नयन की गारंटी देने पर ध्यान केंद्रित किया है।
- सूक्ष्म और लघु उद्यमों (MSE) के लिए सरकार के सहायता उपायों के अनुरूप, सीपीएसई ने समावेशी ख़रीद के लिए एक मज़बूत प्रतिबद्धता दर्शायी है।

उद्योगों के कार्यनिष्पादन मापने के साधन (TOOLS TO MEASURE PERFORMANCE OF INDUSTRIES)

साधन (Tools)

- औद्योगिक उत्पादन सूचकांक [Index of Industrial Production (IIP)]
- 8 प्रमुख उद्योगों का सूचकांक (Index of Eight Core Industries)
- उद्योगों का वार्षिक सर्वेक्षण (Annual Survey of Industries)
- क्रय प्रबंधक सूचकांक (Purchasing Managers' Index)

औद्योगिक उत्पादन सूचकांक [Index of Industrial Production (IIP)]

- *सांख्यिकी और कार्यक्रम कार्यान्वयन मंत्रालय (Ministry of Statistics and Programme Implementation)* के **अधीन केंद्रीय सांख्यिकी कार्यालय [(सीएसओ); अब राष्ट्रीय सांख्यिकी कार्यालय (एनएसओ)] [Central Statistics Office (CSO); now National Statistics Office (NSO)]** हर महीने औद्योगिक उत्पादन सूचकांक [Index of Industrial Production (IIP)] संकलित और प्रकाशित करता है।
- IIP औद्योगिक निष्पादन की सांख्यिकीय माप है।
- यह चुनी हुई आधार-अवधि में उक्त के संबंध में दी गयी अवधि के दौरान औद्योगिक उत्पादों की टोकरी में उत्पादन की मात्रा में अल्पकालिक परिवर्तन का मापन करता है। वर्तमान में उपयोग किया जानेवाला आधार वर्ष **2011-12** है।
- **14 मंत्रालयों** से एकत्र किये गये आँकड़ों के आधार पर IIP संकलित किया जाता है।
- IIP की गणना करते समय तीन उप-क्षेत्रों का अनुलग्न भार है :
  1. खनन क्षेत्र के लिए - **14.4 प्रतिशत भार**
  2. विनिर्माण क्षेत्र के लिए - **77.6 प्रतिशत भार**
  3. विद्युत क्षेत्र के लिए - **8 प्रतिशत भार**

  } कुल = 100 प्रतिशत
- इस प्रकार हम पाते हैं कि क्षेत्रीय आधारित वर्गीकरण की स्थिति में IIP की गणना करते समय **विनिर्माण क्षेत्र का सर्वाधिक भार** है। उपयोग आधारित वर्गीकरण के संदर्भ में प्राथमिक वस्तुओं का IIP की माप में सर्वाधिक भार है।

नवंबर, 2024 के माह के लिए औद्योगिक उत्पादन सूचकांक और उपयोग-आधारित सूचकांक का त्वरित अनुमान (आधार 2011-12 = 100):

1. औद्योगिक उत्पादन सूचकांक (IIP) का त्वरित अनुमान हर महीने की 12 तारीख़ को प्रदान किया जाता है (या यदि 12 तारीख़ को छुट्टी है तो इसके बाद के कार्य दिवस पर)।
2. नवंबर, 2024 के माह में IIP वृद्धि-दर 5.2% दर्ज की गयी।
3. खनन, विनिर्माण और विद्युत क्षेत्रों की वृद्धि-दर क्रमशः 1.9%, 5.8% और 4.4% है।

स्रोत : सांख्यिकी और कार्यक्रम कार्यान्वयन मंत्रालय

आठ प्रमुख उद्योगों का सूचकांक (Index of Eight Core Industries)

- यह आठ प्रमुख उद्योगों के कार्यनिष्पादन का मापन करता है।
- इन आठ प्रमुख उद्योगों का IIP में 40.27 प्रतिशत भार सम्मिलित है।
- इसे मासिक औद्योगिक निष्पादन का बैरोमीटर माना जाता है।
- **आठ मुख्य उद्योग** और इस सूचकांक में इनकी भारिता :
  1. शोधनशाला उत्पाद (Refinery Products) (28 प्रतिशत)
  2. विद्युत (19.9 प्रतिशत)
  3. इस्पात (17.9 प्रतिशत)
  4. कोयला (10.3 प्रतिशत)
  5. कच्चा तेल (9 प्रतिशत)
  6. प्राकृतिक गैस (6.9 प्रतिशत)
  7. सीमेंट (5.4 प्रतिशत)
  8. उर्वरक (2.6 प्रतिशत)

  } कुल = 100 प्रतिशत

उपर्युक्त विवरण से हम पाते हैं कि **शोधनशाला उत्पाद** का इस सूचकांक में सर्वाधिक भार है।

आठ प्रमुख उद्योगों के सूचकांक का वर्तमान रुझान (Present Trend in Index of Eight Core Industries)

उद्योग	पिछले वर्ष की तुलना में संबंधित अवधि में कुल संकेतक की विकास दर (अप्रैल-दिसंबर, 2024)
कोयला	+6.2%
कच्चा तेल	-2.1%
प्राकृतिक गैस	+0.7%
पेट्रोलियम रिफाइनिंग उत्पाद	+2.7%
उर्वरक	+1.6%
इस्पात	+5.8%
सीमेंट	+3.3%
विद्युत	+5.3%

अतिरिक्त जानकारी

क्षमता उपयोग [Capacity Utilisation (CU)]

यह अर्थव्यवस्था की माँग और निवेश की संभावनाओं का आकलन करने के लिए एक और आर्थिक संकेतक है। सीयू दरें काफ़ी हद तक अर्थव्यवस्था में विनिर्माण गतिविधियों की गति को ट्रैक करने में सक्षम हैं। आईआईपी-विनिर्माण सूचकांक और क्षमता उपयोग की वृद्धि-दर भारत के विनिर्माण क्षेत्र के लिए माँग की स्थिति का एक स्नैपशॉट प्रदान करती है।

भारतीय रिज़र्व बैंक का व्यापार अपेक्षा सूचकांक [RBI's Business Expectation Index (BEI)] : यह सूचकांक विनिर्माण क्षेत्र में माँग की स्थिति की एक झलक देता है, जिसमें समग्र व्यावसायिक स्थिति, उत्पादन, ऑर्डर बुक, कच्चे माल और तैयार माल की सूची, लाभ मार्जिन, रोज़गार, निर्यात और क्षमता उपयोग शामिल हैं।

उद्योगों का वार्षिक सर्वेक्षण (Annual Survey of Industries)

- यह संपूर्ण देश में **संगठित विनिर्माण क्षेत्र** से संबंधित औद्योगिक आँकड़ों का प्रधान स्रोत है।
- उद्योगों का वार्षिक सर्वेक्षण [Annual Survey of Industries (ASI)] सांख्यिकी और कार्यक्रम कार्यांवयन मंत्रालय के अधीन कार्य करनेवाले **CSO (अब NSO) द्वारा प्रकाशित किया जाता है।**
- **सांख्यिकीय संग्रहण अधिनियम, 2008 (Collection of Statistics Act, 2008)** के प्रावधानों के अनुसार उद्योगों के वार्षिक सर्वेक्षण के दौरान सूचनाएँ एकत्र की जाती हैं।
- **उद्योगों के वार्षिक सर्वेक्षण में सम्मिलित है :**
  1. कारख़ाना अधिनियम, 1948 (Factories Act, 1948) की धारा 2 (m) (i) और 2 (m) (ii) के अंतर्गत **पंजीकृत सभी कारख़ाने** (*अर्थात् विद्युत का उपयोग करनेवाले 10 या अधिक श्रमिकों को नियोजित करनेवाले और विद्युत का उपयोग किये बिना 20 या उससे अधिक श्रमिकों को नियोजित करनेवाले कारख़ाने*)।
  2. 100 या अधिक कर्मचारियोंवालीं इकाइयाँ (अन्य सात अधिनियमों में से किसी अधिनियम के अंतर्गत पंजीकृत, लेकिन कारख़ाना अधिनियम के अंतर्गत भी पंजीकृत)।
  3. पंजीकृत बीड़ी और सिगार विनिर्माण प्रतिष्ठान और सभी विद्युत उपक्रम (केंद्रीय विद्युत प्राधिकरण में पंजीकृत नहीं)।
- **उद्योगों के वार्षिक सर्वेक्षण में सम्मिलित नहीं हैं :** रक्षा प्रतिष्ठान, तेल भंडारण और वितरण डिपो, विभागीय इकाइयाँ जैसे कि रेलवे कार्यशालाएँ, सरकारी टकसाल, स्वच्छता, जलापूर्ति, गैस भंडारण आदि।
- *असंगठित विनिर्माण क्षेत्र* से संबंधित आँकड़े हर 5 वर्ष में NSO द्वारा संकलित किये जाते हैं।
- **उद्योगों के वार्षिक सर्वेक्षण द्वारा उत्पन्न कुछ महत्त्वपूर्ण संकेतक हैं :** कारख़ानों की संख्या, उत्पादन, रोज़गार, मज़दूरी, निवेशित पूँजी, पूँजी निर्माण, आगत/निर्गत और वार्षिक आधार पर मूल्य वर्धन।
- किसी विशेष वित्तीय वर्ष के उद्योगों की वार्षिक सर्वेक्षण रिपोर्ट को प्रकाशित करने में लगभग 2 वर्ष लग जाते हैं।
- **नवीनतम ASI 2022-23 के अनुसार प्रमुख निष्कर्ष :**
  1. रिपोर्ट से पता चलता है कि मौजूदा क़ीमतों में, **योजित सकल मूल्य यानी सकल मूल्य वर्धित (GVA)** वर्ष 2021-22 की तुलना में वर्ष 2022-23 में **7.3 प्रतिशत बढ़ा।**
  2. मूल धातु, कोक और परिष्कृत पेट्रोलियम उत्पाद, खाद्य उत्पाद, रसायन और रासायनिक उत्पाद और मोटर वाहन जैसे उद्योग वर्ष 2022-23 में इस वृद्धि के मुख्य चालक रहे। इन उद्योगों ने मिलकर इस क्षेत्र के कुल उत्पादन में लगभग 58 प्रतिशत का योगदान दिया।
  3. वर्ष 2022-23 में GVA के मामले में **महाराष्ट्र पहले स्थान पर रहा**, उसके बाद गुजरात, तमिलनाडु, कर्नाटक और उत्तर प्रदेश का स्थान रहा। इन शीर्ष पाँच राज्यों ने मिलकर वर्ष 2022-23 में भारत के कुल विनिर्माण GVA में 54 प्रतिशत से अधिक का योगदान दिया।

4. इन शीर्ष पाँच राज्यों ने मिलकर वर्ष 2022-23 में विनिर्माण क्षेत्र के कुल रोज़गार में लगभग 55 प्रतिशत का योगदान दिया है।

अतिरिक्त जानकारी

क्रय प्रबंधक सूचकांक [PURCHASING MANAGERS' INDEX (PMI)]

- भारत में PMI **जापानी फ़र्म निक्की (Nikkei)** द्वारा प्रकाशित किया जाता है, लेकिन मार्किट इकोनॉमिक्स द्वारा संकलित किया जाता है।
- यह विनिर्माण और सेवा क्षेत्र के आर्थिक स्वास्थ्य का संकेतक है।
- **दो अलग-अलग PMI** प्रकाशित किये जाते हैं - **विनिर्माण PMI** और **सेवा PMI**
- **PMI निजी क्षेत्र की कंपनियों** के मासिक सर्वेक्षणों से प्राप्त आर्थिक संकेतकों को दर्शाता है। इस सूचकांक के लिए आँकड़े 400 क्रय प्रबंधकों के सर्वेक्षण के माध्यम से जुटाये जाते हैं।
- **PMI पाँच प्रमुख संकेतकों** पर आधारित है- नये आदेश, मालसूची स्तर, उत्पादन, आपूर्तिकर्ता प्रदाय और रोज़गार का वातावरण।

औद्योगिक रुग्णता (INDUSTRIAL SICKNESS)

कंपनी अधिनियम, 2013 (Companies Act, 2013) के प्रावधानों के अनुसार - *जहाँ कंपनी के 50% या अधिक बकाया ऋण का प्रतिनिधित्व करनेवाले रक्षित लेनदारों द्वारा माँग पर, कंपनी माँग नोटिस तामील होने के 30 दिनों के भीतर ऋण का भुगतान करने में विफल रहती है, तो कोई भी रक्षित लेनदार कंपनी को* ***रुग्ण कंपनी (sick company)*** *घोषित करने के लिए राष्ट्रीय कंपनी विधि न्यायाधिकरण [National Company Law Tribunal (NCLT)] का रुख़ कर सकता है।*

औद्योगिक रुग्णता के कारण (CAUSES OF INDUSTRIAL SICKNESS)

बाह्य कारण	आंतरिक कारण
• विद्युत कटौती। • आदानों या कच्चे माल की अनियमित आपूर्ति। • बाज़ार में मंदी; जिससे माँग और ऋण निरोध का मार्ग प्रशस्त होता है। • सरकारी नीतियों में अचानक परिवर्तन। • कुछ उद्योगों की स्थिति में विदेशी प्रतिस्पर्धियों से कड़ी प्रतिस्पर्धा।	• योजना निर्माण और निर्माण के स्तर पर दोष जैसे- अवस्थिति का ग़लत चुनाव, अपर्याप्त बाज़ार विश्लेषण आदि। • अनुपयुक्त/अप्रचलित/दोषपूर्ण संयंत्र और मशीनरी की ख़रीद। • अदत्त ऋण (unpaid debt) का बोझ। • उद्यमशीलता में अक्षमता। • तीव्र श्रम समस्याएँ, जैसे- हड़ताल, तालाबंदी, उच्च संघर्षण आदि।

अतीत में किये गये उपचारात्मक उपाय (Remedial Measures undertaken in the Past)

- रुग्ण औद्योगिक इकाइयों को अतिरिक्त कार्यशील पूँजी के रूप में **वाणिज्यिक बैंकों द्वारा रिआयतें/ऋण प्रदान करना**, घटी हुई दरों पर ब्याज की वसूली, ब्याज भुगतान पर उपयुक्त अधिस्थगन आदि।

- रुग्ण औद्योगिक कंपनियों का पुनरुद्धार सुगम बनाने के लिए विकास बैंक के रूप में कार्य करने के लिए **भारतीय औद्योगिक निवेश बैंक [Industrial Investment Bank of India (IIBI)]** (प्रारंभ में 1971 में अलग नाम से) की स्थापना। इसे सरकार ने 2012 में बंद कर दिया।
- सरकार द्वारा **प्रबंधन अधिकार में लेने** (आवश्यक होने पर) से **रुग्ण इकाई का राष्ट्रीयकरण।**
- समामेलन के माध्यम से रुग्ण इकाइयों को अधिकार में लेने की स्थिति में **स्वस्थ इकाइयों को आयकर लाभ प्रदान करना।**
- **सरकार द्वारा रुग्ण इकाइयों को मार्जिन मनी प्रदान करना,** ताकि वे बैंकों/वित्तीय संस्थानों से आवश्यक धनराशि प्राप्त कर सकें।
- **रुग्ण इकाइयों का शीघ्र पता लगाने के उपाय,** ताकि सरकार द्वारा समय पर हस्तक्षेप किया जा सके।
- रुग्ण औद्योगिक कंपनियों के संबंध में किये जानेवाले निवारक, सुधारात्मक, उपचारात्मक और अन्य उपायों का निर्धारण करने के लिए **1987 में औद्योगिक और वित्तीय पुनर्निर्माण बोर्ड [Board of Industrial and Financial Reconstruction (BIFR)]** की स्थापना।

परीक्षोपयोगी

औद्योगिक और वित्तीय पुनर्निर्माण बोर्ड

(BOARD OF INDUSTRIAL AND FINANCIAL RECONSTRUCTION)

(1987 में स्थापित और 2016 में भंग)

- BIFR की स्थापना रुग्ण औद्योगिक कंपनियाँ (विशेष प्रावधान) अधिनियम, 1985 [Industrial Companies (Special Provisions) Act, 1985 (in short SICA)] के प्रावधानों के अंतर्गत की गयी थी।
- संशोधित मानदंडों के अनुसार जिन औद्योगिक कंपनियों की निवल संपत्ति 50 प्रतिशत या उससे कम हो गयी थी, उन्हें BIFR को संदर्भित करना आवश्यक था।
- 1991 में सार्वजनिक क्षेत्र के उपक्रमों [Public Sector Undertakings (PSUs)] को भी BIFR के दायरे में लाया गया।
- यदि रुग्णता की पुष्टि हो जाती थी, तो BIFR से उक्त कंपनी के संबंध में की जानेवाली कार्रवाई का निर्धारण करने का आग्रह किया जाता था। कार्रवाई होती थी :
  - कंपनी को अपने दम पर अर्थात् बैंकों/संस्थानों द्वारा पहले से आरंभ की गयी योजना के अनुसार उचित अवधि के भीतर अपनी निवल संपत्ति धनात्मक बनाने की अनुमति देना;
  - कंपनी के संबंध में प्रचालक एजेंसी के माध्यम से योजना तैयार करवाना;
  - कंपनी के परिसमापन पर निर्णय लेना।
- तथापि BIFR **की बहुत आलोचना की गयी;** जैसे कि मामला निपटाने में काफ़ी विलंब, BIFR के परिसमापन की तुलना में पुनर्वास को वरीयता आदि।
- इस प्रकार **2016 में** SICA **को निरस्त कर दिया गया** और BIFR **को भी भंग कर दिया गया।** BIFR को लंबित सभी संदर्भ/जाँचों/अपीलों को समाप्त कर दिया गया।
- तथापि एक विकल्प यह प्रदान किया गया कि ऐसी समाप्त अपीलों/संदर्भों को ऋणशोधन अक्षमता और दिवालियापन संहिता (Insolvency and Bankruptcy Code) के प्रावधानों के अनुसार राष्ट्रीय कंपनी विधि न्यायाधिकरण [National Company Law Tribunal (NCLT)] और राष्ट्रीय कंपनी क़ानून अपीलीय न्यायाधिकरण [National Company Law Appellate Tribunal (NCLAT)] को संदर्भित किया जा सकता है *(निर्धारित समय सीमा के भीतर संदर्भित किये जाने पर कोई शुल्क नहीं लगता है)*

अतिरिक्त जानकारी

राष्ट्रीय विनिर्माण नीति, 2011 (NATIONAL MANUFACTURING POLICY, 2011)

2011 में, GDP में विनिर्माण की हिस्सेदारी 2022 तक बढ़ाकर 25 फ़ीसदी करने और 10 करोड़ रोज़गार सृजित करने की घोषणा की गयी थी। इस संबंध में, राष्ट्रीय निवेश और विनिर्माण क्षेत्रों (NIMZ) को ऐसे उद्योगों के लिए अत्याधुनिक बुनियादी

ढाँचे के केंद्र के रूप में परिकल्पित किया गया है। दिल्ली-मुंबई औद्योगिक गलियारे को छोड़कर पूरे देश में ऐसे 14 NIMZ की पहचान की गयी थी।

उद्देश्य (Objectives)

1. विनिर्माण क्षेत्र की वृद्धि को मध्यम अवधि में 12-14 प्रतिशत तक बढ़ाया जाये, ताकि इसे अर्थव्यवस्था के विकास का इंजन बनाया जा सके। समग्र अर्थव्यवस्था की मध्यम अवधि की विकास दर पर 2 से 4 प्रतिशत का अंतर, विनिर्माण को 2022 तक राष्ट्रीय सकल घरेलू उत्पाद में कम-से-कम 25 प्रतिशत योगदान देने में सक्षम करेगा।
2. 2022 तक 1000 लाख अतिरिक्त नौकरियाँ पैदा करने के लिए विनिर्माण में रोज़गार सृजन की दर में वद्धि।
3. विकास को समावेशी बनाने के लिए ग्रामीण प्रवासी और शहरी ग़रीबों के बीच उपयुक्त कौशल सेट का निर्माण।
4. विनिर्माण में घरेलू मूल्यवर्धन और तकनीकी 'गहराई' में वृद्धि।
5. उचित नीतिगत समर्थन के माध्यम से भारतीय विनिर्माण की वैश्विक प्रतिस्पर्धा को बढ़ाना।
6. विकास की स्थिरता सुनिश्चित करना, विशेष रूप से ऊर्जा दक्षता सहित पर्यावरण के संबंध में, प्राकृतिक संसाधनों का सर्वोत्तम उपयोग और क्षतिग्रस्त/अवक्रमित पारिस्थितिकी तंत्र की बहाली।

कंपनी (संशोधन) अधिनियम, 2019 [THE COMPANIES (AMENDMENT) ACT, 2019]

कंपनी (संशोधन) अधिनियम भारत में कंपनियों के निगमन, कार्यकरण और विघटन को आच्छादित करनेवाला क़ानून है। यह अधिनियम 1956 के पिछले अधिनियम में बड़ी संख्या में संशोधनों के बाद 2013 में पूरे भारत में लागू हुआ था।
2019 में इसमें पुनः संशोधन किया गया और इसे **कंपनी (संशोधन) अधिनियम, 2019** नाम दिया गया।

2013 के अधिनियम में सम्मिलित प्रमुख संशोधन इस प्रकार थे :

- अब न्यूनतम चुकता पूँजी की कोई आवश्यकता नहीं रही है; अर्थात् कंपनियों के लिए ₹1 लाख की चुकता पूँजी (paid up capital) की आवश्यकता समाप्त कर दी गयी है।
- व्यवसाय आरंभ प्रमाण पत्र की कोई आवश्यकता नहीं।
- **सामान्य मुद्रा (common seal)** की आवश्यकता को अब **वैकल्पिक** बना दिया गया है और कंपनी की सामान्य मुद्रा के स्थान पर निदेशकों के हस्ताक्षर स्वीकार्य है।
- इसमें कंपनी (संशोधन) अधिनियम, 2013 का उल्लंघन करते हुए जमा आमंत्रित या स्वीकार या नवीकृत करनेवालीं कंपनियों के निदेशकों के लिए **कठोर अर्थदंड** आरंभ किया गया।
- यह घोषणा की गयी कि **घाटा या ऋणात्मक भंडारवालीं कंपनियाँ लाभांश की घोषणा नहीं कर सकतीं।**
- नियंत्रक कंपनी द्वारा **सहायक कंपनी को ऋण या गारंटी** प्रदान की जा सकती है।
- केंद्र सरकार को धोखाधड़ी की सूचना देने के लिए 'स्थूल' सीमा ('material' limit) प्रदान करना।

2019 के अधिनियम में समाविष्ट किये गये प्रमुख संशोधन इस प्रकार थे :

- लाभ और नये शेयरों के निर्गमन में से **अधिमानी शेयरों का प्रतिदान (redemption of preference shares)** सक्षम बनाने के अतिरिक्त, संशोधन ने **कंपनी को पूँजी में से भी** अधिमानी शेयरों को परिदान करने की अनुमति दी।
- **लेखा परीक्षकों की नियुक्ति** और उनके पारिश्रमिक का मुद्दा शेयरधारकों के अनुमोदन के लिए सार्वजनिक कंपनी की **वार्षिक आम बैठक में पटल पर रखा** जाना चाहिए। इस संबंध में अधिनियम में पहले प्रविधान नहीं था।
- **न्यायिक प्रबंधन तंत्र** (Judicial Management Mechanism) आरंभ किया गया, जिसके माध्यम से कंपनी, उसके निदेशक या लेनदार अब उच्च न्यायालय में कंपनी का प्रबंधन न्यायिक प्रबंधक के रूप में योग्यता प्राप्त ऋणशोधन सामंजस्य/अक्षमता व्यवसायी के हाथ में रखे जाने का आवेदन कर सकते हैं।

समाविष्ट संशोधनों का लाभ (Benefits of Incorporated Amendments)

- यह संशोधन अधिनियम, कंपनी अधिनियम के कुछ पहलुओं को उदार और युक्तिसंगत बनाने की दिशा में एक वृद्धिशील और स्वाभाविक कदम है।
- यह कंपनी अधिनियम की कुछ प्रारूप संबंधी अस्पष्टताओं को भी दूर करता है।
- यह कंपनी अधिनियम के प्रावधानों का प्रतिभूति क़ानूनों और RBI के विनियमनों जैसे अन्य क़ानूनों के साथ भी सामंजस्य/तालमेल बैठाना चाहता है। इस सीमा तक यह स्वागतयोग्य क़दम है।

अतिरिक्त जानकारी

राष्ट्रीय कंपनी विधि न्यायाधिकरण [NATIONAL COMPANY LAW TRIBUNAL (NCLT)]

- यह भारत में **वह अर्ध-न्यायिक निकाय** (quasi-judicial body) **है,** जो **भारतीय कंपनियों** से संबंधित मुद्दों की जाँच करता है। यह न्यायाधिकरण कंपनी अधिनियम, 2013 के अंतर्गत स्थापित किया गया था और इसका गठन भारत सरकार द्वारा 2016 में किया गया था।
- इसने कंपनी लॉ बोर्ड और BIFR का **स्थान ग्रहण किया** है।
- इसके पास कंपनी अधिनियम, 2013 के अंतर्गत कार्यवाहियों के न्यायनिर्णयन करने की शक्ति है :
  1. पहले के कंपनी अधिनियम, 1956 (Companies Act, 1956) के अंतर्गत **कंपनी लॉ बोर्ड** के समक्ष आरंभ की गयी।
  2. SICA, 1985 के अंतर्गत BIFR के समक्ष लंबित।
  3. औद्योगिक और वित्तीय पुनर्निर्माण के लिए अपीलीय अधिकरण के समक्ष लंबित।
  4. किसी **कंपनी के उत्पीड़न और कुप्रबंधन, कंपनी के समापन** आदि से संबंधित।
- यह **दिवालिया और ऋण शोधन अक्षमता. संहिता 2016 (Insolvency and Bankruptcy Code, 2016)** के तहत कंपनियों की **दिवालिया समाधान प्रक्रिया (insolvency resolution process)** और सीमित दायित्ववालीं साझेदारियों के लिए भी न्यायनिर्णयन अधिकरण है।
- NCLT के निर्णयों को NCLAT और आगे उच्चतम न्यायालय में अपील की जा सकती है।
- NCLT के पूरे भारत में 16 पीठ हैं। [प्रत्येक पीठ **में एक न्यायिक सदस्य** (सेवानिवृत्त/सेवारत उच्च न्यायालय का न्यायाधीश) और भारतीय कार्पोरेट लॉ सेवा का एक तकनीकी सदस्य होता है।]

निगमित सामाजिक उत्तरदायित्व [CORPORATE SOCIAL RESPONSIBILITY (CSR)]

परीक्षोपयोगी

- यह वह प्रबंधन अवधारणा है, जिसके द्वारा कंपनियाँ व्यवसाय-परिचालन और अपने शेयरधारकों के साथ अंतरक्रिया में सामाजिक और पर्यावरणीय सरोकार को एकीकृत करती हैं।
- सरल शब्दों में कंपनी द्वारा CSR व्यय समाज को वापस लौटाने का एक तरीक़ा है, जिसमें वह व्यवसाय करती है और अपने शेयरधारकों के लिए लाभ कमाती है।
- भारत में निगमित सामाजिक उत्तरदायित्व (CSR) की अवधारणा, कंपनी अधिनियम, 2013 की धारा 135, इसी अधिनियम की अनुसूची VII और कंपनी (CSR नीति) नियम, 2014 द्वारा शासित है।
- CSR नीति की अनुपालना में की जानेवालीं गतिविधियाँ कंपनी अधिनियम, 2013 की अनुसूची VII से संबंधित होनी चाहिए।
- CSR हेतु किसी कंपनी द्वारा ख़र्च की गयी राशि को **व्यावसायिक व्यय के रूप में नहीं जताया जा सकता है**। CSR व्यय पर कोई विशेष कर छूट नहीं दी गयी है।

- किसी भी वित्तीय वर्ष में ₹500 करोड़ या उससे अधिक की **शुद्ध परिसंपत्ति** या ₹1,000 करोड़ या उससे अधिक का कारोबार या ₹5 करोड़ या उससे अधिक के शुद्ध लाभवालीं कंपनियों को प्रत्येक वित्तीय वर्ष में, **पिछले 3 वर्षों के औसत शुद्ध लाभ का कम-से-कम 2 प्रतिशत ख़र्च करना होगा**।
- यदि कोई कंपनी 2 प्रतिशत से अधिक ख़र्च करती है, तो इस अतिरिक्त राशि को अगले तीन वित्तीय वर्षों में अनिवार्यत: 2 प्रतिशत CSR व्यय के विरुद्ध समायोजित किया जा सकता है, बशर्ते कि कुछ शर्तों का अनुपालन किया जाये।
- भारत में शाखावाली विदेशी कंपनियों को भी CSR मानदंडों का पालन करना आवश्यक है।
- CSR राशि ख़र्च करने हेतु **आरंभ की जा सकनेवालीं गतिविधियों** में निम्न सम्मिलित हैं:

  अत्यधिक भुखमरी और निर्धनता का उन्मूलन; शिक्षा को बढ़ावा देना; लैंगिक समानता को बढ़ावा देना और महिलाओं का सशक्तीकरण; बाल मृत्यु दर को कम करना और मातृ स्वास्थ्य में सुधार करना; ह्यूमन इम्युनोडेफिशिएंसी वायरस (Human Immunodeficiency Virus), उपार्जित प्रतिरक्षी अपूर्णता सहलक्षण (Acquired Immunodeficiency Syndrome), मलेरिया और अन्य बीमारियों का मुक़ाबला करना; पर्यावरणीय संधारणीयता सुनिश्चित करना; रोज़गार बढ़ानेवाले व्यावसायिक कौशल; सामाजिक व्यापार परियोजनाएँ; स्वच्छ भारत कोष, स्वच्छ गंगा कोष, प्रधान मंत्री राष्ट्रीय राहत कोष (PMNRF), प्रधान मंत्री नागरिक सहायता एवं आपातकालीन स्थिति राहत कोष (PM CARES Fund) या केंद्र सरकार द्वारा स्थापित और सामाजिक-आर्थिक विकास हेतु कॉर्पोरेट कार्य मंत्रालय द्वारा अधिसूचित किसी भी निधि में योगदान।
- हालाँकि, निम्नलिखित गतिविधियों को **विशेष रूप से** पात्र CSR गतिविधि के **दायरे से बाहर रखा गया है:**
  - क. कंपनी के सामान्य व्यवसाय की अनुपालना में की जानेवालीं गतिविधियाँ।
  - ख. राष्ट्रीय स्तर पर किसी राज्य या केंद्र शासित प्रदेश या अंतरराष्ट्रीय स्तर पर भारत का प्रतिनिधित्व करनेवाले भारतीय खेल कर्मियों के प्रशिक्षण को छोड़कर, भारत के बाहर की जानेवालीं गतिविधियाँ।
  - ग. किसी भी राजनीतिक दल को प्रत्यक्ष या अप्रत्यक्ष रूप से प्रदत्त किसी भी राशि का योगदान।
  - घ. वेतन संहिता, 2019 की धारा 2(k) में वर्णित परिभाषा के अनुसार, कंपनी के कर्मचारियों को लाभ पहुँचानेवालीं गतिविधियाँ।
  - ङ. उत्पादों/सेवाओं के लिए विपणन लाभ प्राप्त करने हेतु प्रायोजित गतिविधियाँ।
  - च. भारत में लागू किसी भी क़ानून के तहत वैधानिक दायित्वों को पूरा करने हेतु की जानेवालीं गतिविधियाँ।

CSR के लिए चुनौतियाँ (Challenges to CSR)

- साझा मूल्य और सामाजिक व्यवसाय परियोजनाओं के अधिकांश मामलों में कठिनाइयाँ पेश आती हैं, क्योंकि उन मामलों में विशुद्ध व्यवसायिक गतिविधियों और CSR गतिविधियों के बीच सीमा प्राय: अस्पष्ट होती है।
- CSR गतिविधियों के निहितार्थ के संबंध में जटिलता यह है कि क्या कंपनी कुछ CSR व्यय पर कर रिआयतों के लिए पात्र होगी या नहीं, काफ़ी हद तक कर प्राधिकारियों के विवेक पर निर्भर करता है।

विनिर्माण इंडस्ट्री के विभिन्न क्षेत्र (VARIOUS SECTORS OF MANUFACTURING INDUSTRY)

क. इस्पात (Steel)

भारत तैयार इस्पात का दूसरा सबसे बड़ा उपभोक्ता बन गया है। भारत का इस्पात क्षेत्र उल्लेखनीय विस्तार का अनुभव कर रहा है, जो चीन के बाद दुनिया का दूसरा सबसे बड़ा उत्पादक बन गया है। घरेलू तैयार इस्पात का उत्पादन 89.711 मिलियन टन है, जो 14.3 प्रतिशत की वृद्धि को दर्शाता है। उत्पादन से जुड़ी प्रोत्साहन योजना ने इस्पात उद्योग के निवेश को बढ़ावा दिया है, जिसमें 27 कंपनियों ने कुल 57 परियोजनाओं के लिए 29,530 करोड़ रुपये के MoU पर हस्ताक्षर किये हैं। इस्पात मंत्रालय के CPSE ने वित्त वर्ष 2022-23 में रिकॉर्ड CAPEX हासिल किया और वित्त वर्ष 2023-24 में यह गति बनाये रखी।

क्षेत्र की चुनौतियाँ (Challenges of the Sector)

1. इस्पात क्षेत्र बहुत अधिक पूँजी गहन है।
2. सस्ते विकल्प के लिए जलमार्गों के साथ प्रमुख रेलवे को पूरक करने के लिए आपूर्ति शृंखला प्रबंधन को बढ़ाया जाना चाहिए।
3. प्रतिस्पर्धा में सुधार के लिए वैश्विक परिदृश्यों के साथ विभिन्न करों और शुल्कों को सुव्यवस्थित किया जाना चाहिए।
4. कोकिंग कोल की आपूर्ति में सुधार करना बहुत ज़रूरी है, क्योंकि भारत कोकिंग कोल में आत्मनिर्भर नहीं है।
5. तैयार इस्पात की प्रतिव्यक्ति खपत 2021-22 के दौरान कैवल 77.2 किलोग्राम थी।

राष्ट्रीय इस्पात नीति, 2017 (National Steel Policy, 2017)

राष्ट्रीय इस्पात नीति, 2017, में घरेलू इस्पात खपत बढ़ाने, उच्च गुणवत्तावाले इस्पात उत्पादन को सुनिश्चित करने और इस्पात उत्पादन में आत्मनिर्भरता पैदा करने की परिकल्पना की गयी है। इसके निम्नलिखित उद्देश्य थे :

1. गुणवत्ता और लागत दक्षता में सुधार।
2. कोकिंग कोयला, लौह अयस्क की उपलब्धता सुनिश्चित करना।
3. घरेलू माँग में वृद्धि।
4. विशिष्ट इस्पात या मूल्य वर्धित इस्पात के लिए PLI योजना की घोषणा।

ख. इलेक्ट्रॉनिक्स विनिर्माण (Electronics Manufacturing)

भारत वैश्विक परिदृश्य में इलेक्ट्रॉनिक उत्पादों के विनिर्माण केंद्रों में से एक बनने की क्षमता रखता है। विशेष रूप से, हाल ही में चिप की कमी ने रणनीतिक कारणों से भी इलेक्ट्रॉनिक्स विनिर्माण में आत्मनिर्भरता की अत्यंत आवश्यकता को चिह्नित किया।

क्षेत्र के लिए चुनौतियाँ (Challenges for the Sector)

1. चीन से सस्ता आयात विशिष्ट विनिर्माण के बजाय डिब्बाबंद (पैकेज्ड) हो रहा है।
2. देश में माइक्रोचिप बनानेवाली फ़ाउंड्री की कमी।
3. एपल (Apple) जैसी बड़ी कंपनियों के साथ व्यापार संबंधी मुद्दे।

हाल की पहल (Recent Initiatives)

1. माइक्रोचिप और डिस्प्ले पैनल प्रोडक्शंस के लिए DLI (डिज़ाइन लिंक्ड इंसेंटिव) योजनाओं की घोषणा।
2. इलेक्ट्रॉनिक पुर्जे और अर्धचालक विनिर्माण संवर्धन योजना (SPECS)।
3. संशोधित इलेक्ट्रॉनिक्स विनिर्माण क्लस्टर।
4. भारत को वैश्विक इलेक्ट्रॉनिक्स विनिर्माण केंद्र (**2025 तक 400** बिलियन डॉलर का कारोबार) बनाने के लिए इलेक्ट्रॉनिक्स पर राष्ट्रीय नीति, 2019।

ग. वस्त्र क्षेत्र (Textile Sector)

चीन के बाद भारत **दुनिया में फ़ाइबर का दूसरा सबसे बड़ा निर्माता** है। यह देश के सकल घरेलू उत्पाद में लगभग 2.3 प्रतिशत का योगदान देता है।

क्षेत्र की चुनौतियाँ (Challenges of the Sector)

1. वर्तमान रुझानों के अनुसार कौशल उन्नयन की कमी।
2. श्रम विनियमन पर्याप्त नहीं है।
3. मूल्यवर्धन के अवसरों और तैयार उत्पादों की कमी।

लास्ट मिनट स्निपपेट्स

- प्रधानमंत्री ने नयी दिल्ली में **भारत टेक्स 2024 (Bharat Tex 2024)** का उद्घाटन किया, जो कपड़ा उद्योग में भारत की असाधारण क्षमताओं को प्रदर्शित करने के लिए एक उत्कृष्ट मंच है।
- **कस्तूरी कॉटन (Kasturi Cotton)** भारत की अपनी पहचान बनाने की दिशा में एक महत्त्वपूर्ण क़दम है।
- **फ़ाइव एफ़ (Five Fs)** - फ़ार्म से फ़ाइबर, फ़ाइबर से फ़ैक्ट्री, फ़ैक्ट्री से फ़ैशन, फ़ैशन से फ़ॉरेन, भारत के टैक्सटाइल सेक्टर को मज़बूत करेगा।

पीएम-मेगा एकीकृत वस्त्र क्षेत्र और परिधान पार्क (एमआईटीआरए) [PM-Mega Integrated Textiles Region and Apparel Park (MITRA)] - 7 ऐसे मेगा पार्कों को बढ़ावा दिया जायेगा, ताकि क्रमशः 1.9 लाख करोड़ और 2.5 लाख के अनुमानित कारोबार और रोज़गार सृजन के साथ पूरी मूल्य-शृंखला के लिए शुरू से अंत तक वस्त्र समाधानों को मज़बूत किया जा सके।

घ. औषधीय क्षेत्र (Pharmaceuticals)

हालाँकि कच्चे माल का बड़ा हिस्सा चीन से आयात किया जाता है, लेकिन भारत औषधि निर्माण में आत्मनिर्भर है। भारतीय फ़ार्मास्युटिकल का क्षेत्र मात्रा के हिसाब से दुनिया का तीसरा सबसे बड़ा क्षेत्र है, जिसका मौजूदा बाज़ार लगभग 50 बिलियन अमेरिकन डॉलर है। इस क्षेत्र द्वारा अगले दशक में 120-130 बिलियन अमेरिकन डॉलर तक विस्तार करने की क्षमता है, जिसमें नवाचार क्षेत्र में उद्योग का विकास प्राथमिक संचालकों में से एक है।

क्षेत्र की चुनौतियाँ (Challenges of the Sector)

1. देश में अपर्याप्त अनुसंधान एवं विकास सुविधा।
2. API (सक्रिय दवा सामग्री) के लिए चीन पर निर्भरता।
3. दवाओं की प्रतिलिपि लिखने से संबंधित बौद्धिक संपदा अधिकार (IPR) मुद्दे।

किये गये सुधार (Reforms Undertaken)

1. भारत में फ़ार्मा-मेडटेक क्षेत्र में अनुसंधान तथा विकास एवं नवाचार पर राष्ट्रीय नीति और **फ़ार्मा मेडटेक क्षेत्र में अनुसंधान और नवाचार को बढ़ावा देने** [Promotion of Research and Innovation in Pharma MedTech Sector **(PRIP)**] की योजना शुरू की गयी है।
2. API के निर्माण के लिए PLI योजना।
3. स्वास्थ्य देखभाल उपकरण विनिर्माण के लिए PLI योजना।

अतिरिक्त जानकारी

राष्ट्रीय निवेश और विनिर्माण क्षेत्र [NATIONAL INVESTMENT AND MANUFACTURING ZONE (NIMZ)]

NIMZ राष्ट्रीय विनिर्माण नीति, (National Manufacturing Policy) 2011 के सर्वाधिक महत्त्वपूर्ण साधनों में से एक है।

NIMZ की परिकल्पना विकसित भूमि के ऐसे बड़े क्षेत्रों के रूप में की गयी है, जिनमें विश्व स्तरीय विनिर्माण गतिविधियों को बढ़ावा देने के लिए अपेक्षित पारिस्थितिकी प्रणाली है। NIMZ को एकीकृत औद्योगिक टाउनशिप के रूप में विकसित किया जाना है, जिनमें अत्याधुनिक अवसंरचना और क्षेत्रीकरण के आधार पर भूमि उपयोग; कम और ऊर्जा कुशल प्रौद्योगिकी; आवश्यक सामाजिक अवसंरचना; और प्राथमिक क्षेत्र से द्वितीयक और तृतीयक क्षेत्र में जानेवाले व्यक्तियों को सुरक्षात्मक वातावरण प्रदान करने के लिए कौशल विकास सुविधाएँ होंगी।

NIMZ आकार, अवसंरचना नियोजन के स्तर, नियामकीय प्रक्रियाओं और निकास नीतियों से संबंधित शासन संरचनाओं के संदर्भ में SEZ से भिन्न हैं।

प्रस्तावित NIMZ की विशेषताएँ इस प्रकार हैं :

- राज्य सरकार **5,000 हेक्टेयर** की उपयुक्त भूमि उपलब्ध करायेगी।
- **कुल क्षेत्र का कम-से-कम 30 प्रतिशत** विनिर्माण इकाइयों की अवस्थिति के लिए उपयोग किया जायेगा।
- NIMZ के मामलों के निर्वहण के लिए **विशेष प्रयोजन वाहन** का गठन किया जायेगा।
- केंद्र सरकार वित्तीय सहायता प्रदान करेगी, जो परियोजना लागत के 20 प्रतिशत से अधिक नहीं होगी।
- केंद्र सरकार समयबद्ध ढंग से रेल-सड़क, विमानपत्तन और दूरसंचार सहित NIMZ की बाह्य भौतिक अवसंरचना संबंधों में सुधार करेगी/प्रदान करेगी।

अभी तक चार NIMZ को अंतिम अनुमोदन प्रदान किया गया है- पहला **प्रकाशम** (आंध्र प्रदेश) में, दूसरा **संगरेड्डी** (तेलंगाना) में, तीसरा **कलिंगनगर** (ओडिसा) और हैदराबाद फ़ार्मा सिटी छप्र्ड (तेलंगाना का रंगारेड्डी ज़िला) में चौथे स्थान में है। इसके अतिरिक्त, दिल्ली-मुंबई औद्योगिक गलियारा [Delhi–Mumbai Industrial Corridor (DMIC)] परियोजना के साथ आठ निवेश क्षेत्रों को भी **NIMZs** घोषित किया गया है।

भारत में विशेष आर्थिक क्षेत्र [Special Economic Zones (SEZs) in India]

- SEZ **शुल्क मुक्त एन्क्लेव** है और व्यापार परिचालनों के प्रयोजन से विदेशी क्षेत्र माना जाता है। SEZ वह भौगोलिक क्षेत्र है, जिसमें आर्थिक क़ानून देश के सामान्य आर्थिक क़ानूनों से अलग हैं।
- भारत में **पहली SEZ नीति** की घोषणा **2000** में की गयी थी। इसका उद्देश्य विदेशी निवेश बढ़ाना और निर्यात के लिए अंतरराष्ट्रीय स्तर पर प्रतिस्पर्धी वातावरण उपलब्ध कराना था।
- **SEZ अधिनियम 2005 में पारित किया गया था।** इसका उद्देश्य अतिरिक्त आर्थिक गतिविधियाँ पैदा करना, घरेलू और विदेशी स्रोतों से निवेश को बढ़ावा देना, ढाँचागत सुविधाएँ विकसित करना आदि था।

क्या आप जानते हैं? मार्च, 2025 तक, भारत में 276 SEZ कार्यरत हैं, जिनमें 2.8 मिलियन व्यक्ति कार्यरत हैं।

- 2018 में, भारत सरकार ने भारत की विशेष आर्थिक क्षेत्र (SEZ) नीति तैयार करने के लिए एक समिति (**बाबा कल्याणी** की अध्यक्षता में) का गठन किया। SEZ नीति समीक्षा समिति की **प्रमुख अनुशंसाएँ** इस प्रकार हैं -
  (i) रूपरेखा निर्यात वृद्धि से बदलकर व्यापक आधारवाली रोज़गार और आर्थिक वृद्धि की बनायी जाये।
  (ii) विनिर्माण और सेवा SEZ के लिए अलग-अलग नियम और प्रक्रियाएँ तैयार की जायें।
  (iii) कुछ उद्योगों पर आधारित निवेश की दक्षता, क्षेत्र में मौजूदा मालसूची के वर्तमान स्तर में सुधार लाने के लिए आपूर्ति चालित दृष्टिकोण से माँग चालित दृष्टिकोण की ओर रुख़ किया जाये।
  (iv) व्यापार की सुगमता का ढाँचा सक्षम बनाया जाये।
  (v) हाई स्पीड मल्टी मॉडल कनेक्टिविटी, व्यापार सेवाओं और जनोपयोगी सेवा अवसंरचना का वित्तपोषण कर पारितंत्र विकास संभव बनाकर प्रतिस्पर्धा बढ़ायें।

व्यापार सुगमता रिपोर्ट (EASE OF DOING BUSINESS REPORT)

- यह वार्षिक रैंकिंग है, जिसका उद्देश्य 190 **अर्थव्यवस्थाओं** में और समय के साथ व्यापार विनियमनों और संपत्ति अधिकारों की सुरक्षा की तुलना और विश्लेषण करके विश्व भर के व्यवसायों का **विनियामक वातावरण (regulatory environment)** समझने और बेहतर बनाने का आधार प्रदान करना था।

- विश्व बैंक समूह 2003 से डूइंग *बिज़नेस रिपोर्ट* प्रकाशित करता था। 2021 में, विश्व बैंक समूह प्रबंधन ने 'डूइंग बिज़नेस रिपोर्ट' को बंद करने का निर्णय लिया।
- व्यापार की सुगमता सूचकांक की गणना करने के लिए उपयोग किये जानेवाले **10 संकेतकों** (व्यवसाय के जीवन चक्र के आधार पर) **का विवरण** निम्नानुसार है :
    1. व्यवसाय आरंभ करना (Starting a business) – *रैंकिंग में सुधार हुआ है।*
    2. निर्माण अनुमतियों से निपटना (Dealing with construction permits) – *रैंकिंग में सुधार हुआ है।*
    3. विद्युत प्राप्त करना (Getting electricity) – *रैंकिंग में सुधार हुआ है।*
    4. संपत्ति का पंजीकरण (Registering property) – *रैंकिंग में सुधार हुआ है।*
    5. ऋण प्राप्ति (Getting credit)।
    6. अल्पसंख्यक निवेशकों की सुरक्षा (Protecting minority investors)।
    7. करों का भुगतान करना (Paying taxes) – *रैंकिंग में सुधार हुआ है।*
    8. सीमा पार व्यापार करना (Trading across borders) – *रैंकिंग में सुधार हुआ है।*
    9. अनुबंध प्रवर्तित करना (Enforcing contracts)।
    10. दिवालियेपन का समाधान (Resolving insolvency) – *रैंकिंग में सुधार हुआ है।*
- मुख्य रूप से भारत सरकार द्वारा हाल ही में की गयीं निम्नलिखित पहलों के **कारण ये सुधार हुए थे :**
    - **व्यवसाय आरंभ करने के लिए (Starting a Business) :** सार्वजनिक और निजी कंपनी के लिए न्यूनतम पूँजी की आवश्यकता को समाप्त कर दिया गया है, ₹15 लाख तक अधिकृत पूँजीवालीं कंपनियों के लिए निगमन शुल्क कम करके शून्य कर दिया गया है।
    - **निर्माण अनुमतियों से निपटना (Dealing with Construction Permits):** कुछ स्थानों पर ऑनलाइन एकल खिड़की प्रणाली आरंभ की गयी है, भवन निर्माण योजना का अनुमोदन तेज़ करने के लिए भवनों का जोखिम आधारित वर्गीकरण आरंभ किया गया है, अधिभोग-सह-पूर्णता प्रमाण पत्र का निरीक्षण और अनुदान।
    - **विद्युत प्राप्ति (Getting Electricity) :** कुछ स्थानों पर आंतरिक वायरिंग निरीक्षण की प्रक्रियाएँ समाप्त कर दी गयी हैं, 150 किलोवाट तक कम टेन्शन लोड के लिए विद्युतीकृत क्षेत्रों में सर्विस लाइन शुल्क ₹25,000 तक सीमित कर दिया गया है।
    - **ऋण प्राप्ति (Getting Credit) :** व्यवसाय परिसमापन के दौरान रक्षित लेनदारों को पहले भुगतान किया जायेगा।
    - **करों का भुगतान (Paying Taxes) :** GST का प्रचलन निगमित ₹250 करोड़ तक कारोबारवालीं कंपनियों के लिए आयकर 30 प्रतिशत से घटाकर 25 प्रतिशत कर दिया गया है।
    - **सीमा-पार व्यापार (Trading Across Borders) :** आयात कंटेनरों की इलेक्ट्रॉनिक मोहरबंदी, डिजिटल हस्ताक्षर के साथ सहायक दस्तावेज़ों की इलेक्ट्रॉनिक प्रस्तुति, आयात और निर्यात दोनों के लिए जोखिम आधारित निरीक्षण में वृद्धि, जिसके द्वारा केवल लगभग 5 प्रतिशत वस्तुओं का भौतिक निरीक्षण किया जाता है, व्यापारियों को डिजिटल हस्ताक्षर के साथ इलेक्ट्रॉनिक रूप से सभी सहायक दस्तावेज़ प्रस्तुत करने की अनुमति देने के लिए **ई-संचित** प्रवर्तित किया गया है।
    - **अनुबंध प्रवर्तन (Enforcing Contracts) :** स्थानीय न्यायालयों पर केस मेज़रमेंट रिपोर्ट तैयार करने के लिए राष्ट्रीय न्यायिक डेटा ग्रिड आरंभ किया गया, वाणिज्यिक विवादों का तेज़ी से निपटान सुनिश्चित करने और लंबित मामलों को कम करने के लिए वाणिज्यिक न्यायालयों का आर्थिक क्षेत्राधिकार ₹1 करोड़ से घटाकर ₹3 लाख करने के लिए वाणिज्यिक न्यायालय अधिनियम, 2015 (Commercial Courts Act, 2015) में संशोधन किया गया है।
    - **दिवाला समाधान (Resolving Insolvency) :** दिवाला और ऋणशोधन अक्षमता संहिता, 2016 **(Insolvency and Bankruptcy Code, 2016)** अपनायी गयी, पुनर्गठन और दिवालिया कार्यवाही के लिए व्यवसायिक संस्थानों की स्थापना, समयबद्ध समाधान प्रक्रिया।

मेक इन इंडिया (MAKE IN INDIA)

2014 में आरंभ की गयी यह पहल विदेशी और घरेलू दोनों निवेशकों को भारत में निवेश करने के लिए आमंत्रित करती है। यह भारत में उद्यमिता को बढ़ावा देने के लिए चार स्तंभों पर आधारित है :

1. **नयी प्रक्रियाएँ (New Processes) :** यह व्यापार की सुगमता से उद्यमिता को बढ़ावा देने का एक सर्वाधिक महत्त्वपूर्ण कारक के रूप में मान्यता देता है।
2. **नवीन अवसंरचना (New Infrastructure) :** सरकार औद्योगिक गलियारों और स्मार्ट नगरों को विकसित करना, अत्याधुनिक प्रौद्योगिकी और उच्च गतिवाले संचार के साथ विश्व स्तरीय अवसंरचना को विकसित करना चाहती है।
3. **नवीन क्षेत्र (New Sectors) :** इसमें विनिर्माण, अवसंरचना और सेवा गतिविधियों के 25 क्षेत्रों की पहचान की गयी है और अंतरक्रियात्मक वेब पोर्टलों और व्यवसायिक रूप से विकसित विवरणों के माध्यम से विस्तृत जानकारी साझा की जा रही है।
4. **नयी मानसिकता (New Mindset) :** आर्थिक विकास में उद्योगों के साथ सहभागिता करने के लिए, सरकार को नियामक के बजाए सुविधाप्रदाता के रूप में कार्य करना चाहिए।

अभी तक उठाये गये महत्त्वपूर्ण क़दम (Important Measures taken So Far)

- नयी व्यवस्था का उद्यमिता पूँजी वित्तपोषण करने के लिए और MSME क्षेत्र की वर्तमान इकाइयों का विस्तार करने के लिए भारतीय लघु उद्योग विकास बैंक [Small Industries Development Bank of India (SIDBI)] के अंतर्गत **इंडिया ऐस्पिरेशन फ़ंड** (India Aspiration Fund) की स्थापना की गयी है।
- कम कठोर नियमों और विनियमों के साथ भारतीय SME को अर्ध-इक्विटी (quasi-equity) और अवधि आधारित अल्पकालिक ऋण प्रदान करने और मेक इन इंडिया के 22 बलवाले क्षेत्रों पर विशेष ध्यान देने के लिए **सूक्ष्म, लघु और मझोले उद्यमों के लिए SIDBI का मेक इन इंडिया सॉफ़्ट लोन फ़ंड** [SIDBI's Make in India Soft Loan Fund for Micro, Small and Medium Enterprises (SMILE) scheme] आरंभ किया गया है।
- इसके अतिरिक्त सूक्ष्म इकाइयों को ऋणों के लिए वाणिज्यिक बैंकों/NBFC/सहकारी बैंकों को विकास और पुनर्वित्त प्रदान करने के लिए **सूक्ष्म इकाई विकास एवं पुनर्वित्त एजेंसी [Micro Units Development and Refinance Agency (MUDRA)]** बैंक की स्थापना की गयी है। यह वित्तीय साक्षरता प्रदान करके और कौशल/सूचना अंतराल दूर करके क्रेडिट प्लस दृष्टिकोण का पालन करेगा।

चुनौतियाँ (Challenges)

- नये खिलाड़ियों को समायोजित करने के लिए बाज़ार का विस्तार सीमित या अनुपस्थित है।
- कम श्रम लागत और श्रम अनुशासन भारत में एक बड़ा मुद्दा है।
- मेक इन इंडिया क्षेत्रों में रोज़गार सृजन के आँकड़ों का विश्लेषण यह दर्शाता है कि बलवाले क्षेत्र आवश्यक रूप से सर्वाधिक रोज़गार मूल्यसापेक्ष क्षेत्र नहीं हैं।

परीक्षोपयोगी

eBIZ परियोजना (eBIZ PROJECT)

उद्योग और आंतरिक व्यापार संवर्धन विभाग (Department for Promotion of Industry and Internal Trade) eBIZ नामक e-सरकार परियोजना को आगे बढ़ा रहा है। इस परियोजना का मुख्य उद्देश्य एक छत के नीचे (one-stop-shop) निवेशकों, व्यवसायों और उद्योगों के लिए सुविधाजनक और कुशल सेवाओं की संस्था बनाना है।

eBIZ की **प्रमुख विशेषताएँ** निम्नानुसार हैं :

- व्यवसाय अनुकूल वातावरण का निर्माण।

➤ निवेशकों, उद्योगों और व्यवसायों के लिए सेवा उन्मुखी दृष्टिकोण।
➤ व्यवसायों की उनके पूरे जीवन चक्र के दौरान G2B (Government to Business) सेवाओं की सभी आवश्यकताओं को पूरा करना।

स्टार्ट-अप इंडिया (START-UP INDIA)

यह 2016 से भारत सरकार की एक प्रमुख पहल है, जिसका उद्देश्य :

➤ देश में नवाचारी और स्टार्ट-अप का पोषण करने के लिए मज़बूत पारितंत्र का निर्माण करना है।
➤ संधारणीय संवृद्धि प्राप्त करना है।
➤ व्यापक पैमाने पर रोज़गार के अवसर पैदा करना है।
➤ नवाचार और डिज़ाइन के माध्यम से आगे बढ़ने के लिए स्टार्ट-अप को सशक्त बनाना है।

इसमें **स्टार्टअप के लिए फ़ंड [Funds for Startups (FFS)]**, संग्रह की स्थापना की परिकल्पना की गयी थी, जिसके लिए SIDBI द्वारा ₹10,000 करोड़ का प्रबंध किया जाना था।

अभी तक उठाये गये महत्त्वपूर्ण क़दम (Important Measures Taken So Far)

➤ स्टार्ट-अप हब - विभिन्न स्टार्ट-अपों के प्रश्नों की पूछताछ को संबोधित करना और उनकी सहायता करना।
➤ मोबाइल ऐप और पोर्टल - कार्य क्षमताएँ प्रदान करना, जैसे कि वास्तविक समय स्टार्ट-अप मान्यता प्रमाण पत्र प्राप्त करने के लिए आवेदन करना, SEBI पंजीकृत फ़ंड, विभिन्न विभागों द्वारा जारी की गयीं अधिसूचनाएँ आदि।
➤ स्टार्ट-अपों द्वारा पेटेंट, ट्रेडमार्क और डिज़ाइनों की द्रुतगामी फ़ाइलिंग की सुविधा प्रदान करने के लिए स्टार्टअप IPR सुरक्षा [Scheme for Startup IPR Protection (SIPP)] के लिए योजना।
➤ स्टार्ट-अपों की सार्वजनिक ख़रीद में मानदंडों में ढील दी गयी।
➤ नवाचार केंद्रों का निर्माण करना और अनुसंधान पार्कों की स्थापना करना।

चुनौतियाँ (Challenges)

➤ निरूद्ध वित्तपोषण वातावरण।
➤ ऐसी नवाचारी परियोजनाओं में सम्मिलित जोखिम का उच्च स्तर।
➤ लंबी और समयसाध्य सरकारी प्रक्रियाएँ।

अतिरिक्त जानकारी

स्टार्टअप इंडिया सीड फ़ंड (Startup India Seed Fund) : 2021 में लॉन्च किया गया, सरकार स्टार्टअप्स को स्वीकृत इन्क्यूबेटरों के माध्यम से वित्तीय सहायता प्रदान करने के लिए स्टार्टअप इंडिया सीड फ़ंड स्कीम (SISFS) लागू कर रही है।

SISFS के तहत 2021-22 से शुरू होकर 4 साल की अवधि के लिए 945 करोड़ रुपये की मंजूरी दी गयी है।

स्टैंड-अप इंडिया (STAND-UP INDIA)

- 2016 में आरंभ किया गया स्टैंड-अप इंडिया पोर्टल **अनुसूचित जाति, अनुसूचित जनजाति और महिला उद्यमियों** के लिए उद्यम संवर्धन में सहायता करने के लिए तीन स्तंभों पर आधारित डिजिटल मंच प्रदान करता है।
- यह पोर्टल केंद्रीय और राज्य अनुसूचित जाति/अनुसूचित जनजाति निगमों और औद्योगिक संघों से महत्त्वपूर्ण कड़ी भी प्रदान करता है।
- यह उधारकर्ताओं को ऋण-पूर्व चरण और परिचालन के दौरान सहायता प्रदान करता है।
- इस योजना के अंतर्गत ऋण एक योजना के माध्यम से उचित रूप से सुरक्षित और क्रेडिट गारंटी द्वारा समर्थित है, जिसके लिए *वित्तीय सेवा विभाग (Department of Financial Services)* मध्यस्थ है।
- SIDBI ग्रीनफ़ील्ड उद्यमों के लिए **7 वर्ष तक** प्रतिदेय और **₹ 10 लाख से 100 लाख** तक बैंक ऋण की सुविधा प्रदान करता है।
- बैंक खातों और तकनीकी शिक्षा तक पहुँच के साथ, स्टैंड-अप इंडिया का उद्देश्य समाज में वित्तीय और सामाजिक समावेश सुगम बनाना है।

राष्ट्रीय उत्पादकता परिषद् [National Productivity Council (NPC)]

- NPC **भारत में उत्पादकता संस्कृति को बढ़ावा देने के लिए 1958 में स्थापित किया गया राष्ट्रीय स्तर का संगठन है।**
- NPC *वाणिज्य और उद्योग मंत्रालय के उद्योग और आंतरिक व्यापार संवर्धन विभाग [Department for Promotion of Industry and Internal Trade (DPIIT)]* **के अंतर्गत आता है।**
- **यह एक स्वायत्त, बहु-भागीय, ग़ैर-लाभकारी संगठन है और इसे 1860 के सोसायटी पंजीकरण अधिनियम** XXI (Societies Registration Act XXI of 1860) **के अंतर्गत एक सोसायटी के रूप में पंजीकृत किया गया है।**
- NPC **टोक्यो स्थित अंतर-सरकारी निकाय एशियाई उत्पादकता संगठन** [Asian Productivity Organisation (APO)] **का एक घटक है, जिसका भारत सरकार संस्थापक सदस्य है।**

उद्योग 4.0 और भारत [Industry 4.0 and India]

चौथी औद्योगिक क्रांति या उद्योग 4.0 का आगमन हो गया है। परिवर्तन में क्लाउड कंप्यूटिंग, IoT, मशीन लर्निंग और आर्टिफ़िशियल इंटेलिजेंस (AI) जैसी नयी प्रौद्योगिकियाँ शामिल हैं, जो मूल्य श्रृंखला में दक्षता के लिए अग्रणी हैं।

- जबकि भारतीय विनिर्माण क्षेत्र में इन प्रौद्योगिकियों को अपनाने का काम चल रहा है, बड़े पैमाने पर इसे अपनाना अभी बाक़ी है।
- सेमीकंडक्टर प्रौद्योगिकी और उत्पादन में आत्मनिर्भरता की ओर बढ़ने से भारत को मदद मिलेगी।
- सरकार द्वारा की गयीं कुछ पहलों में भारी उद्योग और सार्वजनिक उद्यम मंत्रालय के तहत SAMARTH (स्मार्ट ऐडवांस्ड मैन्युफ़ैक्चरिंग ऐंड रैपिड ट्रांसफ़ॉर्मेशन हब) उद्योग भारत 4.0 शामिल है, जिसका उद्देश्य भारतीय विनिर्माण उद्योग के लिए तकनीकी समाधानों को प्रोत्साहित करना है।
- एक अन्य पहल 2018 में भारत में चौथी औद्योगिक क्रांति के लिए केंद्र की स्थापना है, जो उभरती प्रौद्योगिकियों के लिए नीतिगत ढाँचे को विकसित करना चाहता है।

परीक्षोपयोगी

भारत में चैंपियन क्षेत्र (CHAMPION SECTORS IN INDIA)

- 2020 में, भारत सरकार ने विनिर्माण और सेवा क्षेत्र में चैंपियन क्षेत्रों (कुल 27) की पहचान की, ताकि उनके विकास को बढ़ावा दिया जा सके और उनकी संभावना को साकार किया जा सके।

- इन क्षेत्रों की मेक इन इंडिया संस्करण 2.0 (Make in India version 2.0) के अंतर्गत नये सिरे से ध्यान देने के लिए पहचान की गयी है।
- 'मेक इन इंडिया' के लिए नोडल विभाग **औद्योगिक नीति और संवर्धन विभाग [Department of Industrial Policy and Promotion (DIPP)]** विनिर्माण में चैंपियन क्षेत्रों के लिए पहल का नेतृत्व करता है और **वाणिज्य विभाग सेवाओं में चैंपियन क्षेत्रों** के लिए पहलों का समन्वय करता है।
- **विनिर्माण में चैंपियन क्षेत्रों (कुल 15) में शामिल हैं-**

1. एयरोस्पेस और रक्षा
2. ऑटोवाहन और ऑटो कलपुर्ज़े
3. फ़ार्मास्यूटिकल्स और चिकित्सा उपकरण
4. जैव प्रौद्योगिकी
5. पूँजीगत वस्तुएँ
6. वस्त्र और परिधान
7. रसायन और पेट्रो रसायन
8. इलेक्ट्रॉनिक्स सिस्टम डिज़ाइन और विनिर्माण (ESDM)
9. चमड़ा और जूते
10. खाद्य प्रसंस्करण
11. रत्न और आभूषण
12. जहाज़रानी
13. रेलवे
14. निर्माण
15. नवीन और नवीकरणीय ऊर्जा

- **सेवाओं में चैंपियन क्षेत्रों (कुल 12) में शामिल हैं :**

1. IT & ITeS
2. पर्यटन और आतिथ्य सेवाएँ
3. चिकित्सा मूल्य यात्रा
4. परिवहन और संभार-तंत्र सेवाएँ
5. लेखांकन और वित्त सेवाएँ
6. श्रव्य-दृश्य सेवाएँ (Audio Visual Services)
7. क़ानूनी सेवाएँ
8. संचार सेवाएँ
9. निर्माण और संबंधित इंजीनियरिंग सेवाएँ
10. पर्यावरण सेवाएँ
11. वित्तीय सेवाएँ
12. शिक्षा सेवाएँ

- चैंपियन क्षेत्रों की क्षेत्रीय कार्य योजनाओं के लिए पहलों का समर्थन करने के लिए ₹5000 करोड़ की समर्पित निधि स्थापित करने का प्रस्ताव किया गया है।
- इस पहल का उद्देश्य वैश्विक सेवा निर्यात में भारत के सेवा क्षेत्र की हिस्सेदारी बढ़ाना है।

संक्षिप्त विवरण

- **उद्योगों का क्षेत्रवार वर्गीकरण (Sectoral classification of Industries)** – खनन और उत्खनन – विनिर्माण – विद्युत, गैस, जलापूर्ति और अन्य उपयोगिता सेवाएँ – निर्माण।
- **औद्योगिक नीति संकल्प**, 1956 **(Industrial Policy Resolution of 1956)** – पी.सी. महालनोबिस मॉडल पर आधारित – 'भारत का आर्थिक संविधान' अथवा 'राज्य पूँजीवाद की बाइबिल' माना जाता है।
- **नयी औद्योगिक नीति**, 1991 **(New Industrial Policy, 1991)** – चार दशकों में देश की औद्योगिक संरचना में हुई गड़बड़ियों और कमज़ोरियों को दूर करना लक्ष्य – उद्योग के लिए लाइसेंस की अनिवार्यता समाप्त करना – सार्वजनिक क्षेत्र को आरक्षण मुक्त करना – विदेशी निवेश – विदेशी प्रौद्योगिकी समझौता।
- **CPSEs को वर्गीकृत किया जाता है** – महारत्न – नवरत्न – मिनिरत्न I एवं II में।
- **औद्योगिक उत्पादन सूचकांक [Index of Industrial Production (IIP)]** – औद्योगिक प्रदर्शन की सांख्यिकीय माप – सांख्यिकी एवं कार्यक्रम कार्यान्वयन मंत्रालय द्वारा – प्रत्येक महीने जारी किया जाता है।

- **आठ प्रमुख उद्योगों का सूचकांक (Index of Eight Core Industries)** – **IIP** में इसका 40.27 प्रतिशत भार होता है – मासिक औद्योगिक प्रदर्शन का बैरोमीटर – आठ प्रमुख उद्योगों में तेल शोधन उत्पाद, विद्युत, इस्पात, कोयला, कच्चा तेल, प्राकृतिक गैस, सीमेंट एवं उर्वरक सम्मिलत हैं।
- **उद्योगों का वार्षिक सर्वेक्षण [Annual Survey of Industries (ASI)]** – संगठित विनिर्माण क्षेत्र से संबंधित – CSO (अब NSO) द्वारा प्रतिवर्ष प्रकाशित किया जाता है।
- **क्रय प्रबंधक सूचकांक [Purchasing Managers' Index (PMI)]** – जापान की कंपनी निक्की द्वारा प्रकाशित किया जाता है, परंतु संकलन मार्किट इकनॉमिक्स द्वारा किया जाता है – विनिर्माण एवं सेवा क्षेत्र का सूचक – दो पृथक् PMIs प्रकाशित किये जाते हैं – विनिर्माण PMI और सेवा **PMI**।
- **राष्ट्रीय कंपनी क़ानून न्यायाधिकरण [National Company Law Tribunal (NCLT)]** – यह अर्धन्यायिक संस्था है, जो भारतीय कंपनियों से संबंधित विषयों को देखती है – कंपनी अधिनियम, 2013 के अंतर्गत गठित – भारत सरकार द्वारा 2016 में गठन – कंपनी अधिनियम बोर्ड और BIFR को प्रतिस्थापित किया।
- **कॉर्पोरेट सामाजिक ज़िम्मेदारी (Corporate Social Responsibility)** – कंपनियाँ अपने व्यापार संचालन और अपने हितधारकों से संवाद में सामाजिक और पर्यावरणीय हितों को एकीकृत करती है– उस समाज को लौटाना है, जिसमें कंपनी अपना कारोबार कर रही है और अपने हितधारकों के लिए लाभ अर्जित कर रही है।
- **विशिष्ट आर्थिक क्षेत्र (Special Economic Zone)** – कर मुक्त क्षेत्र और इसे व्यापार संचालन के उद्देश्य से विदेशी क्षेत्र समझा जाता है – इसका उद्देश्य विदेशी निवेश बढ़ाना और निर्यात के लिए अंतरराष्ट्रीय रूप से प्रतियोगी पर्यावरण प्रदान करना।
- **स्टैंड अप इंडिया (Stand-Up India)** – पोर्टल अनुसूचित जाति, अनुसूचित जनजाति और महिला उद्यमियों के उद्यमों के संवर्धन में सहायता के लिए तीन स्तंभों पर आधारित एक डिजिटल मंच प्रदान करता है – इस योजना के अंतर्गत दिया जानेवाला ऋण उचित रूप से सुरक्षित होता है और इसके लिए क्रेडिट गारंटी दी जाती है – वित्त सेवा विभाग इस योजना की देखरेख करता है।

यूपीएससी सिविल सेवा के पिछले वर्षों की प्रारंभिक परीक्षा के प्रश्न

1. भारत में निगमित सामाजिक उत्तरदायित्व (CSR) नियमों के संदर्भ में, निम्नलिखित कथनों पर विचार कीजिए : **[2024]**

1. CSR नियम विनिर्दिष्ट करते हैं कि सीधे कंपनी अथवा इसके कर्मचारियों को लाभ पहुँचानेवाले व्यय को CSR कार्यकलापों के रूप में नहीं माना जाएगा।

2. CSR नियम CSR कार्यकलापों पर होनेवाले न्यूनतम व्यय को विनिर्दिष्ट नहीं करते हैं।

उपर्युक्त कथनों में से कौन-सा/कौन-से सही है/हैं?

(a) केवल 1 **(b)** केवल 2

(c) 1 और 2 दोनों **(d)** न तो 1, न ही 2

2. निम्नलिखित कथनों पर विचार कीजिए : **[2019]**

औद्योगिक रोज़गार (स्थायी आदेश) केंद्रीय (संशोधन) नियम, 2018 के अनुसार

1. यदि नियत-कालिक रोज़गार के नियमों को कार्यांवित किया जायेगा, तो फ़र्मो/कंपनियों के लिए श्रमिकों की छँटनी करना आसान हो जायेगा।

2. अस्थायी कर्मकार की स्थिति में रोज़गार समाप्ति के लिए किसी सूचना की आवश्यकता नहीं होगी।

उपर्युक्त कथनों में से कौन-सा/से सही है/हैं?

(a) केवल 1 **(b)** केवल 2

(c) 1 और 2 दोनों **(d)** 1 और 2 में से कोई नहीं

3. भारतीय गुणवत्ता परिषद् (QCI) के संदर्भ में, निम्नलिखित कथनों पर विचार कीजिए : **[2017]**

1. भारत सरकार और भारतीय उद्योग द्वारा संयुक्त रूप से QCI की स्थापना की गयी थी।

2. सरकार को उद्योग की अनुशंसाओं के आधार पर प्रधानमंत्री द्वारा QCI के अध्यक्ष की नियुक्ति की जाती है।

उपर्युक्त कथनों में से कौन-सा/से सही है/हैं?

(a) केवल 1 **(b)** केवल 2

(c) 1 और 2 दोनों **(d)** 1 और 2 में से कोई नहीं

4. हाल ही में भारत का पहला NIMZ कहाँ स्थापित करने का प्रस्ताव किया गया? **[2016]**

(a) आंध्र प्रदेश में **(b)** गुजरात में
(c) महाराष्ट्र में **(d)** उत्तर प्रदेश में

5. ''स्टैंड-अप इंडिया योजना'' के संदर्भ में निम्नलिखित में से कौन-सा/से कथन सही है/हैं? **[2016]**

1. इसका उद्देश्य अनुसूचित जाति/अनुसूचित जनजाति और महिला उद्यमियों के बीच उद्यमिता को बढ़ावा देना है।
2. यह SIDBI के माध्यम से पुनर्वित्त का प्रावधान करता है।

नीचे दिये गये कूट का प्रयोग कर सही उत्तर चुनिए :

(a) केवल 1 **(b)** केवल 2
(c) 1 और 2 दोनों **(d)** 1 और 2 में से कोई नहीं

6. निम्नलिखित में से कौन-सा उद्योग भारत में पानी का अधिकतम उपभोक्ता है? **[2013]**

(a) इंजीनियरिंग **(b)** कागज़ और लुगदी
(c) वस्त्र **(d)** तापविद्युत

7. विनिर्माण क्षेत्र की संवृद्धि को बढ़ावा देने के लिए भारत सरकार की हालिया नीतिगत पहल/पहलें क्या है/हैं? **[2012]**

1. राष्ट्रीय निवेश और विनिर्माण क्षेत्रों की स्थापना।
2. एकल खिड़की मंजूरी का लाभ प्रदान करना।
3. प्रौद्योगिकी अधिग्रहण और विकास फ़ंड की स्थापना।

नीचे दिये गये कूट का प्रयोग कर सही उत्तर चुनिए :

(a) केवल 1 **(b)** केवल 2 और 3
(c) केवल 1 और 3 **(d)** 1, 2 और 3

8. भारत में औद्योगिक उत्पादन के समग्र सूचकांक में आठ प्रमुख उद्योगों के सूचकांक का संयुक्त भार 37.90% है। निम्नलिखित में से कौन-सा/से इन आठ प्रमुख उद्योगों में सम्मिलित है/हैं? **[2012]**

1. सीमेंट **2.** उर्वरक
3. प्राकृतिक गैस **4.** शोधनशाला उत्पाद
5. वस्त्र

नीचे दिये गये कूट का प्रयोग कर सही उत्तर चुनिए :

(a) केवल 1 और 5
(b) केवल 2, 3 और 4
(c) केवल 1, 2, 3 और 4
(d) 1, 2, 3, 4 और 5

9. कोयले का विशाल भंडार होने के बावजूद भारत लाखों टन कोयले का आयात क्यों करता है? **[2012]**

1. भारत की नीति भविष्य के लिए अपने कोयले का भंडार बचाना और वर्तमान उपयोग के लिए अन्य देशों से आयात करना है।
2. भारत में अधिकांश विद्युत संयंत्र कोयला आधारित हैं और उन्हें देश के भीतर से कोयले की पर्याप्त आपूर्ति नहीं मिल पा रही है।
3. इस्पात कंपनियों को बड़ी मात्रा में कोकिंग कोयले की आवश्यकता होती है, जिसे आयात करना पड़ता है।

उपर्युक्त कथनों में से कौन-सा/से सही है/हैं?

(a) केवल 1 **(b)** केवल 2 और 3
(c) केवल 1 और 3 **(d)** 1, 2 और 3

10. भारत सरकार केंद्रीय सार्वजनिक क्षेत्र के उद्यमों (CPSE) में अपनी इक्विटी का विनिवेश क्यों कर रही है? **[2011]**

1. सरकार विनिवेश से अर्जित राजस्व का मुख्य रूप से बाह्य ऋण का भुगतान करने के लिए उपयोग करना चाहती है।
2. सरकार अब CPSE का प्रबंधन नियंत्रण बनाये रखने का इरादा नहीं रखती है।

उपर्युक्त कथनों में से कौन-सा/से सही है/हैं?

(a) केवल 1 **(b)** केवल 2
(c) 1 और 2 दोनों **(d)** 1 और 2 में से कोई नहीं

☞ **कोई प्रश्न नहीं**
2023, 2022, 2021, 2020, 2018, 2015, 2014

उत्तर कुंजी

1. (a) 2. (c) 3. (c) 4. (a) 5. (c)
6. (d) 7. (d) 8. (c) 9. (b) 10. (d)

यूपीएससी सिविल सेवा के पिछले वर्षों की मुख्य परीक्षा के प्रश्न

1. 'सुधार पश्चात् अवधि में सकल घरेलू उत्पाद की समग्र संवृद्धि में औद्योगिक सवृद्धि दर पिछड़ गयी है' कारण बताइए। हाल में औद्योगिक नीति में किये गये परिवर्तन कहाँ तक औद्योगिक संवृद्धि दर बढ़ाने में सक्षम हैं? **[2017]**

2. **मेक इन इंडिया** कार्यक्रम की सफलता **स्किल इंडिया** (Skill India) कार्यक्रम और आमूल-चूल श्रम संबंधी सुधारों की सफलता पर निर्भर है। तार्किक तर्कों के साथ विवेचना कीजिए। **[2015]**

☞ **कोई प्रश्न नहीं**
2024, 2023, 2022, 2021, 2020, 2019, 2018, 2016, 2014, 2013

एमएसएमई क्षेत्र
(MSME Sector)

अध्याय
20

अध्याय की रूपरेखा

- एमएसएमई का परिचय: भारतीय अर्थव्यवस्था का जीवंत क्षेत्र
- एमएसएमई क्षेत्र : भारत में संरचना
- भारतीय अर्थव्यवस्था में एमएसएमई की भूमिका/महत्त्व
- एमएसएमई क्षेत्र की चुनौतियाँ
- एमएसएमई क्षेत्र को बढ़ावा देने के लिए सरकार की हालिया पहलें
- एमएसएमई : नये भारत के विकास के इंजन
- अंतरराष्ट्रीय सर्वोत्तम प्रथाएँ

एमएसएमई का परिचय : भारतीय अर्थव्यवस्था का जीवंत क्षेत्र (INTRODUCTION TO MSME : THE VIBRANT SECTOR OF INDIAN ECONOMY)

सूक्ष्म, लघु और मध्यम उद्यम (MSME) क्षेत्र भारतीय अर्थव्यवस्था के एक अत्यधिक जीवंत और गतिशील क्षेत्र के रूप में उभरा है, जो उद्यमशीलता को बढ़ावा देता है और कृषि के बाद तुलनात्मक रूप से कम पूँजी लागत पर स्व-रोज़गार के अवसर पैदा करता है।

लास्ट मिनट स्निपपेट्स

केंद्रीय बजट 2025-26 में MSMEs क्षेत्र को मज़बूत करने के उद्देश्य से कई उपाय पेश किये गये हैं, जिसमें ऋण तक पहुँच को बढ़ाना, पहली बार उद्यमियों को सहायता देना और श्रम-प्रधान उद्योगों को बढ़ावा देना सम्मिलित है। MSMEs को परिचालन बढ़ाने और बेहतर संसाधनों तक पहुँच बनाने में मदद करने के लिए, वर्गीकरण के लिए निवेश और टर्नओवर सीमा को क्रमशः **2.5 गुना और 2 गुना** बढ़ा दिया गया है। इससे दक्षता, प्रौद्योगिकी अपनाने और रोज़गार सृजन में सुधार होने की प्रत्याशा है।

वर्ग	पुरानी पूँजी-सीमा	पुरानी टर्नओवर-सीमा	नयी पूँजी-सीमा	नयी टर्नओवर-सीमा
सूक्ष्म	1 करोड़ रुपये तक	5 करोड़ रुपये तक	2.5 करोड़ रुपये तक	10 करोड़ रुपये तक
लघु	10 करोड़ रुपये तक	50 करोड़ रुपये तक	25 करोड़ रुपये तक	100 करोड़ रुपये तक
मध्यम	50 करोड़ रुपये तक	250 करोड़ रुपये तक	125 करोड़ रुपये तक	500 करोड़ रुपये तक

एमएसएमई क्षेत्र : भारत में संरचना (MSME SECTOR: STRUCTURE IN INDIA)

एमएसएमई मंत्रालय एक नोडल मंत्रालय है, जो ऋण सहायता, तकनीकी सहायता, इंफ्रास्ट्रक्चर विकास, कौशल विकास और प्रशिक्षण, प्रतिस्पर्धा और बाज़ार सहायता बढ़ाने की दिशा में विभिन्न स्कीम/कार्यक्रमों को लागू करके खादी, ग्रामोद्योग और नारियल रेशा (कॉयर) उद्योगों सहित क्षेत्र की वृद्धि और विकास को बढ़ावा देता है।

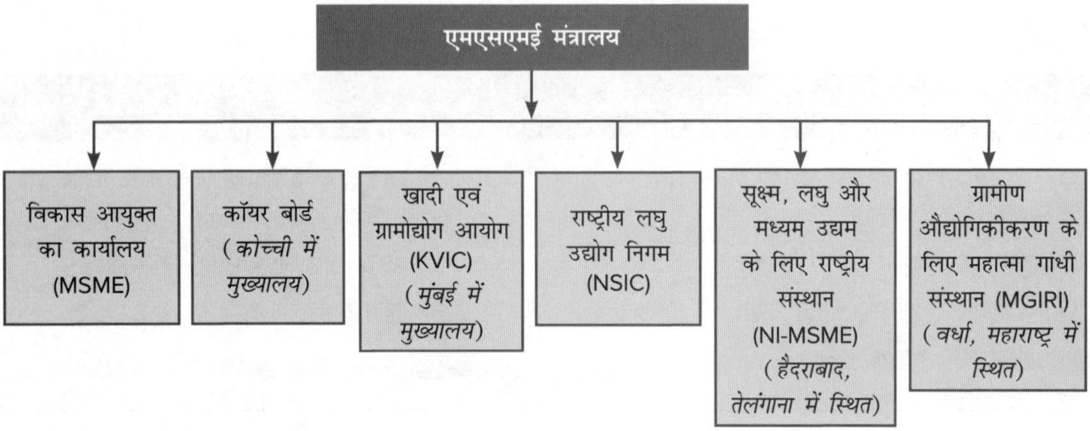

भारतीय अर्थव्यवस्था में एमएसएमई की भूमिका/महत्त्व (ROLE/IMPORTANCE OF MSMEs IN INDIAN ECONOMY)

- एमएसएमई विभिन्न क्षेत्रों में व्यावसायिक नवाचार के माध्यम से उद्यमशीलता के प्रयासों को व्यापक बनाने में महत्त्वपूर्ण योगदान दे रहे हैं।
- एमएसएमई अर्थव्यवस्था के सभी क्षेत्रों में अपने कार्यक्षेत्र का विस्तार कर रहे हैं एवं घरेलू और वैश्विक बाज़ारों की माँगों को पूरा करने के लिए उत्पादों और सेवाओं की विविध श्रृंखला का निर्माण कर रहे हैं।
- भारत में एमएसएमई बड़े उद्योगों की तुलना में तुलनात्मक रूप से कम पूँजी लागत पर बड़े रोज़गार के अवसर प्रदान करके महत्त्वपूर्ण भूमिका निभा रहे हैं।
- एमएसएमई ग्रामीण और पिछड़े क्षेत्रों के औद्योगिकीकरण को बढ़ावा देने के साथ-साथ क्षेत्रीय असंतुलन को कम करते हैं, जिससे राष्ट्रीय आय और धन का अधिक समान वितरण सुनिश्चित होता है।

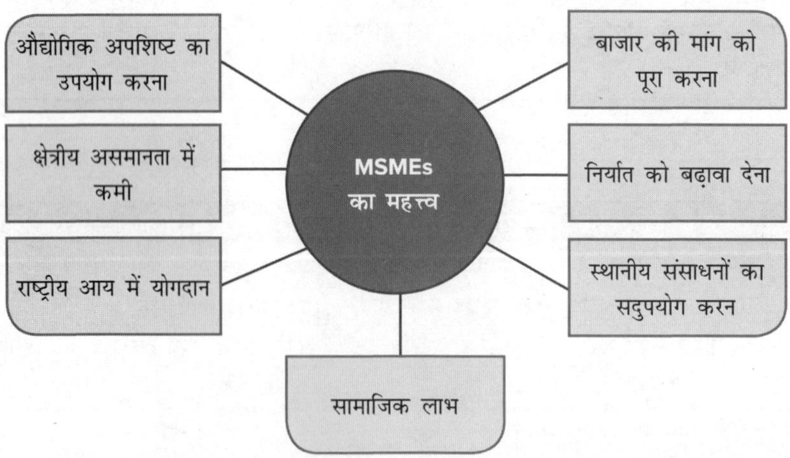

क्या आप जानते हैं? 2023-24 में, एमएसएमई से संबंधित उत्पादों का भारत के कुल निर्यात में 45.73 प्रतिशत हिस्सा था, जिसने देश को वैश्विक विनिर्माण केंद्र के रूप में स्थापित करने में अपनी भूमिका को मज़बूत किया।

सांख्यिकी और कार्यक्रम कार्यान्वयन मंत्रालय के आँकड़ों के अनुसार, भारत के कुल जीडीपी में एमएसएमई सकल मूल्य वर्धन (GVA) का अनुपात और भारत के कुल विनिर्माण उत्पादन में एमएसएमई विनिर्माण उत्पादन का हिस्सा (प्रतिशत अंकों में) इस प्रकार है :

वर्ष	अखिल भारतीय जीडीपी में एमएसएमई जीवीए की हिस्सेदारी (% में)	अखिल भारतीय विनिर्माण उत्पादन में एमएसएमई विनिर्माण उत्पादन का हिस्सा (% में)
2019–20	30.5	36.6
2020–21	27.2	36.9
2021–22	29.1	36.2
2022–23	30.1	35.4

स्रोत : PIB

एमएसएमई क्षेत्र की चुनौतियाँ (CHALLENGES TO MSME SECTOR)

- ऋण की उच्च लागत के साथ-साथ पर्याप्त और समय पर ऋण की उपलब्धता का अभाव।
- सरकारी विभागों और एजेंसियों को आपूर्ति शृंखला में समस्याएँ।
- भंडारण, डिज़ाइनिंग, पैकेजिंग और उत्पाद प्रदर्शन की समस्याएँ।
- वैश्विक बाज़ारों तक पहुँच की कमी।
- बिजली, पानी, सड़क आदि सहित अपर्याप्त बुनियादी सुविधाएँ।
- श्रम क़ानूनों की बहुलता और ऐसे क़ानूनों के अनुपालन से जुड़ी जटिल प्रक्रियाएँ।
- एमएसएमई को सूचना विषमता, फ़र्मों का ग़ैर-पंजीकरण, अपर्याप्त और असामयिक क्रेडिट, विलंबित प्राप्य, तकनीकी अप्रचलन, नगण्य बाज़ार लिंकेज, निकास नीति की अनुपस्थिति आदि जैसे विरासत के मुद्दों का सामना करना पड़ता है।
- ग्राहकों से भुगतान में देरी एमएसएमई क्षेत्र के लिए एक महत्त्वपूर्ण मुद्दा है, ख़ासकर सूक्ष्म और लघु उद्यमों के लिए। विलंबित भुगतान की सरासर भयावहता उनके नक़दी प्रवाह प्रबंधन को जटिल बनाती है, उनकी कार्यशील पूँजी आवश्यकताओं को बढ़ाती है और उनकी वित्तीय स्थिति और व्यावसायिक संभावनाओं को प्रभावित करती है।

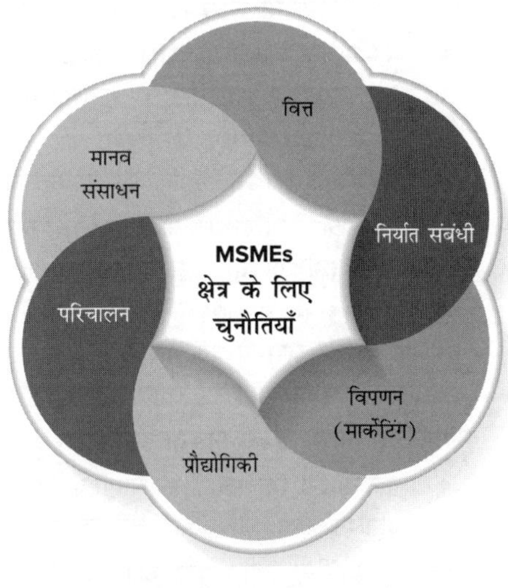

MSMEs क्षेत्र की चुनौतियाँ

एमएसएमई क्षेत्र को बढ़ावा देने के लिए सरकार की हालिया पहलें (Recent Government Initiatives for Promotion of MSME Sector)

कुछ महत्त्वपूर्ण पहलें इस प्रकार हैं :

1. **उद्यम पंजीकरण (Udyam Registration)** : एमएसएमई को अब सरकार के साथ स्वयं को पंजीकृत करने की अनुमति है। यह पंजीकरण एमएसएमई को एक प्रशस्ति प्रमाण पत्र और एक विशिष्ट पहचान संख्या प्रदान करता है। 4 फ़रवरी, 2025 तक

उद्यम पोर्टल पर कुल 5,93,38,604 पंजीकृत एमएसएमई हैं, जिनमें से अधिकांश को सूक्ष्म-उद्यम के रूप में वर्गीकृत किया गया है। अपने आर्थिक योगदान के अलावा, इन एमएसएमई ने 25.18 करोड़ से अधिक व्यक्तियों को रोज़गार प्रदान करते हुए पर्याप्त रोज़गार अवसर सृजित किये हैं।

उद्यम पंजीकरण के लाभ (Benefits of Udyam registration) :

- एमएसएमई मंत्रालय की क्रेडिट गारंटी योजना, सार्वजनिक ख़रीद नीति, सरकारी निविदाओं में अतिरिक्त बढ़त और फिर से सुरक्षा जैसी योजनाओं का लाभ उठाने में मदद।
- उद्यम पंजीकरण के साथ, एमएसएमई भी बैंकों से प्राथमिकता प्राप्त क्षेत्र ऋण के लिए पात्र हो जाता है।
- एमएसएमई खुद को जीईएम (गवर्नमेंट ई पोर्टल) और टीआरईडीएस प्लेटफ़ॉर्म पर रजिस्टर कर सकते हैं (प्राप्तियों के इन्वॉइस इस प्लेटफ़ॉर्म पर ट्रेड किये जाते हैं)।

2. **पीएम विश्वकर्मा (PM Vishwakarma) :** एक नयी योजना, जिसे 'पीएम विश्वकर्मा' के नाम से जाना जाता है, इसका उद्देश्य कलाकारों और शिल्पकारों की वस्तुओं और सेवाओं की गुणवत्ता और पहुँच में सुधार करना है, साथ ही यह गारंटी देना है कि 'विश्वकर्मा' को स्थानीय और वैश्विक मूल्य श्रृंखलाओं में शामिल किया गया है। एमएसएमई मंत्रालय ने 17 सितंबर, 2023 को इस योजना की शुरुआत की।

   पीएम विश्वकर्मा को भारत सरकार द्वारा 2023-24 से 2027-28 तक ₹13,000 करोड़ के शुरुआती परिव्यय के साथ पूरी तरह से वित्त पोषित किया गया है। अपनी शुरुआत के बाद से, पीएम विश्वकर्मा योजना ने महत्त्वपूर्ण उपलब्धियाँ हासिल की हैं, जिसमें 2.65 करोड़ से अधिक आवेदन प्रस्तुत किये गये हैं एवं 27.13 लाख आवेदन सफलतापूर्वक पंजीकृत किये गये हैं।

   पीएम विश्वकर्मा के लाभ (Benefits of PM Vishwakarma) :

   - यह योजना विश्वकर्मा, यानी कलाकारों और कारीगरों को व्यापक एवं शुरू से अंत तक सहायता प्रदान करेगी, जिससे उन्हें अपने संबंधित क्षेत्रों में मूल्य श्रृंखला को आगे बढ़ाने की अनुमति मिलेगी।
   - इसके परिणामस्वरूप शिल्पकारों और कारीगरों के काम करने के तरीक़े में बुनियादी बदलाव आयेगा, जिससे उनकी सामाजिक-आर्थिक स्थिति और जीवन की गुणवत्ता में सुधार होगा।

3. **पारंपरिक उद्योगों के उत्थान के लिए निधि की योजना (स्फूर्ति) [Scheme of Fund for Regeneration of Traditional Industries (SFURTI)] :** इसकी स्थापना पारंपरिक उद्योगों और शिल्पकारों को संघ में संगठित करने के लिए की गयी थी।

   वर्ष 2014-15 से, SFURTI ने 513 क्लस्टरों के गठन को मंज़ूरी दी है एवं इनमें से 376 क्लस्टर सफलतापूर्वक कार्यात्मक बन गये हैं। इन क्लस्टरों की सहायतार्थ कुल 1,336 करोड़ रुपये का अनुदान दिया गया है। 376 कार्यात्मक क्लस्टरों में लगभग 2,20,800 कारीगरों के लिए स्थायी रोज़गार के अवसर पैदा किये गये हैं (15 दिसंबर, 2024 तक)।

   स्फूर्ति के लाभ (Benefits of SFURTI) :

   - यह योजना शिल्पकारों के सामूहिक विनिर्माण उद्यम की स्थापना, उनके उत्पादन को बढ़ाने, उन्हें मूल्यवर्धित उत्पादों का उत्पादन करने और उत्पादों की विपणन क्षमता को बढ़ाने में समर्थन करती है।

4. **नवाचार, ग्रामीण उद्योग और उद्यमिता को बढ़ावा देने के लिए एक योजना (एस्पायर) [A Scheme for Promoting Innovation, Rural Industry & Entrepreneurship (ASPIRE)]:** आज तक ASPIRE द्वारा कुल 109 आजीविका व्यवसाय इनक्यूबेटर (LBI) स्वीकृत किये गये हैं, जिनमें से 79 कार्यात्मक हैं। इनमें कुल कुशल लाभार्थी 1,09,984 हैं और उपयुक्त रूप से नियोजित लाभार्थियों की संख्या 31,725 है। इसके अतिरिक्त, LBI इनक्यूबेशन कार्यक्रमों के परिणामस्वरूप 722 सूक्ष्म-उद्यमों की स्थापना हुई।

5. **प्रौद्योगिकी तक पहुँच (Access to Technology) :** एमएसएमई मंत्रालय द्वारा एक मज़बूत आईसीटी प्लेटफ़ॉर्म **चैंपियंस (CHAMPIONS)** भी शुरू किया गया है। एमएसएमई चैंपियंस स्कीम तीन घटकों के साथ तैयार की गयी है, अर्थात्,

   I. 'एमएसएमई-सतत' (ZED),

   II. 'एमएसएमई-प्रतिस्पर्धी' (LEAN) और

   III. 'एमएसएमई-अभिनव' (ऊष्मायन, डिज़ाइन, IPR)

   एमएसएमई अभिनव स्कीम और एमएसएमई सतत (ZED) प्रमाणन स्कीम 2022 में शुरू की गयी थी।

लाभ : एमएसएमई सतत (ZED) प्रमाणन स्कीम का उद्देश्य भारत के एमएसएमई के लिए वैश्विक प्रतिस्पर्धा हेतु एक रोडमैप प्रदान कराना है। यह स्कीम एमएसएमई को **शून्य दोष शून्य प्रभाव (ज़ेडईडी) [Zero Defect Zero Effect (ZED)]** प्रथाओं को अपनाने में सक्षम बनाने और सुविधाजनक बनाने के लिए एक व्यापक अभियान है और उन्हें ज़ेडईडी प्रमाणन के लिए प्रेरित और प्रोत्साहित करती है और उन्हें एमएसएमई चैंपियन बनने के लिए प्रोत्साहित भी करती है। **ज़ेडईडी प्रमाणन की यात्रा के माध्यम से, एमएसएमई अपव्यय को काफ़ी हद तक कम कर सकते हैं, उत्पादकता बढ़ा सकते हैं, पर्यावरण चेतना बढ़ा सकते हैं, ऊर्जा बचा सकते हैं, प्राकृतिक संसाधनों का बेहतर उपयोग कर सकते हैं, अपने बाज़ारों का विस्तार कर सकते हैं आदि।**

6. **रैंप स्कीम [RAMP Scheme] :** वर्ष 2022 में शुरू की गयी "सूक्ष्म, लघु और मध्यम उद्यम प्रदर्शन को बढ़ाना और तेज़ करना" (RAMP) योजना का उद्देश्य केंद्र और राज्य में संस्थानों एवं शासन को मज़बूत करना, केंद्र-राज्य संबंधों और भागीदारी में सुधार करना और एमएसएमई की बाज़ार और ऋण तक पहुँच में सुधार करना, प्रौद्योगिकी उन्नयन और विलंबित भुगतानों के मुद्दों को समाधान करना और एमएसएमई को हरित बनाना है। यह विश्व बैंक द्वारा सहायता प्राप्त केंद्रीय क्षेत्र की योजना है, जिसका उद्देश्य वर्ष 2022-23 से 2026-27 तक की पाँच साल की अवधि में मौजूदा एमएसएमई योजनाओं के प्रभाव को बढ़ाने के साथ एमएसएमई की कार्यान्वयन क्षमता और कवरेज को बढ़ाना है। आरएएमपी ने तीन उप-योजनाएँ शुरू कीं :
   - (i) एमएसई-गिफ़्ट (एमएसई हरित निवेश और परिवर्तन के लिए वित्तपोषण), [MSE-GIFT (MSE Green Investment and Financing for Transformation)] जिसमें चिह्नित हरित प्रौद्योगिकियों के लिए एमएसई ऋणों पर ब्याज अनुदान और गारंटी प्रदान करने के लिए 478 करोड़ रुपये का परिव्यय शामिल है।
   - (ii) एमएसई-एसपीआईसीई (चक्रीय अर्थव्यवस्था में निवेश को बढ़ावा देने के लिए एमएसई योजना) [MSE-SPICE (MSE Scheme for Promotion of Investment in Circular Economy)], जिसमें चक्रीय अर्थव्यवस्था अपनाने के लिए एमएसई को 25 प्रतिशत पूँजी सब्सिडी प्रदान करने हेतु 472.50 करोड़ रुपये का परिव्यय है।
   - (iii) देरी से भुगतान के लिए ऑनलाइन डिसप्यूट रेज़ोल्यूशन (Online Dispute Resolution) पर ₹188.97 करोड़ की एमएसई योजना।

7. **क्रेडिट गारंटी स्कीम** के तहत सूक्ष्म और लघु उद्यमों के लिए क्रेडिट गारंटी फ़ंड ट्रस्ट (CGTMSE) के माध्यम से विभिन्न ऋण की श्रेणियों के लिए 85 प्रतिशत तक की गारंटी कवरेज के साथ एमएसई को ₹500 लाख (01.04.23 से प्रभावी) तक का कोलैटरल-फ्री लोन उपलब्ध हैं।

एमएसएमई : नये भारत के विकास के इंजन (MSMEs: ENGINES OF GROWTH FOR NEW INDIA)

आत्मनिर्भर भारत के लक्ष्य को प्राप्त करने के लिए एक लचीला और स्वस्थ एमएसएमई क्षेत्र आवश्यक है।

नयी नीतिगत पहलों के कार्यान्वयन के साथ, एमएसएमई क्षेत्र से **'न्यू इंडिया'** के विकास के लिए उत्प्रेरक के रूप में कार्य करने की उम्मीद है। एमएसएमई निम्नलिखित पहलुओं पर ध्यान केंद्रित करते हुए नये भारत के लिए विकास का नया इंजन बनने की क्षमता दिखा रहा है।

इज़ ऑफ़ डूइंग बिज़नेस (Ease of Doing Business)	उद्योग के अनुकूल श्रम सुधारों, उचित भूमि अधिग्रहण नीति, पूँजी तक मुफ़्त पहुँच, जीवंत उद्यमशीलता संस्कृति, आधुनिक प्रौद्योगिकी, सक्षम बुनियादी ढाँचे और सरलीकृत कर नीति के माध्यम से उत्पादन के कुशल कारकों तक बेहतर पहुँच का उपयोग करना।
सेवाओं का निर्यात (Export of Services)	सेवा क्षेत्र में एमएसएमई को एमएसएमई की संशोधित परिभाषा का लाभ उठाकर सेवाओं के निर्यात को बढ़ाने के लिए फिर से उन्मुख किया जा सकता है।

पीएलआई योजना का लाभ उठाना (Leveraging PLI Scheme)	मेक इन इंडिया (Make in India) का उपयोग करने की दृष्टि से 13 उद्योग क्षेत्रों को बढ़ावा देने के लिए 1.97 लाख करोड़ रुपये के कुल परिव्यय के साथ उत्पादकता से जुड़ी प्रोत्साहन योजना का लाभ उठाना।
स्टार्ट-अप को बढ़ावा देना (Promoting Start-ups)	अभिनव विचारोंवाले एमएसएमई को मुख्य रूप से बढ़ते घरेलू बाज़ार, बड़े पैमाने पर धन के अवसरों और विकसित प्रौद्योगिकी के कारण सही प्रोत्साहन के साथ मज़बूत किया जा सकता है।

उपर्युक्त क्षेत्रों में नीतिगत समर्थन एमएसएमई को 'नये भारत' की संवृद्धि का इंजन बनायेगा। इसके साथ ही, कुछ अंतरराष्ट्रीय सर्वोत्तम प्रथाओं को लागू किया जा सकता है।

अंतरराष्ट्रीय सर्वोत्तम प्रथाएँ (International Best Practices)

तुर्की (अब तुर्किये) ने **'टर्क्वालिटी (TURQUALITY)'** पेश किया है, जो एमएसएमई के लिए खुद को वैश्विक खिलाड़ियों में बदलने के लिए एक राज्य प्रायोजित स्केल-अप कार्यक्रम है।

इस तरह की एक और पहल एमएसएमई में उद्यम **विकास और रोज़गार सृजन** के मामले में बहु-अनुशासनात्मक समर्थन प्रणाली प्रदान करने के लिए कनाडा के बिज़नेस डेवलपमेंट बैंक का 'ग्रोथ ड्राइवर प्रोग्राम' है।

संक्षिप्त विवरण

- **2020 में एमएसएमई की नयी परिभाषा (New definition of MSMEs in 2020)** – आर्थिक मामलों संबंधी मंत्रिमंडलीय समिति (सीसीईए) के माध्यम से – पूँजी सीमा और टर्नओवर सीमा के आधार पर – विनिर्माण और सेवा क्षेत्र दोनों इकाइयों के लिए समान।
- **एमएसएमई मंत्रालय (Ministry of MSME)** – नोडल मंत्रालय, जो खादी, ग्रामोद्योग और कॉयर उद्योगों सहित इस क्षेत्र की वृद्धि और विकास को बढ़ावा देता है।
- **एमएसएमई क्षेत्र का महत्त्व (Significance of MSME Sector)** – उद्यमशीलता के प्रयासों का विस्तार, घरेलू और साथ ही वैश्विक बाज़ारों की माँगों को पूरा करने के लिए उत्पादों और सेवाओं की विविध शृंखला का उत्पादन, बड़े उद्योगों की तुलना में तुलनात्मक रूप से कम पूँजी लागत पर बड़े रोज़गार के अवसर प्रदान करना और ग्रामीण और पिछड़े क्षेत्रों का औद्योगिकीकरण।
- **एमएसएमई क्षेत्र की चुनौतियाँ (Challenges of MSME Sector)** – ऋण की उच्च लागत के साथ पर्याप्त और समय पर ऋण की उपलब्धता में कमी, एमएसएमई ऋणों की उच्च ग़ैर-निष्पादित संपत्ति (एनपीए), सरकारी विभागों और एजेंसियों को आपूर्ति-शृंखला में समस्याएँ, भंडारण, डिज़ाइनिंग, पैकेज़िंग और उत्पाद प्रदर्शन की समस्याएं, वैश्विक बाज़ारों तक पहुँच की कमी, बिजली, पानी, सड़क आदि सहित अपर्याप्त बुनियादी सुविधाएँ, श्रम क़ानूनों की बहुलता और ऐसे क़ानूनों के अनुपालन से जुड़ी जटिल प्रक्रियाएँ।
- **एमएसएमई चैंपियंस स्कीम (MSME Champions Scheme)** – तीन घटकों के साथ तैयार की गयी – I. 'एमएसएमई-सतत' (ZED), II. 'एमएसएमई-प्रतिस्पर्धी' (LEAN) और III. 'एमएसएमई-अभिनव' (ऊष्मायन, डिज़ाइन, IPR)।
- **एमएसएमई सतत (ज़ेडईडी) प्रमाणन स्कीम (MSME Sustainable (ZED) Certification Scheme)** – का उद्देश्य एमएसएमई को 'शून्य दोष शून्य प्रभाव' (ZED) प्रथाओं को अपनाने की सुविधा प्रदान करना है और इस तरह भारत के एमएसएमई के लिए वैश्विक प्रतिस्पर्धा के लिए एक रोडमैप प्रदान करना है।

- **पहली बार एमएसएमई निर्यातकों का क्षमता-निर्माण (सीबीएफ़टीई) कार्यक्रम (Capacity Building of First-Time MSME Exporters (CBFTE) Programme)** – दुनिया भर के बाज़ार के लिए उच्च गुणवत्ता की वस्तुओं और सेवाओं को प्रदान करने के लिए एमएसएमई को प्रोत्साहित करने के लिए शुरू किया गया।
- एमएसएमई मंत्रालय ने **व्यापार प्राप्तियाँ छूट प्रणाली (टीआरईडीएस) [Trade Receivables Discounting System (TReDS)] के तीन प्लेटफ़ार्मों** को मान्यता दी। इनवॉइसमार्ट, एम1एक्सचेंज और आरएक्सआईएल, जो एमएसएमई क्षेत्र को भुगतान चुनौतियों का सामना करने के लिए रिआयती दर पर चालान के ख़िलाफ़ क्रेडिट तक पहुँच प्राप्त करने में सक्षम बनायेंगे।

यूपीएससी सिविल सेवा के पिछले वर्षों की प्रारंभिक परीक्षा के प्रश्न

1. भारत के संदर्भ में, निम्नलिखित कथनों पर विचार कीजिये : **[2023]**

1. 'सूक्ष्म, लघु और मध्यम उद्यम विकास (एम.एस.एम.ई.डी.) अधिनियम 2006' के अनुसार, 'जिनके संयंत्र और मशीन में निवेश 15 करोड़ रुपये से 25 करोड़ रुपये के बीच हैं, वे मध्यम उद्यम हैं'।

2. सूक्ष्म, लघु और मध्यम उद्यमों को दिये गये सभी बैंक ऋण प्राथमिकता क्षेत्रक के अधीन अर्ह हैं।

उपर्युक्त कथनों में से कौन-सा/से सही है/है?

(a) केवल 1 **(b)** केवल 2

(c) 1 और 2 दोनों **(d)** न तो 1 और न ही 2

☞ **कोई प्रश्न नहीं**
2024, 2022, 2021, 2020, 2019, 2018, 2017, 2016, 2015, 2014, 2013

उत्तर कुंजी

1. (b)

यूपीएससी सिविल सेवा के पिछले वर्षों की मुख्य परीक्षा के प्रश्न

1. जीडीपी में विनिर्माण क्षेत्र विशेषकर एमएसएमई की बढ़ी हुई हिस्सेदारी तेज़ आर्थिक संवर्द्धि के लिए आवश्यक है। इस सम्बन्ध में सरकार की वर्तमान नीतियों पर टिप्पणी कीजिए। **[2023]**

☞ **कोई प्रश्न नहीं**
2024, 2022, 2021, 2020, 2019, 2018, 2017, 2016, 2015, 2014, 2013

अध्याय 21

भारत में खाद्य प्रसंस्करण उद्योग (Food Processing Industry in India)

अध्याय की रूपरेखा

- खाद्य प्रसंस्करण की प्रक्रिया तथा चरण
- भारत में खाद्य प्रसंस्करण की वर्तमान स्थिति
- खाद्य प्रसंस्करण उद्योगों द्वारा प्रदान किये गये लाभ
- खाद्य प्रसंस्करण उद्योगों के समक्ष मौजूद बड़ी चुनौतियाँ
- FPI को बढ़ावा देने के लिए प्रमुख सरकारी पहलें
- प्रधानमंत्री सूक्ष्म खाद्य प्रसंस्करण उद्यम योजना का औपचारिकीकरण
- खाद्य प्रसंस्करण उद्योग के लिए उत्पादन से जुड़ी प्रोत्साहन योजना (PLISFPI)
- प्रधानमंत्री किसान सम्पदा योजना (PMKSY)
- ऑपरेशन ग्रीन्स योजना
- मेगा फ़ूड पार्क योजना
- बूचड़खानों का आधुनिकीकरण
- राष्ट्रीय खाद्य प्रसंस्करण मिशन
- कोल्ड चेन, मूल्यवर्धन तथा संरक्षण अवसंरचना योजना
- कृषि निर्यात क्षेत्र
- हाल के दिनों में किये गये अन्य सरकारी प्रयास
- खाद्य प्रसंस्करण क्षेत्र के अंतर्गत आपूर्ति श्रृंखला प्रबंधन
- FPI को बढ़ावा देने में ई-कॉमर्स की भूमिका

खाद्य प्रसंस्करण (Food Processing) उन विधियों और तकनीकों का समूह है, जिनका उपयोग कच्चे माल को भोजन में या ताज़े खाद्य पदार्थों को अन्य खाद्य उत्पादों में बदलने के लिए किया जाता है, जिसका उपयोग मनुष्यों या जानवरों द्वारा घर में या खाद्य प्रसंस्करण उद्योग द्वारा किया जाता है।

फ़सल की खेती से लेकर उत्पाद के उपभोग तक हर खाद्य उत्पाद में हमेशा एक निश्चित **परिवर्तन होता रहता है। परिवर्तन की यह प्रक्रिया खाद्य प्रसंस्करण (food processing) के रूप में जानी जाती है,** जिसमें *छँटाई, श्रेणीकरण (ग्रेडिंग), संवेष्टन (पैकेजिंग), ब्रैंडिंग*, इत्यादि सम्मिलित हैं।

खाद्य को प्रसंस्कृत करने के निम्नलिखित कारण हैं :-

- कृषि तथा पशुपालन के कच्चे उत्पाद को खाद्य पदार्थों में **परिवर्तित करना**।
- खाद्य पदार्थों को **संरक्षित करना**।
- इसकी उपलब्धता में **विस्तार** तथा उपभोक्ताओं तक पहुँचाना।
- उत्पादों में **मूल्य वर्धित करना**।

खाद्य प्रसंस्करण क्षेत्र में, **भारत** निर्यात, उत्पादन तथा उपभोग के मामले में **6वें पायदान** पर है।

परीक्षोपयोगी

खाद्य प्रसंस्करण क्षेत्र क्यों महत्त्वपूर्ण है? (WHY FOOD PROCESSING SECTOR IS IMPORTANT?)

उच्च स्तर के प्रसंस्करण के साथ एक अच्छी तरह से विकसित खाद्य प्रसंस्करण क्षेत्र खाद्य पदार्थों की कमी को रोकने में मदद करता है। बर्बादी को कम करता है, मूल्यवर्धन में सुधार करता है, फ़सल विविधीकरण को बढ़ावा देता है, किसानों को बेहतर रिटर्न सुनिश्चित करता है, रोज़गार को बढ़ावा देता है और साथ ही निर्यात आय में वृद्धि करता है। यह क्षेत्र खाद्य सुरक्षा, खाद्य मुद्रास्फीति के महत्त्वपूर्ण मुद्दों को संबोधित करने और जनता को पौष्टिक भोजन उपलब्ध कराने में भी सक्षम है।

भारत सरकार के तहत **खाद्य प्रसंस्करण उद्योग मंत्रालय (MoFPI)**, जिसे वर्ष 1988 में स्थापित किया गया था, भारत में खाद्य प्रसंस्करण क्षेत्र के विनियमन और प्रशासन के लिए नोडल मंत्रालय है।

खाद्य प्रसंस्करण उद्योग (FPI) को एक उभरता हुआ क्षेत्र माना जाता है, जिसने हाल के वर्षों में प्रमुखता प्राप्त की है। निम्नलिखित उद्योग **खाद्य प्रसंस्करण उद्योग मंत्रालय [Ministry of Food Processing Industries] भारत सरकार, के अंतर्गत आते हैं :**

i. कुछ दूध उत्पादों, मुर्ग़ी तथा अंडे, मांस व मांस उत्पादों के प्रसंस्करण एवं प्रशीतन से संबंधित उद्योग,

ii. **मत्स्य** प्रसंस्करण, मत्स्य प्रसंस्करण उद्योग के लिए विकास परिषद् की स्थापना, मत्स्य प्रसंस्करण उद्योग को तकनीकी सहायता व सुझाव;

iii. **फल तथा सब्ज़ी** प्रसंस्करण उद्योग;

iv. **खाद्य अनाज पिसाई** उद्योग;

v. **ब्रेड,** तिलहन, भोजन (खाद्य), नाश्ते का भोजन, **बिस्किट, मिठाई की दुकान** (कोको प्रसंस्करण तथा चॉकलेट उत्पादन सम्मिलित), जौ निकालना, प्रोटीन शोधन, उच्च प्रोटीन खाद्य पदार्थ, वीनिंग फ़ूड तथा बहिष्कृत खाद्य पदार्थ से संबंधित उद्योग।

vi. ग़ैर-अल्कोहल बीयर सहित **बीयर;**

vii. ग़ैर शीरा बेस से बननेवाले **अल्कोहल पेय;**

viii. **वातित जल या (कार्बोनेटेड जल)** तथा **सॉफ़्ट ड्रिंक।**

अतिरिक्त जानकारी

कृषि तथा प्रसंस्कृत खाद्य पदार्थ निर्यात विकास प्राधिकरण [AGRICULTURAL AND PROCESSED FOOD PRODUCTS EXPORT DEVELOPMENT AUTHORITY (APEDA)]

- इसकी स्थापना **1986 में** प्रसंस्कृत खाद्य निर्यात संवर्धन परिषद् [Processed Food Export Promotion Council (PFEPC)] के स्थान पर की गयी थी।
- APEDA **वाणिज्य एवं उद्योग मंत्रालय** के अंतर्गत कार्य करता है।
- यह प्राधिकरण भारत से प्रसंस्कृत खाद्य के **निर्यात** के लिए वित्तीय सहायता प्रदान करने, सर्वेक्षण करने, अध्ययन करने, अनुदान योजनाओं इत्यादि के संचालन के लिए जवाबदेह है।

खाद्य प्रसंस्करण की प्रक्रिया तथा चरण (PROCESSES AND STAGES OF FOOD PROCESSING)

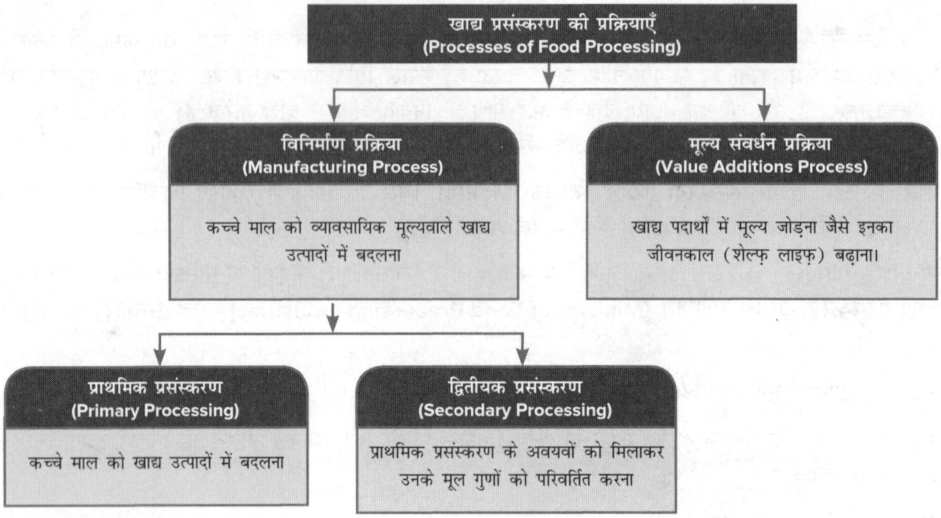

खाद्य प्रसंस्करण के विभिन्न **चरण** निम्नलिखित हैं :

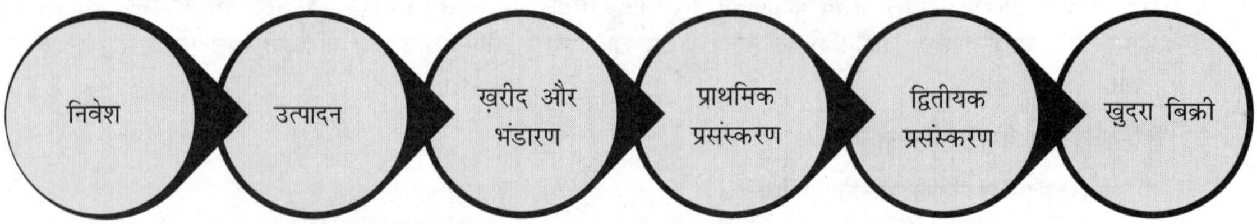

खाद्य प्रसंस्करण क्षेत्र में आपूर्ति श्रृंखला (Supply Chain in Food Processing Sector)

प्राथमिक प्रसंस्करण (Primary Processing)

कच्चे कृषि उत्पाद तथा पशुपालन उत्पाद को उपभोग के लिए उपयुक्त खाद्य पदार्थ में रूपांतरित किये जाने की प्रक्रिया है। इसमें **सफ़ाई, श्रेणीकरण (ग्रेडिंग), छँटाई, संवेष्टन (पैकिंग)** इत्यादि **सम्मिलित** हैं।

द्वितीयक प्रसंस्करण (Secondary Processing)

यह प्राथमिक प्रसंस्करण के माध्यम से उत्पादित खाद्य में **सामग्रियों को मिलाने की प्रक्रिया है**। यह पद्धति कच्चे खाद्य पदार्थों की **मूल प्रकृति में परिवर्तन** कर देती है। उदाहरण के लिए **केक बनाना**।

> **क्या आप जानते हैं?** आमतौर पर ज्ञात प्रसंस्कृत खाद्य के व्यावसायिक उत्पादन को तृतीयक खाद्य प्रसंस्करण कहा जाता है। ये खाद्य पदार्थ रेडी-टू-ईट फ़ूड (तुरंत/instant) की श्रेणी में आते हैं, जैसे एयरलाइन सेवा द्वारा परोसा जानेवाला दोबारा गर्म किया गया भोजन।

अतिरिक्त जानकारी

खाद्य पदार्थों का विकिरण (प्रकाशन) (FOOD IRRADIATION)

खाद्य विकिरण (Food irradiation) एक ऐसी तकनीक है, जिसमें खाद्य पदार्थों पर आयनकारी विकिरण का प्रयोग किया जाता है, ताकि उनकी संरक्षा और उनका जीवनकाल बढ़ाया जा सके। यह प्रक्रिया हानिकारक सूक्ष्मजीवों और कीटों को प्रभावी रूप से कम या समाप्त कर देती है, जिससे भोजन खाद्य हेतु सुरक्षित हो जाता है। कोबाल्ट-60 विकिरण का उपयोग करके इस विधि द्वारा सुनिश्चित किया जाता है कि भोजन में कोई हानिकारक रेडियोधर्मिता या विषाक्त रेडियोधर्मी अवशेष न हों।

भारत में खाद्य प्रसंस्करण की वर्तमान स्थिति (PRESENT STATUS OF FOOD PROCESSING IN INDIA)

GDP, रोज़गार और निर्यात में योगदान के मामले में खाद्य प्रसंस्करण (FP) क्षेत्र भारतीय अर्थव्यवस्था का एक महत्त्वपूर्ण खंड बनकर उभरा है। यह मेक इन इंडिया पहल के तहत एक प्राथमिकता है, जिसमें खाद्य प्रसंस्करण उद्योग मंत्रालय निवेश आकर्षित करने और बुनियादी ढाँचे को विकसित करने हेतु योजनाओं को लागू कर रहा है। कृषि समृद्ध क्षेत्रों में आवश्यक उपयोगिताओं और सामान्य प्रसंस्करण सुविधाओंवाले मेगा फ़ूड पार्क स्थापित किये जा रहे हैं, जो उद्यमियों के लिए प्लग-ऐड-प्ले मॉडल पेश करते हैं। वित्त वर्ष 2024-25 के लिए मंत्रालय के बजट में पिछले वर्ष की तुलना में लगभग 30.19 प्रतिशत की वृद्धि हुई है। *इस क्षेत्र ने वर्ष 2015-22 से 7.3 प्रतिशत की प्रभावशाली औसत वार्षिक वृद्धि दर के साथ असाधारण प्रदर्शन किया है। इसने सकल घरेलू उत्पाद (GDP), रोज़गार और निवेश में महत्त्वपूर्ण योगदान दिया है।*

खाद्य प्रसंस्करण उद्योग अत्यधिक श्रम गहन है और इसमें बड़ी संख्या में कारख़ाने हैं।

वर्ष	FPI का GVA	FPI के GVA में वृद्धि दर	अखिल भारतीय GVA में % हिस्सेदारी
2017-18	1.91 लाख करोड़	6.7%	1.58%
2018-19	2.08 लाख करोड़	8.90%	1.62%
2019-20	2.24 लाख करोड़	7.69%	1.69%
2020-21	2.37 लाख करोड़	9.97%	1.88%
2022-23	1.92 लाख करोड़	7.3%	–

स्रोत : सांख्यिकी और कार्यक्रम कार्यान्वयन मंत्रालय

प्रसंस्कृत खाद्य के निर्यात को बढ़ावा देने के लिए उठाये गये क़दम (Steps Taken to Boost Exports of Processed Food)

(i) **'कृषि निर्यात नीति'** शुरू की गयी है।

(ii) APEDA द्वारा **उत्पाद विशिष्ट निर्यात संवर्धन मंचों की स्थापना** की गयी है।

(iii) APEDA ने अंगूर, प्याज़, आम, केला, अनार, फूलों की खेती, चावल, डेयरी उत्पाद और पोषक अनाज जैसे उत्पादों के लिए निर्यात संवर्धन मंच (EPF) का गठन किया है।

(iv) निर्यातकों के साथ बातचीत के लिए किसानों, **किसान उत्पादक संगठनों (FPO)** और सहकारी समितियों के लिए एक मंच प्रदान करने के लिए एक किसान कनेक्ट पोर्टल स्थापित किया गया है।

(v) **ODOP (एक ज़िला एक उत्पाद)** दृष्टिकोण का उपयोग करते हुए **निर्यात हब के रूप में ज़िला [District as Export Hubs (DEH)]** योजना लागू की गयी है।

अतिरिक्त जानकारी

Food Safety and Standards Authority of India (FSSAI) : इसका अर्थ भारतीय खाद्य सुरक्षा तथा मानक प्राधिकरण (Food Safety and Standards Authority of India) है। प्राधिकरण की स्थापना **खाद्य सुरक्षा तथा मानक अधिनियम, 2006** (Food Safety and Standards Act, 2006) के अंतर्गत **2008** में की गयी थी। वर्तमान में FSSAI **स्वास्थ्य एवं परिवार कल्याण मंत्रालय (Ministry of Health & Family Welfare)** के अंतर्गत एक **स्वायत्त संस्था** के रूप में कार्य करता है। इस प्राधिकरण का मुख्य उद्देश्य भारत में खाद्य व्यवसाय की गुणवत्ता का विनियमन तथा निरीक्षण करना और देश के अंदर खाद्य खपत की सुरक्षा सुनिश्चित करना है।

खाद्य प्रसंस्करण उद्योगों द्वारा प्रदान किये गये लाभ (Benefits Provided by Food Processing Industries)

- उपभोक्ताओं के लिए उत्पाद का बेहतर विकल्प।
- उत्पादों के अपव्यय को कम करके खाद्य मुद्रास्फीति को कम करने में सहायता करता है।
- ग्रामीण स्तर पर लघु FPI बेहतर रोज़गार अवसर के माध्यम से ग्रामीण शहरी प्रवास को कम करने में सहायता करता है।
- FPI फ़सलों की विविधता के लिए भी प्रोत्साहित करता है, जिससे बड़े लाभ प्राप्त होते हैं।
- बड़े FPI की उपस्थिति से निर्यात से आय में वृद्धि हुई है।

खाद्य प्रसंस्करण उद्योगों के समक्ष मौजूद बड़ी चुनौतियाँ (Major Challenges Still Faced by Food Processing Industries)

अनियंत्रित चुनौतियाँ (Uncontrollable Challenges)

1. भूमि जोत का विखंडन।
2. कृषि तथा पशुपालन संबंधी कच्चे माल के कम उपयोग के साथ जलवायु में भिन्नता तथा मौसम पर निर्भरता।

नियंत्रित चुनौतियाँ (Controllable Challenges)

1. **ख़राब आपूर्ति श्रृंखला (Poor Supply Chain Linkages)** – भारत के पास प्राथमिक प्रसंस्करण, उचित भंडारण तथा सुविधाओं के वितरण का अभाव है। भारत के पास कृषि बाज़ार में लंबी तथा विखंडित आपूर्ति श्रृंखला है। इसके परिणामस्वरूप खाद्य पदार्थों की बड़ी मात्रा में बर्बादी होती है तथा उसकी लागत ऊँची हो जाती है।
2. **ख़राब गुणवत्ता मानक (Poor Quality Standards)** – हमारे पास खाद्य प्रसंस्करण के **लिए प्रयोगशालाओं की कमी** है। खाद्य प्रसंस्करण के लिए **कुशल श्रम शक्ति** तथा **प्रमाणन एजेंसियों** की उपलब्धता में बहुत बड़ा अंतर है, जिसके कारण श्रम उत्पादकता कम है।
3. **आपूर्ति श्रृंखला अवसंरचना में अंतर (Supply Chain Infrastructure Gap)** - कृषि-उत्पादों के **निर्यात** से संबंधित अवसंरचना विशेष रूप से **बंदरगाह तथा हवाई अड्डों** पर अत्यंत अपर्याप्त है। इसके कारण करीब 30 प्रतिशत उत्पाद बर्बाद हो जाते हैं।
4. प्रसंस्कृत उत्पादों को **बिक्री की** निम्न **योग्यता (Poor marketability)**।
5. **साख** तथा अनुदानवाले वित्तपोषण की **निम्न सुगमता (Low access to credit)**।
6. **खाद्य सुरक्षा और मानक अधिनियम, 2006 (Food Safety & Standards Act, 2006)** के प्रावधान, जिसने खाद्य अपमिश्रण निवारण अधिनियम, 1954 (Prevention of Food Adulteration Act 1954) का स्थान लिया, उसका पालन संबंधित हितधारकों द्वारा प्रभावी रूप से नहीं किया जा रहा है।

FPI को बढ़ावा देने के लिए प्रमुख सरकारी पहलें (Major government Initiatives to Promote FPI)

परीक्षोपयोगी

देश में खाद्य प्रसंस्करण क्षेत्र के विकास को बढ़ावा देने हेतु सरकार द्वारा समय-समय पर कई नीतिगत पहलें की गयी हैं। इनमें से कुछ पहलें इस प्रकार हैं :

I. प्रधानमंत्री फ़ॉर्मलाइज़ेशन ऑफ़ माइक्रो फ़ूड प्रोसेसिंग एंटरप्राइज़ेज़ (पीएमएफ़एमई) योजना (2020-21 से 2024-25) [Pradhan Mantri-Formalisation of Micro Food Processing Enterprises (PM-FME) Scheme (2020–21 to 2024–25)]

2020 में, भारत सरकार ने *खाद्य प्रसंस्करण उद्योग मंत्रालय* के दायरे में अखिल भारतीय केंद्रीय क्षेत्र योजना (CSS) शुरू की। इस योजना का उद्देश्य मौजूदा व्यक्ति की प्रतिस्पर्धात्मकता को आधुनिक बनाना और बढ़ाना, खाद्य प्रसंस्करण सूक्ष्म उद्यमों और औपचारिक क्षेत्र में उनके परिवर्तनों को सुनिश्चित करना।

- इस योजना के तहत केंद्र और राज्यों के बीच निधि साझा करने का पैटर्न 60:40 है।
- इस योजना का उद्देश्य आत्मनिर्भर भारत अभियान के तहत क्षेत्र में 'स्थानीय के लिए मुखर' को बढ़ावा देना है और **एक ज़िला, एक उत्पाद [One District, One Product (ODOP)]**, दृष्टिकोण अपनाना है।
- चुने गये ODOP उत्पाद या तो **ख़राब होनेवाले कृषि-उत्पाद**, **अनाज-आधारित उत्पाद** या व्यापक रूप से उत्पादित किये जानेवाले खाद्य उत्पाद, **लघु वनोपज** या किसी ज़िले और उनके संबद्ध क्षेत्रों के **पारंपरिक खाद्य उत्पाद** हैं। ऐसे उत्पादों की उदाहरणात्मक सूची में आम, आलू, लीची, टमाटर, साबूदाना, किन्नू, भुजिया, पेठा, पापड़, अचार, बाजरा आधारित उत्पाद, मछली पालन, पोल्ट्री, मांस के साथ-साथ पशु आहार भी शामिल हैं। इसके अलावा, योजना के तहत अपशिष्ट से धन उत्पादों सहित कुछ अन्य पारंपरिक और अभिनव उत्पादों का समर्थन किया जा सकता है। उदाहरण के लिए, शहद, आदिवासी क्षेत्रों में लघु वन उत्पाद, पारंपरिक भारतीय हर्बल खाद्य पदार्थ जैसे हल्दी, आँवला, आदि।
- PMFME योजना के तहत, उद्यमों को दी जानेवाली **वित्तीय सहायता निम्नानुसार है :**
  - (i) ***व्यक्तिगत/समूह श्रेणी के सूक्ष्म उद्यमों को सहायता :*** पात्र परियोजना लागत का 35 प्रतिशत की दर से ऋण-लिंक्ड पूँजी सब्सिडी, अधिकतम सीमा ₹10 लाख प्रतिइकाई;
  - (ii) ***शुरुआती राशि के लिए SHGs को सहायता :*** कार्यशील पूँजी और छोटे उपकरणों की ख़रीद के लिए खाद्य प्रसंस्करण में संलग्न SHG के प्रत्येक सदस्य को ₹40,000/- की दर से शुरुआती राशि (seed capital) की सहायता, जो प्रति SHG संघ के लिए अधिकतम ₹4 लाख तक हो सकती है।
  - (iii) ***सामान्य बुनियादी ढाँचे के लिए सहायता :*** सामान्य बुनियादी ढाँचे की स्थापना के लिए FPOs, SHGs, सहकारी समितियों और किसी भी सरकारी एजेंसी को सहायता देने के लिए 35 प्रतिशत की दर से ऋण से जुड़ी पूँजीगत सब्सिडी, अधिकतम ₹3 करोड़ तक। सामान्य अवसंरचना, अन्य इकाइयों और जनता के लिए भी उपलब्ध होगी, ताकि वे क्षमता के पर्याप्त भाग के लिए किराये के आधार पर इसका उपयोग कर सकें।
  - (iv) ***ब्रांडिंग और विपणन सहायता :*** FPOs/ SHGs/सहकारिता समूहों या सूक्ष्म खाद्य प्रसंस्करण उद्यमों के SPV को ब्रांडिंग और विपणन के लिए 50 प्रतिशत तक अनुदान।
  - (v) ***क्षमता निर्माण :*** इस योजना में खाद्य प्रसंस्करण उद्योग और उत्पाद विशिष्ट कौशल की आवश्यकता को पूरा करने के लिए संशोधित उद्यमिता विकास कौशल (EDP+) कार्यक्रम के लिए प्रशिक्षण की परिकल्पना की गयी है।

II. खाद्य प्रसंस्करण उद्योगों के लिए उत्पादन से जुड़ी प्रोत्साहन योजना [Production Linked Incentive Scheme for the Food Processing Industries (PLISFPI)]

- आत्मनिर्भर भारत अभियान के हिस्से के रूप में, सरकार ने **खाद्य प्रसंस्करण उद्योग के लिए उत्पादन से जुड़ी प्रोत्साहन योजना** नामक एक **केंद्रीय क्षेत्र योजना (CSS)** शुरू की, जिसे **2021-22 से 2026-27** तक छह साल की अवधि के लिए लागू किया जाना है।

➤ इस योजना का उद्देश्य **अंतरराष्ट्रीय बाज़ारों में वैश्विक खाद्य विनिर्माण चैंपियन और खाद्य उत्पादों के भारतीय ब्रांडों के निर्माण में सहायता करना,** कृषि से इतर नौकरियों के अवसरों को बढ़ाना और कृषि उपज के लाभकारी मूल्य और किसानों को उच्च आय सुनिश्चित करना है।

➤ PLISFPI के तहत, **सरकार वैश्विक बाज़ारों में** भारतीय ब्रांडेड उपभोक्ता खाद्य उत्पादों के लिए ब्रांडिंग और विपणन गतिविधियों में सहायता करते हुए, विदेशों में भारतीय खाद्य ब्रांडों को बढ़ावा देने हेतु **वित्तीय प्रोत्साहन प्रदान करती है।** लाभार्थियों को विदेश में ब्रांडिंग और विपणन पर उनके ख़र्च का 50 प्रतिशत, उनकी वार्षिक खाद्य उत्पाद बिक्री का 3 प्रतिशत या ₹50 करोड़ प्रतिवर्ष, जो भी कम हो, प्रतिपूर्ति की जाती है। आवेदकों को योग्य बनाने के लिए पाँच वर्षों में न्यूनतम ₹5 करोड़ खर्च करना आवश्यक है।

➤ विनिर्माण प्रक्रिया में घरेलू स्तर पर उगाये गये कृषि उत्पादों (योजक, स्वाद और खाद्य तेलों को छोड़कर) के उपयोग को अनिवार्य करके, इस योजना ने स्थानीय कच्चे माल की ख़रीद में काफ़ी वृद्धि की है, जिससे अविकसित और ग्रामीण क्षेत्रों को लाभ हुआ है तथा किसानों की आय में भी वृद्धि हुई है।

III. प्रधानमंत्री किसान संपदा योजना [Pradhan Mantri Kisan SAMPADA Yojana (PMKSY)]

खाद्य प्रसंस्करण उद्योग मंत्रालय ने 2017 में 2016-20 की अवधि के लिए 6000 करोड़ रुपये के आवंटन के साथ **संपदा (SAMPADA)** योजना (कृषि-समुद्री प्रसंस्करण और कृषि-प्रसंस्करण समूहों के विकास के लिए योजना) शुरू की, संपदा योजना का नाम बदलकर PMKSY कर दिया गया और इसमें कुछ अन्य योजनाओं के साथ चल रहीं योजनाओं को शामिल किया गया, जिसका उद्देश्य लगभग 20 लाख किसानों को लाभ पहुँचाना है।

PM किसान **संपदा** योजना एक व्यापक पैकेज है, जिसके परिणामस्वरूप फ़ॉर्म गेट से खुदरा आउटलेट तक कुशल आपूर्ति शृंखला प्रबंधन के साथ आधुनिक बुनियादी ढाँचे का निर्माण होगा। समग्र रूप से, पुनर्गठित योजना एक व्यापक पैकेज है, जिसमें निम्नलिखित सात घटक शामिल हैं :

1. मेगा फ़ूड पार्क
2. एकीकृत कोल्ड चेन और मूल्यसंवर्धन अवसंरचना
3. खाद्य प्रसंस्करण/संरक्षण क्षमता का निर्माण/विस्तार
4. कृषि-प्रसंस्करण समूहों के लिए अवसंरचना
5. बैकवर्ड और फ़ॉरवर्ड लिंकेज का निर्माण
6. खाद्य सुरक्षा और गुणवत्ता आश्वासन अवसंरचना
7. मानव संसाधन और संस्थान
8. ऑपरेशन ग्रीन

PMKSY का उद्देश्य कृषि को पूरक बनाना, प्रसंस्करण का आधुनिकीकरण करना और कृषि-कचरे को कम करना है। यह किसानों को बेहतर मूल्य प्रदान करने और रोज़गार के अच्छे अवसर पैदा करने में भी सहायक है।

फरवरी, 2025 तक खाद्य प्रसंस्करण उद्योग मंत्रालय ने देश भर में PMKSY की संबंधित घटक योजनाओं के तहत 41 मेगा फ़ूड पार्क, 394 कोल्ड चेन परियोजनाएँ, 75 कृषि प्रसंस्करण क्लस्टर परियोजनाएँ, 536 खाद्य प्रसंस्करण इकाइयाँ, 61 बैकवर्ड और फ़ॉरवर्ड लिंकेज सृजन और 44 ऑपरेशन ग्रीन्स परियोजनाओं सहित 1608 परियोजनाओं को मंजूरी दी है।

IV. ऑपरेशन ग्रीन योजना (Operation Green Scheme)

➤ 2019-20 तक 500 करोड़ रुपये के बजटीय आवंटन के साथ **टमाटर, प्याज़, आलू [Tomatoes, Onions, Potatoes (TOPS)]** के एकीकृत विकास के लिए केंद्रीय बजट 2018-19 में 'ऑपरेशन फ़्लड' की तर्ज़ पर, प्रधान मंत्री किसान सम्पदा योजना (PMKSY) के तहत 'ऑपरेशन ग्रीन्स' को एक नयी केंद्रीय क्षेत्र योजना ऑपरेशन ग्रीन के रूप में घोषित किया गया था।

- इसका उद्देश्य TOPS किसानों के मूल्य बोध को बढ़ाना है, अर्थात् यह सुनिश्चित करने के लिए मूल्य निर्धारण करना कि किसानों को उनकी उपज का सही मूल्य दिया जाये; फ़सल कटाई के बाद के नुक़सान में कमी; उत्पादक और उपभोक्ताओं के लिए मूल्य स्थिरीकरण और खाद्य प्रसंस्करण क्षमता और मूल्यवर्धन आदि में वृद्धि।
- इस योजना का उद्देश्य पहचान किये गये उत्पादन समूहों में किसान उत्पादक संगठनों (FPOs), कृषि-रसद, प्रसंस्करण सुविधाओं और मूल्यसंवर्धन आदि को बढ़ावा देना है।
- इस योजना में दो-तरफ़ा रणनीतियाँ हैं :
  (i) अल्पकालिक मूल्य स्थिरीकरण के उपाय
  (ii) दीर्घकालिक एकीकृत मूल्य शृंखला विकास परियोजनाएँ
- कृषि और संबद्ध उत्पादों में मूल्यवर्धन को बढ़ावा देने के लिए लंबी अवधि की रणनीति यानी ऑपरेशन ग्रीन्स योजना के तहत मूल्य शृंखला विकास परियोजनाओं का दायरा टमाटर, प्याज़ और आलू (**TOP**) फ़सलों से **(22) बाईस ख़राब होनेवाले उत्पादों** और उनके निर्यात को बढ़ा दिया गया है।
- पहचानी गयीं 22 फ़सलों में 10 फल, 11 सब्ज़ियाँ और एक समुद्री जीव यानी झींगा शामिल हैं।
- **TOP TO TOTAL (सभी फलों और सब्ज़ियों के लिए):** खाद्य प्रसंस्करण उद्योग मंत्रालय (MoFPI) ने ऑपरेशन ग्रीन्स योजना के तहत टमाटर, प्याज़ और आलू (TOP) से लेकर सभी 41 अधिसूचित फल और सब्ज़ियाँ (TOTAL) जून, 2020 में छह महीने की अवधि के लिए पायलट आधार पर आत्मनिर्भर भारत अभियान के हिस्से के रूप में अल्पकालिक उपायों के दायरे को बढ़ा दिया है।

V. मेगा फ़ूड पार्क योजना [Mega Food Park Scheme (MFPS)]

- क्षेत्रीय बाग़बानी फ़सलों को मुख्य रूप से विशेष क्षेत्रों में उगाया जाता है। आमतौर पर इन क्षेत्रों में समान किसानों, व्यापारियों, कारख़ानों आदि का एक समूह मौजूद होता है, जो एक ही प्रकार के कृषि उत्पादों का कारोबार करते हैं। यह योजना उन समूहों को मज़बूत करने के लिए विश्व स्तरीय बुनियादी ढाँचा सुविधाएँ प्रदान करने की परिकल्पना करती है। इस प्रकार, मेगा फ़ूड पार्क योजना समूह दृष्टिकोण पर आधारित है।
- इस MFP योजना का उद्देश्य 'खेत से प्रसंस्करण और फिर उपभोक्ता बाज़ारों तक सीधा संबंध' स्थापित करना है।
- इस योजना का उद्देश्य किसानों, व्यापारियों, कारख़ानों आदि को एक साथ लाने के लिए एक उचित तंत्र और लिंक प्रदान करके मूल्यसंवर्धन को अधिकतम करना, अपव्यय को कम करना और किसानों की आय में वृद्धि करना है।
- मेगा फ़ूड पार्क एक हब और स्पोक मॉडल पर काम करते हैं, जिसके तहत :-
  1. प्रारंभिक प्रसंस्करण के लिए **संग्रह केंद्र (CCs)** व्यक्तिगत किसानों, किसान समूहों और स्वयं-सहायता-समूहों **(SHGs)** से कृषि कच्चे माल को एकत्र करते हैं।
  2. ये CCs कच्चे माल को **प्राथमिक प्रसंस्करण केंद्रों** (PPC) को सौंपते हैं, जिनमें उचित भंडारण और परिवहन सुविधाएँ होती हैं। कई CCs 01 PPC के तहत काम करते हैं।
  3. इसके अलावा, इन सामग्रियों को **केंद्रीय प्रसंस्करण केंद्र (CPC)** में ले जाया जाता है, जो इन कच्चे माल के अंतिम प्रसंस्करण के लिए विभिन्न व्यावसायिक घरानों के स्वामित्ववाली कई प्रसंस्करण इकाइयोंवाला स्थान है। CPCs में खाद्य प्रसंस्करण के लिए आधुनिक वैज्ञानिक इकाइयों के साथ-साथ विशेष शीतागार (कोल्ड स्टोरेज) सुविधाएँ हैं।

➤ मेगा फ़ूड पार्क के मॉडल को नीचे दर्शाया गया है।

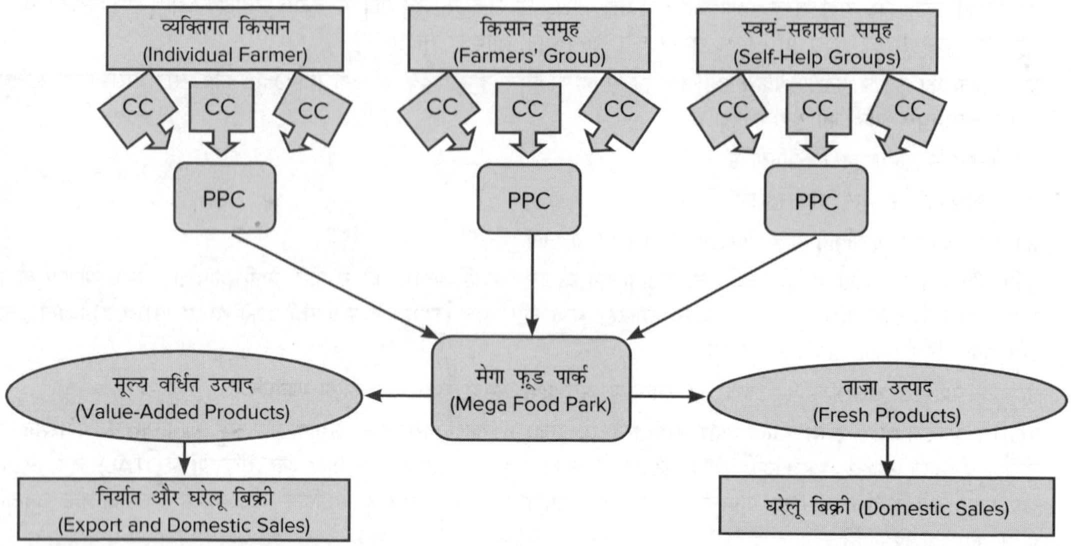

➤ मेगा फ़ूड पार्क स्थापित करने के लिए **एक विशेष प्रयोजन वाहन** यानी स्पेशल पर्पज व्हीकल **(SPV)** बनाया गया है। SPV एक सीमित कंपनी है, जो किसानों के संघों, निजी खिलाड़ियों, वित्तीय संस्थानों, राज्य स्तरीय एजेंसियों आदि के धन से स्थापित की जाती है। इसके बाद, सरकार उन्हें परियोजना लागत के एक भाग को शामिल करने के लिए अनुदान देती है।

➤ MFP योजना में परियोजना लागत का 50 प्रतिशत (भूमि लागत को छोड़कर) एकमुश्त पूँजी अनुदान की परिकल्पना की गयी है, जो अधिकतम **50 करोड़ रुपये** है।

MFPS के लाभ (Benefits of MFPS)

1. ग्रामीण-शहरी प्रवास को कम करने के लिए ग्रामीण क्षेत्रों में रोज़गार के नये अवसर।
2. फ़ॉर्म गेट से खुदरा दुकानों तक आपूर्ति श्रृंखला का कुशल प्रबंधन।
3. MFP 30-40 FPIs को शामिल करता है। बोरवेल, ओवरहेड टैंक, जल उपचार संयंत्र, छँटाई, श्रेणीकरण (ग्रेडिंग), संवेष्टन (पैकिंग) आदि जैसी सामान्य सुविधाओं का उपयोग व्यक्तिगत परिचालन लागत को कम करने में मदद करता है।
4. खाद्य उद्यमी बैकवर्ड लिंकेज (किसानों के साथ) और फ़ॉरवर्ड लिंकेज स्थापित कर सकते हैं (खुदरा विक्रेताओं के साथ), इस प्रकार एक सघन आपूर्ति श्रृंखला और अंततः अधिक मुनाफ़ा होता है।
5. किसान शीतागार (कोल्ड स्टोरेज), पकानेवाले कक्षों और गोदामों का उपयोग कर सकते हैं, जिससे कम अपव्यय होता है और संकटकालीन बिक्री कम होती है।
6. प्रत्येक पूर्ण परिचालन MFP लगभग 5000 व्यक्तियों को प्रत्यक्ष/अप्रत्यक्ष रोज़गार प्रदान करता है।

इस प्रकार, MFP, FPI में सभी हितधारकों के लिए एक जीत-जीत की स्थिति सुनिश्चित करता है, बशर्ते सरकार द्वारा शीघ्र और उपयुक्त सुविधा के माध्यम से चुनौतियों को प्रभावी ढंग से सँभाला जाये।

क्या आप जानते हैं? **मार्च, 2025 तक, हमारे देश में 24 मेगा फ़ूड पार्क चालू हो चुके हैं। आंध्र प्रदेश के चित्तूर में श्रीनी मेगा फ़ूड पार्क** को देश के पहले मेगा फ़ूड पार्क के रूप में स्थापित किया गया था।

MFP योजना को सरकार ने 1 अप्रैल, 2021 से केवल वर्तमान में चल रहीं परियोजनाओं के लिए प्रतिबद्ध देनदारियों के प्रावधान के साथ बंद कर दिया।

VI. बूचड़ख़ानों का आधुनिकीकरण (Modernisation of Abattoirs)

बूचड़ख़ाना एक ऐसी सुविधा है, जहाँ मनुष्यों के लिए भोजन उपलब्ध कराने हेतु जानवरों का वध किया जाता है। वे सामान्य रूप से नगरपालिका निकायों के स्वामित्व/लाइसेंस प्राप्त होते हैं। मौजूदा बूचड़ख़ानों के समक्ष आनेवालीं चुनौतियाँ इस प्रकार हैं :

- आधुनिक उपकरणों और सुविधाओं का अभाव;
- कुशल वध के लिए ख़राब स्वच्छता सुविधाएँ;
- ख़राब अपशिष्ट प्रबंधन और प्रदूषण नियंत्रण;
- निम्न गुणवत्ता और स्वच्छता का स्तर, जिससे मांस और मांस से बने उत्पाद दूषित हो सकते हैं।

11वीं पंचवर्षीय योजना के तहत नये बूचड़ख़ाने स्थापित करने और मौजूदा बूचड़ख़ानों के आधुनिकीकरण की योजना शुरू की गयी थी। इसे स्थानीय निकायों/सार्वजनिक क्षेत्र के उपक्रमों/सहकारिता आदि को शामिल करके कार्यान्वित किया जाता है। इस योजना के उद्देश्यों में शामिल हैं :

1. वैज्ञानिक और स्वास्थ्यकर प्रक्रिया का उपयोग
2. अपशिष्ट प्रबंधन और प्रदूषण नियंत्रण के लिए आधुनिक तकनीक
3. जानवरों के साथ अधिक मानवीय व्यवहार करना और उनके परिवहन को कम करना
4. मांस में सूक्ष्म जैविक गतिविधि को रोकने के लिए द्रुतशीतन सुविधा
5. तैयार मांस और मांस उत्पादों के लिए बेहतर फ़ॉरवर्ड लिंकेज सुविधा।

इस योजना का उद्देश्य वध करने के कुछ वैज्ञानिक और कम दर्दनाक तरीक़ों को सुविधाजनक बनाना है। इसे **सार्वजनिक-निजी भागीदारी यानी पब्लिक-प्राइवेट पार्टनरशिप (PPP)** मोड के तहत लागू किया गया है।

VII. राष्ट्रीय खाद्य प्रसंस्करण मिशन (National Mission on Food Processing)

राष्ट्रीय खाद्य प्रसंस्करण मिशन एक **केंद्र प्रायोजित योजना (CSS)** है, जिसे 2012 में शुरू किया गया था। इसने खाद्य प्रसंस्करण योजनाओं की योजना, पर्यवेक्षण और निगरानी के संदर्भ में आगे बढ़ने में सुधार करने की परिकल्पना की।

VIII. कोल्ड चेन की योजना, मूल्यसंवर्धन और परिरक्षण बुनियादी ढाँचा (Scheme of Cold Chain, Value Addition and Preservation Infrastructure)

इस योजना का उद्देश्य एक मज़बूत कोल्ड चेन सुविधा स्थापित करना और कृषि, बाग़बानी, पशुपालन और मत्स्य उत्पादों के लिए उपभोक्ता के लिए फ़ार्म गेट को जोड़ना है।

- कुशल शीतागार (कोल्ड स्टोरेज), परिवहन और न्यूनतम प्रसंस्करण की सहायता से हानियों और अपव्यय को कम किया जा सकता है।
- इस योजना में मुख्य रूप से चार घटक हैं :
    - i. **प्रसंस्करण केंद्र (Processing Centre)** - फ़ार्म स्तर पर नियंत्रित वातावरण और संशोधित वातावरण दोनों में तौल, छँटाई, श्रेणीकरण (ग्रेडिंग), संवेष्टन (पैकिंग) और शीतागार (कोल्ड स्टोरेज) की सुविधा प्रदान करना।
    - ii. **मोबाइल प्री-कूलिंग वैन** और रीफ़र ट्रकों की उपलब्धता।
    - iii. परिवर्तनीय आर्द्रता मंडल, **क्लीनिंग-इन-प्लेस (CIP)** प्रक्रिया का उपयोग, फ़ॉग ट्रीटमेंट, ब्लास्ट फ़्रीजिंग आदि जैसी सुविधाओं के साथ वितरण केंद्रों की उपलब्धता।
    - iv. वहाँ पर किरणन सुविधा की उपलब्धता।

IX. कृषि-निर्यात क्षेत्र (Agri-Export Zones)

कृषि-निर्यात क्षेत्र (AEZ) को 2001 में **कृषि और प्रसंस्कृत खाद्य उत्पाद निर्यात विकास प्राधिकरण (APEDA)** के साथ अपनी नोडल एजेंसी के रूप में पेश किया गया था।

- AEZ देश में एक विशिष्ट भौगोलिक क्षेत्र है, जिसे मुख्य रूप से निर्यात के लिए कृषि आधारित प्रसंस्करण उद्योग स्थापित करने के लिए सीमांकित किया गया है।
- यह पूरी प्रक्रिया को एकीकृत करने के लिए उत्पादन चरण से लेकर बाज़ार तक 'शुरू से अंत तक' का दृष्टिकोण अपनाता है।
- प्रशिक्षण, विस्तार, अनुसंधान एवं विकास, गुणवत्ता उन्नयन, विपणन आदि के लिए सरकार द्वारा वित्तीय सहायता दी जाती है। पूँजीगत मशीनरी के आयात पर सीमा शुल्क पर छूट भी प्रदान की जाती है।
- मार्च, 2025 तक, भारत में 60 AEZ हैं (वर्तमान में महाराष्ट्र में AEZ की संख्या सबसे अधिक है, यानी 8 AEZ)।
- **AEZ होने के फ़ायदे (Benefits of having an AEZ) :**
  a. उत्पाद की गुणवत्ता और पैकेजिंग में सुधार
  b. किसानों को कृषि उपज के लिए बेहतर क़ीमत
  c. ग्रामीण क्षेत्रों में रोज़गार के अवसरों में वृद्धि
  d. बैकवर्ड और फ़ॉरवर्ड लिंकेज बनाकर, मूल्यवर्धन और लागत अनुकूलन को बढ़ावा देकर उत्पादों की प्रतिस्पर्धात्मक क्षमता में वृद्धि।

AEZ से निर्यात को बढ़ावा देने के लिए केंद्र और राज्य सरकारें कृषि-निर्यात एजेंसियों को विभिन्न प्रकार की वित्तीय सहायता प्रदान करती हैं।

X. हाल के दिनों में अन्य सरकारी हस्तक्षेप (Other Government Interventions in Recent Past)

- खाद्य सुरक्षा और गुणवत्ता बढ़ाने के लिए, खाद्य प्रसंस्करण उद्योग मंत्रालय (MOFPI) वित्तीय वर्ष 2025-26 में, भारत भर में 100 नये **NABL [National Accreditation Board for Testing and Calibration Laboratories (राष्ट्रीय परीक्षण और अंशांकन प्रयोगशालाओं के लिए प्रत्यायन बोर्ड)]** खाद्य परीक्षण केंद्रों की स्थापना हेतु वित्तीय सहायता प्रदान करेगा।
- सभी प्रसंस्कृत खाद्य पदार्थों को उद्योग (विकास और विनियमन) अधिनियम, 1951 के तहत **लाइसेंस से छूट** दी गयी है।
- क्षेत्रीय नियमों के अधीन खाद्य प्रसंस्करण क्षेत्र के लिए **स्वचालित मार्ग** के माध्यम से **100 प्रतिशत FDI** की अनुमति दी गयी है।
- भारत में विनिर्मित या उत्पादित खाद्य उत्पादों के संबंध में **ई-कॉमर्स** सहित व्यापार के लिए सरकारी *अनुमोदन मार्ग* के अंतर्गत **100 प्रतिशत FDI**।
- **नाबार्ड** के तहत नामित फ़ूडपार्क और कृषि-प्रसंस्करण इकाइयों को किफ़ायती ऋण प्रदान करने के लिए **2,000 करोड़ रुपये का विशेष कोष**।
- कच्चे और प्रसंस्कृत उत्पादों के लिए **कम GST**; लगभग 80 प्रतिशत खाद्य उत्पादों को **5 और 12 प्रतिशत** के निचले कर स्लैब में शामिल किया गया है।
- आयकर अधिनियम, 1961 के तहत लाभ से जुड़े **कर अवकाश** और निवेश से जुड़ी कटौती का प्रावधान।
- **निवेश बंधु पोर्टल** को राज्य विशिष्ट संसाधन क्षमता, नीति समर्थन और खाद्य प्रसंस्करण क्षेत्र में निवेशकों को दिये जानेवाले वित्तीय प्रोत्साहन के बारे में जानकारी के प्रसार के लिए शुरू किया गया है।
- **खाद्य व्यवसाय करने में आसानी** से सुधार लाने की दिशा में एक उपाय के रूप में, भारतीय खाद्य सुरक्षा और मानक प्राधिकरण (FSSAI) उत्पाद-दर-उत्पाद अनुमोदन से एक संघटक और योगात्मक आधारित अनुमोदन प्रक्रिया में स्थानांतरित हो गया है।

अतिरिक्त जानकारी

मंत्रालय के अंतर्गत संगठन (Organisations under the Ministry of FPI)

संगठन के नाम	स्थान
राष्ट्रीय खाद्य प्रौद्योगिकी उद्यमशीलता तथा प्रबंधन संस्थान [National Institute of Food Technology Entrepreneurship and Management (NIFTEM)]	कुंडली, हरियाणा
भारतीय खाद्य प्रसंस्करण प्रौद्योगिकी संस्थान [Indian Institute of Food Processing Technology (IIFPT)]	तंजावुर, तमिलनाडु
भारतीय अंगूर प्रसंस्करण बोर्ड [Indian Grape Processing Board (IGPB)])	पुणे, महाराष्ट्र
राष्ट्रीय मांस एवं पोल्ट्री प्रसंस्करण बोर्ड [National Meat and Poultry Processing Board (NMPPB)]	नयी दिल्ली

क्या आप जानते हैं? **राष्ट्रीय खाद्य प्रौद्योगिकी उद्यमिता और प्रबंधन संस्थान (NIFTEM) अधिनियम, 2021**, को संसद द्वारा वर्ष 2021 में NIFTEM और IIFPT को **राष्ट्रीय महत्त्व के संस्थान (INI)** घोषित करने के लिए पारित किया गया था।

खाद्य प्रसंस्करण क्षेत्र के अंतर्गत आपूर्ति शृंखला प्रबंधन (SUPPLY CHAIN MANAGEMENT UNDER FOOD PROCESSING SECTOR)

कई अन्य के अतिरिक्त इसके निम्नलिखित बड़े अवयव हैं :

1. कोल्ड चेन
2. सुपरमार्केट

1. कोल्ड चेन (Cold Chain)

यह तापमान नियंत्रित आपूर्ति शृंखला है।

इसमें वितरण गतिविधियों की शृंखला सम्मिलित होती है, जो तापमान के प्रति संवेदनशील कार्गो (विनिर्माण से उपभोग के बिंदु तक) के संरक्षण के लिए निर्बाध रूप से तापमान बनाये रखती है।

कोल्ड चेन के **तीन मुख्य अवयव हैं : परिवहन**, **भंडार उपकरण** तथा **कुशल प्रबंधन प्रक्रियाएँ**। सुरक्षित परिवहन तथा बेहतर भंडारण सुनिश्चित करने के लिए सभी तीनों तत्वों को संयोजित किया जाना चाहिए।

एकीकृत कोल्ड चेन परियोजना (Integrated Cold Chain Project) साझेदारी/ स्वामित्ववाले फ़र्म, कंपनियों, सहकारी संस्थाओं, निगमों, SHG, कृषक उत्पादक संगठनों की स्थापना की जा सकती है। इस योजना के अंतर्गत निम्नलिखित सुविधाएँ तैयार की जाती हैं :

- **खेत के** स्तर पर सूक्ष्म प्रसंस्करण केंद्र, जिसमें वज़न मापन, छँटाई, ग्रेडिंग, पूर्व-शीतलन, शीत संग्रहण तथा सामान्य भंडारण सुविधाओं, जैसी सुविधाएँ होती हैं।
- पूर्व शीतलन मोबाइल वाहन तथा रीफ़र ट्रक।
- वितरण केंद्रों में बहुद्देशीय शीत संग्रहण, परिवर्तनशील आर्द्रता भंडार, ब्लास्ट फ़्रीजिंग इत्यादि जैसी सुविधाएँ होती हैं।

बाज़ारों में दो प्रकार की आपूर्ति शृंखलाएँ होती हैं :

सामान्य (General): [**उत्पादक – थोक विक्रेता- ख़ुदरा विक्रेता – उपभोक्ता**]

- इस मामले में, **ग़ैर-रैखिक आपूर्ति शृंखला (non-linear supply chain)** कार्य करती है।

➤ डेटा विश्लेषण नहीं किया जाता है तथा जिससे लंबे समय तक सामग्रियों को भंडार करके रखने की संभावना होती है, जो भंडारण लागत में वृद्धि कर सकते हैं तथा इसके परिणामस्वरूप माँग व आपूर्ति में अंतर हो सकता है।

सुपरमार्केट (Supermarket): [निर्माता - सुपरमार्केट - उपभोक्ता]

2. सुपरमार्केट (Supermarket)

सुपरमार्केट की विशेषताएँ (Features of a Supermarket)

➤ यह उपभोक्ताओं को **एक ही स्थान (single point)** पर कई सेवाएँ प्रदान करता है।

➤ सुपरमार्केट के स्टोर विभिन्न प्रकार की वस्तुओंवाले कई विभागों में बँटे होते हैं।

➤ डेटा विश्लेषण किया जाता है, उपभोक्ताओं की पसंद का परीक्षण किया जाता है। सुपरमार्केट में भंडारण उपभोक्ताओं की नवीनतम माँग के अनुसार किया जाता है। परिणामस्वरूप भंडार कम होता है तथा विभिन्न प्रकार की वस्तुओं को लंबे समय तक नहीं रखा जाता है, जिससे **भंडारण की लागत कम हो जाती है**।

➤ आमतौर पर **बेहतर मार्जिन दिया** जाता है, इससे अधिक से अधिक उपभोक्ता आकर्षित होते हैं।

➤ यह **रैखिक आपूर्ति श्रृंखला (linear supply chain) के सिद्धांत** पर आधारित है।

➤ *रिलायंस फ्रेश, स्पेंसर्स, सर्वना स्टोर्स* इत्यादि सुपरमार्केट के उदाहरण हैं।

सुपरमार्केटों के विकास के लिए उत्तरदायी कारक हैं (Factors that have led to the growth of Supermarkets)

1. **मध्यमवर्गीय** परिवारों की संख्या में वृद्धि।
2. खाद्य पदार्थों को आसानी से तैयार करने के लिए प्रोत्साहन राशि के साथ **श्रम शक्ति में और महिलाओं का प्रवेश**।
3. **रेफ्रिजरेटर** के उपयोग में वृद्धि के कारण दैनिक के स्थान पर साप्ताहिक ख़रीद संभव हुई है।
4. **कार स्वामित्व** में वृद्धि ने दूर की दुकानों तक जाने की यात्रा को सुगम बनाया है, जिससे बड़ी मात्रा में खाद्य पदार्थों को ख़रीदा जा रहा है।

सुपरमार्केट के फ़ायदे (Advantages of Supermarket)

1. यह **ग्राहक** को अलग-अलग कंपनियों के समान उत्पाद के बीच **तुलना करने का मंच (platform to customers to compare)** प्रदान करता है और वे ख़रीद का सही निर्णय कर पाते हैं।
2. सुपरमार्केट में **औसत परिचालन लागत (Average operating cost)** अन्य खुदरा तरीक़ों की तुलना में अपेक्षाकृत कम है।
3. कई मामलों में ग्राहकों को **ख़रीद पर अच्छी छूट (good discount on purchases)** मिलती है, क्योंकि सुपरमार्केट में थोक ख़रीदारी की जाती है।
4. सुपरमार्केट की अवधारणा **बिचौलियों की भूमिका को कम करने में (reduce the role of intermediaries)** सहायता करती है, जिससे मूल्य में कमी करने में मदद मिलती है। विनिर्माता थोक विक्रेताओं के स्थान पर खुदरा विक्रेताओं को ज़्यादा तेज़ी से सामान उपलब्ध करा सकते हैं।
5. सुपरमार्केट द्वारा दिया गया **विस्तृत तथा कम्प्यूटरीकृत बिल (Detailed and computerised bill)**, बिल की अपेक्षा विसंगतियों की संभावना को कम करता है।

सुपरमार्केट के समक्ष चुनौतियाँ (Challenges faced by Supermarkets)

1. विकसित देशों की तुलना में भारत में सुपरमार्केट में **बिक्री का परिमाण (low sales volume)** अभी भी कम है।
2. **असंगठित ख़ुदरा दुकानों (unorganised retail shops) से बड़ी प्रतिस्पर्धा**, क्योंकि भारत में खुदरा व्यापार में उनकी हिस्सेदारी 90 प्रतिशत से अधिक है।

3. इसमें सम्मिलित कर्मचारियों की एक बड़ी संख्या को भारी किराया तथा पारिश्रमिक देने के लिए **उच्च निश्चित आवर्ती व्यय (High fixed recurring expenditure)** करना पड़ता है।

FPI को बढ़ावा देने में ई-कॉमर्स की भूमिका (ROLE OF E-COMMERCE IN PROMOTING FPI)

इसका संबंध इलेक्ट्रॉनिक माध्यम (अर्थात्, इलेक्ट्रॉनिक कॉमर्स) से उत्पादों की ख़रीद या बिक्री से होता है। इसके कई **फ़ायदे** हैं :

- उपभोक्ता को उत्पादों की **होम डिलीवरी** की सुविधा प्राप्त होती है।
- चूँकि किसी **भौतिक स्टोर की कोई आवश्यकता नहीं होती**, यह दुकान के रख-रखाव तथा किराये की लागत को कम करता है।
- यह भौगोलिक सीमाओं को समाप्त करता है और सर्च इंजन दृश्यता के साथ नये ग्राहकों को प्राप्त करता है।
- ख़रीददारी के विभिन्न सर्च इंजन तथा ई-कॉमर्स वेबसाइटों के कारण उपभोक्ताओं के लिए **क़ीमतों की तुलना करना** आसान है।
- मुद्रा या नक़दी के साथ होने की कोई आवश्यकता नहीं होती।
- वेबसाइट के मालिक को प्रतिक्रिया (फ़ीडबैक) प्राप्त होती है। वह इस प्रतिक्रिया का उपयोग सेवाओं में सुधार करने तथा उन्हें बेहतर बनाने के लिए कर सकता है।

वहीं दूसरी तरफ़ **ई-कॉमर्स की निम्नलिखित सीमाएँ हैं :**

- कुछ वस्तुओं को ऑनलाइन नहीं बेचा जा सकता।
- **वस्तु की आपूर्ति से पहले**, कोई विक्रेता **उसे स्पर्श नहीं कर सकता या परीक्षण नहीं कर सकता है।**
- ग्राहकों को **पहचान की धोखाधड़ी (risk of identity fraud)** तथा अन्य बाधाओं का **ख़तरा** होता है, क्योंकि उनकी व्यक्तिगत जानकारी ई-कॉमर्स व्यवसायों द्वारा प्राप्त की जाती है।
- **उपभोक्ताओं के लिए अच्छा और व्यवसाय के लिए बुरा (Good for Consumers, Bad for Businesses) :** निस्संदेह ई-कॉमर्स दुकानदारों तथा ग्राहकों के लिए फ़ायदेमंद है। हालाँकि साथ ही यह व्यवसाय के लिए कठिनाई बढ़ाता है। ग्राहकों को जहाँ वस्तुओं की आपूर्ति उनके घर तक मिलने की सुविधा प्राप्त होती है, लेकिन प्रत्येक व्यक्ति के वस्तु को वितरित करने में सम्मिलित कार्गो ई-कॉमर्स व्यवसाय संचालन के तनाव को और बढ़ाता है, जिससे कार्गो प्रबंधन कभी-कभी ख़राब हो जाता है।

अतिरिक्त जानकारी

कटाई के बाद की खाद्य हानि (POST-HARVEST FOOD LOSS)

कटाई के बाद के नुक़सान में कमी सहित खाद्य प्रसंस्करण क्षेत्र के समग्र विकास को बढ़ावा देने के लिए फ़सल कटाई के बाद की अवसंरचना और प्रसंस्करण सुविधाएँ आवश्यक हैं। MoFPI ने प्राथमिक सर्वेक्षणों के आधार पर विभिन्न अध्ययनों के माध्यम से विभिन्न कृषि जिंसों में कटाई के बाद के नुक़सान का अनुमान लगाया है। MoFPI द्वारा क़मीशन तथा निम्न सस्थाओं द्वारा किये गये अध्ययन : (i) भारतीय कृषि अनुसंधान परिषद्-सेंट्रल इंस्टीट्यूट ऑफ़ पोस्ट हार्वेस्ट इंजीनियरिंग ऐंड टेक्नोलॉजी (ICAR-CIPHET) के माध्यम से "भारत में प्रमुख फ़सलों और वस्तुओं की मात्रात्मक फ़सल और कटाई के बाद के नुक़सान का आकलन"; और (ii) नाबार्ड कंसल्टेंसी सर्विस प्राइवेट लिमिटेड (NABCONS) शीर्षक "भारत में कृषि उपज के फ़सल कटाई के बाद के नुक़सान का निर्धारण करने के लिए अध्ययन"।

संक्षिप्त विवरण

➤ **खाद्य प्रसंस्करण (Food Processing)** – भोजन के रूपांतरण की प्रक्रिया, जिसमें छँटाई, ग्रेडिंग, पैकेजिंग, ब्रैंडिंग इत्यादि सम्मिलित है – खाद्य प्रसंस्करण उद्योग या FPI में निर्यात, उत्पादन और उपभोग के मामले में भारत का 5वाँ स्थान है।

➤ **APEDA** – ऐग्रीकल्चर ऐंड प्रोसेस्ड फ़ूड प्रोडक्ट्स एक्सपोर्ट डेवेलपमेंट अथॉरिटी – 1986 में स्थापित – वाणिज्य एवं उद्योग मंत्रालय के अंतर्गत – भारत में प्रसंस्कृत खाद्य पदार्थों के निर्यात के लिए वित्तीय सहायता प्रदान करता है तथा सर्वेक्षण, अध्ययन, सब्सिडी योजनाएँ इत्यादि आयोजित करता है।

➤ **खाद्य विकिरण उपचार (Food Irradiation)** – खाद्य पदार्थों पर आयनीकरण विकिरण (कोबाल्ट-60) का प्रयोग करना, जो सुरक्षा को बेहतर करता है और उनके शेल्फ जीवन को बढ़ाता है – सूक्ष्म जीवों और कीटों को समाप्त करता है – यद्यपि, खाद्य पदार्थ में पहले से मौजूद कीटनाशकों और विषाक्त पदार्थों को नष्ट नहीं कर सकते हैं।

➤ **मेगा फ़ूड पार्क योजना (Mega Food Park Scheme)** – मेगा फ़ूड पार्क स्थापित करने के लिए विश्व-स्तरीय अवसंरचना सुविधाएँ प्रदान करना – क्लस्टर दृष्टिकोण पर आधारित – हब और स्पोक मॉडल पर कार्य करता है – इसका उद्देश्य खेत से प्रसंस्करण और फिर उपभोक्ता बाज़ार तक सीधा संपर्क स्थापित करना है – वर्तमान में 22 MFP कार्यशील हैं।

➤ **FSSAI** – फ़ूड सेफ़्टी ऐंड स्टैंडर्ड अथॉरिटी ऑफ़ इंडिया – फ़ूड सेफ़्टी ऐंड स्टैंडर्ड ऐक्ट, 2006 के अंतर्गत 2008 में सर्जित – स्वास्थ्य एवं परिवार कल्याण मंत्रालय के अधीन – इसका उद्देश्य भारत में खाद्य कारोबार की गुणवत्ता को विनियमित करना और उसकी निगरानी करना तथा खाद्य सुरक्षा को सुनिश्चित करना है।

➤ **नेशनल मिशन ऑन फ़ूड प्रोसेसिंग (National Mission on Food Processing)** – 2012 में लॉन्च – केंद्र प्रायोजित योजना – लक्ष्य फ़ूड प्रोसेसिंग क्षेत्र की योजना, पर्यवेक्षण और निगरानी के रूप में बाह्य पहुँच को बेहतर बनाना।

➤ **ऐग्री-एक्सपोर्ट ज़ोन [Agri-Export Zones (AEZs)]** – 2001 में शुरू किया गया – APEDA नोडल एजेंसी – मुख्य रूप से निर्यात के लिए कृषि आधारित प्रसंस्करण उद्योग स्थापित करने के लिए विशेष भौगोलिक क्षेत्र का निर्धारण – वर्तमान में 60 AEZ हैं।

➤ **प्रधानमंत्री किसान संपदा योजना [Pradhan Mantri Kisan SAMPADA Yojana (PMKSY)]** – छत्र योजना (umbrella scheme)– 2017 में लॉन्च – 07 उप-घटक –खाद्य प्रसंस्करण एवं उद्योग मंत्रालय के अंतर्गत– लक्ष्य कृषि अनुपूरक बनाना, प्रसंस्करण को आधुनिक बनाना तथा कृषि-अपशिष्ट को कम करना।

➤ **फ़ॉर्मलाइज़ेशन ऑफ़ माइक्रो फ़ूड प्रोसेसिंग एंटरप्राइज़ेज़ योजना (Formalisation of Micro Food Processing Enterprises Scheme)** – 2020 में लॉन्च – लक्ष्य अवधि 2020-21 से 2024-25 तक – लक्ष्य वर्तमान व्यक्तिगत सूक्ष्म उद्यमों का आधुनिकीकरण और उनमें प्रतिस्पर्धा को बढ़ाना तथा औपचारिक क्षेत्र की ओर उनका परिवर्तन सुनिश्चित करना – केंद्र-राज्य फ़ंड भागीदारी 60 : 40।

यूपीएससी सिविल सेवा के पिछले वर्षों की प्रारंभिक परीक्षा के प्रश्न

1. निम्नलिखित प्रश्नों पर विचार करें : **[2018]**

1. खाद्य सुरक्षा और मानक अधिनियम, 2006 ने खाद्य अपमिश्रण निवारण अधिनियम, 1954 का स्थान लिया है।

2. भारतीय खाद्य संरक्षण एवं मानक प्राधिकरण (FSSAI) केंद्रीय स्वास्थ्य तथा परिवार कल्याण मंत्रालय के स्वास्थ्य सेवा महानिदेशक के प्रभार के अंतर्गत है।

ऊपर दिया कौन सा/कौन से कथन सही हैं?

(a) केवल 1 **(b)** केवल 2
(c) दोनों 1 और 2 **(d)** 1 और 2 में से कोई नहीं

कोई प्रश्न नहीं
2024, 2023, 2022, 2021, 2020, 2019, 2017, 2016, 2015, 2014, 2013

उत्तर कुंजी

1. (a)

यूपीएससी सिविल सेवा के पिछले वर्षों की मुख्य परीक्षा के प्रश्न

1. भारत में खाद्य प्रसंस्करण उद्योग के कार्यक्षेत्र और महत्त्व का सविस्तार वर्णन कीजिए। **[2022]**
2. देश के खाद्य क्षेत्र में चुनौतियाँ और अवसर क्या है? खाद्य प्रसंस्करण के प्रोत्साहन द्वारा किसानों की आय में पर्याप्त वृद्धि कैसे की जा सकती है? **[2020]**
3. खाद्य प्रसंस्करण क्षेत्रक की चुनौतियों से निपटने के लिए भारत सरकार की नीतियों की व्याख्या करें। **[2019]**
4. फलों, सब्ज़ियों तथा खाद्य पदार्थों की आपूर्ति शृंखला प्रबंधन में सुपरमार्केट की भूमिका का परीक्षण कीजिए। इन्होंने मध्यस्थों को किस प्रकार समाप्त किया हैं? **[2018]**
5. **लागत-प्रभावी लघु प्रसंस्करण इकाई** के ख़राब अनुमोदन के क्या कारण हैं? क्या **खाद्य प्रसंस्करण इकाई** ग़रीब कृषकों की सामाजिक-आर्थिक स्थिति को सुधारने में सहायक होगी? **[2017]**
6. भारत में FPI के विकास में **विपणन तथा आपूर्ति शृंखला प्रबंधन की बाधाएँ क्या** हैं? क्या **ई-कॉमर्स** इन बाधाओं से निपटने में सहायता कर सकता है? **[2015]**

☞ **कोई प्रश्न नहीं**
2024, 2023, 2021, 2016, 2014, 2013

अध्याय 22

सेवा क्षेत्र (Service Sector)

अध्याय की रूपरेखा

- पर्यटन क्षेत्र
- चिकित्सा पर्यटन
- इको-पर्यटन
- इको-पर्यटन *बनाम* संधारणीय पर्यटन
- संधारणीय पर्यटन के लिए राष्ट्रीय रणनीति
- सूचना प्रौद्योगिकी तथा व्यापार प्रक्रिया प्रबंधन सेवाएँ
- भारत द्वारा BPO को बढ़ावा देने की योजना
- एक सेवा के रूप में सॉफ्टवेयर (SaaS)
- संचार क्षेत्र
- ई-कॉमर्स क्षेत्र
- बंदरगाह तथा जहाज़रानी सेवाएँ
- अंतरिक्ष क्षेत्र
- रियल एस्टेट क्षेत्र

भारतीय अर्थव्यवस्था में सबसे गतिशील क्षेत्र के रूप में सेवाओं के उद्भव को एक क्रांति के रूप में माना जाता है। 1951 और 1990 के दशकों के बीच भारत में सेवा क्षेत्र, उद्योग की तुलना में अधिक धीमी गति से बढ़ा। 1980 के दशक में सेवाओं की वृद्धि में तेज़ी आयी और 1990 के दशक में इसमें बहुत तेज़ी आयी, जब उद्योग और कृषि की तुलना में औसत विकास दर 7.5 प्रतिशत प्रतिवर्ष थी, जो औसतन क्रमशः 5.8 प्रतिशत और 3.1 प्रतिशत की दर से बढ़ी।

सेवा क्षेत्र का संबंध उपभोक्ताओं को **अमूर्त सेवाएँ प्रदान करने** से है। इसमें शामिल हैं :

1. व्यापार, होटल, परिवहन, भंडारण, संचार और प्रसारण से जुड़ी सेवाएँ।
2. वित्तीय, बीमा, अचल संपत्ति और पेशेवर सेवाएँ।
3. लोक प्रशासन, रक्षा और अन्य सेवाएँ।

वास्तव में, सेवाओं के नेतृत्व में भारत की तीव्र वृद्धि और ग़रीबी में कमी की कहानी ने दिखाया है कि तेज़ी से आर्थिक विकास के लिए औद्योगिकीकरण ही एकमात्र मार्ग नहीं है।

सेवा क्षेत्र का महत्त्व (Importance of Service Sector)

1. **सकल मूल्यवर्धित का प्रमुख हिस्सा (Major part of Gross Value Added)** – सेवा क्षेत्र में GVA का 50 प्रतिशत से अधिक हिस्सा है।
2. **राज्य की अर्थव्यवस्था में प्रमुख योगदान (Major contribution in State's economy)** – लगभग 12 राज्यों में, यह क्षेत्र कुल सकल राज्य मूल्यवर्धित के 50 प्रतिशत से अधिक का योगदान देता है।
3. **गुणवत्ता पूर्ण रोज़गार प्रदान करना (Providing Quality Employment)** – यह लगभग 30 प्रतिशत कार्यबल को रोज़गार भी प्रदान करता है।

4. कल्याणकारी उपायों के लिए **सरकार द्वारा कम प्रयासों की आवश्यकता होती है।**
5. **FDI प्रवाह (FDI Inflows)** – सेवा क्षेत्र कुल FDI प्रवाह का लगभग 50 प्रतिशत लाता है।
6. **निर्यात (Exports)** – भारत के कुल निर्यात का लगभग 40 प्रतिशत देश के सेवा क्षेत्र को देय है।
7. भारत में अधिकांश स्टार्ट-अप सेवा क्षेत्र से संबंधित हैं।

नीति आयोग के अनुसार, भारत के सेवा क्षेत्र को निम्नलिखित चार तरीक़ों से रणनीतिबद्ध किया गया है, जिनमें से प्रत्येक की अपनी नीतिगत सिफ़ारिशें हैं, जो भारतीय अर्थव्यवस्था को बदलने में मदद करती हैं:

- **प्रतिरक्षा (Defend)** – वैश्विक उपस्थिति को बनाये रखना और बाज़ार की वृद्धि को बढ़ाना। ध्यान दिये जानेवाले प्रमुख क्षेत्र कंप्यूटर और सूचना सेवाएँ और पेशेवर, वैज्ञानिक और व्यावसायिक सेवाएँ हैं।
- **गति बढ़ाना (Accelerate)** – वैश्विक वृद्धि को आगे बढ़ाने के लिए सभी क्षेत्रों को प्रोत्साहित करना। ध्यान दिये जानेवाले प्रमुख क्षेत्र परिवहन, व्यापार और मरम्मत, शिक्षा और वित्तीय सेवाएँ हैं।
- **परिवर्तन (Transform)** – उत्पादकता, नवाचार और वैश्विक पहुँच को बढ़ावा देना। ध्यान दिये जानेवाले प्रमुख क्षेत्र यात्रा, स्वास्थ्य और व्यक्तिगत, सांस्कृतिक और मनोरंजक सेवाएँ हैं।
- **अप्रयुक्त (Untapped)** – बाज़ार हिस्सेदारी बढ़ाना एवं दक्षता और स्थिरता सुनिश्चित करना। ध्यान दिये जानेवाले प्रमुख क्षेत्र बीमा और पेंशन सेवाएँ, ऑडियो-विजुअल और संबंधित सेवाएँ, दूरसंचार एवं डाक और कूरियर सेवाएँ हैं।

भारत में सेवाओं की माँग लोच (Demand Elasticity of Services in India)

माँग लोच से तात्पर्य मूल्य में परिवर्तन की प्रतिक्रिया में माँग की गयी मात्रा में परिवर्तन से है।

- यदि माँग लोच का मान 1 से अधिक है, तो यह मूल्य परिवर्तनों के सापेक्ष माँग की मात्रा में महत्त्वपूर्ण परिवर्तन को इंगित करता है।
- यदि इसका मान 1 (अकुशल माँग) से कम है, तो माँग की मात्रा मूल्य में उतार-चढ़ाव के साथ केवल थोड़ा ही बदलती है।
- यदि इसका मान 1 के बराबर है, तो माँग लोच एकात्मक है, जिसका अर्थ है कि माँग की मात्रा मूल्य के समान दर पर बदलती है।

मुख्य अंतर्दृष्टि (Key Insight)

- उन उद्योगों में **कम माँग लोच** देखी जाती है, जहाँ माँग संतृप्त होती है। अत्यधिक संतृप्त और अल्पाधिकारवादी बाज़ारों में, स्वचालन श्रम को बढ़ाने के बजाए विस्थापित करता है।
- **उच्च माँग लोच** बाज़ार की अपूर्ण आवश्यकताओं का संकेत देती है। ऐसे क्षेत्रों में, स्वचालन उत्पादकता को बढ़ाता है तथा रोज़गार को बढ़ावा देता है, क्योंकि नयी तकनीकें माँग के विस्तार को बढ़ावा देती हैं।
- **नीतिगत निहितार्थ** : उच्च माँग लोचवाले क्षेत्रों में रोज़गार वृद्धि की संभावना अधिक होती है, जहाँ प्रौद्योगिकी अपनाने से उत्पादकता और रोज़गार सृजन में वृद्धि होती है।

नीचे दिया गया चार्ट भारत के सेवा क्षेत्रों में माँग लोच और इसके निहितार्थों को दर्शाता है।

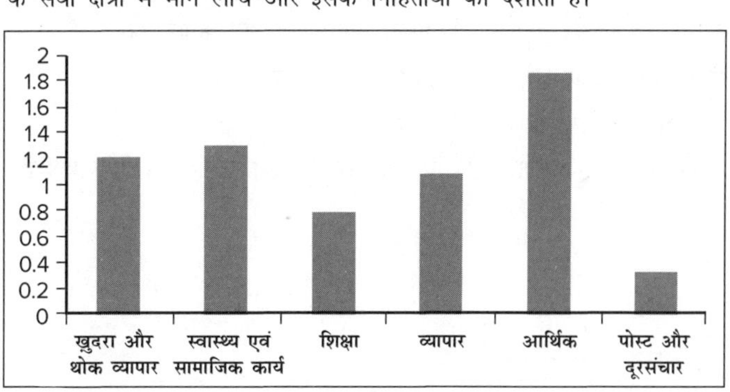

वित्तीय, स्वास्थ्य और सामाजिक कार्य, खुदरा और थोक व्यापार सेवाओं में उच्च माँग लोच यह संकेत दे सकती है कि इन क्षेत्रों को अभी बाज़ार संतृप्ति के चरण तक पहुँचना बाक़ी है। इस प्रकार, उत्पादकता वृद्धि के परिणामस्वरूप ऐसे क्षेत्रों में रोज़गार सृजन हो सकता है।

रिपोर्टें यह भी प्रमाणित करती हैं कि सूचना प्रौद्योगिकी (IT) सुधार वित्त, खुदरा और थोक उद्योगों में रोज़गार बढ़ाते हैं।

शिक्षा क्षेत्र की सेवाओं ने एक अलोचदार माँग (0.77) को दर्शाया, जिसका अर्थ यह हो सकता है कि स्वचालन के माध्यम से उत्पादकता वृद्धि से शिक्षक रोज़गार में कमी आ सकती है। हालाँकि, विनियमन के उच्च स्तर और इस सेवा की आवश्यक प्रकृति के बफ़र के रूप में कार्य करने की संभावना है, जो शिक्षक रोज़गार की क़ीमत पर नहीं, अपितु उत्पादकता में सुधार सुनिश्चित करेगी।

पर्यटन क्षेत्र (TOURISM SECTOR)

- भारत में अंतरराष्ट्रीय पर्यटक आगमन (ITAs) वर्ष 2023 में 18.89 मिलियन तक पहुँच गया है, जो वर्ष 2019 के 17.91 मिलियन के पिछले शिखर को पार कर गया है तथा पूर्व-महामारी के स्तर को पार करते हुए, वर्ष 2019 के आँकड़े की तुलना में 5.47 प्रतिशत की वृद्धि दर्ज की है।
- विश्व आर्थिक मंच के यात्रा और पर्यटन विकास सूचकांक (TTDI), 2024 में भारत 39वें स्थान पर है।
- परिणामस्वरूप विदेशी मुद्रा आय वृद्धि में गिरावट आयी है।
- PIB के अनुसार, "भारत सरकार का विज़न है कि वह समावेशी विकास और विशेष रूप से क्रूज़ पर्यटन, पारिस्थितिक पर्यटन और साहसिक पर्यटन पर ध्यान केंद्रित करके, 2030 तक पर्यटन क्षेत्र में लगभग 140 मिलियन नौकरियाँ पैदा करने के लिए 56 बिलियन अमरीकी डॉलर विदेशी मुद्रा का निवेश करे।"
- **आर्थिक सर्वेक्षण 2024-25** के अनुसार, पर्यटन, होटल और रेस्तराँ में सकल बैंक ऋण की तैनाती - 0.79 लाख करोड़ (नवंबर, 2024 तक) है।
- **भारत पर्यटन सांख्यिकी 2023 (पर्यटन मंत्रालय द्वारा एक वार्षिक प्रकाशन),** के अनुसार, भारत एशिया और प्रशांत क्षेत्र में पर्यटन प्राप्तियों में **5वें** स्थान पर है और विश्व के सभी देशों में **14वें** स्थान पर है।
- **भारत पर्यटन सांख्यिकी 2024** (पर्यटन मंत्रालय द्वारा एक वार्षिक प्रकाशन) के अनुसार, भारत एशिया और प्रशांत क्षेत्र में पर्यटकों के आगमन के मामले में पहले स्थान पर है, जहाँ अंतरराष्ट्रीय पर्यटकों के आगमन (ITAs) में 15.36 प्रतिशत की हिस्सेदारी है। वैश्विक स्तर पर, भारत 1.47 प्रतिशत ITAs की हिस्सेदारी के साथ 17वें स्थान पर है। अंतरराष्ट्रीय पर्यटन प्राप्तियों (ITRs) के मामले में, भारत, 1.86 प्रतिशत की वैश्विक हिस्सेदारी के साथ दुनिया में 14वें स्थान पर है।
- **पर्यटन रुझान (Tourism Trends)**
  - 2023 के दौरान, भारत में विदेशी पर्यटक आगमन [Foreign Tourist Arrivals (FTA)] के लिए **शीर्ष पाँच स्रोत** बाज़ार संयुक्त राज्य अमेरिका, बांग्लादेश, यूनाइटेड किंगडम, ऑस्ट्रेलिया और कनाडा थे।
  - सबसे ज़्यादा **घरेलू** पर्यटक **उत्तर प्रदेश और तमिलनाडु** आते हैं (2023)।
  - **महाराष्ट्र और गुजरात** में सबसे ज़्यादा **विदेशी पर्यटक** आते हैं।
- सरकार द्वारा क्रियान्वित प्रमुख पर्यटन योजनाओं का विवरण नीचे दी गयी तालिका में दिया गया है :

परीक्षोपयोगी

पर्यटन क्षेत्र के अंतर्गत योजनाएँ (Schemes under Tourism Sector)

योजना का नाम	कार्यान्वयन का वर्ष	प्रयोजन
स्वदेश दर्शन योजना	2014-15	भारत में पर्यटन के लिए थीम-आधारित सर्किट विकसित करना। 13 सर्किट की पहचान की गयी है।
स्वदेश दर्शन 2.0	2015	पर्यटक और गंतव्य-केंद्रित दृष्टिकोण अपनाते हुए भारत में स्थायी और ज़िम्मेदार गंतव्य विकसित करना।
प्रसाद (तीर्थयात्रा कायाकल्प और आध्यात्मिक संवर्धन अभियान)	2014-15	तीर्थ स्थलों का विकास और सौंदर्यीकरण
ई-वीज़ा योजना	2014-15	5 श्रेणियों में पर्यटन को बढ़ावा देने के लिए - पर्यटन, व्यवसाय, चिकित्सा, सम्मेलन और चिकित्सा देखभाल ।
RCS UDAN 3	2019-20	नागरिक उड्डयन मंत्रालय द्वारा शुरू की गयी इस क्षेत्रीय कनेक्टिविटी योजना (RCS-UDAN) का उद्देश्य क्षेत्रीय हवाई कनेक्टिविटी को वहनीय बनाकर सुगम बनाना/उत्तेजित करना है।
SAATHI	2020-21	सिस्टम फ़ॉर असेसमेंट, अवेयरनेस ऐंड ट्रेनिंग फ़ॉर हॉस्पिटैलिटी इंडस्ट्री (SAATHI) को क्वालिटी काउंसिल ऑफ़ इंडिया के सहयोग से लॉन्च किया गया था, ताकि COVID-19 महामारी के कारण लॉकडाउन के बाद आवास और अन्य सेवायें प्रदान करते हुए वायरस के आगे प्रसार को रोका जा सके।
भारत गौरव योजना	2021-22	• **रामायण एक्सप्रेस की तर्ज़ पर थीम-आधारित पर्यटक सर्किट ट्रेनों** को बढ़ावा देने के लिए भारतीय रेलवे की एक पहल। • इन ट्रेनों को **निजी या राज्य के स्वामित्ववाले** संचालकों द्वारा चलाया जा सकता है। • सेवाप्रदाता एक व्यक्ति, कंपनी, समाज, ट्रस्ट, संयुक्त उद्यम या संघ हो सकते हैं।
NIDHI	2021-22	इसका उद्देश्य मंत्रालय के पोर्टल **नेशनल इंटीग्रेटेड डेटाबेस ऑफ़ हॉस्पिटैलिटी इंडस्ट्री (NIDHI)** में देश में आवास इकाइयों को पंजीकृत करना है, ताकि व्यापक राष्ट्रीय डेटाबेस विभिन्न स्थलों पर पर्यटन के प्रचार और विकास के लिए नीतियाँ और रणनीति बनाने में मदद कर सके।
LGSCATSS	2021-22	**कोविड प्रभावित पर्यटन सेवा क्षेत्र के लिए ऋण गारंटी योजना** (LGSCATSS) के तहत, राष्ट्रीय क्रेडिट गारंटी ट्रस्टी कंपनी (NCGTC) के माध्यम से प्रशासित, परिवारों को कार्यशील पूँज़ी/व्यक्तिगत ऋण प्रदान किये जाते हैं, जो देनदारियों का निर्वहण करने और व्यवसायों को फिर से शुरू करने के लिए COVID-19 महामारी के कारण प्रभावित हुए थे।

अतिरिक्त जानकारी

राष्ट्रीय पर्यटन नीति [NATIONAL TOURISM POLICY]

इस नीति का उद्देश्य देश में पर्यटन विकास की स्थितियों में सुधार करना, पर्यटन उद्योगों का समर्थन करना, पर्यटन सहायता कार्यों को मज़बूत करना और पर्यटन उप-क्षेत्रों का विकास करना है।

नीति के प्रमुख रणनीतिक उद्देश्य हैं:

i. पर्यटन पर किये जानेवाले व्यय को बढ़ाकर और भारत को वर्ष भर पर्यटन स्थल बनाकर भारतीय अर्थव्यवस्था में पर्यटन के योगदान को बढ़ाना।
ii. पर्यटन क्षेत्र में रोज़गार और उद्यमशीलता के अवसर पैदा करना,
iii. पर्यटन क्षेत्र की प्रतिस्पर्धात्मकता बढ़ाने और निजी क्षेत्र के निवेश को आकर्षित करना,
iv. देश के सांस्कृतिक एवं प्राकृतिक संसाधनों का संरक्षण एवं संवर्धन करना, और
v. देश में पर्यटन का संधारणीय, ज़िम्मेदार और समावेशी विकास सुनिश्चित करना।

यह नीति केंद्रीय पर्यटन मंत्री की अध्यक्षता में एक **राष्ट्रीय पर्यटन सलाहकार परिषद् [National Tourism Advisory Council (NTAC)]** का प्रावधान करती है और इसमें देश में पर्यटन क्षेत्र के विकास के लिए समग्र दृष्टि, मार्गदर्शन और दिशा प्रदान करने के लिए राज्यों के सभी पर्यटन मंत्रियों, संबंधित मंत्रालयों के प्रतिनिधियों और उद्योग हितधारकों को शामिल किया गया है।

चिकित्सा पर्यटन (Medical Tourism)

भारत को कार्डियॉलॉजी, ऑर्थोपेडिक्स, ट्रांसप्लांट और नेत्र देखभाल के लिए पसंदीदा स्थान माना जाता है। इसे तंदुरुस्ती, रोकथाम और वैकल्पिक चिकित्सा में भी उच्च विश्वसनीयता प्राप्त है।

उन्नत सुविधाओं, कुशल डॉक्टरों और इलाज की कम लागत के दुर्लभ संयोजन ने भारत को विदेशी रोगियों को आकर्षित करते हुए चिकित्सा पर्यटन का एक लोकप्रिय केंद्र बना दिया है।

- सरकार की योजना भारत को चिकित्सा पर्यटन के एक महत्त्वपूर्ण गंतव्य के रूप में बढ़ावा देने हेतु नीति बनाने की है।
- प्रस्तावित नीति का लक्ष्य एलोपैथी, AYUSH (आयुर्वेद, योग, यूनानी, सिद्ध और होम्योपैथी) के साथ एकीकृत उपचार को बढ़ावा देना है।
- केंद्रीय वाणिज्य मंत्रालय ने पर्यटन और स्वास्थ्य मंत्रालयों के साथ मिलकर उपचार हेतु आनेवाले यात्रियों को व्यापक जानकारी प्रदान करने के लिए, तीन भाषाओं (अरबी, रूसी और फ्रेंच) में एक पोर्टल indiahealthcaretourism.com लॉन्च कर दिया है।
- वर्तमान में, चिकित्सा पर्यटन उद्योग का अनुमान लगभग 3 बिलियन डॉलर का आँका गया है। वैश्विक स्तर पर, चिकित्सा पर्यटन बाज़ार लगभग 40-60 बिलियन डॉलर का है।
- मेडिकल टूरिज़्म असोसिएशन द्वारा जारी मेडिकल टूरिज़्म इंडेक्स वित्त वर्ष 2021 में, भारत दुनिया के शीर्ष 46 देशों में से 10वें स्थान पर है।

इको-पर्यटन (Eco-tourism)

इसमें प्राकृतिक क्षेत्रों की यात्रा शामिल है। यह पर्यावरण को संरक्षित करने के साथ-साथ स्थानीय लोगों के कल्याण का समर्थन करती है और इसमें विवेचना और शिक्षा शामिल है। इसके कुछ लाभ निम्नलिखित हैं -

- इको-टूरिज़्म को यदि अच्छे से कार्यान्वित किया जाये, तो सरकार, निजी क्षेत्र और स्थानीय समुदायों को आर्थिक, सामाजिक-सांस्कृतिक और पर्यावरणीय लाभ मिल सकता है।

- पर्यटन यात्राओं से अर्जित राजस्व स्थानीय लोगों के लिए रोज़गार के अवसर पैदा करने में मदद करता है, जो बदले में अर्थव्यवस्था को उनके लिए अधिक विविध बनाता है।
- इको-टूरिज़्म का यदि ठीक से प्रबंधन किया जाये, तो यह संरक्षण और पर्यावरण प्रबंधन का समर्थन कर सकता है।

इको-पर्यटन *बनाम* संधारणीय पर्यटन (Eco-tourism Vs Sustainable Tourism)

इको-पर्यटन	संधारणीय पर्यटन
द इंटरनेशनल इको-पर्यटन सोसाइटी (TIES) के अनुसार, इको-टूरिज़्म 'प्राकृतिक स्थानों की ज़िम्मेदार यात्रा है, जो स्थानीय लोगों की बेहतर भलाई करती है और पर्यावरण का संरक्षण करती है।'	विश्व पर्यटन संगठन संधारणीय पर्यटन को ऐसे 'पर्यटन' के रूप में परिभाषित करता है, जो आगंतुकों, उद्योग, पर्यावरण और मेज़बान समुदायों की ज़रूरतों को पूरा करते हुए अपने वर्तमान और भविष्य के आर्थिक, सामाजिक और पर्यावरणीय प्रभावों का पूरा ध्यान रखता है।
इको-पर्यटन मुख्य रूप से प्राकृतिक क्षेत्रों पर केंद्रित पर्यटन का एक उपसमूह है।	**संधारणीय पर्यटन** कोई विशिष्ट प्रकार का पर्यटन नहीं है; बल्कि, इसका उद्देश्य सभी प्रकार के पर्यटकों के बीच **ज़िम्मेदारीपूर्वक यात्रा** को बढ़ावा देना है।
इको-पर्यटन मुख्य रूप से पारिस्थितिक संरक्षण और यात्रियों को स्थानीय आवास और प्राकृतिक परिवेश के बारे में जानकार बनाने से संबंधित है।	संधारणीय विकास लक्ष्यों (SDG) के लिए 2030 एजेंडा का उद्देश्य संधारणीय पर्यटन को बढ़ावा देने के लिए ऐसी नीतियाँ तैयार करना और लागू करना है, जो रोज़गार पैदा करती हैं और स्थानीय संस्कृति और उत्पादों को बढ़ावा देती हैं।

संधारणीय पर्यटन के लिए राष्ट्रीय रणनीति (National Strategy for Sustainable Tourism)

संयुक्त राष्ट्र पर्यावरण कार्यक्रम (UNEP) और रिस्पॉन्सिबल टूरिज़्म सोसाइटी ऑफ़ इंडिया (RTSOI) के साथ साझेदारी में पर्यटन मंत्रालय द्वारा 2022 में **संधारणीय पर्यटन और ज़िम्मेदार यात्री अभियान के लिए राष्ट्रीय रणनीति** शुरू की गयी है।

इसका उद्देश्य भारत में कम कार्बनवाला, समावेशी और लचीला पर्यटन क्षेत्र बनाकर आर्थिक, सामाजिक और पर्यावरणीय लाभों को बढ़ाना है।

संधारणीय पर्यटन के विकास के लिए इस नीति द्वारा पहचाने गये 7 रणनीतिक स्तंभ इस प्रकार हैं :

1. **पर्यावरणीय स्थिरता को बढ़ावा देना**
2. **जैव विविधता की रक्षा करना**
3. **आर्थिक स्थिरता को बढ़ावा देना**
4. **सामाजिक-सांस्कृतिक स्थिरता को बढ़ावा देना**
5. **संधारणीय पर्यटन के प्रमाणीकरण हेतु योजना**
6. **IEC और क्षमता निर्माण**
7. **शासन**

यह नीति संधारणीय पर्यटन, साहसिक पर्यटन और इको-पर्यटन के लिए राष्ट्रीय स्तर पर क्षमता और विशेषज्ञता के स्रोत के रूप में एक राष्ट्रीय संसाधन केंद्र और सचिव (पर्यटन) के अधीन संधारणीय पर्यटन संबंधी राष्ट्रीय बोर्ड स्थापित करने का प्रावधान करती है।

पर्यटन के क्षेत्र में मुद्दे और चुनौतियाँ (Issues and Challenges in Tourism Sector)

1. ख़राब बुनियादी ढाँचा- पहुँच (परिवहन), होटल आदि।
2. पर्यटन स्थलों की साफ़-सफ़ाई और उचित रखरखाव।
3. कोविड स्थिति के दौरान प्रबंधन।
4. पर्याप्त सॉफ़्ट स्किलवाले व्यक्तियों की पर्याप्त संख्या की उपलब्धता का अभाव।

सूचना प्रौद्योगिकी तथा व्यापार प्रक्रिया प्रबंधन सेवाएँ (INFORMATION TECHNOLOGY AND BUSINESS PROCESS MANAGEMENT SERVICE)

- सेवा क्षेत्र में विकास की गति का सबसे दृश्यमान् और लोकप्रिय आयाम सॉफ़्टवेयर और आईटी-सक्षम सेवाओं में रहा है।
- भारत आईटी सेवाओं के लिए एक वैश्विक केंद्र के रूप में मान्यता प्राप्त है और यह 100 से अधिक यूनिकॉर्न के साथ दुनिया के तीसरे सबसे बड़े स्टार्टअप इकोसिस्टम के रूप में उभरा है। भारत में आईटी सेवाओं ने GDP के हिस्से के रूप में सेवा क्षेत्र की वृद्धि को प्रेरित किया है और 1991 के आर्थिक सुधारों के बाद के युग में आधुनिक सेवाओं के निर्यात को भी बढ़ावा दिया है।
- **सूचना प्रौद्योगिकी और व्यवसाय प्रक्रिया प्रबंधन [Information Technology and Business Process Management (IT-BPM)]** क्षेत्र के चार उप-क्षेत्र इस प्रकार हैं :
  1. आईटी सेवाएँ (51.1 प्रतिशत)
  2. सॉफ़्टवेयर उत्पाद और इंजीनियरिंग सेवाएँ (20.8 प्रतिशत)
  3. व्यावसायिक प्रक्रिया प्रबंधन (19.8 प्रतिशत)
  4. हार्डवेयर (8.3 प्रतिशत)

> **लास्ट मिनट रिनपपेट्स**
>
> आर्थिक सर्वेक्षण 2024-25 के अनुसार, इस औद्योगिक क्षेत्र में 254 बिलियन अमेरीकी डॉलर का राजस्व अनुमानित है, जो वित्त वर्ष 24 में 3.8 प्रतिशत की वार्षिक वृद्धि (ई-कॉमर्स को छोड़कर) दर्शाता है।

- वाणिज्य एवं उद्योग मंत्रालय के अनुसार, भारत 15 जनवरी, 2025 तक उद्योग एवं आंतरिक व्यापार संवर्धन विभाग (DPIIT) द्वारा मान्यता प्राप्त **1.59 लाख से अधिक स्टार्टअप** के साथ **स्टार्टअप क्षेत्र में तीसरा सबसे बड़ा पारिस्थितिकी तंत्र** बनकर उभरा है।
- वर्ष 2016 से 31 अक्टूबर, 2024 तक, मान्यता प्राप्त स्टार्टअप ने कथित तौर पर **16.6 लाख से अधिक प्रत्यक्ष रोज़गार** पैदा किये हैं, जिनका रोज़गार सृजन में महत्त्वपूर्ण योगदान हैं।
- भारत में, लगभग 48 प्रतिशत स्टार्टअप टियर-II और टियर-III शहरों से हैं।

IT-BPM क्षेत्र के लिए भारत सरकार द्वारा किये गये उपाय (Measures taken by Indian Government for IT-BPM Sector)

1. **अन्य सेवा प्रदाता (OSP) विनियमों में छूट (Relaxation of Other Service Provider (OSP) Regulations)**
   - छूट इस प्रकार हैं :
     - OSP की स्पष्ट परिभाषा : नये दिशानिर्देशों की प्रयोज्यता उन संस्थाओं तक सीमित है, जो अपने ग्राहकों को "आवाज़ आधारित BPO सेवाएँ" प्रदान करती हैं। आवाज़ आधारित BPO सेवाओं को कॉल सेंटर सेवाओं के रूप में परिभाषित किया गया है।
     - भारत में OSP केंद्रों के लिए पंजीकरण आवश्यकताओं को हटाना।
     - किसी भी सुविधा या वितरण के लिए बैंक गारंटी की आवश्यकता को हटाना।
     - घरेलू और अंतरराष्ट्रीय OSP के बीच अंतर को दूर करना।
     - एजेंटों को घर और दूर-दराज़ के स्थानों से काम करने की अनुमति है।
     - एक ही या असंबंधित कंपनी के दो या दो से अधिक OSP केंद्रों के बीच अंतर-संयोजन की अनुमति है।
     - OSP के बीच बुनियादी ढाँचे के बँटवारे की अनुमति है।
   - NASSCOM के अध्ययन के अनुसार, ये सुधार इस क्षेत्र में सकारात्मक बदलाव ला रहे हैं।
2. **भारत BPO प्रचार योजना (India BPO Promotion Scheme)**
   - यह योजना 2014 में *IT और इलेक्ट्रॉनिक्स मंत्रालय* के तहत शुरू की गयी थी।

- इसका उद्देश्य देश में BPO/IT-ITeS परिचालन क्षेत्र को प्रोत्साहित करना है।
- सॉफ़्टवेयर टेक्नोलॉजी पार्क ऑफ़ इंडिया (STPI), MeitY की एक स्वायत्त संस्था है और इस योजना की नोडल कार्यान्वयन एजेंसी है।
- सरकार ने उत्तर-पूर्व क्षेत्र (NER) में BPO/ITeS परिचालन की स्थापना को प्रोत्साहित करने और युवाओं के लिए रोज़गार के अवसर पैदा करने और IT/ITeS उद्योग के विकास के लिए डिजिटल इंडिया कार्यक्रम के तहत 2015 में **उत्तर-पूर्व बीपीओ प्रमोशन योजना [North-East BPO Promotion Scheme (NEBPS)]** शुरू की थी।

3. इस क्षेत्र में नवाचार और प्रौद्योगिकी को अपनाने के लिए, **स्टार्ट-अप इंडिया, राष्ट्रीय सॉफ़्टवेयर उत्पाद नीति और एंजेल कर से संबंधित मुद्दों को हटाने** जैसी विभिन्न नीतियाँ पेश की गयी हैं।

ई-कॉमर्स क्षेत्र (E-commerce Sector)

इलेक्ट्रॉनिक कॉमर्स (ई-कॉमर्स) व्यवसाय की एक ऐसी प्रणाली है, जहाँ कंपनियाँ और व्यक्ति इंटरनेट पर सामान और सेवाएँ ख़रीदते और बेचते हैं। ई-कॉमर्स विभिन्न प्रकार के बाज़ार क्षेत्रों में संचालित होता है और इसे कंप्यूटर, टैबलेट, स्मार्टफ़ोन और अन्य स्मार्ट उपकरणों पर संचालित किया जा सकता है।

ई-कॉमर्स बिज़नेस-से-बिज़नेस, बिज़नेस-से-कन्ज्यूमर, कन्ज्यूमर-से-कन्ज्यूमर और कन्ज्यूमर-से-बिज़नेस सहित कई बाज़ार क्षेत्रों में काम करता है।

विभिन्न ई-कॉमर्स व्यवसाय मॉडल की श्रेणियाँ इस प्रकार हैं :

1. बिज़नेस-टू-बिज़नेस (B2B)
2. बिज़नेस-टू-कन्ज्यूमर (B2C)
3. कन्ज्यूमर-टू-कन्ज्यूमर (C2C)
4. कन्ज्यूमर-टू-बिज़नेस (C2B)
5. बिज़नेस-टू-गवर्न्मेंट (B2G)
6. गवर्न्मेंट-टू-बिज़नेस (G2B)
7. गवर्न्मेंट-टू-सिटिज़न (G2C)

ई-कॉमर्स व्यवसाय 2 प्रकार के मॉडल पर आधारित है – (a) **इन्वेंटरी-आधारित मॉडल** और (b) **मार्केटप्लेस मॉडल**।

(a) **इन्वेंटरी-आधारित मॉडल (Inventory-based model) :** इस मॉडल में, ई-कॉमर्स मार्केटप्लेस विभिन्न ब्रांडों, मर्चेंट और सेलर्स से इन्वेंट्री स्टोर करते हैं और सीधे उपभोक्ताओं को उत्पाद बेचते हैं।

(b) मार्केटप्लेस मॉडल **(Marketplace model) :** इस बिज़नेस मॉडल में, ई-कॉमर्स मार्केटप्लेस कई विक्रेताओं को एक सामान्य मंच प्रदान करता है, जहाँ वे संभावित ग्राहकों के साथ जुड़कर अपने उत्पादों को प्रदर्शित कर और बेच सकते हैं।

➤ विदेश व्यापार नीति [Foreign Trade Policy (FTP)], 2023 के भीतर एक नया अध्याय शुरू किया गया है, जिसका उद्देश्य ऐसे निर्यातकों को सरकार की विभिन्न निर्यात प्रोत्साहन योजनाओं के दायरे में लाकर ई-कॉमर्स निर्यात को बढ़ावा देना है।

भारत में ई-कॉमर्स क्षेत्र की विशेषताएँ (Features of e-commerce sector in India)

➤ 800 मिलियन से अधिक उपयोगकर्ताओं (दुनिया का दूसरा सबसे बड़ा इंटरनेट बाज़ार होने के नाते) के साथ, भारत दुनिया में सबसे तेज़ी से बढ़नेवाला ई-कॉमर्स बाज़ार है।

➤ वर्ल्डपे एफ़आईएस की वैश्विक भुगतान रिपोर्ट के अनुसार, भारत के ई-कॉमर्स बाज़ार में प्रभावशाली लाभ दर्ज करने और 2025 तक सालाना 18 प्रतिशत की दर से बढ़ने का अनुमान है।

➤ कवरेज़ क्षेत्र के लिहाज़ से, भारत में लगभग 100 प्रतिशत पिन कोड में ई-कॉमर्स अपनाने का अनुभव है।

➤ भारत में ई-कॉमर्स बाज़ार 2025 तक सालाना 18 प्रतिशत की दर से बढ़ने का अनुमान है।

ई-कॉमर्स में एफ़डीआई (FDI in e-commerce)

(a) ई-कॉमर्स के B2B लेनदेन और ई-कॉमर्स के मार्केटप्लेस मॉडल में स्वचालित मार्ग के तहत 100 प्रतिशत FDI की अनुमति है, लेकिन इन्वेंट्री-आधारित मॉडल में FDI की अनुमति नहीं है।

(b) खाद्य खुदरा कंपनियों द्वारा ई-कॉमर्स लेनदेन के लिए सरकारी अनुमोदन मार्ग के तहत 100 प्रतिशत FDI की अनुमति है, बशर्ते कि खुदरा बिक्रीवाले उत्पाद भारत में निर्मित या उत्पादित किये गये हों।

भारत में ई-कॉमर्स को बढ़ावा देने के लिए सरकार की पहल (Government Initiatives to boost e-commerce in India)

- **राष्ट्रीय ई-कॉमर्स नीति (National e-commerce Policy) :** सरकार राष्ट्रीय ई-कॉमर्स नीति पर काम कर रही है, जिसमें इस क्षेत्र में व्यापार को आसान बनाने के लिए एक नियामक ढाँचा स्थापित करने की परिकल्पना की गयी है। ई-कॉमर्स नीति का एक मसौदा संस्करण 2019 में जारी किया गया था।
- **उपभोक्ता संरक्षण (ई-कॉमर्स) नियम, 2020 [Consumer Protection (e-commerce) Rules, 2020] :** उपभोक्ता संरक्षण (ई-कॉमर्स) नियम, 2020 को उपभोक्ता संरक्षण अधिनियम, 2019 के तहत अधिसूचित किया गया है, जो एक ई-कॉमर्स इकाई को किसी ऐसे व्यक्ति के रूप में परिभाषित करता है, जो इलेक्ट्रॉनिक कॉमर्स के लिए डिजिटल या इलेक्ट्रॉनिक सुविधा या प्लेटफ़ॉर्म का मालिक है, उसे संचालित या प्रबंधित करता है, लेकिन इसमें मार्केटप्लेस ई-कॉमर्स इकाई पर बिक्री के लिए अपने सामान या सेवाओं की पेशकश करनेवाला विक्रेता शामिल नहीं है।
- ये नियम निर्धारित करते हैं कि कोई भी ई-कॉमर्स संस्था व्यापार का कोई भी अनुचित व्यवहार नहीं अपनायेगी, चाहे वह अपने प्लेटफ़ॉर्म पर व्यापार के दौरान हो या और कहीं।
- **संसदीय समिति की रिपोर्ट [Parliamentary Committee Report] :** व्यापार संबंधी स्थायी समिति (श्री वी.वी. रेड्डी की अध्यक्षता में) ने 2022 में 'भारत में ई-कॉमर्स के प्रचार और विनियमन' पर एक रिपोर्ट प्रस्तुत की है। (विवरण नीचे बॉक्स में दिया गया है)

अतिरिक्त जानकारी

भारत में ई-कॉमर्स के प्रचार और विनियमन पर संसदीय स्थायी समिति की रिपोर्ट (REPORT OF THE PARLIAMENTARY STANDING COMMITTEE ON PROMOTION AND REGULATION OF E-COMMERCE IN INDIA)

समिति ने 2022 में अपनी रिपोर्ट पेश की। समिति की कुछ प्रमुख टिप्पणियाँ और सिफ़ारिशें इस प्रकार हैं :

- ई-कॉमर्स बाज़ार में प्रतिस्पर्धा-विरोधी प्रथाओं का समाधान करना, अर्थात् प्लेटफ़ॉर्म तटस्थता का अभाव, बहुत अधिक छूट प्रदान करना, आँकड़ों का दुरुपयोग, आदि।
- डिजिटल बाज़ार में प्रतिस्पर्धा पर प्रतिकूल प्रभाव को रोकने के लिए प्रमुख स्थिति के दुरुपयोग का निर्धारण करने के लिए प्रतिस्पर्धा अधिनियम, 2002 में आवश्यक संशोधन प्रस्तुत करना।
- ई-कॉमर्स संस्थाओं पर कुछ दायित्व रखना, जैसे कि मुख्य अनुपालन अधिकारी और नोडल संपर्क व्यक्ति की नियुक्ति के साथ-साथ संस्था की वेबसाइट पर शिकायत निवारण तंत्र स्थापित करना।
- ई-कॉमर्स संस्थाओं का DPIIT के साथ अनिवार्य पंजीकरण।
- विदेशी और घरेलू वित्त पोषित बाज़ारों, दोनों के लिए इन मुद्दों के समाधान के लिए राष्ट्रीय ई-कॉमर्स नीति में एक रूपरेखा विकसित की जायेगी।
- अंतरराष्ट्रीय प्रथाओं के अनुसार, एक निश्चित आकार की डिजिटल कंपनियों को लक्षित विनियमन की आवश्यकता होती है, जिन्हें गेटकीपर संस्थाओं के रूप में नामित किया जाना है। समिति की सिफ़ारिश के अनुसार, भारतीय बाज़ार में गेटकीपर के रूप में योग्य संस्थाओं के लिए एक सीमा निर्धारित की जानी चाहिए।

- **गवर्न्मेंट ई-मार्केटप्लेस (GeM) [Government e-Marketplace (GeM)] :** गवर्न्मेंट ई-मार्केटप्लेस (GeM) केंद्र सरकार के सभी मंत्रालयों और विभागों द्वारा वस्तुओं और सेवाओं की ख़रीद के लिए एक ऑनलाइन प्लेटफ़ॉर्म (2016 में लॉन्च) है। यह सार्वजनिक ख़रीद में पारदर्शिता, दक्षता और गति बढ़ाने के लिए प्रौद्योगिकी का लाभ उठाता है। यह सरकारी उपयोगकर्ताओं को सुविधा प्रदान करने और उन्हें उनके पैसे का सर्वोत्तम मूल्य प्राप्त करने में मदद करने के लिए ई-बिडिंग, रिवर्स ई-बिडिंग और

माँग एकत्रीकरण के उपकरणों से सुसज्जित है। GeM पोर्टल में **11,980 उत्पाद श्रेणियाँ, 320 सेवा श्रेणियाँ और 13,18,192 पंजीकृत विक्रेता** (फ़रवरी, 2023 तक) हैं।

➤ **डिजिटल कॉमर्स के लिए ओपन नेटवर्क (ओएनडीसी) [Open Network for Digital Commerce (ONDC)]** : यह भारत में ई-कॉमर्स के लिए एक ओपन नेटवर्क प्रोटोकॉल है, जो DPIIT, वाणिज्य और उद्योग मंत्रालय द्वारा संरक्षित एक पहल है। इसमें बाज़ार को ऑपरेटर-संचालित ईको-सिस्टम से सुविधाप्रदाता-संचालित नेटवर्क में बदलने की परिकल्पना की गयी है। (विवरण नीचे बॉक्स में दिया गया है)

परीक्षोपयोगी

डिजिटल वाणिज्य के लिए ओपन नेटवर्क (ओएनडीसी) [OPEN NETWORK FOR DIGITAL COMMERCE (ONDC)]

➤ **डिजिटल कॉमर्स के लिए ओपन नेटवर्क (ONDC)** वाणिज्य मंत्रालय के उद्योग और आंतरिक व्यापार संवर्धन विभाग (DPIIT) की एक पहल है, जिसका लक्ष्य डिजिटल या इलेक्ट्रॉनिक नेटवर्क पर वस्तुओं और सेवाओं के आदान-प्रदान के सभी पहलुओं के लिए ओपन नेटवर्क को बढ़ावा देना है। मिशन ONDC का उद्देश्य डिजिटल कॉमर्स का लोकतंत्रीकरण करना है।

➤ ONDC **ओपन-सोर्स कार्य-पद्धति** पर आधारित है, जो किसी विशिष्ट प्लेटफ़ॉर्म से स्वतंत्र ओपन स्पेसिफ़िकेशन्स और **ओपन नेटवर्क प्रोटोकॉल** का उपयोग करता है।

➤ ONDC वस्तुओं और सेवाओं के आदान-प्रदान के लिए ओपन प्रोटोकॉल का एक समूह है, जो इंटरनेट पर सूचना विनिमय के लिए हाइपरटेक्स्ट ट्रांसफ़र प्रोटोकॉल (http), ईमेल के आदान-प्रदान के लिए SMP और भुगतान के लिए UPI की तरह है।

➤ इस प्रकार, ONDC वर्तमान प्लेटफ़ॉर्म-केंद्रित डिजिटल वाणिज्य मॉडल से आगे निकल जाता है, जहाँ ख़रीदार और विक्रेता डिजिटल रूप से दिखाई देने और व्यावसायिक लेनदेन करने के लिए एक ही प्लेटफ़ॉर्म या ऐप्लिकेशन का उपयोग करने के लिए बाध्य होते हैं।

➤ ONDC प्रोटोकॉल कैटलॉगिंग, इन्वेंट्री प्रबंधन, ऑर्डर प्रबंधन और ऑर्डर पूर्ति जैसे कार्यों को मानकीकृत करेगा। इस प्रकार, छोटे व्यवसाय विशिष्ट प्लेटफ़ॉर्म-केंद्रित नीतियों द्वारा शासित होने के बजाए किसी भी ONDC संगत ऐप्लिकेशन का उपयोग करने में सक्षम होंगे।

➤ उम्मीद है कि ONDC ई-कॉमर्स को उपभोक्ताओं के लिए अधिक समावेशी और सुलभ बनायेगा। उपभोक्ता संभावित रूप से किसी भी संगत ऐप्लिकेशन या प्लेटफ़ॉर्म का उपयोग करके किसी भी विक्रेता, उत्पाद या सेवा की खोज कर सकते हैं, जिससे उपभोक्ताओं के लिए पसंद की स्वतंत्रता बढ़ जाती है।

एक सेवा के रूप में सॉफ़्टवेयर (SaaS) [Software as a Service (SaaS)]

SaaS एक सॉफ़्टवेयर वितरण मॉडल है, जिसमें एक क्लाउड प्रदाता ऐप्लिकेशन होस्ट करता है और उन्हें इंटरनेट पर अंतिम उपयोगकर्ताओं के लिए उपलब्ध कराता है। इसे **ऑन-डिमांड सॉफ़्टवेयर** भी कहा जाता है, क्योंकि उपयोगकर्ता इन सॉफ़्टवेयर को लोकल डिवाइसेस में इंस्टॉल किये बिना भी उपयोग कर सकते हैं।

क्लाउड कंप्यूटिंग में, कई प्रकार की क्लाउड सेवाएँ हैं, जैसे इन्फ़्रास्ट्रक्चर, प्लेटफ़ॉर्म और सॉफ़्टवेयर ऐप्लिकेशंस।

1. **एक सेवा के रूप में इन्फ़्रास्ट्रक्चर (IaaS) [Infrastructure as a Service (IaaS)]** : इस श्रेणी में, व्यावसायिक गतिविधियों को व्यवस्थित करने, ऐप्लिकेशन बनाने, डेटा भंडारण आदि के लिए क्लाउड सेवाओं पर डिजिटल इन्फ़्रास्ट्रक्चर (सर्वर, नेटवर्क संसाधन, आदि) प्रदान किया जाता है।

2. **एक सेवा के रूप में सॉफ़्टवेयर (SaaS) [Software as a Service (SaaS)]** : इस श्रेणी में, अंतिम उपयोगकर्ताओं या ग्राहकों के लिए एक सेवा के रूप में बहुत सारे सॉफ़्टवेयर ऐप्लिकेशंस प्रदान किये जाते हैं, जिसे वे एक्सेस और उपयोग कर सकते हैं। SaaS समाधान स्केलेबल और उपयोग के लिए तैयार ऐप्लिकेशन हैं, जिनका क्लाउड सेवा प्रदाता द्वारा विकास और रखरखाव किया जाता है।

3. **एक सेवा के रूप में प्लेटफ़ॉर्म (PaaS) [Platform as a Service (PaaS)] :** यहाँ, क्लाउड ऐप्लिकेशंस के विकास, परीक्षण, वितरण और प्रबंधन के लिए हार्डवेयर और सॉफ्टवेयर संसाधनों को क्लाउड पर सेवाओं के रूप में प्रदान किया जाता है। PaaS पेशकशों के भीतर मिडलवेयर, डेवलपमेंट टूल्स और क्लाउड डेटाबेस जैसे विभिन्न प्रकार हैं।

SaaS के उदाहरण - गूगल वर्कस्पेस, सेल्सफ़ोर्स, ज़ूम, नेटफ्लिक्स, माइक्रोसॉफ़्ट 365 द्वारा प्रदान की जानेवालीं सेवाएँ।

कम रखरखाव, ऐप्लिकेशंस की स्केलेबिलिटी और मल्टीडिवाइस सपोर्ट के कारण लागत में कमी के फ़ायदों के कारण SaaS ऐप्लिकेशन लोकप्रिय हैं। ऐसी सेवाओं की कुछ चिंताएँ उपयोगकर्ता डेटा की सुरक्षा और अखंडता, इंटरनेट की अनुपस्थिति में ऐप्लिकेशंस की उपयोगिता और इंटरनेट पर डेटा ट्रांसमिशन में विलंबता हैं।

लास्ट मिनट स्निपपेट्स

- वैश्विक परिदृश्य में, भारत यूएसए और चीन के बाद **तीसरा सबसे बड़ा SaaS ईकोसिस्टम** है।
- भारत में 2018 में एक की तुलना में वर्तमान में 21 SaaS यूनिकॉर्न हैं।
- 2022 में भारतीय उद्योग परिसंघ (CII) और EY द्वारा **'इंडिया : द नेक्स्ट ग्लोबल SaaS कैपिटल'** शीर्षकवाली रिपोर्ट तैयार की गयी है। इस रिपोर्ट के अनुसार, भारतीय SaaS बाज़ार के 2020 के 4-7 बिलियन डॉलर से बढ़कर 2025 तक 20-25 बिलियन डॉलर तक पहुँचने की उम्मीद है।

संचार क्षेत्र (Communication Sector)

संचार सेवा को विशेष रूप से सूचना भेजने और प्राप्त करनेवाले संदेशों के प्रसारण के रूप में परिभाषित किया जाता है। उपग्रह संचार और मोबाइल प्रौद्योगिकी का विकास इस क्षेत्र को विशिष्ट बनाता है।

दूरसंचार क्षेत्र (Telecommunication Sector)

- भारत **दुनिया का दूसरा सबसे बड़ा** दूरसंचार बाज़ार है। चीन सबसे बड़ा बाज़ार है।
- देश में कुल ग्राहक आधार मई, 2024 तक 1203.69 मिलियन था। कुल ग्राहक आधार का 97.20 प्रतिशत वायरलेस मार्केट सेगमेंट से था।
- कुल टेलीफ़ोन उपभोक्ताओं में से 45.60 प्रतिशत ग्रामीण ग्राहक थे।
- **इंटरनेट ग्राहकों (internet subscribers)** के मामले में भी भारत चीन के बाद **दूसरा सबसे बड़ा** देश है। विश्व स्तर पर भारत सबसे तेज़ी से बढ़ता ऐप बाज़ार है।
- दूरसंचार क्षेत्रक में **प्रत्यक्ष विदेशी निवेश (FDI) की सीमा** को 74 प्रतिशत से बढ़ाकर **100 प्रतिशत** कर दिया गया है। अप्रैल, 2000 से मार्च, 2024 के बीच दूरसंचार क्षेत्र में एफ़डीआई प्रवाह 39.32 बिलियन अमेरिकी डॉलर था।

गतिशक्ति संचार पोर्टल (GatiShakti Sanchar Portal)

गतिशक्ति संचार पोर्टल दूरसंचार विभाग ने सेंट्रलाइज्ड राइट ऑफ़ वे (RoW) अनुमोदन के लिए 'गतिशक्ति संचार पोर्टल (GatiShakti Sanchar Portal)' लॉन्च किया। यह पूरे देश में राइट ऑफ़ वे (RoW) ऐप्लिकेशंस और अनुमतियों की प्रक्रिया को सुव्यवस्थित करेगा।

अतिरिक्त जानकारी

RoW क्या है - **RoW** दूरसंचार सेवा प्रदाताओं (TSP) के लिए ऑनलाइन आवेदन और अनुमतियों के लिए **एक क़ानूनी अधिकार है**। अंडरग्राउंड बुनियादी ढाँचे (ऑप्टिकल फ़ाइबर) और ओवरग्राउंड बुनियादी ढाँचे (मोबाइल टावर) को बिछाने की प्रक्रिया **भारतीय टेलीग्राफ़ RoW नियम (2016)** द्वारा विनियमित की जाती है।

➤ पोर्टल को प्रत्येक नागरिक, शासन और माँग पर सेवाओं और विशेष रूप से हमारे देश के नागरिकों के डिजिटल सशक्तीकरण हेतु लिए मुख्य उपयोगिता के रूप में ब्रॉडबैंड बुनियादी ढाँचा प्रदान करने के लिए राष्ट्रीय ब्रॉडबैंड मिशन के दृष्टिकोण को लागू करने के लिए विकसित किया गया है।

➤ यह पोर्टल विभिन्न दूरसंचार सेवा प्रदाताओं (TSP) के साथ-साथ इन्फ्रास्ट्रक्चर प्रदाताओं (IP) के आवेदकों को ऑप्टिकल फ़ाइबर केबल बिछाने और मोबाइल टावर लगाने के लिए राइट ऑफ़ वे अनुमति के लिए राज्य/केंद्रशासित प्रदेश सरकारों और स्थानीय निकाय को एक **सामान्य एकल पोर्टल पर आवेदन करने में** सक्षम बनाता है।

➤ तेज़ी से अनुमोदन के साथ-साथ RoW अनुमतियों की प्रक्रिया को सुव्यवस्थित करने से, यह 5G सेवाओं के आसान रोलआउट की सुविधा प्रदान करता है, जिसमें बहुत कम अंतराल पर बेस ट्रांसीवर स्टेशन (BTS) स्थापित किया जाता है।

➤ देश भर में RoW ऐप्लिकेशंस की प्रभावी निगरानी के लिए, पोर्टल राज्य और ज़िलेवार लंबित मामलों की स्थिति दिखानेवाला एक डैशबोर्ड होस्ट करता है।

➤ यह पोर्टल दूरसंचार विभाग की ओर से **एमपी राज्य इलेक्ट्रॉनिक्स विकास निगम** द्वारा विकसित किया गया है और यह देश के 'आत्मनिर्भर' आंदोलन का एक उदाहरण है और **व्यापार करने में आसानी में सुधार (Ease of Doing Business)** की दिशा में एक मील का पत्थर है, जो हमारे देश को डिजिटल रूप से सशक्त समाज और जानकार अर्थव्यवस्था में बदलने में सक्रिय रूप से योगदान देता है।

दूरसंचार क्षेत्र के सामने चुनौतियाँ *(Challenges faced by the Telecommunication Sector)*

a. 5G परिनियोजन के लिए किये गये बड़े निवेश के कारण दूरसंचार क्षेत्र में **उच्च ऋण** - ICRA **[निवेश सूचना और क्रेडिट रेटिंग एजेंसी (Investment Information and Credit Rating Agency)]** के अनुसार, 31 मार्च, 2024 तक उद्योग का कुल ऋण लगभग ₹6.5 लाख करोड़ है।

b. 2021 और 2024 के बीच के वर्षों में, दूरसंचार उद्योग ने नये नेटवर्क, 5G जैसी सेवाओं, तेज़ी से प्रतिस्पर्धी ब्रॉडबैंड बाज़ारों और एक विकेन्द्रीकृत ब्रॉडबैंड बुनियादी ढाँचे को अपनाया है। इन नये नेटवर्कों, सेवाओं और अनुप्रयोगों को साइबर सुरक्षा जोखिम को कम करने के लिए अधिक सक्रिय उपायों की आवश्यकता है।

c. **बौद्धिक संपदा की चोरी**, सूचना और साइबर सुरक्षा संबंधी ख़तरा।

d. पुराने नेटवर्क से अधिक आधुनिक बुनियादी ढाँचे की ओर **स्थानांतरित होने की ज़रूरत** है।

e. शहरी और ग्रामीण क्षेत्रों के बीच डिजिटल अंतर को कम करने के लिए उपनगरीय और ग्रामीण क्षेत्रों में 5G नेटवर्क के कवरेज का विस्तार करने की जरूरत है।

बंदरगाह तथा शिपिंग सेवाएँ (PORT AND SHIPPING SERVICES)

➤ भारत में फ़रवरी, 2025 तक **13 प्रमुख बंदरगाह** हैं, जिनमें से पारादीप, चेन्नई, विशाखापट्टनम, कांडला (अब दीनदयाल बंदरगाह) और जवाहरलाल नेहरू पोर्ट ट्रस्ट (JNPT) उच्चतम कार्गो क्षमतावाले बंदरगाह हैं।

➤ इस क्षेत्र में दक्षता प्राय: जहाज़ों के TAT* (**टर्नअराउंड टाइम**) द्वारा इंगित की जाती है।

> **क्या आप जानते हैं?** 2020 में, केंद्रीय मंत्रिमंडल ने वधावन (महाराष्ट्र) में 13वाँ प्रमुख बंदरगाह स्थापित करने के लिए मंज़ूरी दी।

➤ तटीय ज़िलों के समग्र विकास के लिए सागरमाला कार्यक्रम के तहत 59,000 करोड़ रुपये की अनुमानित लागतवाली 567 परियोजनाओं की पहचान की गयी है।

➤ तटीय शिपिंग यातायात 2014 में 74.9 MMTA से बढ़कर, 2022 में 133 MMTPA हो गया है।

➤ मंत्रालय के पास वित्त वर्ष 25 तक PPP पर 42,400 करोड़ रुपये से अधिक की 81 परियोजनाओं की स्पष्ट और मज़बूत पाइपलाइन है।

➤ जवाहरलाल नेहरू पोर्ट पहला **100 प्रतिशत लैंडलॉर्ड मेज़र पोर्ट** बन गया।

➤ भारतीय बंदरगाहों पर कंटेनर टर्नअराउंड समय FY2024 में 48.1 घंटे से घटकर FY2025 (अप्रैल–नवंबर) में 30.4 घंटे हो गया।

> ***ध्यान दें :** किसी पोत/जहाज़ के आगमन और उसके प्रस्थान के बीच के समय को **टर्नअराउंड टाइम (TAT)** कहा जाता है। बंदरगाह के संचालन की दक्षता को मापने के लिए पोत के टर्नअराउंड टाइम का उपयोग किया जाता है। TAT जितना कम होता है, वह उतना बेहतर होता है।

अंतरिक्ष क्षेत्र (SPACE SECTOR)

➤ वर्तमान में, भारत की अंतरिक्ष अर्थव्यवस्था का केवल 2 प्रतिशत हिस्सा है, जो प्रमुख खिलाड़ियों – संयुक्त राज्य अमेरिका और चीन से बहुत पीछे है। हालाँकि, हाल ही में की गयी पहलों और निजी क्षेत्र की भागीदारी के साथ, भारतीय अंतरिक्ष नीति, 2023 के कार्यान्वयन के साथ, भारतीय अंतरिक्ष अर्थव्यवस्था के वर्ष 2023 में 8.4 बिलियन अमेरिकी डॉलर से बढ़कर, वर्ष 2033 में 44 बिलियन अमेरिकी डॉलर तक पहुँचने की संभावना है तथा वैश्विक अंतरिक्ष बाज़ार में इसकी हिस्सेदारी 8 प्रतिशत होने की परिकल्पना है। भारतीय अंतरिक्ष कार्यक्रम में **ध्यान दिये जानेवाले तीन प्रमुख क्षेत्र** हैं :

1. उपग्रह संचार (Satellite communication)।
2. पृथ्वी का अवलोकन (Earth observation)।
3. उपग्रह सहायता प्राप्त नौवहन (Satellite-aided navigation), जिसमें GAGAN और NavIC* सम्मिलित हैं।

> ***ध्यान दें :**
>
> 1. GAGAN एक उपग्रह आधारित वृद्धि प्रणाली है और यह GPS-सहायता प्राप्त GEO संवर्धित नौवहन के लिए है, जो ISRO और भारतीय विमानपत्तन प्राधिकरण की एक संयुक्त परियोजना है।
> 2. NavIC एक स्वायत्त क्षेत्रीय उपग्रह नौवहन प्रणाली है, जो **वास्तविक समय की सटीक स्थिति** और समय सेवाएँ प्रदान करती है।

➤ विश्व स्तर पर अंतरिक्ष कार्यक्रमों के दो प्रमुख रुझान अंतरिक्ष अन्वेषण और राष्ट्रीय सुरक्षा उद्देश्यों के लिए उपयोग किया जाना है।

➤ अंतरिक्ष-संबंधित वस्तुओं और सेवाओं को प्रदान करने के लिए **निजी निवेशों** को आकर्षित किया जा रहा है। इन निवेशों के लिए प्रमुख क्षेत्र हैं :

- ध्रुवीय उपग्रह प्रक्षेपण यान [Polar Satellite Launch Vehicle (PSLV)] का उत्पादन।
- उपग्रह एकीकरण और संयोजन (Satellite integration and assembly)।
- मिश्रित सामग्रियों का उत्पादन।
- ठोस, तरल, क्रॉयोजेनिक और अर्द्ध–क्रायोजेनिक प्रणोदक का उत्पादन।
- इलेक्ट्रॉनिक पैकेज, वैमानिक का उत्पादन तथा उपग्रह परीक्षण।

अंतरिक्ष क्षेत्र में हाल ही में की गयीं पहलें (Recent Initiatives in the Space Sector)

1. इंडियन स्पेस एसोसिएशन [Indian Space Association (ISpA)]

- इसे अक्टूबर, 2021 में प्रधान मंत्री द्वारा शुरू किया गया है।
- ISPA अंतरिक्ष और उपग्रह कंपनियों का प्रमुख उद्योग संघ है।
- यह नीति प्रचार और सरकार और इसकी एजेंसियों सहित भारतीय अंतरिक्ष क्षेत्र के सभी हितधारकों के साथ जुड़ने के लिए है।

- ISPA भारत को आत्मनिर्भर, तकनीकी रूप से उन्नत और अंतरिक्ष क्षेत्र में एक अग्रणी खिलाड़ी बनाने में मदद करेगा।

2. भारतीय अंतरिक्ष संवर्धन और प्राधिकरण केंद्र [Indian Space Promotion and Authorisation Centre (IN-SPACe)]

- निजी कंपनियों को भारतीय अंतरिक्ष अवसंरचना का उपयोग करने और एक समान अवसर प्रदान करने के लिए 2020 में IN-SPACe को मंजूरी दी गयी है।

3. न्यू स्पेस इंडिया लिमिटेड [New Space India Limited (NSIL)]

- इसे 2019 में अंतरिक्ष विभाग (DOS) के प्रशासनिक नियंत्रण के तहत पूर्ण स्वामित्ववाले भारत सरकार के उपक्रम के रूप में स्थापित किया गया है।
- इसका गठन ISRO के परिचालन प्रक्षेपण वाहनों और अंतरिक्ष परिसंपत्तियों के "स्वामित्व" के लिए किया गया है।
- वर्तमान माँग-संचालित मॉडल में, NSIL उपयोगकर्ता की आवश्यकताओं के एक समूह के रूप में कार्य करेगा और प्रतिबद्धताओं को प्राप्त करेगा। उदाहरण के लिए, Tata Sky ने आगामी संचार उपग्रह GSAT-24 के बोर्ड पर क्षमता का उपयोग करने के लिए NSIL के साथ समझौता ज्ञापन पर हस्ताक्षर किये, जिसे ISRO द्वारा बनाया जायेगा और एरियनस्पेस द्वारा लॉन्च किया जायेगा।
- इस प्रकार, NSIL **भारतीय उद्योगों को उच्च प्रौद्योगिकी अंतरिक्ष से संबंधित गतिविधियों को शुरू करने में सक्षम बनाने की प्राथमिक ज़िम्मेदारी** के साथ ISRO की वाणिज्यिक शाखा है। यह भारतीय अंतरिक्ष कार्यक्रम से निकलनेवाले उत्पादों और सेवाओं के प्रचार और वाणिज्यिक दोहन के लिए भी ज़िम्मेदार है।

4. एंट्रिक्स कॉर्पोरेशन लिमिटेड [Antrix Corporation Limited (ACL)]

- इसे 1992 में अंतरिक्ष उत्पादों, तकनीकी परामर्श सेवाओं और ISRO द्वारा विकसित प्रौद्योगिकियों के हस्तांतरण के संवर्धन और वाणिज्यिक दोहन के लिए ISRO की एक विपणन शाखा के रूप में शामिल किया गया था।

NSIL एंट्रिक्स कॉर्पोरेशन लिमिटेड (ACL) से कैसे अलग है?

- एंट्रिक्स विदेशी ग्राहकों के साथ ISRO के वाणिज्यिक सौदों को सँभालता है और उन्हें शुरू से अंत तक उत्पाद प्रदान करता है, जबकि NSIL अंतरिक्ष निर्माण के लिए स्थानीय उद्योगों के क्षमता के निर्माण से संबंधित है।

5. विनियामक सुधार (Regulatory Reforms)

- SpaceCom और SpaceRS नीतियों के माध्यम से, पारंपरिक उपग्रह संचार और सुदूर संवेदन क्षेत्रों को और उदार बनाया गया है। इसने उद्यमियों/उद्योगों को इन क्षेत्रों में शुरू से अंत तक गतिविधियाँ करने में सक्षम बनाया है।
- वर्तमान में, उपग्रह स्थापना और संचालन के लिए सरकारी मार्ग के तहत अंतरिक्ष क्षेत्र में FDI की अनुमति है।

रियल एस्टेट क्षेत्र (REAL ESTATE SECTOR)

रियल एस्टेट, भूमि से जुड़ी किसी भी स्थायी सुधारवाली भूमि है। वह सुधार प्राकृतिक या मानव निर्मित हो सकता है, जिसमें पानी, पेड़, खनिज, भवन, घर, बाड़ और पुल शामिल हैं। रियल एस्टेट अचल संपत्ति का एक रूप है। यह व्यक्तिगत संपत्ति से भिन्न होता है, अर्थात् जो स्थायी रूप से भूमि से जुड़ी नहीं होती हैं, जैसे वाहन, नाव, आभूषण, फ़र्नीचर और कृषि उपकरण।

> **क्या आप जानते हैं?** भारत में रियल एस्टेट क्षेत्र 230 से अधिक संबद्ध व्यवसायों के साथ कृषि के बाद दूसरा सबसे बड़ा व्यावसायिक उत्पादक है। 'सभी के लिए आवास' सुनिश्चित करने के लिए भी यह क्षेत्र बहुत महत्त्वपूर्ण है।

रियल एस्टेट क्षेत्र वर्तमान में भारत की GDP में लगभग 7.8 प्रतिशत का योगदान देता है। नाइट फ्रैंक और नेशनल रियल एस्टेट डेवलपमेंट काउंसिल (NAREDCO) द्वारा संयुक्त रूप से तैयार की गयी **'इंडिया रियल एस्टेट : विज़न 2047'** नामक रिपोर्ट के अनुसार, रियल एस्टेट क्षेत्र के 2047 तक 5.8 ट्रिलियन डॉलर तक बढ़ने की उम्मीद है, जो सकल घरेलू उत्पाद में 15.5 प्रतिशत का योगदान देगा।

JLL के 2024 ग्लोबल रियल एस्टेट ट्रांसपेरेंसी इंडेक्स (Global Real Estate Transparency Index) के अनुसार, भारत के रियल एस्टेट बाज़ार की पारदर्शिता 89 देशों की सूची में 31वें स्थान पर है। भारत का समग्र पारदर्शिता स्कोर 2024 में 2.4 रहा है।

रियल एस्टेट विनियमन अधिनियम, 2016 (Real Estate Regulation and Development Act, 2016)

अधिनियम में राज्य सरकारों के लिए निम्नलिखित अध्यादेश के साथ एक से अधिक नियामकीय प्राधिकरण स्थापित करने का प्रावधान है :-

- रियल एस्टेट परियोजनाओं के डेटाबेस को पंजीकृत करना और इसका अनुरक्षण करना; इसे सार्वजनिक रूप से अपनी वेबसाइट पर प्रकाशित करना।
- संधारणीय और सस्ते आवास का विकास।
- सरकार को परामर्श देने के साथ-साथ उसके विनियमों और अधिनियम का अनुपालन सुनिश्चित करना।
- रियल एस्टेट अपीलीय न्यायाधिकरण (Real Estate Appellate Tribunal) की स्थापना- इन न्यायाधिकरणों में RERA के निर्णयों पर अपील की जा सकती है।
- अनिवार्य पंजीकरण (Mandatory Registration) : न्यूनतम 500 वर्ग मीटर भूखंड के आकार या आठ अपार्टमेंटवाले सभी परियोजनाओं को नियामकीय प्राधिकरणों में पंजीकृत होना आवश्यक है।
- जमा (Deposits) : केवल संबंधित परियोजना के निर्माण हेतु एक अलग एस्क्रो बैंक खाते में ख़रीदारों से एकत्रित धन का 70 प्रतिशत जमा करना।
- देयता (Liability) : पाँच साल तक संरचनात्मक कमियों की मरम्मत करना डेवलपर की ज़िम्मेदारी।
- चूक (डिफ़ॉल्ट) के मामले में दंडात्मक ब्याज (Penal interest in case of default) : प्रमोटर और ख़रीदार, दोनों ही किसी भी डिफ़ॉल्ट के मामले में ब्याज की समान दर का भुगतान करने के उत्तरदायी होंगे।
- अग्रिम भुगतान की सीमा (Cap on Advance Payments) : कोई प्रमोटर बिक्री समझौता (agreement for sale) किये बिना किसी व्यक्ति से अग्रिम भुगतान या आवेदन शुल्क के रूप में प्लॉट, अपार्टमेंट या भवन की लागत का 10 प्रतिशत से अधिक नहीं ले सकता है।
- यह फ़्लैट के विशुद्ध प्रयोग योग्य फ़्लोर एरिया के रूप में, कार्पेट एरिया को परिभाषित करता है। ख़रीदारों से कार्पेट एरिया की क़ीमत ली जायेगी, न कि सुपर बिल्ट-अप एरिया के लिए।
- दंड (Punishment) : अपीलीय ट्रिब्यूनलों और विनियामकीय प्राधिकरणों के आदेशों के उल्लंघन पर डेवलपर्स को तीन साल तक की क़ैद और एजेंटों और ख़रीदारों को एक साल तक की क़ैद।

अतिरिक्त जानकारी

राष्ट्रीय अचल संपत्ति विकास परिषद् (NATIONAL REAL ESTATE DEVELOPMENT COUNCIL)

राष्ट्रीय अचल संपत्ति विकास परिषद् [National Real Estate Development Council (NAREDCO)] को 1998 में आवास और शहरी मामलों के मंत्रालय (Ministry of Housing and Urban Affairs) के अधीन एक स्वायत्त स्व-नियामकीय निकाय के रूप में स्थापित किया गया था।

यह रियल एस्टेट कारोबार में पारदर्शिता और नैतिकता को प्रेरित करने तथा भारत के असंगठित रियल एस्टेट क्षेत्र को परिपक्व बनाने के साथ-साथ विश्व स्तर पर प्रतिस्पर्धी व्यापार क्षेत्र में बदलने के अध्यादेश के साथ गठित किया गया था।

सेवा क्रय प्रबंधक सूचकांक [SERVICES PURCHASING MANAGERS INDEX (PMI)]

भारत के सेवा क्षेत्र की गतिविधि का आकलन PMI सेवाओं द्वारा किया जाता है। हाल के वर्षों में, PMI सेवाओं को COVID-19 महामारी से निपटने के लिए लगाये गये प्रतिबंधों, रूस-यूक्रेन संघर्ष के प्रकोप आदि के कारण झटका लगा है। दिसंबर, 2022 में यह संकेतक बढ़कर 58.5 हो गया और फरवरी, 2025 में 59.0 के मूल्य पर पहुँच गया।

सेवाओं में प्रत्यक्ष विदेशी निवेश [FOREIGN DIRECT INVESTMENT (FDI) IN SERVICES]

UNCTAD की विश्व निवेश रिपोर्ट 2024 के अनुसार, भारत 2023 में शीर्ष 20 मेज़बान देशों में प्रत्यक्ष विदेशी निवेश (FDI) प्राप्त करनेवाला पंद्रहवाँ सबसे बड़ा देश है। वित्त वर्ष 2024 में, भारत का प्रत्यक्ष विदेशी निवेश (FDI) प्रवाह अमेरिकी डॉलर 70.95 बिलियन था, जिसमें सेवा क्षेत्र सबसे बड़ा प्राप्तकर्ता था। *(आर्थिक सर्वेक्षण 2024-25)*

खाता ऐग्रीगेटर नेटवर्क (ACCOUNT AGGREGATOR NETWORK)

भारत ने खाता ऐग्रीगेटर (AA) नेटवर्क का अनावरण किया है; यह एक वित्तीय डेटा-साझाकरण प्रणाली है, जो लाखों उपभोक्ताओं को उनके वित्तीय रिकॉर्ड पर अधिक पहुँच और नियंत्रण प्रदान करते हुए निवेश और क्रेडिट में क्रांति लाने का इरादा रखती है। यह उधारदाताओं और फ़िनटेक कंपनियों के लिए ग्राहकों के संभावित पूल का विस्तार कर सकता है।

खाता ऐग्रीगेटर (AA) एक प्रकार की RBI विनियमित संस्था है (NBFC-AA लाइसेंस के साथ)। यह किसी व्यक्ति को AA नेटवर्क में किसी अन्य विनियमित वित्तीय संस्थान के साथ एक वित्तीय संस्थान से जानकारी को डिजिटल रूप से ऐक्सेस करने और साझा करने में मदद करता है। व्यक्ति की सहमति के बिना डेटा साझा नहीं किया जा सकता है। यह भारत में ओपन बैंकिंग लाने की दिशा में पहला कदम है।

संक्षिप्त विवरण

- **सेवा क्षेत्र (Service sector)** - GVA में लगभग 53 प्रतिशत का योगदान देता है। 1951 और 1990 के दशकों के बीच भारत में सेवा क्षेत्र उद्योग की तुलना में अधिक धीमी गति से बढ़ा। 1980 के दशक में सेवाओं की वृद्धि में तेज़ी आयी और 1990 के दशक में इसमें बहुत ज़्यादा तेज़ी आयी।
- **विश्व पर्यटन सूचकांक (World Tourism Index)** - विश्व आर्थिक फ़ोरम द्वारा प्रकाशित।
- **चिकित्सा पर्यटन (Medical tourism)** - इसका उद्देश्य एलोपैथी और AYUSH (योग और प्राकृतिक चिकित्सा, यूनानी, सिद्ध और होम्योपैथी) धाराओं से एकीकृत उपचार को बढ़ावा देना है - चिकित्सा पर्यटन उद्योग 3 बिलियन डॉलर का है।
- **पारिस्थितिकी पर्यटन (Eco-tourism)** - प्राकृतिक क्षेत्रों के लिए ज़िम्मेदार यात्रा, जो पर्यावरण का संरक्षण करती है, स्थानीय लोगों की भलाई को बनाये रखती है और व्याख्या और शिक्षा को शामिल करती है - संरक्षण और पर्यावरण प्रबंधन का समर्थन करती है।
- **संधारणीय पर्यटन (Sustainable Tourism)** - यह अपने वर्तमान और भविष्य के आर्थिक, सामाजिक और पर्यावरणीय प्रभावों का पूरा ध्यान रखता है, जिससे यह आगंतुकों, उद्योग, पर्यावरण और समुदायों की ज़रूरतों को पूरा करता है।
- **संधारणीय पर्यटन के लिए राष्ट्रीय रणनीति और ज़िम्मेदार यात्री अभियान (National strategy for sustainable tourism and the responsible traveller campaign)** - इसे 2022 में पर्यटन मंत्रालय द्वारा शुरू किया गया है। इसने संधारणीय पर्यटन के विकास के लिए 7 रणनीतिक स्तंभों की पहचान की है।
- **स्वदेश दर्शन योजना (Swadesh Darshan Scheme)** - भारत में पर्यटन के लिए विषय-वस्तु आधारित (theme-based) गलियारा (circuit) विकसित करना।
- **स्वदेश दर्शन 2.0 (Swadesh Darshan 2.0)** - इसे अब भारत में स्थायी और ज़िम्मेदार गंतव्य विकसित करने के उद्देश्य से लागू किया जा रहा है।
- **प्रसाद (PRASAD)** - तीर्थस्थल पुनरुद्धार और आध्यात्मिक संवर्धन अभियान (Pilgrimage Rejuvenation and Spiritual Augmentation Drive) - तीर्थ स्थलों का विकास और सौंदर्यीकरण।
- **सूचना प्रौद्योगिकी और व्यवसाय प्रक्रिया प्रबंधन (IT&BPM) क्षेत्र के उप-क्षेत्र (Sub-sectors of IT-BPM sector)** - सूचना प्रौद्योगिकी सेवाएँ, व्यवसाय प्रक्रिया प्रबंधन, हार्डवेयर, सॉफ़्टवेयर उत्पाद और इंजीनियरिंग सेवाएँ।

- **इलेक्ट्रॉनिक कॉमर्स (ई-कॉमर्स) [Electronic commerce (e-commerce)]** – यह व्यवसाय की एक ऐसी प्रणाली है, जहाँ कंपनियाँ और व्यक्ति इंटरनेट पर सामान और सेवाएँ ख़रीदते और बेचते हैं।
- **डिजिटल कॉमर्स के लिए ओपन नेटवर्क (ओएनडीसी) [Open Network for Digital Commerce (ONDC)]**- यह वाणिज्य और उद्योग मंत्रालय के उद्योग और आंतरिक व्यापार संवर्धन विभाग (DPIIT) की एक पहल है, जिसका लक्ष्य डिजिटल या इलेक्ट्रॉनिक नेटवर्क पर वस्तुओं और सेवाओं के आदान-प्रदान के लिए ओपन नेटवर्क को बढ़ावा देना है। ONDC का मिशन डिजिटल कॉमर्स का लोकतंत्रीकरण करना है।
- **भारतीय अंतरिक्ष संघ (ISpA)** – अंतरिक्ष और उपग्रह कंपनियों का प्रमुख उद्योग संघ है, जो भारतीय अंतरिक्ष उद्योग की सामूहिक आवाज़ बनाने की आकांक्षा रखता है।
- **सॉफ़्टवेयर टेक्नोलॉजी पार्क्स ऑफ़ इंडिया [Software Technology Parks of India (STPI)]** – इलेक्ट्रॉनिकी और सूचना प्रौद्योगिकी मंत्रालय (MeitY) के अधीन एक स्वायत्त समाज।
- **राष्ट्रीय अचल संपत्ति विकास परिषद् [National Real Estate Development Council (NAREDCO)]** – 1998 में स्थापित – आवास और शहरी मामलों के मंत्रालय के तत्वावधान में एक स्वायत्त स्व-नियामक निकाय।

यूपीएससी सिविल सेवा के पिछले वर्षों की प्रारंभिक परीक्षा के प्रश्न

☞ **कोई प्रश्न नहीं**

2024, 2023, 2022, 2021, 2020, 2019, 2018, 2017, 2016, 2015, 2014, 2013

यूपीएससी सिविल सेवा के पिछले वर्षों की मुख्य परीक्षा के प्रश्न

1. सामान्य रूप से देश कृषि से उद्योग की तरफ़ और फिर सेवाओं की तरफ़ **स्थानांतरित/परिवर्तित** होते हैं, लेकिन भारत सीधे कृषि से सेवाओं की तरफ़ स्थानांतरित हो रहा है। देश में उद्योगों की तुलना में **सेवाओं के बृहत् विकास के क्या कारण हैं**? क्या भारत मज़बूत औद्योगिक आधार के बिना एक विकसित देश बन सकता है? **[2014]**

☞ **कोई प्रश्न नहीं**

2024, 2023, 2022, 2021, 2020, 2019, 2018, 2017, 2016, 2015, 2013

अध्याय
23

भारत में बीमा क्षेत्र (Insurance Sector in India)

अध्याय की रूपरेखा

- बीमा क्या है?
- भारत में बीमा क्षेत्र
- बीमा सुधार
- ऐग्रीकल्चर इंश्योरेंस कंपनी ऑफ़ इंडिया लिमिटेड
- डिपॉज़िट इंश्योरेंस ऐंड क्रेडिट गारंटी कॉर्पोरेशन
- सरकार समर्थित बीमा योजनाएँ
- बीमा क्षेत्र की वर्तमान स्थिति
- बीमा क्षेत्र को बदलने में IRDAI का महत्त्व
- घरेलू प्रणालीगत रूप से महत्त्वपूर्ण बीमाकर्ता
- बीमा क्षेत्र में हाल ही में किये गये सुधार
- बीमा क्षेत्र की कार्यनिष्पादन समीक्षा और विनियमन: वित्त संबंधी स्थायी समिति की रिपोर्ट
- सरकार द्वारा समर्थित बीमा योजनाएँ
- सूक्ष्म बीमा (माइक्रो इंश्योरेंस)
- बीमा क्षेत्र में चुनौतियाँ और संभावनाएँ

बीमा उद्योग, भारतीय अर्थव्यवस्था में एक प्रमुख चालक है, जो वित्तीय सुरक्षा और आर्थिक विकास के दोहरे उद्देश्य को पूरा करता है। यह एक महत्त्वपूर्ण जोखिम प्रबंधन तंत्र के रूप में कार्य करता है जो व्यक्तियों और उद्यमों को अप्रत्याशित नुक़सान से बचाता है। बीमा सुरक्षा जाल के प्रावधान के माध्यम से स्थिरता को बढ़ावा देने और उद्यमशीलता को बढ़ावा देने में मदद करता है, जिससे उद्यमों को प्रतिकूल परिस्थितियों में भी फलने-फूलने की सुविधा एवं क्षमता मिलती है।

बीमा क्या है (WHAT IS INSURANCE)?

बीमा एक **अनुबंध (कॉन्ट्रैक्ट)** है, जिसे पॉलिसी द्वारा दर्शाया जाता है, जिसमें पॉलिसीधारक को बीमा कंपनी से **नुक़सान के ख़िलाफ़ वित्तीय सुरक्षा या प्रतिपूर्ति** मिलती है। कंपनी बीमाधारक के लिए भुगतान को अधिक किफ़ायती बनाने हेतु ग्राहकों की जोखिमों को साझा (pool) करती है।

कवर किए गए जोखिमों के प्रकार के आधार पर, बीमा विभिन्न प्रकार का हो सकता है।

बीमा के दो मुख्य प्रकार हैं, अर्थात् :

- **जीवन बीमा (Life insurance)** : जीवन बीमा एक प्रकार का बीमा कवरेज़ है, जो बीमाधारक या उनके नामित लाभार्थियों को किसी निश्चित घटना, जैसे कि बीमित व्यक्ति की मृत्यु होने पर एक निश्चित राशि का भुगतान करता है।
- **सामान्य (ग़ैर-जीवन) बीमा [General (nonlife) insurance]** : सामान्य बीमा एक प्रकार की बीमा पॉलिसी है, जो फ़सल, ऑटोमोबाइल और अन्य प्रकार के बीमा **सहित** जीवन बीमा द्वारा कवर **नहीं** किये जानेवाले नुक़सान और क्षति के ख़िलाफ़ **सुरक्षा प्रदान करती है।**

जीवन बीमा के अलावा, बीमा के सबसे आम रूप स्वास्थ्य, घर और ऑटोमोबाइल से संबंधित हैं।

किसी भी बीमा प्रकार के तीन घटक होते हैं - प्रीमियम (the premium), पॉलिसी सीमा (the policy limit) और निगम्य (the deductible)।

बीमा मध्यस्थ (Insurance Intermediaries)

- बीमा मध्यस्थ, उपभोक्ताओं (जो बीमा पॉलिसियाँ ख़रीदना चाहते हैं) और बीमा कंपनियों (जो उन पॉलिसियों को बेचना चाहते हैं) के बीच एक **सेतु** का काम करते हैं।
- बीमा मध्यस्थ का अर्थ है **व्यक्तिगत एजेंट**, बैंक और ब्रोकर सहित **कॉर्पोरेट एजेंट** - जो ग्राहक और बीमा कंपनी के बीच मध्यस्थता करते हैं। बीमा मध्यस्थ में **सर्वेक्षक** और **तृतीय-पक्ष प्रशासक** भी सम्मिलित होते हैं, लेकिन ये मध्यस्थ व्यवसाय (बीमा) की ख़रीद में सम्मिलित नहीं होते हैं।
- सर्वेक्षक (Surveyors), बीमा कंपनियों की ओर से नुक़सान का आकलन करते हैं। तृतीय-पक्ष प्रशासक बीमा कंपनियों के लिए स्वास्थ्य बीमा से संबंधित सेवाएँ प्रदान करते हैं।
- बीमा दलालों (Insurance brokers) को IRDA द्वारा लाइसेंस दिया जाता है तथा ये बीमा विनियामक और विकास प्राधिकरण (बीमा दलाल) विनियम, 2002 द्वारा शासित होते हैं।
- **व्यक्तिगत बीमा एजेंटों** और **कॉर्पोरेट एजेंटों** को भी IRDA द्वारा लाइसेंस दिया जाता है तथा ये क्रमशः बीमा विनियामक और विकास प्राधिकरण (व्यक्तिगत बीमा एजेंटों का लाइसेंस) विनियम, 2000 और बीमा विनियामक और विकास प्राधिकरण (कॉरपोरेट एजेंटों का लाइसेंसीकरण) विनियम, 2002 द्वारा शासित होते हैं।
- ये विनियम संबंधित मध्यस्थों के लिए आचार संहिता निर्धारित करते हैं।

भारत में बीमा क्षेत्र (INSURANCE SECTOR IN INDIA)

बीमा क्षेत्र का इतिहास तथा पृष्ठभूमि (History and Background of Insurance Sector)

आज़ादी से पहले की अवधि में (In Pre-Independence Period)

भारत में बीमा उद्योग का विकास

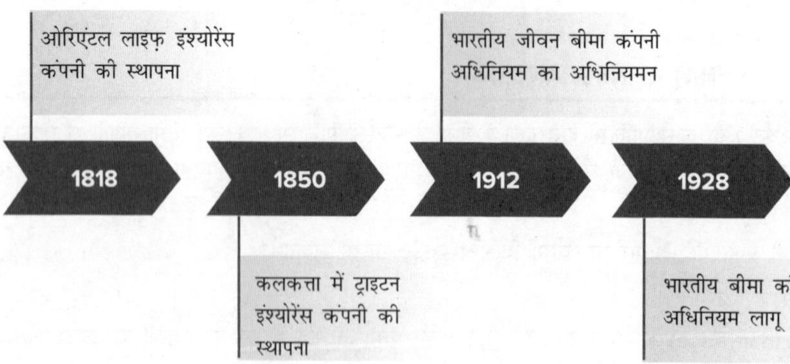

वर्ष	आयोजन
1818	कलकत्ता में **ओरिएंटल लाइफ़ इंश्योरेंस कंपनी** की स्थापना के साथ भारत में जीवन बीमा व्यवसाय शुरू हुआ।
1850	भारत में सामान्य बीमा की जड़ें **कलकत्ता में ट्राइटन इंश्योरेंस कंपनी** की स्थापना से जुड़ी हैं।
1912	बीमा क्षेत्र को विनियमित करने के लिए **भारतीय जीवन आश्वासन कंपनी अधिनियम** लागू किया गया था।
1928	**भारतीय बीमा कंपनी अधिनियम** को सरकार को जीवन और गैर-जीवन दोनों व्यवसायों के बारे में महत्त्वपूर्ण सांख्यिकीय जानकारी एकत्र करने में सक्षम बनाने के लिए लागू किया गया था।

आज़ादी के बाद की अवधि में (In Post-Independence Period)

- अनुचित व्यापार प्रथाओं की जाँच करने के लिए, **जीवन बीमा को 1956 में राष्ट्रीयकृत किया गया था और जीवन बीमा कंपनी की स्थापना** कुल 245 बीमा कंपनियों और भविष्य समितियों को विलय करके की गयी थी।
- LIC की स्थापना 2 बुनियादी उद्देश्यों के साथ की गयी थी :
  - अधिक सुरक्षा के लिए लोगों को जीवन बीमा के लिए प्रोत्साहित करना।
  - बीमा के लिए प्रीमियम के रूप में लोगों की बचत जुटाना।
- हालाँकि, सामान्य बीमा व्यवसाय (राष्ट्रीयकरण) अधिनियम, 1972 को पारित करके 1 जनवरी, 1973 से सामान्य बीमा का राष्ट्रीयकरण किया गया था।
- इस अधिनियम के माध्यम से, सरकार ने 107 निजी क्षेत्र की कंपनियों (55 भारतीय बीमा कंपनियों और 52 विदेशी बीमा कम्पनियों) का राष्ट्रीयकरण किया।
- जनरल इंश्योरेंस कॉर्पोरेशन (GIC) को कंपनी अधिनियम के तहत शामिल किया गया था। हालाँकि, 2000 में, **GIC आश्वासन कंपनी बन गयी** और अब इसे **"GIC Re"** के रूप में जाना जाता है।
- विलय और समेकन के संचालन के बाद, **GIC** को 4 सहायक कंपनियों के साथ पुनर्गठित किया गया :
  - नेशनल इंश्योरेंस कंपनी लिमिटेड
  - न्यू इंडिया इंश्योरेंस कंपनी लिमिटेड
  - ओरिएंटल इंश्योरेंस कंपनी लिमिटेड
  - यूनाइटेड इंडिया कंपनी लिमिटेड

अतिरिक्त जानकारी

महत्त्वपूर्ण अवधारणाएँ (IMPORTANT CONCEPTS)

- **बीमा बनाम आश्वासन (Insurance versus Assurance):**
  - बीमा **अल्पावधि अनिश्चित घटना** के ख़िलाफ़ वित्तीय कवरेज की गारंटी देता है, एक ऐसी घटना, जो ज़रूरी नहीं कि हो।
  - जबकि आश्वासन **एक ऐसी घटना के कारण होनेवाले नुक़सान या क्षति के संबंध में वित्तीय कवरेज की गारंटी देता है,** जो निश्चित रूप से होना निश्चित है।
  - बीमा के तहत, दावा भुगतान प्रत्याशित घटना के घटित होने के बाद ही किया जाता है। यदि घटना नहीं होती है, तो दावे के रूप में किसी राशि का भुगतान नहीं किया जाता है।
  - जबकि, इंश्योरेंस में, दावा भुगतान या तो किसी अनिश्चित घटना के घटित होने पर या ऐसे पॉलिसी लाभों की परिपक्वता के समय किया जाता है।
- **बीमा घनत्व (Insurance Density)** - इसकी गणना कुल जनसंख्या (कुल बीमा प्रीमियम/कुल जनसंख्या) के प्रीमियम के अनुपात के रूप में की जाती है।

- **बीमा प्रवेश (Insurance Penetration)** - इसे सकल घरेलू उत्पाद के प्रतिशत के रूप में कुल बीमा प्रीमियम के रूप में मापा जाता है।
- **बैंक आश्वासन (Bank Assurance)** - यह एक बैंक और एक बीमा कंपनी के बीच एक साझेदारी है, जिसके तहत बीमा कंपनी को अपने उत्पादों को बैंक के ग्राहकों को बेचने की अनुमति है।
- **लघु बीमा (Micro-insurance)** - इसे विशेष रूप से कम आयवाले लोगों की सुरक्षा के लिए तैयार किया गया है, जिसमें किफ़ायती बीमा उत्पाद उन्हें वित्तीय नुक़सान से निपटने और उबरने में मदद करते हैं। समाज का यह वर्ग कई जोखिमों के प्रति अधिक संवेदनशील है, जिसके कारण अंततः ऐसी अनिश्चित परिस्थितियों का सामना करने में असमर्थता उत्पन्न हो जाती है।

अर्थव्यवस्था में बीमा क्षेत्र का महत्त्व (Importance of Insurance Sector in Economy)

बीमा क्षेत्र के कुछ महत्त्वपूर्ण पहलू इस प्रकार हैं:

वित्तीय सुरक्षा और संरक्षण (Financial Security and Protection)

बीमा व्यक्ति और परिवार के लिए एक मौद्रिक सुरक्षा है।

चिकित्सा बीमा, विशेष रूप से जीवन बीमा और संपत्ति बीमा, परिवारों और व्यक्तियों की वहन क्षमता से बाहर के ख़र्च को कम करके स्वास्थ्य संकट के वित्तीय प्रभाव को कम करता है। जोखिमों का प्रबंधन करके, बीमा न केवल आजीविका को सुरक्षित करता है, अपितु व्यक्तियों को उत्पादकता और आत्म-सुधार पर ध्यान केंद्रित करने में सक्षम बनाता है।

आर्थिक विकास में योगदान (Contribution to Economic Growth)

बीमा उद्योग भारत के सकल घरेलू उत्पाद में एक महत्त्वपूर्ण योगदानकर्ता है। बीमा उद्योग द्वारा प्राप्त प्रीमियम को बुनियादी ढाँचे में निवेश, शेयर बाज़ार और ऐसी अन्य आर्थिक गतिविधियों में संलग्न किया जा सकता है, जो संवृद्धि और विकास को बढ़ावा देती हों। इसके अलावा, बीमा क्षेत्र महत्त्वपूर्ण संख्या में रोज़गार पैदा करता है।

बचत संग्रहण (Mobilisation of Savings)

बीमा पॉलिसियाँ आमतौर पर बचत उपकरण के रूप में काम करती हैं। एंडोमेंट पॉलिसियाँ (endowment policies), पेंशन योजनाएँ और यूनिट-लिंक्ड बीमा योजनाएँ (ULIP) लोगों को नियमित रूप से धन बचाने के लिए प्रेरित करती हैं, जिससे बचत की आदत बनती है। इन बचतों को दीर्घकालिक निवेश विकल्पों में निवेश किया जाता है, जिससे पॉलिसीधारकों के साथ-साथ सामान्य रूप से अर्थव्यवस्था को भी लाभ होता है।

सामाजिक कल्याण को बढ़ावा (Promotion of Social Welfare)

राज्य द्वारा प्रायोजित बीमा कार्यक्रम, उदाहरण के लिए, प्रधानमंत्री सुरक्षा बीमा योजना और आयुष्मान भारत, समाज के आर्थिक रूप से कमज़ोर वर्गों को कम लागतवाली कवरेज़ प्रदान करने के लिए डिज़ाइन किये गये हैं। ये कार्यक्रम स्वास्थ्य सेवा और वित्तीय सुरक्षा तक आम जन की पहुँच बढ़ाते हैं, असमानता को कम करते हैं और सामाजिक कल्याण को प्रोत्साहित करते हैं।

नवाचार और जोखिम उठाने को बढ़ावा (Promotion of Innovation and Risk-Taking)

बीमा, कंपनियों और उद्यमियों को संभावित नुक़सान को कम करके सुविचारित जोखिम लेने की सुविधा एवं क्षमता प्रदान करता है। यह नवाचार को प्रोत्साहित करता है, क्योंकि इससे लोग और व्यवसाय बिना किसी आर्थिक नुक़सान के डर के नयी चीज़ों और प्रौद्योगिकियों में उद्यम करने हेतु अधिक प्रवृत होते हैं।

बीमा सुधार (INSURANCE REFORMS)

1993 में, सरकार ने बीमा क्षेत्र में सुधारों का सुझाव देने के लिए **मल्होत्रा समिति** का गठन किया गया। इसकी सिफ़ारिशें इस प्रकार थीं :

- बीमा क्षेत्र में निजी क्षेत्र की अनुमति – तब बीमा क्षेत्र में निजी क्षेत्र को अनुमति दी गयी थी। इससे भारत में 50 से अधिक बीमा कंपनियाँ बन गयीं।
- बीमा क्षेत्र के लिए नियामक प्राधिकरण की स्थापना – इस प्रकार 1999 में **भारतीय बीमा नियामक विकास प्राधिकरण (IRDAI)** का गठन किया गया था।
- बीमा कंपनियों में सरकार की हिस्सेदारी को 50 प्रतिशत तक कम करना।
- GIC को अपनी 4 सहायक कंपनियों से अलग करना – GIC ने 4 सहायक कंपनियों से **अपनी हिस्सेदारी वापस ले ली है** और अब वे पूरी तरह से भारत सरकार के स्वामित्व में हैं।
- LIC का विकेंद्रीकरण और कंपनी अधिनियम के तहत पंजीकृत होनेवाली कंपनी में परिवर्तित किया जाना।
- **विदेशी निवेश का प्रवेश**, लेकिन केवल भारतीय कंपनियों के सहयोग से – इस प्रकार, बीमा क्षेत्र में FDI बढ़ाकर 74 प्रतिशत (पहले 49 प्रतिशत) कर दिया गया है और यह स्वचालित मार्ग के तहत बीमा मध्यस्थों के लिए 100 प्रतिशत है।

बीमा क्षेत्र की वर्तमान स्थिति (PRESENT STATUS OF INSURANCE SECTOR)

- IRDAI की वार्षिक रिपोर्ट 2023-24 के अनुसार, भारत में बीमा क्षेत्र में कुल **59 बीमाकर्ता**, 1 पुनर्बीमाकर्ता, 2 विशेष बीमाकर्ता और 12 विदेशी पुनर्बीमा शाखाएँ (FRB) शामिल हैं (31 मार्च, 2024 तक)। **59 बीमाकर्ताओं में, 26 जीवन बीमाकर्ता, 25 सामान्य बीमाकर्ता और 8 स्टैंड-अलोन स्वास्थ्य बीमाकर्ता** हैं।

बीमा कंपनियों का उनके प्रकार के अनुसार वितरण

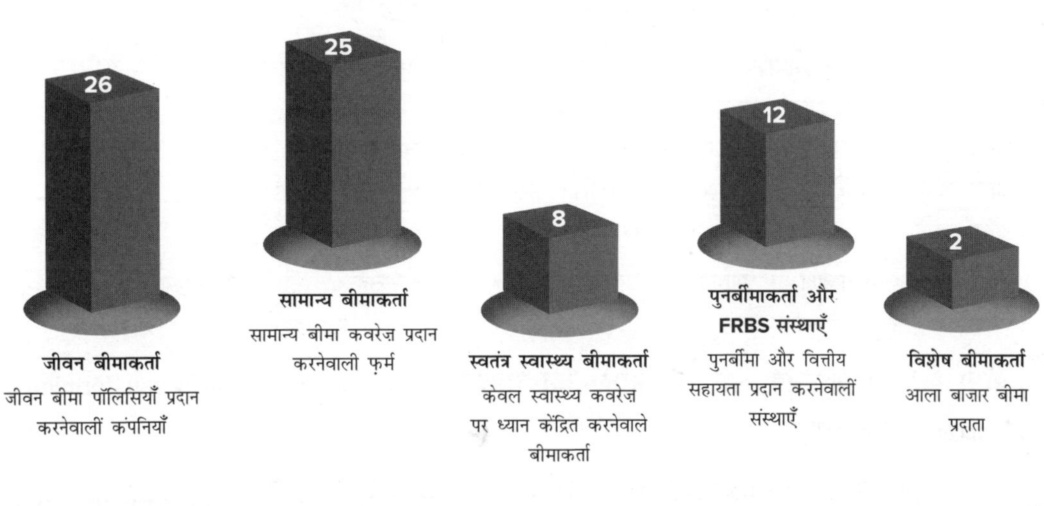

- बैंकिंग सेवाओं के साथ मिलकर बीमा सेवाएँ देश के सकल घरेलू उत्पाद (GDP) में लगभग 7 प्रतिशत का योगदान देती हैं।
- **वर्ष 2023-24 में भारत में बीमा पैठ 3.7 प्रतिशत थी, जबकि 2022-23 में यह 4 प्रतिशत थी।** जीवन बीमा उद्योग के लिए बीमा पैठ पिछले वर्ष के 3 प्रतिशत से मामूली रूप से घटकर 2023-24 के दौरान 2.8 प्रतिशत रह गयी। ग़ैर-जीवन बीमा उद्योग के संबंध में पैठ 2022-23 की तरह 2023-24 के दौरान 1 प्रतिशत पर ही बनी रही। (*स्रोत: IRDAI वार्षिक रिपोर्ट 2023-24*)
- ***स्विस री सिग्मा वर्ल्ड इंश्योरेंस रिपोर्ट*** के अनुसार, **भारत का बीमा बाज़ार वर्तमान में** दुनिया में **10वें स्थान पर है।** अनुमान है कि अगले पाँच वर्षों में भारत, जी20 का सबसे तेज़ी से वृद्धि करनेवाला बाज़ार होगा।

- भारत में **जीवन बीमा घनत्व** वर्ष 2001-02 में 9.1 अमेरिकी डॉलर से बढ़कर वर्ष 2023-24 में 70 अमेरिकी डॉलर हो गया। इसी अवधि में गैर-जीवन बीमा घनत्व 2.4 अमेरिकी डॉलर से बढ़कर 25 अमेरिकी डॉलर हो गया। भारत में **बीमा घनत्व**, वित्त वर्ष 2023 में 92 अमेरिकी डॉलर से बढ़कर वित्त वर्ष 2024 में 95 अमेरिकी डॉलर हो गया।
- **आर्थिक सर्वेक्षण 2024-25** के अनुसार, वित्त वर्ष 2024 में भारत का कुल बीमा प्रीमियम 7.7 प्रतिशत बढ़कर 11.2 लाख करोड़ रुपये पर पहुँच गया। (*भारत के बीमा बाज़ार ने अपनी उर्ध्वाधर गति जारी रखी, वित्त वर्ष 2024 में कुल बीमा प्रीमियम 7.7 प्रतिशत बढ़कर 11.2 लाख करोड़ रुपये तक पहुँच गया।*)
- भारत में **बीमा पैठ** वित्त वर्ष 2023 में 4 प्रतिशत से कुछ कम होकर वित्त वर्ष 2024 में 3.7 प्रतिशत हो गयी। जीवन बीमा पैठ वित्त वर्ष 2023 में 3 प्रतिशत से घटकर वित्त वर्ष 2024 में 2.8 प्रतिशत हो गयी। गैर-जीवन बीमा पैठ 1 प्रतिशत पर स्थिर रही।

कुल मिलाकर, बीमा क्षेत्र आर्थिक विकास के लिए बहुत महत्त्वपूर्ण है, क्योंकि यह न केवल जोखिम वहन क्षमता को मज़बूत करने में सहायक है, अपितु बुनियादी ढाँचे के विकास हेतु दीर्घकालिक आर्थिक सहायता भी प्रदान करता है।

अतिरिक्त जानकारी

भारतीय बीमा विनियामक और विकास प्राधिकरण (IRDAI)
[INSURANCE REGULATORY AND DEVELOPMENT AUTHORITY OF INDIA (IRDAI)]

IRDAI (हैदराबाद में मुख्यालय) को 2000 में पॉलिसीधारकों के हितों की रक्षा करने और हमारे देश में बीमा की क्रमिक वृद्धि सुनिश्चित करने के कर्तव्य के साथ एक वैधानिक निकाय (IRDAI अधिनियम, 1999 के माध्यम से) के रूप में शामिल किया गया था।

IRDAI के मुख्य कार्यों में शामिल हैं :

- बीमा कंपनियों का पंजीकरण और रद्द करना;
- पॉलिसीधारकों के हितों की रक्षा करना;
- बीमा क्षेत्र से संबंधित आवश्यक योग्यता, आचार संहिता, मानक आदि निर्दिष्ट करना;
- बीमा क्षेत्र में दक्षता और व्यावसायिकता को बढ़ावा देना;
- बीमा क्षेत्र से संबंधित नियम बनाना और उनका अनुपालन सुनिश्चित करना;
- बीमा कंपनियों द्वारा धन के निवेश को विनियमित करना;
- बीमा लोकपाल के माध्यम से उपभोक्ता शिकायत निवारण।

संरचना : IRDAI में अध्यक्ष, 5 पूर्णकालिक सदस्य और 4 अंशकालिक सदस्यों सहित 10 सदस्य होते हैं।

बीमा क्षेत्र में बदलाव लाने में IRDAI का महत्त्व (Significance of IRDAI in transforming the Insurance Sector)

- **भारत में बीमा वृद्धि (Insurance Growth in India) :**
  1. **बीमा पैठ** (GDP में बीमा प्रीमियम का प्रतिशत) वर्ष 2001-02 में 2.71 प्रतिशत की तुलना में, **वर्ष 2023-24 में 3.7 प्रतिशत** होगी।
  2. **बीमा घनत्व** (जनसंख्या में बीमा प्रीमियम का अनुपात) वर्ष 2001-02 में **11.5 डॉलर** की तुलना में **2023-24 में 95 डॉलर** होगा।

क्या आप जानते हैं?

वर्ष 2047 तक 'सभी के लिए बीमा (Insurance for All)': IRDAI ने, वर्ष 2047 तक प्रत्येक नागरिक के पास उचित जीवन, स्वास्थ्य और संपत्ति बीमा कवर सुनिश्चित करने की प्रतिबद्धता जतायी है।

बीमा पैठ और घनत्व (Insurance Penetration and Density)

बीमा पैठ और घनत्व दो मात्रिक (मीट्रिक) हैं, जिनका उपयोग अक्सर किसी देश में बीमा क्षेत्र के विकास स्तर का आकलन करने हेतु किया जाता है।

जबकि **बीमा पैठ** को सकल घरेलू उत्पाद में बीमा प्रीमियम के प्रतिशत के रूप में मापा जाता है। **बीमा घनत्व** की गणना प्रीमियम और जनसंख्या (प्रति व्यक्ति प्रीमियम) के अनुपात के रूप में की जाती है।

बीमा पैठ - भारत *बनाम* विश्व (प्रतिशत में)

क्षेत्र	जीवन बीमा		गैर-जीवन बीमा		कुल (जीवन + गैर-जीवन)	
	2022	2023	2022	2023	2022	2023
भारत	3	2.8	1	1	4	3.7
विश्व	2.8	2.9	4	4.2	6.8	7

बीमा घनत्व - भारत *बनाम* विश्व (USD)

क्षेत्र	जीवन बीमा		गैर-जीवन बीमा		कुल (जीवन + गैर-जीवन)	
	2022	2023	2022	2023	2022	2023
भारत	70	70	22	25	92	95
विश्व	354	361	499	528	853	889

घरेलू प्रणालीगत रूप से महत्त्वपूर्ण बीमाकर्ता [(Domestic Systemically Important Insurers (D-SIIs)]

भारतीय बीमा विनियामक और विकास प्राधिकरण (IRDAI) ने निम्नलिखित बीमा कंपनियों की पहचान **घरेलू प्रणालीगत रूप से महत्त्वपूर्ण बीमाकर्ता (D-SIIs)** के रूप में की है:

1. भारतीय जीवन बीमा निगम (Life Insurance Corporation of India)]
2. भारतीय साधारण बीमा निगम (General Insurance Corporation of India), और
3. न्यू इंडिया एश्योरेंस कंपनी (New India Assurance Company)

घरेलू प्रणालीगत रूप से महत्त्वपूर्ण बीमाकर्ता (D-SIIs) के बारे में

- घरेलू प्रणालीगत रूप से महत्त्वपूर्ण बीमाकर्ता (D-SIIs) ऐसे आकार, बाज़ार महत्त्व और घरेलू एवं वैश्विक अंतर्संबंधवाले बीमाकर्ताओं को संदर्भित करते हैं, जिनके संकट या विफलता से घरेलू वित्तीय प्रणाली में महत्त्वपूर्ण अव्यवस्था पैदा होगी। इसलिए, राष्ट्रीय अर्थव्यवस्था के लिए बीमा सेवाओं की निर्बाध उपलब्धता हेतु D-SIIs का निरंतर संचालन महत्त्वपूर्ण है।
- D-SIIs को ऐसे बीमाकर्ता के रूप में माना जाता है जो 'इतने बड़े या बहुत महत्त्वपूर्ण हैं कि विफल नहीं हो सकते' (TBTF) यह धारणा और सरकारी समर्थन की कथित अपेक्षा जोखिम उठाने की क्षमता को बढ़ा सकती है, बाज़ार अनुशासन को कम कर सकती है, प्रतिस्पर्धी विकृतियाँ पैदा कर सकती है और भविष्य में संकट की संभावना को बढ़ा सकती है। इन विचारों के लिए आवश्यक है कि D-SIIs को प्रणालीगत जोखिमों और नैतिक जोखिम संबंधी मुद्दों से निपटने के लिए अतिरिक्त विनियामक उपायों के अधीन किया जाये।

बीमा क्षेत्र में हालिया सुधार (Recent Reforms in Insurance Sector)

1. बीमा क्षेत्र में FDI (FDI in Insurance Sector)

- केंद्रीय बजट 2025-26 में बीमा क्षेत्र के लिए FDI सीमा 74 प्रतिशत से बढ़ाकर 100 प्रतिशत करने का प्रस्ताव किया गया है। यह बढ़ी हुई सीमा उन कंपनियों के लिए उपलब्ध होगी, जो भारत में पूरा प्रीमियम निवेश करती हैं।

2. बीमा क्षेत्र पर संसदीय स्थायी समिति की रिपोर्ट (Parliamentary Standing Committee Report on Insurance Sector)

- वित्त संबंधी स्थायी समिति ने बीमा क्षेत्र के लिए प्रमुख सिफ़ारिशों के साथ वर्ष 2024 में '*बीमा क्षेत्र के प्रदर्शन की समीक्षा और विनियमन*' पर अपनी रिपोर्ट प्रस्तुत की है।

3. बीमा (संशोधन) विधेयक, 2021 [Insurance (Amendment) Bill, 2021]

- यह विधेयक बीमा अधिनियम, 1938 में संशोधन करता है। यह एक भारतीय बीमा कंपनी में अनुमत अधिकतम FDI को 49 प्रतिशत से बढ़ाकर 74 प्रतिशत करने का प्रयास करता है और स्वामित्व और नियंत्रण पर प्रतिबंध हटा देता है।
- विधेयक के अनुसार, बोर्ड के अधिकांश निदेशकों और प्रमुख प्रबंधन व्यक्तियों को निवासी भारतीय होना चाहिए।
- इसके अलावा, विधेयक निर्दिष्ट करता है कि कम-से-कम आधे निदेशकों को स्वतंत्र निदेशक होना चाहिए।

4. सामान्य बीमा व्यवसाय (राष्ट्रीयकरण) संशोधन विधेयक, 2021 [General Insurance Business (Nationalisation) Amendment Bill, 2021]

- इसने **सामान्य बीमा व्यवसाय (राष्ट्रीयकरण) अधिनियम, 1972** में संशोधन किया।
- यह एक निर्दिष्ट बीमाकर्ता में इक्विटी पूँजी का कम-से-कम 51 प्रतिशत रखने के लिए केंद्र सरकार की अनिवार्य आवश्यकता को **दूर करना** चाहता है।
- यह संशोधन निम्नलिखित को पूरा करने का प्रयास करता है - सार्वजनिक क्षेत्र की बीमा कंपनियों में उच्च निजी भागीदारी पर ज़ोर देना, बीमा पैठ का स्तर बढ़ाना और इस प्रकार सामाजिक सुरक्षा सुनिश्चित करना, पॉलिसीधारकों के हितों को बेहतर तरीक़े से सुरक्षित करना और योगदान देना, भारतीय अर्थव्यवस्था के तेज़ विकास में योगदान।
- **केंद्र सरकार को शक्ति** - निर्दिष्ट बीमाकर्ताओं के कर्मचारियों की सेवा के नियमों और शर्तों को सूचित करना।

5. IRDAI (ट्रेड क्रेडिट इंश्योरेंस) दिशानिर्देश, 2021 [IRDAI (Trade Credit Insurance) Guidelines, 2021]

- **संदर्भ :** IRDAI ने हाल ही में जनरल इंश्योरेंस कंपनियों (GIC) के लिए संशोधित दिशानिर्देश जारी किये हैं। सिफ़ारिशें मुख्य रूप से **अनुकूलित कवरेजवाले MSMEs के लिए क्रेडिट बीमा उत्पादों पर केंद्रित हैं।**
- दिशानिर्देश **निर्यात ऋण गारंटी निगम को छोड़कर बीमा अधिनियम 1938 के तहत पंजीकृत सामान्य बीमा** व्यवसाय का लेनदेन करनेवाले सभी बीमाकर्ताओं पर लागू होते हैं।
    - **इसमें शामिल हैं :**
        - वस्तुओं और सेवाओं के विक्रेता और आपूर्तिकर्ता।
        - फ़ैक्टरिंग कंपनियों को फ़ैक्टरिंग रेगुलेशन ऐक्ट, 2011, में परिभाषित किया गया है।
        - बैंक और वित्तीय संस्थान
- बैंकों, वित्तीय संस्थानों और फ़ैक्टरिंग कंपनियों के लिए एक व्यापार क्रेडिट बीमा पॉलिसी को वाणिज्यिक या राजनीतिक जोखिमों के कारण ख़रीदार से भुगतान न मिलने के कारण ख़रीदे गये या छूटवाले बिलों और चालानों पर नुक़सान को शामिल करना चाहिए।
- **फ़ायदे :** यह GIC की सुविधा देता है
    - व्यवसायों को देश जोखिम प्रबंधित करने में मदद करने के लिए;
    - नये बाज़ारों तक पहुँच खोलना;
    - व्यापार वित्तपोषण पोर्टफ़ोलियो से जुड़े ग़ैर-भुगतान जोखिम का प्रबंधन करने के लिए; और

- इन क्षेत्रों की बढ़ती बीमा जोखिम ज़रूरतों को ध्यान में रखते हुए, SMEs और MSMEs के लिए व्यवसायों को बेहतर बनाने के लिए अनुकूलित कवर के साथ व्यापार ऋण बीमा की पेशकश करना।

➤ माइक्रो-इंश्योरेंस संबंधी IRDAI की एक समिति (मिराई चटर्जी समिति) ने कई माइक्रो-इंश्योरेंस मॉडल का सुझाव दिया है, अर्थात् ग़रीब परिवारों के कमानेवाले व्यक्ति की मृत्यु की जोखिमों से निपटने, गंभीर बीमारियों के इलाज, नष्ट हुए घरों के पुनर्निर्माण आदि के लिए।

ऐग्रीकल्चर इंश्योरेंस कंपनी ऑफ़ इंडिया लिमिटेड (Agriculture Insurance Company of India Limited)

➤ यह कृषि क्षेत्र के लिए सार्वजनिक क्षेत्र की बीमा कंपनी है, जो कि किसानों की आवश्यकता की पूर्ति करती है और उनकी फ़सलों के लिए संधारणीय कृषि व्यवस्था सुनिश्चित करती है।

➤ ऐग्रीकल्चर इंश्योरेंस कंपनी ऑफ़ इंडिया लिमिटेड (AICIL) ने 2003 में अपना व्यवसाय शुरू किया और यह 1999 की राष्ट्रीय कृषि बीमा योजना का ध्यान रखती है।

➤ 2016 से, AICIL ने **प्रधानमंत्री फ़सल बीमा योजना (PMFBY)** का संचालन भी शुरू किया।

➤ AICIL के शेयर के अधिकांश हिस्से पर **NABARD (30%)** और **GIC (35%)** का स्वामित्व है।

डिपॉज़िट इंश्योरेंस ऐंड क्रेडिट गारंटी कॉर्पोरेशन (Deposit Insurance and Credit Guarantee Corporation)

➤ डिपॉज़िट इंश्योरेंस ऐंड क्रेडिट गारंटी कॉर्पोरेशन (DICGC) की शुरुआत, 1978 में, डिपॉज़िट इंश्योरेंस कॉर्पोरेशन और क्रेडिट गारंटी कॉर्पोरेशन के विलय के बाद हुई थी।

➤ इसका **उद्देश्य जमाधारकों का संरक्षण** और वित्तीय स्थिरता सुनिश्चित करना था, ताकि बैंकिंग व्यवस्था पर भरोसा बढ़ाया जा सके।

➤ DICGC बैंक में **प्रत्येक जमाकर्ता के 500,000 रुपये की सीमा तक सभी बैंक जमा**, जैसे कि बचत, सावधि, चालू, आवर्ती जमा का बीमा करता है (**जिसे जमा बीमा कहा जाता है**)।

बीमा क्षेत्र की निष्पादन समीक्षा और विनियमन : वित्त पर स्थायी समिति की रिपोर्ट (Performance Review and Regulation of Insurance Sector: Report by Standing Committee on Finance)

वित्त संबंधी स्थायी समिति (श्री जयंत सिन्हा की अध्यक्षता में) ने वर्ष 2024 में **'बीमा क्षेत्र की निष्पादन समीक्षा और विनियमन'** पर अपनी रिपोर्ट प्रस्तुत की। इस रिपोर्ट की कुछ टिप्पणियाँ और अनुशंसाएँ इस प्रकार हैं :

➤ **बीमा व्यवसाय के लिए समग्र लाइसेंस (Composite license for insurance Business)** : बीमा अधिनियम, 1938 और IRDAI के नियम एक इकाई के तहत जीवन, सामान्य या स्वास्थ्य बीमा प्रदान करने के लिए समग्र लाइसेंसीकरण की अनुमति नहीं देते हैं। इस समिति ने बीमा कंपनियों के समग्र लाइसेंसीकरण के लिए एक प्रावधान शुरू करने की सिफ़ारिश की, जो बीमाकर्ताओं की लागत और अनुपालना को कम कर सकता है। यह ग्राहकों को एक ही बीमा प्रदाता से ऑल-इन-वन बीमा तक पहुँच बनाने में सक्षम करेगा।

➤ **स्वास्थ्य बीमा (Health Insurance)** : इस रिपोर्ट के अनुसार, देश की आबादी का एक हिस्सा निर्धनता से ग्रसित होने से मात्र एक मेडिकल बिल दूर है। यह देखा गया है कि किफ़ायती प्रीमियम और कैशलेस सेटलमेंटवाले बीमा उत्पाद अधिक लोगों को स्वास्थ्य बीमा चुनने के लिए प्रोत्साहित करेंगे। रिपोर्ट में सिफ़ारिश की गयी है कि आयुष्मान भारत योजना का विस्तार किया जा सकता है, ताकि जो लोग इस योजना के अंतर्गत नहीं आते हैं, उन्हें भुगतान के आधार पर इसका विकल्प चुनने की अनुमति दी जा सके।

- **मध्यम वर्ग की वंचना (Missing Middle) :** आबादी के एक महत्त्वपूर्ण हिस्से के पास **पर्याप्त स्वास्थ्य बीमा कवरेज़ नहीं है**, जिन्हें मध्यम वर्ग की वंचना (मिसिंग मिडिल) के रूप में पहचाना गया है।
- **GST में कमी (Reduction in GST) :** रिपोर्ट ने स्वास्थ्य और सावधि बीमा (टर्म बीमा) उत्पादों पर मौजूदा 18 प्रतिशत GST दर को कम करने की सिफ़ारिश की है।
- **सूक्ष्म बीमा (Micro Insurance) :** इस रिपोर्ट में सिफ़ारिश की गयी है कि नये सूक्ष्म बीमा उत्पादों को विकसित करने और सस्ती दरों पर उपलब्ध कराने की आवश्यकता है। इसने छोटे और विशिष्ट बीमा प्रदाताओं को प्रोत्साहित करने हेतु ₹100 करोड़ की न्यूनतम पूँजी आवश्यकता को कम करने की सिफ़ारिश की है।

सरकार समर्थित बीमा योजनाएँ (Insurance Schemes backed by Government)

आयुष्मान भारत - प्रधानमंत्री जन आरोग्य योजना (Ayushman Bharat – Pradhan Mantri Jan Arogya Yojana)

- यह देश के परिवारों के लिए सरकार द्वारा संचालित स्वास्थ्य बीमा कार्यक्रम है।
- योजना के अंतर्गत निजी स्वास्थ्य केंद्रों सहित द्वितीय तथा तृतीय श्रेणी के अस्पतालों में उपचार के लिए **परिवारों को प्रतिवर्ष ₹5 लाख** का स्वास्थ्य बीमा कवरेज प्रदान किया जा रहा है। योजना के अंतर्गत लाभार्थियों का चयन सामाजिक आर्थिक जाति जनगणना [Socio Economic Caste Census (SECC)] के अनुसार अभाव तथा व्यावसायिक मानदंडों पर आधारित है।
- PM-JAY को पहले राष्ट्रीय स्वास्थ्य सुरक्षा योजना (National Health Protection Scheme – NHPS) के नाम से जाना जाता था, जिसका बाद में नया नाम PM-JAY दिया गया। इसमें तत्कालीन मौजूदा राष्ट्रीय स्वास्थ्य बीमा योजना (RSBY) सम्मिलित थी, जिसे वर्ष 2008 में शुरू किया गया था। इसलिए, PM-JAY के तहत उल्लिखित कवरेज़ में वे परिवार भी सम्मिलित हैं जो RSBY में सम्मिलित थे, लेकिन SECC 2011 डेटाबेस में मौजूद नहीं हैं। PM-JAY, पूर्णत: सरकार द्वारा वित्तपोषित है तथा इसके कार्यान्वयन की लागत केंद्र और राज्य सरकारों के बीच 60:40 के अनुपात में साझा की जाती है। पूर्वोत्तर राज्यों और तीन हिमालयी राज्यों (अर्थात् जम्मू और कश्मीर, हिमाचल प्रदेश और उत्तराखंड) हेतु यह अनुपात 90:10 है।

आम आदमी बीमा योजना (Aam Aadmi Bima Yojana)

- आम आदमी बीमा योजना ग्रामीण क्षेत्र के भूमिहीन परिवार के लिए एक सामाजिक सुरक्षा योजना (Social Security Scheme) है, जिसके अंतर्गत ऐसे परिवार के मुखिया या परिवार के एक कमाऊ सदस्य को कवरेज मिलता है।
- **प्रतिवर्ष प्रतिव्यक्ति ₹200** प्रीमियम केंद्र सरकार तथा राज्य सरकार द्वारा समान रूप से प्रदान किया जाता है। इस प्रकार, बीमाधारक व्यक्ति को कोई प्रीमियम नहीं देना पड़ता।
- कवर किये जानेवाले व्यक्ति की उम्र **18 से 59** वर्ष होनी चाहिए।
- इस योजना के अंतर्गत निम्नलिखित लाभ हैं :
    - **प्राकृतिक मौत पर** – ₹30,000
    - **दुर्घटना से मौत या दुर्घटना के कारण स्थायी रूप से पूर्ण विकलांगता पर** (दो आँखों या दो पैरों का नुक़सान) – ₹75,000
    - दुर्घटना के कारण आंशिक रूप से स्थायी विकलांगता पर (एक आँख या एक पैर का नुक़सान) – ₹37,500
- 'आम आदमी बीमा योजना प्रीमियम कोष' नाम से एक कोष की स्थापना केंद्र सरकार द्वारा की गयी, जिसका उद्देश्य केंद्र सरकार द्वारा योगदान का भुगतान करना है।
- यह योजना **श्रम एवं रोज़गार मंत्रालय** द्वारा कार्यान्वित की जाती है।

प्रधानमंत्री जीवन ज्योति बीमा योजना (Pradhan Mantri Jeevan Jyoti Bima Yojana)

- PMJJBY भारत में सरकार समर्थित **जीवन बीमा योजना (life insurance scheme) है**, जिसकी शुरुआत 2015 में हुई थी।
- इसकी शुरुआत से पहले, भारत की आबादी के केवल 20 प्रतिशत लोगों ने किसी प्रकार का बीमा कराया था। इस योजना का उद्देश्य यह संख्या बढ़ाना है।
- प्रधानमंत्री जीवन ज्योति बीमा योजना (PMJJBY) **18 से 50 वर्ष** के लोगों के लिए उपलब्ध हैं, **जिनके पास बैंक खाते हैं**। इसमें ₹436 का **वार्षिक प्रीमियम** है, जिसमें सेवा कर सम्मिलित नहीं है।
- यह राशि खाते से स्वत: डेबिट हो जायेगी। किसी कारण से हुई मौत की स्थिति में नियोजित व्यक्ति को **₹2 लाख** का भुगतान किया जायेगा।
- यह योजना **वित्त मंत्रालय** के अंतर्गत वित्तीय सेवा विभाग द्वारा कार्यान्वित की जाती है।

प्रधानमंत्री सुरक्षा बीमा योजना (Pradhan Mantri Suraksha Bima Yojana)

- यह भारत में सरकार समर्थित दुर्घटना बीमा योजना (accident insurance scheme) है।
- भारत सरकार द्वारा इसकी शुरुआत 2015 में की गयी।
- यह **18 से 70 वर्ष** के लोगों को उपलब्ध है, जिनके पास बैंक खाते हैं।
- इसमें ₹20 का वार्षिक प्रीमियम है, जिसमें सेवा कर सम्मिलित नहीं है।
- दुर्घटनावश हुई मौत या पूर्ण विकलांगता की स्थिति में नियोजित व्यक्ति को **₹2 लाख** तथा आंशिक विकलांगता में **₹1 लाख** का भुगतान किया जायेगा।
- इस योजना के साथ कोई परिपक्वता लाभ (maturity benefit) या समर्पण लाभ (surrender benefit) उपलब्ध नहीं है।
- यह योजना एक वर्ष के कवर के लिए है और इसे साल-दर-साल नवीनीकृत किया जा सकता है।
- यह योजना भी **वित्त मंत्रालय** के तहत वित्तीय सेवा विभाग द्वारा कार्यान्वित की जाती है।

सूक्ष्म बीमा (MICRO INSURANCE)

सूक्ष्म बीमा (माइक्रो इंश्योरेंस), खास तौर पर निम्न आयवाले लोगों की सुरक्षार्थ है, जिसमें उन्हें वित्तीय नुक़सान से निपटने और उबरने में मदद करनेवाले किफ़ायती बीमा उत्पाद हैं। वंचित वर्ग के लिए बीमा की आवश्यकता को नज़रअंदाज़ नहीं किया जा सकता, क्योंकि समाज का यह वर्ग कई जोखिमों से गंभीर स्तर पर ग्रसित है, जिसके कारण अंतत: ऐसी अनिश्चित स्थितियों का सामना करने में असमर्थता होती है। इसलिए, सूक्ष्म बीमा की भूमिका अपरिहार्य हो जाती है।

यह वित्तीय समावेशन की प्रक्रिया से जुड़े उपकरणों में से एक है। सूक्ष्म बीमा 'समावेशी बीमा (inclusive insurance)' नामक व्यापक श्रेणी के अंतर्गत आता है।

- सूक्ष्म बीमा में वितरण संबंधी चुनौती के समाधान हेतु अतीत में कई प्रयास किये गये हैं। वर्ष 2005 में शुरू की गयी 'सूक्ष्म बीमा एजेंट (माइक्रो इंश्योरेंस एजेंट)' की अवधारणा का उद्देश्य इस क्षेत्र में ज़्यादा-से-ज़्यादा बिचौलियों को आकर्षित करना और सहकारी समितियों एवं SHGs जैसे तृणमूल स्तर के संगठनों द्वारा निम्न आयवाले वर्ग के एक बड़े हिस्से के साथ प्राप्त संपर्क (कनेक्शन) का लाभ उठाना था।
- IRDAI (सूक्ष्म बीमा) विनियम, 2015, सूक्ष्म बीमा हेतु पात्रता मानदंड, उत्पाद सुविधाएँ, वितरण चैनल और रिपोर्टिंग आवश्यकताओं को परिभाषित करते हैं।
- इन विनियमों के अनुसार, जीवन या पेंशन या स्वास्थ्य लाभ प्रदान करनेवाले बीमा उत्पाद के अंतर्गत बीमित राशि ₹2,00,000 से अधिक नहीं होगी।

सूक्ष्म बीमा वितरण में प्रमुख चुनौतियाँ निम्न हैं :

➤ छोटे टिकट आकार के साथ-साथ उच्च लेनदेन और सेवा वितरण लागत।

➤ ऐसे व्यवसाय मॉडल का अभाव, जो अच्छे बिचौलियों को आकर्षित कर सके।

➤ बिचौलियों की क्षमता का निर्माण।

➤ बीमा कैसे काम करता है, इस बारे में बुनियादी जागरूकता और ज्ञान का अभाव।

बीमा क्षेत्र में चुनौतियाँ और संभावनाएँ (CHALLENGES AND POSSIBILITIES IN THE INSURANCE SECTOR)

चुनौतियाँ	संभावनाएँ
• बीमा की पैठ और बीमा घनत्व का कम होना • बीमा से जुड़ी धोखाधड़ी की घटनाओं में हाल ही में वृद्धि हुई है, जिसमें मुख्य रूप से झूठे एवं भ्रामक दावे, पहचान की चोरी करके ग़लतबयानी करना आदि सम्मिलित हैं। • इस क्षेत्र में विश्वसनीयता का अभाव। • भारत में दावों की जटिल प्रक्रिया, जिसके परिणामस्वरूप अक्सर ग्राहक असंतुष्ट रहते हैं तथा बीमा उद्योग में विश्वास की कमी होती है। • विशेष रूप से गै़र-जीवन बीमा में नवीन उत्पादों की कमी। • सार्वजनिक क्षेत्र का प्रभुत्व। • ग्रामीण-शहरी और अमीर-ग़रीब के बीच बहुत बड़ा अंतर। ग्रामीण क्षेत्रों में कम पैठ और जागरूकता का अभाव। • पूँजी की कमी से जूझ रही बीमा कंपनियाँ। • जलवायु परिवर्तन, भू-राजनीतिक अनिश्चितता और बढ़ती जीवन प्रत्याशा जैसे बढ़ती जोखिम।	• भारत के बीमा क्षेत्र में अगले पाँच वर्षों (2024-28) में 11.1% की वृद्धि होने का अनुमान है, जिससे यह G20 देशों में सबसे द्रुत गति से वृद्धि करनेवाला क्षेत्र बन जायेगा। • अधिक अमीर लोगों के लिए माइक्रो-इंश्योरेंस, बैन-कैश्योरेंस आदि जैसे विचारों की संभावनाओं का पता लगाना। • बैंकिंग संवाददाताओं, लघु वित्त बैंकों, भुगतान बैंकों आदि की मदद लेना। • IRDAI की सक्रिय भूमिका - केवल पर्यवेक्षण तक सीमित नहीं। • सरल और पारदर्शी 'नियम और शर्तें'। • धोखाधड़ी की प्रथाओं की रोकथाम करना - इस क्षेत्र में विश्वसनीयता में सुधार करना। • तकनीकी उन्नयन और नये बीमा उत्पादों की शुरुआत

संक्षिप्त विवरण

➤ **जीवन बीमा (Life Insurance) –** बीमित व्यक्ति की मृत्यु पर या निर्दिष्ट पॉलिसी अवधि के बाद भुगतान करता है।

➤ **सामान्य (गै़र-जीवन) बीमा [General (Non-Life) Insurance]** - स्वास्थ्य, संपत्ति, ऑटोमोबाइल, फ़सल आदि जैसी जोखिमों को कवर करता है।

➤ **बीमा मध्यस्थ (Insurance Intermediaries)** - उपभोक्ताओं और बीमा कंपनियों के बीच एजेंट के रूप में काम करते हैं; इसमें व्यक्तिगत एजेंट, कॉर्पोरेट एजेंट, दलाल, सर्वेक्षक (नुक़सान के आकलन हेतु) और तीसरे पक्ष के प्रशासक (विशेष रूप से स्वास्थ्य बीमा में) सम्मिलित हैं।

➤ **बीमा घनत्व (Insurance Density)** - प्रीमियम का प्रतिव्यक्ति अनुपात, जो बीमा उपयोग की सीमा को दर्शाता है।

➤ **बीमा पैठ (Insurance Penetration)** - सकल घरेलू उत्पाद का प्रतिशत, जो कुल बीमा प्रीमियम को दर्शाता है।

- **स्वतंत्रता से पहले (Pre-Independence)** - जीवन बीमा की शुरुआत वर्ष 1818 में ओरिएंटल लाइफ़ इंश्योरेंस कंपनी के साथ हुई थी।
- **जीवन बीमा का राष्ट्रीयकरण (Nationalisation of life insurance)** - वर्ष 1956 में - LIC के गठन का कारण बना।
- **सामान्य बीमा (General insurance)** - वर्ष 1972 में राष्ट्रीयकृत किया गया - बाद में कई संस्थाओं (GIC और इसकी सहायक कंपनियों) में पुनर्गठित किया गया।
- **भारतीय बीमा विनियामक और विकास प्राधिकरण [Insurance Regulatory and Development Authority of India (IRDAI)] की स्थापना** - वर्ष 2000 में।
- **सूक्ष्म बीमा (Micro insurance)** - निम्न आयवाले समूहों के लिए निर्मित - वित्तीय घाटे से उबरने में उनकी मदद करने हेतु वहनीय दर पर सुरक्षा प्रदान करता है - वित्तीय समावेशन को बढ़ाता है, लेकिन इसमें उच्च लेनदेन लागत और कम जागरूकता जैसी चुनौतियाँ भी मौजूद हैं।

यूपीएससी सिविल सेवा के पिछले वर्षों की प्रारंभिक परीक्षा के प्रश्न

☞ **कोई प्रश्न नहीं**

2024, 2023, 2022, 2021, 2020, 2019, 2018, 2017, 2016, 2015, 2014, 2013

यूपीएससी सिविल सेवा के पिछले वर्षों की मुख्य परीक्षा के प्रश्न

☞ **कोई प्रश्न नहीं**

2024, 2023, 2022, 2021, 2020, 2019, 2018, 2017, 2016, 2015, 2014, 2013

अध्याय 24

अवसंरचना (Infrastructure)

अध्याय की रूपरेखा

- आर्थिक विकास में अवसंरचना का योगदान
- आर्थिक विकास की अनिवार्य शर्त के रूप में अवसंरचनात्मक विकास
- अवसंरचना का वित्त पोषण और विभिन्न मॉडल
- अवसंरचना क्षेत्र की वर्तमान चुनौतियाँ
- सरकार द्वारा हाल में किये गये प्रयास
- प्रधानमंत्री गति-शक्ति पहल
- राष्ट्रीय अवसंरचना पाइपलाइन
- राष्ट्रीय मुद्रीकरण पाइपलाइन
- राष्ट्रीय निवेश और अवसंरचना फ़ंड
- राष्ट्रीय रसद नीति
- क्षेत्र-वार निष्पादन और सरकारी पहलें
- ऊर्जा क्षेत्र
- ऊर्जा क्षेत्र के अंतर्गत प्रमुख उप-क्षेत्रों का निष्पादन
- कोयला
- कच्चा तेल
- प्राकृतिक गैस
- परिवहन क्षेत्र
- सड़क परिवहन
- रेल परिवहन
- नागरिक उड्डयन
- जल परिवहन
- पाइपलाइन
- दूरसंचार क्षेत्र
- स्मार्ट सिटी मिशन

अवसंरचना (Infrastructure) का अर्थ किसी क्षेत्र या राष्ट्र की बुनियादी भौतिक प्रणालियों से है, जो सामाजिक-आर्थिक विकास को सुविधाजनक बनाती है और अर्थव्यवस्था में उत्पादन संबंधी गतिविधियों को बढ़ावा देती है।

अवसंरचना की मुख्य विशेषताएँ हैं :-

- भौतिक अवसंरचना सेवाओं में **जनता के हित** (public good) का तत्व होता है।
- अवसंरचना में **बाह्यता** (**externalities**) होती है, अर्थात् अवसंरचना सेवाओं से प्राप्त होनेवाला लाभ इसके निर्माण में लगी लागत से अधिक होता है।
- अवसरंचना विकास क्षेत्र में **सार्वजनिक क्षेत्र का प्रभुत्व** (Public sector domination) पाया जा सकता है। यद्यपि, सरकारी पहलों के माध्यम से सार्वजनिक-निजी भागीदारीवालीं [public–private partnership (PPP)] परियोजनाओं को बढ़ावा दिया जा रहा है।

क्या आप जानते हैं? ***विश्व आर्थिक मंच*** **(World Economic Forum)** के अनुसार, अवसंरचना में विश्व स्तर पर 2040 तक 79 ट्रिलियन अमेरिकी डॉलर के निवेश का अनुमान है।

अवसंरचना का वर्गीकरण (CLASSIFICATION OF INFRASTRUCTURE)

आर्थिक अवसंरचना (Economic Infrastructure)	सामाजिक अवसंरचना (Social Infrastructure)
यह **बिजली, परिवहन और संचार** जैसी सभी सुविधाओं को प्रस्तुत करती है, जो आर्थिक विकास की प्रक्रिया में सहयोग प्रणाली के रूप में कार्य करती हैं।	यह **स्कूल, कॉलेज, अस्पताल, पार्क** इत्यादि जैसे सामाजिक परिवर्तनों के केंद्रीय अवयवों को प्रस्तुत करती है, जो किसी देश के मानव विकास सूचकांक [Human Development Index (HDI)] को ऊपर उठाता है। यह मुख्य रूप से मानव संसाधन विकास पर केंद्रित होती है।
इसे कठोर अवसंरचना (hard infrastructure) के रूप में भी जाना जाता है।	*इसे मृदु अवसंरचना (soft infrastructure) के रूप में भी जाना जाता है।*
इसके लिए बड़े पूँजी-निवेश की आवश्यकता होती है।	इसके लिए अपेक्षाकृत कम पूँजी-निवेश की आवश्यकता होती है।
दोनों की पूरक प्रकृति (Complementary Nature) : ऊर्जा के स्रोत, परिवहन के बेहतर साधन और संचार, जो आर्थिक अवसंरचना के अंतर्गत आते हैं, आर्थिक विकास के लिए बहुत जरूरी होते हैं। लेकिन इस आर्थिक विकास का कोई लाभ नहीं होगा; यदि देश की जनसंख्या निरक्षर और अस्वस्थ हो। इस प्रकार, दोनों पर व्यापक रूप से ध्यान केंद्रित करना देश के सर्वांगीण आर्थिक विकास की कुंजी है।	

महत्त्वपूर्ण बुनियादी ढाँचा (Critical Infrastructure) : महत्त्वपूर्ण बुनियादी ढाँचे में समाज और अर्थव्यवस्था को चलाने के लिए महत्त्वपूर्ण आवश्यक प्रणालियाँ, सुविधाएँ और संपत्तियाँ शामिल हैं। ये बुनियादी ढाँचे बाधित होने पर सार्वजनिक सुरक्षा, संरक्षा, स्वास्थ्य और आर्थिक स्थिरता पर संभावित प्रभाव के कारण अनिवार्य हैं। उनमें परस्पर जुड़े हुए और परस्पर निर्भर भौतिक और आभासी घटक शामिल हैं।

महत्त्वपूर्ण बुनियादी ढाँचे में ऊर्जा (बिजली संयंत्र, ग्रिड), परिवहन (हवाई अड्डे, राजमार्ग), जल आपूर्ति (उपचार संयंत्र, जलाशय), संचार (इंटरनेट, दूरसंचार), वित्तीय सेवाएँ (बैंक, स्टॉक एक्सचेंज), आपातकालीन सेवाएँ (अस्पताल, पुलिस), सरकारी सुविधाएँ, खाद्य/कृषि, साइबर सुरक्षा और विनिर्माण शामिल हैं। इन प्रणालियों में व्यवधान सार्वजनिक सुरक्षा, स्वास्थ्य और आर्थिक स्थिरता को प्रभावित कर सकता है।

आर्थिक विकास में अवसंरचना का योगदान (Contribution of Infrastructure in Economic Development)

अवसंरचना के होने से :-

1. तीनों क्षेत्रों - कृषि, उद्योग और सेवाओं में उत्पादकता में वृद्धि।
2. पिछड़े क्षेत्रों का विकास और क्षेत्रीय असंतुलन को दूर करना।
3. हाशिये पर रहनेवाले वर्गों के लिए अवसरों को बढ़ाकर सामाजिक परिवर्तन।
4. बढ़े हुए निवेश और पूँजी निर्माण के माध्यम से रोज़गार सृजन।
5. ग्रामीण क्षेत्रों में शहरी सुविधाएँ उपलब्ध कराना।

6. तेज़ी से और समावेशी विकास।
7. सीमावर्ती क्षेत्रों में सीमा सड़क संगठन द्वारा किये गये कार्य, जैसे राष्ट्रीय सुरक्षा।

आर्थिक विकास की अनिवार्य शर्त के रूप में अवसंरचनात्मक विकास (Infrastructural Development as a *Sine Qua Non* of Economic Development)

अवसंरचना का विकास निश्चित रूप से आर्थिक विकास की एक अनिवार्य शर्त है। उदाहरणस्वरूप, विभिन्न उद्योगों की स्थापना और विकास सहित आर्थिक विकास के प्रमुख तत्व सीधे देश के ढाँचागत विकास पर निर्भर हैं। इस तरह के ढाँचागत विकास में ऊर्जा और विद्युत, परिवहन और संचार का विकास, अनुसंधान और विकास और अंतरिक्ष आदि से संबंधित बेहतर प्रौद्योगिकियाँ शामिल हैं। इसके अलावा, भारत के उभरते सेवा क्षेत्र का विकास और इस देश की विशाल आबादी की दक्षता से जुड़े हुए हैं। इस प्रकार, सॉफ्ट इंफ्रास्ट्रक्चर का विकास, जिसमें बेहतर वित्तीय प्रणाली, शिक्षा प्रणाली, स्वास्थ्य देखभाल प्रणाली, सुशासन, क़ानून प्रवर्तन और आपातकालीन सेवाएँ शामिल हैं, सबसे महत्त्वपूर्ण है।

अत: यदि अवसंरचना के विकास पर पर्याप्त ध्यान नहीं दिया गया, तो यह देश के आर्थिक विकास में बाधा उत्पन्न करेगा।

अवसंरचना का वित्त पोषण और विभिन्न मॉडल (FUNDING OF INFRASTRUCTURE AND VARIOUS MODELS)

अवसंरचना का वित्त पोषण भारी निवेश के माध्यम से किया जाता है। निवेश के विभिन्न मॉडल हैं :-

- **सार्वजनिक निवेश मॉडल (Public Investment Model) :** इस मॉडल में सरकार अपने संसाधनों के माध्यम से निवेश करती है।
- **निजी निवेश मॉडल (Private Investment Model) :** निजी कंपनियों और संस्थाओं के माध्यम से आनेवाला निवेश निजी निवेश के अंतर्गत आता है; इसमें घरेलू और विदेशी, दोनों निवेश सम्मिलित हैं।
- **सार्वजनिक-निजी भागीदारी मॉडल [Public–Private Partnership (PPP) Model] :-** इस मॉडल का लक्ष्य सरकारी कार्यक्रमों को निजी भागीदारी के साथ कार्यान्वित करना है। इस मॉडल के माध्यम से निजी क्षेत्र को देश के सार्वजनिक क्षेत्र के कार्यक्रमों एवं परियोजनाओं को डिज़ाइन करने और संचालित करने का अवसर मिलता है।

  (PPP) मॉडल के कई प्रकार हैं।

हाल के वर्षों में, सरकार ने पूँजीगत व्यय में बढ़ोतरी के माध्यम से बुनियादी ढाँचे के विकास और निवेश के लिए एक बढ़ी हुई गति प्रदान की है। पूँजीगत व्यय परिव्यय को वित्त वर्ष 2025-26 में ₹11.21 लाख करोड़ तक बढ़ा दिया गया है।

केंद्र सरकार ने पिछले 5 वर्षों में पूँजीगत व्यय में भारी वृद्धि की है।

नवीनतम वर्षों में बजट में पूँजी व्यय परिव्यय (Capital Expenditure Outlay in Budgets in latest Years)

क्रमांक	बजट वर्ष	राशि (रुपये में)	वृद्धि	जीडीपी का प्रतिशत
1	2024-25 (BE)	11.11 लाख करोड़	11.1%	3.1%
2	2023-24 (BE)	10 लाख करोड़	37.4%	4%
3	2022-23 (RE)	7.28 लाख करोड़	35%	2.9%

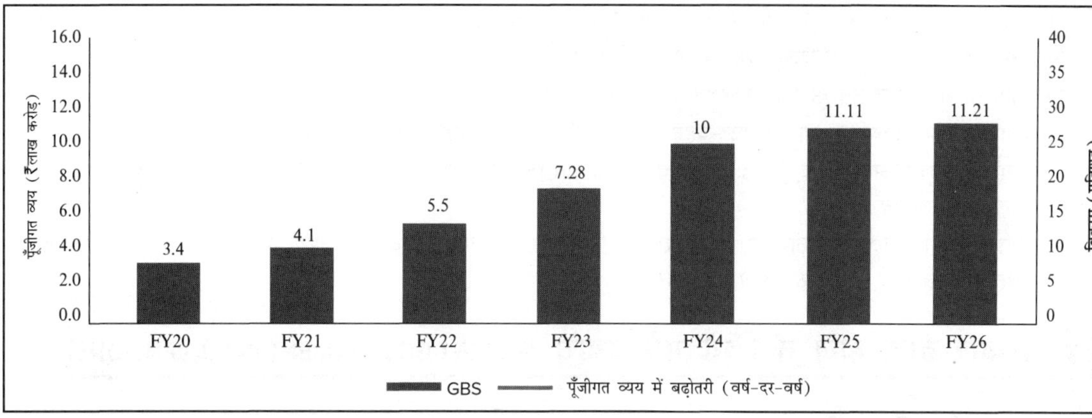

स्रोत : आर्थिक सर्वेक्षण, 2024-25 और केंद्रीय बजट, 2025-26

अतिरिक्त जानकारी

क्या अवसंरचना क्षेत्र के निजीकरण और व्यवसायीकरण की आवश्यकता है?
(IS THERE A NEED FOR PRIVATISATION AND COMMERCIALISATION OF INFRASTRUCTURE)?

हाँ, भारत में अवसंरचना क्षेत्र के निजीकरण एवं व्यवसायीकरण की आवश्यकता है। इसके निम्न कारण हैं :-

- **विशाल निवेश की ज़रूरत (Huge Investment Needs)–** विशेषरूप से भारत जैसे विकासशील देश में सरकार के लिए निवेश की सभी ज़रूरतों को पूरा करना कठिन होता है।
- **सार्वजनिक क्षेत्र में प्रबंधन संबंधी समस्याएँ (Managerial Issues)–** सार्वजनिक क्षेत्र की मानव संसाधन कार्यप्रणाली में दक्षता का अभाव होता है, जिससे परियोजना पूरी होने में देरी होती है और अवसंरचना परियोजनाओं की लागत बढ़कर कई गुना अधिक हो जाती है।
- **प्रौद्योगिकीय वातावरण में गतिशील परिवर्तन (Dynamic Changes in the Technological Environment)–** यह सरकार के सामने प्रमुख चुनौतियों में से एक है, क्योंकि तकनीकी प्रगति देश की आर्थिक वृद्धि एवं विकास के लिए अनिवार्य है। वर्तमान में, अधिकांश विशाल तकनीकी संगठन निजी संस्थाओं द्वारा नियंत्रित और उनके स्वामित्व में हैं और वे देश के विकास के लिए सरकार के साथ मिलकर काम करते हैं।
- **वैश्विकीकरण या ग्लोबलाइज़ेशन (Globalisation)–** बटन दबाते ही फ़ंड का उपलब्ध हो जाना; विदेशी निवेश को आकर्षित करने का मुख्य कारक है।
- **विश्व पूँजी बाज़ार में नयी गतिशीलता (New Dynamics in World Capital Market)–** जिसके परिणामस्वरूप, **निजी क्षेत्र** की पहुँच उन संसाधनों तक हो जाती है, जो अवसंरचना के लिए ज़रूरी होते हैं।

अवसंरचना क्षेत्र की वर्तमान चुनौतियाँ (PRESENT CHALLENGES IN INFRASTRUCTURE SECTOR)

- समय की अधिकता और लागत की अधिकता के संदर्भ में PPP निवेश मॉडल (विशेषकर बिजली और दूरसंचार परियोजनाओं में) की ख़राब कार्यप्रणाली। परियोजनाओं में अधिक समय लगने से तात्पर्य योजनाबद्ध समापन तिथि से आगे देरी से है, जो अक्सर ख़राब योजना, दायरे में बदलाव, संसाधन की कमी या बाहरी कारकों के कारण होता है। इससे समय सीमा से चूक सकते है, लाभ में देरी हो सकती है और लागत बढ़ सकती है। लागत की अधिकता से तात्पर्य ग़लत अनुमानों, दायरे में बदलाव या अप्रत्याशित जोखिमों के कारण बजट से अधिक होनेवाले परियोजना व्यय से है। दोनों ही प्रकार की अतिरेकताएँ हितधारकों, परियोजना के वित्त, संसाधन आवंटन और संगठनात्मक प्रतिष्ठा पर नकारात्मक प्रभाव डालते हैं।

- भूमि और वन की मंज़ूरी के मुद्दे, जो देरी का कारण बनते हैं, इत्यादि।
- निजी अवसंरचना कंपनियों की बैलेंस-शीट में फ़ंड की कमी।
- परियोजना के कार्य-संचालन के लिए प्रभावकारी योजना का अभाव।
- सड़क परिवहन पर अत्यधिक बोझ (*माल-वहन का 60 प्रतिशत और यात्री-यातायात का 80 प्रतिशत*)।
- पुरानी एवं अप्रयुक्त अवसंरचना (Obsolete infrastructure) (*उदाहरण के लिए, रेलवे के लगभग 80 प्रतिशत उपकरणों को बदलने की ज़रूरत है*)।
- तकनीकी में धीमी गति का उन्नतीकरण। (*उदाहरण के लिए, उपग्रह-आधारित नेवीगेशन जैसी प्रौद्योगिकी का प्रयोग मोटर ड्राइवरों के केवल एक छोटे से भाग द्वारा किया जाता है।*)

सरकार द्वारा हाल में किये गये प्रयास (RECENT GOVERNMENT INTERVENTIONS)

प्रधानमंत्री गति-शक्ति पहल (PM Gati-Shakti Initiative)

- हाल ही में शुरू की गयी **प्रधानमंत्री गति-शक्ति - मल्टी-मॉडल कनेक्टिविटी के लिए राष्ट्रीय मुख्य योजना (PM Gati-Shakti – National Master Plan for Multi-modal Connectivity)**, अनिवार्य रूप से एकीकृत योजना और बुनियादी ढाँचा कनेक्टिविटी परियोजनाओं के समन्वित कार्यान्वयन के लिए रेल और सड़क परिवहन सहित 16 मंत्रालयों को एक साथ लाने के लिए एक डिजिटल प्लेटफ़ॉर्म है।
- मल्टी-मॉडल कनेक्टिविटी परिवहन के एक मोड से दूसरे मोड में लोगों, वस्तुओं और सेवाओं की आवाजाही के लिए एकीकृत और निर्बाध कनेक्टिविटी प्रदान करेगा।

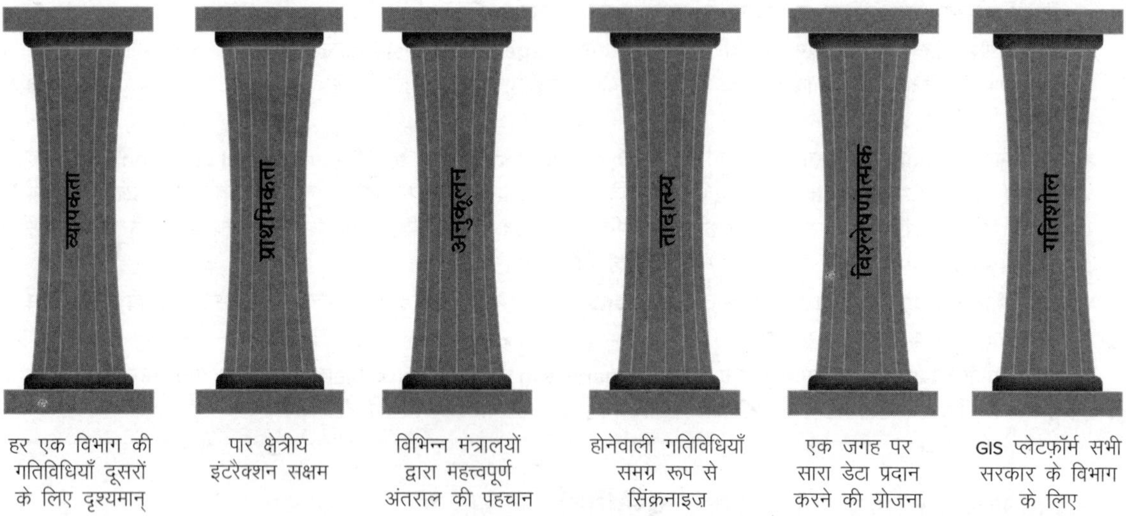

पीएम गति-शक्ति के छह स्तंभ

- यह बुनियादी ढाँचे की अंतिम छोर तक कनेक्टिविटी की सुविधा प्रदान करेगा और लोगों के लिए यात्रा के समय को भी कम करेगा।
- यह भारतमाला, सागरमाला, अंतर्देशीय जलमार्ग, शुष्क/भूमि बंदरगाहों, उड़ान आदि जैसे विभिन्न मंत्रालयों और राज्य सरकारों की बुनियादी ढाँचा योजनाओं को शामिल करेगा।

- कनेक्टिविटी में सुधार और भारतीय व्यवसायों को अधिक प्रतिस्पर्धी बनाने के लिए टेक्सटाइल क्लस्टर, फ़ार्मास्युटिकल क्लस्टर, डिफ़ेंस कॉरिडोर, इलेक्ट्रॉनिक पार्क, इंडस्ट्रियल कॉरिडोर, फ़िशिंग क्लस्टर, ऐग्री ज़ोन जैसे आर्थिक क्षेत्र शामिल किये जायेंगे।
- यह BiSAG-N **[भास्कराचार्य नेशनल इंस्टीट्यूट फ़ॉर स्पेस ऐप्लीकेशन ऐंड जियोइन्फ़ॉर्मेटिक्स (Bhaskaracharya National Institute for Space Applications and Geoinformatics)]** द्वारा विकसित ISRO (भारतीय अंतरिक्ष अनुसंधान संगठन) इमेजरी के साथ स्थानिक नियोजन उपकरणों सहित व्यापक रूप से प्रौद्योगिकी का लाभ उठायेगा।

राष्ट्रीय अवसंरचना पाइपलाइन [National Infrastructure Pipeline (NIP)]

- अभी हाल ही में, **2019** में भारत सरकार द्वारा राष्ट्रीय अवसंरचना पाइपलाइन NIP की घोषणा की गयी है।
- **NIP विभिन्न अवसंरचना परियोजनाओं का एक समूह** है, जिसे 5 वर्ष के लिए संचालित किया जाना है। इसका उद्देश्य 5 ट्रिलियन अमेरिकी डॉलर के GDP लक्ष्य को प्राप्त करना है।
- NIP के अंतर्गत **दोनों आर्थिक एवं सामाजिक अवसंरचना** परियोजनाओं का लक्ष्य रखा गया है और यह बुनियादी ढाँचे में घरेलू और विदेशी निवेश को आकर्षित करने की भी कोशिश करेगी।
- इस अनुमानित पूँजीगत व्यय को निम्न तरीक़े से आवंटित किया जाना है :
  - ऊर्जा क्षेत्र – NIP का 24 प्रतिशत
  - सड़क – NIP का 19 प्रतिशत
  - शहरी क्षेत्र – NIP का 16 प्रतिशत
  - रेलवे – NIP का 13 प्रतिशत
  - शेष अन्य – NIP का 28 प्रतिशत

  } कुल = 100 प्रतिशत

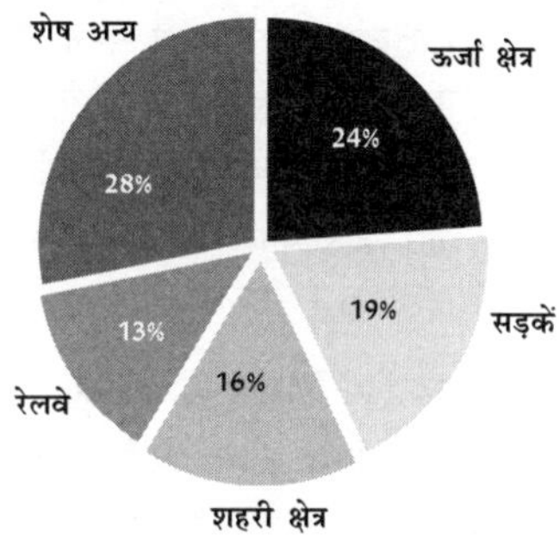

पूँजीगत व्यय का अनुमानित आवंटन

- इसके निवेश के **वित्त पोषण में भागीदारी निम्न तरीक़े से होनी है:**
  - **केंद्र सरकार** – 39 प्रतिशत
  - **राज्य सरकार** – 40 प्रतिशत
  - **निजी क्षेत्र** – 21 प्रतिशत
- **NIP के संभावित प्रमुख लाभ (Probable key benefits of NIP) :**
  - **अर्थव्यवस्था के लिए (To Economy)–** अच्छी तरह नियोजित NIP रोज़गार सर्जित करेगा, जीवन को सुगम बनायेगा और सभी के लिए अवसंरचना की समान पहुँच को उपलब्ध करायेगा, जिससे आर्थिक विकास अधिक समावेशी होगा।
  - **सरकार के लिए (To Government)–** NIP सरकार के राजस्व आधार को बढ़ायेगा और सरकार द्वारा किये जानेवाले ख़र्च को उत्पादनशील क्षेत्रों में सुनिश्चित करेगा।
  - **डेवेलपर्स के लिए (To Developers)–** NIP परियोजना की बोली लगाने हेतु बेहतर तैयारी करने के लिए समय प्रदान करता है, वित्त के स्रोतों तक पहुँच बढ़ाता है इत्यादि।
  - **निवेशकों के लिए (To Investors)–** NIP निवेशकों के विश्वास को बढ़ाने में सहायक होता है, क्योंकि NIP के अंतर्गत परियोजनाएँ अच्छी तरह तैयार की जाती हैं और ग़ैर-निष्पादित परिसंपत्तियों [Non-performing assets (NPA)] की संभावना बहुत कम होती है।

NIP की वर्तमान स्थिति (Present Status of NIP) :

- NIP में अब 54 उप-क्षेत्रों में लगभग 9,000 से अधिक परियोजनाएँ शामिल हैं और इसमें आर्थिक और सामाजिक बुनियादी ढाँचागत परियोजनाएँ शामिल हैं। इंडिया इन्वेस्टमेंट ग्रिड डेटा के अनुसार, NIP में वर्तमान में 9666 परियोजनाएँ हैं, जिनका कुल निवेश कार्यान्वयन के विभिन्न चरणों में ₹111 लाख करोड़ से अधिक है।

लास्ट मिनट स्निपपेट्स

अप्रैल, 2024 तक, परिवहन क्षेत्र ने NIP के तहत कुल पूँजीगत परिव्यय में से 58% का योगदान दिया, इसके बाद ऊर्जा क्षेत्र ने 24%, जल और स्वच्छता क्षेत्र ने 12% और शेष 5% सामाजिक अवसंरचना और संचार जैसे अन्य क्षेत्रों द्वारा योगदान दिया गया।

- NIP को इन्वेस्ट इंडिया ग्रिड [Invest India Grid (IIG)] प्लेटफ़ॉर्म द्वारा परपोषित (होस्ट) किया जाता है और यह राज्यों/केंद्र शासित प्रदेशों और मंत्रालयों को एक ही स्थान पर सभी प्रमुख बुनियादी ढाँचा परियोजनाओं को समेटने का अवसर प्रदान करता है।
- **प्रोजेक्ट मॉनिटरिंग ग्रुप [Project Monitoring Group (PMG)]** बड़े पैमाने की परियोजनाओं से संबंधित मुद्दों के समाधान के लिए सरकार द्वारा स्थापित एक संस्थागत तंत्र है और 500 करोड़ और उससे अधिक के अनुमानित निवेशवालीं परियोजनाओं के लिए अनुमोदन/मंज़ूरी की फ़ास्ट-ट्रैकिंग में भी शामिल है।

राष्ट्रीय मुद्रीकरण पाइपलाइन [National Monetisation Pipeline (NMP)]

- भारत सरकार द्वारा राष्ट्रीय मुद्रीकरण पाइपलाइन शुरू की गयी है। 2022 से 2025 तक चार साल की अवधि में, NMP केंद्र सरकार की मूल संपत्ति के माध्यम से कुल 6 लाख करोड़ रुपये की मुद्रीकरण-क्षमता का अनुमान है। यह 'मुद्रीकरण के माध्यम से संपत्ति निर्माण' के सिद्धांत पर आधारित है।
- आर्थिक सर्वेक्षण, 2022-23 के अनुसार, वित्त वर्ष 2022 में सड़क, बिजली, कोयला और खानों के तहत 0.9 लाख करोड़ के मुद्रीकरण लक्ष्य के मुक़ाबले 0.97 लाख करोड़ हासिल किये गये हैं। कोर-ऐसेट मोनेटाइज़ेशन के तहत, वित्त वर्ष 2023 के लिए 1.6 लाख करोड़ (या समग्र NMP लक्ष्य का 27 प्रतिशत) का लक्ष्य रखा गया है।
- मुख्य परिसंपत्ति मुद्रीकरण के लिए रूपरेखा में तीन प्रमुख अनिवार्यताएँ हैं :
  i. 'स्वामित्व' का नहीं, बल्कि 'अधिकारों' का मुद्रीकरण।
  ii. ब्राउनफ़ील्ड जोखिम-मुक्त परिसंपत्तियाँ।
  iii. सख़्त प्रदर्शन मानकों के साथ परिभाषित संविदात्मक रूपरेखा के तहत संरचित भागीदारी।
- यह निम्नलिखित को शामिल करके **ब्राउनफ़ील्ड परिसंपत्तियों के मूल्य में वृद्धि करना चाहता है** :-
  - निजी क्षेत्र, परियोजनाओं के स्वामित्व के बजाए राजस्व अधिकारों को स्थानांतरित करना और देश भर में बुनियादी ढाँचे के निर्माण के लिए धन का उपयोग करना।
- दूरसंचार, खनन, विमानन, बंदरगाहों, प्राकृतिक गैस और पेट्रोलियम उत्पाद पाइपलाइनों, गोदामों और स्टेडियमों सहित शेष आगामी क्षेत्रों के साथ, सड़क, रेलवे और बिजली क्षेत्र की परिसंपत्तियों में मुद्रीकृत संपत्ति के कुल अनुमानित मूल्य का 66% से अधिक शामिल होगा।
- **महत्त्व (Significance) :**
  - संसाधन जुटाना
  - राजकोषीय विवेक
  - निजी पूँजी जुटाना
  - संसाधन दक्षता, यानी कम उपयोग की गयीं/अप्रयुक्त सार्वजनिक संपत्तियों का उपयोग करना
  - निवेश के रास्ते
  - सार्वजनिक-निजी भागीदारी को बढ़ावा देना

लास्ट मिनट स्निपपेट्स

आर्थिक सर्वेक्षण 2024-25 के अनुसार, वित्त वर्ष 22 से वित्त वर्ष 24 की अवधि के दौरान, ₹3.86 लाख करोड़ के लेन-देन (₹4.30 लाख करोड़ के लक्ष्य के मुक़ाबले) उपार्जन या निजी निवेश के रूप में पूरे किये गये। वित्त वर्ष 25 के लिए, कुल मुद्रीकरण लक्ष्य ₹1.91 लाख करोड़ निर्धारित किया गया है।

- **चुनौतियाँ (Challenges)**
  - विभिन्न अवसंरचना परिसंपत्तियों में पहचान योग्य राजस्व धाराओं का अभाव।
  - निवेशकों को आकर्षित करने में कठिनाई।
  - स्वतंत्र क्षेत्रीय नियामकों की कमी।
  - संरचनात्मक समस्याएँ जैसे क़ानूनी अनिश्चितता और गहरे बॉण्ड बाज़ार का अभाव।
  - निजी निवेशकों को सरकारी संपत्ति का वितरण अक्सर राजनीतिक कारकों से प्रभावित होता है, जिससे भ्रष्टाचार को बढ़ावा मिल सकता है।
  - गैस और पेट्रोलियम पाइपलाइन नेटवर्क में क्षमता के उपयोग का निम्न स्तर।

राष्ट्रीय निवेश और अवसंरचना फ़ंड (एनआईआईएफ़)
[National Investment and Infrastructure Fund (NIIF)]

- राष्ट्रीय निवेश और अवसंरचना फ़ंड [National Investment and Infrastructure Fund (NIIF)] को 2015 में घरेलू एवं अंतरराष्ट्रीय दोनों स्रोतों से निवेश आकर्षित करने के लिए बनाया गया था।
- यह **भारत का पहला स्वायत्त धन कोष** (Sovereign Wealth Fund) **है,** जिसका प्रारम्भिक कोष 40,000 करोड़ रुपये का है।
- NIIF एक निवेशकों के स्वामित्ववाला फ़ंड प्रबंधक है, जिसे वैश्विक एवं घरेलू संस्थागत निवेशकों के सहयोग से भारत सरकार द्वारा आश्रय दिया जाता है तथा अवसंरचनात्मक विकास परियोजनाओं में **दीर्घ-कालिक पूँजी निवेश (long-term capital investment)** के लिए फ़ंड के वैकल्पिक स्रोत के रूप में प्रयोग किया जाता है।
- NIIF एक वैकल्पिक निवेश फ़ंड [Alternative Investment Fund (AIF)] के रूप में सेबी में पंजीकृत है और इसे *इंडियन ट्रस्ट ऐक्ट* के अंतर्गत एक ट्रस्ट के रूप में स्थापित किया गया है। यह नीति आयोग का अंग नहीं है।
- NIIF का मुख्यालय मुंबई में है।
- NIIF का उद्देश्य है : रुकी हुई परियोजनाओं समेत व्यवसायिक रूप से व्यवहार्य परियोजनाओं (ग्रीनफ़ील्ड एवं ब्राउनफ़ील्ड दोनों) में **अवसंरचना विकास (infrastructure development) के माध्यम** से आर्थिक विकास को बढ़ावा देना।
- **NIIF में भारत सरकार की 49 प्रतिशत हिस्सेदारी है**, शेष 51 प्रतिशत हिस्सेदारी निजी क्षेत्र के पास है।
- NIIF एक अंतरराष्ट्रीय स्तर पर विश्वसनीय और व्यावसायिक रूप से व्यवहार्य निवेश मंच के रूप में विकसित हुआ है, जिसे कई उच्च सम्मानित वैश्विक और घरेलू निवेशकों का समर्थन प्राप्त है, जिन्होंने NIIF फ़ंड में भारत सरकार के साथ निवेश किया है।
- वर्तमान में NIIF तीन तरह के फ़ंड में 4 बिलियन अमेरिकी डॉलर से अधिक की पूँजी प्रतिबद्धताओं को प्रबंधित करता है, इन फ़ंडो को सेबी के साथ वैकल्पिक निवेश कोष (AIF) के रूप में पंजीकृत किया गया है। ये तीन फ़ंड हैं :-
    1. **मास्टर फ़ंड (Master Fund)** – सड़क, बंदरगाह, हवाई अड्डा, विद्युत आदि जैसी प्रमुख अवसंरचना की परिचालन **संपत्तियों** में निवेश का प्रबंध करना।
    2. **निधियों की निधि (Fund of Funds)** – तीसरे-पक्ष के फ़ंड प्रबंधकों के माध्यम से निवेश का प्रबंध करना।
    3. **सामरिक अवसर निधि (Strategic Opportunities Fund)** – परियोजनाओं/कंपनियों में वृद्धि एवं विकास चरण के निवेश का प्रबंध करना। यह भारत में सेबी के अंतर्गत अल्टरनेटिव इनवेस्टमेंट फ़ंड II के रूप में पंजीकृत है। इसका उद्देश्य बड़े पैमाने पर इक्विटी और इक्विटी लिंक्ड इंस्ट्रूमेंट्स में निवेश करना है।
- मार्च, 2020 में एशियन डेवेलपमेंट बैंक **(ADB)** ने **NIIF** के फ़ंड ऑफ़ फ़ंड्स घटक में **100 मिलियन अमेरिकी डॉलर** के बराबर निवेश की प्रतिबद्धता जतायी है। फ़रवरी, 2021 में, न्यू डेवलपमेंट बैंक ने NIIF फ़ंड ऑफ़ फ़ंड्स के लिए यूएस $100 मिलियन का वचन दिया।
- इससे पहले 2018 में, एशियन इंफ़्रास्ट्रक्चर इनवेस्टमेंट बैंक **(AIIB)** ने भी **NIIF** के लिए **200 मिलियन अमेरिकी डॉलर** की प्रतिबद्धता जतायी थी।
- NIIF का पहला द्विपक्षीय फ़ंड - भारत सरकार के योगदान से **'इंडिया जापान फ़ंड'** 2022 में नेशनल इन्वेस्टमेंट ऐंड इन्फ़्रास्ट्रक्चर फ़ंड लिमिटेड (NIIFL) और जापान बैंक फ़ॉर इंटरनेशनल डेवलपमेंट (JBIC) के बीच एक समझौता ज्ञापन के माध्यम से प्रस्तावित किया गया है।

परीक्षोपयोगी

सॉवरेन वेल्थ फ़ंड (एसडब्ल्यूएफ़) SOVEREIGN WEALTH FUND (SWF)

यह **सरकार के स्वामित्व**वाला एक निवेश कोष है, जो आमतौर पर **देश के अधिशेष भंडार** से प्राप्त धन का उपयोग करता है। ये भंडार विभिन्न स्रोतों से उत्पन्न हो सकते हैं, जैसे- राज्य के स्वामित्ववाले प्राकृतिक संसाधन राजस्व, व्यापार अधिशेष, बजट अधिशेष, विदेशी मुद्रा संचालन, निजीकरण, या सरकारी हस्तांतरण भुगतान।

प्रत्येक सॉवरेन वेल्थ फ़ंड के **विशिष्ट उद्देश्य और प्रयोजन हो सकते हैं**। कुछ निजी क्षेत्र के निवेश के लिए उद्यम पूँजी के रूप में काम करते हैं, जिसका लक्ष्य आर्थिक विकास और विविधीकरण को प्रोत्साहित करना है।

फरवरी, 2025 तक संपत्ति के आधार पर शीर्ष पाँच सबसे बड़े SWFs में शामिल हैं :

1. नॉर्वे गवर्न्मेंट पेंशन फ़ंड ग्लोबल
2. चाइना इन्वेस्टमेंट कार्पोरेशन
3. सेफ़ इन्वेस्टमेंट कंपनी
4. अबू धाबी इन्वेस्टमेंट अथॉरिटी
5. कुवैत इन्वेस्टमेंट अथॉरिटी

राष्ट्रीय रसद नीति [National Logistics Policy (NLP)]

- NLP को भारत सरकार द्वारा रसद की लागत को कम करने के लिए सितंबर, 2022 में लॉञ्च किया गया था।
- वैश्विक बेंचमार्क 8 प्रतिशत के मुक़ाबले भारत में रसद लागत (Logistics Cost) सकल घरेलू उत्पाद (GDP) के 14-18 प्रतिशत के दायरे में रही है। इसका उद्देश्य रसद लागत को जल्द-से-जल्द एक अंक तक कम करना है।
- रसद की दक्षता बढ़ाने के कुछ घटक :
  (a) प्रक्रियाओं को सुव्यवस्थित करना,
  (b) नियामक ढाँचा,
  (c) कौशल विकास, और
  (d) रसद को मुख्यधारा में लाना
- NLP का विज़न, "तेज़ी से और समावेशी विकास के लिए देश में तकनीकी रूप से सक्षम, एकीकृत, लागत प्रभावी, लचीला, टिकाऊ और भरोसेमंद रसद पारिस्थितिक तंत्र विकसित करना है।"
- NLP के लक्ष्य :
  (a) 2030 तक वैश्विक बेंचमार्क के बराबर होने के लिए भारत में रसद की लागत को कम करना।
  (b) रसद प्रदर्शन सूचकांक रैंकिंग में सुधार - 2030 तक शीर्ष 25 देशों में शामिल होने का प्रयास है।
  (c) एक कुशल रसद पारिस्थितिकी तंत्र के लिए डेटा-संचालित निर्णय समर्थन तंत्र बनाना।
- घोषित लक्ष्यों को प्राप्त करने के लिए, NLP के हिस्से के रूप में एक **व्यापक लॉजिस्टिक्स ऐक्शन प्लान (CLAP)** शुरू किया गया था, जिसमें आठ कार्य क्षेत्र शामिल थे :
  (i) एकीकृत डिजिटल लॉजिस्टिक्स सिस्टम;
  (ii) भौतिक संपत्तियों का मानकीकरण और सेवा गुणवत्ता मानकों की बेंचमार्किंग;
  (iii) रसद मानव संसाधन विकास और क्षमता निर्माण;
  (iv) राज्य की भागीदारी;
  (v) एक्जिम लॉजिस्टिक्स;
  (vi) सेवा सुधार संबंधी ढाँचा;
  (vii) कुशल लॉजिस्टिक्स के लिए क्षेत्रवार योजनाएँ (SPEL); और
  (viii) लॉजिस्टिक्स पार्कों के विकास की सुविधा।
- NLP के कार्यान्वयन के लिए चार महत्त्वपूर्ण विशेषताएँ इस प्रकार हैं :
  - **डिजिटल प्रणाली का एकीकरण (आईडीएस) [Integration of Digital System (IDS)]** : सात विभागों (जैसे सड़क परिवहन, रेलवे, विमानन, वाणिज्य मंत्रालय और विदेश व्यापार) की विभिन्न प्रणालियों का एकीकरण।
  - **यूनिफ़ाइड लॉजिस्टिक्स इंटरफ़ेस प्लेटफ़ॉर्म (यूलिप) [Unified Logistics Interface Platform (ULIP)]** : छोटी और सुगम कार्गो आवाजाही के लिए और वास्तविक समय के आधार पर गोपनीय रूप से जानकारी के आदान-प्रदान को सक्षम करने के लिए।

- **लॉजिस्टिक्स में आसानी (ईएलओजी) [Ease of Logistics (ELOG)]** : पारदर्शिता और पहुँच के माध्यम से लॉजिस्टिक्स व्यवसाय में आसानी को सक्षम और सुनिश्चित करना।
- **प्रणाली सुधार समूह (एसआईजी) [System Improvement Group (SIG)]** : लॉजिस्टिक्स व्यवसाय को आसान बनाना और सुनिश्चित करना।

मल्टीमॉडल और एकीकृत लॉजिस्टिक्स इकोसिस्टम का सुदृढ़ीकरण (SMILE) [Strengthening Multimodal and Integrated Logistics Ecosystem (SMILE)]

- मल्टीमॉडल और एकीकृत लॉजिस्टिक्स इकोसिस्टम का सुदृढ़ीकरण (स्माईल), एक नीतिगत कार्यक्रम आधारित ऋण (PBL) है, जिसमें दो उप-कार्यक्रम सम्मिलित हैं, जिनका उद्देश्य भारत के विनिर्माण क्षेत्र का विस्तार करने और आपूर्ति शृंखला सुविधाओं में सुधार करने के लिए भारत में लॉजिस्टिक्स क्षेत्र में व्यापक सुधार करने में सरकार की सहायता करना है।
- इस कार्यक्रम के चार प्रमुख स्तंभ हैं:
  - संस्थागत ढाँचे को मज़बूत करना
  - वेयरहाउसिंग का मानकीकरण
  - व्यापार लॉजिस्टिक्स में सुधार
  - स्मार्ट, निम्न उत्सर्जनवालीं प्रणालियों को बढ़ावा देना

अतिरिक्त जानकारी

लीड्स रिपोर्ट, 2024 (LEADS REPORT, 2024)

यह एनुअल लीड्स एक्सरसाइज का 6ठा संस्करण है, और राज्य और केंद्रशासित प्रदेश (UT) स्तरों पर **लॉजिस्टिक्स प्रदर्शन को बढ़ाने के बारे में जानकारी प्रदान करता है**। यह समग्र हितधारक धारणा में सुधार और राज्यों और केंद्रशासित प्रदेशों में लागू किये गये विभिन्न सुधारों के प्रभाव को रेखांकित करता है। यह रिपोर्ट प्रमुख स्तंभों में राज्यों के प्रदर्शन में एक सकारात्मक प्रवृत्ति का संकेत देती है: लॉजिस्टिक्स इन्फ्रास्ट्रक्चर, लॉजिस्टिक्स सेवाएँ और परिचालन और नियामक वातावरण, जिससे राज्य और केंद्रशासित प्रदेश सरकारें सूचित निर्णय लेने और व्यापक विकास रणनीतियों के लिए क्षेत्र-विशिष्ट अंतर्दृष्टि के साथ सशक्त बनती हैं।

लीड्स, 2024 के प्रदर्शन की मुख्य बातें (Highlights of Performance from LEADS, 2024)

कोस्टल ग्रुप (Coastal Group) :
- **कामयाबी हासिल करनेवाले (Achievers) :** गुजरात, कर्नाटक, महाराष्ट्र, ओडिशा, तमिलनाडु
- **तेज़ी से आगे बढ़नेवाले (Fast Movers) :** आंध्र प्रदेश, गोवा
- **आकांक्षी (Aspirers) :** केरल, पश्चिम बंगाल

लैंडलॉक्ड ग्रुप (Landlocked Group) :
- **कामयाबी हासिल करनेवाले (Achievers) :** हरियाणा, तेलंगाना, उत्तर प्रदेश, उत्तराखंड
- **तेज़ी से आगे बढ़नेवाले (Fast Movers) :** बिहार, हिमाचल प्रदेश, मध्य प्रदेश, पंजाब, राजस्थान
- **आकांक्षी (Aspirers) :** छत्तीसगढ़, झारखंड

नॉर्थ-ईस्ट ग्रुप (North-East Group) :
- **कामयाबी हासिल करनेवाले (Achievers) :** असम, अरुणाचल प्रदेश
- **तेज़ी से आगे बढ़नेवाले (Fast Movers) :** मेघालय, मिज़ोरम, नागालैंड, सिक्किम, त्रिपुरा
- **आकांक्षी (Aspirers) :** मणिपुर

केंद्रशासित प्रदेश (Union Territories) :
- **कामयाबी हासिल करनेवाले (Achievers) :** चंडीगढ़, दिल्ली
- **तेज़ी से आगे बढ़नेवाले (Fast Movers) :** दादरा और नगर हवेली व दमन और दीव, जम्मू और कश्मीर, लक्षद्वीप, पुडुचेरी
- **आकांक्षी (Aspirers) :** अंडमान और निकोबार द्वीप समूह, लद्दाख

वैश्विक अवसंरचना सुविधा [GLOBAL INFRASTRUCTURE FACILITY (GIF)]

2014 में वर्ल्ड बैंक द्वारा शुरू किया गया, अब एक G20 पहल है, GIF एक खुला वैश्विक मंच है, जो सार्वजनिक-निजी भागीदारियों (PPP) में जटिल अवसंरचना की तैयारी और निर्माण करने की सुविधा प्रदान करता है, ताकि निजी क्षेत्र एवं संस्थागत निवेशक पूँजी के एकत्रीकरण को सक्षम बनाया जा सके। GIF मंच या प्लेटफ़ॉर्म *उभरते बाज़ारों एवं विकासशील अर्थव्यवस्थाओं [Emerging Markets and Developing Economies (EMDEs)]* में अवसंरचना निवेश में रुचि रखनेवाले **बहुपक्षीय विकास बैंक** [Multilateral Development Banks (MDBs)], निजी क्षेत्र के निवेशकों एवं फ़ाइनेंसरों तथा सरकारों के प्रयासों को समन्वित और समेकित करता है। GIF के **मुख्य तत्व हैं** (core principles) :

1. सार्वजनिक वस्तुओं को प्रदान करना।
2. निजी क्षेत्र को प्रेरित करना।
3. मुद्रा के लिए मूल्य प्राप्त करना।
4. संधारणीयता एवं समावेशीकरण को बढ़ावा देना।
5. वर्तमान संसाधनों का पूरक बनकर व्यक्तिगत साझीदार के प्रयासों में सहायता प्रदान करना।

GIF बाज़ार के लिए अच्छी संरचनावालीं और बैंक-ग्राह्य अवसंरचना परियोजनाओं को शुरू करने में सरकारों को उनकी डिज़ाइन, तैयारी, संरचना और लेनदेन कार्यान्वयन गतिविधियों आदि में सहायता प्रदान करता है।

भारत के संदर्भ में, अब-तक 3 GIF समर्थित परियोजनाएँ शुरू की गयी हैं :-

1. *नवीन एवं नवीकरणीय ऊर्जा मंत्रालय* के अंतर्गत सौर पार्कों के विकास के लिए सोलर PPP प्रोग्राम।
2. राजस्थान स्टेट हाईवे डेवेलपमेंट प्रोजेक्ट।
3. भारत में राष्ट्रीय राजमार्गों के लिए दीर्घकालिक वित्त पोषण तंत्र विकसित करने के लिए व्यवहार्यता मूल्यांकन।

वैश्विक अवसंरचना दृष्टिकोण [GLOBAL INFRASTRUCTURE OUTLOOK (GIO)]

- **वैश्विक अवसंरचना दृष्टिकोण** [Global Infrastructure Outlook (GIO)] एक रिपोर्ट है, जो **56 देशों** (भारत सम्मिलित है) और **7 क्षेत्रों** के लिए वर्ष **2040** तक की अवसंरचना निवेश आवश्यकताओं और अंतरालों (gaps) का पूर्वानुमान लगाती है।
- GIO द्वारा देखे जानेवाले 7 क्षेत्र हैं – सड़क, रेल, हवाई अड्डे, बंदरगाह, दूरसंचार, विद्युत, ऊर्जा और जल।
- GIO को ऑक्सफ़ोर्ड इकोनॉमिक्स के साथ ग्लोबल इन्फ़्रास्ट्रक्चर हब संगठन द्वारा विकसित किया गया है।
- यह **G20 की एक पहल है।**
- यह एक देश-आधारित रिपोर्ट है।
- GIO रिपोर्ट के अनुसार 2040 तक के पूर्वानुमान हैं –
    - **वर्तमान वैश्विक अवसंरचना निवेश की प्रवृत्ति** – \$ 79 ट्रिलियन
    - **अवसंरचना निवेश की आवश्यकता** – \$ 94 ट्रिलियन
    - अतः, वैश्विक **अवसंरचना निवेश अंतराल (infrastructure investment gap)** (\$ 94 ट्रिलियन – \$ 79 ट्रिलियन) = \$ 15 ट्रिलियन
    - **बिजली और सड़क** दो सबसे महत्त्वपूर्ण क्षेत्र हैं – दोनों मिलकर वैश्विक निवेश आवश्यकताओं का दो-तिहाई से अधिक हैं।
    - **अवसंरचना निवेश अंतराल,** अर्थात् अनुमानित आवश्यक निवेश की वह मात्रा, जो वर्तमान प्रवृत्तियों के अनुसार अनुमानित निवेश से अधिक होती है, एशिया में यह 10 प्रतिशत है।
    - **वैश्विक अवसंरचना निवेश का लगभग 30 प्रतिशत चीन** के खाते में है।

- चीन के बाद **भारत विश्व का दूसरा सबसे बड़ा अवसंरचना बाज़ार है।**
- भारत के लिए पूर्वानुमान (2016-2040 की अवधि के लिए)
- वर्तमान अवसंरचना निवेश की **प्रवृत्ति** = **$ 3.9 ट्रिलियन**
    - अवसंरचना निवेश की **आवश्यकता** = **$ 4.4 ट्रिलियन**
    - अत: **भारत के लिए अवसंरचना निवेश अंतराल** = $ 0.5 ट्रिलियन
- भारत में **बंदरगाहों** में निवेश की दर अत्यधिक कम है।
- भारत में रेलवे और *दूरसंचार* में निवेश की आवश्यकता वर्तमान प्रवृत्तियों की तुलना बहुत अधिक है।
- भारत में *बिजली क्षेत्र* में अवसंरचना निवेश की आवश्यकता शेष एशिया की तुलना में बहुत अधिक है।

क्षेत्र-वार निष्पादन और सरकारी पहलें (SECTOR-WISE PERFORMANCE AND GOVERNMENT INTERVENTIONS)

ऊर्जा क्षेत्र (Energy Sector)

- यह **आर्थिक अवसंरचना (Economic Infrastructure)** के अंतर्गत आता है।
- भारतीय ऊर्जा क्षेत्र में हाल के दिनों में तीव्र विकास दिखा है।
- अंतरराष्ट्रीय ऊर्जा एजेंसी [International Energy Agency (IEA)] के अंतरराष्ट्रीय ऊर्जा एजेंसी [International Energy Agency (IEA)] के 'वर्ल्ड एनर्जी आउटलुक', 2024 के अनुसार, भारत अब सौर और पवन ऊर्जा उत्पादन क्षमता को बढ़ाकर आधुनिक स्वच्छ ऊर्जा प्रौद्योगिकियों का आयातक बन गया है। भारत को ग़ैर-जीवाश्म ईंधन से आनेवाली अपनी आधी (50%) बिजली क्षमता के 2030 के लक्ष्य को पूरा करने की उम्मीद है। भारत ने 2026 तक 20,750 सर्किट किलोमीटर अंतर-राज्यीय हरित ऊर्जा कॉरिडोर विद्युत पारेषण लाइनों को पूरा करने या पूरा करने की योजना बनायी है। पिछले पाँच वर्षों में, लगभग 60 प्रतिशत नयी उत्पादन क्षमता सौर पीवी से हुई है। भारत में घरेलू एयर कंडीशनर चलाने के लिए बिजली की माँग 2050 तक वर्तमान से नौ गुना बढ़ने का अनुमान है। भारत को संयुक्त राज्य अमेरिका और चीन के बाद दुनिया में तीसरे सबसे बड़े प्राथमिक ऊर्जा उपभोक्ता का स्थान दिया गया है।
- भारत में ऊर्जा उत्पादन के स्रोत मुख्य रूप से कोयला, कच्चा तेल, नवीकरणीय ऊर्जा और प्राकृतिक गैस हैं (जनवरी, 2025)। ⟶

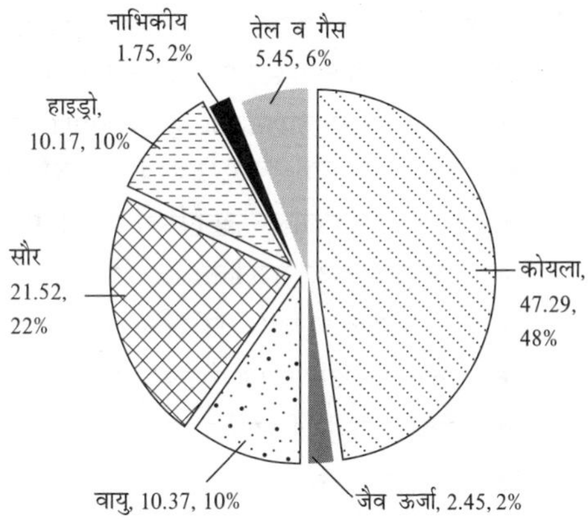

- सरकार की **ऊर्जा रणनीति** (Energy Strategy) या राष्ट्रीय ऊर्जा नीति [National Energy Policy (NEP)] ड्राफ़्ट 2040 का लक्ष्य भारत को 2040 तक **'ऊर्जा तत्पर' (Energy Ready)** बनाना है। NEP ड्राफ़्ट के उद्देश्य हैं :-
    - *सस्ती क़ीमतों पर ऊर्जा की उपलब्धता।*
    - *बेहतर सुरक्षा एवं स्वायत्तता।*
    - *अधिक संधारणीयता और आर्थिक विकास।*
    - *परिवहन के कम ऊर्जा-गहन प्रकार की तरफ़ स्थानांतरण।*
    - *ऊर्जा के नवीकरणीय स्रोतों की तरफ़ बढ़ना।*
    - *जलविद्युत शक्ति की खोज करना (शिखर माँग को पूरा करने के लिए)।*
    - *ऊर्जा-दक्ष प्रौद्योगिकी का विकास एवं उपयोग।*
    - *तेल उत्पादों के लिए प्राकृतिक गैस का प्रतिस्थापन।*

ऊर्जा के स्रोत (SOURCES OF ENERGY)

वाणिज्यिक स्रोत (Commercial Sources)	ग़ैर-वाणिज्यिक स्रोत (Non-commercial Sources)
• कोयला, पेट्रोलियम उत्पाद, प्राकृतिक गैस और विद्युत प्रमुख स्रोत हैं।	• जलाऊ लकड़ी, पशु अपशिष्ट और कृषि अपशिष्ट प्रमुख स्रोत हैं।
• औद्योगिक और व्यवसायिक उद्देश्यों के लिए बड़े पैमाने पर प्रयोग किया जाता है।	• मुख्य रूप से घरेलू और उपभोग उद्देश्यों के लिए प्रयोग किया जाता है।
• इनकी एक अधिकारिता-युक्त क़ीमत (command price) होती है।	• सामान्यत: इनकी अधिकारिता-युक्त क़ीमत (command price) नहीं होती।
• इन वस्तुओं के लिए राष्ट्रीय एवं अंतरराष्ट्रीय दोनों बाज़ार होते हैं।	• इन वस्तुओं के लिए स्थानीय बाज़ार होते हैं।

ऊर्जा क्षेत्र के अंतर्गत प्रमुख उप-क्षेत्रों का निष्पादन (PERFORMANCES OF MAJOR SUB-SECTORS UNDER ENERGY)

कोयला (Coal)

- चीन के बाद भारत कोयले का दूसरा सबसे बड़ा उत्पादक और उपभोक्ता है।
- भारत में लगभग 55 प्रतिशत ऊर्जा ज़रूरत कोयले के द्वारा पूरी की जाती है।
- नवीकरणीय ऊर्जा के लिए ज़ोर देने के बावजूद, नीति आयोग की राष्ट्रीय ऊर्जा नीति के मसौदे के अनुसार, कोयले की माँग 2030 तक 1.3-1.5 बिलियन टन के दायरे में रहने की उम्मीद है।
- 'आत्मनिर्भर भारत' पहल के तहत, घरेलू कच्चे कोकिंग कोल का उत्पादन 2030 तक 140 मिलियन टन तक पहुँचने की संभावना है।
- **कोयले के मुख्य उपभोक्ता हैं** – थर्मल पॉवर स्टेशन, स्टील प्लांट, सीमेंट फ़ैक्ट्री, रेलवे, **उर्वरक फ़ैक्ट्री** और ईंट भट्टे।
- कोयला क्षेत्र **निम्नलिखित चुनौतियों का सामना करता है :-**
  - अपर्याप्त खनन तकनीक।
  - खनन और अन्वेषण की उच्च लागत।
  - खनन के कारण पर्यावरणीय अपक्षय।
  - बैकवर्ड फ़ॉरवर्ड लिंकेज का निम्न स्तर।
  - निम्न कोटि का कोयला।
  - उच्च सल्फ़र सामग्री।
  - कोकिंग कोल आदि की कमी।

> **लास्ट मिनट स्निपपेट्स**
>
> वर्ष 2023-24 में भारत का कुल कोयला उत्पादन 997.826 मिलियन टन (एमटी) था, जबकि वर्ष 2022-23 में यह 893.191 एमटी था, जो लगभग 11.71% की वृद्धि है।

- **सरकार द्वारा किये गये हाल के प्रयास :-**
  - आरम्भ में, कोयला उत्पादन को बढ़ाने के उद्देश्य से 1975 में **कोल इंडिया लिमिटेड (CIL)** की स्थापना की गयी थी। यह अब भारत सरकार के स्वामित्ववाले महारत्न सार्वजनिक क्षेत्र के उद्यमों (PSU) में एक है। कंपनी भारत में कुल कोयला उत्पादन में लगभग 82 फ़ीसदी का योगदान करती है।

- कोयला आवंटन में अधिक पारदर्शिता लाने के लिए 2015 में कोयला खान अधिनियम (The Coal Mines Act), 2015 लागू किया गया था।
- निजी क्षेत्र के लिए कोयला खनन को खोलना कोयला क्षेत्र का सबसे महत्त्वाकांक्षी सुधार हो सकता है। यह कोयला उत्पादन में दक्षता और प्रतिस्पर्धा ला सकता है, निवेश को आकर्षित कर सकता है और अपनी श्रेणी में सर्वश्रेष्ठ प्रौद्योगिकी को आकर्षित कर सकता है और कोयला क्षेत्र में अधिक रोज़गार सर्जित करने में मदद कर सकता है।
- केंद्रीय विद्युत प्राधिकरण [Central Electricity Authority (CEA)] और पॉवर फ़ाइनेंस कॉर्पोरेशन लिमिटेड के सहयोग से भारत सरकार ने 4,000 MW या उससे अधिक की क्षमतावालीं कोयला-आधारित अल्ट्रा मेगा पॉवर प्रोजेक्ट्स [Coal-Based Ultra Mega Power Projects (UMPPs)] को लॉन्च किया है। UMPP प्रतिस्पर्धी बोली के आधार पर डेवेलपर्स को प्रदान किये जाते हैं।
- अब-तक 15 UMPP की योजनाएँ बनायी गयी हैं, जिनमें चार UMPP को मंजूरी मिल चुकी और दो कार्यशील हैं (मुंद्रा UMPP, गुजरात तथा सासन UMPP, मध्य प्रदेश)।
- 2016 में **कोल मित्र वेब पोर्टल** (Coal Mitra Web Portal) लॉन्च किया गया था, जिसका उद्देश्य कोयले को उच्च लागतवाले क्षेत्रों से लागत-प्रभावी उत्पादन स्थानों में स्थानांतरित कर घरेलू कोयले के उपयोग में लचीलापन लाना है।
- **भारत में पारदर्शिता के साथ कोयले के उपयोग और आवंटन की योजना [Scheme for Harnessing and Allocating Koyala Transparently in India (SHAKTI)]** - यह योजना 2017 में कोयला मंत्रालय द्वारा लॉन्च की गयी थी, जो बिजली क्षेत्र के उपभोक्ताओं के लिए पारदर्शी तरीक़े से दीर्घ-कालिक कोयला लिंकेज की नीलामी एवं आवंटन से संबंधित है।
- भारत ने 2030 तक बढ़े हुए वन और वृक्षों के आवरण के माध्यम से 2.5 बिलियन से 3.0 बिलियन टन का अतिरिक्त कार्बन सिंक प्राप्त करने के लिए अपने राष्ट्रीय स्तर पर निर्धारित योगदान [Nationally Determined Contribution (NDC)] में प्रतिबद्ध किया है।

अतिरिक्त जानकारी

कैप्टिव और नॉन-कैप्टिव खदानें [CAPTIVE AND NON-CAPTIVE MINES]

कैप्टिव खदानें (Captive Mines) : कैप्टिव खदानें उन खनन संचालन को संदर्भित करती हैं, **जिनका स्वामित्व और संचालन विशिष्ट कंपनियों या संस्थाओं द्वारा किया जाता है**। इन खदानों से निकाला गया कोयला या खनिज विशेष रूप से स्वामित्ववाली कंपनी के उपयोग के लिए है और इसे अन्य संस्थाओं को बेचा या हस्तांतरित नहीं किया जा सकता है। कैप्टिव खनन की अवधारणा विशेष रूप से बिजली उत्पादन जैसे उद्योगों में प्रचलित थी, जहाँ कंपनियाँ अपने संचालन के लिए कच्चे माल की एक समर्पित आपूर्ति सुरक्षित करने के लिए खदानों का स्वामित्व और संचालन करती थीं।

नॉन-कैप्टिव खदानें (Non-Captive Mines) : दूसरी ओर, ग़ैर-कैप्टिव खदानें ऐसे खनन संचालन हैं, जहाँ निकाले गये कोयले या खनिजों का उपयोग मालिक के उपयोग के साथ-साथ बाज़ार में अन्य संस्थाओं को बेचा जा सकता है। इसका तात्पर्य यह है कि ग़ैर-कैप्टिव खदानों के उत्पाद आंतरिक खपत तक ही सीमित नहीं हैं, बल्कि बाज़ार की माँग और आपूर्ति की गतिशीलता के आधार पर उनका व्यापार और बिक्री बाहरी तौर पर किया जा सकता है।

नियामक ढाँचा (Regulatory Framework) : खान और खनिज (विकास और विनियमन) अधिनियम, 1957 के तहत, केंद्र सरकार के पास कुछ खानों को विशिष्ट अंतिम उपयोग के लिए आरक्षित करने का अधिकार था, उन्हें कैप्टिव खानों के रूप में नामित किया गया था। इस पदनाम का उद्देश्य विशिष्ट उद्योगों और क्षेत्रों के लिए महत्त्वपूर्ण कच्चे माल की स्थिर आपूर्ति सुनिश्चित करना था।

संशोधन और भेद को हटाना (Amendment and Removal of Distinction) : खान और खनिज (विकास और विनियमन) संशोधन विधेयक, 2021, कैप्टिव और ग़ैर-कैप्टिव खानों के बीच के **अंतर को हटाकर** इस नियामक ढाँचे में महत्त्वपूर्ण बदलाव लाया। इस संशोधन का मतलब है कि पहले कैप्टिव खदानों को अब अपना उत्पादन खुले बाज़ार में बेचने की अनुमति है, जिससे उनकी बाज़ार पहुँच आंतरिक खपत से परे बढ़ जायेगी। यह परिवर्तन खनन कंपनियों के लिए अपने संचालन को अनुकूलित करने और व्यापक बाज़ार माँग का लाभ उठाकर संभावित रूप से राजस्व धाराओं में वृद्धि करने के अवसर को खोलता है।

कच्चा तेल (Crude Oil)

- 2014-15 से कच्चे तेल के उत्पादन में लगातार गिरावट देखी जा रही है। यह गिरावट तटीय (onshore) उत्पादन और अपतटीय (offshore) उत्पादन, दोनों में देखी गयी है।
- **इस गिरावट के कारण हैं :** काल-प्रभाव के कारण स्वाभाविक गिरावट तथा परिपक्व क्षेत्र, जहाँ कोई बड़ी खोज नहीं हुई है। इसके अलावा, 2020-21 में अनियोजित बंद और कुछ उत्पादक कुओं से परिचालन घाटे के कारण उत्पादन कम है।
- **भारत** दुनिया का **तीसरा सबसे बड़ा कच्चा तेल आयातक है**, जिसकी रणनीतिक भंडारण क्षमता 5.33 मिलियन टन (विशाखापत्तनम, मैंगलोर और पुदुर में) और 6 मिलियन टन (पुदुर और चंडीखोल में) निर्माणाधीन है।
- उत्पादन की वर्तमान दर पर, मौजूदा भंडार **केवल 2 दशकों तक ही** चल पायेगा।
- भारत अपनी कच्चे तेल की लगभग 80 प्रतिशत आवश्यकताओं को पूरा करने के लिए आयात पर निर्भर है; निर्यात आय का लगभग 50 प्रतिशत तेल आयात बिलों का भुगतान करने के लिए उपयोग किया जाता है।
- **सरकार द्वारा किये गये हाल के हस्तक्षेप (Government interventions in the recent past) :-**
    - कच्चे तेल की खोज और उत्पादन में भाग लेने के लिए **निजी क्षेत्र को मंजूरी दी गयी है।**
    - प्रशासित क़ीमत परितंत्र [Administered Pricing Mechanism (APM)] को समाप्त कर दिया गया है।
    - घरेलू **कंपनियों** को **अंतरराष्ट्रीय तेल भंडार को अर्जित** करने की मंज़ूरी दी गयी है।
    - **हाइड्रोकार्बन अन्वेषण और लाइसेंसिंग नीति [New Exploration and Licensing Policy (NELP)]**, 2016 ने नयी अन्वेषण और लाइसेंसिंग नीति **[New Exploration and Licensing Policy (NELP)]**, 1997 का स्थान लिया है। NELP ने परंपरागत और ग़ैर-परंपरागत हाइड्रोकॉर्बन संसाधनों की खोज और उत्पादन के लिए एकल लाइसेंस शुरू किया है।
    - **उत्तर-पूर्व के लिए हाइड्रोकॉर्बन विज़न 2030** का उद्देश्य 2030 तक तेल और गैस उत्पादन को दोगुना करना है, जिसके परिणामस्वरूप स्वच्छ ईंधन प्रदान करना, परियोजना को पूरा करने में तेज़ी, रोज़गार के अवसरों का सृजन तथा पड़ोसी देशों के साथ सहयोग को प्रोत्साहित किया जा सकेगा।
    - **2015 में प्रत्यक्ष हस्तांतरित लाभ** [Pratyaksh Hanstantrit Labh (PAHAL)] **को संशोधित और पुनःप्रस्तुत किया गया।** इसका उद्देश्य **LPG** उपभोक्ताओं को मिलनेवाली सब्सिडी को व्यवस्थित तरीक़े से तर्कसंगत बनाना है। PAHAL ने सबसे बड़ी प्रत्यक्ष लाभ हस्तांतरण योजना के रूप में गिनीज बुक ऑफ़ वर्ल्ड रिकॉर्ड्स में अपना नाम दर्ज कराया है।

अतिरिक्त जानकारी

वहनीय परिवहन की ओर संधारणीय विकल्प (SATAT)
[SUSTAINABLE ALTERNATIVE TOWARDS AFFORDABLE TRANSPORTATION (SATAT)]

यह पहल 2018 में शुरू की गयी, जिसमें 2023-24 तक 15 मिलियन मीट्रिक टन (MMT) प्रतिवर्ष कंप्रेस्ड बॉयोगैस (CBG) के उत्पादन के लिए 5,000 CBG संयंत्र स्थापित करने की परिकल्पना की गयी है। अक्टूबर, 2022 तक, SATAT में भाग लेनेवाली तेल और गैस विपणन कंपनियों ने उद्यमियों को उनके द्वारा उत्पादित CBG की ख़रीद के लिए 3,694 आशय पत्र (LoI) जारी किये हैं। इसके अलावा, LoI धारकों द्वारा लगभग 225 मीट्रिक टन प्रतिवर्ष स्थापित क्षमतावाले 38 सीबीजी/बॉयोगैस संयंत्र चालू किये गये हैं।

लक्ष्य भारत पोर्टल (LAKSHYA BHARAT PORTAL)

2021 में शुरू किये गये **'लक्ष्य भारत पोर्टल'** के लिए **सभी तेल और गैस संगठनों को भविष्य की आवश्यकताओं सहित उनके द्वारा ख़रीदी गयीं विभिन्न वस्तुओं का विवरण अपलोड करने की आवश्यकता है।**

पोर्टल की योजना तेल और गैस कंपनियों की वस्तुओं की पूँजीगत वस्तुओं और MRO सोर्सिंग (रखरखाव, मरम्मत और ओवरहॉल) के लिए एक केंद्रीय सूचना पूल में परिपक्व होने की है, जिससे निर्माताओं को उनकी क्षमता और गुंजाइश बढ़ाने में सक्षम बनाने के लिए स्पष्ट माँग अनुमान प्रदान करने की उम्मीद है।

यह पोर्टल, जो सभी हितधारकों के लिए सुलभ है, आत्मनिर्भर भारत की दिशा में एक महत्त्वपूर्ण क़दम है।

प्राकृतिक गैस (Natural Gas)

- प्राकृतिक गैस के प्रमुख भंडार मुंबई, गुजरात, त्रिपुरा, आंध्र प्रदेश, तमिलनाडु और राजस्थान में पाये जाते हैं।
- प्राकृतिक गैस के उत्पादन में सार्वजनिक क्षेत्र के उद्यमों (PSU) का वर्चस्व है, जिसकी हिस्सेदारी में समय के साथ वृद्धि हो रही है। वर्तमान में, प्राकृतिक गैस उत्पादन में PSU की हिस्सेदारी 80 प्रतिशत से अधिक है।
- **अतः निजी क्षेत्र की भागीदारी को प्रोत्साहित करने के लिए** सरकार द्वारा निम्न कदम उठाये गये हैं :-
  - राजकोषीय और अनुबंध की शर्तों को सरलीकृत किया गया है।
  - सरकार को उत्पादन या राजस्व की जानकारी साझा किये बिना श्रेणी II और III के अवसादी बेसिनों के अंतर्गत अन्वेषण ब्लॉक की बोली लगाना।
  - राजकोषीय प्रोत्साहनों के विस्तार द्वारा खोजों का शुरुआती मुद्रीकरण।
  - विपणन और क़ीमत स्वतंत्रता समेत गैस उत्पादन को प्रोत्साहित करना।
  - नवीनतम तकनीक और पूँजी का आगमन।
  - राष्ट्रीय तेल **कंपनियों** को सहयोगपूर्ण तरीक़े से काम करने के लिए अधिक कार्यात्मक स्वतंत्रता प्रदान करना।

लास्ट मिनट स्निपपेट्स

दिसंबर, 2024 तक, भारत की ऊर्जा आवश्यकता (एनर्जी बास्केट) में प्राकृतिक गैस की हिस्सेदारी 7 प्रतिशत है। सरकार ने 2030 तक ऊर्जा मिश्रण में प्राकृतिक गैस की हिस्सेदारी बढ़ाकर 15 प्रतिशत करने का लक्ष्य रखा है। प्राकृतिक गैस उत्पादन में 2020-21 में 28.7 बिलियन क्यूबिक मीटर (BCM) से 2023-24 में 36.43 BCM तक की अधिक वृद्धि हुई है।

- **राष्ट्रीय गैस ग्रिड (National Gas Grid) –** इसके अंतर्गत, सरकार ने पूरे देश में **33,764 किमी** प्राकृतिक गैस पाइपलाइन को विकसित करने की योजना बनायी है। राष्ट्रीय गैस ग्रिड का लक्ष्य गैस स्रोतों को प्रमुख माँग केंद्रों से जोड़ना तथा विभिन्न क्षेत्रों में गैस उपभोक्ताओं को गैस की उपलब्धता सुनिश्चित करना। पेट्रोलियम और प्राकृतिक गैस नियामक बोर्ड [Petroleum and Natural Gas Regulatory Board (PNGRB) को सिटी गैस वितरण [City Gas Distribution (CGD)] नेटवर्क के विकास के लिए संस्थाओं को अधिकृत करने के प्राधिकरण के रूप में मान्यता प्राप्त है।

अतिरिक्त जानकारी

सिटी गैस डिस्ट्रीब्यूशन नेटवर्क [CITY GAS DISTRIBUTION NETWORK (CGD)]

पेट्रोलियम और प्राकृतिक गैस नियामक बोर्ड [Petroleum and Natural Gas Regulatory Board (PNGRB)] ने 27 राज्यों/केंद्र शासित प्रदेशों में 400 से अधिक ज़िलों को शामिल करनेवाले देश भर में CGD नेटवर्क के विकास के लिए 232 भौगोलिक क्षेत्रों को अधिकृत किया है, जो भारत की लगभग 71 प्रतिशत आबादी और 53 प्रतिशत क्षेत्रों को शामिल करता है। जुलाई, 2022 तक, देश में 95 लाख से अधिक PNG कनेक्शन हैं, जबकि भारत में लगभग 4500 CNG स्टेशन चालू हैं। भारत सरकार ने अगले दो वर्षों में कुल 8000 CNG स्टेशनों को चालू करने की परिकल्पना की है।

पूर्वोत्तर गैस ग्रिड (Northeast Gas Grid) : 1,656 किलोमीटर लंबी पूर्वोत्तर गैस ग्रिड आठ पूर्वोत्तर राज्यों को जोड़ेगी। यह परियोजना 9,265 करोड़ रुपये की अनुमानित लागत के 60 प्रतिशत (5,559 करोड़ रुपये) पर व्यवहार्यता अंतर वित्तपोषण यानी वायबिलिटी गैप फ़ंडिंग/पूँजी अनुदान के साथ इन्द्रधनुष गैस ग्रिड लिमिटेड को सरकार द्वारा अनुमोदित किया गया है।

पेट्रोलियम और प्राकृतिक गैस नियामक बोर्ड [PETROLEUM AND NATURAL GAS REGULATORY BOARD (PNGRB)]

PNGRB 2006 में स्थापित **भारत सरकार** का एक वैधानिक नियामक निकाय है, जिसका गठन पेट्रोलियम एवं नेचुरल गैस रेगुलेटरी बोर्ड ऐक्ट, 2006, पेट्रोलियम और प्राकृतिक गैस मंत्रालय के अंतर्गत किया गया है।

PNGRB **पेट्रोलियम, पेट्रोलियम उत्पादों और प्राकृतिक गैस** (कच्चे तेल एवं प्राकृतिक गैस के उत्पादन को छोड़कर) के शोधन, प्रसंस्करण, भंडारण, परिवहन, वितरण, विपणन और बिक्री को विनियमित करता है, ताकि देश के सभी भागों में पेट्रोलियम, पेट्रोलियम पदार्थों और प्राकृतिक गैस की निर्बाध एवं पर्याप्त आपूर्ति को सुनिश्चित किया जा सके।

पेट्रोलियम योजना और विश्लेषण प्रकोष्ठ [PETROLEUM PLANNING AND ANALYSIS CELL (PPAC)]

पेट्रोलियम और प्राकृतिक गैस मंत्रालय से सम्बद्ध पेट्रोलियम योजना और विश्लेषण प्रकोष्ठ [Petroleum Planning and Analysis Cell (PPAC)] की स्थापना 2002 में की गयी थी। PPAC पीडीएस केरोसिन और घरेलू एलपीजी सब्सिडी तथा दूरस्थ क्षेत्रों के लिए भाड़ा सब्सिडी के वितरण एवं प्रशासन में सरकार की सहायता करता है, आपातकाल एवं अप्रत्याशित परिस्थितियों से निपटने के लिए सूचना डेटा बैंक और संचार प्रणाली को बनाये रखता है, अंतरराष्ट्रीय तेल बाज़ार और घरेलू क़ीमतों की प्रवृत्तियों का विश्लेषण करता है, पेट्रोलियम के आयात एवं निर्यात की प्रवृत्तियों का अनुमान एवं आकलन करता है।

PPAC का वित्त पोषण **तेल उद्योग विकास बोर्ड** [Oil Industry Development Board (OIDB)] द्वारा किया जाता है। यह सेल नयी दिल्ली में स्थित है।

परिवहन क्षेत्र (TRANSPORT SECTOR)

परिवहन क्षेत्र के निम्नलिखित अंग हैं :

परिवहन क्षेत्र (Transport Sector)

- सड़क परिवहन (Road Transport)
- रेल परिवहन (Railway Transport)
- नागरिक उड्डयन (Civil Aviation)
- जल परिवहन (Water Transport)
- पाइपलाइन (Pipelines)

सड़क परिवहन (Road Transport)

- देश के **यात्री यातायात का** (passenger traffic) **87 प्रतिशत** और **मालवहन यातायात** (freight traffic) **का 60 प्रतिशत** संचालन सड़क परिवहन के अंतर्गत आता है।
- भारत में लगभग 66.71 लाख किमी का सड़क नेटवर्क है (अमेरिका के बाद विश्व में दूसरा सबसे बड़ा सड़क नेटवर्क) जिनमें से राष्ट्रीय राजमार्गों की कुल लंबाई **1.46 लाख किमी** है।
- **सड़क घनत्व (road density)** *[अर्थात् प्रतिवर्गकिमी क्षेत्र में सड़क (किमी में) - लगभग 1.94 किमी/वर्ग किमी]* के संबंध में भारत का स्थान अमेरिका, ब्रिटेन और चीन जैसे प्रमुख देशों से भी ऊपर है।
- भारत में प्रचलित सड़कों के प्रकार : ⟶
- **राष्ट्रीय राजमार्गों (National Highways)** का प्रबंधन सड़क परिवहन एवं राजमार्ग मंत्रालय द्वारा किया जाता है। एक्सप्रेसवे राष्ट्रीय राजमार्ग का ही हिस्सा हैं।
- **राज्य राजमार्गों (State Highways)** को राज्य सरकारों द्वारा राज्य लोक निर्माण विभाग के माध्यम से वित्त पोषित और प्रबंधित किया जाता है।

प्रकार	कुल सड़क नेटवर्क में हिस्सा (लगभग) (प्रतिशत)
ग्रामीण सड़कें	70
शहरी सड़कें	9
परियोजना सड़कें (Project Roads)	6
अन्य PWD सड़कें	10
राज्य राजमार्ग	3
राष्ट्रीय राजमार्ग	2
कुल	**100**

- राज्यों/केंद्र शासित प्रदेशों में **महाराष्ट्र में** राष्ट्रीय राजमार्ग और राज्य राजमार्ग की लंबाई सर्वाधिक है, इसके बाद कर्नाटक, गुजरात, राजस्थान और आंध्र प्रदेश का स्थान है।

सड़क परिवहन में सुधार के लिए सरकारी क़दम
(Government Measures undertaken to Improve Road Transport)

- **राष्ट्रीय राजमार्ग विकास परियोजना [National Highways Development Project (NHDP)] –** 1998 में शुरू हुई राष्ट्रीय राजमार्ग विकास योजना राष्ट्रीय राजमार्ग प्राधिकरण के अंतर्गत एक योजना है, जिसका उद्देश्य भारत में मुख्य राजमार्गों को उच्च मानक स्तर तक उन्नत, पुनर्निमित और चौड़ा करना है और स्वर्णिम चुतर्भुज समेत राष्ट्रीय राजमार्गों के दायरे को बढ़ाना है। सरकार ने 2018 में NHDP को समाप्त करने तथा अभी चल रही परियोजनाओं को एक व्यापक भारतमाला कार्यक्रम में सम्मिलित करने की योजना बनायी है।
- **भारतमाला परियोजना (Bharatmala Pariyojana) –** इस योजना को 2017-18 में शुरू किया गया, यह पहले से निर्मित बुनियादी ढाँचे, बहु-मॉडल एकीकरण, निर्बाध आवाजाही के लिए बुनियादी ढाँचे के अंतराल को कम करने और राष्ट्रीय और आर्थिक गलियारों को एकीकृत करने पर केंद्रित है। 34,800 किलोमीटर (10,000 किलोमीटर अवशिष्ट NHDP हिस्सों सहित) सड़क के विकास के लक्ष्य के साथ कार्यक्रम के छह प्रमुख भाग हैं:-
  1. इकोनॉमिक कॉरिडोर (आर्थिक गलियारे) (9000 किलोमीटर)
  2. इंटर-कॉरिडोर और फ़ीडर मार्ग (अंतर-गलियारें और फ़ीडर मार्ग) (6000 किलोमीटर)
  3. राष्ट्रीय गलियारे की दक्षता में सुधार (5000 किलोमीटर)
  4. सीमा और अंतरराष्ट्रीय संपर्क सड़कें (2000 किलोमीटर)
  5. तटीय और बंदरगाह संपर्क सड़कें (2000 किलोमीटर)
  6. ग्रीन-फ़ील्ड एक्सप्रेसवे (800 किलोमीटर)
- **ग्राम सड़क योजना (Gram Sadak Yojana) –** PMGSY का प्राथमिक उद्देश्य आवश्यक पुलियों और क्रॉस-ड्रेनेज संरचनाओं के साथ हर मौसम में सड़क के माध्यम से कनेक्टिविटी प्रदान करना है, जो ग्रामीण क्षेत्रों में योग्य असंबद्ध बस्तियों के लिए पूरे वर्ष संचालित होता है। विश्व बैंक (2019) ने योजना के मूल्यांकन में पाया कि PMGSY से सड़कों का ग्रामीण भारत में मानव पूँजी निर्माण पर सकारात्मक प्रभाव पड़ा है।
- **सेतु भारतम (Setu Bharatam) –** 2016 में शुरू की गयी इस योजना का लक्ष्य 2019 तक सभी राष्ट्रीय राजमार्गों को रेलवे क्रॉसिंग से मुक्त करना है। इस योजना में रेलवे ओवर ब्रिज (ROB)/ रोड अंडर ब्रिज (RUB) के द्वारा राष्ट्रीय राजमार्गों पर लेवल क्रॉसिंग हटाना सम्मिलित है।
- **चारधाम महामार्ग विकास परियोजना (Chardham Mahamarg Vikas Pariyojna)–** 2016 में शुरू की गयी इस योजना का लक्ष्य 12,000 करोड़ रुपये की अनुमानित लागत से 889 किमी लंबा राष्ट्रीय राजमार्ग (न्यूनतम 10 मीटर की चौड़ाई के साथ) विकसित करना है, ताकि उत्तराखंड में स्थित चार प्रमुख धामों गंगोत्री, यमुनोत्री, केदारनाथ और बद्रीनाथ तक आसानी से पहुँचा जा सके।
- **उत्तर-पूर्वी क्षेत्र के लिए 'विशेष त्वरित सड़क विकास कार्यक्रम'** (Special Accelerated Road Development Programme)।
- **रसद दक्षता वृद्धि कार्यक्रम [Logistics Efficiency Enhancement Programme (LEEP)] –** इसका लक्ष्य **मल्टीमॉडल लॉजिस्टिक पार्क** की स्थापना द्वारा भारत में मल्टीमॉडल परिवहन को बढ़ावा देना है।

अतिरिक्त जानकारी

मल्टी मॉडल लॉजिस्टिक्स पार्क (MULTI MODAL LOGISTICS PARK)

देश में रणनीतिक स्थानों पर मल्टी मॉडल लॉजिस्टिक्स पार्क (MMLP) विकसित किये जा रहे हैं, ताकि लॉजिस्टिक्स लागत में कमी लायी जा सके और आयात में कमी लाकर तथा निर्यात में वृद्धि करके राष्ट्रीय अर्थव्यवस्था को बढ़ावा दिया जा सके।

मल्टी-मॉडल लॉजिस्टिक्स पार्क (MMLP) **इंटर-मॉडल फ्रेट-हैंडलिंग प्रतिष्ठानवाली एक सुविधा है, जिसमें गोदाम, समर्पित कोल्ड चेन सुविधाएँ, माल या कंटेनर टर्मिनल और बल्क कार्गो टर्मिनल** शामिल हैं। यह सड़क, रेल, जलमार्ग और हवाई मार्ग से माल की आवाजाही की सुविधा प्रदान करता है।

सड़क परिवहन और राजमार्ग मंत्रालय पूरे देश में हब और स्पोक मॉडल के रूप में भारतमाला परियोजना के तहत **35 मल्टी मॉडल लॉजिस्टिक्स पार्क (MMLP)** विकसित करनेवाला नोडल मंत्रालय है।

- **पर्वतमाला योजना (Parvatmala Scheme) –** राष्ट्रीय रोपवे विकास कार्यक्रम [National Ropeways Development Programme] - "पर्वतमाला" की घोषणा पहाड़ी क्षेत्रों में कनेक्टिविटी में सुधार के लिए, 2022-23 के केंद्रीय बजट में की गई थी।
  - योजना को PPP [सरकारी निजी कंपनी भागीदारी (Public Private Partnership)] मोड पर लिया है। यह कठिन पहाड़ी क्षेत्रों में पारंपरिक सड़कों के स्थान पर एक पसंदीदा पारिस्थितिक रूप से स्थायी विकल्प है।
  - यह योजना उत्तराखंड, हिमाचल प्रदेश, मणिपुर, जम्मू और कश्मीर और अन्य उत्तर-पूर्वी राज्यों जैसे क्षेत्रों में शुरू की जा रही है।

परीक्षोपयोगी

मोटर वाहन (संशोधन) अधिनियम, 2019 [MOTOR VEHICLES AMENDMENT ACT, 2019]

इस अधिनियम ने मोटर वाहन अधिनियम, 1988 (Motor Vehicles Act, 1988) में संशोधन किया है।

मुख्य विशेषताएँ/संशोधन (Key Features/Amendments) :

- संशोधित अधिनियम ने विभिन्न प्रकार के यातायात संबंधी अपराधों के लिए **दंड की मात्रा बढ़ा दी है**। मोटर वाहनों के संबंध में जुर्माना हर वर्ष 10 प्रतिशत बढ़ाया जाना है। यह यातायात उल्लंघन के विरुद्ध निवारक के रूप में कार्य कर सकता है।
- **नये दंडों को लागू किया गया है,** जैसे आकार से बड़े वाहन, आपातकालीन वाहनों के लिए रास्ता नहीं छोड़ना, किशोरों द्वारा किये जानेवाले अपराध इत्यादि।
- अधिनियम ने **हिट ऐंड रन मामले में न्यूनतम मुआवज़े को निम्न अनुसार बढ़ा दिया है :** (**i**) मृत्यु की स्थिति में ₹25,000 से ₹2,00,000 लाख तक, और (**ii**) गंभीर चोट की स्थिति में ₹12,500 से ₹50,000 तक।
- नया विधेयक केंद्र सरकार को **दोषपूर्ण मोटर वाहनों को वापस बुलाने का आदेश** जारी करने की अनुमति देता है, जो पर्यावरण, या ड्राइवर या सड़क का उपयोग करनेवाले अन्य लोगों को नुक़सान पहुँचा सकते हैं।
- सड़क सुरक्षा और यातायात प्रबंधन के सभी पक्षों पर केंद्र और राज्य सरकारों को परामर्श देने के लिए केंद्र सरकार द्वारा **राष्ट्रीय सड़क सुरक्षा बोर्ड** (**National Road Safety Board**) बनाया जाना है।
- यह अधिनियम **गोल्डन ऑवर के दौरान** सड़क दुर्घटना के पीड़ितों के कैशलेस इलाज के लिए एक योजना प्रदान करता है।
- भारत में सड़क का उपयोग करनेवाले सभी लोगों को अनिवार्य बीमा सुरक्षा प्रदान करने के लिए यह अधिनियम केंद्र सरकार के लिए एक **मोटर वाहन दुर्घटना फ़ंड** (Motor Vehicle Accident Fund) के गठन को ज़रूरी करता है।

रेल परिवहन (Railway Transport)

- भारतीय रेलवे, एकल प्रबंधन के तहत **दुनिया का चौथा सबसे बड़ा नेटवर्क** है।
- भारतीय रेलवे ने फ़रवरी, 2025 तक (वित्त वर्ष 2024-25 के लिए) 1.47 बिलियन टन माल ढुलाई हासिल की।

- ***आर्थिक सर्वेक्षण, 2024-25*** के अनुसार, रेलवे में बुनियादी ढाँचे पर पूँजीगत व्यय वित्त वर्ष 2025 में ₹2.52 लाख करोड़ होने का अनुमान है।
- **अनुसंधान अभिकल्प एवं मानक संगठन [Research Design and Standards Organisation (RDSO)]** रेल मंत्रालय का अनुसंधान एवं विकास [Research & Development (R&D)] विंग है।

रेल अवसंरचना में सुधार के लिए उठाये गये प्रमुख सरकारी क़दम (Major Government Measures Undertaken to improve Rail Infrastructure)

- **समर्पित मालवहन कॉरिडोर या डेडीकेटेड फ्रेट कॉरिडोर [Dedicated Freight Corridor (DFC)] –** 2018 में चार DFC के फंडिंग को मंजूरी दी गयी :-
  - **पूर्व-पश्चिम DFC**, कोलकाता से मुंबई के बीच 2,000 किमी लंबा कॉरिडोर।
  - **उत्तर-दक्षिण DFC**, दिल्ली से चेन्नई के बीच 2,173 किमी लंबा कॉरिडोर।
  - **ईस्ट कोस्ट DFC**, खड़गपुर से विजयवाड़ा तक 1,100 किमी लंबा कॉरिडोर।
  - **दक्षिण-पश्चिम DFC**, चेन्नई से गोवा तक 890 किमी लंबा कॉरिडोर।
- **रेल विकास प्राधिकरण (Rail Development Authority) –** मंत्रालय को निम्नलिखित के संबंध में सिफ़ारिशें करने के लिए 2017 में स्थापना की गयी :-
  - लागत के अनुरूप सेवाओं का मूल्य निर्धारण।
  - ग़ैर-किराया राजस्व बढ़ाने के लिए उपाय सुझाना।
  - सेवा की गुणवत्ता और अनुकूल लागत को सुनिश्चित कर उपभोक्ता हितों का संरक्षण करना।
- **आदर्श स्टेशन योजना (Adarsh Station Scheme) –** इस योजना के अंतर्गत 1,253 रेलवे स्टेशनों के आधुनिकीकरण/उन्नतीकरण का कार्य किया गया है।
- **मिशन 41k (Mission 41k) –** इसे 2017 में शुरू किया गया, इसका लक्ष्य निम्नलिखित उपायों के माध्यम से अगले दशक में रेलवे की ऊर्जा-लागत में 41,000 करोड़ रुपये बचाना है:-
  1. 90 फ़ीसदी ट्रैफ़िक को डीज़ल के ऊपर इलेक्ट्रिक ट्रैक्शन की ओर ले जाना, जो वर्तमान में 50 फ़ीसदी है।
  2. दिसंबर, 2023 तक रेलवे नेटवर्क का शत-प्रतिशत विद्युतीकरण।
  3. DISCOM के माध्यम से इसे सोर्स करने के बजाए खुले बाज़ार के माध्यम से सस्ती दरों पर बिजली की ख़रीद करके।
  4. बिजली की खपत को कम करने के लिए नयी तकनीकों की खोज करना।
  5. रेलवे ने पहले ही 1000 मेगावाट सौर ऊर्जा और 200 मेगावाट पवन ऊर्जा पैदा करने का लक्ष्य रखा है।
- **बुलेट ट्रेन परियोजना (Bullet Train Project) –** नेशनल हाई स्पीड रेल कॉर्पोरेशन लिमिटेड द्वारा कार्यान्वित की जा रही **मुंबई-अहमदाबाद हाई स्पीड रेल कॉरिडोर** (कार्य चल रहा है) भारत की पहली हाई-स्पीड रेल लाइन होगी। इस परियोजना के 2023 तक पूरा होने की उम्मीद की गयी थी। यह कॉरिडोर जापान रेलवे के **शिनकांसन E5 सीरीज** (Shinkansen E5 Series) **का रोलिंग स्टॉक** के रूप में प्रयोग करेगा।
- **राष्ट्रीय रेल योजना [National Rail Plan (NRP)] – दिसंबर, 2020** में भारत सरकार NRP लेकर आयी थी, जो एक **दीर्घ-कालिक रणनीतिक योजना** (long-term strategic plan) है, जिसका लक्ष्य 2030 तक रेलवे के मॉडल शेयर में वृद्धि की रणनीति के साथ **अवसंरचना क्षमता का संवर्धन** (Infrastructural Capacity Enhancement) करना है। NRP का झुकाव देश की पूरी परिवहन अवसंरचना को एक साझा मंच पर लाने का है और माल ढुलाई में रेलवे के मॉडल शेयर को मौजूदा 27 प्रतिशत से बढ़ाकर 45 प्रतिशत करना है।
- **कवच (Kavach) –** आत्मनिर्भर भारत के एक हिस्से के रूप में, 2,000 किलोमीटर नेटवर्क को कवच के अंतर्गत लाया जायेगा। 'कवच' एक **टक्कररोधी उपकरण [Anti-Collision Device (ACD)]** नेटवर्क है। यह भारत में बनी एक तकनीक है, जिसे भारतीय रेलवे को **'शून्य दुर्घटनाओं' के लक्ष्य** को प्राप्त करने में मदद करने के लिए डिज़ाइन किया गया है।

- **वंदे भारत एक्सप्रेस (Vande Bharat Express)** – यह 160 किलोमीटर प्रतिघंटे की परिचालन क्षमता के साथ **स्व-चालित "इंजन रहित" ट्रेन सेट** हैं। उनकी तेज़ गति और धीमी गति वृद्धि के परिणामस्वरूप ट्रेन यात्रा का समय कम हो जाता है। कुछ यात्रियों के अनुकूल सुविधाओं में यूरोपीय शैली की सीटें, विसरित एलईडी लाइटिंग GPS आधारित इंफ़ोटेनमेंट सिस्टम, मॉड्यूलर बॉयो-शौचालय, धूल रहित वातावरण के लिए पूरी तरह से सील गैंगवे, स्लाइडिंग फुटस्टेप्स के साथ केंद्रीय रूप से नियंत्रित प्रवेश/निकास द्वार, दिव्यांग अनुकूल शौचालय और स्वचालित स्लाइडिंग केबिन दरवाज़े शामिल हैं। मार्च, 2025 तक, 136 वंदे भारत ट्रेनें भारतीय रेलवे में कार्यरत हैं।
- **अमृत भारत एक्सप्रेस (Amrit Bharat Express)** – अमृत भारत एक्सप्रेस भारतीय रेलवे द्वारा संचालित एक हाई-स्पीड एक्सप्रेस ट्रेन सेवा है। यह एक लागत प्रभावी, गैर-वातानुकूलित स्लीपर सह-अनारक्षित सेवा प्रदान करती है, जो उन शहरों को मौजूदा सेवाओं से जोड़ती है, जो 800 किमी से अधिक दूरी पर हैं या जिनकी यात्रा का समय दस घंटे से अधिक है। ट्रेन में प्रत्येक छोर पर एक, दो लोकोमोटिव और 22 डिब्बे शामिल हैं, जो 110 से 130 किमी/घंटा (68-81 मील प्रतिघंटे) की गति से चलने में सक्षम हैं। इस ट्रेन का वाणिज्यिक संचालन 1 जनवरी, 2024 को शुरू हुआ।
- **एक स्टेशन एक उत्पाद योजना (One Station One Product Scheme)** – इसकी घोषणा केंद्रीय बजट 2022-23 में की गयी थी। इस योजना का उद्देश्य देश भर के रेलवे स्टेशनों पर बिक्री आउटलेट के प्रावधान के माध्यम से स्थानीय कारीगरों, कुम्हारों, बुनकरों/हथकरघा बुनकरों, शिल्पकारों आदि को कौशल विकास के माध्यम से आजीविका के अवसर प्रदान करना है। यह योजना 572 आउटलेट्स के साथ 535 स्टेशनों पर लागू की गयी है।
- **अमृत भारत स्टेशन योजना (Amrit Bharat Station Scheme)** – इसे भारतीय रेलवे में रेलवे स्टेशनों के विकास के लिए शुरू किया गया है। फ़रवरी, 2023 तक, इस योजना में भारतीय रेलवे पर उन्नयन/आधुनिकीकरण के लिए 1,275 स्टेशनों को शामिल करने की परिकल्पना की गयी थी।
- **प्रमुख आर्थिक रेलवे कॉरिडोर कार्यक्रम (Major Economic Railway Corridor Programmes)** – जैसा कि अंतरिम बजट 2024-25 में घोषित किया गया था, पीएम गति-शक्ति के तहत कार्यान्वयन के लिए तीन प्रमुख आर्थिक रेलवे कॉरिडोर कार्यक्रमों की पहचान की गयी है। ये हैं (i) **ऊर्जा, खनिज और सीमेंट कॉरीडोर**; (ii) **पोस्ट कनेक्टिविटी कॉरीडोर** और (iii) **उच्च यातायात घनत्ववाले कॉरीडोर**। ये परियोजनाएँ न केवल मल्टी मॉडल कनेक्टिविटी को सक्षम करेंगी, बल्कि लॉजिस्टिक्स दक्षता में भी सुधार करेंगी और लागत कम करेंगी।

नागरिक उड्डयन (Civil Aviation)

- अमेरिका तथा चीन के बाद, नागरिक उड्डयन के **घरेलू बाज़ार के रूप में** भारत विश्व में **तीसरा सबसे बड़ा** बाज़ार है।
- घरेलू यात्री यातायात के संदर्भ में, भारत ने 2014-15 से 2023-24 तक 14.5 प्रतिशत की दो अंकों की चक्रवृद्धि वार्षिक वृद्धि दर (CAGR) देखी।
- नागरिक उड्डयन क्षेत्र में उछाल के मुख्य कारणों में बढ़ती क्रयशक्ति और बढ़ते मध्यम वर्ग के साथ-साथ बढ़ती अर्थव्यवस्था के रूप में देखा जा सकता है।
- यद्यपि, **नागरिक उड्डयन क्षेत्र में चुनौतियाँ** बनी हुई हैं :-
  - वाहकों की **अस्थिर बैलेंस शीट** – कई वर्षों की अवधि के दौरान अधिकांश एयरलाइंस लाभ दर्ज करने में असफल रही हैं।
  - **वायु किराये में अपर्याप्त विनियमन (Inappropriate regulation in airfares)** – कभी ये किराये बहुत अधिक, तो कभी बहुत कम होते हैं।
  - **मानवशक्ति की अत्यधिक कमी (Acute shortage of workforce)** – पायलट, केबिन क्रू, एयर ट्रैफ़िक कंट्रोलर, ग्राउंड स्टाफ़ इत्यादि के संबंध में।
  - **उपयुक्त प्रशिक्षण अवसंरचना का अभाव (Lack of proper training infrastructure)** – ट्रेनिंग एकेडमी, प्रशिक्षक और उपकरण के रूप में।
  - **एयरपोर्ट्स डेवेलपमेंट प्रोजेक्ट का कुप्रबंधन (Mismanagement of airport development projects)** – एक दूसरे पर व्याप्त और अपर्याप्त ग्रहण क्षेत्र।

- उड्डयन टर्बाइन ईंधन की **उच्च लागत (High cost)** (ATF *की लागत कुल संचालन लागत की लगभग 40 प्रतिशत होती है*)।

➤ **नागरिक उड्डयन क्षेत्र में सरकार की अब तक की मुख्य पहलें :-**

- **राष्ट्रीय नागरिक उड्डयन नीति (National Civil Aviation Policy), 2016 –**
  - इसका लक्ष्य भारत और विश्व के विभिन्न भागों में पहुँच के साथ यात्रियों और कार्गो परिवहन के लिए सुरक्षित, सकुशल, सस्ती और टिकाऊ वायु यात्रा को प्रदान करना है।
  - राजकोषीय सहायता और अवसंरचना विकास के माध्यम से क्षेत्रीय संपर्क को बढ़ाना।
  - इसका लक्ष्य पर्यटन, रोज़गार और क्षेत्रीय विकास संतुलन को बढ़ाना भी है।
  - इस नीति के अंतर्गत वर्तमान 5/20 नियम* (rule)' को संशोधित कर 0/20 नियम कर दिया गया है।

अतिरिक्त जानकारी

***5/20 नियम (5/20 RULE) [*2016 में भारत सरकार द्वारा समाप्त कर दिया गया*]**

5/20 नियम के अनुसार, भारतीय कैरियर्स को अंतरराष्ट्रीय मार्ग पर उड़ान की अनुमति के लिए घरेलू संचालन में कम-से-कम 5 वर्ष पूरा करना ज़रूरी था और साथ ही एयरलाइन को फ़्लीट में कम-से-कम 20 वायुयान रखना या अपने फ़्लीट का 20% (जो भी अधिक हो) घरेलू संचालन के लिए रखना ज़रूरी था।

यद्यपि, **राष्ट्रीय नागरिक उड्डयन नीति (National Civil Aviation Policy)**, 2016 के अंतर्गत इसे रद्द कर दिया गया है। सरकार ने ढील देते हुए इस रूल को 0/20 कर दिया है, अर्थात्, अब अंतरराष्ट्रीय उड़ानों की योग्यता के लिए कैरियर्स को केवल 20 वायुयानों को घरेलू संचालन में तैनात करना ज़रूरी है।

- **उड़ान (UDAN) –** यह एक क्षेत्रीय संपर्क योजना (Regional Connectivity Scheme) है और राष्ट्रीय नागरिक उड्डयन नीति, 2016 का एक हिस्सा है।
  - योजना का **लक्ष्य क्षेत्रीय संपर्क को विकसित करना है।**
  - इसका लक्ष्य बिना संपर्कवाले मार्गों पर संचालन शुरू करना है।
  - बिना सेवावाले और कम सेवावाले एयरपोर्टों को जोड़ना, ताकि पर्यटन को बढ़ावा दिया जा सके। फरवरी, 2025 तक, अप्रयुक्त और कम उपयोग किये जानेवाले 88 हवाई अड्डों (13 हेलीपोर्ट और 2 जल एयरोड्रोम सहित) को चालू कर दिया गया है।
  - इस योजना के अंतर्गत सफल बोली लगानेवाले के पास संचालन के अनन्य अधिकार होंगे। इस योजना में निजी क्षेत्र की कई एयरलाइन्स भागीदारी कर रही हैं।
  - एक **क्षेत्रीय संपर्क फ़ंड (Regional Connectivity Fund)** का सृजन किया गया है, जिसके अंतर्गत भागीदार राज्य फ़ंड में 20 प्रतिशत हिस्से का योगदान करेगा।

➤ **कृषि उड़ान योजना** 2.0 **(Krishi Udan Scheme 2.0)** : इसका उद्देश्य विशेष रूप से देश के उत्तर-पूर्व, पहाड़ी और आदिवासी क्षेत्रों से आनेवाले सभी कृषि उत्पादों के लिए निर्बाध, लागत प्रभावी, समयबद्ध हवाई परिवहन और संबंधित रसद सुनिश्चित करना है। अभी तक, 58 हवाई अड्डे इस योजना के अंतर्गत आते हैं।

➤ **एयरसेवा 2016** नागरिक उड्डयन मंत्रालय की एक पहल है, जो लोगों को सुविधाजनक एवं कठिनाई-मुक्त यात्रा का अनुभव देती है।

➤ **डिजी यात्रा (Digi Yatra)** में एयरपोर्ट पर यात्रियों की बॉयोमेट्रिक आधारित डिजिटल प्रोसेसिंग सम्मिलित है।

➤ **स्वचलित मार्ग के अंतर्गत ग्रीनफ़ील्ड परियोजनाओं के लिए 100** प्रतिशत **FDI** की अनुमति दी गयी है।

➤ **PPP मोड** के अंतर्गत 6 एयरपोर्ट विकास के लिए चुने गये हैं। ये हैं – अहमदाबाद, गुवाहाटी, जयपुर, लखनऊ, मैंगलुरू और तिरुवनंतपुरम।

➤ राष्ट्रीय मुद्रीकरण पाइपलाइन (NMP) के अनुसार, 25 AAI हवाई अड्डों को 2022 से 2025 के वर्षों में परिसंपत्ति मुद्रीकरण के लिए निर्धारित किया गया है।

➤ 2019 के बाद से **छह ग्रीनफ़ील्ड हवाई अड्डे** (कलबुर्गी, ओरवाकल, सिंधुदुर्ग, ईटानगर, कुशीनगर और मोपा) को संचालित कर दिया गया है।

➤ ग्रीनफ़ील्ड हवाईअड्डा नीति, 2008 के तहत सरकार ने 21 ग्रीनफ़ील्ड हवाईअड्डे स्थापित करने की परिकल्पना की है। इनमें से 11 ग्रीनफ़ील्ड हवाईअड्डों यथा दुर्गापुर, शिरडी, कन्नूर, पाकयोंग, कलबुर्गी, ओरवाकल (कुर्नूल), सिंधुदुर्ग, कुशीनगर, डोनयी पोलो (ईटानगर), मोपा और शिवमोग्गा को चालू कर दिया गया है।

नागरिक उड्डयन से संबंधित विभिन्न एजेंसियाँ (VARIOUS AGENCIES RELATED TO CIVIL AVIATION)

➤ **नागर विमानन महानिदेशालय [Director General of Civil Aviation (DGCA)]** – यह नागरिक उड्डयन मंत्रालय के अंतर्गत एक नियामक निकाय है।

➤ **नागर विमानन सुरक्षा ब्यूरो (Bureau of Civil Aviation Security)** – इसका उत्तरदायित्व नागरिक उड़ानों के संबंध में मानकों और मापकों को निर्धारित करना है।

➤ **भारतीय विमानपत्तन प्राधिकरण (Airport Authority of India)** – यह नागरिक उड्डयन मंत्रालय के अंतर्गत एक सार्वजनिक क्षेत्र की इकाई है, जो एयरपोर्ट अवसंरचना एवं इसके प्रबंधन के विकास और निर्माण में लगी हुई है।

➤ **पवन हंस हेलीकॉप्टर लिमिटेड (Pawan Hans Helicopter Limited)** – यह एक *मिनि रत्न-I श्रेणी का सार्वजनिक क्षेत्र उद्यम* (PSU) है, जिसका उद्देश्य कच्चे तेल क्षेत्र में अपतटीय अन्वेषण सेवा (ONGC के लिए), अंतर-द्वीपीय परिवहन, पहाड़ी एवं दुर्गम क्षेत्रों के अभियान, यात्रा एवं पर्यटन को बढ़ावा देनेवालीं सेवाओं इत्यादि में हेलीकॉप्टर सहयोग प्रदान करना है।

क्या आप जानते हैं?

ड्रोन नियम, 2021 (DRONE RULES, 2021)

नागरिक उड्डयन मंत्रालय ने मौजूदा मानवरहित विमान प्रणाली [Unmanned Aircraft System (UAS)] नियमों को बदलने के लिए 'विश्वास, स्व-प्रमाणन, और गैर-दख़ल देनेवाली निगरानी' पर ध्यान देने के साथ ड्रोन नियम, 2021 पेश किया है। ड्रोन नियमों के मुख्य उद्देश्य हैं :

➤ सुव्यवस्थित अनुमोदन के लिए उपयोगकर्ता के अनुकूल सिंगल-विंडो ऑनलाइन प्रणाली के रूप में एक डिजिटल स्काई प्लेटफ़ॉर्म की स्थापना करना।

➤ डिजिटल प्लेटफ़ॉर्म पर स्व-निर्मित अनुमतियों को सक्षम करके मानव इंटरफ़ेस को न्यूनतम करना।

जल परिवहन (Water Transport)

भारत सरकार के **नौवहन मंत्रालय** (Ministry of Shipping) द्वारा अंतर्देशीय जल परिवहन और समुद्री परिवहन दोनों से संबंधित नीतियों और कार्यक्रमों का ध्यान रखा जाता है। आइए, अब दोनों क्षेत्रों की चर्चा करते हैं :-

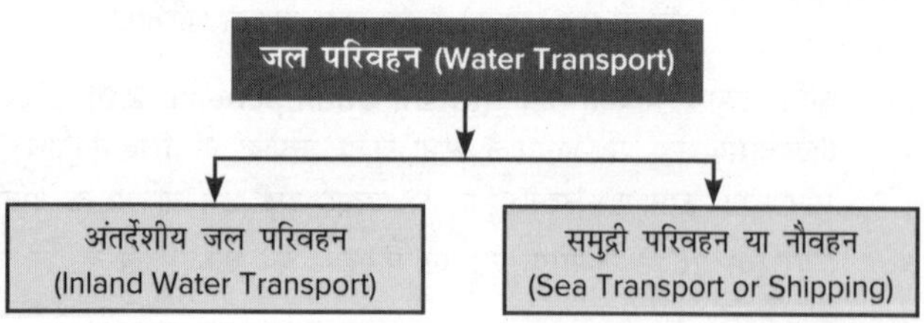

अंतर्देशीय जल परिवहन (Inland Water Transport)

➤ भारत में **सबसे लंबा नौगम्य** (navigable) **और अंतर्देशीय जल नेटवर्क है।**

➤ इन **अंतर्देशीय** जलमार्गों [inland waterways (IWs)] के माध्यम से वर्तमान में कुल कार्गो भुगतान का 1 प्रतिशत से भी कम कार्गो परिवहन होता है।

➤ अंतर्देशीय जलमार्गों (IW) में नौपरिवहन से संबंधित विनियमन के लिए भारतीय अंतर्देशीय जलमार्ग प्राधिकरण [Inland Waterways Authority of India (IWAI)] उत्तरदायी है। भारत में जलमार्ग की कुल नौवहन योग्य लंबाई लगभग 14,850 किलोमीटर है।

➤ प्रारम्भ में, निम्न 5 राष्ट्रीय जलमार्ग [National Waterways (NWs)] थे :–

NW	विवरण	नदी/नहर	क्या संचालित है?
NW 1	**प्रयागराज-हल्दिया खंड** (1620 किमी) – चार राज्य	गंगा-भागीरथी-हुगली नदी प्रणाली	**हाँ** (जहाज़ चल रहे हैं)
NW 2	**सादिया-धुबरी खंड** (891 किमी) – असम में	ब्रह्मपुत्र नदी	**हाँ** (जहाज़ चल रहे हैं)
NW 3	**कोल्लम –कोझीकोड खंड** (205 किमी) – केरल में	पश्चिमी तटीय नहर की चंपाकारा नहर और उद्योगमंडल नहर के साथ	**हाँ** (जहाज़ चल रहे हैं)
NW 4	**काकीनाडा-पुडुचेरी खंड** (1095 किमी) तीन राज्य/केंद्र शासित प्रदेश सम्मिलित	नहरें और कालूवेल्ली तालाब, गोदावरी एवं कृष्णा नदियों के कुछ खंड	**हाँ**
NW 5	(a) **तलचेर- धामरा खंड** कई नदियों/नहरों के साथ (b) **जियोनखली-चारबतिया खंड** कूवुम नहर पर (c) **हरबतिया-धामरा खंड** मताई और महानदी नदियों पर (तीनों ओडिशा और पश्चिम बंगाल में)	कुल 623 किमी.	अभी नहीं
NW 6	**भांगा-लखीपुर खंड** (121 किमी) मणिपुर, मिज़ोरम और असम को कवर करता है	बराक नदी के किनारे	अभी तक नहीं

अंतर्देशीय जल परिवहन क्षेत्र में सरकार द्वारा की गयीं पहलें :-

➤ 2016 में, राष्ट्रीय जलमार्ग अधिनियम, 2016 के अनुसार **106 अन्य NW** घोषित किये गये थे। इस प्रकार, अब कुल 111 NW हो गये हैं। वर्तमान में इन 111 NW में 13 संचालित हो रहे हैं।

- इन 111 NW में NW **1 सबसे लंबा है,** अर्थात् **प्रयागराज-हल्दिया खंड, जो** 1620 किमी लंबा है।
- इन 111 NW में **NW 69 सबसे छोटा है,** जो तमिलनाडु में मणिमुतार नदी के साथ 5 किमी लंबा खंड है।

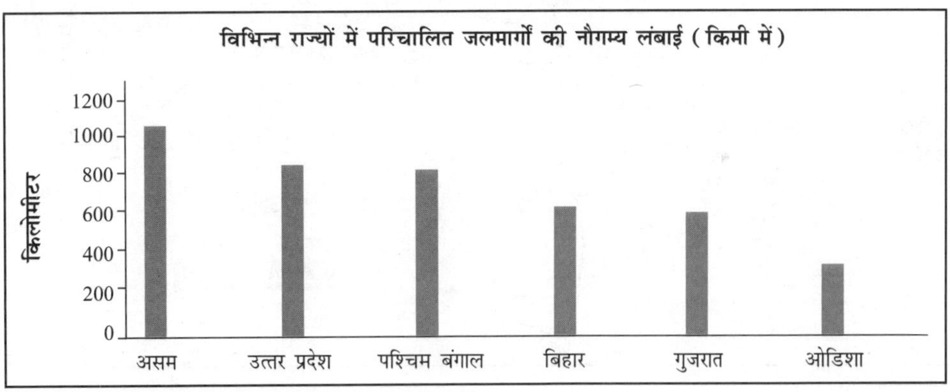

स्रोत : आर्थिक सर्वेक्षण 2024-25

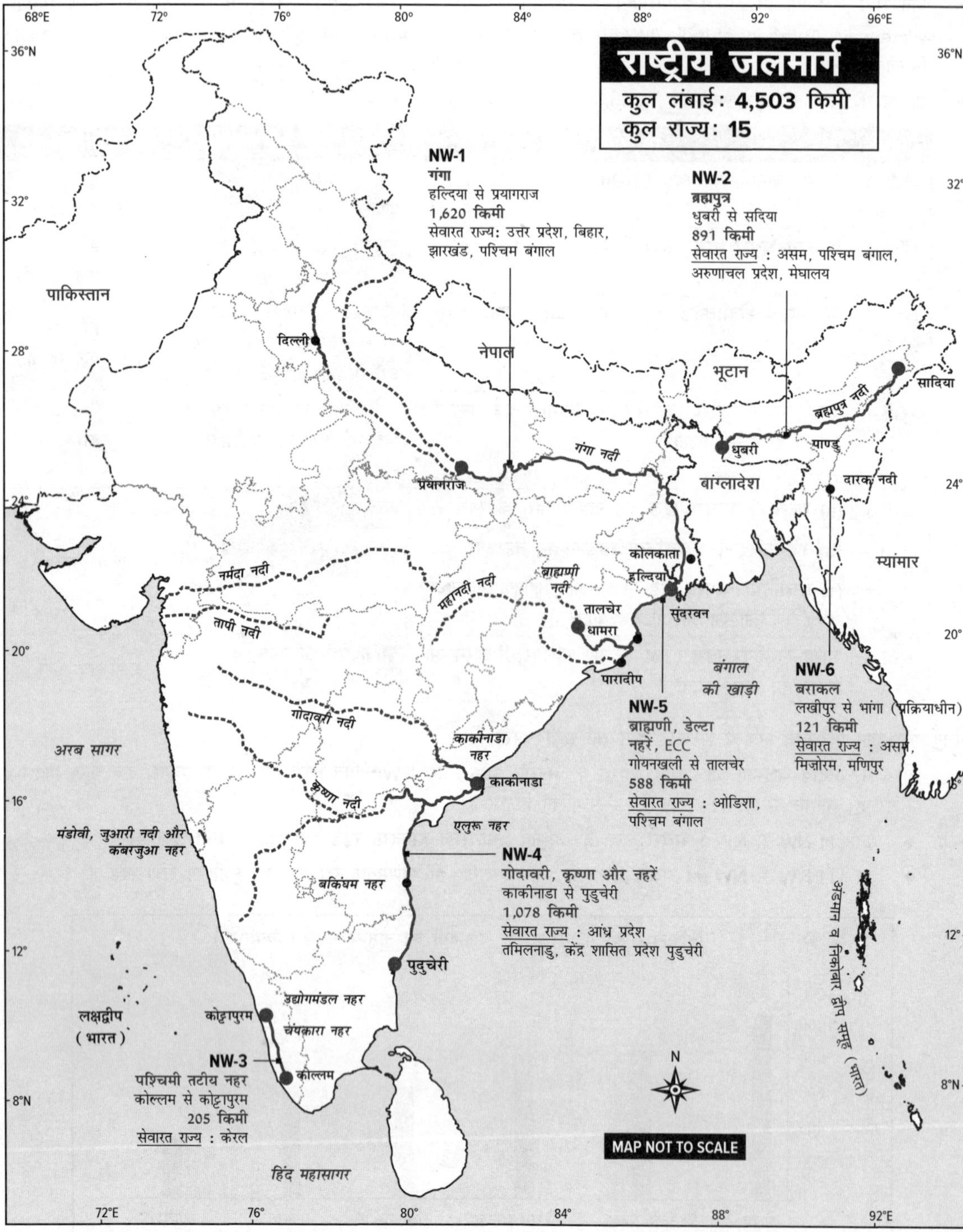
राष्ट्रीय जलमार्ग
कुल लंबाई: 4,503 किमी
कुल राज्य: 15
NW-1
गंगा
हल्दिया से प्रयागराज
1,620 किमी
सेवारत राज्य: उत्तर प्रदेश, बिहार, झारखंड, पश्चिम बंगाल
NW-2
ब्रह्मपुत्र
धुबरी से सदिया
891 किमी
सेवारत राज्य : असम, पश्चिम बंगाल, अरुणाचल प्रदेश, मेघालय
पाकिस्तान
दिल्ली
नेपाल
भूटान
सादिया
ब्रह्मपुत्र नदी
धुबरी
पाण्डु
गंगा नदी
प्रयागराज
बांग्लादेश
दारक नदी
कोलकाता
म्यांमार
नर्मदा नदी
ब्राह्मणी नदी
महानदी नदी
हल्दिया
तालचेर
सुंदरवन
धामरा
तापी नदी
पारादीप
बंगाल की खाड़ी
NW-6
बराकल
लखीपुर से भांगा (प्रक्रियाधीन)
121 किमी
सेवारत राज्य : असम, मिज़ोरम, मणिपुर
NW-5
ब्राह्मणी, डेल्टा नहरें, ECC
गोयनखली से तालचेर
588 किमी
सेवारत राज्य : ओडिशा, पश्चिम बंगाल
गोदावरी नदी
अरब सागर
काकीनाडा नहर
काकीनाडा
कृष्णा नदी
एलुरू नहर
मंडोवी, जुआरी नदी और कंबरजुआ नहर
NW-4
गोदावरी, कृष्णा और नहरें
काकीनाडा से पुडुचेरी
1,078 किमी
सेवारत राज्य : आंध्र प्रदेश तमिलनाडु, केंद्र शासित प्रदेश पुडुचेरी
बकिंघम नहर
अंडमान व निकोबार द्वीप समूह (भारत)
पुदुचेरी
उद्योगमंडल नहर
लक्षद्वीप (भारत)
कोट्टापुरम
चंपकारा नहर
NW-3
पश्चिमी तटीय नहर
कोल्लम से कोट्टापुरम
205 किमी
सेवारत राज्य : केरल
कोल्लम
N
MAP NOT TO SCALE
हिंद महासागर

- **NW 1 पर जल मार्ग विकास परियोजना** को **2017 में** वाराणसी-हल्दिया के बीच नौपरिवहन क्षमता में वृद्धि के लिए शुरू किया गया है, जो 1380 किमी की दूरी को समाहित करती है। यह परियोजना 2022-23 तक पूरी होनी थी और इसे विश्व बैंक द्वारा समर्थन प्राप्त है। हालाँकि, फ़रवरी 2025 तक परियोजना का 66.01 प्रतिशत कार्य पूरा हो चुका है और 7 में से 3 मील के पत्थर अभी पूरे होने बाक़ी हैं।
- **धुबरी में NW 2 पर एक स्थायी रो-रो कम IWT टर्मिनल (Ro - Ro cum IWT terminal) का निर्माण किया गया है।**
- **NW 4** के भागों में तलकर्षण (Dredging) का काम भी चल रहा है।

अतिरिक्त जानकारी

अंतर्देशीय पोत अधिनियम, 2021 (INLAND VESSELS ACT, 2021)

- यह अधिनियम सदियों पुराने अंतर्देशीय पोत अधिनियम, **1917 की जगह** लेता है। नया अधिनियम अंतर्देशीय जहाज़ों की सुरक्षा, बचाव और पंजीकरण को विनियमित करेगा।
- **प्रमुख विशेषताएँ :-**
  - यह पूरे देश के लिए एक एकीकृत क़ानून प्रदान करता है। पहले अलग-अलग राज्यों में अलग-अलग क़ानून थे।
  - अधिनियम के तहत प्रदान किया गया पंजीकरण का प्रमाणपत्र पूरे देश में मान्य होगा और **राज्यों से अलग से अनुमतियों की कोई आवश्यकता नहीं होगी।**
  - इलेक्ट्रॉनिक पोर्टल पर जहाज़ों, पोत पंजीकरण, चालक दल के विवरण रिकॉर्ड करने के लिए एक **केंद्रीय डेटाबेस** होगा।
  - यंत्रवत् चालित जहाज़ों को ज़िला, तालुक या पंचायत या ग्राम स्तर पर भी नामांकित करना होगा। यंत्रवत् चालित जहाज़ों में जहाज़, नाव, नौकायन जहाज़, कंटेनर जहाज़ और घाट शामिल हैं।
- नये अधिनियम का **उद्देश्य भारत के अंतर्देशीय जलमार्गों को परिवहन के एक व्यवहार्य, संपन्न मोड के रूप में विकसित** करना है, ख़ासकर कार्गो के लिए। अंतर्देशीय जलमार्ग नेटवर्क नदियों, चैनलों, बैकवाटर, खाड़ियों आदि में 15,000 किलोमीटर के क़रीब फैला हुआ है।

नौवहन (Shipping)

- भारत का लगभग **95 प्रतिशत** व्यापार मात्रा के हिसाब से और मूल्य के संदर्भ में **70 प्रतिशत** समुद्र के द्वारा पहुँचाया जाता है।
- लगभग 7517 किलोमीटर की तटरेखा के साथ, भारत में शिपिंग बुनियादी ढाँचे में सुधार की एक बड़ी गुंजाइश है।
- भारत में **13 प्रमुख बंदरगाह** हैं और लगभग **205 अधिसूचित लघु और मध्यवर्ती बंदरगाह** हैं, जो भारत के निर्यात मात्रा का 90 प्रतिशत से अधिक तथा कुल निर्यात मूल्य का 70 प्रतिशत संभालते हैं। प्रारंभ में, भारत में 13 प्रमुख बंदरगाह थे - पोर्ट ब्लेयर बंदरगाह को 2010 में प्रमुख बंदरगाहों से हटा दिया गया था, लेकिन, **वधवन** (महाराष्ट्र में) को फ़रवरी, 2020 में प्रमुख बंदरगाह के रूप में जोड़ा गया है।
- पाराद्वीप, चेन्नई, विशाखापत्तनम, कांडला और जवाहरलाल नेहरू पोर्ट ट्रस्ट उच्चतम कार्गो क्षमतावाले बंदरगाह हैं।
- **पोर्ट की दक्षता को जहाज़ों के TAT (टर्नअराउंड टाइम)** के माध्यम से मापा जाता है। यह पोत/जहाज़ के आगमन और उसके प्रस्थान के बीच का समय है। यह 2021 (अप्रैल-दिसंबर) में 2010-11 से 2.25 दिनों तक लगभग आधा हो गया है। विशाखापत्तनम और मोरमुगाओ बंदरगाहों में सबसे अधिक है
- **जवाहरलाल नेहरू पोर्ट (JNP)** PPP मॉडल पर संचालित होनेवाली सभी बर्थ (जहाज़ को बाँधना)वाला 100 प्रतिशत लैंडलॉर्ड पोर्ट बननेवाला देश का पहला प्रमुख बंदरगाह बन गया है।

शिपिंग सेक्टर के समक्ष आनेवालीं ढाँचागत चुनौतियाँ (Infrastructural Challenges Faced by Shipping Sector):

- भारतीय **बंदरगाहों की क्षमता की कमी।**
- अधिकांश भारतीय बंदरगाह लंबे अप्रचलित सर्विस पोर्ट मॉडल के हाइब्रिड प्रारूप का अनुसरण करते हैं। वे पुराने होने की **समस्या से भी पीड़ित** हैं।

- बंदरगाहों में **आधुनिक तकनीक** का **अपर्याप्त उपयोग और साथ ही अनुचित आधुनिकीकरण** एक और मुद्दा है।
- **प्रमुख बंदरगाह अधिकारियों को उनके कामकाज और निर्णय लेने में कम स्वायत्तता** भी एक मुद्दा है।

सरकार की प्रमुख पहलें (Major Government Initiatives) :–

- **प्रमुख बंदरगाह प्राधिकरण अधिनियम, 2021 (Major Port Authorities Act, 2021)** ने प्रमुख बंदरगाह न्यास अधिनियम, 1963 को बदल दिया है। नया अधिनियम **प्रमुख** बंदरगाहों "प्रमुख बंदरगाह का बोर्ड" **को प्रदान की गयीं सेवाओं** और बंदरगाह **परिसंपत्तियों के उपयोग** के लिए **टैरिफ़/स्केल तय करने की अनुमति देकर अधिक स्वायत्तता** प्रदान करता है। इसके अलावा, **प्रमुख** बंदरगाहों के लिए **टैरिफ़ प्राधिकरण की भूमिका को हटाया जाना है।**
- ईरान के **चाबहार बंदरगाह** के विकास के लिए 2015 में भारत और ईरान के बीच समझौता ज्ञापन पर हस्ताक्षर किये गये थे। 2018 में, भारत सरकार ने बंदरगाह के दो बर्थ का संचालन सँभाला।
- **सागरमाला प्रोजेक्ट, 2016 (Sagarmala Project, 2016) :–**
  - यह देश में बंदरगाह आधारित विकास को बढ़ावा देने के लिए बंदरगाह, **नौवहन और जलमार्ग मंत्रालय** का प्रमुख कार्यक्रम है।
  - यह **बंदरगाहों के आधुनिकीकरण** के लिए **एक रणनीतिक और ग्राहक-उन्मुख पहल है**, यानी वर्तमान बंदरगाहों को विश्व स्तरीय बंदरगाहों में बदलने के लिए है।
  - इसके पीछे उद्देश्य **न्यूनतम बुनियादी ढाँचे के निवेश के साथ निर्यात-आयात और घरेलू व्यापार की रसद लागत को कम** करना है।
  - इसके तहत, 2035 तक कार्यान्वयन के लिए **5.4 लाख करोड़ रुपये की 802 परियोजनाओं** की पहचान की गयी है। इन परियोजनाओं को निम्नलिखित में वर्गीकृत किया जा सकता है :
    - बंदरगाह आधुनिकीकरण और नये बंदरगाह विकास के लिए परियोजनाएँ
    - बंदरगाह संपर्क बढ़ाने के लिए परियोजनाएँ
    - बंदरगाह से जुड़े आधुनिकीकरण
    - तटीय समुदाय का विकास।
- **परियोजना उन्नति (Project Unnati) :** यह भारत में **प्रमुख** बंदरगाहों के लिए परिचालन, वित्तीय, मानव संसाधन और दक्षता से संबंधित मापदंडों को शामिल करके एक *मात्रात्मक बेंचमार्किंग मॉड्यूल* तैयार करने का एक अभ्यास है। इस चल रहे अभ्यास के माध्यम से, प्रमुख बंदरगाहों के लिए प्रमुख प्रदर्शन संकेतकों को अंतरराष्ट्रीय मानकों को ध्यान में रखते हुए परिभाषित किया गया है।
- बंदरगाहों को स्वच्छ और हरित बनाने के लिए **'हरित बंदरगाह परियोजना' (Project Green Ports)** शुरू की गयी है। बंदरगाहों में नवीकरणीय ऊर्जा का हिस्सा 60 प्रतिशत तक बढ़ाना है। बंदरगाहों ने, 2030 तक कार्बन उत्सर्जन, प्रतिटन कार्गो को 30 प्रतिशत तक कम करने का भी लक्ष्य रखा है।
- **राष्ट्रीय समुद्री विकास परियोजनाएँ वैश्विक मानकों को ध्यान में रखते हुए भारत में शिपिंग बुनियादी ढाँचे के उन्नयन और आधुनिकीकरण के उद्देश्य से शुरू** की गयी हैं।
- बंदरगाह समुदाय प्रणाली को शुरू किया गया है, जिसका उद्देश्य एक ही मंच पर सभी समुद्री व्यापार से संबंधित हितधारकों को मूल रूप से एकीकृत करना है।
- **e-SANCHIT** ई-भंडारण और अप्रत्यक्ष कर दस्तावेज़ों का कम्प्यूटरीकृत संचालन [**e-SANCHIT** (e-Storage and computerised handling of indirect tax documents), का उद्देश्य मानव हस्तक्षेप को कम करना है।
- **रिआयत अवधि के नवीनीकरण**, विस्तार के दायरे और गतिशील कारोबारी माहौल की चुनौतियों का समाधान करने के लिए बंदरगाह पर निर्भर उद्योगों के लिए एक नयी कैप्टिव नीति तैयार की गयी है।
- **मैरीटाइम इंडिया विज़न, 2030 (MIV2030) :** इसे 2021 में जारी किया गया, यह अगले दशक में भारत के समुद्री क्षेत्र के समन्वित और त्वरित विकास को सुनिश्चित करने का एक ख़ाका है। इसका उद्देश्य विश्व स्तरीय बड़े बंदरगाह, पोतांतरण

हब विकसित करना और बुनियादी ढाँचे के आधुनिकीकरण को सुनिश्चित करना है (अनुमानित निवेश ₹1,00,000-₹1,25,000 करोड़)।

- **समुद्री अमृत काल विज़न 2047 (Maritime Amrit Kaal Vision 2047) :** यह MIV2030 पर आधारित है, जिसका उद्देश्य विश्व स्तरीय बंदरगाहों का विकास करना एवं अंतर्देशीय जल परिवहन, तटीय नौपरिवहन (शिपिंग) और एक स्थायी समुद्री क्षेत्र को बढ़ावा देना है। इसमें लॉजिस्टिक्स, इन्फ्रास्ट्रक्चर और नौपरिवहन की आकांक्षाओं को सम्मिलित किया गया है, जो भारत की 'ब्लू इकोनॉमी' को सपोर्ट करते हैं। **डायरेक्ट पोर्ट एंट्री और डायरेक्ट पोर्ट डिलीवरी; रेडियो फ्रीक्वेंसी आइडेंटिफ़िकेशन सिस्टम** और **व्यापार को सुविधाजनक बनाने** के लिए **सिंगल विंडो इंटरफ़ेस** जैसी योजनाएँ, इन सभी का उद्देश्य माल की निकासी के समय और लागत को कम करना है।
- **राष्ट्रीय रसद पोर्टल (समुद्री) [National Logistic Portal (Marine) (NLP)]** : यह एक वन-स्टॉप प्लेटफ़ॉर्म है, जिसका उद्देश्य रसद क्षेत्र के विकास को बढ़ावा देने और इस तरह व्यापार में सुधार करने के लिए लागत और समय की देरी को कम करके और सेवाओं की आसान, तेज़ और अधिक प्रतिस्पर्धी पेशकशों को प्राप्त करके, दक्षता और पारदर्शिता में सुधार करने के लिए IT का उपयोग कर, रसद समुदाय के सभी हितधारकों को जोड़ना है।

परीक्षोपयोगी

जहाज़ों का पुनर्चक्रण विधेयक, 2019 (RECYCLING OF SHIPS ACT, 2019)

नया ऐक्ट जहाज़ या शिप निर्माण में **ख़तरनाक पदार्थों** (hazardous materials) के प्रयोग/स्थापन को प्रतिबंधित और निषेधित करता है, भले ही शिप पुनर्चक्रण (recycling) के लिए हो या ना हो। वर्तमान जहाज़ों के लिए अधिनियम के लागू होने की तारीख़ से 5 वर्ष के अंदर इसका पालन करना होगा, जबकि नये जहाज़ के लिए ऐसा प्रतिबंध तत्काल लागू होगा।

इस अधिनियम को 2019 में भारत द्वारा द हांगकांग इंटरनेशनल कन्वेंशन फ़ॉर द सेफ़ ऐंड एनवायरनमेंटली साउंड रिसाइक्लिंग शिप्स, 2009 को स्वीकार किये जाने के बाद बनाया गया है।

अतिरिक्त जानकारी

भारतीय नौवहन निगम [SHIPPING CORPORATION OF INDIA (SCI)]

- यह एक सरकारी सार्वजनिक क्षेत्र उद्यम (PSU) है, जिसका मुख्यालय **मुंबई** में है।
- SCI की स्थापना **1961** में की गयी थी और वर्तमान में यह सबसे बड़ी भारतीय शिपिंग कंपनी है।
- SCI का मुख्य कार्य राष्ट्रीय और अंतरराष्ट्रीय लाइन जहाज़ों को प्रबंधित और संचालित करना है।
- SCI उपलब्ध कराता है – क्रूज़ लाइनर और यात्री सेवाएँ, बल्क कैरियर और टैंकर सेवाएँ और अपतटीय सेवाएँ।
- भारत सरकार ने 2008 में SCI को **नवरत्न** का दर्जा दिया।
- यद्यपि, हाल ही में नवंबर, 2019 में भारत सरकार **ने SCI के निजीकरण** को मंज़ूरी दी है।

ग्रीन शिप के लिए वैश्विक केंद्र (GLOBAL HUB FOR GREEN SHIP)

भारत सरकार द्वारा 2023 में ग्रीन टग ट्रांजिशन प्रोग्राम [Green Tug Transition Programme (GTTP)] लॉन्च किया गया है, जिसका लक्ष्य 2030 तक भारत को **'ग्रीन शिप के लिए ग्लोबल हब'** बनाना है। भारत का पहला नेशनल सेंटर ऑफ़ एक्सीलेंस इन ग्रीन पोर्ट ऐंड शिपिंग (NCoEGPS) गुरुग्राम, हरियाणा में स्थापित किया गया है। यह परियोजना 'ग्रीन हाइब्रिड टग्स' से शुरू होती है, जो ग्रीन हाइब्रिड प्रोपल्शन सिस्टम द्वारा संचालित होती है, और बाद में मेथेनॉल, अमोनिया और हाइड्रोजन जैसे गैर-जीवाश्म ईंधन समाधानों को अपनायेगी। प्रारंभिक ग्रीन टग्स के लिए 2025 तक सभी प्रमुख बंदरगाहों में काम शुरू करने का लक्ष्य रखा गया है। 2030 तक सभी टगों में से कम-से-कम 50% को ग्रीन टग में परिवर्तित किये जाने की संभावना है, जिससे उत्सर्जन में काफ़ी कमी आयेगी, क्योंकि देश संधारणीय विकास प्राप्त करने की दिशा में आगे बढ़ रहा है।

पाइपलाइन (Pipelines)

बड़ी मात्रा में पेट्रोलियम उत्पादों और गैसों के लिए लंबी दूरी तक परिवहन का सबसे सुविधाजनक और उपयुक्त साधन पाइपलाइन हैं।

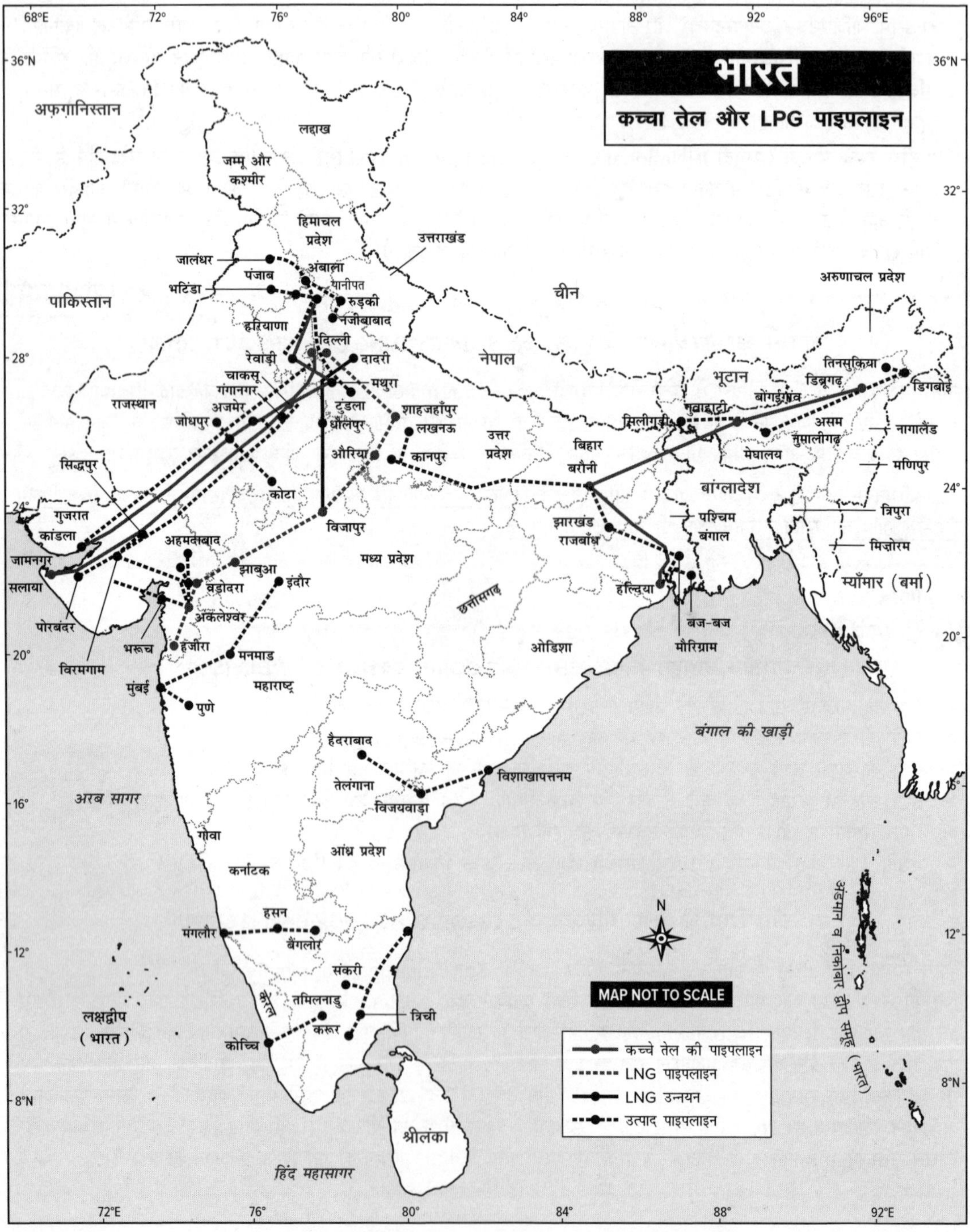

पाइपलाइनों के माध्यम से जिन उत्पादों का परिवहन किया जा सकता है, वे हैं :

- पेट्रोलियम उत्पाद - कच्चा तेल, जेट ईंधन
- तरल उत्पाद - पानी, निर्जल अमोनिया
- गैसें - प्राकृतिक गैस, एलपीजी, ब्यूटेन
- ठोस उत्पाद - कोयला, खनिज, ठोस अपशिष्ट

फ़ायदे (Advantages)

- पाइपलाइनों को अन्य परिवहन साधनों की तुलना में न्यूनतम ऊर्जा की आवश्यकता होती है।
- पारगमन हानियाँ न्यूनतम होती हैं, जिससे परिवहन की गयी सामग्रियों की बर्बादी कम हो जाती है
- सतही परिवहन की तुलना में परिचालन लागत काफ़ी कम होती है।
- पाइपलाइन पानी के भीतर के मार्गों सहित कठिन इलाकों को पार कर सकती हैं।
- वे मौसमी बदलावों या प्रतिकूल मौसम स्थितियों से अप्रभावित रहते हैं।
- पाइपलाइनें आसपास के क्षेत्रों में औद्योगिक विकास में योगदान देती हैं।

उदाहरण :

- बैलाडिला खदानों से विशाखापत्तनम स्टील प्लांट तक स्लरी पाइपलाइन।
- कुद्रेमुख खदानों से न्यू मैंगलोर बंदरगाह तक लौह अयस्क ले जानेवाली स्लरी पाइपलाइन।
- माल्टोस खदानों से देबारी स्मेल्टर संयंत्र तक रॉक फॉस्फेट सांद्रता पाइपलाइन।

सुरक्षा और पर्यावरणीय लाभ (Safety and Environmental Benefits) :

- पाइपलाइनें सुरक्षित, दुर्घटना-मुक्त और पर्यावरण के अनुकूल हैं।

नुक़सान (Disadvantages)

- भूकंप के दौरान क्षति की आशंका, जिससे रिसाव का पता लगाना चुनौतीपूर्ण हो जाता है।
- उच्च प्रारंभिक बिछाने की लागत, हालांकि रखरखाव की लागत अपेक्षाकृत कम है।
- आतंकवादी गतिविधियों से होनेवाले सुरक्षा ख़तरों के प्रति संवेदनशील।
- पाइपलाइन स्थापित होने के बाद क्षमता आसानी से नहीं बढ़ायी जा सकती; विस्तार के लिए नयी पाइपलाइन बिछाने की आवश्यकता होती है।
- पाइपलाइनों की मरम्मत करना, विशेष रूप से लीक का पता लगाना और उसे ठीक करना, चुनौतीपूर्ण हो सकता है।

दूरसंचार क्षेत्र (TELECOM SECTOR)

- भारतीय दूरसंचार नेटवर्क 1.1 बिलियन से अधिक टेलीफ़ोन कनेक्शन के साथ विश्व में **दूसरा सबसे बड़ा** नेटवर्क है (चीन के बाद)।
- देश के सकल घरेलू उत्पाद (GDP) में दूरसंचार क्षेत्र का योगदान लगभग 6.5 प्रतिशत है।
- 2023-24 (अप्रैल-सितंबर, 2024) में, दूरसंचार क्षेत्र में FDI (इक्विटी प्रवाह) 2022-23 के दौरान 282 मिलियन अमेरिकी डॉलर की तुलना में बढ़कर 670 मिलियन अमेरिकी डॉलर हो गया।
- **नेटवर्क रेडीनेस इंडेक्स** [Network Readiness Index (NRI)], **2024** रिपोर्ट के अनुसार भारत अपनी रैंकिंग में 60वें स्थान (2023) से सुधार कर 40वें स्थान (2024) पर पहुँच गया है। NRI दुनिया भर की 133 अर्थव्यवस्थाओं में सूचना और संचार प्रौद्योगिकी (ICT) के अनुप्रयोग और प्रभाव संबंधी अग्रणी वैश्विक सूचकांकों में से एक है।

➤ यद्यपि, दूरसंचार क्षेत्र के सामने **कुछ चुनौतियाँ भी हैं** -

- 2016 के बाद चार दूरसंचार सेवा प्रदाताओं [Telecom Service Providers (TSPs)] में अत्यधिक प्रतियोगिता के कारण क़ीमत कटौती की गयी, जिससे इस क्षेत्र में वित्तीय तनाव पैदा हुआ है।
- हमारे देश में डेटा की क़ीमत विश्वभर में न्यूनतम है, फिर भी कुछ ऑपरेटरों ने दिवालियापन के लिए अर्ज़ी दी है, जबकि अन्य व्यवहार्यता को बढ़ाने के लिए अपने अनुसंधान में लीन हैं।
- BSNL और MTNL भी इस टैरिफ़ युद्ध से प्रभावित हैं और इसने उनके नक़द प्रवाह को प्रभावित किया है, जिससे घाटा बढ़ गया है।
- गोपनीयता और सुरक्षा संबंधी मुद्दे।
- 5G को देर से लागू करना।
- डिजिटल विभाजन : ग्रामीण-शहरी विभाजन और पुरुष-महिला विभाजन।

परीक्षोपयोगी

समायोजित सकल राजस्व [ADJUSTED GROSS REVENUE (AGR)]

➤ AGR राजस्व साझाकरण समझौते के एक भाग के रूप में दूरसंचार कंपनियों द्वारा सरकार को भुगतान किया जानेवाला उपयोग और लाइसेंस शुल्क है। हालाँकि, AGR में क्या शामिल किया जाना चाहिए, इसके बारे में अलग-अलग क़ानूनी व्याख्या हैं।

➤ कंपनियों ने सोचा कि दूरसंचार सेवाओं से केवल राजस्व का भुगतान करना आवश्यक है। जबकि दूरसंचार विभाग ने कहा कि ग़ैर-दूरसंचार सेवाओं में राजस्व AGR का भी हिस्सा है। सुप्रीम कोर्ट ने DoT के पक्ष में भी फैसला सुनाया। इससे Telcos पर भारी माँग पैदा हुई।

➤ ऐसी स्थिति में, दूरसंचार क्षेत्र का समर्थन करने के लिए, सरकार ने निम्नलिखित राहत उपाय प्रदान किये हैं :-

- वैधानिक देय राशि के भुगतान पर 4 वर्ष का अधिस्थगन।
- स्वचालित मार्ग के माध्यम से 100% FDI की अनुमति देंना।
- स्पेक्ट्रम उपयोग शुल्क में कटौती।

दूरसंचार अवसंरचना में सुधार के लिए हाल में उठाये गये सरकारी क़दम (Major Recent Government Initiatives to Improve Telecom Infrastructure)

राष्ट्रीय प्रकाशिक फ़ाइबर नेटवर्क [National Optical Fibre Network (NOFN)]

➤ इसे 2011 में ब्रॉडबैंड कनेक्टिविटी उपलब्ध कराने के लिए लॉन्च किया गया था। बाद में 2015 में इसका नाम बदलकर **भारतनेट (BharatNet)** कर दिया गया था।

➤ यह चरणबद्ध तरीक़े से कार्यान्वित होनेवाले डिजिटल इंडिया कार्यक्रम का प्रथम स्तम्भ है, जिसका उद्देश्य **देश की सभी 2.5 लाख ग्राम पंचायतों (GP)** में ब्रॉडबैंड कनेक्टिविटी प्रदान करना है।

➤ इस परियोजना में ऑप्टिकल फ़ाइबर, रेडियो और सेटेलाइट मीडिया के **अनुकूलतम मिश्रण** (optimal mix) की परिकल्पना की गयी है।

➤ इसका लक्ष्य व्यापक पैमानेवाले नेटवर्क अवसंरचना को स्थापित करना है, जो **बिना भेदभाव** (non-discriminatory basis) के सभी के लिए 2 Mbps से 20 Mbps की ब्रॉडबैंड कनेक्टिविटी सस्ती दर पर **उपलब्ध करा सके**।

➤ निजी भागीदारों को BharatNet बनाने, अपग्रेड करने, संचालित करने, बनाये रखने और उपयोग करने की अनुमति है। सरकार ने रुपये की व्यवहार्यता अंतर वित्त पोषण सहायता को मंज़ूरी दी है। **PPP मॉडल** के माध्यम से BharatNet परियोजना के कार्यान्वयन के लिए 19,041 करोड़ रुपये। इसे भारत ब्रॉडबैंड नेटवर्क लिमिटेड (BBNL) द्वारा लागू किया जा रहा है।

सार्वजनिक वाई-फ़ाई हॉटस्पॉट (*Public Wi-Fi Hotspots*)

➤ सार्वजनिक वाई-फ़ाई हॉटस्पॉट यूजर के लिए अंतिम छोर तक ब्रॉडबैंड की डिलिवरी को सुनिश्चित करता है और नये मोबाइल टॉवर लगाने की तुलना में इसे बढ़ाना काफ़ी आसान होता है। यह इमारतों, एयरपोर्ट इत्यादि के अंदर कनेक्टिविटी को बढ़ाता है तथा दूरसंचार नेटवर्क से भीड़भाड़ को कम करने का अवसर प्रदान करता है।

➤ वाई-फ़ाई नेटवर्क सस्ती, मापनीय और बहुउपयोगी तकनीकियों को प्रदान करता है, जो ग्रामीण एवं शहरी क्षेत्रों में इंटरनेट की व्यापक पहुँच में सहायक हो सकते हैं।

क्या आप जानते हैं?

PM WANI (प्रधानमंत्री वाई-फ़ाई ऐक्सेस नेटवर्क इंटरफ़ेस योजना)
[PM WANI (Prime Minister Wi-Fi Access Network Interface Scheme)]

इसमें सार्वजनिक डेटा कार्यालयों के माध्यम से **स्थानीय किराना और पड़ोस की दुकानों द्वारा सार्वजनिक वाई-फ़ाई नेटवर्क और पहुँच** बिंदुओं की स्थापना की परिकल्पना की गयी है, जिसमें कोई लाइसेंस शुल्क या पंजीकरण शुल्क शामिल नहीं होगा।

राष्ट्रीय डिजिटल संचार नीति, 2018 (*National Digital Communication Policy, 2018*)

➤ **नीति के उद्देश्य :–**
- ◆ सभी के लिए ब्रॉडबैंड का प्रावधान।
- ◆ डिजिटल संचार क्षेत्र में 4 मिलियन अतिरिक्त रोज़गार का सृजन।
- ◆ भारत के सकल घरेलू उत्पाद (GDP) में डिजिटल संचार क्षेत्र का योगदान 6.5 प्रतिशत से बढ़ाकर 8 प्रतिशत करना।
- ◆ ITU के ICT विकास सूचकांक में भारत को शीर्ष 50 राष्ट्रों में ले जाना।
- ◆ वैश्विक मूल्यशृंखलाओं (global value chains) में भारत के योगदान को बढ़ाना।

➤ उपर्युक्त उद्देश्यों को प्राप्त करने के लिए प्रमुख रणनीतियाँ :-
- ◆ **नेशनल ब्रॉडबैंड मिशन (NBM)** की स्थापना – व्यापक ब्रॉडबैंड अभिगम्यता को सुनिश्चित करने के लिए *राष्ट्रीय ब्रॉडबैंड अभियान*। NBM को भारतनेट, ग्रामनेट, नगरनेट और जन-वाईफ़ाई के अंतर्गत अंतिम छोर तक इंटरनेट कनेक्टिविटी प्रदान कराने के लिए चलाया जा रहा है। इसके अतिरिक्त, शहरी और ग्रामीण क्षेत्रों में घरों, उद्यमों और मुख्य विकास संस्थानों तक फ़ाइबर ले जाने के लिए **'फ़ाइबर फ़र्स्ट इनिशिएटिव'** को लागू किया जा रहा है।
- ◆ **नेशनल डिजिटल ग्रिड** की स्थापना – नेशनल फ़ाइबर अथॉरिटी के माध्यम से।
- ◆ निवेश को आकर्षित करने और **राइट ऑफ़ वे (RoW)** चुनौतियों को पूरा करने के लिए **राज्यों/केंद्र शासित प्रदेशों के लिए ब्रॉडबैंड रेडीनेस इंडेक्स का सृजन** करना।
- ◆ **स्पेक्ट्रम निर्धारण और आवंटन के लिए** पारदर्शी, प्रामाणिक और निष्पक्ष नीति विकसित करना तथा उपग्रह **संचार प्रौद्योगिकियों को मज़बूत और अनुकूलतम बनाना।**
- ◆ ओपन ऐक्सेस नेक्स्ट-जेनरेशन नेटवर्क के विकास को सुगम बनाना।
  1. दूरसंचार क्षेत्र में प्रत्यक्ष विदेशी निवेश की सीमा 74 फ़ीसदी से बढ़ाकर 100 फ़ीसदी कर दी गयी है।
  2. सरकार ने **बड़े पैमाने पर इलेक्ट्रॉनिक्स निर्माण और IT हार्डवेयर के लिए PLI योजना शुरू की है।**
  3. **पूर्वोत्तर क्षेत्र के लिए व्यापक दूरसंचार विकास योजना (CTDP) और द्वीपों के लिए व्यापक दूरसंचार विकास योजना, राष्ट्रीय राजमार्गों** और पनडुब्बी फ़ाइबर केबल कनेक्टिविटी के साथ, अनदेखा गाँवों में मोबाइल कनेक्टिविटी प्रदान करने के लिए।

अतिरिक्त जानकारी

टेली-घनत्व (TELE-DENSITY)

➤ यह प्रति 100 लोगों पर टेलीफोन की संख्या को प्रदर्शित करता है।

➤ यह दूरसंचार की पैंठ का एक महत्त्वपूर्ण संकेतक है।

➤ भारत में समग्र **टेली-घनत्व** राज्यों में **84.45 प्रतिशत** का व्यापक अंतर था। आठ लाइसेंस सेवा क्षेत्रों – दिल्ली, मुंबई, कोलकाता, हिमाचल प्रदेश, केरल, पंजाब, तमिलनाडु और कर्नाटक में टेली-घनत्व 100 प्रतिशत से अधिक था। टेली-घनत्व क्षेत्रों की उच्चतम और निम्नतम श्रेणी क्रमशः दिल्ली और बिहार हैं।

स्रोत : आर्थिक सर्वेक्षण 2023-24

स्मार्ट सिटी मिशन (SMART CITY MISSION)

➤ इसका लक्ष्य **100 स्मार्ट शहरों** को विकसित करना है।

➤ इस मिशन को आवास एवं *शहरी मामलों* के मंत्रालय द्वारा कार्यान्वित किया जा रहा है।

➤ इसके अंतर्गत, किसी विकासशील शहरी पारिस्थितिकी-तंत्र के चार मुख्य अवयव होते हैं – संस्थागत, भौतिक, सामाजिक और आर्थिक अवसंरचना।

➤ स्मार्ट सिटी में सम्मिलित मुख्य अवसंरचना अवयव होंगे – *पर्याप्त जल आपूर्ति, सुनिश्चित बिजली आपूर्ति, ठोस अपशिष्ट प्रबंधन, प्रभावी शहरी संचलन और सार्वजनिक परिवहन, सस्ते आवास विशेष रूप से ग़रीबों के लिए, मज़बूत आईटी कनेक्टिविटी और डिजिटलीकरण, सु-शासन, संधारणीय पर्यावरण, नागरिकों की सुरक्षा और निर्भयता तथा स्वास्थ्य एवं शिक्षा।*

➤ भारत सरकार द्वारा एक चुनौती प्रतियोगिता के माध्यम से 100 शहरों का चयन किया गया है।

➤ सतत उत्तरदायित्व को सुनिश्चित करने के लिए मिशन की योजना और कार्यान्वयन में नागरिकों की भागीदारी होगी।

➤ **वर्तमान स्थिति :** स्मार्ट सिटी मिशन के अंतर्गत सभी 100 शहरों में विशेष प्रयोजन वाहन [Special Purpose Vehicles (SPVs)], और परियोजना प्रबंधन सलाहकार [Project Management Consultants (PMCs)] की तैनाती समाहित हैं।

➤ **फ़रवरी, 2020 में,** 100 स्मार्ट शहरों और 14 अन्य मिलियन प्लस शहरों (10 लाख से अधिक आबादीवाले शहरों) में नागरिकों के जीवन की गुणवत्ता का आकलन करने के लिए आवास और शहरी मामलों के मंत्रालय द्वारा **दो नये सूचकांक** लॉन्च किये गये हैं-

1. **जीवन सुगमता सूचकांक (Ease of Living Index)** – तीन स्तम्भों के अंतर्गत नागरिकों के ईज़ ऑफ़ लिविंग का आकलन करने के लिए, ये तीन स्तम्भ हैं – *जीवन की गुणवत्ता, आर्थिक क्षमता और संधारणीयता।* पहली बार ईज़ ऑफ़ लिविंग इंडेक्स के आकलन के भाग के रूप में एक **नागरिक अनुभव सर्वेक्षण** (Citizen Perception Survey) का आयोजन किया गया है।
2. **नगरपालिका प्रदर्शन सूचकांक (Municipal Performance Index)** – नगरपालिकाओं के प्रदर्शन का आकलन करने के लिए, यह पाँच क्षमताओं पर आधारित है – सेवा, वित्त, नियोजन, प्रौद्योगिकी और शासन।

संक्षिप्त विवरण

➤ **अवसंरचना (Infrastructure)** – किसी क्षेत्र या राष्ट्र की बुनियादी भौतिक प्रणालियाँ, जो सामाजिक-आर्थिक विकास को सुविधाजनक बनाती हैं और अर्थव्यवस्था में उत्पादन गतिविधियों को बढ़ावा देती हैं, उन्हें आर्थिक और सामाजिक बुनियादी ढाँचे में वर्गीकृत किया जा सकता है।

➤ **राष्ट्रीय निवेश और अवसंरचना कोष [National Investment and Infrastructure Fund (NIIF)]** – 2015 में गठन – घरेलू और अंतरराष्ट्रीय, दोनों स्रोतों से निवेश आकर्षित करना – NIIF वैकल्पिक निवेश कोष (AIF) के रूप में SEBI के पास पंजीकृत है और भारतीय न्यास अधिनियम के अंतर्गत एक न्यास के रूप में गठन किया गया है – मुंबई में मुख्यालय है – भारत सरकार का 49% हिस्सा और बाकी 51% निजी क्षेत्र का।

➤ **पीएम गति-शक्ति (PM Gati-Shakti)** - मल्टी-मॉडल कनेक्टिविटी के लिए राष्ट्रीय मास्टर प्लान बुनियादी ढाँचा कनेक्टिविटी परियोजनाओं की एकीकृत योजना और समन्वित कार्यान्वयन के लिए 16 मंत्रालयों को एक साथ लाने के लिए एक डिजिटल मंच है।

- **वैश्विक अवसंरचना सुविधा [Global Infrastructure Facility (GIF)]** – 2014 में विश्व बैंक द्वारा आरंभ किया गया – एक वैश्विक, खुला मंच, जो जटिल अवसंरचना सार्वजनिक निजी भागीदारी **(PPPs)** की तैयारी और रूपरेखा तैयार करने में सहायता करता है, ताकि निजी क्षेत्रक और संस्थागत निवेशक से पूँजी को जुटाया जा सके।
- **वैश्विक अवसंरचना परिदृश्य [Global Infrastructure Outlook (GIO)]** – 50 देशों (भारत समेत) और सात क्षेत्रों के बीच वर्ष 2040 तक अवसंरचना निवेश की आवश्यकताओं और अंतरों का पूर्वानुमान व्यक्त करता है।
- **वैश्विक ऊर्जा संक्रमण सूचकांक (Global Energy Transition Index)** – कई देशों के ऊर्जा क्षेत्रों की तुलना के बाद विश्व आर्थिक मंच **(WEF)** द्वारा प्रतिवर्ष प्रकाशित किया जाता है।
- **राष्ट्रीय गैस ग्रिड (National Gas Grid)** – सरकार की योजना देश में 27,000 किलोमीटर तक प्राकृतिक गैस की पाइपलाइन बिछानी है– **PNGRB** को एक ऐसे प्राधिकरण के रूप में मान्यता दी गयी है, जो सिटी गैस वितरण [City Gas Distribution (CGD)] नेटवर्क तैयार करने के लिए कंपनियों को स्वीकृति देगा।
- **पेट्रोलियम और प्राकृतिक गैस नियामक बोर्ड [Petroleum and Natural Gas Regulatory Board (PNGRB)]** – भारत का एक सांविधिक नियामक निकाय – 2006 में गठन – पेट्रोलियम और प्राकृतिक गैस नियामक बोर्ड अधिनियम, 2006 के अंतर्गत गठन।
- **अंतरराष्ट्रीय सौर गठबंधन (International Solar Alliance)** – 2015 में भारत ने की पहल – 114 देशों का गठबंधन – सौर ऊर्जा के उत्तम उपयोग के लिए काम करना – गुरुग्राम, हरियाणा में मुख्यालय।
- **अटल ज्योति योजना [Atal Jyoti Yojana (AJAY)]** – पाँच राज्यों (उत्तर प्रदेश, असम, बिहार, झारखंड और ओडिशा) में सौर ऊर्जा के माध्यम से सोलर स्ट्रीट लाइट की स्थापना के लिए आरंभ किया गया – अब इसे पूर्वोत्तर राज्यों, द्वीपीय केंद्रशासित प्रदेशों, चार पहाड़ी राज्यों/केंद्रशासित प्रदेशों और अन्य राज्यों के महत्त्वाकांक्षी ज़िलों तक भी विस्तार दिया गया है।
- **लॉजिस्टिक प्रदर्शन सूचकांक (Logistics Performance Index)** – एक ऐसा संवादमूलक बेंचमार्क टूल या साधन, जिसे विभिन्न देशों को उनके द्वारा व्यापार लॉजिस्टिक में सामना की जा रही चुनौतियों और अवसरों को पहचानने में सहायता करने के लिए बनाया गया है – विश्व बैंक द्वारा प्रकाशित।
- **ग्रीन टग ट्रांजिशन प्रोग्राम (जीटीटीपी) [Green Tug Transition Programme (GTTP)]** - 2030 तक भारत को 'ग्रीन शिप के लिए ग्लोबल हब' बनाने के लिए लॉञ्च किया गया।

यूपीएससी सिविल सेवा के पिछले वर्षों की प्रारंभिक परीक्षा के प्रश्न

1. निम्नलिखित विमानपत्तनों पर विचार कीजिये : **[2024]**

1. डोनी पोलो विमानपत्तन
2. कुशीनगर अंतरराष्ट्रीय विमानपत्तन
3. विजयवाड़ा अंतरराष्ट्रीय विमानपत्तन

हाल ही में, उपर्युक्त में से किनका निर्माण नवीन (ग्रीनफ़ील्ड) परियोजनाओं के रूप में किया गया है?

(a) केवल 1 और 2 **(b)** केवल 2 और 3
(c) केवल 1 और 3 **(d)** 1, 2 और 3

2. निम्नलिखित कथनों पर विचार कीजिये : **[2023]**

कथन-I: आधारिक संरचना निवेश न्यासों (InvITs) में जमा (डिपॉज़िट) से हुई ब्याज की आय, जो उनके निवेशकों में वितरित की जाती है, कर से छूट प्राप्त है, किन्तु लाभांश कर योग्य है।

कथन-II: 'वित्तीय परिसंपत्तियों का प्रतिभूतिकरण और पुनर्गठन तथा प्रतिभूति हित का प्रवर्तन अधिनियम, 2002' के अधीन InvITs को ऋणी के रूप में मान्यता प्राप्त है।

उपर्युक्त कथनों के बारे में, निम्नलिखित में से कौन-सा एक सही है?

(a) कथन-I और कथन-II, दोनों सही हैं तथा कथन-II, कथन-I की सही व्याख्या है।
(b) कथन-I और कथन-I, दोनों सही हैं तथा कथन-II, कथन-I की सही व्याख्या नहीं है।
(c) कथन-I सही है, किन्तु कथन-II गलत है।
(d) कथन-I गलत है, किन्तु कथन-II सही है।

3. जैव-ईंधन पर भारत की राष्ट्रीय नीति के अनुसार निम्नलिखित में से किन कच्चे पदार्थों का जैव-ईंधन के उत्पादन के लिए प्रयोग किया जा सकता है? **[2020]**

1. कैसावा
2. क्षतिग्रस्त गेहूँ के दाने
3. मूँगफली का बीज
4. चना (Horse gram)
5. सड़े आलू
6. चुकंदर

नीचे दिये गये कूट या कोड का प्रयोग कर सही उत्तर चुनें :

(a) केवल 1, 2, 5 और 6
(b) केवल 1, 3, 4 और 6
(c) केवल 2, 3, 4 और 5
(d) 1, 2, 3, 4, 5 और 6

4. निम्न कथनों पर विचार करें : **[2019]**

1. पेट्रोलियम एवं प्राकृतिक गैस नियामक आयोग (PNGRB) भारत सरकार द्वारा स्थापित पहला नियामक निकाय है।
2. PNGRB का एक कार्य गैस के लिए प्रतिस्पर्धी बाज़ार को सुनिश्चित करना है।
3. PNGRB के निर्णयों के विरुद्ध अपीलें बिजली के लिए बने अपीलीय ट्रिब्यूनल के समक्ष जाती हैं।

उपर्युक्त दिये गये कथनों में कौन सही हैं?

(a) केवल 1 और 2 **(b)** केवल 2 और 3
(c) केवल 1 और 3 **(d)** 1, 2 और 3

5. भारत में सौर-ऊर्जा उत्पादन के संदर्भ में निम्न कथनों पर विचार कीजिए : **[2018]**

1. फ़ोटोवोल्टिक इकाइयों में प्रयुक्त होनेवाले सिलिकॉन वेफ़र्स के उत्पादन में भारत का विश्व में तीसरा स्थान है।
2. सौर ऊर्जा के शुल्क/टैरिफ़ सोलर एनर्जी कॉर्पोरेशन ऑफ़ इंडिया द्वारा निर्धारित किये जाते हैं।

ऊपर दिये गये कथनों में कौन सही है/हैं?

(a) केवल 1 **(b)** केवल 2
(c) 1 और 2 दोनों **(d)** न 1, न 2

6. **'नेशनल इनवेस्टमेंट ऐंड इंफ्रास्ट्रक्चर फ़ंड'** के संदर्भ में निम्नलिखित कथनों में से कौन-सा/से कथन सही है/हैं? **[2017]**

1. यह नीति आयोग का एक अंग है।
2. वर्तमान में इसमें 4,00,000 करोड़ रुपये की राशि है।

नीचे दिये गये कूट या कोड का प्रयोग कर सही उत्तर चुनें :

(a) केवल 1 **(b)** केवल 2
(c) 1 और 2 दोनों **(d)** न 1, न 2

7. ग्लोबल इंफ्रास्ट्रक्चर फ़ेसिलिटी है एक- [2017]

(a) एशिया में अवसंरचना के उन्नतीकरण के लिए एक आसियान पहल, जो एशियाई विकास बैंक से मिले ऋण से वित्तपोषित होती है।
(b) विश्व बैंक सहयोग, जो निजी क्षेत्र और संस्थागत निवेशक पूँजी के एकत्रीकरण को सक्षम बनाने के लिए जटिल अवसंरचना की तैयारी और निर्माण में सार्वजनिक-निजी भागीदारी **(PPP)** को सुगम बनाता है।
(c) OECD के साथ काम करनेवाले विश्व के प्रमुख बैंकों के बीच सहयोग तथा निजी निवेश को एकत्रित करने की क्षमता रखनेवालीं अवसंरचना परियोजनाओं के विस्तार पर फ़ोकस करना।
(d) UNCTAD से वित्त पोषित पहल है, जो विश्व में अवसंरचना विकास को वित्त और सहयोग प्रदान करने का प्रयास करती है।

☞ **कोई प्रश्न नहीं**
2022, 2021, 2016, 2015, 2014, 2013

उत्तर कुंजी

1. (a) 2. (d) 3. (a) 4. (b) 5. (d)
6. (d) 7. (b)

यूपीएससी सिविल सेवा के पिछले वर्षों की मुख्य परीक्षा के प्रश्न

1. भारत क्षेत्र में वायु कनेक्टिविटी के विस्तार की क्या आवश्यकता है? इस संदर्भ में, सरकार की 'उड़ान' योजना तथा इसकी उपलब्धियों की चर्चा कीजिए। **[2024]**

2. "अधिक तीव्र और समावेशी आर्थिक विकास के लिए बुनियादी ढाँचे में निवेश ज़रूरी है।" भारत के अनुभव के आलोक में विवेचना कीजिए। **[2021]**

3. संधारणीय विकास लक्ष्यों या सस्टेनेबल डेवेलपमेंट गोल्स (SDGs) को प्राप्त करने के लिए सस्ती, विश्वसनीय, संधारणीय और नवीन ऊर्जा की उपलब्धता अनिवार्य है। इस संबंध में भारत में हुई प्रगति पर टिप्पणी कीजिए। **[2018]**

4. स्मार्ट शहर क्या हैं? भारत में शहरी विकास के लिए इनकी प्रासंगिकता की परीक्षा कीजिए। क्या ये ग्रामीण-शहरी अंतर को बढ़ायेंगे? PURA और RURBAN मिशन के प्रकाश में 'स्मार्ट गाँव' (Smart Villages) के लिए तर्क दीजिए। **[2016]**

5. सौर ऊर्जा की उपकरण लागत और शुल्क में हाल में हुई आकस्मिक गिरावट के लिए किन कारकों को उत्तरदायी ठहराया जा सकता है? इस प्रवृत्ति का **तापीय विद्युत उत्पादकों** और संबंधित उद्योग पर क्या प्रभाव पड़ता है? **[2015]**

6. **नेशनल अर्बन ट्रांसपोर्ट पॉलिसी** 'वाहनों के संचलन' (moving vehicles) के स्थान पर 'लोगों के संचलन' (moving people) पर ज़ोर देती है। इस संबंध में सरकार की विभिन्न रणनीतियों की सफलता की आलोचनात्मक चर्चा कीजिए। **[2014]**

☞ **कोई प्रश्न नहीं**
2023, 2022, 2020, 2019, 2017, 2013

अध्याय
25

भारत का विद्युत और ऊर्जा क्षेत्र (Power and Energy Sector of India)

अध्याय की रूपरेखा

- अर्थव्यवस्था में विद्युत और ऊर्जा क्षेत्र का महत्त्व
- भारत में ऊर्जा के मुख्य स्रोत
- राष्ट्रीय सौर-ऊर्जा मिशन
- राष्ट्रीय बायोगैस और खाद प्रबंधन कार्यक्रम
- आर्थिक विकास में विद्युत क्षेत्र का योगदान
- विद्युत मंत्रालय
- पावर सेक्टर डिस्कॉम और आरडीएसएस
- भारत में विद्युत वितरण की चुनौतियाँ
- भारत में नवीकरणीय ऊर्जा का भविष्य
- इंटरनेशनल एनर्जी एजेंसी (आईईए) की विद्युत रिपोर्ट, 2024
- ग्रामीण विद्युतीकरण
- विद्युत एवं ऊर्जा क्षेत्र में नवीनतम उपलब्धियाँ
- विद्युत क्षेत्र में सरकार की पहल
- विद्युत (संशोधन) विधेयक, 2022
- ऊर्जा क्षेत्र में चुनौतियाँ
- चुनौतियों से निपटने के लिए समाधान

स्वतंत्रता मिलने के बाद भारत के एक बड़े हिस्से के पास अपने घरों को रोशन करने के लिए पर्याप्त ऊर्जा तक की पहुँच नहीं थी। सूर्यास्त के बाद, रोशनी का एकमात्र स्रोत ऑयल लैम्प और लालटेन थे। अधिकांश परिवारों में, सूर्यास्त तक अपने सभी कार्य पूरे कर लिये जाते थे। केरोसिन की कमी और अधिक क़ीमत के कारण केवल कुछ लोग ही रोशनी के लिए ख़र्च उठा सकते थे। खिड़की पर रखी गयी तेल की रोशनी यात्रियों या घर आने के इच्छुक लोगों के लिए एक मार्गदर्शक के रूप में कार्य करती थी। हालाँकि स्ट्रीट लाइट के नीचे पढ़ते हुए किसी युवा की क्लासिक छवि आज भी देखी जा सकती है, लेकिन यह एक दुर्लभ घटना है। कुल मिलाकर स्थिति में काफ़ी सुधार हुआ है।

ऊर्जा क्षेत्र में तीन A, यानी उपलब्धता (Availability), पहुँच (Accessibility) और सामर्थ्य (Affordability) में सुधार के कारण स्थिति बेहतर हुई है।

अर्थव्यवस्था में विद्युत और ऊर्जा क्षेत्र का महत्त्व

किसी देश की आर्थिक प्रगति और मानव विकास उसके विद्युत क्षेत्र पर बहुत अधिक निर्भर करता है। यह निस्संदेह मनुष्यों के साथ-साथ उस विशेष क्षेत्र में जैविक समुदाय के जीवन की गुणवत्ता को बढ़ाता है। बिजली की खपत किसी देश के विकास के स्तर को

निर्धारित करने के लिए सबसे आवश्यक संकेतकों में से एक है। बिजली बुनियादी ढाँचे के साथ-साथ राष्ट्र हित के लिए सबसे महत्त्वपूर्ण घटकों में से एक है।

भारत का विद्युत उद्योग विश्व में सबसे विविध उद्योगों में से एक है। पारंपरिक बिजली उत्पादन के स्रोतों में **कोयला, लिग्नाइट, प्राकृतिक गैस, तेल और परमाणु ऊर्जा** शामिल हैं। इसी प्रकार, संभावित ग़ैर-पारंपरिक स्रोतों में **पवन, सौर-ऊर्जा, कृषि और आवासीय अपशिष्ट शामिल हैं**।

देश की बिजली की माँग काफ़ी बढ़ गयी है और आनेवाले वर्षों में इसके और बढ़ने का अनुमान है। जैसे-जैसे क्षेत्र में सुधार हुए हैं, पूरी विद्युत आपूर्ति श्रृंखला में बदलाव आया है। यह अध्याय पिछले कुछ वर्षों में विद्युत आपूर्ति श्रृंखला में हुए सुधारों के साथ-साथ क्षेत्र की कुछ महत्त्वपूर्ण चिंताओं को दूर करने के नये प्रयासों का सारांश प्रस्तुत करता है।

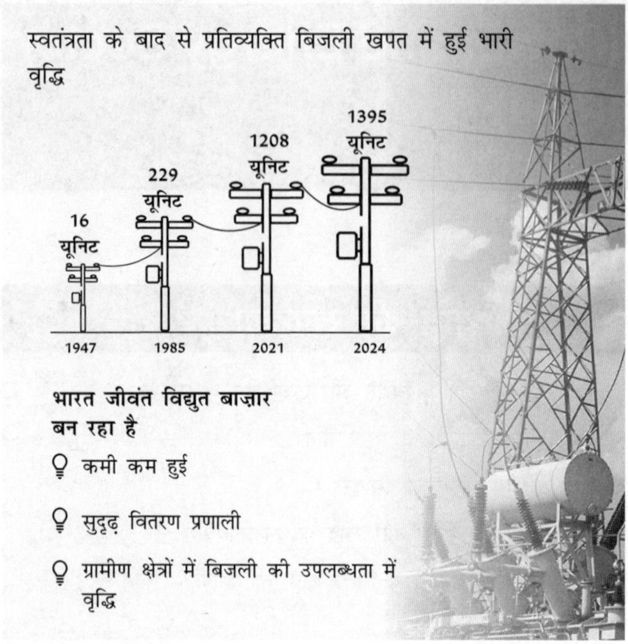

भारत में ऊर्जा के मुख्य स्रोत

प्राकृतिक ऊर्जा के स्रोतों को दो श्रेणियों में विभाजित किया जा सकता है **: ऊर्जा के पारंपरिक** और **ग़ैर-पारंपरिक स्रोत**।

- ऊर्जा के स्रोत
  - पारंपरिक ऊर्जा
    - (वाणिज्यिक) कोयला, प्राकृतिक गैस और तेल, बिजली
    - (ग़ैर-वाणिज्यिक) जलाऊ लकड़ी, सूखा गोबर, पुआल
  - ग़ैर-पारंपरिक ऊर्जा
    - सौर, पवन, ज्वारीय, बायोमास, भूतापीय, हाइड्रो

2023 में घोषित की गयी **राष्ट्रीय विद्युत योजना (National Electricity Plan)** के अनुसार, वर्ष 2031-32 तक देश की स्थापित क्षमता 900,422 मेगावाट होने की योजना है, जिसमें 6,15,955 मेगावाट कार्बन-मुक्त होगा। जिसके स्रोत के विवरण इस प्रकार हैं :

1. न्यूक्लियर - 19,680 मेगावाट
2. बड़े हाइड्रो - 62,178 मेगावाट
3. सौर-ऊर्जा - 364,566 मेगावाट
4. पवन - 121,895 मेगावाट
5. छोटे हाइड्रो - 5450 मेगावाट
6. बायोमास - 15,500 मेगावाट
7. पंप स्टोरेज पावर - 26,686 मेगावाट

नवीन एवं नवीकरणीय ऊर्जा मंत्रालय के अनुसार, हाल के वर्षों में ऊर्जा क्षेत्र में महत्त्वपूर्ण परिवर्तन देखा गया है। पहले बिजली की कमी रहती थी। पिछले नौ वर्षों के दौरान, पर्याप्त बिजली आपूर्ति प्रदान करते हुए कुल 1,93,794 मेगावाट की बिजली उत्पादन की क्षमता स्थापित की गयी है। माँग तेज़ी से बढ़ी है। 2014 के बाद से देश की ऊर्जा की आवश्यकताओं में 50.8 प्रतिशत की वृद्धि हुयी है। अधिकतम माँग 2013-14 में 1,35,918 मेगावाट से बढ़कर सितंबर, 2023 में 2,43,271 मेगावाट हो गयी है। यह लगभग 79 प्रतिशत की वृद्धि है, और यह माँग पूरी की गयी है। आवश्यक ऊर्जा और प्रदान की गयी ऊर्जा के बीच का अंतर मात्र 0.3 प्रतिशत है, जो सिस्टम सीमाओं या कुछ **DISCOM के पास बिजली ख़रीदने के लिए वित्त की कमी** के कारण है। अधिकतम माँग और अधिकतम आपूर्ति के बीच का अंतर लगभग 1.4 प्रतिशत है। 2013-14 में, अधिकतम माँग और अधिकतम आपूर्ति के बीच औसत अंतर 4.5 प्रतिशत था, जबकि माँग 136 गीगावाट थी।

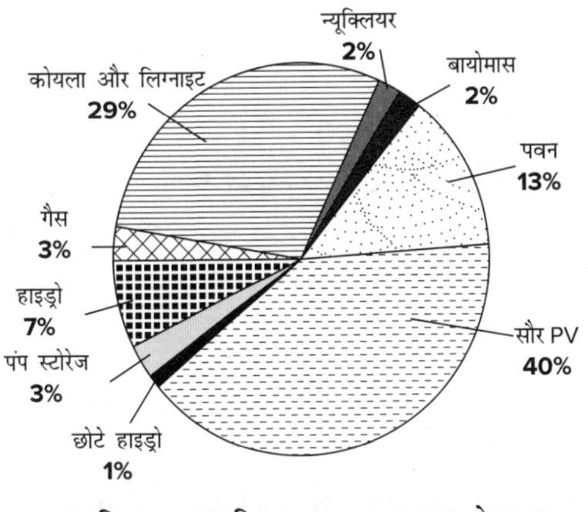

अनुमानित कुल स्थापित क्षमता : 900,422 मेगावाट

2031-32 तक संपूर्ण भारत की स्थापित क्षमता का अनुमान

स्रोत : सीईए की राष्ट्रीय विद्युत योजना

लास्ट मिनट रिनपपेट्स

विद्युत क्षेत्र की वृद्धि और स्थापित क्षमता की स्थिति (Status of Power Sector Growth and Installed Capacity)

- नवंबर 2024 तक, भारत की स्थापित विद्युत क्षमता साल-दर-साल 7.2% बढ़कर 456.7 गीगावाट तक पहुँच गयी है।
- नवीकरणीय ऊर्जा, कुल स्थापित क्षमता का 47% है, जिसमें सौर और पवन प्रमुख स्रोत हैं।
- ग़ैर-जीवाश्म ईंधन से ऊर्जा उत्पादन वर्ष 2022-23 में 420.8 हजार गीगावाट घंटे तक पहुँच गया है, जो कुल उत्पादन का 22.8% है।
- नवीकरणीय ऊर्जा क्षमता साल-दर-साल 15.8% बढ़कर दिसंबर 2024 तक 209.4 गीगावाट तक पहुँच गयी। नवीकरणीय ऊर्जा संसाधनों की क्षमता का ब्यौरा इस प्रकार है :

सौर और पवन ऊर्जा (Solar and Wind Power)

सौर (Solar) : 97.8 गीगावाट	पवन (Wind) : 48.2 गीगावाट
जलविद्युत (Hydro) : 52.1 गीगावाट	जैव ऊर्जा (Bioenergy) : 11.3 गीगावाट

- भारत का लक्ष्य, वर्ष 2030 तक, कुल ऊर्जा का 50%, गैर-जीवाश्म ईंधन आधारित स्रोतों से प्राप्त करना है

ऊर्जा के पारंपरिक स्रोत (Conventional Sources of Power)

कोयला (Coal)

एक प्रमुख सामग्री कोयले, का इस्तेमाल बड़े पैमाने पर थर्मल पावर के उत्पादन के लिए किया जाता है। यह दो प्राथमिक भू-वैज्ञानिक युगों : **गोंडवाना और तृतीयक अवधि** में फैले तृतीयक निक्षेपों और चट्टानों की परतों के भीतर पाया जाता है। भारत में, ग़ैर-कोकिंग ग्रेड कोयले के भंडार का लगभग 80 प्रतिशत हिस्सा बिटुमिनस कोयले का है।

दामोदर घाटी में भारत का सबसे बड़ा गोंडवाना कोयले का भंडार है। ये झारखंड-बंगाल कोयला क्षेत्र में हैं, जिसमें रानीगंज, गिरिडीह, झरिया, बोकारो और करणपुरा जैसे महत्त्वपूर्ण कोयला क्षेत्र शामिल हैं। सबसे बड़ा कोयला क्षेत्र झरिया है, उसके बाद रानीगंज है। कोयले से संबंधित अन्य नदी की घाटियों में महानदी, गोदावरी और सोन शामिल हैं। सबसे प्रमुख कोयला खनन के स्थलों में - ओडिशा में तालचेर और रामपुर, तेलंगाना में सिंगरेनी, मध्य प्रदेश में सिंगरौली, आंध्र प्रदेश में पांडुर, छत्तीसगढ़ में कोरबा, और महाराष्ट्र में चंदा-वर्धा, कैम्पटी और बांदेर हैं।

मेघालय, असम, अरुणाचल प्रदेश और नागालैंड सभी में तृतीयक कोयला भंडार हैं। यह मेघालय के चेरापूँजी, मेवलोंग, दारनगिरी और लैंग्रिन ज़िलों; ऊपरी असम के जयपुर, मकुम और नाजिरा क्षेत्रों तथा अरुणाचल प्रदेश के नामचिक-नाम्फुक क्षेत्रों के मूल निवासी है।

पेट्रोलियम (Petroleum)

क्रूड पेट्रोलियम **विभिन्न रासायनिक संरचना, रंग और विशिष्ट गुरुत्व के साथ तरल और गैसीय हाइड्रोकार्बन** से बना होता है। यह वाहनों, ट्रेनों और हवाई जहाज़ों में सभी आंतरिक दहन इंजनों के लिए एक आवश्यक ईंधन है। पेट्रोकेमिकल इंडस्ट्री अपने उत्पादों का इस्तेमाल सिंथेटिक रबर, सिंथेटिक फ़ाइबर, उर्वरक, दवाएँ, ल्यूब्रिकेंट्स, वैक्स, साबुन आदि बनाने के लिए करती है। तृतीयक तलछटी चट्टानों में क्रूड पेट्रोलियम होता है।

प्राकृतिक गैस (Natural Gas)

गैस अथॉरिटी ऑफ़ इंडिया लिमिटेड, एक पब्लिक सेक्टर कॉर्पोरेशन, प्राकृतिक गैस के परिवहन और विपणन के लिए 1984 में बनाया गया था। यह गुजरात, त्रिपुरा, राजस्थान, आंध्र प्रदेश, तमिलनाडु और महाराष्ट्र में विशिष्ट भंडारवालीं सभी ऑयल फ़ील्ड में तेल के साथ-साथ पाया जाता है।

ऊर्जा के ग़ैर-पारंपरिक स्रोत (Non-Conventional Sources of Power)

'ऊर्जा के ग़ैर-पारंपरिक स्रोत' या 'ऊर्जा के नवीकरणीय संसाधन' **उन प्राकृतिक संसाधनों** को संदर्भित करते हैं, **जो लंबे समय तक निरंतर इस्तेमाल करने योग्य ऊर्जा प्रदान कर सकते हैं** और इस्तेमाल किये जाने के बाद भी इस्तेमाल करने योग्य होते हैं। **सौर, पवन, बायोमास, भूतापीय और ज्वारीय**-ऊर्जा के ग़ैर-परंपरागत स्रोतों के कुछ उदाहरण हैं।

सौर-ऊर्जा (Solar Energy)

सौर-ऊर्जा लंबे समय से बिजली का सबसे सुलभ और किफ़ायती स्रोत रहा है। गणना के अनुसार, दुनिया को प्रत्येक वर्ष व्यावसायिक कारणों के लिए इस्तेमाल की तुलना में 15,000 गुना अधिक सौर-ऊर्जा प्राप्त होती है।

सूर्य-ऊर्जा का इस्तेमाल दो प्रकार से किया जा सकता है : **सोलर थर्मल** और **सोलर इलेक्ट्रिक (फ़ोटोवोल्टिक)**। सोलर थर्मल रूट का इस्तेमाल खाना पकाने, वस्तुओं को सुखाने और गर्म पानी या हवा उत्पन्न करने के लिए करते हैं। सोलर फ़ोटोवोल्टिक सिस्टम सूर्य की ऊष्मा को ऊर्जा में परिवर्तित करता है, जिसका इस्तेमाल मोटरों, पंपों, घरों में बिजली के उपकरणों और रोशनी एवं अन्य संरचनाओं के लिए किया जा सकता है।

सोलर थर्मल डिवाइस, जिन्हें **सोलर कलेक्टर्स और रिसीवर** के नाम से भी जाना जाता है, का इस्तेमाल सौर-ऊर्जा को ऊष्मा-ऊर्जा में परिवर्तित करने के लिए सोलर थर्मल रूट में किया जाता है।

अतिरिक्त जानकारी

एक सूर्य, एक विश्व, एक ग्रिड (ONE SUN, ONE WORLD, ONE GRID)

इसकी घोषणा 2021 में आयोजित COP26 में की गयी थी, जहाँ भारत और यूके अंतरराष्ट्रीय सौर गठबंधन और यूके की ग्रीन ग्रिड पहल को एक साथ लाने पर सहमत हुए थे। इसका उद्देश्य न केवल सौर-ऊर्जा का दोहन करना है, बल्कि सीमाओं के पार इसकी पहुँच भी बनाना है। इस पहल के पीछे का दृष्टिकोण '*सूर्य कभी अस्त नहीं होता*' *(The Sun Never Sets)* है।

परीक्षोपयोगी

राष्ट्रीय सौर-ऊर्जा मिशन (NATIONAL SOLAR MISSION)

- राष्ट्रीय सौर-ऊर्जा मिशन, जिसे **जवाहरलाल नेहरू नेशलन सोलर मिशन (JNNSM)** के रूप में भी जाना जाता है, पूरे देश में सौर-ऊर्जा के विकास को बढ़ावा देने के लिए भारत के केंद्र और राज्य सरकारों का एक संयुक्त प्रयास है।
- राष्ट्रीय सौर-ऊर्जा मिशन, भारत सरकार की **NAPCC (जलवायु परिवर्तन पर राष्ट्रीय कार्य योजना) शमन योजना** में परिभाषित आठ जलवायु मिशनों में से एक, यह 2010 में शुरू किया गया था और इसे दो बार संशोधित किया जा चुका है।
- 2022 तक **100 गीगावॉट सोलर फ़ोटोवोल्टिक (पीवी)** क्षमता के महत्त्वाकांक्षी लक्ष्य के साथ, मिशन का उद्देश्य भारत को सौर-ऊर्जा के क्षेत्र में वैश्विक नेता बनाना है।
- JNNSM का उद्देश्य बड़े पैमाने पर परियोजना के लिए एक उपयुक्त नियामक ढाँचा तैयार करके सौर-ऊर्जा के प्रयासों में भारत की विश्वव्यापी प्रमुखता को बढ़ावा देना है।

*भारत का पहला बैटरी स्टोरेज और सौर-ऊर्जा आधारित 'सूर्यग्राम' – **गुजरात में 'मोढेरा' में** है।*

उद्देश्य

राष्ट्रीय सौर-ऊर्जा मिशन के उद्देश्य इस प्रकार हैं :

- राष्ट्रीय सौर-ऊर्जा मिशन का प्रमुख लक्ष्य पूरे देश में सौर प्रौद्योगिकी को तेज़ी से अपनाने और वितरण के लिए एक उपयुक्त राजनीतिक माहौल स्थापित करके भारत को सौर-ऊर्जा के क्षेत्र में अग्रणी बनाना है।
- मिशन की एक चरणबद्ध कार्यान्वयन रणनीति है, जिसमें तीन अलग-अलग चरण हैं। चरण 1 में 11वीं योजना का अंतिम वर्ष और 12वीं योजना का पहला वर्ष (2012-2013 तक) शामिल है, चरण 2 में अगले चार वर्ष (2013-17) शामिल हैं, और चरण 3 में 2017-22 की अवधि शामिल है।
- प्रत्येक चरण में निम्नलिखित चरणों के लिए प्रगति, क्षमता का मूल्यांकन और लक्ष्य निर्धारण की गहन समीक्षा शामिल है। ये मूल्यांकन राष्ट्रीय और विश्व स्तर दोनों पर बढ़ती लागत और प्रौद्योगिकी रुझानों पर आधारित हैं और प्रत्येक योजना के अंत के साथ-साथ 12वीं और 13वीं योजनाओं के दौरान मध्यावधि में किये गये हैं।
- अनुमानित लागत में कटौती या तीव्र तकनीकी सफलताओं में बदलाव के जवाब में उद्देश्यों और रणनीति को संशोधित करके भविष्य में सब्सिडी के व्यय से सरकार की रक्षा करने का लक्ष्य है।

परीक्षोपयोगी

अंतरराष्ट्रीय सौर गठबंधन (INTERNATIONAL SOLAR ALLIANCE)

अंतरराष्ट्रीय सौर गठबंधन (ISA) की शुरुआत 2015 में भारत द्वारा की गयी थी। यह 114 हस्ताक्षरकर्ता देशों (जिन्होंने आईएसए फ़्रेमवर्क समझौते पर हस्ताक्षर किये) और 92 सदस्य देशों (जिन्होंने ISA फ़्रेमवर्क समझौते पर हस्ताक्षर किये और इसकी पुष्टि की) का एक गठबंधन है, उनमें से अधिकांश सनशाइन देश हैं, जो पूर्णतः या आंशिक रूप से कर्क रेखा और मकर रेखा के बीच स्थित हैं। ISA का उद्देश्य सौर-ऊर्जा के कुशल दोहन के लिए काम करना है। वे देश जो उष्णकटिबंधीय क्षेत्र में नहीं आते हैं, वे भी गठबंधन में शामिल हो सकते हैं और मतदान के अधिकार को छोड़कर, अन्य सदस्यों के रूप में सभी लाभों का आनंद ले सकते हैं। ISA का **मुख्यालय गुरुग्राम, हरियाणा** में है।

पवन-ऊर्जा (Wind Energy)

पवन-ऊर्जा को मूल रूप से बिजली बनाने के लिए पवन के इस्तेमाल के रूप में परिभाषित किया गया है। वायु की **गतिज ऊर्जा विद्युत ऊर्जा में परिवर्तित हो जाती है**। ग्रह की वक्रता के कारण, वायुमंडल में प्रवेश करनेवाले सौर विकिरण की प्रतिक्रिया में वायुमंडल के विभिन्न हिस्से अलग-अलग तापमान तक गर्म होते हैं।

ध्रुवों पर, यह गर्मी सबसे कम तीव्र और सबसे अधिक तीव्र दोनों होती है। चूँकि हवा गर्म से ठंडी जलवायु की ओर चलती है, इससे हवाएँ बनती और बहती हैं, जिसका इस्तेमाल बाद में पवन चक्कियों और टरबाइनों द्वारा बिजली पैदा करने के लिए किया जाता है।

भारत में पवन-ऊर्जा की संभावनाएँ (Wind Energy Potential in India) व्यावसायिक रूप से दोहन योग्य पवन-ऊर्जा की क्षमता 200 गीगावाट (GW) से अधिक होने का अनुमान है। और वर्तमान में स्थापित क्षमता लगभग 41 गीगावाट है, जो कुल क्षमता के लगभग 20 प्रतिशत इस्तेमाल को दर्शाती है। धीमी गति से क्षमता वृद्धि की **चुनौतियाँ और कारण** इस प्रकार हो सकते हैं :

- टैरिफ़ निर्धारण के लिए फ़ीड-इन टैरिफ़ से प्रतिस्पर्धी बोली में परिवर्तन।
- डेवलपर्स द्वारा आक्रामक बोली लगाने से लाभप्रदता पर असर पड़ना।
- टैरिफ़ प्रणाली में उच्च दरों (₹4-5/यूनिट) से प्रतिस्पर्धी दरों (₹2.5-3/यूनिट) में बदलाव।
- बिडिंग मैकेनिज़्म के तहत इंडिपेंडेंट पावर प्रोड्यूसर्स (IPPs) को बड़ी परियोजनाएँ प्रदान की गयीं।

ऐसी चुनौतियों से निपटने के लिए सिफ़ारिशें की जा सकती हैं :

- उन्नत मॉडलों के साथ पुराने और अकुशल टर्बाइनों को पुनः सशक्त करना।
- पुराने टर्बाइनों को पुनः सशक्त बनाने और पुनर्चक्रण के लिए नीतियाँ बनाना।
- परियोजनाओं को छोड़नेवाले डेवलपर्स पर भारी जुर्माना लगाना।
- परियोजना की निरंतरता को सुनिश्चित करने के लिए निरंतर चूक करनेवालों को ब्लैकलिस्ट में डालना।
- ऑफ़शोर विंड एनर्जी पोटेंशियल का पता लगाना, जो गुजरात और तमिलनाडु के तटों पर लगभग 70 गीगावाट है।
- सौर और पवन-ऊर्जा की पूरक प्रकृति का लाभ उठाने के लिए विंड-सोलर हाइब्रिड परियोजनाओं को बढ़ावा देना। राष्ट्रीय पवन सौर हाइब्रिड नीति, 2018 (National Wind Solar Hybrid Policy, 2018) के तहत इस तरह की बड़े ग्रिड से जुड़ी परियोजनाओं को प्रोत्साहित किया गया है।

पवन-ऊर्जा डेवलपर्स को अतिदेय भुगतान नॉन-परफ़ॉर्मिंग ऐसेट्स (NPA) की ओर ले जा रहा है। इस प्रकार, सभी राज्यों में नवीकरणीय ख़रीद दायित्वों (आरपीओ) को लागू करने और नवीकरणीय ऊर्जा ख़रीद के उद्देश्यों के अनुपालन को सुनिश्चित करने के लिए चूक करनेवाली संस्थाओं पर जुर्माना लगाने की भी आवश्यकता है।

अतिरिक्त जानकारी

नेशनल विंड एनर्जी मिशन (NATIONAL WIND ENERGY MISSION)

नेशनल विंड एनर्जी मिशन की स्थापना भारत में पवन-ऊर्जा के विकास के लिए एक तकनीकी केंद्र के रूप में सेवा करने, पवन-ऊर्जा के इस्तेमाल को प्रोत्साहित, तेज़ और देश के प्रगतिशील पवन-ऊर्जा के क्षेत्र की सहायता करने के लिए की गयी थी।

*राष्ट्रीय पवन-ऊर्जा संस्थान (NIWE) **चेन्नई** में स्थित है।*

ज्वारीय-ऊर्जा (Tidal Energy)

ज्वारीय-ऊर्जा चंद्रमा और पृथ्वी के जल के द्रव्यमान के साथ-साथ सूर्य और पृथ्वी के जल के द्रव्यमान के बीच गुरुत्वाकर्षण संपर्क का परिणाम है।

पूर्वानुमान के संदर्भ में ज्वारीय-ऊर्जा एक महत्त्वपूर्ण लाभ प्रदान करती है। ज्वार की तीव्रता और समय का सटीक अनुमान लगाया जा सकता है।

गुजरात में **खंभात की खाड़ी** और **कच्छ की खाड़ी** देश में ऐसे स्थान हैं, जहाँ ज्वारीय-ऊर्जा क्षमता मौजूद है। हालाँकि, उच्च सिविल कंस्ट्रक्शन और बिजली ख़रीद के महँगें टैरिफ़ के कारण ज्वारीय-ऊर्जा बिजली संयंत्रों की पूँजी लागत बहुत अधिक है।

अतिरिक्त जानकारी

भारत में ज्वारीय-विद्युत विकास (स्थायी समिति की रिपोर्ट - अगस्त, 2021)
(TIDAL POWER DEVELOPMENT IN INDIA) (Standing Committee Report – August 2021)

समिति ने समुद्री-ऊर्जा के तीन मुख्य प्रकारों पर प्रकाश डाला : ज्वार (wave), तरंग (tidal) और समुद्री-ऊर्जा (ocean-thermal)। ज्वारीय-ऊर्जा की सैद्धांतिक क्षमता 12.5 गीगावाट अनुमानित है, जबकि तरंग-ऊर्जा की क्षमता लगभग 41.3 गीगावाट है। हालाँकि, समिति ने इस बात पर ज़ोर दिया कि सैद्धांतिक क्षमता आवश्यक रूप से व्यावहारिक दोहन योग्य क्षमता को नहीं दर्शाती है। समिति ने सिफ़ारिश की कि केंद्र सरकार को ज्वार, तरंग और समुद्री-ऊर्जा की दोहनयोग्य क्षमता का पुनर्मूल्यांकन करना चाहिए।

अन्य प्रमुख सिफ़ारिशें इस प्रकार थीं :

ज्वारीय-ऊर्जा से जुड़े संयंत्रों की लागत पर विचार (Cost Considerations of Tidal Power Plants) : पश्चिम बंगाल और गुजरात में ज्वारीय-ऊर्जा से जुड़े संयंत्रों के पिछले अनुभवों से प्रतिमेगावाट (MW) उच्च लागत का पता चला, जिसके कारण संयंत्र बंद हो गये। पश्चिम बंगाल के संयंत्र की लागत 63.5 करोड़ रुपये प्रतिमेगावाट थी, और गुजरात के संयंत्र की लागत 15 करोड़ रुपये प्रतिमेगावाट थी। समिति ने इस बात की सिफ़ारिश की कि केंद्र सरकार को इसकी आर्थिक व्यवहार्यता और दीर्घकालिक लाभ निर्धारित करने के लिए ज्वारीय-ऊर्जा की मौजूदा लागत का पुनर्मूल्यांकन करना चाहिए।

पायलट टाइडल पावर प्रोजेक्ट की स्थापना (Setting up a Pilot Tidal Power Project) : ज्वारीय-ऊर्जा को भारत के 2022 के 175 गीगावाट नवीकरणीय ऊर्जा के लक्ष्य में शामिल नहीं किया है, लेकिन नवीन और नवीकरणीय ऊर्जा मंत्रालय ने बताया है कि सभी नवीकरणीय ऊर्जा स्रोत 2030 के लक्ष्य के लिए पात्र होंगे। समिति ने सिफ़ारिश की कि केंद्र सरकार को, कच्छ की खाड़ी जैसे लागत प्रभावी स्थान को प्राथमिकता देते हुए, पायलट टाइडल पावर प्रोजेक्ट की स्थापना करनी चाहिए।

पर्यावरणीय प्रभाव का आकलन (Environmental Impact Assessment) : समिति ने ज्वारीय-ऊर्जा संयंत्रों के पर्यावरणीय और पारिस्थितिक प्रभाव पर अध्ययनों के अभाव को देखा। ज्वारीय-ऊर्जा संयंत्र संभावित रूप से प्रतिप्रवाह और अनुप्रवाह के एक बड़े क्षेत्र को प्रभावित कर सकते हैं। यह सिफ़ारिश की गयी कि केंद्र सरकार को पर्यावरणीय प्रभाव का मूल्यांकन करने और ज्वारीय-ऊर्जा की परियोजनाओं की पारिस्थितिक स्थिरता को सुनिश्चित करने के लिए आकलन करना चाहिए।

अनुसंधान और विकास के लिए निधि (Research and Development Funding) : समिति ने कहा कि ज्वारीय-ऊर्जा के विकास के लिए केंद्र सरकार द्वारा कोई धनराशि आवंटित नहीं की गयी थी। 2017 और 2020 के बीच संशोधित चरण में नवीन और नवीकरणीय ऊर्जा मंत्रालय में अनुसंधान और विकास के लिए निधि में पर्याप्त रूप से कमी की है। यहाँ तक कि इन वर्षों के दौरान कम किये गये धन आवंटन का भी पूरी तरह से इस्तेमाल नहीं किया गया था। समिति ने इस बात की सिफ़ारिश की कि केंद्र सरकार को अनुसंधान और विकास के लिए, विशेष रूप से ज्वारीय-ऊर्जा जैसे अज्ञात स्रोतों के लिए निधि बनाये रखना चाहिए या उसे बढ़ाना चाहिए।

बायोमास-ऊर्जा (Biomass Energy)

बायोमास का तात्पर्य पौधों और जानवरों से प्राप्त नवीकरणीय कार्बनिक पदार्थ से है, जिसमें प्रकाश संश्लेषण के माध्यम से सूर्य के प्रकाश से संग्रहीत की गयी रासायनिक ऊर्जा होती है। इसका इस्तेमाल प्रत्यक्ष रूप से ऊष्मा के लिए किया जा सकता है या विभिन्न प्रक्रियाओं का इस्तेमाल करके तरल और गैसीय ईंधन में परिवर्तित किया जा सकता है।

ऊर्जा उत्पादन के लिए बायोमास के स्रोत

1. लकड़ी और लकड़ी प्रसंस्करण अवशेष जैसे फ़ायरवुड, वुड पेलेट्स, वुड चिप्स, लुगदी और कागज़ की मिलों से शॉडस्ट ब्लैक लीकर, आदि।
2. कृषि फ़सलें और उत्पाद जैसे मक्का, सोयाबीन, गन्ना, स्विचग्रास, वुडी प्लांट्स, शैवाल, फ़सल और खाद्य प्रसंस्करण के अवशेष।

3. म्यूनिसिपल सॉलिड वेस्ट्स में बायोजेनिक घटक जैसे काग़ज़ के उत्पाद, कपास और ऊनी सामग्री, खाद्य अपशिष्ट, यार्ड ट्रिमिंग, वुड स्क्रैप, पशु खाद और ह्यूमन सीवेज।

बायोमास के ये स्रोत स्थायी ऊर्जा उत्पादन में योगदान करते हैं और जीवाश्म ईंधन पर निर्भरता को कम करने में मदद कर सकते हैं। बायोमास-ऊर्जा ऊष्मा, बिजली और परिवहन ईंधन का उत्पादन करने के लिए जैविक सामग्री का उपयोग करके नवीकरणीय ऊर्जा क्षेत्र में महत्त्वपूर्ण भूमिका निभा सकती है।

परीक्षोपयोगी

जैव ईंधन पर राष्ट्रीय नीति, 2018 (NATIONAL POLICY ON BIOFUELS, 2018)

इस नीति की महत्त्वपूर्ण विशेषताएँ इस प्रकार हैं :

a. 'मूल जैव ईंधन' (पहली पीढ़ी) और 'उन्नत जैव ईंधन' (दूसरी और तीसरी पीढ़ी) के रूप में जैव ईंधनों का वर्गीकरण।
b. उन्नत जैव ईंधन के लिए प्रोत्साहन, ऑफ़-टेक अश्योरेंस और व्यवहार्यता अंतर वित्त पोषण।
c. इथेनॉल उत्पादन के लिए बी-मलैसिज, चुकंदर, स्वीट सॉरगम, मक्का, कसावा जैसी स्टार्च युक्त सामग्री, गेहूँ, टूटे चावल और सड़े हुए आलू जैसे क्षतिग्रस्त अनाजों की अनुमति देना, जो मानव उपभोग के लिए उचित नहीं हैं।
d. सरकार ने डीज़ल में बायो-डीज़ल के सम्मिश्रण/बायो-डीज़ल की प्रत्यक्ष बिक्री का सांकेतिक लक्ष्य निर्धारित किया है।
e. सम्मिश्रण कार्यक्रम के लिए बायो-डीज़ल की ख़रीद हेतु GST दर को 12% से घटाकर 5% किया गया है।
f. उन्नत जैव ईंधन परियोजनाओं की स्थापना के लिए वित्तीय सहायता प्रदान करने हेतु **"प्रधानमंत्री JI-VAN (जैव ईंधन - वातावरण अनुकूल फ़सल अवशेष निवारण) योजना"** 2019 को अगस्त 2024 में संशोधित किया गया है।
g. जैव ईंधन के संबंध में सभी संबंधित मंत्रालयों या विभागों की भूमिकाओं और ज़िम्मेदारियों को परिभाषित करके प्रयासों की सहक्रिया।

परीक्षोपयोगी

राष्ट्रीय बायोगैस और खाद प्रबंधन कार्यक्रम
[THE NATIONAL BIOGAS AND MANURE MANAGEMENT PROGRAMME (NBMMP)]

कार्यक्रम का उद्देश्य ऐसे **फ़ैमिली-स्टाइल बायोगैस प्लांट्स** विकसित करना है, जो रोशनी और खाना पकाने के स्वच्छ ईंधन के स्रोत के रूप में बायोगैस प्रदान करेगा। बायोगैस प्लांट्स का उपोत्पाद, स्लरी, एक जैव-खाद है, जिसका इस्तेमाल फ़सल की उपज बढ़ाने के साथ-साथ मिट्टी को स्वस्थ बनाये रखने के लिए भी किया जा सकता है। बायोगैस प्रौद्योगिकी के विकास से पर्यावरणीय क्षरण को कम करने और वायुमंडल में कार्बन डाइऑक्साइड (CO_2) और मीथेन जैसी ग्रीनहाउस गैसों (GHG) के उत्सर्जन को रोकने में मदद मिलती है।

पनबिजली-ऊर्जा (Hydro Energy)

गिरते पानी की स्थितिज ऊर्जा को जलचक्र (waterwheels) के द्वारा ग्रहण (capture) किया जाता है और उसे विद्युत-ऊर्जा में परिवर्तित किया जाता है। नदियों और जलधाराओं पर बाँध बनाये गये, तथा जहाँ कहीं भी जलस्तर या ऊँचाई में पर्याप्त परिवर्तन हुआ, वहाँ मिलें बनायी गयीं। दबाववाले पानी के प्रवाह के कारण टरबाइन घूमने लगती है। टरबाइन के साथ एक पावर जनरेटर जुड़ा होता है।

छोटा हाइड्रो पावर

- माइक्रो (100 kW तक)
- मिनी (101 kW से 2 MW)
- छोटा हाइड्रो (2 MW से 25 MW)

भूतापीय-ऊर्जा (Geothermal Energy)

गर्म पानी के जलाशय भूतापीय-ऊर्जा के संसाधन हैं, जो पृथ्वी की सतह के नीचे अलग-अलग तापमान और गहराई पर प्राकृतिक या कृत्रिम रूप से मौजूद हैं।

भाप और अत्यधिक गर्म पानी तक पहुँचने के लिए कुओं को कुछ फ़ीट से लेकर कई मील की गहराई तक भूमिगत जलाशयों में खुदाई की जा सकती है, जिसे बिजली उत्पादन, प्रत्यक्ष इस्तेमाल और हीटिंग और कूलिंग सहित विभिन्न अनुप्रयोगों में इस्तेमाल के लिए सतह पर लाया जा सकता है।

गीज़र (Geysers) (उष्णोत्स)

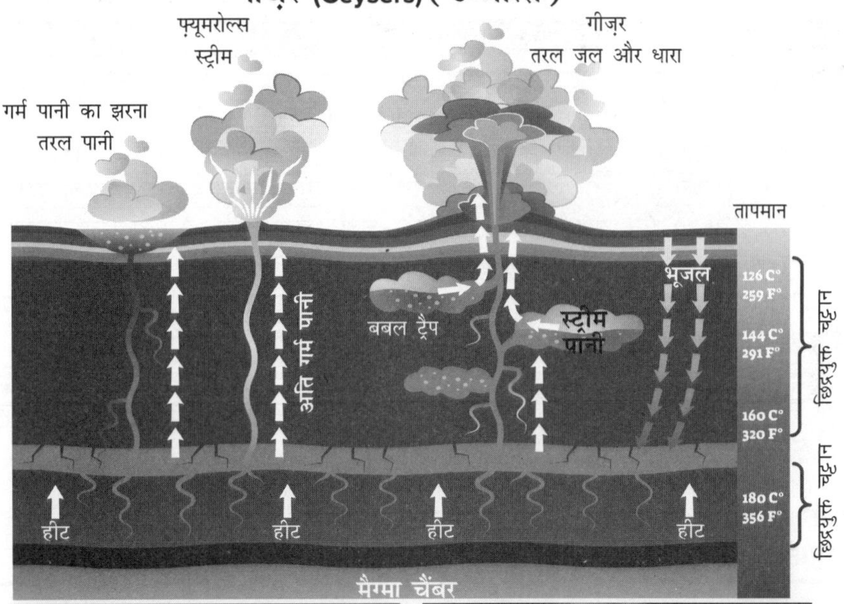

गीज़र *बनाम* हॉट स्प्रिंग्स (उष्णोत्स *बनाम* गर्म झरना)

ग़ैर-पारंपरिक ऊर्जा के स्रोतों की सीमाएँ (Limitations of Non-conventional Energy Sources)

- **मौसम पर निर्भरता (Weather Dependency) :** सौर और पवन-ऊर्जा जैसे ग़ैर-पारंपरिक ऊर्जा के स्रोतों पर मौसम का काफ़ी प्रभाव पड़ता है, जिससे निरंतर और लगातार बिजली प्रदान करना मुश्किल हो जाता है।
- **भंडारण की अपर्याप्तता (Storage Insufficiency) :** ग़ैर-पारंपरिक ऊर्जा के स्रोत, जैसे सौर और पवन-ऊर्जा, आमतौर पर दोपहर के समय के दौरान बड़ी मात्रा में उत्पादित होते हैं, लेकिन यह बात संभव है कि इस अतिरिक्त ऊर्जा के लिए स्टोरेज सलूशन अक्षम या महँगे हैं।
- **क्षमता की सीमाएँ (Capacity Limitations) :** ग़ैर-पारंपरिक ऊर्जा के स्रोतों की क्षमता कोयला और प्राकृतिक गैस जैसे पारंपरिक ऊर्जा के स्रोतों की तुलना में कम होती है, जिससे उनकी समग्र क्षमता सीमित हो सकती है।
- **अधिक शुरुआती व्यय (High Initial Expense) :** ग़ैर-पारंपरिक ऊर्जा के स्रोतों को स्थापित करने के लिए प्रारंभ में अधिक निवेश की आवश्यकता पड़ सकती है, जो कुछ व्यक्तियों या संगठनों के लिए अत्यधिक महँगा हो सकता है।
- **पर्यावरणीय प्रभाव (Environmental Impact) :** नवीकरणीय ऊर्जा के स्रोत, जैसे बड़े पैमाने पर हाइड्रोइलेक्ट्रिक बाँध, जो लोगों के आवास को नष्ट कर देते हैं और स्थानीय निवासियों को पलायन करने पर मजबूर कर देते हैं, पर्यावरण पर भी नकारात्मक प्रभाव डाल सकते हैं। बायोगैस, यद्यपि फ़ायदेमंद और नवीकरणीय है, जो ग्रीनहाउस प्रभाव में योगदान देती है।

ऊर्जा के पारंपरिक और ग़ैर-पारंपरिक स्रोतों के बीच अंतर
(Difference between Conventional and Non-conventional Sources of Energy)

ऊर्जा के पारंपरिक स्रोत	ऊर्जा के ग़ैर-पारंपरिक स्रोत
कोयला, पेट्रोलियम और प्राकृतिक गैस जैसे पारंपरिक ऊर्जा के स्रोत नवीनीकरण योग्य नहीं हैं।	ग़ैर-पारंपरिक ऊर्जा के स्रोत, जैसे सौर और पवन-ऊर्जा, नवीनीकरण योग्य हैं।
इन स्रोतों का इस्तेमाल काफ़ी समय से किया जा रहा है। उदाहरण : फ़ायरवुड और कोयला।	ये स्रोत हाल ही में सामने आये हैं और दिन प्रतिदिन विकसित हो रहे हैं। उदाहरण : सोलर पैनलों से बिजली उत्पादन की तकनीक।
इनमें से अधिकांश ऊर्जा के स्रोत (जैसे, कोयला और फ़ायरवुड) इस्तेमाल किये जाने पर प्रदूषक उत्सर्जित करते हैं।	सौर-ऊर्जा, भूतापीय ऊर्जा, और अन्य नवीनीकरण योग्य ऊर्जा के स्रोतों से प्रदूषण नहीं होता है।
ये व्यापक और आमतौर पर इस्तेमाल किये जानेवाले स्रोत हैं (जैसे तापीय ऊर्जा)।	ये ऊर्जा के अपेक्षाकृत नये स्रोत हैं, इसलिए आमतौर पर इनका इस्तेमाल नहीं किया जाता है। सोलर पैनल और विंडमिल्स इसके उदाहरण हैं, जिनका इस्तेमाल शायद ही कभी किया जाता है।
पारंपरिक ऊर्जा के स्रोतों की दक्षता और उत्पादन की लागत कम है।	ग़ैर-पारंपरिक ऊर्जा के स्रोतों की दक्षता और उत्पादन की लागत अधिक है।

आर्थिक विकास में विद्युत क्षेत्र का योगदान (CONTRIBUTION OF POWER SECTOR IN ECONOMIC DEVELOPMENT)

2023-24 और 2024-25 (दिसंबर, 2024 तक) के दौरान भारत में बिजली आपूर्ति की स्थिति

वर्ष	ऊर्जा				पीक			
	ऊर्जा की आवश्यकता	ऊर्जा की आपूर्ति	ऊर्जा आपूर्ति नहीं की गयी		अधिकतम माँग	अधिकतम पूरी की गयी	माँग पूरी नहीं हुई	
	(एमयू)	(एमयू)	(एमयू)	(%)	(एमडब्ल्यू)	(एमडब्ल्यू)	(एमडब्ल्यू)	(%)
2023-2024	16,26,132	16,22,020	4,112	0	2,43,271	2,39,931	3,340	1
2024-2025 (दिसंबर, 2024 तक)	12,80,111	12,78,772	1,339	0	2,49,856	2,49,854		0

स्रोत : केन्द्रीय विद्युत प्राधिकरण CEA (Central Electricity Authority)

विद्युत मंत्रालय (MINISTRY OF POWER)

2 जुलाई, 1992 को विद्युत मंत्रालय की स्थापना की गयी थी। पहले, यह विद्युत, कोयला और ग़ैर-पारंपरिक ऊर्जा स्रोत मंत्रालय के अंतर्गत एक विभाग (विद्युत विभाग) था। उस मंत्रालय को तीन खंडों में विभाजित किया गया था : विद्युत मंत्रालय, कोयला मंत्रालय, और ग़ैर-पारंपरिक ऊर्जा स्रोत मंत्रालय (2006 में इसका नाम बदलकर नवीन और नवीकरणीय विद्युत मंत्रालय रखा गया)।

मंत्रालय बिजली उत्पादन और बुनियादी ढाँचे के विकास के प्रबंधन का प्रभारी है, जिसमें उत्पादन, पारेषण और वितरण के साथ-साथ रखरखाव का पहल भी शामिल है।

मंत्रालय केंद्र सरकार, राज्य बिजली संचालन और निजी क्षेत्र के बीच संपर्क के रूप में कार्य करता है। मंत्रालय ग्रामीण बिजली कार्यक्रमों का भी प्रबंधन करता है।

विद्युत् मंत्रालय के अंतर्गत केंद्रीय सार्वजनिक क्षेत्र के उपक्रम

- नेशनल थर्मल पावर कॉर्पोरेशन लिमिटेड
- नॉर्थ ईस्टर्न इलेक्ट्रिक पावर कॉर्पोरेशन लिमिटेड
- नेशनल हाइड्रोपावर कॉर्पोरेशन
- पावर फ़ाइनेंस कॉर्पोरेशन

कोयला मंत्रालय (Ministry of Coal)

कोयला मंत्रालय के पास भारत के कोयला और लिग्नाइट के भंडार को खोजने के साथ-साथ सरकारी स्वामित्ववाले निगमों **कोल इंडिया लिमिटेड (Coal India Limited)** और उसकी सहायक कंपनियों और **नेवेली लिग्नाइट कॉर्पोरेशन (Neyveli Lignite Corporation)** के माध्यम से कोयले का उत्पादन, आपूर्ति, वितरण और उसका मूल्य निर्धारण करने की ज़िम्मेदारी है।

कोयला मंत्रालय तेलंगाना सरकार के साथ एक सार्वजनिक क्षेत्र के संयुक्त उद्यम, सिंगरेनी कोलियरीज कंपनी में केंद्र सरकार की 49 प्रतिशत के इक्विटी स्टेक को भी नियंत्रित करता है।

नवीन और नवीकरणीय ऊर्जा मंत्रालय (Ministry of New and Renewable Energy)

1970 के दशक के ऊर्जा संकट के जवाब में, विज्ञान और प्रौद्योगिकी विभाग द्वारा 1981 में **ऊर्जा के अतिरिक्त स्रोतों के लिए आयोग (CASE)** की स्थापना की गयी थी। CASE नीति निर्माण और कार्यान्वयन, नयी और नवीकरणीय ऊर्जा के लिए विकास कार्यक्रम, और क्षेत्र-व्यापी समन्वय और अनुसंधान एवं विकास की गहनता का प्रभारी था।

1982 में, **तत्कालीन ऊर्जा मंत्रालय ने ग़ैर-पारंपरिक ऊर्जा स्रोत विभाग (DNES)** नामक एक नयी एजेंसी की स्थापना की। **DNES** ने CASE को अपने अंतर्गत शामिल किया।

ग़ैर-पारंपरिक ऊर्जा स्रोत मंत्रालय का गठन 1992 में किया गया था। इसे इसका वर्तमान नाम 2006 में मिला।

पावर सेक्टर डिस्कॉम और आरडीएसएस (पुनर्निर्मित वितरण क्षेत्र योजना) [POWER SECTOR DISCOMS AND RDSS (REVAMPED DISTRIBUTION SECTOR SCHEME)]

बिजली उद्योग में तीन प्रमुख प्रक्रियाएँ शामिल हैं :

I. बिजली उत्पादन **II. पावर ट्रांसमिशन** **III. बिजली वितरण**

वितरण कंपनियाँ (DISCOMs) बिजली प्रदाताओं को घरों से जोड़ती हैं। वे उपयोग और ग्राहकों के बीच संपर्क के रूप में कार्य करते हैं।

भारतीय संविधान के अनुसार, बिजली एक समवर्ती विषय है और राज्य, ग्रामीण और शहरी उपयोगकर्ताओं को बिजली वितरण और आपूर्ति के लिए ज़िम्मेदार हैं। परिणामस्वरूप, अधिकांश DISCOMs पर राज्य सरकारों का स्वामित्व है। भारत में निजी DISCOMs भी संचालित होते हैं, हालाँकि वे केवल कुछ शहरों जैसे दिल्ली और मुंबई में हैं।

भारत की विद्युत आपूर्ति श्रृंखला में, वितरण सबसे महत्त्वपूर्ण भूमिका निभाता है, तथापि यह सबसे कमज़ोर भी हो सकता है। भारत में DISCOMs को AT&C घाटे, सीमित निवेश और मीटर संबंधी चिंताओं जैसी चुनौतियों का सामना करना पड़ रहा है।

भारत में विद्युत वितरण की चुनौतियाँ (Challenges of Electricity Distribution in India)

कई वर्षों से, भारत की अधिकांश बिजली वितरण कंपनियों को हर वर्ष घाटा हो रहा है। इन संचयी हानियों और चुनौतियों के निम्नलिखित कारण है :

- **अधिक AT&C घाटा (High AT&C losses) :** DISCOMs की संकटपूर्ण वित्तीय स्थिति के लिए उच्च स्तर की समुच्चय तकनीकी और वाणिज्यिक AT&C हानि, बिजली वितरण की लागत की तुलना में अपर्याप्त या कम क़ीमत रखना और राज्य सरकारों से अपर्याप्त सब्सिडी की सहायता ज़िम्मेदार है।
- **ख़राब वित्तीय स्थिति (Poor financial health) :** बिजली वितरण कंपनियाँ उत्पादन और ट्रांसमिशन क्षेत्रों के संचालन के लिए आवश्यक नक़दी प्रवाह उत्पन्न करने के लिए ग्राहकों से उनकी ऊर्जा आपूर्ति (जनरेटर से ख़रीदी गयी) के ख़िलाफ़ भुगतान एकत्र करती हैं। बार-बार नक़द वसूली में अंतर के कारण डिस्कॉम जनरेटर से अपनी ऊर्जा ख़रीद के लिए समय पर भुगतान करने में असमर्थ हैं, जो अक्सर ग्राहकों के भुगतान में देरी के कारण होता है।
- **टैरिफ़ का निर्धारण (Tariff Determination) :** यह DISCOMs के स्वास्थ्य को प्रभावित करनेवाले सबसे महत्त्वपूर्ण कारकों में से एक है। टैरिफ़ निर्धारण की प्रक्रिया में अक्सर देरी होती है।
- **मीटरिंग की कमी (Lack of Metering) :** DISCOMs की परिचालन दक्षता में सुधार के लिए AT&C घाटे को कम करना ज़रूरी है। हालाँकि, **उदय (UDAY)** की शुरुआत के छह वर्ष बाद भी, वितरण श्रृंखला के कई स्तरों (फ़ीडर, वितरण ट्रांसफ़ार्मर (DT), और ग्राहक) पर अभी भी ठीक से मीटर नहीं लगाया गया है। जिसके परिणामस्वरूप, हानि पहुँचानेवाले स्थानों को अलग करना और उनकी पहचान करना एवं सुधारात्मक उपायों को लागू करना मुश्किल है।

डिस्कॉम की परिचालन संबंधी समस्याओं और बजटीय प्रतिबंधों को दूर करने के लिए **पुनर्निर्मित वितरण क्षेत्र सुधार योजना [Revamped Distribution Sector Reform Scheme (RDSS)]** बनायी गयी थी। भारत सरकार ने 3,03,758 करोड़ रुपये के व्यय और पाँच वर्ष की अवधि (वित्तीय वर्ष, 2021-22 से वित्तीय वर्ष, 2025-26 तक) के लिए केंद्र सरकार से 97,631 करोड़ रुपये के अपेक्षित सरकारी बजटीय समर्थन (GBS) के साथ पुनर्निर्मित वितरण क्षेत्र योजना (RDSS) की स्थापना की। इस योजना का उद्देश्य पूरे भारत में समुच्चय तकनीकी और वाणिज्यिक (AT&C) घाटे को 12-15 प्रतिशत तक कम करना है, साथ ही 2024-25 तक **आपूर्ति की औसत लागत (ACS) - औसत राजस्व प्राप्ति (ARR)** के अंतर को शून्य करना है।

योजना के **दो प्रमुख घटक** हैं :

1. प्रीपेड स्मार्ट मीटरिंग और सिस्टम मीटरिंग के साथ-साथ वितरण संरचना को अपडेट करने के लिए वित्तीय सहायता प्रदान करना।
2. प्रशिक्षण और क्षमता निर्माण के साथ-साथ अन्य सक्षम और सहायक गतिविधियाँ प्रदान करना।

यदि **DISCOMs** पूर्व-अर्हता शर्तों को पूरा करते हैं और सुधारों में बुनियादी न्यूनतम बेंचमार्क को प्राप्त करते हैं, तो उन्हें उनकी वितरण संरचना को अपग्रेड करने के साथ-साथ प्रीपेड स्मार्ट कंज़्यूमर मीटरिंग और सिस्टम मीटरिंग के लिए वित्तीय सहायता दी जाती है।

RDSS द्वारा प्रदान किये गये विभिन्न अवसरों का लाभ उठाने के लिए, राज्यों को अपनी कार्य योजनाओं में निवेश को प्राथमिकता देने में लचीलेपन की आवश्यकता पर ज़ोर देना चाहिए। इस प्रयास को शीघ्र, लेकिन विचारशील कार्यान्वयन के लिए पूरे किये गये वादों द्वारा भी समर्थित किया जाना चाहिए।

परीक्षोपयोगी

इंटरनेशनल एनर्जी एजेंसी (INTERNATIONAL ENERGY AGENCY)

अंतरराष्ट्रीय ऊर्जा एजेंसी [International Energy Agency (IEA)] की स्थापना, **वर्ष 1973 के तेल संकट** की प्रतिक्रिया में वर्ष 1974 में की गयी थी, जिसका मुख्यालय पेरिस, फ्रांस में है। IEA, सभी के लिए एक सुरक्षित और टिकाऊ ऊर्जा भविष्य को आकार देने हेतु सरकारों और उद्योगों के साथ सहयोग करता है। **केवल OECD सदस्य देश** ही IEA के सदस्य के रूप में सम्मिलित हो सकते हैं। वर्तमान में, इसमें 31 सदस्य देश, 13 संघ देश और सदस्य बनने की आंकाक्षा रखनेवाले 4 देश (चिली, कोलंबिया, इज़राइल और कोस्टा रिका) हैं। **भारत** इसमें वर्ष 2017 में एक **सहयोगी देश (Association country)** के रूप में **सम्मिलित हुआ**। IEA को आमतौर पर सदस्य देशों द्वारा और स्वैच्छिक रूप से ग़ैर-सदस्य देशों, ऊर्जा कंपनियों और निजी दानदात्ताओं द्वारा वित्त पोषित किया जाता है।

IEA द्वारा प्रकाशित की जानेवालीं महत्त्वपूर्ण रिपोर्टों में निम्न सम्मिलित हैं - वर्ल्ड एनर्जी आउटलुक, एनर्जी टेक्नोलॉजी प्रस्पेक्टिव (ETP), गैस मार्केट रिपोर्ट, ग्लोबल इलेक्ट्रिक व्हीकल (EV) आउटलुक, आदि।

IEA की विद्युत रिपोर्ट 2025 (IEA's Electricity Report 2025)

मुख्य बातें

- **ऊर्जा माँग में वृद्धि (Energy Demand Growth)** - वर्ष 2024 में वैश्विक ऊर्जा माँग में 4.3% की **वृद्धि हुई**।
- **चीन की खपत (China's Consumption)** - चीन ने अमेरिका और यूरोपीय संघ दोनों को पीछे छोड़ दिया है, और विद्युत का सबसे बड़ा उपभोक्ता बनकर उभरा है।
- **CO_2 उत्सर्जन (CO_2 Emissions)** - वर्ष 2024 में 1% की वृद्धि के बाद वर्ष 2025 से 2027 तक विद्युत उत्पादन से वैश्विक CO_2 उत्सर्जन के स्थिर होने के अनुमान हैं।
- **नवीकरणीय ऊर्जा का योगदान (Renewable Energy Contribution)** - **सौर**, **पवन** और **जल विद्युत** सहित नवीकरणीय ऊर्जा स्रोतों से वर्ष 2025 और 2027 के बीच विद्युत की माँग में लगभग 95% वृद्धि होने के अनुमान हैं।

भारत के संबंध में निष्कर्ष (Findings on India) :

- **माँग में उछाल (Demand Surge)** - वर्ष 2024 में, भारत की विद्युत माँग में 5.8% की वृद्धि हुई।
- **ताप विद्युत क्षमता (Thermal Power Capacity)** - भारत की तापविद्युत क्षमता के वर्ष 2032 तक बढ़कर 283 गीगावॉट होने के अनुमान हैं।
- **कोयला प्रभुत्व (Coal Dominance)** - कोयला, प्रमुख ऊर्जा स्रोत बना हुआ है, जिसका **वर्ष 2024 में** भारत के विद्युत **मिश्रण का 74% हिस्सा है**।
- **नवीकरणीय ऊर्जा में वृद्धि (Renewable Energy Growth)** - भारत के विद्युत मिश्रण में नवीकरणीय ऊर्जा की हिस्सेदारी वर्ष 2024 के 21% से बढ़कर वर्ष 2027 तक 27% होने के अनुमान हैं, जिसमें सौर फ़ोटोवोल्टिक (PV) इस विस्तार का नेतृत्व करेगा।
- **परमाणु ऊर्जा विस्तार (Nuclear Power Expansion)** - वर्ष 2024 में परमाणु ऊर्जा उत्पादन में 13% की वृद्धि देखी गयी।

ग्रामीण विद्युतीकरण (RURAL ELECTRIFICATION)

2011 की जनगणना के अनुसार, भारत की लगभग 80 प्रतिशत जनसंख्या, 167.8 मिलियन घरों के साथ ग्रामीण क्षेत्रों में रहती है। इनमें से केवल 92,808,181 घरों में बिजली हैं, जबकि 839,133 विद्युतीकृत नहीं हैं। शेष 74,179,414 घर रोशनी के लिए पैराफ़िन या अन्य स्रोतों का इस्तेमाल करते हैं। ग्रामीण विद्युतीकरण को आमतौर पर ग्रामीण अर्थव्यवस्था के आधार के रूप में देखा जाता है।

ग्रामीण विद्युतीकरण में पाँच प्रमुख पहलू शामिल हैं :

1. ग्रामीण विद्युत संरचना का विकास

2. घरेलू कनेक्टिविटी प्रदान करना
3. स्वीकार्य गुणवत्ता के साथ पर्याप्त विद्युत आपूर्ति को सुनिश्चित करना
4. किफ़ायती दरों पर बिजली प्रदान कराना
5. कुशल तरीक़े से स्वच्छ, पारिस्थितिक रूप से अनुकूल और सतत बिजली प्रदान करना

भारत सरकार ने 2014 में 2011 की जनगणना के अनुसार सभी ग़ैर-विद्युतीकृत गाँवों के विद्युतीकरण के उद्देश्य से ग्रामीण क्षेत्रों के लिए **दीन दयाल उपाध्याय ग्राम ज्योति योजना (DDUGJY)** शुरू की थी; ग्रामीण क्षेत्रों में उप-पारेषण और वितरण अवसंरचना को मज़बूत करना और संवर्धन करना, जिसमें HT और LT लाइनों का निर्माण, डिस्ट्रीब्यूशन ट्रांसफ़ॉर्मर्स, फ़ीडर्स और उपभोक्ताओं पर मीटरिंग; और फ़ीडर का पृथक्करण शामिल है।

इसी तरह, देश में ग्रामीण और शहरी ग़रीब घरों के विद्युतीकरण के लिए 2017 में **प्रधानमंत्री सहज बिजली हर घर योजना - सौभाग्य (SAUBHAGYA)** शुरू की गयी थी। सौभाग्य को देश के ग्रामीण क्षेत्रों में सभी ग़ैर-विद्युतीकृत घरों और शहरी क्षेत्रों में सभी ग़रीब घरों को बिजली का कनेक्शन प्रदान करके सार्वभौमिक घरेलू विद्युतीकरण प्राप्त करने के उद्देश्य से शुरू किया गया था। सौभाग्य के तत्वावधान में, छत्तीसगढ़ के वामपंथी उग्रवाद (LWE) प्रभावित क्षेत्रों को छोड़कर, सभी घरों को राज्यों द्वारा विद्युतीकृत किया गया है।

विद्युत एवं ऊर्जा क्षेत्र में नवीनतम उपलब्धियाँ (RECENT ACHIEVEMENTS IN POWER AND ENERGY SECTOR)

- 31 दिसंबर, 2024 तक, भारत में विद्युत क्षेत्र की स्थापित उत्पादन क्षमता 4,62,002 मेगावाट है, जिसमें जीवाश्म ईंधन की कुल स्थापित क्षमता 2,44,377 मेगावाट और ग़ैर-जीवाश्म ईंधन की कुल स्थापित क्षमता 2,17,625 मेगावाट सम्मिलित है।
- संशोधित वितरण क्षेत्र योजना (RDSS) के कार्यान्वयन के साथ, शहरी क्षेत्रों में वित्त वर्ष 2024 में दैनिक औसत विद्युत आपूर्ति 23.4 घंटे और ग्रामीण क्षेत्रों में 21.9 घंटे हो गयी है।
- उत्पादन और पारेषण क्षमताओं में महत्त्वपूर्ण वृद्धि के कारण, राष्ट्रीय स्तर पर ऊर्जा की कमी, वित्त वर्ष 2024-25 में कम होकर मात्र 0.1 प्रतिशत रह गयी है, जो वित्त वर्ष 2013-14 के 4.2 प्रतिशत से एक बड़ा सुधार है।

लास्ट मिनट स्निपपेट्स

भारत ने वित्त वर्ष 2024-25 के दौरान 250 गीगावाट की सर्वकालिक अधिकतम विद्युत माँग को सफलतापूर्वक पूरा किया।

भारत में विद्युत क्षेत्र का रूपांतरण (Transforming the Power Sector in India)

पिछले 9 वर्षों में 175 गीगावॉट से अधिक **उत्पादन क्षमता** को जोड़कर बिजली की कमी से लेकर बिजली अधिकता तक	अपनी कुल स्थापित क्षमता का 43% नवीकरणीय ऊर्जा के साथ, नवीकरणीय ऊर्जा की स्थापित क्षमता में विश्व स्तर पर चौथा स्थान
सौभाग्य के तहत **2.86 करोड़ घरों को बिजली से जोड़ा गया**	DDUGJY के तहत **शत-प्रतिशत गाँवों में बिजली**
उजाला के तहत 2014 और 2019 के बीच **LED बल्बों की ख़रीद क़ीमत लगभग 90% कम हुई**	RDSS के तहत **डिस्कॉम (DISCOMS) का वितरण घाटा** 21.5% से घटकर 16.5% हो गया

- जनवरी 2025 तक देश की ग़ैर-जीवाश्म ईंधन ऊर्जा क्षमता 217.62 गीगावाट तक पहुँच गयी है।

- भारत सरकार ने वर्ष 2032 तक 458 गीगावाट की बड़ी माँग को पूरा करने हेतु केंद्रीय और राज्य पारेषण प्रणालियों के लिए वर्ष 2023 से 2032 तक **राष्ट्रीय विद्युत योजना** को अंतिम रूप दिया है। इस योजना के तहत, वर्ष 2032 में परिवर्तन क्षमता 1,290 गीगा वोल्ट एम्पीयर (GVA) से बढ़कर 2,342 GVA हो जायेगी तथा देश में पारेषण नेटवर्क का विस्तार किया जाएगा।

विद्युत क्षेत्र में सरकार की पहल (GOVERNMENT INITIATIVES IN THE POWER SECTOR)

- केंद्रीय बजट 2022-23 में, सरकार ने सॉवरेन ग्रीन बॉण्ड जारी करने के साथ-साथ एनर्जी स्टोरेज सिस्टम, विशेष रूप से ग्रिड-स्केल बैटरी सिस्टम को बुनियादी ढाँचे के रूप में नामित करने की घोषणा की।
- पूरे देश में रूफ़टॉप सोलर (RTS) को बढ़ावा देने के लिए, नवीन और नवीकरणीय ऊर्जा मंत्रालय ने एक राष्ट्रीय पोर्टल बनाया है, जिसके माध्यम से देश के किसी भी हिस्से से कोई भी घरेलू ग्राहक डिस्कॉम द्वारा निविदाओं को अंतिम रूप देने और सप्लायर्स को सूचीबद्ध करने की प्रतीक्षा किये बिना रूफ़टॉप सोलर के लिए आवेदन कर सकता है।
- **'उच्च दक्षतावाले सोलर PV मॉड्यूल पर राष्ट्रीय कार्यक्रम'** के लिए **प्रोडक्शन-लिंक्ड इंसेंटिव स्कीम (भाग II)**।
- नवीकरणीय ऊर्जा की निकासी को आसान बनाने और भविष्य की आवश्यकताओं के लिए सिस्टम को रीकॉन्फ़िगर (पुन:विन्यस्त) करने के लिए **ग्रीन एनर्जी कॉरिडोर** पहल शुरू की गयी है।
- **दीन दयाल उपाध्याय ग्राम ज्योति योजना (DDUGJY), उज्ज्वल डिस्कॉम एश्योरेंस योजना (UDAY) और इंटीग्रेटेड पावर डेवलपमेंट स्कीम (IPDS),** जैसी पहल के कारण देश का विद्युतीकरण बढ़ रहा है।
- **प्रधानमंत्री सहज बिजली हर घर योजना**, या **'सौभाग्य'**, सार्वभौमिक घरेलू विद्युतीकरण प्राप्त करने के लिए भारत सरकार द्वारा शुरू किया गया था।
- भारत में स्मार्ट ग्रिड नीतियों और परियोजनाओं के कार्यान्वयन को विकसित करने और निरीक्षण करने के लिए भारत सरकार द्वारा **नेशनल स्मार्ट ग्रिड मिशन (NSGM)** का गठन किया गया था। NSGM स्मार्ट ग्रिड के क्षेत्र में सेक्टर कर्मचारियों के वितरण के लिए क्षमता-निर्माण कार्यक्रमों की भी योजना बनाता है।
- विद्युत क्षेत्र में उभरती प्रौद्योगिकियों का इस्तेमाल करने के लिए हाल ही में **मिशन ऑन ऐडवांस्ड ऐंड हाई-इम्पैक्ट रिसर्च (MAHIR)** की स्थापना की गयी।
- भारत सरकार ने पूर्व-योग्यता के मानदंडों के आधार पर आपूर्ति के बुनियादी ढाँचे को मज़बूत करने और बुनियादी न्यूनतम मापदंडों को पूरा करने के लिए परिणाम से जुड़ी वित्तीय सहायता प्रदान करके डिस्कॉम को उनकी संचालन क्षमता और वित्तीय स्थिरता में सुधार करने में सहायता करने के लिए **पुनर्निर्मित वितरण क्षेत्र योजना (RDSS)** शुरू की।
- **उन्नत ज्योति बाय अफ़ोर्डेबल LED फ़ॉर ऑल (UJALA)** कार्यक्रम शुरू किया गया है। उजाला पहल के तहत, पारंपरिक और अप्रभावी विकल्पों के स्थान पर घरेलू उपभोक्ताओं के लिए LED बल्ब, LED ट्यूब लाइट और ऊर्जा दक्ष पंखों का विपणन किया जाता है।
- पूरे भारत में पारंपरिक स्ट्रीट लाइटों को स्मार्ट और ऊर्जा दक्ष LED स्ट्रीट लाइटों से बदलने के लिए **स्ट्रीट लाइटिंग नेशनल प्रोग्राम (SLNP)** शुरू किया गया।

> **क्या आप जानते हैं?**
> **राष्ट्रीय संवर्धित ऊर्जा दक्षता मिशन (NMEEE)** जलवायु परिवर्तन के विषय में राष्ट्रीय कार्य योजना (NAPCC) के आठ मिशनों में से एक है।

- कोयला मंत्रालय ने वर्ष 2024 में कोल इंडिया लिमिटेड द्वारा विकसित **'माइन क्लोज़र पोर्टल'** लॉन्च किया है, जिसका उद्देश्य दुर्घटनाओं को कम करना और पूरे उद्योग जगत में सुरक्षा व्यवस्थाओं में सुधार करना है। इस पोर्टल का उद्देश्य कोयला उद्योग के भीतर सुरक्षा प्रबंधन प्रथाओं में सुधार करना और दुर्घटनाओं और अप्रिय घटनाओं में उल्लेखनीय स्तर पर कमी लाना है।

विद्युत (संशोधन) विधेयक, 2022 [ELECTRICITY (AMENDMENT) BILL, 2022]

विद्युत (संशोधन) विधेयक, 2022 को आपत्तियों के बीच संसद में पेश किया गया और बाद में आगे विचार करने के लिए स्थायी समिति को भेजा गया। यह उपभोक्ताओं को किसी भी सेवा प्रदाता को चुनने और अन्य कंपनियों को बिजली सप्लायर्स के वितरण

नेटवर्क तक अप्रतिबंधित पहुँच प्रदान करने की अनुमति देता है। विधेयक 2003 के विद्युत अधिनियम में संशोधन करता है, जो भारत के विद्युत उद्योग को नियंत्रित करता है। यह अंतरराज्यीय और इंट्रास्टेट विद्युत विनियमन का निरीक्षण करने के लिए केंद्रीय और राज्य विद्युत नियामक आयोग (CERC और SERCs) की स्थापना करता है।

विधेयक के उपबंध (Provisions of the Bill)

- एक ही क्षेत्र में एक से अधिक डिस्कॉम की अनुमति देता है। एक से अधिक विद्युत वितरक एक ही स्थान पर काम कर सकते हैं।
- नियामक को 90 दिनों के भीतर निर्णय लेना होगा; अन्यथा, आवेदन अस्वीकृत कर दिया जायेगा।
- यह कॉर्पोरेट व्यवहार्यता में सुधार करते हुए वितरण के एकाधिकार को समाप्त कर देगा।
  1. बिजली वितरण के व्यवसायों को अधिक क़ीमत वसूलने से रोकना और ग्राहकों की सुरक्षा करना।
  2. 'उचित आयोग' द्वारा न्यूनतम के साथ-साथ अधिकतम टैरिफ़ सीलिंग का 'अनिवार्य' निर्धारण।
- **ग्रीन एनर्जी** को बढ़ावा देना।

एनर्जी ट्रांजिशन इंडेक्स (ENERGY TRANSITION INDEX)

विश्व आर्थिक मंच (WEF) विश्वसनीय, कुशल और किफ़ायती नवीकरणीय ऊर्जा के लिए दुनिया भर में परिवर्तन की निगरानी करने के लिए **'फ़ोस्टरिंग इफ़ेक्टिव एनर्जी ट्रांजिशन'** शीर्षक के तहत विश्वव्यापी **एनर्जी ट्रांजिशन इंडेक्स (ETI)** प्रकाशित करता है। इंडेक्स 120 देशों का आकलन करता है, यह इस बात पर निर्भर करता है कि उन्होंने नवीकरणीय ऊर्जा की ओर कितनी अच्छी तरह से परिवर्तन किया है। यह सरकारों को एनर्जी ट्रांजिशन की रणनीतियाँ तैयार करने में भी सहायता करता है।

एनर्जी ट्रांजिशन इंडेक्स, 2024 (Energy Transition Index, 2024)

यह रिपोर्ट WEF द्वारा 120 देशों के ऊर्जा प्रणाली प्रदर्शन और सुरक्षित, टिकाऊ और समावेशी ऊर्जा प्रणालियों के लिए उनकी तत्परता का मूल्यांकन करके प्रकाशित की गयी है।

भारत अपनी ऊर्जा समानता, सुरक्षा और स्थिरता में सुधार कर रहा है, जबकि 83 प्रतिशत देशों ने इन तीन ऊर्जा प्रणाली प्रदर्शन आयामों में से कम-से-कम एक में पिछले वर्ष से भी पूर्व की स्थिति को प्राप्त कर लिया है, जो एक संतुलित संक्रमण स्थापित करने में आनेवाली कठिनाई को दर्शाता है।

वर्ष 2024 की रिपोर्ट में अक्षय ऊर्जा क्षेत्र में भारत की वृद्धि की सराहना की गयी है, जहाँ अब यह अपनी 42 प्रतिशत विद्युत ऊर्जा, अक्षय स्रोतों और बायोमास से उत्पन्न करता है, जिससे यह दुनिया का चौथा सबसे बड़ा अक्षय ऊर्जा बाज़ार बन गया है।

2014 के बाद से, वैश्विक ETI के औसत अंक में 10 प्रतिशत का सुधार हुआ है, हालाँकि पिछले तीन वर्षों के दौरान यह केवल मामूली सुधार है।

लास्ट मिनट स्निपपेट्स

विश्व आर्थिक मंच के एनर्जी ट्रांजिशन इंडेक्स में भारत **67वें** स्थान पर है, जो इसे सभी पहलुओं में बढ़ती ऊर्जा परिवर्तन की गतिवाली एकमात्र बड़ी अर्थव्यवस्था बनाता है।

स्वीडन, डेनमार्क, नॉर्वे, फ़िनलैंड और स्विट्ज़रलैंड शीर्ष पाँच देश हैं।

अतिरिक्त जानकारी

इंडियन एनर्जी एक्सचेंज [INDIAN ENERGY EXCHANGE (IEX)]

- यह केंद्रीय विद्युत विनियामक आयोग **(CERC)** द्वारा विनियमित एक **विद्युत/ऊर्जा व्यापार मंच** है।
- यह भारत का **पहला और सबसे बड़ा** ऊर्जा एक्सचेंज है जो विद्युत, नवीकरणीय ऊर्जा प्रमाणपत्र और ऊर्जा बचत प्रमाणपत्रों की भौतिक प्रदायगी के लिए एक राष्ट्रव्यापी, स्वचालित व्यापार मंच प्रदान करता है।

- यह कुशल मूल्य खोज को सक्षम बनाता है और भारत में ऊर्जा बाज़ार की पहुँच और पारदर्शिता को बढ़ाता है।
- इसने **वर्ष 2008** में अपना परिचालन शुरू किया, तथा इसका मुख्यालय **दिल्ली** में है।
- IEX, ऊर्जा बाज़ार में विभिन्न प्रतिभागियों को एक इलेक्ट्रॉनिक मंच प्रदान करता है, जिसमें राज्य विद्युत बोर्ड, ऊर्जा उत्पादक, ऊर्जा व्यापारी और खुली पहुँचवाले उपभोक्ता (औद्योगिक और वाणिज्यिक दोनों) सम्मिलित हैं।
- यह एक्सचेंज NSE के साथ-साथ BSE में सार्वजनिक रूप से सूचीबद्ध कंपनी है।
- IEX द्वारा **वर्ष 2020** में **रियल-टाइम इलेक्ट्रिसिटी मार्केट (RTM)** लॉन्च किया गया है।

अतिरिक्त जानकारी

इंडियन गैस एक्सचेंज (INDIAN GAS EXCHANGE)

- इंडियन गैस एक्सचेंज लिमिटेड (IGX), भारत का पहला, स्वचालित, राष्ट्रीय स्तर का गैस एक्सचेंज है, जो एक कुशल और मज़बूत **प्राकृतिक गैस** बाज़ार को बढ़ावा देने और इसे बनाये रखने तथा देशभर में गैस व्यापार को बढ़ावा देने के लिए है। IGX ने **वर्ष** 2020 में गैस ट्रेडिंग प्लेटफ़ॉर्म के रूप में परिचालन शुरू किया तथा यह **वर्ष** 2020 से गैस एक्सचेंज के रूप में कार्यरत है।
- IGX, एक तटस्थ और पारदर्शी बाज़ार है, जहाँ ख़रीदार और विक्रेता दोनों गैस का व्यापार अंतर्निहित वस्तु के रूप में करते हैं।
- IGX, गैस की क़ीमतों की कुशल और प्रतिस्पर्धी खोज को सक्षम बनाता है तथा इसका सबसे महत्त्वपूर्ण उद्देश्य बाज़ार की अखंडता को बनाये रखना भी है।
- IGX को पेट्रोलियम और प्राकृतिक गैस नियामक बोर्ड (PNGRB) द्वारा विनियमित किया जाता है।

ऊर्जा क्षेत्र में चुनौतियाँ (CHALLENGES IN ENERGY SECTOR)

- **ईंधन की सुरक्षा (Security of Fuel)** : ईंधन आपूर्ति से संबंधित चिंताएँ और आयातित कोयले पर निर्भरता थर्मल क्षमता की वृद्धि को सीमित करती है।
- **प्रेषण में नुक़सान (Transmission Losses)** : विद्युत उद्योग में हाई ट्रांसमिशन-लाइन संबंधी नुक़सान माँग-आपूर्ति के असंतुलन को बढ़ाती हैं।
- **राज्य डिस्कॉम का वित्तीय स्वास्थ्य (Financial Health of State DISCOMS)** : पॉप्युलिस्ट टैरिफ़ और संचालन संबंधी अक्षमताओं के परिणामस्वरूप उत्पन्न ऋण डिस्कॉम के वित्तीय स्वास्थ्य को हानि पहुँचाता है।
- **बिजली की कम ख़रीद (Power under-procurement)** : ईंधन की कमी, बजट संबंधी बाध्यता और बड़े AT&C घाटों के कारण, राज्य डिस्कॉम ने कम माँग का पूर्वानुमान लगाया।
- **अंतरराज्यीय विवाद (Interstate Disputes)** : नदी प्रबंधन संबंधी विवादों का हाइड्रोइलेक्ट्रिक सुविधाओं पर प्रभाव पड़ता है और राज्यों के बीच विद्युत प्रेषण सीमित हो जाता है।
- **वित्तीयन अस्थिरता (Financing Instability)** : बढ़ती लोन की दरों के कारण परियोजना की लागत बढ़ जाती है और टैरिफ़ बढ़ जाता है।
- **निजी और विदेशी उद्यमियों की सीमित भूमिका (Limited role of Private and Foreign Entrepreneurs)** : बिजली उत्पादन के उद्योग में व्यावहारिक रूप से सार्वजनिक क्षेत्र का एकाधिकार है। प्रबंधन सुविधाओं की कमी के कारण, सार्वजनिक क्षेत्र बिजली उत्पादन की समस्याओं से निपटने में असमर्थ है। अभी निजी और अंतरराष्ट्रीय उद्यमियों को अपनी क्षमता को प्रदर्शित करने का अवसर नहीं मिला है।
- **नीति की अदक्षता (Policy Inefficiency)** : सूक्ष्म-स्तरीय नीतियाँ व्यापक नीतियों जैसे कि 2003 के विद्युत अधिनियम और राष्ट्रीय विद्युत नीति के अनुरूप होनी चाहिए।

चुनौतियों से निपटने के लिए समाधान (SOLUTIONS TO FOREGO CHALLENGES)

- **ईंधन में सुधार (Fuel Reforms) :** सार्वजनिक और निजी दोनों क्षेत्रों द्वारा समयबद्ध तरीक़े से कोयले का उत्पादन बढ़ाना, कोयले के उत्पादन में प्राइवेट सेक्टर की भागीदारी को बढ़ाना, और कोयले के ब्लॉक और गैस के बुनियादी ढाँचे के आवंटन और विकास के लिए नियामक संरचना, मंज़ूरी और स्वीकृति को आसान बनाने जैसे विभिन्न पहलूओं पर ऐसे सुधार को प्रतिपादित करते समय अवश्य ध्यान दिया जाना चाहिए।
- **उचित फ़्यूल मिक्स पर पहुँचना (Arriving at an Appropriate Fuel Mix) :** पारंपरिक और ग़ैर-पारंपरिक, दोनों प्रकार की ऊर्जा बनाने की तत्काल आवश्यकता है, और एनर्जी मिक्स बनाते समय तीन मुख्य तत्वों को ध्यान में रखा जाना चाहिए – **(i) देश की ऊर्जा की खपत का पैटर्न; (ii) ईंधन की उपलब्धता; और (iii) ईंधन का उत्पादन और आयात करने की क़ीमत**। अगले 20-30 वर्षों में फ़्यूल मिक्स के मूल घटक के रूप में कोयला थर्मल को स्वीकार करना फ़ायदेमंद होगा, जिसमें पूरे मिश्रण का 5-8 प्रतिशत हिस्सा सौर-ऊर्जा का होगा।
- **संतुलित नियामक हस्तक्षेप (Balanced Regulatory Interventions) :** नियामकों को क्षेत्र से संबंधित समस्याओं के बारे में पता होना चाहिए, और सभी हितधारकों के लिए जीतनेवाले परिणाम प्रदान करने के लिए एक नीतिगत ढाँचा विकसित और कार्यान्वित किया जाना चाहिए। उन्हें विद्युत उद्योग से संबंधित परेशान करनेवालीं मौजूदा कठिनाइयों से निपटने के लिए सक्रिय क़दम उठाने चाहिए।
- **ऊर्जा क्षेत्र के लिए उन्नत वित्तपोषण संबंधी सुविधाएँ (Enhanced Financing Facilities for the Energy Sector) : विश्व बैंक** और **एशियन डेवलपमेंट बैंक** जैसे वैश्विक फ़ंडिंग संगठनों द्वारा संपूर्ण मूल्य श्रृंखला में बढ़ी हुई भागीदारी के माध्यम से ऊर्जा क्षेत्र में वित्तपोषण के लिए एक मज़बूत और दीर्घकालिक क्रेडिट संवर्द्धन तंत्र की स्थापना की जानी चाहिए।
- **पब्लिक-प्राइवेट भागीदारी मॉडल (Public-Private Partnership Model) :** पब्लिक-प्राइवेट भागीदारी मॉडल के व्यापक परिनियोजन का सर्मथन करने की काफ़ी आवश्यकता है। बिजली उत्पादन में निजी क्षेत्र ने महत्त्वपूर्ण भूमिका निभायी है; अधिक अनुकूल माहौल देश में ऊर्जा के अंतर को ख़त्म करने में सहायता करेगा।

बढ़ती माँग, सरकार की पहल और नवीकरणीय ऊर्जा पर ज़ोर देने के कारण भारत के विद्युत एवं ऊर्जा क्षेत्र में विकास की अपार संभावनाएँ हैं। ऊर्जा के स्थायी समाधानों के प्रति सरकार की वचनबद्धता, साथ ही उद्योग में जारी निवेश, इसके आगे के विकास और परिवर्तन को आगे बढ़ाने में मदद करेंगे।

संक्षिप्त विवरण

- **ऊर्जा के मुख्य स्रोत (Main Sources of Energy)** – पारंपरिक (कोयला, लिग्नाइट, प्राकृतिक गैस, तेल और परमाणु ऊर्जा) और ग़ैर-पारंपरिक (पवन, सौर, कृषि और आवासीय अपशिष्ट) स्रोत।
- **पारंपरिक स्रोत (Conventional Sources)** – कोयला (दो प्रमुख भूवैज्ञानिक युग : गोंडवाना और तृतीयक अवधि) – दामोदर घाटी भारत के सबसे बड़े गोंडवाना कोयला भंडार का घर है – असम, अरुणाचल प्रदेश, मेघालय और नागालैंड में तृतीयक कोयला भंडार हैं।
- **ग़ैर-पारंपरिक स्रोत (Non-conventional Sources)** – सौर-ऊर्जा – सूर्य ऊर्जा का इस्तेमाल दो प्रकार से किया जा सकता है: सोलर थर्मल और सोलर इलेक्ट्रिक (फ़ोटोवोल्टिक), पवन-ऊर्जा – पवन की गतिज ऊर्जा को विद्युत-ऊर्जा में परिवर्तित किया जाता है, बायोमास-एनर्जी – विभिन्न मानवीय और प्राकृतिक गतिविधियों से उत्पन्न कार्बनयुक्त अपशिष्ट का इस्तेमाल बायोमास, एक नवीकरणीय ऊर्जा स्रोत का उत्पादन करने के लिए किया जाता है।
- **नेशनल सोलर मिशन (National Solar Mission)** – नेशनल सोलर मिशन, जिसे जवाहरलाल नेहरू नेशनल सोलर मिशन (JNNSM) के नाम से भी जाना जाता है, पूरे देश में सौर-ऊर्जा के विकास को बढ़ावा देने के लिए भारत की केंद्र और राज्य सरकारों का एक संयुक्त प्रयास है।

- **ग़ैर-पारंपरिक ऊर्जा की सीमाएँ (Limitations of Non-conventional Energy)** – मौसम पर निर्भरता, भंडारण की अपर्याप्तता, क्षमता की सीमाएँ, अधिक प्रारंभिक व्यय, पर्यावरणीय प्रभाव।
- **भारत में विद्युत वितरण संबंधी चुनौतियाँ (Challenges of Electricity Distributions in India)** – अधिक AT&C संबंधी नुक़सान, ख़राब वित्तीय स्वास्थ्य, टैरिफ़ निर्धारण, मीटरिंग की कमी, आदि।
- **विद्युत (संशोधन) विधेयक, 2022 (Electricity (Amendment) Bill, 2022)** – यह उपभोक्ताओं को किसी भी सेवा प्रदाता को चुनने और अन्य कंपनियों को बिजली सप्लायर्स के वितरण नेटवर्क तक अप्रतिबंधित पहुँच प्रदान करने की अनुमति देता है। यह अंतरराज्यीय और इंट्रास्टेट बिजली विनियमन का निरीक्षण करने के लिए केंद्रीय और राज्य विद्युत नियामक आयोग (CERC and SERC) की स्थापना करता है।
- **एनर्जी ट्रांजिशन इंडेक्स, 2023 (Energy Transition Index, 2023)** – विश्व आर्थिक मंच के एनर्जी ट्रांजिशन इंडेक्स में भारत 67वें स्थान पर है, जो इसे सभी पहलुओं में बढ़ती ऊर्जा परिवर्तन की गतिवाली एकमात्र बड़ी अर्थव्यवस्था बनाता है।
- **ऊर्जा क्षेत्र की चुनौतियाँ (Challenges of Energy Sector)** – ईंधन की सुरक्षा, प्रेषण संबंधी घाटे, राज्य डिस्कॉम की ख़राब वित्तीय स्थिति, निजी और विदेशी उद्यमियों की सीमित भूमिका, नीतिगत अक्षमता।

यूपीएससी सिविल सेवा के पिछले वर्षों की प्रारंभिक परीक्षा के प्रश्न

☞ **कोई प्रश्न नहीं**

2024, 2023, 2022, 2021, 2020, 2019, 2018, 2017, 2016, 2015, 2014, 2013

यूपीएससी सिविल सेवा के पिछले वर्षों की मुख्य परीक्षा के प्रश्न

1. क्या आपके विचार में भारत अपनी ऊर्जा आवश्यकता का 50 प्रतिशत भाग, वर्ष 2030 तक नवीकरणीय ऊर्जा से प्राप्त कर लेगा? अपने उत्तर के औचित्य को सिद्ध कीजिये। जीवाश्म ईंधनों से सब्सिडी हटाकर उसे नवीकरणीय ऊर्जा स्रोतों में लगाना उपर्युक्त उद्देश्य पूर्ति में किस प्रकार सहायक होगा? समझाइये। **[2022]**

☞ **कोई प्रश्न नहीं**

2023, 2021, 2020, 2019, 2018, 2017, 2016, 2015, 2014, 2013

अध्याय

26

स्वास्थ्य और शिक्षा

(Health and Education)

अध्याय की रूपरेखा

स्वास्थ्य

- स्वास्थ्य सेवा में भारत की प्रमुख उपलब्धियाँ
- राष्ट्रीय स्वास्थ्य नीति
- राष्ट्रीय पोषण नीति, 1993
- राष्ट्रीय पोषण रणनीति, 2017
- सार्वभौमिक स्वास्थ्य कवरेज़
- भारत में स्वास्थ्य बीमा
- ग्रामीण स्वास्थ्य देखभाल प्रणाली
- भारतीय चिकित्सा प्रणाली को प्रोत्साहित करने के लिए उठाये गये क़दम
- राष्ट्रीय टीबी उन्मूलन कार्यक्रम (NTEP) 100 दिवसीय अभियान - दिसंबर, 2024 से मार्च, 2025 तक

शिक्षा

- विश्वविद्यालय शिक्षा आयोग, 1948
- माध्यमिक शिक्षा आयोग (1952-53)
- कोठारी आयोग, 1964
- राष्ट्रीय शिक्षा नीति, 1968
- राष्ट्रीय शिक्षा नीति, 1986
- सर्व शिक्षा अभियान, मध्याह्न भोजन (मिड डे मील) योजना
- राष्ट्रीय पाठ्यक्रम की रूपरेखा, 2005
- नि:शुल्क और अनिवार्य बाल शिक्षा का अधिकार अधिनियम, 2009
- राष्ट्रीय शिक्षा नीति, 2020
- ग्रामीण शिक्षा सांख्यिकी

स्वास्थ्य - परिचय (HEALTH – INTRODUCTION)

आज़ादी के बाद से स्वास्थ्य-सेवा भारत में सबसे महत्त्वपूर्ण सामाजिक क्षेत्रों में से एक रही है। बढ़ती आबादी और स्वस्थ कार्यबल को बनाये रखने की आवश्यकता के साथ जनता को सस्ती दरों पर स्वास्थ्य सेवा प्रदान करना एक चुनौतीपूर्ण कार्य रहा है। इस संदर्भ में हाल में हुए परिवर्तनों के साथ भारतीय स्वास्थ्य-सेवा प्रणाली के परिदृश्य के बारे में एक विस्तृत चर्चा की आवश्यकता है।

स्वास्थ्य-सेवा में प्रमुख उपलब्धियाँ (Major Achievements in Healthcare)

- **स्मॉल पॉक्स (चेचक)** का उन्मूलन - 1970 के दशक के अंत में।
- **पोलियो** का उन्मूलन - भारत को 2014 में विश्व स्वास्थ्य संगठन से '**पोलियो मुक्त प्रमाणीकरण (Polio-free certification)**' मिला था। **पल्स पोलियो कार्यक्रम** 1995 में शुरू किया गया था।

➤ **कुष्ठ रोग** का उन्मूलन - भारत ने **राष्ट्रीय स्वास्थ्य नीति, 2002,** द्वारा निर्धारित एक सार्वजनिक स्वास्थ्य समस्या के रूप में कुष्ठ रोग को समाप्त करने का लक्ष्य प्राप्त किया। 2005 में भारत को 'कुष्ठ मुक्त' घोषित किया गया था, लेकिन देश में अभी भी दुनिया के लगभग 66 प्रतिशत नये कुष्ठ रोगी मौजूद हैं।

नयी पहलें :

- कुष्ठ रोग के लिए राष्ट्रीय सामरिक योजना और रोड मैप (2023-27)।
- कुष्ठ रोग में रोगाणुरोधी प्रतिरोध (AMR) निगरानी के लिए राष्ट्रीय दिशानिर्देश।
- विकसित भारत संकल्प यात्रा (VBSY), आपके द्वार आयुष्मान 3.0, आयुष्मान सभा, आयुष्मान मेले, आयुष्मान ऐप की शुरुआत।

➤ सार्वभौमिक टीकाकरण कार्यक्रम **[Universal Immunization Programme (UIP)] 1985** में लॉन्च किया गया था।

➤ गर्भधारण-पूर्व और प्रसव-पूर्व निदान तकनीक (विनियमन और दुरुपयोग की रोकथाम) अधिनियम, 1994 [Pre-Conception and Pre-Natal Diagnostic Techniques (Regulation and Prevention of Misuse) Act, 1994 (PCPNDT)], अधिनियमित किया गया था।

➤ **सिगरेट और अन्य तंबाकू उत्पाद अधिनियम [Cigarettes and Other Tobacco Products Act (COTPA) 2003] लागू किया गया था।**

➤ 2006 में भारत से **यॉव्स (Yaws)** नामक चर्मरोग को हटा दिया गया था।

➤ हाल ही में नेशनल सिकल सेल एनीमिया एलिमिनेशन मिशन के अंतर्गत सिकल सेल डिज़ीज़ के लिए 1 करोड़ से अधिक लोगों की जाँच की गयी है।

क्या आप जानते हैं?

राष्ट्रीय संचारी रोग संस्थान [National Institute of Communicable Diseases (NICD)]

तत्कालीन मलेरिया इंस्टीट्यूट ऑफ़ इंडिया (MII) का नाम 30 जुलाई, 1963 को **NICD** कर दिया गया था। संस्थान की स्थापना **संचारी रोगों को नियंत्रित करने के लिए राष्ट्रीय उत्कृष्टता केंद्र** के रूप में कार्य करने के लिए की गयी थी।

भारत द्वारा ग़ैर-संक्रामक रोगों (NCD) के प्रसार और प्रभाव को कम करने के लिए उठाये गये क़दम इस प्रकार हैं :

➤ **ग़ैर-संचारी रोगों की रोकथाम और नियंत्रण के लिए राष्ट्रीय कार्यक्रम (एनपी-एनसीडी) [National Programme for Prevention and Control of Non-Communicable Diseases (NP-NCD)]** : इसे 2010 में राष्ट्रीय स्वास्थ्य मिशन (NHM) के तहत शुरू किया गया था। इसका उद्देश्य बुनियादी ढाँचे, मानव संसाधन विकास, स्वास्थ्य संवर्धन, शीघ्र निदान, प्रबंधन और रेफ़रल को मज़बूत करना है।

➤ **75/25 पहल (75/25 initiative)** : यह 2025 तक हाइपर्टेंशन और मधुमेह से पीड़ित 75 मिलियन व्यक्तियों की स्क्रीनिंग और देखभाल के मानक प्रदान करना सुनिश्चित करता है।

➤ **जनसंख्या-आधारित स्क्रीनिंग (पीबीएस) [Population-Based Screening (PBS)]** : यह आयुष्मान भारत - स्वास्थ्य और कल्याण केंद्रों (AB-HWC) में व्यापक प्राथमिक स्वास्थ्य देखभाल (CPHC) के तहत आयोजित किया जाता है।

➤ 30 वर्ष और उससे अधिक आयुवर्ग के व्यक्तियों के लिए सामान्य NCD (हाइपर्टेंशन, मधुमेह, ओरल कैंसर, ब्रेस्ट कैंसर और सर्वाइकल कैंसर) की जाँच की जाती है।

भारत में स्वास्थ्य नीतियाँ (Health Policies in India)

स्वास्थ्य नीति का नाम	मंत्रालय का नाम	प्रमुख विशेषताएँ
राष्ट्रीय स्वास्थ्य नीति, 1983 (National Health Policy, 1983)	स्वास्थ्य एवं परिवार कल्याण मंत्रालय	• **वर्ष 2000 तक सभी के लिए स्वास्थ्य** • प्राथमिक स्वास्थ्य देखभाल और जनसंख्या का स्थिरीकरण • चिकित्सा एवं स्वास्थ्य शिक्षा • सुविचारित स्वास्थ्य बीमा योजनाएँ

स्वास्थ्य नीति का नाम	मंत्रालय का नाम	प्रमुख विशेषताएँ
राष्ट्रीय स्वास्थ्य नीति, 2002 (National Health Policy, 2002)	स्वास्थ्य एवं परिवार कल्याण मंत्रालय	• '**स्वास्थ्य स्वयंसेवकों**' के माध्यम से मध्यस्थता • स्पेशियलिटी और सुपर-स्पेशियलिटी सेवाओं का समान रूप से प्रसार • व्यापक प्राथमिक स्वास्थ्य देखभाल सेवाओं का समयबद्ध और सुप्रसारित नेटवर्क • भारत में चिकित्सा की वैकल्पिक प्रणालियाँ
राष्ट्रीय स्वास्थ्य नीति, 2017 (National Health Policy, 2017)	स्वास्थ्य एवं परिवार कल्याण मंत्रालय	• सभी सार्वजनिक अस्पतालों में निःशुल्क दवाएँ, निःशुल्क निदान, निःशुल्क आपातकालीन एवं आवश्यक स्वास्थ्य देखभाल की सेवाएँ • वर्ष 2025 तक, पाँच वर्ष से कम उम्र के बच्चों की मृत्यु-दर घटकर 23 हो जायेगी • नेशनल डिजिटल हेल्थ अथॉरिटी (NDHA) की स्थापना

लक्ष्य और उपलब्धियाँ (GOALS AND ACHIEVEMENTS)

विश्व स्वास्थ्य संगठन (WHO) द्वारा भारत को पोलियो मुक्त के रूप में प्रमाणित किया गया था।	2014
राष्ट्रीय कुष्ठ उन्मूलन कार्यक्रम (NLEP) के माध्यम से एक नया लक्ष्य निर्धारित किया गया है, जिसका उद्देश्य हर ज़िले में कुष्ठ रोग को ख़त्म करना है।	2030
HIV/AIDS को समाप्त करने के लिए एक नया लक्ष्य निर्धारित किया गया है (राष्ट्रीय सामरिक योजना के अनुसार)।	2030
काला अजार को ख़त्म करने का लक्ष्य।	2023
लिम्फ़ेटिक फ़ाइलेरिया को दूर करने का लक्ष्य।	2027

a. 2025 तक परिहार्य दृष्टिहीनता के प्रसार को 0.25 प्रतिशत तक कम करने का उद्देश्य है। इस लक्ष्य को प्राप्त करने के लिए दृष्टिहीनता और दृष्टिदोष के नियंत्रण के लिए राष्ट्रीय कार्यक्रम लागू किया गया है।

b. भारत का MMR 2014-16 में 130/लाख जीवित जन्म की तुलना में 2018-20 में घटकर 97/लाख जीवित जन्म हो गया है। MMR के लिए SDG लक्ष्य 2030 तक 70/लाख जीवित जन्म है।

c. भारत का IMR 2005 में 58/1000 से घटकर 2019-21 में 35.2/1000 बना (NFHS 5)।

d. 2025 तक GDP के प्रतिशत के रूप में सरकार द्वारा स्वास्थ्य व्यय को मौजूदा 2.1 प्रतिशत से बढ़ाकर 2.5 प्रतिशत करना।

पोषाहार (NUTRITION)

जनसंख्या की भलाई सुनिश्चित करने के लिए पोषण और स्वास्थ्य जटिल रूप से आपस में जुड़े हुए हैं।

राष्ट्रीय पोषण नीति, 1993 (National Nutrition Policy, 1993)

कुपोषण की समस्या से निपटने के लिए महिला और बाल विकास मंत्रालय, भारत सरकार द्वारा राष्ट्रीय पोषण नीति, 1993, तैयार की गयी थी।

पोषण नीति के साधन (Instruments of Nutrition Policy)

प्रत्यक्ष अल्पकालिक हस्तक्षेप (Direct Short-Term Intervention)

- **एकीकृत बाल विकास सेवाओं (ICDS)** के माध्यम से पोषण हस्तक्षेप का विस्तार करना।
- **आवश्यक खाद्य पदार्थों का प्रबलीकरण**- आयोडीन, लोहा आदि के साथ नमक।
- स्वदेशी और स्थानीय रूप से उपलब्ध कच्चे माल से **कम लागतवाले पौष्टिक खाद्य पदार्थों** को लोकप्रिय बनाना और इस गतिविधि में महिलाओं को शामिल करना।
- **कमज़ोर समूहों में सूक्ष्म पोषकतत्वों की कमी** को नियंत्रित करना।

अप्रत्यक्ष नीति के साधन (Indirect Policy Instruments)

- **खाद्य सुरक्षा :** समग्र खाद्य सुरक्षा सुनिश्चित करने के लिए **215 किलोग्राम/व्यक्ति/वर्ष खाद्यान्न की प्रतिव्यक्ति उपलब्धता** प्राप्त करने का लक्ष्य रखना।
- **आहार पद्धति में सुधार** और उत्पादन को बढ़ावा देना और पोषण से भरपूर खाद्य पदार्थों की प्रतिव्यक्ति उपलब्धता में वृद्धि करना।
- ग्रामीण और शहरी ग़रीबों के पात्रता पैकेज में सुधार हेतु **आय अंतरण** को प्रभावी बनाने के लिए नीतियाँ बनाना।
- **खाद्य मिलावट की रोकथाम** और प्रवर्तन मशीनरी को तैयार करना।
- न्यूनतम मज़दूरी प्रशासन, शिक्षा से जुड़ी साक्षरता, महिलाओं की स्थिति में सुधार आदि सुनिश्चित करना।

राष्ट्रीय पोषण रणनीति (NNS), 2017 [National Nutrition Strategy (NNS), 2017]

राष्ट्रीय पोषण रणनीति (NNS), 2017 में **नीति आयोग** द्वारा प्रकाशित की गयी थी। इस रणनीति के तहत एक महत्त्वपूर्ण मिशन विज़न 2022 है।

- **विज़न 2022 : "कुपोषण मुक्त भारत (Malnutrition-Free India)"**।

उद्देश्य और लक्ष्य (Objectives and Targets)

- NFHS-4 के स्तर से 2022 तक बच्चों (0-3 वर्ष) में कम वज़न के प्रसार में 3 अंक प्रतिशत/वर्ष की कमी।
- बच्चों, किशोरों और प्रजनन आयु की महिलाओं (WRA) में एनीमिया में 1/3 की कमी।

NNS के तहत कार्रवाई के प्रमुख रणनीतिक क्षेत्र (Key Strategic Areas of Action under NNS)	शासन सुधार
	अभिसरण
	कार्रवाई की प्राथमिकता
	महत्त्वपूर्ण आयुवर्ग तक पहुँचने के लिए काउंसिलिंग की गहनता
	नवीन सेवा वितरण मॉडल
	समुदाय आधारित निगरानी

- **पोषाहार विशेष हस्तक्षेप :-**
  (i) शिशु और युवा बच्चे की देखभाल और पोषण
  (ii) मातृ देखभाल
  (iii) पोषण और स्वास्थ्य
  (iv) शिशु और युवा बच्चे का स्वास्थ्य
  (v) किशोरों की देखभाल
  (vi) पोषण और स्वास्थ्य
  (vii) एनीमिया सहित सूक्ष्म पोषकतत्वों की कमी को दूर करना।

सार्वभौमिक स्वास्थ्य कवरेज़ (UNIVERSAL HEALTH COVERAGE)

सार्वभौमिक स्वास्थ्य कवरेज़ यानी यूनिवर्सल हेल्थ कवरेज़ (UHC) पर उच्च स्तरीय विशेषज्ञ समूह (HLEG) का गठन 2010 में भारत के योजना आयोग द्वारा किया गया था। सभी भारतीयों को आसानी से सुलभ और किफ़ायती स्वास्थ्य देखभाल प्रदान करने के लिए एक ढाँचा विकसित करने के लिए इसे अनिवार्य किया गया था। भारत **2030 तक सभी के लिए सार्वभौमिक स्वास्थ्य देखभाल प्राप्त करने** के लिए प्रतिबद्ध है, जो अन्य संधारणीय विकास लक्ष्यों को प्राप्त करने के लिए मूलभूत है।

आयुष्मान भारत प्रधानमंत्री जन आरोग्य योजना (AB-PMJAY) का शुभारंभ **सार्वभौमिक स्वास्थ्य कवरेज़** यानी यूनिवर्सल हेल्थ कवरेज़ (UHC) की दिशा में एक क़दम था, जिसका उद्देश्य यह सुनिश्चित करना है कि सभी लोगों की गुणवत्तापूर्ण स्वास्थ्य सेवाओं तक पहुँच हो - जिसमें रोकथाम, उपचार, पुनर्वास और उपशमन शामिल हैं।

स्रोत- भारत के लिए सार्वभौमिक स्वास्थ्य कवरेज़ पर उच्च स्तरीय विशेषज्ञ समूह की रिपोर्ट, 2011
(High Level Expert Group Report on Universal Health Coverage for India, 2011)

PMJAY का उद्देश्य सबसे ग़रीब 40 प्रतिशत आबादी को बीमा कवर प्रदान करना है। **50 करोड़ से अधिक भारतीय** PMJAY के तहत **प्रतिपरिवार प्रतिवर्ष 5 लाख रुपये के चिकित्सा बीमा कवर के साथ कवर किये गये हैं।**

भारत में स्वास्थ्य कवरेज़ की प्रमुख चुनौतियाँ (Key Challenges of Health Coverage in India)

(i) सार्वजनिक और निजी अस्पतालों में स्वास्थ्य सेवाओं की गुणवत्ता में व्यापक असमानता।
(ii) गाँवों में ज़मीनी स्तर पर मरीज़ों का इलाज करनेवाले पारंपरिक चिकित्सक और झोलाछाप डॉक्टर एक गंभीर चिंता का विषय है।
(iii) स्वास्थ्य सेवाओं की **वहन-क्षमता** और कम चिकित्सा बीमा कवरेज़ आदि।
(iv) कुछ राज्यों में, क्षमता से अधिक किया जानेवाला ख़र्च काफ़ी अधिक है, जो दर्शाता है कि बढ़ा हुआ सरकारी ख़र्च पर्याप्त नहीं है।
(v) ग्रामीण क्षेत्रों में चिकित्सकों, नर्सों और संबद्ध स्वास्थ्य कार्यकर्ताओं सहित स्वास्थ्य पेशेवरों की गंभीर कमी है।

भारत में ग्रामीण स्वास्थ्य देखभाल प्रणाली (Rural Health Care System in India)

ग्रामीण भारत में स्वास्थ्य देखभाल के बुनियादी ढाँचे की मौजूदा तीन स्तरीय प्रणाली इस प्रकार है :-

प्राथमिक स्वास्थ्य केंद्र (PHC) : यह चिकित्सा अधिकारी और ग्राम समुदाय के बीच पहला संपर्क बिंदु है। PHC को पैरामेडिकल और अन्य कर्मचारियों द्वारा समर्थित एक चिकित्सा अधिकारी द्वारा संचालित किया जाता है।

उप केंद्र : प्राथमिक स्वास्थ्य देखभाल प्रणाली और समुदाय के बीच अधिकांश परिधीय और पहला संपर्क बिंदु। यह कम-से-कम एक सहायक नर्स दाई (ANM) / महिला स्वास्थ्य कार्यकर्ता और एक पुरुष स्वास्थ्य कार्यकर्ता के साथ संचालित होता है। 2005 की तुलना में 2021 में उप-केंद्रों का प्रतिशत लगभग 6.9 फ़ीसदी बढ़ा। इन केंद्रों के माध्यम से संपूर्ण प्राथमिक स्वास्थ्य सेवाएँ प्रदान करने के लिए, आयुष्मान भारत कार्यक्रम SC और PHC को धीरे-धीरे स्वास्थ्य और कल्याण केंद्रों (HWC) में बदल कर सुधार कर रहा है।

सामुदायिक स्वास्थ्य केंद्र (CHC) : यह विशेष सेवाओं के साथ PHC के लिए 30 बिस्तरोंवाला अस्पताल या रेफ़रल यूनिट है। CHC का रखरखाव राज्य सरकारों द्वारा न्यूनतम आवश्यकता कार्यक्रम, अर्थात् मिनिमम नीड्स प्रोग्राम (MNP) या बुनियादी न्यूनतम सेवा, अर्थात् बेसिक मिनिमम सर्विसेज (BMS) कार्यक्रम के तहत किया जाता है।

फ़र्स्ट रेफ़रल यूनिट (FRU) : ज़िला अस्पताल, उप-मंडल अस्पताल, सामुदायिक स्वास्थ्य केंद्र आदि को पूरी तरह से परिचालन FRU घोषित किया जा सकता है, यदि यह आपातकालीन प्रसूति और नवजात शिशु देखभाल के लिए चौबीसों घंटे सेवाएँ प्रदान करता है।

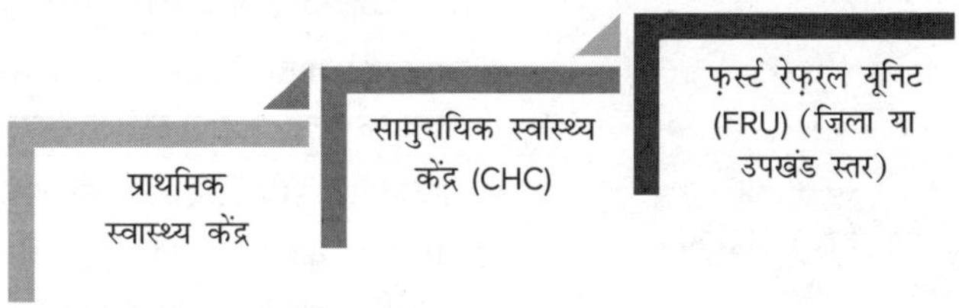

स्वास्थ्य देखभाल की त्रि-स्तरीय प्रणाली (3-Tier system of health care)

भारत में स्वास्थ्य बीमा (Health Insurance in India)

भारतीय स्वास्थ्य सेवा प्रणाली में 1.3 बिलियन से अधिक संभावित लाभार्थी शामिल हैं और स्वास्थ्य बीमा इसका एक बढ़ता हुआ भाग है। उदारीकरण (Liberalisation), निजीकरण (Privatisation), वैश्विकीकरण (Globalisation) आदि जैसे सुधारों के बाद स्वास्थ्य बीमा उद्योग में काफ़ी वृद्धि हुई है।

भारतीय सामान्य बीमा निगम (General Insurance Corporation of India), वित्त मंत्रालय के तहत एक राष्ट्रीयकृत पुनर्बीमा कंपनी है और इसे 1972 में कंपनी अधिनियम, 1956 के तहत निगमित किया गया था। **राष्ट्रीय स्वास्थ्य बीमा कार्यक्रम (राष्ट्रीय स्वास्थ्य बीमा योजना - RSBY)** 2007 में शुरू किया गया था।

2021 में, नीति आयोग ने 'भारत के गुमशुदा मध्यवर्ग के लिए स्वास्थ्य बीमा' यानी ***"हेल्थ इंश्योरेंस फ़ॉर इंडियाज़ मिसिंग मिडिल"*** शीर्षक से एक व्यापक रिपोर्ट जारी की।

रिपोर्ट के अनुसार- "कम-से-कम 30 प्रतिशत आबादी, या 40 करोड़ व्यक्ति - जिन्हें इस रिपोर्ट में **गुमशुदा मध्यवर्ग** कहा जाता है - स्वास्थ्य के लिए किसी भी वित्तीय सुरक्षा से रहित हैं", और "स्वास्थ्य बीमा/आश्वासन कवरेज़ का विस्तार एक आवश्यक क़दम है, और सार्वभौमिक स्वास्थ्य कवरेज़ (UHC) प्राप्त करने के लिए भारत के प्रयास में एक मार्ग है"।

भारत के स्वास्थ्य क्षेत्र की विशेषता है :-

- स्वास्थ्य पर कम सरकारी व्यय,
- आउट-ऑफ-पॉकेट ख़र्च **[Out of-Pocket Expenditure (OOPE)]**, और
- प्रतिकूल स्वास्थ्य घटनाओं के लिए कम वित्तीय संरक्षण।

स्वास्थ्य कवरेज़ बढ़ाने के लिए, रिपोर्ट में PMJAY कवरेज़ को **'गुमशुदा मध्यवर्ग'** तक विस्तारित करने की सिफ़ारिश की गयी है।

स्वास्थ्य सेवा में सरकारी योजनाएँ (Government Schemes in Healthcare)

योजना का नाम	प्रमुख विशेषताएँ
आयुष्मान भारत (Ayushman Bharat)	• सार्वभौमिक स्वास्थ्य कवरेज़ (UHC) का दृष्टिकोण प्राप्त करने के लिए **राष्ट्रीय स्वास्थ्य नीति, 2017** के तहत अनुशंसित। • इसके दो घटक परस्पर जुड़े हुए हैं – **स्वास्थ्य एवं कल्याण केंद्र (HWC)** और **प्रधान मंत्री जन आरोग्य योजना (PM-JAY)**। • स्वास्थ्य एवं परिवार कल्याण मंत्रालय के तहत **नेशनल हेल्थ अथॉरिटी (NHA) आयुष्मान भारत** के लिए कार्यान्वयन एजेंसी है।
आयुष्मान भारत डिजिटल मिशन (एबीडीएम) [Ayushman Bharat Digital Mission (ABDM)]	• 27 सितंबर, 2021 को शुरू किया गया। • इसके प्रमुख घटकों में शामिल हैं – I. प्रत्येक नागरिक के लिए उनके स्वास्थ्य खाते के रूप में **एक हेल्थ आईडी** II. एक हेल्थकेयर प्रोफ़ेशनल रजिस्ट्री (HPR) III. स्वास्थ्य सेवा संबंधी सुविधाओं की रजिस्ट्रीज (HFR) • आयुष्मान भारत डिजिटल मिशन सैंडबॉक्स मिशन का एक हिस्सा है, जो संगठनों की मदद करने के लिए प्रौद्योगिकी और उत्पाद परीक्षण के लिए एक तंत्र के रूप में काम करता है।
जननी सुरक्षा योजना (जेएसवाई) [Janani Suraksha Yojana (JSY)]	• योजना **12 अप्रैल, 2005** को शुरू की गयी थी। • इस पहल का उद्देश्य मातृ एवं नवजात मृत्यु-दर को कम करना और अनुसूचित जाति, अनुसूचित जनजाति और बीपीएल परिवारों की गर्भवती महिलाओं के लिए संस्थागत प्रसव को बढ़ावा देना है। • योग्य-गर्भवती महिलाएँ, उम्र या बच्चों की संख्या की परवाह किये बिना, सरकारी या मान्यता प्राप्त निजी स्वास्थ्य संस्थान में बच्चे को जन्म देने के लिए मौद्रिक सहायता प्राप्त कर सकती हैं।
राष्ट्रीय स्वास्थ्य मिशन (National Health Mission)	2013 में, भारत सरकार ने राष्ट्रीय स्वास्थ्य मिशन शुरू करने के लिए राष्ट्रीय ग्रामीण स्वास्थ्य मिशन और राष्ट्रीय शहरी स्वास्थ्य मिशन का विलय कर दिया। यह निम्नलिखित को सुनिश्चित करता है – • मातृ मृत्यु-दर (MMR) को घटाकर 100/1 लाख जीवित जन्म तक लाना। • शिशु मृत्यु-दर (IMR) को 25/1000 जीवित बच्चों के जन्म तक कम करना। • कुल प्रजनन दर (TFR) को कम करके 2.1 करना। • 15 से 49 वर्ष की आयुवालीं महिलाओं में एनीमिया को रोकना और कम करना। • संचारी, ग़ैर-संचारी, चोटों और नयी बीमारियों से मृत्यु-दर और रुग्णता को रोकना और कम करना। • ट्यूबरक्लॉसिस से वार्षिक घटना और मृत्यु-दर को कम करके आधा करना। • कुष्ठ (लेप्रॉसी) के प्रसार को घटाकर <1/10000 लोगों तक लाना और सभी क्षेत्रों में शून्य घटना तक पहुँचना। • मलेरिया की प्रतिवर्ष की घटना <1/1000 होनी चाहिए। • सभी ज़िलों में माइक्रोफ़ाइलेरिया के प्रसार को 1 प्रतिशत से कम करना। • 2015 तक काला-अज़ार को ख़त्म करना, सभी ब्लॉकों में प्रति 10000 आबादी में <1 मामला।

योजना का नाम	प्रमुख विशेषताएँ
नेशनल डिजिटल हेल्थ मिशन (एनडीएचएम) [National Digital Health Mission (NDHM)]	• 2020 में शुरू किया गया। • **स्वास्थ्य एवं परिवार कल्याण मंत्रालय के तहत नेशनल हेल्थ अथॉरिटी (NHA)** द्वारा कार्यान्वित। • **जे. सत्यनारायण समिति (2019)** द्वारा अनुशंसित **नेशनल डिजिटल हेल्थ ब्लूप्रिंट (NDHB)** भारत में नेशलन डिजिटल हेल्थ मिशन के कार्यान्वयन के लिए मार्गदर्शक दस्तावेज़ है।
एनीमिया मुक्त भारत (एनीमिया-फ्री इंडिया) [Anaemia Mukt Bharat (Anaemia-Free India)]	• यह भारत सरकार की एक प्रमुख पहल है, जिसका उद्देश्य माताओं, बच्चों और किशोरों में एनीमिया को पूर्ण रूप से ख़त्म करना है। • इसे 2018 में शुरू किया गया था। • यह एक जीवन-चक्र संबंधी दृष्टिकोण है, जो 6×6×6 की रणनीति के माध्यम से निवारक और उपचारात्मक तंत्र प्रदान करता है, जिसमें रणनीति को लागू करने के लिए सभी हितधारकों के लिए छह लक्षित लाभार्थी, छह हस्तक्षेप और छह संस्थागत तंत्र शामिल हैं।
ई-संजीवनी (eSanjeevani)	• यह एक नवीन, स्वदेशी, लागत-प्रभावी और एकीकृत क्लाउड-आधारित टेलीमेडिसिन सिस्टम ऐप्लिकेशन है, जो रोगी-से-डॉक्टर टेलीकंसल्टेशन को देखभाल सातत्य प्रदान करने और सभी नागरिकों को उनके घरों में सुविधाजनक रूप से, नि:शुल्क स्वास्थ्य सेवाएँ प्रदान करने में सक्षम बनाता है। • इस सेवा के दो वर्टिकल्स इस प्रकार हैं- I. आयुष्मान भारत स्वास्थ्य एवं कल्याण केंद्र (AB-HWC) II. ई-संजीवनीओपीडी
प्रधानमंत्री सुरक्षित मातृत्व अभियान [Pradhan Mantri Surakshit Matritva Abhiyan (PMSMA)]	• वर्ष 2016 में शुरू किये गये इस कार्यक्रम का उद्देश्य मातृ एवं नवजात शिशुओं की मृत्यु-दर में कमी लाना है। • PMSMA का उद्देश्य प्रत्येक माह की 9 तारीख़ को सभी गर्भवती महिलाओं को नि:शुल्क, व्यापक एवं गुणवत्तापूर्ण प्रसवपूर्व चिकित्सा देखभाल प्रदान करना है। • यह गर्भावस्था की दूसरी/तीसरी तिमाही में महिलाओं को निर्दिष्ट सरकारी स्वास्थ्य सुविधा केंद्रों में प्रसवपूर्व चिकित्सा देखभाल सेवाओं के न्यूनतम पैकेज की गारंटी देता है। • यह कार्यक्रम निजी क्षेत्र के साथ जुड़ने के लिए एक व्यवस्थित दृष्टिकोण अपनाता है, निजी चिकित्सकों को अभियान के लिए स्वयंसेवा करने हेतु प्रेरित करता है, जागरूकता पैदा करने के लिए रणनीति विकसित करता है और निजी क्षेत्र से सरकारी स्वास्थ्य सुविधा केंद्रों में अभियान में भाग लेने की अपील करता है। • PMSMA को **वर्ष 2022 में विस्तारित**-PMSMA **(E-PMSMA)** नाम से विस्तारित किया गया, जिसे विशेष रूप से **उच्च जोखिमवालीं गर्भावस्थाओं (HRPs)** को ट्रैक करने और समय पर चिकित्सा उपाय सुनिश्चित करने के लिए डिज़ाइन किया गया है।
आरोग्य मैत्री (Aarogya Maitri)	• यह वर्ष 2023 में शुरू की गयी एक मानवीय पहल है, जो वैश्विक स्वास्थ्य और आपदा राहत के लिए भारत की प्रतिबद्धता को आगे बढ़ाती है। • इसका उद्देश्य प्राकृतिक आपदाओं या मानवीय संकटों से प्रभावित **विकासशील देशों** को **आवश्यक चिकित्सा आपूर्ति प्रदान करना है।**

परीक्षोपयोगी

भीष्म (BHISHM)

भारत स्वास्थ्य सहयोग हित एवं मैत्री पहल [(Bharat Health Initiative for Sahyog Hita & Maitri (BHISHM)], जो कि आरोग्य मैत्री परियोजना का हिस्सा है, एक अभिनव **आपातकालीन चिकित्सा सहायता कार्यक्रम** है। इसके अंतर्गत, आवश्यक दवाओं और उपकरणों से भरे आसानी से ले जाये जानेवाले **'छोटे घनाकार बक्सों'** (पोर्टेबल 'मिनी क्यूब्स') को विभिन्न आपात स्थितियों में त्वरित उपयोग के लिए डिज़ाइन किया गया है। इन बक्सों में 72 आसानी से परिवहन योग्य घटक सम्मिलित हैं, जिन्हें पैदल ले जाने, साइकिल या यहाँ तक कि ड्रोन परिवहन सहित बहुमुखी वितरण विधियों के लिए डिज़ाइन किया गया है। बड़े पैमाने पर होनेवालीं दुर्घटनाओं में, पूरी इकाई को 12 मिनट के भीतर स्थापित किया जा सकता है, जो आपात स्थिति के महत्त्वपूर्ण 'गोल्डन ऑवर' के दौरान प्राथमिक और मुख्य चिकित्सा देखभाल के बीच महत्त्वपूर्ण अंतराल को कम करता है।

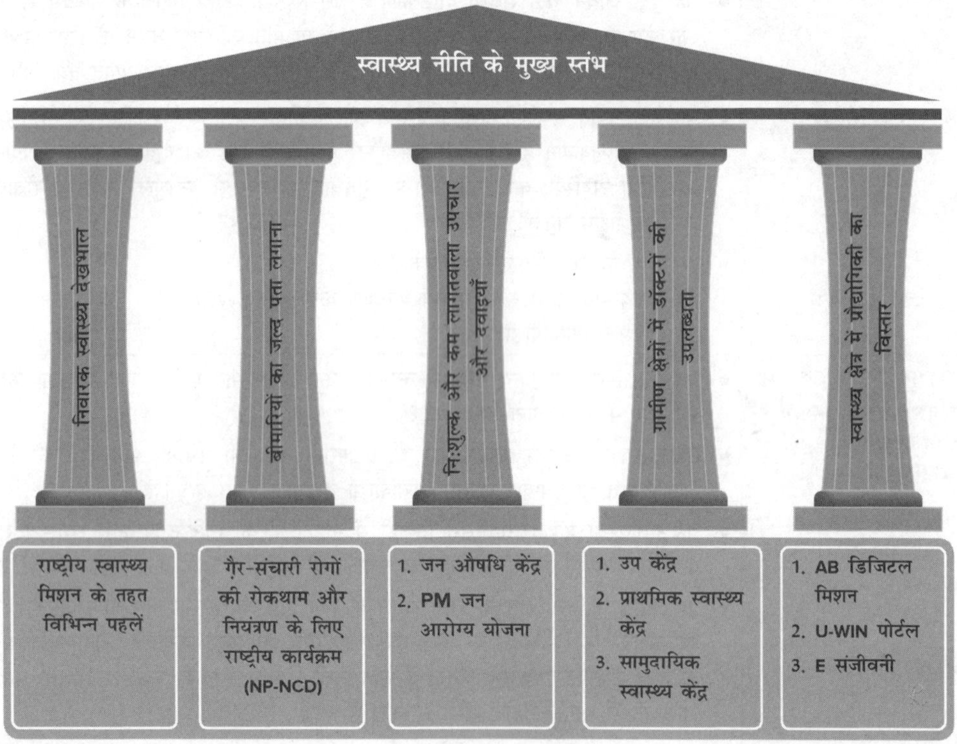

स्रोत : आर्थिक सर्वेक्षण 2024-25

अतिरिक्त जानकारी

नेशनल डिजिटल हेल्थ ब्लूप्रिंट [NATIONAL DIGITAL HEALTH BLUEPRINT (NDHB)]

स्वास्थ्य और परिवार कल्याण मंत्रालय ने **जे. सत्यनारायण समिति (2019) द्वारा अनुशंसित राष्ट्रीय डिजिटल हेल्थ ब्लूप्रिंट (NDHB) जारी किया है**। यह भारत में राष्ट्रीय डिजिटल स्वास्थ्य मिशन के कार्यान्वयन के लिए मार्गदर्शक दस्तावेज़ है।

NDHB भारत में सार्वजनिक और निजी स्वास्थ्य सुविधाओं में स्वास्थ्य डोमेन और डेटा में मौजूदा अलग-अलग अनुप्रयोगों के एकीकरण के लिए एक साझा मंच प्रदान करने में मदद करता है।

अनुशंसाएँ

- एक नयी इकाई, **राष्ट्रीय डिजिटल स्वास्थ्य मिशन (NDHM)** को मौजूदा राष्ट्रीय सूचना उपयोगिताओं, जैसे भारतीय विशिष्ट पहचान प्राधिकरण (UIDAI) और GST नेटवर्क (GSTN) की तर्ज़ पर पूर्ण कार्यात्मक स्वायत्तता के साथ विशुद्ध रूप से सरकारी संगठन के रूप में स्थापित करने की अनुशंसा की गयी है।
- **मूल डिजिटल स्वास्थ्य डेटा** और इसके निर्बाध विनिमय के लिए आवश्यक **बुनियादी ढाँचे** की स्थापना और प्रबंधन करना।
- नागरिक-सहमति के आधार पर **इलेक्ट्रॉनिक प्रारूप में अंतरराष्ट्रीय मानकों के अनुसार व्यक्तिगत स्वास्थ्य रिकॉर्ड** की एक प्रणाली विकसित करना, जो नागरिकों और सेवा प्रदाताओं के लिए आसानी से सुलभ हो सके।
- विज़न की प्राप्ति के लिए राज्यों और केंद्र शासित प्रदेशों के साथ काम करते हुए **सहकारी संघवाद के सर्वोत्तम सिद्धांतों** का पालन करना।
- **स्वास्थ्य डेटा विश्लेषण** और **चिकित्सा अनुसंधान** को बढ़ावा देना।
- सभी स्तरों पर **शासन की दक्षता और प्रभावशीलता** को बढ़ाना।
- स्वास्थ्य सेवा की **गुणवत्ता** सुनिश्चित करना।

भारतीय चिकित्सा पद्धति को बढ़ावा देने के लिए उठाये गये क़दम (STEPS TAKEN TO PROMOTE THE INDIAN SYSTEM OF MEDICINES)

- **आयुष** मंत्रालय ने भारतीय चिकित्सा प्रणाली और आयुर्वेद की शिक्षा को बढ़ावा देने के लिए विदेशी विश्वविद्यालयों के साथ आयुष शैक्षणिक अध्यक्षों की स्थापना के लिए 13 समझौता ज्ञापनों पर हस्ताक्षर किये हैं।
- आयुष मंत्रालय द्वारा योग पेशेवरों के स्वैच्छिक प्रमाणन के लिए एक योजना शुरू की गयी है, जो योग पेशेवरों की क्षमता स्तर को प्रमाणित करने के लिए शुरू की गयी है।
- **योग प्रमाणन बोर्ड (YCB)** की स्थापना योग पेशेवरों के कौशल और ज्ञान में ताल-मेल, एकरूपता और गुणवत्ता लाने के लिए की गयी है।
- आयुष प्रणालियों को बढ़ावा देने के लिए राज्य और केन्द्र शासित प्रदेशों की सरकारों के माध्यम से देश में **राष्ट्रीय आयुष मिशन (NAM)** की केंद्र प्रायोजित योजना लागू की जा रही है। केंद्र प्रायोजित राष्ट्रीय आयुष मिशन (NAM) के लिए बजटीय आवंटन को 800 करोड़ रुपये से बढ़ाकर 1200 करोड़ रुपये कर दिया गया है। आयुष मंत्रालय को बजट का कुल आवंटन 20 प्रतिशत बढ़ाकर 3647 करोड़ रुपये कर दिया गया है।
- **'स्मार्ट'** (शिक्षण पेशेवरों में आयुर्वेद अनुसंधान को मुख्यधारा में लाने का दायरा): आयुष मंत्रालय के तहत दो प्रमुख संस्थानों, राष्ट्रीय भारतीय चिकित्सा प्रणाली आयोग (NCISM) और केंद्रीय आयुर्वेदिक विज्ञान अनुसंधान परिषद् (CCRAS) ने आयुर्वेद कॉलेजों और अस्पतालों के माध्यम से प्राथमिक स्वास्थ्य अनुसंधान क्षेत्रों में गुणवत्तापूर्ण अनुसंधान को बढ़ावा देने के उद्देश्य से 'स्मार्ट' कार्यक्रम शुरू किया गया है।
- आयुष मंत्रालय द्वारा राज्य और राष्ट्रीय स्तर पर आरोग्य मेले, मल्टीमीडिया अभियान आदि, जैसी कई प्रचार गतिविधियाँ की जाती हैं।
- स्वास्थ्य और परिवार कल्याण मंत्रालय (MOHFW) ने 2025 तक **TB उन्मूलन** की दिशा में देश की प्रगति में तेज़ी लाने के लिए एक पहल शुरू की है।

  घटक (Components):

  i. नि-क्षय मित्र पहल।

  ii. नि-क्षय डिजिटल पोर्टल।

- **सर्व दवा सेवन या मास ड्रग ऐडमिनिस्ट्रेशन (MDA) :** वैश्विक लक्ष्य से तीन साल पहले 2027 तक लसीका फ़ाइलेरिया (LF) को ख़त्म करने के लिए स्वास्थ्य और परिवार कल्याण मंत्रालय द्वारा अभियान शुरू किया गया था।
- **WHO - ग्लोबल सेंटर फ़ॉर ट्रेडिशनल मेडिसिन (WHO – GCTM) :** यह जामनगर, गुजरात, में आकार लेनेवाला अपनी तरह का पहला केंद्र है। विश्व आयुर्वेद के समापन समारोह के दौरान, आयुर्वेद, यूनानी और होम्योपैथी में तीन राष्ट्रीय आयुष संस्थानों का प्रधानमंत्री द्वारा उद्घाटन किया गया –
  i. गोवा में अखिल भारतीय आयुर्वेद संस्थान,
  ii. गाज़ियाबाद में राष्ट्रीय यूनानी चिकित्सा संस्थान, और
  iii. दिल्ली में राष्ट्रीय होम्योपैथी संस्थान।

राष्ट्रीय टीबी उन्मूलन कार्यक्रम (NTEP) 100 दिवसीय अभियान - दिसंबर, 2024 से मार्च, 2025 तक [NATIONAL TB ELIMINATION PROGRAMME (NTEP) 100 DAYS CAMPAIGN – DEC 2024 TO MARCH 2025]

क्षय रोग (TB) एक संक्रामक रोग है, जो माइकोबैक्टीरियम ट्यूबरकुलोसिस नामक जीवाणु के कारण होता है और आमतौर पर वायु के ज़रिये फैलनेवाली श्वसन बूँदों/जल कणों के नाभिक के माध्यम से फैलता है।

राष्ट्रीय टीबी उन्मूलन कार्यक्रम (NTEP) या टीबी मुक्त भारत अभियान एक केंद्र प्रायोजित योजना है, जिसे राष्ट्रीय स्वास्थ्य मिशन (NHM) के तहत क्रियान्वित किया जा रहा है, जिसमें सभी टीबी रोगियों को पोषण संबंधी सहायता के साथ-साथ मुफ़्त निदान और गुणवत्तापूर्ण उपचार प्रदान किया जाता है।

दिसंबर, 2024 में 33 राज्यों/केंद्र शासित प्रदेशों में शुरू किया गया **100 दिवसीय गहन टीबी-मुक्त भारत अभियान**, टीबी की शीघ्र पहचान और आवश्यक उपाय करने की नयी रणनीति का परिणाम है।

क्या आप जानते हैं? वर्ष 2015 से वार्षिक टीबी घटना दर में 18% की गिरावट आयी है तथा वर्ष 2023 तक मृत्यु-दर में 22% की गिरावट आयी है। टीबी की घटना दर 237 मामले प्रति लाख जनसंख्या (2015 में) से घटकर 195 (2023 में) हो गयी है। इसी तरह, टीबी मृत्यु-दर 28 मृत्यु प्रति लाख जनसंख्या (2015 में) से घटकर 22 (2023 में) रह गयी है।

इस 100 दिवसीय अभियान के लक्ष्य निम्नवत हैं :

क. गहन IEC अभियान के माध्यम से टीबी के मामलों का पता लगाना।

ख. पोषण सहायता कार्यक्रम के साथ एक विभेदित टीबी चिकित्सा देखभाल दृष्टिकोण को लागू करके टीबी से पीड़ित लोगों के बीच मृत्यु-दर को कम करना।

ग. घरेलू संपर्कों, PLHIV और कमज़ोर आबादी को टीबी निवारक उपचार प्रदान करके समुदाय में टीबी के नये मामलों की घटना को रोकना।

इस 100 दिनों के अभियान के तहत की जानेवालीं गतिविधियों में निम्नलिखित सम्मिलित हैं :

1. कमज़ोर आबादी की स्क्रीनिंग और परीक्षण।
2. निदान किये गये रोगियों के लिए तुरंत उपचार शुरू करना।
3. सभी टीबी रोगियों को निक्षय पोषण योजना का लाभ सुनिश्चित करना और निक्षय मित्रों के माध्यम से परिवार के सदस्यों के लिए पोषण किट प्रदान करना।
4. टीबी की संभावना को समाप्त करने के बाद, पात्र उच्च जोखिमवाले व्यक्तियों को टीबी निवारक उपचार प्रदान करना।

शिक्षा (EDUCATION)

स्वतंत्रता के तुरंत बाद, यह महसूस किया गया कि सामाजिक-आर्थिक प्रगति हासिल करने के लिए सभी के लिए शिक्षा, यानी **एजुकेशन फ़ॉर ऑल (EFA)** ज़रूरी था और 1947 के बाद शिक्षा को एक प्रशंसनीय लक्ष्य के रूप में निर्धारित किया गया था। केंद्र और सभी राज्यों में शिक्षा के लिए एक अलग विभाग स्थापित किया गया था। संवैधानिक प्रावधानों ने सरकार द्वारा की जानेवालीं कार्रवाइयों को भी स्पष्ट किया और तब से शिक्षा में एक बड़ा परिवर्तन आया है।

महत्त्वपूर्ण ऐतिहासिक घटनाक्रम (Important Historical Developments)

शिक्षा के विकास के लिए महत्त्वपूर्ण आयोग

आयोग का नाम	अध्यक्ष	उद्देश्य	सिफ़ारिश
विश्वविद्यालय शिक्षा आयोग, 1948 (University Education Commission, 1948)	डॉ. एस. राधाकृष्णन	विश्वविद्यालय की शिक्षा संबंधी समस्याओं का अध्ययन करना	• शिक्षा को समवर्ती सूची में रखना • निधि आवंटन के लिए यूजीसी की स्थापना की जानी चाहिए • ग्रामीण विश्वविद्यालयों की स्थापना की जानी चाहिए • महिलाओं के लिए कॉलेज स्थापित करने की आवश्यकता • शिक्षा का माध्यम अँगरेज़ी होना चाहिए
माध्यमिक शिक्षा आयोग, (1952-53) [Secondary Education Commission, (1952–53)]	डॉ. लक्ष्मणस्वामी मुदलियार	स्कूली शिक्षा से संबंधित समस्याओं का समाधान करना	• माध्यमिक शिक्षा की तीन वर्षीय राष्ट्रीय प्रणाली • माध्यमिक स्तर पर विविध पाठ्यक्रम का कार्यान्वयन
कोठारी आयोग, 1964 [Kothari Commission, 1964]	दौलत सिंह कोठारी	मौजूदा शिक्षा प्रणाली की समीक्षा करना एवं उसे और बेहतर करने के लिए सुझाव देना	• 6 से 14 वर्ष की आयु के बच्चों के लिए निःशुल्क एवं अनिवार्य शिक्षा • त्रिभाषा सूत्र को अपनाना होगा • शिक्षकों को स्वतंत्र अध्ययन करने की शैक्षणिक स्वतंत्रता • शारीरिक फ़िटनेस में सुधार के लिए खेल-कूद को बढ़ावा देना • भारतीय प्रशासनिक सेवा की तर्ज़ पर भारतीय शिक्षा सेवा का निर्माण

शिक्षा से संबंधित महत्त्वपूर्ण नीतियाँ/अधिनियम/योजनाएँ
(Important Policies/Acts/Schemes related to Education)

राष्ट्रीय शिक्षा नीति, 1968 (कोठारी आयोग, 1964 की सिफ़ारिश पर आधारित) [National Policy on Education, 1968 (based on the recommendations of Kothari Commission, 1964)]	• शैक्षिक और सांस्कृतिक विकास के लिए '**भारतीय भाषाओं और साहित्य के ऊर्जावान विकास**' की सिफ़ारिश की गयी। • त्रिभाषा सूत्र तथा हिन्दी एवं संस्कृत को बढ़ावा देना। • अँगरेज़ी और अन्य अंतरराष्ट्रीय भाषाओं के अध्ययन पर विशेष ज़ोर। • कृषि एवं उद्योग हेतु शिक्षा का विकास। • गुणवत्तापूर्ण पुस्तकों का उत्पादन, खेल-कूद को बढ़ावा देना और 10+2+3 पैटर्न को अपनाना।
राष्ट्रीय शिक्षा नीति, 1986 (National Policy on Education, 1986)	• असमानताओं को दूर करने और महिलाओं, अनुसूचित जाति और अनुसूचित जनजातियों के लिए समान शैक्षिक अवसर पर ज़ोर दिया गया। • प्राथमिक विद्यालयों को आवश्यक सुविधाएँ प्रदान करने के लिए 1987 में '**ऑपरेशन ब्लैकबोर्ड**' शुरू किया गया। • इसने **ओपॅन यूनिवर्सिटी सिस्टम शुरू करने**, ग्रामीण विश्वविद्यालयों की स्थापना करने और मूल्य शिक्षा पर ज़ोर देने की सिफ़ारिश की।
ऑपरेशन डिजिटल बोर्ड (ओडीबी) एमएचआरडी (अब शिक्षा मंत्रालय) द्वारा शुरू किया गया [Operation Digital Board (ODB) Launched by MHRD (now Ministry of Education)]	1987 में शुरू हुए ऑपरेशन ब्लैकबोर्ड की तर्ज़ पर प्रत्येक कक्षा में डिजिटल और इंटरैक्टिव बोर्ड प्रदान करने के लिए शुरू किया गया।
मिड-डे मील स्कीम (1995 में शुरू की गयी) [Mid-Day Meal Scheme (launched in 1995)]	• केंद्र सरकार द्वारा एक प्रायोजित योजना, प्राथमिक शिक्षा के लिए पोषण संबंधी सहायता के राष्ट्रीय कार्यक्रम (NP-NSPE) के रूप में शुरू की गयी। • 2004 में **मिड-डे मील योजना** के रूप में पुन: शुरू की गयी, जिसमें सरकारी और सरकारी सहायता प्राप्त स्कूलों और मदरसों में सभी छात्रों को भोजन की गारंटी दी जाती है और जो समग्र शिक्षा के तहत समर्थित है। शुरुआत में इसे केवल कक्षा I-V तक के छात्रों को सम्मिलित करके शुरू किया गया था, 2007 में फिर इसे कक्षा VIII तक बढ़ा दिया गया। • राष्ट्रीय खाद्य सुरक्षा अधिनियम, 2013 के तहत 'मिड-डे मील नियम, 2015' के अनुसार, यदि स्कूल में मिड-डे मील नहीं दिया जाता है, तो राज्य सरकार खाद्य सुरक्षा भत्ते का भुगतान करेगी। स्कूल प्रबंधन समिति (बच्चों को मुफ़्त एवं अनिवार्य शिक्षा का अधिकार अधिनियम, 2009 के तहत अनिवार्य किया गया है) योजना के कार्यान्वयन की निगरानी करती है। स्कूल के हेडमास्टर या हेडमिस्ट्रेस को निधि का उपयोग करने का अधिकार है। • मिड-डे मील में कक्षा I-V तक पढ़नेवाले बच्चों को **450 कैलोरीज़** और 12 ग्राम प्रोटीन और कक्षा VI-VIII तक पढ़नेवाले बच्चों को **700 कैलोरीज़** और 20 ग्राम प्रोटीन दिया जाना चाहिए। • 2021 में, योजना के लिए ज़िम्मेदार मंत्रालय, **शिक्षा मंत्रालय** द्वारा इस योजना का नाम बदलकर PM-POSHAN (*प्रधानमंत्री पोषण शक्ति निर्माण*) योजना कर दिया गया। • मिड-डे मील योजना की लागत को केंद्र और राज्य **60:40** के अनुपात में साझा करते हैं।

राष्ट्रीय पाठ्यचर्या की रूपरेखा, 2005 (National Curriculum Framework 2005)	NCERT ने चौथी राष्ट्रीय पाठ्यचर्या की रूपरेखा, 2005 प्रकाशित की। इसने पाठ्यक्रम, स्कूल और कक्षा के माहौल, पाठ्यपुस्तकों आदि के लिए एक दिशानिर्देश प्रदान किया। यह शिक्षा के विषय में सरकार की विभिन्न रिपोर्टों, जैसे **'लर्निंग विदाउट बर्डन'** पर आधारित था।
बच्चों को नि:शुल्क और अनिवार्य शिक्षा का अधिकार अधिनियम, 2009 (आरटीई अधिनियम) [Right of Children to Free and Compulsory Education Act, 2009 (RTE ACT)]	• इसे 4 अगस्त, 2009 में शुरू किया गया था। • यह भारतीय संविधान के अनुच्छेद 21A के तहत भारत में 6 से 14 वर्ष की आयु के बच्चों को नि:शुल्क एवं अनिवार्य शिक्षा प्रदान करता है। • निजी स्कूलों को अपनी 25 प्रतिशत सीटें आर्थिक रूप से कमज़ोर वर्ग के बच्चों के लिए आरक्षित रखना अनिवार्य है। • राष्ट्रीय बाल अधिकार संरक्षण आयोग आरटीई के उल्लंघन के लिए सुरक्षा उपायों की जाँच करेगा।
राष्ट्रीय शिक्षा नीति, 2020 (National Education Policy, 2020)	• 2020 में केंद्र सरकार द्वारा अनुमोदित और 34 वर्षीय पुरानी राष्ट्रीय शिक्षा नीति (NPE) 1986 को प्रतिस्थापित किया गया। • 2030 तक प्रतिशत सकल नामांकन अनुपात (GER) के साथ प्री-स्कूल से माध्यमिक स्तर तक शिक्षा को सर्वव्यापी बनाना। • वर्तमान 10+2 प्रणाली को **5+3+3+4 कैरिक्यूलर स्ट्रक्चर** (संबंधित आयु 3-8, 8-11, 11-14 और 14-18 वर्ष) द्वारा प्रतिस्थापित करने का सुझाव दिया गया है। • कला और विज्ञान के बीच, कैरिक्यूलर और एक्स्ट्रा-कैरिक्यूलर गतिविधियों के बीच, व्यावसायिक और शैक्षणिक स्ट्रीम्स के बीच कोई कठिन अलगाव सुनिश्चित नहीं करता है • एक नये राष्ट्रीय मूल्यांकन केंद्र, **परख** (समग्र विकास हेतु प्रदर्शन मूल्यांकन, समीक्षा और ज्ञान का विश्लेषण) [**PARAKH** (Performance Assessment, Review, and Analysis of Knowledge for Holistic Development)] की स्थापना। • शिक्षा क्षेत्र में सार्वजनिक निवेश को जल्द-से-जल्द 6% जीडीपी तक बढ़ाने के लिए केंद्र और राज्य एक-साथ मिलकर काम करेंगे।
राष्ट्रीय परीक्षण एजेंसी (National Testing Agency - NTA)	• NTA की स्थापना, शिक्षा मंत्रालय द्वारा वर्ष **2017** में एक प्रमुख, विशेषज्ञ, स्वायत्त और आत्मनिर्भर परीक्षण संगठन के रूप में की गयी थी। • यह सोसायटी पंजीकरण अधिनियम (1860) के तहत, एक सोसायटी के रूप में पंजीकृत है। • **NTA के उद्देश्यों** में निम्न सम्मिलित हैं : 1. प्रवेश और भर्ती उद्देश्यों के लिए उम्मीदवारों की योग्यता का आकलन करने हेतु कुशल और **अंतरराष्ट्रीय मानकों के परीक्षण** आयोजित करना। 2. **शैक्षिक, व्यावसायिक और परीक्षण प्रणाली पर आधारित** शोध करना। 3. परीक्षा प्रश्न निर्धारित करने में **विशेषज्ञों और संस्थानों** की पहचान करना। 4. शिक्षा और व्यावसायिक विकास मानकों पर **जानकारी और शोध का उत्पादन और प्रसार करना।** • वर्ष 2024 में **राधाकृष्णन पैनल** ने CUET-UG में प्रश्नपत्र लीक होने की शिकायतों के बाद राष्ट्रीय परीक्षण एजेंसी के पुनर्गठन की सिफ़ारिश की। इनकी सिफ़ारिशों में निम्न सम्मिलित हैं - DigiYatra की तर्ज़ पर DigiExam; केवल उच्च शिक्षा प्रवेश परीक्षा आयोजित करने के लिए NTA का पुनर्गठन; राज्य/ज़िला अधिकारियों के साथ संस्थागत संबंध; ग्रामीण, दूरदराज़ और कम आबादीवाले क्षेत्रों के उम्मीदवारों की सुविधा के लिए मोबाइल परीक्षण केंद्र।

परीक्षोपयोगी

प्रधानमंत्री स्कूल फ़ॉर राइज़िंग इंडिया (पीएम श्री) [PM SCHOOLS FOR RISING INDIA (PM SHRI)]

कैबिनेट ने 2022 में इस केंद्र प्रायोजित योजना को मंजूरी दे दी है। ये स्कूल राष्ट्रीय शिक्षा नीति, 2020 (NEP, 2020) के कार्यान्वयन का प्रदर्शन करेंगे, समय के साथ अनुकरणीय स्कूलों के रूप में उभरेंगे और पड़ोस के अन्य स्कूलों को मार्गदर्शन भी प्रदान करेंगे। इस योजना के तहत केंद्र सरकार/राज्य/केंद्र शासित प्रदेश सरकार/स्थानीय निकायों द्वारा प्रबंधित स्कूलों में से मौजूदा स्कूलों को बढ़ाकर 14500 से अधिक पीएम श्री स्कूलों की स्थापना का प्रावधान है। योजना की अवधि 2022-23 से 2026-27 तक प्रस्तावित है; जिसके बाद इन स्कूलों द्वारा हासिल किये गये बेंचमार्क को बनाये रखना राज्यों/संघ शासित प्रदेशों की ज़िम्मेदारी होगी।

समग्र शिक्षा- यह **पूर्व-प्राथमिक से लेकर वरिष्ठ माध्यमिक शिक्षा तक सभी वर्गों को कवर करनेवाली एक एकीकृत योजना है और इसे राष्ट्रीय शिक्षा नीति, 2020 की सिफ़ारिशों के साथ नया रूप दिया गया है**। इस योजना का उद्देश्य सभी बच्चों के लिए एक समान और समावेशी कक्षा वातावरण के साथ गुणवत्तापूर्ण शिक्षा तक पहुँच सुनिश्चित करना है।

समग्र शिक्षा NEP, 2020 की सिफ़ारिशों के कार्यान्वयन को मज़बूत कर रही है, जैसे कि मूलभूत साक्षरता और संख्यात्मकता पर ज़ोर, समग्र प्रगति कार्ड (HPC) प्रस्तुत करना, शिक्षकों की क्षमता का विकास आदि।

हाल ही में शिक्षा में सरकारी हस्तक्षेप
(Recent Government Interventions in Education)

परीक्षोपयोगी

- **वन नेशन वन सब्सक्रिप्शन (ONOS) योजना :** वर्ष 2024 में स्वीकृत ONOS का उद्देश्य सभी सरकारी प्रबंधित उच्च शिक्षा संस्थानों और अनुसंधान एवं विकास संस्थानों के छात्रों, शिक्षकों और शोधकर्ताओं को अंतरराष्ट्रीय उच्च प्रभाववाले विद्वानों के शोध लेखों और जर्नल प्रकाशनों तक देशव्यापी समान पहुँच प्रदान करना है। यह शिक्षा मंत्रालय के तहत एक केंद्रीय क्षेत्र की योजना है, जिसमें 2025-27 के लिए ₹6,000 करोड़ का वित्तीय आवंटन है।
- **PM-विद्यालक्ष्मी योजना :** यह वर्ष 2024 में शुरू की गयी, एक केंद्रीय क्षेत्र की योजना है, जो सार्वजनिक और निजी उच्च शिक्षा संस्थानों में मेधावी छात्रों को वित्तीय सहायता प्रदान करती है। यह योजना उच्च शिक्षा में पाठ्यक्रम से संबंधित ट्यूशन फ़ीस और अन्य ख़र्चों की पूरी राशि को कवर करने के लिए बैंकों और वित्तीय संस्थानों से संपार्श्विक मुक्त, गारंटर मुक्त ऋण प्रदान करती है।

  भारत सरकार द्वारा ₹7.5 लाख तक के ऋण पर 75 प्रतिशत क्रेडिट गारंटी प्रदान की जायेगी। ₹8 लाख तक की वार्षिक पारिवारिक आयवाले छात्रों के लिए ₹10 लाख तक के ऋण पर 3 प्रतिशत ब्याज सहायता प्रदान की जाती है। यह ₹4.5 लाख तक की वार्षिक पारिवारिक आयवाले छात्रों को पहले से दी जा रही पूर्ण ब्याज सहायता के अतिरिक्त है।

  गुणवत्तापूर्ण उच्च शिक्षा संस्थान (QHEI) में प्रवेश लेनेवाला कोई भी छात्र इस योजना के अंतर्गत पात्र है। यह योजना प्रधानमंत्री उच्चतर शिक्षा प्रोत्साहन (PM-USP) योजना की पूरक है।
- राष्ट्रीय उपलब्धि सर्वेक्षण **[National Achievement Survey (NAS) 2021]** NAS, एक राष्ट्रीय स्तर का बड़े पैमाने पर किया जानेवाला मूल्यांकन है, जो राज्य सरकार के स्कूलों, सरकारी सहायता प्राप्त स्कूलों, निजी ग़ैर-सहायता प्राप्त और केंद्र सरकार के स्कूलों में पढ़नेवाले कक्षा 3, 5, 8 और 10 के छात्रों की सीखने की उपलब्धि के बारे में जानकारी प्राप्त करने के लिए आयोजित किया जाता है। NAS व्यक्तिगत छात्र/स्कूल के लिए अंक प्रदान नहीं करता है। बच्चों की प्रगति और सीखने की दक्षताओं का मूल्यांकन करने के लिए *शिक्षा मंत्रालय* द्वारा NAS का संचालन किया गया है। NAS 2021 में लगभग 1,18,000 स्कूलों ने भाग लिया।
- विद्यांजलि **(Vidyanjali)** विद्यांजलि योजना का उद्देश्य स्कूलों को मज़बूत करना और देश भर में सामुदायिक, निजी क्षेत्र की भागीदारी और CSR के माध्यम से स्कूली शिक्षा की गुणवत्ता को उन्नत करना है। विद्यांजलि पोर्टल **योगदानकर्ताओं को सीधे स्कूलों से जोड़ता है**। विद्यांजलि की मदद से, शिक्षण संस्थानों के पूर्व छात्र, सेवारत और सेवानिवृत्त शिक्षक, वैज्ञानिक आदि

स्कूलों में भाग लेने और अपने ज्ञान और कौशल को साझा करने के लिए आगे आ सकते हैं। स्वयंसेवकों की सक्रिय भागीदारी के साथ, पहल सफलतापूर्वक देश भर में 1,085,648 छात्रों को प्रभावित करने में सार्थक रही है।

- प्रदर्शन ग्रेडिंग इंडेक्स **[Performance Grading Index (PGI)]** प्रदर्शन ग्रेडिंग इंडेक्स (PGI) को स्कूल शिक्षा और साक्षरता विभाग **(DoSEL)** द्वारा विकसित किया गया है। इसका उद्देश्य **सभी राज्यों और केंद्रशासित प्रदेशों के सापेक्ष प्रदर्शन का एक समान पैमाने पर मूल्यांकन करना** है। PGI में पाँच डोमेन हैं, जिनमें सत्तर (70) संकेतक हैं, जिनका स्कोर 1000 है।
- डेटा शासन गुणवत्ता सूचकांक यानी डेटा गवर्नेंस क्वालिटी इंडेक्स **[Data Governance Quality Index (DGQI]** **नीति आयोग** ने केंद्रीय क्षेत्र या केंद्र प्रायोजित योजनाओं के संबंध में मंत्रालयों की डेटा तैयारियों का आकलन करने के लिए 2020 में DGQI मंच विकसित किया है। नीति आयोग ने 2021 में DGQI 2.0 अभ्यास पूरा किया है, जिसमें **मूल्यांकन के लिए 3 योजनाओं** समग्र शिक्षा, मध्याह्न भोजन और राष्ट्रीय साधन सह मेरिट छात्रवृत्ति के संबंध में आँकड़ों पर विचार किया गया है।
- **मनोदर्पण कार्यक्रम (Manodarpan Programme)** ***आत्मनिर्भर भारत अभियान*** के एक भाग के रूप में, **NCERT द्वारा** *मनोदर्पण* कार्यक्रम आयोजित किया गया है, इसका उद्देश्य छात्रों, शिक्षकों और परिवारों के मानसिक स्वास्थ्य और भावनात्मक कल्याण के लिए कोविड-19 के समय में **मनो-सामाजिक सहायता प्रदान करना** है। **मनोदर्पण** कार्यक्रम के तहत, कई गतिविधियाँ आयोजित की गयीं, जैसे कि टेली-हेल्पलाइन चलाना, वेबिनार आयोजित करना, काउंसलर्स के साथ लाइव इंटरैक्टिव सत्र '*सहयोग*' आदि।
- **अकादमिक बैंक ऑफ़ क्रेडिट (Academic Bank of Credit)** 2021 में शुरू किया गया, यह विभिन्न मान्यता प्राप्त उच्च शैक्षणिक संस्थानों (HEI) से अर्जित अकादमिक क्रेडिट के डिजिटल स्टोरेज को सक्षम बनाता है, ताकि इस तरह अर्जित क्रेडिट को किसी दिये गये HEI द्वारा डिग्री प्रदान करने के लिए ज़िम्मेदार ठहराया जा सके।
- **नव भारत साक्षरता कार्यक्रम [New India Literacy Programme (NLIP)]** यह सरकार द्वारा घोषित एक केंद्र प्रायोजित योजना है, जिसे 2022-26 की अवधि में लागू किया जायेगा। इसका लक्ष्य मूलभूत साक्षरता और संख्यात्मकता घटक के तहत पाँच वर्षों के दौरान 5 करोड़ शिक्षार्थियों के लक्ष्य को हासिल करना है। इस कार्यक्रम के पाँच उद्देश्य हैं :
  - i. मूलभूत साक्षरता और अंकज्ञान,
  - ii. महत्त्वपूर्ण जीवन कौशल,
  - iii. व्यावसायिक कौशल विकास,
  - iv. बुनियादी शिक्षा, और
  - v. सतत शिक्षा।
- **PRASHAST (प्री असेसमेंट समग्र स्क्रीनिंग टूल)** – स्कूल एजुकेशन और साक्षरता विभाग द्वारा शुरू किया गया एक ऐप जो विकलांग व्यक्तियों (RPWD) अधिनियम के अधिकारों में मान्यता प्राप्त 21 विकलांगता शर्तों की स्क्रीनिंग में मदद करता है। यह स्कूल के वातावरण के भीतर विभिन्न विकलांगों की सक्रिय पहचान को सुविधाजनक बनाने के लिए डिजाइन किया गया है, जो कि समान सीखने के वातावरण को बनाने के उद्देश्य से है।

शिक्षा में कुछ और इन्फर्मेशन एवं कंप्यूटर प्रौद्योगिकी (ICT) पहलें

(Few More Information and Computer Technology (ICT) Initiatives in Education)

भारत में ऑनलाइन सीखने के बुनियादी ढाँचे को मज़बूत करने के लिए सरकार द्वारा कई पहलें की गयी हैं :

(i) **स्वयं (SWAYAM) (युवा महत्त्वाकांक्षी दिमाग़ों के लिए सक्रिय-लर्निंग का अध्ययन वेब) :** यह भारत का राष्ट्रीय **विशाल ऑनलाइन ओपॅन कोर्स** (MOOC) मंच है, जिसे 2016 में विकसित किया गया था। यह विभिन्न भारतीय विश्वविद्यालयों के प्रशिक्षकों द्वारा पढ़ाये जानेवाले पाठ्यक्रमों की एक बड़ी संख्या प्रदान करता है। एक पहलू, जो इसे अन्य प्रदाताओं से अलग करता है, वह यह है कि यह भारत में छात्रों को ऑनलाइन शैक्षणिक ऋण अर्जित करने की अनुमति देता है।

(ii) **स्वयंप्रभा (Swayamprabha) :** देश भर के सभी शिक्षकों, छात्रों और नागरिकों को विविध विषयों (जैसे- कला, विज्ञान, वाणिज्य, इंजीनियरिंग, प्रौद्योगिकी, क़ानून, चिकित्सा, कृषि आदि) को कवर करनेवाले उच्च गुणवत्तावाले शैक्षिक पाठ्यक्रम पर आधारित पाठ्यक्रम सामग्री प्रदान करनेवाले 32 DTH चैनलों का एक समूह।

(iii) **राष्ट्रीय डिजिटल पुस्तकालय (National Digital Library) :** शोधकर्ताओं और जीवनभर सीखनेवालों सहित सभी शैक्षणिक स्तरों के लिए विभिन्न स्वरूपों में शैक्षणिक सामग्री की एक विशाल मात्रा का डिजिटल भंडार।

(iv) **शोधगंगा और ई-शोध सिंध (Shodhganga and E-Shodh Sindh) :** शोध छात्रों के लिए थीसिस और शैक्षणिक पत्रों का डिजिटल रिपोजिटरी मंच और विद्वान् समुदाय के बड़े उपयोग के लिए।

अतिरिक्त जानकारी

प्रेरणा (PRERANA)

शिक्षा मंत्रालय ने जनवरी, 2024 में प्रेरणा कार्यक्रम शुरू किया। यह कक्षा IX से XII तक चुने गये छात्रों के लिए एक सप्ताह तक चलनेवाला आवासीय अनुभवात्मक शिक्षण कार्यक्रम है। इसका उद्देश्य सभी भागीदारों को एक सार्थक, अद्‌भुत और प्रेरणाप्रद अनुभव प्रदान करना है, जिससे उनमें नेतृत्व गुणों का विकास हो। दिनों के अनुसार कार्यक्रम की अनुसूची में योगा, माइंडफुलनेस और मेडिटेशन सेशन शामिल हैं, इसके बाद अनुभवात्मक शिक्षा, विषयों से संबंधी सत्र और प्रायोगिक दिलचस्प शिक्षण संबंधी गतिविधियाँ शामिल हैं। प्रेरणा कार्यक्रम भारत के सबसे पुराने शहरों में से एक, गुजरात के ज़िला मेहसाणा के वडनगर में 1888 में स्थापित एक वर्नाक्युलर स्कूल से प्रारंभ करने की योजना है।

अखिल भारतीय उच्च शिक्षा पर सर्वेक्षण (AISHE), 2021-22
[ALL INDIA SURVEY ON HIGHER EDUCATION (AISHE), 2021–22]

शिक्षा मंत्रालय वर्ष 2010-11 से प्रति वर्ष वेब आधारित अखिल भारतीय उच्च शिक्षा सर्वेक्षण (AISHE) आयोजित कर रहा है। इस सर्वेक्षण में देश के सभी उच्च शिक्षा प्रदान करनेवाले संस्थानों को सम्मिलित किया गया है। इस सर्वेक्षण के माध्यम से, शिक्षकों, छात्र नामांकन, कार्यक्रम, परीक्षा परिणाम, शिक्षा वित्त, अवसंरचना जैसे कई मापदंडों पर आँकड़ों को एकत्र किया जाता है। शैक्षिक विकास के संकेतक जैसे संस्थान घनत्व, सकल नामांकन अनुपात, छात्र-शिक्षक अनुपात, लैंगिक समानता सूचकांक, प्रति छात्र व्यय की गणना, एकत्र किये गये आँकड़ों से की जाती है। ये शिक्षा क्षेत्र के विकास के लिए सूचित नीतिगत निर्णय और अनुसंधान में उपयोगी हैं। वर्ष 2021-22 का AISHE सर्वेक्षण दर्शाता है कि -

- उच्च शिक्षा में नामांकन बढ़कर 4.33 करोड़, 2020-21 से 4.58 प्रतिशत की वृद्धि।
- महिला नामांकन 2021-22 में 2.01 करोड़ से बढ़कर 2.07 करोड़ हो गया है।
- लिंग समानता सूचकांक, या GPI, जो पुरुष GER में महिला के अनुपात को मापता है, 2017-18 में 1 से बढ़कर 2021-22 में 1.01 हो गया।
- नामांकित छात्रों की संख्या के मामले में शीर्ष 3 राज्य : उत्तर प्रदेश, महाराष्ट्र और तमिलनाडु हैं।
- पंजीकृत विश्वविद्यालयों/विश्वविद्यालय जैसे संस्थानों की कुल संख्या 1,168, कॉलेज 45,473 और स्टैंडअलोन संस्थान 12,002 हैं।
- उच्चतम कॉलेज घनत्ववाले राज्य : कर्नाटक (66), तेलंगाना (52) और आंध्र प्रदेश (49)।

वार्षिक शिक्षा स्थिति रिपोर्ट (ASER), 2024
[(ANNUAL STATUS OF EDUCATION REPORT (ASER), 2024]

ASER, ग्रामीण भारत में बच्चों के शिक्षा स्तर का आकलन करने हेतु किया जानेवाला सर्वेक्षण है। यह सर्वेक्षण वर्ष 2005 से प्रतिवर्ष 'प्रथम' नामक NGO द्वारा किया जाता है। ASER, **कवरेज़, फ़ोकस और बारंबारता** को ध्यान में रखते हुए ग्रामीण क्षेत्रों में **शिक्षा के रुझान और चुनौतियों** को ट्रैक करता है। वर्ष 2024 के सर्वेक्षण में भारत के 605 ग्रामीण ज़िलों के 17,997 गाँवों में 649,491 बच्चों को कवर किया गया।

ASER 2024 के मुख्य निष्कर्ष (Key Findings of ASER 2024)

- **पूर्व प्राथमिक (Pre-primary) (आयुसमूह 3-5 वर्ष) :**
  - इस आयु के लिए पूर्व प्राथमिक संस्थानों में 90 प्रतिशत से अधिक नामांकनवाले राज्य - कर्नाटक, गुजरात, महाराष्ट्र, केरल और नागालैंड।
  - आँगनवाड़ी केंद्र, भारत में पूर्व प्राथमिक आयुसमूह में सेवाओं के सबसे बड़े प्रदाता हैं।
- **प्राथमिक (Elementary) (आयुसमूह 6-14 वर्ष)**
  - सरकारी स्कूलों में वर्ष 2022 और 2024 के बीच इस अनुपात में 10 प्रतिशत से अधिक की वृद्धिवाले राज्य - हिमाचल प्रदेश, उत्तराखंड, केरल, उत्तर प्रदेश, हरियाणा, ओडिशा और महाराष्ट्र।
- **बड़े बच्चे (Older Children) (आयुवर्ग 15-16 वर्ष)**
  - लड़कियों और लड़कों, दोनों में से लगभग 90 प्रतिशत के पास घर पर स्मार्टफ़ोन है।
  - 80 प्रतिशत से अधिक छात्र स्मार्टफ़ोन का उपयोग करना जानते हैं।
  - पेयजल उपलब्ध करानेवाले स्कूलों का अनुपात 74.8 प्रतिशत से बढ़कर 77.7 प्रतिशत हो गया।
  - छात्रों द्वारा पाठ्यपुस्तकों के अलावा अन्य पुस्तकों का उपयोग करनेवाले स्कूलों का अनुपात 36.9 प्रतिशत से बढ़कर 51.3 प्रतिशत हो गया।

संक्षिप्त विवरण

- स्वास्थ्य और परिवार कल्याण मंत्रालय ने 1983 से 2002 तक पहली राष्ट्रीय स्वास्थ्य नीति अपनायी।
- **एनएचपी 2002 (NHP 2002)** - भारत में वैकल्पिक चिकित्सा प्रणाली की भूमिका पर प्रकाश डाला।
- **राष्ट्रीय पोषण नीति, 1993 (National Nutrition Policy, 1993)** - महिला और बाल विकास विभाग द्वारा तैयार की गयी थी।
- **विस्तारित टीकाकरण कार्यक्रम (Expanded Programme on Immunisation)**- 1978 में शुरू किया गया।
- **यूनिवर्सल इम्यूनाइज़ेशन प्रोग्राम [Universal Immunisation Programme (UIP)]** - 1985 में शुरू किया गया।
- **राष्ट्रीय पोषण रणनीति [National Nutrition Strategy (NNS)]** - 2017 में नीति आयोग द्वारा अपनायी गयी।
- **एनीमिया मुक्त भारत (Anaemia Mukt Bharat)** - 2018 में लॉन्च किया गया।
- **आयुष्मान भारत (PMJAY)** - यूनिवर्सल हेल्थ कवरेज़ (UHC) की ओर एक क़दम है, जिसका उद्देश्य यह सुनिश्चित करना है कि सभी लोगों की गुणवत्तापूर्ण स्वास्थ्य सेवाओं तक पहुँच हो।
- **सामान्य बीमा निगम (General Insurance Corporation)** - 1972 में वित्त मंत्रालय के तहत एक राष्ट्रीयकृत पुनर्बीमा कंपनी और कंपनी अधिनियम, 1956 के तहत निगमित की गयी थी।
- **राष्ट्रीय स्वास्थ्य बीमा योजना (RSBY)** - 2007 में शुरू की गयी।
- **आयुष्मान भारत डिजिटल मिशन (Ayushman Bharat Digital Mission)** - 2021 में डेटा, सूचना और बुनियादी ढाँचा सेवाओं की एक विस्तृत शृंखला के एकीकरण के प्रावधान के माध्यम से एक सहज ऑनलाइन मंच बनाने के लिए शुरू किया गया था।
- **विश्वविद्यालय शिक्षा आयोग (University Education Commission)** - 1948 में डॉ. एस. राधाकृष्णन की अध्यक्षता में गठित किया गया।
- **माध्यमिक शिक्षा आयोग (Secondary Education Commission)** - 1952 में डॉ. लक्ष्मण स्वामी मुदलियार की अध्यक्षता में गठित किया गया।
- **राष्ट्रीय शिक्षा आयोग (National Education Commission)** - 1964 में **दौलत सिंह कोठारी** की अध्यक्षता में गठित किया गया।

- **ऑपरेशन ब्लैकबोर्ड (Operation Blackboard)** – 1987 में प्राथमिक विद्यालयों को आवश्यक सुविधाएँ प्रदान करने के लिए शुरू किया गया था।
- **सर्व शिक्षा अभियान [Sarva Shiksha Abhiyan (SSA)]** – 2001 में प्रारंभिक शिक्षा के लिए शुरू किया गया था।
- **मध्याह्न भोजन योजना (Mid-Day meal scheme)** – 1995 में प्राथमिक शिक्षा के लिए पोषण सहायता के राष्ट्रीय कार्यक्रम (NP – NSPE) के रूप में शुरू की गयी, जो एक केंद्रीय प्रायोजित योजना है।
- **राष्ट्रीय पाठ्यक्रम की रूपरेखा, 2005 (National Curriculum Framework, 2005)** – "बिना बोझ के सीखना" यानी "लर्निंग विदाउट बर्डन" जैसी शिक्षा के विषय में सरकार की विभिन्न रिपोर्टों पर आधारित है।
- **MHRD** द्वारा 1993 में स्थापित **राष्ट्रीय सलाहकार समिति (National Advisory Committee)**, श्री यश पाल की अध्यक्षता में, "बिना बोझ के सीखना" यानी "लर्निंग विदाउट बर्डन" नामक एक रिपोर्ट तैयार की गयी।
- **शिक्षा का अधिकार अधिनियम (Right to Education Act)** – 4 अगस्त, 2009 को अधिनियमित किया गया।
- **NEP 2020** – जुलाई, 2020 में भारत सरकार द्वारा अनुमोदित, 34 वर्ष पुरानी राष्ट्रीय शिक्षा नीति (NPE), 1986 को बदल दिया गया।
- **राष्ट्रीय उपलब्धि सर्वेक्षण**, 2021 **[National Achievement Survey (NAS), 2021]** – शिक्षा मंत्रालय द्वारा आयोजित किया गया।
- **प्रदर्शन ग्रेडिंग इंडेक्स [Performance Grading Index (PGI)]** – स्कूली शिक्षा और साक्षरता विभाग (DoSEL) द्वारा विकसित किया गया है।
- **मनोदर्पण कार्यक्रम (Manodarpan Programme)** – NCERT द्वारा संचालित "*आत्मनिर्भर भारत अभियान*" का एक हिस्सा है।
- **प्रशस्त (प्री असेसमेंट होलिस्टिक स्क्रीनिंग टूल) [PRASHAST (Pre Assessment Holistic Screening Tool)]** – स्कूल शिक्षा और साक्षरता विभाग द्वारा लॉन्च किया गया एक ऐप है, जो विकलांग व्यक्तियों के अधिकार (RPwD) अधिनियम में मान्यता प्राप्त 21 विकलांगता स्थितियों की स्क्रीनिंग में मदद करेगा।

यूपीएससी सिविल सेवा के पिछले वर्षों की प्रारंभिक परीक्षा के प्रश्न

1. 'प्रधानमंत्री सुरक्षित मातृत्व अभियान' के संदर्भ में, निम्नलिखित कथनों पर विचार कीजिए : **[2024]**

1. यह योजना किसी भीं सरकारी स्वास्थ्य सुविधा केंद्र में गर्भावस्था की दूसरी और तीसरी तिमाही में महिलाओं को प्रसवपूर्व चिकित्सा देखभाल सेवाओं के लिए न्यूनतम पैकेज और प्रसवोत्तर छह महीने की स्वास्थ्य चिकित्सा देखभाल सेवा की गारंटी प्रदान करती है।
2. इस योजना के अंतर्गत, कुछ विशिष्टताओंवाले निजी क्षेत्र के स्वास्थ्य देखभाल सेवा प्रदाता स्वेच्छा से नजदीकी सरकारी स्वास्थ्य सुविधा केंद्रों में सेवाएँ प्रदान कर सकते हैं।

उपर्युक्त कथनों में से कौन-सा/कौन-से सही है/हैं?

(a) केवल 1 **(b)** केवल 2
(c) 1 और 2 दोनों **(d)** न तो 1, न. ही 2

2. जननी सुरक्षा योजना के संबंध में, निम्नलिखित कथनों पर विचार कीजिये : **[2023]**

1. यह राज्यों के स्वास्थ्य विभागों की एक सुरक्षित मातृत्व की योजना है।
2. इसका उद्देश्य ग़रीब गर्भवती महिलाओं में मातृ तथा नवजात शिशु मृत्यु-दर में कमी लाना है।
3. इसका लक्ष्य ग़रीब गर्भवती महिलाओं के लिए स्वास्थ्य केंद्रों में प्रसव को बढ़ावा देना है।
4. इसके उद्देश्यों में एक वर्ष की आयु तक के बीमार बच्चों को लोक स्वास्थ्य सुविधाएँ प्रदान करना शामिल है।

उपर्युक्त में से कितने कथन सही हैं?

(a) केवल एक **(b)** केवल दो
(c) केवल तीन **(d)** सभी चार

3. एनीमिया मुक्त भारत रणनीति के अंतर्गत की जा रही व्यवस्थाओं के संदर्भ में, निम्नलिखित कथनों पर विचार कीजिये : **[2023]**

1. इसमें स्कूल जाने से पूर्व के (प्री-स्कूल) बच्चों, किशोरों और गर्भवती महिलाओं के लिए रोगनिरोधक कैल्सियम पूरकता प्रदान की जाती है।
2. इसमें शिशु जन्म के समय देरी से रज्जु बंद करने के लिए अभियान चलाया जाता है।
3. इसमें बच्चों और किशोरों की निर्धारित अवधियों पर कृमि-मुक्ति की जाती है।
4. इसमें मलेरिया, हीमोग्लोबिनोपैथी और फ्लुओरोसिस पर विशेष ध्यान देने के साथ स्थानिक बस्तियों में एनीमिया के गैर-पोषण कारणों की ओर ध्यान दिलाना शामिल है।

उपर्युक्त में से कितने कथन सही हैं?

(a) केवल एक **(b)** केवल दो
(c) केवल तीन **(d)** सभी चार

4. निम्नलिखित कथनों पर विचार कीजिये : **[2023]**

कथन-I : भारत की सार्वजनिक क्षेत्रक स्वास्थ्य देखभाल प्रणाली सीमित निरोधक, वर्धक और पुनःस्थापक देखभाल के साथ मुख्यतः रोगनाशक व्यवस्था पर ध्यान केन्द्रित करती है।

कथन-II : भारत के स्वास्थ्य देखभाल प्रदान करने के विकेंद्रीकृत उपागम के अंतर्गत, राज्य प्राथमिक रूप से स्वास्थ्य सेवाओं को जुटाने के लिये उत्तरदायी हैं।

उपर्युक्त कथनों के बारे में, निम्नलिखित में से कौन-सा एक सही है?

(a) कथन-I और कथन-II दोनों सही हैं तथा कथन-II, कथन-I की सही व्याख्या है।
(b) कथन-I और कथन-II दोनों सही हैं तथा कथन-II, कथन-I की सही व्याख्या नहीं है।
(c) कथन-I सही है, किन्तु कथन-II गलत है।
(d) कथन-I गलत है, किन्तु कथन-II सही है।

5. 'उन्नत भारत अभियान' कार्यक्रम का उद्देश्य क्या है? **[2017]**

(a) स्वैच्छिक संगठनों और सरकार की शिक्षा प्रणाली और स्थानीय समुदायों के बीच सहयोग को बढ़ावा देकर 100 प्रतिशत साक्षरता प्राप्त करना।
(b) उपयुक्त प्रौद्योगिकियों के माध्यम से विकास की चुनौतियों का समाधान करने के लिए स्थानीय समुदायों के साथ उच्च शिक्षा के संस्थानों को जोड़ना।
(c) भारत को वैज्ञानिक और तकनीकी शक्ति बनाने के लिए भारत के वैज्ञानिक अनुसंधान संस्थानों को मज़बूत करना।
(d) ग्रामीण और शहरी ग़रीबों की स्वास्थ्य देखभाल और शिक्षा के लिए विशेष धन आवंटित करके और उनके लिए कौशल विकास कार्यक्रमों और व्यावसायिक प्रशिक्षण का आयोजन कर मानव पूँजी का विकास करना।

6. भारत सरकार की एक पहल 'स्वयं' (SWAYAM) का उद्देश्य है : **[2016]**

(a) ग्रामीण क्षेत्रों में स्वयं सहायता समूहों को बढ़ावा देना।
(b) युवा स्टार्ट-अप उद्यमियों को वित्तीय और तकनीकी सहायता प्रदान करना।
(c) किशोरियों की शिक्षा और स्वास्थ्य को बढ़ावा देना।
(d) नागरिकों को निःशुल्क किफ़ायती और गुणवत्तापूर्ण शिक्षा प्रदान करना।

कोई प्रश्न नहीं
2022, 2021, 2020, 2019, 2018, 2015, 2014, 2013

उत्तर कुंजी

1. (b) 2. (b) 3. (c) 4. (b) 5. (b) 6. (d)

यूपीएससी सिविल सेवा के पिछले वर्षों की मुख्य परीक्षा के प्रश्न

1. देश में आयु संभाविता में आयी वृद्धि से समाज में नयी स्वास्थ्य चुनौतियाँ खड़ी हो गयी हैं। यह नयी चुनौतियाँ कौन-कौन सी हैं और उनके समाधान हेतु क्या-क्या कदम उठाये जाने आवश्यक हैं? **[2022]**

कोई प्रश्न नहीं
2024, 2023, 2021, 2020, 2019, 2018, 2017, 2016, 2015, 2014, 2013

अध्याय 27

भुगतान शेष (Balance of Payments)

अध्याय की रूपरेखा

- भुगतान शेष
- चालू खाता शेष
- दृश्य शेष अथवा व्यापार शेष (BOT)
- अदृश्य शेष
- वित्तप्रेषण
- पूँजी खाता शेष
- विदेशी निवेश
- ऋण
- बैंकिंग पूँजी लेन-देन
- शुद्ध अंतरराष्ट्रीय निवेश स्थिति
- शुद्ध भूल-चूक
- भुगतान शेष खाते में स्वायत्त एवं समायोजक मदें
- विदेशी मुद्रा भंडार
- भारत में सुधार से पूर्व एवं बाद की अवधि में भुगतान शेष का रुझान
- भारत का बाह्य ऋण
- जुड़वाँ घाटा परिकल्पना
- J-वक्र (J-Curve)

भुगतान शेष [BALANCE OF PAYMENTS (BOP)]

निवासी की परिभाषा : अध्याय 2 में चर्चा की गयी है।

खुली अर्थव्यवस्था वह होती है, जो कई माध्यमों से अन्य देशों के साथ संचार करती है, जबकि बंद अर्थव्यवस्था में, बाक़ी दुनिया के साथ कोई संबंध नहीं होता है। अधिकांश आधुनिक अर्थव्यवस्थाएँ खुली हैं। शेष दुनिया के साथ संबंध स्थापित करने के तीन तरीक़े हैं।

1. **आउटपुट मार्केट (Output Market) :** अर्थव्यवस्था अन्य राष्ट्रों के साथ वस्तु एवं सेवाओं का आदान-प्रदान कर सकती है। यह उपभोक्ताओं और निर्माताओं को घरेलू और अंतरराष्ट्रीय वस्तुओं के बीच चुनने की अनुमति देकर विकल्प को बढ़ाता है।
2. **वित्तीय बाज़ार (Financial Market) :** विशिष्ट रूप से, एक अर्थव्यवस्था अन्य राष्ट्रों से/को वित्तीय परिसंपत्ति ख़रीद/बेच सकती है। यह निवेशकों को घरेलू और अंतरराष्ट्रीय परिसंपत्तियों के बीच चुनने की अनुमति प्रदान करता है।
3. **श्रम बाज़ार (Labour Market) :** कंपनियाँ चयन कर सकती हैं कि उत्पादन कहाँ करना है और कर्मचारी चुन सकते हैं कि कहाँ काम करना है। ऐसे कई आव्रजन के नियम हैं, जो देशों के बीच श्रमिकों के प्रवाह को सीमित करते हैं।

एक राष्ट्र को इन लेन-देन के व्यवस्थित अभिलेख को सुरक्षित रखना चाहिए। ऐसा केवल तभी होता है जब किसी अर्थव्यवस्था की बाक़ी दुनिया पर निर्भरता और अपने स्वयं के विकास के लिए बाहरी संसाधनों का इस्तेमाल करने की क्षमता स्थापित होती है। लेन-देन के इस व्यवस्थित अभिलेख को हम **भुगतान के संतुलन [Balance of Payments (BOP)]** के रूप में संदर्भित करते हैं। दूसरे शब्दों

में, BOP बाकी दुनिया की तुलना में किसी देश के **निवासियों** के मौद्रिक लेन-देन के खातों का वार्षिक विवरण है। ये लेन-देन निम्न प्रकार के होते हैं :

1. वस्तुओं का लेन-देन (व्यापार अथवा दृश्य)
2. सेवाओं का लेन-देन (अदृश्य)
3. पूँजी का लेन-देन (ऋण, जमा, निवेश)

किसी देश के भुगतान शेष (BOP) को लेन-देन की प्रकृति के आधार पर निम्नलिखित दो भागों में विभाजित किया जाता है :

1. चालू खाता शेष (Balance in Current account)
2. पूँजी खाता शेष (Balance in Capital account)

आत्मनिर्भरता (Autarky) – *बंद अर्थव्यवस्था को आत्मनिर्भरता की स्थिति के रूप में प्रस्तुत किया जाता है। अब यह अवधारणा विलुप्त हो चुकी है।*

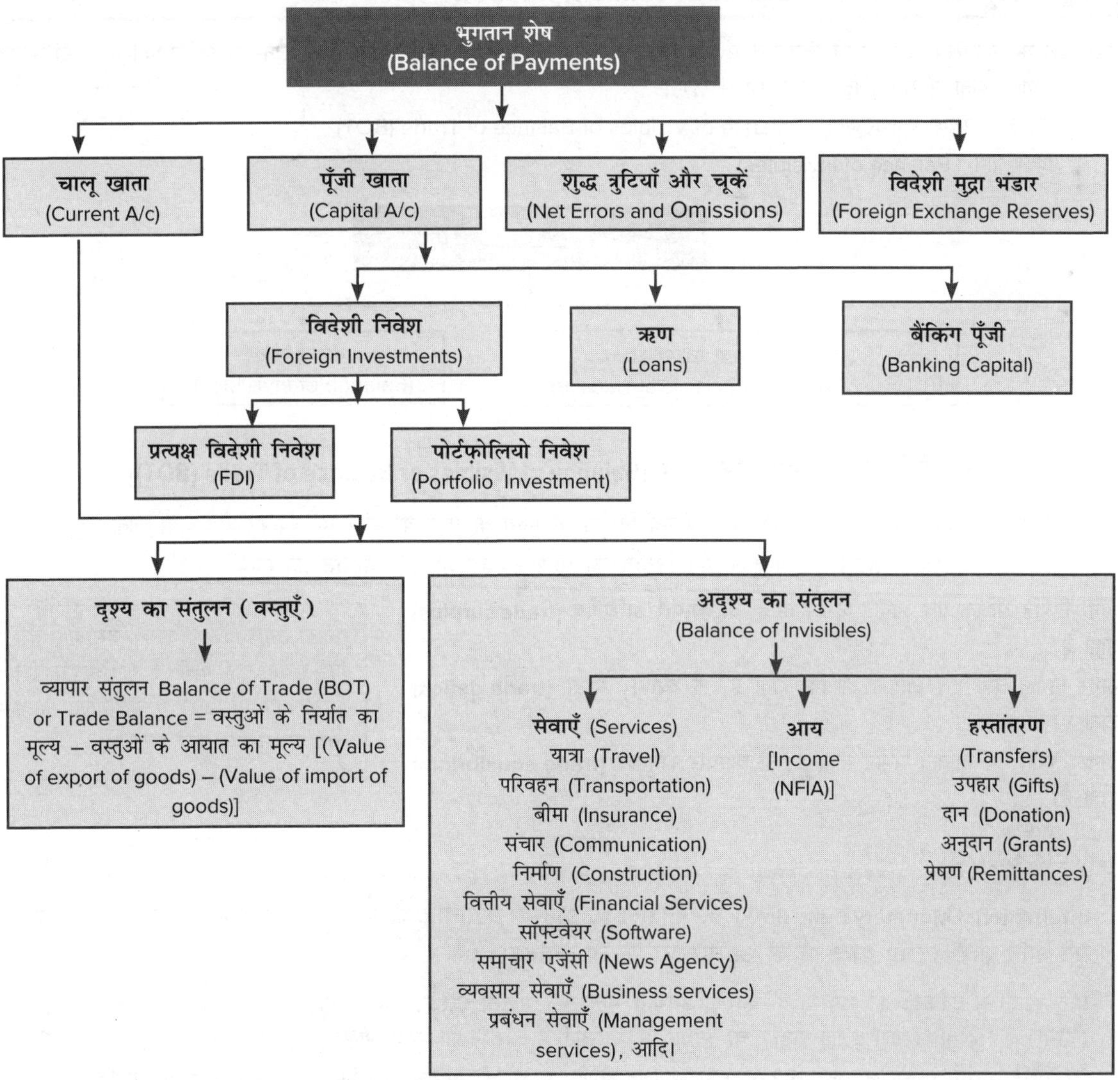

भुगतान शेष में दोहरी लेखा प्रणाली का प्रयोग होता है, अर्थात् हर क्रेडिट के लिए एक डेबिट या हर डेबिट के लिए एक क्रेडिट की एंट्री होती है। इसे ऐसे समझ सकते हैं, भुगतान शेष में सभी पूँजी अंतर्वाह को क्रेडिट (+ चिह्न) और सभी पूँजी बहिर्वाह को (– चिह्न) डेबिट किया जाता है।

इस प्रकार,

क्रेडिट (Cr) मदों में सम्मिलित हैं : निर्यात, प्राप्य आय, प्राप्ति का अंतरण, विदेशी परिसंपत्ति में कमी या विदेशी देनदारी में वृद्धि।

डेबिट (Dr) मदों में सम्मिलित हैं : आयात, भुगतान योग्य आय, भुगतान का अंतरण, विदेशी परिसंपत्ति में वृद्धि या विदेशी देनदारी में कमी।

इसके अतिरिक्त, भारत में भुगतान शेष की गणना **प्रोद्भवन आधार (accrual basis)** पर की जाती है, न कि नक़दी आधार **(not cash basis)** पर।

चालू खाता शेष (BALANCE IN CURRENT ACCOUNT)

इसमें देश के निवासियों द्वारा किसी वित्त वर्ष में शेष विश्व के साथ किये गये वस्तुओं, सेवाओं के लेन-देन एवं उनकी आय सम्मिलित होती है। चालू खाता में सम्मिलित होते हैं (1 + 2) :

1. दृश्य शेष अथवा व्यापार शेष (Balance of Visibles or Balance of Trade (BOT)
2. अदृश्य शेष (Balance of Invisibles)

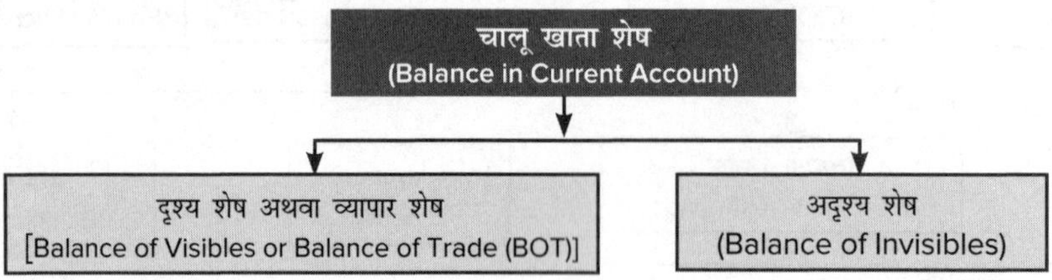

1. दृश्य शेष अथवा व्यापार शेष [Balance of Visibles or Balance of Trade (BOT)]

केवल भौतिक वस्तुओं अथवा दृश्य मदों के आयातों एवं निर्यातों के मूल्य के मध्य के अंतर को व्यापार शेष कहा जाता है।

BOT = (वस्तुओं के) **निर्यात** का मूल्य – (वस्तुओं के) **आयात** का मूल्य

अगर निर्यात अधिक एवं आयात कम होता है, तो **व्यापार अधिशेष (trade surplus)** होता है।

अगर निर्यात कम एवं आयात अधिक होता है, तो **व्यापार घाटा (trade deficit)** होता है।

अगर निर्यात एवं आयात समान होता है, तो **व्यापार संतुलन (trade equilibrium)** होता है।

कृपया ध्यान दें : पूँजीगत वस्तुओं, जैसे कि संयंत्र एवं मशीनरी के आयात एवं निर्यात को भी BOT में सम्मिलित किया जाता है, न कि पूँजी खाते में।

अतिरिक्त जानकारी

International Monetary Fund (IMF) के मैनुअल के अनुसार, आयात के मूल्य एवं निर्यात के मूल्य की गणना फ़्री ऑन बोर्ड (FOB) व्यवस्था के आधार पर करनी चाहिए।

परंतु, भारत में आँकड़ों की समस्या के कारण, **आयात मूल्य की गणना C.I.F.** राशि अर्थात् [cost (लागत) + insurance (बीमा) + Freight (माल ढुलाई भाड़ा)] के आधार पर की जाती है और निर्यात मूल्य की गणना FOB के आधार पर की जाती है।

ग़ैर-मौद्रिक सोने (non-monetary gold) से संबंधित लेनदेन BOT के अंतर्गत सम्मिलित किये जाते हैं, जबकि मौद्रिक स्वर्ण को RBI द्वारा रखे गये विदेशी मुद्रा भंडार के अंतर्गत दर्ज किया जाता है।

भारत की स्थिति में, **BOT** सदैव ऋणात्मक रहा है, अर्थात् भारत को सदैव व्यापार घाटा का सामना करना पड़ा है।

व्यापार शेष [Balance of Trade (BOT)]	चालू खाता शेष (Balance in Current Account)
BOT में केवल दृश्य वस्तुएँ या व्यापारिक वस्तुएँ सम्मिलित होती हैं।	इसमें दृश्य वस्तुएँ एवं अदृश्य सेवाएँ भी सम्मिलित होती हैं।
यह सीमित अवधारणा है एवं चालू खातों का भाग है।	यह एक व्यापक अवधारणा है एवं BOT इसका भाग है।

2. अदृश्य शेष (Balance of Invisibles)

इसमें मदों की निम्नलिखित **तीन व्यापक श्रेणियाँ** सम्मिलित होती हैं :

1. सेवाएँ (13 शीर्षकों के अंतर्गत वर्गीकृत)
2. भुगतान अंतरण (सरकारी एवं निजी अंतरण, दोनों)। उदाहरण के लिए, उपहार एवं विदेशी वित्तप्रेषण।
3. शेष विश्व से होनेवाली और शेष विश्व को होनेवाली शुद्ध आय (इसमें कर्मचारियों को मिलनेवाला पारितोषिक एवं लाभांश, लाभ तथा ब्याज आय के रूप में निवेश से होनेवाली आय सम्मिलित है)।

क्या आप जानते हैं? भारत की **BOP** प्रणाली में, सेवाओं को 13 मदों में वर्गीकृत किया गया है : (**IMF** मैनुअल के अनुसार, 21 श्रेणियाँ होनी चाहिए) - 1. यात्रा, 2. परिवहन, 3. बीमा एवं पेंशन सेवाएँ, 4. अनुरक्षण एवं मरम्मत सेवाएँ, 5. अन्य कारोबारी सेवाएँ, 6. अन्यों के स्वामित्ववालीं भौतिक वस्तुओं पर विनिर्माण सेवाएँ, 7. वित्तीय सेवाएँ, 8. बौद्धिक संपदा संबंधित प्राप्ति अथवा भुगतान, 9. निर्माण सेवाएँ, 10. दूरसंचार, कंप्यूटर एवं सूचना सेवाएँ, 11. निजी, सांस्कृतिक एवं मनोरंजन सेवाएँ, 12. सरकारी वस्तु एवं सेवा, जिन्हें कहीं और सम्मिलित नहीं किया गया है (**GNIE**) (उदाहरण के लिए, विदेशी दूतावास, राजनयिक मिशनों, विदेश में रक्षा एजेंसियों आदि के अनुरक्षण के लिए प्राप्ति एवं भुगतान), 13. अन्य, जिन्हें कहीं और सम्मिलित नहीं किया गया है।

भारत में, ब्याज और लाभांश भुगतान के कारण शुद्ध बहिर्वाह के बावजूद, अदृश्य शेष राशि हमेशा सकारात्मक रही है, क्योंकि भारत सेवाओं का शुद्ध निर्यातक है और विश्व में धन प्रेषण का सबसे बड़ा प्राप्तकर्ता है।

इसलिए,

चालू खाता शेष = दृश्य शेष + अदृश्य शेष

भारत में CAD की वर्तमान स्थिति (Present Status of CAD in India) (IMF MOP मैनुअल 5 के अनुसार) (मिलियन अमेरिकी डॉलर में)

विवरण	2021-22	2022-23	2023-24
व्यापार शेष (A)	−189459	−265291	−242065
अदृश्य व्यापार शेष (B)	150694	198238	218778
चालू खाता शेष (A + B)	−38766	−67055	−23286
चालू खाता घाटा (GDP के प्रतिशत के रूप में)	−1.23	−1.98	−0.7

स्रोत : *www.indiabudget.gov.in/economicsurvey/doc/stat/tab52.pdf*

चालू खाता घाटा (कैड) क्या है? [What is Current Account Deficit (CAD)]

चालू खाता घाटा (CAD) में वस्तुओं और सेवाओं के व्यापार के माध्यम से किसी देश से प्राप्त और बाहर भेजी गयी धनराशि, साथ ही विदेशों में घरेलू स्वामित्ववालीं परिसंपत्तियों से संबंधित निधि हस्तांतरण के बीच के अंतर को मापा जाता है।

CAD का कितना स्तर अभीष्ट या संधारणीय है? (What Level of CAD is Desirable or Sustainable?)

रंगराजन समिति की 1993 की रिपोर्ट के अनुसार, GDP **का लगभग 2 प्रतिशत** CAD भारत जैसे विकासशील देश के लिए संधारणीय है।

वित्तप्रेषण (Remittances)

वित्तप्रेषण से अभिप्राय वह धन होता है, जो किसी अन्य पक्ष को भेजा जाता है या स्थानांतरित किया जाता है। वित्तप्रेषण की अँगरेज़ी **remittance** है, जो **remit** शब्द से लिया गया है। इसका अर्थ होता है : वापस भेजना। वित्तप्रेषण बिल या अन्य देय राशि समेत किसी भी प्रकार के भुगतान के लिए किया जा सकता है। परंतु, इस शब्द का प्रयोग विशिष्ट तौर पर किसी व्यक्ति द्वारा अपने देश में परिवार के किसी सदस्य को पैसा भेजने के लिए किया जाता है। वर्ष 2024 के दौरान, भारत 129.1 बिलियन अमेरिकी डॉलर मूल्य के धन प्रेषण का शीर्ष प्राप्तकर्ता रहा।

वित्तप्रेषण को भुगतान शेष में दर्ज किया जाता है।

वित्तप्रेषण की किसी अर्थव्यवस्था में निम्नलिखित भूमिका **है :**

1. छोटे और विकासशील देशों की अर्थव्यवस्था के लिए महत्त्वपूर्ण।
2. दूसरे देश में रहनेवाले लोगों के जीवन स्तर को उन्नत करने में सहायक और वैश्विक निर्धनता से लड़ने में महत्त्वपूर्ण।
3. कुछ स्थितियों में, इसका देश के सकल घरेलू उत्पाद (GDP) में बड़ा हिस्सा होता है।

अतिरिक्त जानकारी

उदारीकृत प्रेषण योजना [LIBERALISED REMITTANCE SCHEME (LRS)]

भारतीय रिज़र्व बैंक की उदारीकृत प्रेषण योजना (LRS), निवासी व्यक्तियों को निवेश या व्यय के लिए किसी अन्य देश में, प्रतिवर्ष एक निर्दिष्ट राशि भेजने की अनुमति देती है। वर्तमान विनियमों के अनुसार, निवासी व्यक्ति किसी भी स्वीकार्य चालू या पूँजी खाता लेनदेन, या दोनों के संयोजन के लिए प्रतिवित्तीयवर्ष 250,000 अमेरिकी डॉलर तक का प्रेषण कर सकते हैं। जबकि LRS के तहत कई प्रेषण की अनुमति है, लेकिन इसमें कुल राशि प्रतिवित्तीयवर्ष 250,000 अमेरिकी डॉलर से अधिक नहीं हो सकती है। इस धन का उपयोग यात्रा (निजी या व्यवसाय के लिए), चिकित्सा उपचार, अध्ययन, उपहार और दान, क़रीबी रिश्तेदारों के रखरखाव आदि से संबंधित ख़र्चों का भुगतान करने के लिए किया जा सकता है। हालाँकि, यह योजना निगमों, साझेदारी फ़र्मों, हिंदू अविभाजित परिवारों (HUFs) या न्यास (ट्रस्ट) आदि के लिए उपलब्ध नहीं है।

LRS के तहत प्रेषण सुविधा निम्नलिखित के लिए उपलब्ध नहीं है :

i. अनुसूची । के अंतर्गत स्पष्ट रूप से निषिद्ध किसी भी उद्देश्य (जैसे लॉटरी टिकट/स्वीप स्टेक, प्रतिबंधित पत्रिकाओं, आदि की ख़रीद) के लिए किया जानेवाला धन प्रेषण या विदेशी मुद्रा प्रबंधन (चालू खाता लेनदेन) नियम, 2000 की अनुसूची II के अंतर्गत प्रतिबंधित कोई भी वस्तु।

ii. विदेशी एक्सचेंजों/विदेशी प्रतिपक्ष को मार्जिन या मार्जिन कॉल (Margin Call) के लिए भारत से धन प्रेषण।

iii. विदेशी द्वितीयक बाज़ार में भारतीय कंपनियों द्वारा जारी FCCBs की ख़रीद के लिए धन प्रेषण।

iv. विदेश में विदेशी मुद्रा में व्यापार के लिए धन प्रेषण।

v. समय-समय पर वित्तीय कार्रवाई कार्य बल (FATF) द्वारा "ग़ैर-सहकारी देशों और क्षेत्रों" के रूप में पहचाने गये देशों को प्रत्यक्ष या अप्रत्यक्ष रूप से पूँजी खाता प्रेषण।

vi. रिज़र्व बैंक द्वारा बैंकों को अलग से सलाह दिये जाने पर आतंकवादी कृत्यों को अंजाम देने के लिए महत्त्वपूर्ण जोखिम पैदा करनेवाले व्यक्तियों और संस्थाओं को प्रत्यक्ष या अप्रत्यक्ष रूप से धन प्रेषण।

vii. LRS के तहत विदेश में रखे गये विदेशी मुद्रा खाते में जमा करने के लिए एक निवासी द्वारा दूसरे निवासी को विदेशी मुद्रा में उपहार देना।

पूँजी खाता शेष (BALANCE IN CAPITAL ACCOUNT)

इसमें पूँजी प्राप्ति एवं भुगतान सम्मिलित होता है, जो किसी अर्थव्यवस्था से निवेश और ऋण के अंतर्वाह और बहिर्वाह के रूप में होता है। इस खाते के घटक में सम्मिलित हैं :

1. विदेशी निवेश (Foreign Investments) [प्रत्यक्ष विदेशी निवेश (FDI) एवं पोर्टफ़ोलियो निवेश सम्मिलित होता है]
2. ऋण (Loans) (बाह्य सहायता, ECB एवं व्यापार ऋण)
3. बैंक पूँजी (Banking Capital)

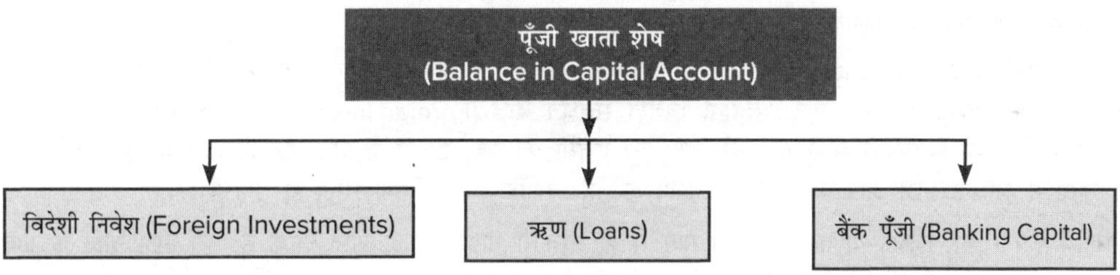

A. विदेशी निवेश (Foreign Investments)

ये ऐसे पूँजी लेन-देन हैं, जो ऋण उत्पन्न नहीं करते। इनमें सम्मिलित होते हैं :

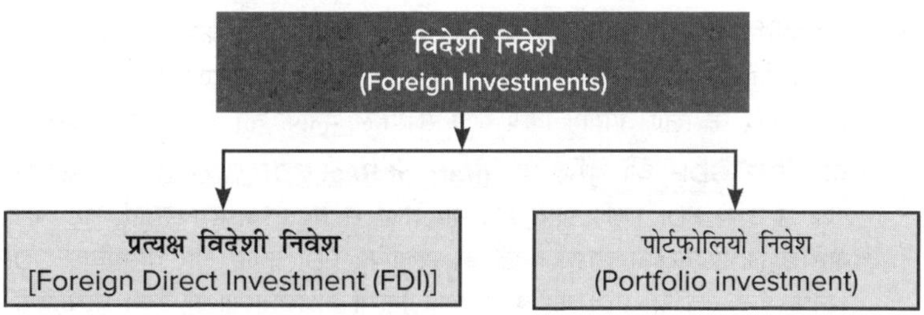

1. प्रत्यक्ष विदेशी निवेश [Foreign Direct Investment (FDI)]

- इससे शेष विश्व में परिसंपत्ति की ख़रीदारी का बोध होता है, **जिससे संपत्ति पर नियंत्रण प्राप्त हो जाता है,** जैसे कि, अमेरिका में रिलायंस द्वारा कंपनी ख़रीदना।
- **मायाराम समिति** की अनुशंसा के अनुसार, FDI की निम्नलिखित परिभाषा दी गयी है :
  - **a.** यदि किसी सूचीबद्ध कंपनी में प्रदत्त इक्विटी पूँजी जारी होने के बाद, विदेशी निवेश कंपनी में 10 प्रतिशत या उससे अधिक हिस्से के लिए होता है, तो उसे FDI माना जायेगा। निवेश पूरी तरह तनुकृत शेयर के आधार (fully diluted basis) पर होना चाहिए।

  इसके अतिरिक्त, किसी ग़ैर-सूचीबद्ध इकाई में कोई भी निवेश, भले ही वह चुकता पूँजी (paid-up capital) का केवल 1 या 2 प्रतिशत ही क्यों न हो, FDI माना जाता है।
- स्वामित्व का प्रतिशत यह निर्धारित करता है कि किसी निवेश को FDI या पोर्टफ़ोलियो निवेश के रूप में वर्गीकृत किया जाये या नहीं।
- यदि यह किसी सूचीबद्ध कंपनी में <10 प्रतिशत है, तो इसे पोर्टफ़ोलियो निवेश कहा जाता है।
- **एक बार FDI के रूप में वर्गीकृत होने के बाद, निवेश FDI ही रहता है, भले ही हिस्सेदारी 10 प्रतिशत से कम हो जाए; यह विदेशी पोर्टफ़ोलियो निवेश (FPI) नहीं बन जाता है।**
- प्रत्यक्ष विदेशी निवेश करने के लिए भुगतान के माध्यम के रूप में **नक़दी की अनुमति नहीं है।**

- **भारत में केवल अनिवासी भारतीयों (NRIs) और भारत के विदेशी नागरिकों (OCIs) को ग़ैर-प्रत्यावर्तन आधार पर साझेदारी या स्वामित्ववालीं फ़र्मों में निवेश करने की अनुमति है। विदेशी नागरिकों को ऐसी संस्थाओं में निवेश करने की अनुमति नहीं है।**

FDI दो प्रकार के हो सकते हैं :

1. **ब्राउनफ़ील्ड निवेश (Brownfield investment) :** निवेश की इस व्यवस्था में, कोई कंपनी या सरकार नयी उत्पादन गतिविधि शुरू करने के लिए किसी मौजूदा संयंत्र या किसी कंपनी या कारख़ाने को ख़रीद लेती है। चूँकि मौजूदा इकाई का अधिग्रहण किया जाता है, इसलिए ब्राउनफ़ील्ड निवेश के अंतर्गत किसी तरह के नये कारख़ाने नहीं खोले जाते हैं।
2. **ग्रीनफ़ील्ड निवेश (Greenfield investment) :** यह निवेश तब होता है, जब बहुराष्ट्रीय कंपनी (multinational companies) विदेश में नये कारख़ाने/स्टोर खोलती है। यह ब्राउनफ़ील्ड निवेश के ठीक विपरीत है।

भारत में FDI के मार्ग (Routes of FDI into India) :

कोई भारतीय कंपनी निम्नलिखित दो मार्गों से FDI प्राप्त कर सकती है :

1. **स्वचालित मार्ग (Automatic Route) :** कुछ गतिविधियों/क्षेत्रकों में स्वचालित मार्ग से FDI की अनुमति है। **इसके लिए सरकार या RBI की अनुमति पहले नहीं लेनी पड़ती है।** इस प्रकार की गतिविधियों/क्षेत्रकों का उल्लेख भारत सरकार द्वारा समय-समय पर जारी की जानेवाली समेकित FDI में किया जाता है।
2. **सरकारी मार्ग (Government Route) :** उन गतिविधियों के लिए सरकार से पहले अनुमति लेनी पड़ती है, जो स्वचालित मार्ग के अंतर्गत सम्मिलित नहीं हैं। पहले, **विदेशी निवेश संवर्धन बोर्ड** [Foreign Investment Promotion Board (FIPB)] को इसकी देखरेख की ज़िम्मेदारी सौंपी गयी थी, परंतु इस एजेंसी को **मई, 2017 में भंग कर दिया गया।** इस बोर्ड को भंग करने से भारत में अधिक FDI आने का मार्ग प्रशस्त हो गया है, क्योंकि अब प्रक्रिया सरल हो गयी है।

किसी भारतीय कंपनी को, जिसने या तो स्वचालित मार्ग से या सरकारी मार्ग से FDI प्राप्त किया है, उसे FDI नीति के प्रावधानों का अनुपालन करना आवश्यक है, जिसमें RBI को FDI की सूचना देना भी सम्मिलित है।

FDI प्रवाह को प्रभावित करनेवाले कारक निम्न हो सकते हैं:

- **मुद्रास्फीति की दर (Rate of Inflation)** – नियंत्रित या कम मुद्रास्फीति किसी अर्थव्यवस्था की आंतरिक आर्थिक स्थिरता को दर्शाती है, जो इसे विदेशी निवेश आकर्षित करने के लिए उपयुक्त बनाती है। दूसरे शब्दों में, जैसे-जैसे मुद्रास्फीति बढ़ती है, उपभोग के लिए उपयोग किये जाने से पहले मुनाफ़े की घटती क्रय शक्ति के कारण, निवेश का शुद्ध लाभ घटता जाता है।
- **वास्तविक GDP की वृद्धि दर (Rate of Real GDP Growth)** – आमतौर पर वास्तविक GDP की उच्च वृद्धि दरवाले देशों में उच्च FDI प्रवाह प्राप्त होता है। तेज़ी से बढ़ती अर्थव्यवस्थाएँ, बड़े बाज़ार और माँग उपलब्ध कराती हैं जो निवेश पर अधिक लाभप्रदता का कारण बनती हैं। हालाँकि, FDI प्रवाह और वास्तविक GDP विकास दर के बीच संबंध द्वि-दिशात्मक है। अनुभवजन्य रूप से, FDI का बड़ा प्रवाह किसी अर्थव्यवस्था में उच्च वास्तविक GDP विकास दर को पैदा करता है।
- **व्यापार खुलापन (Trade Openness)** – राजकोषीय नीति और क्षेत्रीय नीतियों के घटक किसी अर्थव्यवस्था के व्यापार खुलेपन को निर्धारित करते हैं। इस प्रकार, उच्च कर दरों जैसी सरकार की सख़्त राजकोषीय नीतियाँ निवेशकों के लिए निवेश गतिविधियों को लाभहीन बना सकती हैं।
- **वास्तविक ब्याज दर (Real Rate of Interest)** – यह मुद्रास्फीति-समायोजित ब्याज दर है। कम ब्याज दर से FDI प्रवाह में वृद्धि होती है क्योंकि इससे फ़र्मों के लिए निवेश परियोजनाओं को वित्तपोषित करना आसान हो जाता है। इस प्रकार, एक ठोस मौद्रिक नीति भी FDI को आकर्षित करने में महत्त्वपूर्ण भूमिका निभाती है।

इसके अलावा, आर्थिक स्थिरता, राजनीतिक स्थिरता, विनियामक वातावरण और अवसंरचना भी किसी अर्थव्यवस्था में FDI प्रवाह को प्रभावित करते हैं।

विकासशील देशों में FDI के लाभ (Benefits of FDI in Developing Countries)

- FDI ग़ैर-ऋण के महत्त्वपूर्ण प्रवाह की अनुमति देता है, जिससे पूँजी प्रवाह बनता है जो आर्थिक विकास को बढ़ावा देता है और देश के जीवन स्तर में सुधार करता है।

- FDI, प्रौद्योगिकी और उन्नत उत्पादन तकनीकों के हस्तांतरण के माध्यम से आधुनिकीकरण और नवाचार के लिए उत्प्रेरक के रूप में कार्य करता है। यह घरेलू आगत बाज़ार (इनपुट मार्केट) में प्रतिस्पर्धा को भी बढ़ावा दे सकता है।
- FDI प्रवाह के ज़रिये अक्सर रोज़गार सृजन और कौशल विकास होता है, जो मेज़बान देश में मानव पूँजी विकास में योगदान देता है।
- FDI, नये व्यवसायों और उद्योगों की संख्या बढ़ाता है। ऐसी परियोजनाओं से उत्पन्न लाभ मेज़बान देश में कॉरपोरेट कर राजस्व में योगदान देता है।
- पूँजी बाज़ारों के वैश्विक एकीकरण के प्रेरक घटकों में से एक होने के नाते, FDI मेज़बान देश में कॉरपोरेट प्रशासन, लेखांकन नियमों और क़ानूनी परंपराओं में सर्वोत्तम प्रथाओं के प्रसार में योगदान दे सकता है।

अतिरिक्त जानकारी

भारत में इन क्षेत्रों में FDI प्रतिबंधित है (SECTORS WHERE FDI IS PROHIBITED IN INDIA)

निम्नलिखित क्षेत्रों में, सरकारी अनुमोदन और स्वचालित मार्ग दोनों के तहत FDI पर प्रतिबंध है :

1. परमाणु ऊर्जा एवं रेलवे संचालन।
2. लॉटरी का कारोबार (सरकारी लॉटरी, निजी लॉटरी एवं ऑनलाइन लॉटरी सभी प्रतिबंधित हैं)
3. जुआ (Gambling) और सट्टा (betting), जिसमें कैसीनो आदि सम्मिलित हैं।
4. चिटफंड कारोबार (Chit fund business)
5. निधि कंपनी
6. कृषि (पुष्प कृषि, वानिकी, बीज तैयार करने का कारोबार, पशुपालन, मछली-पालन एवं सब्ज़ी, मशरूम आदि की खेती तथा कृषि उद्योग एवं संबद्ध क्षेत्र **को छोड़कर,** जिनमें नियंत्रित सीमा में FDI की अनुमति है) एवं बाग़ान संबंधित गतिविधियाँ (चाय बाग़ान **को छोड़कर**)।
7. आवास एवं रीयल एस्टेट कारोबार **[SEBI** के विनियमों के अंतर्गत शहरों का निर्माण, रिहायशी/वाणिज्यिक परिसर, सड़क या पुल का निर्माण एवं रीयल एस्टेट निवेश ट्रस्ट **(REITs)** के गठन **को छोड़कर]**
8. स्थानांतरणीय विकास अधिकार** [Transferable Development Rights (TDRs)] से संबंधित व्यापार
9. सभी प्रकार के तंबाकू उत्पाद (जैसे सिगार, चुरूट, सिगारिलो एवं सिगरेट) या तंबाकू उत्पाद के प्रतिस्थापन का उत्पादन।

****स्थानांतरणीय विकास अधिकार (TDRs)**

- जब राज्य सरकार अवसंरचना परियोजनाओं जैसे- सड़क चौड़ा करना, मेट्रो रेल **आदि** के विकास के लिए भूमि का अधिग्रहण करती है, तो मुआवज़ा नहीं देती है। मुआवज़े के बदले **सरकार द्वारा** भूमि मालिक को एक **DRC** (विकास अधिकार प्रमाणपत्र) जारी किया जाता है।
- इस **DRC** से, भूमि मालिक को उसकी अधिगृहीत भूमि के बदले में एक अतिरिक्त निर्मित क्षेत्र मिल जाता है। भूमि मालिक उस क्षेत्र को **स्वयं विकसित कर सकता है या फिर उसे किसी और को अपना अधिकार स्थानांतरित कर सकता है।** इसे ही स्थानांतरणीय विकास अधिकार (**TDR**) कहा जाता है।
- **TDR** का लाभ यह है कि, भूमि मालिकों को बढ़िया मुआवज़ा भी मिल जाता है और सरकार को कुछ ख़र्च भी नहीं करना पड़ता है।
- जिस स्थान पर अतिरिक्त क्षेत्र मिला हुआ है, डेवलपर उसे छोड़कर किसी अन्य स्थान पर भी अतिरिक्त क्षेत्र को विकसित कर सकता है। परंतु, **TDR** को कम घनत्ववाले क्षेत्र से अधिक घनत्ववाले क्षेत्र में **स्थानांतरित नहीं किया जा सकता है।**
- **अब तक केवल कुछ राज्यों ने TDRs** जारी करने की नीति अपनायी है। (सबसे पहले कर्नाटक ने 2005 में अपनायी थी।)

भारत की FDI रैंकिंग (FDI Ranking of India)

- व्यापार एवं विकास संबंधी संयुक्त राष्ट्र सम्मेलन **(UNCTAD)** द्वारा प्रकाशित विश्व निवेश रिपोर्ट के अनुसार, भारत वैश्विक निवेशकों के लिए एक लोकप्रिय स्थान बना हुआ है। 2024 की रिपोर्ट के अनुसार, पिछले वर्ष नयी ग्रीनफ़ील्ड परियोजनाओं के लिए प्रत्यक्ष विदेशी निवेश (FDI) में भारत विश्व स्तर पर चौथे स्थान पर था।
- **FDI विश्वास सूचकांक** (FDI Confidence Index) के अनुसार (AT Kearney संस्था द्वारा प्रकाशित):

FDI विश्वास सूचकांक वर्ष	2023	2024
टॉप 25 FDI स्थानों में भारत की रैंक	16	18

2. पोर्टफ़ोलियो निवेश (Portfolio Investment)

इसका मतलब है किसी बाहरी देश में किसी परिसंपत्ति को, बिना उस पर नियंत्रण प्राप्त किये ख़रीदना, यानी किसी सूचीबद्ध कंपनी में 10 प्रतिशत से कम हिस्सेदारी रखना। गैर-सूचीबद्ध कंपनियों के लिए, किसी भी स्तर के विदेशी निवेश को FDI माना जाता है।

पोर्टफ़ोलियो निवेश का उदाहरण – रिलायंस (Reliance) द्वारा किसी विदेशी कंपनी का कुछ शेयर ख़रीदना या किसी व्यक्ति द्वारा भी विश्व के शेष भाग में शेयर ख़रीदने को पोर्टफ़ोलियो निवेश कहा जायेगा। निवेश के इस माध्यम का आसानी से व्यापार किया जा सकता है एवं यह दीर्घकालीन हित का प्रतिनिधित्व नहीं करता है, इसलिए यह कम स्थायी प्रकृति का होता है।

पोर्टफ़ोलियो निवेश को दो श्रेणियों में वर्गीकृत किया जा सकता है:

1. विदेशी संस्थागत निवेश [Foreign Institutional Investment (FII)]
2. डिपॉज़िटरी रसीद के माध्यम से निवेश (ADR/GDR/IDR)

1. विदेशी संस्थागत निवेश [Foreign Institutional Investment (FII)]

- इसमें विदेशी व्यक्ति एवं विदेशी संस्थागत निवेशकों द्वारा अन्य राष्ट्र की कंपनी की प्रतिभूतियों में निवेश करना सम्मिलित है। विदेशी संस्थागत निवेश अधिकांशत: वित्तीय बाज़ारों में किया जाता है।
- FII लघुकालीन प्रकृति का होता है एवं इसे **'हॉट मनी (Hot Money)'** के रूप में भी जाना जाता है।
- भारत में FII को भारतीय प्रतिभूति एवं विनिमय बोर्ड [Securities and Exchange Board of India (SEBI)] द्वारा विनियमित किया जाता है।
- विदेशी संस्थागत निवेशक भारतीय स्टॉक एक्सचेंज में प्रतिभूति ख़रीद/बेच सकते हैं, परंतु उनको SEBI के पास पंजीकरण कराना अनिवार्य होता है।
- FIIs, भारत के प्राथमिक और द्वितीयक पूँजी बाजारों में विशेष रूप से, पोर्टफ़ोलियो निवेश योजना [Portfolio Investment Scheme (PIS)] के माध्यम से निवेश कर सकते हैं।

2. डिपॉज़िटरी रसीद (Depository Receipt)

डिपॉज़िटरी रसीद एक पराक्रम्य वित्तीय लेखा है, जिसे किसी बैंक द्वारा जारी किया जाता है। यह विदेशी कंपनी के सार्वजनिक रूप से व्यापार करनेवाले प्रतिभूति का प्रतिनिधित्व करता है।

अमेरिकी डिपॉज़िटरी रसीद [American Depository Receipts (ADR)]– ADR को अमेरीकी वित्तीय बाज़ारों में जारी होती है। यह अमेरिका के स्टॉक बाज़ार में व्यापार करनेवाली किसी विदेशी कंपनी की प्रतिभूति का प्रतिनिधित्व करती है। ADRs का मूल्य अमेरिकी डॉलर में होता है, जिससे अमेरिकी निवेशकों को गैर-अमेरिकी कंपनियों में निवेश करने की अनुमति मिलती है। ADRs को किसी स्टाम्प ड्यूटी के बिना भी स्थानांतरित किया जा सकता है।

वैश्विक डिपॉज़िटरी रसीद [Global Depository Receipts (GDRs)]– ये इक्विटी लेखा होते हैं, जिनको अंतरराष्ट्रीय बाज़ारों में जारी किया जाता है। यह ठीक ADR की तरह ही काम करता है, परंतु वैश्विक पैमाने पर और रसीद किसी डिपॉज़िटरी बैंक द्वारा जारी की जाती है। कई देशों में, यह किसी विदेशी कंपनी में निश्चित संख्या के शेयरों का प्रतिनिधित्व करता है। GDRs का मूल्य अमेरिकी डॉलर या यूरो में होता है और इनका कारोबार प्रमुख यूरोपीय स्टॉक एक्सचेंजों, जैसे- लंदन स्टॉक एक्सचेंज या लक्ज़मबर्ग स्टॉक एक्सचेंज में होता है।

RBI, ADR/GDR को पोर्टफ़ोलियो निवेश के रूप में प्रकाशित करता है। हालाँकि, **FEMA** और *वाणिज्य एवं उद्योग मंत्रालय* के तहत उद्योग एवं आंतरिक व्यापार संवर्धन विभाग **(DPIIT)**, **ADR/GDR को FDI के रूप में मानता है।**

भारतीय डिपॉज़िटरी रसीद [Indian Depository Receipts (IDRs)]– ये भी ADR/GDR के समान ही है। विदेशी कंपनियों द्वारा भारतीय पूँजी बाज़ार से पैसा जुटाने के लिए इसका प्रयोग किया जाता है। अगर कोई विदेशी कंपनी भारतीय स्टॉक एक्सचेंज जैसे- NSE या BSE पर खुद को लिस्ट कराना चाहती है, तो उसे भारत में स्थित किसी डिपॉज़िटरी बैंक के माध्यम से IDRs जारी करने पड़ते हैं। IDR का मूल्य रुपये में होता है। IDR का उपयोग भारतीयों द्वारा विदेशी कंपनी में निवेश करने के लिए किया जाता है।

अतिरिक्त जानकारी

सहभागी नोट [Participatory Notes (PNs)] : यह एक प्रकार का वित्तीय प्रपत्र होता है, जिसका उपयोग भारतीय प्रतिभूति में निवेश करने के लिए ऐसे निवेश या हेज फ़ंड करते हैं, **जो SEBI के पास पंजीकृत नहीं होते हैं। SEBI** के पास पंजीकृत भारतीय ब्रोकर भारतीय कंपनियों की प्रतिभूति या शेयर ख़रीदते हैं और फिर विदेशी निवेशकों को **PNs** जारी करते हैं। **PN** मालिक का शेयरों पर स्वामित्व नहीं होता है।

FDI एवं FII में अंतर (DIFFERENCE BETWEEN FDI AND FII)

FDI	FII
FDI से तात्पर्य किसी विदेशी संस्था द्वारा किसी अन्य देश के व्यवसाय उद्यम में दीर्घकालिक हित स्थापित करने के इरादे से किये गये निवेश से है।	FII विदेश के बाज़ारों में किसी निवेशक द्वारा किया गया निवेश है।
FDI, किसी विशिष्ट उद्यम पर केन्द्रित होता है, जिसका उद्देश्य उसकी क्षमता, उत्पादकता या प्रबंधन नियंत्रण को बढ़ाना होता है। इस प्रकार, निवेशकों को स्वामित्व के अधिकार के साथ-साथ प्रबंधन का अधिकार भी मिल जाता है।	FII निवेश, मुख्य रूप से द्वितीयक बाज़ार की ओर निर्देशित होते हैं, हालाँकि वे आरंभिक सार्वजनिक पेशकश (IPOs) में भी भाग ले सकते हैं। इस निवेश से निवेशकों को केवल स्वामित्व का अधिकार मिलता है और न कि प्रबंधन अधिकार।
इसमें कंपनी को निर्णय लेने की शक्ति मिलती है।	निर्णय लेने की प्रक्रिया में सम्मिलित होने की शक्ति नहीं मिलती।
उत्पादक संपत्तियों में निवेश (जिसका मूल्य समय के साथ बढ़ता है) जैसे एक व्यवसाय के लिए संयंत्र और मशीनरी।	वित्तीय परिसंपत्तियों में निवेश जैसे- स्टॉक, बॉण्ड, म्यूचुअल फ़ंड आदि।

भारत में विदेशी निवेश की वर्तमान स्थिति (Present status of Foreign Investments in India)

(US$ मिलियन में)

	2021-22	2022-23	2023-24
भारत में FDI (A)	56231	42006	26469
भारत द्वारा FDI (B)	17644	14020	16678
भारत में शुद्ध FDI (A – B)	38587	27986	9790
निवेश का शुद्ध पोर्टफ़ोलियो (C)	-16777	-5152	44081
कुल विदेशी निवेश का अंतर्वाह (A – B + C)	**21809**	**22834**	**53872**

स्रोत : RBI द्वारा जारी 2023-24 सांख्यिकी पुस्तिका

B. ऋण (Loans)

ऋण का तात्पर्य किसी देश की सरकार और निजी क्षेत्र द्वारा अंतरराष्ट्रीय पैसा बाज़ार से लिये गये उधार से है। वे ऐसे **पूँजी लेन-देन हैं, जिनसे ऋण उत्पन्न होता है।**

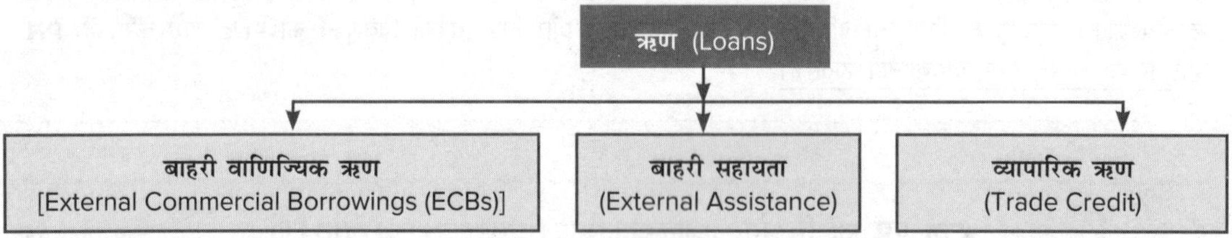

ऋण के प्रकार

1. बाह्य वाणिज्यिक ऋण [External Commercial Borrowings (ECBs)]

- ECB अंतरराष्ट्रीय बाज़ार से लिया जानेवाला वाणिज्यिक ऋण है।
- ECBs को बिना किसी रिआयती शर्तों के प्रचलित बाज़ार ब्याज दरों पर जुटाया जाता है।
- ECB **कौन ले सकता है – FDI प्राप्त करने के पात्र सभी संस्थाएँ ECB ले सकती हैं** और इनके अतिरिक्त, पोर्ट ट्रस्ट, **SEZ** की इकाइयों, **SIDBI** एवं भारत के **EXIM** बैंक को भी **ECB** लेने की अनुमति है।
- ECBs की न्यूनतम औसत परिपक्वता अवधि सामान्यत: तीन वर्ष होती है, सिवाय उन विशिष्ट मामलों के जहाँ कोई छूट लागू होती है।
- ECB किसी भी **स्वतंत्र रूप से परिवर्तनीय विदेशी मुद्रा** में लिया जा सकता है।
- **ECB निम्नलिखित प्रकार के हो सकते हैं :**
  1. ऋण (बैंक लोन समेत)।
  2. परिवर्तनशील/निर्धारित दर नोट्स/बॉण्ड/ऋणपत्र (पूर्ण रूप से एवं अनिवार्य रूप से परिवर्तनीय को छोड़कर)
  3. पूँजीगत वस्तुओं के लिए व्यापार ऋण अवधि, तीन वर्ष तक तथा ग़ैर-पूँजीगत वस्तुओं के लिए एक वर्ष (या परिचालन चक्र की अवधि, जो भी कम हो) तक होती है।
  4. पूँजी बाज़ार के लेखापत्र, जैसे कि विदेशी मुद्रा परिवर्तनीय बॉण्ड [Foreign Currency Convertible Bonds (FCCBs)]; विदेशी मुद्रा विनिमेय बॉण्ड [Foreign Currency Exchangeable Bonds (FCEBs)]। भारत में वर्तमान प्रथा के अनुसार,

FCCB को FDI में तभी शामिल किया जाता है, जब इसे इक्विटी में परिवर्तित किया जाता है। अन्यथा, एक FCCB को ECB माना जाता है।

5. वित्तीय पट्टा।

➤ ECB से प्राप्त होनेवाले धन को उधारकर्ताओं द्वारा निम्नलिखित को छोड़कर सभी गतिविधियों में उपयोग किया जा सकता है :
  - रीयल एस्टेट
  - पूँजी बाज़ार में निवेश
  - इक्विटी निवेश
  - कार्य पूँजी उद्देश्यों से (विदेशी इक्विटी धारक को छोड़कर)
  - सामान्य कॉर्पोरेट उद्देश्य से (विदेशी इक्विटी धारक को छोड़कर)
  - रुपया लोन को चुकाने के लिए (विदेशी इक्विटी धारक को छोड़कर)
  - उपर्युक्त गतिविधियों के लिए किसी संस्था को उधार देना

2. बाह्य सहायता (External Assistance)

➤ ये ऋण सहायता की दृष्टि से दिये जाते हैं।

➤ **इसकी ब्याज-दर कम होती है** और **लंबी परिपक्वता अवधिवाली** होती है। सामान्यत: बाह्य सहायता **अन्य देशों की सरकार, विश्व बैंक, विश्व मुद्रा कोष (IMF)** अथवा अन्य अंतरराष्ट्रीय मौद्रिक संस्थानों द्वारा दिया जाता है।

3. व्यापार ऋण (Trade Credit)

➤ व्यापार ऋण किसी आयातक को विदेशी आपूर्तिकर्ताओं, बैंकों, वित्तीय संस्थानों एवं अन्य अनुमति प्राप्त मान्य उधारदाताओं द्वारा दिया जाता है।

➤ इससे, आयातकों को भारत सरकार की विदेशी व्यापार नीति के अंतर्गत अनुमेय पूँजी/ग़ैर-पूँजी वस्तुओं के आयात के लिए बाद में भुगतान करने की सहूलियत मिल जाती है।

➤ केवल भारत के निवासी ही व्यापार उधार ले सकते हैं।

➤ स्वचालित मार्ग के अंतर्गत - तेल/गैस शोधन और विपणन (refining and marketing), विमान सेवा (airline) एवं नौवहन कंपनियों (shipping companies) के लिए प्रतिआयात लेन-देन 15 करोड़ अमेरिकी डॉलर एवं अन्यों के लिए प्रतिआयात लेन-देन 5 करोड़ अमेरिकी डॉलर की अनुमति है।

➤ **व्यापार ऋण की अवधि** – पूँजी वस्तुओं के लिए 3 वर्ष तक एवं ग़ैर-पूँजी वस्तुओं के लिए 1 वर्ष तक या परिचालन चक्र तक, जो भी कम हो।

अतिरिक्त जानकारी

ऋण सेवा अनुपात (Debt Service Ratio) – किसी देश के ऋण सेवा भुगतान (मूलधन + ब्याज) एवं देश की वर्तमान प्राप्ति के अनुपात को ऋण सेवा अनुपात कहा जाता है। वर्ष 2015-16 के बाद से इसमें धीरे-धीरे गिरावट आयी है। हालाँकि, **2022-23** में यह 2021-22 के 5.2% की तुलना में बढ़कर **5.3%** हो गया है।

C. बैंकिंग पूँजी लेन-देन (Banking Capital Transactions)

यह विदेशी मुद्रा के अधिकृत डीलर के रूप में सेवा देनेवाले वाणिज्यिक बैंकों एवं अन्य सहकारी बैंकों की बाह्य वित्तीय संपत्तियों एवं देनदारियों से संबंधित लेन-देन है। इनमें NRI डिपॉज़िट भी सम्मिलित होता है।

NRI डिपॉज़िट 3 प्रकार के बैंक खातों के माध्यम से **होता है :**

1. **विदेशी मुद्रा अनिवासी (बैंक) खाता** [Foreign Currency Non-Resident (Bank) Account (FCNR-B Account)]
   - यह केवल **अवधि जमा या सावधि जमा** के रूप में ही रखा जा सकता है। (बचत खाते के रूप में नहीं)
   - इसकी परिपक्वता अवधि **1 से 5 सालों तक होती है।**
   - केवल NRIs एवं PIOs ही किसी बैंक में FCNR-B खाता खुलवा सकते हैं।
   - यह केवल पाउंड स्टेरलिंग (£), अमेरिकी डॉलर ($), जापानी येन (¥), यूरो (€), कनाडाई डॉलर अथवा ऑस्ट्रेलियाई डॉलर के रूप में ही रखा जा सकता है।

2. **अनिवासी बाह्य रुपया खाता [Non-Resident External Rupee Account (NRER account)]**
   - कोई भी NRI विदेशी बैंकों के माध्यम से भारत में धन भेजने के लिए NRE खाता खोल सकता है।
   - NRER खाते में भारतीय रुपये में ही पैसा रखा जाता है और चालू खाता, बचत खाता अथवा अवधि जमा के रूप में खुलवाया जा सकता है।
   - इस पर अर्जित ब्याज कर मुक्त होता है।
   - इस राशि को, जमा राशि पर अर्जित ब्याज सहित वापस लाया जा सकता है।
   - विनिमय-दर में उतार-चढ़ाव का प्रभाव इस पर पड़ता है।

3. **अनिवासी साधारण रुपया खाता [Non-Resident Ordinary Rupee Account (NROR account)]**
   - भारत से बाहर (जैसे कि विदेश में) रहनेवाला कोई भी व्यक्ति, चाहे वह भारतीय हो या नहीं, NROR खाता खुलवा सकता है और उसमें लेन-देन कर सकता है। यह खाता भारतीय रुपये के मूल्य में होनेवाले उपयुक्त लेन-देन एवं भारत में अर्जित आय के प्रबंधन के लिए खुलवाया जा सकता है।
   - यह खाता चालू, बचत, आवर्ती जमा या सावधि जमा खाता के रूप में भी हो सकता है।
   - NRIs, NRO खाते में रखी गयी शेष राशि में से प्रतिवित्तीयवर्ष $1 मिलियन से अधिक राशि नहीं भेज सकते हैं।
   - इससे अर्जित होनेवाले ब्याज पर कर देय होता है।
   - विनिमय-दर में उतार-चढ़ाव का इस पर कोई प्रभाव नहीं पड़ता है।

भारत घूमने आनेवाला विदेशी पर्यटक केवल NROR खाता खुलवा सकता है।

अतिरिक्त जानकारी

- NRI - एक 'अनिवासी भारतीय' (NRI) भारत के बाहर रहनेवाला वह व्यक्ति है, जो भारत का नागरिक है।
- PIO - भारतीय मूल का व्यक्ति [Person of Indian Origin (PIO)] भारत के बाहर रहनेवाला वह व्यक्ति है, जो बांग्लादेश या पाकिस्तान या केंद्र सरकार द्वारा निर्दिष्ट ऐसे देश के अलावा, किसी अन्य देश का नागरिक है, जो निम्नलिखित शर्तों को पूरा करता है :
  a. जो भारत के संविधान या नागरिकता अधिनियम, 1955 (1955 का 57) के आधार पर भारत का नागरिक था; या
  b. जो 15 अगस्त, 1947 के बाद भारत का हिस्सा बननेवाले क्षेत्र से संबंधित था; या
  c. जो भारत के नागरिक या खंड (क) या (ख) में निर्दिष्ट व्यक्ति की संतान या पोता या परपोता है; या
  d. जो भारत के नागरिक का विदेशी मूल का जीवनसाथी है या खंड (क) या (ख) या (ग) में निर्दिष्ट व्यक्ति का विदेशी मूल का जीवनसाथी है
  e. नागरिकता अधिनियम, 1955 की धारा 7(क) के तहत PIO में 'भारत का विदेशी नागरिक' (OCI) कार्डधारक सम्मिलित है। ऐसा OCI कार्ड धारक भारत के बाहर का निवासी भी होना चाहिये।

परीक्षोपयोगी

शुद्ध अंतरराष्ट्रीय निवेश स्थिति [NET INTERNATIONAL INVESTMENT POSITION (NIIP)]

NIIP के अंतर्गत किसी विशिष्ट समयावधि के लिए किसी राष्ट्र के पास विदेशी संपत्तियों के भंडार एवं विदेशियों के पास उस राष्ट्र की संपत्ति के भंडार के अंतर को मापा जाता है। आसान शब्दों में कहें, तो यह किसी देश की बाह्य वित्तीय संपत्ति एवं उसकी देनदारियों के बीच का अंतर है। बाह्य ऋण (External debt) अथवा देनदारियों की गणना के लिए सरकारी ऋण (government debt) एवं निजी ऋण (private debt) दोनों को सम्मिलित किया जाता है। इसी प्रकार से बाह्य संपत्तियों की गणना के लिए, सरकारी एवं निजी दोनों बाह्य सम्पत्तियों को सम्मिलित किया जाता है।

सकारात्मक NIIP मूल्य इस बात का संकेत होता है कि विशिष्ट राष्ट्र, **ऋणदाता राष्ट्र** (creditor nation) है, जबकि नकारात्मक मूल्य ऋणी राष्ट्र का संकेतक होता है।

RBI की रिपोर्ट के अनुसार, जून 2024 के अंत तक भारत का NIIP, US$ –368.3 बिलियन पर पहुँच गया है – जो मार्च, 2019 के अंत से सुधार प्रदर्शित कर रहा है।

शुद्ध भूल-चूक (NET ERRORS AND OMISSIONS)

किसी लेखांकन अवधि (जैसे कि अप्रैल-मार्च) में होनेवाले विभिन्न प्रकार के लेन-देन का ठीक-ठीक रिकॉर्ड रखना कुछ कारणों से मुश्किल होता है। यह ग़लती निम्नलिखित कारणों से होती है :

1. प्रत्येक लेन-देन के मूल्य दर्ज नहीं कर पाने की वजह से होनेवाली सैंपलिंग की त्रुटि।
2. कुछ लेन-देनों को बढ़ा-चढ़ाकर या कम करके दर्ज करना।
3. तस्करी की गतिविधियाँ।

भुगतान शेष खाते में GDP के बहुत कम प्रतिशत को शुद्ध भूल-चूक माना जाता है।

अतिरिक्त जानकारी

भुगतान शेष खाते में स्वायत्त एवं समायोजक मदें (AUTONOMOUS AND ACCOMMODATING ITEMS IN THE BOP ACCOUNT)

स्वायत्त मदें (Autonomous items) :

- इन मदों में आर्थिक उद्देश्यों, जैसे कि लाभ के कारण होनेवाले अंतरराष्ट्रीय आर्थिक लेन-देन सम्मिलित होते हैं।
- ये मदें देश की भुगतान शेष की स्थिति से स्वतंत्र होती हैं।
- इनको 'रेखा से ऊपर (above the line)' की मदें कहा जाता है।
- उदाहरण, प्रत्येक चालू खाता एवं पूँजी खाता लेन-देन।

समायोजक मदें (Accommodating items) :

- इन मदों का उद्देश्य भुगतान शेष असंतुलन की भरपाई करना या भुगतान शेष असंतुलन को सही करना होता है।
- इन मदों में भुगतान शेष में होनेवालीं अन्य गतिविधियों, जैसे कि सरकारी वित्तपोषण के कारण होती है। वे केंद्रीय बैंक (RBI) द्वारा किये जानेवाले आधिकारिक आरक्षित लेन-देन के रूप में होती है।
- सरकार एवं केंद्रीय बैंक द्वारा कुछ अंतरराष्ट्रीय आर्थिक नीति से संबंधित उद्देश्यों के लिए ये लेन-देन किये जाते हैं।
- ये आधिकारिक आरक्षित लेन-देन होते हैं। ऐसा तब होता है जब स्वायत्त भुगतान की तुलना में स्वायत्त प्राप्ति कम होती है, जैसे कि भुगतान शेष घाटा।

- घाटे की भरपाई केंद्रीय बैंक विदेशी मुद्रा भंडार, अंतरराष्ट्रीय मुद्रा कोष (IMF) से ऋण लेकर या अन्य मौद्रिक संस्थानों से ऋण लेकर करता है।
- इनको रेखा से नीचे की मदें कहा जाता है।

विदेशी मुद्रा भंडार (FOREIGN EXCHANGE RESERVES)

- रिज़र्व बैंक देश के विदेशी मुद्रा भंडार का संरक्षक है और समस्त विदेशी मुद्रा लेन-देन RBI के माध्यम से होता है।
- अगर भुगतान शेष खाते में समग्र रूप से शेष नकारात्मक रहता है, तो इससे आधिकारिक भंडार में कमी आती है और शेष को धनात्मक होने पर स्थिति इसके विपरीत होती है।
- भारत के विदेशी मुद्रा भंडार में सम्मिलित हैं :
  1. विदेशी मुद्रा परिसंपत्ति [Foreign Currency Assets (FCAs)]
  2. **मौद्रिक स्वर्ण** (Monetary gold)।
  3. विशेष आहरण अधिकार [Special Drawing Rights (SDR)] RBI की बजाय SDR सरकार के नियंत्रण में होता है)।
  4. अंतरराष्ट्रीय मुद्रा कोष [International Monetary Fund (IMF)] में रिज़र्व ट्रेंच की स्थिति [Reserve Tranche Position (RTP)], जो किसी देश के कोटे के उस हिस्से को दर्शाता है, जिसे IMF की कठोर शर्तों के बिना प्राप्त किया जा सकता है।

लास्ट मिनट स्निपपेट्स

नवंबर, 2024 तक, चीन के पास सर्वाधिक विदेशी मुद्रा भंडार है, उसके बाद जापान है। इस लिहाज़ से, भारत का स्थान चौथा है।

- वर्तमान में, RBI के विदेशी मुद्रा भंडार में **FCAs (90 प्रतिशत से अधिक) का सर्वाधिक योगदान** है। इसके बाद मौद्रिक स्वर्ण का स्थान है।
- 28 फरवरी, 2025 को प्रकाशित, भारतीय रिज़र्व बैंक के साप्ताहिक सांख्यिकीय अनुपूरक के अनुसार, मार्च, 2024 में, भारत का कुल विदेशी मुद्रा (फ़ॉरेक्स) भंडार लगभग 640.56 बिलियन अमेरिकी डॉलर था। विदेशी मुद्रा परिसंपत्ति (FCA) घटक लगभग 543.85 बिलियन अमेरिकी डॉलर, गोल्ड रिज़र्व लगभग 74.58 बिलियन अमेरिकी डॉलर, IMF के साथ स्पेशल विदड्रॉल राइट्स (SDRs) लगभग 17.97 बिलियन अमेरिकी डॉलर और IMF में रिज़र्व पोज़िशन लगभग 4.09 बिलियन अमेरिकी डॉलर थी।

रिज़र्व ट्रेंच (Reserve Tranche)- वह मुद्रा, जिसे प्रत्येक सदस्य देश द्वारा अंतरराष्ट्रीय मुद्रा कोष (IMF) को प्रदान किया जाता है और जिसका उपयोग वे देश अपने स्वयं की ज़रूरतों के लिए कर सकते हैं।

भारत में सुधार से पूर्व एवं बाद की अवधि में भुगतान शेष का रुझान (BOP TREND IN INDIA IN THE PRE- AND POST-REFORM PERIOD)

प्रथम अवधि (Period I) (वर्ष 1956-57 से वर्ष 1975-76 तक)

आयात की माँग की तुलना में निर्यात में ख़राब वृद्धि के साथ-साथ प्रतिकूल बाहरी परिस्थितियों के कारण, यह पूरी अवधि भारत के BOP के लिए बहुत अधिक कठिन थी। आयात की सख़्त सीमाओं (मात्रात्मक सीमाओं के माध्यम से) और विदेशी मुद्रा क़ानून के बावजूद, चालू खाता घाटा GDP का 1.8 प्रतिशत था। विदेशी मुद्रा भंडार कम था, जो प्राय: तीन महीने के आयात का समर्थन करने की आवश्यकता से भी कम था। अत्यंत रिआयती शर्तों पर विदेशी सहायता के प्रवाह ने लगभग पूरे चालू खाता घाटे (92 प्रतिशत) को कवर कर लिया था। वाणिज्यिक घाटा शायद ही कोई था।

द्वितीय अवधि (Period II) (वर्ष 1976-77 से वर्ष 1979-80 तक)

ये वर्ष भारत की BOP के लिए बहुत अनुकूल रहे। भारत ने लघु चालू खाता अधिशेष (औसतन GDP का 0.6 प्रतिशत) और लगभग सात महीने के आयात के बराबर विदेशी मुद्रा भंडार बनाये रखा। निर्यात की वृद्धि मज़बूत थी, लेकिन BOP में तेज़ी से सुधार का मूल कारण नेट इनविजिबल्स (Net invisibles) में पर्याप्त वृद्धि थी। नेट इनविजिबल्स 1974-75 में मात्र ₹193 करोड़ से बढ़कर 1979-1980 में ₹2,486 करोड़ हो गया था।

तृतीय अवधि (Period III) (वर्ष 1980-81 से वर्ष 1990-91 तक)

व्यापक पैमाने पर व्यापार घाटे के कारण भारत में गंभीर भुगतान शेष संकट उत्पन्न हो गया था। दृश्यमान् वस्तुओं से शुद्ध प्राप्ति में गिरावट आयी तथा बाह्य सहायता में भी कमी आयी। इस भुगतान शेष संकट के परिणामस्वरूप सरकार द्वारा बड़ा आर्थिक सुधार किया गया।

अतिरिक्त जानकारी

भारत का 1991 का भुगतान शेष संकट (INDIA'S 1991 BOP CRISIS)

- 1991 के आरंभ में भारत को गंभीर भुगतान शेष संकट का सामना करना पड़ा। इसके कई कारण थे, जैसे कि **खाड़ी युद्ध (Gulf War)** और इससे संबंधित भारतीय अर्थव्यवस्था की समस्याएँ। भारत कच्चे तेल के आयात पर निर्भर रहा है। जब इराक़ संकट (Iraq crisis) के कारण भौगोलिक-राजनैतिक विघ्न उत्पन्न हुआ, **अंतरराष्ट्रीय स्तर पर कच्चे तेल की क़ीमतों में अचानक वृद्धि** के कारण भारत का आयात बिल भी अत्यधिक बढ़ गया। इससे भारत के पास विदेशी मुद्राओं के भंडार में गिरावट आयी। अंतरराष्ट्रीय रेटिंग एजेंसियों ने भारत को निम्न श्रेणी में डाल दिया। भारत की उधार लेने की क्षमता में और गिरावट से यह संकट अधिक बढ़ गया।
- 1990-91 के दौरान ग़ैर-निवासी भारतीयों द्वारा बड़ी मात्रा में जमा के बहिर्वाह को रोक लिया गया, इससे संकट और बढ़ गया। विदेशी मुद्रा भंडार जनवरी, 1991 में केवल 0.9 अरब डॉलर रह गया, जिससे मुश्किल से तीन सप्ताह के आयात का भुगतान किया जा सकता था।
- IMF-प्रायोजित बेल आउट पैकेज से भारत इस संकट से उबरा। समय के साथ, भारतीय अर्थव्यवस्था में सुधार हुआ, रुपये के अवमूल्यन के कारण निर्यात में वृद्धि हुई, विदेशी निवेश में तेज़ी आने लगी और भारत ने अपने इतिहास के सबसे ख़राब BOP संकट पर काबू पा लिया।
- रुपये का अवमूल्यन हुआ और यह अपने बाजार मूल्य के अधिक निकट आ गया। अंतरराष्ट्रीय निवेशकों ने इस प्रकार के सुधारों को बाज़ारोन्मुखी अर्थव्यवस्था की ओर जानेवाली प्रगति के रूप में देखा। भारतीय निर्यातक प्रोत्साहित हुए, क्योंकि विदेशी मुद्रा में उनकी कमाई से अधिक भारतीय रुपये प्राप्त हो रहे थे। भारतीय अर्थव्यवस्था को प्रतिस्पर्धी रास्ते पर लाने के लिए संरचनात्मक सुधार किये गये।

सुधार के बाद की अवधि में भुगतान शेष की स्थिति (1991-92 के बाद) [BOP Situation in Post-Reform Period (1991–92 Onwards)]

विशेष रूप से वर्ष 1993-94 के बाद से, भारत की भुगतान शेष स्थिति में संतोषजनक रुझान रहा है। **निम्नलिखित कारकों ने भुगतान शेष की स्थिति में सुधार में योगदान दिया है :**

- अदृश्य शेष में वृद्धि। ऐसा विशेष रूप से सॉफ़्टवेयर निर्यात में वृद्धि एवं विदेश से निजी प्रेषण (अथवा अंतरण) की प्राप्ति में वृद्धि के कारण हुआ।
- बैंकिंग पूँजी मद के अंतर्गत NRI डिपॉज़िट में वृद्धि। ऐसा समय-समय पर RBI द्वारा घोषित विशेष प्रोत्साहन पैकेजों के कारण हुआ।
- बीते वर्षों में विदेशी निवेश (FDI एवं पोर्टफ़ोलियो निवेश दोनों) में वृद्धि।

➤ बीते वर्षों में शुद्ध बाह्य वाणिज्यिक उधार में वृद्धि। परंतु, वर्ष 2014-19 की अवधि में, शुद्ध ECB नकारात्मक रहा है, अर्थात् बहिर्वाह अधिक था।

दूसरी ओर, कुछ कारक **समग्र रूप से भुगतान शेष असंतुलन के लिए ज़िम्मेदार रहे हैं :**

1. वस्तुओं एवं सेवाओं के आयात में वृद्धि। इसके कारणों में, (i) घरेलू महँगाई, (ii) चक्रीय उतार-चढ़ाव, (iii) व्यापक पैमाने पर विकास व्यय, (iv) जनसंख्या विस्फोट, (v) अंतिम उपभोक्ताओं की पसंद एवं प्राथमिकताओं में परिवर्तन।
2. पूँजी के अंतर्वाह में निम्न कारणों से रुकावट, (i) राजनीतिक अस्थिरता, (ii) प्राकृतिक आपदा।
3. घरेलू मुद्रा का विमूल्यन, विशेषकर जब आयात > निर्यात।

बीओपी घाटे का कारण (Causes of BOP Deficits)

a. रिआयती सहायता मिलने की बहुत कम संभावना
b. विदेशी क़र्ज़ का बोझ
c. इंविजिबल्स के कारण अधिशेष में गिरावट
d. व्यापार घाटे का संतुलन

भुगतान शेष असंतुलन से निपटने के लिए सरकार/RBI द्वारा किये गये उपाय (Measures taken by the Government/RBI to overcome BOP Imbalance)

1. **उधार नियंत्रण उपाय (Credit control measures) :** इसका उद्देश्य अर्थव्यवस्था में पैसे की आपूर्ति घटाना होता है, जिससे क्रय शक्ति को कम करने में सहायता मिलती है और इस प्रकार से समग्र माँग में गिरावट आती है।
2. घरेलू मुद्रा का **अवमूल्यन** (Devaluation) (सदैव के लिए नहीं), जो निर्यात को प्रोत्साहित करता है और आयात की माँग को कम करता है।
3. **निर्यात प्रोत्साहन एवं आयात नियंत्रण के उपाय** (Export promotion and import control measures), जैसे कि अधिक निर्यात प्रोत्साहन एवं सब्सिडी तथा लाइसेंस देकर, आयात कोटा निर्धारित करके आदि के माध्यम से आयात पर रोक।
4. अर्थव्यवस्था को प्रतिस्पर्धा के पथ पर डालने के लिए उसमें **संरचनात्मक सुधार (Structural reforms)।**

भुगतान शेष का वर्तमान रुझान (Current Trend in BOP) (IMF BOP मैनुअल 5 के अनुसार)

मद का नाम	2022-2023 (US$ Million)	2022-2023 (US$ Million)
व्यापार शेष यानी बैलेंस ऑफ़ ट्रेड (BOT) (A)	-265291	-242065
अदृश्य व्यापार शेष (B)	198236	218778
चालू खाता शेष (A+B)	-67055	-23287
पूँजी खाता शेष (C)	58943	86276
त्रुटियाँ और चूक (D)	-1024	712
कुल शेष (A+B+C+D)	-9135	63701

स्रोत : RBI द्वारा जारी 2023-24 सांख्यिकी पुस्तिका

भारत का बाह्य ऋण (INDIA'S EXTERNAL DEBT)

➤ भारत का विदेशी ऋण आँकड़ा, RBI द्वारा तिमाही आधार पर जारी किया जाता है।

- भारत के बाह्य ऋण से तात्पर्य उस कुल ऋण से है, जो एक देश के रूप में भारत ने विदेशी ऋणदाताओं से ले रखा है। यह ऋण लेनेवालों में भारत सरकार, राज्य सरकार, भारत के निगम या नागरिक सम्मिलित हो सकते हैं। ऋण में निजी **वाणिज्यिक बैंकों, अन्य देशों की सरकारों,** या **अंतरराष्ट्रीय मुद्रा कोष** एवं **विश्व बैंक** से भी लिये गये पैसे सम्मिलित होते हैं।
- भारत के बाह्य ऋण के विभिन्न घटकों में सम्मिलित हैं-
  1. बहुपक्षीय ऋण
  2. द्विपक्षीय ऋण
  3. IMF एवं विश्व बैंक से लिया गया उधार
  4. व्यापार उधार
  5. बाह्य वाणिज्यिक उधार (ECBs)
  6. NRI डिपॉज़िट
  7. रुपया लोन
  8. लघुकालीन ऋण (लघुकालीन व्यापार उधार समेत)
- **सांख्यिकी पुस्तिका सर्वेक्षण 2023-24 के अनुसार** (RBI *द्वारा प्रकाशित*)-

वर्ष	2021-22	2022-23	2023-24
बाह्य ऋण (US $ Billion)	619	624	**669**
बाह्य ऋण (GDP के प्रतिशत के रूप में)	19.9%	19%	**18.9%**
ऋण सेवा अनुपात	5.2	5.3	**6.7**

हाल के वर्षों में, भारत के मामले में, कुल विदेशी ऋण के प्रतिशत के रूप में अल्पावधि ऋण लगभग 20% रहा है।

जुड़वाँ घाटा परिकल्पना (TWIN DEFICIT HYPOTHESIS)

जब अर्थव्यवस्था में **राजकोषीय घाटा और चालू खाता घाटा दोनों होता है,** तो इस स्थिति को "जुड़वाँ घाटा" के नाम से जाना जाता है। जुड़वाँ घाटा परिकल्पना के अनुसार, कुछ अर्थशास्त्रियों का मानना है कि बड़े बजट घाटा का बड़े चालू खाता घाटा से सह-संबंध है। उदाहरण के लिए, अमेरिका और भारत को एक के बाद एक कई साल दोनों प्रकार के घाटे का सामना करना पड़ा है। इसकी विपरीत स्थिति राजकोषीय अधिशेष और चालू खाता अधिशेष की होती है, जिसे सामान्यत: श्रेष्ठतर वित्तीय स्थिति माना जाता है। उदाहरण के लिए, चीन को लंबे समय से राजकोषीय अधिशेष और चालू खाता अधिशेष हो रहा है।

J-वक्र (J-CURVE)

J-वक्र एक आर्थिक सिद्धांत है, जिसमें कहा गया है कि कुछ विशिष्ट मान्यताओं के अंतर्गत, किसी देश का व्यापार संतुलन शुरू में उसकी मुद्रा के मूल्यह्रास के बाद बिगड़ जायेगा - मुख्यत: क्योंकि आयात पर उच्च क़ीमतें आयात की कम मात्रा से अधिक होंगी।

परंतु जैसे-जैसे समय बीतेगा, निर्यात का स्तर नाटकीय रूप से बढ़ेगा। इसका कारण यह होगा कि विदेशी ख़रीदारों के लिए क़ीमत बहुत आकर्षक हो जायेगी। इस प्रकार, घरेलू उपभोक्ता आयातित उत्पादों को उनकी क़ीमत उच्च होने के कारण कम ख़रीदेंगे।

इन समानांतर क्रिया से अंतत: व्यापार संतुलन की स्थिति उत्पन्न होती है। इससे, मुद्रा के अवमूल्यन से पहले के आँकड़ों की तुलना में अधिशेष बढ़ता है और घाटा कम होता है।

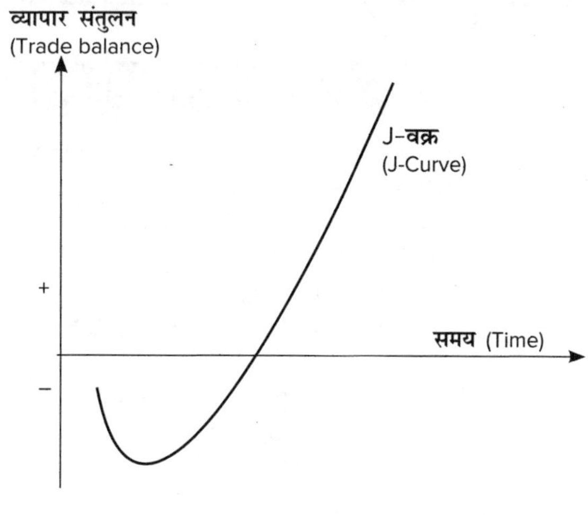

यहाँ वर्णित प्रक्षेपवक्र **(trajectory)** के कारण इसकी आकृति छाते की छड़ी या J आकार की हो जाती है।

संक्षिप्त विवरण

- **भुगतान संतुलन (Balance of Payments)**– किसी देश के निवासियों के, शेष विश्व के साथ मौद्रिक लेन-देन के खातों का वार्षिक विवरण - जिसे दो भागों में विभाजित किया जाता है, अर्थात् चालू खाते में शेष राशि और पूँजी खाते में शेष राशि - इसमें लेखांकन की ऊर्ध्वाधर दोहरी-प्रविष्टि प्रणाली सम्मिलित होती है - भारत में BOP को प्रोद्भवन आधार (accrual) पर संकलित किया जाता है।
- **चालू खाते में शेष राशि (Balance in Current Account)** – निवासियों द्वारा वस्तुओं, सेवाओं और आय से संबंधित लेन-देन - एक वित्त वर्ष के दौरान - दृश्य संतुलन (Balance of Visibles) (व्यापार संतुलन) + अदृश्य संतुलन (Balance of Invisibles) का योग।
- **पूँजी खाते में शेष राशि (Balance in Capital Account)** – पूँजी प्राप्तियाँ और भुगतान – विदेशी निवेश (FDI और FII), ऋण (बाह्य सहायता, ECB और ट्रेड क्रेडिट) तथा बैंकिंग पूँजी।
- **प्रत्यक्ष विदेशी निवेश (FDI)** – ग़ैर ऋण सर्जित करनेवाले पूँजी-लेन-देन - दो प्रकार - ब्राउनफ़ील्ड और ग्रीनफ़ील्ड - भारतीय कंपनी दो मार्गों या रूट से FDI प्राप्त कर सकती हैं - **स्वचलित मार्ग (automatic route)** और **सरकारी मार्ग (government route)**।
- **उधार (Borrowings)**– ऋण सर्जित करनेवाले पूँजी-लेन-देन - इसके प्रकारों में बाह्य वाणिज्यिक उधार, बाह्य सहायता और व्यापार ऋण या ट्रेड क्रेडिट सम्मिलित है।
- **शुद्ध अंतरराष्ट्रीय निवेश स्थिति (Net International Investment Position)**– किसी देश की बाह्य वित्तीय पूँजी और देनदारियों के बीच अंतर को मापता है।
- **भारत के विदेशी मुद्रा भंडार (India's Forex Reserves)** में सम्मिलित हैं– FCA, मौद्रिक सोना, SDR, IMF में रिज़र्व क़िश्त की स्थिति (Reserve Tranche Position) – RBI विदेशी मुद्रा भंडार का संरक्षक है।
- **शुद्ध त्रुटियाँ और चूक (Net Errors and Omissions)** – नमूनाकरण त्रुटि या सैंपलिंग इरर के कारण सभी व्यक्तिगत लेन-देन के मूल्य की प्रविष्टि की असमर्थता – तस्करी गतिविधियों जैसे कुछ लेन-देन को कम दर्ज करना या अधिक दर्ज करना।
- **दोहरा घाटा (Twin Deficit)**– राजकोषीय घाटा और चालू खाते का घाटा।
- **भारत का बाह्य ऋण (India's External Debt)**– कुल ऋण, जो भारत पर विदेशी लेनदारों का बक़ाया है - बहु-पक्षीय ऋण, द्विपक्षीय ऋण, IMF और विश्व बैंक से लिये गये उधार, व्यापार ऋण ECB, NRI जमा, रुपये में लिया गया ऋण (Rupee debts), अल्प-कालिक ऋण आदि सम्मिलित हैं।

यूपीएससी सिविल सेवा के पिछले वर्षों की प्रारंभिक परीक्षा के प्रश्न

1. निम्नलिखित पर विचार करें : **[2021]**

1. विदेशी मुद्रा परिवर्तनीय बॉण्ड
2. कुछ शर्तों के साथ विदेशी संस्थागत निवेश
3. वैश्विक निक्षेपागार प्राप्तियाँ
4. अनिवासी बाहरी जमाराशियाँ

उपर्युक्त में से कौन-सा प्रत्यक्ष विदेशी निवेश में शामिल किया जा सकता है?

(a) 1, 2 और 3 **(b)** केवल 3
(c) 2 और 4 **(d)** 1 और 4

2. वर्तमान में भारत के अंतरराष्ट्रीय व्यापार के संदर्भ में निम्नलिखित में से कौन सा/से कथन सही है/हैं? **[2020]**

1. भारत के माल का निर्यात के माल के आयात से कम है।
2. हाल के वर्षों में भारत के लोहा और इस्पात, रसायन, उर्वरक और मशीनरी के आयात में कमी आयी है।
3. भारत की सेवाओं का निर्यात सेवाओं के आयात से अधिक है।
4. भारत को कुल मिला कर व्यापार/ चालू खाते का घाटा हो रहा है।

दिये गये कोड का उपयोग करते हुए सही उत्तर को चुनें :

(a) केवल 1 और 2 (b) केवल 2 और 4
(c) केवल 3 (d) केवल 1, 3 और 4

3. निम्नलिखित कथनों पर विचार कीजिए : **[2019]**
   1. भारत का अधिकतर बाह्य ऋण सरकारी संस्थाओं द्वारा लिया गया है।
   2. भारत का समस्त बाह्य ऋण अमेरिकी डॉलर के मूल्य में है।

   उपर्युक्त में से कौन-सा कथन सही है?

   (a) केवल 1 (b) केवल 2
   (c) 1 और 2 (d) न 1 और न ही 2

4. रुपये की परिवर्तनीयता से अभिप्राय है :- **[2015]**
   (a) रुपये के नोट को सोने में परिवर्तित करने की योग्यता
   (b) बाज़ार शक्तियों को रुपये के मूल्य निर्धारित करने की अनुमति देना
   (c) रुपये को अन्य मुद्राओं में और अन्य मुद्राओं को रुपये में स्वतंत्र रूप से परिवर्तित करने की अनुमति देना
   (d) भारत में मुद्राओं के लिए एक अंतरराष्ट्रीय बाज़ार तैयार करना

5. भुगतान शेष के संदर्भ में, निम्नलिखित में कौन चालू खाता का घटक है? **[2014]**
   1. व्यापार शेष 2. विदेशी परिसंपत्ति
   3. अदृश्य शेष 4. विशेष आहरण अधिकार

   नीचे दिये गये संकेतों का उपयोग करके सही उत्तर चुनें :

   (a) केवल 1 (b) 2 और 3
   (c) 1 और 3 (d) 1, 2 एवं 4

6. निम्नलिखित में से कौन पूँजी खाता का घटक है? **[2013]**
   1. विदेशी ऋण 2. प्रत्यक्ष विदेशी निवेश
   3. निजी विप्रेषण 4. पोर्टफ़ोलियो निवेश

   नीचे दिये गये संकेतों का उपयोग करके सही उत्तर चुनें :

   (a) 1, 2 एवं 3 (b) 1, 2 एवं 4
   (c) 2, 3 एवं 4 (d) 1, 3 एवं 4

7. किसी देश का **BOP** निम्नलिखित में से किसका व्यवस्थित रेकॉर्ड है? **[2013]**
   (a) सामान्य रूप से एक वर्ष की किसी निश्चित अवधि के दौरान किसी देश के समस्त आयात एवं निर्यात लेन-देन का।
   (b) एक वर्ष के दौरान किसी देश से निर्यातित वस्तुओं का।
   (c) एक देश की सरकार का दूसरे देश की सरकार से आर्थिक लेन-देन।
   (d) एक देश से दूसरे देश में पूँजी का प्रवाह।

8. निम्नलिखित में से कौन भारत के प्रत्यक्ष विदेशी निवेश का हिस्सा है? **[2012]**
   1. भारत में विदेशी कंपनियों की आनुषंगिक कंपनियाँ।
   2. भारतीय कंपनी की इक्विटी में विदेशी कंपनी का बड़ा हिस्सा होना।
   3. वे कंपनियाँ, जिनका वित्तपोषण विशेष रूप से विदेशी कंपनियों द्वारा किया जाता है।
   4. पोर्टफ़ोलियो निवेश

   नीचे दिये गये संकेतों का उपयोग करके सही उत्तर चुनें :

   (a) 1, 2, 3 एवं 4 (b) केवल 2 एवं 4
   (c) केवल 1 एवं 3 (d) केवल 1, 2 एवं 3

9. प्रत्यक्ष विदेशी निवेश (FDI) एवं विदेशी संस्थागत निवेश (FII), दोनों का संबंध किसी देश में निवेश से है। निम्नलिखित में से कौन-सा कथन दोनों के बीच एक महत्त्वपूर्ण अंतर को सर्वश्रेष्ठ ढंग से परिभाषित करता है? **[2011]**
   (a) FII अपने साथ बढ़िया प्रबंधन कौशल एवं प्रौद्योगिकी लाता है, जबकि FDI केवल पूँजी लाता है।
   (b) FII सामान्य रूप से पूँजी की उपलब्धता को बढ़ाता है, जबकि FDI का लक्ष्य केवल कुछ विशिष्ट क्षेत्र ही होते हैं।
   (c) सामान्य रूप से, FII का प्रवाह द्वितीयक बाज़ार में होता है, जबकि FDI का लक्ष्य प्राथमिक बाज़ार होता है।
   (d) FII को FDI की तुलना में अधिक स्थिर माना जाता है।

10. भारत में कई बड़ी और विकसित अर्थव्यवस्थाओं, जैसे यूनाइटेड किंगडम एवं फ़्रांस की तुलना में मॉरीशस से बड़ी संख्या में प्रत्यक्ष विदेशी निवेश (FDI) आता है। ऐसा क्यों? **[2010]**
    (a) FDI प्राप्त करने के संबंध में भारत ने कुछ देशों को प्राथमिकता दी है।
    (b) भारत ने मॉरीशस के साथ कराधान से बचने के समझौते (**DTAA**) को दोगुना कर दिया है।
    (c) मॉरीशस के अधिकतर नागरिकों की भारत के साथ जातीय पहचान जुड़ी है और इसलिए वे भारत में निवेश करना सुरक्षित मानते हैं।
    (d) वैश्विक जलवायु परिवर्तन के संभावित ख़तरे के कारण मॉरीशस भारत में निवेश करने को प्रोत्साहित हुआ है।

कोई प्रश्न नहीं
2024. 2023, 2022, 2018, 2017, 2016

उत्तर कुंजी

1. (a)	2. (d)	3. (d)	4. (c)	5. (c)
6. (b)	7. (a)	8. (d)	9. (b)	10. (b)

यूपीएससी सिविल सेवा के पिछले वर्षों की मुख्य परीक्षा के प्रश्न

1. भारतीय अर्थव्यवस्था के विकास के लिए **FDI की आवश्यकता** के औचित्य को स्पष्ट कीजिए। हस्ताक्षर किये गये समझौता, ज्ञापनों एवं वास्तविक FDIs में अंतर क्यों है? भारत में वास्तविक FDI को बढ़ाने के लिए उठाये जानेवाले उपचारात्मक कदमों के बारे में सुझाव दीजिए। **[2016]**
2. भारतीयों में **सोने** के आकर्षण के कारण हाल के वर्षों में सोने का आयात बढ़ा है एवं इससे भुगतान शेष तथा रुपये के बाह्य मूल्य पर दबाव बढ़ा है। इसके संदर्भ में, **स्वर्ण मुद्रीकरण योजना** के गुणों का परीक्षण कीजिए। **[2015]**
3. **रक्षा क्षेत्रक में FDI** के नियम को उदार बनाने की योजना है। लघुकालीन एवं दीर्घकालीन अवधि में भारतीय रक्षा क्षेत्र एवं अर्थव्यवस्था पर क्या प्रभाव पड़ने की अपेक्षा है? **[2014]**
4. (a) **बहु ब्रांड खुदरा क्षेत्रक में FDI के आने** का अर्थव्यवस्था के वस्तु व्यापार स्वरूप में आपूर्ति शृंखला प्रबंधन पर क्या प्रभाव पड़ेगा? विवेचना कीजिए।

   (b) यद्यपि भारत ने सितंबर, 2012 में संयुक्त उद्यम के माध्यम से **बहु ब्रांड ख़ुदरा क्षेत्र** में FDI की अनुमति दे दी है, परंतु एक साल के बाद भी FDI के प्रवाह ने गति नहीं पकड़ी है। कारणों की विवेचना कीजिए। **[2013]**

☞ कोई प्रश्न नहीं

2024, 2023, 2022, 2021, 2020, 2019, 2018, 2017

भारत की विदेशी मुद्रा और विदेशी व्यापार (India's Foreign Exchange and Foreign Trade)

अध्याय 28

अध्याय की रूपरेखा

- विदेशी विनिमय-दर प्रणाली
- भारत में विनिमय-दर प्रणाली का इतिहास
- भंडार की पर्याप्तता : आयात नियम के कुछ महीने बनाम गाइडोटी-ग्रीनस्पैन नियम
- भारतीय रुपये की परिवर्तनीयता
- रुपये का अंतरराष्ट्रीयकरण
- मुद्रा विनिमय
- दुर्लभ मुद्रा बनाम सुलभ मुद्रा
- भारत का विदेशी व्यापार
- भारत में विदेशी व्यापार के उद्देश्य
- विदेशी व्यापार में विभिन्न आर्थिक एकीकरण
- विदेशी व्यापार संबंधी संस्थान
- विदेशी व्यापार को बढ़ावा देने के लिए प्रमुख नवीनतम योजनाएँ

विदेशी विनिमय-दर प्रणाली (FOREIGN EXCHANGE RATE SYSTEM)

विनिमय-दर (Exchange Rate)

विनिमय-दर, वह दर है, जिस पर विदेशी मुद्रा बाज़ार में अन्य अंतरराष्ट्रीय मुद्राओं (जैसे- अमेरिकी डॉलर) के साथ घरेलू मुद्रा का आदान-प्रदान किया जाता है। या बस, यह दूसरी मुद्रा की तुलना में एक मुद्रा की क़ीमत है। उदाहरण के लिए, यदि 1 US डॉलर 75 भारतीय रुपये के बराबर है, तो हमें USA में 1 डॉलर की क़ीमतवाली वस्तु ख़रीदने के लिए 75 रुपये का भुगतान करना होगा। जब अंतरराष्ट्रीय मुद्रा बाज़ार में घरेलू मुद्रा का मूल्य गिरता है, तो इसे मूल्यवृद्धि (appreciation) कहा जाता है। दूसरी ओर, जब अंतरराष्ट्रीय मुद्रा बाज़ार में घरेलू मुद्रा का मूल्य बढ़ता है, तो मुद्रा का मूल्यह्रास (depreciation) होता है।

लास्ट मिनट स्निपपेट्स

24 अप्रैल, 2025 को, अन्य प्रमुख मुद्राओं की तुलना में भारतीय मुद्रा की विनिमय-दर इस प्रकार है :

1 पाउंड स्टर्लिंग बराबर	₹113.55
1 यूरो बराबर	₹97.03
1 यूएस डॉलर बराबर	₹85.36
1 चीनी युआन (रिलमिनबी) बराबर	₹11.71
1 जापानी येन बराबर	₹0.60

विनिमय-दरों को प्रभावित करनेवाले कारक (Factors Influencing Exchange Rates)

1. **मुद्रास्फीति (Inflation)** – उच्च मुद्रास्फीतिवाला देश आमतौर पर अपनी मुद्रा में मूल्यह्रास देखता है।

2. **ब्याज-दरें (Interest Rates)** - घर पर ब्याज-दरों में वृद्धि से अक्सर घरेलू मुद्रा की सराहना होती है।
3. **सार्वजनिक ऋण (Public Debt)** - यदि सरकारी ऋण आर्थिक विकास से आगे निकल जाता है, तो यह सामान्य रूप से मूल्यह्रास की ओर जाता है।
4. **राजनीतिक स्थिरता (Political Stability)** - अधिक राजनीतिक स्थिरतावाले देशों में स्विट्ज़रलैंड की तरह उच्च मूल्यवान् मुद्राएँ हैं। राजनीतिक स्थिरता के साथ, मुद्रा की सराहना होती है।
5. **चालू खाता घाटा (Current Account Deficit)** - कम चालू खाता घाटेवाले देशों में उच्च घाटेवाले लोगों की तुलना में मज़बूत मुद्राएँ होती हैं।
6. **अटकलें (Speculation)** - अगर ऐसी अटकलें हैं कि किसी देश की मुद्रा का मूल्य बढ़नेवाला है, तो उस मुद्रा की माँग बढ़ जायेगी। परिणामस्वरूप, उस मुद्रा की सराहना होगी।

विनिमय-दर प्रणाली के प्रकार (Types of Exchange Rate System)

विनिमय-दर प्रणाली के दो प्रकार हैं-

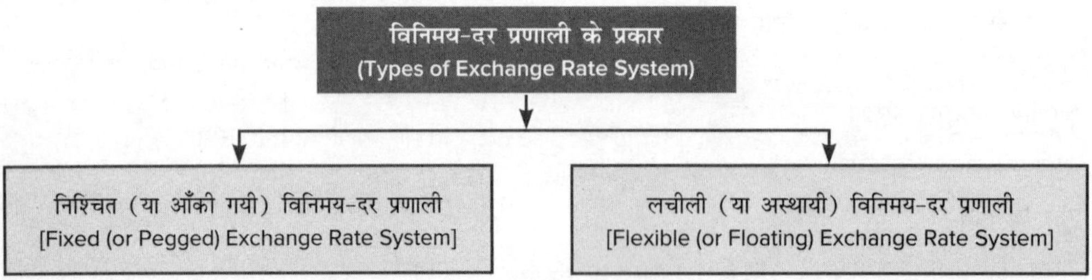

(a) स्थिर विनिमय-दर (Fixed Exchange Rate) : जैसा कि नाम से पता चलता है, विभिन्न मुद्राओं के बीच विनिमय की यह दर **सरकार द्वारा तय की जाती है।** सरकार वांछित स्तर पर विनिमय-दर को बनाये रखने के लिए आवश्यक उपाय करती है। किसी देश की सरकार विदेशी मुद्राओं के संबंध में अपनी घरेलू मुद्रा की विनिमय-दर तय करती है और उस विनिमय-दर के आधार पर देश का आयात और निर्यात होता है।

स्थिर विनिमय-दर प्रणाली के लाभ

- यह दिन-प्रतिदिन के उतार-चढ़ाव से बचकर **विदेशी व्यापार में स्थिरता (stability in foreign trade)** सुनिश्चित करती है।
- एक स्थिर विनिमय-दर का अर्थ है, कम जोखिम और कम अनिश्चितता, जो **विदेशियों को देश में धन निवेश करने के लिए प्रोत्साहित करती (encourages foreigners to invest funds)** है।
- स्थिर विनिमय-दर अंतरराष्ट्रीय **लेन-देन में सट्टा गतिविधियों को समाप्त (eliminates the speculative activities)** करती है। एक देश से दूसरे देश में पूँजी के आकस्मिक पलायन की कोई संभावना नहीं (no possibility of panic flight of capital) रहती है।
- यह अंतरराष्ट्रीय विनिमय बाज़ार में घरेलू मुद्रा के मूल्यह्रास को रोककर मुद्रास्फीति को कम रखने में मदद करता है।

स्थिर विनिमय-दर प्रणाली के नुक़सान

- यह **अंतरराष्ट्रीय तरलता (international liquidity)** की समस्या को जन्म देती है।
- इससे **मंदी (recession)** भी आ सकती है।
- यह मौद्रिक नीतियों (monetary policies) को अप्रभावी बनाती है।
- सरकार को एक निश्चित मात्रा में विदेशी मुद्रा भंडार को बनाये रखना होता है।

- अंतरराष्ट्रीय प्रतिस्पर्धा को दरकिनार कर दिया गया है।

(b) लचीली (या अस्थायी) विनिमय-दर [Flexible (or Floating) Exchange Rate] : यह वह दर है, जो विदेशी मुद्रा बाज़ार में विभिन्न मुद्राओं की **माँग और आपूर्ति (Demand and Supply)** के माध्यम से निर्धारित की जाती है।

इस व्यवस्था के तहत दो तरह की प्रणालियाँ मौजूद हैं-

- **मुक्त विनिमय (Free Float) :** मुक्त विनिमय के तहत, विनिमय की दर बाज़ार द्वारा निर्धारित होती है, अर्थात्, यह विदेशी मुद्रा बाज़ार में मुद्राओं की माँग और आपूर्ति की ताक़तों द्वारा निर्धारित होती है।
- **नियंत्रित विदेशी मुद्रा विनिमय-दर (Managed Float) :** यह स्थिर और लचीली विनिमय-दर प्रणाली का एक **संकर (hybrid)** है। यह लचीलेपनवाली विनिमय-दर की सावधानीपूर्वक निगरानी और प्रबंधन के व्यापक सिद्धांतों द्वारा निर्देशित है, जबकि माँग और आपूर्ति की स्थिति के आधार पर एक निश्चित अवधि में विनिमय-दर की गतिशीलता एक क्रमबद्ध तरीक़े से निर्धारित होती है।

  केंद्रीय बैंक (RBI) केवल एक निश्चित सीमा के भीतर विदेशी मुद्रा बाज़ार में विनिमय-दर में उतार-चढ़ाव को रोकने के लिए हस्तक्षेप करता है। विनिमय-दर उस सीमा के भीतर स्वतंत्र रूप से प्लवन (float) कर सकती है।

  भारत में, इसी प्रणाली का पालन किया जाता है।

  नियंत्रित विनिमय के तहत, RBI एक निश्चित सीमा के भीतर विनिमय-दर की गति को प्रतिबंधित करने के लिए अंतरराष्ट्रीय मुद्रा बाज़ार में विदेशी मुद्रा की बिक्री और ख़रीद के माध्यम से हस्तक्षेप करता है। इसे **डर्टी फ़्लोट (Dirty Float)** [नियंत्रित तैरती मुद्रान्दर प्रणाली] के नाम से भी जाना जाता है।

अस्थायी (लचीली) विनिमय-दर प्रणाली के लाभ

- **बाहरी संकटों से सुरक्षा (Protection from external shocks) :** यदि विनिमय-दर लचीली है, तो यह कच्चे तेल की क़ीमतों में वृद्धि जैसे किसी भी बाहरी संकटों को प्रतिक्रिया में बदल सकती है। यह किसी भी बाहरी झटके के नकारात्मक प्रभाव को कम करती है।
- **संसाधन का इष्टतम आवंटन (Optimum resource allocation) :** लचीली विनिमय-दर प्रणालियों के तहत, संसाधनों को कुशलतापूर्वक अंतरराष्ट्रीय व्यापार के क्षेत्र में आवंटित किया जाता है।
- **पूँजी की अंतरराष्ट्रीय गतिशीलता (International capital movement) :** लचीली विनिमय-दर प्रणाली दुनिया भर में पूँजी की गतिशीलता की अनुमति देती है, क्योंकि सदस्य देशों को विशाल अंतरराष्ट्रीय भंडार रखने की आवश्यकता नहीं होती।
- **बड़ा विदेशी मुद्रा भंडार:** केंद्रीय बैंकों को विनिमय दर की रक्षा के लिए बड़े विदेशी मुद्रा भंडार की आवश्यकता नहीं होती है, जैसा कि निश्चित विनिमय-दर के मामले में होता है।

अस्थायी (लचीली) विनिमय-दर प्रणाली के नुक़सान

- यह **अस्थिरता और अनिश्चितता (Instability and uncertainty)** की स्थिति पैदा करती है, जो बदले में अंतरराष्ट्रीय व्यापार और विदेशी निवेश के परिमाण को कम करती है।
- **आर्थिक संरचना पर प्रतिकूल प्रभाव (Adverse effect on economic structure) :** विनिमय-दर में बहुत अधिक उतार-चढ़ाव आते हैं। उतार-चढ़ाववालीं विनिमय-दरों (fluctuating exchange rates) के कारण आयात और निर्यात की क़ीमत में बदलाव होता है, जो बदले में अर्थव्यवस्था को अस्थिर करता है।
- **स्फीति-विषयक प्रभाव (Inflationary effect) :** इस प्रणाली में किसी देश के घरेलू मूल्य स्तर पर विनिमय मूल्यह्रास (exchange depreciation) के स्फीति-विषयक प्रभाव की अधिक संभावना रहती है। क़ीमतों में स्फीति-विषयक वृद्धि (Inflationary rise) से मुद्रा के बाहरी मूल्य का और अधिक मूल्यह्रास होता है।

अस्थिर बनाम स्थिर विनिमय-दर (FLOATING VERSUS FIXED EXCHANGE RATE)

अस्थिर विनिमय-दर (Floating Exchange Rate)	स्थिर विनिमय-दर (Fixed Exchange Rate)
विदेशी मुद्रा भंडार (foreign currency reserves) की आवश्यकता को कम करती है।	मुद्रा मूल्य की निश्चितता से आवक निवेश के लिए विश्वास बढ़ता है। लेकिन विदेशी मुद्रा भंडार (forex reserves) की अधिक आवश्यकता बनी रहती है।
मुद्रास्फीति के प्रभाव की अधिक संभावना।	स्थिरता मुद्रास्फीति पर नियंत्रण करने में मदद करती है।
किसी भी बाहरी संकटों से बचाव, विशेष रूप से निर्यात पर निर्भर देशों के लिए।	अर्थव्यवस्था में बाह्य संकट उत्पन्न हो सकते हैं।
चालू खाता घाटा [Current Account Deficit (CAD)] में आंशिक स्वचालित सुधार।	CAD को सही करने की ज़िम्मेदारी सरकार की नीतियों पर आती है।
सट्टा हमले (speculative attack) की अधिक जोखिम।	सट्टा हमले (speculative attack) की संभावना कम।

परीक्षोपयोगी

टोबिन कर (TOBIN TAX)

यह एक प्रकार का कर है, जो स्पॉट मुद्रारूपांतरण को **हतोत्साहित करने के लिए स्पॉट मुद्रा रूपांतरणों पर लगाया** जाता है। टैक्स का नाम अर्थशास्त्री जेम्स टोबिन के नाम पर रखा गया है।

1971 में, जब निश्चित विनिमय-दरों को लचीली विनिमय-दरों से बदल दिया गया था, तो मुद्राओं के बीच एक बड़ा संचालन था, जिसने अर्थव्यवस्था को अस्थिर करने की धमकी दी थी।

अतिरिक्त जानकारी

कौन-सी विनिमय-दर प्रणाली किसी अर्थव्यवस्था के लिए सबसे उपयुक्त है? (WHICH EXCHANGE RATE SYSTEM SUITS AN ECONOMY BEST?)

एक ऐसे प्रभावी व्यापारिक साझेदार के साथ, जो एक यथोचित स्थिर मौद्रिक नीति रखता है, छोटी अर्थव्यवस्थाओं के लिए **स्थिर विनिमय-दर प्रणाली उपयुक्त** है। यह छोटे कैरेबियन द्वीपों, छोटे मध्य अमेरिकी देशों और छोटे प्रशांत द्वीप देशों जैसी कई छोटी अर्थव्यवस्थाओं के मामले में अंतरराष्ट्रीय स्तर पर उपयुक्त पाया गया है। नेपाल और भूटान की करेंसी भी भारतीय रुपये के हिसाब से नियंत्रित हैं। इसके अलावा, अफ़्रीका, नामीबिया, स्विट्ज़रलैंड आदि की करेंसी दक्षिण अफ़्रीकी रैंड के आधार पर नियंत्रित हैं।

इसके अलावा, चीन जैसी विशाल निर्यात अधिशेष और भारी विदेशी मुद्रा भंडारवालीं अर्थव्यवस्थाएँ एक स्थिर विनिमय-दर व्यवस्था का पालन करने में सक्षम हैं।

अन्य उपलब्ध विकल्प मुक्त विनिमय (free float) और नियंत्रित विनिमय (managed float) हैं। चूँकि मुक्त विनिमय में पूँजी के अकस्मात पलायन और सट्टा हमलों की जोख़िम होती है, इसलिए यह विनाशकारी हो सकता है।

इस प्रकार, अधिकांश देश एक **मध्यवर्ती विनिमय-दर व्यवस्था** (intermediate exchange rate regime) का पालन करने के लिए अलग-अलग परिमाण में आकलित प्रणाली (pegged system) और मुक्त विनिमय प्रणाली की विशेषताओं को संयुक्त करते हैं। एक नियंत्रित विनिमय प्रणाली का अनुसरण करके भारत भी इस श्रेणी में आता है।

मूल्यह्रास *बनाम* अवमूल्यन और मूल्यह्रास *बनाम* अभिमूल्यन
(DEPRECIATION *VERSUS* DEVALUATION AND DEPRECIATION VERSUS APPRECIATION)

मूल्यह्रास (Depreciation)	अवमूल्यन (Devaluation)
यह तब होता है, जब अंतरराष्ट्रीय मुद्रा बाज़ार में घरेलू मुद्रा का मूल्य गिर जाता है। यह माँग और आपूर्ति के बाज़ार की ताक़तों के माध्यम से **स्वतः** होता है।	जब घरेलू मुद्रा का **मूल्य सरकार द्वारा परिस्थितियों के कारण कम** किया जाता है, तो इसे अवमूल्यन कहा जाता है।
उदाहरण के लिए, यदि ₹/$75 रुपये प्रतिडॉलर से बढ़कर ₹80 प्रतिडॉलर हो जाता है, तो यह मूल्यह्रास को दर्शाता है।	**उदाहरण के लिए,** यदि सरकार द्वारा ₹/$ का मूल्य परिस्थितियों के कारण ₹75 प्रति $ से ₹80 प्रति डॉलर तक बढ़ाया जाता है, तो यह अवमूल्यन का संकेत देता है।
ऐसा एक लचीली विनिमय-दर प्रणाली (flexible exchange rate system) के तहत होता है।	यह एक स्थिर विनिमय-दर प्रणाली (fixed exchange rate system) के तहत होता है।
एक आयात अधिशेषवाले (import surplus) देश के मामले में मूल्यह्रास के परिणामस्वरूप शुद्ध विदेशी मुद्रा के बहिर्प्रवाह में कमी आती है, और विपरीत स्थिति में इसके उलटा होता है।	अवमूल्यन से अंतरराष्ट्रीय बाज़ार से विदेशी मुद्रा (जैसे कि $) की अतिरिक्त आपूर्ति होती है। इसलिए, सरकार को विदेशी मुद्रा की ख़रीद के माध्यम से उस अतिरिक्त आपूर्ति को अवशोषित करने की आवश्यकता है, जिससे विदेशी मुद्रा भंडार में बढ़ोतरी होती है।
जब एक विदेशी मुद्रा (जैसे कि $) को ख़रीदने के लिए अधिक रुपये की आवश्यकता होती है, तो इसे मूल्यह्रास कहा जाता है।	जब एक विदेशी मुद्रा (जैसे कि $) को ख़रीदने के लिए कम रुपये की आवश्यकता होती है, तो इसे अभिमूल्यन कहा जाता है।
डॉलर की तुलना में रुपया कमज़ोर हो जाता है।	डॉलर की तुलना में रुपया मज़बूत होता है।
निर्यात बढ़ने की संभावना है।	निर्यात में गिरावट की संभावना है।
दोनों मूल्यह्रास और अवमूल्यन **लचीली विनिमय-दर प्रणाली** की घटनाएँ हैं।	

क्या आप जानते हैं?

कम विकसित देश अक्सर अपनी मुद्रा का अवमूल्यन करते हैं
(LESS DEVELOPED COUNTRIES OFTEN DEVALUE THEIR CURRENCY)

हाँ, कम विकसित देश अक्सर अपनी मुद्रा का अवमूल्यन करते हैं, क्योंकि-

- सरकार द्वारा अवमूल्यन घरेलू रूप से उत्पादित वस्तुओं और सेवाओं की माँग को बढ़ाता है और इस तरह निर्यात बढ़ने की अपेक्षा रहती है।
- निर्यात में वृद्धि विदेशी मुद्रा प्रवाह को बढ़ाने में मदद करती है, जिसके परिणामस्वरूप आवश्यक वस्तुओं का आयात सुगम हो जाता है।
- अवमूल्यन अर्थव्यवस्था में निजी विदेशी निवेश को भी आकर्षित करता है, जो सकल घरेलू उत्पाद (जीडीपी) में एक बेहतर वृद्धि को संभव बनाता है।

__जुलाई, 1991__ में भारत सरकार ने BoP (Balance of Payments) संकट से उबरने के लिए रुपये का मूल्य 18 से 19 प्रतिशत घटा दिया था।

__ब्लैक वेडनेसडे__ यूनाइटेड किंगडम में 1992 में हुआ।

__दिसंबर मिस्टेक__ मैक्सिको में 1994 में हुआ।

मुद्रा अवमूल्यन का प्रभाव (Effects of Currency Devaluation)

लाभार्थी (Gainers)	हारनेवाले (Losers)
निर्यात करनेवाले	आयातित कच्चा माल ख़रीदनेवालीं फ़र्में
घरेलू पर्यटन उद्योग	विदेश में छुट्टियाँ मनानेवाले निवासी
निर्यात उद्योग में रोज़गार पानेवाले श्रमिक	सामान्य उपभोक्ता, जो आयातित सामान ख़रीदते हैं

अतिरिक्त जानकारी

मुद्रा में हेरा-फेरी (CURRENCY MANIPULATION)

मुद्रा हेरफेर एक नीति है, जिसका उपयोग केंद्रीय बैंकों या कुछ देशों की सरकारों द्वारा वैश्विक व्यापार में अनुचित व्यापार लाभ में उछाल लाने के लिए **अपनी मुद्राओं के मूल्य का कृत्रिम रूप से अवमूल्यन करने के लिए** किया जाता है।

अमेरिकी ट्रेज़री विभाग अर्ध-वार्षिक मुद्रा प्रथाओं की निगरानी सूची (मुद्रा हेरा-फेरी सूची) जारी करता है। ऐसी तीन स्थितियाँ हैं, जिनके आधार पर वे देशों को निगरानी सूची (वॉचलिस्ट) में रखते हैं।

शर्तें :

1. अमेरिका के साथ एक महत्त्वपूर्ण द्विपक्षीय व्यापार अधिशेष
2. GDP के न्यूनतम 2% के बराबर 12 महीने की अवधि में चालू खाता अधिशेष
3. निरंतर एकतरफ़ा हस्तक्षेप

यदि कोई देश तीन में से दो शर्तों को पूरा करता है, तो उस देश को वॉचलिस्ट में रखा जायेगा।

परीक्षोपयोगी

मुद्रायुद्ध (CURRENCY WAR)

जब व्यापार लाभ प्राप्त करने के लिए देशों के बीच अवमूल्यन के माध्यम से अपनी मुद्रा को सस्ता करने की तीव्र प्रतिस्पर्धा होने लगती है, तो इसे 'मुद्रायुद्ध' कहते हैं। यह शब्द 2010 में ब्राज़ील के वित्त मंत्री गुइडो मंटेगा द्वारा प्रस्तुत किया गया था। पिछले 10 वर्षों में मुद्रायुद्ध के हालिया उदाहरण अमेरिका और चीन, जापान और यूरोजोन, अमेरिका और जर्मनी आदि के मध्य देखे जा सकते हैं।

भारत में विनिमय-दर प्रणाली का इतिहास (HISTORY OF EXCHANGE RATE SYSTEM IN INDIA)

- **1947–71 :** चूँकि भारत अंतरराष्ट्रीय मुद्रा कोष का संस्थापक सदस्य था, इसलिए भारत विनिमय-दर की समायोज्य आकलित प्रणाली (Adjustable Peg System) की ब्रेटन वुड्स पद्धति का पालन करने के लिए बाध्य था। विनिमय-दर अमेरिकी डॉलर के संदर्भ में विनिमयित की गयी थी, जिसे एक निश्चित मूल्य पर सोने का मूल्य दिया गया था। भारत के लिए अपनी बाज़ार विनिमय-दर को परिभाषित मूल्य के ± 1 प्रतिशत के भीतर बनाये रखना आवश्यक था। इस प्रणाली को सम-मूल्य-प्रणाली (Par Value System) भी कहा जाता था।

- **1971–1975 :** जब संयुक्त राज्य अमेरिका द्वारा डॉलर की परिवर्तनीयता के निलंबन के साथ ही 1971 में ब्रेटन वुड सिस्टम धराशायी हुआ, तब भारतीय रुपया 1975 तक ब्रिटेन के पाउंड स्टर्लिंग के साथ विनिमयित किया गया था।
- **1975–1992 :** एकल मुद्रा के साथ विनिमयित करने के बजाए, रुपये को मुद्राओं के एक समूह के साथ विनिमयित किया गया था और यह प्रणाली 1980 के दशक में जारी रही।
- **1992-1993 :** प्रमुख भुगतान संतुलन संकट और उसके परिणामस्वरूप आर्थिक सुधारों के कारण, **उदारीकृत विनिमय दर प्रबंधन प्रणाली [Liberalised Exchange Rate Management System (LERMS)]** लागू की गयी, जो बाज़ार निर्धारित विनिमय-दर की ओर संक्रमण को सक्षम करने के लिए भारत का प्रारंभिक क़दम था। LERMS के अंतर्गत **दोहरी विनिमय-दर प्रणाली (dual exchange rate system)** का पालन किया गया था, अर्थात् निर्यात आय का 40 प्रतिशत RBI द्वारा निर्धारित आधिकारिक विनिमय-दर पर परिवर्तित किया जाना था और शेष 60 प्रतिशत माँग और आपूर्ति के बाज़ार बलों द्वारा निर्धारित विनिमय-दर पर। चूँकि आधिकारिक विनिमय-दर बाज़ार विनिमय-दर से कम थी, इसलिए इस प्रणाली का निर्यातकों द्वारा अत्यधिक विरोध किया गया था।
- **1993 तत्पश्चात् :** दोहरी विनिमय-दर को 100 प्रतिशत रुपांतरण (60 : 40 के बजाए) की अनुमति देकर **एकीकृत विनिमय-दर प्रणाली [Unified Exchange Rate System (UERS)]** द्वारा बदल दिया गया था, और जिसके तहत **मैनेज्ड फ्लोट** विनिमय-दर प्रणाली को अपनाया गया था।

परीक्षोपयोगी

नाममात्र प्रभावी विनिमय-दर [Nominal Effective Exchange Rate (NEER)] : यह विदेशी मुद्राओं के एक समूह के भारित औसत के मुक़ाबले मुद्रा के मूल्य की एक माप है। मुद्राओं का भार उस देश के साथ व्यापार के परिमाण के आधार पर किया जाता है। NEER को मुद्रास्फीति के लिए समायोजित नहीं किया गया है। नाममात्र प्रभावी विनिमय-दर को तब अभिमूल्यन करने के लिए कहा जाता है, जब फ्लोटिंग विनिमय-दर प्रणाली में विभिन्न मुद्राओं की टोकरी के मुक़ाबले घरेलू मुद्रा का मूल्य बढ़ता है।

वास्तविक प्रभावी विनिमय-दर [Real Effective Exchange Rate (REER)] : यह मुद्रास्फीति सूचकांक के साथ समायोजित की गयी NEER है। REER को किसी मुद्रा की अंतरराष्ट्रीय प्रतिस्पर्धा की जाँच करने के लिए एक अच्छा उपाय माना जाता है। किसी देश की वास्तविक प्रभावी विनिमय-दर में वृद्धि इंगित करती है कि देश का निर्यात महँगा हो रहा है और दूसरी ओर इसका आयात सस्ता हो रहा है।

किसी देश की NEER और REER के बीच बढ़ता अंतर इंगित करता है कि संबंधित देश में मुद्रास्फीति की दर मुद्राओं की तुलना में संबंधित देशों की तुलना में अधिक है।

बिग मैक सूचकांक (Big Mac Index)– मैकडॉनल्ड्स (McDonald's) के बिग मैक (Big Mac) बर्गर की क़ीमत की तुलना करके राष्ट्रों के बीच क्रय शक्ति समता [Purchasing Power Parity (PPP)] को मापने के लिए इसका उपयोग किया जाता है।

उदाहरण के लिए, यदि संयुक्त राज्य अमेरिका में बिग मैक की क़ीमत $2 है और भारत में यह ₹100 है, तो बिग मैक सूचकांक के अनुसार, अमेरिकी डॉलर के संदर्भ में रुपये की विनिमय-दर ₹50/$ है।

यदि वास्तविक बाज़ार विनिमय-दर (₹/$) बिग मैक इंडेक्स के अनुसार PPP दर से अधिक है, तब यह अनुमान लगाया जा सकता है कि रुपये का अवमूल्यन किया गया है और इसके विपरीत परिस्थितियों में विपरीत परिणाम होते हैं।

हालाँकि, बिग मैक सूचकांक में इस दृष्टि से त्रुटियाँ हैं कि विभिन्न देशों में बिग मैक बर्गर की क़ीमत मैकडॉनल्ड्स के निर्णय पर आधारित है।

भंडार की पर्याप्तता : आयात नियम के कुछ महीने *बनाम* गाइडोटी-ग्रीनस्पैन नियम (RESERVE ADEQUACY: FEW MONTHS OF IMPORTS RULE *VERSUS* GUIDOTTI – GREENSPAN RULE)

- परंपरागत रूप से, विदेशी मुद्रा भंडार की पर्याप्त मात्रा आयात के कुछ महीनों के लिए आरक्षित भंडार के संदर्भ में निर्धारित की गयी थी। हालाँकि, BOP में पूँजी खाते में लेन-देन के बढ़ते महत्त्व के साथ यह दृष्टिकोण अब कम प्रासंगिक हो रहा है।

- विभिन्न पूँजी खाता लेन-देन के बीच अल्पकालिक बाहरी ऋण को अब BOP के तहत प्रमुखता मिली है।
- इस प्रकार, **विदेशी मुद्रा भंडार और अल्पकालिक ऋण का अनुपात (ratio of short-term debt to forex reserves)** रिज़र्व की पर्याप्तता निर्धारित करने के लिए एक प्रासंगिक मापदंड के रूप में उभरा है।
- इस संबंध में, **गाइडोटी-ग्रीनस्पैन नियम (Guidotti-Greenspan Rule) 1999 में प्रस्तावित किया गया** था, जिसके तहत कोई भी देश एक वर्ष तक अतिरिक्त उधार लिये बिना अपने सभी अल्पावधि विदेशी मुद्रा ऋण दायित्वों को 100 प्रतिशत पूरा कर सकता है।

घटकवार भारतीय विदेशी मुद्रा भंडार **(Component-wise Indian forex reserves)** – इसे पिछले अध्याय में समझाया गया है।

वर्ष	1991–92	दिसंबर अंत, 2025	अप्रैल अंत, 2025
भारत का विदेशी मुद्रा भंडार	$5.8 बिलियन	$640.2 बिलियन	$676.3 बिलियन

स्रोत : RBI

लास्ट मिनट स्निपपेट्स

- विदेशी मुद्रा भंडार के मामले में भारत शीर्ष के 10 देशों में शामिल है, पहला स्थान चीन का है।
- 1991-92 के बाद के वर्षों में भारत का विदेशी मुद्रा भंडार काफ़ी हद तक बढ़ा है।

अतिरिक्त जानकारी

भारतीय रिज़र्व बैंक के नीति-उपकरण के रूप में बंध्यीकरण
(STERILISATION AS A POLICY TOOL OF RBI)

RBI ने गत वर्षों में रुपये के तीव्र अभिमूल्यन को रोकने के लिए अत्यधिक हस्तक्षेप किया है। इससे भारतीय अर्थव्यवस्था में **अधिक डॉलर लाने में सहायता** मिली है। इसके अलावा, हाल के वर्षों में सुस्त आयात और पूँजी नियंत्रण की सहायता से हम भारत के विदेशी मुद्रा भंडार में निरंतर वृद्धि पाते हैं।

RBI ने मुख्य रूप से **बंध्यीकरण की नीति** के माध्यम से हस्तक्षेप किया है।

बंध्यीकरण के अंतर्गत, RBI बाज़ार से डॉलर ख़रीदता है और बदले में भारतीय रुपया जारी करता है – और फिर सरकारी प्रतिभूतियों [Government Securities (G-Secs)] की बिक्री के माध्यम से अर्थव्यवस्था से अतिरिक्त रुपया वापस ले लेता है। बंध्यीकरण की यह प्रक्रिया हाल के वर्षों में RBI का महत्त्वपूर्ण विनिमय-दर-प्रबंधन-उपकरण है।

भारतीय रुपये की परिवर्तनीयता (CONVERTIBILITY OF INDIAN RUPEE)

- परिवर्तनीयता (Convertibility) का मतलब है कि किसी देश की मुद्रा को बाज़ार निर्धारित विनिमय-दर (market-determined exchange rate) पर विदेशी मुद्रा में स्वतंत्र रूप से परिवर्तित किया जा सकता है।
- उदाहरण के लिए, रुपये की परिवर्तनीयता का अर्थ है कि जिनके पास विदेशी मुद्रा है (*उदाहरण के लिए, अमेरिकी डॉलर और पाउंड स्टर्लिंग*), वे उन्हें बाज़ार की निर्धारित दर पर रुपये में परिवर्तित कर सकते हैं और इसके विपरीत भी कर सकते हैं।
- परिवर्तनीयता दो प्रकार की होती है– चालू खाते पर (on current account) और पूँजी खाते पर (on capital account)।
- चालू खाता परिवर्तनीयता का मतलब चालू खाता लेन-देन में उपयोग के लिए रुपये को किसी भी विदेशी मुद्रा में बदलने और इसके विपरीत करने की क्षमता है।

- पूँजी खाता परिवर्तनीयता (Current Account Convertibility) का तात्पर्य विनिमय की बाज़ार-निर्धारित दरों पर स्थानीय वित्तीय परिसंपत्तियों को विदेशी वित्तीय परिसंपत्तियों में बदलने और इसके विपरीत करने की स्वतंत्रता है।
- 1994 से चालू खाते (Current Account) में **रुपया पूरी तरह से परिवर्तनीय** बना हुआ है (जैसा कि भारत को चालू खाता लेन-देन के लिए परिवर्तनीयता पर प्रतिबंध लगाने से बचने के लिए आईएमएफ़ के साथ समझौते के अनुच्छेद VIII के तहत भी बाध्य किया गया था)।
- इसके पश्चात्, **पूँजी खाते में रुपये की परिवर्तनीयता** के लिए एक रोड मैप का सुझाव देने के लिए, आरबीआई ने क्रमश: 1997 और 2006 में **तारापोर समिति (Tarapore Committee)-I और II** का गठन किया।
- हालाँकि तारापोर समिति के सुझावों को अपनाया जाना बाक़ी है। अब तक, **पूँजी खाते में रुपया आंशिक रूप से परिवर्तनीय** (partially convertible on capital account) है। इसका तात्पर्य यह है कि इस मामले में आरबीआई और भारत सरकार की पूर्व अनुमति अब भी आवश्यक है।

क्या आप जानते हैं? **निम्नलिखित चार चालू खाता लेन-देन को छोड़कर रुपया चालू खाते में परिवर्तनीय है :**

1. किसी भी भारतीय पर्यटक को 10,000 डॉलर से अधिक को रुपये में परिवर्तित करने के लिए RBI की पूर्व स्वीकृति आवश्यक है।
2. शिक्षा और चिकित्सा के लिए 1 लाख डॉलर से अधिक की किसी भी आवश्यकता के लिए RBI की पूर्व स्वीकृति आवश्यक है।
3. गेम शो, लॉटरी, रेसिंग, सट्टेबाज़ी आदि के माध्यम से प्राप्त पुरस्कार राशि के प्रेषण की अनुमति नहीं है।
4. भारतीय/विदेशी कलाकारों को विदेशी मुद्रा में भुगतान के लिए वित्त मंत्रालय की पूर्व स्वीकृति की आवश्यकता होती है।

परीक्षोपयोगी

रुपये की पूर्ण परिवर्तनीयता के संभावित लाभ और सीमाएँ क्या हैं?
(WHAT ARE THE POTENTIAL BENEFITS AND LIMITATIONS OF FULL CONVERTIBILITY OF RUPEE?)

संभावित लाभ (Potential Benefits)

- परिवर्तनीयता विदेशी निवेश को आकर्षित (attracting foreign investment) करने में मदद करती है, जिससे आर्थिक विकास में तेज़ी आती है।
- अधिक विदेशी निवेश के कारण रोज़गार और व्यापार के बेहतर अवसर।
- वित्तीय बाज़ारों में बड़ी तरलता।
- विभिन्न उद्योग क्षेत्रों में प्रगति।

सीमाएँ (Limitations)

- अर्थव्यवस्था को वैश्विक सुभेद्यताओं (global vulnerabilities) का सामना करना पड़ता है।
- आकस्मिक पूँजी पलायन (sudden capital flight) का डर बना रहता है, जिससे चालू खाता घाटा बढ़ भी सकता है।
- सट्टा हमलों (speculative attacks) का ख़तरा।
- बाह्य ऋण की कोई अधिकतम सीमा न होना विनाशकारी हो सकता है।
- **संसर्ग प्रभाव (Contagion Effect)** अर्थात् किसी विशेष अर्थव्यवस्था में होनेवाले वित्तीय संकट के प्रभाव से भारतीय अर्थव्यवस्था में संचरण की अधिक संभावना है।

पूँजी खाता परिवर्तनीयता [Capital Account Convertibility (CAC)] के तहत अब तक की प्रमुख छूट :

- अधिकांश क्षेत्रों में FDI को स्वचालित मार्ग के तहत अनुमति दी गयी है और **FIIs** को उदारतापूर्वक अनुमति दी गयी है।
- बाहरी वाणिज्यिक उधार [External Commercial Borrowing (ECB)] को एक निश्चित सीमा तक अब RBI या भारत सरकार की स्वीकृति की आवश्यकता नहीं है।
- भारतीय नागरिक विदेशी बाज़ारों में 2.5 लाख डॉलर तक का निवेश कर सकते हैं।

तारापोर समिति के अनुसार, **रुपये की पूर्ण परिवर्तनीयता के लिए कुछ पूर्वप्रतिबंध हैं, जिन्हें पूरा करना आवश्यक है :**

1. **राजकोषीय घाटा घरेलू सकल उत्पाद** (GDP) का 3.5 प्रतिशत तक कम होना चाहिए।
2. **समेकित ऋण शोधन निधि (Consolidated Sinking Fund)** के माध्यम से सार्वजनिक ऋण को कम किया जाये।
3. **मुद्रास्फीति** का लक्ष्य (inflation target) 3 प्रतिशत से 5 प्रतिशत के बीच तय होना चाहिए।
4. भारतीय वित्तीय क्षेत्र को सुदृढ़ बनाया जाये।

उपर्युक्त पूर्वप्रतिबंधों के अतिरिक्त, समिति ने पर्याप्त विदेशी मुद्रा भंडार, न्यूनतम NPA, केवल REER के ±5 प्रतिशत बैंड से अधिक होने पर RBI द्वारा हस्तक्षेप, CAD को प्रबंधनीय सीमाओं के भीतर लाना आदि की भी सिफ़ारिश की।

इस प्रकार, रुपये की पूर्ण परिवर्तनीयता भारतीय अर्थव्यवस्था को विश्व स्तर पर प्रतिस्पर्धात्मक बनने में मददगार हो सकती है। हालाँकि, निर्णय अच्छी तैयारी पर आधारित होना चाहिए और जल्दबाज़ी में नहीं लिया जाना चाहिए। रुपये की पूर्ण परिवर्तनीयता के बाद भी कुछ प्रतिबंध जारी रहने चाहिए।

अतिरिक्त जानकारी

डच रोग (DUTCH DISEASE)

यह एक **विरोधाभास (paradox)** है, जिसके तहत किसी देश में तेल भंडार की खोज जैसी अच्छी ख़बर देश की व्यापक अर्थव्यवस्था को नुक़सान पहुँचा सकती है। यह शब्द पहली बार 1977 में गढ़ा गया था।

यह कैसे काम करता है – उदाहरण के लिए, तेल भंडार की खोज के साथ, उन तेल भंडारों में विदेशी निवेश का एक बड़ा प्रवाह होता है - जिससे घरेलू मुद्रा और मज़बूत होती है - घरेलू मुद्रा के इस अधिमूल्यन से विनिर्माण क्षेत्र के निर्यात उत्पाद अप्रतिस्पर्धी हो जाते हैं और उनके समग्र निर्यात में गिरावट आ सकती है। इस परिघटना से अर्थव्यवस्था में आयात में भी वृद्धि होती है। 1970 के दशक में ग्रेट ब्रिटेन में ऐसा अनुभव किया गया था। 2014 में, कनाडा में संभावित डच रोग पर चिंता व्यक्त की गयी थी, हालाँकि अब यह कम हो गयी है।

रुपये का अंतरराष्ट्रीयकरण (INTERNATIONALISATION OF RUPEE)

भारतीय रुपये को अंतरराष्ट्रीयकृत क़रार दिया जायेगा, यदि:

- दूसरे देश के बैंक, कंपनियाँ और निवासी इसे वित्तीय सुरक्षा के तौर पर रखना आरंभ करते हैं।
- इसे अंतरराष्ट्रीय व्यापार के लेन-देन में स्वीकार किया जाता है।
- अनिवासी रुपया-मूल्यवर्ग की संपत्तियों आदि में निवेश करने के लिए उत्सुक हों।

किसी भी मुद्रा के **अंतरराष्ट्रीयकरण की आवश्यक शर्तें :**

1. उस मुद्रा की उपलब्धता में पर्याप्तता।
2. उस मुद्रा की स्थिरता।
3. उस मुद्रा की तरलता।

वर्तमान में, **अमेरिकी डॉलर, यूरो, पाउंड स्टर्लिंग, येन और रेनमिनबी** को अंतरराष्ट्रीय मुद्रा कहा जा सकता है। सीमा पार व्यापार और वित्तीय सुरक्षा के लिए नेपाल और भूटान अपनी आधिकारिक मुद्रा (नेपाली रुपया और भूटानी नगुल्टम) के साथ भारतीय रुपये को आधार बनाते हैं।

अंतरराष्ट्रीयकरण के लाभों में अंतरराष्ट्रीय लेन-देन में विदेशी मुद्रा भंडार की बचत, विदेशी व्यापार में सुधार और बेहतर अंतरराष्ट्रीय पूँजी प्रवाह शामिल हो सकते हैं।

अतिरिक्त जानकारी

वोस्ट्रो/नोस्ट्रो खाते (VOSTRO/NOSTRO ACCOUNTS)

वोस्ट्रो शब्द लैटिन शब्द "आपका" से आया है, जिसका अर्थ है "आपका पैसा हमारे बैंक में जमा है"। इसी तरह नोस्ट्रो शब्द लैटिन शब्द "हमारा" से आया है, जिसका अर्थ है "हमारा पैसा आपके बैंक में जमा है"। वोस्ट्रो और नोस्ट्रो शब्द का उपयोग एक ही बैंक खाते का वर्णन करने के लिए किया जाता है।

वोस्ट्रो खाता एक घरेलू बैंक द्वारा विदेशी बैंक के लिए स्थानीय मुद्रा में रखा गया खाता है। एक देश का वोस्ट्रो खाता अंतरराष्ट्रीय व्यापार में दूसरे देश का नोस्ट्रो खाता है। उदाहरण के लिए - मान लीजिए कि बैंक A की रूस में कोई शाखा नहीं है, लेकिन बैंक B की है। अब रूस में कोई भी जमा प्राप्त करने के लिए, बैंक A बैंक B में एक नोस्ट्रो खाता खोलेगा। अब रूस से बैंक A को कोई भी पैसा भेजने के लिए वे उसे B में A के अकाउंट में जमा कर सकते हैं। फिर B, A को धन हस्तांतरित करेगा। हाल ही में, रूसी बैंकों ने भारत में नोस्ट्रो खाते खोले हैं।

विशेष रुपया वोस्ट्रो खाते (SRVA) व्यवस्था : SRVA एक अतिरिक्त व्यवस्था है, जहाँ यह स्वतंत्र रूप से परिवर्तनीय मुद्राओं का उपयोग करता है।

परीक्षोपयोगी

डॉलरीकरण (Dollarisation) : जब अमेरिकी डॉलर (या किसी अन्य देश की मुद्रा) का उपयोग किसी अन्य देश की घरेलू मुद्रा के अतिरिक्त या इसके बजाय किया जाता है, तो डॉलरीकरण (Dollarisation) कहलाता है। यह **मुद्रा प्रतिस्थापन (currency substitution)** का एक उदाहरण है। डॉलरीकरण आमतौर पर तब होता है, जब किसी देश की अपनी मुद्रा अत्यधिक मुद्रास्फीति (hyperinflation) या अस्थिरता के कारण विनिमय के माध्यम के रूप में अपनी उपयोगिता खो देती है।

डी-डॉलरीकरण (De-dollarisation) अंतरराष्ट्रीय बाजार में **डॉलर के प्रभुत्व को अन्य मुद्राओं के साथ बदलकर कम करने** की एक प्रक्रिया है। डी-डॉलरीकरण में, तेल और/या अन्य वस्तुओं के व्यापार के लिए डॉलर को छोड़कर अन्य मुद्राओं का उपयोग किया जाता है। **देश डॉलर में अपने विदेशी मुद्रा भंडार को कम करना शुरू करते हैं और डॉलर के महत्त्व को कम करने के लिए कई अन्य उपाय करते हैं।** उदाहरण के लिए भारत-रूस रुपया-रूबल व्यापार।

ब्रिक्स सदस्य सीमा पार से भुगतान के लिए एक नयी मुद्रा विकसित कर रहे हैं। भारत और मलेशिया अपनी वर्तमान मुद्राओं के अतिरिक्त, भारतीय रुपये में भी व्यापार करने पर सहमत हुए हैं। इसे डी-डॉलराइजेशन (de-dollarisation) की दिशा में एक महत्त्वपूर्ण क़दम के रूप में देखा जाता है।

डी-डॉलराइजेशन ज़ोर क्यों पकड़ रहा है? (Why is De-Dollarisation gaining root?)

- **व्यापार का शस्त्रीकरण (Weaponisation of Trade) :** SWIFT से प्रतिबंध और बहिष्कार अंतरराष्ट्रीय व्यापार में बाधाएँ डालते हैं। उदाहरण के लिए, यूक्रेन युद्ध के बाद रूस पर प्रतिबंध लगाये गये थे।
- **नयी उभरतीं अर्थव्यवस्थाएँ (New Emerging Economies) :** जैसे-जैसे एशिया एक आर्थिक महाशक्ति बनता जा रहा है, भारतीय रुपया और युआन जैसी मुद्राएँ तेज़ी से महत्त्वपूर्ण होती जा रही हैं।
- **विविधीकरण के लाभ (Diversification Benefits) :** कई विदेशी मुद्रा भंडार होने से बाहरी उद्योगों पर दबाव कम हो जाता है।
- **अमेरिका द्वारा हेरफेर (Manipulation by the US) :** USD का प्रभुत्व अमेरिका को, दूसरों की क़ीमत पर, अक्सर अपने लाभ के लिए वैश्विक वित्तीय प्रणाली को प्रभावित करने में सक्षम बनाता है।

मुद्रा विनिमय (CURRENCY SWAP)

द्विपक्षीय मुद्रा विनिमय, वह संव्यवहार है, जिसमें दो पक्ष एक-दूसरे के साथ अलग-अलग मुद्राओं में समान राशि का आदान-प्रदान करते हैं। पक्षकार अनिवार्यत: एक-दूसरे को उधार देते हैं, जिसका भुगतान निश्चित तिथि और विनिमय-दर पर किया जाना होता है। इसका उद्देश्य विनिमय-दर जोखिम से बचाव, मुद्रा की दिशा संबंधी अनुमान लगाना या विदेशी मुद्रा में उधारी की लागत को कम करना हो सकता है।

लास्ट मिनट स्निपपेट्स

2024 में, RBI ने SAARC मुद्रा विनिमय तंत्र 2024-27 के तहत श्रीलंका के सेंट्रल बैंक के साथ मुद्रा विनिमय समझौते पर हस्ताक्षर किया; भारत और जापान के बीच 2018 में मुद्रा विनिमय समझौता।

RBI इसका उपयोग आयात के लिए भुगतान, विदेशी मुद्रा ऋण आदि संबंधी सेवा के लिए कर सकता है।

दुर्लभ मुद्रा *बनाम* सुलभ मुद्रा (HARD CURRENCY *VERSUS* SOFT CURRENCY)

दुर्लभ मुद्रा (Hard Currency) मुद्रा का एक स्थिर और विश्वसनीय रूप है। यह सरकार द्वारा जारी किया जाता है और विश्व में व्यापक रूप से स्वीकार किया जाता है। इस प्रकार की मुद्रा, माँग वैल्यू स्टोर के रूप में विश्व भर में है। दुर्लभ मुद्रा के उद्भव के पीछे किसी देश की दीर्घकालिक स्थिरता, राजकोषीय और आर्थिक नीतियाँ, अर्थव्यवस्था की सुदृढ़ता आदि प्रासंगिक कारक हैं। वर्तमान उदाहरण यूएस डॉलर, पाउंड स्टर्लिंग, जापानी येन आदि हो सकते हैं।

सुलभ मुद्रा (Soft Currency) मुद्रा का एक अस्थिर रूप है। इसकी तरलता कम होती है, उतार-चढ़ाव अनियमित होता है और अन्य मुद्राओं के विरुद्ध इसमें मूल्यह्रास होता है। वर्तमान उदाहरण जिम्बाब्वे का डॉलर और वेनेजुएला का बोलिवर हो सकते हैं।

अतिरिक्त जानकारी

अंतरराष्ट्रीय निवेश स्थिति [INTERNATIONAL INVESTMENT POSITION (IIP)]

- यह रिपोर्ट अंतरराष्ट्रीय मुद्रा कोष (IMF) द्वारा प्रकाशित की गयी है।
- भारत के IIP से संबंधित आँकड़े हर तिमाही के बाद RBI द्वारा संकलित एवं प्रकाशित किये जाते हैं।
- हर तिमाही के बाद RBI द्वारा अंतरराष्ट्रीय निवेश स्थिति संकलित की जाती है।
- यह भारत की विदेशी देनदारियों और परिसंपत्तियों और डेटा के 13 अन्य स्रोतों के सर्वेक्षण पर आधारित है।
- IIP प्रतिबिंबित करता है-
  1. *भारत की बाहरी परिसंपत्ति (विदेश में प्रत्यक्ष निवेश, पोर्टफ़ोलियो निवेश, विदेशों में अन्य निवेश और विदेशी मुद्रा भंडार सहित)।*
  2. *भारत की बाहरी देनदारियाँ (भारत में FDI, भारत में पोर्टफ़ोलियो निवेश, वित्तीय डेरिवेटिव और विदेशों से अन्य निवेश सहित)*
- विशुद्ध IIP भारत की कुल बाहरी परिसंपत्ति और कुल बाहरी देनदारियों के बीच का अंतर है।
- **शुद्ध IIP स्थिति** इंगित करती है कि कोई देश शुद्ध लेनदार है या देनदार है। धनात्मक NIIP मूल्य दर्शाता है कि वह राष्ट्र ऋणदाता राष्ट्र है, जबकि ऋणात्मक मूल्य दर्शाता है कि वह ऋणी राष्ट्र है।
- RBI की रिपोर्ट के अनुसार, भारत पर गैर-निवासियों का शुद्ध दावा (जैसा कि शुद्ध IIP द्वारा दर्शाया गया है) सितंबर, 2024 तिमाही में USD - 348.5 बिलियन पर बंद हुआ। (भारत के शुद्ध ऋणी होने का संकेत)। पिछले 03 वर्षों में आँकड़ों में उतार-चढ़ाव की प्रवृत्ति देखी गयी है, हालाँकि, भारत एक क़र्ज़दार देश रहा है।

फ़ेरा (FERA) 1973 और फ़ेमा (FEMA) 1999

फ़ेरा (FERA)

1970 के दशक के शुरुआती वर्षों में, भारत मुख्य रूप से आवश्यक वस्तुओं के आयात पर निर्भरता और पड़ोसी देशों के ख़िलाफ़ निरंतर युद्धों के कारण गंभीर विदेशी मुद्रा संकट का सामना कर रहा था। ऐसे परिदृश्य की पृष्ठभूमि में, वर्ष 1973 में विदेशी मुद्रा विनियमन अधिनियम (FERA) लागू किया गया तथा यह 1 जनवरी, 1974 को लागू हुआ। यह क़ानून मुख्य रूप से कुछ भुगतानों, विदेशी मुद्रा और प्रतिभूतियों में लेनदेन, देश के विदेशी मुद्रा संसाधनों और इसके उचित उपयोग के संरक्षण के लिए मुद्राओं के निर्यात और आयात को नियंत्रित करता है।

विशेषताएँ (Features)

1. पूरे भारत में विस्तार करने के लिए उपयोग किया जाता है।
2. इसमें भारत के वे नागरिक भी शामिल हैं, जो भारत के बाहर रहते हैं और भारत में पंजीकृत या निगमित कंपनियाँ या निकाय भी हैं, जिनकी शाखाएँ और एजेंसियाँ भारत से बाहर हैं।

फ़ेमा (FEMA)

FERA, 1973 के स्थान पर विदेशी मुद्रा प्रबंधन अधिनियम (FEMA) को वर्ष 1999 में परिवर्तित किया गया था। FEMA का उद्देश्य विदेशी मुद्रा से संबंधित मौजूदा क़ानूनों को एकजुट करना और संशोधित करना, देश में विदेशी व्यापार को बढ़ावा देना और भारत में विदेशी मुद्रा बाज़ार को प्रोत्साहित करना है।

विशेषताएँ (Features)

1. FEMA मोटे तौर पर तीन क्षेत्रों को कवर करता है - (a) रुपया-परिवर्तनीयता, (b) विदेशी मुद्रा में दंडनीय अपराध की कोशिश करनेवालों के लिए एक अलग प्रवर्तन निदेशालय (ED) की स्थापना, (c) कॉर्पोरेट क्षेत्र द्वारा उधार।
2. FEMA को प्रतिबंधों के बिना लेन-देन की अनुमति देने में अधिक उदार माना जाता था, और अंतरराष्ट्रीय व्यापार की सुविधा प्रदान करता है।

भारत का विदेशी व्यापार (INDIA'S FOREIGN TRADE)

विदेशी व्यापार देशों की अंतरराष्ट्रीय सीमाओं के आर-पार वस्तुओं, सेवाओं और पूँजी का विनिमय है। किसी देश की GDP के हिस्से पर विदेशी व्यापार का महत्त्वपूर्ण प्रभाव पड़ता है।

भारत में विदेशी व्यापार के उद्देश्य (Objectives of Foreign Trade in India)

- **विदेशी मुद्रा अर्जित (earning foreign exchange)** करने के अलावा, विदेश व्यापार आर्थिक गतिविधियों और **आर्थिक विकास (economic growth)** को प्रेरित करने में सहायता करता है।
- विदेशी व्यापार न केवल **वैश्विक बाज़ार के अवसरों का विस्तार (expanding global market)** करके आर्थिक विकास को गति देता है, बल्कि भारत को विश्व स्तर पर एक जीवंत अर्थव्यवस्था भी बनाता है।
- विदेशी व्यापार भारत में **कृषि की दक्षता (efficiency of agriculture)** को बढ़ाता है और विभिन्न क्षेत्रों में **प्रौद्योगिकी को भी बढ़ाता (enhances technology)** है।
- विदेशी व्यापार भारत में **उत्पादित वस्तुओं और सेवाओं की गुणवत्ता में सुधार (improving the quality of the goods and services)** करने में सहायक होता है और इस प्रकार उपभोक्ताओं को बेहतर तुलनात्मक क़ीमतों पर गुणवत्तापूर्ण उत्पाद भी उपलब्ध करता है।

➤ विदेशी व्यापार **रोज़गार के अवसरों (job opportunities)** को बढ़ाता है और राष्ट्रों के बीच **स्वस्थ संबंध (healthy relations)** बनाता है।

परीक्षोपयोगी

भारत की विदेशी व्यापार नीति के विभिन्न चरण
(DIFFERENT PHASES OF INDIA'S FOREIGN TRADE POLICY)

चरण I	आयात प्रतिबंध और आयात प्रतिस्थापन	1950-1970 के दशकों तक
चरण II	निर्यात संवर्धन और आयात उदारीकरण	1970-1990 के दशकों तक
चरण III	बाह्य उन्मुख	1990 से वर्तमान तक

निर्यात, आयात तथा व्यापार संतुलन (Exports, Imports and Trade Balance)

वर्ष	निर्यात (पुनः निर्यात सहित) (करोड़ रुपये)	आयात (करोड़ रुपये)	व्यापार संतुलन (करोड़ रुपये)	परिवर्तन की दर	
				निर्यात	आयात
				(प्रतिशत)	
(1)	(2)	(3)	(4)	(5)	(6)
2021-22	3147021	4572775	-1425753	45.8	56.8
2022-23	3620631	5733959	-2113328	15	25.4
2023-24	2619157	4189495	-1570338	–	–
2024-25 (P)	2698637	4467342	-1768705	3.0	6.6

स्रोत : वाणिज्यिक खुफ़िया और सांख्यिकी महानिदेशालय (DGCI&S), कोलकाता

भारत के व्यापारिक विदेश व्यापार की संरचना (Composition of India's Merchandise Foreign Trade)

श्रेणी	रैंकिंग
कुल निर्यात में क्षेत्रवार हिस्सेदारी [अप्रैल 2024-दिसंबर 24]	इंजीनियरिंग सामान > पेट्रोलियम उत्पाद > इलेक्ट्रॉनिक सामान > ड्रग्स और फ़ार्मास्यूटिकल्स > रत्न और आभूषण
कुल आयात में क्षेत्रवार हिस्सेदारी [अप्रैल 2024-दिसंबर 24]	पेट्रोलियमः कच्चा तेल > सोना > कोयला, कोक और ब्रिकेट आदि > पेट्रोलियम उत्पाद > इलेक्ट्रॉनिक घटक
निर्यात – देश-वार [2023-24 (अप्रैल-जनवरी)]	संयुक्त राज्य अमरीका > संयुक्त अरब अमीरात > नीदरलैंड > चीन > यूके
आयात – देश-वार [2023-24 (अप्रैल-जनवरी)]	चीन > रूस > संयुक्त अरब अमीरात > अमरीका > सऊदी अरब

स्रोत : वाणिज्य और उद्योग मंत्रालय

विदेशी व्यापार में विभिन्न आर्थिक एकीकरण (VARIOUS ECONOMIC INTEGRATIONS IN FOREIGN TRADE)

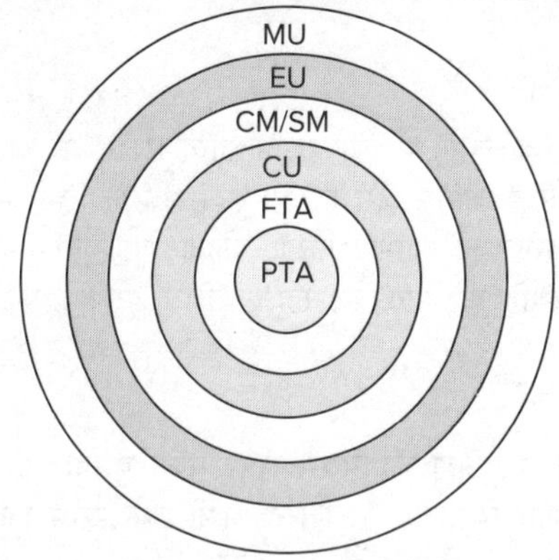

PTA = अधिमान्य व्यापार क्षेत्र (Preferential Trade Area)
FTA = मुक्त व्यापार क्षेत्र (Free Trade Area)
CU = सीमाशुल्क संघ (Custom Union)
CM/SM = साझा बाज़ार/एकल बाज़ार (Common Market/ Single Market)
EU = आर्थिक संघ (Economic Union)
MU = मौद्रिक संघ (Monetary Union)

अधिमान्य (तरजीही) व्यापार क्षेत्र [Preferential Trade Area (PTA)]

इसके तहत सदस्य देश अन्य बाधाओं को ख़त्म करने की अपेक्षा आपस में व्यापारिक बाधाओं को कम करते हैं। पीटीए में, सदस्य ग़ैर-सदस्य देशों के साथ व्यापार संबंध बनाने के लिए स्वतंत्र हैं। यह समझौता कुछ वस्तुओं तक पहुँच को वरीयता देता है।

1992 में गठित **आर्थिक सहयोग संगठन [Economic Cooperation Organisation (ECO)]**, 1981 में गठित दक्षिण प्रशांत क्षेत्रीय व्यापार और आर्थिक सहयोग समझौता **[South Pacific Regional Trade and Economic Cooperation Agreement (SPARTECA)]** आदि PTA के उदाहरण हैं।

मुक्त व्यापार क्षेत्र [Free Trade Area (FTA)]

यह व्यापार बाधाओं (टैरिफ़ और ग़ैर-टैरिफ़, दोनों) को समाप्त करने से संबंधित है। यह सदस्य देश तथा क्षेत्रीय (सदस्य) देशों के बीच एक मुक्त-सीमा संबंध बनाता है। सदस्य ग़ैर-सदस्य देशों के साथ अन्य व्यापारिक संबंध बनाने के लिए स्वतंत्र हैं। यह आर्थिक एकीकरण का दूसरा चरण है।

बृहत् अरब मुक्त व्यापार क्षेत्र **[Greater Arab Free Trade Area (GAFTA)]**, आसियान मुक्त व्यापार क्षेत्र **[ASEAN Free Trade Area (AFTA)]**, दक्षिण एशियाई मुक्त व्यापार क्षेत्र **[South Asian Free Trade Area (SAFTA)]** आदि FTA के उदाहरण हैं।

अतिरिक्त जानकारी

CECA *बनाम* CEPA

व्यापक आर्थिक सहयोग समझौता (CECA) और व्यापक आर्थिक भागीदारी समझौता (CEPA) **FTA की तुलना में अधिक व्यापक हैं**। CECA और CEPA के बीच प्रमुख अंतर यह है कि CECA में नकारात्मक सूची और टैरिफ़ दर कोटा (TRQ) वस्तुओं को छोड़कर सूचीबद्ध वस्तुओं पर केवल टैरिफ़ में कमी या विलोपन शामिल है। जबकि, CEPA सेवाओं और निवेशों में भी व्यापार को शामिल करता है। इसलिए CEPA CECA की तुलना में व्यापक है।

भारत ने जापान, दक्षिण कोरिया और संयुक्त अरब अमीरात के साथ CEPA पर हस्ताक्षर किये हैं और कनाडा के साथ बातचीत कर रहा है।

- **भारत और खाड़ी सहयोग परिषद् (Gulf Cooperation Council & GCC) ने भारत-GCC FTA** पर बातचीत को आगे बढ़ाने के इरादे की घोषणा की है।

- ईपीटीए (प्रारंभिक प्रगति व्यापार समझौता) की संभावना के साथ 5वें भारत-कनाडा एमडीटीआई (व्यापार और निवेश पर मंत्रिस्तरीय वार्ता) के दौरान **भारत-कनाडा व्यापक आर्थिक साझेदारी समझौते (सीईपीए) (India–Canada CEPA)** की बातचीत फिर से शुरू कर दी गयी है।

द्विपक्षीय व्यापार और निवेश समझौता (BTIA)

यह एक तरह का FTA है। 2007 में, भारत और यूरोपीय संघ ने ब्रूसेल्स, बेल्जियम में व्यापक-आधारित BTIA पर बातचीत शुरू की। यूरोपीय संघ ऑटोमोबाइल, वाइन और स्पिरिट्स, बैंकिंग, बीमा और ई-कॉमर्स जैसे वित्तीय सेवा क्षेत्र के लिए अधिक बाज़ार पहुँच चाहता था। यूरोपीय संघ भी श्रम, पर्यावरण और सरकारी ख़रीद को शामिल करना चाहता था। जबकि, भारत आसान कार्य वीज़ा और अध्ययन वीज़ा मानदंडों और एक डेटा सुरक्षित स्थिति की माँग कर रहा है, जिसे यूरोपीय संघ द्वारा अब तक स्वीकार नहीं किया जा रहा है।

क्षेत्रीय व्यापक आर्थिक भागीदारी (RCEP)

RCEP 1 जनवरी, 2022 को लागू हुआ। यह व्यापार की मात्रा के मामले में दुनिया का **सबसे बड़ा मुक्त व्यापार क्षेत्र** है। इसके सदस्य एशियाई देश, चीन, जापान, दक्षिण कोरिया तथा ऑस्ट्रेलिया और न्यूज़ीलैंड हैं। **भारत अभी तक इसमें शामिल नहीं हुआ है।**

इसका **उद्देश्य सेवाओं में** व्यापार खोलना और **निवेश को बढ़ावा देना** है। यह सदस्यों की प्रत्येक देश के लिए अलग-अलग आवश्यकताओं को पूरा किये बिना ब्लॉक के भीतर कहीं भी उत्पाद निर्यात करने में मदद करना है।

यह IPRs को भी शामिल करता है, लेकिन पर्यावरण सुरक्षा और श्रम अधिकारों को शामिल नहीं करता है। भारत चीन के साथ व्यापार घाटे और सेवा क्षेत्र को पर्याप्त रूप से उदार बनाने के लिए समझौते की विफलता पर अपनी चिंताओं के कारण शामिल नहीं हुआ।

सीमाशुल्क संघ [Custom Union (CU)]

इस व्यापार समझौते के अंतर्गत, सदस्य न केवल सभी व्यापार बाधाओं को समाप्त करते हैं, बल्कि ग़ैर-सदस्य देशों के लिए एक सामान्य नीति का भी अनुसरण करते हैं। यह आर्थिक एकीकरण का तीसरा चरण है।

मध्य अफ़्रीकी आर्थिक एवं मौद्रिक समुदाय **[Economic and Monetary Community of Central Africa (CEMAC)]** खाड़ी सहयोग परिषद् **[Gulf Cooperation Council (GCC)]** और पूर्वी अफ़्रीकी समुदाय [East African Community (EAC)] सीमाशुल्क संघ के उदाहरण हैं।

साझा बाज़ार/एकल बाज़ार (Common Market/Single Market)

इस तरह के आर्थिक एकीकरण के अंतर्गत, **व्यापार बाधाओं** को हटा दिया जाता है; सदस्य, **ग़ैर-सदस्य देशों के लिए सामान्य नीति** अपनाते हैं और उत्पादन के कारकों जैसे पूँजी और श्रम के **मुक्त आवागमन की भी अनुमति** देते हैं।
आसियान आर्थिक समुदाय [ASEAN Economic Community (AEC)] और खाड़ी सहयोग परिषद् [Gulf Cooperation Council (GCC)] सामान्य बाज़ार के उदाहरण हैं।

आर्थिक संघ (Economic Union)

यह आर्थिक एकीकरण का दूसरा अंतिम चरण है। आर्थिक संघ में कस्टम यूनियन और कॉमन मार्केट, **दोनों की विशेषताएँ** हैं। इस व्यापार ब्लॉक के अंतर्गत, व्यापार बाधाओं को हटा दिया जाता है, ग़ैर-सदस्य देशों के साथ आर्थिक संबंधों के लिए कॉमन पॉलिसी अपनायी जाती है और उत्पादन, माल और सेवाओं के कारकों की आवाजाही की स्वतंत्रता होती है। इन विशेषताओं के अलावा, आर्थिक संघ के तहत, सदस्य देश भी सामान्य आर्थिक नीति अपनाते हैं।

मध्य अमेरिकी सामान्य बाज़ार, यूरोपीय संघ और खाड़ी सहयोग परिषद् (GCC) आर्थिक संघों के उदाहरण हैं।

मौद्रिक संघ [Monetary Union (MU)]

मौद्रिक संघ (**MU**) आर्थिक एकीकरण का अंतिम चरण है। इसमें सभी सदस्य राष्ट्रों में एक समान मुद्रा के प्रसार के साथ-साथ आर्थिक संघ की सभी विशेषताएँ हैं। सबसे अच्छा उदाहरण **यूरो ज़ोन** है।

विदेशी व्यापार संबंधी संस्थान (Institutions related to Foreign Trade)

- **वाणिज्य विभाग (Department of Commerce)**- यह विदेशी व्यापार नीति कार्यक्रमों के निर्माण और निर्देशों के लिए ज़िम्मेदार है और अन्य देशों के साथ व्यापार संबंध स्थापित करने में भी सहायता करता है।
- **व्यापार मंडल (Board of Trade)**- यह व्यापार संबंधों और सरकार के नीतिगत उपायों को बनाये रखता है और सरकार की ओर से सुधारात्मक कार्रवाई करता है।
- **वस्तु विशिष्ट संगठन (Commodity-Specific Organisation)**- यह विदेशी व्यापार में व्यक्तिगत वस्तु या वस्तुओं के समूह से संबंधित समस्याओं पर नज़र रखने में मदद करता है। यह निर्यात को बढ़ावा देने में और आयात के प्रबंधन में भी सहायता करता है।
- **भारत का EXIM बैंक (EXIM Bank of India)**- एक्सपोर्ट बैंक ऑफ़ इंडिया की स्थापना वर्ष 1982 में 'एक्सपोर्ट इंपोर्ट बैंक ऑफ़ इंडिया ऐक्ट' 1981 के तहत हुई थी। यह निर्यात और आयात क्षेत्र में वित्त पोषण कार्यक्रमों का प्रबंधन करता है और भारतीय कंपनियों द्वारा विदेशी निवेश को भी सँभालता है।

विदेशी व्यापार को बढ़ावा देने के लिए प्रमुख नवीनतम योजनाएँ (Recent Major Schemes to promote Foreign Trade)

- **निर्यात संवर्धन योजना (Export Promotion Scheme)**- भारत से निर्यात के लिए निर्यात और अवसंरचनात्मक विकास को बढ़ावा देने हेतु *सरकार ने निर्यात प्रोत्साहन योजना शुरू* की। इसके दो उप-प्रकार हैं-
  - i. **भारत से व्यापारिक माल की निर्यात योजना [Merchandise Exports from India Scheme (MEIS)]**
  - ii. **भारत से सेवा निर्यात योजना [Service Exports from India Scheme (SEIS)]**

> **ध्यान दें :** भारत से व्यापारिक माल की निर्यात योजना [Merchandise Exports from India Scheme (MEIS)] समेत विभिन्न निर्यात प्रोत्साहन योजनाओं को WTO में चुनौती दी गयी। भारत ने सभी निर्यात के लिए WTO के अनुपालन हेतु **निर्यात उत्पादों पर शुल्क और करों की छूट [Remission of Duties and Taxes on Exported Products (RoDTEP)]** नाम से नयी योजना बनायी है। यह 1 जनवरी, 2021 से लागू है। RoDTEP के तहत, निर्यात किये गये उत्पादों पर लगाये गये करों और लेवी को या तो छूट दी जाती है या निर्यातकों को भेज दिया जाता है। यह योजना विश्व स्तर पर स्वीकृत सिद्धांत पर आधारित है कि करों और शुल्कों का निर्यात नहीं किया जाना चाहिए। इस प्रकार, यह योजना वैश्विक बाज़ारों में हमारे निर्यात को और अधिक प्रतिस्पर्धी बनाती है।

- **शुल्क छूट और माफ़ी योजना (Duty Exemption and Remission Scheme)**- इसे वाणिज्य और उद्योग मंत्रालय द्वारा शुरू किया गया है। इसमें दो भाग होते हैं :
  1. **शुल्क छूट योजनाएँ** निर्यात उत्पादन के लिए आवश्यक इनपुट के शुल्क मुक्त आयात को सक्षम बनाती हैं। इसमें शामिल हैं : अग्रिम प्राधिकरण योजना और शुल्क मुक्त आयात प्राधिकरण (DFIA) योजना।
  2. **शुल्क माफ़ी योजना** निर्यात उत्पाद में उपयोग किये गये इनपुट पर निर्यात के बाद पुन:पूर्ति/शुल्क की छूट को सक्षम बनाती है। इसमें शामिल हैं : ड्यूटी एंटाइटेलमेंट पासबुक (DEPB) योजना और शुल्क वापसी (DBK) योजना।
- **पूँजीगत वस्तुओं के लिए निर्यात संवर्धन योजना [Export Promotion Capital Goods (EPCG) Scheme] :** यह योजना निर्यात और आयात, दोनों से संबंधित है। इस योजना के अंतर्गत, पूँजीगत वस्तुओं को शून्य सीमा शुल्क पर आयात

किया जाता है। इस योजना के अंतर्गत केवल वही पूँजीगत वस्तुएँ आती हैं, जो वैश्विक बाज़ार में भारत की निर्यात प्रतिस्पर्धा को बढ़ाती हैं।

➤ **विदेश व्यापार नीति (Foreign Trade Policy) (2015-20) :** इस नीति की मुख्य विशेषताएँ इस प्रकार हैं :

i. **डिजिटलीकरण (Digitalisation)–** SCOMET वस्तुओं के निर्यात की ऑनलाइन मंजूरी के लिए सभी दस्तावेज़, शिकायत पंजीकरण और अंतरमंत्रालयी परामर्श के लिए ऑनलाइन प्रक्रिया।

ii. **24 × 7 सीमा शुल्क निकासी (24×7 Customs Clearance)–** यह सुविधा भारत में बंदरगाहों और कुछ हवाई अड्डों पर उपलब्ध है। यह कुछ विशिष्ट आयातों पर उपलब्ध है।

परीक्षोपयोगी

SCOMET – सामरिक वस्तुओं या दोहरे उपयोग की वस्तुओं के (dual-use items) निर्यात को विदेश व्यापार महानिदेशक (**DGFT**) द्वारा नियंत्रित किया जाता है। दोहरे उपयोग की वस्तुएँ वे हैं, जिनका उपयोग शांति और युद्ध, दोनों समय में किया जा सकता है। इन वस्तुओं को विशेष रसायन, जीव, सामग्री, उपकरण और प्रौद्योगिकी **[Special Chemicals, Organisms, Materials, Equipment and Technologies (SCOMET)]** के रूप में वर्गीकृत किया गया है। **SCOMET** के तहत वस्तुओं का उपयोग नागरिक और सैन्य उद्देश्यों, दोनों के लिए किया जा सकता है।

iii. **प्रेषण की आवाजाही (Movements of Consignments)–** जिन वस्तुओं के निर्यात में राज्य या केंद्र सरकार के विशेष निर्देशों के कारण देरी नहीं की जा सकती या रोक नहीं लगायी जा सकती, उन वस्तुओं को कनसाइनमेंट कहा जाता है।

iv. **EPCG अनुमोदन (EPCG Authorisation)–** EPCG द्वारा प्रमाणपत्रों का उचित रखरखाव और अनुमोदन।

कोविड-19 आपातकाल के कारण, भारत सरकार ने विदेश व्यापार नीति (2015-20) को 31 मार्च, 2023 तक, बढ़ा दिया था।

➤ **विदेश व्यापार नीति (एफ़टीपी) (2023) [Foreign Trade Policy (FTP) (2023)] :** केंद्रीय वाणिज्य और उद्योग मंत्रालय ने विदेश व्यापार नीति 2023 जारी की है। FTP, 2023 समय-परीक्षणित योजनाओं की निरंतरता पर आधारित है, जो निर्यात की सुविधा प्रदान करता है, साथ ही एक दस्तावेज़, जो व्यापार आवश्यकताओं के प्रति लचीला और उत्तरदायी है। इसे चार स्तंभों पर बनाया गया है :

1. छूट के लिए प्रोत्साहन
2. सहयोग के माध्यम से निर्यात प्रोत्साहन : निर्यातक, राज्य, ज़िले, भारतीय मिशन
3. व्यापार करने में आसानी, लेनदेन लागत में कमी, ई-पहल और ई-कॉमर्स के उभरते क्षेत्र
4. ज़िलों को निर्यात केंद्र के रूप में विकसित करना और स्कोमेट नीतियों को सरल बनाना

एफ़टीपी, 2023 द्वारा निर्यात प्रोत्साहन पहल (Export Promotion Initiatives by FTP 2023) :

- **निर्यात केंद्र के रूप में ज़िले (Districts as Export Hubs) :** FTP का इरादा राज्य सरकारों के साथ साझेदारी करके और ज़िलों को निर्यात केंद्र (DEH) परियोजना के रूप में लागू करके ज़िलों से निर्यात बढ़ाने का है।
- **पूँजीगत वस्तुओं का निर्यात संवर्धन (ईपीसीजी) योजना (Export Promotion of Capital Goods (EPCG) Scheme) :** उच्च गुणवत्तावालीं वस्तुओं और सेवाओं के उत्पादन के लिए पूँजीगत वस्तुओं के आयात को सक्षम करना, जिससे भारत की विनिर्माण प्रतिस्पर्धात्मकता में वृद्धि होगी।
- **स्कोमेट नीति को सुव्यवस्थित करना (Streamlining SCOMET Policy) :** भारत अपनी स्कोमेट नीति को सुव्यवस्थित करने और अन्य देशों के साथ अपनी बातचीत बढ़ाने के लिए 'निर्यात नियंत्रण' प्रणाली पर ध्यान केंद्रित कर रहा है।

  SCOMET (विशेषत: रसायन, जीव, सामग्री, उपकरण और प्रौद्योगिकियाँ) के बारे में हितधारक अधिक जागरूक और जानकार हो रहे हैं।

- **ई-कॉमर्स निर्यात को सुविधाजनक बनाना (Facilitating E-Commerce Exports)** : ई-कॉमर्स निर्यात एक आशाजनक श्रेणी है, जिसके लिए पारंपरिक ऑफ़लाइन व्यापार से अलग नीतिगत हस्तक्षेप की आवश्यकता है।

➤ **कृषि निर्यात नीति (Agri Export Policy) :** भारत सरकार ने उपयुक्त कृषि उपायों के माध्यम से और कृषि में भारत को वैश्विक शक्ति बनाने के साथ-साथ किसानों की आय बढ़ाने हेतु भारतीय कृषि की निर्यात क्षमता का दोहन करने के लिए 2018 में कृषि निर्यात नीति की शुरुआत की। इसके उद्देश्य इस प्रकार हैं :

1. 2022 तक कृषि निर्यात को वर्तमान के 30 बिलियन डॉलर से 60 बिलियन डॉलर तक दोगुना करना। इसके बाद अगले कुछ वर्षों में स्थिर व्यापार नीति व्यवस्था के साथ 100 बिलियन डॉलर तक पहुँचना।
2. निर्यात की टोकरी में विविधता लाने और उच्च मूल्य एवं मूल्य वर्धित कृषि निर्यात को बढ़ावा देना, इसमें जल्द ख़राब होनेवाली वस्तुओं पर ध्यान केंद्रित करना सम्मिलित है।

➤ **उत्पादन से जुड़ी प्रोत्साहन योजना [Production-Linked Incentive (PLI) Scheme] :** 2021-22 से शुरू होनेवाले 14 प्रमुख क्षेत्रों के लिए उत्पादन-लिंक्ड प्रोत्साहन (PLI) योजना के लिए केंद्रीय बजट 2021-22 में 1.97 लाख करोड़ (यूएस $ 26 बिलियन) के परिव्यय की घोषणा की गयी थी। यह योजना घरेलू इकाइयों में निर्मित उत्पादों के लिए वृद्धिशील बिक्री पर कंपनियों को प्रोत्साहन प्रदान करती है, जिससे 5 वर्षों में 500 बिलियन अमेरिकी डॉलर से अधिक का न्यूनतम उत्पादन होने की उम्मीद है। ऑटोमोबाइल और ऑटो कंपोनेंट, फार्मास्युटिकल ड्रग्स, टेलीकॉम और नेटवर्किंग उत्पाद, इलेक्ट्रॉनिक/प्रौद्योगिकी उत्पाद आदि कुछ ऐसे क्षेत्र हैं, जो PLI योजना के अंतर्गत आते हैं। इस योजना से घरेलू विनिर्माण क्षमताओं और निर्यात, दोनों को बढ़ावा मिलने की उम्मीद है।

➤ **ज़िले को निर्यात हब के रूप में विकसित करना (Developing District as Export Hub) :** इस योजना के तहत, देश भर के सभी 739 ज़िलों में निर्यात क्षमतावाले उत्पादों (कृषि, भौगोलिक संकेत और खिलौना समूहों सहित) की पहचान की गयी है। प्रत्येक ज़िले में ज़िला निर्यात संवर्धन समितियाँ **(DEPCs)** स्थापित की गयी हैं।

➤ **एक्सपोर्ट क्रेडिट गारंटी कॉर्पोरेशन ऑफ़ इंडिया लिमिटेड (ECGC Ltd)** निर्यातक उधारकर्ताओं को **निर्यात ऋण उधार में जोखिम के ख़िलाफ़ बैंकों को बीमा कवर** प्रदान करता है। सरकार ने पाँच साल की अवधि में यानी 2021-2022 से 2025-2026 तक ECGC लिमिटेड को 4,400 करोड़ रुपये के पूँजी निवेश को मंजूरी दी।

➤ **राष्ट्रीय निर्यात बीमा खाता (National Export Insurance Account) :** सरकार ने राष्ट्रीय निर्यात बीमा खाता (NEIA) योजना को जारी रखने और 5 वर्षों में 1,650 करोड़ रुपये की सहायता अनुदान को मंजूरी दे दी है। निर्यातकों को बीमा कवर प्रदान करने में वर्तमान बीमा प्रणाली की सीमाओं को ध्यान में रखते हुए, मध्यम और लंबी अवधि के निर्यात (उच्च मूल्य के साथ) के लिए क्रेडिट जोखिम कवर सुनिश्चित करने के लिए NEIA की स्थापना की गयी है।

➤ **उभरते सितारे फ़ंड : निर्यात उन्मुख MSMEs को बढ़ावा देने के लिए** 250 करोड़ रुपये के इस फ़ंड को वैकल्पिक निवेश कोष **(AIF)** के रूप में शुरू किया गया है। यह MSME सेक्टर और निर्यात, दोनों को बढ़ावा देगा। यह फ़ंड **EXIM बैंक और SIDBI** द्वारा स्थापित किया गया है। फ़ंड में फ़ार्मा, ऑटो कंपोनेंट्स, इंजीनियरिंग समाधान, कृषि और सॉफ़्टवेयर आदि जैसे विभिन्न क्षेत्रों में **संभावित कंपनियों को शामिल** किया गया है।

➤ **कृषि उड़ान (उड़े देश का आम नागरिक) योजना :** इसे 2020 में *नागरिक उड्डयन मंत्रालय* द्वारा अंतरराष्ट्रीय और राष्ट्रीय मार्गों पर कृषि उत्पादों के परिवहन में किसानों की सहायता के लिए शुरू किया गया था, ताकि **मूल्य प्राप्ति में सुधार** हो सके। **कृषि उड़ान 2.0** को वर्ष 2021 में लॉन्च किया गया था, जिसमें मौजूदा प्रावधानों को विस्तारित किया गया था। इसमें मुख्य रूप से पहाड़ी क्षेत्रों, पूर्वोत्तर राज्यों और आदिवासी क्षेत्रों से 'क्षयकारी खाद्य उत्पादों (perishable food products)' के परिवहन पर ध्यान केंद्रित किया गया था।

अतिरिक्त जानकारी

ब्याज समानीकरण योजना (INTEREST EQUALISATION SCHEME)

➤ यह योजना बैंकों द्वारा निर्यातकों विशेषकर MSME को उनके शिपमेंट से पहले और बाद के रुपये के निर्यात क्रेडिट पर ली जा रही ब्याज-दरों में लाभ देने के लिए तैयार की गयी है। 1 अक्टूबर, 2021 से सबवेंशन दरों में कमी की गयी है।

➤ रिपोर्ट के अनुसार :

- 2024 में भारत विश्व का **7वाँ सबसे बड़ा सेवा निर्यातक और 18वाँ सबसे बड़ा व्यापारिक निर्यातक** था। (WTO के अनुसार)।
- वर्ष 2024 में, भारत दुनिया में प्रेषण यानी रैमिटेंस (अनुमानित 129.1 बिलियन डॉलर) का सबसे बड़ा प्राप्तकर्ता था (विश्व बैंक द्वारा अनुमानित)।

लास्ट मिनट स्निपपेट्स

नवंबर, 2024 के लिए भारत का कुल निर्यात (वस्तुएँ और सेवाएँ संयुक्त) 67.79 बिलियन अमेरिकी डॉलर होने का अनुमान है, जो नवंबर, 2023 की तुलना में 9.59 प्रतिशत की सकारात्मक वृद्धि दर्ज करता है। नवंबर, 2024 के लिए कुल आयात (वस्तुएँ और सेवाएँ संयुक्त) 87.63 बिलियन अमेरिकी डॉलर होने का अनुमान है, जो नवंबर, 2023 की तुलना में 27.47 प्रतिशत की सकारात्मक वृद्धि दर्ज करता है।

संक्षिप्त विवरण

➤ **विनिमय-दर (Exchange Rate)** – जिस दर पर अन्य अंतरराष्ट्रीय मुद्राओं से घरेलू मुद्रा का विनियम होता है।

➤ **निश्चित विनिमय-दर (Fixed Exchange Rate)** – इसे सरकार द्वारा निर्धारित किया जाता है – इससे विदेशी व्यापार में स्थिरता सुनिश्चित होती है – विदेशी निवेशक निवेश करने के लिए प्रोत्साहित होते हैं – अटकलों पर आधारित गतिविधियों की रोकथाम होती है – मौद्रिक नीति निष्प्रभावी हो जाती है।

➤ **अस्थायी विनिमय-दर (Floating Exchange Rate)** – विभिन्न मुद्राओं की माँग और आपूर्ति पर निर्भर – दो प्रकार की होती हैं – स्वतंत्र अस्थायी और प्रबंधित अस्थायी दर – बाहरी संकटों से सुरक्षा प्रदान करती है।

➤ **मूल्य ह्रास (Depreciation)** – बाज़ार बलों के कारण अंतरराष्ट्रीय विनिमय बाज़ार में घरेलू मुद्रा के मूल्य में गिरावट – विदेशी मुद्रा को ख़रीदने के लिए अधिक रुपये की आवश्यकता – निर्यात में संभावित वृद्धि – अस्थायी विनिमय-दर प्रणाली की प्रवृत्ति।

➤ **अवमूल्यन (Devaluation)** – घरेलू मुद्रा का मूल्य सरकार द्वारा परिस्थितियों के आधार पर कम किया जाता है – सामान्यत: निश्चित विनिमय-दर प्रणाली में ऐसा होता है।

➤ **गाइडोटी-ग्रीनस्पैन नियम (Guidotti-Greenspan Rule)** – किसी देश के पास विदेशी मुद्रा इतनी होनी चाहिए, जिससे लगभग 1 साल के लिए उस देश का कम-से-कम लघुकालीन बाहरी ऋण को 100% चुकाया जा सके।

➤ **मुद्रा विनिमय (Currency Swap)** – ऐसा लेन-देन, जिसमें दो पक्ष विभिन्न मुद्राओं में समान राशि के पैसे का विनिमय करते हैं – दोनों पक्ष एक-दूसरे को पैसा ऋण के रूप में देते हैं और निर्धारित समय एवं विनिमय-दर से उसे बाद में चुकायेंगे।

➤ **दुर्लभ मुद्रा (Hard Currency)** – स्थिर और विश्वसनीय मुद्रा – विश्व भर में व्यापक पैमाने पर स्वीकृत – अमेरिकी डॉलर, पाउंड स्टेरलिंग, जापानी येन इत्यादि।

➤ **सुलभ मुद्रा (Soft Currency)** – अस्थिर मुद्रा जो कम तरल होती है, अनिश्चित रूप से उतार-चढ़ाव और अन्य मुद्राओं की तुलना में मूल्य ह्रास – ज़िम्बाब्वे डॉलर और वेनेज़ुएला का बोलिवर।

➤ **अधिमान्य (तरजीही) व्यापार क्षेत्र [Preferential Trade Area (PTA)]** – आर्थिक एकीकरण का पहला चरण – सदस्य देश एक-दूसरे के बीच बाधाओं को समाप्त करने के स्थान पर व्यापार बाधाओं में कमी लाते हैं।

- **मुक्त व्यापार क्षेत्र [Free Trade Area (FTA)]** – आर्थिक एकीकरण का दूसरा चरण – व्यापार बाधाओं को हटाना (*टैरिफ़ और ग़ैर-टैरिफ़, दोनों को*)।
- **कस्टम यूनियन (Custom Union)** – आर्थिक एकीकरण का तीसरा चरण – सदस्य न केवल सभी व्यापार बाधाओं को दूर करते हैं, बल्कि ग़ैर-सदस्य देशों के प्रति एक सामान्य नीति का अनुसरण भी करते हैं।
- **सामान्य बाज़ार (Common Market)** – आर्थिक एकीकरण का चौथा चरण – व्यापार बाधाओं को हटाया जाता है; सदस्य, ग़ैर सदस्य देशों के लिए सामान्य नीति अपनाते हैं और उत्पादन के कारक जैसे कि पूँजी और श्रम की स्वतंत्र आवजाही की अनुमति देते हैं।
- **आर्थिक संघ (Economic Union)** – आर्थिक एकीकरण का पाँचवाँ चरण – कस्टम यूनियन और सामान्य बाज़ार, दोनों की विशेषताएँ – सामान्य आर्थिक नीति को अंगीकार करना।
- **मौद्रिक संघ (Monetary Union)** – आर्थिक एकीकरण का अंतिम चरण – आर्थिक संघ की विशेषताओं के साथ सभी सदस्य राष्ट्रों में एक सामान्य मुद्रा का चलन।

यूपीएससी सिविल सेवा के पिछले वर्षों की प्रारंभिक परीक्षा के प्रश्न

1. भारतीय अर्थव्यवस्था के संदर्भ में, निम्नलिखित कथनों पर विचार कीजिए : **[2022]**

1. अंकित प्रभावी विनिमय दर [Nominal Effective Exchange Rate (NEER)] में वृद्धि रुपये की मूल्यवृद्धि को दर्शाता है।
2. वास्तविक प्रभावी विनिमय दर [Real Effective Exchange Rate (REER)] में वृद्धि व्यापार प्रतिस्पर्धात्मकता में सुधार को दर्शाता है।
3. अन्य देशों में मुद्रास्फीति के सापेक्ष घरेलू मुद्रास्फीति में बढ़ने की प्रवृत्ति NEER और REER के बीच में वर्धमान अपसरण उत्पन्न कर सकता है।

उपर्युक्त कथनों में कौन-से सही हैं?

(a) केवल 1 और 2 **(b)** केवल 2 और 3
(c) केवल 1 और 3 **(d)** 1, 2 और 3

2. किसी मुद्रा के अवमूल्यन का प्रभाव यह होता है कि यह अनिवार्य रूप से **[2021]**

1. विदेशी बाज़ारों में घरेलू निर्यात की प्रतिस्पर्धात्मकता में सुधार करता है
2. घरेलू मुद्रा के विदेशी मूल्य को बढ़ाता है
3. व्यापार संतुलन को बेहतर बनाता है

उपर्युक्त कथनों में से कौन-सा/से सही है/हैं?

(a) केवल 1 **(b)** केवल 1 और 2
(c) केवल 3 **(d)** केवल 2 और 3

3. भारत में प्रत्यक्ष विदेशी निवेश के संदर्भ में, निम्नलिखित में से किसे इसकी प्रमुख विशेषता माना जाता है? **[2020]**

(a) यह अनिवार्य रूप से पूँजीगत साधनों के माध्यम से लिस्टेड कंपनी में निवेश है
(b) यह मोटे तौर पर ऋणेतर पूँजी प्रवाह है
(c) इस निवेश में ऋण-सेवा सम्मिलित होती है
(d) यह वह निवेश है, जो विदेशी संस्थागत निवेशकों द्वारा सरकारी प्रतिभूतियों में किया जाता है

4. "**Gold Tranche**" (**रिज़र्व ट्रांस**) संदर्भित करता है : **[2020]**

(a) विश्व बैंक की ऋण व्यवस्ता को
(b) एक केन्द्रीय बैंक के किसी परिचालन को
(c) **WTO** द्वारा अपने सदस्यों को गारंटीकृत ऋण व्यवस्था को
(d) **IMF** द्वारा अपने सदस्यों को गारंटीकृत ऋण व्यवस्था को

5. यदि निकट भविष्य में दूसरा वैश्विक वित्तीय संकट आता है, तो निम्नलिखित में से कौन-से कदम/नीतियाँ भारत को कुछ हद तक प्रतिरक्षित कर सकती हैं? **[2020]**

1. यह अल्पकालिक विदेशी ऋण पर निर्भर नहीं करता है
2. अधिक विदेशी बैंकों के लिए खुलापन
3. पूँजीगत खाते की पूर्ण परिवर्तनीयता बनाये रखना

नीचे दिये गये कूट का प्रयोग कर सही उत्तर चुनिये :

(a) केवल 1 **(b)** केवल 1 और 2
(c) केवल 3 **(d)** 1, 2 और 3

6. निम्नलिखित कथनों पर विचार करें- **[2018]**

1. आयातित तेलों का परिमाण पिछले पाँच वर्षों में खाद्य तेलों के घरेलू उत्पादन से अधिक है।
2. सरकार सभी आयातित खाद्य तेलों पर एक विशेष स्थिति के रूप में कोई सीमा शुल्क नहीं लगाती है।

ऊपर दिये गये कथनों में से कौन-सा/से सही है/हैं?

(a) केवल 1 **(b)** केवल 2

(c) 1 और 2, दोनों **(d)** न 1 और न 2

7. निम्नलिखित कथनों पर विचार करें- **[2012]**

अंतरराष्ट्रीय बाज़ार में किसी भी मुद्रा की क़ीमत निम्नलिखित द्वारा तय की जाती है

1. विश्व बैंक
2. संबंधित देश द्वारा प्रदान की जानेवालीं वस्तुओं/सेवाओं की माँग
3. संबंधित देश की सरकार की स्थिरता
4. संदर्भित देश की आर्थिक क्षमता

ऊपर दिये गये कौन से कथन सही हैं?

(a) 1, 2, 3 और 4 **(b)** केवल 2 और 3

(c) केवल 3 और 4 **(d)** केवल 1 और 4

☞ **कोई प्रश्न नहीं**

2024, 2023, 2019, 2017, 2016, 2015, 2014, 2013

उत्तर कुंजी

1. (c) 2. (a) 3. (b) 4. (d) 5. (a) 6. (a) 7. (b)

यूपीएससी सिविल सेवा के पिछले वर्षों की मुख्य परीक्षा के प्रश्न

1. विश्व व्यापार में संरक्षणवाद और मुद्रा के हेरफेर की हालिया घटना भारत की बृहत् आर्थिक स्थिरता को कैसे प्रभावित करेगी? **[2018]**

2. श्रम-गहन निर्यात के लक्ष्य को प्राप्त करने में विनिर्माण क्षेत्र की विफलता के कारण बताये। पूँजी-गहन निर्यात के बजाय अधिक श्रम-गहनता के उपाय सुझायें। **[2017]**

3. एक स्पष्ट स्वीकार्यता है कि एसईज़ेड औद्योगिक विकास, विनिर्माण और निर्यात का एक साधन है। इस क्षमता को पहचानते हुए, एसईज़ेड की संपूर्ण साधन क्षमता में वृद्धि की आवश्यकता है। कराधान, क़ानूनों और प्रशासन के सदंर्भ में एसईज़ेड की सफलता को नाकाम करनेवाले मुद्दों पर चर्चा करें। **[2015]**

☞ **कोई प्रश्न नहीं**

2024, 2023, 2022, 2021, 2020, 2019, 2016, 2014, 2013

अध्याय

29

अंतरराष्ट्रीय आर्थिक संस्थाएँ (International Economic Institutions)

अध्याय की रूपरेखा

- ब्रेटन वुड्स संस्थाएँ
- अंतरराष्ट्रीय मुद्रा कोष
- महत्त्वपूर्ण तथ्य
- IMF के उद्देश्य
- IMF की शासन संरचना
- IMF के कार्य
- सदस्य देशों के लिए IMF कोटा
- IMF द्वारा वित्तपोषण (ऋण) के प्रकार
- IMF के वित्तीय संसाधन
- भारत एवं IMF
- IMF द्वारा हाल में किये गये सुधार
- IMF के कुछ सदस्यों द्वारा माँगे गये सुधार
- IMF की अन्य आलोचनाएँ
- विश्व बैंक समूह
- प्रमुख तथ्य
- विश्व बैंक समूह के अंतर्गत पाँच संगठन
- नव विकास बैंक या ब्रिक्स विकास बैंक
- एशियाई विकास बैंक
- एशियाई अवसंरचना निवेश बैंक (AIIB)
- विश्व व्यापार संगठन (WTO)
- WTO की उत्पत्ति
- WTO से संबंधित महत्त्वपूर्ण तथ्य
- WTO की संगठनात्मक संरचना
- WTO के तीन प्रमुख सिद्धांत
- WTO के प्रमुख समझौते
- WTO की उपलब्धियाँ
- WTO की आलोचना
- कृषि विकास के लिए अंतरराष्ट्रीय कोष (IFAD)
- अन्य अंतरराष्ट्रीय आर्थिक संगठन
- G3
- G7
- G20
- G33
- पेट्रोलियम निर्यातक देशों का संगठन (OPEC)
- अरब पेट्रोलियम निर्यातक देशों का संगठन (OAPEC)
- विश्व आर्थिक मंच (WEF)
- विश्व खाद्य कार्यक्रम (WFP)
- आसियान (ASEAN)
- पूर्वी एशिया शिखर सम्मेलन
- एशिया-प्रशांत आर्थिक सहयोग (APEC)
- एशिया-प्रशांत व्यापार समझौता (APTA)
- दक्षिण एशिया उपक्षेत्रीय आर्थिक सहयोग (SASEC)
- बहुक्षेत्रीय तकनीकी और आर्थिक सहयोग के लिए बंगाल की खाड़ी पहल (बिम्सटेक)
- यूरेशियाई आर्थिक संघ (EAEU)
- बेटर दैन कैश अलायंस
- विश्व सीमा शुल्क संगठन (WCO)
- अंतरराष्ट्रीय ऊर्जा एजेंसी (IEA)

ब्रेटन वुड्स संस्थाएँ (BRETTON WOODS INSTITUTIONS)

- कई देशों ने मिलकर अंतरराष्ट्रीय आर्थिक संस्थाओं की स्थापना की है। सामान्य रूप से संप्रभु देश इन संस्थाओं के सदस्य हैं।
- जुड़वाँ आर्थिक संस्थाओं- **अंतरराष्ट्रीय मुद्रा कोष** [International Monetary Fund (IMF)] और **अंतरराष्ट्रीय पुनर्निर्माण एवं विकास बैंक** [International Bank for Reconstruction and Development (IBRD)] की स्थापना अमेरिका में 1944 में संपन्न ब्रेटन वुड्स सम्मेलन के बाद हुई। इसलिए इन दोनों संस्थाओं को **ब्रेटन वुड्स ट्विंस (Bretton Woods Twins)** के नाम से भी जाना जाता है।
- ब्रेटन वुड्स सम्मेलन **(Bretton Woods Conference)** में द्वितीय विश्वयुद्ध के समय के 44 मित्र राष्ट्रों ने भाग लिया था। इसका उद्देश्य द्वितीय विश्व युद्ध के बाद एक अंतरराष्ट्रीय मौद्रिक एवं वित्तीय व्यवस्था की स्थापना करना था।
- इस सम्मेलन को **संयुक्त राष्ट्र मौद्रिक एवं वित्तीय सम्मेलन** (United Nations Monetary and Financial Conference) के नाम से भी जाना जाता है। सम्मेलन में हुए समझौतों के माध्यम से निम्नलिखित संस्थाओं की स्थापना हुई :-
  1. **अंतरराष्ट्रीय पुनर्निर्माण एवं विकास बैंक (International Bank for Reconstruction and Development)**– इसकी स्थापना का उद्देश्य था :-
     - द्वितीय विश्वयुद्ध के बाद युद्ध में तबाह हुए देशों का तीव्र पुनर्निर्माण।
     - अवसंरचना निर्माण में निवेश पर मुख्य रूप से ध्यान केंद्रित करते हुए आर्थिक विकास को प्रोत्साहन।
  2. **अंतरराष्ट्रीय मुद्रा कोष (International Monetary Fund)– इसकी स्थापना का उद्देश्य विनिमय-दरों और वित्तीय प्रवाह की स्थिरता को** प्रोत्साहन देना था।

ध्यान दें : सम्मेलन में अंतरराष्ट्रीय व्यापार संगठन (ITO) की स्थापना का भी प्रस्ताव रखा गया था, परंतु उसे स्वीकार नहीं किया गया था।

अंतरराष्ट्रीय मुद्रा कोष (INTERNATIONAL MONETARY FUND)

महत्त्वपूर्ण तथ्य (Important Facts)

- यह संयुक्त राष्ट्र संघ से संबद्ध एक स्वायत्त संगठन है।
- इसकी स्थापना **27 दिसंबर, 1945** को हुई। स्थापना के समय इसके सदस्य राष्ट्रों की संख्या 30 थी।
- **भारत IMF का संस्थापक सदस्य है,** अर्थात् 27 दिसंबर, 1945 को IMF में सम्मिलित हुआ।
- वर्तमान में **IMF** के **190 सदस्य हैं। 190वाँ सदस्य देश एंडोरा है, जो अक्टूबर, 2020 में इसमें सम्मिलित हुआ।**
- IMF का **मुख्यालय :** वॉशिंगटन डीसी (अमेरिका)।
- 2021 में, भारतीय-अमेरिकी अर्थशास्त्री **गीता गोपीनाथ** को IMF के पहले उप-प्रबंध निदेशक के रूप में नियुक्त किया गया था, जो संगठन का नंबर-दो पद है। उनका कार्यकाल अभी भी जारी है।
- IMF <u>**केवल सदस्य राष्ट्रों को ऋण**</u> देता है।
- IMF का **वित्तपोषण इसके सदस्य देशों** द्वारा किया जाता है। **हर देश का अंशदान उसके कोटे के अनुसार निर्धारित होता है।** किसी देश का कोटा उसकी वर्तमान राष्ट्रीय आय और अपने सदस्य देशों के साथ अंतरराष्ट्रीय व्यापार के सापेक्ष महत्त्व पर आधारित होता है।

लास्ट मिनट स्निपपेट्स

- IMF की वर्तमान प्रबंध निदेशक बुल्गारियाई अर्थशास्त्री **क्रिस्टलीना जॉर्जिवा** हैं। (उन्होंने 1 अक्टूबर, 2019 को यह पद ग्रहण किया है। उनका कार्यकाल 5 वर्ष का है)
- **पियरे-ओलिवियर गौरिनचास** जनवरी, 2022 से **IMF की मुख्य अर्थशास्त्री हैं।**

- IMF अन्य संस्थानों से भी ऋण ले सकता है।
- **स्थापना के समय IMF** के पास 8.8 बिलियन अमेरिकी डॉलर का फ़ंड था। उसमें अमेरिका का कोटा 31 प्रतिशत था। उस समय भारत का कोटा 0.5 प्रतिशत था। वर्तमान में, 13,114.4 मिलियन एसडीआर के साथ, अमेरिका का कोटा 17.43 प्रतिशत और भारत का कोटा 2.75 प्रतिशत है।

IMF के उद्देश्य (Objectives of IMF)

- सदस्य देशों को उनके **अल्पकालीन भुगतान संतुलन [Balance of Payments (BOP)]** के संकट के समाधान में सहायता करना।
- विनिमय-दर नियंत्रण को कम करना।
- अंतरराष्ट्रीय व्यापार के संतुलित विकास को प्रोत्साहन देना।
- स्थिर विनिमय-दर व्यवस्था को बढ़ावा देना।
- अंतरराष्ट्रीय मौद्रिक सहयोग को बढ़ावा देना।

IMF की शासन संरचना (Governance Structure of IMF)

शासक मंडल (Board of Governors) ⟶ कार्यकारी मंडल (Executive Board)

शासक-मंडल (Board of Governors)

IMF की **निर्णय लेनेवाली शीर्ष संस्था** शासक-मंडल [Board of Governors (BoG)] है। शासक-मंडल में **प्रत्येक सदस्य देश का** एक-एक गवर्नर और वैकल्पिक गवर्नर होता है। सामान्य रूप से सदस्य देश का वित्त मंत्री या वहाँ के केंद्रीय बैंक का प्रमुख इस संस्था में गवर्नर के पद पर होता है। (भारत की स्थिति में IMF में सामान्य रूप से हमारा वित्त मंत्री, गवर्नर और RBI का गवर्नर वैकल्पिक गवर्नर की भूमिका में होता है।)

IMF के शासक-मंडल के पास कई **महत्त्वपूर्ण शक्तियाँ होती हैं, जैसे**- सदस्य देशों के कोटे में वृद्धि को स्वीकृति देना, विशेष आहरण अधिकार [Special Drawing Rights (SDRs)] का आवंटन, नये सदस्य देश को सम्मिलित करना, कार्यकारी निदेशक नियुक्त करना आदि।

IMF के शासक मंडल को **दो मंत्री स्तरीय समितियों द्वारा परामर्श दिया जाता है, ये समितियाँ हैं** :-

1. **अंतरराष्ट्रीय मौद्रिक एवं वित्तीय समिति** [International Monetary and Finance Committee (IMFC)] – इस समिति की साल में दो बार बैठक होती है। बैठक में विश्व अर्थव्यवस्था को प्रभावित करनेवाले सामान्य मुद्दों पर विचार-विमर्श होता है एवं तदनुसार यह शासक-मंडल को परामर्श देती है। **विश्व बैंक** (World Bank) **समेत** कई अंतरराष्ट्रीय संस्थाएँ **पर्यवेक्षक** के तौर पर IMFC की बैठकों में भाग लेती हैं।
2. **विकास समिति (Development Committee)**– यह IMF और विश्व बैंक समूह का एक संयुक्त मंच है। इसकी बैठक भी साल में दो बार होती है। यह विकासशील देशों में आर्थिक विकास के लिए वित्तीय आवश्यकताओं से संबंधित परामर्श देती है।

कार्यकारी मंडल (Executive Board)

सामान्य रूप से इसमें 24 निदेशक होते हैं। इसकी प्रत्येक सप्ताह में कई बैठकें होती हैं।

अंतरराष्ट्रीय मुद्रा कोष का प्रबंध निदेशक (Managing Director), **कार्यकारी मंडल का अध्यक्ष** (Chairperson of the Executive Board) और कार्मिक प्रमुख होता है। उसे कार्यकारी मंडल द्वारा नियुक्त किया जाता है। उसका कार्यकाल 5 वर्ष का होता है, जिसे विस्तार दिया जा सकता है।

अंतरराष्ट्रीय मुद्रा कोष के कार्य (Functions of IMF)

निगरानी (Surveillance)

- यह अंतरराष्ट्रीय मौद्रिक प्रणाली की देख-रेख करता है और आर्थिक एवं वित्तीय नीतियों की निगरानी करता है। यह उन संभावित ख़तरों को चिह्नित करता है, जिससे स्थिरता को ख़तरा उत्पन्न हो सकता है और सदस्य देशों को उससे संबंधित सुझाव देता है।
- इस संबंध में अंतरराष्ट्रीय मुद्रा कोष द्वारा दो आवधिक रिपोर्टें जारी की जाती हैं- '**विश्व आर्थिक परिदृश्य (World Economic Outlook)**' और '**वैश्विक वित्तीय स्थिरता विवरण (Global Financial Stability Report)**'।

ऋण देना (Lending)

- यह अल्पकालीन भुगतान संतुलन संकट का सामना कर रहे सदस्य देशों को ऋण प्रदान करता है।
- यह घरेलू और वैश्विक स्तर पर **वित्तीय स्थिरता** (financial stability) प्रदान करने में सहायता करता है।

तकनीकी सहायता (Technical Assistance)

- यह सदस्य देशों को उनकी वित्तीय, मौद्रिक और विनिमय-दर नीतियों को प्रभावी बनाने के लिए उचित मार्गदर्शन प्रदान करता है।
- इसका उद्देश्य तकनीकी सहायता और प्रशिक्षण के मध्य तालमेल विकसित करना है, ताकि उनकी प्रभावोत्पादकता को बढ़ाया जा सके।

परीक्षोपयोगी

विशेष आहरण अधिकार [SPECIAL DRAWING RIGHTS (SDR)]

- अंतरराष्ट्रीय मुद्रा कोष अपने सदस्य देशों को अपनी कृत्रिम मुद्रा में ऋण देता है। इस कृत्रिम मुद्रा को विशेष आहरण अधिकार (SDR) के नाम से जाना जाता है।
- वर्ष 1969 में विशेष आहरण अधिकार का सृजन किया गया था। यह अंतरराष्ट्रीय मुद्रा कोष (IMF) की विदेशी मुद्रा आरक्षित परिसंपत्ति है।
- वास्तव में विशेष आहरण अधिकार कोई मुद्रा नहीं है, बल्कि यह खाते की एक इकाई है। इसका रख-रखाव अंतरराष्ट्रीय मुद्रा कोष (IMF) द्वारा किया जाता है।
- यह न तो कोई वास्तविक मुद्रा है और न अंतरराष्ट्रीय मुद्रा कोष (IMF) पर इसका दावा किया जा सकता है।
- इसका मूल्य निम्नलिखित पाँच प्रमुख मुद्राओं के एक बास्केट के आधार पर तय होता है :-

मुद्रा	प्रतिशत वज़न	1 अगस्त, 2022 से शुरू होनेवाली 5 साल की अवधि के लिए मुद्रा की इकाइयों की निश्चित संख्या
अमेरिकी डॉलर	43.38	0.57813
यूरो	29.31	0.37379
चीनी युआन	12.28	1.0993
जापानी येन	7.59	13.452
पाउंड स्टर्लिंग	7.44	0.080870

स्रोत : imf.org

- इस बास्केट की प्रत्येक 5 वर्ष में समीक्षा की जाती है।
- विनिमय-दरों में लगातार उतार-चढ़ाव के कारण SDR के मूल्य में भी परिवर्तन होता रहता है।
- विदेशी मुद्रा बाज़ार में अन्य मुद्राओं का व्यापार होता है, परंतु SDR का व्यापार नहीं होता है।

- SDR बास्केट में किसी मुद्रा के सम्मिलित होने की शर्तें :-
  - **निर्यात से संबंधित शर्त (Export Criterion)**
    - मुद्रा जारी करनेवाले को अंतरराष्ट्रीय मुद्रा कोष का सदस्य होना अनिवार्य है या कोई ऐसा मौद्रिक संघ इसका सदस्य बन सकता है, जिसमें अंतरराष्ट्रीय मुद्रा कोष के सदस्य सम्मिलित हों, और
    - वह दुनिया के सबसे बड़े निर्यातकों में से एक हो।
  - **मुद्रा का प्रयोग स्वतंत्र रूप से हो सके (Currency to be Freely Usable)**
    - मुद्रा का अंतरराष्ट्रीय लेन-देन में भुगतान करने के लिए व्यापक रूप से प्रयोग किया जा सके और प्रमुख मुद्रा बाज़ारों में व्यापक पैमाने पर उसका व्यापार किया जा सके।
- **वैश्विक आरक्षित मुद्रा के रूप में SDR का बढ़ता हुआ महत्त्व**: आलोचक तर्क देते हैं कि डॉलर को एक सर्वश्रेष्ठ संप्रभु मुद्रा विशेष रूप से SDR से प्रतिस्थापित करने की अधिक ज़रूरत के कारण हैं :-
  - अमेरिकी डॉलर के प्रयोग से विश्व में अस्थिरता उत्पन्न हो सकती है, क्योंकि अमेरिकी अर्थव्यवस्था खुद **कमज़ोर** हो चुकी है (विशेषकर 2008 की आर्थिक मंदी के बाद से)।
  - SDR विदेशी मुद्रा भंडार से होनेवाली जोखिम को विविधीकृत कर सकता है।

परंतु SDR को इतना मज़बूत करना कठिन है कि यह वैश्विक रिज़र्व मुद्रा के रूप में अमेरिकी डॉलर को प्रतिस्थापित कर सके, क्योंकि अंतरराष्ट्रीय मुद्रा कोष में अमेरिका को सर्वाधिक मतदान अधिकार (17.46 प्रतिशत) प्राप्त है।

सदस्य देशों के लिए IMF कोटा (IMF Quota for Member Countries)

- सदस्य देशों को एक कोटा प्रदान किया जाता है। उस कोटे के आधार पर अंतरराष्ट्रीय मुद्रा कोष के वित्तीय संसाधनों में किसी सदस्य देश का अधिकतम योगदान निर्धारित होता है। कोटे का मूल्य **SDRs के रूप में** निर्धारित किया जाता है।
- किसी देश का कोटा वैश्विक अर्थव्यवस्था में उसकी सापेक्ष स्थिति के आधार पर निर्धारित किया जाता है।
- सदस्य देश कोटे के 25 प्रतिशत तक का विदेशी मुद्रा (जैसे- अमेरिकी डॉलर, यूरो, येन आदि) में भुगतान कर सकता है। इसे रिज़र्व ट्रेन्च (Reserve Tranche) कहा जाता है।
- प्रत्येक 5 वर्षों में कोटे की समीक्षा की जाती है।
- वर्तमान समय में कोटा प्रणाली किसी सदस्य की सापेक्ष स्थिति और मताधिकार निर्धारित करने के लिए भी प्रयोग की जाती है।
- वर्तमान में किसी सदस्य देश का कोटा निर्धारित करने का सूत्र निम्नलिखित घटकों का भारित औसत है :-

1. **सदस्य देश की GDP** (इसका भारांक **50 प्रतिशत** है)

   GDP का आकलन निम्नलिखित को मिलाकर किया जाता है :
   - बाज़ार विनिमय-दर, भारांक लगभग 60 प्रतिशत
   - क्रय-शक्ति समता दर (PPP), भारांक 40 प्रतिशत

2. **आर्थिक खुलापन (economic openness)** (भारांक **30 प्रतिशत**)
3. **आर्थिक परिवर्तनशीलता (economic variability)** (भारांक **15 प्रतिशत**)
4. **अंतरराष्ट्रीय भंडार (international reserves)** (भारांक **5 प्रतिशत**)

- **कोटे की भूमिका (Role of quota)**– कोटे से सदस्य देश का निम्नलिखित में भागीदारी का स्तर निर्धारित होता है –

1. **IMF में अंशदान (Subscriptions to IMF) :-**

- इससे यह निर्धारित होता है कि किसी सदस्य को IMF के पास वित्तीय संसाधन की कितनी अधिकतम मात्रा जमा करनी पड़ेगी।

2. **मताधिकार (Voting Power) :-**
   - इससे सदस्य का IMF द्वारा लिये गये निर्णय के संबंध में मताधिकार निर्धारित होता है।
   - किसी सदस्य का वोट - आधार वोट (Basic vote)+SDR कोटे के प्रत्येक 1 लाख के लिए **अतिरिक्त वोट (additional votes)** ।

3. **IMF से ऋण की सुविधा (Access to IMF Financing) :-**
   - किसी सदस्य को उसके कोटे के आधार पर IMF से वित्तपोषण या ऋण की सुविधा प्राप्त होती है।

लास्ट मिनट स्निपपेट्स

➤ **कुछ सदस्य देशों का IMF में वर्तमान कोटा और वोट शेयर :-**

सदस्य देश	कोटा (%)	वोट शेयर (%)
अमेरिका	17.44 (सर्वाधिक)	16.51 (सर्वाधिक)
चीन	6.41	6.08
इंग्लैंड	4.24	4.03
भारत	**2.76**	**2.63**

ध्यान दें : *कोटे और वोट शेयर के संदर्भ में सबसे बड़ा सदस्य **अमेरिका** और सबसे छोटा सदस्य **तुवालु** है।*

IMF द्वारा वित्तपोषण (ऋण) के प्रकार (Types of Financing by IMF)

आईएमएफ़ द्वारा वित्तपोषण (Financing by IMF)

रिआयती ऋण (Concessional Lending)

1. विस्तारित ऋण सुविधा [Extended Credit Facility (ECF)]
2. स्टैंडबाई क्रेडिट सुविधा [Standby Credit Facility (SCF)]
3. त्वरित ऋण सुविधा [Rapid Credit Facility (RCF)]

ग़ैर-रिआयती ऋण (Non-concessional Lending)

1. स्टैंडबाई व्यवस्था [Stand-By-Arrangement (SBA)]
2. विस्तारित निधि सुविधा [Extended Fund Facility (EFF)]
3. त्वरित वित्तपोषण साधन [Rapid Financing Instrument (RFI)]
4. लोचशील क्रेडिट लाइन [Flexible Credit Line (FCL)]
5. निवारक एवं तरलता लाइन [Precautionary and Liquidity Line (PLL)]

रिआयती ऋण (Concessional Lending)

ग़रीबी न्यूनीकरण और विकास ट्रस्ट [Poverty Reduction and Growth Trust (PRGT)] सुविधा के माध्यम से, ऋण विशेष रूप से केवल **निम्न आयवाले ऐसे देशों** [Low-Income Countries (LICs)] को रिआयती शर्तों पर दिया जाता है, जो इसके सदस्य हैं, उन्हें रिआयती शर्तों पर, शून्य ब्याज दरों के साथ, ग़रीबी उन्मूलन और आर्थिक विकास के उद्देश्य से विभिन्न सुविधाएँ प्रदान की जाती हैं।

PRGT के अंतर्गत IMF द्वारा रिआयती ऋण की तीन सुविधाएँ प्रदान की जाती हैं :-

1. **विस्तारित ऋण सुविधा [Extended Credit Facility (ECF)] :** यह दीर्घकालीन भुगतान शेष (BOP) समस्या का सामना कर रहे कम आयवाले देशों (LICs) के लिए निरंतर **मध्यकालीन से दीर्घकालीन ऋण** है।
2. **स्टैंडबाई क्रेडिट सुविधा [Standby Credit Facility (SCF)] :** यह **लघुकालीन भुगतान शेष संकट** से निपटने और घरेलू या बाह्य समस्याओं के कारण उत्पन्न अन्य वित्तीय आवश्यकताओं को पूरा करने के लिए कम आयवाले देशों को दिया जानेवाला ऋण है।
3. **त्वरित ऋण सुविधा [Rapid Credit Facility (RCF)] :** यह कम आयवाले देशों की **भुगतान शेष से संबंधित त्वरित** आवश्यकताओं के लिए दिया जानेवाला ऋण है।

ध्यान दें : *इसके अतिरिक्त वर्ष 2015 से अंतरराष्ट्रीय मुद्रा कोष प्राकृतिक आपदाओं से पीड़ित* ***गरीब देशों की*** *सहायता करता है। उन देशों को* ***आपदा के बाद ऋण राहत ट्रस्ट*** *के अंतर्गत ऋण प्रदान किया जाता है।*

ग़ैर-रिआयती ऋण (Non-Concessional Lending)

ये सुविधाएँ कुछ अधिभारों (Surcharge) सहित बाज़ार निर्धारित ब्याज-दरों पर आधारित होती हैं और सभी सदस्य देशों को प्रदान करायी जाती हैं। इसके निम्नलिखित प्रकार हैं :-

1. **स्टैंडबाई व्यवस्था [Stand-By Arrangement (SBA)] :** सदस्य देशों की **लघुकालीन या संभावित भुगतान संतुलन समस्याओं** के समाधान के उद्देश्य से ग़ैर-रिआयती ऋण देने के लिए है। यह स्टैंडबाई क्रेडिट सुविधा के समान है, परंतु स्टैंडबाई क्रेडिट सुविधा कम आयवाले देशों को मिलती है। इस श्रेणी में ऋण 3 वर्षों तक के लिए दिया जाता है (परंतु सामान्यतः इसकी अवधि 12 से 18 महीने तक होती है।)

   परंतु ऋण लेनेवाले सदस्य देशों को **अंतरराष्ट्रीय मुद्रा कोष की वॉशिंगटन सहमति** (Washington Consensus of IMF) से संबंधित कुछ शर्तों को मानना होता है या कुछ **सुधारात्मक नीतिगत कार्रवाई** (corrective policy actions) करनी होती है।
2. **विस्तारित निधि सुविधा [Extended Fund Facility (EFF)] :** यह सदस्य देशों की **मध्यकालीन एवं दीर्घकालीन भुगतान संतुलन समस्याओं** के समाधान के लिए दिया जानेवाला ऋण है। (यह कम आयवाले देशों को दी जानेवाली विस्तारित ऋण सुविधा के समान है।)
3. **त्वरित वित्तपोषण साधन [Rapid Financing Instrument (RFI)] :** यह त्वरित भुगतान शेष आवश्यकताओं को पूरा करने के लिए दिया जाता है (यह कम आयवाले देशों को दी जानेवाली त्वरित ऋण सुविधा के समान है।)
4. **लोचशील क्रेडिट लाइन [Flexible Credit Line (FCL)] :** इसके अंतर्गत उन सदस्य देशों को वित्तीय सहायता उपलब्ध करायी जाती है, जिनका आधार, नीति एवं नीति के कार्यान्वयन का पिछला कार्य निष्पादन (track record) अत्यधिक सुदृढ़ होता है। इसका उद्देश्य बढ़ी हुई जोखिमों की अवधि के दौरान **बाज़ार का भरोसा बढ़ाना है**। इस ऋण की अवधि 1 वर्ष या 2 वर्ष होती है। लोचशील क्रेडिट लाइन के अंतर्गत **अंतरराष्ट्रीय मुद्रा कोष से वित्तीय सहायता पाने की कोई सीमा निर्धारित नहीं है।** अब तक केवल तीन सदस्य देशों (**कोलंबिया, मेक्सिको एवं पोलैंड**) ने लोचशील क्रेडिट लाइन सुविधा प्राप्त की है।
5. **निवारक एवं तरलता लाइन [Precautionary and Liquidity Line (PLL)] :** यह उन सदस्य देशों के लिए है, जिनका आधार एवं नीति और इस प्रकार की नीतियों के कार्यावियन का ट्रैक रिकॉर्ड सर्वाधिक अच्छा है। इसका पात्र उन देशों को माना जाता है, जो मध्य स्तर की भेद्यता का सामना कर रहे हैं और लोचशील क्रेडिट लाइन के योग्यता मानकों को आवश्यक रूप से पूरा नहीं करते हैं। इसके अंतर्गत अंतरराष्ट्रीय मुद्रा कोष द्वारा दिये जानेवाले ऋण की अवधि या तो 6 महीने या 1-2 वर्षों तक होती है।

   अब तक केवल दो सदस्य देशों (उत्तर मैसेडोनिया गणराज्य एवं मोरक्को) ने निवारक एवं तरलता सुविधा प्राप्त की है।

ध्यान दें :

➤ अंतरराष्ट्रीय मुद्रा कोष द्वारा अधिकतर ऋण स्टैंडबाई व्यवस्था (SBA) के माध्यम से प्रदान किये जाते हैं।

- फरवरी, 2025 तक, आईएमएफ़ द्वारा किसी सदस्य देश को दी गयी अब तक की सबसे बड़ी वित्तीय सहायता अर्जेंटीना को मिली है (31 बिलियन अमेरिकी डॉलर)।
- यूक्रेन और एजिप्ट क्रमश: 11.16 बिलियन अमेरिकी डॉलर और 8.17 बिलियन अमेरिकी डॉलर की ऋण राशि के साथ दूसरे और तीसरे स्थान पर हैं।
- अंतरराष्ट्रीय मुद्रा कोष के अनुसार भारत कम आयवाला देश नहीं है, इसलिए वह अंतरराष्ट्रीय मुद्रा कोष द्वारा रिआयती ऋण का पात्र नहीं है।

अतिरिक्त जानकारी

वॉशिंगटन सहमति (WASHINGTON CONSENSUS)

- वित्तीय सहायता लेने के लिए सदस्य देशों को कुछ नीतियों एवं शर्तों का पालन करना होता है। इन नीतियों एवं शर्तों को **अंतरराष्ट्रीय मुद्रा कोष की सोपाधिकता या शर्तनामा (IMF conditionalities)** कहा जाता है। **वाशिंगटन सहमति (Washington Consensus)** शब्द का प्रयोग पहली बार 1989 में अंग्रेजी अर्थशास्त्री जॉन विलियमसन द्वारा किया गया था।
- सदस्य देशों को वित्तीय सहायता पाने के लिए कुछ गिरवी रखना पड़ता है। इसके अतिरिक्त उनको अंतरराष्ट्रीय मुद्रा कोष की इन शर्तों को भी स्वीकार करना होता है।
- अगर शर्तों को पूरा नहीं किया जाता है; तो अंतरराष्ट्रीय मुद्रा कोष वित्तीय सहायता रोक देता है।
- संरचनात्मक संयोजन की कुछ शर्तें (वॉशिंगटन सहमति के नाम से भी जाना जाता है) निम्नलिखित हैं :-

1. मुद्रा का अवमूल्यन।
2. मुद्रा को स्थिरता प्रदान करने के लिए उच्च ब्याज-दर।
3. बजट में संतुलन और अत्यधिक ख़र्च पर रोक।
4. मूल्य नियंत्रण हटाना और सरकार द्वारा दी जानेवालीं सब्सिडियों पर रोक।
5. राष्ट्रीय क़ानूनों के संदर्भ में विदेशी निवेशकों के अधिकारों को बढ़ाना।
6. व्यापार उदारीकरण या आयात-निर्यात प्रतिबंधों को हटाना।

अंतरराष्ट्रीय मुद्रा कोष द्वारा ये शर्तें यह सुनिश्चित करने के लिए रखी जाती हैं कि ऋण लेनेवाले सदस्य देश अपने भुगतान संतुलन संकट का समाधान कर सकें और अंतरराष्ट्रीय मुद्रा कोष का ऋण चुका सकें।

अंतरराष्ट्रीय मुद्रा कोष के वित्तीय संसाधन (Financial Resources of IMF)

अंतरराष्ट्रीय मुद्रा कोष के वित्तीय संसाधन (Financial Resources of IMF)

- कोटा (Quota)
- NAB के माध्यम से बहुपक्षीय उधार (Multilateral Borrowings through NAB)
- द्विपक्षीय उधार क़रार (Bilateral Borrowing Agreements)

- **कोटा (Quota)**– प्रत्येक सदस्य देश को अंतरराष्ट्रीय मुद्रा कोष का एक कोटा प्राप्त होता है। उस कोटे के अनुसार प्रत्येक सदस्य देश द्वारा अंतरराष्ट्रीय मुद्रा कोष को निधि उपलब्ध करायी जाती है, जो इसके वित्तीय संसाधन का प्रमुख स्रोत है।

- **NAB के माध्यम से बहुपक्षीय उधार (Multilateral Borrowings through NAB)**– यह अंतरराष्ट्रीय मुद्रा कोष के लिए वित्तीय सहायता प्राप्त करने का अतिरिक्त स्रोत है। यह उधार अंतरराष्ट्रीय मुद्रा कोष द्वारा वर्तमान में NAB के माध्यम से लिया जाता है (वर्ष 2018 तक इस तरह का उधार GAB और NAB दोनों के माध्यम से लिया जाता था।)
- GAB और NAB अंतरराष्ट्रीय मुद्रा कोष द्वारा सदस्य देशों के समूह और संस्थानों से उधार लेने की एक व्यवस्था है। इसके माध्यम से अंतरराष्ट्रीय मुद्रा कोष को अनुपूरक संसाधन प्रदान किये जाते हैं, जिससे उसे वित्तीय संकट की विशिष्ट स्थितियों से निपटने के लिए अतिरिक्त वित्तीय सहायता प्राप्त होती है।
    - **उधार लेने की सामान्य व्यवस्था [General Arrangements to Borrow (GAB)]** – यह व्यवस्था 1962 से चली आ रही थी और दिसंबर, 2017 में समाप्त हो गयी।
    - **उधार लेने की नयी व्यवस्था [New Arrangements to Borrow (NAB)]**– उधार लेने की इस नयी व्यवस्था के 40 प्रतिभागी सदस्य हैं और इसमें निधि का आकार 250 बिलियन अमेरिकी डॉलर है। भारत ने IMF को यूरोप के संप्रभु ऋण संकट (sovereign debt crisis) से निपटने के लिए NAB के अंतर्गत 12 बिलियन अमेरिकी डॉलर प्रदान किये थे।
- **द्विपक्षीय उधार क़रार [Bilateral Borrowing Agreements (BBA)]** – IMF सदस्य देशों की वित्तीय आवश्यकताओं को पूरा करने के लिए कोटा और NAB के अतिरिक्त उधार लेने की द्विपक्षीय व्यवस्था के अंतर्गत भी उधार लेता है। BBA में भी 40 प्रतिभागी सदस्य सम्मिलित हैं और इसकी निधि का आकार 440 बिलियन अमेरिकी डॉलर है।

ध्यान दें : *IMF द्वारा दिये जानेवाले रिआयती ऋण एवं ऋण राहत के लिए पृथक् योगदान आधारित ट्रस्ट निधि से वित्तपोषण किया जाता है।*

अतिरिक्त जानकारी

IMF द्वारा प्रकाशित प्रमुख विवरण (MAJOR REPORTS PUBLISHED BY IMF)

विश्व आर्थिक परिदृश्य *[World Economic Outlook (WEO)]*

- IMF द्वारा इस विवरण को साधारणत: **वर्ष में दो बार** प्रकाशित किया जाता है।
- इसमें निकट और मध्यकालीन अवधि में IMF के **सदस्य देशों के लिए** स्टाफ़ अर्थशास्त्रियों द्वारा वैश्विक आर्थिक विकास एवं नीतियों का विश्लेषण किया जाता है एवं अनुमान व्यक्त किया जाता है।
- विवरण में **उन जोखिमों एवं अनिश्चितताओं को भी दर्शाया जाता है,** जिससे सदस्य देशों की संवृद्धि को संकट उत्पन्न हो सकता है।
- विश्व आर्थिक आउटलुक (जनवरी, 2025) के अनुसार, वैश्विक वृद्धि 2025 और 2026 दोनों में 3.3 प्रतिशत रहने का अनुमान है, जो ऐतिहासिक (2000-19) औसत 3.7 प्रतिशत से कम है। WEO 2025 ने यह भी भविष्यवाणी की है कि वैश्विक हेडलाइन मुद्रास्फीति 2025 में 4.2 प्रतिशत और 2026 में 3.5 प्रतिशत तक गिर जायेगी।

वैश्विक वित्तीय स्थिरता *[Global Financial Stability Report (GFSR)]*

- WEO के समान इसे भी IMF द्वारा **वर्ष में दो बार** (अप्रैल और अक्टूबर में) प्रकाशित किया जाता है।
- GFSR में **वर्तमान बाज़ार स्थिति** के आधार पर **वैश्विक वित्तीय बाज़ारों** एवं उभरते बाज़ारों द्वारा वित्त पोषण की स्थिरता का मूल्यांकन किया जाता है।
- इसमें उन **वित्तीय एवं संरचनात्मक असंतुलनों का पता करने का प्रयास किया जाता है**, जो संकट उत्पन्न कर सकते हैं एवं तद्नुसार समाधान सुझाया जाता है।
- वैश्विक वित्तीय स्थिरता रिपोर्ट (अक्टूबर, 2024) के अनुसार, उच्च बृहत् आर्थिक अनिश्चितता बाज़ारों, ऋण आपूर्ति और जीडीपी वृद्धि के लिए नकारात्मक जोखिम को बढ़ाकर बृहत् वित्तीय स्थिरता को ख़तरे में डाल सकती है।

वित्तीय निगरानी रिपोर्ट *[Fiscal Monitor Report (FMR)]*

- इसका आरंभ वर्ष 2009 में हुआ था तथा इसे भी IMF द्वारा वर्ष में दो बार प्रकाशित किया जाता है।
- इसमें नवीनतम सार्वजनिक वित्तीय प्रगतियों एवं सुलभता नीतियों का सर्वेक्षण और विश्लेषण किया जाता है, जिसका उद्देश्य सार्वजनिक वित्त का संधारणीय प्रयोग सुनिश्चित करना होता है।
- राजकोषीय मॉनिटर रिपोर्ट (अक्टूबर, 2023) के अनुसार, वैश्विक ऋण-से-जीडीपी अनुपात में 2023 और 2028 के बीच प्रत्येक वर्ष अनुमान से अधिक तेज़ी से 1 प्रतिशत अंक की वृद्धि होने की सम्भावना है।

बाहरी क्षेत्रक विवरण (External Sector Report)

- **IMF** द्वारा वर्ष **2012** से इसका वार्षिक प्रकाशन किया जाता है।
- बाहरी क्षेत्र की रिपोर्ट वैश्विक बाहरी विकास पर ज़ोर देती है और वैश्विक सकल घरेलू उत्पाद के 90 प्रतिशत से अधिक का प्रतिनिधित्व करनेवाली दुनिया की सबसे बड़ी अर्थव्यवस्था की बाहरी स्थितियों का बहुपक्षीय रूप से सुसंगत आकलन प्रदान करती है।

क्षेत्रीय आर्थिक विवरण (Regional Economic Report)

- इसमें किसी विशिष्ट क्षेत्र के विभिन्न देशों के लिए हालिया आर्थिक प्रगति एवं संवृद्धि की संभावना को लेकर चर्चा होती है।
- इसमें नीति से संबंधित उन प्रगतियों पर भी चर्चा की जाती है, जिससे क्षेत्रों में आर्थिक प्रदर्शन प्रभावित हुआ है।

अतिरिक्त जानकारी

वैश्विक आवास निगरानी (Global Housing Watch) : वैश्विक आवास निगरानी योजना का वर्ष **2014** में **अंतरराष्ट्रीय मुद्रा कोष** द्वारा शुभारंभ किया गया था। इसके अंतर्गत प्रत्येक तिमाही वैश्विक स्तर पर आवास बाज़ार में हो रही प्रगति की निगरानी की जाती है। इसके लिए, आवास की क़ीमतों के साथ-साथ आवास बाज़ार के मूल्यांकन के लिए प्रयुक्त होनेवाले घटकों, जैसे कि आवास की क़ीमत और किराया एवं आवास की क़ीमत और आय के अनुपात से संबंधित आँकड़े मुहैया कराये जाते हैं।

वित्तीय क्षेत्रक मूल्यांकन कार्यक्रम [Financial Sector Assessment Program (FSAP)] : अंतरराष्ट्रीय मुद्रा कोष और विश्व बैंक का संयुक्त कार्यक्रम है। इसे **1999** में एशियाई वित्तीय संकट के समय आरंभ किया गया था। इसके अंतर्गत किसी देश के वित्तीय क्षेत्रक का व्यापक विश्लेषण उपलब्ध कराया जाता है।

भारत एवं IMF (India and IMF)

- भारत IMF का संस्थापक सदस्य है।
- **2003** से भारत और IMF के संबंध में परिवर्तन आया है :-
  - **पहले** भारत ऋण लेता था। **अब**, यह ऋण देनेवाले के रूप में उभरा है। भारत ने 2012 में यूरोज़ोन के देशों को बेल आउट देने के लिए IMF को ऋण दिया।
  - 2022 में, IMF का कोटा धारक भारत **13वाँ सबसे बड़ा** सदस्य देश (2.75 प्रतिशत) है।
  - भारत का **मताधिकार** 2.3 प्रतिशत से बढ़कर 2.63 प्रतिशत हो गया है।
- IMF **ने भारत को** दो भुगतान संतुलन (BOP) संकटों के समय सहायता की थी :-
  - भारत ने वर्ष 1981 में विस्तारित निधि सुविधा [Extended Fund Facility (EFF)] के अंतर्गत ऋण लिया था।
  - भारत ने वर्ष 1991 में दो SBAs के अंतर्गत ऋण लिया था।

➤ **भारत ने** IMF **के विशेष डेटा प्रसार मानक [Special Data Dissemination Standard (SDDS)] की सदस्यता ली है** (अर्थात् डेटा प्रसार की कार्यप्रणाली से संबंधित सूचना प्रदान करने के साथ वैश्विक लेखांकन मानक (Global Accounting Standards) का पालन करने की प्रतिबद्धता)।

IMF द्वारा हाल में किये गये सुधार (Recent Reforms Undertaken by IMF)

➤ विकासशील सदस्य राष्ट्रों पर प्रभाव डालने की अधिक शक्ति :-
- ◆ अमेरिका एवं यूरोपीय देशों के उभरते सदस्य राष्ट्रों को 6 प्रतिशत से अधिक मताधिकार का हस्तांतरण।
- ◆ निम्नलिखित के मताधिकार में वृद्धि की गयी :
  - ■ भारत 2.3 प्रतिशत से 2.63 प्रतिशत।
  - ■ चीन 3.8 प्रतिशत से 6.08 प्रतिशत।

➤ चीन की रेनमिनबी को SDR बास्केट में वर्ष 2016 में सम्मिलित किया गया है।

IMF के कुछ सदस्यों द्वारा निम्नलिखित सुधारों की माँग की गयी (Reforms Demanded by Some Members of IMF)

➤ मताधिकार की पुन:संरचना, विशेषकर भारत और चीन जैसी उभरती अर्थव्यवस्थाओं के लिए।

➤ सोपाधिकता या शर्तनामा में अन्य सुधारों जैसे- व्यापार सुधार को सम्मिलित किया जाये।

➤ IMF को अधिक संसाधन उपलब्ध कराये जायें।

➤ IMF के प्रमुख का चयन वरीयता के आधार पर किया जाये।

➤ IMF में अमेरिका का वर्चस्व समाप्त किया जाये।

➤ IMF को लघुकालीन समाधान प्रदान करने के स्थान पर दीर्घकालीन संकट प्रबंधन पर भी किया जाये।

क्या IMF अपनी स्थापना के उद्देश्य को पूरा करने में असफल रहा है? (HAS IMF FAILED TO ACHIEVE THE OBJECTIVES WITH WHICH IT WAS CREATED?)

IMF ने बड़ी सीमा तक उन उद्देश्यों को पूरा कर लिया है, जिसके लिए इसकी स्थापना की गयी थी :-

➤ विनिमय-दरों में स्थिरता
- ◆ इसने विनिमय-दरों में 1 प्रतिशत तक परिवर्तन होने दिया (धनात्मक एवं ऋणात्मक)।
- ◆ इसने लोचशीलता के साथ स्थिरता की प्रणाली को अंगीकृत किया है।

➤ विभिन्न विनिमय-दरों पर अंकुश
- ◆ देशों को विभिन्न विनिमय-दरों की अनुमति नहीं है।

➤ **ऋण संरचना को व्यापक बनाना**
- ◆ पहले IMF केवल लघुकालीन भुगतान संतुलन समस्याओं के लिए ऋण प्रदान करता था। अब इसने मौलिक भुगतान संतुलन असंतुलन के लिए ऋण देना आरंभ कर दिया है।
- ◆ अब तो IMF विकासात्मक परियोजनाओं के लिए भी ऋण देने लगा है।

➤ विकासशील अर्थव्यवस्थाओं के लिए दीर्घकालीन संवृद्धि
- ◆ IMF की शर्तों से कई विकासशील सदस्य देशों को अपनी दीर्घकालीन संवृद्धि में लाभ पहुँचा है।

परंतु, आलोचकों का कहना है कि IMF कई मापदंडों पर असफल रहा है।

लोचशीलता में कमी (Lack in Flexibility)

- IMF को अधिक कठोर संगठन समझा जाता है।
- देखा गया है कि यह तीव्र परिवर्तनों को अंगीकृत करने में अक्षम है।

उच्च ब्याज-दर (High Interest Rates)

- IMF सदस्य देशों को दिये गये गै़र-रिआयती ऋण पर ब्याज की अत्यधिक दर लेता है।

शर्तें (Conditionalities)

- कुछ विकासशील अर्थव्यवस्थाओं के मामले में ऋण देते समय IMF द्वारा देश की परिस्थिति पर विचार करके शर्तें नहीं रखी जाती हैं, इसलिए यह उन देशों की आर्थिक समस्या के समाधान में असफल रहा है।

विनिमय-दर संबंधित प्रतिबंधों को पूर्ण रूप से हटाने में असफलता (Failure in complete removal of exchange rate restrictions)

- कुछ देश अभी भी किसी-न-किसी प्रकार विनिमय-दर संबंधित प्रतिबंध लगाते हैं।

IMF की अन्य आलोचनाएँ (Other Criticisms of IMF)

- 'एक ही नियम सब पर लागू (One Size Fits All)' वाली नीति, जिसके अंतर्गत यह सभी सदस्य देशों को एक समान समाधान ही सुझाता है।
- IMF 2008-09 की वैश्विक मंदी (Global Recession) की भविष्यवाणी करने में भी असफल रहा है। इसके द्वारा मंदी की रोकथाम की बात तो दूर है।
- अमेरिका की वीटो पावर, अर्थात् अमेरिका IMF के किसी भी निर्णय को वीटो कर सकता है, क्योंकि इसके पास 16 प्रतिशत से अधिक मताधिकार है और किसी बड़े सुधार को पारित करने के लिए 85 प्रतिशत मतों की आवश्यकता होती है।

विश्व बैंक समूह (WORLD BANK GROUP)

प्रमुख तथ्य (Important Facts)

- विश्व बैंक (World Bank) शब्द से साधारणत: अंतरराष्ट्रीय पुन:संरचना एवं विकास बैंक (IBRD) और अंतरराष्ट्रीय विकास संघ (IDA) का बोध होता है, क्योंकि इनका प्रमुख और प्रबंधन समान होता है। दूसरी ओर **'विश्व बैंक समूह'** पाँच संस्थानों के एक समूह का बोध कराता है। इन संस्थानों के नाम हैं :–
    1. अंतरराष्ट्रीय पुन:संरचना एवं विकास बैंक [International Bank for Reconstruction and Development (IBRD)]
    2. अंतरराष्ट्रीय विकास संघ [International Development Association (IDA)]
    3. अंतरराष्ट्रीय वित्त निगम [International Finance Corporation (IFC)]
    4. बहुपक्षीय निवेश गारंटी एजेंसी [Multilateral Investment Guarantee Agency (MIGA)]
    5. अंतरराष्ट्रीय निवेशन विवाद निपटान केंद्र [International Centre for Settlement of Investment Disputes (ICSID)]
- इनमें से सर्वप्रथम IBRD अस्तित्व में आया।
- किसी देश को विश्व बैंक का सदस्य बनने के लिए, **पहले IMF का सदस्य बनना पड़ता है।**
- **भारत उनमें से चार का सदस्य है** (ICSID को छोड़कर)।
- बैंक समूह संस्थान का मुख्यालय वॉशिंगटन DC (अमेरिका) में स्थित है।

- विश्व बैंक के वर्तमान अध्यक्ष - **अजय बंगा** (जून, 2023 से और 5 वर्ष के कार्यकाल के लिए)
- विश्व बैंक ने विश्व के लिए दो लक्ष्य निर्धारित किये हैं, जिनको वर्ष 2030 तक पूरा करना है :
    1. 1.90 डॉलर प्रतिदिन से भी कम आयवाले लोगों के प्रतिशत को घटाकर 3 प्रतिशत (इससे अधिक नहीं) तक करके अत्यंत निर्धनता (extreme poverty) को समाप्त करना।
    2. प्रत्येक देश के निचले पायदान के 40 प्रतिशत लोगों की आय में वृद्धि को प्रोत्साहित करके संयुक्त समृद्धि को बढ़ावा देना।

नाम	स्थापना वर्ष	मुख्यालय	सदस्य	क्या भारत सदस्य है?
IBRD	1945	वॉशिंगटन डीसी	189	हाँ
IDA	1960	वॉशिंगटन डीसी	174	हाँ
IFC	1956	वॉशिंगटन डीसी	185	हाँ
MIGA	1988	वॉशिंगटन डीसी	182	हाँ
ICSID	1965	वॉशिंगटन डीसी	156	नहीं

अंतरराष्ट्रीय पुनःसंरचना एवं विकास बैंक [International Bank for Reconstruction and Development (IBRD)]

- यह विश्व बैंक की **मूल** संस्था है, अर्थात् विश्व बैंक समूह के पाँच संगठनों में स्थापित होनेवाला पहला संगठन।
- वर्ष 1944 में संपन्न ब्रेटन वुड्स सम्मेलन के निर्णय के अनुसार **27 दिसंबर, 1945** को IBRD की स्थापना की गयी। IBRD ने अपना कार्य 25 जून, 1946 से आरंभ किया।
- IBRD की स्थापना का **आरंभिक उद्देश्य** दूसरे विश्व युद्ध के दौरान बर्बाद हुए देशों को उनके पुनर्निर्माण में सहयोग करना था। बाद में विकासशील एवं ग़रीब राष्ट्रों का आर्थिक विकास इसका लक्ष्य बन गया।
- **भारत** IBRD **का संस्थापक सदस्य है**।
- वर्तमान समय में IBRD के **189 सदस्य** (मुख्यालय : वॉशिंगटन डीसी) हैं।

IBRD के कार्य (Functions of IBRD)

- यह मध्य आयवाले देशों और उधार के पात्र कम आयवाले सदस्य देशों की सरकारों **को ऋण देता है**।
- यह बड़ी मात्रा में **दीर्घकालीन ऋण** प्रदान करता है, जिसकी परिपक्वता अवधि अधिक होती है एवं ब्याज-दर कम होता है।
- यह प्रमुख नीतिगत एवं संस्थागत सुधारों, जैसे- सुरक्षा तंत्र या भ्रष्टाचार विरोधी सुधारों को प्रोत्साहन देता है।
- यह ऋण लेनेवाले की वित्तीय शक्ति को संरक्षित रखने में सहायता करता (उनकी वित्तीय संकट के दौरान सहायता करके) है।

भारत के साथ IBRD का संबंध (Relation of IBRD with India)

- IBRD में भारत की शेयरधारिता 3.15 प्रतिशत (7वाँ सबसे बड़ा शेयरधारक) है।
- भारत का मताधिकार 3.01 प्रतिशत है।
- यह भारत की वित्तीय सहायता करता है। यह भारत को परामर्श संबंधित सेवाओं एवं सूचनाओं का एकीकृत पैकेज उपलब्ध कराता है।

अंतरराष्ट्रीय विकास संघ [International Development Association (IDA)]

- IDA की स्थापना 1960 में की गयी। **भारत इसका संस्थापक सदस्य है**।
- वर्तमान में IDA के **175 सदस्य देश** (मुख्यालय : वॉशिंगटन डीसी) हैं।

- इसे विश्व बैंक की **उदार ऋण शाखा (Soft Lending Arm)** कहा जाता है।
- IDA **30-38 वर्षों** (5 से 10 वर्षों की रिआयत अवधि के साथ) की अधिक लंबी अवधि तक के लिए शून्य या कम ब्याज-दर पर **ऋण** देता है।
- वर्तमान में 74 देश IDA के संसाधनों का लाभ प्राप्त कर सकते हैं।
- फ़रवरी, 2025 के अनुसार, वे देश IDA द्वारा सहायता पाने के पात्र थे, जिनकी सापेक्ष निर्धनता (प्रतिव्यक्ति आय) **1,335 डॉलर** (वार्षिक रूप से अद्यतन) से **कम** थी। IDA उन देशों को भी सहायता प्रदान कर सकता है, जिसकी प्रतिव्यक्ति आय 1,255 अमेरिकी डॉलर से अधिक है, परंतु अंतरराष्ट्रीय पुनःसंरचना एवं विकास बैंक **(IBRD)** से ऋण लेने के योग्य नहीं हैं। कुछ देश, जैसे कि नाइजीरिया और पाकिस्तान प्रतिव्यक्ति आय स्तर के आधार पर IDA से ऋण पाने के पात्र हैं और IBRD से भी कुछ प्रकार के ऋण पाने के पात्र हैं। इनको **"मिश्रित देश (blend countries)"** के नाम से जाना जाता है।
- IDA ऋण संकट की जोखिम का सामना कर रहे देशों को रिआयती ऋणों के अतिरिक्त **अनुदान** (Grants) **भी प्रदान करता है**। इसके अतिरिक्त यह ग़रीब देशों को अत्यधिक ऋणी ग़रीब देश **[Heavily Indebted Poor Countries (HIPC)]** एवं बहुपक्षीय ऋण राहत पहल **[Multilateral Debt Relief Initiative (MDRI)]** के अंतर्गत ऋण से छुटकारा पाने में भी सहायता करता है।
- IDA संकट और आपातकालीन स्थितियों के समय में भी सहायता करता है। इस व्यवस्था को **'संकट प्रतिक्रिया खिड़की (Crisis Response Window)'** के नाम से जाना जाता है।
- इसका उद्देश्य आर्थिक संवृद्धि को गति प्रदान करना जीवन-स्तर में सुधार लाना एवं असमानता को कम करना है। यह प्राथमिक शिक्षा, मूलभूत स्वास्थ्य सुविधाओं, स्वच्छ पेयजल की आपूर्ति एवं स्वच्छता आदि की समस्या के समाधान के लिए ऋण प्रदान करता है।
- IDA का वित्तपोषण दो प्रकार से होता है। वित्तीय बाज़ार से बड़े पैमाने पर उधार लेकर एवं इसके धनी सदस्य देशों से प्राप्त अंशदानों से किया जाता है।
- **भारत के साथ IDA का संबंध :** IDA ने भारत की कई क्षेत्रों में सहायता की है, जिनका विचारणीय प्रभाव पड़ा है। इनमें सम्मिलित हैं :-
  - प्राथमिक शिक्षा का साधारणीकरण;
  - ग्रामीण आजीविका परियोजनाओं के माध्यम से ग्रामीण समुदायों को सशक्त बनाना;
  - हरित एवं श्वेत (दुग्ध) क्रांतियों की सहायता करके कृषि क्षेत्र में क्रांति लाना;
  - पोलियो, तपेदिक एवं एचआईवी/एड्स से लड़ने में सहायता।

अंतरराष्ट्रीय वित्त निगम [International Finance Corporation (IFC)]

- इसकी स्थापना वर्ष **1956** में हुई (मुख्यालय : वॉशिंगटन डीसी)।
- वर्तमान में इसके **186** सदस्य देश हैं। भारत इसका संस्थापक सदस्य है।
- IFC विशिष्ट रूप से विकासशील देशों में **निजी क्षेत्रक** के संवर्धन पर बल देता है।
- यह विकासशील देशों में सशक्त निजी क्षेत्रक के निर्माण के लिए **निवेश, तकनीकी दक्षता** एवं **परामर्श संबंधित सेवा** प्रदान करता है।
- यह सरकार के बजाए **निजी कंपनियों को ऋण देता है**।
- इसका उद्देश्य है- निजी उद्यमों के लिए वित्तीय संसाधन जुटाना, कारोबार करने में सहायता करना, रोज़गार के अवसर सर्जित करना एवं भेद्य वर्ग (vulnerable section) को आवश्यक सेवाएँ प्रदान करना।
- IFC घरेलू एवं विदेशी निजी पूँजी **दोनों** के अंतर्वाह का मार्ग प्रशस्त करता है।
- **अक्षय ऊर्जा उत्पादन, खाद्य सुरक्षा को उन्नत करना** एवं **अवसंरचना निर्माण** IFC द्वारा प्रमुखता दिये जानेवाले क्षेत्र हैं।
- IFC अंतरराष्ट्रीय पूँजी बाज़ार में बॉण्ड जारी करके फ़ंड या पैसे जुटाता है। इनमें सम्मिलित हैं :-
  - अमेरिकी डॉलर बेंचमार्क बॉण्ड

- स्थानीय मुद्रा बॉण्ड
- विषय आधारित बॉण्ड (विशिष्ट कार्यक्रमों की सहायता के लिए, जैसे कि हरित बॉण्ड, सामाजिक बॉण्ड आदि)

➤ **भारत के साथ IFC के संबंध**

- वर्ष 2014 में IFC ने भारतीय कंपनियों को वित्तीय सहायता प्रदान करने के लिए वैश्विक उधार बाज़ार में **रुपी बॉण्ड** और **मसाला बॉण्ड** जारी किया।
- कई वर्षों तक भारत IFC के निवेश पोर्टफ़ोलियो में सबसे बड़ा देश रहा है।

बहुस्तरीय निवेश गारंटी एजेंसी *[Multilateral Investment Guarantee Agency (MIGA)]*

➤ इसकी स्थापना वर्ष **1988** में हुई थी (मुख्यालय : वॉशिंगटन डीसी)।

➤ वर्तमान में भारत सहित इसके **182 सदस्य हैं**।

➤ इसके **दो मुख्य कार्य हैं :-**

1. **ग़ैर-वाणिज्यिक जोखिमों** (राजनीतिक जोखिम) से होनेवाले घाटों के लिए **निजी क्षेत्रक के विदेशी निवेशकों को बीमा प्रदान** करके **प्रत्यक्ष विदेशी निवेश [Foreign Direct Investment (FDI)]** को प्रोत्साहित करना। राजनीतिक जोखिम में सम्मिलित है :–
   i. मुद्रा हस्तांतरण
   ii. स्वामित्वहरण (Expropriation)
   iii. युद्ध और नागरिक अशांति
2. दूसरे देशों के निजी क्षेत्रक में निवेश करनेवाले और ऋण देनेवालों को **ऋण बढ़ोत्तरी गारंटी (Credit Enhancement Guarantee)** प्रदान करना।

➤ MIGA के **उद्देश्यों** में सम्मिलित हैं :-

- विकासशील देशों में FDI के प्रवाह को बढ़ाना।
- विकासशील देशों में निर्धनता कम करना, जीवन स्तर में सुधार एवं उच्च आर्थिक वृद्धि प्राप्त करना।

➤ **भारत के साथ MIGA के संबंध :-**

- अब तक, MIGA ने भारत में कुछ नहीं किया है।
- यह अपने गारंटी उत्पादों का अवसर ढूँढ़ने के लिए भारत सरकार (GoI) के साथ संवाद कर रही है।

निवेश विवादों के निपटारे के लिए अंतरराष्ट्रीय केंद्र
[International Centre for Settlement of Investment Disputes (ICSID)]

➤ इसकी स्थापना वर्ष **1966** में की गयी।

➤ वर्तमान में इसके **165** सदस्य देश हैं (**भारत इसका सदस्य नहीं है**)।

➤ यह **विवाद निपटारा संगठन** है।

➤ इसका लक्ष्य सदस्य देशों के मध्य होनेवाले **निवेश संबंधित विवादों का निपटान करना** है। अत: यह निवेश जोखिमों को कम करने में सहायता करता है।

➤ ICSID के माध्यम से निवेश विवाद का निपटारा किसी देश की **इच्छा पर** निर्भर करता है, परंतु एक बार अगर पक्षकार इसके माध्यम से विवाद के निपटारे के लिए सहमत हो जाते हैं, तो फिर वे अपनी इच्छा से पीछे नहीं हट सकते हैं।

अतिरिक्त जानकारी

विश्व बैंक द्वारा प्रकाशित होनेवालीं प्रमुख रिपोर्टें (MAJOR REPORTS PUBLISHED BY WORLD BANK)

विश्व विकास रिपोर्ट [World Development Report (WDR)]

- वर्ष 1978 से IBRD या विश्व बैंक द्वारा इसका **वार्षिक** प्रकाशन किया जाता है।
- इस विवरण में आर्थिक विकास के विशिष्ट पहलुओं का विस्तृत विश्लेषण किया जाता है।

विश्व विकास रिपोर्ट, 2024 के मुख्य बिंदु (Key Points of World Development Report, 2024)

1. यह रिपोर्ट मध्यम आयवाले देशों के समक्ष आनेवालीं चुनौतियों पर ध्यान केंद्रित करती है, ताकि वे मध्यम आय के जाल से बाहर निकल सकें और आर्थिक विकास के एक निश्चित स्तर से आगे बढ़ सकें।
2. इस रिपोर्ट में आर्थिक विकास के उद्देश्यों को पूरा करने के लिए 3I - निवेश (Investment), प्रौद्योगिकी का समावेश (Infusion of technology) और नवाचार (Innovation) पर ज़ोर दिया गया है।
3. इस रिपोर्ट के अनुसार, मध्यम आयवाले देशों के समक्ष आनेवालीं प्रमुख चुनौतियाँ निम्न हैं - बढ़ती उम्र की आबादी, उन्नत अर्थव्यवस्थाओं में बढ़ता संरक्षणवाद और त्वरित ऊर्जा परिवर्तन की आवश्यकता।
4. इस रिपोर्ट में वर्णित है कि मध्यम आय से उच्च आय में परिवर्तन को उन नीतियों के माध्यम से सुगम बनाया जा सकता है, जो प्रतिस्पर्धा, प्रतिभा विकास और प्रभावी संकट प्रबंधन को प्रोत्साहित करती हैं।

डूइंग बिज़नेस रिपोर्ट (Doing Business Report) :–

- इसे व्यापार सुगमता (Ease of Doing Business) रिपोर्ट भी कहा जाता है। विश्व बैंक द्वारा इसका वार्षिक प्रकाशन किया जाता है।
- यह रिपोर्ट 10 परिमाणात्मक सूचकों के विश्लेषण के अध्ययन पर आधारित होता है। अध्ययन यह पता लगाने के लिए किया जाता है कि **नियमन** से व्यापारिक गतिविधि बढ़ी है या घटी है।
- इस सूची में उच्च स्थान पानेवाले देश का अर्थ होता है कि वहाँ का नियामक माहौल व्यापार करने के अनुकूल एवं उपयुक्त है।
- रिपोर्ट में मुख्य रूप से तीन प्रश्नों का उत्तर ढूँढ़ने का प्रयास किया जाता है :–
  1. सरकार निजी क्षेत्रक को विकसित करने के लिए नियमन में कब परिवर्तन करती है?
  2. सुधारवादी सरकारों की क्या विशेषताएँ हैं?
  3. नियामक परिवर्तन का आर्थिक एवं निवेश संबंधित गतिविधियों पर क्या प्रभाव पड़ा है?
- **2020 नवीनतम व्यापार सुगमता रिपोर्ट में :–**
  - वरीयता सूची तैयार करने के लिए 190 अर्थव्यवस्थाओं के **दस कारोबारी सूचकों** की तुलना की गयी।
  - इस बार भारत ने अपने स्थान में अधिक सुधार किया है (77 से 63)।
  - भारत ने 10 सूचकों में से 7 में अपना स्थान सुधारा है।
  - एक जाँच के बाद, जिसने अपने 2018 और 2020 संस्करणों (क्रमश: 2017 और 2019 में जारी) और बैंक कर्मचारियों से जुड़े संभावित 'नैतिक मामलों' में 'डेटा अनियमितताओं' का खुलासा किया, विश्व बैंक ने घोषणा की, कि वह 'व्यापार करने की रिपोर्ट' जारी करने की **प्रथा को बंद** कर देगा।
  - यह व्यापार और निवेश के माहौल का आकलन करने के लिए एक नयी पद्धति पेश करेगा।

वैश्विक आर्थिक परिदृश्य रिपोर्ट (Global Economic Prospects Report) :–

- रिपोर्ट में वैश्विक आर्थिक विकास एवं परिदृश्य का मूल्यांकन किया जाता है। इसमें उभरते बाज़ारों एवं विकासशील अर्थव्यवस्थाओं [Emerging Market and Developing Economies (EMDEs)] को विशेष रूप से प्रमुखता दी जाती है।
- विश्व बैंक समूह द्वारा इसको वर्ष में दो बार प्रकाशित किया जाता है। (जनवरी एवं जून)

➤ 2024 GEP रिपोर्ट के अनुसार, वैश्विक अर्थव्यवस्था 2.4 प्रतिशत की दर से बढ़ने की उम्मीद है, जो 30 वर्षों में सबसे कमज़ोर है। विश्वव्यापी मंदी की जोखिम कम हो गयी है, जिसके परिणामस्वरूप वैश्विक आर्थिक स्थिति पिछले वर्ष की तुलना में मज़बूत हुई है। हालाँकि, बढ़ते भू-राजनीतिक तनाव वैश्विक अर्थव्यवस्था के लिए नये निकट अवधि की जोखिम पैदा कर सकते हैं। जबकि वैश्विक अर्थव्यवस्था एक साल पहले की तुलना में बेहतर है, कई उभरते देशों की मध्यम अवधि की संभावनाएँ ख़राब हो गयी हैं। इसके लिए ज़िम्मेदार कारकों में धीमी वृद्धि, धीमा वैश्विक व्यापार और कठिन वित्तीय स्थितियाँ शामिल हैं।

वैश्विक वित्तीय सूचकांक डेटाबेस (Global Findex Database)

➤ यह वित्तीय समावेश (लोग बचत कैसे करते हैं, ऋण कैसे लेते हैं, भुगतान कैसे करते हैं, जोखिम से कैसे निपटते हैं आदि) से संबंधित आँकड़ों का व्यापक समूह है।

➤ इसे **विश्व बैंक** द्वारा बिल ऐंड मेलिंडा गेट्स फ़ाउंडेशन की वित्तीय सहायता से आरंभ किया गया था। वर्ष 2011 से **प्रत्येक तीन वर्षों में इस डेटाबेस को प्रकाशित किया जाता है।**

निर्धनता और साझा समृद्धि विवरण (Poverty and Shared Prosperity Report)

➤ यह **द्विवर्षीय विवरण** है, जिसे **विश्व बैंक** द्वारा जारी किया जाता है। यह वैश्विक निर्धनता और साझा समृद्धि की प्रवृत्तियों का संगत और सटीक अनुमान प्रदान करता है।

परिवर्तनकारी कार्बन संपत्ति सुविधा [Transformative Carbon Asset Facility (TCAF)]

➤ इसे वर्ष **2015** में विश्व बैंक द्वारा आरंभ किया गया था। इसका उद्देश्य पेरिस जलवायु परिवर्तन समझौते (Paris Climate Change Agreement) के अनुच्छेद 6 के अंतर्गत नवोन्मेषी, परिणाम आधारित कार्बन बाज़ार व्यवस्था के लिए वित्तीय सहायता प्रदान करना है।

IMF *बनाम* विश्व बैंक (IMF *VERSUS* WORLD BANK)

अंतरराष्ट्रीय मुद्रा कोष (IMF)	विश्व बैंक
IMF की स्थापना **1945** में की गयी।	इसकी पहली शाखा **IBRD** की स्थापना **1945** में की गयी।
IMF के **उद्देश्य** हैं :– • विनिमय-दर स्थिरता। • सदस्य देशों की लघुकालीन BOP समस्याओं का समाधान।	विश्व बैंक का **उद्देश्य** है :– • विकासशील एवं ग़रीब देशों में आर्थिक एवं सामाजिक विकास को प्रोत्साहन देना।
सदस्य राष्ट्रों की सरकारों को ऋण प्रदान करता है। (सामान्य रूप से बाज़ार ब्याज दर पर)	सदस्य राष्ट्रों की सरकारों एवं निजी क्षेत्रक, दोनों को ऋण प्रदान करता है। (रिआयती शर्तों पर)
इससे संबद्ध कोई संस्थान नहीं है, इसलिए इसके कर्मचारियों की संख्या कम है।	इससे संबद्ध पाँच संस्थान हैं, इसलिए इसके कर्मचारियों की संख्या अधिक है।
IMF का वित्तपोषण – प्रत्येक सदस्य की कोटा सदस्यता से बहुपक्षीय ऋण एवं द्विपक्षीय ऋण के माध्यम से होता है।	यह सदस्य राष्ट्रों को प्रत्यक्ष रूप से बॉण्ड और नोट बेचकर ऋण लेता है एवं इसे धनी सदस्य देशों से चंदा भी प्राप्त होता है।

नव विकास बैंक या ब्रिक्स विकास बैंक (NEW DEVELOPMENT BANK OR BRICS DEVELOPMENT BANK)

- वर्ष 2012 में, **ब्रिक्स (BRICS)** ने बहुपक्षीय विकास बैंक (Multilateral Development Bank) स्थापित करने का प्रस्ताव रखा।
- निम्नलिखित कारणों से नव विकास बैंक [New Development Bank (NDB)] की आवश्यकता प्रतीत हुई :–
    - IMF और विश्व बैंक का विकसित पश्चिमी देशों के प्रति अधिक झुकाव होना।
    - IMF में ब्रिक्स राष्ट्रों को वर्तमान में 15 प्रतिशत से भी कम मताधिकार प्राप्त है, जबकि विश्व की लगभग आधी आबादी इन देशों में रहती है।
- रूस में **2015** के सम्मेलन में वास्तव में NDB अस्तित्व में आया।
- NDB का मुख्यालय **शंघाई, चीन** में है।
- **NDB के मुख्य कार्य हैं :–**
    - अवसंरचनात्मक एवं संधारणीय विकास परियोजनाओं (सार्वजनिक एवं निजी दोनों क्षेत्र की) को ऋण, गारंटी, इक्विटी एवं अन्य वित्तीय माध्यमों से सहायता उपलब्ध कराना।
    - इसके लिए तकनीकी सहायता भी प्रदान करना।
- NDB द्वारा मुख्य रूप से निम्नलिखित क्षेत्रों के लिए ऋण दिया जाता है – परिवहन, स्वच्छ ऊर्जा, सिंचाई, जल प्रबंधन एवं स्वच्छता, शहरी विकास एवं सामाजिक अवसंरचना।
- **NDB की मुख्य विशेषताएँ :–**
    - प्रारंभ में **NDB** के पाँच संस्थापक सदस्य राष्ट्र थे – **ब्राज़ील, रूस, भारत, चीन एवं दक्षिण अफ़्रीका** (अर्थात् समस्त ब्रिक्स राष्ट्र)। **UN के समस्त सदस्य राष्ट्र भी इसकी सदस्यता** प्राप्त कर सकते हैं। परंतु ब्रिक्स राष्ट्रों का हिस्सा मताधिकार के 55 प्रतिशत से कम नहीं होगा।
    - **बैंक की सामान्य रणनीति के अंतर्गत :** 2017-2021 के अनुसार, एनडीबी ने अपने दीर्घकालिक विकास के लिए धीरे-धीरे सदस्यता का विस्तार करने की योजना बना चुका था। **इस प्रकार 2021 में, चार (04) नये सदस्य देश बांग्लादेश, संयुक्त अरब अमीरात, उरुग्वे और मिस्र एनडीबी में शामिल हो गये।**
    - NDB की वर्तमान प्राधिकृत पूँजी (authorised capital) 100 बिलियन अमेरिकी डॉलर है एवं अभिदत्त पूँजी (subscribed capital) 50 बिलियन अमेरिकी डॉलर है।
    - बैंक की **एक सदस्य एक वोट नीति (One Member, One Vote Policy)** है। विश्व बैंक और IMF की तरह इसमें सदस्यों को **वीटो प्राप्त नहीं होता है**।
    - बैंक का लक्ष्य **कम समय के अंदर ऋण की प्रक्रिया** (अर्थात् 6 महीने के अंदर ऋण का आकार-प्रकार निर्धारित करना, बातचीत एवं ऋण को स्वीकृत करना) को पूरा करना है।
    - **NDB** की वर्तमान अध्यक्ष **श्रीमती डिल्मा वाना रूसेफे** हैं, जो ब्राज़ील की हैं (मार्च, 2023 से)। उन्होंने ब्राजील के **मार्कोस प्राडो ट्रायजो** का स्थान लिया है।
        - अध्यक्ष का कार्यकाल 5 वर्षों का होता है।
        - NDB के अध्यक्ष का चुनाव रोटेशन (सबकी अलग-अलग बारी) के आधार पर होता है।
- **भारत एवं NDB** – भारत में निम्नलिखित कुछ परियोजनाओं हेतु ऋण प्रदान करने के लिए NDB द्वारा स्वीकृति दी गयी है :–
    - मध्य प्रदेश में लगभग 1500 किलोमीटर ज़िला सड़कों के पुनरुद्धार के लिए 350 मिलियन अमेरिकी डॉलर का ऋण।
    - राजस्थान में जल क्षेत्र की पुनर्संरचना परियोजना के लिए 345 मिलियन अमेरिकी डॉलर का ऋण।

- लगभग 5,000 मेगावाट अक्षय ऊर्जा के उत्पादन के लिए सौर ऊर्जा एवं वायु पवन केंद्रों के लिए 250 मिलियन अमेरिकी डॉलर निवेश।

➤ **अब तक NDB की उपलब्धियाँ :–**

- वर्ष 2020 में NDB को AA+ अंतरराष्ट्रीय क्रेडिट रेटिंग मिली।
- इसने अपना पहला ग्रीन बॉण्ड जारी किया और उससे चीनी बॉण्ड बाज़ार में 3 अरब रेनमिनबी प्राप्त किया।
- 2021 में, NDB ने चाइना इंटरबैंक बॉण्ड मार्केट में CNY 2 बिलियन RMB-मूल्यवान् बॉण्ड जारी किया, जिससे NDB द्वारा जारी किये गये RMB बॉण्ड की कुल बक़ाया राशि CNY 17 बिलियन हो गयी।
- इसके पाँच सदस्यों का हिस्सा वैश्विक GDP में 2010-18 के बीच 27 प्रतिशत से बढ़कर 33 प्रतिशत हो गया है।
- इसने अब तक सदस्य देशों को 4.6 बिलियन अमेरिकी डॉलर का ऋण दिया है और इसे देते समय सदस्य देशों द्वारा अक्षय ऊर्जा के उपयोग पर अत्यधिक बल दिया है।
- मज़बूत प्रभाव के लिए सदस्य देशों के बीच बड़ी संख्या में समझौता ज्ञापनों के माध्यम से साझेदारी बढ़ी है।

➤ **वर्तमान में NDB के समक्ष आ रही चुनौतियाँ :-**

1. **चीन का प्रभुत्व** - चीन द्वारा अपनी बड़ी स्वप्न परियोजनाओं जैसे- रेशम मार्ग एवं समुद्री रेशम मार्ग के लिए NDB का प्रयोग किये जाने की आशंका है।
2. **एशियाई अवसंरचना निवेश बैंक [Asian Infrastructure Investment Bank (AIIB)]**।
3. **धन (funds) की** सतत **उपलब्धता** भी एक चुनौती है।

परीक्षोपयोगी

आकस्मिक रिज़र्व व्यवस्था (CONTINGENT RESERVE ARRANGEMENT)

➤ ब्रिक्स देशों द्वारा वर्ष 2015 में यह व्यवस्था शुरू की गयी है। इसका उद्देश्य तरलता एवं निवारक उपायों के माध्यम से **लघुकालीन तरलता सहायता (short-term liquidity support)** उपलब्ध कराकर ब्रिक्स देशों की **BOP समस्याओं का समाधान करना है**।

➤ NBD के साथ CRA को दक्षिण-दक्षिण के बीच बढ़ते सहयोग के एक उदाहरण के रूप में देखा जा रहा है।

➤ CRA के लिए कुल पूँजी अंशदान 100 बिलियन अमेरिकी डॉलर (चीन द्वारा सर्वाधिक 41 बिलियन अमेरिकी डॉलर) है।

➤ **भारत का मताधिकार** ब्राज़ील एवं रूस के समान है, अर्थात् **18.10 प्रतिशत**।

➤ CRA में चीन को सर्वाधिक मताधिकार प्राप्त है, जो 39.95 प्रतिशत है।

➤ इसका उद्देश्य समानता एवं समाविष्टि सुनिश्चित करने के लिए एक वैकल्पिक व्यवस्था उपलब्ध कराना है, ताकि ब्रिक्स राष्ट्र अपने आवश्यक एवं साहसिक नीति निर्णयों को कार्यान्वित कर सकें।

➤ इससे उनके विदेशी नक़दी भंडार के बढ़ने की संभावना है।

एशियाई विकास बैंक [ASIAN DEVELOPMENT BANK (ADB)]

➤ एशियाई विकास बैंक (ADB) की स्थापना वर्ष **1966** में बहुपक्षीय विकास बैंक के रूप में हुई। आरंभ में चीन समेत इसके सदस्यों की संख्या 31 थी।

➤ वर्तमान में ADB के सदस्यों की संख्या **69** है। [सबसे नया सदस्य **इजराइल (Israel)** है, जो 2024 में इसका सदस्य बना है]।

➤ **एशिया से बाहर के देश भी** इसके सदस्य हैं, जैसे कि अमेरिका।

➤ मुख्यालय – **मनीला, फिलिपींस**।

➤ विश्व बैंक के समान ही यहाँ भी भारित मतदान प्रणाली है। सदस्यों को पूँजी अंशदान के अनुपात में उनके मतों की संख्या प्राप्त होती है।

- शेयर पूँजी का **सबसे बड़ा हिस्सा जापान का है**। इसके बाद अमेरिका, चीन और भारत का स्थान है।
- यही कारण है कि अब तक ADB के सारे अध्यक्ष जापान के रहे हैं। अध्यक्ष का 5 वर्षों का कार्यकाल होता है एवं उनको दोबारा निर्वाचित किया जा सकता है।
- ADB के वर्तमान अध्यक्ष – **मासातो कांडा (Masato Kanda)** हैं, जो फ़रवरी, 2025 से इस पद पर हैं।
- **ADB के उद्देश्य (Objectives of ADB) :–**
  - एशिया एवं प्रशांत क्षेत्र से निर्धनता का उन्मूलन तथा विकासशील देशों को जीवन की गुणवत्ता के सुधार में सहायता करना।
  - आर्थिक स्थिरता एवं संधारणीय विकास सुनिश्चित करना।
- **ADB के कार्य (Functions of ADB) :–**
  - विकासशील सदस्य देशों को आर्थिक एवं सामाजिक उन्नति के लिए ऋण एवं इक्विटी निवेश प्रदान करना।
  - परियोजनाओं के नियोजन एवं निष्पादन में तकनीकी सहायता।
- **एशियाई विकास परिदृश्य** का ADB द्वारा **वार्षिक** प्रकाशन किया जाता है।
- **भारत एवं ADB (India and ADB) :–**
  - भारत इसका संस्थापक सदस्य है एवं ADB का चौथा सबसे बड़ा शेयरधारक है।
  - अब तक, ADB ने भारत को निम्नलिखित विभिन्न परियोजनाओं के लिए 200 से अधिक संप्रभु ऋण दिये हैं :
    - **परिवहन क्षेत्र में** – दक्षिण एशिया उप-क्षेत्रीय आर्थिक सहयोग एवं बिहार नव गंगा पुल परियोजना।
    - **ऊर्जा क्षेत्र में** – गलियों एवं घरों तथा जल पंपों के लिए बिजली बचतवाली प्रकाश व्यवस्था के लिए माँग आधारित ऊर्जा बचत निवेश परियोजना।
    - **शहरी क्षेत्र में** – नवीकरण एवं शहरी परिवहन, स्मार्ट शहर पहल आदि के लिए अटल मिशन।
    - **वित्त क्षेत्र में – छतों पर सौर संयंत्र लगाने के लिए निवेश कार्यक्रम** हेतु PNB को ऋण। इससे सरकार को 2022 तक छतों पर सौर संयंत्र से 40 GW क्षमता के लक्ष्य को प्राप्त करने में सहायता मिली।
    - **कृषि एवं प्राकृतिक संसाधन क्षेत्र में** – जल उपयोग दक्षता एवं जलवायु लचीलापन के कुछ प्रमुख क्षेत्रों में सहायता प्रदान करना।
    - **अवसंरचना क्षेत्र** – विशाखापट्टनम-चेन्नयी औद्योगिक गलियारा। कर्नाटक और केरल राज्यों में तटीय जलवायु का लचीलापन।
- ग़ैर-संप्रभु सहायता श्रेणी के अंतर्गत ADB प्रत्यक्ष ऋण, इक्विटी निवेश, ऋण प्रतिभूति एवं व्यापार वित्त प्रदान करता है।
- ADB ने आगामी दशक के लिए एक नयी कॉर्पोरेट रणनीति को अंगीकार किया है, जिसका नाम **रणनीति 2030 (Strategy 2030)** है।
  - इसका उद्देश्य वैश्विक एवं क्षेत्रीय विकास संबंधित चुनौतियों से अधिक प्रभावी ढंग से निपटने हेतु नयी परिचालनगत प्राथमिकताओं एवं दृष्टिकोणों पर प्रकाश डालना है।
  - इस रणनीति के उद्देश्य एवं कार्य ठीक उसी प्रकार हैं, जिस प्रकार **SDGs 2030** एवं विकास एजेंडा के लिए वित्तपोषण, जलवायु परिवर्तन पर पेरिस समझौता, आपदा जोखिम न्यूनीकरण के लिए सेंदाई रूपरेखा एवं अवसंरचना विकास पर G20 एजेंडा के उद्देश्य एवं कार्य हैं।
- दक्षिण एशियाई क्षेत्र में, ADB निम्नलिखित पर ज़ोर देता है- तीव्र शहरीकरण, पर्यावरणीय क्षति एवं बेरोज़गारी; उत्तम शिक्षा एवं स्वास्थ्य सुविधा प्रदान करना; जलवायु तथा आपदा लचीलापन तैयार करना।
- **चुनौतियाँ** – ADB धन की कमी का सामना कर रहा है। बड़े शेयरधारकों, जैसे जापान और अमेरिका का प्रभुत्व होने से भी शेयर पूँजी का विस्तार नहीं हो पाता है।

एशियाई अवसंरचना निवेश बैंक [ASIAN INFRASTRUCTURE INVESTMENT BANK (AIIB)]

- यह एक **बहुस्तरीय विकास बैंक** है, जिसकी स्थापना वर्ष 2016 में की गयी थी। इसका उद्देश्य **एशिया** में सामाजिक एवं आर्थिक परिणामों में सुधार करना है।
- एशिया-प्रशांत क्षेत्र में अवसंरचना निर्माण में सहायता प्रदान करने एवं सुधार के लिए चीन द्वारा इस प्रकार के बैंक की स्थापना का विचार प्रस्तुत किया गया था।
- पश्चिमी देशों के प्रभुत्ववालीं बहुस्तरीय संस्थाओं, जैसे कि IMF एवं विश्व बैंक से असंतोष के कारण, उसके कई सदस्य AIIB में सम्मिलित हो रहे हैं।
- AIIB के पास वर्तमान में 14 संभावित सदस्यों सहित **110 देशों** की सदस्यता है। नाउरु (नौरू - Nauru), AIIB का नवीनतम सदस्य है।
- **एशिया से बाहर के भी देश** इसके सदस्य हैं, जैसे– ऑस्ट्रेलिया, कनाडा, ब्राज़ील, फ़्रांस, जर्मनी, यू.के., दक्षिण अफ़्रीका, आदि।
- **अमेरिका और जापान** AIIB के **सदस्य नहीं हैं**।
- AIIB का मुख्यालय – **बीजिंग,** चीन।
- वर्तमान अध्यक्ष – चीन के **जिन लिकॉन (Jin Liqun)**।
- **AIIB जिन क्षेत्रों को प्रमुखता देता है, उनके नाम हैं**:- ग्रामीण अवसंरचना एवं कृषि विकास, ऊर्जा एवं विद्युत, पर्यावरण सुरक्षा, शहरी विकास, जलापूर्ति एवं स्वच्छता, परिवहन एवं दूरसंचार।
- AIIB के पास 100 अरब अमेरिकी डॉलर की संचित पूँजी है, जिसमें से चीन द्वारा 29.78 अरब अमेरिकी डॉलर का योगदान दिया गया है।
- **मताधिकार (voting shares) सदस्य देशों की अर्थव्यवस्था के आकार** पर आधारित है।
- **भारत एवं AIIB :–**
  - भारत AIIB में चीन के बाद दूसरा सबसे बड़ा हितधारक है।
  - अब तक भारत AIIB का सबसे बड़ा ऋणधारक है।
- **AIIB बनाम ADB :–**
  - ADB की तुलना में AIIB अत्यंत नया संगठन है।
  - ADB पर जापान और अमेरिका, जबकि AIIB पर चीन का प्रभुत्व है। अमेरिका और जापान AIIB के सदस्य नहीं हैं।
  - ADB और AIIB दोनों को AAA क्रेडिट रेटिंग प्राप्त है।
  - AIIB की अभिदत्त पूँजी एवं परिसंपत्ति ADB की तुलना में बहुत कम है।
  - AIIB द्वारा ADB की तुलना में अभी तक बहुत कम ऋण दिये गये हैं।

लास्ट मिनट स्निपपेट्स

फरवरी, 2025 तक, **AIIB** ने विभिन्न देशों में लगभग 306 से अधिक परियोजनाओं को स्वीकृति दी है।

- **AIIB की उपलब्धियाँ :-**
  - AIIB को वर्ष 2018 में संयुक्त राष्ट्र के 'स्थायी पर्यवेक्षक (Permanent Observer)' का दर्जा मिला है।
  - AIIB का सर्वाधिक निवेश (20 प्रतिशत) ऊर्जा क्षेत्र में है।
  - AIIB ने निम्नलिखित परियोजनाओं को सफलतापूर्वक निष्पादित किया है :–
    - आंध्र प्रदेश ग्रामीण सड़क परियोजना।
    - मिस्र (एजिप्ट) में सतत ग्रामीण स्वच्छता सेवा कार्यक्रम।
    - इंडोनेशिया में सामरिक सिंचाई का आधुनिकीकरण एवं त्वरित पुनर्वास।

➤ **आलोचनाएँ :-**

- आलोचकों का तर्क है कि AIIB को अपनी निवेश परियोजनाओं में परिवर्तन करने की आवश्यकता है, अर्थात् इसे 'कठोर अवसंरचना (Hard Infrastructure)' के स्थान पर 'व्यापक अवसंरचना (Comprehensive Infrastructure)' के लिए निवेश करना चाहिए।
- AIIB को अपने रुख़ में परिवर्तन करना होगा एवं पर्यावरण अनुकूल परियोजनाओं के वित्तपोषण को प्राथमिकता देनी होगी।

परीक्षोपयोगी

आर्थिक सहयोग एवं विकास संगठन
[ORGANISATION FOR ECONOMIC COOPERATION AND DEVELOPMENT (OECD)]

➤ इसकी स्थापना वर्ष 1961 में हुई। यह **38 देशों** का संगठन है। इन देशों में मुख्य रूप से उच्च आयवाली अर्थव्यवस्था एवं उच्च मानव विकास सूचकांकवाले देश सम्मिलित हैं।

➤ OECD के सबसे नये सदस्य **कोलंबिया, अप्रैल, 2020 में और कोस्टा रिका, मई, 2021 में** इसमें सम्मिलित हुए हैं।

➤ इसके सदस्यों में ग़ैर-यूरोपीय देश भी सम्मिलित हैं, जैसे कि अमेरिका, जापान आदि।

➤ भारत OECD का सदस्य नहीं है। यद्यपि, भारत OECD विकास केंद्र का सदस्य है।

➤ **चीन** OECD **का सदस्य नहीं है।**

➤ इसका मुख्यालय **पेरिस** में है।

➤ OECD का महासचिव ही इसका प्रमुख होता है। इसके वर्तमान प्रमुख मैथियास कॉर्मेन (Mathias Cormann) जून, 2021 से हैं।

➤ OECD संयुक्त राष्ट्र का आधिकारिक प्रेक्षक है।

➤ OECD का उद्देश्य आर्थिक प्रगति एवं विश्व व्यापार को गति देना है।

➤ फ्रासकाटी मैनुअल (Frascati Manual) को OECD द्वारा तैयार किया गया है। यह अनुसंधान और विकास से संबंधित आँकड़े जुटाने के लिए मान्यता प्राप्त कार्यप्रणाली है और सांख्यिकीविदों एवं नीति-निर्माताओं के लिए आवश्यक साधन हैं।

➤ अंतरराष्ट्रीय छात्र मूल्यांकन कार्यक्रम **[Programme for International Student Assessment (PISA)] :** यह एक विश्वव्यापी कार्यक्रम/अध्ययन है, जिसे OECD द्वारा आरंभ किया गया। इससे, शिक्षा नीति और उसके परिणामों से संबंधित तुलनात्मक आँकड़ा प्राप्त होता है और व्यापक विश्लेषण उपलब्ध होता है। **PISA** परीक्षा के माध्यम से उस ज्ञान के लागू होने की स्थिति का मूल्यांकन किया जाता है, जो छात्रों ने प्राथमिक और माध्यमिक शिक्षा के माध्यम से प्राप्त किया है। वर्ष 2018 में, भारत सरकार ने PISA में भाग लेने का निर्णय किया।

➤ सेवा व्यापार प्रतिबंध सूचकांक (Service Trade Restrictiveness Intex) को वर्ष 2014 से OECD द्वारा तैयार किया जाता है। (वर्ष 2019 के सूचकांक में, भारत सबसे निचले पायदान पर था)

➤ **भारत एवं OECD :–**

- भारत OECD विकास केंद्र के **शासी मंडल में** सम्मिलित है।
- भारत इसकी औपचारिक रूप से सदस्यता प्राप्त करने के लिए वर्ष 2007 से प्रयासरत है।
- वर्ष 2017 से भारत OECD के 21 निकायों में असोसिएट/प्रतिभागी के तौर पर भाग ले रहा है और OECD के कंपनी नियंत्रण, वित्तीय विषय, परमाणु ऊर्जा आदि विषयों से संबंधित **9 विधिक/क़ानूनी प्रपत्रों (legal instrument)** का पालन करता है।
- भारत अंतरराष्ट्रीय मंच में सहयोग के साथ एशिया में भी OECD की क्षेत्रीय गतिविधियों में सक्रिय भूमिका निभाता है।

➤ **OECD का महत्त्व :-**

- OECD के सदस्य देशों का विश्व की GDP में लगभग 63 प्रतिशत और विश्व व्यापार में लगभग 75 प्रतिशत योगदान है।

- OECD के सदस्य देशों में विश्व की कुल जनसंख्या की 18 प्रतिशत जनसंख्या है।
- **OECD अनुसंधान रिपोर्ट** 'द *लॉन्गव्यू' के अनुसार : विश्व अर्थव्यवस्था के लिए 2060 तक के परिदृश्य,*
  - वैश्विक वास्तविक सकल घरेलू उत्पाद की वृद्धि 2018 में 3.5 प्रतिशत से घट कर 2060 में 2 प्रतिशत हो जायेगी।
  - 2060 तक, भारत, चीन और इंडोनेशिया वैश्विक आर्थिक उत्पादन का लगभग आधा हिस्सा बन जायेंगे।

यूरोपीय पुनर्संरचना एवं विकास बैंक

[EUROPEAN BANK for RECONSTRUCTION and DEVELOPMENT (EBRD)]

- यूरोपीय पुनर्संरचना एवं विकास बैंक (EBRD) की स्थापना वर्ष 1991 में हुई। यह बहुस्तरीय विकास निवेश बैंक है।
- विश्व के **75 देश** और 2 यूरोपीय संघ के संस्थान (यूरोपीय संघ एवं यूरोपीय निवेश बैंक) इसके सदस्य हैं।
- भारत 11 जुलाई, 2018 से EBRD का शेयरधारक है।
- EBRD के नवीनतम सदस्य नवंबर, 2023 से इराक़ और अप्रैल, 2024 से बेनिन हैं।
- EBRD मुख्य रूप से **निजी क्षेत्रक** के विकास के लिए **वित्तपोषण** करता है।
- **EBRD के वर्तमान अध्यक्ष** ओडिले रेनॉड-बासो **(Odile Renaud-Basso)** (जुलाई, 2020 से)।
- अमेरिका **EBRD का सबसे बड़ा शेयरधारक है।**
- **यद्यपि भारत की** EBRD **में शेयरधारिता है,** लेकिन भारत को इससे वित्तीय सहायता प्राप्त **नहीं** होती है।
- **EBRD सदस्यता से भारत को लाभ :-**
  - निवेश के अवसर बढ़ेंगे, जिससे रोज़गार और बढ़ेगा।
  - अंतरराष्ट्रीय प्रोफ़ाइल का आकर्षक होना एवं आर्थिक हित को प्रोत्साहन।
  - विभिन्न क्षेत्रकों में सह-वित्तपोषण अवसर के माध्यम से सहयोग की संभावना में वृद्धि।
  - अंतरराष्ट्रीय बाज़ार में अवसरों में वृद्धि।

अतिरिक्त जानकारी

अंतरराष्ट्रीय समझौतों के लिए बैंक (बीआईएस) [BANK FOR INTERNATIONAL SETTLEMENT (BIS)]

अंतरराष्ट्रीय समझौतों के लिए बैंक (बीआईएस) एक **अंतरराष्ट्रीय वित्तीय संस्थान (international financial institution)** है, जिसका स्वामित्व केंद्रीय बैंकों के पास है। यह मौद्रिक और वित्तीय सहयोग को बढ़ावा देता है, और केंद्रीय बैंकों के लिए एक बैंक के रूप में कार्य करता है। बीआईएस अपनी बैठकों, कार्यक्रमों और बेसल प्रक्रिया के माध्यम से, वैश्विक वित्तीय स्थिरता पाने की कोशिश करनेवाले अंतरराष्ट्रीय समूहों की मेज़बानी करके और उनकी बातचीत को बढ़ावा देकर, अपने काम को आगे बढ़ाता है। यह केंद्रीय बैंकों और अन्य अंतरराष्ट्रीय संगठनों को बैंकिंग सेवाएँ भी प्रदान करता है। हॉङ-कॉङ SAR और मैक्सिको शहर में इसके 2 प्रतिनिधि कार्यालय हैं और साथ ही दुनिया भर में नवाचार हब केंद्र हैं। यह केंद्रीय बैंकों के लिए एक बैंक के रूप में कार्य करता है, क्योंकि यह यूरोपीय सेंट्रल बैंक और फ़ेडरल रिज़र्व जैसे संस्थानों को बैंकिंग सेवाएँ प्रदान करता है। यह 1930 में स्थापित किया गया था और इसका मुख्यालय बेसल, स्विट्ज़रलैंड में स्थित है।

बीआईएस का इतिहास (History of the BIS)

यह 1930 में वर्साय की संधि द्वारा लगाये गये जर्मन युद्ध पुनर्मूल्यांकन के लिए एक क्लियरिंग हाउस के रूप में पाया गया था। इसके मूल सदस्य फ़्रांस, ब्रिटेन, इटली, जापान, बेल्जियम, जर्मनी, संयुक्त राज्य अमेरिका और स्विट्ज़रलैंड हैं। ब्रेटन वुड्स समझौते के समय, बीआईएस ने अंतरराष्ट्रीय मुद्रा परिवर्तनीयता को बनाये रखने में महत्त्वपूर्ण भूमिका निभायी।

विश्व व्यापार संगठन [WORLD TRADE ORGANISATION (WTO)]

WTO की उत्पत्ति (Evolution of WTO)

अंतरराष्ट्रीय व्यापार संगठन [International Trade Organisation (ITO)]

आरंभ में अंतरराष्ट्रीय आर्थिक सहयोग के व्यापार पक्ष की देख-रेख के लिए ITO की स्थापना के प्रस्ताव को **निरस्त कर दिया गया था**। यह प्रस्ताव वर्ष 1944 में ब्रेटन वुड्स सम्मेलन में रखा गया था।

टैरिफ़ और व्यापार संबंधी सामान्य समझौता-गेट [General Agreement on Tariffs and Trade (GATT)]

- 23 संस्थापक सदस्यों के साथ वर्ष 1947 में GATT हस्ताक्षरित किया गया था। इसका उद्देश्य सदस्य देशों के बीच **वस्तुओं** के लिए स्वतंत्र एवं उचित अंतरराष्ट्रीय व्यापार तंत्र की स्थापना करना था।
- GATT के मूल उद्देश्य थे :-
  - भेद-भाव रहित व्यापार को प्रोत्साहन देना।
  - व्यापार की टैरिफ़ एवं गैर-टैरिफ़ संबंधित बाधाओं को दूर करना।
  - विचार-विमर्श के माध्यम से व्यापार विवादों को समाप्त करना।
- वर्ष 1993 तक गेट के 123 देश सदस्य थे। गेट के सदस्य 90 प्रतिशत विश्व व्यापार को नियंत्रित करते थे।
- परंतु GATT में निम्नलिखित का अभाव था :-
  - सेवाओं एवं बौद्धिक संपदा अधिकार में व्यापार का समावेश, और
  - संस्थागत संरचना।
- GATT के अंतर्गत सदस्य देशों के मध्य **व्यापार दौरों (Trade Rounds)** के माध्यम से संवाद होता था। इन व्यापार दौरों का आयोजन अनियमित वर्ष अंतरालों पर होता था।
- GATT के अंतर्गत **कुल आठ व्यापार दौरों** का आयोजन किया गया था। अंतिम दौर की वार्ता वर्ष 1986 से 1994 तक चली थी, जिसका नाम **उरुग्वे दौर** था।
- GATT के आठ दौरों में से उरुग्वे दौर की वार्ता सबसे लंबी थी। यह 8 वर्षों तक चली थी।
- उरुग्वे दौर के दौरान हुई वार्ताओं एवं उसमें बनी सहमति के आधार पर विश्व व्यापार संगठन (WTO) का जन्म हुआ। **मराकश समझौते** (Marrakesh Agreement) पर हस्ताक्षर के साथ विश्व व्यापार संगठन अस्तित्व में आया।

अतिरिक्त जानकारी

मराकेश समझौता (THE MARRAKESH AGREEMENT)

मराकेश समझौता 15 अप्रैल, 1994 को 123 देशों द्वारा मराकेश, मोरक्को में हस्ताक्षरित एक समझौता था, जो 8 वर्ष लंबे उरुग्वे दौर के अंत और विश्व व्यापार संगठन की स्थापना का प्रतीक था, जो आधिकारिक तौर पर 1 जनवरी, 1995 को अस्तित्व में आया।

WTO से संबंधित महत्त्वपूर्ण तथ्य (Important Facts about WTO)

- WTO की स्थापना **1 जनवरी, 1995** को हुई। इसने GATT को प्रतिस्थापित किया।
- यह एक अंतरराष्ट्रीय व्यापार संगठन है, जो विभिन्न प्रकार के कार्यों को निष्पादित करता है। इसका उद्देश्य स्वतंत्र एवं निष्पक्ष अंतरराष्ट्रीय व्यापार को प्रोत्साहन देना है। इसका कार्यक्षेत्र GATT की तुलना में अधिक व्यापक है।
- इसका मुख्यालय **स्विट्ज़रलैंड के जिनेवा** में है।
- विश्व व्यापार संगठन की अध्यक्षता **महानिदेशक** द्वारा की जाती है, जिसका कार्यकाल 4 वर्षों का होता है। इस कार्यकाल को बढ़ाया भी जा सकता है।

- वर्तमान महानिदेशक – न्गोज़ी ओकोंजो-इवेला (Ngozi Okonjo–Iweala) **(मार्च, 2021 से)**।
- **WTO की सदस्यता :-**
  - विश्व व्यापार संगठन के भारत समेत **166 सदस्य देश** हैं। **भारत** इसका संस्थापक सदस्य है।
  - विश्व व्यापार संगठन में शामिल होनेवाले **सबसे नये सदस्य कोमोरोस (165वें)** और **तिमोर लेस्ते** (13वें मंत्रिस्तरीय सम्मेलन के दौरान फ़रवरी, 2024 में 166वें) थे।
  - यूरोपीय संघ भी विश्व व्यापार संगठन का एक सदस्य है।
  - प्रदेश या क्षेत्र, जो स्वतंत्र रूप से किसी दूसरे देश के साथ व्यापारिक संबंध बना सके और **कर संबंधित निर्णय लेने की पूरी स्वायत्ता उसे प्राप्त हो,** विश्व व्यापार संगठन का सदस्य बन सकता है। इसी कारण, हॉङ-कॉङ एवं ताइवान भी WTO के सदस्य हैं।
- विश्व व्यापार संगठन संयुक्त राष्ट्र का हिस्सा **नहीं** है।
- विश्व व्यापार संगठन **'एक देश, एक वोट (one country, one vote)'** की नीति अपनाता है। यहाँ अंतरराष्ट्रीय मुद्रा कोष एवं विश्व बैंक के समान मतदान प्रणाली नहीं है।
- विश्व व्यापार संगठन प्रत्येक वर्ष **विश्व व्यापार विवरण** प्रकाशित करता है।
- विश्व व्यापार संगठन की निर्णय लेनेवाली सर्वोच्च संस्था **मंत्रिस्तरीय सम्मेलन (Ministerial Conference)** है।
- विश्व व्यापार संगठन में **सर्वसम्मति (consensus)** से निर्णय लिये जाते हैं। सदस्यों के छोटे समूहों के बीच अनौपचारिक वार्ता के माध्यम से निर्णय लिया जाता है। ये वार्ताएँ अगर महानिदेशक के कार्यालय में होती हैं, तो प्राय: इनको ग्रीन रूम वार्ता (green room negotiations) कहा जाता है, यदि दूसरे देश में हो, तो **लघु-मंत्रिस्तरीय (mini-ministerial)** कहा जाता है।

  भारत ने अब तक दो लघु-मंत्रिस्तरीय वार्ता का आयोजन किया है (वर्ष 2018 और 2019 में)।

अतिरिक्त जानकारी

विश्व व्यापार रिपोर्ट 2024 के अनुसार (As per World Trade Report 2024) :-

- औसत वैश्विक प्रतिव्यक्ति आय (मुद्रास्फीति समायोजित), 7050 अमेरिकी डॉलर (वित्त वर्ष 1995) से बढ़कर 11,570 अमेरिकी डॉलर (वित्त वर्ष 2023) (लगभग 65% की वृद्धि) हो गयी है। जबकि निम्न और मध्यम आयवाले देशों के लिए यह 1,835 अमेरिकी डॉलर (वित्त वर्ष 1995) से तीन गुना बढ़कर 5,337 अमेरिकी डॉलर (वित्त वर्ष 2023) हो गयी है।
- विश्व व्यापार संगठन की सदस्यता ने सदस्यों के बीच व्यापार को लगभग 140% तक बढ़ाने में मदद की है।
- पिछले तीन दशकों में व्यापार-आधारित आर्थिक विकास ने निम्न और मध्यम आयवाले देशों में अत्यधिक निर्धनता को कम करने में महत्त्वपूर्ण योगदान दिया है। अत्यधिक निर्धनता से ग्रसित व्यक्तियों की संख्या 40% (वित्त वर्ष 1995) से घटकर 11% से नीचे (वित्त वर्ष 2022) रह गयी है, जबकि इन देशों के वैश्विक निर्यात का हिस्सा 16% से बढ़कर 32% हो गया है।

WTO की संगठनात्मक संरचना (Organisational Structure of WTO)

WTO के निम्नलिखित घटक हैं, जिनके माध्यम से यह कार्यों को निष्पादित करता है :-

मंत्रिस्तरीय सम्मेलन (Ministerial Conference) → **सामान्य परिषद् (General Council)** (**DSB** *एवं* **TPRB** के रूप में भी कार्य करती है) → **व्यापार परिषद् (Councils for Trade)** (वस्तु व्यापार परिषद्, सेवा व्यापार परिषद्, TRIPS व्यापार परिषद्)

1. मंत्रिस्तरीय सम्मेलन [Ministerial Conference (MC)] :–

- मंत्रिस्तरीय सम्मेलन में सभी सदस्य देशों के वाणिज्य एवं व्यापार मंत्री भाग लेते हैं।
- आमतौर पर मंत्रिस्तरीय सम्मेलन का आयोजन **प्रत्येक 2 वर्ष में एक बार होता है।**
- अब तक 13 मंत्रिस्तरीय सम्मेलन संपन्न हुए हैं।

मंत्रिस्तरीय सम्मेलन	वर्ष	स्थान
पहला	1996	सिंगापुर
दूसरा	1998	जिनेवा, स्विट्ज़रलैंड
तीसरा	1999	सिएटल, अमेरिका
चौथा	2001	दोहा, क़तर
पाँचवाँ	2003	कांकन, मेक्सिको
छठा	2005	हॉङ-कॉङ
सातवाँ	2009	जिनेवा, स्विट्ज़रलैंड
आठवाँ	2011	जिनेवा, स्विट्ज़रलैंड
नौवाँ	2013	बाली
दशवाँ	2015	नैरोबी, केन्या
ग्यारहवाँ	2017	ब्यूनस आयर्स, अर्जेंटिना
बारहवाँ	2022	जिनेवा, स्विट्ज़रलैंड
तेरहवाँ	2024	अबू धाबी, संयुक्त अरब अमीरात
चौदहवाँ	2026	**याउंडे, कैमरून** (प्रस्तावित)

लास्ट मिनट स्निपपेट्स

13वाँ मंत्रिस्तरीय सम्मेलन (13th MINISTERIAL CONFERENCE)

विश्व व्यापार संगठन (WTO) ने 26 फ़रवरी से 2 मार्च, 2024 के बीच अबू धाबी, संयुक्त अरब अमीरात में अपने 13वें मंत्रिस्तरीय सम्मेलन (MC13) की मेज़बानी की।

इस बैठक में विश्व भर के वाणिज्य मंत्री एकत्रित हुए :
- बहुपक्षीय वाणिज्य प्रणाली की समीक्षा करना।
- भविष्य की WTO गतिविधि के लिए योजना।
- WTO के भविष्य के प्रक्षेप पथ का चार्ट बनाना।

मुख्य निष्कर्ष (Key Findings) :
- **विवाद निपटान प्रणाली :** 2024 तक पूरी तरह से परिचालन प्रणाली बनाने की एक नवीनीकृत प्रतिबद्धता।
- **विशेष और विभेदक उपचार (S&DT) :** विकासशील और अल्प विकसित देशों (LDC) में इसके अनुप्रयोग को बढ़ाने का निर्णय लिया गया।

परिणाम (Outcomes) :

- **कृषि :** दो दशकों से अधिक समय में पहली बार प्रगति को दर्शानेवाले एक दस्तावेज़ पर सहमति बनी है।
- **मत्स्य पालन :** वर्ष के मध्य तक आम सहमति स्थापित होने के क़रीब है।
- **ई-कॉमर्स :** दुर्भाग्य से भारत के लिए, सीमा शुल्क से छूट कम-से-कम दो और वर्षों के लिए बढ़ा दी गयी है।

भविष्य के लिए उपलब्धियाँ और चुनौतियाँ (Achievements and Challenges for future) :

- भारत और दक्षिण अफ्रीका ने WTO ढाँचे में निवेश सुविधा संधि स्थापित करने के चीन के प्रयास को प्रभावी ढंग से रोक दिया।
- भारत को संवेदनशील क्षेत्रों, विशेषकर कृषि, में नीतिगत स्थान का समर्थन जारी रखना चाहिए।
- WTO को द्विवार्षिक बैठक विफलताओं को उपलब्धियों के रूप में प्रमाणित करने से आगे बढ़कर विभाजित वैश्विक सेटिंग में प्रासंगिक बने रहने के लिए अपने प्रयासों को आगे बढ़ाना चाहिए।

2. सामान्य परिषद् [General Council (GC)]

- इसका आयोजन **प्रत्येक वर्ष** जिनेवा में होता है। इसमें सदस्य राज्यों के **राजदूत** (Ambassadors) या उनके समकक्ष भाग लेते हैं।
- GC के पास मंत्रिस्तरीय सम्मेलन की ओर से कार्रवाई करने का अधिकार है।
- GC निम्नलिखित के रूप में भी काम करती है :-
    - **विवाद निपटान निकाय** [Dispute Settlement Body (DSB)]
    - **व्यापार नीति समीक्षा निकाय** [Trade Policy Review Body (TPRB)]

3. व्यापार परिषद् (Councils for Trade)

इसमें तीन परिषदें होती हैं :-

i. वस्तु व्यापार परिषद्
ii. सेवा व्यापार परिषद्
iii. बौद्धिक संपदा अधिकार के व्यापार संबंधी पक्षों हेतु परिषद् [Trade-Related aspects of Intellectual Property Rights (TRIPS)]

यह तीनों परिषदें GC का विस्तृत विवरण प्रस्तुत करती हैं।

4. असंख्य समितियाँ एवं कार्यशालाएँ (Numerous Committees and Workshops)

इन्हें किसी विशिष्ट उद्देश्य से नियुक्त किया जाता है एवं यह वस्तु परिषद्, सेवा परिषद् या IPR परिषद् के विवरण को प्रस्तुत करती हैं और इसलिए GC के प्रति जवावदेह होती हैं।

अतिरिक्त जानकारी

WTO का विवाद निपटान तंत्र (WTO'S DISPUTE SETTLEMENT MECHANISM)

- WTO के व्यापार नियमों के उल्लंघन की स्थिति में, निपटान के पहले चरण के रूप में पक्षों/सदस्य देशों के मध्य **द्विपक्षीय वार्ता** (bilateral consultation) होती है।
- अगर यह वार्ता विफल हो जाती है, तो कोई भी पक्ष **60 दिनों के अंदर** मध्यस्थता के लिए सामान्य परिषद् से संपर्क कर सकता है। यहाँ सामान्य परिषद् DSB के रूप में कार्य करती है।

- DSB के निर्णय को WTO के अपीलीय निकाय [Appellate Body of WTO (WTOAB)] में पक्षों द्वारा चुनौती दी जा सकती है।
- WTOAB सामान्य परिषद् के निर्णय को बरक़रार रख सकता है, उसमें परिवर्तन कर सकता है या उसे पलट सकता है।
- WTOAB का आदेश दोनों पक्षों के लिए मान्य होगा।
- अगर दोषी पाया गया देश आदेश का पालन नहीं करता है, तो दूसरे देश को बदले की कार्रवाई करने की अनुमति होगी। परंतु आदेश का पालन नहीं करने की स्थिति में इसके अतिरिक्त **अन्य किसी प्रकार की सज़ा** का प्रावधान नहीं है।
- इस कारण आमतौर पर ग़रीब देशों को नुक़सान उठाना पड़ता है, क्योंकि वे विकसित राष्ट्रों के विरुद्ध बदले की कार्रवाई नहीं कर सकते हैं।

WTO के तीन प्रमुख सिद्धांत (Three Major Principles of WTO)

1. मोस्ट फ़ेवर्ड नेशन (अन्य भागीदारों के साथ समान व्यवहार) [Most Favoured Nation (treating other partners equally)]

- WTO के सदस्यों को अपने व्यापार भागीदारों के बीच भेदभाव नहीं करना चाहिए, अर्थात् WTO के अन्य सभी सदस्यों के लिए इसकी एक समान व्यापार शर्तें होनी चाहिए।
- अन्य शब्दों में अगर WTO का सदस्य अपने किसी व्यापार भागीदार को किसी प्रकार की प्राथमिकता या लाभ देता है, तो उसे WTO के शेष सदस्यों को भी वही सुविधा देनी होगी।
- WTO के सभी सदस्य सांविधिक रूप से बाध्य हैं कि वे एक-दूसरे को MFN दर्जा दें।
- यद्यपि इसके कुछ अपवाद भी हो सकते हैं :-
  - **क्षेत्रीय आर्थिक एकीकरण (Regional Economic Integrations) :** किसी क्षेत्र समूह के सदस्य एक-दूसरे के लिए या तो टैरिफ़ कम कर सकते हैं या पूर्ण रूप से टैरिफ़ हटा सकते हैं। इस तरह से वे अपने समूह के बाहर के WTO सदस्यों के प्रति भेदभाव कर सकते हैं। इसके उदाहरण आसियान और NAFTA आदि हैं।
  - व्यापार बाज़ार में विकासशील देशों को विशेष सुलभता (टैरिफ़ को कम करके या पूरी तरह हटाकर)।
  - किसी उत्पाद को लेकर यह विचार हो कि किसी विशेष देश द्वारा उसका अनुचित रूप से व्यापार किया जा रहा है, तो उन उत्पादों के विरुद्ध उपाय किये जा सकते हैं।
  - सुरक्षा से संबंधित अपवाद का नियम।

क्या आप जानते हैं?

भारत एवं पाकिस्तान का मामला (CASE OF INDIA AND PAKISTAN)

भारत द्वारा वर्ष 1996 में पाकिस्तान को MFN दर्जा दिया गया था, परंतु पाकिस्तान ने अब तक भारत को MFN का दर्जा नहीं दिया है।

फ़रवरी, 2019 में बहुत ही दुर्भाग्यपूर्ण पुलवामा आतंकी हमले के बाद, भारत ने पाकिस्तान से MFN दर्जा वापस ले लिया और पाकिस्तान से भारत आयात होनेवालीं सभी वस्तुओं पर सीमा शुल्क को 200 प्रतिशत बढ़ा दिया। ऐसा राष्ट्रीय सुरक्षा को ध्यान में रखते हुए एवं WTO के 'सुरक्षा अपवाद (security exception)' के नियम के अंतर्गत किया गया।

2. राष्ट्रीय संव्यवहार (National Treatment)

- यह सिद्धांत **घरेलू उत्पादों एवं विदेशी उत्पादों के बीच भेदभाव रहित संव्यवहार** पर आधारित है।
- अन्य शब्दों में आयात टैरिफ़ या अन्य सरकारी विनियमों के रूप में **आयातित उत्पादों के साथ भेद-भाव नहीं** होना चाहिए।

- इसका अर्थ यह है कि राष्ट्रीय सीमा के अंदर आयातित एवं घरेलू उत्पादों दोनों से समान व्यवहार किया जाना चाहिए, ताकि सभी को समान अवसर उपलब्ध हो सकें।
- आयातित वस्तु पर सीमा शुल्क लगाना राष्ट्रीय संव्यवहार **का उल्लंघन नहीं** है, क्योंकि राष्ट्रीय संव्यवहार का सिद्धांत उस समय लागू होता है, जब उत्पाद सेवा या IPR घरेलू बाज़ार में प्रवेश करता है।

अतिरिक्त जानकारी

राष्ट्रीय सौर मिशन के अंतर्गत सौर पैनलों का मामला (CASE OF SOLAR PANELS UNDER NATIONAL SOLAR MISSION)

भारत सरकार के राष्ट्रीय सौर मिशन (National Solar Mission) के अंतर्गत जारी दिशा-निर्देशों में यह अनिवार्य कर दिया गया कि किसी भी परियोजना में 30 प्रतिशत **घरेलू घटक आवश्यक** (domestic content requirements) होना चाहिए। इसका उद्देश्य घरेलू सौर सेलों एवं मॉड्यूल विनिर्माण उद्योगों की तरक़्क़ी के लिए प्रोत्साहन देना है।

इसे एक अमेरिकी व्यापार प्रतिनिधि द्वारा WTO में चुनौती दी गयी और इसे 'राष्ट्रीय संव्यवहार' के सिद्धांत का उल्लंघन करनेवाला बताया। सामान्य परिषद् ने इस मामले में भारत सरकार के विरुद्ध निर्णय दिया एवं 2016 में WTOAB ने भी इस निर्णय को बरक़रार रखा, जिससे भारत सरकार को हार का सामना करना पड़ा।

दूसरी ओर भारत को 2019 में अमेरिका के विरुद्ध एक प्रमुख सौर मामले में जीत मिली। भारत ने अमेरिका द्वारा राष्ट्रीय संव्यवहार की नीति के उल्लंघन को चुनौती दी थी। WTO की समिति ने भारत के इस दावे को बरक़रार रखा कि अमेरिका के आठ राज्यों द्वारा दी जानेवाली नवीकरणीय ऊर्जा सब्सिडी एवं स्थानीय सामग्रियों की अनिवार्यता 'राष्ट्रीय संव्यवहार' के सिद्धांत का उल्लंघन है'। **जैसे को तैसे** जीत के मामले में यह भारत के लिए बड़ी सामरिक बढ़त है।

3. *विकासशील देशों के साथ विशेष एवं विविध संव्यवहार [Special and Differential (S&D) Treatment with Developing Countries]*

इसके अंतर्गत निम्नलिखित के संदर्भ में विकासशील देशों के साथ नरमी दिखाने पर बल दिया गया है :-

- WTO के समझौतों को पूरा करने के लिए अधिक समय।
- बाज़ार की व्यापक सुलभता के माध्यम से व्यापार के अवसर बढ़ाने का प्रावधान।
- प्रतिपाटन (anti-dumping) व्यापार के तकनीकी अवरोधों आदि से सुरक्षा के लिए प्रावधान।

प्राथमिकता की सामान्यीकृत प्रणाली [Generalised System of Preferences (GSP)]– S&D प्रावधानों के अंतर्गत GSP नाम की एक योजना अभी उपलब्ध है। इस योजना का लाभ WTO के उन सदस्य देशों को **मिलता है,** जो विकास के मोर्चे पर पिछड़े हैं [Least Developed Countries (LDCs)]। GSP एक **प्राथमिकता पर आधारित टैरिफ़ प्रणाली** (preferential tariff system) है, जिसमें WTO के अन्य सदस्यों द्वारा LDCs के लिए **टैरिफ़ में कटौती** (tariff reduction) की संभावना प्रदान की गयी है।

विशेष उत्पाद [Special Products (SP)] एवं विशेष सुरक्षात्मक व्यवस्था [Special Safeguard Mechanism (SSM)]– S&D प्रावधानों के अंतर्गत **केवल विकासशील सदस्य देशों** के लिए ये दो व्यवस्थाएँ दोहा दौर में प्रस्तुत की गयी थीं।

SPs कृषि सामग्री होती है, जिनका विकासशील देशों के कृषक समुदायों के लिए विशेष महत्त्व होता है। दोहा दौर में SPs पर उच्च आयात टैरिफ़ लगाने की अनुमति दी गयी।

SSM के संदर्भ में विकासशील देश किसी विशेष कृषि उत्पाद के आयात पर अस्थायी रूप से लागू होनेवाली टैरिफ़ दर से अधिक दर ले सकता है। ऐसा करने की तब अनुमति है, जब विकासशील सदस्य देश में किसी उत्पाद के आयात में अचानक वृद्धि हो जाये।

WTO के प्रमुख समझौते (Major WTO Agreements)

कृषि संबंधी समझौता [Agreement on Agriculture (AoA)]

- यह समझौता वर्ष 1995 में हुआ। इसका उद्देश्य ऐसी नीतियाँ बनाना हैं, जो बाज़ार के लिए संभाव्य हो। इसके अतिरिक्त, इसका उद्देश्य व्यापार की बाधाओं को हटाने के साथ ही इस क्षेत्र में व्यापार की शर्तों को उदार बनाना एवं व्यापार के लिए सुधार करना है।
- AoA के तीन प्रमुख आधार स्तंभ हैं :–
  - **घरेलू समर्थन के केवल उचित स्तर तक :-**
    - घरेलू का अर्थ उस सब्सिडी से होता है, जो सरकार द्वारा किसानों का खाद्य सामग्री, उर्वरक, बिजली, आदि पर दी जाती है। इसके अंतर्गत तीन सब्सिडियों पर चर्चा की गयी, जो निम्नलिखित हैं :–

      i. **ग्रीन बॉक्स** – इसमें वे सब्सिडी सम्मिलित होती हैं, जिससे व्यापार पर प्रतिकूल प्रभाव नहीं पड़ता है एवं सरकार द्वारा कृषि में होनेवाले किसी प्रकार के नुक़सान की भरपाई के लिए दी जाती है। इसके उदाहरण हैं– अनुसंधान की सुलभता का अभाव, प्रशिक्षण का अभाव, बाज़ार सूचना का अभाव होने पर एवं अपर्याप्त ग्रामीण अवसंरचना आदि के लिए दी जानेवाली सब्सिडी। AoA के अंतर्गत ग्रीन बॉक्स सब्सिडी देने की अनुमति है। इसकी कोई निर्धारित सीमा नहीं है।

      ii. **ब्लू बॉक्स** – ये सब्सिडी उन कार्यक्रमों से संबंधित होती है, जिनसे उत्पादन सीमित हो जाता है। यद्यपि इस प्रकार की सब्सिडी का उत्पादन से सीधे संबंध होता है, परंतु इस प्रकार की सब्सिडी देने के लिए एक निश्चित मात्रा में उत्पादन करने की शर्त लगा देने से उत्पादन सीमित हो जाता है। इसलिए, ब्लू बॉक्स सब्सिडी के बारे में माना जाता है कि इनसे व्यापार पर प्रतिकूल प्रभाव कम पड़ता है।
      वर्तमान में AoA के अंतर्गत ऐसी **कोई सीमा निर्धारित नहीं** है कि सरकार द्वारा ब्लू बॉक्स सब्सिडी पर कितना ख़र्च किया जा सकता है।

      iii. **अंबर बॉक्स** – ऐसा माना जाता है कि इस श्रेणी की सब्सिडी से **व्यापार पर प्रतिकूल प्रभाव पड़ता** है। उर्वरक, बीज, सिंचाई, एवं विद्युत के लिए सब्सिडी दी जाती है, जिससे अत्यधिक उत्पादन को प्रोत्साहन मिलता है एवं उससे व्यापार पर प्रतिकूल प्रभाव पड़ता है।
      AoA के अनुसार इन सब्सिडी की **एक सीमा होती है।**
      विकसित देशों के लिए सब्सिडी की सीमा कृषि उत्पादन के मूल्य का 5 प्रतिशत है एवं विकासशील देशों के लिए यह सीमा 10 प्रतिशत है।
  - **बाज़ार तक पहुँच को आसान बनाना (Enhance Market Access) :-**
    - सभी सदस्य देशों को अपने घरेलू बाज़ारों को खोल देना चाहिए। इसके लिए उनको आयात पर टैरिफ़ कम कर देना चाहिए एवं ग़ैर-टैरिफ़ बाधाओं को टैरिफ़ बाधा में परिवर्तित कर देना चाहिए।
  - **निर्यात सब्सिडी को चरणबद्ध तरीक़े से समाप्त करना (Phase out Export Subsidies) :-**
    - 6 वर्षों की अवधि में विकसित देशों को निर्यात सब्सिडी के मूल्य में 36 प्रतिशत एवं मात्रा में 24 प्रतिशत तक कटौती करनी है।
    - वहीं, 10 वर्षों की अवधि में विकासशील देशों को निर्यात सब्सिडी के मूल्य में 24 प्रतिशत तक एवं मात्रा में 10 प्रतिशत तक कमी करनी है।
- **भारत पर AoA का प्रभाव (Impact of AoA on India) :–**
  - आलोचकों का कहना है कि भारत की खाद्य नीति से संबंधित अनुचित रूप से सीमा निर्धारित की गयी है। WTO ने अंबर बॉक्स श्रेणी के अंतर्गत भारत के लिए इस प्रकार की सीमा निर्धारित कर रखी है।
  - भारत सरकार 22 फ़सलों के लिए न्यूनतम समर्थन मूल्य [Minimum Support Price (MSP)] कार्यक्रम चलाती है, जिसका इस्तेमाल सार्वजनिक वितरण प्रणाली [Public Distribution System (PDS)] को चलाने के लिए किया जाता

है। PDS के अंतर्गत कम आयवाले लोगों को बहुत ही कम दामों पर अनाज की आपूर्ति की जाती है। भारत सरकार द्वारा प्रदान की जानेवाली इस प्रकार की सब्सिडी अंबर बॉक्स श्रेणी में आती है एवं WTO ने अंबर बॉक्स सब्सिडी की सीमा निर्धारित कर रखी है।

- भारत को सब्सिडी की राशि की सीमा पर आपत्ति नहीं है, बल्कि सब्सिडी की गणना की विधि अत्यधिक आपत्तिजनक है। **सब्सिडी की गणना 1986-88 से संबंधित मूल्यों के आधार पर की जाती है।**
- अस्थायी रूप से इसका समाधान करने के लिए वर्ष 2013 में संपन्न बाली मंत्रिस्तरीय सम्मेलन में एक 'पीस क्लॉज़' अनुमोदित किया गया।

क्या आप जानते हैं?

- **पीस क्लॉज़ (Peace Clause) के अनुसार,** *किसी भी सदस्य देश को अपने लोगों के लिए खाद्य सुरक्षा कार्यक्रम चलाने से क़ानूनी रूप से प्रतिबंधित नहीं किया जा सकता है, भले ही सब्सिडी अंबर बॉक्स के अंतर्गत निर्धारित सीमा का उल्लंघन करती हो'।*
- पीस क्लॉज़ को अनिश्चित रूप से विस्तार दिया गया है। इस संबंध में जब तक WTO द्वारा कोई स्थायी समाधान नहीं खोज लिया जाता है, तब तक यह लागू रहेगा।

ग़ैर-कृषि बाज़ार पहुँच [Non-Agricultural Market Access (NAMA)]

- विश्व व्यापार संगठन की ग़ैर-कृषि बाज़ार पहुँच (NAMA) वार्ता 2001 की दोहा मंत्रिस्तरीय घोषणा पर आधारित है। यह निर्यात योग्य वैसी वस्तुओं पर टैरिफ़ कम करने का इरादा रखता है, जो कृषि समझौते में शामिल नहीं हैं। ग़ैर-कृषि उत्पादों में औद्योगिक वस्तुएँ, वानिकी उत्पाद, विनिर्मित वस्तुएँ, कपड़ा, ईंधन और खनन उत्पाद, जूते, मछली और मत्स्य पालन आदि शामिल हैं।
  - **"पूर्ण पारस्परिकता से कम" [Less Than Full Reciprocity (LTFR)] NAMA** अधिदेश (उरुग्वे दौर में प्रस्तुत) की कमी सबंधी प्रतिबद्धताओं से जुड़ा पद (शब्द) है। विकासशील देशों द्वारा इसकी व्याख्या इस प्रकार की जाती है कि वे विकसित देशों की तुलना में कम प्रतिशत कटौती प्रतिबद्धता अपनायेंगे।
  - **संकेन्द्रण रोधी उपबंध [Anti-Concentration Clause (ACC)]** : इसका उद्देश्य यह सुनिश्चित करना है कि विकासशील देश विशिष्ट NAMA उत्पादों के तहत अपनी नम्यता पर ध्यान केंद्रित न करें।

सेवाओं में व्यापार संबंधी सामान्य समझौता [General Agreement on Trade in Services (GATS)]

- ये विनियम WTO सदस्यों के बीच सेवाओं में व्यापार पर लागू होते हैं।
- इसका उद्देश्य सेवाओं में व्यापार को उदार बनाना है।
- सेवाओं में व्यापार संबंधी सामान्य समझौते के अंतर्गत सेवा प्रदान करने के चार माध्यम हैं :-
  - **सीमा पार आपूर्ति (Cross Border Supply)**– जिनमें BPO, परिवहन, दूरस्थ शिक्षा एवं प्रशिक्षण आदि सम्मिलित हैं।
  - **स्थानीय स्तर पर सेवा प्रदान करना (Local Delivery of Services)**– विदेशी बैंकों, बीमा कंपनियों द्वारा।
  - **विदेशों में उपभोग (Consumption Abroad)**– विदेशों में पर्यटकों द्वारा ली जानेवाली सेवाएँ सम्मिलित हैं।
  - **व्यक्तियों का गमनागमन (Movement of Personnel)** – सेवा प्रदान करने के लिए।

बौद्धिक संपदा अधिकारों के व्यापार संबंधित पक्षों के विषय में क़रार (Agreement on Trade-Related Aspects of Intellectual Property Rights)

- यह बौद्धिक संपदा संबंधी सर्वाधिक व्यापक समझौता है। इस पर WTO के सभी सदस्यों द्वारा हस्ताक्षर किये गये हैं।
- इस समझौते में कॉपीराइट, पेटेंट, ट्रेडमार्क, भौगोलिक, भौगोलिक उपदर्शन, औद्योगिक डिज़ाइन आदि का उत्पादों की पहचान के लिए कैसे प्रयोग किया जायेगा एवं जब उत्पादों का व्यापार हो, तो इन की रक्षा कैसे की जायेगी, इनसे संबंधित नियमों का उल्लेख किया गया है।

परीक्षोपयोगी

बौद्धिक संपदा अधिकार (INTELLECTUAL PROPERTY RIGHTS)

यह बौद्धिक संपदा के रचनाकार को दिया जाता है। WTO द्वारा दी गयी परिभाषा के अनुसार किसी व्यक्ति को उसके दिमाग़ द्वारा सर्जित किसी रचना के लिए दिया जानेवाला अधिकार। बौद्धिक संपदा अधिकार के प्रकारों में शामिल हैं :

पेटेंट (Patent)

- पेटेंट किसी आविष्कार के लिए एक सांविधिक अधिकार होता है, जो :
  - एक निश्चित समयसीमा के लिए दिया जाता है।
  - पेटेंट करानेवालों को सरकार द्वारा दिया जाता है।
  - आविष्कार की पूरी जानकारी देने पर दिया जाता है। पूरी जानकारी इसलिए देनी पड़ती है, ताकि अगर अन्य कोई उस पर दावा करे, तो उसके दावे को निरस्त किया जा सके।
- पेटेंट सुरक्षा एक प्रादेशिक अधिकार है; अलग-अलग देशों के लिए अलग पेटेंट लेना होता है।
- ऐसा कोई पेटेंट नहीं है, जो पूरी दुनिया में मान्य हो।
- भारत में प्रत्येक पेटेंट, इसके आवेदन दाख़िल करने की तारीख़ से, 20 वर्षों तक मान्य होते हैं। इस बात का कोई फ़र्क़ नहीं पड़ता कि पेटेंट के आवेदन में अधूरी जानकारी दी गयी है या पूरी।

ट्रेडमार्क (Trademark) :–

- इसे 'ब्रांड नाम' भी कहा जाता है।
- यह नज़र आनेवाला प्रतीक है, जो कोई सांकेतिक शब्द, नाम, डिवाइस, लेबल, संख्या या रंगों का मिश्रण हो सकता है।
- यह किसी उपक्रम द्वारा अपनी वस्तुओं/सेवाओं को अन्य उपक्रम की वस्तुओं/सेवाओं से अलग दिखाने के लिए किया जाता है।
- बौद्धिक संपदा अधिकार के अंतर्गत इसको सुरक्षा प्रदान की जाती है।
- किसी ट्रेडमार्क की अवधि 10 वर्षों की होती है, जिसे नवीनीकृत किया जा सकता है।

कॉपीराइट (Copyright) :–

- साहित्यिक, नाटकीय, संगीतीय एवं कलात्मक कृतियों के रचनाकारों एवं फ़िल्मों और साउंड रिकॉर्डिंगों के निर्माताओं को कई प्रकार के अधिकार दिये गये हैं।
- इसमें कृतियों को दोबारा तैयार करने, कृतियों को लोगों तक पहुँचाने, कृतियों में अपने अनुसार परिवर्तन एवं कृतियों के अनुवाद का अधिकार सम्मिलित है।
- संरक्षित कृति की प्रकृति के आधार पर कॉपीराइट के अंतर्गत प्रदत्त सुरक्षा की सीमा एवं अवधि भिन्न-भिन्न होती है।
- कॉपीराइट को किसी क्षेत्र विशेष का अधिकार माना जाता है, इसका अर्थ यह है कि वे किसी विशेष क्षेत्र की सीमा के बाहर लागू नहीं होते हैं।

भौगोलिक उपदर्शन (Geographical Indication) :–

- यह किसी विशिष्ट भौगोलिक क्षेत्र का उत्पाद होता है।
- इसका प्रयोग किसी कृषि, प्राकृतिक या निर्मित वस्तु की पहचान के लिए होता है।
- निर्मित वस्तु का उस क्षेत्र में उत्पादन प्रसंस्करण या तैयार होना अनिवार्य है।
- इसमें कोई विशेष गुण या उसकी कोई विशेष प्रतिष्ठा या विशेषता होनी चाहिए।
- जैसे- बासमती चावल, दार्जीलिंग चाय, कांचीपुरम सिल्क साड़ी, अल्फांसो आम, नागपुर के संतरे, कोल्हापुरी चप्पल, बिकानेरी भुजिया और आगरा का पेठा इत्यादि।

औद्योगिक डिज़ाइन (Industrial Designs) :–

- यह व्यापार और पण्य वस्तु चिह्न अधिनियम, 1958 के अंतर्गत आता है। यह किसी वस्तु के सौंदर्य के लिए बने बाहरी डिज़ाइन को सुरक्षा प्रदान करता है।

- किसी डिज़ाइन के पंजीकरण की अवधि इसके पंजीकरण के तिथि से आरंभिक 10 वर्ष हैं।

व्यापार रहस्य (Trade Secrets) :–

- आमतौर पर यह एक ऐसा सूत्र या कार्यप्रणाली होती है, जिसके बारे में सभी को जानकारी नहीं होती और प्रतिद्वंदी पर बढ़त प्राप्त करने के लिए इसका प्रयोग किया जा सकता है।
- व्यापार रहस्य स्थायी प्रकृति के होते हैं।

अतिरिक्त जानकारी

राष्ट्रीय बौद्धिक संपदा अधिकार नीति (NATIONAL INTELLECTUAL PROPERTY RIGHTS POLICY)

- इसे भारत सरकार द्वारा वर्ष 2016 में जारी किया गया।
- यह TRIPS पर WTO के समझौते के अनुरूप है एवं इसका उद्देश्य उद्यमिता को संधारणीय बनाना है तथा 'मेक इन इंडिया' योजना को प्रोत्साहित करना है।
- इसका उद्देश्य सार्वजनिक हितों की रक्षा करते हुए IPR को बाज़ार योग्य पूँजी के रूप में बढ़ावा देना एवं नवोन्मेष और उद्यमिता का प्रोत्साहन करना है।

प्रमुख बिंदु :-

- इसमें विशेष रूप से IPR संबंधी जागरूकता उत्पन्न करने एवं इसको प्रभावी रूप से लागू करने पर ज़ोर दिया जाता है। इसके अतिरिक्त विभिन्न प्रोत्साहन योजनाओं के माध्यम से बौद्धिक संपदा के व्यवसायीकरण के लिए प्रोत्साहित किया जाता है।
- इसमें औद्योगिक नीति एवं संवर्धन विभाग [Department of Industrial Policy and Promotion (DIPP)] को सभी IPR विषयों के लिए नोडल एजेंसी बनाने का सुझाव दिया गया है।
- कॉपीराइट संबंधित विषयों को भी मानव संसाधन विकास [Human Resource Development (HRD)] मंत्रालय से अब DIPP के अधिकार क्षेत्र में लाया जायेगा।
- ट्रेडमार्क्स के लिए परीक्षण की अवधि को 13 महीने से घटाकर 8 महीने कर दिया गया है। नया लक्ष्य इस अवधि को भी 1 महीने पर लाना है।
- फ़िल्म, संगीत एवं औद्योगिक चित्रकला भी कॉपीराइट की सीमा में आयेगा।

स्टार्टअप को प्रोत्साहित करने के लिए एक प्रभावी ऋण गारंटी योजना तैयार करना।

व्यापार संबंधित निवेश के उपाय *[Trade-Related Investment Measures (TRIMs)]*

- ऐसा देखा गया है कि कतिपय निवेशों से बाज़ार एवं निवेश पर ख़राब प्रभाव पड़ता है। TRIMs के अंतर्गत ऐसी समस्याओं के समाधान के उपाय किये जाते हैं।
- **TRIMs** केवल उन उपायों पर लागू होते हैं, जो वस्तुओं (न कि सेवाओं) के व्यापार को प्रभावित करते हैं।
- सभी सदस्य राष्ट्रों को घरेलू एवं विदेशी निवेशों के बीच भेद नहीं करने का निर्देश दिया गया है। विशेषकर सरकारी निवेशवाले मामलों में ऐसा नहीं करने का निर्देश है।
- WTO ने निवेश के निषिद्ध उपायों की सूची तैयार की है। इन उपायों में स्थानीय उत्पादों की हिस्सेदारी अनिवार्य करना, निर्यात की बाध्यता, प्रौद्योगिकी अंतरण आदि सम्मिलित हैं। ऐसा माना जाता है कि इन उपायों से व्यापार नियमों का उल्लंघन होता है।
- **भारत ने TRIMs का विरोध किया है**। भारत का तर्क है कि निवेश, व्यापार का विषय नहीं है, इसलिए WTO को निवेश के मामले में हस्तक्षेप नहीं करना चाहिए, क्योंकि वह व्यापार से संबंधित एक संस्था है और निवेश से संबंधित नहीं है।

स्वच्छता एवं पादप स्वच्छता के उपाय [Sanitary and Phytosanitary Measures (SPSs)]

- कोई सदस्य देश यह कैसे सुनिश्चित कर सकता है कि अन्य देश से आयातित खाद्य सामग्री खाने के लिए सुरक्षित है? वे यह भी कैसे सुनिश्चित कर सकते हैं कि किसी सदस्य देश द्वारा अपने घरेलू उत्पादकों की सुरक्षा का बहाना बनाकर स्वास्थ्य एवं सुरक्षा संबंधित विनियमों का प्रयोग नहीं किया जा रहा है?
- उपर्युक्त समस्या के निराकरण के लिए WTO के तत्त्वावधान में एक समझौता किया गया है, जिसमें इससे संबंधित मूलभूत नियम बनाये गये हैं। इस समझौते का नाम **खाद्य सुरक्षा एवं पशु तथा पादप स्वास्थ्य मानक संबंधी समझौता है** (स्वच्छता एवं पादप स्वच्छता उपाय समझौता या SPS)।
- SPS समझौते के अंतर्गत सदस्य देशों को खाद्य सुरक्षा एवं पशु तथा पादप स्वास्थ्य पर अपने मानक निर्धारित करने की अनुमति दी गयी है। परंतु इसमें यह भी उल्लेख किया गया है कि विनियम विज्ञान पर आधारित होने चाहिए।
- सदस्य देशों को अंतरराष्ट्रीय मानकों का उपयोग करने के लिए प्रोत्साहित किया गया है, ताकि WTO विवाद में उनको क़ानूनी रूप से चुनौती न दी जा सके।
- निम्नलिखित SPS उपाय लागू किये जा सकते हैं :-
  1. रोगमुक्त क्षेत्र से आनेवाले उत्पादों को अनुमति दी जाये।
  2. उत्पादों का विशिष्ट उपचार।
  3. उत्पादों में कीटनाशक अवशेष की एक स्वीकार्य सीमा निर्धारित करना।
  4. खाद्य सामग्री में केवल कुछ योगशील पदार्थों के प्रयोग की ही अनुमति।

अतिरिक्त जानकारी

WTO का व्यापार सुगमता समझौता [TRADE FACILITATION AGREEMENT (TFA) OF WTO]

- TFA की आवश्यकता – सीमा पार वस्तुओं के गमनागमन के लिए लालफ़ीताशाही बाधक होती है। इसलिए, विश्व व्यापार प्रणाली के लिए व्यापार सुगमता एक महत्त्वपूर्ण विषय के तौर पर उभरा है। व्यापार सुगमता में निर्यात एवं आयात प्रक्रियाओं को सरल, आधुनिक एवं अनुकूल बनाना सम्मिलित है। व्यापार सुगमता लाने के लिए TFA की आवश्यकता पड़ी है।
- व्यापार सुगमता समझौता (TFA) वर्ष **2017** से प्रभाव में आया। यह 2001 में संपन्न हुए **दोहा दौर का परिणाम** है। TFA के नियमों को 2013 बाली मंत्रिस्तरीय सम्मेलन के दौरान **WTO सदस्यों द्वारा अंगीकार किया गया।**
- TFA में मार्गस्थ वस्तु समेत वस्तुओं के तीव्र **गमनागमन, निर्गमन** एवं **स्वीकृति** के प्रावधान किये गये हैं।
- भारत ने TFA की संपुष्टि की है।

विश्व व्यापार परिदृश्य सूचक [WORLD TRADE OUTLOOK INDICATOR (WTOI)]

WTO द्वारा इसे 2016 में आरंभ किया गया था। WTOI को विश्व व्यापार की स्थिति और इसके हाल के रुझान से संबंधित वास्तविक समय सूचना प्रदान करने के लिए तैयार किया गया है। WTOI ने प्रमुख आँकड़े प्रदान किये, जिससे तिमाही के आधार पर रुझान की तुलना में व्यापार के प्रदर्शन के बारे में पता चलता था। पाठांक 100 होने पर यह पता चलता था।

वर्ष 2019 में **WTOI** को **WTO** के दो बैरोमीटर ने प्रतिस्थापित कर दिया :-

1. **WTO** का वस्तु व्यापार बैरोमीटर
2. **WTO** का सेवा व्यापार बैरोमीटर

उपर्युक्त दोनों बैरोमीटर समान वास्तविक समय सूचना प्रदान करते हैं।

WTO की उपलब्धियाँ (Achievements of WTO)

- भुगतान शेष संकटों से निपटने के लिए किये जानेवाले प्रतिबंधात्मक उपायों के प्रयोग में विचारणीय कमी आयी है।

- विकासशील देशों में व्यापार, आदान-प्रदान एवं घरेलू सुधारों में व्यापक परिवर्तन हुए हैं। इससे निवेश के अवसर बढ़े हैं और इसके कारण आर्थिक संवृद्धि भी बढ़ी है।
- व्यापार नीति समीक्षा तंत्र के माध्यम से व्यापार नीति विकास की सतत निगरानी की प्रक्रिया के कारण व्यापक पारदर्शिता को बढ़ावा मिला है।

WTO की आलोचना (Criticisms of WTO)

- कई देशों में अभी बहुत सारे व्यापार सुधार अधूरे हैं।
- WTO से विकसित देशों को अधिक लाभ पहुँचा है। आर्थिक विकास की बहुस्तरीय प्रणाली में WTO के सभी सदस्यों को समान रूप से एकीकृत नहीं किया गया है।
- वैश्वीकरण एवं प्रौद्योगिकीय परिवर्तन के संयोजन से कम कुशल श्रमिकों के विरुद्ध सामाजिक विभाजन बढ़ा है।
- कार्यान्वयन संबंधित विषय, गंभीर चिंता का कारण बन गये हैं।

परीक्षोपयोगी

कृषि विकास के लिए अंतरराष्ट्रीय कोष (आईएफ़एडी)
[INTERNATIONAL FUND FOR AGRICULTURAL DEVELOPMENT (IFAD)]

- IFAD, संयुक्त राष्ट्र की ग्रामीण विकास एजेंसी, 1977 में एक अंतरराष्ट्रीय वित्तीय संस्थान के रूप में स्थापित की गयी थी। यह संगठन **1974 के विश्व खाद्य सम्मेलन** का परिणाम है।
- यह एकमात्र बहुपक्षीय विकास संगठन है, जो विशेष रूप से ग्रामीण अर्थव्यवस्था और खाद्य सुरक्षा पर ध्यान केंद्रित करता है।
- यह उन पहलों को वित्त पोषित और उनका समर्थन करता है, जो भूमि और जल प्रबंधन में सुधार करते हैं, ग्रामीण बुनियादी ढाँचे का विकास करते हैं, किसानों को अधिक कुशल प्रौद्योगिकियों का उपयोग करने के लिए शिक्षित और प्रशिक्षित करते हैं, जलवायु परिवर्तन के प्रति लचीलेपन में सुधार करते हैं, बाज़ार पहुँच में सुधार करते हैं, इसके अतिरिक्त और बहुत कुछ करते हैं।
- यह ग्रामीण लोगों में निवेश करता है, उन्हें **ग़रीबी कम करने, खाद्य सुरक्षा बढ़ाने, पोषण में सुधार और लचीलेपन को मज़बूत** करने के लिए सशक्त बनाता है।
- IFAD का मुख्यालय **रोम, इटली** में स्थित है।
- IFAD के **177 सदस्य** देश हैं, जिनमें सभी क्षेत्रों के विकासशील, मध्यम और उच्च आयवाले देश शामिल हैं।
- **भारत** IFAD का **संस्थापक सदस्य** और प्रमुख योगदानकर्ता है।
- IFAD के वर्तमान अध्यक्ष **अल्वारो लारियो** हैं।

IFAD के उद्देश्यों में शामिल हैं :
- ग़रीब लोगों की उत्पादक क्षमता को बढ़ाना।
- बाज़ार भागीदारी से उनके लिए लाभ बढ़ाना।
- आर्थिक गतिविधियों की पर्यावरणीय स्थिरता और जलवायु लचीलेपन को मज़बूत करना।

IFAD और भारत :
- IFAD भारत में 1979 से सक्रिय है।
- इसका उद्देश्य कृषि, वित्तीय सेवाओं, प्राकृतिक संसाधनों और मूल्य श्रृंखलाओं में तकनीकी विकास तक ग्रामीण ग़रीबों की पहुँच में सुधार लाने पर केंद्रित है।
- यह खाद्य सुरक्षा और ग़रीबी के बारे में जानकारी और सबक साझा करने का भी काम करता है।
- भारत में IFAD का फ़ोकस क्षेत्र ग्रामीण ग़रीबी को कम करना, जनजातियों का कृषि विकास, महिलाओं को सशक्त बनाना आदि है।

अन्य अंतरराष्ट्रीय आर्थिक संगठन (OTHER INTERNATIONAL ECONOMIC ORGANISATIONS)

G3

- यह तीन देशों के बीच हुआ स्वतंत्र व्यापार समझौता था। **मेक्सिको, कोलंबिया एवं वेनेज़ुएला** ने इस पर हस्ताक्षर किये थे।
- यह समझौता 10 वर्षों, अर्थात् 1995 से 2005 तक के लिए हुआ था।
- निम्नलिखित क्षेत्रों में यह समझौता लागू था :
  - बौद्धिक संपदा अधिकार
  - सार्वजनिक क्षेत्र के निवेश
  - व्यापार प्रतिबंधों को सरल बनाना
  - 10 वर्षों की अवधि में टैरिफ़ में 10 प्रतिशत कटौती।
- यह समझौता अधिक दिनों तक नहीं चला, क्योंकि वेनेजुएला की ओर से इसमें सक्रिय रूप से भागीदारी नहीं दर्ज करायी गयी।
- परंतु इससे मेक्सिको एवं कोलंबिया के मध्य व्यापार को बल मिला।

G7

- G7 का गठन वर्ष 1975 में हुआ था। इसमें अत्यधिक औद्योगीकृत देश शामिल थे।
- इस समूह के 07 सदस्य देश थे - **अमेरिका, कनाडा, जर्मनी, ब्रिटेन, फ़्रांस, इटली एवं जापान।**
- रूस इस समूह में वर्ष 1997 में सम्मिलित हुआ, जिसके बाद यह समूह G7 से G8 हो गया।
- फिर वर्ष 2014 में रूस G8 से निकल गया। इस प्रकार से, G8 पुन: G7 हो गया।
- हाल ही में, जून, 2020 में अमेरिका के राष्ट्रपति डॉनल्ड ट्रंप ने G7 में **भारत, रूस, दक्षिण कोरिया** एवं **ऑस्ट्रेलिया** को सदस्य के तौर पर सम्मिलित करके इसे G11 बनाने की इच्छा जतायी थी।
- जून, 2024 में इटली में आयोजित G7 के सम्मेलन में भारत को विशेष रूप से आमंत्रित किया गया है।

G20

- इसकी स्थापना वर्ष **1999** में की गयी। इसका उद्देश्य व्यवस्थित ढंग से महत्त्वपूर्ण **औद्योगिक एवं विकासशील अर्थव्यवस्थाओं** को एक मंच पर लाना एवं वैश्विक अर्थव्यवस्था के मुख्य मुद्दों पर विचार-विमर्श करना है।
- भारत G20 का सदस्य है।
- इसमें 19 देशों और यूरोपीय संघ के वित्त मंत्री एवं वहाँ के केंद्रीय बैंक के गवर्नर सम्मिलित हैं।
- इसके सदस्य देश विश्व के सकल राष्ट्रीय उत्पाद में 90 प्रतिशत, विश्व व्यापार में 80 प्रतिशत योगदान देते हैं एवं विश्व की दो-तिहाई आबादी यहाँ रहती है।
- इसने वर्ष 2008 के वित्तीय एवं आर्थिक संकट का सामना करने में सहायता की एवं सदस्य राष्ट्रों के मध्य अंतरराष्ट्रीय सहयोग को प्रगाढ़ किया।
- वैश्विक आर्थिक वृद्धि एवं वित्तीय स्थिरता से संबंधित विषयों पर **IMF, G20 देशों के साथ मिलकर काम करता है।**
- G20 का अपना स्वयं का **कोई स्थायी कर्मचारी नहीं** है। क्षेत्रीय समूह में विभाजित राष्ट्र **बारी-बारी हर वर्ष इसकी अध्यक्षता सँभालते रहते हैं।**
- भारत ने निम्नलिखित कई विषयों पर G20 का सहयोग किया है :
  - वित्तीय क्षेत्र में नियामक सुधार।
  - जलवायु परिवर्तन।
  - आर्थिक संवृद्धि एवं वित्तीय समेकन।

G20 कॉमन फ़्रेमवर्क (G20 Common Framework)

- लंबी तरलता समस्याओं और दिवालियेपन से निपटने के लिए, G20 कॉमन फ़्रेमवर्क प्रोग्राम पेश किया गया है। इसका उद्देश्य IMF सुधार कार्यक्रम के कार्यान्वयन का समर्थन करना भी है।
- इस फ़्रेमवर्क का उद्देश्य विभिन्न देशों (विशेष रूप से कम आयवाले देशों) द्वारा सामना किये जानेवाले अस्थिर ऋणों के मुद्दे से निपटना है।
- यह दोनों पारंपरिक लेनदारों (पेरिस क्लब – जैसे फ़्रांस और USA) और भारत, तुर्किये और चीन जैसे नये लेनदारों द्वारा समर्थित है।
- यह ऋण सेवा निलंबन पहल (DSSI) से परे ऋण उपचार के लिए सामान्य रुपरेखा है।
- हाल ही में, चाड ने इस फ़्रेमवर्क के तहत ऋण पुनर्गठन का अनुरोध किया है।

G20 शिखर सम्मेलन 2024 (G20 SUMMIT 2024)

- नवंबर, 2024 में **ब्राज़ील द्वारा** रियो डी जेनेरियो में शिखर सम्मेलन की मेज़बानी की गयी। इस शिखर सम्मेलन में यूरोपीय संघ और अफ़्रीकी संघ के साथ 19 सदस्य देशों के नेताओं ने भाग लिया। 2024 के G20 शिखर सम्मेलन की रियो घोषणा सदस्य देशों के बीच कराधान प्रक्रिया में सहयोग, जलवायु परिवर्तन, भुखमरी के उन्मूलन, लैंगिक समानता और वैश्विक शासन सुधारों पर केंद्रित थी।
- जलवायु परिवर्तन के संदर्भ में, वर्ष 2050 तक, हरितगृह (greenhouse) गैस उत्सर्जन से संबंधित प्रदूषकों का उपयोग G20 सदस्य देशों द्वारा नहीं किया जायेगा। इस समूह ने प्रकृति-आधारित समाधानों में सार्वजनिक और निजी निवेश को बढ़ावा देने के लिए भी प्रतिबद्धता जतायी।
- भुखमरी और निर्धनता से लड़ने के लिए, इस समूह ने **भुखमरी और निर्धनता के ख़िलाफ़ वैश्विक गठबंधन** शुरू किया है। इस गठबंधन को 82 देशों, 2 महाद्वीपीय ब्लॉकों, 24 अंतरराष्ट्रीय संगठनों, 9 वित्तीय संस्थानों और 31 परोपकारी एवं गैर-सरकारी संगठनों की सहायता प्राप्त है। इस गठबंधन का प्राथमिक ध्यान गंभीर स्थितिवाले देशों को तत्काल सहायता प्रदान करना है, ताकि यह सुनिश्चित किया जा सके कि "*कोई भी पीछे न छूटे*"।

G33

- यह विकासशील देशों का एक मंच है, जिसका गठन 2003 में विश्व व्यापार संगठन के कैनकन मंत्रिस्तरीय सम्मेलन के दौरान कृषि व्यापार वार्ता में विकासशील देशों के हितों की रक्षा के लिए किया गया था।
- G33 समूह को 'विशेष कृषि उत्पादों का मित्र' के नाम से भी जाना जाता है।
- इसके कुल **48 सदस्य** (भारत का वर्चस्व) हैं, जो **शुद्ध कृषि उत्पाद आयातक विकासशील देश हैं**।
- इंडोनेशिया एवं भारत जैसे विकासशील देश इसके सदस्य हैं, जिनका **उद्देश्य कृषि की रक्षा है। इस उद्देश्य में किसानों की आयात से रक्षा करना भी सम्मिलित है।**
- इसकी माँगें थीं :-
    - विकासशील देशों को यह अधिकार प्राप्त हो कि वे अपने यहाँ आयात किये जानेवाले कृषि उत्पादों के लिए वहाँ के बाज़ारों में व्यापार की सीमा निर्धारित कर सकें।
    - विशेष उत्पादों को छूट दी जाये।
    - एक विशेष सुरक्षा तंत्र की स्थापना की जाये, जिसके अंतर्गत आयात में वृद्धि होने की स्थिति में टैरिफ़ बढ़ाने की अनुमति हो।
- इन माँगों के आधार पर इन देशों द्वारा AoA के विशेष उत्पाद एवं विशेष सुरक्षा तंत्र की WTO द्वारा स्थापना की वकालत की गयी।
- वर्ष 2017 में G33 द्वारा कुछ और माँगें की गयीं :-
    - किसानों की सहायता के लिए MSP कार्यक्रम के अंतर्गत दी जानेवाली सब्सिडी को, व्यापार पर प्रतिकूल प्रभाव डालनेवाली सब्सिडी नहीं माना जाये।

- सब्सिडी की गणना की विधि में परिवर्तन होना चाहिए, क्योंकि यह 1986-88 के बाज़ार मूल्यों के आधार पर निर्धारित की जाती है, जिस कारण इसमें महँगाई के वास्तविक प्रभाव को सम्मिलित नहीं किया जाता है।

पेट्रोलियम निर्यातक देशों का संगठन [Organisation of Petroleum Exporting Countries (OPEC)]

➤ यह स्थायी अंतर-सरकारी संगठन है, जिसकी स्थापना वर्ष **1960** में बग़दाद सम्मेलन के बाद हुई।

➤ इसका मुख्यालय **विएना**, ऑस्ट्रिया में है।

➤ वर्तमान में पेट्रोलियम निर्यातक देशों के संगठन (OPEC) में **12 सदस्य हैं** – ईरान, इराक़, कुवैत, सऊदी अरब, वेनेज़ुएला, लीबिया, यूएई, अल्जीरिया, नाइजीरिया, गैबन, भूमध्यरेखीय गिनी एवं कांगो।

➤ सबसे अंत में वर्ष **2018 में कांगो** इसमें सम्मिलित हुआ।

➤ अंगोला ने 2023 में ओपेक से अपनी सदस्यता वापस ले ली है (1 जनवरी 2024 से प्रभावी)।

➤ **OPEC** के निम्नलिखित **उद्देश्य** हैं :-
- सदस्य देशों के मध्य पेट्रोलियम की नीतियों में समन्वय एवं उसका एकीकरण।
- पेट्रोलियम उत्पादकों के लिए उचित एवं स्थिर मूल्य सुरक्षित करना।
- उपभोक्ता राष्ट्रों को पेट्रोलियम का उचित मूल्य और उसकी नियमित आपूर्ति सुनिश्चित करना।
- इस उद्योग में निवेश करनेवालों को पूँजी पर उचित आय।

लास्ट मिनट स्निपपेट्स

विश्व तेल परिदृश्य [World Oil Outlook (WOO)] – यह OPEC का प्रकाशन है। यह वैश्विक तेल उद्योग की भविष्य की संभावित चुनौतियों और अवसरों पर प्रकाश डालता है और हितधारकों के बीच सहयोग एवं पारदर्शिता को बढ़ावा देता है।

अरब पेट्रोलियम निर्यातक देशों का संगठन (ओएपीईसी) [Organisation of Arab Petroleum Exporting Countries (OAPEC)]

➤ OAPEC की **स्थापना 1968 में** कुवैत, लीबिया (तब लीबिया साम्राज्य के रूप में जाना जाता था) और सऊदी अरब के बीच 9 जनवरी, 1968 को बेरूत में एक समझौते पर हस्ताक्षर के साथ हुई थी।

➤ OAPEC अपने सदस्यों के बीच घनिष्ठ और उत्पादक साझेदारी के माध्यम से वैश्विक तेल उद्योग की वृद्धि और समृद्धि के लिए समर्पित है।

➤ संगठन अपने कार्यों और ज़िम्मेदारियों को चार अंगों के माध्यम से क्रियान्वित करता है, अर्थात् – मंत्रिपरिषद्, कार्यकारी ब्यूरो, सामान्य सचिवालय और न्यायिक बोर्ड।

➤ OAPEC के ग्यारह सदस्य देशों में **अल्जीरिया, बहरीन, मिस्र, इराक़, कुवैत, लीबिया, क़तर, सऊदी अरब, सीरिया, संयुक्त अरब अमीरात** और **ट्यूनीशिया** शामिल हैं।

➤ OAPEC के महासचिव **जमाल एस्सा अल लुघानी** हैं।

➤ **OAPEC के उद्देश्यों में शामिल हैं :**
- अपने सदस्यों की पेट्रोलियम आर्थिक नीतियों के समन्वय के लिए पर्याप्त व्यवस्था सुनिश्चित करना;
- संगठन की गतिविधियों को संचालित करने के लिए आवश्यक सीमा तक सदस्य राज्यों में लागू क़ानूनी प्रणालियों के सामंजस्य के लिए उचित व्यवस्था सुनिश्चित करना;
- सदस्यों को जानकारी और ज्ञान साझा करने और उन सदस्य राज्यों के नागरिकों को प्रशिक्षण और रोज़गार के अवसर प्रदान करने के लिए प्रोत्साहित करना, जहाँ ऐसे अवसर मौजूद हैं;
- पेट्रोलियम उद्योग में समस्याओं का समाधान खोजने में सदस्यों के बीच सहयोग को प्रोत्साहित करना;
- पेट्रोलियम उद्योग के विभिन्न चरणों में संयुक्त परियोजनाएँ स्थापित करने में सदस्य देशों के संसाधनों और सामान्य अवसरों का उपयोग करना।

विश्व आर्थिक मंच [World Economic Forum (WEF)]

- विश्व आर्थिक मंच सार्वजनिक-निजी सहयोग (public–private cooperation) के लिए एक अंतरराष्ट्रीय संगठन है।
- वर्ष 1971 में इसकी स्थापना अलाभकारी संस्था **[not-for-profit foundation (NGO)]** के रूप में की गयी थी।
- इसका मुख्यालय जिनेवा, स्विट्ज़रलैंड में है।
- यह दुनिया की अग्रणी निजी कंपनियों के CEOs, राष्ट्र प्रमुखों, मंत्रियों एवं नीति-निर्माताओं, विशेषज्ञों तथा शिक्षाविदों, अंतरराष्ट्रीय संगठनों, युवाओं, प्रौद्योगिकी नवोन्मेषकों एवं नागरिक समाज के प्रतिनिधियों को संवाद का एक मंच प्रदान करता है। वे दीर्घकालीन सकारात्मक परिवर्तन लाने के लिए विचार-विमर्श करते हैं।
- इसके लिए WEF द्वारा प्रत्येक वर्ष (जनवरी में) दावोस में एक सम्मेलन आयोजित किया जाता है।
- विश्व आर्थिक मंच के **तीन मुख्य उद्देश्य हैं–** चौथी औद्योगिक क्रांति का मार्ग प्रशस्त करना, वैश्विक सामान्य की समस्याओं का निराकरण, वैश्विक सुरक्षा समस्याओं का निराकरण।
- विश्व की **1,000** अग्रणी कंपनियाँ WEF की सदस्य हैं।
- **WEF द्वारा प्रकाशित प्रमुख वार्षिक विवरण में सम्मिलित हैं :–**
  1. वैश्विक प्रतिस्पर्धा विवरण (Global Competitiveness Report)
  2. वैश्विक सूचना प्रौद्योगिकी विवरण (Global Information Technology Report)
  3. वैश्विक लैंगिक अंतराल विवरण (Global Gender Gap Report)
  4. वैश्विक व्यापार एवं पर्यटन विवरण (Global Travel and Tourism Report)
  5. वैश्विक जोखिम विवरण (Global Risks Report)
  6. वैश्विक व्यापार सुगमता विवरण (Global Enabling Trade Report)

क्या आप जानते हैं?

दावोस घोषणा पत्र (Davos Manifesto) : शुरुआत में इसे वर्ष 1973 में जारी किया गया था। विश्व आर्थिक मंच ने नये दावोस घोषणा पत्र को वर्ष 2020 में जारी किया है। इसमें नैतिक सिद्धांतों का एक सेट है, जो चौथे औद्योगिक क्रांति युग में कंपनियों के लिए मार्गदर्शक सिद्धांत के समान है। इसमें बताया गया है कि कंपनियों को उचित रूप से कर का भुगतान करना चाहिए, भ्रष्टाचार के प्रति शून्य सहिष्णुता होनी चाहिए, मानवाधिकारों का सम्मान करना चाहिए और उचित रूप से प्रतिस्पर्धा करनी चाहिए।

कौशल की खाई को पाटने के लिए विशेष बल (Closing the Skills Gap Task Force) : इसे भारत सरकार के केंद्रीय कौशल विकास और उद्यमिता मंत्रालय *(Union Ministry of Skill Development and Entrepreneurship)* द्वारा विश्व आर्थिक मंच (WEF) के सहयोग से वर्ष 2018 में आरंभ किया गया था। इसका उद्देश्य शिक्षा के ढाँचे में परिवर्तन करना और कौशल की वर्तमान खाई को पाटना है।

विश्व खाद्य कार्यक्रम [World Food Programme (WFP)]

- विश्व खाद्य कार्यक्रम (WFP) सबसे अग्रणी मानवीय संगठन है, जो आपातकालीन खाद्य सहायता प्रदान करके और पोषण और लचीलेपन को बढ़ाने के लिए समुदायों के साथ काम करके जीवन को बचा रहा है और उसमें सुधार कर रहा है।
- इसकी **स्थापना 1961 में खाद्य और कृषि संगठन (FAO) और संयुक्त राष्ट्र महासभा (UNGA)** द्वारा की गयी थी।
- इसका मुख्यालय **रोम, इटली** में स्थित है।
- संगठन और इसकी गतिविधियाँ संधारणीय विकास लक्ष्य द्वारा निर्देशित हैं, जिसका उद्देश्य 2030 तक **भुखमरी को समाप्त करना**, खाद्य सुरक्षा और पोषण में सुधार करना और संधारणीय कृषि को बढ़ावा देना है।
- यह 120 से अधिक देशों में काम करता है, आपात स्थिति में खाद्य सहायता प्रदान करता है और पोषण और लचीलेपन में सुधार के लिए समुदायों के साथ काम करता है।

- यह भारत में 1963 से काम कर रहा है।
- इसने 2020 में **नोबेल शांति पुरस्कार जीता**।
- WFP द्वारा प्रकाशित रिपोर्ट एक **वैश्विक खाद्य संकट रिपोर्ट** है, जो दुनिया में गंभीर भुखमरी की सीमा का वर्णन करती है।

विश्व खाद्य कार्यक्रम और भारत (WFP and India)

WFP 1963 से भारत में काम कर रहा है, यह न केवल भोजन वितरण की सुविधा प्रदान कर रहा है, बल्कि तकनीकी सहायता भी प्रदान कर रहा है। इन प्रयासों से, भारत ने अनाज उत्पादन में सफलतापूर्वक आत्मनिर्भरता प्राप्त की। WFP के फ़ोकस क्षेत्र हैं :

- लक्षित सार्वजनिक वितरण प्रणाली को अधिक कुशल और पारदर्शी बनाना।
- पोषण मूल्य बढ़ाने के लिए सरकार द्वारा आपूर्ति किये जानेवाले भोजन का फ़ोर्टिफ़िकेशन।
- खाद्य असुरक्षा का मानचित्रण और निगरानी।
- भारत के लिए WFP की देश रणनीति योजना (2019-2023) में कहा गया है कि संगठन का लक्ष्य 'भारत के सबसे कमज़ोर लोगों को पूरे वर्ष उनकी न्यूनतम भोजन और पोषण आवश्यकताओं को पूरा करने में सक्षम बनाना है।'
- 2025 तक कुपोषण की उच्च जोखिमवाले व्यक्तियों, विशेषकर माताओं, बच्चों और किशोर लड़कियों के लिए पोषण में सुधार करना।

आसियान (ASEAN)

- यह दक्षिण-पूर्वी एशियाई राष्ट्रों का संगठन [Association of South-East Asian Nations (ASEAN)] है।
- इसकी स्थापना 1967 में इंडोनेशिया, मलेशिया, फिलिपींस, सिंगापुर एवं थाईलैंड द्वारा बैंकाक में की गयी। इसका मुख्यालय **जकार्ता**, इंडोनेशिया में है।
- वर्तमान में, इसके **10 सदस्य राष्ट्र** हैं एवं **2 प्रेक्षक राष्ट्र** हैं।
- भारत **न तो** इसका सदस्य है और **न** इसका प्रेक्षक है।
- इसका उद्देश्य क्षेत्र में शांति एवं स्थिरता को प्रोत्साहन देने के साथ ही आर्थिक संवृद्धि, सामाजिक प्रगति एवं सांस्कृति विकास को गति प्रदान करना है।
- क्षेत्रीय व्यापक आर्थिक भागीदारी [Regional Comprehensive Economic Partnership (RCEP)] एशिया-प्रशांत क्षेत्र के देशों के मध्य एक स्वतंत्र व्यापार समझौता है। आसियान के 10 सदस्य राष्ट्र एवं आसियान के 5 FTA भागीदार – ऑस्ट्रेलिया, चीन, जापान, न्यूज़ीलैंड एवं दक्षिण कोरिया भी इसमें सम्मिलित हैं। भारत भी आसियान का FTA भागीदार है, परंतु वर्ष 2019 में भारत RCEP से निकल गया।
- **डॉ. काओ किम होर्न (Dr. Kao Kim Hourn)** 2023 से आसियान के वर्तमान और 15वें महासचिव हैं।
- **भारत**
  - वर्ष **1992** से आसियान का क्षेत्रीय भागीदार है।
  - वर्ष **1996** से आसियान का वार्ता भागीदार है।
  - वर्ष **2002** से आसियान का शिखर सम्मेलन स्तरीय भागीदार है।
  - वर्ष **2012** से आसियान का रणनीतिक भागीदार है।

पूर्वी एशिया शिखर सम्मेलन [East Asia Summit (EAS)]

- इसकी स्थापना वर्ष 2005 में भारत-प्रशांत क्षेत्र के देशों के समक्ष आ रही प्रमुख राजनीतिक, सुरक्षा एवं आर्थिक चुनौतियों के लिए रणनीतिक वार्ता एवं सहयोग हेतु की गयी थी।
- यह **भारत समेत** एशिया-प्रशांत क्षेत्र के **18 देशों का** मंच है।
- EAS प्राथमिकतावाले क्षेत्रों में 6 क्षेत्र सम्मिलित हैं- पर्यावरण एवं ऊर्जा, शिक्षा, वित्त, वैश्विक स्वास्थ्य समस्या एवं महामारीवाले रोग, प्राकृतिक आपदा प्रबंधन एवं आशियान संपर्क। भारत ने प्राथमिकतावाले सभी छह क्षेत्रों में क्षेत्रीय सहयोग के लिए स्वीकृति दी है।

- 18वाँ पूर्वी एशिया शिखर सम्मेलन 2023 में जकार्ता, इंडोनेशिया में आयोजित किया गया था।
- 19वाँ शिखर सम्मेलन 2024 में वियनतियाने, लाओस में आयोजित किया जायेगा।

एशिया-प्रशांत आर्थिक सहयोग [Asia-Pacific Economic Cooperation (APEC)]

- यह प्रशांत रिम पर स्थित 21 देशों का क्षेत्रीय आर्थिक मंच है। इसकी वर्ष 1989 में स्थापना हुई थी। इसका उद्देश्य एशिया-प्रशांत क्षेत्र में समावेशी विकास, व्यापक समृद्धि और स्वतंत्र व्यापार है।
- इसका मुख्यालय सिंगापुर में है।
- इसके सदस्यों में सम्मिलित हैं- ऑस्ट्रेलिया, ब्रुनेई दारुस्सलाम, कनाडा, चिली, जनवादी गणराज्य चीन, वियतनाम, हॉङ-कॉङ चीन, इंडोनेशिया, जापान, कोरिया गणराज्य, मलेशिया, मेक्सिको, न्यूज़ीलैंड, पापुआ न्यू गिनिया, पेरु, फिलिपींस, रूस, सिंगापुर, चीनी ताइपेई, थाइलैंड, संयुक्त राज्य अमेरिका।

एशिया-प्रशांत व्यापार समझौता [Asia-Pacific Trade Agreement (APTA)]

- इसे पहले बैंकॉक समझौता के नाम से जाना जाता था।
- इसका उद्देश्य अपने सदस्यों के आर्थिक विकास को बढ़ावा देना है और क्षेत्रीय व्यापार विस्तार एवं आर्थिक सहयोग के लिए आपस में लाभदायक व्यापार उदारीकरण पद्धतियों को अपनाना है। इस पर 1975 में हस्ताक्षर किये गये थे।
- **सदस्य :** बांग्लादेश, चीन, **भारत**, कोरिया गणराज्य, लाओ लोक जनतांत्रिक गणराज्य, श्रीलंका और मंगोलिया।

दक्षिण एशिया उपक्षेत्रीय आर्थिक सहयोग [South Asia Subregional Economic Cooperation (SASEC)]

- दक्षिण एशिया संवृद्धि चतुर्भुज [South Asia Growth Quadrangle (SAGQ)] का गठन वर्ष **1996** में बांग्लादेश, भूटान, भारत, और नेपाल (BBIN) द्वारा किया गया था। इसका उद्देश्य संधारणीय आर्थिक विकास को गति प्रदान करना और सीमा पार संपर्क को बढ़ाना था। इसके बाद वर्ष 2001 में ADB की सहायता से SASEC कार्यक्रम तैयार किया गया।
- बांग्लादेश, भूटान, **भारत**, मालदीव, म्याँमार, नेपाल और श्रीलंका SASEC के सदस्य हैं।
- SASEC सदस्य राष्ट्रों के बीच सीमा पार संपर्क, समृद्धि, आर्थिक अवसर और जीवन की गुणवत्ता में सुधार को बढ़ावा देता है।

यूरेशियाई आर्थिक संघ [Eurasian Economic Union (EAEU)]

यूरेशियाई आर्थिक संघ की स्थापना यूरेशियाई आर्थिक संघ संधि **(2014)** के माध्यम से हुई थी। EAEU वस्तुओं, सेवाओं, पूँजी आदि के स्वतंत्र गमनागमन को प्रोत्साहित करता है। यह संघ के अंदर परिवहन, उद्योग और कृषि, ऊर्जा आदि क्षेत्रक में समान नीति प्रदान करता है और सदस्य राष्ट्रों के बीच प्रतिस्पर्धा एवं सहयोग को बढ़ावा देता है।

इसके सदस्य राष्ट्रों में आर्मेनिया गणराज्य, बेलारूस गणराज्य, कज़ाख़िस्तान गणराज्य, किर्गिज गणराज्य और रूसी संघ शामिल हैं।

बहु-क्षेत्रीय तकनीकी और आर्थिक सहयोग के लिए बंगाल की खाड़ी पहल (बिम्सटेक) [Bay of Bengal Initiative for Multi-Sectoral Technical and Economic Cooperation (BIMSTEC)]

- BIMSTEC एक आर्थिक ब्लॉक है, जिसका गठन जून, 1997 में बैंकॉक घोषणा के परिणामस्वरूप हुआ था।
- BIMSTEC का मुख्यालय **बांग्लादेश के ढाका** में स्थित है।
- प्रारंभ में 6 जून, 1997 को BIMSTEC की स्थापना चार सदस्य देशों **बांग्लादेश, भारत, श्रीलंका और थाईलैंड** के साथ की गयी थी।
- **नेपाल** 1998 में एक पर्यवेक्षक राज्य के रूप में BIMSTEC में शामिल हुआ, और फ़रवरी, 2004 में भूटान के साथ पूर्ण सदस्य बन गया।

- सदस्य देश बंगाल की खाड़ी के तट और आसपास के क्षेत्रों में हैं, जो एक सुसंगठित क्षेत्रीय समुदाय का निर्माण कर रहे हैं। सात में से पाँच सदस्य दक्षिण एशिया से हैं। इन देशों में बांग्लादेश, भूटान, भारत, नेपाल और श्रीलंका शामिल हैं, शेष दो दक्षिण-पूर्व एशिया से हैं। वे म्याँमार और थाईलैंड हैं।
- बिम्सटेक के उद्देश्य इस प्रकार हैं :
  - उपक्षेत्र में तीव्र आर्थिक विकास को बढ़ावा देना।
  - हितधारकों के बीच समानता और सहयोग को बढ़ावा देना।
  - साझा लक्ष्यों पर सदस्य देशों के बीच सहयोग और पारस्परिक सहायता को प्रोत्साहित करना।
  - यह शिक्षा, अनुसंधान और प्रौद्योगिकी सहित अन्य क्षेत्रों में पारस्परिक सहायता को प्रोत्साहित करता है।

बेटर दैन कैश अलायंस (Better Than Cash Alliance)

- यह **संयुक्त राष्ट्र** से संचालित होता है। बेटर दैन कैश अलायंस ऐसी सरकारों, अंतरराष्ट्रीय संगठनों और कंपनियों का गठबंधन है, जो नक़दी से ज़िम्मेदार डिजिटल भुगतान में अंतरण को प्रोत्साहित करता है।
- **भारत बेटर दैन कैश अलायंस से वर्ष 2015 में जुड़ा।**
- ज़िम्मेदार डिजिटल भुगतान के लिए फ़िनटेक समाधान के आख़िरी चरण से संबंधित एक संयुक्त सहकर्मी शिक्षा आदान-प्रदान कार्यक्रम का आयोजन 2020 में किया गया था। इसका आयोजन भारत और संयुक्त राष्ट्र से संचालित बेटर दैन कैश अलायंस द्वारा किया गया था।

विश्व सीमा शुल्क संगठन [World Customs Organisation (WCO)]

- विश्व सीमा शुल्क संगठन (WCO) की स्थापना वर्ष 1952 में सीमा शुल्क सहयोग परिषद् [Customs Co-operation Council (CCC)] के रूप में हुई थी। WCO का उद्देश्य सीमा शुल्क प्रशासनों की निपुणता और प्रभावशीलता को बढ़ाना था।
- इसका मुख्यालय **ब्रुसेल्स, बेल्जियम** में स्थित है।
- WCO के विभिन्न सीमा शुल्क साधन हैं- सामंजस्यपूर्ण वस्तु विवरण और कोडिंग प्रणाली पर अंतरराष्ट्रीय अभिसमय (HS अभिसमय, वर्ष 1983 में अंगीकृत), सीमा शुल्क एकीकरण पर आरुशा घोषणा (वर्ष 1993 में अंगीकृत), वैश्विक व्यापार की सुरक्षा और सुगमता के लिए मानकों का SAFE तंत्र (वर्ष 2005 में अंगीकृत), आदि।
- प्राधिकृत आर्थिक परिसंचालक [Authorised Economic Operator (AEO)], विश्व सीमा शुल्क संगठन के वैश्विक व्यापार की सुरक्षा और सुगमता के लिए मानकों का SAFE ढाँचा के अंतर्गत चलनेवाला एक कार्यक्रम है।

> **लास्ट मिनट स्निपपेट्स**
>
> संयुक्त राज्य अमेरिका के **इयान सॉन्डर्स (Ian Saunders)** को जून, 2023 में WCO महासचिव चुना गया और उन्होंने 1 जनवरी, 2024 को पदभार ग्रहण किया।

- WCO अवैध व्यापार ***विवरण*** प्रकाशित करता है।
- सामंजस्यपूर्ण प्रणाली [Harmonised System (HS)] छह अंकोंवाला एक पहचान कोड है। इसे बहुद्देशीय अंतरराष्ट्रीय उत्पाद के नामकरण के लिए प्रयोग किया जाता है। इसे WCO द्वारा विकसित किया गया है।

अंतरराष्ट्रीय ऊर्जा एजेंसी [International Energy Agency (IEA)]

- IEA की स्थापना तेल की आपूर्ति और सुरक्षा सुनिश्चित करने के उद्देश्य से वर्ष 1973-1974 तेल संकट के दौरान हुई थी।
- IEA में सम्मिलित होने के लिए, किसी देश को OECD का सदस्य होना चाहिए। भारत वर्ष 2017 में IEA का सहयोगी देश बन गया।
- IEA का मुख्यालय **पेरिस, फ्रांस** में है।
- IEA कई प्रकार के विवरण, जैसे कि मुख्य विश्व ऊर्जा सांख्यिकीय [Key World Energy Statistics (KWES)], वैश्विक ऊर्जा समीक्षा, विश्व ऊर्जा परिदृश्य, वैश्विक विद्युत वाहन परिदृश्य, रेल का भविष्य विवरण आदि का प्रकाशन।

- भारत और अंतरराष्ट्रीय ऊर्जा एजेंसी ने वैश्विक ऊर्जा सुरक्षा, स्थिरता और स्थिरता में सहयोग को मज़बूत करने के लिए एक रणनीतिक साझेदारी समझौते पर हस्ताक्षर किये हैं।
- IEA ने 2021 में पूर्णकालिक सदस्य के रूप में शामिल होने के लिए दुनिया के **तीसरे सबसे बड़े ऊर्जा उपभोक्ता भारत** को आमंत्रित किया है।

विश्व ऊर्जा आउटलुक (World Energy Outlook)

विश्व ऊर्जा आउटलुक अंतरराष्ट्रीय ऊर्जा एजेंसी (IEA) की एक ऊर्जा रिपोर्ट है।

लास्ट मिनट स्निपपेट्स

विश्व ऊर्जा आउटलुक, 2024 के निष्कर्ष (Findings of World Energy Outlook, 2024)

2024 विश्व ऊर्जा आउटलुक (WEO) में स्टेटेड पॉलिसी परिदृश्य (STEPS) में तेल, गैस और बिजली की माँग को प्रभावित करनेवाले प्रमुख कारकों पर कई संवेदनशील मामलों का विश्लेषण शामिल है।

- विद्युत माँग की वृद्धि दर, समग्र ऊर्जा माँग की तुलना में बहुत तीव्र है। नवीकरणीय स्रोतों के माध्यम से विद्युत उत्पादन पर ध्यान केंद्रित करने से बढ़ती ऊर्जा माँग को पूरा करने में मदद मिली है।
- 2024 WEO इस बात पर ज़ोर देता है कि स्वच्छ ऊर्जा वर्ष 2023 और 2035 के बीच STEPS में कुल मिलाकर ऊर्जा माँग में होनेवाली वृद्धि को पूरा करेगी।
- इस रिपोर्ट में यह भी संकेत दिया गया है कि उभरती और विकासशील अर्थव्यवस्थाओं (चीन के बाहर) में स्वच्छ ऊर्जा निवेश वैश्विक हिस्से के 15% पर अटका हुआ है, हालाँकि ये अर्थव्यवस्थाएँ वैश्विक सकल घरेलू उत्पाद का लगभग एक तिहाई हिस्सा हैं और वैश्विक आबादी का दो-तिहाई हिस्सा यहीं निवास करता है।

जैव-ऊर्जा से संबंधित IEA प्रौद्योगिकी सहयोग कार्यक्रम **[IEA जैव-ऊर्जा TCP [IEA Technology Collaboration Programme on Bioenergy (IEA Bioenergy TCP)]) :** IEA जैव-ऊर्जा TCP एक अंतरराष्ट्रीय प्लेटफ़ॉर्म है, जिसका उद्देश्य विभिन्न देशों के बीच जैव-ऊर्जा अनुसंधान और विकास के राष्ट्रीय कार्यक्रमों के लिए सहयोग और सूचना का आदान-प्रदान करने की व्यवस्था में सुधार लाना है। **भारत वर्ष 2019 में IEA जैव-ऊर्जा TCP** के **सदस्य के रूप में सम्मिलित हुआ।** इससे बाज़ार में उन्नत जैव ईंधन का मार्ग प्रशस्त होगा और कार्बन उत्सर्जन एवं कच्चे तेल के आयात में गिरावट आयेगी।

संक्षिप्त विवरण

- **ब्रेटन वुड्स सम्मेलन (Bretton Woods Conference)**- 1944 में अमेरिका में आयोजित किया गया - इसमें 44 संबद्ध देशों के प्रतिनिधियों ने भाग लिया - द्वितीय विश्व युद्ध के बाद अंतरराष्ट्रीय मौद्रिक और वित्तीय व्यवस्था स्थापित करने के लिए - जिसे संयुक्त राष्ट्र मौद्रिक और वित्तीय सम्मेलन के रूप में भी जाना जाता है - सम्मेलन के परिणामस्वरूप 'अंतरराष्ट्रीय पुनर्निर्माण और विकास (IBRD)' और 'अंतरराष्ट्रीय मुद्रा कोष' (IMF) की स्थापना हुई।
- **अंतरराष्ट्रीय मुद्रा कोष (International Monetary Fund)** - संयुक्त राष्ट्र संगठन (यूएनओ) से संबद्ध स्वायत्त संगठन - 27 दिसंबर, 1945 को स्थापित - वाशिंगटन डीसी में मुख्यालय - प्रत्येक देश का कोटा के रूप में संदर्भ में वांछित योगदान निर्धारित किया गया- सदस्य देशों के अल्पकालिक भुगतान संतुलन (BOP) संकट को हल करने की सुविधा देता है - दो आवधिक रिपोर्ट प्रकाशित करता है - विश्व आर्थिक आउटलुक और वैश्विक वित्तीय स्थिरता रिपोर्ट।

- **विशेष आहरण अधिकार [Special Drawing Rights (SDR)]** – 1969 में बनाया गया – अंतरराष्ट्रीय मुद्रा कोष (IMF) द्वारा अपने सदस्यों को उधार देने के लिए उपयोग की जानेवाली कृत्रिम मुद्रा इकाई – विशेष आहरण अधिकार (SDR) का विदेशी मुद्रा बाज़ार में कारोबार नहीं होता है।
- **विश्व बैंक (World Bank)** – आमतौर पर 'पुनर्निर्माण और विकास के लिए अंतरराष्ट्रीय बैंक' (IBRD) और 'अंतरराष्ट्रीय विकास संघ' (इंटरनेशनल डेवलपमेंट एसोसिएशन) (IDA) को संदर्भित करता है, क्योंकि उनका प्रमुख और प्रबंधन एक ही होता है, जबकि 'विश्व बैंक समूह' शब्द पाँच संस्थानों के समूह को संदर्भित करता है, अर्थात् 'पुनर्निर्माण और विकास के लिए अंतरराष्ट्रीय बैंक' (IBRD), अंतरराष्ट्रीय विकास संघ (IDA), अंतरराष्ट्रीय वित्त निगम (IFC), बहुपक्षीय निवेश गारंटी एजेंसी (MIGA) और 'निवेश विवादों के निपटान के लिए अंतरराष्ट्रीय केंद्र' (ICSID) – विश्व बैंक का सदस्य होने के लिए, किसी देश को पहले 'अंतरराष्ट्रीय मुद्रा कोष' (IMF) का सदस्य होना आवश्यक है – भारत 'निवेश विवादों के निपटान के लिए अंतरराष्ट्रीय केंद्र' (ICSID) को छोड़कर उनमें से चार का सदस्य है – सभी पाँचों का मुख्यालय वाशिंगटन डीसी में है।
- **अरब पेट्रोलियम निर्यातक देशों का संगठन (ओएपीईसी) [Organisation of Arab Petroleum Exporting Countries (OAPEC)]** – **1968 में** कुवैत, लीबिया और सऊदी अरब के बीच 9 जनवरी, 1968 को बेरूत में एक समझौते पर हस्ताक्षर के साथ स्थापित किया गया था।
- **न्यू डेवलपमेंट बैंक (ब्रिक्स डेवलपमेंट बैंक) [New Development Bank (BRICS Development Bank)]** – रूस में 2015 शिखर सम्मेलन में अस्तित्व में आया – शंघाई, चीन में मुख्यालय – अवसंरचना और संधारणीय विकास परियोजनाओं का समर्थन करता है – एक सदस्य, एक वोट की नीति का पालन करता है।
- **विश्व खाद्य कार्यक्रम (डब्ल्यूएफपी) [World Food Programme (WFP)]** – यह एक प्रमुख मानवीय संगठन है, जो आपातकालीन खाद्य सहायता प्रदान करके और पोषण और लचीलेपन को बढ़ाने के लिए समुदायों के साथ काम करके जीवन को बचा रहा है और उसमें सुधार कर रहा है। इसकी **स्थापना 1961 में खाद्य और कृषि संगठन (FAO) और संयुक्त राष्ट्र महासभा (UNGA)** द्वारा की गयी थी।
- **एशियाई विकास बैंक [Asian Development Bank (ADB)]** – 1966 में अस्तित्व में आया- एक बहुपक्षीय विकास बैंक के रूप में – भारत सहित 68 सदस्य देश हैं (नवीनतम सदस्य के रूप में निउए को – 2019 में जोड़ा गया) – मनीला, फिलीपींस में मुख्यालय है।
- **कृषि विकास के लिए अंतरराष्ट्रीय कोष (आईएफ़एडी) [International Fund for Agricultural Development (IFAD)]** – 1977 में एक अंतरराष्ट्रीय वित्तीय संस्थान के रूप में स्थापित किया गया। यह संगठन **1974 के विश्व खाद्य सम्मेलन** का परिणाम है।
- **एशियन इन्फ्रास्ट्रक्चर इन्वेस्टमेंट बैंक [Asian Infrastructure Investment Bank (AIIB)]** – 2016 में – एशिया में सामाजिक और आर्थिक परिणामों में सुधार के लिए – 103 देश (भारत सहित) इसके सदस्य हैं – बीजिंग, चीन में मुख्यालय है।
- **बहु-क्षेत्रीय तकनीकी और आर्थिक सहयोग के लिए बंगाल की खाड़ी पहल (बिम्सटेक) [Bay of Bengal Initiative for Multi-Sectoral Technical and Economic Cooperation (BIMSTEC)]** – एक आर्थिक गुट, जिसका गठन जून, 1997 में बैंकॉक घोषणा के परिणामस्वरूप हुआ था। बिम्सटेक का मुख्यालय **बांग्लादेश के ढाका** में स्थित है।
- **विश्व व्यापार संगठन [World Trade Organization (WTO)]** – 1 जनवरी, 1995 को 'शुल्क तथा व्यापार पर सामान्य समझौते' के स्थान पर स्थापित- जिनेवा, स्विट्ज़रलैंड में इसके मुख्यालय की स्थापना की गयी – 164 राष्ट्र इसके सदस्य हैं (संस्थापक सदस्य के रूप में भारत सहित) – 'एक देश, एक वोट' की मतदान प्रणाली का पालन करता है।
- **विश्व आर्थिक मंच (World Economic Forum)**– 1971 में ग़ैर-लाभकारी प्रतिष्ठान के रूप में स्थापित – जिसका मुख्यालय जिनेवा, स्विट्ज़रलैंड में है – निजी कंपनियों के अग्रणी मुख्य कार्यकारी अधिकारियों (CEO), राष्ट्र के प्रमुखों, मंत्रियों और नीति निर्माताओं, विशेषज्ञों और शिक्षाविदों, अंतरराष्ट्रीय संगठनों, युवाओं, प्रौद्योगिकी नवप्रवर्तनकर्ताओं और नागरिक समाज के प्रतिनिधिओं को मिल-जुलकर कार्य करने के लिए इंटरैक्टिव प्लेटफ़ार्म प्रदान करता है।

यूपीएससी सिविल सेवा के पिछले वर्षों की प्रारंभिक परीक्षा के प्रश्न

1. G20 के बारे में, निम्नलिखित कथनों पर विचार कीजिये:
   1. G20 समूह की मूल रूप से स्थापना वित्त मंत्रियों और केंद्रीय बैंक के गवर्नरों द्वारा अंतरराष्ट्रीय आर्थिक और वित्तीय मुद्दों पर चर्चा के मंच के रूप में की गयी थी।
   2. डिजिटल सार्वजनिक बुनियादी ढाँचा भारत की G20 प्राथमिकताओं में से एक है। **[2023]**

उपर्युक्त कथनों में से कौन-सा/से सही है/हैं?
(a) केवल 1 **(b)** केवल 2
(c) 1 और 2 दोनों **(d)** न तो 1 और न ही 2

2. "G20 कॉमन फ्रेमवर्क" के संदर्भ में, निम्नलिखित कथनों पर विचार कीजिये : **[2022]**
   1. यह G20 और उसके साथ पेरिस क्लब द्वारा समर्थित पहल है।
   2. यह अधारणीय ऋणवाले निम्न आय देशों को सहायता देने की पहल है।

उपर्युक्त कथनों में कौन-सा/से सही है/हैं?
(a) केवल 1 **(b)** केवल 2
(c) 1 और 2 दोनों **(d)** न तो 1 न ही 2

3. "त्वरित वित्तीयन प्रपत्र (Rapid Financing Instrument)" और "त्वरित ऋण सुविधा (Rapid Credit Facility)", निम्नलिखित में किस एक के द्वारा उधार दिये जाने के उपबंधों से सबंधित हैं? **[2022]**
(a) एशियाई विकास बैंक
(b) अंतरराष्ट्रीय मुद्रा कोष
(c) संयुक्त राष्ट्र पर्यावरण कार्यक्रम वित्त पहल
(d) विश्व बैंक

4. निम्नलिखित कथनों पर विचार कीजिए : **[2022]**
   1. एशियन अवसंरचना निवेश बैंक
   2. प्रक्षेपास्त्र प्रौद्योगिकी नियंत्रण व्यवस्था
   3. शंघाई सहयोग संगठन

भारत उपर्युक्त में से किसका/किसके सदस्य है/हैं?
(a) केवल 1 और 2 **(b)** केवल 3
(c) केवल 2 और 3 **(d)** 1, 2 और 3

5. निम्नलिखित में से किस समूह के सभी चार देश G20 के सदस्य देश हैं? **[2020]**
(a) अर्जेंटिना, मेक्सिको, दक्षिण अफ़्रीका और तुर्की
(b) ऑस्ट्रेलिया, कनाडा, मलेशिया और न्यूज़ीलैंड
(c) ब्राजील, सऊदी अरब और वियतनाम
(d) इंडोनेशिया, जापान, सिंगापुर और दक्षिण कोरिया

6. व्यापार संबंधित निवेश उपाय **(TRIMS)** के संदर्भ में निम्नलिखित में से कौन-सा/से कथन सही है/हैं? **[2020]**
   1. विदेशी निवेशकों द्वारा किये जानेवाले आयात पर परिणात्मक प्रतिबंध की अनुमति नहीं है।
   2. वे वस्तु और सेवा, दोनों के व्यापार से संबंधित निवेश उपायों पर लागू होते हैं।
   3. वे विदेशी निवेश के नियमन से संबंधित नहीं हैं।

नीचे दिये गये कोड का उपयोग करके सही उत्तर चुनें :
(a) केवल 1 और 2 **(b)** केवल 2
(c) केवल 1 और 3 **(d)** 1, 2 और 3

7. एशियाई अवसंरचना निवेश बैंक (AIIB) के संदर्भ में निम्नलिखित कथनों पर विचार कीजिए : **[2019]**
   1. AIIB के 80 से अधिक सदस्य राष्ट्र हैं।
   2. AIIB में भारत सबसे बड़ा शेयरधारक है।
   3. AIIB में एशिया से बाहर का कोई सदस्य नहीं है।

उपर्युक्त कथनों में से कौन-सा/से सही है/हैं?
(a) केवल 1 **(b)** केवल 2 और 3
(c) केवल 1 और 3 **(d)** 1, 2 और 3

8. वैश्विक प्रतिस्पर्धा विवरण को निम्नलिखित में से किसके द्वारा प्रकाशित किया जाता है? **[2019]**
(a) अंतरराष्ट्रीय मुद्रा कोष
(b) व्यापार एवं विकास संबंधी संयुक्त राष्ट्र सम्मेलन
(c) विश्व आर्थिक मंच
(d) विश्व बैंक

9. निम्नलिखित कथनों पर विचार कीजिए : **[2017]**
   1. भारत ने WTO के व्यापार सुगमता समझौते (TFA) की संपुष्टि की है।
   2. TFA, WTO के वर्ष 2013 के बाली मंत्रीय पैकेज का हिस्सा है।
   3. TFA जनवरी 2016 से प्रभाव में आया।

उपर्युक्त कथनों में से कौन-सा/से सही है/हैं?
(a) केवल 1 और 2 **(b)** केवल 1 और 3
(c) केवल 2 और 3 **(d)** 1, 2 और 3

10. "राष्ट्रीय बौद्धिक संपदा अधिकार नीति" के संदर्भ में निम्नलिखित कथनों पर विचार कीजिए :- **[2017]**
   1. यह दोहा विकास एजेंडा एवं TRIPS समझौते के प्रति भारत की प्रतिबद्धता की पुष्टि करता है।
   2. औद्योगिक नीति एवं संवर्धन विभाग भारत में बौद्धिक संपदा अधिकारों को विनियमित करने के लिए नोडल एजेंसी है।

उपर्युक्त कथनों में से कौन-सा/से सही है/हैं?
(a) केवल 1 **(b)** केवल 2
(c) 1 और 2 दोनों **(d)** 1 और 2 में से कोई नहीं

11. '**व्यापार सुगमता सूचकांक**' में भारत की रैंकिंग सुर्ख़ियों में रही है। निम्नलिखित में से किसने उस रैंकिंग को जारी किया है? **[2016]**
   (a) आर्थिक सहयोग एवं विकास संगठन (OECD)
   (b) विश्व आर्थिक मंच
   (c) विश्व बैंक
   (d) विश्व व्यापार संगठन (WTO)

12. '**वैश्विक वित्तीय स्थिरता विवरण**' निम्नलिखित में से किसके द्वारा तैयार की जाती है? **[2016]**
   (a) यूरोपीय केंद्रीय बैंक
   (b) अंतरराष्ट्रीय मुद्रा कोष
   (c) अंतरराष्ट्रीय पुनर्संरचना एवं विकास बैंक
   (d) आर्थिक सहयोग एवं विकास संगठन

13. देशों के एक समूह के संदर्भ में शब्द समूह '**क्षेत्रीय व्यापक आर्थिक भागीदारी**' प्रायः सुर्ख़ियों में रहता है। निम्नलिखित में से वह समूह कौन-सा है? **[2016]**
   (a) G20 **(b)** आसियान
   (c) SCO **(d)** सार्क

14. निम्नलिखित में से किसके संदर्भ में कभी-कभी **अंबर बॉक्स**, **ब्लू बॉक्स** एवं **ग्रीन बॉक्स** जैसा शब्द सुर्ख़ियों में रहता है? **[2016]**
   (a) WTO
   (b) सार्क
   (c) UNF (CCC)
   (d) FTA संबंधी भारत-यूरोपीय संघ की वार्ता

15. अंतरराष्ट्रीय मुद्रा एवं वित्तीय समिति (**IMFC**) के संदर्भ में निम्नलिखित कथनों पर विचार कीजिए :- **[2016]**
   1. IMFC वैश्विक अर्थव्यवस्था को प्रभावित करनेवाले विषयों की विवेचना करती है एवं अंतरराष्ट्रीय मुद्रा कोष (IMF) को उसके कार्यों से संबंधित परामर्श देती है।
   2. विश्व बैंक IMFC की बैठकों में पर्यवेक्षक के रूप में भाग लेता है।

   उपर्युक्त कथनों में से कौन-सा/से सही है/हैं?
   (a) केवल 1
   (b) केवल 2
   (c) 1 और 2 दोनों
   (d) 1 और 2 में से कोई नहीं

16. भारत निम्नलिखित में से किसका सदस्य है? **[2015]**
   1. एशिया-प्रशांत आर्थिक सहयोग (**APEC**)
   2. दक्षिण-पूर्वी एशियाई राष्ट्र संघ का संगठन (आसियान)
   3. पूर्वी एशिया शिखर सम्मेलन

   नीचे दिये गये कूट का प्रयोग कर सही उत्तर चुनें :-
   (a) केवल 1 और 2
   (b) केवल 3
   (c) 1, 2 और 3
   (d) भारत इनमें से किसी का सदस्य नहीं है

17. निम्नलिखित में से कौन समय-समय पर 'वैश्विक आर्थिक संभावना' (General Economic Prospects) विवरण जारी करता है? **[2015]**
   (a) एशियाई निवेश बैंक
   (b) यूरोपीय पुनर्संरचना एवं विकास बैंक
   (c) अमेरिका का फ़ेडरल रिज़र्व बैंक
   (d) विश्व बैंक

18. निम्नलिखित में से कौन सा संगठन 'विश्व आर्थिक परिदृश्य' (World Economic Outlook) को प्रकाशित करता है? **[2014]**
   (a) अंतरराष्ट्रीय मुद्रा कोष
   (b) संयुक्त राष्ट्र विकास कार्यक्रम
   (c) विश्व आर्थिक मंच
   (d) विश्व बैंक

☞ **कोई प्रश्न नहीं**
2024, 2021, 2018, 2013

उत्तर कुंजी

1. (c)	2. (c)	3. (b)	4. (d)	5. (a)
6. (c)	7. (a)	8. (c)	9. (a)	10. (c)
11. (c)	12. (b)	13. (b)	14. (a)	15. (c)
16. (b)	17. (d)	18. (a)		

यूपीएससी सिविल सेवा के पिछले वर्षों की मुख्य परीक्षा के प्रश्न

☞ **कोई प्रश्न नहीं**
2024, 2023, 2022, 2021, 2020, 2019, 2018, 2017, 2016, 2015, 2014, 2013

अध्याय 30

जनसंख्या और जनसांख्यिकीय लाभांश (Population and Demographic Dividend)

अध्याय की रूपरेखा

- जनसंख्या के सिद्धांत
- माल्थुसियन सिद्धांत
- शून्य जनसंख्या वृद्धि सिद्धांत
- जनसंख्या का इष्टतम सिद्धांत
- जनसांख्यिकीय संक्रमण के चरण
- भारत की जनसंख्या : आकार, विकास पैटर्न, जन्म तथा मृत्यु-दर के आधार पर रुझान
- भारत में तीव्र जनसंख्या वृद्धि के कारण
- भारत की जनसंख्या बनाम आर्थिक विकास
- जनसंख्या में अचानक वृद्धि पर नियंत्रण के उपाय
- परिवार नियोजन कार्यक्रम
- सरकार द्वारा शुरू की गयीं जनसंख्या नीतियाँ
- सरकारी नीतियों का मूल्यांकन
- लिंग संघटन में महिलाओं का अभाव
- निम्न महिला-पुरुष अनुपात के कारण
- जनसांख्यिकीय लाभांश
- जनसांख्यिकीय लाभांश के लाभ
- जनसांख्यिकीय लाभांश की चुनौतियाँ
- मानव-पूँजी के माध्यम से कौशल की कमी से निपटना

जनसंख्या के सिद्धांत (THEORIES OF POPULATION)

अर्थशास्त्र और जनसंख्या वृद्धि का गहरा संबंध है। जनसंख्या के ज़रिये होनेवाले आर्थिक विकास के कई तरीकों में से एक श्रम (labour) है। किसी देश में बड़ी आबादी, अधिक कार्यबल और श्रम तक सुगम पहुँच को दर्शाती है। अधिक श्रम से अधिक उत्पादन होता है, जो देश के आर्थिक विकास को बढ़ावा देता है।

जनसंख्या संबंधी कई सिद्धांत हैं। अर्थशास्त्र के अध्ययन का उद्देश्य उपलब्ध संसाधनों का इष्टतम आवंटन निर्धारित करना है और एक समय बिन्दु पर संसाधनों की माँग जनसंख्या के आकार पर निर्भर करती है। जनसंख्या से संबंधित चार सबसे प्रमुख सिद्धांत हैं-

- जनसंख्या वृद्धि का माल्थुसियन सिद्धांत,
- शून्य जनसंख्या वृद्धि सिद्धांत,
- जनसंख्या का इष्टतम सिद्धांत, और
- जनसांख्यिकीय संक्रमण का सिद्धांत।

माल्थुसियन सिद्धांत (Malthusian Theory)

यह सिद्धांत 18वीं सदी के ब्रिटिश दार्शनिक और अर्थशास्त्री थॉमस माल्थस ने प्रस्तावित किया कि आबादी तब तक बढ़ती रहेगी, जब तक कि विकास को रोक नहीं दिया जाता या बीमारी, अकाल, युद्ध या आपदा से उलट नहीं दिया जाता। ये जनसंख्या वृद्धि के लिए

प्राकृतिक अवरोध की तरह काम करेंगे। उनके अनुसार, जनसंख्या वृद्धि की तुलना में खाद्य आपूर्ति में गति का अभाव है। इसलिए भोजन की कमी अपरिहार्य है। हालाँकि हाल के दिनों में, तकनीकी प्रगति ने इस घटना को काफ़ी हद तक सीमित कर दिया है। खाद्य आपूर्ति और अन्य संसाधनों का विकास रैखिक है; यह जीवन स्तर को कम करता है और अंततः जनसंख्या में गिरावट आती है। इस घटना को **माल्थसियन आपदा (Malthusian catastrophe)** के नाम से जाना जाता है। थॉमस माल्थस ने 1798 में जनसंख्या के सिद्धांत पर एक निबंध में अपनी परिकल्पना प्रस्तावित की।

शून्य जनसंख्या वृद्धि सिद्धांत (Zero Population Growth Theory)

स्टैनफ़ोर्ड विश्वविद्यालय के प्रोफ़ेसर एमेरिटस पॉल आर. एर्लिच ने दावा किया है कि समग्र पर्यावरण (न केवल भोजन, जैसा कि माल्थस द्वारा दावा किया गया है) जनसंख्या को नियंत्रित करता है।

सिद्धांत के अनुसार, विशेषाधिकारप्राप्त वर्ग उपलब्ध सीमित संसाधनों का दोहन करने की कोशिश करेगा और जीवन के लिए आवश्यक वस्तुओं की कमी होगी। इससे निपटने के लिए, उन्होंने सुझाव दिया है कि शून्य जनसंख्या वृद्धि को इस तरह से हासिल किया जाना चाहिए कि जन्म और मृत्यु और आंतरिक तथा बाहरी प्रवास की दर मेल खानी चाहिए, ताकि कुल आबादी स्थिर रहे।

इस सिद्धांत की अक्सर इस आधार पर आलोचना की जाती है कि यह 20वीं शताब्दी में माल्थुसियन सिद्धांत का पुनर्कथन है।

जनसंख्या का इष्टतम सिद्धांत (The Optimum Theory of Population)

इस सिद्धांत को एक ऐसी स्थिति से परिभाषित किया गया है, जहाँ व्यक्तियों को उपलब्ध संसाधनों और प्रौद्योगिकी के स्तर को देखते हुए प्रतिव्यक्ति उच्चतम संभव आय मिल रही है। इस सिद्धांत को **एडविन कैनन** ने 1924 में दिया था।

जनसंख्या का इष्टतम सिद्धांत **जनसंख्या के आकार** और **धन के उत्पादन** के बीच संबंधों का अध्ययन करता है। अनुकूलतम जनसंख्या एक ऐसे राज्य को संदर्भित करती है, जहाँ जनसंख्या का आकार सामाजिक रूप से वांछनीय स्तर से न तो अधिक है और न ही कम है। दूसरे शब्दों में, अनुकूलतम जनसंख्या वह है, जो प्रतिव्यक्ति अधिकतम आय देती है।

सिद्धांत की विशेषताएँ (Features of the Theory)

1. प्रौद्योगिकी के किसी दिये गये स्तर पर, यह उपलब्ध संसाधनों के साथ जनसंख्या को संतुलित करता है।

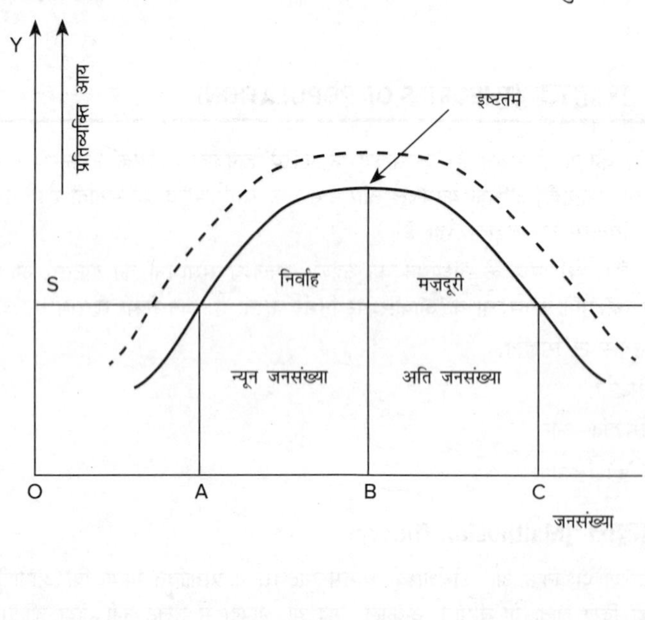

2. अनुकूलतम जनसंख्या एक गतिशील जनसंख्या है, जो किसी देश के उपलब्ध संसाधनों की बदलती मात्रा और गुणवत्ता के साथ बदलती है।
3. एक अनुकूलतम जनसंख्या प्रतिव्यक्ति अधिकतम रिटर्न सुनिश्चित या सुरक्षित करती है।
4. अनुकूलतम जनसंख्या वह आबादी है, जो पूर्ण रोज़गार पैदा करती है।
5. अर्थव्यवस्था का प्रबंधन या नियंत्रण, जिसमें अनुकूलतम जनसंख्या है, बहुत आसान है।
6. अनुकूलतम जनसंख्या किसी देश में जीवन स्तर के उच्चतम स्तर को भी सुनिश्चित करती है।

जनसांख्यिकी संक्रमण का सिद्धांत (Theory of Demographic Transition)

जनसांख्यिकी संक्रमण का सिद्धांत यह सुझाता है कि जनसंख्या वृद्धि का जुड़ाव आर्थिक विकास के सभी स्तरों से होता है। साथ ही, यह कि प्रत्येक समाज, विकास और जनसंख्या वृद्धि के एक विशेष स्वरूप का अनुसरण करता है। किसी भी समाज में जनसांख्यिकीय संक्रमण (demographic transition) के तीन चरण होते हैं।

जनसांख्यिकीय लाभांश (demographic dividend) पर चर्चा से पहले, हम जनसांख्यिकीय संक्रमण के चरणों को समझते हैं, जो किसी देश में जनसंख्या वृद्धि-दर को प्रभावित करते हैं।

जनसांख्यिकीय संक्रमण के चरण (STAGES OF DEMOGRAPHIC TRANSITION)

परीक्षोपयोगी

- जनसांख्यिकीय संक्रमण के चरण **जन्म-दर और मृत्यु-दर** परिवर्तन पर प्रकाश डालते हैं, जिससे जनसंख्या वृद्धि-दर को समझना आसान हो जाता है।
- यह जनसंख्या और आर्थिक विकास के बीच संबंध को समझने में भी सहायता करता है।
- *ई.जी. डोलन के अनुसार,* **जनसांख्यिकीय संक्रमण का संबंध जनसंख्या चक्र से है,** जिसका आरंभ मृत्यु-दर से होता है, तीव्र जनसंख्या वृद्धि के एक चरण के साथ जारी रहता है और जन्म-दर में गिरावट से समाप्त होता है।
- विशेषकर, जनसांख्यिकीय संक्रमण के तीन चरण होते हैं।

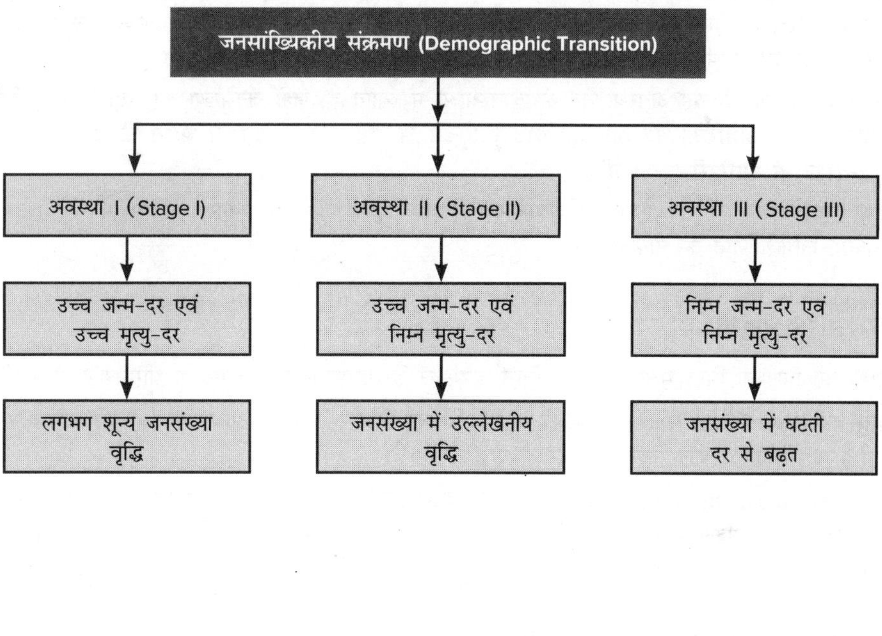

अवस्था I (Stage I)

- जनसांख्यिकीय संक्रमण की अवस्था **I उच्च जन्म-दर और उच्च मृत्यु-दर** को दर्शाती है। जन्म-दर और मृत्यु-दर दोनों ही समय के साथ लगभग समान होती हैं और इस प्रकार लगभग **शून्य जनसंख्या वृद्धि** के साथ एक स्थिर संतुलन बना रहता है।
- **उच्च मृत्यु-दर (High Death Rate)–** मेडिकल सुविधाओं का अभाव, भोजन की कम उपलब्धता और गुणवत्तापूर्ण शिक्षा का अभाव उच्च मृत्यु-दर के मुख्य कारण हैं।
- **उच्च जन्म-दर (High Birth Rate)–** शिक्षा का निम्न स्तर, ग़रीबी और आर्थिक विकास में महिलाओं की निम्न भागीदारी उच्च जन्म-दर के कुछ मुख्य कारण हैं।
- जनसांख्यिकीय संक्रमण की यह अवस्था ज़्यादातर अर्धविकसित अर्थव्यवस्थाओं में व्याप्त होती है। उदाहरण के लिए, कृषि आधारित अर्थव्यवस्था में, बच्चे अपने आरंभिक वर्षों में उत्पादन में योगदान देने लगते हैं और ऐसी अर्थव्यवस्था में बच्चे पारंपरिक रूप से अपने माता-पिता की वृद्धावस्था में उनके लिए सुरक्षा के रूप में देखे जाते हैं। परिणामस्वरूप, ऐसी अर्थव्यवस्था में उच्च जन्म-दर व्याप्त होती है।
- इसके अतिरिक्त, कृषि आधारित अर्थव्यवस्था में प्रतिव्यक्ति आय कम होती है, जिससे जीवन स्तर निम्न हो जाता है। इस प्रकार, बड़ी संख्या में लोग ख़राब आवासीय सुविधा के साथ अपर्याप्त आहार पर निर्वाह करते हैं। इसके अतिरिक्त, ख़राब स्वास्थ्य सुविधाओं के कारण मृत्यु-दर उच्च होती है।
- अफ़्रीका तथा दक्षिण अमेरिका की कुछ अर्थव्यवस्थाएँ अभी भी इस अवस्था से गुज़र रही हैं। **भारत ने 1920 के दशक में इस अवस्था को पार कर लिया था।**

अवस्था II (Stage II)

- जनसांख्यिकीय संक्रमण का यह चरण **निम्न मृत्यु-दर तथा उच्च जन्म-दर** को दर्शाता है। इस प्रकार, अवस्था II की विशेषता **जनसंख्या में महत्त्वपूर्ण वृद्धि** होती है।
- **निम्न मृत्यु-दर (Low Death Rate) –** जीवनस्तर और स्वास्थ्य सुविधाओं में सुधार, शिक्षा के विस्तार और हैज़ा, प्लेग इत्यादि जैसी महामारी से लड़ने में सरकार के प्रयासों के कारण।
- **उच्च जन्म-दर (High Birth Rate) –** यह इसलिए उत्पन्न होती है, क्योंकि इस अवस्था में जनसंख्या का एक बड़ा हिस्सा कृषि पर निर्भर करता है और बच्चे उत्पादन में योगदान देते हैं। इसके अलावा, लोग बड़े पारिवारिक मानदंडों का पालन करते हैं और महिलाओं की स्थिति भी अपेक्षाकृत निम्न है।
- जनसांख्यिकीय संक्रमण की यह अवस्था उन अर्थव्यवस्थाओं में व्याप्त है, जहाँ जनसंख्या का बड़ा हिस्सा ग़रीबी में रहता है। **एशिया और दक्षिण अमेरिका की कुछ अर्थव्यवस्थाएँ** इस अवस्था से गुज़र रही हैं। **भारत के बारे में माना जाता है कि वह इस अवस्था के आख़िरी चरण में है।**
- बच्चों तथा युवाओं का अनुपात ऐसी अर्थव्यवस्थाओं में उच्च होता है। इस प्रकार, भविष्य में ये अर्थव्यवस्थाएँ पर्याप्त जनसांख्यिकीय लाभांश प्राप्त कर सकती हैं।

अवस्था III (Stage III)

- इस अवस्था की विशेषता **निम्न मृत्यु-दर और निम्न जन्म-दर** है। परिणामस्वरूप जनसंख्या धीमी गति से बढ़ती है।
- **निम्न मृत्यु-दर (Low Death Rate)–** मेडिकल सुविधाओं का विस्तार, मौलिक आवश्यकताओं की उपलब्धता, जीवनस्तर में सुधार, शिक्षा का विस्तार इत्यादि निम्न मृत्यु-दर के कुछ कारण हैं।
- **निम्न जन्म-दर (Low Birth Rate) –** उद्योग विस्तार के कारण, लोगों का झुकाव छोटे परिवार के मानदंडों की तरफ़ होता है। आर्थिक गतिविधियों में महिलाओं की भागीदारी भी उनकी स्थिति में सुधार लाती है और शिक्षा इत्यादि में सुधार निम्न मृत्यु-दर का कारण होता है।

- **पश्चिमी यूरोप तथा उत्तरी अमेरिकी अर्थव्यवस्थाएँ** तथा एशिया की कुछ अर्थव्यवस्थाएँ जैसे कि **जापान**, रूस इत्यादि जनसांख्यिकीय संक्रमण की तीसरी अवस्था में हैं।
- इस अवस्था के राष्ट्रों में **बुज़ुर्गों की जनसंख्या** अधिक है, क्योंकि बुज़ुर्ग लोगों का अनुपात निम्न जन्म-दर तथा निम्न मृत्यु-दर के कारण अपेक्षाकृत उच्च है।

निम्नलिखित रेखाचित्र अवस्थाओं तथा जनसंख्या वृद्धि के बीच संबंध को दर्शाता है : ⟶

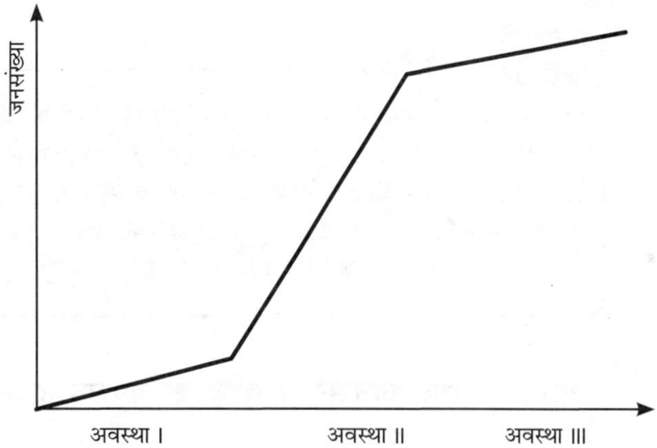

भारत की जनसंख्या : आकार, विकास पैटर्न, जन्म तथा मृत्यु-दर के आधार पर रुझान (INDIA'S POPULATION : TREND IN SIZE, GROWTH PATTERN, BIRTH AND DEATH RATES)

- पृथ्वी के केवल 2.4 प्रतिशत भू-क्षेत्र में भारत, दुनिया की कुल जनसंख्या का लगभग 17.7 प्रतिशत समायोजित करता है।
- भारत की जनसंख्या संयुक्त राज्य अमेरिका, ब्राज़ील, बांग्लादेश, जापान और इंडोनेशिया की संयुक्त जनसंख्या से भी अधिक है।
- भारत में, स्वतंत्रता के बाद से जनसंख्या वृद्धि की जनगणना रिपोर्ट नीचे दी गयी है। इसमें दिये गये आँकड़े यह भी स्पष्ट रूप से दर्शाते हैं कि भारत, जनसांख्यिकीय संक्रमण के अवस्था II के आख़िरी चरण में है।

वर्ष	प्रति 1000 व्यक्ति पर जन्म-दर	प्रति 1000 व्यक्ति पर मृत्यु-दर
1951	39.9	27.4
1961	41.7	22.8
1971	36.9	14.9
1981	33.9	12.5
1991	29.5	9.8
2001	25.4	8.4
2011	21.8	7.1

वर्ष	जनसंख्या (करोड़)	घनत्व (प्रतिवर्ग किलोमीटर)
1951	36.11	117
1961	43.92	142
1971	54.82	177
1981	68.33	216
1991	84.64	267
2001	102.87	325
2011	121.09	382

लास्ट मिनट
स्निपपेट्स

PIB के अनुसार, भारत (1.4 बिलियन) दुनिया के सर्वाधिक आबादीवाले देशों में से एक है। वर्ष 2036 तक भारत की जनसंख्या के लगभग 152.2 करोड़ तक पहुँचने का अनुमान है। इस समय तक महिला प्रतिशत में, वर्ष 2011 के 48.5 प्रतिशत की तुलना में 48.8 प्रतिशत के आँकड़े के साथ मामूली सुधार कर अनुमान है। वर्ष 2011 से वर्ष 2036 तक 15 वर्ष से कम आयु के व्यक्तियों का अनुपात घटने का अनुमान है। यह प्रजनन क्षमता में गिरावट के कारण है। इस अवधि के दौरान 60 वर्ष और उससे अधिक आयु की आबादी के अनुपात में उल्लेखनीय वृद्धि होने का अनुमान है।

भारत में तीव्र जनसंख्या वृद्धि के कारण (Causes of Rapid Growth in Population in India)

- आम तौर पर, किसी देश की जनसंख्या में वृद्धि की तीन संभावनाएँ होती हैं, जो कि **उच्च जन्म-दर, निम्न मृत्यु-दर तथा प्रवास** है।
- हमारे देश के मामले में, जनसंख्या वृद्धि के लिए उच्च जन्म-दर और निम्न मृत्यु-दर प्रबल है।

उच्च जन्म-दर के कारण	निम्न मृत्यु-दर के कारण
भारत की लगभग 54.6% जनसंख्या कृषि पर निर्भर है। भारत में कृषि उत्पादन में अधिकतर प्राचीन पद्धति का उपयोग होता है, इस प्रकार अधिक बच्चे श्रम की माँग को पूरा करते हैं और श्रम पर कम व्यय करना पड़ता है। यह बड़े परिवार का औचित्य प्रस्तुत करता है। (कृषि विभाग, वार्षिक रिपोर्ट 2020-21 के अनुसार)	चेचक तथा पशु महामारी जैसी घातक बीमारियों के उन्मूलन तथा मलेरिया, तपेदिक इत्यादि से होनेवाली महामारी पर नियंत्रण ने निम्न मृत्यु-दर में योगदान दिया है।
ग़रीबी भी एक अन्य कारक है, जो उच्च जन्म-दर की ओर ले जाती है। यह देखा गया है कि ग़रीब जनसंख्या बच्चों को अपनी वृद्धावस्था की पूँजी मानती हैं और साथ ही, अधिक सदस्य अधिक आय लायेंगे, क्योंकि वे अपने श्रम पर निर्भर होते हैं।	सरकार की ओर से चलाये गये प्रासंगिक जागरूकता कार्यक्रम के साथ पेयजल की बेहतर आपूर्ति और बेहतर साफ़-सफ़ाई तथा स्वच्छता के प्रसार ने भारतीयों को विभिन्न प्रकार के रोगों से बचाया है।
सामाजिक कारक; जैसे कि कम उम्र में विवाह, धार्मिक अंधविश्वास, शिक्षा का अभाव, महिलाओं की निम्न स्थिति इत्यादि, भारत में उच्च जन्म-दर के कुछ कारण हैं।	ग्रामीण क्षेत्रों में मेडिकल सुविधाओं के विस्तार और समेकित बाल विकास सेवा [Integrated Child Development Services (ICDS)] केंद्रों ने भी सहायता की है।

हालाँकि, आज़ादी के बाद के आँकड़ों की तुलना में जन्म-दर कम है। इसके ये कारण हो सकते हैं :

- **शिक्षा विस्तार** (Expansion of Education) (सर्व शिक्षा अभियान जैसी योजनाओं के माध्यम से) के परिणास्वरूप तार्किक विचार तथा **परिवार नियोजन (family planning)** होता हैं। परिणामस्वरूप, लोग कम बच्चों को तर्जीह देते हैं और उन्हें बेहतर शिक्षा सुविधा प्रदान करने की परिकल्पना करते हैं।
- कन्याश्री, बेटी बचाओ बेटी पढ़ाओ इत्यादि जैसे **जागरूकता कार्यक्रम (awareness programmes)** के प्रसार ने लिंग चुनाव और कन्या शिशु मृत्यु-दर में गिरावट में सहायता की है। गर्भधारण पूर्व और प्रसव पूर्व निदान तकनीक (PC & PNDT) अधिनियम इत्यादि के संदर्भ में लिंग चयन के लिए **सख़्त क़ानूनी प्रावधानों (Stringent legal provisions)** ने भी इस संबंध में सहायता की है।

अतिरिक्त जानकारी

जनसंख्या पिरामिड (उम्र–लिंग पिरामिड) [POPULATION PYRAMID (AGE-SEX PYRAMID)]

- यह किसी देश या क्षेत्र की दी गयी आबादी में विभिन्न आयुवर्गों के वितरण की चित्रमय प्रस्तुति है। चूँकि रेखाचित्र में यह वितरण एक पिरामिड का आकार लेता है, इसलिए इसे जनसंख्या पिरामिड कहा जाता है।
- पारंपरिक रूप से, पुरुष बायीं तरफ़ तथा महिलाएँ दायीं तरफ़ प्रतिनिधित्व करते हैं।
- **X-अक्ष** में जनसंख्या का आकार दिखाया गया है और उम्र के वर्ग को **Y-अक्ष** में प्रस्तुत किया गया है।
- यहाँ **तीन प्रकार के जनसंख्या पिरामिड** हैं :

1. *अपरिवर्तित* (Stationary)– अगर जनसंख्या का अनुपात समय के साथ स्थिर बना रहता है, अर्थात् जन्म-दर, मृत्यु-दर के बराबर है।
2. *प्रसरणशील* (Expansive)– यह छोटे उम्र समूह में व्यापक है। यह तब होता है, जब जन्म-दर उच्च हो और जीवन-प्रत्याशा निम्न हो।
3. *रचनात्मक* (Constructive)– यह पिरामिड नीचे की ओर सँकरा है। यहाँ बुजुर्ग आबादी का अनुपात अपेक्षाकृत अधिक है। यह निम्न मृत्यु-दर, निम्न जन्म-दर और लंबी जीवन प्रत्याशा के साथ उत्पन्न होता है।

भारत का जनसंख्या पिरामिड इस प्रकार है :

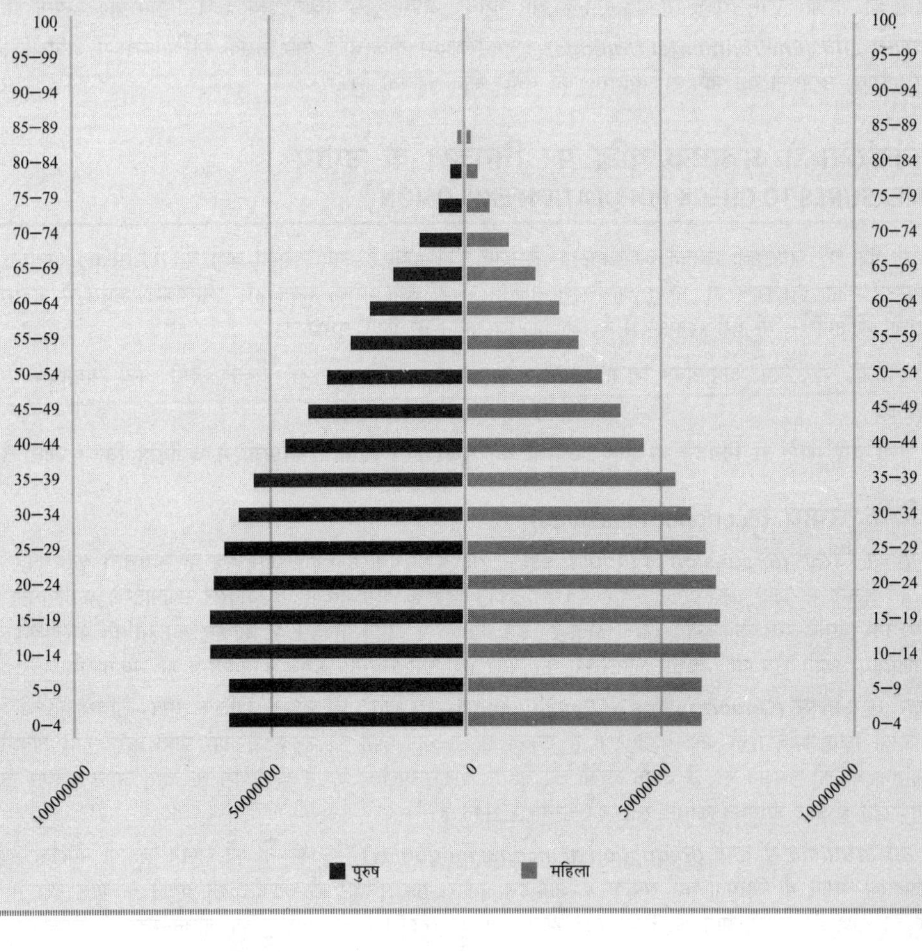

भारत की जनसंख्या *बनाम* आर्थिक विकास (POPULATION *VERSUS* ECONOMIC DEVELOPMENT IN INDIA)

यद्यपि भारत की जनसंख्या लगभग 144 करोड़ है, लेकिन **कुल निर्भरता अनुपात (total dependency ratio) केवल 48.66** (जो कि दुनिया के 54.55 के अनुपात से काफ़ी कम है) है। यह दर्शाता है कि आर्थिक विकास के लिए इसकी उच्च क्षमता कुल जनसंख्या के 50 प्रतिशत से अधिक है, जो कि आर्थिक विकास में भाग लेने में सक्षम है।

हालाँकि, हमारा देश आर्थिक विकास के संदर्भ में बड़ी समस्या से जूझ रहा है, जिनमें से कुछ पर चर्चा की गयी है :-

1. ***जनसंख्या घनत्व (Population Density)* –** संयुक्त राष्ट्र के आँकड़े (2021) के मुताबिक़, भारत का जनसंख्या घनत्व 468.7 **व्यक्ति प्रतिवर्गकिलोमीटर है।** (वर्ष 2011 में यह 382 व्यक्ति प्रतिवर्गकिलोमीटर था।) जनसंख्या की इस तीव्र वृद्धि के कारण, **प्रतिव्यक्ति कृषि योग्य भूमि (per capita cultivable land) घट रही है।** परिणामस्वरूप **कृषि उत्पादकता** (agricultural productivity) **पर अत्यधिक दबाव है।** यह स्थिति आर्थिक विकास के पक्ष में नहीं है।
2. ***संसाधनों पर दबाव (Strain on Resources)* –** बढ़ती आबादी और लोगों की माँग के कारण, देश में उपलब्ध संसाधन माँग को पूरा करने के लिए पर्याप्त नहीं हैं। इस प्रकार, **पूँजी संचय (capital accumulation) अत्यधिक मुश्किल हो गया है।**
3. ***बेरोज़गारी (Unemployment)*–** ऐसा माना जाता है कि बेरोज़गारी **जनसंख्या वृद्धि का उपोत्पाद (by-product of population growth) है।** संसाधनों की अनुपलब्धता के कारण जनसंख्या के एक बड़े वर्ग में **कौशल का अभाव** (skill deficit) है। परिणास्वरूप, बेरोज़गारी बढ़ रही है और ग़रीबी, अपराध, भ्रष्टाचार, इत्यादि जैसी समस्याएँ उत्पन्न हो रही हैं।
4. ***पर्यावर्णीय क्षति (Environmental Damage)*–** जनसंख्या में तीव्र वृद्धि और उसके परिणामस्वरूप अनियोजित विकास के कारण अधिक संसाधनों की माँग से पर्यावरण को गंभीर क्षति पहुँचती है।

जनसंख्या में अचानक वृद्धि पर नियंत्रण के उपाय (MEASURES TO CHECK POPULATION EXPLOSION)

हालाँकि, किसी देश की जनसंख्या उसकी अर्थव्यवस्था के लिए पूँजी होती है, यदि इसका बड़ा वर्ग 15 से 64 आयुवर्ग (कामकाजी वर्ग) के दायरे में आता हो। साथ ही, परन्तु अधिकांश रोज़गार में हों तथा ग़रीबी मुक्त हों। दुर्भाग्यवश, भारत में जनसंख्या का एक बड़ा वर्ग या तो बेरोज़गार है या ऐसे रोज़गार में है, जो कि विस्थापन के लिए सुभेद्य हैं।

ऐसे परिदृश्य ग़रीबी, बाल श्रम, अनुपयुक्त शिक्षा, स्वास्थ्य सुविधाओं की निम्न पहुँच, इत्यादि जैसी अन्य सामाजिक समस्याओं की तरफ़ ले जाते हैं।

इस प्रकार, ऐसी परिस्थिति से निपटने के लिए, उपायों को मुख्य रूप से तीन श्रेणियों में वर्गीकृत किया जाता है :

आर्थिक उपाय (Economic Measures)

i. ***उद्योगों का विस्तार (Expansion of Industries)* –** यह देखा गया है कि उद्योग क्षेत्र के कर्मचारी कृषि क्षेत्र में सम्मिलित लोगों की तुलना में छोटे परिवार को तर्जीह देते हैं। उद्योग क्षेत्र के कर्मचारियों को अक्सर स्थानांतरण का सामना करना पड़ता है और उन्हें जीवन-स्तर को बनाये रखना होता है। इस प्रकार, वे अपने परिवार के आकार को सीमित करने की योजना बनाते हैं। हालाँकि, उद्योग क्षेत्र का विस्तार जनसंख्या को कुछ हद तक सीमित करने में उपयोगी हो सकता है।

ii. ***रोज़गार के अवसर (Opportunities of Employment)* –** वे लोग, जो अपनी मौलिक सुख– सुविधाओं को पूरा नहीं कर पाते, उनके लिए बच्चे पूँजी और वृद्धावस्था में उनका सहारा माने जाते हैं। उनके रोज़गार प्राप्त करने और नौकरी प्राप्त करने की कठिनाइयों को समझने पर, वे अपने बच्चों को बेहतर शिक्षा उपलब्ध कराने के प्रयास के तहत अपने परिवार के आकार को सीमित रखते हैं और उपयुक्त जीवन-स्तर को बरक़रार रखते हैं।

iii. ***आय की असमानता में कमी (Reduction of Income Inequality)* –** संसाधनों का समान वितरण मौलिक सुख-सुविधाओं को उपलब्ध कराने में सहायता कर सकता है और इस प्रकार, यह परिवार के आकार को बढ़ाने के प्रति रुख़ में बदलाव कर सकता है। साथ ही, इससे आय का स्थिर स्रोत होगा, तब गुणवत्तापूर्ण शिक्षा और उचित जीवन-स्तर भी विकसित होगा।

सामाजिक उपाय (Social Measures)

i. ***शिक्षा का विस्तार (Expansion of Education)–*** शिक्षित व्यक्ति अपने बच्चों को गुणवत्तापूर्ण और उच्च शिक्षा प्रदान करने पर ध्यान देते हैं। इस प्रकार, वे छोटे परिवार को प्राथमिकता देते हैं और वे बेहतर परिवार नियोजन की ओर प्रवृत्त होते हैं।

ii. ***महिलाओं की स्थिति में सुधार (Improving Status of Women)–*** प्रत्येक समाज में महिलाओं की स्थिति जनसंख्या नियंत्रण के लिए बहुत मायने रखती है। भले ही शिक्षित महिलाएँ लगातार बच्चों को जन्म नहीं देना चाहती हैं, लेकिन व्यवहारिक रूप से निर्णय लेने और परिवार नियोजन में उनकी भागीदारी में महिलाओं की स्थिति महत्त्वपूर्ण होती है।

परिवार नियोजन कार्यक्रम (Family Planning Programme)

चीन के उदाहरण से परिवार नियोजन के महत्त्व को आसानी से समझा जा सकता है। चीन की 'एक बच्चा नीति' ने जन्म-दर को प्रति 1,000 पर 22 से कम करके प्रति 1,000 पर 12 कर दिया है। बूढ़े लोगों की संख्या अत्यधिक और युवा लोगों की संख्या अति कम हो जाने के कारण चीन ने 2015 में इस नीति का परित्याग कर दिया।

संयुक्त राष्ट्र जनसंख्या गतिविधि कोष [United Nations Fund for Population Activities (UNFPA)] **रिपोर्ट, 2012 के अनुसार, केवल 55 प्रतिशत जनन के उम्र की विवाहित भारतीय महिलाएँ गर्भनिरोधक उपयोग करती हैं,** जबकि श्रीलंका में 68 प्रतिशत और चीन में 85 प्रतिशत महिलाएँ इसका उपयोग करती हैं।

इस प्रकार, परिवार नियोजन जनसंख्या वृद्धि-दर को विनियमित करने में एक अहम भूमिका निभाता है। **परिवार नियोजन कार्यक्रम के अंतर्गत कुछ पद्धतियाँ निम्नलिखित** हैं :

i. **जन सूचना कार्यक्रम (Public Information Programme)–** परिवार नियोजन के महत्त्व के संबंध में लोगों के बीच जागरूकता बढ़ाने का प्रयास। सरकार जागरूकता इत्यादि बढ़ाने के लिए समाचार पत्रों, टेलीविज़न, रेडियो के रूप में मीडिया का उपयोग करती है, उदाहरण के लिए – पश्चिम बंगाल में बुला दी अभियान आदि।

ii. **प्रोत्साहन राशि (Incentives)–** उन लोगों को प्रोत्साहन राशि प्रदान करने की प्रणाली, जो छोटे परिवार के मानकों को स्वीकार करते हैं और **नसबंदी का विकल्प (Opt for Sterilisation)** चुनते हैं। चूँकि, भारत में परिवार नियोजन स्वैच्छिक है और लोगों को छोटे परिवार के मानकों के लाभों के बारे में कम जानकारी है, इसलिए उपलब्ध सरकारी योजनाओं को इस संबंध में पूरी सफलता नहीं मिल रही है।

iii. **परिवार नियोजन केंद्र (Family Planning Centre)–** भारत में परिवार नियोजन केंद्र जैसे Integrated Child Development Service (ICDS) ग्रामीण क्षेत्रों में स्थापित नैदानिक केंद्रों का अभिन्न हिस्सा हैं। ये केंद्र गर्भनिरोधक, प्रोत्साहन राशि आदि का वितरण करते हैं और परिवार नियोजन तथा छोटे परिवार के आकार के महत्त्व के बारे में जागरूकता फैलाते हैं।

सरकार द्वारा शुरू की गयीं जनसंख्या नीतियाँ (Population Policies Undertaken by Government)

अर्थशास्त्रियों के अनुसार, परिवार नियोजन में सरकार का हस्तक्षेप अर्थव्यवस्था के विकास में जनसंख्या के उपयोग में लाभदायी हो सकता है और यह ग़रीबी के भार और अन्य संबंधित समस्याओं को कम कर सकता है।

परिवार नियोजन पर स्वतंत्रता-पूर्व समितियाँ

नाम	वर्ष	सुझाव
राधा कमल समिति	1940	गर्भ निरोध की सस्ती तथा सुरक्षित पद्धति के बारे में जागरूकता, विवाह की उम्र में वृद्धि, गर्भ निरोध क्लीनिक में विस्तार, बहुविवाह हतोत्साहित इत्यादि।
भोरे समिति	1943	भोरे समिति ने सिफ़ारिश की कि जनसंख्या की विकास-दर को नियंत्रित करने के लिए, **'परिवार के विचारपूर्वक तरीक़े से सीमित करने' (deliberate limitation of family)** के दृष्टिकोण की आवश्यकता है।

स्वतंत्रता के बाद, भारत सरकार और कुछ राज्य सरकारों ने जनसंख्या नियंत्रण के संबंध में कई पहलें कीं और कई नीतियाँ बनायीं। कुछ पर नीचे चर्चा की गयी है :

1950 के दशक में परिवार नियोजन (नैदानिक दृष्टिकोण)
[Family Planning in the 1950s (Clinical Approach)]

1950 के दशक में, सरकारी संगठन ग्रामीण और शहरी दोनों क्षेत्रों में नैदानिक सेवाओं के विस्तार पर विशेष रूप से ध्यान दे रहे थे। इस दृष्टिकोण में दोनों पहलुओं - जनसंख्या नियंत्रण तथा नैदानिक सुविधाओं पर बल दिया गया।

हालाँकि, नैदानिक दृष्टिकोण अपेक्षित परिणाम हासिल नहीं कर पाया। 1961 की जनगणना में, यह देखा गया कि जनसंख्या वृद्धि-दर अपेक्षा से अधिक थी।

1960 के दशक में परिवार नियोजन (विस्तार दृष्टिकोण और प्रयोग)
[Family Planning in the 1960s (Extension Approach and Experimentations)]

1966 में, स्वास्थ्य परिवार नियोजन तथा शहरी विकास मंत्रालय (Ministry of Health, Family Planning and Urban Development) के अंतर्गत, **परिवार नियोजन विभाग** (Department of Family Planning) नाम का अलग विभाग स्थापित किया गया।

मास मीडिया का उपयोग परिवार नियोजन को बढ़ावा देने और जनसंख्या वृद्धि के नियंत्रण के लिए भी किया जाता था। 1960 के दशक में, यह कार्यक्रम लक्ष्य केंद्रित बन गया तथा और अधिक धन आवंटित किये गये। हालाँकि, परिणाम संतोषजनक नहीं रहे।

1970 के दशक में परिवार नियोजन (शिविर दृष्टिकोण)
[Family Planning in the 1970s (Camp approach)]

इस दशक में, सरकार ने मातृत्व स्वास्थ्य देखभाल, बाल स्वास्थ्य देखभाल, पोषण सेवाओं इत्यादि के परिवर्धन के रूप में एक एकीकृत तरीक़े से परिवार नियोजन जारी रखने का प्रयास किया।

इन क़दमों के अलावा, **राष्ट्रीय जनसंख्या नीति, 1976 (National Population Policy, 1976)** को भी क्रियान्वित किया गया। इस नीति की कुछ मुख्य विशेषताएँ थीं :

1. संतति निग्रह पर वित्तीय प्रोत्साहन।
2. लड़कियाँ और लड़कों दोनों के लिए विवाह की न्यूनतम उम्र बढ़ाकर क्रमश: 18 और 21 वर्ष कर दी गयी।
3. शिक्षा की औपचारिक तथा अनौपचारिक दोनों पद्धतियों के माध्यम से महिलाओं में साक्षरता के स्तर में सुधार।
4. परिवार कल्याण कार्यक्रम और सभी प्रकार के मीडिया के माध्यम से परिवार नियोजन के लाभ को प्रचारित करना।
5. गुणवत्तापूर्वक शिक्षा का विस्तार।

क्या आप जानते हैं? **आपातकाल के दौरान, केंद्र** सरकार ने कुछ राज्यों को **अनिवार्य बंध्यीकरण (compulsory sterilisation)** की अनुमति दे दी और कुछ स्थानों पर जबरन बंध्यीकरण कार्यक्रम की शुरुआत की गयी। हालाँकि, 1977 में, नयी सरकार द्वारा पूर्ववर्ती सरकार की अनिवार्य नीतियों को ख़ारिज कर दिया।

1980 के दशक में परिवार नियोजन (कैफ़ेटेरिया दृष्टिकोण)
[Family Planning in the 1980s (Cafeteria Approach)]

पिछले तीन दशकों के अनुभव के ज़रिए, नीति निर्माताओं ने आश्वस्त किया कि जनसंख्या वृद्धि नियंत्रण के लिए परिवार नियोजन पर्याप्त नहीं है। बल्कि यह आर्थिक विकास या आर्थिक स्थिति में सुधार का गौण उत्पाद है।

इस प्रकार, योजना आयोग के तत्वावधान में गठित **जनसंख्या नीति के विषय में कार्यदल (Working Group on Population Policy)** ने प्रजनन-दरों में कमी के लिए दीर्घकालिक लक्ष्यों की सिफ़ारिश की थी।

इस दशक के अंत तक अशोधित जन्म-दर (crude birth rate) (प्रति 1,000 पर जीवित जन्मों की संख्या) को 29.1 प्रति 1,000 (प्रतिसहस्र) तक लाने की परिकल्पना की गयी थी। यद्यपि लक्ष्य बहुत महत्त्वाकांक्षी था, 1991 तक, अशोधित जन्म-दर प्रति 1,000 (प्रतिसहस्र) पर 29.9 से थोड़ी अधिक थी।

1990 के दशक में परिवार नियोजन (लक्ष्य मुक्त दृष्टिकोण)
[Family Planning in the 1990s (Target Free Approach)]

1997 तक, अशोधित जन्म-दर गिरकर प्रति 1,000 (प्रतिसहस्र) पर 26 हो गयी और इसके अतिरिक्त, उदारीकरण नीति ने आर्थिक विकास के लिए ज़बरदस्त संभावना उपलब्ध करायी थी, जिसने लोगों के जीवन-स्तर में गुणात्मक सुधार में योगदान दिया।

वर्ष 2000 में, सरकार **राष्ट्रीय जनसंख्या नीति, 2000 (National Population Policy, 2000)** लेकर आयी। इसकी कुछ विशेषताएँ हैं :

1. **मातृत्व मृत्यु-दर (Maternal Mortality Rate) में गिरावट** प्रति 1 लाख (प्रतिलाख) अशोधित जन्म में 100 से भी कम।
2. **शिशु मृत्यु-दर (Infant Mortality Rate) में गिरावट** प्रति 1,000 (प्रतिसहस्र) में 30 से भी कम।
3. सभी निरोध्य रोगों के टीका तक पहुँच तथा बच्चों के सार्वभौमिक **प्रतिरक्षण (immunisation)**।
4. **देर से विवाह करने (delayed marriages)** को प्रोत्साहन तथा बढ़ावा।
5. **छोटे परिवार के मानक (small family norms)** और कुल प्रजनन-दर पर इसके सीधे प्रभाव को बढ़ावा देना।
6. परिवार नियोजन और नागरिकों के कल्याण से संबंधित अन्य **सामाजिक क्षेत्र कार्यक्रमों (social sector programmes)** को सम्मिलित करना।
7. जनसंख्या स्थिरीकरण पर समग्र मार्दगर्शन हेतु **राष्ट्रीय जनसंख्या आयोग (National Commission on Population)** (प्रधानमंत्री की अध्यक्षता में) का गठन। वर्तमान में यह आयोग स्वास्थ्य एवं परिवार कल्याण मंत्रालय (Ministry of Health and Family Welfare) के अंतर्गत काम करता है।
8. लघु अवधि, मध्यम अवधि, दीर्घ अवधि के लक्ष्यों के रूप में उद्देश्यों का वर्गीकरण। उदाहरण के लिए :-
   (a) **जनन स्वास्थ्य एवं शिशु देखभाल** में सुधार के लिए **तात्कालिक उद्देश्य।**
   (b) **मध्यम अवधि का लक्ष्य कुल प्रजनन-दर [Total Fertility Rate (TFR)]** प्रतिमहिला 2.1 बच्चों पर रखना था (प्रतिस्थापन स्तर)।
   (c) **दीर्घ अवधि का उद्देश्य** 2045 तक जनसंख्या स्थिरता था।

सरकारी नीतियों का मूल्यांकन (Evaluation of Government Policies)

निस्संदेह, सरकार ने जनसंख्या नियंत्रण तथा परिवार नियोजन के लिए विभिन्न नीतियाँ तथा योजनाएँ बनायी थीं। हालाँकि, गुणवत्तापूर्ण शिक्षा के विस्तार के बिना परिवार नियोजन से इच्छित परिणाम प्राप्त नहीं हुए। इसके अलावा, पूर्व की नीतियों की कुछ और संभावित सीमाओं पर निम्नलिखित चर्चा की गयी है :

1. ***गर्भनिरोधक के उपयोग का अभ्युदय (Aggrandisement of the use of contraceptives) –*** स्वतंत्रता के बाद से जनसंख्या नियंत्रण के अधिकांश प्रयास नैदानिक दृष्टिकोण, विभिन्न मीडिया के माध्यम से परिवार नियोजन के प्रसार और बंध्यीकरण (sterilisation) के लिए लोगों को प्रेरित करने पर आधारित थे। तुलनात्मक रूप से, तमिलनाडु, केरल तथा गोवा जैसे दक्षिण भारत के कुछ राज्यों में जन्म-दर प्रति 1,000 (प्रतिसहस्र) पर 35 की जगह घटकर 15 हो गयी। ऐसी उपलब्धि के पीछे कारण साक्षरता (विशेषकर महिलाओं की) बढ़ाने पर उनका बल था।

2. ***जनसंख्या नियंत्रण के लिए प्रतिरोधी पद्धतियाँ (Coercive methods for population control) –*** आपताकाल के दौरान, बलपूर्वक किये गये बंध्यीकरण ने लोगों की प्रतिष्ठा को चोट पहुँचायी। जनसंख्या नियंत्रण की ऐसी पद्धतियाँ कोई संतोषजनक परिणाम नहीं दे पातीं। 1975 में, अशोधित जन्म-दर 37.4 थी और यह 1980 तक घटकर 36 हो गयी। यह जीवन स्तर को सुधारने तथा जनसंख्या वृद्धि को घटाने के लिए सरकार की ऐसी नीतियों की सीमित सफलता को दर्शाता है।

3. ***भारतीय समाज पर लागू होनेवालीं नीतियों को अपनाना (Adoption of policies in compliance to Indian Society)–*** भारत में जनसंख्या नियंत्रण के लिए नीतियाँ (नैदानिक दृष्टिकोण तथा विस्तृत दृष्टिकोण) पश्चिमी देशों से अंगीकार की गयीं।

मूल रूप से, भारतीय अलग-अलग स्तर, विभिन्न विचारधाराओं, विश्वासों और संस्कृतियों से संबंधित हैं। इस तरह के विविधता भरे देश होने के नाते हम ऐसी नीतियों को लागू कर सकते थे, जो हमारे समाज के लिए अनुवर्ती हों और इस तरह के दृष्टिकोणों को अपनाने से पहले एक राष्ट्रीय सहमति विकसित होनी चाहिए।

परीक्षोपयोगी

जनसंख्या विनियमन विधेयक, 2019 (POPULATION REGULATION BILL, 2019)

जनसंख्या विनियमन विधेयक का प्रस्ताव निजी सदस्य विधेयक (Private Member Bill) के रूप में जुलाई, 2019 में लाया गया था। इस विधेयक में भारत में दो बच्चों की नीति का आह्वान किया गया। इसके विधेयक की कुछ विशेषताओं पर निम्नलिखित चर्चा की गयी है :

1. **सरकारी कर्मचारियों** के द्वारा यह वचन दिया जाना चाहिए, जिसके अनुसार वे दो से अधिक बच्चों को जन्म नहीं देंगे।
2. यह विधेयक स्वयं तथा पत्नी के बंध्यीकरण ऑपरेशन के माध्यम से दो बच्चों के मानक को अपनाने पर केंद्र **सरकार तथा केंद्रीय सार्वजनिक क्षेत्र उपक्रम [Public Sector Enterprises (PSE)] के कर्मचारियों को लाभ** प्रदान करता है। **इन लाभों में सम्मिलित हैं :**
   - (i) एक पूर्ण सेवा के दौरान अतिरिक्त वेतन वृद्धि।
   - (ii) हाउज़िंग बोर्ड, विकास प्राधिकरण से भूखंड, घर ख़रीदने के लिए अनुदान।
   - (iii) मकान के निर्माण, ख़रीद के लिए बैंक, वित्तीय संस्थान से नाम मात्र की दर पर ऋण।
   - (iv) आय कर कटौती।
   - (v) सड़क, रेल या हवाई द्वारा यात्रा पर अनुदान।
   - (vi) बिजली के शुल्क, पानी के शुल्क, आवास कर, वाहन पंजीकरण, टेलीफोन बिल इत्यादि पर कटौती।
   - (vii) 12 सप्ताह का पितृत्व अवकाश।
   - (viii) पेंशन योजना के अंतर्गत कर्मचारियों के योगदान में 02 प्रतिशत वृद्धि।
   - (ix) मुफ़्त स्वास्थ्य सेवा सुविधा तथा बीमा कवरेज़।
   - (x) किसी एक बालक/कन्या के 25 वर्ष की आयु पूरी करने तक मुफ़्त स्वास्थ्य सेवा सुविधा।
   - (xi) शैक्षणिक संस्थानों में एक बच्चे के प्रवेश को वरीयता।
   - (xii) एक कन्या को स्नातक स्तर तक मुफ़्त शिक्षा तथा स्नातक स्तर के बाद कन्या को छात्रवृत्ति।
3. दो से अधिक बच्चे होने पर वे ऊपर दी गयी सुविधाओं के योग्य नहीं होंगे और उन्हें ऋण पर अनुदान और बचत साधनों के ब्याज दरों में कटौती का सामना करना पड़ेगा, साथ ही किन्हीं वित्तीय संस्थानों से ऋण लेने पर सामान्य से अधिक ब्याज दर का भुगतान करना पड़ेगा और यहाँ तक **सार्वजनिक वितरण प्रणाली [Public Distribution System (PDS)] तक का कम लाभ मिलेगा।**
4. हालाँकि, जिन सरकारी कर्मचारियों के इस अधिनियम के शुरू होने से पहले ही दो से अधिक बच्चे हैं, **उन्हें छूट दी जायेगी।**
5. दो से अधिक जीवित बच्चोंवाले नागरिक, **सांसद, विधायक या किसी स्थानीय शासन के सदस्य के रूप में चुने जाने के योग्य नहीं होने चाहिए।** हालाँकि, ये प्रतिबंध उन नागरिकों पर लागू नहीं होंगे, जिनके इस अधिनियम के शुरू होने से पहले से ही दो से अधिक बच्चे हैं।

क्या वर्तमान परिदृश्य में जनसंख्या विनियमन पर विधेयक की वास्तव में आवश्यकता है?

हाँ	हालाँकि, आलोचक तर्क देते हैं कि
एक रिपोर्ट के अनुसार, **2027 तक** भारत संभवत: विश्व की **सबसे अधिक जनसंख्या**वाला देश बन जायेगा। यह अब वास्तविकता बन चुका है।	भारत की कुल प्रजनन-दर [Total Fertility Rate (TFR)] में गिरावट आ रही है। इसके अतिरिक्त, प्रतिस्थापन स्तर पर TFR का लक्ष्य 2.1 रखा गया था और राष्ट्रीय परिवार स्वास्थ्य सर्वेक्षण के आँकड़ों के अनुसार, **वर्तमान TFR 2.0** है। (लक्षित मूल्य के ठीक ऊपर)। एक बार गिरावट आने पर TFR को पुनरुज्जीवित नहीं किया जा सकता है। (नवीनतम NFHS 2019-21 सर्वेक्षण के अनुसार)

हाँ	हालाँकि, आलोचक तर्क देते हैं कि
विवाह योग्य उम्र समूह का अनुपात अधिक है, इसलिए जनसंख्या वृद्धि जारी रहेगी।	आलोचक तर्क देते हैं कि बच्चों की संख्या सीमित करने पर, भारत में भविष्य में अपनी प्रौद्योगिकी क्रांति जारी रखने के लिए **पर्याप्त शिक्षित युवा जनसंख्या नहीं हो सकती है।**
भारत के 11 उत्तरी और पूर्वी राज्य/केंद्र शासित प्रदेश जनसंख्या में 42% का योगदान देते हैं।	हम **एक नकारात्मक जनसंख्या वृद्धि का भी सामना कर** सकते हैं, क्योंकि वर्तमान में कुछ पश्चिमी देश इस समस्या का सामना कर रहे हैं। इसके अलावा, कर की-दर अंततः बढ़ेगी क्योंकि कम युवा लोग होंगे और उन्हें अपने बुढ़ापे में कम रिटर्न प्राप्त हो सकता है।
भारत में साक्षरता-दर अभी भी 74.04% ही है और इस पर चर्चा की जाती है कि साक्षरता जनसंख्या को कैसे प्रत्यक्ष रूप से प्रभावित करती है।	कुछ मानवाधिकार कार्यकर्ता भी यह तर्क देते हैं कि सरकार के ऐसे क़दम से **महिलाओं के साथ जन्म से भेदभाव हो** सकता है। अधिक बच्चों पर रोक से, जोड़े 'सन मेटा प्रेफ़रेंस' के कारण लिंग चयनात्मक गर्भपात का विकल्प चुन सकते हैं।
भारत में करीब 7 करोड़ लोग ग़रीबी में जी रहे हैं और बढ़ती ग़रीबी के लिए जनसंख्या भी एक कारक है।	हम चीन की 'एक बच्चा नीति' जैसी समस्याओं का सामना कर सकते हैं, जिसके परिणामस्वरूप भविष्य में **लैंगिक असंतुलन (gender imbalance)** और **उच्च निर्भरता अनुपात (dependency ratio)** उत्पन्न हुआ।

लास्ट मिनट
स्निपपेट्स

उर्वरता प्रतिस्थापन स्तर (Replacement Level Fertility) – यह वह **कुल उर्वरता-दर [Total Fertility Rate (TFR)]** को उसी रूप में जहाँ कोई जनसंख्या स्वयं को एक पीढ़ी से दूसरी पीढ़ी के स्तर पर बिनी किसी प्रवासन के हू-ब-हू प्रतिस्थापित करती है। लगभग सभी राष्ट्रों के लिए प्रतिस्थापन स्तर की उर्वरता लगभग 2.1 बच्चा प्रतिमहिला है। नवीनतम NFHS सर्वेक्षण 2019-21 के अनुसार, TFR को घटाकर 2.0 कर दिया गया है। सिक्किम में यह 1.1 है, जो देश में सबसे कम है। गोवा में यह 1.3 और पश्चिम बंगाल में 1.6 है।

किसी अर्थव्यवस्था में कुल उर्वरता-दर (Total Fertility Rate - TFR) एक महिला द्वारा अपनी प्रजनन आयु के अंत तक जन्म दिये जानेवाले जीवित शिशुओं की औसत संख्या होती है।

लिंग संघटन में महिलाओं का अभाव (MISSING WOMEN IN SEX COMPOSITION)

परीक्षोपयोगी

मूल रूप से यौन संघटन में 'महिलाओं के अभाव' (missing women) का संदर्भ किसी देश में महिलाओं की वांछित जनसंख्या की तुलना में महिला जनसंख्या की कमी से है। आम तौर पर, यह महिला-पुरुष अनुपात [female–male ratio (FMR)] से मापा जाता है। यह लक्षण एशियाई अर्थव्यवस्थाओं, मध्य-पूर्व क्षेत्र तथा उत्तर अमेरिकी देशों में प्रख्यात हैं। भारत में FMR का ट्रेंड निम्नलिखित तालिका में दर्शाया गया है।

यह ध्यान देने योग्य है कि भारत के कुछ दक्षिणी राज्य निम्न FMR की समस्या से निपटने में बेहद अच्छा प्रदर्शन कर रहे हैं। 2011 की जनगणना के अनुसार केरल का FMR 1.084 है।

हालाँकि, पंजाब और हरियाणा जैसे उच्च आर्थिक विकासवाले कुछ अन्य राज्यों के साथ BIMARU (बिहार, मध्य प्रदेश, राजस्थान और उत्तर प्रदेश) राज्यों में भारत के लिंग-अनुपात की तुलना में लिंग-अनुपात कम है।

निम्न महिला-पुरुष अनुपात के कारण (Causes of Low Female–Male Ratio)

वर्ष	FMR
1951	0.946
1961	0.941
1971	0.930
1981	0.934
1991	0.927
2001	0.933
2011	0.940

NFHS 5 (2019-21) के अनुसार वर्तमान एफ़एमआर (FMR) 1.020 है।

1. महिलाओं एवं बच्चियों में **पोषण तथा स्वास्थ्य का अभाव (Nutrition and health deprivations)**
2. महिलाओं तक **गुणवत्तापूर्ण शिक्षा की अनुपयुक्त पहुँच (Inadequate access to quality education)**, जो कि लिंग आधारित जन्म पर निर्णय लेने में उनके आत्मविश्वास को कम कर देता है।
3. PC एवं PNDT अधिनियम, 2004 के प्रवर्तन के बाद भी **कन्या भ्रूण हत्या (female foeticide)** के ख़िलाफ़ सख़्त नियमों के पूर्ण कार्यान्वयन में प्रशासन की विफलता।
4. कुल जनसंख्या का लगभग 58 प्रतिशत **कृषि** पर आधारित है। इस प्रकार, परिवार में लड़का उत्पादन बढ़ाने में उपयोगी माना जाता है।
5. चूँकि हमारे देश में ग़रीबों का अनुपात बहुत है और वे लड़कों को **अपनी वृद्धावस्था की पूँजी** मानते हैं। इस प्रकार, कन्या को स्वीकार करने में कम उत्सुकता दिखती है।
6. **दहेज प्रथा (dowry system)** के ख़िलाफ़ नियम ऐसी परंपराओं को छोड़ने में निर्रथक हैं। यह कन्या के माता-पिता पर भार बढ़ाते हैं, जिसके कारण उन्हे कन्या को जन्म देने में संकोच होता है।

बाल लिंग अनुपात [Child Sex Ratio (CSR)]

- इसे **0 से 6** वर्ष की आयु के प्रति 1,000 (प्रतिसहस्र) लड़कों पर लड़कियों की संख्या के रूप में परिभाषित किया गया है। भारत में 2001 और 2011 के बीच बाल लिंग अनुपात में भारी गिरावट आयी है। 2001 में, यह 927 था और 2011 तक यह घटकर 919 हो गया। **यह चिंता का एक बड़ा कारण है**।
- इसके कारण, यह अनुमान लगाया गया है कि दुनिया भर में 60 वर्ष से नीचे की लगभग **38.82 लाख** महिलाएँ लापता हैं। इनमें से लगभग 8.56 लाख महिलाएँ केवल भारत से हैं।
- हालाँकि, **CSR** को बनाये रखने के लिए भारत के दक्षिणी राज्य, विशेषकर कर्नाटक तथा केरल लगातार अच्छा प्रदर्शन कर रहे हैं।

निपटने के उपाय (Measures to Overcome)

- FMR और CSR में सुधार के लिए सरकार ने पिछले सात दशकों में विभिन्न पहलें की हैं और विभिन्न नीतियों की शुरुआत की है।
- इनमें ICDS केंद्रों की स्थापना और विधानसभाओं में महिलाओं के लिए सीटों का आरक्षण सम्मिलित है।
- कई राज्यों में, स्कूल की पढ़ाई पूरी करने पर सरकार द्वारा कन्या को वित्तीय सहायता प्रदान की जाती है। इसके अलावा, विभिन्न छात्रवृत्ति कार्यक्रम सरकार द्वारा चलाये जाते हैं, जिसमें केवल कन्या को ऐसी सहायता उपलब्ध हो सकती है। उदाहरण के लिए – पश्चिम बंगाल में कन्याश्री योजना।
- महिलाओं के लिए भारत सरकार की अन्य योजनाओं में – बेटी बचाओ बेटी पढ़ाओ, वन स्टॉप सेंटर योजना, स्वधार गृह योजना, राष्ट्रीय महिला कोष इत्यादि सम्मिलित हैं।

परीक्षोपयोगी

जनसांख्यिकीय लाभांश (DEMOGRAPHIC DIVIDEND)

इसे जनसांख्यिकीय बोनस या जनसांख्यिकीय खिड़की के रूप में भी जाना जाता है, यह कार्यशील आयु वर्ग (15– 64 वर्ष) की जनसंख्या की बढ़ती संख्या के कारण आर्थिक विकास की दर में वृद्धि होती है।

जनसांख्यिकीय लाभांश के लाभ (Benefits of Demographic Dividend)

- देश भर में बचत और निवेश बढ़ता है, जो स्वचालित रूप से पूँजी संसाधन उत्पन्न करता है। जनसांख्यिकीय लाभांश अधिक होने पर, किसी देश के निवेश के लिए अधिक अधिशेष उपलब्ध होता है, जिसके परिणामस्वरूप धन संचय होता है।
- करों का कम होना भी एक लाभ हो सकता है, जब किसी देश की जनसांख्यिकीय खिड़की (demographic window) बढ़ जाती है, क्योंकि कार्यशील उम्र का अनुपात भी बढ़ जाता है।
- सरकार उपयोगी गतिविधियों में अधिक निवेश करने और अनुदान तथा सामाजिक सेवाओं में अपने व्यय को कम करने में सक्षम होगी।
- शिक्षा का विस्तार तथा स्वास्थ्य सेवाओं में निवेश जनसांख्यिकीय बोनस में वृद्धि का प्रत्यक्ष प्रभाव है।

जनसांख्यिकीय लाभांश का 'व्यर्थ' होना ('Squandering' Demographic Dividend)

विश्व बैंक ने अपनी "साउथ एशिया रिजनल अपडेट, *जॉब्स फ़ॉर रेजिलिएंस (2024)*" नामक रिपोर्ट में भारत सहित दक्षिण एशिया में एक प्रबल आर्थिक विकास की संभावना जतायी है, लेकिन इसने चेतावनी दी है कि यह क्षेत्र अपने जनसांख्यिकीय लाभांश का उपयोग करने में असमर्थ है। इस क्षेत्र में रोज़गार सृजन की गति कामकाजी आयुवर्ग की आबादी में वृद्धि से कमतर रही है।

भारत का तीव्र आर्थिक विस्तार, क्षेत्र की उत्पादन वृद्धि को बनाये रखता है, जो अन्य उभरती बाजार अर्थव्यवस्थाओं की तुलना में अधिक सशक्त है। लेकिन जनसांख्यिकीय लाभांश की क्षमता का अधिकांश हिस्सा ख़र्च नहीं किया गया है। वर्ष 2000-23 की अवधि के दौरान इस क्षेत्र की रोज़गार वृद्धि, इसकी कामकाजी आयुवर्ग की आबादी में औसत वृद्धि से कम थी।

इस क्षेत्र में कमज़ोर रोज़गार प्रवृत्तियाँ, मुख्य रूप से ग़ैर-कृषि क्षेत्रों और आर्थिक माहौल में केंद्रित थीं, जिसने व्यवसायों के विकास को रोक दिया था। कौशल विकास, कार्यबल में महिलाओं की भागीदारी, वित्त तक पहुँच, व्यापार के लिए खुलापन और शिक्षा में सुधार इस समस्या को हल कर सकते हैं। भारत और इसके पड़ोसी देशों को युवा आबादी की ज़रूरतों को पूरा करने के लिए पर्याप्त रोजगार पैदा करने चाहिए।

जनसांख्यिकीय लाभांश की चुनौतियाँ (Challenges Related to Demographic Dividend)

- **60 साल से ऊपर की जनसंख्या** का हिस्सा लगातार बढ़ रहा है। यह 2020 में (SRS Statistical रिपोर्ट, 2020 के अनुसार) 8.4 प्रतिशत था, जबकि 2001 में 7.5 प्रतिशत था।
- **वर्तमान श्रम शक्ति को व्यवस्थित करना** एक चुनौतीपूर्ण कार्य है, क्योंकि भारत की कामकाजी उम्र की जनसंख्या 2021-31 में लगभग 9.7 मिलियन बढ़ने का अनुमान है और 2031-41 तक घटकर 4.2 मिलियन हो सकती है।
- भारतीयों के **कौशल अभाव (Skill deficit)** से बेरोज़गारी की बढ़ती-दर और बुरी स्थिति उत्पन्न करती है, जहाँ बढ़ती श्रम शक्ति समाज की बढ़ती माँगों के लिए अकुशल हैं और रोज़गार के योग्य नहीं हैं। इस प्रकार, बढ़ती हुई श्रम शक्ति को अर्जन के कौशल के साथ प्रशिक्षित करना और उन्हें रोज़गारपरक बनाना भारत के लिए एक और चुनौती है।
- भारत में **बुज़ुर्ग जनसंख्या, (Ageing population)** इसके आर्थिक विकास के लिए एक और चिंता का विषय है। 2011 की जनगणना में, यह अनुमान लगाया गया था कि भारत में 10.4 करोड़ लोग 60 वर्ष से अधिक आयु के थे। 2050 तक, लगभग 20 प्रतिशत जनसंख्या 60 वर्ष से अधिक आयु की होगी। इसलिए, आनेवाले दो दशकों में भारतीय अर्थव्यवस्था पर जनसांख्यिकीय बोझ पड़नेवाला है।

निर्भरता अनुपात (Dependency Ratio) – निर्भरता अनुपात को कार्यशील जनसंख्या पर निर्भर जनसंख्या के अनुपात के रूप में परिभाषित किया जाता है, अर्थात्

निर्भरता अनुपात = निर्भर जनसंख्या (0-14 तथा 60 और इससे अधिक आयुवर्ग की जनसंख्या) ÷ कार्यशील जनसंख्या (15-59 वर्ष)

2021 में, भारत का निर्भरता अनुपात लगभग 48 था। यह 1970 में 79.3 था।

निर्भरता अनुपात में यह गिरावट एक अच्छा संकेत है।

उक्त चुनौतियों से निपटने के उपाय (Measures to Overcome Aforementioned Challenges)

भारत में जनसांख्यिकीय लाभांश का चरम शीघ्र आ रहा है, लेकिन सकारात्मक प्रभाव अभी भी दिखाई नहीं दे रहे है। कौशल की कमी, बुज़ुर्ग जनसंख्या, बेरोज़गारी इत्यादि से संबंधित समस्याओं को दूर करने के लिए सरकार ने कई उपाय अपनाये हैं। कुछ पर नीचे चर्चा की गयी है :

1. *दीन दयाल उपाध्याय ग्रामीण कौशल योजना, प्रधानमंत्री कौशल विकास योजना, राष्ट्रीय शिक्षुता प्रोत्साहन योजना, उच्च शिक्षा के युवाओं के लिए प्रशिक्षण और कौशल* [Scheme for higher education youth in apprenticeship and skills (SHREYAS)] *इत्यादि* जैसी योजनाएँ सरकार द्वारा शुरू किये गये कुछ कौशल विकास कार्यक्रम हैं। यह रोज़गार ढूँढ़ने में युवा जनसंख्या में नयापन भरने की दिशा में निर्देशित है और आर्थिक विकास में उनकी भागीदारी बढ़ा सकता है।
2. ग्रामीण क्षेत्रों में रोज़गार पैदा करने के लिए, सरकार के पास **MGNREGA** नामक एक योजना है।
3. **PPP मॉडल का** अधिक-से-अधिक उपयोग भी जनसांख्यिकीय लाभांश का उपयुक्त उपयोग करने की दिशा में एक क़दम है।
4. बुज़ुर्ग जनसंख्या से संबंधित समस्याओं के समाधान के लिए, सरकार ऐसी श्रम शक्ति की **सेवानिवृत्ति की आयु बढ़ा (increase the age of retirement)** सकती है और **गुणवत्तापूर्ण स्वास्थ्य सेवाओं (quality health services)** में विस्तार कर सकती है, जिसका आगे आर्थिक विकास पर सकारात्मक प्रभाव होता है।
5. **शिक्षा का विस्तार (Expansion of education)** और उच्च शिक्षा को जनसंख्या के बड़े हिस्से तक सुगम बनाना लाभदायक डाइएस्पोरा पैदा कर सकता है और बेरोज़गारी से संबंधित चिंताओं को कम कर सकता है।

मानव पूँजी के माध्यम से कौशल की कमी से निपटना (TACKLING SKILL DEFICIT THROUGH HUMAN CAPITAL)

मानव पूँजी (Human capital) से अभिप्राय, देश के लोगों के ज्ञान, कौशल के स्तर और क्षमताओं को बढ़ाना है। इसे एक **अमूर्त संपत्ति (intangible asset)** के रूप में जाना जाता है, जो एक राष्ट्र की आर्थिक वृद्धि और विकास में बड़ी भूमिका निभाता है।

इस प्रकार, कार्यशील उम्र की जनसंख्या को मानव पूँजी में परिवर्तित करने की आवश्यकता है, ताकि इससे भारत में जनसांख्यिकीय लाभांश के लाभ प्राप्त किये जा सकें।

सामान्य शिक्षा लोगों के ज्ञान में सुधार करती है, जबकि कौशल प्रशिक्षण उनकी **रोज़गार क्षमता को बढ़ाता है** और श्रम बाज़ार की आवश्यकताओं से निपटने के लिए उन्हें सुसज्जित करता है।

कार्यशील उम्र में कौशल की कमी का बरक़रार रहना, **रोज़गार की योग्यता की दरों में गिरावट** के महत्त्वपूर्ण कारकों में से एक है। **कौशल बेमेलपन (Skill mismatch)** एक और कारण है।

अतिरिक्त जानकारी

- **संयुक्त राष्ट्र जनसंख्या कोष [United Nations Population Fund (UNFPA)]** – इस एजेंसी की स्थापना, वर्ष 1969 में, जनसंख्या गतिविधियों के लिए संयुक्त राष्ट्र कोष के रूप में की गयी थी। UNFPA का उद्देश्य सभी के लिए यौन और प्रजनन अधिकारों की रक्षा करना है, ख़ासकर महिलाओं और युवाओं के लिए।
- जनसंख्या और विकास पर अंतरराष्ट्रीय सम्मेलन [(The International Conference on Population and Development **(ICPD)**] वर्ष 1994 में, काहिरा में, आयोजित किया गया था। इसने स्थायी सामाजिक प्रगति के आधार के रूप में महिला सशक्तीकरण और स्वायत्तता पर ज़ोर दिया।
- विश्व जनसंख्या दिवस (World Population Day), जनसंख्या मुद्दों के महत्त्व पर ध्यान केंद्रित करने के लिए, प्रतिवर्ष 11 जुलाई को मनाया जाता है।

संक्षिप्त विवरण

- **जनसांख्यिकीय परिवर्तन के तीन चरण (Three Stages of Demographic Transition)** – उच्च जन्म-दर तथा उच्च मृत्यु-दर (प्रथम चरण) – उच्च जन्म-दर तथा निम्न मृत्यु-दर (द्वितीय चरण) – निम्न जन्म-दर तथा निम्न मृत्यु-दर (तृतीय चरण) – भारत द्वितीय चरण की अवस्था में है।
- **जनसंख्या पिरामिड (Population Pyramid)** – किसी देश या क्षेत्र की दी हुई जनसंख्या में विविध आयु-समूह के वितरण की चित्रात्मक प्रस्तुति – तीन प्रकार : स्थिर (निश्चित समय के दौरान जनसंख्या की प्रतिशतता नियत); विस्तारवादी (जन्म-दर उच्च तथा जीवन-प्रत्याशा निम्न) तथा निर्माणात्मक (अधिक आयु के लोगों की संख्या का प्रतिशत अपेक्षाकृत अधिक)।
- **जनसंख्या विस्फोट को रोकने के उपाय (Measures to check population explosion)** – आर्थिक उपाय, सामाजिक उपाय, परिवार नियोजन कार्यक्रम इत्यादि।
- **निम्न नारी-नर अनुपात के कारण (Causes of Low Female–Male Ratio)** – पोषण एवं स्वास्थ्य सुविधाओं का अभाव – गुणवत्तापूर्ण शिक्षा तक पर्याप्त अभिगम का अभाव – बालिका भ्रूण-हत्या इत्यादि।
- **बाल लिंगानुपात (Child Sex Ratio)** – 0–6 वर्ष की आयु सीमा में प्रति 1000 (प्रतिसहस्र) बालकों पर बालिकाओं की संख्या।
- **जनसंख्या संबंधी लाभ (Demographic Dividend)** – काम करने की आयुवाली (15–64 वर्ष) जनसंख्या की बढ़ती हुई साझेदारी के कारण आर्थिक विकास में वृद्धि।
- **वांछित जनसांख्यिकीय लाभ प्राप्त करने के मार्ग में चुनौतियाँ (Challenges to obtain desired Demographic Dividend)** – श्रम-शक्ति की भागीदारी-दर में कमी – बढ़ती हुई बेरोज़गारी – कौशल संबंधी घाटा – जनसंख्या में वृद्धों की संख्या में वृद्धि इत्यादि।
- **इन चुनौतियों से निपटने हेतु उपाय (Measures to overcome these challenges)** – कौशल हीनता में कमी लाना – MGNREGA जैसी रोज़गार उत्पादक योजना के माध्यम से नौकरियों या रोज़गार में वृद्धि करना – गुणवत्तापूर्ण स्वास्थ्य सेवाओं तथा शिक्षा का विस्तार।
- **मानव पूँजी (Human capital)** से तात्पर्य किसी देश के लोगों के ज्ञान, कौशल स्तर और क्षमताओं में वृद्धि से है। यह एक अमूर्त संपत्ति है जो, किसी राष्ट्र के आर्थिक विकास और वृद्धि में महत्त्वपूर्ण भूमिका निभाती है।

यूपीएससी सिविल सेवा के पिछले वर्षों की प्रारंभिक परीक्षा के प्रश्न

1. किसी अर्थव्यवस्था में कुल प्रजनन दर को किस रूप से परिभाषित किया जाता है?

(a) एक वर्ष में जनसंख्या में प्रति 1000 व्यक्तियों पर जन्म लेनेवालें बच्चों की संख्या

(b) किसी दी गई जनसंख्या में एक दंपति के जीवन-काल में उनसे जन्मे बच्चों की संख्या

(c) जन्म दर घटा मृत्यु दर

(d) एक महिला की गर्भधारण आयु (चाइल्ड-बेअरिंग एज) के अंत तक उनसे जन्मे जीवित बच्चों की औसत संख्या

2. एक अवधारणा के रूप में **मानव पूँजी** निर्माण को एक प्रक्रिया के संदर्भ में बेहतर तरीक़े से समझाया गया है, जो सक्षम बनाता है :- **[2018]**

1. अधिक पूँजी संचय के लिए किसी देश के नागरिक को।

2. किसी देश के नागरिक के ज्ञान, कौशल स्तर तथा क्षमता में वृद्धि करता है।

3. मूर्त धन का संचय।

4. अमूर्त धन का संचय।

उपर्युक्त कथनों में से कौन-सा/से सही है/हैं?

(a) 1 और 2 **(b)** केवल 2

(c) 2 और 4 **(d)** 1, 3 और 4

3. जनसांख्यिकीय लाभांश के कुल लाभ को प्राप्त करने के लिए, भारत को क्या करना चाहिए? **[2013]**

(a) कौशल विकास को प्रोत्साहन।

(b) और सामाजिक सुरक्षा योजनाओं की प्रस्तुति।

(c) शिशु मृत्यु-दर में कमी।

(d) उच्च शिक्षा का निजीकरण।

☞ **कोई प्रश्न नहीं**
2023, 2022, 2021, 2020, 2019, 2017, 2016, 2015, 2014

उत्तर कुंजी

1. (d) 2. (c) 3. (a)

यूपीएससी सिविल सेवा के पिछले वर्षों की मुख्य परीक्षा के प्रश्न

1. समावेशी विकास की चुनौतियों पर टिप्पणी करें, जिसमें भारत के संदर्भ में **लापरवाह और बेकार** श्रम शक्ति सम्मिलित है। इन चुनौतियों का सामना करने के लिए उपाय सुझायें। **[2016]**
2. जब हम भारत के **जनसांख्यिकीय लाभांश** को दिखाते हैं, तो हम **रोज़गार की क्षमता की गिरती-दरों को** नज़रअंदाज़ कर देते हैं। ऐसा करते समय हम क्या भूल करते हैं? उन नौकरियों का क्या होगा, जिनकी भारत को सख़्त ज़रूरत है? स्पष्ट कीजिए। **[2014]**

☞ **कोई प्रश्न नहीं**
2024, 2023, 2022, 2021, 2020, 2019, 2018, 2017, 2015, 2013

अध्याय 31

कौशल विकास (Skill Development)

अध्याय की रूपरेखा

- कौशल विकास - भारतीय परिप्रेक्ष्य
- कौशल विकास और समावेशी विकास
- शिक्षा, कौशल और रोज़गार के बीच संबंध
- कौशल विकास और उद्यमिता मंत्रालय (एमएसडीई)
- राष्ट्रीय कौशल विकास निगम (एनएसडीसी)
- राष्ट्रीय कौशल विकास एजेंसी
- राष्ट्रीय कौशल विकास निधि
- भारत में कौशल का क्रम-विकास
- नीतिगत पहलें
- राष्ट्रीय कौशल विकास और उद्यमिता नीति, 2015
- राष्ट्रीय कौशल विकास मिशन
- कौशल विकास स्कीमों की योजनाएँ
- डिजिटल कौशल - भावी कौशल के लिए प्रशिक्षण
- स्कूली शिक्षा के साथ कौशल विकास
- भारत में कौशल विकास की चुनौतियाँ
- कौशल विकास के लिए अंतरराष्ट्रीय सहयोग

कौशल विकास - भारतीय परिप्रेक्ष्य (SKILL DEVELOPMENT – INDIAN PERSPECTIVE)

भारत की आबादी की कार्यशील आयु का अनुपात 50 प्रतिशत से अधिक है, जो भारत को अद्वितीय जनसांख्यिकीय लाभ प्रदान करता है। लेकिन, इस लाभ का उपयोग केवल तभी किया जा सकता है, जब मानव पूँजी में सुधार किया जाये।

मानव पूँजी देश के लोगों के ज्ञान, कौशल स्तर और क्षमता को बढ़ाने को संदर्भित करती है। यह एक अमूर्त संपत्ति है, जो किसी राष्ट्र की आर्थिक संवृद्धि और विकास में एक महत्त्वपूर्ण भूमिका निभाती है। इसलिए, भारत में **जनसांख्यिकीय लाभांश** के कथित लाभों का उपयोग करने के लिए कार्य योग्य आबादी को मानव पूँजी में बदलने की आवश्यकता है।

- मानव विकास रिपोर्ट (HDR) 2020 के अनुसार, भारत का कुशल कार्यबल 21.2 प्रतिशत है। श्रम ब्यूरो रिपोर्ट (Labour Bureau Report), 2014 के अनुसार, भारत के औपचारिक रूप से कुशल कार्यबल का आकार केवल 2 प्रतिशत था।
- राष्ट्रीय कौशल विकास और उद्यमिता नीति, 2015, की रिपोर्ट के अनुसार, भारत के कुल कार्यबल में से केवल 4.7 प्रतिशत ने औपचारिक कौशल प्रशिक्षण प्राप्त किया था, जबकि संयुक्त राज्य अमेरिका में यह 52 प्रतिशत, जापान में 80 प्रतिशत और दक्षिण कोरिया में 96 प्रतिशत था।

लास्ट मिनट स्निपपेट्स

आवधिक श्रम बल सर्वेक्षण (**पीएलएफ़एस**) के **2022-23 के आँकड़ों** के अनुसार, 15 से 59 वर्ष की आयु के 75 प्रतिशत लोगों के पास कोई व्यावसायिक प्रशिक्षण नहीं था। शेष 20-25 प्रतिशत ने विभिन्न औपचारिक और अनौपचारिक सेटिंग्स में प्रशिक्षण प्राप्त किया था। शेष लोगों ने विभिन्न औपचारिक और अनौपचारिक व्यवस्थाओं में प्रशिक्षण प्राप्त किया था।

- 2010 और 2014 के बीच किये गये राष्ट्रीय कौशल विकास निगम (एनएसडीसी) कौशल अंतराल अध्ययन से पता चला है कि 2022 तक 24 प्रमुख क्षेत्रों में कुशल जनशक्ति की 10.97 करोड़ की अतिरिक्त शुद्ध वृद्धि की आवश्यकता है।

इस प्रकार, पारंपरिक शिक्षा के माध्यम से युवाओं द्वारा अर्जित शैक्षणिक ज्ञान और कौशल के बीच भारतीय शिक्षा प्रणाली में एक बड़ा अंतर है। कौशल विकास और रोज़गार इस अंतर को पाटने और देश के सामाजिक-आर्थिक विकास को गति देने के लिए युवा ऊर्जा को गतिशील बनाने का सबसे अच्छा साधन है।

कौशल विकास और समावेशी वृद्धि (SKILL DEVELOPMENT AND INCLUSIVE GROWTH)

- समावेशी विकास के लिए सभी स्तरों पर कुशल मानव संसाधन आवश्यक है। इसलिए समावेशी विकास के लिए कौशल विकास यह सुनिश्चित करने के लिए अनिवार्य है कि विभिन्न पृष्ठभूमियों के युवा विकास की कहानी का हिस्सा बनें।
- कौशल विकास को अलग करके नहीं देखा जा सकता है। यह एक ही समय में कौशल प्रशिक्षण को शिक्षा और रोज़गार से जोड़ने की एक अभिन्न प्रक्रिया होनी चाहिए।
- सरकारी एजेंसियाँ और सिस्टम अकेले इस काम को पूरा नहीं कर सकते हैं। कौशल प्रशिक्षण में अनुभव रखनेवाले निजी क्षेत्र, ग़ैर सरकारी संगठनों और शैक्षिक संस्थानों को कौशल प्रशिक्षण की प्रक्रिया में शामिल करने की आवश्यकता है।
- सभी क्षेत्रों को समान महत्त्व दिये जाने की ज़रूरत है। युवाओं के साथ-साथ, समाज के अन्य हाशिये पर खड़े लोगों, जैसे महिलाओं, आदिवासियों आदि को उनकी विविध और विशिष्ट आवश्यकताओं के अनुरूप अनुकूलित प्रशिक्षण कार्यक्रमों की आवश्यकता होती है।

शिक्षा, कौशल और रोज़गार के बीच संबंध (LINKAGES BETWEEN EDUCATION, SKILL AND EMPLOYMENT)

- शिक्षा, कौशल विकास और रोज़गार सृजन का आधार है। यह वैयक्तिक विकास को बढ़ावा देती है, मनुष्य की रचनात्मकता को पोषित करती है तथा ज्ञान प्राप्त करने और उसे लागू करने की क्षमता प्रदान करती है।
- व्यावसायिक शिक्षा (Vocational education), कार्यबल में कौशल अंतराल को पाट सकती है। यह औद्योगिक आवश्यकता के अनुसार व्यावहारिक प्रशिक्षण प्रदान करती है तथा शिक्षा को रोज़गार की तत्परता से जोड़ती है। राष्ट्रीय शिक्षा नीति (NEP) 2020, व्यावसायिक शिक्षा और सामान्य शिक्षा के साथ इसके एकीकरण पर ज़ोर देती है, जिसका उद्देश्य इसे शिक्षा प्रणाली में मुख्यधारा का हिस्सा बनाना है। यह छात्रों को औद्योगिक आवश्यकताओं को पूरा करने और शिक्षा की गुणवत्ता को उन्नत करने हेतु विभिन्न कौशल हासिल करने में मदद करेगी।
- तेज़ी से विकसित हो रही वैश्विक अर्थव्यवस्था में प्रतिस्पर्धी कार्यबल के लिए कौशल एवं शिक्षा में निवेश महत्त्वपूर्ण है। केंद्रीय मंत्रिमंडल ने वर्ष 2026 तक केंद्रीय क्षेत्र की योजना 'कौशल भारत कार्यक्रम (SIP)' को जारी रखने तथा इसके पुनर्गठन को स्वीकृति दी है। वर्ष 2022-23 से 2025-26 की अवधि के लिए उपरिशायी (ओवरले) परिव्यय लगभग ₹8,800 करोड़ है।

क्या आप जानते हैं? संयुक्त राष्ट्र महासभा ने, वर्ष **2014** में, **15 जुलाई** को विश्व युवा कौशल दिवस के रूप में घोषित किया था।

कौशल विकास और उद्यमिता मंत्रालय (एमएसडीई) [MINISTRY OF SKILL DEVELOPMENT AND ENTREPRENEURSHIP (MSDE)]

- कौशल विकास और उद्यमिता मंत्रालय को 2014 में भारत सरकार के नोडल मंत्रालय के रूप में देश भर में सभी कौशल विकास प्रयासों के समन्वय के लिए गठित किया गया था।

- मंत्रालय देश भर में सभी कौशल विकास प्रयासों के समन्वय, कुशल जनशक्ति की माँग और आपूर्ति के बीच अलगाव को दूर करने, व्यावसायिक और तकनीकी प्रशिक्षण ढाँचे का निर्माण करने, कौशल उन्नयन, नये कौशल के निर्माण और न केवल मौजूदा नौकरियों के लिए, बल्कि नौकरियों के निर्माण के लिए भी ज़िम्मेदार है।
- मंत्रालय का उद्देश्य गति और उच्च मानकों के साथ, बड़े पैमाने पर कौशल प्राप्त करके अपने "स्किल इंडिया" के लक्ष्य को पूर्ण करना है।
- इसकी **कार्यात्मक शाखाओं** - प्रशिक्षण महानिदेशालय (**डीजीटी**), राष्ट्रीय व्यावसायिक शिक्षा और प्रशिक्षण परिषद् (**एनसीवीईटी**), राष्ट्रीय कौशल विकास निगम (**एनएसडीसी**), राष्ट्रीय कौशल विकास कोष (**एनएसडीएफ़**) और 37 सेक्टर कौशल परिषदों द्वारा इन पहलों में सहायता की जाती है। एसएससी के साथ-साथ 33 राष्ट्रीय कौशल प्रशिक्षण संस्थान [**एनएसटीआई/एनएसटीआई (डब्ल्यू)**], डीजीटी के तहत लगभग 15,000 औद्योगिक प्रशिक्षण संस्थान (**आईटीआई**) और एनएसडीसी के साथ पंजीकृत 187 प्रशिक्षण भागीदार शामिल हैं।
- एमएसडीई का विज़न कथन 2025 है - "**उत्पादकता लाभांश को ट्रिगर करना और सभी के लिए आकांक्षी रोज़गार और उद्यमिता लाने के लिए मानव पूँजी को अनलॉक करना**"।

राष्ट्रीय कौशल विकास निगम (एनएसडीसी) [NATIONAL SKILL DEVELOPMENT CORPORATION (NSDC)]

- राष्ट्रीय कौशल विकास निगम (NSDC) को **सार्वजनिक निजी भागीदारी (PPP) मॉडल** के तहत 2009 में एक ग़ैर-लाभकारी पब्लिक लिमिटेड कंपनी के रूप में स्थापित किया गया था। MSDE के माध्यम से भारत सरकार के पास NSDC की शेयर पूँजी का 49 प्रतिशत हिस्सा है, जबकि निजी क्षेत्र के पास शेष 51 प्रतिशत शेयर पूँजी है।
- NSDC का उद्देश्य व्यावसायिक संस्थानों के निर्माण का समर्थन करके कौशल विकास को बढ़ावा देना है और मापने योग्य एवं लाभदायक व्यावसायिक प्रशिक्षण पहल बनाने के लिए धन प्रदान करना है। इसका अधिदेश समर्थन प्रणाली को सक्षम करना भी है, जो गुणवत्ता आश्वासन, सूचना प्रणाली पर केंद्रित है और प्रशिक्षक अकादमियों को सीधे या साझेदारी के माध्यम से प्रशिक्षित करता है।
- NSDC कौशल प्रशिक्षण प्रदान करनेवाले उद्यमों, कंपनियों और संगठनों को वित्त पोषण प्रदान करके कौशल विकास में उत्प्रेरक के रूप में कार्य करता है।

राष्ट्रीय कौशल विकास एजेंसी (एनएसडीए) [NATIONAL SKILL DEVELOPMENT AGENCY (NSDA)]

- राष्ट्रीय कौशल विकास एजेंसी (**एनएसडीए**) [National Skill Development Agency **(NSDA)**] की स्थापना 2013 में एमएसडीई के तहत एक स्वायत्त निकाय के रूप में की गयी थी, ताकि अंतर-मंत्रालयी और अंतर-विभागीय मुद्दों को हल किया जा सके और केंद्र के प्रयासों के दोहराव को समाप्त किया जा सके।
- **राष्ट्रीय कौशल योग्यता ढाँचा (एनएसक्यूएफ़) [National Skills Qualifications Framework (NSQF)]** एनएसडीए में स्थापित है और इसे राष्ट्रीय कौशल योग्यता समिति (एनएसक्यूसी) के द्वारा लागू किया जाता है। एनएसडीए में एनएसक्यूसी के लिए एक स्थायी सचिवालय स्थापित किया गया है।
- 2019 में एनएसडीए को **राष्ट्रीय व्यावसायिक शिक्षा और प्रशिक्षण परिषद् (एनसीवीईटी) [National Council for Vocational Education and Training (NCVET)]** में शामिल कर लिया गया था। एनसीवीईटी अब एक अतिव्यापी कौशल नियामक के रूप में कार्य करता है।

राष्ट्रीय कौशल विकास निधि (NATIONAL SKILL DEVELOPMENT FUND)

- भारत सरकार ने सरकारी और गैर-सरकारी दोनों क्षेत्रों में कौशल विकास के लिए धन जुटाने के लिए 2009 में राष्ट्रीय कौशल विकास कोष की स्थापना की।
- भारत सरकार द्वारा गठित एक सार्वजनिक ट्रस्ट इस **कोष का संरक्षक** है।

भारत में कौशल-विकास का क्रम-विकास (TIMELINE OF SKILL DEVELOPMENT IN INDIA)

1. 1969 — प्रथम औद्योगिक प्रशिक्षण संस्थान
2. 2008 — राष्ट्रीय कौशल विकास निगम की स्थापना
3. 2009 — प्रथम राष्ट्रीय कौशल विकास नीति
4. 2013 — राष्ट्रीय कौशल योग्यता ढाँचा और एनएसडीए की स्थापना
5. 2014 — कौशल विकास और उद्यमिता मंत्रालय की स्थापना
6. 2015 — राष्ट्रीय कौशल विकास और उद्यमिता नीति
7. 2023 — राष्ट्रीय कौशल विकास मिशन

नीतिगत पहलें (POLICY INITIATIVES)

राष्ट्रीय कौशल विकास और उद्यमिता नीति, 2015
(National Policy for Skill Development and Entrepreneurship, 2015)

- भारत में कौशल विकास की आवश्यकता को स्वीकार करते हुए, 2009 में श्रम और रोज़गार मंत्रालय द्वारा प्रथम राष्ट्रीय कौशल विकास पर नीति तैयार की गयी थी।
- देश में कौशल और उद्यमिता पारिस्थितिकी तंत्र में आमूल-चूल परिवर्तन को ध्यान में रखते हुए और विभिन्न कौशल विकास कार्यक्रमों के कार्यान्वयन के माध्यम से प्राप्त अनुभव का उपयोग करते हुए, नीति को संशोधित किया गया और दूसरी **राष्ट्रीय कौशल विकास और उद्यमिता नीति**, 2015 को 15 जुलाई, 2015 को अधिसूचित किया गया।

- इस नीति का प्राथमिक उद्देश्य गति, **मानक (गुणवत्ता)** और **स्थिरता** के साथ पैमाने पर कौशल की चुनौती को पूरा करना है।
- इसका उद्देश्य देश के भीतर किये जा रहे सभी कौशलीकरण गतिविधियों के लिए एक समग्र ढाँचा उपलब्ध कराना है, ताकि उन्हें सामान्य मानकों के अनुरूप बनाया जा सके और माँग केंद्रों के साथ कौशल को जोड़ा जा सके।
- नीति देश भर में उद्यमिता की संवृद्धि के लिए आवश्यक कारकों को समन्वयित और मज़बूत करने का भी प्रयास करती है।
- घोषित विजन को प्राप्त करने के लिए, **राष्ट्रीय कौशल विकास और उद्यमिता नीति**, 2015 **(National Policy for Skill Development and Entrepreneurship, 2015)** में **4 महत्त्वपूर्ण क्षेत्र** हैं :
    1. कौशलीकरण के लिए प्रमुख बाधाओं का समाधान करना; जिसमें कम आकांक्षी मूल्य, औपचारिक शिक्षा के साथ एकीकरण की कमी, परिणामों पर ध्यान देने की कमी, प्रशिक्षण बुनियादी ढाँचे और प्रशिक्षकों की कम गुणवत्ता आदि शामिल हैं।
    2. मौजूदा कौशल अंतराल को दूर करके, उद्योग जुड़ाव को बढ़ावा देने, गुणवत्ता आश्वासन ढाँचे को संचालित करने, प्रौद्योगिकी का लाभ उठाने और शिक्षुता प्रशिक्षण के लिए अधिक अवसरों को बढ़ावा देने के द्वारा कौशल के लिए आपूर्ति और माँग को संरेखित करना।
    3. इक्विटी नीति का एक फ़ोकस है, जो सामाजिक/भौगोलिक रूप से हाशिये और वंचित समूहों के लिए कौशलीकरण अवसरों को लक्षित करती है।
    4. महिलाओं के लिए कौशल विकास और उद्यमिता कार्यक्रम।
- उद्यमिता के क्षेत्र में, नीति उद्यमियों को सलाहकारों, इनक्यूबेटरों और क्रेडिट बाज़ारों से जोड़ने, नवाचार और उद्यमिता संस्कृति को बढ़ावा देने, व्यापार करने में आसानी में सुधार और सामाजिक उद्यमिता पर ध्यान केंद्रित करने का प्रयास करती है।

राष्ट्रीय कौशल विकास मिशन (National Skill Development Mission)

- राष्ट्रीय कौशल विकास मिशन की घोषणा केंद्रीय बजट 2015-16 में की गयी थी और विश्व **युवा कौशल दिवस (World Youth Skills Day)** के अवसर पर 2015 में प्रारंभ किया गया था।
- मिशन को विभिन्न क्षेत्रों और राज्यों में अभिसरण बनाने और कौशल प्रशिक्षण गतिविधियों में तेज़ी लाने के लिए विकसित किया गया है।
- मिशन में तीन-स्तरीय, उच्च शक्तिवाली निर्णय लेने की संरचना है: ⟶

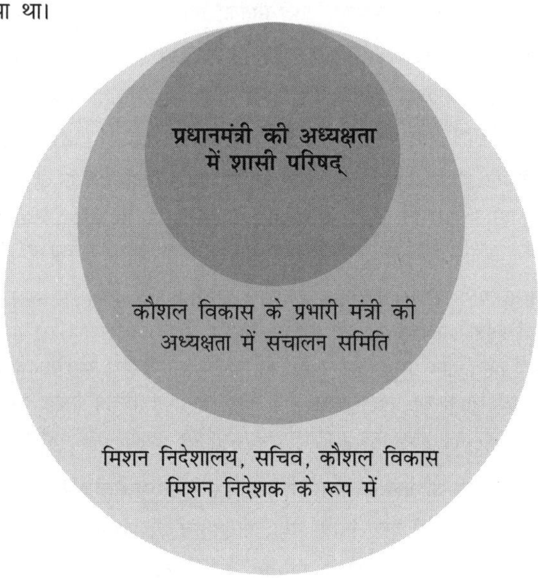

- राष्ट्रीय कौशल विकास मिशन की शासी परिषद् की अध्यक्षता प्रधानमंत्री करते हैं और समग्र मार्गदर्शन और नीति दिशा प्रदान करते हैं।
- कौशल विकास के प्रभारी मंत्री की अध्यक्षतावाली संचालन समिति, शासी परिषद् द्वारा निर्धारित निर्देशों के अनुरूप मिशन की गतिविधियों की समीक्षा करती है।
- कौशल विकास सचिव के साथ मिशन निदेशालय, केंद्रीय मंत्रालयों/विभागों और राज्य सरकारों में कौशलीकरण गतिविधियों के कार्यान्वयन, समन्वय और अभिसरण को सुनिश्चित करने के लिए प्रभारी हैं।
- मिशन के समग्र मार्गदर्शन में निम्नलिखित संस्थान कार्य करते हैं :
    - **राष्ट्रीय कौशल विकास एजेंसी (एनएसडीए) [National Skill Development Agency (NSDA)]**,
    - **राष्ट्रीय कौशल विकास निगम (एनएसडीसी) [National Skill Development Corporation (NSDC)]** और

◆ **प्रशिक्षण महानिदेशालय (डीजीटी) [Directorate General of Training (DGT)]** : डीजीटी प्रशिक्षण नीतियों पर सलाह देता है, प्रशिक्षकों को प्रशिक्षित करता है, तकनीकी सहायता प्रदान करता है, उन्नत प्रशिक्षण संस्थानों (एटीआई), क्षेत्रीय व्यावसायिक प्रशिक्षण संस्थानों (आरवीटीआई) और ऐसे अन्य संस्थानों की कौशल प्रशिक्षण संरचनाओं को बनाये रखने के अलावा महिला केंद्रित प्रशिक्षण संस्थान चलाता है।

कौशल विकास योजनाओं की सूची (LIST OF SKILL DEVELOPMENT SCHEMES)

परीक्षोपयोगी

कौशल विकास से संबंधित योजनाओं को दो श्रेणियों में वर्गीकृत किया जा सकता है। योजनाओं का एक सेट एमएसडीई द्वारा लागू किया जाता है और दूसरा विभिन्न समय पर कई अन्य मंत्रालयों द्वारा लागू किया जाता है।

एमएसडीई द्वारा कार्यान्वित योजनाएँ (Schemes implemented by MSDE)

स्किल इंडिया (Skill India)

स्किल इंडिया प्रोग्राम को सरकार ने **2015** में शुरू किया था, ताकि रोज़गार के योग्य कौशल से युक्त करके नौकरी के लिए तैयार और कुशल कार्यबल प्रदान किया जा सके। मिशन का उद्देश्य लोगों को कुशल बनाना और उन्हें अपनी पसंद के कौशल सेट में प्रशिक्षित करके उनकी रोज़गार क्षमता को बढ़ाना था।

स्किल इंडिया प्रोग्राम का दृष्टिकोण रोज़गार के लिए तैयार कुशल कार्यबल के साथ सशक्त अर्थव्यवस्था के लिए अनुकूल पारिस्थितिकी तंत्र बनाना है:

i. गति और गुणवत्ता के साथ बड़े पैमाने पर कौशल,

ii. उद्योग द्वारा मान्यता प्राप्त मानकों का अनुपालन करना और

iii. नवाचार-आधारित उद्यमिता की संस्कृति को बढ़ावा देना।

यह देश में सभी नागरिकों के लिए सतत आजीविका सुनिश्चित करने के साथ-साथ धन और रोज़गार पैदा करेगा।

स्किल इंडिया देश में 40 क्षेत्रों में पाठ्यक्रम प्रदान करता है, जो **राष्ट्रीय कौशल योग्यता ढाँचे (National Skill Qualification Framework)** के तहत उद्योग और सरकार दोनों द्वारा मान्यता प्राप्त मानकों के अनुरूप हैं।

> **लास्ट मिनट स्निपपेट्स**
>
> भारत सरकार ने वर्ष 2022-23 से 2025-26 की अवधि के लिए ₹8,800 करोड़ के उपरिशायी (ओवरले) परिव्यय के साथ वर्ष 2026 तक 'कौशल भारत कार्यक्रम (SIP)' को जारी रखने और इसके पुनर्गठन को स्वीकृति दी है।

प्रधानमंत्री कौशल विकास योजना 4.0 (PMKVY 4.0), प्रधानमन्त्री राष्ट्रीय प्रशिक्षुता प्रोत्साहन योजना (PM-NAPS) और जन शिक्षण संस्थान (JSS) योजना, 'कौशल भारत कार्यक्रम' की समग्र केंद्रीय क्षेत्र योजना के तहत तीन प्रमुख घटक हैं। इन पहलों का उद्देश्य संरचित कौशल विकास, कार्यस्थल पर प्रशिक्षण (ऑन जॉब ट्रेनिंग) और समुदाय आधारित शिक्षा प्रदान करना है, ताकि यह सुनिश्चित किया जा सके कि हाशिये पर रह रहे समुदायों सहित शहरी और ग्रामीण दोनों आबादी को उच्च गुणवत्तावाली व्यावसायिक शिक्षा तक पहुँच प्राप्त हो।

प्रधानमंत्री कौशल विकास योजना 4.0 (पीएमकेवीवाई 4.0) [Pradhan Mantri Kaushal Vikas Yojana 4.0 (PMKVY 4.0)]

➤ 2015 में शुरू किया गया, पीएमकेवीवाई एमएसडीई का प्रमुख कौशल विकास कार्यक्रम है।

➤ इसका समग्र उद्देश्य भारतीय युवाओं को बेहतर आजीविका पाने के लिए उद्योग-संगत निःशुल्क कौशल प्रशिक्षण पाने में मदद करना है।

➤ PMKVY के निम्न तीन प्रशिक्षण घटक हैं :

क. **अल्पकालिक प्रशिक्षण (Short Term Training - STT)**

ख. **पूर्व शिक्षण मान्यता (Recognition of Prior Learning - RPL)**

ग. **विशेष परियोजनाएँ (Special Projects - SP)**

➤ ज़िला स्तर पर स्थापित प्रधानमंत्री कौशल केंद्र (PMKKs) को अत्याधुनिक, दृश्यमान् और आकांक्षात्मक मॉडल प्रशिक्षण केंद्र के रूप में परिकल्पित किया गया है।

➤ वर्ष 2015 और 2022 के बीच, इस योजना के तीन संस्करणों को परिवर्तित दृष्टिकोण और रणनीति के साथ लागू किया गया है। PMKVY का अगला चरण, यानी **'कौशल भारत कार्यक्रम'** की छत्र योजना (अम्ब्रेला स्कीम) के तहत **PMKVY 4.0**, वित्त **वर्ष 2022 और 2026** के बीच लागू किया जा रहा है।

क. अल्पकालिक प्रशिक्षण (Short-Term Training - STT)

STT के तहत, **300 से 600 घंटों** के बीच NSQF संरेखित पाठ्यक्रम (कोर्स) कराये जाते हैं। उद्योग/क्षेत्रीय माँग के आधार पर उच्च अवधि के पाठ्यक्रम भी शुरू किये गये हैं। यह प्रशिक्षण, मान्यता प्राप्त और संबद्ध प्रशिक्षण केंद्रों के माध्यम से दिया जाता है। ऑन-जॉब ट्रेनिंग (OJT), STT के अंतर्गत एक अंतर्निहित घटक है जैसा कि NCVET द्वारा अनिवार्य किया गया है तथा OJT की अवधि नौकरी की भूमिका पर निर्भर करती है।

STT के तहत लक्षित समूह में वे उम्मीदवार **(15-45 वर्ष की आयु)** सम्मिलित हैं, जो नये कौशल, पुनः कौशल/कौशल उन्नयन के इच्छुक हैं, शिक्षा से वंचित हैं, स्कूल/कॉलेज छोड़ चुके हैं या भारतीय राष्ट्रीयतावाले बेरोज़गार युवा हैं। STT योजना के तहत कोई भी संगठन, जो क़ानूनी रूप से सोसायटी, ट्रस्ट, प्रोपराइटरशिप, कंपनी/सीमित देयता भागीदारी (LLP)/सरकारी संस्थान/संगठन आदि के रूप में स्थापित है, प्रशिक्षण प्रदाता हो सकता है। अल्पकालिक प्रशिक्षण (STT) की अनुमति, कौशल केंद्रों (कॉलेज, स्कूल और सरकारी संस्थान), PMKKs और ITIs सहित चयनित प्रशिक्षण केंद्रों (TCs) द्वारा दी जायेगी।

ख. पूर्व शिक्षण मान्यता (Recognition of Prior Learning - RPL)

वर्ष 2015 में, कौशल भारत मिशन शुरू किया गया था। इसकी प्रमुख योजना, PMKVY के तहत, प्रमुख व्यवसायों में पुनः कौशल और कौशल उन्नयन पर ध्यान केंद्रित करते हुए **पूर्व शिक्षण मान्यता (RPL)** कार्यक्रम शुरू किया गया। इसके लक्षित समूह में ऐसे **उम्मीदवार (18-59 वर्ष की आयु) सम्मिलित हैं, जिनके पास पूर्व शिक्षण अनुभव या कौशल है** और जो मूल्यांकन कराने और प्रमाणन प्राप्त करने के इच्छुक हैं। इसके इच्छुक उम्मीदवारों को मूल्यांकन के आधार पर उच्च स्तर पर प्रमाणन के लिए कोर्सवर्क करना होगा। इस योजना का उद्देश्य उम्मीदवारों को PMKVY प्रमाणपत्र प्रदान करके **12 से 80 घंटे के अभिविन्यास सह सेतु पाठ्यक्रम** (orientation cum bridge course) के बाद मौजूदा कौशल को मान्यता देना है।

RPL के तीन प्रमुख उद्देश्य निम्न हैं:

➤ देश के असंगठित कार्यबल की दक्षताओं को मानकीकृत करके राष्ट्रीय कौशल योग्यता ढाँचे (NSQF) के साथ संरेखित करना।

➤ रोज़गार के अवसरों को बढ़ाना और उच्च शिक्षा के लिए वैकल्पिक साधन प्रदान करना।

➤ असमानताओं को कम करनेवाले अवसर प्रदान करना।

प्रमाणित लाभार्थियों का डेटा, **असीम यानी आत्मनिर्भर कुशल कर्मचारी नियोजक मैपिंग (ASEEM - Aatmanirbhar Skilled Employee Employer Mapping)** पोर्टल और ऐप्लिकेशन के माध्यम से उद्योगों को उपलब्ध कराया जाता है। यह प्लेटफ़ॉर्म बाज़ार की माँग के अनुसार उद्योगों को कुशल कार्यबल प्रदान करता है।

RPL के लाभ (Benefits of RPL)

RPL प्रमाणन के साथ, लोगों की आय के स्तर में वृद्धि हुई है। PMKVY के तहत, 63 प्रतिशत से अधिक लाभार्थियों ने अपने कार्यस्थल पर अपेक्षाकृत उच्च पद प्राप्त किया है। अंतरराष्ट्रीय श्रम संगठन (ILO) ने भी स्वीकार किया है कि RPL के ज़रिये रोज़गार के अवसर बढ़े हैं।

ग. विशेष परियोजनाएँ (Special Projects - SP)

विशेष परियोजना, PMKVY का एक घटक है जिसमें NSQC द्वारा अनुमोदित रोज़गार भूमिकाओं में उम्मीदवारों को **लघु/नवीनतम अवधि** के प्रशिक्षण प्रदान किये जाते हैं। विशेष परियोजनाएँ, PMKVY के अल्पकालिक प्रशिक्षण घटक से भिन्न हैं, क्योंकि यह

अनुपालन के मामले में अधिक लचीलेपन के साथ एक परियोजना/आवश्यकता आधारित है, जिसे दूरदराज के क्षेत्रों में लक्षित लाभार्थियों के सफल प्रशिक्षण हेतु पूरा करना मुश्किल है।

अतिरिक्त जानकारी

प्रधानमंत्री कौशल केंद्र (PMKK) [PRADHAN MANTRI KAUSHAL KENDRA (PMKK)]

कौशल भारत मिशन को आगे बढ़ाने के लिए, MSDE ने **भारत के प्रत्येक ज़िले में** अत्याधुनिक, दृश्यमान् और आकांक्षी **मॉडल प्रशिक्षण केंद्रों** की स्थापना शुरू की है। इन मॉडल प्रशिक्षण केंद्रों को प्रधानमंत्री कौशल केंद्र (PMKK) के रूप में जाना जाता है।

इस परियोजना के तहत, **RFP के माध्यम से चुने गये निजी प्रशिक्षण भागीदार** प्रयोगशालाओं, प्रशिक्षण-संबंधित मशीनरी, प्रशिक्षण सहायक उपकरण आदि की ख़रीद और स्थापना के लिए सब्सिडीवाली ब्याज दर पर प्रति PMKK **₹70 लाख तक का जमानती ऋण** प्राप्त कर सकते हैं।

PMKK केंद्रों को, PMKVY योजना के तहत तीन साल के लिए एक समर्पित प्रशिक्षण प्रदान करना है, जब तक कि यह योजना मौजूद है।

प्रधान मंत्री राष्ट्रीय प्रशिक्षुता संवर्धन स्कीम (पीएम-एनएपीएस) [PM National Apprenticeship Promotion Scheme (PM-NAPS)]

- यह स्कीम प्रशिक्षुता प्रशिक्षण को बढ़ावा देने और प्रशिक्षुता अधिनियम, 1961 के तहत प्रशिक्षुता कार्यक्रम करनेवाले औद्योगिक प्रतिष्ठानों को वित्तीय सहायता प्रदान करके प्रशिक्षुओं की नियुक्ति बढ़ाने के लिए है।
- भारत में प्रशिक्षुओं और प्रतिष्ठानों दोनों के सहायतार्थ, प्रशिक्षण अवधि के दौरान केंद्र सरकार द्वारा प्रत्यक्ष लाभ अंतरण (DBT) के माध्यम से प्रतिप्रशिक्षु **₹1,500 प्रतिमाह तक का 25 प्रतिशत वजीफ़ा** प्रदान किया जाता है। यह योजना **14 से 35 वर्ष** की आयु के व्यक्तियों के लिए निर्मित की गयी है, जो विभिन्न जनसांख्यिकी में कौशल विकास के अवसरों तक समावेशी पहुँच सुनिश्चित करती है।
- PM-NAPS, AI, रोबोटिक्स, ब्लॉकचेन, हरित ऊर्जा और उद्योग 4.0 प्रौद्योगिकियों जैसे उभरते क्षेत्रों सहित मौजूदा विनिर्माण क्षेत्र में प्रशिक्षुता के अवसरों को प्रोत्साहित करती है।

परीक्षोपयोगी

राष्ट्रीय कौशल योग्यता ढाँचा (NATIONAL SKILLS QUALIFICATIONS FRAMEWORK - NSQF)

यह एक **योग्यता-आधारित ढाँचा** है, जो ज्ञान, कौशल और योग्यता के स्तरों की एक श्रृंखला के अनुसार सभी योग्यताओं को व्यवस्थित करता है। 1 से 10 तक वर्गीकृत इन स्तरों को अधिगम परिणामों के संदर्भ में परिभाषित किया गया है, जो शिक्षार्थी के पास होना चाहिए। शिक्षार्थी **औपचारिक, ग़ैर-औपचारिक या अनौपचारिक शिक्षा** के माध्यम से किसी भी स्तर पर आवश्यक योग्यता के लिए प्रमाणन प्राप्त कर सकता है।

भारत में NSQF को 27 दिसंबर, 2013 को अधिसूचित किया गया था। NSQF कौशल विकास और उद्यमिता मंत्रालय (MSDE) के अंतर्गत आता है। सभी प्रशिक्षण/शैक्षणिक कार्यक्रमों/पाठ्यक्रमों के लिए NSQF-अनुपालन होना अनिवार्य है।

जन शिक्षण संस्थान (Jan Shikshan Sansthan - JSS)

- यह योजना, जो वर्तमान में MSDE के अंतर्गत है, भारत सरकार से **100 प्रतिशत** अनुदान के साथ, **ग़ैर सरकारी संगठनों** के माध्यम से कार्यान्वित की जा रही है।
- इसका उद्देश्य ग्रामीण क्षेत्रों और शहरी मलिन बस्तियों में 15-45 वर्ष की आयु के **ग़ैर-साक्षर, नव-साक्षर, प्राथमिक स्तर की शिक्षावाले व्यक्तियों और 12वीं कक्षा तक** स्कूल छोड़नेवालों को कौशल प्रशिक्षण प्रदान करना है।
- इसके प्राथमिकता समूह ग्रामीण क्षेत्रों और निम्न आयवाले शहरी क्षेत्रों में महिलाएँ, SCs, STs, OBC और अल्पसंख्यक हैं।
- JSS, जिसे पहले **श्रमिक विद्यापीठ** के नाम से जाना जाता था, देश में वर्ष **1967** से काम कर रहा है।
- JSS के तहत लाभार्थियों की वार्षिक कवरेज़ लगभग 4 लाख है, जिनमें से **85 प्रतिशत महिलाएँ** हैं।

औद्योगिक प्रशिक्षण संस्थान (आईटीआई)/शिल्पकार प्रशिक्षण स्कीम (सीटीएस) [Industrial Training Institutes (ITIs)/Craftsmen Training Scheme (CTS)]

- शिल्पकार प्रशिक्षण योजना (CTS) को सरकार द्वारा वर्ष **1950** में शुरू किया गया था, ताकि **सरकारी और निजी औद्योगिक प्रशिक्षण संस्थानों [Government and Private Industrial Training Institutes (ITIs)]** के माध्यम से व्यावसायिक प्रशिक्षण प्रदान करके घरेलू उद्योग के लिए विभिन्न व्यवसायों (trades) में कुशल श्रमिकों का एक सतत प्रवाह सुनिश्चित किया जा सके।
- वर्तमान में, देश भर में 1,5034 से अधिक औद्योगिक प्रशिक्षण संस्थान (ITIs) संचालित हैं।
- यह **6 महीने से लेकर 2 साल तक** की अवधिवाले विभिन्न अभियांत्रिकी (इंजीनियरिंग)/ग़ैर-अभियांत्रिकी/दिव्यांग पाठ्यक्रमों पर दीर्घकालिक प्रशिक्षण प्रदान करता है।
- कौशल विकास और उद्यमिता मंत्रालय [Ministry of Skill Development and Entrepreneurship **(MSDE)**], शिल्पकार प्रशिक्षण योजना (CTS) को लागू कर रहा है। हालाँकि, इस योजना के तहत ITIs राज्य सरकारों के प्रशासनिक और वित्तीय नियंत्रण में हैं।

शिल्प प्रशिक्षक प्रशिक्षण योजना (Craft Instructor Training Scheme)

- प्रशिक्षक प्रशिक्षुओं को कौशल और प्रशिक्षण पद्धति में व्यापक प्रशिक्षण प्रदान करना, ताकि उन्हें शिक्षण की पद्धति और व्यावहारिक कौशल हस्तांतरण की तकनीकों से परिचित कराया जा सके, ताकि उद्योग के लिए कुशल जनशक्ति को और अधिक प्रशिक्षित किया जा सके।
- इस योजना के तहत, **पात्र उम्मीदवार वे हैं, जिनके पास NTC/NAC/डिप्लोमा/डिग्री योग्यता है।**

आजीविका संवर्धन हेतु कौशल अर्जन और ज्ञान जागरूकता (संकल्प) [Skill Acquisition and Knowledge Awareness for Livelihood Promotion (SANKALP)]

- यह विश्व बैंक से ऋण सहायता के साथ कौशल विकास मंत्रालय का एक कार्यक्रम है।
- इसका उद्देश्य संस्थानों को मज़बूत करने, बेहतर बाज़ार कनेक्टिविटी लाने और समाज के हाशियेवाले वर्गों को शामिल करने के माध्यम से गुणात्मक और मात्रात्मक रूप से अल्पकालिक कौशल प्रशिक्षण में सुधार करना है।
- इसका उद्देश्य कौशलीकरण पहलों को विकेंद्रीकृत करना और कौशल विकास कार्यक्रमों को स्थानीय माँग और युवाओं की आकांक्षाओं के साथ संरेखित करना भी है।
- यह योजना **19 जनवरी, 2018** को शुरू की गयी थी।
- संकल्प के राष्ट्रीय घटक और राज्य घटकों के अंतर्गत कौशल और उद्यमिता विकास तथा निगरानी के सुदृढ़ीकरण के क्षेत्र में क्रमश: 64 और 700 परियोजनाएँ शुरू की गयी हैं।

➤ **एवीएसएआर परियोजना (AVSAR Project) :** यह संकल्प कार्यक्रम के तहत व्यावसायिक पाठ्यक्रमों में स्वयं सहायता समूहों (एसएचजी) की महिलाओं और ट्रांसजेंडरों को प्रमाणित करती है।

क्या आप जानते हैं ?

भारतीय कौशल संस्थान (INDIAN INSTITUTE OF SKILLS - IIS)

भारत सरकार ने वर्ष **2018** में **PPP मोड के तहत** मुंबई, अहमदाबाद और कानपुर में **तीन** भारतीय कौशल संस्थानों की स्थापना को मंजूरी दी थी। IIS को अंतरराष्ट्रीय स्तर पर प्रसिद्ध कौशल संस्थानों की सर्वोत्तम प्रथाओं को ध्यान में रखते हुए अत्याधुनिक कौशल संस्थानों के रूप में स्थापित किया जा रहा है। इन तीन संस्थानों में से, मुंबई और अहमदाबाद संस्थानों की स्थापना टाटा एजुकेशन ऐंड डेवलपमेंट ट्रस्ट द्वारा PPP भागीदार के रूप में की गयी है

कुछ अन्य पहलें (Some Other Initiatives)

i. **कौशल प्रबंधन और प्रशिक्षण केंद्रों का प्रत्यायन (स्मार्ट) [Skill Management and Accreditation of Training Centres (SMART)]** एक एकल खिड़की सूचना प्रौद्योगिकी (IT) पहल है, जो एनएसक्यूएफ़-संरेखित नौकरी भूमिकाओं के लिए प्रशिक्षण प्रदान करने के लिए प्रशिक्षण केंद्रों (TC) की मान्यता, संबद्धता और निरंतर निगरानी की सुविधा प्रदान करती है।

अब इसे **स्किल इंडिया पोर्टल** के नामवाले एकीकृत पोर्टल पर स्थानांतरित कर दिया गया है। स्किल इंडिया पोर्टल में, कोई भी इकाई एक प्रशिक्षण केंद्र बना सकती है और 'प्रशिक्षण प्रदाता' के रूप में खुद को पंजीकृत करने के बाद अपनी संबद्धता और मान्यता के लिए आवेदन कर सकती है।

ii. **एमएसडीई द्वारा औद्योगिक मूल्यसंवर्धन के लिए कौशल सुदृढ़ीकरण (स्ट्राइव) [Skills Strengthening for Industrial Value Enhancement (STRIVE) by MSDE]** विश्व बैंक की सहायता से भारत सरकार की एक परियोजना है, जिसका उद्देश्य औद्योगिक प्रशिक्षण संस्थानों (आईटीआई) और प्रशिक्षुता के माध्यम से प्रदान किये गये कौशल प्रशिक्षण की प्रासंगिकता और दक्षता में सुधार करना है।

इसका मुख्य उद्देश्य आईटीआई के बेहतर प्रदर्शन, शिक्षण और सीखने तथा व्यापक शिक्षुता प्रशिक्षण प्राप्त करना है।

iii. **एमएसडीई द्वारा कौशल ऋण स्कीम (Skill Loan Scheme by MSDE)** को राष्ट्रीय व्यवसाय मानकों के अनुरूप कौशल विकास पाठ्यक्रमों के लिए व्यक्तियों को संस्थागत ऋण प्रदान करने और एनएसक्यूएफ़ के अनुसार प्रशिक्षण संस्थानों द्वारा प्रमाण पत्र/डिप्लोमा/डिग्री प्रदान करने के लिए डिज़ाइन किया गया है।

iv. **नयी रोशनी (Nai Roshni) - अल्पसंख्यक कार्य मंत्रालय** द्वारा अल्पसंख्यक महिलाओं के लिए **नेतृत्व विकास कार्यक्रम (Leadership Development Programme), 18 से 65 वर्ष** की आयुवर्ग की अल्पसंख्यक समुदायों से संबंधित महिलाओं को प्रशिक्षण देने के लिए केंद्रीय क्षेत्र की एक योजना है। इसमें महिलाओं का नेतृत्व, शैक्षिक कार्यक्रम, स्वास्थ्य और स्वच्छता, वित्तीय साक्षरता, जीवन कौशल, महिलाओं के क़ानूनी अधिकार, डिजिटल साक्षरता आदि जैसे 5-6 दिनों के विभिन्न प्रशिक्षण मॉड्यूल सम्मिलित हैं। अब इसका **प्रधानमंत्री विरासत का संवर्धन (पीएम विकास)** स्कीम के एक घटक के रूप में विलय कर दिया गया है। वित्त वर्ष 2022-23, जिसका उद्देश्य कौशल विकास, शिक्षा और नेतृत्व प्रशिक्षण के माध्यम से अल्पसंख्यकों, विशेष रूप से कारीगर समुदायों की आजीविका में सुधार करना है, ताकि उनके उद्यमिता हस्तक्षेप का समर्थन किया जा सके। इस योजना के तहत **मंत्रालय द्वारा कोई प्रशिक्षण केंद्र स्थापित नहीं किया गया है।** चयनित कार्यक्रम कार्यान्वयन एजेंसियों (PIAs) को उस इलाक़े/गाँव/क्षेत्र, जिसमें प्रशिक्षण आयोजित किया जाता है, में अपने संगठनात्मक ढाँचे के माध्यम से परियोजना को सीधे लागू करना होता है।

v. **दीन दयाल उपाध्याय - ग्रामीण कौशल योजना (DDU-GKY)**

- DDU-GKY, वर्ष 2014 में शुरू की गयी थी। इस योजना का उद्देश्य ग्रामीण ग़रीबों को बिना किसी लागत के माँग आधारित कौशल प्रशिक्षण प्रदान करके **ग्रामीण ग़रीब युवाओं को आर्थिक रूप से स्वतंत्र और विश्व स्तर पर प्रासंगिक कार्यबल** में बदलना है, जिसमें **15-35 वर्ष** के आयुवर्ग के युवाओं ध्यान केंद्रित किया जाता है।

- DDU-GKY **राष्ट्रीय ग्रामीण आजीविका मिशन (एनआरएलएम)** का एक हिस्सा है, जिसमें ग्रामीण ग़रीब परिवारों की आय में विविधता लाने और ग्रामीण युवाओं की करियर आकांक्षाओं को पूरा करने के दोहरे उद्देश्यों के साथ काम किया गया है।

vi. **ग्रामीण स्वरोज़गार एवं प्रशिक्षण संस्थान (RSETIs)**

- ग्रामीण विकास मंत्रालय द्वारा वर्ष 2009 में इस योजना की शुरुआत की गयी थी, जिसका उद्देश्य ग्रामीण युवाओं में उद्यमिता को बढ़ावा देने के लिए निःशुल्क आवासीय प्रशिक्षण प्रदान करना तथा प्रशिक्षण के बाद क्रेडिट लिंकेज़ प्रदान करना है। RSETIs, बैंक द्वारा संचालित संस्थान हैं।

परीक्षोपयोगी

पीएम विश्वकर्मा (PM VISHWAKARMA)

➤ **सूक्ष्म, लघु एवं मध्यम उद्यम मंत्रालय (MSME)** ने ग्रामीण और शहरी क्षेत्रों के **पारंपरिक कारीगरों और शिल्पकारों की सहायतार्थ**, वर्ष 2023 में, केंद्रीय क्षेत्र योजना 'PM विश्वकर्मा' शुरू की है। PM विश्वकर्मा योजना **पूर्णतः केंद्र सरकार द्वारा वित्तपोषित है।**

➤ इस योजना की मुख्य विशेषताएँ :

- **मान्यता (Recognition) :** लाभार्थियों को PM विश्वकर्मा प्रमाणपत्र और ID कार्ड प्राप्त होता है, जिससे उन्हें सभी योजना लाभों तक पहुँच प्राप्त होती है।
- **कौशल उन्नयन (Skill Upgradation)**

  बुनियादी प्रशिक्षण (5-7 दिनों में 40 घंटे, ₹500 प्रतिदिन वजीफ़ा): कौशल वृद्धि, आधुनिक उपकरण उपयोग, डिजिटल लेनदेन और विपणन को सम्मिलित करता है।

  उन्नत प्रशिक्षण (Advanced Training) (15 दिन, ₹500/दिन वजीफ़ा): उद्यमिता, आधुनिक तकनीक और व्यापार विस्तार पर ध्यान केंद्रित करता है।
- **टूलकिट प्रोत्साहन (Toolkit Incentive) :** आधुनिक उपकरण ख़रीद, उत्पादकता और उत्पाद की गुणवत्ता में सुधार के लिए e-RUPI/ई-वाउचर के माध्यम से ₹15,000 तक की सहायता राशि प्रदान की जाती है।
- **ऋण सहायता (Credit Support) :** व्यवसाय विकास को बढ़ावा देने के लिए ब्याज अनुदान के साथ 'उद्यम विकास ऋण' के रूप में ₹1 लाख (पहली किश्त) और ₹2 लाख (दूसरी किश्त) के जमानत-मुक्त ऋण प्रदान किये जाते हैं।
- **डिजिटल सशक्तीकरण (Digital Empowerment) :** लाभार्थियों को प्रत्येक डिजिटल लेनदेन पर ₹1, प्रति माह अधिकतम 100 लेनदेन तक की सीमा के साथ, प्रत्येक डिजिटल भुगतान या रसीद के होने पर सीधे उनके खाते में जमा किया जायेगा।
- आवेदक की **आयु 18 वर्ष से अधिक होनी चाहिए** और वह असंगठित क्षेत्र में स्वरोज़गार के आधार पर **18 परिवार-आधारित पारंपरिक व्यवसायों** *(जैसे बढ़ई, लोहार, ताला बनानेवाला, सुनार, कुम्हार, मूर्तिकार, पत्थर तोड़नेवाला, मोची, राजमिस्त्री, टोकरी बुनकर, गुड़िया और खिलौने बनानेवाला, नाई, आदि)* में से किसी एक में हाथों और औजारों से काम करनेवाला कारीगर या शिल्पकार होना चाहिए।

डिजिटल कौशलीकरण - भविष्य के कौशल के लिए प्रशिक्षण (DIGITAL SKILLING – TRAINING FOR FUTURE SKILLS)

➤ भारत में डिजिटल कौशल प्रशिक्षण की आवश्यकता का आकलन करने के प्रयास में, ऐल्फ़ाबीटा द्वारा "बदलते कार्यबल के लिए डिजिटल कौशल का निर्माण" नामक एक रिपोर्ट तैयार की गयी है और **अमेज़ॅन वेब सर्विसेज (एडब्ल्यूएस)** द्वारा कमीशन

की गयी है। रिपोर्ट के अनुसार, भारत के कार्यबल के 7 प्रतिशत का प्रतिनिधित्व करनेवाले लगभग **27.3 मिलियन श्रमिकों** को आनेवाले वर्षों में डिजिटल कौशल प्रशिक्षण की आवश्यकता होगी।

- डिजिटल कौशल को मोटे तौर पर बुनियादी ऑनलाइन खोज और ईमेलिंग से लेकर विशेषज्ञ प्रोग्रामिंग और विकास तक "डिजिटल उपकरणों, संचार अनुप्रयोगों और सूचनाओं तक पहुँच और प्रबंधन के लिए नेटवर्क का उपयोग करने" के लिए आवश्यक कौशल के रूप में परिभाषित किया गया है।
- डिजिटल कौशल क्लासिक एसटीईएम (विज्ञान, प्रौद्योगिकी, इंजीनियरिंग और गणित) विषयों में शिक्षा के बराबर नहीं है।
- **स्किल इंडिया डिजिटल (SID)** : एसआईडी कौशल और नौकरियों से जुड़ा एक अभिनव डिजिटल प्लेटफ़ॉर्म है, जो इंडिया स्टैक ग्लोबल के मज़बूत ढाँचे को बढ़ावा देता है और शीर्ष स्तर की सुरक्षा और स्केलेबिलिटी हासिल करता है। प्लेटफ़ॉर्म उपयुक्त कौशल सेट और डिजिटल जॉब एक्सचेंज के लिए उन्नत एआई/एमएल तकनीक के माध्यम से खोज और प्रस्ताव प्रदान करता है।

स्कूली शिक्षा के साथ कौशल विकास (SKILL DEVELOPMENT INTEGRATED WITH SCHOOL EDUCATION)

- **राष्ट्रीय शिक्षा नीति (एनईपी) [National Education Policy (NEP)]**, 2020 में व्यावसायिक शिक्षा के लाभों के बारे में जागरूकता के साथ-साथ विभिन्न व्यवसायों के लिए आवश्यक व्यावसायिक कौशल प्रदान करने के लिए चरणबद्ध तरीक़े से सभी स्कूलों और उच्च शिक्षा संस्थानों में आवश्यक विषयों और कौशल के पाठ्यक्रम एकीकरण की परिकल्पना की गयी है।
- स्कूल शिक्षा और साक्षरता विभाग (शिक्षा मंत्रालय) **"समग्र शिक्षा"**- स्कूली शिक्षा के लिए एक एकीकृत योजना है, जो कि केंद्र सरकार द्वारा प्रायोजित है, के तहत स्कूली शिक्षा के व्यवसायीकरण की योजना को लागू कर रहा है। इस स्कीम का उद्देश्य सभी स्कूलों में सामान्य शैक्षणिक शिक्षा के साथ व्यावसायिक शिक्षा को एकीकृत करना, छात्रों की रोज़गार और उद्यमिता क्षमताओं को बढ़ाना, काम के माहौल के संपर्क में अवसर प्रदान करना; और विभिन्न कैरियर विकल्पों के बारे में छात्रों के बीच जागरूकता पैदा करना, ताकि उन्हें अपनी योग्यता, क्षमता और आकांक्षाओं के अनुसार विकल्प बनाने में सक्षम बनाया जा सके।
- **कौशल हब** नोडल कौशल केंद्र हैं, जो कक्षा 6 से 8 तक (अभिविन्यास, उद्योग यात्राओं, बैग-लेस दिनों के माध्यम से काम की दुनिया का परिचय), 9 से 12 (छात्रों को कौशल विकास के अवसरों से उजागर करने के उद्देश्य से), स्कूल छोड़नेवाले और शिक्षा से बाहर (अकादमिक ऋण, शिक्षा और प्रशिक्षुता और रोज़गार लिंकेज को मुख्यधारा में लाने के उद्देश्य से) जनसंख्या क्षेत्रों को लक्षित करने के लिए कौशल विकास और व्यावसायिक प्रशिक्षण के अवसर प्रदान करने के लिए पहचाने जाते हैं।

भारत में कौशल विकास की चुनौतियाँ (CHALLENGES TO SKILL DEVELOPMENT IN INDIA)

- अपर्याप्त प्रशिक्षण क्षमता - प्रशिक्षण पूरा होने के बाद नौकरी सुनिश्चित करने के लिए प्रशिक्षण पर्याप्त नहीं होना और कम रोज़गार-दर का कारण बनना।
- विभिन्न क्षेत्रों और क्षेत्रों में उपलब्ध कौशल माँग और प्रशिक्षण में विसंगति।
- प्रशिक्षण केन्द्रों की अविकसित आधारभूत संरचना।
- प्रशिक्षित लोगों के बीच उद्यमिता कौशल की कमी, जिससे प्रशिक्षण पूरा होने के बाद उम्मीद से कम रोज़गार सृजन होता है।
- प्रशिक्षण संस्थानों का कम उद्योग इंटरफ़ेस प्रशिक्षुओं के प्लेसमेंट को प्रभावित करता है।
- आईटीआई और पॉलिटेक्निक जैसे कौशल संस्थानों द्वारा उनकी नामांकन क्षमता की तुलना में कम छात्र जुटाना और नामांकन करना। यह कौशल विकास कार्यक्रमों के बारे में युवाओं के बीच कम जागरूकता स्तर के कारण है।
- भारत में औपचारिक शिक्षा की तुलना में व्यावसायिक प्रशिक्षण के बारे में कम सार्वजनिक धारणा।

अतिरिक्त जानकारी

कौशल विकास के लिए अंतरराष्ट्रीय सहयोग
(INTERNATIONAL COLLABORATION FOR SKILL DEVELOPMENT)

- भारत को **दुनिया की एक कौशल राजधानी** बनाने और कुशल जनशक्ति की गतिशीलता में सुधार करने के उद्देश्य से, राष्ट्रीय कौशल विकास निगम (एनएसडीसी) अंतरराष्ट्रीय की स्थापना की गयी है, जिसका उद्देश्य पूरे भारत में संस्थानों का एक नेटवर्क बनाना है। संस्थानों के इस नेटवर्क को **स्किल इंडिया इंटरनेशनल (एसआईआई) नेटवर्क** कहा जायेगा। यह अत्याधुनिक सरकारी और निजी संस्थानों के पैनल के माध्यम से बनाया जायेगा।
- एमएसडीई ने कौशल विकास और व्यावसायिक शिक्षा प्रशिक्षण के क्षेत्र में ऑस्ट्रेलिया, बेलारूस, चीन, डेनमार्क, फ़्रांस, जर्मनी, जापान, क़तर, स्विट्ज़रलैंड, संयुक्त अरब अमीरात और यूनाइटेड किंगडम जैसे 11 देशों के साथ समझौता ज्ञापनों पर भी हस्ताक्षर किये हैं।
- एनएसडीसी ने ऑस्ट्रेलिया, कनाडा, जर्मनी, जापान, मलेशिया, सऊदी अरब, संयुक्त अरब अमीरात आदि जैसे देशों के साथ 18 B2B समझौता ज्ञापनों (MoUs) पर भी हस्ताक्षर किये हैं।
- NSDC और अंतरराष्ट्रीय श्रम संगठन (ILO) ने भारत और विश्व स्तर पर कौशल विकास और आजीवन शिक्षा को आगे बढ़ाने के लिए रणनीतिक साझेदारी की घोषणा की है। इस सहयोग का उद्देश्य दुनिया भर के व्यक्तियों को आवश्यक दक्षताओं और योग्यताओं से लैस करना और रोज़गार क्षमता और सतत आर्थिक विकास को आगे बढ़ाना है।

संक्षिप्त विवरण

- **मानव पूँजी (Human Capital)** – एक अमूर्त संपत्ति, जिसमें देश के लोगों का ज्ञान, कौशल स्तर और क्षमता शामिल है।
- **कौशल विकास और उद्यमिता मंत्रालय (Ministry of Skill Development and Entrepreneurship)** – देश भर में सभी कौशल विकास प्रयासों के समन्वय के लिए 2014 में भारत सरकार के नोडल मंत्रालय के रूप में गठित किया गया था।
- **एमएसडीई का विज़न कथन 2025 (Vision Statement 2025 of MSDE)** – "उत्पादकता लाभांश को बढ़ाने और सभी के लिए आकांक्षी रोज़गार और उद्यमिता मार्ग लाने के लिए मानव पूँजी को अनलॉक करें।"
- **राष्ट्रीय कौशल विकास निगम (एनएसडीसी) [National Skill Development Corporation (NSDC)]** – सार्वजनिक निजी भागीदारी (पीपीपी) मॉडल के तहत 2009 में एक ग़ैर-लाभकारी पब्लिक लिमिटेड कंपनी के रूप में स्थापित। सरकार के पास 49% हिस्सा है और निजी क्षेत्र के पास 51% हिस्सा है।
- **राष्ट्रीय कौशल विकास एजेंसी (एनएसडीए) [National Skill Development Agency (NSDA]** – अंतर-मंत्रालयी और अंतर-विभागीय मुद्दों को हल करने और केंद्र के प्रयासों के दोहराव को ख़त्म करने के लिए 2013 में एक स्वायत्त निकाय के रूप में स्थापित। 2019 में एनएसडीए को **राष्ट्रीय व्यावसायिक शिक्षा और प्रशिक्षण परिषद् (एनसीवीईटी)** में शामिल कर लिया गया था।
- श्रम और रोज़गार मंत्रालय द्वारा 2009 में प्रथम राष्ट्रीय कौशल विकास नीति शुरू की गयी थी। इस नीति को **राष्ट्रीय कौशल विकास और उद्यमिता नीति (National Policy for Skill Development and Entrepreneurship), 2015**, के रूप में संशोधित किया गया था।
- **राष्ट्रीय कौशल विकास मिशन (National Skill Development Mission)** – विश्व युवा कौशल दिवस के अवसर पर 15 जुलाई, 2015 को शुरू किया गया।

यूपीएससी सिविल सेवा के पिछले वर्षों की प्रारंभिक परीक्षा के प्रश्न

1. प्रधानमंत्री कौशल विकास योजना के संदर्भ में, निम्नलिखित कथनों पर विचार करें : **[2018]**

1. यह श्रम और रोज़गार मंत्रालय की प्रमुख योजना है।

2. यह अन्य चीज़ों के अलावा, सॉफ़्ट कौशल, उद्यमिता तथा वित्तीय और डिजिटल साक्षरता में प्रशिक्षण भी प्रदान करेगा।

3. इसका उद्देश्य देश की दक्षताओं को संरेखित करना है।

ऊपर दिये गये कथनों में से कौन-सा/से सही है/हैं?

(a) केवल 1 और 3 **(b)** केवल 2

(a) केवल 2 और 3 **(d)** 1, 2 और 3

2. 'राष्ट्रीय कौशल योग्यता ढाँचा (एनएसक्यूएफ़) National Skills Qualification Framework (NSQF)' के संदर्भ में, नीचे दिये गये कथनों में से कौन सा/से सही है/हैं? **[2017]**

1. एनएसक्यूएफ़ के तहत, एक शिक्षार्थी केवल औपचारिक शिक्षा के माध्यम से योग्यता के लिए प्रमाणन प्राप्त कर सकता है।

2. एनएसक्यूएफ़ के कार्यान्वयन से अपेक्षित परिणाम व्यावसायिक और सामान्य शिक्षा के बीच गतिशीलता है।

(a) केवल 1

(b) केवल 2

(c) दोनों 1 और 2

(d) न तो 1 और न ही 2

3. 'पूर्व शिक्षण मान्यता स्कीम' का उल्लेख कभी-कभी समाचारों में किसके संदर्भ में किया जाता है? **[2017]**

(a) पारंपरिक चैनलों के माध्यम से निर्माण श्रमिकों द्वारा अर्जित कौशल को प्रमाणित करना।

(b) दूरस्थ शिक्षा कार्यक्रमों के लिए विश्वविद्यालयों में व्यक्तियों का नामांकन।

(c) कुछ सार्वजनिक क्षेत्र के उपक्रमों में ग्रामीण और शहरी ग़रीबों के लिए कुछ कुशल नौकरियाँ आरक्षित करना।

(d) राष्ट्रीय कौशल विकास कार्यक्रम के तहत परीक्षार्थियों द्वारा अर्जित कौशल को प्रमाणित करना।

☞ **कोई प्रश्न नहीं**
2024, 2023, 2022, 2021, 2020, 2019, 2016, 2015, 2014, 2013

उत्तर कुंजी

1. (c) 2. (b) 3. (d)

यूपीएससी सिविल सेवा के पिछले वर्षों की मुख्य परीक्षा के प्रश्न

1. विभिन्न क्षेत्रों में मानव संसाधनों की आपूर्ति में वृद्धि करने में कौशल विकास कार्यक्रमों ने सफलता अर्जित की है। इस कथन के संदर्भ में शिक्षा, कौशल और रोज़गार के मध्य संयोजन का विश्लेषण कीजिए। **[2023]**

2. "जब तक कि हमारी जनशक्ति अधिक शिक्षित, जागरूक, कुशल और रचनात्मक न हो जाये भारत में जनसांख्यिकीय लाभांश केवल सैद्धांतिक रहेगा।" हमारी जनसंख्या की क्षमता को और अधिक उत्पादक और रोज़गारपरक बनाने के लिए सरकार द्वारा क्या उपाय किये गये हैं? **[2016]**

☞ **कोई प्रश्न नहीं**
2024, 2022, 2021, 2020, 2019, 2018, 2017, 2015, 2014, 2013

अध्याय 32

भारत की गिग अर्थव्यवस्था (India's Gig Economy)

अध्याय की रूपरेखा

- भारत में गिग अर्थव्यवस्था का उदय
- गिग बनाम प्लेटफ़ॉर्म इकोनॉमी
- एक नये आर्थिक प्रतिमान के रूप में गिग अर्थव्यवस्था के सामाजिक निहितार्थ
- व्यवसाय के दृष्टिकोण से गिग अर्थव्यवस्था
- कामगारों के दृष्टिकोण से गिग अर्थव्यवस्था
- भारत की गिग अर्थव्यवस्था की क्षमता
- भारत में गिग अर्थव्यवस्था का आकार
- विभिन्न कॉलर जॉब
- गिग क्षेत्र से जुड़ी चुनौतियाँ
- भारत में महिलाओं के सशक्तीकरण के रूप में गिग अर्थव्यवस्था
- गिग अर्थव्यवस्था के लिए श्रम संहिता
- गिग कामगारों की स्थिति में किस प्रकार सुधार किया जा सकता है

गिग अर्थव्यवस्था (Gig Economy), एक ऐसी व्यवस्था है, जिसमें लोग ऑनलाइन प्लेटफ़ॉर्म के ज़रिये अस्थायी और लोचशील काम में सम्मिलित होते हैं। वे किसी कंपनी के नियमित कर्मचारी होने के बजाए प्रोजेक्ट-दर-प्रोजेक्ट आधार पर काम करते हैं। इसका मूल रूप से मतलब है कि वे डिजिटल बाज़ार स्थान (मार्केटप्लेस) के ज़रिये विभिन्न क्लाइंट के लिए अल्पकालिक 'गिग (gigs)' करते हैं। इसके उदाहरणों में ऑनलाइन प्लेटफ़ॉर्म के ज़रिये डिज़ाइन सेवाएँ देनेवाले फ़्रीलांस डिज़ाइनर, स्विगी, जोमैटो जैसे ऐप पर फ़ूड डिलीवरी राइडर, राइडशेयर ड्राइवर (उबर, ओला, रैपिडो), होम सर्विस प्रोवाइडर (अर्बन कंपनी) और कंटेंट क्रिएटर सम्मिलित हैं।

सामाजिक सुरक्षा संहिता, 2020 (भारत) के अनुसार, ***"गिग श्रमिक वह व्यक्ति होता है, जो पारंपरिक नियोक्ता-कर्मचारी संबंध से बाहर काम करता है या काम की व्यवस्था में भागीदारी करता है और ऐसी गतिविधियों से कमाता है।"***

गिग अर्थव्यवस्था के संकेत मानव इतिहास के शुरुआती चरणों में ही देखे जा सकते हैं। औद्योगिक क्रांति से पहले, ज़्यादातर काम, श्रम-प्रधान था, जहाँ किसान, शिल्पकार और कारीगर व्यक्तिगत परियोजनाओं पर काम करते थे। इन शुरुआती अर्थव्यवस्थाओं में, जहाँ लोग वस्तुओं और सेवाओं के लिए श्रम और कौशल का आदान-प्रदान करते थे, गिग श्रमिक (गिग लेबर) का विचार सामने आना लाज़िमी था।

भारत में गिग अर्थव्यवस्था का उदय (EMERGENCE OF GIG ECONOMY IN INDIA)

भारत का स्टार्टअप पारिस्थितिकी तंत्र तेज़ी से विस्तारित हो रहा है।

स्टार्टअप के लिए पूर्णकालिक कर्मचारियों की भर्ती करने से बड़ी निश्चित लागत आती है, इसलिए अनुबंधित फ़्रीलांसर्स को ग़ैर-मुख्य कार्यों (non-core tasks) के लिए नियोजित किया जाता है। अपने तकनीकी प्लेटफ़ॉर्म को मज़बूत करने के लिए, स्टार्टअप, इंजीनियरिंग, उत्पाद, डेटा विज्ञान और मशीन लर्निंग जैसे क्षेत्रों में भी कुशल प्रौद्योगिकीवाले फ़्रीलांसर्स (प्रतिप्रोजेक्ट के आधार पर) को काम पर रखने पर विचार कर रहे हैं।

महामारी के बाद, बहुराष्ट्रीय कंपनियाँ परिचालन लागत कम करने के लिए, विशेष रूप से विशेष परियोजनाओं के लिए लोचशील भर्ती प्रथाओं को लागू कर रही हैं। भारत में गिग संस्कृति इस प्रवृत्ति से बहुत प्रभावित है।

प्रमुख क्षेत्र	विवरण
1. स्टार्टअप इकोसिस्टम का विस्तार	• स्टार्टअप तेज़ी से बढ़ रहे हैं • गैर-प्रमुख कार्यों के लिए फ़्रीलांसर को काम पर रखना • उच्च निश्चित कर्मचारी लागतों से बचने में सहायक
2. तकनीकी प्रतिभा की माँग	• परियोजना-आधारित भर्ती का बढ़ता उपयोग • इंजीनियरिंग, उत्पाद, डेटा विज्ञान, ML में कुशल फ़्रीलांसर • तकनीकी प्लेटफ़ॉर्म के अनुकूल
3. बहुराष्ट्रीय कंपनियाँ और महामारी के बाद बदलाव	• बहुराष्ट्रीय कंपनियाँ कोविड के बाद फ़्लेक्सी-हायरिंग की प्रवृत्ति को अपना रही हैं • विशिष्ट और अल्पकालिक भूमिकाओं के लिए उपयोगी • परिचालन लागत में कटौती करने का लक्ष्य • GIA संस्कृति विकास को बढ़ावा देता है

क्या आप जानते हैं?

वर्ष 2020 में, ग्लोबल गिग अर्थव्यवस्था इंडेक्स ने फ़्रीलांस बाज़ार में भारत की वृद्धि पर प्रकाश डाला, इसे शीर्ष 10 देशों में स्थान दिया, जिसमें वर्ष 2018 और 2019 के बीच फ़्रीलांसिंग क्षेत्र में 11 प्रतिशत से 52 प्रतिशत तक की उल्लेखनीय वृद्धि हुई।

गिग अर्थव्यवस्था की मुख्य विशेषताएँ (KEY FEATURES OF A GIG ECONOMY)

- **अल्पकालिक और लचीले अनुबंध (Short-Term and Flexible Contracts)** - कर्मचारी पूर्णकालिक नौकरी की तलाश करने के बजाए अस्थायी और लचीले काम करते हैं।
- **फ़्रीलांस और स्वतंत्र कार्य (Freelance and Independent Work)** - गिग कर्मचारी/श्रमिक आमतौर पर स्व-नियोजित या स्वतंत्र ठेकेदार होते हैं।
- **डिजिटल प्लेटफ़ॉर्म (Digital Platforms)** - वे विभिन्न ऑनलाइन प्लेटफ़ॉर्म और पोर्टल के माध्यम से जुड़े हुए होते हैं।
- **प्रतिकार्य भुगतान या प्रतिघंटे के आधार पर भुगतान (Pay-Per-Task or Payment on Hourly Basis)** - कर्मचारियों को प्रतिकार्य भुगतान किया जाता है या प्रतिघंटे के आधार पर भुगतान किया जाता है। कोई विशिष्ट वेतन नहीं दिया जाता है।
- **विकेंद्रीकृत कार्यबल (Decentralised Workforce)** - इसमें कर्मचारियों को घर से या कार्यालय के बाहर कहीं से भी काम करने की सुविधा एवं अनुमति होती है। नियोक्ता, किसी प्रोजेक्ट के लिए, भौगोलिक अवस्थिति द्वारा प्रतिबंधित हुए बिना सबसे प्रतिभाशाली व्यक्तियों को चुन सकते हैं। इस व्यवस्था में कर्मचारियों को किसी विशेष स्थान पर बैठे रहने या जाने की आवश्यकता नहीं होती है।
- **प्रौद्योगिकी-संचालित (Technology-Driven)** - संचार, भुगतान और नौकरी प्रबंधन के लिए ऐप और डिजिटल टूल के उपयोग से काम किया जाता है और उसे सुविधाजनक बनाया जाता है।
- **विविध कार्य प्रकार (Diverse Work Types)** - गिग अर्थव्यवस्था में विभिन्न प्रकार के उद्योग सम्मिलित हैं, जैसे परिवहन, वितरण और अन्य रचनात्मक कार्य।
- **वैश्विक अवसर (Global Opportunities)** - कार्मिकों की पहुँच वैश्विक कार्यबल तक होती है और वे दुनिया में कहीं भी नौकरी ढूँढ़ सकते हैं या ग्राहक से संपर्क कर सकते हैं।

- **माँग-संचालित (Demand-Driven)** – काम की उपलब्धता, उपभोक्ता माँग और समग्र बाज़ार पर निर्भर करती है।
- **स्व-प्रचार (Self-Promotion)** – फ़्रीलांस श्रमिकों को खुद को बढ़ावा देने और ग्राहक पाने के लिए सोशल मीडिया का उपयोग करने की आवश्यकता होती है।

गिग श्रमिक (गिग वर्कर) को **प्लेटफ़ॉर्म** और **नॉन-प्लेटफ़ॉर्म** श्रमिक के रूप में वर्गीकृत किया जा सकता है। प्लेटफ़ॉर्म श्रमिक, ऑनलाइन सॉफ्टवेयर ऐप या उबर, ओला, जोमैटो जैसे डिजिटल प्लेटफ़ॉर्म पर निर्भर करते हैं और उनके पास पारंपरिक नियोक्ता-कर्मचारी संबंधों के बाहर लोचशील काम होते हैं। दूसरी ओर, नॉन-प्लेटफ़ॉर्म गिग श्रमिक काम खोजने या काम करने के लिए ऑनलाइन प्लेटफ़ॉर्म या ऐप का उपयोग नहीं करते हैं। वे पूर्णकालिक या अंशकालिक काम कर सकते हैं और आमतौर पर अनियत/दैनिक वेतन कमानेवाले होते हैं।

गिग अर्थव्यवस्था को कभी-कभी '**फ़्रीलांस इकोनॉमी**' या '**ऑन-डिमांड इकोनॉमी**' के रूप में संदर्भित किया जाता है। ऑनलाइन संसाधनों के माध्यम से संभव किये गये लचीले कार्य शेड्यूल के समान विचार को संदर्भित करने के लिए अक्सर इन शब्दों का एक दूसरे के स्थान पर इस्तेमाल किया जाता है।

गिग अर्थव्यवस्था *बनाम* प्लेटफ़ॉर्म इकोनॉमी (GIG *VS* PLATFORM ECONOMY)

प्लेटफ़ॉर्म इकोनॉमी और गिग अर्थव्यवस्था परस्पर बहुत करीब से जुड़ी हुई हैं, लेकिन इनमें कुछ अंतर भी मौजूद है। गिग अर्थव्यवस्था मुख्य रूप से श्रम बाज़ार का प्रतिनिधित्व करती है, जिसमें कार्मिक स्वतंत्र रहते हुए, अल्पकालिक या फ़्रीलांस काम में सम्मिलित होते हैं। दूसरी ओर, प्लेटफ़ॉर्म इकोनॉमी एक ऐसी प्रणाली का वर्णन करती है, जिसमें ख़रीदारों और विक्रेताओं, सेवा प्रदाताओं और श्रमिकों को जोड़ने के लिए डिजिटल प्लेटफ़ॉर्म का उपयोग किया जाता है। प्लेटफ़ॉर्म इकोनॉमी में न केवल गिग काम बल्कि कुछ अन्य प्रकार के काम भी सम्मिलित हैं।

तुलनात्मक अध्ययन

पहलू	गिग अर्थव्यवस्था	प्लेटफ़ॉर्म इकोनॉमी
फ़ोकस	अल्पकालिक, स्वतंत्र कार्य	डिजिटल प्लेटफ़ॉर्म, जो सभी प्रकार के आदान-प्रदान को सक्षम करते हैं
श्रमिक/कर्मी	स्वतंत्रकर्मी/फ़्रीलांसर	श्रमिक, व्यवसाय और उपभोक्ता सम्मिलित हो सकते हैं
उदाहरण	फ़्रीलांस डिज़ाइनर	Amazon, Airbnb, Upwork, Zomato
दायरा	प्लेटफ़ॉर्म इकोनॉमी का उपसमूह	डिजिटल लेनदेन के लिए व्यापक प्रणाली

भारत में एक नये आर्थिक प्रतिमान के रूप में गिग अर्थव्यवस्था के सामाजिक निहितार्थ (SOCIAL IMPLICATIONS OF THE GIG ECONOMY AS A NEW ECONOMIC PARADIGM IN INDIA)

भारत की गिग अर्थव्यवस्था देश की सामाजिक-आर्थिक स्थिति को बहुत तेज़ी से बदल रही है। यह दिन-प्रतिदिन अधिक अवसर और चुनौतियाँ प्रस्तुत कर रही है। इसने रोज़गार की प्रकृति में एक आदर्श बदलाव किया है, जिसमें दीर्घकालिक नौकरियों और स्थायी रोज़गार की तुलना में लचीले, अल्पकालिक अनुबंधों को महत्त्व दिया जाता है। व्यक्तियों को इससे अधिक स्वतंत्रता मिलती है, विशेष रूप से शहरों में, तथा यह महिलाओं और युवाओं सहित वंचित वर्गों के लोगों को कार्यबल में सम्मिलित होने के अवसर प्रदान करती है। लेकिन यह शक्तिशाली सामाजिक परिणामों को भी जन्म देती है। गिग अर्थव्यवस्था पर निर्भरता, आय का समयोचित और स्थिर स्रोत सुनिश्चित नहीं करती है। इस मामले में, आय अप्रत्याशित होती है तथा यह सामाजिक-आर्थिक असमानता को जन्म देती है, क्योंकि इसमें कई श्रमिकों को स्वास्थ्य सेवा और सेवानिवृत्ति योजनाओं जैसे सामाजिक लाभों तक पर्याप्त पहुँच के बिना कम आय में ही गुज़ारा करना पड़ता है। इनके अतिरिक्त, यह श्रमिकों, विशेष रूप से कम वेतनवाले और अनौपचारिक वेतन पानेवालों के बीच आशंका एवं असुरक्षा की भावना भी पैदा करती है। गिग अर्थव्यवस्था का संस्थागत सामुदायिक जीवन पर भी नकारात्मक प्रभाव पड़ता है, क्योंकि इन श्रमिकों के पास स्थिर समुदाय और सामाजिक नेटवर्क भी नहीं होते हैं। हालाँकि, यह लचीलेपन और कार्य-जीवन संतुलन के अवसर

प्रदान करती है, विशेष रूप से महिलाओं के बीच, किंतु यह लैंगिक वेतन अंतराल एवं अनौपचारिक कार्य प्रथाओं को बढ़ावा देती है। अनियमित मुआवजा, अकेलापन और नौकरी की अस्थिरता के मनोवैज्ञानिक निहितार्थ भी इसमें बने रहते हैं।

विभिन्न दृष्टिकोणों से गिग अर्थव्यवस्था (GIG ECONOMY FROM DIFFERENT PERSPECTIVES)

व्यावसायिक दृष्टिकोण से (From the Business Perspective)

- **लागत प्रभावी (Cost-effective)** : यह व्यावसायिक दृष्टिकोण से बहुत सुविधाजनक और लागत प्रभावी है। ऑफ़-साइट कर्मियों को काम पर रखने से, कंपनियाँ भौतिक रूपों और बड़े कार्यालयों में कार्यस्थलों को बनाये रखने जैसी लागतों से बच सकती हैं। वे कर्मचारी लाभ, सेवानिवृत्ति योजनाओं और भुगतान किये जानेवाले रुग्णतावकाशों पर भी काफ़ी धन बचाती हैं, क्योंकि स्वतंत्र ठेकेदार इन लाभों के हक़दार नहीं होते हैं।
- **कोई बिचौलिया नहीं (No Middleman)** : इस तरह की व्यवस्था कंपनियों और फ़्रीलांसर के बीच सीधा संपर्क प्रदान करती है, जो भर्ती प्रक्रिया में बिचौलियों की आवश्यकता को समाप्त करती है।
- **अनूठा अवसर (Unique Opportunity)** : इसमें अनूठी कार्य संस्कृति है, जो उन व्यक्तियों को आकर्षित करती है, जो अतिरिक्त आय अर्जित करना चाहते हैं। गिग कार्य द्वारा प्रदान की जानेवाली लचीली व्यवस्था से कर्मी के अभिप्रेरण को प्रभावित किया जा सकता है, जिससे उत्पादकता में वृद्धि होती है।

एक श्रमिक के दृष्टिकोण से (From a Worker*s Perspective)

- **स्वतंत्रता (Independence)** : इस तरह की व्यवस्था में, श्रमिकों के पास किसी भी स्थान से काम करने का विकल्प होता है, चाहे वह लेख लिखने के लिए घर का कार्यालय हो, दुनिया में कहीं से भी कंटेंट निर्माण हो या उबर, ओला आदि के लिए ड्राइविंग हो।
- **लचीलापन (Flexibility)** : गिग श्रमिकों के पास अपने काम के घंटे चुनने की सुविधा होती है। कार्यों की समय-सीमा हो सकती है, लेकिन उनके पास यह तय करने की सुविधा होती है कि उन्हें कब पूरा करना है और कार्य को उचित तरीक़े से कैसे पूरा करना है।
- **आय (Income)** : यह व्यक्तियों को अतिरिक्त आय अर्जित करने का अवसर प्रदान करती है, जो इसे अपनी आय बढ़ाने की चाह रखनेवालों के लिए एक आकर्षक विकल्प प्रदान करती है।

गिग अर्थव्यवस्था में कौन काम करता है? (WHO WORKS IN THE GIG ECONOMY?)

गिग अर्थव्यवस्था में काम करने का मुख्य कारण अतिरिक्त आय उत्पन्न करना और कार्य में पर्याप्त लचीलापन होना है। निम्नलिखित व्यक्ति गिग अर्थव्यवस्था में काम कर सकते हैं।

- **स्वतंत्र एजेंट (Free Agents)** : ये व्यक्ति अपनी आय के प्राथमिक स्रोत के रूप में अपनी पसंद से स्वतंत्र काम चुनते हैं।
- **आकस्मिक वेतन भोगी (Casual Wage Earners)** : ये अन्य स्रोतों से अपनी आय बढ़ाने के लिए अपनी इच्छा से स्वतंत्र कार्य में संलग्न होते हैं।
- **अनिच्छुक श्रमिक (Reluctant Workers)** : वे जो अपनी आजीविका के लिए मुख्य रूप से स्वतंत्र कार्य पर निर्भर होते हैं।
- **आर्थिक रूप से कमज़ोर (Financially Weak)** : वित्तीय बाधाओं के कारण, कुछ लोग पूरक स्वतंत्र कार्य में संलग्न होते हैं।

अतिरिक्त जानकारी

बोस्टन कंसल्टिंग ग्रुप की एक रिपोर्ट के अनुसार, **भारत के गिग कार्यबल में** सॉफ़्टवेयर, साझा सेवाओं और पेशेवर सेवाओं जैसे उद्योगों में कार्यरत **15 मिलियन कर्मी** सम्मिलित हैं।

भारत की गिग अर्थव्यवस्था की क्षमता (Potential of India's Gig Economy)

अनुमान है कि भारत में गिग अर्थव्यवस्था कंपनियों द्वारा, व्हाइटकॉलर और ब्लूकॉलर दोनों तरह के कर्मियों/श्रमिकों के लिए **56 प्रतिशत नयी नौकरियाँ** सृजित होती हैं।

हालाँकि गिग अर्थव्यवस्था भारत के ब्लूकॉलर क्षेत्रों में आम है, लेकिन व्हाइटकॉलर क्षेत्रों में गिग कर्मियों की ज़रूरत भी बढ़ रही है, जिसमें सॉफ्टवेयर डेवलपर, वेब डिज़ाइनर, कंटेंट राइटर, विशिष्ट प्रोजेक्ट के लिए सलाहकार और सेल्सपर्सन सम्मिलित हैं।

गिग अर्थव्यवस्था में लंबे समय में भारत के सकल घरेलू उत्पाद में 1.25 प्रतिशत का योगदान करने और गैर-कृषि क्षेत्रों में 90 मिलियन तक रोज़गार को सपोर्ट करने की क्षमता है।

लास्ट मिनट स्निपपेट्स

गिग अर्थव्यवस्था बेरोज़गारी और आय के बीच के अंतराल को कम करने में महत्त्वपूर्ण भूमिका निभायेगी, क्योंकि भारत वर्ष 2025 तक 5 ट्रिलियन अमेरिकी डॉलर की अर्थव्यवस्था बनने के अपने घोषित उद्देश्य की दिशा में आगे बढ़ रहा है।

भारत में गिग अर्थव्यवस्था का आकार (SIZE OF GIG ECONOMY IN INDIA)

नीति आयोग की "*इंडियाज बूमिंग गिग ऐंड प्लेटफ़ॉर्म इकोनॉमी*" पर आधारित **रिपोर्ट के अनुसार**, वर्तमान में लगभग 47 प्रतिशत गिग कार्यबल मध्यम-कुशल रोज़गार में संलग्न है, 22 प्रतिशत उच्च कुशल नौकरियों में संलग्न है और 31 प्रतिशत निम्न-कुशल नौकरियों में है।

बोस्टन कंसल्टिंग ग्रुप (BCG) द्वारा किये गये एक शोध के अनुसार, गिग अर्थव्यवस्था विकसित देशों (1%-4%) की तुलना में विकासशील देशों (5-12%) में अधिक लोकप्रिय है।

इनमें से अधिकांश पेशे कम वेतनवालीं श्रेणियों में आते हैं, जिनमें माइक्रोटास्किंग, राइडशेयरिंग, डिलीवरी, देखभाल और वेलनेस सम्मिलित हैं।

वर्ष 2029-2030 तक, भारतीय गिग अर्थव्यवस्था कर्मियों की संख्या बढ़कर 2.35 करोड़ तक होने का अनुमान है।

अतिरिक्त जानकारी

विभिन्न कॉलर जॉब (DIFFERENT COLLAR JOBS)

- **ब्लू-कॉलर कर्मी (Blue-Collar Worker) :** ब्लू-कॉलर कर्मी वह व्यक्ति होता है, जो शारीरिक श्रम में संलग्न होता है और उसे प्रति घंटे के हिसाब से भुगतान किया जाता है।
- **व्हाइट-कॉलर कर्मी (White-Collar Worker) :** वेतनभोगी पेशेवर, आमतौर पर प्रबंधन और सामान्य कार्यालय कर्मियों को संदर्भित करता है।
- **गोल्ड-कॉलर कर्मी (Gold-Collar Worker) :** यह अत्यधिक ज्ञानी व्यक्तियों को संदर्भित करता है, जो कंपनी के लिए बेहद मूल्यवान् होते हैं। उदाहरण के लिए, चिकित्सक, वकील, शोध वैज्ञानिक आदि।
- **ग्रे-कॉलर कर्मी (Grey-Collar Worker) :** 'ग्रे-कॉलर कर्मी' शब्द उन अधिकांश नियोजित व्यक्तियों का वर्णन करता है, जो न तो व्हाइट-कॉलर कर्मी हैं और न ही ब्लू-कॉलर कर्मी।
  हालाँकि 'ग्रे-कॉलर' शब्द उन लोगों को संदर्भित करता है, जो सेवानिवृत्ति की आयु तक पहुँचने के बाद भी काम करना जारी रखते हैं। उदाहरण के लिए, सुरक्षा गार्ड, चिकित्सा कर्मी।
- **ग्रीन-कॉलर कर्मी (Green-Collar Worker) :** अर्थव्यवस्था के पर्यावरणीय क्षेत्रों में काम करनेवाले व्यक्ति को ग्रीन-कॉलर कर्मी के रूप में जाना जाता है।
  उदाहरण : ग्रीनपीस, वर्ल्ड वाइड फ़ंड फ़ॉर नेचर, सोलर पैनल और अन्य वैकल्पिक ऊर्जा स्रोतों में कार्यरत व्यक्ति।
- **पिंक-कॉलर कर्मी (Pink-Collar Worker) :** ऐसे कार्य में नियोजन, जिसे पारंपरिक रूप से महिलाओं का काम माना जाता है और जिसके लिए अक्सर कम वेतन मिलता है।
- **रेड-कॉलर कर्मी (Red-Collar Worker) :** सभी प्रकार के सरकारी कर्मचारी।
- **ओपन-कॉलर कर्मी (Open-Collar Worker) :** वैसा कर्मचारी, जो दूर से काम करता है, ख़ासकर ऑनलाइन।

गिग क्षेत्र से जुड़ी चुनौतियाँ (CHALLENGES ASSOCIATED WITH THE GIG SECTOR)

- **अनियमित प्रकृति (Unregulated Nature) :** चूँकि गिग अर्थव्यवस्था बहुत अनियमित है, इसलिए श्रमिकों को न्यूनतम लाभ और रोज़गार की सीमित सुरक्षा मिलती है।

  कुछ लोग तर्क देते हैं कि भारत की गिग अर्थव्यवस्था, जो श्रमिकों को सामाजिक सुरक्षा, बीमा और अन्य लाभों से वंचित करती है, देश के लंबे समय से चले आ रहे, अनियंत्रित अनौपचारिक श्रम क्षेत्र की निरंतरता है।
- **कौशल की आवश्यकता (Need for Skills) :** किसी भी श्रमिक के पास पर्याप्त कौशल होना चाहिए। जब तक वे असाधारण रूप से प्रतिभाशाली नहीं होंगे, तब तक किसी व्यक्ति की सौदेबाज़ी की शक्ति अनिवार्य रूप से सीमित होगी।

  जबकि कंपनियाँ अक्सर कर्मचारियों के प्रशिक्षण पर धन ख़र्च करती हैं, गिग अर्थव्यवस्था श्रमिकों को अपने कौशल उन्नयन के लिए खुद भुगतान करना होगा।
- **माँग-आपूर्ति असंतुलन (Demand-Supply Mismatch) :** आपूर्ति और माँग के बीच का अंतराल समय के साथ बढ़ता जायेगा, जिससे वेतन कम होगा, क्योंकि उत्पन्न नौकरियों की तुलना में पहले से ही संभावित ऑनलाइन स्वतंत्र श्रमिक कहीं अधिक हैं।

परीक्षोपयोगी

महिलाओं के सशक्तीकरण के रूप में गिग अर्थव्यवस्था (GIG ECONOMY AS EMPOWERMENT OF WOMEN)

- **काम और परिवार का संतुलन (Work and Family Balance) :** गिग रोज़गार के लचीले शेड्यूल और अंशकालिक काम के कारण महिलाएँ गृहिणी और देखभाल करनेवाली के रूप में अपनी पारंपरिक भूमिकाओं को अपनी नौकरी के साथ संतुलित कर सकती हैं।

  ग्रामीण क्षेत्रों में महिलाओं के पास अब एमेजॉन और फ़्लिपकार्ट जैसी वेबसाइटों के विस्तार के कारण अपने सामान को ऑनलाइन बेचकर धन कमाने का अवसर है।
- **प्रवेश और निकास में लचीलापन (Flexibility to Enter and Exit) :** भारत में सांस्कृतिक और सामाजिक मानक कई महिलाओं के लिए काम ढूँढ़ना मुश्किल बनाते हैं। महिलाएँ गिग अर्थव्यवस्था में माँग होने पर काम कर सकती हैं, जो उन्हें जब चाहें कार्यबल में प्रवेश करने और बाहर निकलने की सुविधा देता है।
- **रोज़गार के नये अवसर (New Job Opportunities) :** टियर-2 और टियर-3 शहरों में महिलाओं के पास अब नौकरी के नये विकल्प हैं, जहाँ उन्हें तकनीक और गिग कार्य के कारण दूर नहीं जाना पड़ता है। डिजिटल तकनीक के उपयोग में वृद्धि और बिक्री एवं वितरण पदों के लिए वर्चुअल रूप से काम करने की बढ़ती स्वीकृति के कारण अब महिलाओं के पास ऐसे उद्योगों में काम करने के अधिक विकल्प हैं, जहाँ संपर्क, फ़ोन कॉल और ऐप के माध्यम से किये जा सकते हैं।
- **वित्तीय स्वतंत्रता (Financial Independence) :** गिग कार्य महिलाओं को निर्णय लेने, अतिरिक्त धन कमाने और आत्मविश्वास जगाने की क्षमता देता है, जो महिला सशक्तीकरण के महत्त्वपूर्ण तत्व हैं।
- **अधिक संतोषजनक व्यवसाय (More Satisfying Occupations) :** गिग अर्थव्यवस्था के कारण अब महिलाओं की पहुँच मार्केटिंग, डिज़ाइन और परामर्श जैसे उच्च-भुगतानवाले, अधिक कुशल पदों तक है। ये नौकरियाँ लैंगिक वेतन अंतरालवाले पारंपरिक रोज़गार विकल्पों की तुलना में अधिक लाभदायक हो सकती हैं।

महिलाओं के लिए गिग कार्य के नुक़सान (CONS OF GIG WORK FOR WOMEN)

- **श्रम बाज़ार में मौजूदा समस्याएँ (Existing Issues in the Labour Market) :**
  - गिग अर्थव्यवस्था महिला भागीदारी के लिए पर्याप्त बाधाएँ प्रस्तुत करती है, क्योंकि यह श्रम बाज़ार में पहले से मौजूद समस्याओं को मज़बूत करती है, जिसमें डिजिटल विभाजन, लैंगिक वेतन असमानता, पक्षपाती एल्गोरिदम और लैंगिक रूढ़िवादिता सम्मिलित हैं। इसके परिणामस्वरूप, डिजिटल पारिस्थितिकी तंत्र में इन अंतर्निहित संरचनात्मक समस्याओं की पहचान करना और उनका समाधान करना महत्त्वपूर्ण है।

- गिग कार्य में महिलाओं की भागीदारी में एक बड़ी बाधा डिजिटल पहुँच में लैंगिक अंतराल है। GSMA मोबाइल जेंडर गैप रिपोर्ट, 2020 के अनुसार, केवल 21% भारतीय महिलाएँ मोबाइल इंटरनेट का उपयोग करती हैं। इसके परिणामस्वरूप प्लेटफ़ॉर्म अर्थव्यवस्था में भाग लेने के लिए आवश्यक डिजिटल तकनीकों तक इनकी पहुँच असमान है।

➤ देश में गिग कर्मियों/श्रमिकों पर एक संपूर्ण डेटाबेस की कमी के बावजूद, यह देखा गया है कि प्लेटफ़ॉर्म लैंगिक रूढ़ियों के आधार पर व्यावसायिक अलगाव प्रदर्शित करते हैं।

➤ जहाँ पुरुष परिवहन और डिलीवरी का काम अधिक करते हैं, वहीं महिलाएँ ज़्यादातर संरचित घरेलू और देखभाल करनेवालीं भूमिकाओं के साथ-साथ सौंदर्य और कल्याण सेवाओं में काम करती हैं।

➤ **वेतन संबंधी असमानता (Wage Disparity) :** गिग अर्थव्यवस्था एक ऐसा क्षेत्र है, जिसमें वेतन अंतराल स्पष्ट दिखाई देता है। महामारी से पहले की रिपोर्टों के अनुसार, भारत में पुरुष और महिला गिग कर्मियों/श्रमिकों के बीच वेतन अंतराल 8% से 10% के बीच था। वास्तव में, शोध से संकेत मिलता है कि महिलाएँ खुद को कम आँकती हैं तथा मान ली गयी असमानता के परिणामस्वरूप कम वेतनवाली नौकरी करती हैं, जो गिग अर्थव्यवस्था में पहले से मौजूद वेतन अंतराल को बढ़ाती है।

➤ **महिलाओं के प्रति पक्षपात (Biasness Against Women) :**

- प्लेटफ़ॉर्म के 'माँग आधारित (On-Demand)' कार्य शेड्यूल और पुरस्कार प्रणाली (Reward Systems) में अक्सर महिलाओं के साथ भेदभाव किया जाता है।
- महिलाएँ अक्सर बच्चों की देखभाल और घरेलू ज़िम्मेदारियों में व्यस्त रहने के कारण कार्य की अधिकतम माँग के समय (Peak Hours) के लाभों से वंचित रह जाती हैं। उल्लेखनीय है कि कार्य की अधिकतम माँग के समय में कर्मी/श्रमिक की ज़रूरत और वेतन अधिक होते हैं।

गिग अर्थव्यवस्था के लिए श्रम संहिता (LABOUR CODE FOR GIG ECONOMY)

➤ **वेतन संहिता**, 2019, जो संगठित और असंगठित दोनों क्षेत्रों पर लागू होती है, जिसमें गिग श्रमिक भी सम्मिलित हैं, एक सार्वभौमिक न्यूनतम मज़दूरी और आधार वेतन निर्धारित करती है।

➤ **सामाजिक सुरक्षा संहिता**, 2020 में गिग श्रमिकों को एक नयी व्यावसायिक श्रेणी के रूप में स्वीकार किया गया है।

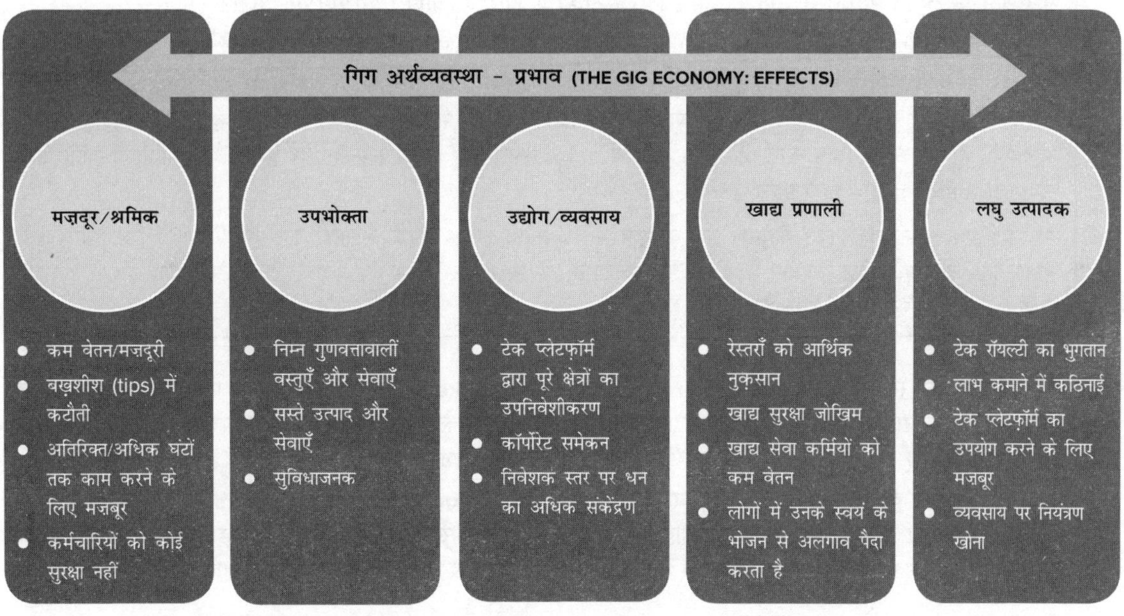

सुरक्षा संहिता संबंधी मुद्दे (Issues in the Security Code)

- प्लेटफ़ॉर्म श्रमिक अब सामाजिक सुरक्षा संहिता, 2020 के तहत मातृत्व लाभ, जीवन और विकलांगता कवरेज, वृद्धावस्था सुरक्षा, भविष्य निधि, रोज़गार चोट लाभ आदि जैसे लाभों के लिए पात्र हैं। हालाँकि, पात्रता का अर्थ यह नहीं है कि ये लाभ अनिवार्यत: प्रदान किये जायेंगे। इसके अतिरिक्त, कोई भी प्रावधान इन लाभों को सुरक्षित नहीं करता है, जिसका अर्थ है कि केंद्र सरकार कभी-कभी ऐसे कल्याणकारी कार्यक्रम बना सकती है, जो व्यक्तिगत और व्यावसायिक सुरक्षा के इन पहलुओं को संबोधित करते हों, लेकिन यह उनकी गारंटी नहीं है।
- इस संहिता के अनुसार, श्रमिक/कामगार, प्लेटफ़ॉर्म ऐग्रीगेटर और केंद्र सरकार सभी के पास मौलिक कल्याणकारी उपाय प्रदान करने की ज़िम्मेदारी है। हालाँकि, इसमें इस बात का कोई उल्लेख नहीं है कि किस हितधारक को कितना लाभ प्रदान करने का प्रभार है।

गिग श्रमिकों की स्थिति में कैसे सुधार किया जा सकता है? (HOW COULD THE CONDITIONS OF GIG WORKERS BE IMPROVED?)

- **वित्तीय लाभ प्रदान करके (By Providing Fiscal Advantages) :** नीति आयोग की रिपोर्ट, *'इंडियाज बूमिंग गिग एंड प्लेटफ़ॉर्म इकोनॉमी'* के अनुसार, जो कंपनियाँ आजीविका की संभावनाएँ प्रदान करती हैं और जिनके पास महिला कार्यबल की महत्त्वपूर्ण संख्या है, वे कर छूट या स्टार्टअप अनुदान जैसे वित्तीय लाभों के लिए पात्र हो सकती हैं।
- **सेवानिवृत्ति लाभ प्रदान करके (By Providing Retirement Benefits) :** इसी रिपोर्ट में यह भी सुझाव दिया गया है कि व्यवसायों को ऐसी नीतियाँ लागू करनी चाहिए, जो सेवानिवृत्ति या वृद्धावस्था योजनाएँ और लाभ प्रदान करें, साथ ही अप्रत्याशित परिस्थितियों के लिए अतिरिक्त बीमा कवरेज भी प्रदान करें। "अनिश्चितता या काम में अनियमितता के मद्देनजर आय हानि से सुनिश्चित न्यूनतम आय और सामाजिक सुरक्षा प्रदान करने में एक महत्त्वपूर्ण क़दम" के रूप में, व्यवसायों को अपने कर्मचारियों को आय सहायता प्रदान करने के बारे में सोचना चाहिए। स्वास्थ्य कवरेज के अतिरिक्त, यह कर्मचारियों को सवैतनिक रुग्णावकाश प्रदान करने की अनुशंसा करता है।

लास्ट मिनट
स्निपपेट्स

राजस्थान प्लेटफ़ॉर्म आधारित गिग कर्मकार (रजिस्ट्रीकरण और कल्याण) अधिनियम, 2023
[The Rajasthan Platform Based Gig Workers (Registration and Welfare) Act, 2023]

राजस्थान राज्य विधानसभा ने हाल ही में *राजस्थान प्लेटफ़ॉर्म-आधारित गिग कर्मकार (रजिस्ट्रीकरण और कल्याण) अधिनियम, 2023* पारित किया है। यह क़ानून गिग कर्मकारों/श्रमिकों के पंजीकरण और कल्याण की देखरेख हेतु एक समर्पित बोर्ड की अनिवार्य स्थापना का प्रविधान करता है। इसका उद्देश्य गिग कर्मकारों की सुभेद्यताओं को दूर करना और सामूहिक वार्ता और सौदेबाज़ी (bargaining) का समर्थन करना है।

यह बोर्ड एक स्वतंत्र शिकायत निवारण तंत्र के रूप में भी काम करेगा। इसके अलावा, इस अधिनियम में एक सामाजिक सुरक्षा कोष के निर्माण का प्रावधान है, जिसे गिग प्लेटफ़ॉर्म के माध्यम से किये गये प्रत्येक लेनदेन पर लगाये गये शुल्क के माध्यम से वित्तपोषित किया जाता है।

- **गिग श्रमिकों का सशक्तीकरण (Empowerment of the Gig Workers) :** गिग श्रमिकों को, एक छत्र संगठन (अम्ब्रेला यूनियन), जो उन्हें सामूहिक वार्ता की शक्ति प्रदान करता हो, बनाकर सशक्त किया जाना चाहिए। औपचारिक मान्यता और सूचना समरूपता के कारण इस प्लेटफ़ॉर्म की तुलना में उनकी स्थिति अधिक मज़बूत होगी।
- **प्लेटफ़ॉर्म श्रमिकों के लिए अनिवार्य कवरेज (Mandatory Coverage to Platform Workers) :** हालाँकि, श्रम संहिता में गिग श्रमिकों को मान्यता दिये जाने से उम्मीदें जगी हैं, लेकिन उनकी सामाजिक सुरक्षा के मापदंड सुपरिभाषित नहीं हैं और कोई स्थापित नियामक निकाय नहीं हैं। इसलिए, प्लेटफ़ॉर्म श्रमिकों को केंद्र प्रायोजित कार्यक्रमों के तहत आवश्यक कवरेज प्रदान

किया जाना चाहिए। चूँकि महिला गिग श्रमिक अक्सर प्लेटफ़ॉर्म अर्थव्यवस्था में अधिक असुरक्षित होती हैं, इसलिए ऐग्रीगेटर्स के माध्यम से इसे सुगम बनाया जा सकता है।

➤ **उचित भौतिक और सामाजिक अवसंरचना के निर्माण की आवश्यकता (Need to Build the Right Physical and Social Infrastructure) :** महिलाओं को गिग श्रम में भाग लेने के लिए प्रोत्साहित करने के लिए उचित सामाजिक और भौतिक अवसंरचना स्थापित की जानी चाहिए।

सार्वजनिक देखभाल अवसंरचना का विकास करना और ऐसे सामाजिक मानदंडों को बढ़ावा देना, जो पुरुषों को अवैतनिक देखभाल और घरेलू कर्तव्यों को समान रूप से करने के लिए प्रोत्साहित करते हैं, गिग कार्य में संक्रमण में महिलाओं की मदद कर सकते हैं।

गिग श्रमिकों के लिए भारत की पहल (INDIA'S INITIATIVES FOR THE GIG WORKERS)

➤ **सामाजिक सुरक्षा संहिता, 2020 (Code on Social Security, 2020) :** इस अधिनियम में गिग श्रमिकों को सामाजिक सुरक्षा लाभ प्रदान करने की परिकल्पना की गयी है और उन्हें एक अलग श्रेणी के रूप में स्वीकार किया गया है।

इस बीच, सार्वभौमिक कवरेज, क़ानूनी आवश्यकताओं या गिग श्रमिक जवाबदेही प्रणालियों के न होने के कारण इसकी आलोचना की गयी है।

➤ **ई-श्रम पोर्टल (e-Shram Portal) :**
- प्रधानमंत्री श्रम योगी मानधन योजना
- प्रधानमंत्री जीवन ज्योति बीमा योजना (PMJJBY)

राज्य स्तरीय पहलें (State-Level Initiatives)

➤ राजस्थान प्लेटफ़ॉर्म-आधारित गिग कर्मकार (रजिस्ट्रीकरण और कल्याण) अधिनियम, 2023

➤ **कर्नाटक का गिग श्रमिकों पर विधेयक (Karnataka's Bill on Gig Workers) :** इस विधेयक में औपचारिक पंजीकरण, शिकायत तंत्र और पारदर्शी अनुबंध अनिवार्य किये गये हैं। इसमें गिग श्रमिकों को स्वतंत्र ठेकेदारों के रूप में वर्गीकृत करने जैसे मुद्दे हो सकते हैं, जो उन्हें प्रमुख श्रम सुरक्षा से बाहर रखता है।

इस प्रकार, संक्षेप में, गिग अर्थव्यवस्था लचीले ढंग से काम करने और विभिन्न ऑनलाइन प्लेटफ़ॉर्म के माध्यम से धन कमाने का एक नया तरीक़ा प्रदान करती है। स्थान की स्वतंत्रतावाले कार्य की माँग, करियर के लक्ष्यों में बदलाव और विभिन्न वेतन संरचनाओं ने इसके विकास में योगदान दिया है। इन सभी तत्वों ने भारत में गिग अर्थव्यवस्था के विस्तार और लोकप्रियता में वृद्धि में योगदान दिया है।

हालाँकि, अभी भी अपर्याप्त लाभ और श्रमिक शोषण की संभावना जैसे बहुत सारे मुद्दे हैं। भारत में श्रमिकों और संगठनों के हितों की रक्षार्थ उचित क़ानून बनाये जाने चाहिए।

संक्षिप्त विवरण

➤ **गिग अर्थव्यवस्था (Gig Economy)** - डिजिटल प्लेटफ़ॉर्म द्वारा सक्षम अल्पकालिक, लचीली और कार्य-आधारित नौकरियों को संदर्भित करता है।

➤ **गिग श्रमिक (Gig Workers)** - ऐसे व्यक्ति, जो पारंपरिक नियोक्ता-कर्मचारी ढाँचे (सामाजिक सुरक्षा संहिता, 2020 के अनुसार) से बाहर कमाते हैं।

➤ **गिग अर्थव्यवस्था की विशेषताएँ हैं** - लचीलापन, तकनीक पर निर्भरता, माँग आधारित (ऑन-डिमांड) सेवाएँ और वैश्विक पहुँच।

- गिग श्रमिक/कर्मकार (Gig workers) – प्लेटफ़ॉर्म (ऐप-चालित) और नॉन-प्लेटफ़ॉर्म (ऑफ़लाइन/कैजुअल) श्रमिकों में वर्गीकृत।
- गिग कार्यों में सम्मिलित हैं – ब्लू-कॉलर (मैनुअल), व्हाइट-कॉलर (पेशेवर), और पिंककॉलर (महिला-उन्मुख) जैसी विभिन्न श्रेणियाँ।
- **चुनौतियाँ (Challenges)** – विनियमन की कमी, नौकरी की असुरक्षा, कम वेतन और लाभों की अनुपस्थिति।
- **महिलाओं के लिए, गिग कार्य द्वारा प्रदान की जानेवालीं सुविधाएँ (For women, gig work offers)** – लचीलापन, सुरक्षित कार्य दशाएँ और वित्तीय स्वतंत्रता।
- **महिलाओं के लिए विद्यमान् चुनौतियाँ (Challenges for Women)** – वेतन अंतराल, तकनीकी बाधाएँ और लिंग आधारित भेदभाव।

यूपीएससी सिविल सेवा के पिछले वर्षों की प्रारंभिक परीक्षा के प्रश्न

कोई प्रश्न नहीं
2024, 2023, 2022, 2021, 2020, 2019, 2018, 2017, 2016, 2015, 2014, 2013

यूपीएससी सिविल सेवा के पिछले वर्षों की मुख्य परीक्षा के प्रश्न

1. भारत में महिलाओं के सशक्तीकरण की प्रक्रिया में 'गिग अर्थव्यवस्था' की भूमिका का परीक्षण कीजिए। **[2021]**

कोई प्रश्न नहीं
2024, 2023, 2022, 2020, 2019, 2018, 2017, 2016, 2015, 2014, 2013

भारत में देखभाल अर्थव्यवस्था और लैंगिक परिवर्तनकारी दृष्टिकोण (Care Economy and Gender Transformative Approach in India)

अध्याय 33

अध्याय की रूपरेखा

- देखभाल अर्थव्यवस्था
- देखभाल डायमंड
- देखभाल अर्थव्यवस्था और मुद्रीकृत अर्थव्यवस्था के बीच अंतर
- बैंगनी अर्थव्यवस्था
- लिंग एवं कार्य
- लाभ-उन्मुख देखभाल सेवाओं से संबंधित मुद्दे
- लैंगिक समानता की ओर अंतरराष्ट्रीय उपकरण
- बिना भुगतानवाला देखभाल कार्य और लैंगिक असमानताएँ
- देखभालवाली नौकरियाँ और काम का भविष्य
- बिना भुगतानवाले देखभाल कार्य की व्यवस्था में लिंग अंतर की प्रवृत्ति
- भारत में महिला-आधारित विकास को बढ़ावा देना
- भारत में वरिष्ठ नागरिकों के कल्याण के लिए सरकारी योजनाएँ

देखभाल अर्थव्यवस्था (CARE ECONOMY)

देखभाल अर्थव्यवस्था मानव कल्याण, उत्तरजीविता और श्रम शक्ति के पुनरुत्पादन के हिस्से के रूप में लोगों द्वारा प्रदान किये गये संदत्त और असंदत्त देखभाल कार्य को संदर्भित करती है। यह समस्त मानव विकास का आधार है। देखभाल अर्थव्यवस्था लोगों की भावनात्मक और आध्यात्मिक आवश्यकताओं में महत्त्वपूर्ण योगदान देती है। **देखभाल कार्य** सामाजिक सुरक्षा प्रणाली के मूलभूत स्तंभ हैं। देखभाल कार्य में बच्चे को दूध पिलाना, नर्सिंग, खाना बनाना, सफ़ाई करना आदि जैसी गतिविधियाँ शामिल हैं। इसमें शिक्षा, स्वास्थ्य आदि जैसे कई क्षेत्र भी शामिल हैं।

देखभाल डायमंड (CARE DIAMOND)

देखभाल डायमंड में समाज के चार प्रमुख संस्थागत हितधारक शामिल हैं जिनमें समाज के देखभाल कार्य वितरित किये जा सकते हैं। वे हैं - **राज्य, बाज़ार, घर-परिवार और समुदाय।**

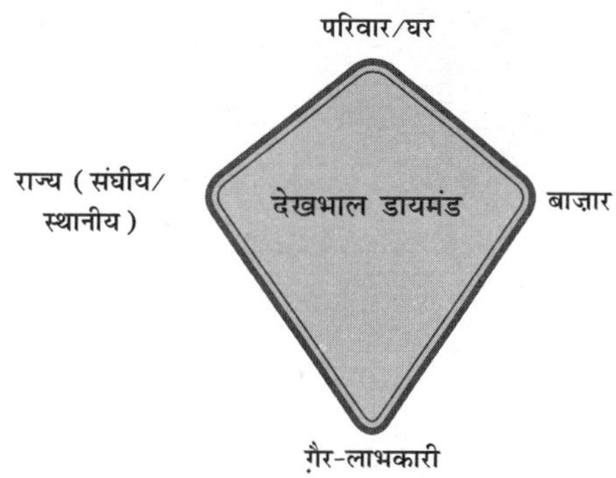

महिलाएँ और लड़कियाँ घरेलू क्षेत्र में देखभाल कार्य का बड़ा हिस्सा निभाती हैं। महिलाओं के अधिकारों की देखभाल की ज़िम्मेदारियों का असमान वितरण प्रभावित करता है और आजीविका, आय, कल्याण, सार्वजनिक भागीदारी आदि में समानता की माँग करता है। लैंगिक समानता और मानवाधिकारों को बढ़ावा देने के लिए विभिन्न हितधारकों के बीच देखभाल कार्य का पुनर्वितरण समय की माँग है।

देखभाल अर्थव्यवस्था और मुद्रीकृत अर्थव्यवस्था के बीच अंतर (DIFFERENCES BETWEEN CARE ECONOMY AND MONETISED ECONOMY)

देखभाल अर्थव्यवस्था (Care Economy)	मुद्रीकृत अर्थव्यवस्था (Monetised Economy)
इसमें **असंदत्त या कम भुगतानवालीं देखभाल-गतिविधियाँ**, घरेलू काम आदि शामिल हैं।	इसका तात्पर्य विभिन्न क्षेत्रों में देखभाल डायमंड का केंद्र औपचारिक भुगतानवाले कार्य से है।
मूल्यों को मौद्रिक संदर्भ में नहीं मापा जाता, **GDP में शामिल नहीं किया जाता** है।	मूल्यों को सीधे पैसे के संदर्भ में मापा जाता है, जिसका अधिकांश हिस्सा **GDP में शामिल** होता है।
ऐतिहासिक रूप से महिलाओं से जुड़ी हुई है और लैंगिक असमानताएँ पैदा करती है।	अधिक लिंग-समावेशी, अधिक महिलाएँ अब औपचारिक कार्यबल में भाग ले रही हैं।
परिवार में एक सहायक वातावरण बनाता है, जो सामाजिक कल्याण के लिए महत्त्वपूर्ण है।	आर्थिक विकास को बढ़ावा देती है और नौकरियाँ पैदा करती है।

देखभाल अर्थव्यवस्था
(Care Economy)

बिना भुगतानवाला देखभाल कार्य
वृद्ध और बीमार व्यक्तियों की देखभाल, विकलांग व्यक्तियों की देखभाल, घरेलू काम, सामुदायिक देखभाल, बच्चों की देखभाल

भुगतानवाला देखभाल कार्य
स्वास्थ्य, औपचारिक शिक्षा, व्यक्तिगत देखभाल, भुगतानवाली घरेलू सहायिका, आया, आदि।

बैंगनी अर्थव्यवस्था (THE PURPLE ECONOMY)

बैंगनी अर्थव्यवस्था देखभाल अर्थव्यवस्था का दूसरा नाम है। इसे यह नाम कई नारीवादी आंदोलनों द्वारा अपनाये गये रंग के कारण मिला है। बैंगनी अर्थव्यवस्था देखभाल कार्यों, महिला सशक्तीकरण, लैंगिक समानता, लिंग-न्याय परिवर्तन, अर्थव्यवस्थाओं के कामकाज में महिलाओं की स्वायत्तता, समाज की भलाई और स्थिरता की तात्कालिकता और महत्त्व को पहचानती है।

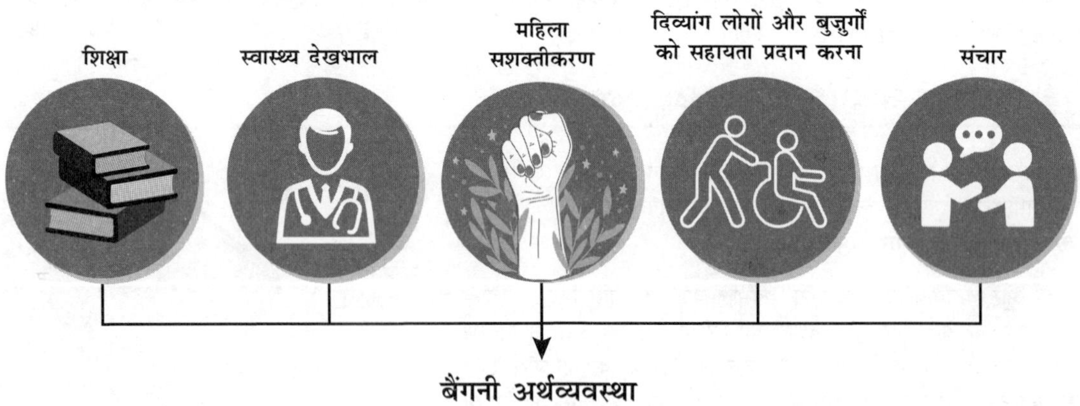

क्या आप जानते हैं? संयुक्त राष्ट्र के अनुसार, *'2030 तक, देखभाल प्राप्तकर्ताओं की संख्या 2.3 बिलियन तक पहुँचने का अनुमान है, जिसमें अतिरिक्त 0.1 बिलियन वृद्ध व्यक्ति और 6 से 14 वर्ष की आयु के 0.1 बिलियन अतिरिक्त बच्चे शामिल होंगे। कुल बिना भुगतानवाले देखभाल कार्य का 76.2 प्रतिशत महिलाएँ करती हैं, जो पुरुषों की तुलना में 3.2 गुना अधिक है।'*

लिंग और कार्य (GENDER AND WORK)

विकासशील देशों में महिलाएँ हमेशा से अनौपचारिक नक़दी अर्थव्यवस्था का एक अभिन्न अंग रही हैं। भारत में, समुदायों में यह परंपरा परंपरागत रूप से मौजूद रही है कि महिलाएँ घरेलू कार्यों की ज़िम्मेदारी लेकर घरेलू अर्थव्यवस्था की प्रभारी होती थीं। माध्यमिक और तृतीयक क्षेत्रों और अन्य विशिष्ट कार्यस्थलों में औपचारिक उत्पादन में भी महिलाओं की भूमिका बढ़ रही है।

घरेलू क्षेत्र में, महिलाओं द्वारा किये जानेवाले कार्य की विशेषताएँ निम्नलिखित हैं :

- पुरुषों और बच्चों के लिए अनुकूल वातावरण जैसे - खाना बनाना, कपड़े धोना, बच्चों की देखभाल करना आदि और बीमार और वृद्ध सदस्यों की देखभाल करना।
- घर में महिलाओं द्वारा किये जानेवाले कार्यों को मान्यता नहीं दी जाती है।
- घरेलू कार्य अनुत्पादक होते हैं, क्योंकि उनसे आमदनी नहीं होती है।

महिलाओं के रोज़गार और औपचारिक श्रम के प्रति अत्यंत नकारात्मक दृष्टिकोण रहा है। निर्वाह एवं बच्चों की देखभाल का कार्य पूरी तरह से बिना भुगतानवाला और वित्तीय रूप से बेहिसाब है। ज़ाहिर है, अनौपचारिक क्षेत्र में महिलाओं द्वारा किया जानेवाला भारी श्रम पूरी तरह से अदृश्य रहता है।

लाभ-उन्मुख देखभाल सेवाओं से संबंधित मुद्दे (ISSUES WITH FOR-PROFIT CARE SERVICES)

- लाभकारी संगठनों द्वारा प्रदान की जानेवालीं देखभाल गुणवत्ता सेवाओं का मूल्यांकन करने में कठिनाइयाँ उत्पन्न होती हैं; यह अक्सर आय से प्रेरित होता है।
- लाभकारी प्रदाताओं के बीच उच्च प्रतिस्पर्धा शामिल है; इससे लागत तो बढ़ती है, लेकिन सेवाओं की गुणवत्ता नहीं।
- देखभाल अत्यधिक श्रम-केंद्रित है; प्रशिक्षण का बुनियादी ढाँचा मानक के अनुरूप नहीं है और कुशल कर्मचारी उपलब्ध नहीं हैं।
- कभी-कभी, प्रदाता कर्मचारियों को भुगतान में कटौती करके लागत कम कर देते हैं, जिससे रोज़गार की स्थिति और सेवाओं की गुणवत्ता ख़राब हो जाती है।

लैंगिक समानता की दिशा में अंतरराष्ट्रीय उपकरण (INTERNATIONAL INSTRUMENTS TOWARDS GENDER EQUALITY)

- **कामकाजी महिलाओं की पहली अंतरराष्ट्रीय कांग्रेस [The First International Congress of Working Women (ICWW)]** का आयोजन **1919** में अमेरिका की महिला ट्रेड यूनियन लीग द्वारा किया गया था। कांग्रेस का संचालन दुनिया भर के श्रमिक नारीवादियों द्वारा किया गया था। ICWW ने महिलाओं की श्रम संबंधी चिंताओं को दूर करने के लिए अपनी सिफ़ारिशें साझा करने की रूपरेखा तैयार की। 1919 में ICWW द्वारा तैयार किये गये प्रस्तावों की सूची को ज़्यादातर अंतरराष्ट्रीय श्रम सम्मेलन (ILC) में महिलाओं के रोज़गार पर ILO के आयोग द्वारा अपनाया गया था। 1923 में ICWW का महासंघ भंग कर दिया गया।

- **महिलाओं के ख़िलाफ़ सभी प्रकार के भेदभाव को समाप्त करने पर कन्वेंशन [The Convention on the Elimination of All Forms of Discrimination Against Women (CEDAW)]** पर **1979** में सरकारों द्वारा हस्ताक्षर किये गये थे, और यह **1981** में लागू हुआ। वर्तमान में, CEDAW में 189 राज्य पार्टियाँ हैं। इसे अक्सर **महिलाओं के अधिकारों का अंतरराष्ट्रीय विधेयक** माना जाता है। CEDAW महिलाओं के ख़िलाफ़ भेदभाव को रोकने की दिशा में एक व्यापक दृष्टिकोण अपनानेवाला पहला महत्त्वपूर्ण क़ानूनी रूप से बाध्यकारी उपकरण है।
- **बीजिंग घोषणा और कार्रवाई मंच (The Beijing Declaration and Platform for Action)** – पर **1995** में 189 सरकारों द्वारा हस्ताक्षर किये गये थे। यह लैंगिक समानता की दिशा में एक विस्तृत कार्य योजना को शामिल करनेवाला पहला अंतरराष्ट्रीय क़ानूनी उपकरण था। कार्य योजना में समानता सुनिश्चित करने और महिलाओं के लिए मानवाधिकारों को बढ़ावा देने के लिए रणनीतियाँ तैयार की गयीं। इसमें ग़रीबी, शिक्षा, महिलाओं के ख़िलाफ़ हिंसा, अर्थव्यवस्था, निर्णय लेने आदि जैसे मुद्दों को संबोधित किया गया।
- **MDG3** (सहस्राब्दी विकास लक्ष्य 3) लैंगिक समानता पर केंद्रित है। इसे **2000** में संयुक्त राष्ट्र के मिलेनियम शिखर सम्मेलन में अपनाया गया था। **MDG मॉनिटर** के अनुसार, 'सहस्राब्दी विकास लक्ष्य 3 के तहत केवल एक ही लक्ष्य था : 2005 तक प्राथमिक और माध्यमिक शिक्षा में और 2015 तक शिक्षा के सभी स्तरों में लैंगिक असमानता को ख़त्म करना।' **MDG3 की महत्त्वपूर्ण उपलब्धियों** में स्कूल में लड़कियों की संख्या में वृद्धि, असुरक्षित रोज़गार में महिलाओं के अनुपात में कमी, संसद में महिलाओं के प्रतिनिधित्व में वृद्धि आदि **शामिल हैं**।

  MDG मॉनिटर के अनुसार, 'दक्षिण एशिया में, 1990 में प्राथमिक विद्यालय में प्रत्येक 100 लड़कों पर 74 लड़कियों का नामांकन था। 2015 तक, प्रत्येक 100 लड़कों पर 103 लड़कियों का नामांकन था।'
- **SDG5** (संधारणीय विकास लक्ष्य 5) ने 2015 में MDG3 का स्थान ले लिया। इसमें लैंगिक समानता को बढ़ावा देने की दिशा में एक व्यापक दृष्टिकोण है। संयुक्त राष्ट्र के अनुसार, *'लैंगिक समानता न केवल एक मौलिक मानव अधिकार है, बल्कि एक शांतिपूर्ण, समृद्ध और टिकाऊ दुनिया के लिए एक आवश्यक आधार है। पिछले दशकों में प्रगति हुई है, लेकिन दुनिया 2030 तक लैंगिक समानता हासिल करने की राह पर नहीं है।'*
- **यूएन विमिन (UN Women)**, UN का एक संस्थान है, जो लैंगिक समानता और महिलाओं के सशक्तीकरण के प्रचार और वैश्विक चैंपियन के लिए काम करता है। यूएन विमिन की स्थापना महिलाओं के लिए संयुक्त राष्ट्र विकास कोष और अन्य संस्थाओं को एकीकृत करके की गयी थी। यह 2011 में परिचालन में आया।
- **विमिन डिलीवर 2023 सम्मेलन [Women Deliver 2023 Conference (WD2023)]** : सम्मेलन जुलाई, 2023 में किगाली, रवांडा में हुआ और इसका विषय स्थान, एकजुटता और समाधान था। यह सम्मेलन लैंगिक समानता के लिए समावेशी और टिकाऊ समाधानों की वकालत करने के लिए प्रतिबद्ध है। **WD2023** में यूएन विमिन और UNDP द्वारा एक वैश्विक रिपोर्ट प्रस्तुत की गयी, जिसमें लैंगिक विकास की प्रगति की व्यापक तस्वीर पर प्रकाश डाला गया। रिपोर्ट में महिला सशक्तीकरण सूचकांक **(WEI)** और वैश्विक लिंग समानता सूचकांक **(GGPI)** का प्रस्ताव दिया गया। रिपोर्ट के अनुसार, *'महिला सशक्तीकरण के उच्च स्तर और उच्च लैंगिक समानतावाले देशों में 1 प्रतिशत से भी कम महिलाएँ और लड़कियाँ रहती हैं, जबकि दुनिया की 90 प्रतिशत से अधिक महिला आबादी – 3.1 अरब महिलाएँ और लड़कियाँ – ऐसे देशों में रहती हैं, जहाँ महिला सशक्तीकरण की बड़ी कमी और बड़ा लैंगिक अंतर है।'*

भुगतानवाला और बिना भुगतानवाला, दोनों देखभाल कार्य मानवता, करुणा और सामाजिक न्याय के महत्त्वपूर्ण स्तंभ हैं। वे हमारे समाजों के लिए महत्त्वपूर्ण हैं। वे जीवित रहने, फलने-फूलने और आर्थिक विकास को आगे बढ़ाने के लिए महत्त्वपूर्ण हैं। ILO के अनुसार, दुनिया भर में बिना भुगतानवाली देखभाल के कुल कार्यों का **तीन-चौथाई से अधिक** हिस्सा महिलाएँ और लड़कियाँ करती हैं। देखभाल कर्मियों का दो-तिहाई कार्य महिलाओं द्वारा किया जाता है। जनसांख्यिकीय और सामाजिक-आर्थिक परिवर्तन देखभाल कर्मियों की माँग को बढ़ा रहे हैं।

देखभाल कर्मियों के लिए सभ्य कामकाजी माहौल की कमी है। ILO के मुताबिक़,

- 2015 में, 2.1 बिलियन लोगों को देखभाल की सख़्त ज़रूरत थी, जिनमें से 1.9 बिलियन 15 वर्ष से कम उम्र के बच्चे थे, और 0.2 बिलियन वृद्ध व्यक्ति थे।
- 2030 तक यह संख्या 200 मिलियन तक बढ़ सकती है, जिसमें 100 मिलियन वृद्ध लोग भी शामिल होंगे।

वर्तमान में, लगभग 110-190 मिलियन विकलांग लोगों को जीवन भर सहायता की तत्काल आवश्यकता है। लेकिन देखभाल कर्मियों की काम करने की स्थितियाँ ख़राब हैं। देखभाल कार्य और इसकी गुणवत्ता में मौजूदा कमी और अस्थिर कामकाजी माहौल गंभीर वैश्विक देखभाल संकट पैदा करेगा। यह देखभाल के काम की दुनिया में लैंगिक असमानताओं को और बढ़ा सकता है। नीतिगत वातावरण को देखभाल कार्य के मुद्दों का समाधान करने के लिए आगे रखा जाना चाहिए, नीति को रोज़गार के स्तर को निर्धारित करने और उन्नत करने, काम करने की स्थिति में सुधार करने, देखभाल श्रमिकों के वेतन और स्थिति आदि की ओर उन्मुख होना चाहिए। सकारात्मक परिणाम देने के लिए प्रवासन नीतियों को तैयार करने की आवश्यकता है।

ILO के अनुसार, *देखभाल कार्यकर्ता संगठनों की प्रतिनिधित्वशीलता और सामाजिक संवाद तंत्र का कवरेज़ महत्त्वपूर्ण* भूमिका निभा सकता है।

अतिरिक्त देखभाल के लिए सशुल्क देखभाल कार्य की अतिरिक्त माँग को पूरा करने के लिए पर्याप्त देखभाल नीतियों की आवश्यकता होगी।

बिना भुगतान के देखभाल कार्य और लैंगिक असमानताएँ (UNPAID CARE WORK AND GENDER INEQUALITIES)

"महिलाएँ कुल बिना भुगतानवाले देखभाल कार्य का 76.2 प्रतिशत हिस्सा करती हैं, जो पुरुषों की तुलना में 3.2 गुना अधिक है।"

–ILO

यद्यपि ग़ैर-मान्यता प्राप्त और अदृश्य, बिना भुगतानवाला देखभाल कार्य परिवारों और सामाजिक कल्याण में महत्त्वपूर्ण योगदान देता है। 64 देशों (दुनिया की कामकाजी उम्र की जनसंख्या का 66.9 प्रतिशत को दर्शाता है) में समय-उपयोग सर्वेक्षण के आँकड़ों के अनुसार, हर दिन लगभग 16.4 बिलियन घंटे बिना भुगतानवाले देखभाल कार्य में ख़र्च किये जाते हैं, जो **वैश्विक सकल घरेलू उत्पाद का 9 प्रतिशत** होगा। यह 11 ट्रिलियन अमेरिकी डॉलर (क्रय शक्ति समता 2011) के समान है। अधिकांश बिना भुगतानवाले देखभाल कार्यों में घरेलू काम (81.8 प्रतिशत), इसके बाद प्रत्यक्ष रूप से व्यक्तिगत देखभाल (13.0 प्रतिशत) और स्वयंसेवी कार्य (5.2 प्रतिशत) शामिल हैं। (ILO)

अवैतनिक देखभाल कार्य का स्तर और वितरण उन परिस्थितियों को महत्त्वपूर्ण रूप से प्रभावित करता है, जिनके तहत बिना भुगतानवाले देखभालकर्ता भुगतानवाले रोज़गार में शामिल होते हैं और उनमें बने रहते हैं, जिसके परिणामस्वरूप देखभाल पेशेवरों की कार्य स्थितियों को आकार मिलता है।

श्रम बाज़ार में लैंगिक समानता हासिल करने, महिलाओं की भागीदारी, रोज़गार और कामकाजी परिस्थितियों को शामिल करने से भी देखभाल प्राप्तकर्ताओं के लिए अनुकूल परिणाम मिलते हैं।

अनुकूल कामकाजी परिस्थितियों में देखभाल कर्मियों की पर्याप्त संख्या सीधे तौर पर लैंगिक समानता में योगदान करती है और बिना भुगतानवाले देखभाल कार्यों के पुनर्वितरण की सुविधा प्रदान करती है।

बिना भुगतानवाला देखभाल कार्य-भुगतानवाला कार्य- बिना भुगतानवाले देखभाल कार्य का चक्र

भुगतानवाले कार्यों और बिना भुगतानवाले देखभाल कार्यों के लिंग विभाजन के प्रति समाज का दृष्टिकोण और नज़रिया बदल रहा है और वे महिलाओं के भुगतानवाले कार्यों के प्रति काफ़ी सकारात्मक हैं।

ILO के अनुसार, लगभग 70 प्रतिशत महिलाएँ और 66 प्रतिशत पुरुष पसंद करते हैं कि महिलाएँ भुगतानवाले काम में रहें और कामकाजी उम्र के 647 मिलियन व्यक्ति पारिवारिक ज़िम्मेदारियों के कारण श्रम बल से बाहर हैं।

देखभालवालीं नौकरियाँ और काम का भविष्य (CARE JOBS AND THE FUTURE OF WORK)

ILO की रिपोर्ट **'केयर वर्क ऐंड केयर जॉब्स फ़ॉर द फ़्यूचर ऑफ़ वर्क' के अनुसार, अगर हम SDG हासिल करने के लिए देखभाल अर्थव्यवस्था में निवेश करते हैं, तो यह 2030 तक लगभग 475 मिलियन नौकरियाँ पैदा कर सकता है।**

अच्छी गुणवत्तावाला देखभाल रोज़गार लैंगिक समानता में योगदान देता है। यह देखभाल प्राप्तकर्ताओं और देखभाल कर्मियों के लिए लाभों को भी बढ़ावा देता है।

देखभालवालीं नौकरियों में निवेश (Investment in Care Jobs)

उभरते वैश्विक देखभाल संकट के समाधान के लिए तत्काल कार्रवाई हेतु वैश्विक आह्वान की आवश्यकता है। ILO के अनुसार, **देखभाल कार्य के लिए एक 'हाई रोड'** 2030 तक लगभग 475 मिलियन नौकरियाँ पैदा कर सकता है।

- देखभाल घाटे के लिए देखभाल सेवा प्रावधान पर कुल 18.4 ट्रिलियन अमेरिकी डॉलर के सार्वजनिक और निजी व्यय की आवश्यकता होती है। यह 2030 में 45 देशों की कुल अनुमानित GDP का लगभग 18.3 प्रतिशत होगी।
- यह रोज़गार सृजन क्षमता 2015 के स्तर की तुलना में स्वास्थ्य और सामाजिक कार्य में अतिरिक्त 66 मिलियन नौकरियों, शिक्षा में 54 मिलियन नौकरियों से प्रेरित होगी। देखभाल क्षेत्रों में अतिरिक्त 120 मिलियन नौकरियाँ 149 मिलियन अप्रत्यक्ष नौकरियों को जन्म देंगी।

> 'देखभाल कार्य के लिए एक हाई रोड का अर्थ है बिना भुगतानवाले देखभाल कार्य को पहचानना, कम करना और पुनर्वितरित करना और घरेलू और प्रवासी कामगारों सहित देखभाल कर्मियों के लिए अच्छा काम हासिल करना।' -ILO

देखभाल कार्य और लैंगिक समानता के लिए हाई रोड प्राप्त करने के लिए ILO के अच्छे देखभाल कार्य के लिए 5R फ्रेमवर्क : पहचानना, कम करना, पुनर्वितरित करना, पुरस्कार, प्रतिनिधित्व करना।

- **पहचानना (Recognise) :** बिना भुगतानवाले देखभाल कार्यों के मूल्य का लेखा-जोखा रखना।
- **कम करना (Reduce) :** स्थायी नीति और समर्थन बुनियादी ढाँचे द्वारा बिना भुगतानवाले देखभाल कार्यों पर ख़र्च किये जानेवाले सर्व-समावेशी समय को कम करना।
- **पुनर्वितरण करना (Redistribute) :** महिलाओं द्वारा किये गये बिना भुगतानवाले और ग़ैर-मान्यता प्राप्त देखभाल कार्य।
- **पुरस्कार (Reward) :** देखभाल कर्मियों के लिए अच्छे काम को बढ़ावा देना।
- **प्रतिनिधित्व (Representation) :** हाशिये पर मौजूद देखभाल प्रदाताओं, सामाजिक संवाद और सामूहिक सौदेबाज़ी का।

देखभाल संबंधी नौकरियों में सुझाये गये नीतिगत हस्तक्षेप (Suggested Policy Interventions in Care Jobs)

a. गुणवत्तापूर्ण देखभाल सेवाओं, नीतियों और देखभाल-सहायक बुनियादी ढाँचे, लिंग अनुकूल प्रौद्योगिकियों में निवेश बढ़ाना।

b. बिना भुगतानवाले देखभाल प्रदाताओं को श्रम बल में पुनः एकीकरण करने के लिए श्रम बाज़ार नीतियों को उन्नत बनाना।

c. सभी श्रमिकों के लिए परिवार के अनुकूल कामकाजी व्यवस्था करना।

d. गुणवत्तापूर्ण देखभाल सेवाओं तक सार्वभौमिक पहुँच का अधिकार सुनिश्चित करना।

e. लिंग-उत्तरदायी सामाजिक सुरक्षा प्रणालियाँ, महिलाओं और पुरुषों के लिए सार्वजनिक रूप से वित्त पोषित अवकाश नीतियाँ आदि।

f. रोज़गार के उचित नियमों और शर्तों को विनियमित करना।

g. सभी देखभाल प्रदाताओं के लिए समान मूल्य के काम के लिए समान वेतन सुनिश्चित करना।

h. सुरक्षित, उत्साहवर्धक कार्य वातावरण प्रदान करना।

i. प्रवासी देखभाल कर्मियों की सुरक्षा के लिए नीतिगत उपायों की योजना बनाना और उन्हें लागू करना।

j. निर्णय लेने में महिलाओं की प्रभावी भागीदारी सुनिश्चित करना।

k. महिलाओं को राजनीतिक, आर्थिक जीवन में नेतृत्व के लिए समान अवसर प्रदान करना।

l. देखभाल प्रदाताओं के लिए सहयोग की स्वतंत्रता को बढ़ावा देना।

m. देखभाल क्षेत्रों में सामूहिक सौदेबाज़ी के सामाजिक संवाद का समर्थन करना।

देखभाल अर्थव्यवस्था को मुद्रीकृत अर्थव्यवस्था में बदलने के उपाय
(Measures to Transform Care Economy into Monetised Economy)

- बेहिसाब और बिना वेतनवाले देखभाल कार्य के आर्थिक मूल्य **की मान्यता** और **समान कार्य के लिए समान वेतन (Equal Pay for Equal Work)**। कौशल विकास के माध्यम से औपचारिक श्रम बल में शामिल होने के अवसरों को बढ़ावा देना।
- कर्मी और देखभालकर्ताओं के रूप में दोहरी भूमिकाओं में महिलाओं का समर्थन करने के लिए वर्क फ़्रॉम होम (WFH) संस्कृति, सब्सिडीवाली स्वास्थ्य देखभाल आदि जैसी नीतियाँ लागू करना।
- देखभाल सेवाओं से जुड़े क्षेत्रों में **महिला उद्यमिता को बढ़ावा देना**
- **वृद्ध और स्वास्थ्य देखभाल सेवाएँ (Elderly and Healthcare Services)** : नर्सिंग, वृद्धावस्था देखभाल और अन्य स्वास्थ्य संबंधी सेवाओं सहित स्वास्थ्य सेवा क्षेत्र में नौकरी के अवसर पैदा करना। सस्ती और उच्च गुणवत्तावालीं बाल देखभाल सेवाएँ और वरिष्ठ नागरिकों के लिए स्वास्थ्य सेवाएँ स्थापित करना।

बिना भुगतानवाले देखभाल कार्य की व्यवस्था में लिंग अंतर की प्रवृत्ति
(TREND IN GENDER GAP IN THE PROVISION OF UNPAID CARE WORK)

ILO सर्वेक्षण और **समय-उपयोग डेटा** का विश्लेषण के अनुसार-

- ख़र्च किये गये समय में लिंग अंतर थोड़ा कम हो गया है और महिलाएँ उन देशों में अधिकांश बिना भुगतानवाले देखभाल कार्य प्रदान करना चाहती हैं, जहाँ समय-उपयोग डेटा उपलब्ध है।
- लिंग अंतर महिलाओं की भुगतानवाले, औपचारिक कार्य में उनके घंटे बढ़ाने की क्षमता को सीमित करता है।
- **1997 से 2012 तक वैश्विक स्तर** पर महिलाओं की रोज़गार दर में केवल **2.8 प्रतिशत अंक** की मामूली वृद्धि हुई है।
- बिना भुगतानवाले देखभाल कार्य में लिंग अंतर **1997 में 1 घंटा 49 मिनट** से थोड़ा कम होकर 2012 में 1 घंटा 42 मिनट हो गया।
- 2012 में, जिन 23 देशों का डेटा उपलब्ध है, उनमें महिलाओं ने कुल भुगतानवाले काम का लगभग 32.5 प्रतिशत किया।
- कुल मिलाकर, महिलाओं ने 2012 में कुल काम में **47.9 प्रतिशत** योगदान दिया, जबकि **1997 में यह 46.9 प्रतिशत** था।

भारत में महिला-आधारित विकास को बढ़ावा देना (FOSTERING WOMEN-LED DEVELOPMENT IN INDIA)

भारत के G20 की अध्यक्षता के वर्ष के साथ, सितंबर, 2023 में महिला आरक्षण विधेयक [नारी शक्ति वंदन अधिनियम (NSVA)], **'महिला नेतृत्ववाले विकास'** को सबसे महत्त्वपूर्ण प्राथमिकताओं में से एक के रूप में रेखांकित किया गया। विश्व स्तर पर महिलाओं की कार्यबल भागीदारी के प्रति बढ़ता महत्त्व ध्यान देने योग्य है। प्रोफ़ेसर **क्लाउडिया गोल्डिन** को श्रम बाज़ार में लिंग अंतर के प्रमुख प्रेरकों में उनके योगदान के लिए आर्थिक विज्ञान में नोबेल पुरस्कार (2023) से सम्मानित किया गया है। महिलाओं के नेतृत्ववाले विकास को सुदृढ़ करने के लिए, हमें समान अवसर की पूर्वापेक्षाएँ लानी होंगी और महिलाओं के जीवन की गुणवत्ता में सुधार करना होगा।

ग्रामीण स्तर पर महिलाओं के आर्थिक, सामाजिक और राजनीतिक सशक्तीकरण के लिए **महिला नेतृत्ववाले एसएचजी** महत्त्वपूर्ण हैं। दीनदयाल अंत्योदय योजना-राष्ट्रीय ग्रामीण आजीविका मिशन (DAY-NRLM) भारत सरकार का SHG कार्यक्रम है। इसमें 83 लाख स्वयं सहायता समूहों के माध्यम से लगभग नौ करोड़ महिलाओं को शामिल किया गया है। भारत सरकार ने 2 करोड़ **'लखपती दीदी'** बनाने का लक्ष्य रखा है। वे SHG सदस्यों को **प्रशिक्षित करने** के माध्यम से ₹1 लाख और उससे अधिक की वार्षिक आयवाली महिलाएँ हैं।

स्टार्टअप इंडिया, कौशल भारत मिशन और भारत सरकार की अन्य पहलों और पूँजी निर्माण के माध्यम से **महिला भागीदारी** काफ़ी संतोषजनक रही है।

भारत में महिला श्रम शक्ति भागीदारी दर (FLFPR) में वृद्धि [Rise in Female Labour Force Participation Rate (FLFPR) in India]

भारत में, हाल के वर्षों में FLFPR में वृद्धि हुई है। आर्थिक सर्वेक्षण 2024-25 के अनुसार, FLFPR, 2017-18 की दर से 23.3 प्रतिशत बढ़कर 2023-24 में 41.7 प्रतिशत हो गया है। यह वृद्धि कार्यबल में ग्रामीण महिलाओं की बढ़ती भागीदारी से प्रेरित है। FLFPR में वृद्धि श्रम बाज़ार संकेतकों में समग्र सुधार की प्रमुख चालक है।

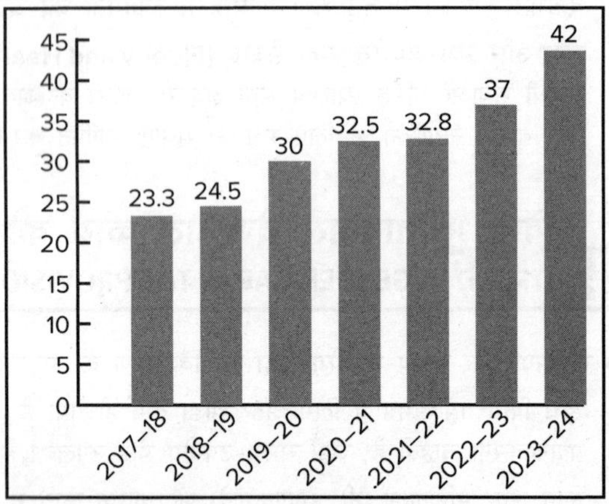

महिला श्रमबल भागीदारी दर (ग्रामीण + शहरी), सामान्य स्थिति, 15 वर्ष और उससे अधिक

स्रोत: PLFS

विभिन्न राज्यों में FLFPR में वृद्धि हुई है। वर्ष 2017-18 में, 20 राज्यों/केंद्र शासित प्रदेशों में FLFPR 20 प्रतिशत से कम था। वर्ष 2023-24 में यह संख्या घटकर 3 हो गयी। वर्तमान में, भारत में अधिकांश राज्यों (21) में FLFPR, 30-40 प्रतिशत की सीमा में है। सात राज्यों/केंद्र शासित प्रदेशों में, FLFPR वर्ष 2023-24 में 40 प्रतिशत से अधिक है। सिक्किम में सर्वाधिक 56.9 प्रतिशत FLFPR है। ग्रामीण FLFPR में वृद्धि, भारत में, समग्र FLFPR में वृद्धि का मुख्य कारण है। उद्यमिता को बढ़ावा देने के लिए भारत सरकार और विभिन्न राज्यों द्वारा की गयी विभिन्न पहलों की मुख्य लाभार्थी महिलाएँ रही हैं। अक्टूबर 2024 तक, स्टार्टअप इंडिया पहल के तहत कम-से-कम एक महिला निदेशकवाले लगभग 73,151 स्टार्टअप को मान्यता दी गयी। विश्व बैंक के अध्ययन ने यह भी उजागर किया कि महिलाओं के स्वामित्ववाले, विकासोन्मुखी उद्यमों को आगे बढ़ाने से ग्रामीण भारत में FLFPR एवं आर्थिक विकास को काफ़ी बढ़ावा मिल सकता है। भारत के आर्थिक भविष्य और विकास के लिए महिला उद्यमियों की शक्ति का दोहन एवं सदुपयोग करना महत्त्वपूर्ण है।

भारत में वरिष्ठ नागरिकों के कल्याण के लिए सरकारी योजनाएँ (GOVERNMENT SCHEMES FOR THE WELFARE OF SENIOR CITIZENS IN INDIA)

वरिष्ठ नागरिकों की जनसंख्या लगभग 10.38 करोड़ (2011 की जनगणना के अनुसार) है, जो देश की कुल जनसंख्या का **8.6 प्रतिशत** है। **वृद्ध व्यक्तियों के लिए राष्ट्रीय नीति, 1999 (National Policy on Older Persons, 1999)** वित्तीय और खाद्य सुरक्षा, स्वास्थ्य देखभाल, आश्रय आदि सुनिश्चित करने के लिए **राज्य के समर्थन पर** ज़ोर देती है। सामाजिक न्याय और अधिकारिता मंत्रालय के तहत 'अटल वयो अभ्युदय योजना' **(Atal Vayo Abhyuday Yojana)** की अम्ब्रेला योजना का उद्देश्य एक ऐसे समाज को बनाने का है, जहाँ वरिष्ठ नागरिक मज़बूत सामाजिक और अंतर-पीढ़ीगत बंधन के साथ एक स्वस्थ, खुशहाल, सशक्त, सम्मानजनक और आत्मनिर्भर जीवन जी सकें। इस योजना में निम्नलिखित उप-योजनाएँ हैं :

1. **वरिष्ठ नागरिकों के लिए एकीकृत कार्यक्रम [Integrated Programme for Senior Citizens (IPSrC)]** : वरिष्ठ नागरिक गृहों/निरंतर देखभाल गृहों, मोबाइल मेडिकेयर यूनिटों आदि को चलाने और रखरखाव के लिए पंजीकृत सोसायटी/पंचायती राज संस्थानों (PRI)/स्थानीय निकाय; ग़ैर-सरकारी/स्वैच्छिक संगठन जैसी कार्यान्वयन एजेंसियों (IA) को सहायता अनुदान दिया जाता है।

2. **वरिष्ठ नागरिकों के लिए राज्य कार्य योजना [State Action Plan for Senior Citizens (SAPSrC)]** : प्रत्येक राज्य/केंद्रशासित प्रदेश से वरिष्ठ नागरिकों के कल्याण के लिए अपनी स्वयं की राज्य कार्य योजना तैयार करने की अपेक्षा की जाती है। सामाजिक न्याय और अधिकारिता विभाग राज्यों/केंद्रशासित प्रदेशों को उनकी राज्य कार्य योजनाओं के निर्माण और कार्यान्वयन के लिए निधि जारी की जाती है।

3. **राष्ट्रीय वयोश्री योजना [Rashtriya Vayoshri Yojana (RVY)]** : यह केंद्रीय क्षेत्र की योजना (CSS) 'वरिष्ठ नागरिक कल्याण कोष' से वित्त पोषित होती है और इसके तहत, बीपीएल श्रेणी से संबंधित वरिष्ठ नागरिकों या ₹15000 प्रतिमाह से कम कमानेवाले लोगों और उम्र से संबंधित विकलांगता जैसे कम दृष्टि, सुनने में अक्षम लोगों, दाँतों के ख़राब होने और लोको-मोटर विकलांगता से पीड़ितों को सहायता और सहायक जीवन उपकरण प्रदान किये जाते हैं। यह योजना भारतीय कृत्रिम अंग निर्माण निगम [Artificial Limbs Manufacturing Corporation of India (ALIMCO)] द्वारा कार्यान्वित की जाती है, जो सामाजिक न्याय और अधिकारिता मंत्रालय के तहत एक सार्वजनिक क्षेत्र का उपक्रम है।

4. **वरिष्ठ नागरिकों के लिए आजीविका और कौशल संबंधी पहल [Livelihood and Skilling Initiatives for Senior Citizens]** : इसका उद्देश्य स्वयं सहायता समूहों के गठन के माध्यम से वरिष्ठ नागरिकों को अपनी आय और आत्मसम्मान की भावना बढ़ाने के अवसर प्रदान करके उनके प्रयासों को पूरक बनाना है। इस योजना के दो कार्यक्रम हैं :

   i. **वरिष्ठ सक्षम नागरिक सम्मानपूर्वक पुनः रोज़गार के लिए पोर्टल [Senior Able Citizens for Re-Employment in Dignity (SACRED) portal]** - यह पोर्टल वरिष्ठ नागरिकों को कुछ पदों के लिए निजी उद्यमों से जुड़ने के लिए एक मंच प्रदान करके प्राथमिकताओं के आभासी मिलान द्वारा लोगों को एक साथ लाने की अनुमति देता है।

   ii. **सामाजिक पुनर्निर्माण के उद्देश्य से कार्य समूह [Action Groups Aimed at Social Reconstruction (AGRASR Groups)]** : वरिष्ठ नागरिकों को स्वयं सहायता समूह (SHG) बनाने के लिए प्रोत्साहित किया जाता है, जो उन्हें एक-दूसरे के साथ रचनात्मक रूप से समय को साझा करने के लिए एक मंच प्रदान करता है। वित्तीय सहायता प्राप्त करने के लिए, SHG 'सामाजिक पुनर्निर्माण के उद्देश्य से कार्य समूह (AGRASR समूह)' के रूप में कार्य करते हैं।

5. **सिल्वर इकोनॉमी को बढ़ावा देना (Promoting Silver Economy)** : इस पहल के तहत बुज़ुर्गों के कल्याण के लिए उत्पादों, प्रक्रियाओं और सेवाओं को विकसित करने के लिए अभिनव स्टार्ट-अप की पहचान की गयी है और उन्हें प्रोत्साहित किया गया है। चयनित स्टार्ट-अप/स्टार्ट-अप आइडिया को प्रतिप्रोजेक्ट ₹1 करोड़ तक की इक्विटी सहायता प्रदान की जा सकती है, जबकि यह सुनिश्चित किया जायेगा कि स्टार्ट-अप में कुल सरकारी इक्विटी 49 प्रतिशत से अधिक नहीं होनी चाहिए। इसके लिए 2021 में SAGE पोर्टल की शुरुआत की गयी है।

6. **बुज़ुर्गों की देखभाल के लिए CSR फ़ंड का उपयोग करना (Channelising CSR funds for Elderly care)** : कंपनी अधिनियम की धारा 135 की अनुसूची VII के तहत, वरिष्ठ नागरिकों के लिए वृद्धाश्रम, डे केयर सेंटर और ऐसी सुविधाएँ स्थापित करना अब CSR फ़ंडिंग के लिए अनुमोदित आइटम हैं।

7. **वरिष्ठ नागरिकों के लिए राष्ट्रीय हेल्पलाइन (14567) [National Helpline for Senior Citizen (14567)]** : बुज़ुर्गों की शिकायत का समाधान करने के लिए।

8. **वयो श्रेष्ठ सम्मान (Vayo Shreshtha Samman)** : वरिष्ठ नागरिकों के लिए राष्ट्रीय पुरस्कार 'वयो श्रेष्ठ सम्मान' हर साल **1 अक्टूबर (अंतरराष्ट्रीय वृद्धजन दिवस)** को भारत के माननीय राष्ट्रपति द्वारा विभिन्न श्रेणियों के प्रतिष्ठित और उत्कृष्ट संस्थानों या संगठनों और व्यक्तियों को प्रदान किया जाता है।

संक्षिप्त विवरण

- **देखभाल अर्थव्यवस्था (Care Economy)** – लोगों द्वारा प्रदान किया गया भुगतानवाला और बिना भुगतानवाला देखभाल कार्य।
- **केयर डायमंड (Care Diamond)** – समाज में चार प्रमुख संस्थागत हितधारक – राज्य, बाज़ार, परिवार और समुदाय। इनके बीच समाज की देखभाल का काम बाँटा जा सकता है।
- **बैंगनी अर्थव्यवस्था (Purple Economy)** – इसे देखभाल अर्थव्यवस्था के रूप में भी जाना जाता है, इसे यह नाम कई नारीवादी आंदोलनों द्वारा अपनाये गये रंग से मिला है।
- **सिल्वर इकोनॉमी (Silver Economy)** – वे सभी आर्थिक गतिविधियाँ, उत्पाद और सेवाएँ, जिन्हें 50 से अधिक उम्र के लोगों की जरूरतों को पूरा करने के लिए डिज़ाइन किया गया है।
- **कामकाजी महिलाओं की पहली अंतरराष्ट्रीय कांग्रेस [The First International Congress of Working Women (ICWW)]** – 1919 में अमेरिका की महिला ट्रेड यूनियन लीग द्वारा आयोजित की गयी।
- **महिलाओं के ख़िलाफ़ सभी प्रकार के भेदभाव को ख़त्म करने पर कन्वेंशन [Convention on the Elimination of all forms of Discrimination Against Women (CEDAW)]** – 1979 में सरकारों द्वारा हस्ताक्षर किया गया और यह 1981 में लागू हुआ।
- **बीजिंग घोषणा और कार्रवाई का मंच [Beijing Declaration and Platform for Action]** – 1995 में 189 सरकारों द्वारा हस्ताक्षर किया गया।
- **देखभाल कार्य और लैंगिक समानता के लिए हाई रोड प्राप्त करने हेतु ILO के अच्छे देखभाल कार्य के लिए 5R फ्रेमवर्क (The 5R Framework for Decent Care Work of ILO to attain high road to care work and gender equality)** – पहचानना, कम करना, पुनर्वितरित करना, पुरस्कार देना, प्रतिनिधित्व करना।

यूपीएससी सिविल सेवा के पिछले वर्षों की प्रारंभिक परीक्षा के प्रश्न

☞ **कोई प्रश्न नहीं**

2024, 2023, 2022, 2021, 2020, 2019, 2018, 2017, 2016, 2015, 2014, 2013

यूपीएससी सिविल सेवा के पिछले वर्षों की मुख्य परीक्षा के प्रश्न

1. 'देखभाल अर्थव्यवस्था' और 'मुद्रीकृत अर्थव्यवस्था' के बीच अंतर कीजिए। महिला सशक्तीकरण के द्वारा देखभाल अर्थव्यवस्था को मुद्रीकृत अर्थव्यवस्था में कैसे लाया जा सकता है? **[2023]**

☞ **कोई प्रश्न नहीं**

2024, 2022, 2021, 2020, 2019, 2018, 2017, 2016, 2015, 2014, 2013

निवेश के मॉडल (Investment Models)

अध्याय 34

अध्याय की रूपरेखा

- निवेश एवं GDP के मध्य संबंध
- बचत एवं निवेश के मध्य संबंध
- निवेश को प्रभावित करनेवाले कारक
- निवेश के मॉडलों का वर्गीकरण
- प्रेरित निवेश
- स्वायत्त निवेश
- PPP मॉडल
- PPP की प्रमुख विशेषताएँ
- PPP मॉडल के लाभ
- PPP मॉडल के दोष
- अवसंरचना परियोजनाओं में PPP से संबंधित वर्तमान चुनौतियाँ
- PPP व्यवस्था के अंतर्गत सुझाये गये सुधार
- हवाई अड्डे एवं PPP
- रेलवे में PPP के अवसर
- स्विस चैलेंज विधि
- आर्थिक नियोजन एवं उसमें निवेश मॉडल का प्रयोग
- हैरोड-डोमर मॉडल
- लुईस का आर्थिक विकास मॉडल
- सोलो-स्वान मॉडल
- फ़ेल्डमैन-महालनोबिस मॉडल
- राव-मनमोहन मॉडल

- निवेश एक ऐसी प्रक्रिया है, जिसमें पैसे का लेन-देन किया जाता है। **पैसे का लेन-देन ऐसी संपत्ति के लिए किया जाता है, जिससे अधिक आय हो या मुनाफ़ा मिले।** यह कहा जा सकता है कि निवेश पूँजी निर्माण, या पूँजी में एक कुल या शुद्ध वृद्धि है, जिससे होनेवाली आय या मुनाफ़े से अर्थव्यवस्था को बल मिलता है।
- अत: किसी राष्ट्र की **आर्थिक संवृद्धि एवं विकास के लिए निवेश अत्यंत आवश्यक होता है।** निवेश से निर्धनता, बेरोज़गारी, कुपोषण आदि को भी कम करने में सहायता मिलती है।
- सरकार और निजी दोनों क्षेत्र अर्थव्यवस्था में निवेश करते हैं। निजी क्षेत्र का निवेश आर्थिक रूप से न केवल सरकार पर बोझ कम करता है, बल्कि रोज़गार के अवसर भी पैदा करता है और राष्ट्र निर्माण की प्रक्रिया में दायित्व भी साझा करता है।
- व्यावसायिक नियामक ढाँचे और निजी एवं सार्वजनिक, दोनों क्षेत्रों के योगदान के आधार पर, अब तक निवेश के कई मॉडल परिभाषित किये जा चुके हैं। इस अध्याय में ऐसे निवेश के मॉडलों पर बाद में चर्चा की गयी है।

निवेश एवं GDP के मध्य संबंध (RELATIONSHIP BETWEEN INVESTMENTS AND GDP)

किसी देश की GDP को उपभोग व्यय, सरकारी ख़र्च, शुद्ध निर्यात एवं निवेश के कुल योग के रूप में परिभाषित किया जा सकता है। अत: गणितीय सूत्र के रूप में GDP को निम्नलिखित ढंग से व्यक्त किया जा सकता है :

$$GDP = C + G + I + NX$$

जहाँ,

C = उपभोग व्यय

G = सरकारी ख़र्च

NX = शुद्ध निर्यात = निर्यात (X) – आयात (M)

I = सकल निवेश

उपर्युक्त सूत्र की सहायता से हमें निम्नलिखित व्यंजक भी प्राप्त होते हैं :

$$I = GDP - (C + G + NX)$$

बचत एवं निवेश के मध्य संबंध (RELATIONSHIP BETWEEN SAVINGS AND INVESTMENTS)

- निवेश में **निजी** (कॉर्पोरेट एवं घरेलू) निवेश एवं **सार्वजनिक** निवेश।
- घरेलू निवेश के लिए सामान्य रूप से घरेलू बचत या तो निजी (कॉर्पोरेट एवं घरेलू) बचत के माध्यम से या सार्वजनिक बचत के माध्यम से वित्तपोषण किया जाता है। **बाहरी बचत (विदेशी पेंशन निधि) के माध्यम से भी घरेलू निवेश के लिए वित्तपोषण किया जाता है। परंतु इससे चालू खाता घाटे [Current Account Deficit (CAD)] में वृद्धि हो सकती है।**
- आर्थिक वृद्धि काफ़ी हद तक बचत के स्तर और निवेश की दर से प्रेरित होती है।
- इस बात पर ध्यान दिया जाना चाहिए कि यदि बचत खातों पर ब्याज बढ़ता है, तो अक्सर निवेश की दर में गिरावट आती है। इस प्रकार, किसी देश की मौद्रिक नीति निवेश की दर को महत्त्वपूर्ण रूप से प्रभावित करती है।
- कर की दरों और कर के स्लैब सहित सरकार की राजकोषीय नीति भी किसी अर्थव्यवस्था में निवेश की दर को संचालित करती है।

निवेश को प्रभावित करनेवाले कारक (FACTORS AFFECTING INVESTMENTS)

किसी भी क्षेत्र में निवेश दो कारकों पर निर्भर करता है :-

1. ***आय (Income)*** – जितनी अधिक आय होगी, उतना अधिक निवेश होगा।
2. ***बैंकों की ब्याज-दर (Rate of Interest in Banks)*** – ब्याज-दर जितनी अधिक होगी, उतना कम निवेश होगा।

किसी देश में निवेश को प्रभावित करनेवाले अन्य कारक हैं- **कर की दर (tax rate)**, **मुद्रास्फीति (inflation)**, **पूँजीगत निवेश पर मुनाफ़े की संभावित दर (possible rate of return on capital investment)**, **उत्पादन कारकों की उपलब्धता (availability of the factors of production)**, जैसे- सस्ती भूमि एवं श्रम, समुचित परिवहन एवं संचार, ऊर्जा उपलब्धता तथा सरकार की नीतियाँ सर्वोपरि हैं।

निवेश के मॉडलों का वर्गीकरण (CLASSIFICATION OF MODELS OF INVESTMENT)

निवेश के स्रोतों के आधार पर, निवेश के मॉडलों को निम्नलिखित रूप से वर्गीकृत किया जाता है :-

- **घरेलू निवेश मॉडल (Domestic Investment Model)** – जब निवेश का स्रोत देश के अंदर होता है, तो ऐसे निवेश को घरेलू निवेश मॉडल के नाम से जाना जाता है।
- **सार्वजनिक निवेश मॉडल (Public Investment Model)** – जब सरकार अच्छी आय एवं विशेष रूप से निर्धनता कम करने तथा रोज़गार बढ़ाने के उद्देश्य से कुछ परियोजनाओं में स्वयं निवेश करती है, तो इस प्रकार के निवेश के मॉडल सार्वजनिक निवेश मॉडल के अंतर्गत आते हैं।
- **निजी निवेश मॉडल (Private Investment Model)** – जब कोई निजी फ़र्म या कंपनी किसी परियोजना में अच्छी आय के लिए निवेश करती है, तो इस निवेश मॉडल को निजी निवेश मॉडल कहा जाता है। **निजी निवेश मॉडल** घरेलू एवं विदेशी, दोनों हो सकता है।

निवेश के प्रकार (Types of Investment)

वास्तविक	नये संयंत्र और उपकरणों में किया गया निवेश
स्वायत्त	आय स्तर में परिवर्तन के साथ नहीं बदलता है
प्रेरित	आय स्तर में परिवर्तन के साथ बदलाव
आर्थिक	शेयर, बॉण्ड, प्रतिभूतियों जैसे वित्तीय साधनों के लिए निवेश
नियोजित	योजना के साथ और विशिष्ट उद्देश्यों के लिए किया गया निवेश
अनियोजित	बिना योजना के निर्मित साधन
कुल	नयी पूँजी के निर्माण के लिए ख़र्च की गयी कुल राशि
शुद्ध (नेट)	सकल निवेश - पूँजी खपत

स्वायत्त निवेश (Autonomous Investment)	प्रेरित निवेश (Induced Investment)
निवेश जो आय और लाभ से स्वतंत्र है	निवेश जो लाभ कमाने के लिए होता है
आमतौर पर सरकारी क्षेत्र में किया जाता है	आमतौर पर निजी क्षेत्र में किया जाता है
स्वायत्त निवेश वक्र, क्षैतिज अक्ष के समानांतर होता है, क्योंकि यह आय स्तर में परिवर्तन से प्रभावित नहीं होता है	प्रेरित निवेश वक्र ऊपर की ओर बढ़ता है, क्योंकि निवेश आय में वृद्धि के साथ बढ़ता है

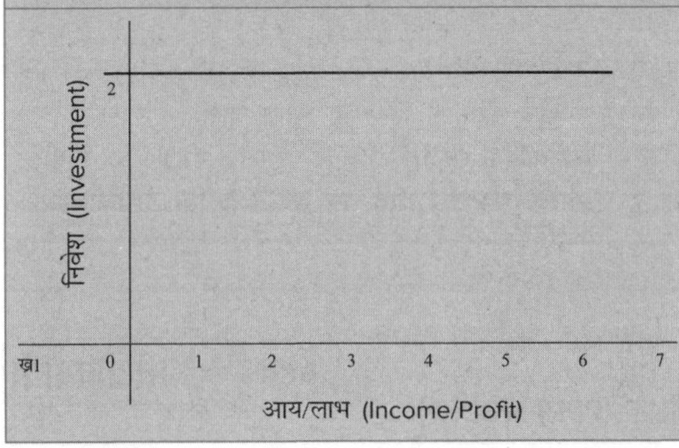

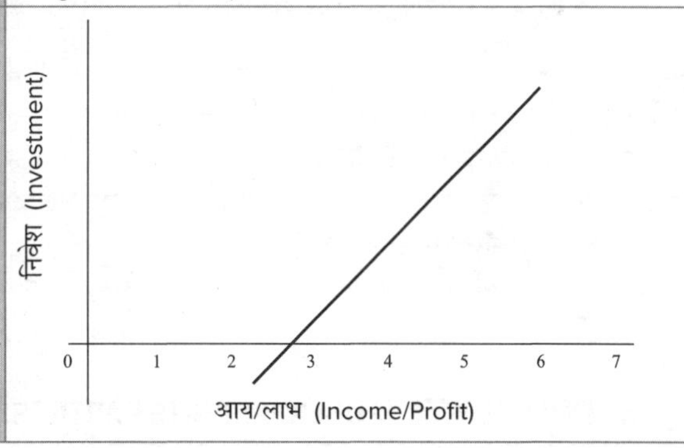

अतिरिक्त जानकारी

निवेश गुणक (INVESTMENT MULTIPLIER)

➤ निवेश गुणक [Investment Multiplier (IM)] इस बात का संकेत है कि किसी सार्वजनिक या निजी निवेश का केवल संबंधित परियोजना पर ही सकारात्मक प्रभाव नहीं पड़ता है, अपितु किसी अर्थव्यवस्था के अन्य पक्षों पर भी उसका सकारात्मक प्रभाव पड़ता है। उदाहरण के लिए - यदि किसी विशिष्ट परियोजना के लिए निवेश किया जाता है, तो उससे न केवल देश की अवसंरचना में सुधार होता है, अपितु श्रमिकों, आपूर्तिकर्ताओं एवं उस परियोजना से संबंधित विभिन्न उद्योगों की आय में भी वृद्धि होती है।

➤ **उच्च निवेश गुणक इस बात का संकेत है कि उस अर्थव्यवस्था में धन का सृजन एवं वितरण पर्याप्त है।**

➤ सामान्यत:, निवेश गुणक **सीमांत उपभोग प्रवृत्ति [Marginal Propensity to Consume (MPC)] एवं सीमांत बचत प्रवृत्ति [Marginal Propensity to Save (MPS)]** पर आश्रित होता है।

जहाँ, MPC = (ख़र्च में परिवर्तन)/(आय में परिवर्तन)

MPS = (बचत में परिवर्तन)/(आय में परिवर्तन)

MPC एवं MPS दोनों का मान सदैव 0 एवं 1 के मध्य होता है।

किसी बंद अर्थव्यवस्था (closed economy) में, MPS + MPC = 1

$$\text{निवेश गुणक} = \frac{1}{1 - MPC}$$

अन्य शब्दों में, **गुणक (multiplier)** कुल राष्ट्रीय आय की राशि पर कुल राष्ट्रीय निवेश में हुए परिवर्तन के प्रभाव को दर्शाता है, इसलिए यह कुल आय में हुए परिवर्तन एवं निवेश में हुए परिवर्तन के अनुपात के बराबर होता है।

निवेश गुणक जितना बड़ा होगा, उतने प्रभावी रूप से पूरी अर्थव्यवस्था में धन का सृजन एवं वितरण होगा। निवेश गुणक के आधार पर किसी सार्वजनिक या निजी परियोजना के वित्तीय प्रभाव का मूल्यांकन किया जाता है। चूँकि संसाधन सीमित हैं, अत: अधिक उत्पादन (output) या आय के लिए सामान्यत: **अधिक निवेश गुणकवाले क्षेत्रों/परियोजनाओं को चुना जाता है।**

उदाहरण के लिए, **विद्युत क्षेत्र एवं भौतिक अवसंरचना जैसे सड़क, रेलवे आदि में निवेश का सकारात्मक गुणक प्रभाव होता है** तथा इससे आर्थिक संवृद्धि को प्रोत्साहन मिलता है, रोज़गार एवं आय में वृद्धि होती है।

वृद्धिशील पूँजी-उत्पादन अनुपात [Incremental Capital Output Ratio (ICOR)] : यह किसी अर्थव्यवस्था में निवेश के स्तर एवं GDP में परिणामी वृद्धि के मध्य संबंध की व्याख्या करता है। दूसरे शब्दों में, यह भी कहा जा सकता है कि उत्पादन की एक इकाई को बढ़ाने के लिए अतिरिक्त पूँजी आवश्यक होती है।

ICOR = (वार्षिक निवेश)/(GDP में वार्षिक वृद्धि)

ICOR का प्रयोग किसी अर्थव्यवस्था की उत्पादन क्षमता के स्तर का मूल्यांकन करने के लिए भी किया जाता है। उदाहरण के लिए – अगर किसी देश का ICOR ₹100 है, तो इसका अर्थ है कि ₹1 की वार्षिक GDP में संवृद्धि के लिए ₹100 का निवेश आवश्यक है। अत: **उच्च ICOR को प्राथमिकता नहीं दी जाती है, क्योंकि यह इस बात का संकेत है कि अर्थव्यवस्था का स्वयं का उत्पादन अपर्याप्त है।**

परीक्षोपयोगी

PPP मॉडल [PUBLIC-PRIVATE PARTNERSHIP (PPP) MODEL]

जब **सरकार एवं निजी क्षेत्रक मिलकर किसी परियोजना में निवेश करते हैं**, तो इस प्रकार के मॉडल को सार्वजनिक-निजी भागीदारी [Public-Private Partnership (PPP)] मॉडल कहा जाता है।

PPP की प्रमुख विशेषताएँ (Salient Features of PPP)

1. PPP के अंतर्गत, किसी सरकारी या सरकार के स्वामित्ववाली इकाई एवं निजी क्षेत्रक की किसी इकाई के मध्य **निर्दिष्ट अवधि के लिए एक क़ानूनी संबंध** (legal relationship) निर्धारित होता है।
2. PPP में निजी एवं सार्वजनिक क्षेत्रक की इकाई के मध्य **जोखिमों का आवंटन भी सुनियोजित ढंग** (well-defined allocation of risk) से होता है, परंतु अधिकांश स्थिति में **स्वामित्व सार्वजनिक क्षेत्रक के पास रहता है** (ownership remains with the public sector)।

3. PPP के अंतर्गत नीतियों एवं परियोजनाओं का **नियमन वित्त मंत्रालय के आर्थिक कार्य विभाग (Department of Economic Affairs, Ministry of Finance) द्वारा किया जाता है।**
4. **PPP के कई मॉडल होते हैं।** प्रत्येक के अपने-अपने गुण एवं दोष होते हैं।

निवेश के PPP मॉडल सरकारी और निजी संस्थाओं के बीच होनेवाले समझौते पर आधारित होते हैं। **इन मॉडलों को निम्नलिखित दो आधारों पर वर्गीकृत किया जा सकता है :**

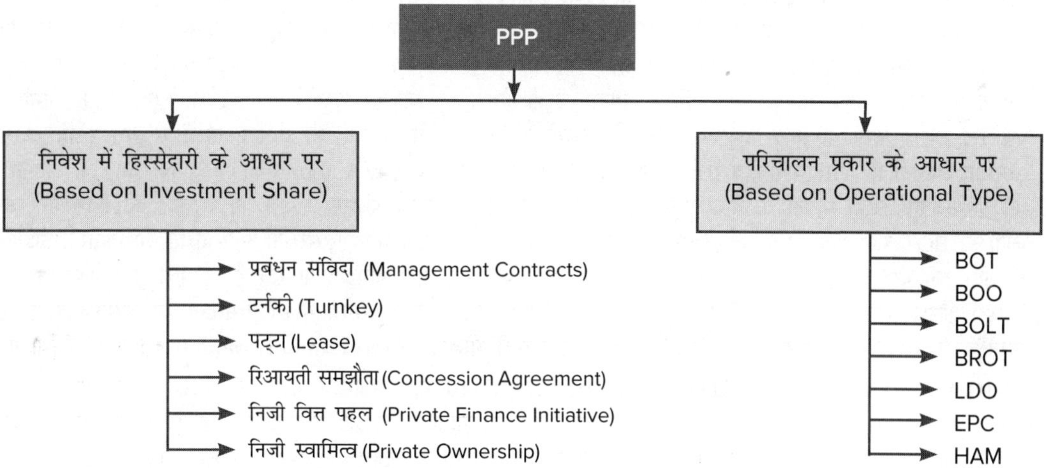

आइए, पहले हम निवेश में हिस्सेदारी पर आधारित मॉडलों के बारे में चर्चा करते हैं :-

➤ **प्रबंधन संविदा (Management Contracts) :** निजी क्षेत्रक के कौशल का उपयोग सेवाओं के डिज़ाइन और उनको उपलब्ध कराने में, परिचालनगत प्रबंधन, श्रमिकों के प्रबंधन और उपकरणों की ख़रीदारी में किया जाता है। परंतु परियोजना का स्वामित्व सार्वजनिक क्षेत्रक के पास रहता है। सामान्य रूप से संविदा की अवधि छोटी होती है। सामान्यत: यह दो से पाँच सालों की अवधि होती है।

➤ **टर्नकी (Turnkey) :** इसमें निजी ठेकेदार को बोली प्रक्रिया के माध्यम से चुना जाता है। निजी ठेकेदार जो सुविधा डिज़ाइन करता है और उसका निर्माण करता है, उसकी फ़ीस, दर या कुल ख़र्च पहले से निर्धारित होता है। बोली के चयन में यह एक मुख्य शर्त होती है। इस विधि को डिज़ाइन-निर्माण के नाम से जाना जाता है।

➤ **पट्टा (Lease) :** पट्टाधारक के ज़िम्मे अवसंरचना सुविधाओं (जो पहले से उपस्थित हैं) और सेवाओं के परिचालन और रख-रखाव का काम होता है, परंतु सामान्य रूप से पट्टाधारक को कोई बड़ा निवेश करने की आवश्यकता नहीं होती है।

➤ **रिआयती समझौता (Concession Agreement) :** सरकार किसी निजी कंपनी को एक निश्चित अवधि के लिए कोई सुविधा बनाने और उसके संचालन का विशेष अधिकार देती है। सरकार उस सुविधा का अंतिम स्वामित्व अपने पास रख सकती है। रिआयती अधिकारों के लिए सरकार को रिआयतग्राही भुगतान करता है और सरकार भी रिआयतग्राही को भुगतान कर सकती है। कुछ विशिष्ट शर्तों को पूरा करने का क़रार में प्रावधान किया जाता है। सरकार पूँजी निर्माण के लिए इस प्रकार की PPP परियोजनाओं पर काम करती है। नीति आयोग यात्री रोपवे (ropeways) के परिचालन और रख-रखाव के लिए इस मॉडल में एक परियोजना पर काम करने पर विचार कर रहा है।

➤ **निजी वित्त पहल [Private Finance Initiative (PFI)] :** सरकार के बदले निजी कंपनी अग्रिम ख़र्च वहन करती है। उसके बाद परियोजना को पट्टे पर सरकार को दिया जाता है और सरकारी प्राधिकरण निजी कंपनी को वार्षिक भुगतान करता है। संविदा अवधि की समाप्ति पर, परियोजना को सार्वजनिक क्षेत्रक को स्थानांतरित किया भी जा सकता है या नहीं भी। भारत में राष्ट्रीय राजमार्गों के वित्तपोषण के लिए अपनाया जानेवाला एन्यूइटी मॉडल, PFI मॉडल का उदाहरण है।

- **निजी स्वामित्व (Private Ownership) :** किसी अवसंरचना सुविधा के डिज़ाइन, निर्माण और परिचालन की ज़िम्मेदारी निजी क्षेत्रक के पास रहती है और कुछ स्थितियों में सार्वजनिक क्षेत्रक किसी संपत्ति के स्वामित्व का अधिकार निजी क्षेत्रक को दे सकता है।

आइए, अब हम परिचालन प्रकार के आधार पर PPP मॉडल पर चर्चा करते हैं :-

- **निर्माण परिचालन हस्तांतरण [Build Operate Transfer (BOT)] :** निर्माण परिचालन हस्तांतरण एक साधारण एवं परंपरागत PPP मॉडल है। इस मॉडल के अंतर्गत, **किसी निजी इकाई द्वारा किसी सुविधा का डिज़ाइन, निर्माण एवं परिचालन किया जाता है** तथा समझौते के अनुसार, एक अवधि के बाद **इसका हस्तांतरण सार्वजनिक क्षेत्रक को किया जाता है।** यहाँ 'परिचालन' शब्द का अर्थ है कि निजी इकाई द्वारा अनुबंध की अवधि तक परियोजना का परिचालन किया जायेगा एवं इसके उपरांत सार्वजनिक क्षेत्रक को हस्तांतरित किया जायेगा। निजी क्षेत्रक का साझेदार परियोजना में निवेश करने, उसका निर्माण करने एवं रख-रखाव करने के लिए उत्तरदायी होता है। **इसके बदले**, उसको सुविधा के उपयोगकर्ताओं से **धन संग्रह करने की अनुमति मिलती है**। भारतीय राष्ट्रीय राजमार्ग प्राधिकरण [National Highway Authority of India (NHAI)] के अंतर्गत PPP की परियोजनाएँ BOT मॉडल के कुछ प्रमुख उदाहरण हैं। इससे परियोजना के रख-रखाव की सरकार की ज़िम्मेदारी कम हो जाती है। BOT मॉडल के साथ वर्तमान में समस्या यह है कि निजी क्षेत्रक की अवसंरचना से संबंधित अधिकतर इकाइयाँ ऋण के बोझ तले दबी हैं एवं अब परियोजनाओं में निवेश करने के लिए ऋण नहीं ले पा रही हैं या पूँजी नहीं प्राप्त कर पा रही हैं। इस कारण, राजमार्गों के लिए निवेश में गिरावट आयी है। अतः, हाल के समय में BOT मॉडल की असफलता का सामना करने के लिए **BOT के विकल्प के रूप में, हाइब्रिड एन्यूटी मॉडल (Hybrid Annuity Model)** का प्रयोग किया गया है।
- **निर्माण स्वामित्व परिचालन [Build Own Operate (BOO)] :** निर्माण स्वामित्व परिचालन मॉडल BOT मॉडल का ही एक प्रकार है, परंतु इसमें स्वामित्व निजी क्षेत्रक के साझेदार के पास रहता है। BOO के अंतर्गत, सार्वजनिक एवं निजी क्षेत्रक के साझेदारों के मध्य मॉडल के अंतर्गत वस्तुओं एवं सेवाओं की ख़रीदारी के संबंध में आपसी समझौता होता है।
- **निर्माण परिचालन पट्टा हस्तांतरण [Build Operate Lease Transfer (BOLT)] :** निर्माण परिचालन पट्टा हस्तांतरण मॉडल के अंतर्गत, **सरकार निजी क्षेत्र को परियोजना का निर्माण करने एवं उसे सरकार को पट्टे पर देने का अधिकार देती है**। बदले में, सरकार विशिष्ट पट्टा अवधि तक पट्टे के शुल्क का भुगतान करती है एवं पट्टे की अवधि समाप्त होने के बाद, परियोजना सरकार को हस्तांतरित कर दी जाती है।
- **निर्माण-पुनरुद्धार-परिचालन-हस्तांतरण [Build Rehabilitate Operate Transfer (BROT)] :** यह BOT व्यवस्था का ही एक प्रकार है। BROT व्यवस्था के अंतर्गत, एक निजी डेवलपर पहले से उपस्थित सुविधा में कुछ अतिरिक्त काम करता है या आंशिक रूप से निर्मित सुविधा को पूरा करता है और उपस्थित संपत्ति का पुनरुद्धार करता है और फिर संविदा की अवधि तक अपनी जोखिम पर सुविधा का परिचालन और रख-रखाव करता है। BROT **जल क्षेत्रक (water sector)** में PPP का लोकप्रिय रूप है। हाल ही में, असम ने अपनी एक परियोजना के लिए इसे चुना है।
- **पट्टा विकास परिचालन मॉडल [Lease Develop Operate (LDO) Model] :** पट्टा विकास परिचालन मॉडल में उस परियोजना का स्वामित्व सरकार या सार्वजनिक क्षेत्रक के पास रहता है, जिसे निजी क्षेत्रक के साझेदार द्वारा तैयार किया गया है एवं परिचालन किया जा रहा है। सरकार को पट्टे के अनुबंध के आधार पर निजी पक्ष से पैसे मिलते हैं। इस मॉडल का सबसे उपयुक्त उदाहरण **हवाई अड्डों पर उपलब्ध सुविधाएँ हैं**।
- **अभियांत्रिकी, ख़रीद एवं निर्माण [Engineering Procurement and Construction (EPC)] :** अभियांत्रिकी, ख़रीद एवं निर्माण, निर्माण उद्योग में अनुबंध के पुराने प्रकारों में से एक है। EPC के अंतर्गत, **कंपनियाँ किसी परियोजना का डिज़ाइन, निर्माण, निष्पादन करने एवं उसको तैयार करके सौंपने के लिए उत्तरदायी होती हैं**। EPC परियोजना सौंपनेवाली कंपनियों को EPC संविदाकार के नाम से जाना जाता है। निर्माण के बाद संपत्ति को सरकार को हस्तांतरित किया जाता है। इस मॉडल में, निवेश सरकार द्वारा किया जाता है। सरकार के सीमित वित्तीय संसाधन के कारण, 1990 एवं 2000 के दशकों में BOT मॉडल को प्राथमिकता दी गयी थी। परंतु हाल के वर्षों में, निजी क्षेत्रक की वित्तीय असमर्थता के कारण **NHAI द्वारा कई परियोजनाओं को EPC के आधार पर** संविदाकार को दिया गया है।
- **हाइब्रिड एन्यूटी मॉडल [Hybrid Annuity Model (HAM)] : हाइब्रिड एन्यूटी मॉडल** EPC एवं BOT मॉडलों का संयोजन है। **इस मॉडल में 40 प्रतिशत EPC एवं 60 प्रतिशत BOT-एन्यूटी का संयोजन होता है**। मूल रूप से **सड़क**

अवसंरचना परियोजनाओं के लिए इसका प्रस्ताव रखा गया था। NHAI ने लगभग 30 परियोजनाओं को HAM मॉडल के अंतर्गत संविदाकार को दिया है। इस मॉडल में दो चरणों में काम होता है; पहले EPC मॉडल के अंतर्गत, सड़कें तैयार की जाती हैं एवं इसके लिए NHAI निजी पक्ष को भुगतान करता है। दूसरा, BOT-एन्यूटी के अंतर्गत, निजी पक्ष सड़कों का निर्माण, परिचालन एवं रख-रखाव करता है एवं इसके अतिरिक्त, निजी पक्ष एक निर्दिष्ट अवधि तक टोल टैक्स का भी संग्रहण करता है। निर्दिष्ट अवधि के उपरांत, संपत्ति सरकार को हस्तांतरित कर दी जाती है। परंतु टोल से होनेवाली आय की जोखिम सरकार द्वारा स्वयं ली जाती है एवं सरकार सड़कों के निर्माण एवं रख-रखाव के लिए निजी क्षेत्रक को पूर्व निर्धारित वार्षिक राशि का भुगतान करती है। इससे निजी क्षेत्रक की इकाई से वित्तीय बोझ कम होता है एवं **दोनों पक्षों के बीच परियोजना की ज़ोखिमों को व्यापक रूप से साझा किया जाता है।**

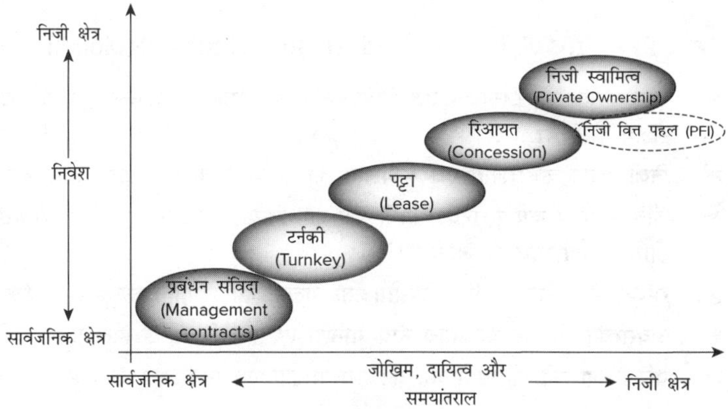

पीपीपी मॉडल की मौलिक विशेषताएँ

भारत में PPP मॉडल के अंतर्गत प्रमुख परियोजनाएँ (Major Projects under the PPP Model in India)

परियोजना	समझौते का वर्ष	टिप्पणी
कोच्चि अंतरराष्ट्रीय हवाई अड्डा	1994	PPP मॉडल के अंतर्गत तैयार किया जानेवाला भारत का पहला हवाई अड्डा।
जवाहर लाल नेहरू पोर्ट (महाराष्ट्र)	1999	BOT मॉडल के अंतर्गत तैयार किया गया।
काकीनाड़ा पोर्ट (आंध्र प्रदेश)	1999	BOT मॉडल के अंतर्गत तैयार किया गया।
स्वर्णिम चतुर्भुज	2001	यह राष्ट्रीय राजमार्गों का एक नेटवर्क है, जो भारत के चार प्रमुख महानगरों – दिल्ली (उत्तर), कोलकाता (पूर्व), मुंबई (पश्चिम) एवं चेन्नई (दक्षिण) को जोड़ता है। दिल्ली से कोलकाता – NH19 दिल्ली से मुंबई – NH48 मुंबई से चेन्नई – NH48 चेन्नयी से कोलकाता – NH16
गंगावरम पोर्ट (आंध्र प्रदेश)	2002	BOOT मॉडल के अंतर्गत तैयार किया गया।
मुंबई-पुणे एक्सप्रेसवे (महाराष्ट्र)	2004	BOT मॉडल के अंतर्गत तैयार किया गया।
मुंबई मेट्रो (महाराष्ट्र)	2007	BOOT मॉडल के अंतर्गत तैयार की गयी।
हैदराबाद मेट्रो (आंध्र प्रदेश)	2010	BOT मॉडल के अंतर्गत तैयार की गयी।
अहमदाबाद, लखनऊ, मेंगलुरु हवाई अड्डा	2020	रिआयती मॉडल के अंतर्गत विकसित किया जा रहा है।
बेंगलुरु हवाई अड्डा विस्तार (कर्नाटक)	2020	BOT मॉडल के अंतर्गत तैयार किया जा रहा है।

PPP मॉडल के लाभ (Advantages of the PPP Model)

- सामान्य रूप से, **नियोजन एवं निष्पादन में** पारंपरिक सार्वजनिक क्षेत्र के उद्यमों की तुलना में **निजी क्षेत्र की इकाई अधिक सक्षम होती है।**
- निजी उद्यमों की **दक्षता एवं कुशलता** का कारण उनके पास प्रायः अंतरराष्ट्रीय अनुभव एवं सर्वोत्तम प्रौद्योगिकी का होना है।
- चूँकि सामान्य रूप से निवेश निजी पक्ष द्वारा किया जाता है, **अतः नये भौतिक अवसंरचना निर्माण हेतु सरकारी निवेश की आवश्यकता कम हो जाती है।**
- सर्जित अवसंरचना के लिए **उपयोगकर्ता शुल्कों का भुगतान करते हैं, न कि करदाता।**
- अवसंरचना विकास का **कार्य तीव्र गति** से एवं प्रभावी ढंग से होता है।
- **परियोजना की जोखिमों का बँटवारा** सरकार एवं निजी क्षेत्र के मध्य होता है।

PPP मॉडल के दोष (Disadvantages of the PPP Model)

- भौतिक अवसंरचना के लिए तो PPP मॉडल उपयुक्त हो सकता है, परंतु **सामाजिक अवसंरचना** जैसे- शिक्षा एवं स्वास्थ्य की सुविधा प्रदान करने के लिए यह **उपयुक्त एवं संभाव्य नहीं हो सकता है**, क्योंकि उनसे किसी प्रकार के मुनाफ़े की संभावना नहीं होती है।
- इस प्रकार से सेवा प्रदाताओं पर **सरकार का नियंत्रण कम हो जाता है।**
- PPP के अंतर्गत **उपयोगकर्ता से लिया जानेवाला शुल्क** प्रायः अत्यधिक होता है, जिस कारण सेवाएँ समाज के असुरक्षित वर्गों के लिए पहुँच से बाहर हो जाती हैं।
- **अत्यधिक ऊँची बोली** से परियोजना का उचित रूप से निष्पादन कठिन हो जाता है।
- PPP व्यवस्था के **लेखापरीक्षण से संबंधित अब भी अनेक समस्याएँ** हैं।
- इस प्रकार की विभिन्न PPP परियोजनाओं में प्रायः **संभाव्यता की समस्या** आती है।

अवसंरचना परियोजनाओं में PPP से संबंधित वर्तमान चुनौतियाँ (Present Challenges with respect to PPP in Infrastructure Projects)

परीक्षोपयोगी

- **अर्थव्यवस्था में नरमी** से निराशावादी कारोबारी माहौल बना है एवं ब्याज-दर अधिक हो गयी है। परिणामस्वरूप, राजमार्ग क्षेत्र के लिए सीमित रूप से ऋण उपलब्ध हो रहा है।
- ऋण प्राप्त करने एवं ऋण संबंधित औपचारिकताओं को पूरा करने के लिए **परियोजना से होनेवाली आय का बढ़ा-चढ़ाकर अनुमान प्रस्तुत किये जाने** से वित्तीय चुनौतियाँ अधिक विकट हो गयी हैं।
- परियोजना तैयारी की गतिविधियों का प्रभावी नहीं होना। **अगर Detailed Project Report (DPR) कारगर ढंग से तैयार नहीं की जाती है**, तो बाद में उसके कारण परियोजना पर अनुमान से अधिक व्यय की समस्या का सामना करना पड़ता है।
- भूमि अधिग्रहण में देरी।
- अनुमोदन एवं मंजूरी मिलने में देरी *(केंद्र, राज्य एवं स्थानीय स्तर पर कई मंजूरी लेनी पड़ती हैं)*।
- डेवलपर की अतिरंजित बैलेंसशीट (Overleveraged balance sheet) ।
- राष्ट्रीय स्तर पर समर्पित **PPP नीति** या नियमन **का अभाव**।
- PPP वित्तपोषण के लिए **वाणिज्यिक बैंकों पर** अत्यधिक **निर्भरता**।
- PPP परियोजनाओं में देरी या उसके रद्द होने के मुख्य कारणों में से एक **अत्यधिक ऊँची बोली** है, क्योंकि इस तरह की परियोजनाओं के लिए वित्तपोषण में बैंक अधिक सतर्क हो जाते हैं। इस कारण बहुत कम वास्तविक निविदाकार भाग लेते हैं।

- PPP अनुबंधों की दीर्घकालीन प्रकृति, बाज़ार की अनिश्चितता, सरकारी एवं निजी पक्ष दोनों के स्तर पर क्षमता का अभाव आदि के कारण PPP परियोजनाओं के जीवन चक्र के दौरान **विवाद उत्पन्न हो सकते हैं**।
- हवाई अड्डों के संदर्भ में, उच्च स्तर पर आगे बढ़ाने के बावजूद ग्रीनफ़ील्ड हवाई अड्डों के लिए **भूमि अधिग्रहण** का कार्य कठिन हो गया है।

PPP व्यवस्था के अंतर्गत सुझाये गये सुधार (Suggested Reforms under the PPP Approach)

- सामान्यत:, वर्तमान में, दीर्घकालीन परियोजना जोखिम पूरी तरह निजी क्षेत्र द्वारा वहन की जा रही है। सरकार एवं निजी पक्ष (रिआयतग्राही) के मध्य **संतुलित जोखिम साझेदारी** की आवश्यकता है। ऐसा **व्यवहार्यता अंतर वित्तपोषण के लिए उचित एवं पारदर्शी व्यवस्था** द्वारा किया जा सकता है।
- *"एक ही नियम सब पर लागू" (one-size-fits-all approach)*वाले दृष्टिकोण से बचना प्रत्येक परियोजना की आवश्यकता के आधार पर PPP अनुबंधों की पुनर्संरचना।
- सुदृढ़ विवाद निपटारा व्यवस्था।
- **उचित निकासी नियम (proper exit norms)** ।
- पर्यावरणीय मंजूरी आदि में विलंब को कम करने की आवश्यकता है। जहाँ निजी पक्ष/रिआयतग्राही को परियोजना आवंटित किये जाने से पहले मंजूरी ली जाती है, वहाँ आदर्श रूप से, **'प्लग ऐंड प्ले' मॉडल को अपनाना चाहिए ('Plug and Play' model should be adopted)** । इससे समय कम लगता है एवं लागत व्यय भी कम होता है।
- निजी क्षेत्र के लिए **वित्तीय सहायता की पर्याप्त सुविधा**– निजी क्षेत्र के प्रतिभागियों को दीर्घकालीन ऋण, विशेषकर अंतरराष्ट्रीय बाज़ारों से ऋण लेने की सुविधा प्राप्त होनी चाहिए तथा वित्तीय व्यवहार्यता सुनिश्चित करने के लिए परियोजना की वित्तीय लागत भी कम होनी चाहिए।
- यह सुनिश्चित करना कि **उपयोगकर्ता शुल्क उचित एवं अनुकूलतम हों**।
- केवल कुछ चुनिंदा स्थितियों में ही अनुबंध के लिए **दोबारा मोलभाव (re-negotiation)** की सुविधा मिलनी चाहिए। प्राय: देखने में आया है कि निजी क्षेत्र के निविदाकार संविदा प्राप्त करने के लिए अत्यधिक ऊँची बोली लगाते हैं एवं बाद में अधिक संसाधन माँगकर अनुबंध को लेकर मोलभाव करने का प्रयास करते हैं (कम आय होने या लागत में अप्रत्याशित वृद्धि दिखाकर)।
- स्वतंत्र नियामकों के माध्यम से **नियामक व्यवस्था** को सशक्त बनाना।
- **तीव्र भूमि अधिग्रहण** की आवश्यकता है। उदाहरण के लिए, क्षेत्रीय हवाई संपर्क से संबंधित उड़ान (UDAN) योजना का मामला।

अतिरिक्त जानकारी

PPP पर केलकर समिति के सुझाव (KELKAR COMMITTEE ON PPP)

अवसंरचना विकास के PPP मॉडल के पुनरवलोकन एवं पुनरुद्धार की समिति ने 2015 में वित्त मंत्रालय को अपनी रिपोर्ट सौंपी थी। इस समिति की अध्यक्षता डॉ. विजय केलकर ने की थी। इसकी **प्रमुख अनुशंसाएँ** थीं :-

- **भ्रष्टाचार निवारण अधिनियम, 1988 (Prevention of Corruption Act, 1988)** एवं आचार संबंधित अन्य नियमों **में संशोधन करना**। इसमें निर्णय लेने की प्रक्रिया में हुई सामान्य त्रुटियों के लिए भी सज़ा का प्रावधान है, जबकि सही मंशा से लिये गये निर्णय के लिए नौकरशाहों की सुरक्षा की आवश्यकता है।
- PPPs में जोखिम के असमान बँटवारे को कम किया जाना चाहिए। *'एक ही नियम सब पर लागू'वाले दृष्टिकोण से बचना चाहिए।* क्षेत्र एवं परियोजना विशिष्ट संदर्भ को ध्यान में रखा जाना चाहिए।
- वर्तमान में, PPP परियोजनाओं के लिए 20-30 वर्षों से अधिक समय की **लंबी उत्पादन पूर्व अवधि** होती है। ऐसी स्थिति में किसी निजी इकाई को हानि उठानी पड़ती है, जब आर्थिक या नीतिगत माहौल में परिवर्तन हो, जो उसके नियंत्रण से बाहर हो।
- PPP परियोजनाओं के लिए **त्वरित विवाद निपटारा व्यवस्था** आवश्यक है।

- PPP में वित्तीय बचत के स्थान पर **सेवा की डिलीवरी पर अधिक ज़ोर** दिया जाना चाहिए।
- **राष्ट्रीय PPP नीति या क़ानून** होना चाहिए।
- नियामकों एवं अन्य हितधारकों के लिए **क्षमता निर्माण** की आवश्यकता है।
- अवसंरचना PPP परियोजना समीक्षा समिति **[Infrastructure PPP Project Review Committee (IPRC)]** एवं अवसंरचना PPP अधिनिर्णायक अधिकरण **[Infrastructure PPP Adjudicatory Tribunal (IPAT)]** की स्थापना।
- केलकर समिति ने **GST कार्यान्वयन** का भी सुझाव दिया।

हवाई अड्डे एवं PPP (Airports and PPP)

भारत विश्व का **तीसरा सबसे बड़ा विमानन बाज़ार** बन गया है एवं दुनिया में तीव्रता से बढ़ते हुए बाज़ारों में से भी एक है। **यात्रियों की संख्या में बड़ी वृद्धि से** वर्तमान हवाई अड्डों पर दबाव बढ़ा है एवं सुलभ तथा सस्ते क्षेत्रीय वायु संपर्क की भी माँग हो रही है, जिसके लिए भारत सरकार द्वारा **उड़ान योजना (UDAN scheme)** का शुभारंभ किया गया है।

PPP से विमानन क्षेत्र को दक्षता, उत्तम प्रबंधकीय कार्यप्रणाली एवं अंतरराष्ट्रीय अनुभव प्राप्त हुआ है।

सरकार एवं भारतीय विमानपत्तन [Airports Authority of India (AAI)] की ओर से वित्तपोषण की समस्या के कारण हवाई अड्डों के आधुनिकीकरण के लिए PPP मार्ग को अपनाया गया है।

भारत में पहले भी कई हवाई अड्डों को PPP व्यवस्था के माध्यम से तैयार किया जा चुका है। उनके नाम हैं, **नयी दिल्ली, मुंबई, बेंगलुरु, कोच्चि एवं हैदराबाद।** AAI ने बेहतर संचालन, प्रबंधन और PPP मोड के तहत, इन हवाई अड्डों के विकास के लिए लखनऊ, अहमदाबाद, मंगलुरु, जयपुर, गुवाहाटी और तिरुअनंतपुरम में अपने छह हवाई अड्डों को पट्टे पर दिया है।

कुछ अन्य ग्रीनफ़ील्ड हवाई अड्डे भी इस श्रेणी में सम्मिलित हैं।

फिर भी, PPP के माध्यम से हवाई अड्डों के विकास में निम्नलिखित चुनौतियाँ हैं :-

- निस्संदेह सबसे बड़ी चुनौती **भूमि अधिग्रहण की है**। हवाई अड्डे के लिए विस्तृत भूखंड की आवश्यकता होती है एवं विरोध तथा मुआवज़े की माँग के कारण इसके अधिग्रहण में कठिनाई आती है।
- वित्तपोषण की समस्या।
- राज्य सरकार की स्वीकृति।
- अनुचित नियोजन एवं अत्यधिक लागत व्यय।
- बड़ी संख्या में हवाई अड्डों के प्रबंधन का **भारतीय विमानपत्तन प्राधिकरण [(Airport Authority of India (AAI)] पर दबाव।**
- व्यवहार्यता की समस्या, विशेषकर छोटे हवाई अड्डों के संदर्भ में।
- नीतिगत एवं नियामकीय अनिश्चितताएँ।
- छोटे विमानों के परिचालन के लिए एयरलाइन कंपनियों का तैयार नहीं होना।

रेलवे में PPP के अवसर (PPP Opportunities in Railways)

भारतीय रेलवे दुनिया का **चौथा सबसे बड़ा रेलवे नेटवर्क** संचालित करता है। राष्ट्र की जीवन रेखा होने के नाते, भारतीय रेलवे को संचालन और आधुनिकीकरण के लिए भारी मात्रा में निवेश की आवश्यकता है। हाल ही में, भारतीय रेलवे ने पीपीपी मॉडल में न केवल पूँजी आवश्यकताओं के लिए, बल्कि निजी क्षेत्र की क्षेत्र (डोमेन) विशेषज्ञता के लिए भी निवेश आमंत्रित किया है।

उद्देश्य *(Objectives)*

1. निजी पूँजी प्रवाह द्वारा रेल अवसंरचना परियोजनाओं में सरकारी निवेश को संपूरित करना।
2. आम जनता की भलाई के लिए रेल अवसंरचना के निर्माण/विकास में राज्यों को शामिल करना।

3. आपूर्ति-माँग के असंतुलन से बचने के लिए रेल परिवहन क्षमता का समय पर निर्माण।
4. अपेक्षित GDP वृद्धि के अनुरूप परिवहन आवश्यकताओं की उपलब्धता सुनिश्चित करना।

रेलवे से संबंधित PPP मॉडल (PPP Models related to Railways)

1. **ग़ैर-सरकारी रेलवे मॉडल (Non-Government Railway Model) :** बंदरगाहों, खानों, रसद पार्कों या उद्योगों को कनेक्टिविटी प्रदान करनेवाली रेल परिवहन श्रृंखला के दोनों छोर पर पहले और अंतिम मील कनेक्टिविटी परियोजनाएँ।
2. **विशेष प्रयोजन वाहन (एसपीवी) मॉडल [Special Purpose Vehicle (SPV) Model] :** स्वीकृत बैंक योग्य नयी लाइन और गेज (gauge) परिवर्तन परियोजनाओं के लिए लागू है, जिसमें स्पष्ट रूप से पहचान योग्य हितधारक या तो लाइन के उपयोगकर्ता के रूप में या बंदरगाहों, खानों, निर्यातकों, संयंत्रों और राज्य सरकारों जैसी उपयोगिताओं के रूप में हैं।
3. **प्रतिस्पर्धी बोली के माध्यम से सम्मानित बीओटी पर रेलवे परियोजनाएँ (Railway Projects on BOT awarded through Competitive Bidding) :** स्वीकृत रेलवे परियोजनाओं पर लागू होता है, जहाँ एक हितधारक या रणनीतिक निवेशक की पहचान करना संभव नहीं है, जो परियोजना लाइन में निवेश करने में अग्रणी हो सकता है। इस मॉडल के तहत परियोजनाएँ आम तौर पर विभिन्न धाराओं से उत्पन्न यातायात को ले जानेवाले लंबे रेल गलियारे होंगे।
4. **उपयोगकर्ताओं द्वारा वित्त पोषित कनेक्टिविटी, लेकिन बहु-उपयोगकर्ता लाइनों के रूप में उपयोग का इरादा (Connectivities funded by users, but to be used as multi-user lines) :** परियोजना डेवलपर IR मानकों के अनुसार, लाइन का विकास, निर्माण और रखरखाव करेगा। भारतीय रेल (IR) लाइन का संचालन करेगी, माल ढुलाई एकत्र करेगी और गणना की गयी आय का 50 प्रतिशत भुगतान करेगी।
5. **ग्राहकों द्वारा प्रदान किये गये वित्त पोषण के साथ क्षमता वृद्धि (दोहरीकरण/तीसरी लाइन/चौथी लाइन, आदि) [Capacity Augmentation (Doubling/Third line/Fourth line, etc.) with funding provided by customers] :** यह मॉडल दोहरीकरण/बहु-लाइन परियोजनाओं को संबोधित करता है, जहाँ कुछ ग्राहक क्षमता अभिवृद्धि के लाभार्थी हैं और शीघ्र पूरा करने/चालू करने के लिए परियोजना के वित्तपोषण में रुचि रखते हैं।

PPP की स्विस चैलेंज विधि (Swiss Challenge Method of PPP)

स्विस चैलेंज विधि किसी निजी कंपनी या संगठन को परियोजना की संविदा आवंटित करने की प्रक्रिया है। साखवाला कोई भी व्यक्ति सरकार के पास विकास प्रस्ताव जमा कर सकता है। सरकार तब परियोजना का विवरण जनता के सामने रखती है और इसे निष्पादित करने में रुचि रखनेवाले अन्य लोगों से प्रस्ताव आमंत्रित करती है। इन बोलियों की प्राप्ति पर, मूल ठेकेदार को सर्वोत्तम बोली का मिलान करने का अवसर मिलता है। यदि वह मेल खा सकता है, तो उसे ठेका मिल जाता है; यदि नहीं, तो इसके बाद सबसे उपयुक्त बोली लगानेवाले को मौक़ा मिलता है।

भारत में कर्नाटक, आंध्र प्रदेश, राजस्थान, गुजरात आदि समेत कई राज्य सूचना प्रौद्योगिकी, बंदरगाहों, ऊर्जा, स्वास्थ्य, सड़क एवं आवास परियोजनाओं के लिए इस विधि को अपना रहे हैं।

निम्नलिखित चित्र दिखाता है कि स्विस चैलेंज विधि कैसे काम करती है।

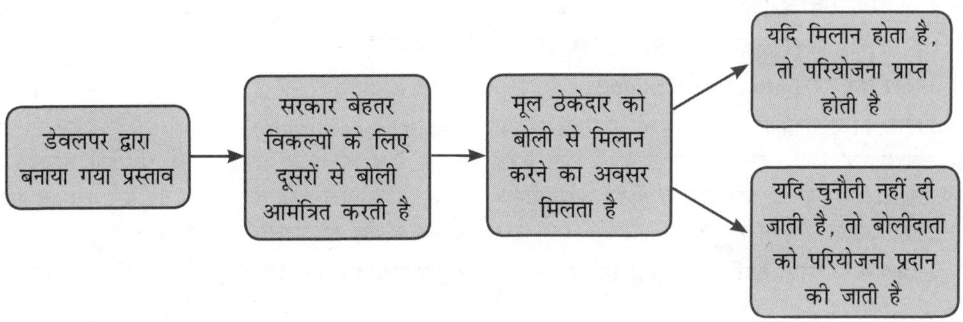

अतिरिक्त जानकारी

व्यवहार्यता अंतराल अनुदान योजना [VIABILITY GAP FUNDING (VGF) SCHEME]

VGF योजना को वर्ष 2004 में आरंभ किया गया, ताकि सार्वजनिक निजी भागीदारी के अधीन अवसंरचना परियोजना (infrastructure projects) के लिए सहायता उपलब्ध करायी जा सके। व्यवहार्यता अंतराल अनुदान का अर्थ एक ऐसे अनुदान से है, जो आर्थिक रूप से अव्यवहार्य परियोजनाओं में सहायता के लिए दिया जाता है। दिसंबर, 2020 में आर्थिक मामलों की कैबिनेट समिति ने सामाजिक अवसंरचना में सार्वजनिक निजी भागीदारी (PPPs) की सहायता के लिए संशोधित VGF योजना को स्वीकृति दे दी। इसके साथ ही, प्रमुख क्षेत्र की अवसंरचना परियोजना को भी इस योजना में सम्मिलित किया, ताकि उनके लिए सहायता प्रदान की जा सके।

संशोधित VGF योजना में दो उप-योजनाएँ हैं। इसके लिए ₹8,100 करोड़ का कुल परिव्यय निर्धारित किया गया है।

उप-योजना 1 : इसमें सामाजिक क्षेत्र जैसे कि अपशिष्ट जल उपचार, जलापूर्ति, ठोस कचरा प्रबंधन, स्वास्थ्य एवं शिक्षा क्षेत्र आदि की परियोजनाओं के लिए सहायता प्रदान की जाती है।

उप-योजना 2 : इसमें स्वास्थ्य और शिक्षा क्षेत्र में प्रदर्शन के लिए या प्रायोगिक परियोजनाओं के लिए सहायता प्रदान की जाती है।

संशोधित VGF योजना का लक्ष्य सामाजिक और आर्थिक अवसंरचना में PPPs को प्रोत्साहित करना और उनका उचित संचालन एवं रख-रखाव सुनिश्चित करना है। इससे आर्थिक और सामाजिक रूप से आवश्यक परियोजनाएँ वाणिज्यिक रूप से व्यवहार्य बन पायेंगी।

आर्थिक नियोजन एवं उसमें निवेश मॉडल का प्रयोग (ECONOMIC PLANNING AND USE OF INVESTMENT MODELS THEREIN)

हैरोड-डोमर मॉडल [Harrod–Domar Model (HDM)]

- **रे एफ़. हैरोड ने वर्ष** 1939 **में एवं एवसे डोमर ने वर्ष** 1946 में स्वतंत्र रूप से इस मॉडल को विकसित किया। इसके अनुसार, तीन प्रकार की संवृद्धि-दर होती है :-
    1. **अभीष्ट संवृद्धि-दर (Warranted growth rate)** ऐसी संवृद्धि-दर है, जिसके अंतर्गत सभी बचत को निवेश में अवशोषित कर लिया जाता है।
    2. **वास्तविक संवृद्धि-दर (Actual growth rate)** अर्थव्यवस्था की GDP में वास्तविक वृद्धि है।
    3. **प्राकृतिक संवृद्धि-दर (Natural growth rate)** पूर्ण रोज़गार को बनाये रखने के लिए आवश्यक दर है।
- यह मॉडल किसी देश की आर्थिक संवृद्धि की व्याख्या करता है एवं बताता है कि **संवृद्धि श्रम-बल एवं पूँजी की मात्रा पर निर्भर करती है।** यह बताता है कि **अधिक निवेश के परिणामस्वरूप पूँजी-संचयन (capital accumulation) होता है, जिससे आर्थिक संवृद्धि (economic growth) होती है।**
- HDM के अनुसार, **संवृद्धि-दर दो मुख्य कारकों द्वारा प्रभावित होती है :-**
    1. **निवेश की दर (rate of investment)**
    2. निवेश की उत्पादकता, अर्थात्, **पूँजी उत्पादन अनुपात (capital output ratio),** जो पूँजी एवं उत्पादन का अनुपात है। उदाहरण के लिए, अगर ₹5 का उत्पादन प्राप्त करने के लिए, ₹20 की पूँजी आवश्यक है, तो पूँजी उत्पादन अनुपात 4 होगा। *निम्न पूँजी उत्पादन अनुपात किसी अर्थव्यवस्था के लिए सदैव ठीक होता है*, क्योंकि यह इस बात का संकेत है कि निवेश अधिक कारगर है, जिसके परिणामस्वरूप उच्च आर्थिक संवृद्धि-दर प्राप्त होती है।

    HDM के अनुसार, **आर्थिक संवृद्धि की दर = निवेश/पूँजी उत्पादन अनुपात**

लुईस का आर्थिक विकास मॉडल (Lewis Model of Economic Development)

- आर्थिक विकास का यह सिद्धांत **श्रम की असीमित आपूर्ति के उपयोग पर आधारित है।**
- श्रम की असीमित आपूर्ति (i) कृषि श्रम, अनौपचारिक श्रम, घरेलू सेवक आदि की निर्वाह योग्य मज़दूरी एवं (ii) जनसंख्या में अनवरत वृद्धि के कारण होती है।
- इस मॉडल में, लुईस ने तर्क दिया है कि आर्थिक विकास एवं मुनाफ़ा बढ़ाने के लिए पूँजीपति उल्लेखित क्षेत्रों से निर्वाह योग्य मज़दूरी से थोड़ी अधिक मज़दूरी पर अतिरिक्त श्रमिक जुटाते हैं।
- लुईस ने विकास की इस विधि की व्याख्या पूँजीपतियों एवं निर्वाह क्षेत्र की **दोहरी अर्थव्यवस्था में अंतरक्षेत्रीय संबंध (inter-sectoral relationship in a dual economy)** के संदर्भ में की है।
- भारत में, लुईस मॉडल का **प्रयोग पूर्व प्रधानमंत्री जवाहर लाल नेहरू द्वारा औद्योगिक विकास के लिए किया गया था।**
- भारत के **कृषि क्षेत्र** के पास अतिरिक्त श्रमिकों की बड़ी संख्या है एवं यदि इन अतिरिक्त श्रमिकों को निकाल दिया जाता है, तो कृषि क्षेत्र का शुद्ध उत्पादन प्रभावित नहीं होगा। इन अतिरिक्त श्रमिकों को औद्योगिक विकास एवं देश की संवृद्धि के लिए थोड़ी अधिक मज़दूरी देकर आकर्षित किया जाता है।

सोलो-स्वान मॉडल (Solow–Swan Model)

यह **हैरोड-डोमर मॉडल का विस्तार** है। यह दीर्घकालीन आर्थिक संवृद्धि को जनसंख्या-वृद्धि, पूँजी-संचयन, उत्पादकता में वृद्धि एवं तकनीकी प्रगति से जोड़ता है।

फ़ेल्डमैन-महालनोबिस मॉडल (Feldman–Mahalanobis Model)

यह नव-मार्क्सवादी आर्थिक मॉडल का एक प्रकार है, जिसको 1928 में ग्रिगोरी फ़ेल्डमैन एवं 1953 में प्रशांत चंद्र महालनोबिस द्वारा स्वतंत्र रूप से विकसित किया गया। इस मॉडल में बताया गया है कि **उपभोग के उच्च स्तर को प्राप्त करने के लिए, पूँजीगत वस्तुओं के उत्पादन के लिए क्षमता बढ़ाने के उद्देश्य से निवेश अत्यावश्यक है।** यह मॉडल तीव्र औद्योगीकरण पर भी बल देता है एवं विदेशी ऋणों के माध्यम से **व्यापक आयात** की वकालत भी करता है। भारत सरकार द्वारा इस मॉडल को **द्वितीय पंचवर्षीय योजना** (1956-61) की अवधि में सक्रिय रूप से अपनाया गया।

राव-मनमोहन मॉडल (Rao-Manmohan Model)

प्रधानमंत्री पी.वी. नरसिम्हा राव और तत्कालीन वित्त मंत्री डॉ. मनमोहन सिंह के नाम पर रखा गया यह मॉडल वर्ष 1991 में, भारतीय अर्थव्यवस्था के आर्थिक उदारीकरण से व्यापक रूप से जुड़ा हुआ है।

इस मॉडल की मुख्य विशेषताएँ निम्नलिखित हैं :

- **आर्थिक उदारीकरण (Economic liberalisation)** : इसमें अर्थव्यवस्था के सरकारी विनियमन को कम करना, लाइसेंसिंग प्रतिबंधों को समाप्त करना और निजी क्षेत्र की भागीदारी को बढ़ावा देना समिलित है।
- **संरचनात्मक सुधार (Structural Reforms)** : उत्पादकता और प्रतिस्पर्धात्मकता बढ़ाने के लिए औद्योगिक, वित्तीय और व्यापार नीतियों को बदलना।
- **वैश्विक एकीकरण (Global Integration)** : भारत को विश्व अर्थव्यवस्था में एकीकृत करने और FDI को बढ़ावा देने के लिए व्यापारिक उदारीकरण का उपयोग करना।

अतिरिक्त जानकारी

मिश्रित वित्त (Blended Finance)

OECD (आर्थिक सहयोग और विकास संगठन) के अनुसार, 'मिश्रित वित्त विकासशील देशों में सतत विकास की दिशा में **अतिरिक्त वित्त जुटाने के लिए विकास वित्त का रणनीतिक उपयोग है**'।

मिश्रित वित्त वाणिज्यिक पूँजी को उन परियोजनाओं की ओर आकर्षित करता है, जो सतत विकास में योगदान करती हैं और निवेशकों को वित्तीय लाभ प्रदान करती हैं। यह विकासशील देशों में संसाधनों की कुल मात्रा को बढ़ाने, उनके स्वयं के निवेश को पूरा करने, एवं उनके SDG वित्तपोषण अंतर को भरने के लिए एक अभिनव दृष्टिकोण है।

प्लग ऐंड प्ले मॉडल (Plug and Play Model)

सरकार निवेश को आकर्षित करने के लिए नवीन 'प्लग ऐंड प्ले इंफ्रास्ट्रक्चर' दृष्टिकोण को बढ़ावा देती है। प्लग ऐंड प्ले अवधारणा में, सरकार बिजली, पानी की आपूर्ति, सड़क संपर्क आदि जैसे **व्यवसाय के लिए आवश्यक शर्तों का पर्यवेक्षण** करती है, नियामक मंजूरी दी जाती है, तब परियोजना नीलामी के माध्यम से निजी फ़र्मों को प्रदान की जाती है, फ़र्मों को व्यवसाय स्थापित करने के लिए मूलभूत आवश्यकताओं का प्रबंधन करने की आवश्यकता नहीं होती है। 'प्लग ऐंड प्ले' योजना को पहली बार केंद्रीय बजट 2015-16 में आधार मिला था।

टेक-आउट फ़ाइनेंसिंग (Take-out Financing)

टेक-आउट फ़ाइनेंसिंग का उद्देश्य **लंबी अवधि की परियोजनाओं** के लिए वित्त प्रदान करना और किसी भी परिसंपत्ति-देयता बेमेल को रोकने के लिए वाणिज्यिक बैंकों द्वारा विशेष रूप से बनाये गये बुनियादी ढाँचा ऋण देनेवाले संस्थानों द्वारा दिये गये बुनियादी ढाँचे के ऋण प्राप्त करना है। **अवसंरचना विकास वित्त निगम** की स्थापना अवसंरचना फ़ंडिंग को बढ़ावा देने के लिए केंद्रीय बजट से अलग रखने के लिए की गयी थी। इंडिया इन्फ्रास्ट्रक्चर फ़ाइनेंस कंपनी की स्थापना वाणिज्यिक बैंकों के इंफ्रास्ट्रक्चर ऋणों को पुनर्वित्त करने के लिए भी की गयी थी।

संक्षिप्त विवरण

- **निवेश (Investment)** – बेहतर प्रतिफल या लाभ देनेवाली संपत्ति के लिए धन का आदान-प्रदान – किसी राष्ट्र की आर्थिक प्रगति और विकास के लिए इसकी अत्यधिक सराहना की जाती है।
- **सकल निवेश (Gross Investment)** = सकल घरेलू उत्पाद – (खपत + सरकारी व्यय + शुद्ध निर्यात)
- **निवेश को प्रभावित करनेवाले कारक (Factors affecting investments)** – कर की दर – मुद्रास्फीति – पूँजी निवेश पर प्रतिफल की संभावित दर – उत्पादन के कारकों की उपलब्धता।
- **प्रेरित निवेश (Induced Investment)** – आय और लाभ के अनुसार बदलता रहता है – आय और लाभ में वृद्धि का तात्पर्य प्रेरित निवेश में वृद्धि से होता है।
- **स्वायत्त निवेश (Autonomous Investment)** – आय और लाभ जैसे कारकों से स्वतंत्र होता है – यह अधिकतर सामाजिक कल्याण से संबंधित होता है – जनसंख्या में वृद्धि, नयी प्रौद्योगिकी के विकास आदि के कारण होता है।
- **निवेश गुणक [Investment Multiplier (IM)]** – न केवल निर्धारित परियोजना पर बल्कि अर्थव्यवस्था के कई अन्य आयामों पर भी सकारात्मक प्रभाव डालता है – उच्च निवेश गुणक **(IM)** उस अर्थव्यवस्था में धन के कुशल निर्माण और वितरण को इंगित करता है।

➤ **वृद्धिशील पूँजी उत्पादन अनुपात [Incremental Capital Output Ratio (ICOR)]** - वार्षिक निवेश का सकल घरेलू उत्पाद में वार्षिक वृद्धि से अनुपात - किसी अर्थव्यवस्था की उत्पादन क्षमता के स्तर को मापता है।

➤ **सार्वजनिक-निजी भागीदारी मॉडल (Public–Private Partnership Model)**- इसके अंतर्गत निर्दिष्ट अवधि के लिए सरकार या सरकारी स्वामित्ववाली इकाई और निजी क्षेत्र की इकाई के बीच क़ानूनी संबंध परिभाषित किया गया होता है - वित्त मंत्रालय के अंतर्गत आर्थिक मामलों के विभाग द्वारा इसे विनियमित किया जाता है- निजी और सार्वजनिक इकाई के बीच जोखिम का आवंटन समुचित रूप से परिभाषित होता है।

➤ **फ़ेल्डमैन-महालनोबिस मॉडल (Feldman–Mahalanobis Model)** - नियो-मार्क्सियन मॉडल - खपत के उच्च स्तर तक पहुँचने के लिए, पूँजीगत वस्तुओं के उत्पादन की क्षमता बढ़ाने हेतु निवेश अनिवार्य रूप से आवश्यक होता है - भारी औद्योगीकरण पर ध्यान केंद्रित करता है - भारत में दूसरी पंचवर्षीय योजना में इसे अपनाया गया।

➤ **राव-मनमोहन मॉडल (Rao–Manmohan Model)** - आर्थिक उदारीकरण, संरचनात्मक सुधार और वैश्विक एकीकरण से जुड़ा हुआ है।

यूपीएससी सिविल सेवा के पिछले वर्षों की प्रारंभिक परीक्षा के प्रश्न

☞ **कोई प्रश्न नहीं**
2024, 2023, 2022, 2021, 2020, 2019, 2018, 2017, 2016, 2015, 2014, 2013

यूपीएससी सिविल सेवा के पिछले वर्षों की मुख्य परीक्षा के प्रश्न

1. बुनियादी ढाँचागत परियोजनाओं में सार्वजनिक निजी साझेदारी (पीपीपी) की आवश्यकता क्यों है? भारत में रेलवे स्टेशनों के पुनर्विकास में पीपीपी मॉडल की भूमिका का परीक्षण कीजिए। **[2022]**
2. किसी अर्थव्यवस्था में पूँजी निर्माण के संदर्भ में निवेश के अर्थ को स्पष्ट कीजिए। किसी सार्वजनिक इकाई और निजी इकाई के मध्य रिआयती समझौता तैयार करने के दौरान विचार किये जानेवाले कारकों की विवेचना कीजिए। **[2020]**
3. क्या आप सहमत हैं कि भारत की संभाव्य संवृद्धि के अनेक कारकों में से **बचत-दर**, सर्वाधिक प्रभावी है? **संवृद्धि संभाव्यता के अन्य कौन से कारक उपलब्ध** हैं? **[2017]**
4. **सार्वजनिक-निजी साझेदारी मॉडल** के अंतर्गत संयुक्त वेंचर के माध्यम से भारत में हवाई अड्डों के विकास का परीक्षण कीजिए। इस संबंध में **प्राधिकारियों द्वारा किन चुनौतियों का सामना** किया जा रहा है? **[2017]**
5. भारतीय अर्थव्यवस्था के विकास के लिए **FDI की आवश्यकता** के औचित्य को बतायें। **हस्ताक्षरित समझौता ज्ञापनों एवं वास्तविक FDIs के मध्य अंतर** क्यों है? भारत में वास्तविक FDIs को बढ़ाने के लिए उठाये जानेवाले **उपचारात्मक उपाय** सुझाएं। **[2016]**
6. लंबी अवधि की बुनियादी ढाँचा परियोजनाओं में **निजी-सार्वजनिक साझेदारी व्यवस्था** कैसे भविष्य के लिए असंधारणीय देनदारी उत्पन्न कर सकती है, व्याख्या कीजिए। **आनेवालीं पीढ़ियों को क्षमताओं से समझौता नहीं करना पड़े**, यह सुनिश्चित करने के लिए किस प्रकार की व्यवस्था करने की आवश्यकता है? **[2014]**
7. देश के **अवसंरचना विकास के लिए PPP मॉडल** का अंगीकरण आलोचना से मुक्त नहीं है। इस मॉडल के **पक्ष-विपक्ष** की समालोचनात्मक विवेचना कीजिए। **[2013]**

☞ **कोई प्रश्न नहीं**
2024, 2023, 2021, 2019, 2018, 2015

संधारणीय विकास एवं जलवायु परिवर्तन (Sustainable Development and Climate Change)

अध्याय 35

अध्याय की रूपरेखा

- रोम क्लब तथा विकास की सीमाएँ
- ब्रंटलैंड आयोग और हमारा सामान्य भविष्य
- पृथ्वी-सम्मेलन
- सहस्राब्दी शिखर सम्मेलन तथा संयुक्त राष्ट्र संघ सहस्राब्दी घोषणा
- सहस्राब्दी विकास संबंधी लक्ष्य
- रियो + 20
- संधारणीय विकास समाधान नेटवर्क
- संधारणीय विकास संबंधी लक्ष्य
- SDG भारतीय सूचकांक
- संधारणीय जलवायु वित्तीयन
- वैश्विक जलवायु संबंधी जोखिम सूचकांक एवं भारत
- जलवायु परिवर्तन प्रदर्शन सूचकांक (CCPI)
- संधारणीय विकास की अंतरपीढ़ीगत एवं अन्त:पीढ़ीगत इक्विटी की अवधारणा
- समाचार में प्रमुख अवधारणाएँ

हरित अर्थव्यवस्था को एक ऐसी अर्थव्यवस्था के रूप में परिभाषित किया जा सकता है, जो **पर्यावरण संबंधी जोखिमों तथा पारिस्थितिक अल्पता को कम** करते हुए संधारणीय विकास को लक्षित करती है। यह एक बृहत्-आर्थिक दृष्टिकोण (macroeconomic approach) है, जिसका उद्देश्य ऐसी कंपनी गतिविधियों, परिसंपत्तियों तथा अवसंरचना में निवेश करके रोज़गार एवं आय सृजन करना है, जो कार्बन उत्सर्जन एवं प्रदूषण को कम करते हैं तथा ऊर्जा संबंधी क्षमता में वृद्धि करते हैं। यह सामाजिक रूप से समावेशी है, पर्यावरण को संरक्षित करती है तथा उसको जैवविविधता की हानि से बचाती हैं।

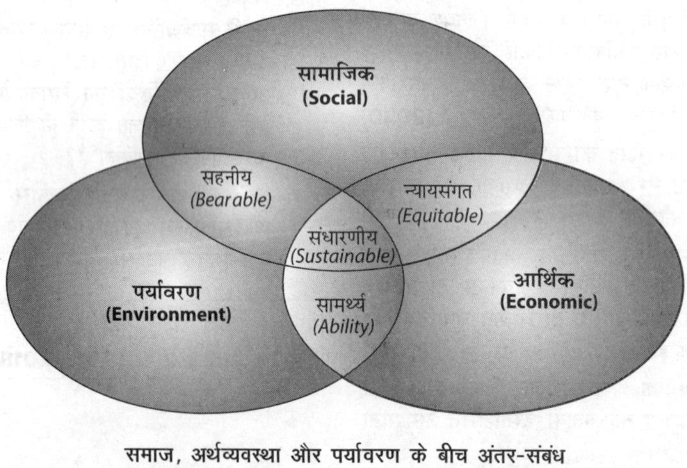

समाज, अर्थव्यवस्था और पर्यावरण के बीच अंतर-संबंध

रोम क्लब तथा विकास की सीमाएँ (THE CLUB OF ROME AND LIMITS TO GROWTH)

रोम क्लब की स्थापना इटली के रोम में **1968** में हुई थी। यह मानवता तथा इस ग्रह के समक्ष उपस्थित चुनौतियों तथा कई प्रकार के संकटों पर विचार करता है तथा इनके व्यापक समाधान की तलाश करता है। इस क्लब में महत्त्वपूर्ण अर्थव्यवस्थाओं, वैज्ञानिकों, व्यवसाय जगत् के नेताओं, राजनीतिज्ञों आदि से लिये गये **100 सदस्य** हैं। इस क्लब के द्वारा प्रभावों के मुख्य क्षेत्रों यथा सार्वभौमिक-जलवायु संबंधी आपात-स्थिति (climate-planetary emergency), अर्थनीति का पुनरुद्धार करना तथा उसे नवीन स्वरूप प्रदान करना, युवा नेतृत्व आदि को प्राथमिकता के आधार पर वर्गीकृत किया जाता है।

क्लब की बुनियादी रिपोर्ट, *विकास की परिसीमा* *(The Limits to Growth)* का प्रकाशन **1972** में किया गया। इसने वैश्विक संधारणीयता संबंधी आन्दोलन के लिए क़दम बढ़ाये विश्व को मानव गतिविधियों के परिणाम तथा इस ग्रह की स्वास्थ्य संबंधी स्थिति के बारे में सावधान किया। इस रिपोर्ट में सीमित संसाधनों, प्रौद्योगिकी एवं विकास के दायरे, वैश्विक संतुलन (global equilibrium) की दशा आदि के साथ अर्थव्यवस्था के विकास की प्रकृति एवं उसकी परिसीमाओं को रेखांकित किया गया।

ब्रंटलैंड आयोग और हमारा सार्वजनिक भविष्य (BRUNDTLAND COMMISSION AND OUR COMMON FUTURE)

पर्यावरण एवं विकास संबंधी विश्व आयोग [World Commission on Environment and Development (WCED)] के नाम से विख्यात ब्रंटलैंड आयोग का निर्माण संधारणीय विकास की दशा में प्रगति हेतु राष्ट्रों की सहायता के लिए किया गया था। इसे 1983 से ले कर 1987 तक परिचालित किया गया तथा **1987** में इसके द्वारा ब्रंटलैंड रिपोर्ट – *हमारा सार्वजनिक भविष्य (Our Common Future)* प्रकाशित किया गया। इस रिपोर्ट में संधारणीय विकास को ऐसे विकास के रूप में परिभाषित किया गया, जो *भविष्य की पीढ़ियों द्वारा उनकी आवश्यकताओं की पूर्ति हेतु किये जानेवाले उनके प्रयासों से संबंधित उनकी क्षमता से बिना समझौता किये वर्तमान पीढ़ी की आवश्यकताओं को पूरा करता है।*

अतिरिक्त जानकारी

पृथ्वी घोषणापत्र (THE EARTH CHARTER)

पृथ्वी घोषणापत्र की कल्पना मॉरिस स्ट्रांग एवं मिखाइल गोर्बाचेव (रोम क्लब के सदस्य) के द्वारा संधारणीय विकास हेतु मार्गदर्शन प्रदान करने के लिए की गयी थी। EC कार्यवाही के उद्देश्य से निर्मित एक नीति-आधारित फ़ाउंडेशन है। इसका लक्ष्य 21वीं शताब्दी में अधिक निष्पक्ष, संधारणीय एवं शांतिपूर्ण वैश्विक समाज का निर्माण करना है।

पृथ्वी-सम्मेलन (THE EARTH SUMMIT)

178 देशों के प्रतिनिधि **जून, 1992** में **रिओ डि जेनेरियो** में अब तक के सबसे बड़े संयुक्त राष्ट्र सम्मेलन – 'पर्यावरण एवं विकास हेतु संयुक्त राष्ट्र सम्मेलन **[United Nations Conference on Environment and Development (UNCED)]**' के लिए मिले। इसे "पृथ्वी शिखर सम्मेलन (Earth Summit)" के नाम से भी जाना जाता है। इस शिखर सम्मेलन का लक्ष्य संधारणीय विकास के लक्ष्य को सामने रखना तथा पर्यावरण की दुर्दशा को रोकने के लिए एक कार्य योजना तैयार करना था। इस शिखर सम्मेलन में **"एजेंडा 21"** के नाम से जाना जानेवाले संधारणीय विकास के लिए एक कार्य योजना का निर्माण किया गया। इस शिखर सम्मेलन में वानिकी को संरक्षण प्रदान करने के लिए **"वन सिद्धांत (Forest Principles)"** नामक बिना क़ानूनी बाध्यतावाले एक दस्तावेज़ को कई अनुशंसाओं के साथ प्रस्तुत किया गया।

➤ **पृथ्वी शिखर सम्मेलन के परिणामी दस्तावेज़ (outcome documents of the Earth Summit) :** पर्यावरण और विकास संबंधी रियो घोषणा, एजेंडा 21, वन सिद्धांत

➤ **क़ानूनी रूप से बाध्यकारी महत्त्वपूर्ण हस्ताक्षरित समझौते (important legally binding agreements that were signed) :** जैवविविधता समझौता [Convention on Biological Diversity (CBD)], जलवायु परिवर्तन संबंधी संयुक्त राष्ट्र फ़्रेमवर्क अभिसमय [UN Framework Convention on Climate Change (UNFCCC)], मरुस्थलीकरण का मुक़ाबला करने हेतु संयुक्त राष्ट्र समझौता [United Nations Convention to Combat Desertification (UNCCD)]।

सहस्राब्दी शिखर सम्मेलन तथा संयुक्त राष्ट्र संघ सहस्राब्दी घोषणा (MILLENNIUM SUMMIT AND THE UNITED NATIONS MILLENNIUM DECLARATION)

सहस्राब्दी शिखर सम्मेलन का आयोजन न्यूयॉर्क शहर में संयुक्त राष्ट्र के मुख्यालय में 2000 में किया गया था। इसका उद्देश्य 21वीं शताब्दी में संयुक्त राष्ट्र संघ की भूमिका का विश्लेषण था। निर्धनता, भुखमरी, रोग, निरक्षरता, पर्यावरणीय दुर्दशा तथा महिलाओं के विरुद्ध भेद-भाव के उन्मूलन हेतु संयुक्त राष्ट्र सहस्राब्दी घोषणापत्र की अभिपुष्टि विश्व नेताओं द्वारा की गयी।

सहस्राब्दी विकास संबंधी लक्ष्य (Millennium Development Goals)

संयुक्त राष्ट्र संघ सहस्राब्दी विकास संबंधी लक्ष्य (MDGs) संयुक्त राष्ट्र सहस्राब्दी घोषणा के पश्चात् सितम्बर, 2000 में संयुक्त राष्ट्र के 189 सदस्य देशों के द्वारा निर्धारित **आठ लक्ष्य** हैं। इसके अंतर्गत **2015** की सीमा तय कर समयबद्ध लक्ष्य निर्धारित किये गये, ऐसे 8 MDGs निम्नलिखित हैं :

1. अतिशय निर्धनता तथा भुखमरी का उन्मूलन
2. सभी को प्राथमिक शिक्षा के लक्ष्य की प्राप्ति
3. लैंगिक समानता को प्रोत्साहन तथा महिला सशक्तीकरण
4. बाल मृत्युदर को कम करना
5. मातृत्व स्वास्थ्य में सुधार लाना
6. HIV/AIDS, मलेरिया तथा अन्य रोगों से मुक़ाबला करना
7. पर्यावरणीय संधारणीयता सुनिश्चित करना
8. विकास हेतु एक वैश्विक साझेदारी का विकास करना

अंतिम MDG रिपोर्ट में यह पाया गया कि 15 वर्षों में किये गये प्रयास से आज तक के इतिहास में सर्वाधिक सफल निर्धनता-विरोधी आन्दोलन संपन्न किया गया :

1. 1990 से लेकर अब तक, अति-निर्धनता में रह रहे व्यक्तियों की संख्या घट कर आधी हो गयी है।
2. विकासशील क्षेत्रों में अल्पपोषित लोगों के अनुपात में आधी कमी आयी है।
3. विकासशील क्षेत्रों में प्राथमिक विद्यालयों में नामांकन की दर 91 प्रतिशत तक पहुँच गयी है, 15 वर्षों पूर्व की अपेक्षा कहीं अधिक लड़कियाँ अब विद्यालयों में पढ़ रही हैं।

रियो +20 (RIO + 20)

संधारणीय विकास पर संयुक्त राष्ट्र सम्मेलन [United Nations Conference on Sustainable Development (UNCSD or Rio+20)] का आयोजन ब्राजील के रियो डि जेनेरियो में **जून, 2012** में किया गया था। रियो+20 ने संधारणीय विकास तथा आर्थिक प्रगति, सामाजिक सुधार तथा पर्यावरण संबंधी सुरक्षा पर इसके आयामों को पुन: उर्जित कर दिया। रियो+20 के अंतर्गत संधारणीय विकास तथा निर्धनता उन्मूलन के सापेक्ष में हरित अर्थव्यवस्था तथा संधारणीय विकास हेतु एक संस्थागत रूपरेखा के विकास पर ध्यान केन्द्रित किया गया। संधारणीय विकास पर संयुक्त राष्ट्र उच्च-स्तरीय राजनीतिक मंच [United Nations High-level Political Forum on Sustainable Development (HLPF)] की स्थापना 2013 में की गयी तथा इसे रियो+20 – **"हमारा अभीष्ट भविष्य (The Future We Want)"** के द्वारा 2012 में अधिदेशित किया गया।

संधारणीय विकास समाधान नेटवर्क [SUSTAINABLE DEVELOPMENT SOLUTIONS NETWORK (SDSN)]

संयुक्त राष्ट्र संधारणीय विकास समाधान नेटवर्क [UN Sustainable Development Solutions Network (SDSN)] की स्थापना 2012 में की गयी। SDSN वैज्ञानिक तथा तकनीकी विशेषज्ञता का प्रयोग करता है तथा संधारणीय विकास हेतु व्यावहारिक समाधानों को प्रोत्साहन देता है। यह संधारणीय विकास संबंधी लक्ष्यों [Sustainable Development Goals (SDGs)] तथा पेरिस जलवायु समझौते (Paris Climate Agreement) के क्रियान्वयन को समर्थन देता है। **विश्व प्रसन्नता रिपोर्ट (World Happiness Report)** का प्रकाशन भी SDSN के द्वारा किया जाता है।

संधारणीय विकास संबंधी लक्ष्य [Sustainable Development Goals (SDGs)]

MDGs के पश्चात्, संधारणीय विकास संबंधी लक्ष्यों [Sustainable Development Goals (SDGs)] को निर्धनता उन्मूलन, पृथ्वी की सुरक्षा तथा 2030 तक सभी लोगों की शान्ति एवं खुशहाली सुनिश्चित करने के लिए 2015 में संयुक्त राष्ट्र संघ के सभी सदस्य देशों द्वारा अंगीकृत गया। **17 SDGs** समेकित हैं – अर्थात्, इस बात का अनुमान है कि एक क्षेत्र में उठाया गया क़दम अन्य क्षेत्रों में प्राप्त होनेवाले परिणामों को प्रभावित करेगा तथा विकास का अर्थ है सामाजिक, आर्थिक तथा पर्यावरणीय संधारणीयता को किसी भी मूल्य पर संतुलित करना।

SDG ने संबंधित देशों में लक्ष्यों को अधिक प्रभावी बनाने के लिए स्थानीयकृत संशोधनों की आवश्यकता को भी पहचाना।

लास्ट मिनट स्निपपेट्स

भारत में **नीति आयोग** देश में **SDG की प्रगति की निगरानी कर रहा है।** 2018 में, **हरियाणा** भारत का **पहला राज्य बन गया,** जिसका वार्षिक बजट SDG की प्राप्ति पर केंद्रित है। संधारणीय/सतत विकास रिपोर्ट 2024 में, भारत ने 64.0 के समग्र स्कोर के साथ 109वीं रैंक हासिल की है।

संधारणीय विकास लक्ष्य

स्रोत : देनी ननदर सुकंवर/शटरस्टॉक

अतिरिक्त जानकारी

स्पिलओवर रैंकिंग (Spillover Rankings)

विभिन्न देशों की कार्रवाइयों का अन्य देशों के SDGs को पूरा करने की क्षमता पर सकारात्मक या नकारात्मक प्रभाव पड़ता है। स्पिलओवर इंडेक्स में स्पिलओवर का आकलन निम्नलिखित 3 आयामों के ज़रिये किया जाता है :

(i) व्यापार में सन्निहित पर्यावरणीय और सामाजिक प्रभाव,

(ii) अर्थव्यवस्था और वित्त, और

(iii) सुरक्षा।

उच्च स्पिलओवर स्कोर यह दर्शाता है कि कोई देश अधिक सकारात्मक और कम नकारात्मक स्पिलओवर प्रभाव पैदा करता है। संधारणीय/सतत विकास रिपोर्ट 2024 में, भारत का स्पिलओवर स्कोर 95.74 था।

परीक्षोपयोगी

हरित जलवायु कोष [Green Climate Fund (GCF)] : 2010 में, कैन्कन में आयोजित COP 16 में, UNFCCC की रूपरेखा के अंतर्गत हरित जलवायु कोष [Green Climate Fund (GCF)] की स्थापना की गयी। इस कोष की निगरानी GCF बोर्ड द्वारा की जाती है। GCF का उद्देश्य निम्न-उत्सर्जन एवं जलवायु-प्रत्यास्थ विकास में निवेश करने के लिए जलवायु संबंधी निधि के प्रवाह को उपयोग में लाना है।

वैश्विक पर्यावरणीय व्यवस्था [Global Environment Facility (GEF)] : वैश्विक पर्यावरणीय व्यवस्था (GEF) की स्थापना 1992 में आयोजित पृथ्वी शिखर सम्मेलन की पूर्वसंध्या पर की गयी थी। रणनीतिक निवेशों के माध्यम से, GEF इस ग्रह की गंभीरतम पर्यावरणीय समस्याओं के समाधान हेतु काम करती है। GEF लघु अनुदान कार्यक्रम विभिन्न देशों में नागरिक समाज के तथा सामुदायिक पहलों को प्रोत्साहन देने के उद्देश्य से वित्तीय सहयोग प्रदान करती है।

स्वच्छ विकास तन्त्र [Clean Development Mechanism (CDM)] : स्वच्छ विकास संबंधी तंत्र को क्योटो प्रोटोकॉल के अनुच्छेद 12 में परिभाषित किया गया है। क्योटो प्रोटोकॉल के अंतर्गत उत्सर्जन में कटौती संबंधी प्रतिबद्धतावाले किसी देश (ऐनेक्स B पार्टी) को विकासशील देशों में उत्सर्जन में कटौती संबंधी परियोजनाओं को क्रियान्वित करने की अनुमति प्रदान की गयी है। ऐसी परियोजनाएँ विक्रय योग्य अभिप्रमाणित उत्सर्जन न्यूनीकरण [Certified Emission Reduction (CER)] क्रेडिट का निर्माण कर सकती हैं, प्रत्येक क्रेडिट 1 टन CO_2 के समतुल्य होता है और क्योटो लक्ष्यों की प्राप्ति हेतु इसकी गणना की जाती है।

अनुकूलन निधि [Adaptation Fund (AF)] : अनुकूलन निधि (AF) की स्थापना UNFCCC के क्योटो प्रोटोकॉल के अंतर्गत 2001 में की गयी थी। इसे मोरक्को के माराकेश में CoP7 में की गयी थी। इसका लक्ष्य विकासशील देशों में जलवायु परिवर्तन के प्रति अनुकूलन हेतु परियोजनाओं को वित्त पोषण उपलब्ध कराना है।

इस निधि को सरकारी तथा निजी दानदाताओं द्वारा वित्त पोषित किया जाता है तथा स्वच्छ विकास तंत्र [Clean Development Mechanism (CDM)] संबंधी परियोजनाओं के अंतर्गत अभिप्रमाणित उत्सर्जन न्यूनीकरण [Certifified Emission Reductions (CERs)] से प्राप्त आय के 2% शेयर से इसे जारी किया जाता है। इस निधि की निगरानी तथा इसका प्रबंधन अनुकूलन निधि बोर्ड [Adaptation Fund Board (AFB)] द्वारा किया जाता है।

भारत सरकार का *पर्यावरण, वन तथा जलवायु-परिवर्तन मंत्रालय* अनुकूलन निधि हेतु राष्ट्रीय स्तर पर निर्दिष्ट प्राधिकरण [National Designated Authority (NDA)] है। 2012 में NABARD को अनुकूलन निधि के लिए **राष्ट्रीय क्रियान्वयन संस्था [National Implementing Entity (NIE)]** अधिकृत किया गया।

भारत के राज्यों और केंद्र शासित प्रदेशों में अनुकूलन गतिविधियों को बढ़ावा देने के लिए राष्ट्रीय जलवायु परिवर्तन अनुकूलन निधि **(NAFCC)** निर्धारित की गयी थी।

पर्यावरण, वन और जलवायु परिवर्तन मंत्रालय ने एकीकृत तटीय क्षेत्र प्रबंधन (ICZM) की परियोजना के द्वारा भारत की मुख्य भूमि तट के लिए ख़तरे की रेखा को चिह्नित किया। संधारणीय विकास को बढ़ावा देने के लिए तटीय हिस्सों और समुद्री क्षेत्रों की पारिस्थितिकी की रक्षा के लिए तटीय नियमन क्षेत्र अधिसूचना, 2019 अधिसूचित की गयी।

SDG भारतीय सूचकांक (SDG India Index)

नीति आयोग ने SDG भारतीय सूचकांक तथा डैशबोर्ड, 2019 से जारी किया। भारत विश्व का ऐसा पहला देश है, जिसने SDGs के विकास की पैमाइश के लिए सरकार के द्वारा लागू किया जानेवाला उप-राष्ट्रीय मापदण्ड विकसित किया है। SDG *भारतीय सूचकांक का विकास सांख्यिकी एवं कार्यक्रम क्रियान्वयन मंत्रालय [Ministry of Statistics and Programme Implementation (MoSPI)], भारत में संयुक्त राष्ट्र संघ तथा वैश्विक हरित विकास संस्थान* (Global Green Growth Institute) *के सहयोग का परिणाम है।*

लास्ट मिनट स्निपपेट्स

SDG भारत सूचकांक, 2023-24

- देश के लिए समग्र SDG स्कोर वर्ष 2023-24 के लिए 71 है, जो वर्ष 2020-21 में 66 और वर्ष 2018 में 57 (बेसलाइन रिपोर्ट) से बेहतर है।
- लक्ष्य 1 (निर्धनता उन्मूलन), 8 (समुचित कार्य और आर्थिक विकास), 13 (जलवायु कार्रवाई) और 15 (भूमि पर जीवन) में महत्त्वपूर्ण प्रगति हासिल की गयी है।
- लक्ष्य 13 (जलवायु कार्रवाई) के स्कोर में सर्वाधिक वृद्धि दर्ज की गयी है जो वर्ष 2020-21 में 54 से बढ़कर 2023-24 में 67 हो गया है, इसके बाद लक्ष्य 1 (निर्धनता उन्मूलन) 60 से बढ़कर 72 हो गया है।
- वर्ष 2018 और 2023-24 के बीच, सबसे तेज़ी से वृद्धि करनेवाला राज्य उत्तर प्रदेश (स्कोर में 25 की वृद्धि) था, इसके बाद जम्मू-कश्मीर (21), उत्तराखंड (19) और सिक्किम (18) थे।

अतिरिक्त जानकारी

परिवहन परियोजना को कार्बन-मुक्त करना (DECARBONISING TRANSPORT PROJECT)

"उभरती हुई अर्थव्यवस्थाओं में परिवहन व्यवस्था को कार्बन मुक्त करनेवाली परियोजना" का आरम्भ **OECD के अंतरराष्ट्रीय परिवहन मंच (International Transport Forum) के सहयोग से नीति** आयोग द्वारा किया गया था। यह परियोजना भारत को - जलवायु संबंधी कार्यों को इंगित कर तथा डाटा के विश्लेषण के आधार पर नीतियों के निर्माण हेतु एक विश्लेषण सहायक प्रदान कर – जलवायु संबंधी उसकी महत्त्वाकांक्षाओं को कार्य रूप में परिणत करने में सहायता करती है।

नीति आयोग और वर्ल्ड रिसोर्स इंस्टीट्यूट (WRI) इंडिया ने संयुक्त रूप से **'फ़ोरम फ़ॉर डीकार्बोनाइजिंग ट्रांसपोर्ट'** शुरू किया। यह एशिया के लिए एनडीसी-ट्रांसपोर्ट इनिशिएटिव (NDC-TIA) परियोजना का एक हिस्सा है।

भारतीय कार्बन बाज़ार, भारत को 2005 के स्तर की तुलना में 2030 तक GDP की उत्सर्जन तीव्रता में 45 प्रतिशत की कमी के NDC लक्ष्य को प्राप्त करने में मदद कर सकता है।

संधारणीय जलवायु वित्तीयन (SUSTAINABLE CLIMATE FINANCE)

जलवायु वित्तीयन (Climate finance) एक ऐसा शब्द है, जो **जलवायु परिवर्तन शमन, अनुकूलन** या **प्रतिरोधकता के लिए प्रयुक्त वित्तीय संसाधनों** को संदर्भित करता है।

UNFCCC के अनुसार, *जलवायु वित्तीयन से तात्पर्य ऐसे वित्त से है जिसका उद्देश्य उत्सर्जन को कम करना, हरितगृह गैसों के सिंक को बढ़ाना* और नकारात्मक जलवायु परिवर्तन प्रभावों के लिए मानव और *पारिस्थितिक तंत्र* की भेद्यता को कम करना, एवं प्रतिरोधकता/लचीलेपन को बनाये रखना और बढ़ाना है।

संबंधित वित्त, निजी और सार्वजनिक स्रोतों से आ सकता है। इसे बहुपक्षीय विकास बैंकों या अन्य विकास एजेंसियों जैसे विभिन्न मध्यस्थों द्वारा जुटाया जा सकता है। वे एजेंसियाँ विकसित देशों से विकासशील देशों में सार्वजनिक संसाधनों के हस्तांतरण के लिए विशेष रूप से महत्त्वपूर्ण हैं, जो संयुक्त राष्ट्र जलवायु सम्मेलन के दायित्वों के आलोक में विकसित देशों के पास हैं।

उद्देश्यों के आधार पर जलवायु वित्तीयन की दो मुख्य उप-श्रेणियाँ हैं:

1. **शमन** वित्तीयन (Mitigation finance) - जिसका उद्देश्य वैश्विक कार्बन उत्सर्जन को कम करना है।
2. **अनुकूलन** वित्तीयन (Adaptation finance) - जिसका उद्देश्य जलवायु परिवर्तन के परिणामों के प्रति प्रतिक्रिया देना है।

वैश्विक स्तर पर, **शमन (mitigation) पर बहुत अधिक ध्यान दिया जा रहा है**, जिसमें जलवायु पर होनेवाले ख़र्च का 90 प्रतिशत से अधिक ख़र्च होता है। शमन निवेश के लिए नवीकरणीय ऊर्जा एक महत्त्वपूर्ण विकास क्षेत्र है और इसे मिलनेवाला नीतिगत समर्थन बढ़ रहा है। जलवायु वित्त, निजी और सार्वजनिक स्रोतों से आ सकता है। ग्रीन बॉण्ड, कार्बन ऑफ़सेटिंग और पारिस्थितिकी तंत्र सेवाओं के लिए भुगतान जैसे वित्तीय साधन इसके कुछ प्रवर्तित समाधान हैं।

हालाँकि, जलवायु वित्त के संबंध में कई चुनौतियाँ विद्यमान् हैं। सबसे पहले, **वित्तीय प्रवाह को मापने और ट्रैक करने में कठिनाइयाँ** हैं। दूसरे, उत्सर्जन में कटौती और प्रभावों के अनुकूल होने के लिए विकासशील देशों को **न्यायसंगत वित्तीय सहायता के बारे में भी सवाल हैं**। निजी क्षेत्र से निवेश के लिए **उपयुक्त प्रोत्साहन प्रदान करना भी मुश्किल है।**

UNFCCC, **क्योटो प्रोटोकॉल और पेरिस समझौते** ने अधिक वित्तीय संसाधनोंवाले देशों से अधिक कमज़ोर देशों को वित्तीय सहायता की आवश्यकता जतायी।

लास्ट मिनट
रिनपपेट्स

जलवायु वित्तीयन पर नया सामूहिक परिमाणित लक्ष्य
[New Collective Quantified Goal (NCQG) on Climate Finance]

COP29 में, देशों ने जलवायु वित्तीयन पर NCQG पर सहमति व्यक्त की, जिसका **लक्ष्य वर्ष 2035 तक विकासशील देशों के लिए जलवायु वित्तीयन को तिगुना करके** 300 बिलियन अमेरिकी डॉलर प्रतिवर्ष करना है, जिसमें विकसित देश अग्रणी भूमिका निभायेंगे। NCQG एक नया वैश्विक जलवायु वित्तीयन लक्ष्य है। विकासशील देशों के लिए यह वित्त पोषण निम्न कार्बन प्रौद्योगिकियों को अपनाने, जलवायु ख़तरों से स्वयं को बचाने और संधारणीय विकास लक्ष्य हासिल करने के लिए महत्त्वपूर्ण है।

यह वर्ष 2020 तक प्रतिवर्ष 100 बिलियन डॉलर जुटाने की पूर्व प्रतिबद्धता पर आधारित है, जिसे वर्ष 2022 में पूरा कर लिया गया था।

आर्थिक सर्वेक्षण 2020-21 सरकार की विकास संबंधी प्राथमिकताओं को पूरा करने के लिए **संधारणीय वित्तीयन (sustainable financing)** के महत्त्व को रेखांकित करता है। यह इस सम्बन्ध में लिये गये कुछ क़दमों का भी उल्लेख करता है :

- **दायित्वपूर्ण वित्तीयन हेतु राष्ट्रीय स्वैच्छिक दिशा-निर्देश (National Voluntary Guidelines for Responsible Financing) :** इसे 2015 में अंतिम रूप दिया गया था। ये वित्तीय क्षेत्र से संबंधित विशिष्ट दिशा-निर्देश हैं, जो अंतरराष्ट्रीय एवं राष्ट्रीय स्तर की सर्वोत्तम कार्य-प्रणालियों को संयोजित और अनुकूलित करते हैं।
- RBI प्राथमिकता क्षेत्र संबंधी लक्ष्यों के भीतर सामाजिक अवसंरचना तथा छोटे नवीकरणीय ऊर्जा परियोजनाओं को निधि उपलब्ध कराता है।
- **कॉर्पोरेट सामाजिक दायित्व संबंधी स्वैच्छिक दिशा-निर्देश (Voluntary Guidelines on Corporate Social Responsibility)** व्यावसायिक उत्तरदायित्व को मुख्य धारा में लाने के लिए 2009 में जारी किये गये थे।
- सूचीबद्ध तथा ग़ैर-सूचीबद्ध कंपनियों के लिए व्यावसायिक उत्तरदायित्व संबंधी रिपोर्टिंग [Business Responsibility Reporting (BRR)] फ़ॉर्मेट का पुनर्मूल्यांकन करने तथा उसके अद्यतन के लिए एक समिति का गठन किया गया था।
- केन्द्रीय बजट 2019-20 में सामाजिक उपक्रमों तथा स्वैच्छिक संगठनों को सूचीबद्ध करने के लिए SEBI के नियामक परिधि में एक सामाजिक स्टॉक एक्सचेंज (Social Stock Exchange) के निर्माण का प्रस्ताव किया गया था।
- भारत **ने** S&P BSE कार्बोनेक्स (2012 में), MSCI ESG इंडिया (2013 में), S&P BSE 100 ESG सूचकांक (2017 में) आदि जैसे हरित सूचकांकों का आरम्भ किया है, ताकि निष्क्रिय एवं खुदरा निवेशक 'हरित' कंपनियों में निवेश कर सकें।
- **RBI** ने जलवायु परिवर्तन से संबंधित वित्तीय जोखिमों को दूर करने के लिए अपने विनियमन विभाग के भीतर मई, 2021 में एक नयी इकाई - 'संधारणीय वित्त समूह' (SFG) की स्थापना की है।

- **RBI** अप्रैल, 2021 में वित्तीय प्रणाली (NGF) को हरित करने के लिए केंद्रीय बैंकों और पर्यवेक्षकों के नेटवर्क में शामिल हो गया, RBI ने नवंबर, 2021 में 'भारत की वित्तीय प्रणाली को हरित करने के लिए प्रतिबद्धता का विवरण – **NGFS**' प्रकाशित किया।
- **RBI जलवायु संबंधी वित्तीय जोखिमों** पर एक टास्क फ़ोर्स का सदस्य है, इसकी स्थापना बैंकिंग पर्यवेक्षण पर बेसल समिति और संधारणीय वित्त पर अंतरराष्ट्रीय मंच द्वारा की गयी थी।
- RBI के **बाहरी वाणिज्यिक उधार [External Commercial Borrowings (ECB)]** मानदंडों को उदार बनाया गया है और इसने भारतीय नवीनीकरण ऊर्जा कंपनियों और अन्य फ़र्मों को ग्रीन बॉण्ड और टिकाऊ बॉण्ड के माध्यम से वित्त जुटाने के लिए ECB मार्ग का दोहन करने में सक्षम बनाया है।

क्या आप जानते हैं?

पर्याप्त और किफ़ायती वित्त की उपलब्धता भारत के जलवायु कार्यों में एक गंभीर बाधा बनी हुई है। भारत ने जलवायु कार्य लक्ष्यों को पूरा करने के लिए सॉवरेन ग्रीन बॉण्ड के माध्यम से निजी पूँजी जुटाने के अपने प्रयासों को तेज़ कर दिया है।

- **ग्रीन बॉण्ड** – वे जलवायु-उपयुक्त और पर्यावरणीय रूप से टिकाऊ परियोजनाओं में निवेश के लिए आय उत्पन्न करने के लिए वित्तीय साधन हैं।
- हरित ऋण प्रतिभूतियों पर **सेबी के आँकड़ों के अनुसार**, 15 भारतीय कंपनियों ने 2017 से सितंबर, 2022 की अवधि के दौरान 4,539 करोड़ रुपये मूल्य के ग्रीन बॉण्ड जारी किये। *(आर्थिक सर्वेक्षण, 2022-23)*
- **केंद्रीय बजट 2022-23** में, अर्थव्यवस्था की कार्बन तीव्रता को कम करने के लिए सॉवरेन ग्रीन बॉण्ड जारी करने की भी घोषणा की गयी है।
- भारत के सॉवरेन ग्रीन बॉण्ड फ्रेमवर्क को **अंतरराष्ट्रीय पूँजी बाजार संघ (ICMA) ग्रीन बॉण्ड सिद्धांतों** (2021) की सिफ़ारिशों का पालन करने के लिए जारी और डिज़ाइन किया गया है।
- RBI ने 2021 को अपना **'स्टेटमेंट ऑफ़ कमिटमेंट टू सपोर्टिंग इंडियाज़ फ़ाइनेंशियल सिस्टम' – नेटवर्क फ़ॉर ग्रीनिंग द फ़ाइनेंशियल सिस्टम (NGFS)** प्रकाशित किया।
- **SEBI द्वारा बिज़नेस उत्तरदायित्व और स्थिरता रिपोर्ट (BRSR)** के तहत नयी स्थिरता रिपोर्टिंग आवश्यकताओं को जारी किया गया है। BSR को 2022-23 से शीर्ष 1000 सूचीबद्ध संस्थाओं (बाज़ार पूँजीकरण द्वारा) के लिए अनिवार्य कर दिया गया था।
- **IFC के अनुसार** – "भारत में जलवायु निवेश के लिए **मिश्रित वित्त (Blended Finance)** का मतलब है कि भारत में निजी क्षेत्र की जलवायु संबंधी परियोजनाओं में निवेश के लिए उत्प्रेरक पूँजी महत्त्वपूर्ण होगी।"
- **ग्रीनियम' या ग्रीन प्रीमियम,** इस तर्क पर आधारित मूल्य निर्धारण लाभ है कि निवेशक संधारणीय पदचिह्न (फ़ुटप्रिंट) के बदले में अतिरिक्त भुगतान करने या कम उत्पादन स्वीकार करने के लिए तैयार हैं। यह संधारणीय प्रौद्योगिकी चुनने की अतिरिक्त लागत को संदर्भित करता है।

- **अंतरराष्ट्रीय मंच पर भारत की पहलें (India's initiatives at the international stage)**
    1. **अंतरराष्ट्रीय सौर गठबंधन [International Solar Alliance (ISA)]** ने एक **विश्व सौर बैंक (World Solar Bank)** तथा वैश्विक स्तर पर सौर ऊर्जा क्रान्ति लाने के लिए वैश्विक आयात के लिए **'एक सूरज, एक विश्व, एक ग्रिड पहल' (One Sun One World One Grid Initiative)** का आरम्भ किया है। प्रस्तावित विश्व सौर बैंक ISA के सदस्यों के बीच सौर ऊर्जा संबंधी परियोजनाओं के लिए समर्पित वित्तीयन विंडो प्रदान करेगा।
    2. **आपदा को सहन कर सकनेवाली अवसंरचना विकास हेतु गठबंधन [Coalition for Disaster Resilient Infrastructure (CDRI)]** का आरम्भ 2019 में संयुक्त राष्ट्र जलवायु कार्यवाही शिखर सम्मेलन में किया गया। **CDRI** राष्ट्रीय सरकारों द्वारा संचालित एवं प्रबंधित एक समावेशी तथा एकाधिक हितधारकों के प्लेटफ़ॉर्म के रूप में कार्य करती है, जहाँ आपदा को झेल सकनेवाली अवसंरचना के विभिन्न पहलुओं से संबंधित जानकारी का सृजन तथा इसकी साझेदारी की जाती है। CDRI **ऊर्जा तथा परिवहन क्षेत्रों** की आपदाओं से उबर पाने की क्षमता में वृद्धि करने के लिए कार्यरत है। **2020** में हुए एक सर्वेक्षण के अनुसार, 19 देश तथा 4 बहु-पक्षीय संगठन इस गठबंधन के सदस्य बन गये हैं। CDRI को भारत तथा यूनाईटेड किंगडम की अध्यक्षता प्राप्त है।

3. 2019 में, **संधारणीय वित्त-व्यवस्था पर अंतरराष्ट्रीय प्लेटफ़ॉर्म (International Platform on Sustainable Finance)** का आरंभ वाशिंगटन DC में आयोजित अंतरराष्ट्रीय मुद्रा कोष/ विश्व बैंक की वार्षिक बैठक के पार्श्व में अर्जेंटीना, कनाडा, चिली, चीन, भारत, केन्या तथा मोरक्को के साथ यूरोपीय संघ के द्वारा किया गया। भारत निजी क्षेत्र की पूँजी को पर्यावरण की दृष्टि से संधारणीय निवेशों (Environmentally Sustainable Investments) के संघटन के उद्देश्य से **2019 में इसमें सम्मिलित हुआ।**

वैश्विक जलवायु संबंधी जोखिम सूचकांक एवं भारत (Global Climate Risk Index and India)

वैश्विक जलवायु सूचकांक, का प्रकाशन एक पर्यावरण विचार मंच, जर्मन वाच के द्वारा किया गया। इस सूचकांक का उद्देश्य देशों पर जलवायु संबंधी विपरीत प्रभावों को इंगित करना है।

जलवायु संबंधी जोखिम सूचकांक में, भारत का 6वाँ स्थान है।

जलवायु परिवर्तन प्रदर्शन सूचकांक (CCPI) [Climate Change Performance Index (CCPI)]

CCPI का लक्ष्य अंतरराष्ट्रीय जलवायु राजनीति में पारदर्शिता को बढ़ाना और अलग-अलग देशों द्वारा किये गये **जलवायु संरक्षण के प्रयासों** और प्रगति की **तुलना** करना है। यह सूचकांक जर्मनवॉच (Germanwatch) द्वारा जारी किया गया है।

तुलना के मानदंड में 14 संकेतकों के साथ **चार श्रेणियाँ** शामिल हैं : GHG उत्सर्जन (कुल स्कोर का 40%), नवीकरणीय ऊर्जा (20%), ऊर्जा का इस्तेमाल (20%), और जलवायु नीति (20%)। CCPI में, भारत 10वें स्थान पर है।

परीक्षोपयोगी

किगाली संशोधन (KIGALI AMENDMENT)

- मॉन्ट्रियल प्रोटोकॉल में किगाली संशोधन एक अंतरराष्ट्रीय क़ानूनी रूप से बाध्यकारी समझौता है, जिस पर अमल 2019 से **हाइड्रोफ़्लोरोकार्बन्स [Hydro Fluoro Carbons (HFCs)] के उपयोग एवं उत्पादन में कटौती के उद्देश्य** से आरम्भ हुआ।
- आरम्भिक रूप से, इस संशोधन की अभिपुष्टि 65 देशों के द्वारा की गयी। अक्टूबर, 2024 में, यूरोपीय संघ और भारत सहित 164 राज्यों ने किगाली संशोधन की अभिपुष्टि की है।
- HFCs का प्रयोग हाइड्रोक्लोरोफ़्लोरोकार्बन्स [Hydro Chloro Fluoro Carbons (HCFCs)] तथा क्लोरोफ़्लोरोकार्बन्स [chlorofluorocarbons (CFCs)] के प्रतिस्थापक के रूप में देखा जाता है, किन्तु वे शक्तिशाली ग्रीनहाउस गैसें हैं, जिनमे वैश्विक स्तर पर ग्लोबल वार्मिंग की बहुत क्षमता है।
- इस संशोधन का उद्देश्य HFC के उत्पादन में भारी कटौती है। HFCs का उपयोग ओज़ोन-परत का क्षय करनेवाले पदार्थों के व्यापक उपयोगवाले रेफ़्रिजरेट विकल्प के रूप में किया जाता है, जिसे मॉन्ट्रियल प्रोटोकॉल के अंतर्गत धीरे-धीरे प्रयोग से हटा दिया गया है।
- भारत हाइड्रोक्लोरोफ़्लोरोकार्बन (HCFC) को पूर्ण रूप से उपयोग से बाहर करने में सफल रहा है। **141b – कठोर** पोलीयुरेथेन [polyurethane (PU)] झागों के उत्पादन के लिए प्रयुक्त एक ब्लोइंग एजेंट है। यह CFCs के पश्चात् सर्वाधिक सक्षम ओज़ोन-परत क्षयकारी रसायन है।

राष्ट्रीय स्तर पर निर्धारित अभीष्ट अंशदान [Intended Nationally Determined Contributions (INDC)] UNFCCC के अंतर्गत आनेवाले देशों में ग्रीन हाउस उत्सर्जन में वांछित कमी तथा जलवायु संबंधी शपथ हैं। UNFCCC पर हस्ताक्षर करनेवाले सभी देशों को 2013 में वॉरसॉ के संयुक्त राष्ट्र के हुए जलवायु समझौते (CoP 19) में अपने INDC को उद्घाटित करने को कहा गया। किसी देश द्वारा पेरिस प्रस्ताव की अभिपुष्टि करने के पश्चात् INDC प्रथम राष्ट्रीय रूप से निर्दिष्ट अंशदान [Nationally Determined Contribution (NDC)] बन जाता है। विश्व के 4.1% ग्रीनहाउस उत्सर्जन के साथ भारत 2016 में पेरिस जलवायु समझौते की अभिपुष्टि करनेवाला

62वाँ देश बन गया। **ग्रीनको रेटिंग प्रणाली (Greenco Rating System)** भारतीय उद्योग महासंघ [Confederation of Indian Industry (CII)] के द्वारा विकसित किया जाता है। तथा इसे 2015 में UNFCCC में प्रस्तुत भारत के राष्ट्रीय रूप से निर्दिष्ट अभीष्ट अंशदान [Intended Nationally Determined Contribution (INDC)] संबंधी दस्तावेज़ में स्वीकृति प्रदान की गयी है।

अतिरिक्त जानकारी

राष्ट्रीय स्तर पर निर्धारित योगदान (एनडीसी) [NATIONALLY DETERMINED CONTRIBUTION (NDC)]

NDC कार्बन उत्सर्जन में कटौती करने और जलवायु प्रभावों के अनुकूल होने के लिए दीर्घकालिक लक्ष्यों का एक सेट है, जो पेरिस समझौते पर हस्ताक्षर करनेवाले प्रत्येक देश को प्रदान करना होता है और हर पाँच साल में अपडेट होता है।

2022 में, भारत सरकार ने भारत के अपडेटेड राष्ट्रीय निर्धारित योगदान (NDC) को मंजूरी दे दी, जिसे 2030 तक की अवधि के लिए जलवायु परिवर्तन पर संयुक्त राष्ट्र फ्रेमवर्क कन्वेंशन (UNFCCC) में प्रस्तुत किया जायेगा, जिसमें आठ लक्ष्य शामिल हैं :

1. जलवायु परिवर्तन का मुक़ाबला करने की कुंजी के रूप में 'जीवन'- 'पर्यावरण के लिए जीवन शैली' के लिए एक जन आंदोलन के माध्यम से संरक्षण और संयम की परंपराओं और मूल्यों के आधार पर जीवन जीने के एक स्वस्थ और टिकाऊ तरीक़े को आगे बढ़ाना।
2. आर्थिक विकास के इसी स्तर पर, दूसरों द्वारा अनुसरण किये जानेवाले मार्ग की तुलना में जलवायु अनुकूल और स्वच्छ मार्ग को अपनाना।
3. 2005 के स्तर से 2030 तक अपने सकल घरेलू उत्पाद की उत्सर्जन तीव्रता को 45 प्रतिशत तक कम करना।
4. हरित जलवायु कोष (GCF) सहित प्रौद्योगिकी के हस्तांतरण और कम लागतवाले अंतर्राष्ट्रीय वित्त की मदद से, 2030 तक ग़ैर-जीवाश्म ईंधन आधारित ऊर्जा संसाधनों से लगभग 50 प्रतिशत संचयी विद्युत शक्ति स्थापित क्षमता प्राप्त करना।
5. 2030 तक अतिरिक्त वन और वृक्ष आवरण के माध्यम से 2.5 से 3 बिलियन टन CO_2 के बराबर अतिरिक्त कार्बन सिंक बनाना।
6. जलवायु परिवर्तन के प्रति संवेदनशील क्षेत्रों, विशेष रूप से कृषि, जल संसाधन, हिमालयी क्षेत्र, तटीय क्षेत्रों, स्वास्थ्य और आपदा प्रबंधन में विकास कार्यक्रमों में निवेश बढ़ाकर जलवायु परिवर्तन के लिए बेहतर अनुकूलन करना।
7. आवश्यक संसाधन और संसाधन अंतर को ध्यान में रखते हुए उपर्युक्त शमन और अनुकूलन कार्यों को लागू करने के लिए विकसित देशों से घरेलू और नये और अतिरिक्त धन जुटाना।
8. क्षमताओं का निर्माण करना, भारत में अत्याधुनिक जलवायु प्रौद्योगिकी के त्वरित प्रसार के लिए घरेलू ढाँचा और अंतरराष्ट्रीय संरचना बनाना और ऐसी भविष्य की प्रौद्योगिकियों के लिए संयुक्त सहयोगी अनुसंधान और विकास करना।

परीक्षोपयोगी

कैटोविस जलवायु पैकेज (KATOWICE CLIMATE PACKAGE)

पेरिस रूलबुक दस्तावेज़ों के संकलन "कैटोविस जलवायु पैकेज" को, पोलैंड के कैटोविस में 2018 में आयोजित सम्मेलन UNFCCC जलवायु परिवर्तन सम्मेलन के 24वें सत्र में, अपनाया गया था। कैटोविस पैकेज की मुख्य बातें राष्ट्रीय रूप से निर्धारित अंशदानों [Nationally Determined Contributions (NDCs)] से संबंधित दिशा-निर्देश हैं।

ग्लासगो जलवायु समझौता (GLASGOW CLIMATE PACT)

यह उन सभी देशों के 2021 संयुक्त राष्ट्र जलवायु परिवर्तन सम्मेलन (COP26) में हुआ एक समझौता है, जो 2015 के पेरिस समझौते के पक्षकार थे।

यह समझौता **कोयले के बिना रोकटोक इस्तेमाल को कम करने की योजना बना रहा है**। ग्लासगो जलवायु समझौते के अनुसार, भारत, चीन और अन्य कोयला निर्भर देशों में कोयले के लिए बिना रोकटोक कोयले के उपयोग को 'चरणबद्ध'

किया जाना चाहिए और जीवाश्म ईंधन सब्सिडी को समाप्त करना चाहिए। (*'फ़ेज़ आउट' को 'फ़ेज़ डाउन' में बदल दिया गया था, हालाँकि भारत ने COP 26 में 'फ़ेज़ आउट ऑफ़ कोल' को 'फ़ेज़ डाउन' से नहीं बदला था*)। 'ग्लासगो जलवायु समझौता' अनुकूलन, शमन, वित्त, प्रौद्योगिकी हस्तांतरण, हानि और क्षति आदि पर भी ज़ोर देता है।

संधारणीय विकास की अंतरपीढ़ीगत एवं अन्त:पीढ़ीगत इक्विटी की अवधारणा (CONCEPT OF INTER-GENERATIONAL AND INTRA-GENERATIONAL EQUITY OF SUSTAINABLE DEVELOPMENT)

अंतरपीढ़ीगत इक्विटी के सिद्धांत का अर्थ पीढ़ियों के बीच इक्विटी या साम्य है। इसमें पर्यावरण एवं प्राकृतिक संसाधनों को संरक्षित करने के मामले में भविष्य में आनेवालीं पीढ़ियों के प्रति वर्तमान पीढ़ी के कर्तव्य को सम्मिलित किया गया है, ताकि भविष्य की सभी पीढ़ियों को प्रकृति का आनंद उठाने का समान अवसर प्राप्त हो सके।

संधारणीय विकास की अवधारणा यह भी निर्धारित करती है कि मानव समाजों को भविष्य में आनेवालीं पीढ़ियों की क्षमता से बिना समझौता किये अपनी-अपनी आवश्यकताओं की पूर्ति करनी चाहिए। ब्रंटलैंड आयोग हमारे ग्रह तथा भविष्य की पीढ़ियों की सुरक्षा पर बल देता है। वर्तमान पीढ़ी को ऐसे विकास को बढ़ावा देना होगा, जो प्राकृतिक पारितान्त्रिक प्रणाली की संपोषी क्षमता को संरक्षित कर सके। संधारणीय विकास के लक्ष्य की प्राप्ति के लिए, हमें जनसंख्या को इस ग्रह की धारणीय क्षमता के भीतर सीमित रखना चाहिए, इनपुट से संबंधित प्रभावी तकनीकों को प्रोत्साहन प्रदान करना चाहिए तथा हरित ऊर्जा को हर मूल्य पर बढ़ावा दिया जाना चाहिए।

संधारणीय विकास की अन्त:पीढ़ीगत इक्विटी की अवधारणा समान पीढ़ी के बीच इक्विटी को संदर्भित करती है। इसका संबंध संसाधनों के विवेकपूर्ण वितरण से है।

अन्त:पीढ़ीगत इक्विटी को प्राप्त करने के लिए, समावेशी विकास की अवधारणा तथा सामाजिक तथा अंतरराष्ट्रीय न्याय को बढ़ावा दिया जाना चाहिए।

रियो सिद्धांत 6 के अनुसार, "विकासशील देशों तथा विशेष रूप से सब से कम विकसित तथा पर्यावरणीय रूप से सुभेद्य देशों की विशिष्ट स्थितियाँ तथा आवश्यकताओं को विशिष्ट प्राथमिकता प्रदान की जायेगी। पर्यावरण और विकास के क्षेत्र में अंतरराष्ट्रीय कार्रवाइयों में सभी देशों के हितों और आवश्यकताओं को भी ध्यान में रखा जाना चाहिए।"।

सार्वजनिक किन्तु विभेदीकृत उत्तरदायित्वों के सिद्धांत (Principle of Common but Differentiated Responsibilities) को, 1992 के पृथ्वी शिखर सम्मेलन में, औपचारिक रूप दिया गया था। इस सिद्धांत के अनुसार, सभी देशों को वैश्विक पर्यावरणीय अवनति से निपटने का दायित्व स्वीकार करना है, किन्तु विभिन्न देशों के बीच आर्थिक विकास के स्तरों में असमानता को देखते हुए वे सब समान मात्रा में उत्तरदायी नहीं हो सकते।

"हमारा समान भविष्य (Our Common Future)" नामक मौलिक रिपोर्ट का प्रकाशन 1987 में हुआ था जो "संधारणीय विकास (sustainable development)" नामक शब्दावली को परिभाषित करती है। तत्पश्चात्, अन्त:पीढ़ीगत इक्विटी की अवधारणा पर अधिक बल दिया गया तथा CBDR के सिद्धांत को कई अंतरराष्ट्रीय पर्यावरणीय समझौतों में सम्मिलित किया गया है।

राष्ट्रीय इलेक्ट्रिक गतिशीलता मिशन योजना [National Electric Mobility Mission Plan (NEMMP)] 2020, एक राष्ट्रीय मिशन दस्तावेज़ है, जो देश में इलेक्ट्रिक वाहनों को तीव्र गति से अपनाये जाने तथा देश में उनके निर्माण एवं उत्पादन के लिए परिकल्पना तथा रोडमैप प्रदान करती है। इस योजना को देश में राष्ट्रीय ईंधन सुरक्षा को बेहतर बनाने तथा वहनीय मूल्य पर पर्यावरण के अनुकूल परिवहन प्रणाली प्रदान करने के लिए डिज़ाइन किया गया है।

इलेक्ट्रिक वाहन (EV) कार्बन के उत्सर्जन को काफ़ी हद तक कम कर सकते हैं :

- EV अधिक ऊर्जा दक्ष हैं और ग्रीनहाउस गैस के उत्सर्जन को कम कर सकते हैं। रखरखाव की लागत भी कम होगी।
- वे जीवाश्म ईंधन, गैसोलीन उत्पादों पर निर्भरता को कम करेंगे और एनर्जी बास्केट का विस्तार करेंगे।
- आंतरिक दहन इंजन से EV में परिवर्तन से कार्बन डाइऑक्साइड के उत्सर्जन और कई अन्य प्रदूषकों में भारी गिरावट आयेगी।

निम्न कार्बन आधारित अर्थव्यवस्था (Low-Carbon Economy)

एक निम्न कार्बन आधारित अर्थव्यवस्था का अर्थ, ऐसी अर्थव्यवस्था से है जो, वायुमंडल में ग्रीन हाउस गैस, विशेषतः कार्बन डाइऑक्साइड की निम्न आउटपुट का उत्पादन करती है। इस अर्थव्यवस्था में, कार्बन-ट्रेडिंग एक प्रभावी घटक है। जलवायु परिवर्तन के क्योटो प्रोटोकॉल के अंतर्गत, कार्बन क्रेडिट्स का प्रयोग कार्बन ट्रेडिंग के बाज़ारोन्मुख प्रणाली में किया जाता है। इसके अंतर्गत देशों को पैसे के बदले अपने कार्बन क्रेडिट को बेच पाने का अवसर प्राप्त होता है।

मिथेनॉल इकॉनमी (Methanol Economy)

मिथेनॉल एक निम्न कार्बन युक्त हाइड्रोजन-वाहक ईंधन है। इसका उत्पादन उच्च राखयुक्त कोयले, कृषि संबंधी अवशिष्ट, थर्मल पॉवर संयंत्रों से प्राप्त CO_2 आदि से होता है। मिथेनॉल आर्थिक कार्यक्रम का आरम्भ नीति आयोग के द्वारा किया गया था। इसका लक्ष्य कच्चे तेल के आयात तथा ग्रीन हाउस गैसों के उत्सर्जन को कम करना है। इसका उद्देश्य कोयले के भण्डार तथा शहरी ठोस अपशिष्ट पदार्थों को मिथेनॉल में परिवर्तित करना एवं मिथेनॉल उत्पादन संयंत्रों की स्थापना है।

गैसोलीन में 15% मिथेनॉल को मिलाने से गैसोलीन/कच्चे तेल के आयात में 15% तक की कमी ला सकता है। इससे GHG (कणिकीय पदार्थ, NOx तथा SOx, आदि) के उत्सर्जन में 20% कमी आयेगी।

नीति आयोग के अनुसार, मिथेनॉल अर्थव्यवस्था के कारण ईंधन की क़ीमतों में 15% की गिरावट हो सकती है। इसके अतिरिक्त, LPG में 20% DME (डाइ-मिथाइल इथर-मिथेनॉल से प्राप्त एक उत्पाद) मिला देने से वार्षिक रूप से ₹6000 करोड़ की बचत हो सकती है।

भारत अपनी आर्थिक प्रगति को GHG उत्सर्जनों से अलग करने के रास्ते पर अग्रसर है। 2018 में UNFCCC को सौंपे गये द्वितीय अर्द्धवार्षिक अपडेट रिपोर्ट [Biennial Update Report (BUR)] के अनुसार, भारत में GDP की उत्सर्जन संबंधी तीव्रता 2014 में 2005 के स्तर से 21% नीचे आ गयी है। अपेक्षाकृत अधिक स्वच्छ ऑटोमोबाइल ईंधन को प्रमाणित करने के लिए, भारत 1 अप्रैल, 2020 को BS-IV **से** BS-VI उत्सर्जन मानक पर आ गया है। सौर-ऊर्जा क्रान्ति में सौर-ऊर्जा गठबंधन के प्रयत्न अद्भुत रहे हैं।

BHEL अनुसंधान केंद्र, हैदराबाद में भारत का पहला स्वदेशी रूप से डिज़ाइन किया गया **हाई ऐश कोयला गैसीकरण आधारित मेथेनॉल उत्पादन** संयंत्र ने काम करना शुरू कर दिया।

अतिरिक्त जानकारी

राष्ट्रीय हरित हाइड्रोजन मिशन (एनजीएचएम)
[NATIONAL GREEN HYDROGEN MISSION (NGHM)]

NGHM को जनवरी, 2023 में, भारत को एक ऊर्जा-स्वतंत्र राष्ट्र बनाने और महत्त्वपूर्ण क्षेत्रों को डी-कार्बोनाइज़ करने के दृष्टिकोण के साथ लॉन्च किया गया था। इस मिशन का उद्देश्य ग्रीन हाइड्रोजन की माँग सृजन, उत्पादन, उपयोग और निर्यात को सुविधाजनक बनाना और 2030 तक 8 लाख करोड़ रुपये से अधिक का निवेश जुटाना है।

मुख्य विशेषताएँ

- प्रतिवर्ष कम-से-कम 5 MMT की हरित हाइड्रोजन उत्पादन क्षमता का निर्माण करना।
- जीवाश्म ईंधन आयात में संचयी कमी, 1 लाख करोड़ रुपये से अधिक और 6 लाख से अधिक नौकरियों का सृजन।
- लगभग 125 गीगावाट की नवीकरणीय ऊर्जा क्षमता वृद्धि और वार्षिक GHG उत्सर्जन के लगभग 50 MMT का उपशमन।

2030 तक संभावित परिणाम

- इलेक्ट्रोलाइज़र के घरेलू विनिर्माण और ग्रीन हाइड्रोजन के उत्पादन को लक्षित करनेवाला वित्तीय प्रोत्साहन।
- ग्रीन हाइड्रोजन हब के रूप में विकसित किये जानेवाले हाइड्रोजन के बड़े पैमाने पर उत्पादन और/या उपयोग का समर्थन करने में सक्षम क्षेत्र।

लक्षित इंटरवेंशन

- ग्रीन हाइड्रोजन पारिस्थितिकी तंत्र की स्थापना का समर्थन करने के लिए एक सक्षम नीति ढाँचे का विकास।
- मज़बूत मानक और विनियम ढाँचा।

- अनुसंधान और विकास के लिए सार्वजनिक-निजी भागीदारी ढाँचा।
- कौशल विकास कार्यक्रम नीति रूपरेखा।

हालिया पहलें

- गेल ने सिटी गैस डिस्ट्रीब्यूशन ग्रिड में हाइड्रोजन मिश्रण की परियोजना शुरू की।
- CNG नेटवर्क में 2 प्रतिशत मात्रा में हाइड्रोजन मिश्रित किया जाता है, अवंतिका गैस लिमिटेड (AGL), इंदौर के सिटी गैस स्टेशन पर पीएनजी नेटवर्क में हाइड्रोजन की 5 प्रतिशत मात्रा मिश्रित की जाती है।
- NTPC द्वारा लेह में हाइड्रोजन-बेस्ड फ्यूल-सेल इलेक्ट्रिक व्हीकल (FCEV) बसों की शुरुआत की गयी।

स्रोत : नवीन और नवीकरणीय ऊर्जा मंत्रालय

परीक्षोपयोगी

उत्सर्जन गैप रिपोर्ट (EMISSIONS GAP REPORT)

UNEP उत्सर्जन गैप रिपोर्ट 2030 में ग्रीन हाउस गैसों के उत्सर्जन की स्थिति तथा जलवायु परिवर्तन के सबसे बुरे प्रभावों से बचाने के लिए, उसे कहाँ होना चाहिए, के बीच अंतर पर वार्षिक मूल्यांकन प्रदान करता है।

उत्सर्जन गैप रिपोर्ट, 2024 (Emissions Gap Report 2024) के अनुसार

- 1.5 डिग्री सेल्सियस के लक्ष्य को प्राप्त करने के लिए हरितगृह गैसों में वर्ष 2030 तक 42% की कटौती और वर्ष 2035 तक 57% की कटौती की आवश्यकता है।
- इन नये NDCs में महत्त्वाकांक्षा बढ़ाने और तुरंत क्रियान्वयन शुरू करने में विफलता से इस सदी के दौरान दुनिया का तापमान 2.6-3.1 डिग्री सेल्सियस बढ़ जायेगा।

अनुकूलन गैप रिपोर्ट (ADAPTATION GAP REPORT)

- यह रिपोर्ट संयुक्त राष्ट्र पर्यावरण कार्यक्रम **(UNEP)** द्वारा वार्षिक रूप से प्रकाशित की जाती है। यह अनुकूलन कार्यों की योजना, प्रगति, वित्तपोषण और कार्यान्वयन का आकलन करता है।

2024 की रिपोर्ट के अनुसार

- अनुकूलन वित्तपोषण में प्रगति, आवश्यकताओं और प्रवाह के बीच की खाई को पाटने के लिए पर्याप्त नहीं है, जो अनुकूलन योजना और कार्यान्वयन लक्ष्यों में पिछड़ सकती है।
- विकासशील देशों के लिए अंतरराष्ट्रीय सार्वजनिक अनुकूलन वित्त प्रवाह वर्ष 2021 के 22 बिलियन अमेरिकी डॉलर से बढ़कर वर्ष 2022 में 28 बिलियन अमेरिकी डॉलर हो गया।

यूएनईपी द्वारा प्रकाशित अन्य रिपोर्ट :

- ग्लोबल रिसोर्सेज आउटलुक, ग्लोबल केमिकल्स आउटलुक, ग्लोबल वेस्ट मैनेजमेंट आउटलुक, ग्लोबल इन्वायरमेंटल आउटलुक आदि।

उत्सर्जन व्यापार (Emission Trading)

क्योटो प्रोटोकॉल के अनुच्छेद 17 में निर्धारित उत्सर्जन व्यापार के कारण देशों को उत्सर्जन की अत्यधिक क्षमता – जिसकी उन्हें अनुमति तो है, पर जिसका उन्होंने प्रयोग नहीं किया है – को उन देशों को बेचने की अनुमति प्राप्त है, जिन्होंने अपनी सीमाओं को पहले ही पार कर लिया है।

गुजरात ने वायु प्रदूषण को कम करने के लिए भारत के प्रथम उत्सर्जन ट्रेडिंग योजना का उदघाटन किया। यह उद्योगों को परिसीमाओं को क्रय-विक्रय करने की अनुमति देता है, ताकि वे तय सीमा से नीचे बने रहें। **उत्सर्जन व्यापार योजना** का लक्ष्य कणिकीय वायु प्रदूषण कम करना तथा संधारणीय आर्थिक प्रगति का मार्ग सुगम बनाना है।

कार्बन उत्सर्जन को कम करने के लिए बाज़ार तंत्र का उपयोग करने के लिए चीन ने पहला व्यापार **योग्य वन कार्बन क्रेडिट टिकट** जारी किया है।

अतिरिक्त जानकारी

समुद्र स्तर में वृद्धि (SEA LEVEL RISE)

- IPCC के अंतर सरकारी पैनल की पाँचवीं मूल्यांकन रिपोर्ट (AR5) में बताया गया है कि 1901-2010 की अवधि में वैश्विक माध्य समुद्र का स्तर 190 मिमी बढ़ गया था।
- 2019 की IPCC रिपोर्ट में, 2100 तक वैश्विक समुद्र के स्तर में 0.6 से 1.1 मीटर की वृद्धि का अनुमान लगाया गया था।
- समुद्र के स्तर में वृद्धि भारत और अन्य तटीय देशों के लिए एक बड़ा ख़तरा रहा है।
- समुद्र के स्तर में वृद्धि के संभावित प्रपाती प्रभाव हैं, जिससे तटीय पारिस्थितिकी तंत्र और सेवाओं को नुक़सान पहुँच सकता है। इससे विनाशकारी तटीय बाढ़, भूजल में खारापन, तटीय बुनियादी ढाँचे का विनाश, जलवायु शरणार्थी संकट और कई अन्य गंभीर हानिकारक प्रभाव हो सकते हैं।

परीक्षोपयोगी

हरित GDP (GREEN GDP)

हरित GDP ऐसे राष्ट्र की आर्थिक प्रगति का सूचक है, जो आर्थिक प्रगति के पर्यावरणीय परिणामों को ध्यान में रखता है। सभी उत्पादित वस्तुओं एवं सेवाओं में से, हरित GDP की गणना करने के लिए, प्राकृतिक खपत की लागत (**यथा संसाधन में आयी कमी, पर्यावरणीय अवनति इत्यादि**) को घटा दिया जाता है। यह किसी देश के संधारणीय आर्थिक विकास हेतु तैयारी की माप है। केंद्र सरकार राज्यों की हरित GDP की माप के सम्बन्ध में पहल करने जा रही है।

यद्यपि, हरित GDP का आकलन करना बहुत कठिन है, तथापि संसाधनों की कमी या पर्यावरणीय अवनति की मात्रा को परिमाणित करना गंभीर रूप से चुनौतीपूर्ण है।

हरित कर (Green Tax) : *सड़क परिवहन तथा उच्चपथ मंत्रालय (Ministry of Road Transport and Highways)* ने पर्यावरण को प्रदूषित कर रही पुरानी गाड़ियों पर "हरित कर" आरोपित करने के एक प्रस्ताव को मंजूरी दी है। समाचारों की रिपोर्ट के अनुसार –

- 8 वर्ष से पुराने परिवहन वाहनों पर, पथ कर के 10% से 25% की दर से, फ़िटनेस प्रमाणपत्र के नवीकरण के समय हरित कर आरोपित किया जा सकता है।
- निजी वाहनों पर, ख़रीदे जाने के 15 वर्ष बाद उनके निबंधन प्रमाणपत्र के नवीकरण के समय हरित कर आरोपित किया जा सकता है।
- सार्वजनिक परिवहन वाहन, यथा नगर बसों आदि पर, अपेक्षाकृत कम हरित कर लगाया जायेगा।
- अत्यंत प्रदूषित शहरों में निबंधित किये जा रहे वाहनों पर, अपेक्षाकृत अधिक हरित कर (पथ कर का 50%) आरोपित किया जाता है।

हरित कर से लोगों को ऐसे वाहनों के प्रयोग से रोकने में सहायता मिलती है, जो पर्यावरण को क्षति पहुँचाते हैं तथा उन्हें अपेक्षाकृत नये, कम प्रदूषण फैलानेवाले वाहनों के प्रयोग के लिए प्रोत्साहन प्रदान करने में मदद मिलती है। हरित कर का लक्ष्य प्रदूषण के स्तर में कमी लाना तथा प्रदूषक को प्रदूषण फैलाने के लिए शुल्क चुकाने के लिए बाध्य करना है।

सकल पर्यावरणीय उत्पाद [Gross Environment Product (GEP)] : GEP की अवधारणा तथा गणना के तरीक़े को लागू कर हम अपने पारिस्थितिकी तंत्र तथा प्राकृतिक संसाधनों यथा वायु, जल, मृदा, वनों पर मानवीय दबाव के प्रभाव को समझ पायेंगे। इससे हमें ऐसी नीतियों के निर्माण की क्षमता प्राप्त होगी जो, संधारणीय विकास को प्रोत्साहित करेंगे। GEP को मापनेवाला उत्तराखंड भारत का प्रथम राज्य है।

ग्रीन क्रेडिट प्रोग्राम (जीसीपी) [GREEN CREDIT PROGRAMME (GCP)]

ग्रीन क्रेडिट पहल भारत द्वारा COP28 में शुरू की गयी थी। इसे पर्यावरण के लिए जीवन शैली या जीवन आंदोलन के तहत शामिल किया गया है। ग्रीन क्रेडिट नियम, 2023 को पर्यावरण संरक्षण अधिनियम, 1986 के तहत 2023 में अधिसूचित किया गया था। इस तंत्र का उद्देश्य स्वैच्छिक पर्यावरणीय सकारात्मक कार्यों और ग्रीन क्रेडिट के निर्गमन को बढ़ावा देना है। यह पहल कार्बन क्रेडिट ट्रेडिंग स्कीम, 2023 के तहत कार्बन क्रेडिट से अलग है।

समाचार में प्रमुख अवधारणाएँ (KEY CONCEPTS IN NEWS)

फ़्लेक्स फ़्यूल व्हीकल्स [Flex Fuel Vehicles (FFV)]

भारत में ऑटोमोबाइल निर्माताओं को भारत के पेट्रोलियम के आयात को कम करने के लिए फ़्लेक्स फ़्यूल व्हीकल (FFV) और फ़्लेक्स फ़्यूल स्ट्रॉन्ग हाइब्रिड इलेक्ट्रिक व्हीकल्स (FFV-SHEV) का निर्माण शुरू करने की सलाह दी गयी है, जो BS-6 मानदंडों का पालन करते हैं। किसानों को सीधा लाभ देने का भी इरादा है। प्रोडक्शन लिंक्ड इंसेंटिव (PLI) योजना में फ़्लेक्स फ़्यूल इंजनों के ऑटोमोबाइल और ऑटो घटकों को भी शामिल किया गया है, ताकि फ़्लेक्स फ़्यूल वाहनों की शुरुआत में तेज़ी लायी जा सके। **फ़्लेक्स-फ़्यूल इंजन विभिन्न स्तरों के इथेनॉल मिश्रणों के साथ गैसोलीन और डोप किये गये पेट्रोल पर चल सकते हैं।**

जलवायु कार्रवाई और वित्त जुटाना संवाद [Climate Action and Finance Mobilization Dialogue (CAFMD)]

भारत और अमेरिका ने जलवायु कार्रवाई और वित्त जुटाना संवाद (CAFMD) शुरू किया है। यह बातचीत जलवायु और पर्यावरण संबंधी भारत-अमेरिका द्विपक्षीय सहयोग को मज़बूत करेगी। यह प्रदर्शित करने का भी इरादा रखता है कि दुनिया कैसे लचीला और समावेशी आर्थिक विकास के साथ जलवायु कार्रवाई को संरेखित कर सकती है। भारत-अमेरिका जलवायु और स्वच्छ ऊर्जा एजेंडा 2030 साझेदारी के तहत वार्ता शुरू की गयी है।

कार्बन वॉच (Carbon Watch)

चंडीगढ़ किसी व्यक्ति के कार्बन फुटप्रिंट का आकलन करने के लिए कार्बन वॉच मोबाइल ऐप्लिकेशन लॉन्च करनेवाला भारत का पहला राज्य/केंद्र शासित प्रदेश बन गया है।

नवीकरणीय ऊर्जा प्रमाणपत्र [Renewable Energy Certificates (REC)]

एक बाज़ार आधारित तंत्र है, जो राज्यों को उनकी नियामक आवश्यकताओं या नवीकरणीय ख़रीद दायित्वों (RPOs) को पूरा करने और नवीकरणीय ऊर्जा के विकास को बढ़ावा देने में मदद करता है। 1 REC 1 MWh के बराबर होता है। **भारत में दो पावर एक्सचेंजों पर REC का कारोबार होता है- इंडियन एनर्जी एक्सचेंज (IEX) और पावर एक्सचेंज ऑफ़ इंडिया (PXIL)**।

REC की क़ीमत **बाज़ार की माँग** पर निर्भर करती है, और **केंद्रीय विद्युत नियामक आयोग (CERC)** द्वारा निर्धारित '**फ़्लोर प्राइस**' (न्यूनतम) और '**फ़ॉरबियरेंस प्राइस**' (अधिकतम) के बीच रहती है। हाल ही में, सरकार ने REC तंत्र में संशोधनों को मंज़ूरी दी है।

कॉमन कार्बन मीट्रिक [Common Carbon Metric (CCM)]

कॉमन कार्बन मीट्रिक (CCM) को UNEP के सतत भवन और जलवायु पहल द्वारा विकसित किया गया है। यह आर्किटेक्ट्स, डिज़ाइनरों, निर्माण उद्योग आदि की मदद करने के लिए एक संगत प्रोटोकॉल के माध्यम से इमारतों के जलवायु प्रभाव को परिभाषित करने के लिए एक समान प्रणाली स्थापित करने का इरादा रखता है।

क्लाइमेट इक्विटी मॉनिटर (Climate Equity Monitor)

यह एक ऑनलाइन डैशबोर्ड है और इसका उद्देश्य UNFCCC के तहत सूची-I पार्टीज के प्रदर्शन का आकलन करना है। तुलना करने के लिए गै़र सूची-I पार्टीज (विकासशील देशों) का प्रदर्शन भी प्रदान किया जायेगा। इस वेबसाइट की संकल्पना भारत के कई शोध कर्ताओं द्वारा की गयी है, जिसमें एम. एस. स्वामीनाथन रिसर्च फ़ाउंडेशन (MSSRF), चेन्नई में जलवायु परिवर्तन समूह भी शामिल है।

आक्रामक प्रजाति विशेषज्ञ समूह (आईएसएसजी) [Invasive Species Specialist Group (ISSG)]

आक्रामक प्रजातियों पर वैज्ञानिक और नीति विशेषज्ञों का एक वैश्विक नेटवर्क, इसे IUCN के प्रजाति अस्तित्व आयोग (SSC) के तहत आयोजित किया गया है।

ओज़ोन सेल (Ozone Cell)

भारत क्रमश: 1991 और 1992 में वियना कन्वेंशन और मॉन्ट्रियल प्रोटोकॉल का हिस्सा बन गया था। पर्यावरण, वन और जलवायु परिवर्तन मंत्रालय ने नेशनल ओज़ोन यूनिट (NOU) के रूप में एक ओज़ोन सेल की स्थापना की थी। इसका उद्देश्य मॉन्ट्रियल प्रोटोकॉल के प्रभावी कार्यान्वयन और भारत में ओज़ोन क्षयकारी पदार्थों (ODS) को चरणबद्ध तरीक़े से समाप्त करने के लिए आवश्यक सेवाएँ प्रदान करना है।

पर्यावरण के लिए जीवन शैली (लाइफ़) [The Lifestyle for Environment (LiFE)]

भारत के नेतृत्ववाले वैश्विक जन आंदोलन की घोषणा, 2021 में की गयी थी। इसका उद्देश्य पर्यावरण के संरक्षण के लिए व्यक्तिगत और सामुदायिक कार्य को बढ़ावा देना है। पर्यावरण संबंधी सकारात्मक कार्यों के लिए बाज़ार-आधारित प्रोत्साहन उत्पन्न करने के लिए ग्रीन क्रेडिट प्रोग्राम (GCP) और इकोमार्क स्कीम को जीवन आंदोलन के तहत शामिल किया गया है।

वैश्विक मीथेन प्रतिज्ञा (जीएमपी) [The Global Methane Pledge (GMP)]

यह 2030 तक मीथेन के उत्सर्जन को 2020 के स्तर से 30 प्रतिशत तक कम करने के लिए कार्यवाही करके राष्ट्रों का समर्थन करने की एक रूपरेखा है। इससे 2050 तक वार्मिंग में लगभग 0.2°C की कमी हो सकती है। 2021 में जीएमपी को जलवायु एवं स्वच्छ वायु गठबंधन (CCAC) (सीसीएसी) द्वारा COP26 में शुरू किया गया था, जिसमें संयुक्त राज्य अमेरिका और यूरोपीय आयोग भागीदार थे।

संधारणीय विमानन ईंधन [Sustainable Aviation Fuel (SAF)]

संधारणीय विमानन ईंधन (SAF), गै़र-पेट्रोलियम फ़ीडस्टॉक से उत्पादित एक वैकल्पिक ईंधन है। SAF, हवाई परिवहन से होनेवाले उत्सर्जन को कम करता है। SAF को पारंपरिक जेट ईंधन के साथ 10 प्रतिशत से 50 प्रतिशत के बीच की सीमा के साथ विभिन्न स्तरों पर मिश्रित किया जा सकता है। अंतरराष्ट्रीय विमानन उद्योग ने वर्ष 2050 तक शुद्ध शून्य कार्बन की प्राप्ति का लक्ष्य रखा है।

लाभ (Benefits)

- यदि SAF को पारंपरिक ईंधन के साथ मिश्रित किया जाता है, तो इसका उपयोग मौजूदा अवसंरचना में किया जा सकता है।
- SAF, हरितगृह गैस उत्सर्जन को काफ़ी कम कर सकता है।

उत्पादन (Production)

SAF को गै़र-पेट्रोलियम आधारित नवीकरणीय फ़ीडस्टॉक जैसे कृषि अपशिष्ट, नगरपालिका ठोस अपशिष्ट, काष्ठीय जैवभार, औद्योगिक अपशिष्ट आदि से निर्मित किया जा सकता है।

वाटरक्रेडिट (WaterCredit)

- वाटरक्रेडिट, जल और स्वच्छता क्षेत्र में काम करनेवाला एक सूक्ष्मवित्तीय (माइक्रोफ़ाइनेंस) उपकरण है। वाटरक्रेडिट एक ग़ैर-लाभकारी संगठन Water.org द्वारा शुरू की गयी एक वैश्विक पहल है।
- Water.org ने वर्ष 2004 में, भारत में WaterCredit लॉन्च किया।
- WaterCredit का उद्देश्य ऐसे निर्धन लोगों को लघु ऋण प्रदान करना है, जिन्हें घरेलू जल के लिए किफ़ायती वित्तपोषण की आवश्यकता है

संक्षिप्त विवरण

- **पृथ्वी सम्मेलन (Earth Summit)–** रियो द जेनेरियो में 178 देशों के प्रतिनिधियों की मुलाक़ात – 1992 में – यूनाइटेड नेशन्स कॉन्फ़्रेंस ऑन एनवायरनमेंट ऐंड डेवेलपमेंट [United Nations Conference on Environment and Development (UNCED)] – एजेंडा-21 नाम की एक कार्य योजना तैयार की गयी - ग़ैर-बाध्यकारी दस्तावेज़ फ़ॉरेस्ट प्रिंसिपल्स (Forest Principles) को भी प्रस्तुत किया गया था।
- **यूनाइडेट नेशन्स कॉन्फ़्रेंस ऑन सस्टेनेबल डेवेलपमेंट [United Nations Conference on Sustainable Development (UNCSD or Rio+20)]** – ब्राज़िल के रियो द जेनेरियो में आयोजित की गयी - जून, 2012 में – संधारणीय विकास और ग़रीबी उन्मूलन के संबंध में हरित अर्थव्यवस्था पर ध्यान केंद्रित करना तथा संधारणीय विकास के लिए एक संस्थागत कार्य ढाँचा विकसित करना।
- **सहस्राब्दी विकास लक्ष्य [Millennium Development Goals (MDGs)]** – आठ लक्ष्य – 189 यूएन सदस्यों द्वारा तय किये गये – 2000 में – यूएन मिलेनियम डिक्लियरेशन के पश्चात्।
- **संधारणीय विकास लक्ष्य [Sustainable Development Goals (SDGs)] – MDG को प्रतिस्थापित किया** – 2015 में संयुक्त राष्ट्र के सभी सदस्य देशों द्वारा अपनाया गया – ग़रीबी को समाप्त करने, ग्रह की रक्षा करने और यह सुनिश्चित करने के लिए कि 2030 तक सभी लोग शांति और समृद्धि का आनंद ले सकें।
- **SDG भारत सूचकांक (SDG India Index)** – नीति आयोग द्वारा जारी किया गया – सांख्यिकी और कार्यक्रम कार्यान्वयन मंत्रालय [Ministry of Statistics and Programme Implementation (MoSPI)], संयुक्त राष्ट्र और ग्लोबल ग्रीन ग्रोथ इंस्टीट्यूट के सहयोग से।
- **जलवायु वित्तीयन (Climate Finance)** - जलवायु परिवर्तन से निपटने के लिए शमन और अनुकूलन कार्यों की सहायतार्थ स्थानीय, राष्ट्रीय या अंतरराष्ट्रीय स्तर पर किया जानेवाला वित्तपोषण।
- **वृद्धिशील पूँजी उत्पादन अनुपात [Incremental Capital Output Ratio (ICOR)]** - वार्षिक निवेश का सकल घरेलू उत्पाद में वार्षिक वृद्धि से अनुपात - किसी अर्थव्यवस्था की उत्पादन क्षमता के स्तर को मापता है।
- **उभरती अर्थव्यवस्थाओं में परिवहन की डिकॉर्बोनाइजिंग ट्रांसपोर्ट (Decarbonising Transport in Emerging Economies) – OECD** के इंटरनेशनल ट्रांसपोर्ट फ़ोरम के साथ नीति आयोग द्वारा लॉन्च किया गया।
- **वैश्विक जलवायु जोखिम सूचकांक, 2021 (Global Climate Risk Index, 2021)** – एक एनवायरनमेंट थिंक टैंक जर्मन वाच द्वारा प्रकाशित – देशों पर जलवायु संबंधी प्रतिकूल प्रभावों को दर्शाने के लिए – भारत की रैंक 5वें से 7वें स्थान पर सुधरी है।
- **किगाली संशोधन (Kigali Amendment) – 2019** – एक क़ानूनी रूप से बाध्यकारी अंतरराष्ट्रीय समझौता – हाइड्रोफ़्लोरोकॉर्बन **(HFC)** के उत्पादन एवं उपयोग में कटौती करने के लिए।
- **राष्ट्रीय हाइड्रोजन ऊर्जा मिशन (National Hydrogen Energy Mission)** – केंद्रीय बजट, 2021-22 में घोषणा – हरित ऊर्जा संसाधनों से हाइड्रोजन के उत्पादन पर केंद्रित है – भारी उद्योगों को कॉर्बनमुक्त करने तथा स्वच्छ विद्युत संचलन के लिए महत्त्वपूर्ण।

- **उत्सर्जन गैप रिपोर्ट (Emissions Gap Report)** – 2030 में कहाँ ग्रीनहाउस उत्सर्जन भविष्यवाणी की गयी है और कहाँ जलवायु परिवर्तन के सबसे बुरे प्रभावों से बचना चाहिए, इसके बीच अंतर की वार्षिक समीक्षा को प्रदान करती है – पिछले एक दशक में शीर्ष चार उत्सर्जक देश हैं – चीन, संयुक्त राज्य अमेरिका, EU27+UK और भारत।
- **क्लाइमेट इक्विटी मॉनिटर (Climate Equity Monitor)** - एक ऑनलाइन डैशबोर्ड, जिसका उद्देश्य UNFCCC के तहत सूची-I पार्टीज के प्रदर्शन का आकलन करना है।
- **हरित GDP (Green GDP)** – आर्थिक विकास के पर्यावरणीय परिणामों को ध्यान में रखता है।
- **हरित कर (Green Tax)** – सड़क परिवहन एवं राजमार्ग मंत्रालय ने पुराने वाहनों पर हरित कर लगाने को मंजूरी दी - लोगों को पर्यावरण को नुक़सान पहुँचानेवाले वाहनों का उपयोग करने से रोकने और नये, कम प्रदूषण फैलानेवाले वाहनों की तरफ़ जाने के लिए प्रेरित करने हेतु।
- **संधारणीय विमानन ईंधन Sustainable Aviation Fuel (SAF)** - ग़ैर-पेट्रोलियम फ़ीडस्टॉक से उत्पादित एक वैकल्पिक ईंधन।

यूपीएससी सिविल सेवा के पिछले वर्षों की प्रारंभिक परीक्षा के प्रश्न

1. निम्नलिखित पर विचार कीजिए : **[2024]**

1. बैटरी भंडारण
2. बायोमास जेनरेटर
3. ईंधन सेल
4. रूफ़टॉप सौर प्रकाश-वोल्टीय यूनिट

उपर्युक्त में से कितने "वितरित ऊर्जा संसाधन" माने जाते हैं?

(a) केवल एक **(b)** केवल दो
(c) केवल तीन **(d)** सभी चार

2. 'संक्रामक (इन्वेसिव) जीव-जाति (स्पीशीज़) विशेषज्ञ समूह' (जो वैश्विक संक्रामक जीव-जाति डेटाबेस विकसित करता है) निम्नलिखित में से किस एक संगठन से संबंधित है? **[2023]**

(a) अंतरराष्ट्रीय प्रकृति संरक्षण संघ (इंटरनैशनल यूनियन फ़ॉर कंज़र्वेशन ऑफ़ नेचर)
(b) संयुक्त राष्ट्र पर्यावरण कार्यक्रम (यूनाइटेड नेशंस एन्वाइरनमेंट प्रोग्राम)
(c) संयुक्त राष्ट्र का पर्यावरण एवं विकास पर विश्व आयोग (यूनाइटेड नेशंस वर्ल्ड कमीशन फ़ॉर एन्वाइरनमेंट ऐंड डेवेलप्मेंट)
(d) प्रकृति के लिए विश्वव्यापी निधि (वर्ल्ड वाइड फ़ंड फ़ॉर नेचर)

3. निम्नलिखित में से कौन-सा "ग्रीनवॉशिंग" शब्द का सर्वोत्तम वर्णन करता है? **[2022]**

(a) मिथ्या रूप से यह प्रभाव व्यक्त करना कि कंपनी के उत्पाद पारिस्थितिक-अनुकूली और पर्यावरणीय रूप से उपयुक्त है।
(b) किसी देश के वार्षिक वित्तीय विवरणों में पारिस्थितिक/पर्यावरणीय लागतों को शामिल न करना।
(c) आधारिक संरचना विकसित करते समय अनर्थकारी पारिस्थितिक दुष्परिणामों की उपेक्षा करना।
(d) किसी सरकारी परियोजना/कार्यक्रम में पर्यावरणीय लागतों के लिए अनिवार्य उपबंध करना।

4. वॉटरक्रेडिट' के संदर्भ में, निम्नलिखित कथनों पर विचार कीजिए: **[2021]**

1. यह जल एवं स्वच्छता क्षेत्र में कार्य के लिए सूक्ष्म वित्त साधनों (माइक्रोफाइनेंस टूल्स) को लागू करता है।
2. यह एक वैश्विक पहल है जिसे विश्व स्वास्थ्य संगठन और विश्व बैंक के तत्त्वावधान में प्रारंभ किया गया है।
3. इसका उद्देश्य निर्धन व्यक्तियों को सहायिकी के बिना अपनी जल-संबंधी आवश्यकताओं को पूरा करने के लिए समर्थ बनाना है।

उपर्युक्त कथनों में से कौन-से सही हैं?

(a) केवल 1 और 2 **(b)** केवल 2 और 3
(c) केवल 1 और 3 **(d)** 1, 2 और 3

5. UNEP द्वारा समर्थित 'कॉमन कार्बन मीट्रिक' को किसके लिए विकसित किया गया है? **[2021]**

(a) दुनिया भर में निर्माण कार्यों के कार्बन पदचिह्न का आकलन।
(b) कार्बन उत्सर्जन व्यापार में प्रवेश करने के लिए दुनिया भर में वाणिज्यिक कृषि संस्थाओं को सक्षम करना।
(c) सरकारों को अपने देशों के कारण समग्र कार्बन पदचिह्न का आकलन करने में सक्षम बनाना।

(d) एक इकाई समय में दुनिया द्वारा जीवाश्म ईंधन के उपयोग के कारण होनेवाले समग्र कार्बन फुट-प्रिंट का आकलन करना।

6. निम्नलिखित कथनों पर विचार कीजिए : **[2016]**
   1. संधारणीय विकास संबंधी लक्ष्य 'रोम क्लब' नामक एक विचार मंच द्वारा 1972 में प्रथम बार प्रस्तावित किये गये थे।
   2. संधारणीय विकास संबंधी लक्ष्यों को 2030 तक प्राप्त किया जाना है।

   उपर्युक्त कथनों में से कौन-सा/से सही है/हैं?

   (a) केवल 1 **(b)** केवल 2
   (c) 1 और 2 दोनों **(d)** न तो 1, न ही 2

7. 'राष्ट्रीय रूप से निर्धारित अभीष्ट अंशदान' को कभी-कभी समाचारों में निम्नलिखित में किस परिप्रेक्ष्य में देखा जाता है? **[2016]**
   (a) यूरोपीय देशों द्वारा युद्ध-प्रभावित मध्य-पूर्व के देशों से आनेवाले शरणार्थियों के पुनर्वास के लिए ली गयी शपथ
   (b) जलवायु परिवर्तन से मुक़ाबला करने के लिए विश्व के देशों द्वारा रेखांकित कार्य योजना
   (c) एशियाई अवसंरचना निवेश बैंक की स्थापना के लिए सदस्य देशों द्वारा प्रदत्त पूँजी
   (d) संधारणीय विकास संबंधी लक्ष्यों के सम्बन्ध में विश्व के देशों द्वारा रेखांकित कार्य योजना

8. प्राय: समाचारों में उल्लेख किया जानेवाला रियो+20 सम्मेलन क्या है? **[2015]**
   (a) यह संधारणीय विकास को लेकर आयोजित संयुक्त राष्ट्र सम्मेलन का नाम है।
   (b) यह विश्व व्यापार संगठन की मंत्री स्तर की बैठक है।
   (c) यह जलवायु परिवर्तन पर अंतरसरकारी पैनल का एक सम्मेलन है।
   (d) यह जैवविविधता अभिसमय के सदस्य देशों का एक सम्मेलन है।

☞ कोई प्रश्न नहीं
2020, 2019, 2018, 2017, 2014, 2013

उत्तर कुंजी

1. (c) 2. (a) 3. (a) 4. (c) 5. (a)
6. (b) 7. (b) 8. (a)

यूपीएससी सिविल सेवा के पिछले वर्षों की मुख्य परीक्षा के प्रश्न

1. इलेक्ट्रिक वाहनों को अपनाना दुनिया भर में तेजी से बढ़ रहा है। कार्बन उत्सर्जन को कम करने में इलेक्ट्रिक वाहन कैसे योगदान करते हैं और पारंपरिक दहन इंजन वाहनों की तुलना में वे क्या प्रमुख लाभ प्रदान करते हैं? **[2023]**
2. जलवायु परिवर्तन पर अंतर-सरकारी पैनल (आई.पी.सी.सी.) ने वैश्विक समुद्र-स्तर में 2100 ई. तक लगभग एक मीटर की वृद्धि का पूर्वानुमान लगाया है। हिंद महासागर क्षेत्र में भारत और दूसरे देशों में इसका क्या प्रभाव होगा? **[2023]**
3. क्या आपके विचार में भारत अपनी ऊर्जा आवश्यकता का 50 प्रतिशत भाग, वर्ष 2030 तक नवीकरणीय ऊर्जा से प्राप्त कर लेगा? अपने उत्तर के औचित्य को सिद्ध कीजिए। जीवाश्म ईंधनों से सब्सिडी हटाकर उसे नवीकरणीय ऊर्जा स्रोतों में लगाना उपर्युक्त उद्देश्य की पूर्ति में किस प्रकार सहायक होगा? समझाइए। **[2022]**
4. समावेशी प्रगति तथा संधारणीय विकास के दृष्टिकोण से साम्य या इक्विटी के अन्त:पीढ़ीगत एवं अंतर-पीढ़ीगत मामलों की व्याख्या कीजिए। **[2020]**
5. किसी वातावरण में प्रासंगिक एक पारितंत्र की वहन क्षमता की अवधारणा को परिभाषित करें। इस बात की व्याख्या कीजिए कि किसी क्षेत्र के संधारणीय विकास की योजना बनाते समय इस अवधारणा को समझना किस प्रकार महत्त्वपूर्ण है? **[2019]**
6. संधारणीय विकास संबंधी लक्ष्यों को प्राप्त करने के लिए वहनीय, भरोसेमंद, संधारणीय तथा आधुनिक ऊर्जा तक अभिगम अपरिहार्य है। इस सम्बन्ध में भारत में हासिल की गयी प्रगति पर टिप्पणी लिखिए। **[2018]**
7. कार्बन (क्रेडिट) क्रय-विक्रय के मूल्य में भारी गिरावट के बावजूद **UNFCCC** के अंतर्गत स्थापित कार्बन क्रेडिट तथा स्वच्छ विकास प्रणाली का अनुसरण सतत रूप से किया जाना चाहिए। आर्थिक प्रगति के लिए भारत की ऊर्जा संबंधी आवश्यकताओं के परिप्रेक्ष्य में इस पर चर्चा कीजिए। **[2014]**

☞ कोई प्रश्न नहीं
2024, 2021, 2017, 2016, 2015, 2013